ISBN 978-0-428-55810-9
PIBN 11244070

KAIS. KÖNIGL.

MILITÄR-SCHEMATISMUS

FÜR

1879.

WIEN.

AUS DER K. K. HOF- UND STAATSDRUCKEREI.

—

December 1878.

Inhalt.

K. K. Heer.

1*

THE UNIVERSITY OF MICHIGAN
LIBRARIES
THE UNIVERSITY OF MICHIGAN
ARTES SCIENTIA VERITAS
1817

THE UNIVERSITY OF MICHIGAN
LIBRARIES
ARTES SCIENTIA VERITAS
1817

Mil.	Militär.
o.	ordentlicher.
Obrlt.	Oberlieutenant.
Obstlt.	Oberstlieutenant.
Oekon.	Oekonomie.
Off.	Officier.
o. ö.	ordentlicher öffentlicher.
Pion.	Pionnier.
Pion.-R.	Pionnier-Regiment.
prov.	provisorisch.
Prov.-Off.	Proviant-Officier.
Rechn.-	Rechnungs-
Reg.	Regiment.
Res.	Reserve.
Ritt.	Ritter (Adelsgrad).
Rittm.	Rittmeister.
R.-Kriegs-Mstm.	Reichs-Kriegs-Ministerium.
San.-	Sanitäts-
S. M.	Seiner Majestät.
Sr.	Seiner.
Stellv.	Stellvertreter.
T. A.	Technische Artillerie.
techn.	technisch.
Tit.	Titular.
u.	und.
Uhl.	Uhlanen.
ung.	ungarisch.
ü. c.	übercomplet.
ü. z.	überzählig.
v.	von (Adelsbezeichnung).
WG.	Wartegebühr.
zug.	zugetheilt.
⚷	k. k. Kämmerer.

Inländische Orden und Decorationen.

GVO.	Orden vom goldenen Vliesse.
✠	Militär-Maria Theresien-Ordens-Ritter.
St.O.	St. Stephan-Orden.
ÖLO.	Leopold-Orden.
ÖEKO.(1., 2., 3.)	Orden der eisernen Krone 1., 2., 3. Classe.
ÖFJO.	Franz Joseph-Orden.
✠	Mitglied der Elisabeth-Theresien-Militär-Stiftung.
MVK.	Militär-Verdienst-Kreuz.
GGVK.	Goldenes geistliches Verdienst-Kreuz.
SGVK.	Silbernes geistliches Verdienst-Kreuz.
⊙	Goldene Tapferkeits-Medaille.
O (1., 2.)	Silberne Tapferkeits-Medaille (1. oder 2. Classe).
GVK.	Goldenes Verdienst-Kreuz.
SVK.	Silbernes Verdienst-Kreuz.
C⊙(1., 2., 3.)	Goldene Civil-Ehren-Medaille (grosse, mittlere, kleine).
DO.	Deutscher Orden.
JO.	Johanniter- (Malteser-Ritter-) Orden.
(KD.).	Kriegs-Decoration.
m. St.	mit dem Sterne.
m. Kr.	mit der Krone.
GK.	Grosskreuz.
C.	Commandeur (Comthur).
R.	Ritter.

Titel Seiner kaiserlichen und königlichen Apostolischen Majestät.

Grosser Titel.

Franz Joseph I., von Gottes Gnaden Kaiser von Oesterreich; König von Ungarn und Böhmen, von Dalmatien, Croatien, Slavonien, Galizien, Lodomerien und Illyrien; König von Jerusalem etc.; Erzherzog von Oesterreich; Grossherzog von Toscana und Krakau; Herzog von Lothringen, von Salzburg, Steyer, Kärnthen, Krain und der Bukowina; Grossfürst von Siebenbürgen; Markgraf von Mähren; Herzog von Ober- und Nieder-Schlesien, von Modena, Parma, Piacenza und Guastalla, von Auschwitz und Zator, von Teschen, Friaul, Ragusa und Zara; gefürsteter Graf von Habsburg und Tirol, von Kyburg, Görz und Gradisca; Fürst von Trient und Brixen; Markgraf von Ober- und Nieder-Lausitz und in Istrien; Graf von Hohenembs, Feldkirch, Bregenz, Sonnenberg etc.; Herr von Triest, von Cattaro und auf der windischen Mark; Grosswojwod der Wojwodschaft Serbien etc. etc.

Mittlerer Titel.

Franz Joseph I., von Gottes Gnaden Kaiser von Oesterreich; Apostolischer König von Ungarn, König von Böhmen, von Dalmatien, Croatien, Slavonien, Galizien, Lodomerien und Illyrien; Erzherzog von Oesterreich; Grossherzog von Krakau; Herzog von Lothringen, Salzburg, Steyer, Kärnthen, Krain, Bukowina, Ober- und Nieder-Schlesien; Grossfürst von Siebenbürgen; Markgraf von Mähren; gefürsteter Graf von Habsburg und Tirol etc. etc.

Kleiner Titel.

Franz Joseph I., von Gottes Gnaden Kaiser von Oesterreich König von Böhmen u. s. w. und Apostolischer König von Ungarn.

Genealogisches Verzeichniss

des

regierenden Kaiserhauses Oesterreich.

(Enthält den Stand des durchlauchtigsten Kaiserhauses bis Ende November 1878.)

Franz Joseph der Erste (Carl), Kaiser von Oesterreich, Apostolischer König von Ungarn; König von Böhmen, Dalmatien, Croatien, Slavonien, Galizien, Lodomerien und Illyrien; Erzherzog von Oesterreich etc. etc.; geb. zu Schönbrunn den 18. August 1830; trat nach der Thron-Entsagung Seines Oheims, Kaisers Ferdinand I., und nach der Thronfolge-Verzichtleistung Seines Vaters, Erzherzogs Franz Carl, am 2. December 1848 die Regierung der österreichischen Monarchie an, und wurde den 8. Juni 1867 zu Budapest als König von Ungarn gekrönt.

Gemahlin.

Elisabeth (Amalia Eugenia), Tochter Seiner königlichen Hoheit des Herzogs Maximilian Joseph in Bayern, höchste Schutzfrau des Sternkreuz-Ordens; oberste Schutzfrau und Ober-Directorin des adeligen freiweltlichen Damenstiftes Maria-Schul zu Brünn, oberste Schutzfrau des adeligen Damenstiftes zu Innsbruck etc. etc.; geb. zu Possenhofen den 24. December 1837, und vermählt in Wien den 24. April 1854; wurde den 8. Juni 1867 zu Budapest als Königin von Ungarn gekrönt.

Kinder.

a) (**Sophia** [Friederica Dorothea Maria Josepha], kais. Prinzessin und Erzherzogin von Oesterreich etc. etc.; geb. in Wien den 5. März 1855, gest. zu Budapest den 29. Mai 1857.)

b) **Gisela** (Ludovica Maria), kais. Prinzessin und Erzherzogin von Oesterreich, königliche Prinzessin von Ungarn, Böhmen etc. etc.; Sternkreuz-, des spanischen Marien-Louisen- und des portugiesischen Isabellen-Ordens-Dame etc. etc.; geb. zu Laxenburg den 12. Juli 1856, verlobt den 7. April 1872 im königl. Schlosse zu Budapest, vermählt zu Wien den 20. April 1873, mit Seiner königlichen Hoheit dem Prinzen Leopold (Maximilian Joseph Maria Arnulph) von Bayern, zweitem Sohne Sr. königl. Hoheit des Prinzen Luitpold von Bayern; Ritter des goldenen Vliesses etc., Oberst-Inhaber des k. k. Feld-Artillerie-Regiments Nr. 13, geb. den 9. Februar 1846.

c) **Rudolph** (Franz Carl Joseph), des Kaiserthums Oesterreich Kronprinz und Thronfolger, königl. Prinz von Ungarn und Böhmen etc. etc.; Erzherzog von Oesterreich, Ritter des Ordens vom goldenen Vliesse, Grosskreuz des St. Stephan-Ordens, Grosskreuz und Ehren-Bailli des souveränen Johanniter-Ordens, k. k. Oberst beim Infanterie-Regimente Freiherr v. Ziemięcki Nr. 36, k. k. Linienschiffs-Capitän, Inhaber des Infanterie-Regiments Nr. 19 und des Feld-Artillerie-Regiments Nr. 2, Chef des kaiserlich russischen Infanterie-Regiments „Sevsky" Nr. 34 und des königl. preussischen 2. brandenburgischen Uhlanen-Regiments Nr. 11, Oberst-Inhaber des königlich bayerischen 2. schweren Reiter-Regiments und Oberst à la suite des königl. preussischen Kaiser Franz Garde-Grenadier-Regiments Nr. 2; geb. zu Laxenburg den 21. August 1858.

d) **Maria Valeria** (Mathilde Amalia), kais. Prinzessin und Erzherzogin von Oesterreich, königl. Prinzessin von Ungarn und Böhmen etc. etc.; geb. zu Budapest den 22. April 1868.

Geschwister Seiner Majestät des Kaisers und Königs.

Kaiserliche Prinzen und Prinzessinnen, Erzherzoge und Erzherzoginnen von Oesterreich etc. etc.

1. (**Maximilian I.** [Ferdinand Joseph], Kaiser von Mexico, Ritter des Ordens vom goldenen Vliesse, Grosskreuz des St. Stephan- und des souveränen Ordens des heiligen Johann von Jerusalem, Inhaber des Uhlanen-Regiments Nr. 8, Chef des königl. preussischen 3. Dragoner-Regiments; geb. den 6. Juli 1832, gestorben zu Queretaro in Mexico den 19. Juni 1867.)

Gemahlin.

Charlotte Maria (Amalia Augusta Victoria Clementina Leopoldina), Tochter weiland Seiner Majestät des Königs der Belgier, Leopold I., Sternkreuz-Ordens-Dame, Devotions-Grosskreuz des souveränen Ordens des heiligen Johann von Jerusalem etc. etc.; geb. den 7. Juni 1840, und vermählt zu Brüssel den 27. Juli 1857, Witwe seit 19. Juni 1867.

2. **Carl Ludwig** (Joseph Maria), Ritter des Ordens vom goldenen Vliesse, Grosskreuz des St. Stephan-Ordens, k. k. Feldmarschall-Lieutenant, Inhaber des Uhlanen-Regiments Nr. 7, Chef des kaiserl. russischen Lubow'schen Huszaren-Regiments Nr. 4 und des königl. preussischen ostpreussischen Uhlanen-Regiments Nr. 8; geb. den 30. Juli 1833.

Erste Gemahlin.

(**Margaretha** [Carolina Friederica Cäcilia Augusta Amalia Josephina Elisabetha], Tochter weiland Seiner Majestät des Königs Johann von Sachsen, Sternkreuz-Ordens-Dame; geb. den 24. Mai 1840, vermählt zu Dresden den 4. November 1856 und gest. zu Monza den 15. September 1858.)

Zweite Gemahlin.

(**Maria Annunciata** [Isabella Philomena Sabasia], Tochter weiland Seiner Majestät Ferdinand II. Königs beider Sicilien, Sternkreuz-Ordens-Dame; geb. den 24. März 1843, vermählt durch Procuration zu Rom den 16., und vollzogen zu Venedig den 21. October 1862, gest. in Wien den 4. Mai 1871.)

Dritte Gemahlin.

Maria Theresia (Immaculata Ferdinanda Eulalia Leopoldina Adelheid Isabelle Charlotte Michaela Raphaela Gabriela Francisca de Assisi und de Paula Gonzaga Agnes Sophia Bartholomea dos Anjos), Tochter weiland Seiner königlichen Hoheit Dom Miguel, Infanten von Portugal; Sternkreuz-Ordens-Dame; geb. den 24. August 1855, vermählt zu Heubach den 23. Juli 1873.

Kinder der zweiten Ehe.

a) **Franz** (Ferdinand Carl Ludwig Joseph Maria), Erzherzog von Oesterreich-Este, Ritter des Ordens vom goldenen Vliesse, k. k. Lieutenant im Infanterie-Regimente Nr. 32; geb. den 18. December 1863.

b) **Otto** (Franz Joseph Carl Ludwig Maria), geb. zu Graz den 21. April 1865.

c) **Ferdinand** (Carl Ludwig Joseph Johann Maria), geb. in Wien den 27. December 1868.

d) **Margaretha** (Sophia Maria Annunciata Theresia Carolina Louise Josepha Johanna), geb. zu Artstätten bei Melk in Niederöstereich den 13. Mai 1870.

Kinder der dritten Ehe.

a) **Maria Annunciata** (Adelheid Theresia Michaela Carolina Louise Pia Ignatia), geb. zu Reichenau in Niederösterreich den 31. Juli 1876.

b) **Elisabeth** (Amalia Eugenie Maria Theresia Louise Josepha), geb. zu Reichenau in Niederösterreich den 7. Juli 1878.

3. (**Maria Anna Carolina** [Pia], geb. den 27. October 1835, gest. den 5. Februar 1840.)

4. **Ludwig Victor** (Joseph Anton), Ritter des Ordens vom goldenen Vliesse, k. k. General-Major und Inhaber des Infanterie-Regiments Nr. 65, dann Chef des kaiserl. russischen Infanterie-Regiments von Tomsk Nr. 39; geb. den 15. Mai 1842.

Aeltern Seiner Majestät des Kaisers und Königs.

(**Franz Carl** [Joseph], kaiserl. Prinz und Erzherzog von Oesterreich, königl. Prinz von Ungarn und Böhmen etc., Ritter des Ordens vom goldenen Vliesse, Grosskreuz des St. Stephan-Ordens, k. k. Feldmarschall-Lieutenant, Inhaber des Infanterie-Regiments Nr. 52, und Chef des kaiserl. russischen Grenadier-Regiments von Samogit Nr. 3; geb. den 7. December 1802; verzichtete auf die Thronfolge nach der Thron-Entsagung Seines Bruders, Kaisers Ferdinand I., zu Gunsten Seines erstgebornen Sohnes, Seiner Majestät des Kaisers Franz Joseph I., den 2. December 1848; gest. in Wien den 8. März 1878.)

Gemahlin.

(**Sophia** [Friederica Dorothea], Tochter weiland Seiner Majestät des Königs von Bayern, Maximilian I. (Joseph), Sternkreuz-Ordens-Dame; geb. den 27. Jänner 1805, und vermählt in Wien den 4. November 1824, gest. in Wien den 28. Mai 1872.)

Vaters Geschwister:

a) Halb-Schwester.

(**Ludovica** [Elisabetha Francisca], königl. Prinzessin von Ungarn und Böhmen, Erzherzogin von Oesterreich; geb. den 17. Februar 1790, gest. den 26. Juni 1791.)

b) Vollbürtige Geschwister.

Kaiserl. Prinzen und Prinzessinnen, Erzherzoge und Erzherzoginnen von Oesterreich etc. etc.

1. (**Maria Ludovica** [Leopoldina Francisca Theresia Josepha Lucia], kaiserl. Prinzessin und Erzherzogin von Oesterreich, königl. Prinzessin von Ungarn und Böhmen, Herzogin von Parma, Piacenza und Guastalla etc., Sternkreuz-Ordens-Dame; geb. den 12. December 1791, vermählt durch Procuration in Wien den 11. März, und vollzogen zu Paris den 2. April 1810, mit dem damaligen Kaiser Napoleon I.; Witwe seit 5. Mai 1821; gest. zu Parma den 17. December 1847.)
2. (**Ferdinand I.** [Carl Leopold Joseph Franz Marcellin], Inhaber des Dragoner-Regiments Nr. 4; geb. in Wien den 19. April 1793, gekrönt als König von Ungarn zu Pressburg den 28. September 1830; trat nach dem Ableben Seines Vaters, Kaisers Franz I., den 2. März 1835 die Regierung der österreichisch-ungarischen Monarchie an; liess Sich am 14. Juni 1835 in Wien huldigen, wurde gekrönt als König von Böhmen den 7. September 1836 zu Prag, und als König der Lombardie und Venedigs den 6. September 1838 zu Mailand, entsagte dem österreichischen Kaiserthrone zu Gunsten Seines Neffen, Seiner Majestät des Kaisers Franz Joseph I., den 2. December 1848, nach vorhergegangener Thronfolge-Verzichtleistung Seines Bruders, des Erzherzogs Franz Carl; gest. zu Prag den 29. Juni 1875.)

Gemahlin.

Maria Anna Carolina (Pia), Tochter weiland Seiner Majestät des Königs Victor Emanuel I. von Sardinien, Sternkreuz-Ordens-Dame etc. etc.; geb. den 19. September 1803, vermählt durch Procuration zu Turin den 12. Februar und vollzogen in Wien den 27. Februar 1831; gekrönt als Königin von Böhmen den 12. September 1836 zu Prag, Witwe seit 29. Juni 1875.

3. (**Carolina** [Leopoldina Francisca], geb. den 8. Juni 1794, gest. den 16. März 1795.)
4. (**Carolina** [Ludovica Leopoldina], geb. den 4. December 1795, gest. den 30. Juni 1799.)
5. (**Leopoldina** [Carolina Josepha], Sternkreuz-Ordens-Dame; geb. den 22. Jänner 1797, gest. den 11. December 1826, vermählt durch Procuration in Wien den 13. Mai, vollzogen zu Rio de Janeiro den 6. November 1817, mit Dom Pedro I. [Alcantara Anton Joseph], Herzoge von Braganza; geb. den 12. October 1798, abdicirte als Kaiser von Brasilien den 7. April 1831, gest. den 24. September 1834.)

6. **Maria Clementina** (Francisca Josepha), Sternkreuz-Ordens-Dame; geb. den 1. März 1798, vermählt zu Schönbrunn den 28. Juli 1816 mit Leopold (Johann Joseph), königl. Prinzen beider Sicilien, Prinzen von Salerno, k. k. Oberst und Inhaber des Infanterie-Regiments Nr. 22, geb. den 2. Juli 1790; Witwe seit 10. März 1851.

7. (**Joseph** [Franz Leopold], Inhaber des Infanterie-Regiments Nr. 63; geb. den 9. April 1799, gest. den 29. Juni 1807.)

8 (**Carolina** [Ferdinanda Theresia Josepha Demetria], Sternkreuz-Ordens-Dame; geb. den 8. April 1801, gest. den 22. Mai 1832; vermählt durch Procuration in Wien den 26. September, und vollzogen zu Dresden den 7. October 1819 mit Friedrich August Albert, königl. Prinzen und Mitregenten, nachmaligem Könige von Sachsen, geb. den 18. Mai 1797, gest. zu Brennbühel in Tirol den 9. August 1854.)

9. (**Maria Anna** [Francisca Theresia Josepha Medarda], Sternkreuz-Ordens-Dame; geb. den 8. Juni 1804, gest. zu Baden bei Wien den 28. December 1858.)

10. (**Johann Nepomuk** [Carl Franz Joseph Felix], Inhaber des Infanterie-Regiments Nr. 35; geb. den 29. August 1805, gest. den 19. Februar 1809.)

11. (**Amalia** [Theresia Francisca Josepha Cölestina], geb. den 6. und gest. den 9. April 1807.)

Gross-Aeltern Seiner Majestät des Kaisers und Königs.

(**Franz I.** [Joseph Carl], geb. zu Florenz den 12. Februar 1768; trat nach dem Ableben Seines Vaters, Kaiser Leopold II., den 1. März 1792 die Regierung der österreichisch-ungarischen Monarchie an, und liess Sich den 28. April 1792 in Wien huldigen; wurde in demselben Jahre den 6. Juni zu Budapest als König von Ungarn, den 14. Juli zu Frankfurt am Main als römischer Kaiser und den 9. August zu Prag als König von Böhmen gekrönt; erklärte Sich den 11. August 1804 zum Kaiser von Oesterreich, und legte den 6. August 1806 die deutsche Kaiserwürde nieder; gest. den 2. März 1835.)

Erste Gemahlin.

(**Elisabetha** [Wilhelmina Ludovica], Tochter des Herzogs Friedrich Eugen von Württemberg, Sternkreuz-Ordens-Dame; geb. zu Treptow den 21. April 1767, vermählt den 6. Jänner 1788 und gest. den 18. Februar 1790.)

Zweite Gemahlin,

Grossmutter Seiner gegenwärtig regierenden kaiserlichen und königlichen Apostolischen Majestät.

(**Maria Theresia** [Carolina Josepha], Tochter weiland Seiner Majestät Ferdinand I., Königs beider Sicilien; geb. zu Neapel den 6. Juni 1772, vermählt durch Procuration zu Neapel den 15. August, und vollzogen in Wien den 19. September 1790, gest. den 13. April 1807.)

Dritte Gemahlin.

(**Maria Ludovica** [Beatrix Antonia Josepha Johanna], Tochter weiland Seiner königl. Hoheit des Erzherzogs Ferdinand von Este, vormaligen Gouverneurs und General-Capitäns der österreichischen Lombardie; geb. den 14. December 1787, vermählt in Wien den 6. Jänner 1808, gest. den 7. April 1816.)

Vierte Gemahlin.

(**Carolina Augusta,** Tochter weiland Seiner Majestät des Königs von Baiern, Maximilian I. (Joseph), höchste Schutzfrau des Sternkreuz-Ordens; geb. den 8. Februar 1792, vermählt durch Procuration zu München den 29. October und vollzogen in Wien den 10. November 1816; Witwe seit 2. März 1835; gest. in Wien den 9. Februar 1873.)

Grossvaters Geschwister:

Kaiserl. Prinzen und Prinzessinnen, Erzherzoge und Erzherzoginnen von Oesterreich etc. etc.

A) (**Maria Theresia** [Josepha Carolina Johanna], Sternkreuz-Ordens-Dame; geb. den 14. Jänner 1767, gest. den 7. November 1827; vermählt durch Procuration zu Florenz den 8. September und vollzogen zu Dresden den 18. October 1787 mit Anton [Clemens Theodor], königl. Prinzen, nachmaligem Könige von Sachsen, geb. den 27. December 1755, gest. den 6. Juni 1836.)

B) (**Ferdinand** [Joseph Johann Baptist], Grossherzog von Toscana etc. etc., Ritter des Ordens vom goldenen Vliesse, Grosskreuz des St. Stephan-Ordens, Ritter des kaiserl. österreichischen Ordens der eisernen Krone erster Classe, k. k. Feldmarschall und Inhaber des Infanterie-Regiments Nr. 7; geb. den 6. Mai 1769, gest. den 18. Juni 1824.)

Erste Gemahlin.

(**Ludovica** [Amalia Theresia], Tochter weiland Seiner Majestät Ferdinand I., Königs beider Sicilien, Sternkreuz-Ordens-Dame; geb. den 27. Juli 1773; vermählt durch Procuration zu Neapel den 15. August, und vollzogen in Wien den 19. Sept. 1790, gest. den 19. Sept. 1802.)

Zweite Gemahlin.

(**Maria Anna** [Ferdinanda Amalia], zweite Tochter des königl. Prinzen Maximilian von Sachsen, Sternkreuz-Ordens-Dame; geb. den 27. April 1796, vermählt zu Florenz den 6. Mai 1821; gest. im Schlosse zu Brandeis an der Elbe in Böhmen den 3. Jänner 1865.)

Kinder der ersten Ehe.

a) (**Carolina** [Ferdinanda Theresia], geb. den 2. August 1793, gest. den 5. Jänner 1812.)

b) (**Franz** [Leopold Ludwig], geb. den 15 December 1794, gest. den 18. Mai 1800.)

c) (**Leopold II.** [Johann Joseph Franz Ferdinand Carl], kaiserl. Prinz und Erzherzog von Oesterreich, königl. Prinz von Ungarn und Böhmen, Grossherzog von Toscana etc. etc., Ritter des Ordens vom goldenen Vliesse, Grosskreuz des St. Stephan-Ordens, k. k. General der Cavallerie und Inhaber des Infanterie-Regiments Nr. 71; geb. den 3. October 1797; abdicirte am 21. Juli 1859 zu Gunsten Seines Sohnes, des Erb-Grossherzogs Ferdinand Salvator, gest. zu Rom, den 29. Jänner 1870.)

Erste Gemahlin.

(**Maria Anna** [Carolina], dritte Tochter des königl. Prinzen Maximilian von Sachsen, Sternkreuz-Ordens-Dame; geb. den 15. November 1799, vermählt durch Procuration zu Dresden den 28. October und vollzogen zu Florenz den 16. November 1817, gest. den 24. März 1832.)

Zweite Gemahlin.

Maria Antonia, dritte Tochter weiland Seiner Majestät des Königs Franz I. beider Sicilien, Sternkreuz-Ordens-, des kaiserl. russischen St. Katharina-Ordens (in Brillanten), des königl. spanischen Marien-Louisen- und des königl. bayrischen St. Elisabeth-Ordens-Dame; geb. den 19. December 1814, vermählt zu Neapel den 7. Juni 1833, Witwe seit 29. Jänner 1870.

Kinder der ersten Ehe.

1. (**Carolina Augusta** [Elisabetha Vincentia Johanna Josepha], geb. den 19. November 1822, gest. den 5. October 1841.)
2. (**Augusta** [Ferdinanda Luisa Maria Johanna Josepha], Sternkreuz-Ordens-Dame; geb. den 1. April 1825, vermählt zu Florenz den 15. April 1844 mit Luitpold [Carl Joseph Wilhelm Ludwig], königl. Prinzen von Bayern, geb. den 12. März 1821; gest. zu München den 26. April 1864.)
3. (**Maria** [Maximiliana Thekla Johanna Josepha], geb. den 9. Jänner 1827, gest. den 18. Mai 1834.)

Kinder der zweiten Ehe.

1. **Maria Isabella**, kaiserl. Prinzessin und Erzherzogin von Oesterreich, königl. Prinzessin von Ungarn und Böhmen, grossherzogliche Prinzessin von Toscana; Sternkreuz-Ordens-Dame; geb. den 21. Mai 1834, vermählt zu Florenz den 10. April 1850 mit Seiner königl. Hoheit Don Francesco di Paoli (Ludwig Emanuel), Grafen von Trapani, königl. Prinzen beider Sicilien, geb. den 13. August 1827.
2. **Ferdinand IV.** (Salvator Maria Joseph Johann Baptist Franz Ludwig Gonzaga Raphael Rainer Januarius), kaiserl. Prinz und Erzherzog von Oesterreich, königl. Prinz von Ungarn und Böhmen, Grossherzog von Toscana etc. etc., in Folge Abdication Seines Vaters, des Grossherzogs Leopold II., seit 21. Juli 1859; Ritter des Ordens vom goldenen Vliesse, k. k. General-Major und Inhaber des Infanterie-Regiments Nr. 66; geb. den 10. Juni 1835.

Erste Gemahlin.

(**Anna** [Maria], Tochter weiland Seiner Majestät des Königs Johann von Sachsen, Sternkreuz-Ordens-Dame; geb. den 4. Jänner 1836, und vermählt zu Dresden den 24. November 1856, gest. zu Neapel den 10. Februar 1859.)

Zweite Gemahlin.

Alice (Maria Carolina Ferdinanda Rachel Johanna Philomenia), Sternkreuz- und des königl. bayerischen St. Elisabeth-Ordens-Dame, Tochter weiland des Herzogs Ferdinand Carl III. von Parma; geb. den 27. December 1849, vermählt zu Frohsdorf den 11. Jänner 1868.

Kind der ersten Ehe.

Maria Antonia (Leopoldina Annunciata Anna Amalia Josepha Johanna Thekla), kaiserl. Prinzessin und Erzherzogin von Oesterreich, königl. Prinzessin von Ungarn und Böhmen, grossherzogliche Prinzessin von Toscana; Sternkreuz-Ordens-Dame; geb. zu Florenz den 10. Jänner 1858.

Kinder der zweiten Ehe.

a) **Leopold Ferdinand Salvator** (Maria Joseph Johann Baptist Zenobin Rupertus Ludwig Carl Jakob Bibiana), kaiserl. Prinz und Erzherzog von Oesterreich, königl. Prinz von Ungarn und Böhmen, grossherzoglicher Prinz von Toscana; geb. zu Salzburg den 2. December 1868.

b) **Louise** (Antonia Maria), kaiserliche Prinzessin und Erzherzogin von Oesterreich, königliche Prinzessin von Ungarn und Böhmen, grossherzogliche Prinzessin von Toscana, geb. zu Salzburg den 2. September 1870.

c) **Joseph Ferdinand Salvator**, kaiserl. Prinz und Erzherzog von Oesterreich, königl. Prinz von Ungarn und Böhmen, grossherzogl. Prinz von Toscana; geb. zu Salzburg den 24. Mai 1872.

d) **Peter Ferdinand Salvator** (Carl Ludwig Maria Joseph Leopold Anton Rupert Pius Pankraz), kaiserl. Prinz und Erzherzog von Oesterreich, königl. Prinz von Ungarn und Böhmen, grossherzogl. Prinz von Toscana; geb. zu Salzburg den 12. Mai 1874.

e) **Heinrich Ferdinand Salvator** (Maria Joseph), kaiserl. Prinz und Erzherzog von Oesterreich, königl. Prinz von Ungarn und Böhmen, grossherzogl. Prinz von Toscana; geb. zu Salzburg den 13. Februar 1878.

3\. (**Maria Theresia** [Annunciata Johanna Josepha Paulina Luisa Virginia Appollonia Philomena], kaiserl. Prinzessin und Erzherzogin von Oesterreich, königl. Prinzessin von Ungarn und Böhmen, grossherzogl. Prinzessin von Toscana; geb. den 29. Juni 1836, gest. den 5. August 1838.)

4\. (**Maria Christina** [Annunciata Agatha Dorothea Johanna Josepha Luisa Philomena Anna], kaiserl. Prinzessin und Erzherzogin von Oesterreich, königl. Prinzessin von Ungarn und Böhmen, grossherzogl. Prinzessin von Toscana; geb. den 5. Februar 1838, gest. den 1. September 1849.)

5\. **Carl Salvator** (Maria Joseph Johann Baptist Philipp Jakob Januarius Ludwig Gonzaga Rainer), kaiserl. Prinz und Erzherzog von Oesterreich, königl. Prinz von Ungarn und Böhmen, grossherzogl. Prinz von Toscana, Ritter des Ordens vom goldenen Vliesse, k. k. General-Major und Inhaber des Infanterie-Regiments Nr. 77; geb. den 30. April 1839.

Gemahlin.

Maria Immaculata (Clementine), Tochter weiland Seiner Majestät Ferdinand II., Königs beider Sicilien, Sternkreuz- und des königl. bayerischen St. Elisabeth-Ordens-Dame; geb. zu Neapel den 14. April 1844, und vermählt zu Rom den 19. September 1861.

Kinder.

a) **Maria Theresia** (Antonia Immaculata Josepha Ferdinanda Leopoldina Francisca Carolina Isabella Januaria Aloisia Christina Anna), kaiserl. Prinzessin und Erzherzogin von Oesterreich, königl. Prinzessin von Ungarn und Böhmen, grossherzogl. Prinzessin von Toscana; geb. zu Alt-Bunzlau in Böhmen den 18. September 1862.

b) **Leopold Salvator** (Maria Joseph Ferdinand Franz d'Assisi Carl Anton von Padua Johann Baptist Januarius Alois Gonzaga Rainer Wenzel Gallus), kaiserl. Prinz und Erzherzog von Oesterreich, königl. Prinz von Ungarn und Böhmen, grossherzogl. Prinz von Toscana, Ritter des Ordens vom goldenen Vliesse, k. k. Lieutenant im Infanterie-Regimente Erzherzog Carl Salvator Nr. 77; geb. zu Alt-Bunzlau in Böhmen den 15. October 1863.

c) **Franz Salvator** (Maria Joseph Ferdinand Carl Leopold Anton von Padua Johann Baptist Januarius Alois Gonzaga Rainer Benedict Bernhard), kaiserl. Prinz und Erzherzog von Oesterreich, königl. Prinz von Ungarn und Böhmen, grossherzogl. Prinz von Toscana, geb. zu Alt-Münster bei Gmunden in Oberösterreich den 21. August 1866.

d) **Carolina** (Maria Immaculata Josepha Ferdinanda Theresia Leopoldina Antonia Francisca Isabella Louise Januaria Christina Benedicte Laurentia Justiniana), kaiserl. Prinzessin und Erzherzogin von Oesterreich, königl. Prinzessin von Ungarn und Böhmen, grossherzogliche Prinzessin von Toscana, geb. zu Alt-Münster bei Gmunden in Oberösterreich den 5. Sept. 1869.

e) **Albrecht Salvator** (Maria Joseph Ferdinand Carl Anton von Padua Johann Baptist Januarius Alois Gonzaga Rainer Wenzel Clemens Romanus), kaiserl. Prinz und Erzherzog von Oesterreich, königl. Prinz von Ungarn und Böhmen, grossherzogl. Prinz von Toscana; geb. den 22. November 1871.

f) **Maria Antonia** (Immaculata Josepha Ferdinandine Theresia Leopoldine Francisca Caroline Isabella Januaria Aloisia Christine Apollonia), kaiserl. Prinzessin und Erzherzogin von Oesterreich, königl. Prinzessin von Ungarn und Böhmen, grossherzogl. Prinzessin von Toscana; geb. zu Wien den 18. April 1874.

g) **Maria Immaculata** (Henriette Josepha Ferdinanda Therese Leopoldine Antonia Francisca Caroline Isabella Louise Januaria Christine Philomena Rosalia), kaiserl. Prinzessin und Erzherzogin von Oesterreich, königl. Prinzessin von Ungarn und Böhmen, grossherzogl. Prinzessin von Toscana; geb. den 3. September 1878.

6 (**Maria Anna** [Carolina Annunciata Johanna Josepha Gabriela Theresia Katharina Margaretha Philomena], kaiserl. Prinzessin und Erzherzogin von Oesterreich, königl. Prinzessin von Ungarn und Böhmen, grossherzogliche Prinzessin von Toscana; geb. den 9. Juni 1840, gest. den 13. August 1841.)

7. (**Rainer** [Salvator Maria Stephan Joseph Johann Philipp Jakob Antoninus Zenobius Alois Gonzaga], kaiserl. Prinz und Erzherzog von Oesterreich, königl. Prinz von Ungarn und Böhmen, grossherzogl. Prinz von Toscana; geb. den 1. Mai 1842, gest. den 14. August 1844.)

8. **Maria Louisa Annunciata** (Anna Johanna Josepha Antonia Philomena Appollonia Tomasa), kaiserl. Prinzessin und Erzherzogin von Oesterreich, königl. Prinzessin von Ungarn und Böhmen, grossherzogliche Prinzessin von Toscana, Sternkreuz-Ordens-Dame, geb. den 31. October 1845, vermählt zu Brandeis an der Elbe in Böhmen den 31. Mai 1865 mit Seiner Durchlaucht dem Prinzen Carl (Victor Amadeus Wolfgang Casimir Adolph Botho) von Ysenburg-Birstein; geb. den 29. Juli 1838.

9. **Ludwig Salvator** (Maria Joseph Johann Baptist Dominik Rainer Ferdinand Carl Zenobius Antonius), kaiserl. Prinz und Erzherzog von Oesterreich, königl. Prinz von Ungarn und Böhmen, grossherzogl. Prinz von Toscana, Ritter des goldenen Vliesses, k. k. Oberst und Inhaber des Infanterie-Regiments Nr. 58; geb. den 4. August 1847.

10. **Johann Nepomuk Salvator** (Maria Joseph Johann Baptist Ferdinand Balthasar Ludwig Gonzaga Peter Alexander Zenobius Antonius), kaiserl. Prinz und Erzherzog von Oesterreich, königl. Prinz von Ungarn und Böhmen, grossherzogl. Prinz von Toscana, Ritter des Ordens vom goldenen Vliesse, Besitzer des Militär-Verdienstkreuzes mit der Kriegs-Decoration, k. k General-Major, Commandant der XVIII. Infanterie-Truppen-Division zu Mostar und Inhaber des Feld-Artillerie-Regiments Nr. 11; geb. den 25. November 1852.

A) (**Maria Ludovica** [Johanna Josepha Carolina], kaiserl. Prinzessin und Erzherzogin von Oesterreich, königl. Prinzessin von Ungarn und Böhmen, grossherzogl. Prinzessin von Toscana, Sternkreuz-Ordens-Dame und Aebtissin des Fräulein-Stiftes zur heil. Anna; geb. den 30. August 1798, gest. zu Florenz den 15. Juni 1857.)

B) (**Maria Theresia** [Francisca Josepha Johanna Benedicta], kaiserl. Prinzessin und Erzherzogin von Oesterreich, königl. Prinzessin von Ungarn und Böhmen, grossherzogl. Prinzessin von Toscana, Sternkreuz-Ordens-Dame; geb. den 21. März 1801, vermählt zu Florenz den 30. September 1817 mit Seiner Majestät dem vormaligen Könige von Sardinien, Carl Albert Amadeus, geb. den 2. October 1798; Witwe seit 28. Juli 1849; gest. den 12. Jänner 1855.)

C) (**Maria Anna** [Ferdinanda Henriette], Sternkreuz-Ordens-Dame; geb. den 21. April 1770 gest. den 1. October 1809 zu Neudorf im Banate und daselbst auch beigesetzt.)

D) (**Carl** [Ludwig Johann Joseph Laurenz], Ritter des Ordens vom goldenen Vliesse, Grosskreuz des Mil.-Maria-Theresien-Ordens in Brillanten, Gouverneur und General-Capitän des Königreiches Böhmen, k. k. Feldmarschall, Inhaber des Infanterie-Regiments Nr. 3 und des Uhlanen-Regiments Nr. 3; geb. den 5. September 1771, gest. in Wien den 30. April 1847.)

Gemahlin.

(**Henriette** [Alexandrina Friederica Wilhelmina], Tochter des souveränen Fürsten Friedrich Wilhelm von Nassau-Weilburg; geb. den 30. October 1797, vermählt zu Weilburg den 17. September 1815, gest. den 29. December 1829.)

Kinder.

1. (**Maria Theresia** [Isabella], Sternkreuz-Ordens-Dame; geb. den 31. Juli 1816, vermählt zu Trient den 9. Jänner 1837 mit Seiner Majestät Ferdinand II., Könige beider Sicilien, geb. den 12. Jänner 1810, Witwe seit 22. Mai 1859; gest. zu Albano im Kirchenstaate den 8. August 1867.

2. **Albrecht** (Friedrich Rudolph), Herzog von Teschen, Ritter des Ordens vom goldenen Vliesse, Grosskreuz des Mil.-Maria-Theresien- und des St. Stephan-Ordens, Besitzer des Militär-Verdienstkreuzes mit der Kriegs-Decoration, k. k. Feldmarschall, General-Inspector des k. k. Heeres, Inhaber des Infanterie-Regiments Nr. 44 und des Dragoner-Regiments Nr. 4, Chef des kaiserl. russischen 86. Infanterie-Regiments Wilmanstrand und des lithau'schen 5. Uhlanen-Regiments, dann des königl. preussischen 2. ostpreussischen Grenadier-Regiments Nr. 3; geb. den 3. August 1817.

Gemahlin.

(**Hildegarde** [Louise Charlotte Therese Friederike], dritte Tochter Seiner Majestät des Königs Ludwig I. von Bayern, Sternkreuz-Ordens-Dame; geb. den 10. Juni 1825, vermählt zu München den 1. Mai 1844, gest. in Wien den 2. April 1864.)

Kinder.

a) **Maria Theresia** (Anna), Sternkreuz-Ordens-Dame, geb. den 15. Juli 1845, vermählt in Wien den 7. Jänner 1865 mit Seiner königl. Hoheit dem Herzoge Philipp (Alexander Maria Ernst) von Württemberg, Ritter des Ordens vom goldenen Vliesse, k. k. und k. württemberg'scher Oberst; geb. den 30. Juli 1838.

b) (**Carl Albert** [Ludwig], geb. den 3. Jänner 1847, gest. zu Prag den 19. Juli 1848.)

c) (**Mathilde** [Maria Adelgunde Alexandra], geb. den 25. Jänner 1849, gest. zu Hetzendorf bei Wien den 6. Juni 1867.)

3. (**Carl Ferdinand**, Ritter des Ordens vom goldenen Vliesse, Grosskreuz des St. Stephan-Ordens, k. k. General der Cavallerie, Inhaber des Infanterie-Regiments Nr. 51, und Chef des kaiserl. russischen Uhlanen-Regiments von Bjelgorod Nr. 12; geb. den 29. Juli 1818, gest. zu Selowitz in Mähren den 20. November 1874.)

Gemahlin:

Elisabeth (Francisca Maria), Tochter weiland Seiner kaiserl. königl. Hoheit des Erzherzogs Joseph, Palatin, Sternkreuz-Ordens-Dame; geb. den 17. Jänner 1831 (seit 15. December 1849 Witwe Seiner königl. Hoheit des Erzherzogs Ferdinand Carl Victor von Este); vermählt in Wien den 18. April 1854, Witwe seit 20. November 1874.

Kinder.

a) (**Franz Joseph** [Maria Carl], geb. zu Ofen den 5., gest. den 13. März 1855.)

b) **Friedrich** (Maria Albrecht Wilhelm Carl), Ritter des Ordens vom goldenen Vliesse, k. k. Oberstlieutenant beim Infanterie-Regimente Graf Huyn Nr. 13; geb. zu Selowitz in Mähren den 4. Juni 1856.

Gemahlin.

Isabella (Hedwig Francisca Natalie), Prinzessin von Croÿ-Dülmen, geb. den 27. Februar 1856, vermählt zu Schloss Hermitage in Frankreich den 8. October 1878.

c) **Maria Christina** (Desideria Henriette Felicitas Rainera), Aebtissin des theresianischen adeligen Damen-Stiftes auf dem Hradschin zu Prag (installirt den 10. October 1876); geb. zu Selowitz in Mähren den 21. Juli 1858.

d) **Carl Stephan** (Eugen Victor Felix Maria), Ritter des Ordens vom goldenen Vliesse, k. k. Lieutenant im Infanterie-Regimente Kaiser Franz Joseph Nr. 1; geb. zu Selowitz in Mähren den 5. September 1860.

e) **Eugen** (Ferdinand Pius Bernhard Felix Maria), Ritter des Ordens vom goldenen Vliesse, k. k. Lieutenant im Tiroler Jäger-Regimente Kaiser Franz Joseph; geb. zu Selowitz in Mähren den 21. Mai 1863.

f) (**Maria Eleonora** [Gratia Carolina Ludovica Elisabeth Philomena Walpurga], geb. zu Selowitz in Mähren den 19. November, gest. daselbst den 9. December 1864.)

4\. (**Friedrich** [Ferdinand Leopold], Ritter des Ordens vom goldenen Vliesse und des Mil.-Maria-Theresien-Ordens, Profess-Ritter und Bailli-Grosskreuz des souveränen Ordens des heiligen Johann von Jerusalem, k. k. Vice-Admiral [Feldmarschall-Lieutenant], Marine-Ober-Commandant und Inhaber des Infanterie-Regiments Nr. 16; geb. den 14. Mai 1821, gest. zu Venedig den 5. October 1847.)

5\. (**Rudolph** [Franz], geb. den 25. September und gest. den 11. October 1822.)

6\. **Maria Carolina** (Ludovica Christina), Sternkreuz-, des königl. bayerischen St. Elisabeth- und des königl. spanischen Marien-Louisen-Ordens-Dame; geb. den 10. September 1825, vermählt in Wien den 21. Februar 1852 mit Seiner kaiserl. königl. Hoheit dem Erzherzoge Rainer Ferdinand, viertem Sohne weiland Seiner kaiserl. königl. Hoheit des Erzherzogs Rainer Joseph; geb. den 11. Jänner 1827.

7\. **Wilhelm** (Franz Carl), Hoch- und Grossmeister des Hoch- und Deutschmeisterthums des deutschen Ritter-Ordens im Kaiserthume Oesterreich, Grosskreuz des kaiserl. österreichischen Leopold-Ordens mit der Kriegs-Decoration, Besitzer des Militär-Verdienst-Kreuzes mit der Kriegs-Decoration, k. k. Feldzeugmeister, General-Artillerie-Inspector, Inhaber der Infanterie-Regimenter Nr. 4 und Nr. 12, dann des Feld-Artillerie-Regiments Nr. 6, Chef der kaiserl. russischen Batterie Nr. 1 von der 7. reitenden Artillerie-Brigade und Chef des königl. preussischen ostpreussischen Feld-Artillerie-Regiments Nr. 1; geb. 21. April 1827.

E) (**Leopold** [Johann Joseph Eusebius], Ritter des Ordens vom goldenen Vliesse, Palatin, königlicher Statthalter und General-Capitän des Königreiches Ungarn, Inhaber des Huszaren-Regiments Nr. 2 geb. den 14. August 1772, gest. zu Laxenburg den 12. Juli 1795.)

F) (**Albrecht** [Johann Joseph], geb. den 19. December 1773, gest. den 22. Juli 1774.)

G) (**Maximilian** [Johann Joseph], geb. den 23. December 1774, gest. den 9. März 1778.)

B) (**Joseph** [Anton Johann], Ritter des Ordens vom goldenen Vliesse, Grosskreuz des St. Stephan-Ordens in Brillanten, goldenes Civil-Ehrenkreuz, Palatin, königl. Statthalter und General-Capitän des Königreiches Ungarn, Präsident der königl. ungarischen Statthalterei und Septemviral-Gerichtstafel, Graf und Richter der Jazyger und Kumanen, wirklicher und immerwährender Ober-Gespan der vereinigten Gespanschaften Pest, Pilis und Solth, k. k. Feldmarschall, Inhaber des Huszaren-Regiments Nr. 2 und des Palatinal-Huszaren-Regiments Nr. 12 etc. etc.; geb. den 9. März 1776, gest. zu Budapest den 13. Jänner 1847.)

Erste Gemahlin.

Alexandrina Pawlowna, Tochter Seiner Majestät des Kaisers Paul Petrowitsch von Russland; geb. den 9. August 1783, verlobt den 3. März und vermählt auf dem Schlosse zu Gatschina bei Petersburg den 30. October 1799, gest. den 16. März 1801.)

Zweite Gemahlin.

(**Hermine**, Tochter des Herzogs Victor Carl Friedrich von Anhalt-Bernburg-Schaumburg; geb. den 2. December 1797, vermählt zu Schaumburg den 30. August 1815, gest. den 14. September 1817.)

Dritte Gemahlin.

(**Maria Dorothea** [Wilhelmina Carolina], Tochter des Herzogs Ludwig Friedrich Alexander von Württemberg; geb. den 1. November 1797, vermählt zu Kirchheim unter Tek den 24. August 1819; Witwe seit 13. Jänner 1847; gest. zu Budapest den 30. März 1855.)

Kind der ersten Ehe.

(**Alexandra Pawlowna**, geb. und gest. den 8. März 1801.)

Kinder der zweiten Ehe (Zwillinge).

1. (**Hermina** [Amalia Maria], Sternkreuz-Ordens-Dame und Aebtissin des k. k. Theresianischen adeligen Damenstiftes auf dem Prager Schlosse; geb. den 14. September 1817, gest. in Wien den 13. Februar 1842.)
2. (**Stephan** [Franz Victor], Ritter des Ordens vom goldenen Vliesse, Grosskreuz des St. Stephan- und des kaiserl. österreichischen Leopold-Ordens, k. k. Feldmarschall-Lieutenant und Inhaber des Infanterie-Regiments Nr. 58; geb. den 14. September 1817, gest. zu Mentone bei Monaco, den 19. Februar 1867.)

Kinder der dritten Ehe.

1. (**Elisabeth** [Carolina Henriette], geb. den 31. Juli, gest. den 23. August 1820.)
2. (**Alexander** [Leopold Ferdinand], geb. den 6. Juni 1825, gest. den 12. November 1837.)
3. **Elisabeth** (Francisca Maria), Sternkreuz-Ordens-Dame; geb. den 17. Jänner 1831, vermählt 1.) zu Schönbrunn den 4. October 1847 mit Seiner königl. Hoheit dem Erzherzoge Ferdinand (Carl Victor) von Este; Witwe seit 15. December 1849; 2.) in Wien den 18. April 1854 mit Seiner kaiserl. königl. Hoheit dem Erzherzoge Carl Ferdinand, zweitem Sohne weiland Seiner kaiserl. königl. Hoheit des Erzherzogs Carl, geb. den 29. Juli 1818; abermals Witwe seit 20. November 1874.
4. **Joseph** (Carl Ludwig), Ritter des Ordens vom goldenen Vliesse, Grosskreuz des St. Stephan-Ordens, Besitzer des Militär-Verdienst-Kreuzes mit der Kriegs-Decoration, k. k. General der Cavallerie, Ober-Commandant der Landwehr der Länder der ungarischen Krone, Inhaber des Infanterie-Regiments Nr. 37; geb. den 2. März 1833.

Gemahlin.

Clotilde (Maria Adelheid Amalia), Tochter Seiner Hoheit des Prinzen August von Sachsen-Coburg-Gotha, Herzogs zu Sachsen, Sternkreuz-Ordens-Dame; geb. den 8. Juli 1846 und vermählt zu Coburg den 12. Mai 1864.

Kinder.

a) (**Elisabeth** [Clementine Clotilde Maria Amalia Josepha], geb. zu Linz den 18. März 1865, gest. daselbst den 7. Jänner 1866.)

b) **Maria** (Dorothea Amalia), geb. zu Alcsuth nächst Budapest den 14. Juni 1867.

c) **Margaretha** (Clementina Maria), geb zu Alcsuth nächst Budapest den 6. Juli 1870.

d) **Joseph**, (Augustin Victor Clemens Maria), geb. zu Alcsuth nächst Budapest den 9. August 1872.

e) **Ladislaus** (Philipp Maria Vincenz), geb. zu Alcsuth nächst Budapest den 16. Juli 1875.

5. **Maria** (Henriette Anna), Sternkreuz-Ordens-Dame; geb. den 23. August 1836; vermählt durch Procuration zu Schönbrunn den 10., und vollzogen zu Brüssel den 22. August 1853 mit dem Kronprinzen, Herzoge von Brabant, dermaligem Könige von Belgien, Leopold II. (Ludwig Philipp), Inhaber des k. k. Infanterie-Regiments Nr. 27; geb. den 9. April 1835.

I) (**Maria Clementina** [Josepha Johanna Fidelia], geb. den 24. April 1777, gest. den 15. November 1801; vermählt durch Procuration in Wien den 19. September 1790, und vollzogen zu Foggia den 25. Juni 1797, mit Franz [Januar Joseph], damals königlichem Prinzen, nachmaligem Könige beider Sicilien, geb den 19. August 1777, gest. den 8. November 1830.)

K) (**Anton** [Victor Joseph Johann Raimund], Grossmeister des deutschen Ordens im Kaiserthume Oesterreich, k. k. Feldzeugmeister und Inhaber des Infanterie-Regiments Nr. 4; geb. den 31. August 1779, gest. in Wien den 2. April 1835.)

L) (**Maria Amalia** [Josepha Johanna Katharina Theresia], Sternkreuz-Ordens-Dame; geb. den 15. October 1780, gest. den 25. December 1798.)

M) (**Johann Baptist** [Joseph Fabian Sebastian], Ritter des Ordens vom goldenen Vliesse, Grosskreuz des Mil.-Maria-Theresien- und des kaiserl. österreichischen Leopold-Ordens, k. k. Feldmarschall und Inhaber des Dragoner-Regiments Nr. 1 (jetzt Nr. 9), Chef des Sappeur-Grenadier-Bataillons im kaiserlich-russischen Genie-Corps, und des königlich preussischen 16. Linien-Infanterie-Regiments; geb. den 20. Jänner 1782, gest zu Graz den 11. Mai 1859.)

N) (**Rainer** [Joseph Johann Michael Franz Hieronymus], Ritter des Ordens vom goldenen Vliesse, Grosskreuz des St. Stephan- und des kaiserl. österreichischen Leopold-Ordens, Ritter des kaiserl. österreichischen Ordens der eisernen Krone erster Classe in Brillanten, k. k. Feldzeugmeister und des InhaberInfanterie-Regiments Nr. 11; geb. den 30. September 1783, gest. zu Botzen den 16. Jänner 1853.)

Gemahlin.

(**Maria Elisabetha** [Francisca], Tochter des Prinzen Carl Emanuel von Savoyen-Carignan; Sternkreuz-Ordens-Dame; geb. den 13. April 1800, und vermählt zu Prag den 28. Mai 1820, Witwe seit 16. Jänner 1853; gest. zu Botzen den 25. December 1856.)

Kinder.

1. (**Maria** [Carolina Augusta Elisabetha Margaretha Dorothea], Sternkreuz-Ordens-Dame; geb. den 6. Februar 1821, gest. in Wien den 23. Jänner 1844.)

2. (**Adelheid** [Francisca Maria Rainera Elisabetha Clotilde], Sternkreuz-Ordens-Dame; geb. den 3. Juni 1822, gest. zu Turin den 20. Jänner 1855; vermählt zu Stupinigi bei Turin den 12. April 1842 mit Victor Emanuel II., Herzoge von Savoyen und Erbprinzen, nachmaligem Könige von Italien, geb. den 14. März 1820, gest. den 9. Jänner 1878.)

3. **Leopold** (Ludwig Maria Franz Julius Eustach Gerhard), Ritter des Ordens vom goldenen Vliesse, Grosskreuz des St. Stephan-Ordens, k. k. General der Cavallerie, General-Genie-Inspector, Inhaber des Infanterie-Regiments Nr. 53 und des Genie-Regiments Nr. 2, dann Chef des kaiserl. russischen kasan'schen Dragoner-Regiments Nr. 9 und des königlich preussischen 1. westpreussischen Grenadier-Regiments Nr. 6; geb. den 6. Juni 1823.

4. **Ernst** (Carl Felix Maria Rainer Gottfried Cyriak), Ritter des Ordens vom goldenen Vliesse, Grosskreuz des kaiserl. österreichischen Leopold-Ordens mit der Kriegs-Decoration, Besitzer des Militär-Verdienst-Kreuzes mit der Kriegs-Decoration, k. k. General der Cavallerie und Inhaber des Infanterie-Regiments Nr. 48; geb. den 8. August 1824.

5. **Sigmund** (Leopold Maria Rainer Ambrosius Valentin), Ritter des Ordens vom goldenen Vliesse, k. k. Feldmarschall-Lieutenant und Inhaber des Infanterie-Regiments Nr. 45; geb. den 7. Jänner 1826

6. **Rainer** (Ferdinand Maria Johann Evangelist Franz Hygin), Ritter des Ordens vom goldenen Vliesse, Grosskreuz des St. Stephan-Ordens, Curator der kaiserl. Akademie der Wissenschaften, k. k. Feldzeugmeister, Ober-Commandant der Landwehr der im Reichsrathe vertretenen Königreiche und Länder und Inhaber des Infanterie-Regiments Nr. 59; geb. den 11. Jänner 1827.

Gemahlin.

Maria Carolina (Ludovica Christina), zweite Tochter weiland Seiner kaiserl. königl. Hoheit des durchlauchtigsten Erzherzogs Carl Ludwig; Sternkreuz-, des königl. bayerischen Theresien- und des königl spanischen Marien-Louisen-Ordens-Dame, Grosskreuz des Johanniter-Ordens; geb. den 10. September 1825, vermählt in Wien den 21. Februar 1852.

7. **Heinrich** (Anton Maria Rainer Carl Gregor), Ritter des Ordens vom goldenen Vliesse, Besitzer des Militär-Verdienst-Kreuzes mit der Kriegs-Decoration, k. k. Feldmarschall-Lieutenant, Inhaber des Infanterie-Regiments Nr. 51; geb. den 9. Mai 1828.

8. (**Maximilian Carl** [Maria Rainer Joseph Marcellus], geb. den 16. Jänner 1830, gest. den 16. März 1839.)

9) (**Ludwig** [Joseph Anton], Ritter des Ordens vom goldenen Vliesse, Grosskreuz des St. Stephan-Ordens, k. k. Feldzeugmeister, Inhaber des Infanterie-Regiments Nr. 8 und des Artillerie-Regiments Nr. 2; geb. den 13. December 1784, gest. in Wien den 21. December 1864.)

P) (**Rudolph** [Johann Joseph Rainer], Grosskreuz des St. Stephan-Ordens, Cardinal-Priester der heiligen römischen Kirche titulo St. Petri in monte aureo, Fürst-Erzbischof von Olmütz und Graf der königl. böhmischen Capelle etc. etc.; geb. den 8. Jänner 1788, gest. den 23. Juli 1831.)

Kinder des Ur-Grossvaters Bruders.

(Weiland Seiner königlichen Hoheit des Erzherzogs **Ferdinand** [Carl Anton Joseph Johann Stanislaus], königl. Prinzen von Ungarn und Böhmen, Erzherzogs von Oesterreich etc., k. k. Feldmarschalls, gewesenen Gouverneurs und General-Capitäns der österreichischen Lombardie, geb. den 1. Juni 1754, gest. den 24. December 1806, und der Frau Erzherzogin **Maria Beatrix von Este**, Herzogin zu Massa und Carrara; geb. den 7. April 1750, verm. den 15. October 1771, Witwe seit 24. December 1806, und gest. in Wien den 14. November 1829.)

Königl. Prinzen und Prinzessinnen von Ungarn und Böhmen, Erzherzoge und Erzherzoginnen von Oesterreich-Este etc. etc.

a) (**Maria Theresia** [Johanna Josepha], geb. den 1. November 1773, gest. den 29. März 1832; vermählt durch Procuration zu Mailand den 29. Juni 1788, und vollzogen zu Novara den 21. April 1789, mit Victor Emanuel I. [Cajetan], Könige von Sardinien, geb. den 24. Juli 1759, gest. den 10. Jänner 1824.)

b) (**Josepha** [Ferdinanda Johanna Ambrosia], geb. den 13. Mai 1775, gest. den 20. August 1777.)

c) (**Maria Leopoldina** [Anna Josepha Johanna], geb. den 10. December 1776; vermählt zu Innsbruck den 14. Februar 1795 mit Carl Theodor, Churfürsten von Pfalz-Bayern; Witwe seit 16. Februar 1799; gest. den 24. Juni 1848.)

d) (**Franz IV.** [Joseph Carl Ambrosius Stanislaus], Herzog von Modena, Massa und Carrara, Ritter des Ordens vom goldenen Vliesse, Grosskreuz des St. Stephan-Ordens, k. k. General der Cavallerie und Inhaber des Kürassier-Regiments Nr. 2 (jetzt Dragoner-Reg.); geb. den 6. October 1779, gest. den 21. Jänner 1846.)

Gemahlin.

(**Maria Beatrix** [Victoria Josepha], älteste Tochter weiland Seiner Majestät des Königs Victor Emanuel I. von Sardinien, Sternkreuz-Ordens-Dame; geb. den 6. December 1792; vermählt zu Cagliari den 20. Juni 1812, gest. den 15. September 1840.)

Kinder.

1. **Maria Theresia** (Beatrix), Sternkreuz-Ordens-Dame; geb. den 14. Juli 1817; vermählt durch Procuration zu Modena den 7. November, und vollzogen zu Bruck an der Mur am 16. November 1846 mit Heinrich (Carl Ferdinand Maria Dieudonné Prinz von Artois. Herzoge von Bordeaux), Grafen von Chambord; geb. den 29. September 1820.

(2. **Franz V.** [Ferdinand Geminian], Herzog von Modena, Massa, Carrara und Guastalla, Ritter des Ordens vom goldenen Vliesse, Grosskreuz des St. Stephan-Ordens, k. k. Feldmarschall-Lieutenant und Inhaber des Infanterie-Regiments Nr. 32; geb. den 1. Juni 1819, gest. in Wien den 20. November 1875.)

Gemahlin.

Adelgunde (Augusta Carolina Elisabetha Amalia Sophia Maria Louise), zweite Tochter weiland Seiner Majestät des Königs Ludwig I. von Bayern, Sternkreuz- und des königlich bayerischen Theresien-Ordens-Dame; geb. den 19. März 1823, vermählt zu München den 30. März 1842; Witwe seit 20. November 1875.

Kind.

(**Anna Beatrix** [Maria Theresia], geb. den 19. October 1848, gest. den 8. Juli 1849.)

3. (**Ferdinand** [Carl Victor], Ritter des Ordens vom goldenen Vliesse, k. k. General-Major und Brigadier zu Brünn, dann Inhaber des Infanterie-Regiments Nr. 26; geb. den 19. Juli 1821, gest. zu Brünn den 15. December 1849.)

Gemahlin.

Elisabeth (Francisca Maria), Tochter weiland Seiner kaiserl. königl. Hoheit des Erzherzogs Joseph, Palatin, Sternkreuz-Ordens-Dame: geb. den 17. Jänner 1831, vermählt zu Schönbrunn den 4. October 1847; Witwe seit 15. December 1849; zum zweiten Male vermählt in Wien den 18. April 1854 mit Seiner kaiserl. königl. Hoheit dem Erzherzoge Carl Ferdinand, zweitem Sohne weiland Seiner kaiserl. königl. Hoheit des Erzherzogs Carl. geb. den 29. Juli 1818; abermals Witwe seit 20. November 1874.

Kind.

Maria Theresia (Henriette Dorothea), Sternkreuz-Ordens-Dame; geb. den 2. Juli 1849; vermählt in Wien den 20. Februar 1868 mit dem Prinzen Ludwig (Leopold Joseph Maria Alois Alfred), ältestem Sohne Seiner königl. Hoheit des Prinzen Luitpold von Bayern, Ritter des Ordens vom goldenen Vliesse. Inhaber des k. k. Infanterie-Regiments Nr. 62, geb. den 7. Jänner 1845.

4. **Maria Beatrix** (Anna Francisca), Sternkreuz-Ordens-Dame; geb. den 13. Februar 1824, vermählt zu Modena den 6. Februar 1847 mit dem Infanten Don Juan Carlos Maria Isidor de Bourbon, geb. den 15. Mai 1822.

e) (**Ferdinand** [Carl Joseph], Ritter des Ordens vom goldenen Vliesse, Grosskreuz des St. Stephan- und Ritter des Mil.-Maria-Theresien-Ordens, k. k. Feldmarschall, Inhaber des Huszaren-Regiments Nr. 3 und eines kaiserlich-russischen Huszaren-Regiments; geb. den 25. April 1781, gest. zu Ebenzweyer den 6. November 1850.)

f) (**Maximilian** [Joseph Johann Ambros Carl], Grossmeister des deutschen Ordens im Kaiserthume Oesterreich, k. k. Feldzeugmeister, Inhaber des Infanterie-Regiments Nr. 4 und des Artillerie-Regiments Nr. 10; geb. den 14. Juli 1782, gest. zu Ebenzweyer den 1. Juni 1863.)

g) (**Maria Antonia**, geb. den 21. October 1784, gest. den 8. April 1786.)

h) (**Carl** [Ambrosius Joseph Johann Baptist], Grosskreuz und Prälat des St. Stephan-Ordens, Primas des Königreiches Ungarn und Erzbischof von Gran etc.; geb. den 2. November 1785, gest. den 2. September 1809.)

i) (**Maria Ludovica** [Beatrix Antonia Josepha Johanna], geb. den 14. December 1787, gest. den 7. April 1816; dritte Gemahlin weiland Seiner Majestät Kaisers Franz I. von Oesterreich, etc.)

Militär-Orden und Ehrenzeichen.

Militär-Maria-Theresien-Orden.

Gestiftet von Ihrer Majestät der Kaiserin und Königin **Maria Theresia** den 18. Juni 1757.

Grossmeister.

Seine kaiserliche und königliche Apostolische Majestät

FRANZ JOSEPH I.

Grosskreuz.

1866.

Seine kaiserlich-königliche Hoheit der durchlauchtigste Prinz und Herr Albrecht, kaiserl. Prinz und Erzherzog von Oesterreich etc., FM., General-Inspector des k. k. Heeres, Inhaber des IR. Nr. 44 und des Drag.-Reg. Nr. 4 etc. etc.

Commandeurs.

1859.

Benedek, Ludwig Ritt. v., FZM., Inhaber des IR. Nr. 28.

1866.

Maroičić di Madonna del Monte, Joseph Freih., FZM., Inhaber des IR. Nr. 7.

Kuhn v. Kuhnenfeld, Franz Freih., FZM., Inhaber des IR. Nr. 17.

Ritter.

1813.

Füller von der Brücke, Maximilian Freih., Major im Ruhestande.

1848, 1849 und 1850.

Clam-Gallas, Eduard Gf., GdC., Inhaber des Husz.-Reg. Nr. 16.

Liechtenstein, Friedrich Prinz zu, Durchlaucht, GdC., Inhaber des Jazygier und Kumanier Husz.-Reg. Nr. 13.

Fröhlich v. Salionze, Johann Freih., Oberst a. D.

Hauser, Heinrich Freih. v., GM.

Vevér, Carl Freih. v., FML.

Packenj v. Kilstädten, Friedrich Freih., FZM., Inhaber des IR. Nr. 9.

Bernay-Favancourt, Julius Gf., GM.

Kalchberg, Wilhelm Freih. v., Major im Ruhestande.

Jurković, Paul Freih. v., Hptm. im Ruhestande.

Montenuovo, Wilhelm Fürst v., GdC., Inhaber des Drag.-Reg. Nr. 10.

Sternberg, Leopold Gf., GdC., zweiter Inhaber des Drag.-Reg. Carl Prinz von Preussen Nr. 8.

Nostitz-Rinek, Hermann Gf., FML., zweiter Inhaber des Uhl.-Reg. Ludwig Gf. von Trani, Prinz beider Sicilien Nr. 13.

Scherpon v. Kronenstern, Joseph Freih., Major im Ruhestande.
Hauslab, Franz Ritt. v., FZM., Inhaber des Art.-Reg. Nr. 4.
Liechtenstein, Franz Prinz zu, Durchlaucht, GdC., Inhaber des Husz.-Reg. Nr. 9.

1859 und 1860.

Edelsheim-Gyulai, Leopold Freih. v., GdC., Inhaber des Husz.-Reg. Nr. 4.
Dormus v. Kilianshausen, Joseph Freih., FML., Inhaber des IR. Nr. 72.
Württemberg, Wilhelm Herzog v., königl. Hoheit, FZM., Inhaber des IR. Nr. 73.
Döpfner, Joseph Freih. v., FML.
Hessen und bei Rhein, Alexander Prinz v., grossherzogl. Hoheit, GdC., Inhaber des Drag.-Reg. Nr. 6.
Litzelhofen, Eduard Freih v., FML.
Catty, Adolph Freih. v., FML
Appel, Johann Freih. v., FML.
Urs de Margina, David Freih., Oberst im Ruhestande.
Neubauer, Gustav Freih. v., GM.
Fejérváry de Komlós-Keresztes, Géza Freih., GM.

1864.

Gondrecourt, Leopold Gf., FML., Inhaber des IR. Nr. 55.

1866.

Seine königl. Hoheit Ernst August, Herzog v. Cumberland und zu Braunschweig-Lüneburg, Oberst im IR. Nr. 42.
Hartung, Ernst Ritt. v., FZM., Inhaber des IR. Nr. 47.
Rodich, Gabriel Freih. v., FZM., Inhaber des IR Nr. 68.
Piret de Bihain, Eugen Freih., GdC., Inhaber des Drag.-Reg. Nr. 9.
Pulz, Ludwig Freih. v., FML.
Pielsticker, Ludwig Freih. v., GM.
Bechtolsheim, Anton Freih. v., Oberst im Uhl.-Reg. Nr. 4.
Knebel v. Treuenschwert, Albert Freih., FML., Inhaber des IR. Nr. 76.
Wagner v. Wehrborn, Rudolph Freih., GM.
Petz, Anton Freih. v., Vice-Admiral.
Daublebsky v. Sterneck zu Ehrenstein, Maximilian Freih., Contre-Admiral.
Montluisant, Bruno Freih. v., GM.
Manfroni v. Manfort, Moriz Freih., Linien-Schiffs-Capitän.

Ordens-Mitglieder in auswärtigen Staaten.

Commandeur.

1864.

Seine königl. Hoheit Friedrich Carl, Prinz von Preussen, königlich preussischer General-Feldmarschall, Inhaber des k. k. Husz.-Reg. Nr. 7.

Ritter.

1849.

Seine kaiserl. Hoheit Constantin, Grossfürst von Russland, Inhaber des k. k. IR. Nr. 18.

1861.

Seine Majestät Franz II., König beider Sicilien, Inhaber des k. k. Uhl.-Reg. Nr. 12.
Seine königl. Hoheit Ludwig, Graf von Trani, Prinz beider Sicilien, Inhaber des k. k. Uhl.-Reg. Nr. 13.
Seine königl. Hoheit Alphons, Graf von Caserta, Prinz beider Sicilien.
Seine königl. Hoheit Franz de Paula, Graf v. Trapani, Prinz beider Sicilien.

1864.

Seine kais. und königl. Hoheit Friedrich Wilhelm, Kronprinz des deutschen Reiches und Kronprinz von Preussen, königl. preussischer General-Feldmarschall, Inhaber des k. k. IR. Nr. 20.

Herwarth v. Bittenfeld, Carl Eberhard, königl. preussischer General-Feldmarschall.

1866.

Seine Majestät Albert, König von Sachsen, Inhaber des k. k. Drag.-Reg. Nr. 3.

1875.

Seine Majestät Alexander II., Kaiser von Russland, Inhaber des k. k. IR. Nr. 2 und des k. k. Uhl.-Reg. Nr. 11.

Ordens-Kanzler.

Beust, Ferdinand Gf., St.O-GK., ÖLO-GK., GHR., ✠, k. u. k. Botschafter bei der französischen Regierung, lebenslänglich Herrenhaus-Mitglied des Reichsrathes.

Ordens-Schatzmeister.

Menssbengen, Franz Freih. v., ÖFJO-GK., St.O-R., GHR.

Ordens-Greffier.

Protiwensky v. Lhotkaberg, Dominik, k. k. Regierungsrath.

Ordens-Kanzlist.

Ascher, Adolph Ritt. v., ÖEKO-R. 3., k. k. Regierungsrath.

Ordens-Zahlmeister.

Dreger, Friedrich v., Zahlmeister beim Ministerium des kaiserlichen Hauses und des Aeussern.

Elisabeth-Theresien-Militär-Stiftung.

Errichtet von Ihrer Majestät der Kaiserin **Elisabeth Christine** im Jahre 1750, und erneuert von Ihrer Majestät der Kaiserin **Maria Theresia** im Jahre 1771.

Mitglieder.

Kneissler, Anton Edl. v., Tit.-Oberst.
Pongrácz de Szent-Miklós et Óvár, Franz Freih., MVK. (KD.), ✠, GM.
Dötscher, Carl Edl. v., Tit.-Oberst.
Friwisz Edl. v. Wertershain, Anton, Tit.-Oberst.
Rathner, Ignaz, MVK., Tit.-Oberst.
Lendl v. Murgthal, Pantaleon Ritt., ÖLO-R., Tit.-Oberst.

Schewitz, Alois Edl. v., MVK. (KD.), Tit.-Oberst.
Blasek, Wenzel, Tit.-Oberst.
Mosing, Joseph Edl. v., Tit.-Oberst
Beranek, Johann, MVK. (KD.), Oberst.
Farkas de Nagy-Jóka, Vincenz, ÖLO-R. (KD.), ✠, Tit.-Oberst.
Wereszczyński, Joseph v., Oberst.
Baselli v. Süssenberg, Eduard Freih., ÖLO-R. (KD.), GM.
Dits, Ferdinand, Oberst.

Imelić, Theodor Edl. v., Oberst.
Hauser, Heinrich Freih. v., ✠, Tit.-GM.
Ivichich, Anton v., MVK. (KD.), Tit.-Oberst.
Murali, Carl v., ÖEKO-R. 3. (KD.), MVK. (KD.), Tit.-GM.
Schneider v. Dillenburg, Franz, MVK. (KD.), Tit.-GM.
Müller v. Elblein, Friedrich Ritt., ÖEKO-R. 3. (KD.), MVK. (KD.), Tit.-GM.
Imbrišević v. Aalion, Martin Ritt., ÖEKO-R. 3., Oberst.

Militär-Verdienst-Kreuz.

Von Seiner Majestät dem Kaiser und Könige
Franz Joseph I.
gestiftet am 22. October 1849.

Besitzer.

1849.

Liechtenstein, Friedrich Prinz zu, Durchlaucht, GdC.
Benedek, Ludwig Ritt. v., FZM.
Lilia v. Westegg, Carl Ritt., FML.
Zephyris zu Greith, Adolph Freih. v., Major Ruhestand.
Halbert, Carl, Hptm. Ruhestand.
Hartung, Ernst Ritt. v., FZM.
Neuhauser, Hermann Edl. v., Oberst Ruhestand.
Attems Freih. auf Heiligenkreuz, Alexander Gf., FML.
Kiebast, Friedrich, Obstlt. Ruhestand.
Thurn und Taxis, Emerich Prinz v., Durchlaucht, GdC.
Stiller Edl. v. Stillburg, Joseph, Obstlt. Armeestand.
Weisser, Johann, Oberst Ruhestand.
Rossbacher, Rudolph Freih. v., FZM.
Knebel v. Treuenschwert, Albert Freih., FML.
Rukavina v. Vidovgrad, Hieron., GM.
Weigl, Leopold Freih. v., FML.
Bogutovac, Cosmas, GM.
Gyulai v. Maros-Némethy und Nadaska, Samuel Gf., FML.
Kopal, Alexander, Hptm. Ruhestand.
Holzschuher, Carl Freih. v., Hptm. Ruhestand.
Wunschheim v. Lilienthal, Adolph Ritt., Hptm. Ruhestand.
Susan, Johann Freih. v., FML.
Macchio, Florian Freih. v., FML.
Paar, Ferdinand Ritt. v., Major, Wachtmeister der Arcieren-Leibgarde.
Kopetzky, Franz, Hptm. Ruhestand.
Naske, Joseph, Rittm. Ruhestand.
Maxon de Rövid, Franz, Major Ruhestand.
Wallmoden-Gimborn, Carl Gf., GdC.
Ceschi di Santa-Croce, Joseph Freih., Oberst Ruhestand.
Kreutzer, Joseph, Hptm. Ruhestand.
Kettner Edl. v. Kettenau, Johann, Obstlt. Ruhestand.
Karl, Ludwig Ritt. v., GM.
Smikal, Joseph, Hptm. Ruhestand.
Petrowicz, Ferdinand, Hptm. Ruhestand.
Schobeln, Eduard Ritt. v., FML.
Rezniček, Joseph Freih. v., FML.
Bolza, Julius, Major Ruhestand.
Habermann v. Habersfeld, Joseph Freih., FML.
Philippović v. Philippsberg, Joseph Freih., FZM.
Bigot de St. Quentin, Carl Gf., GdC.
Fischer, Peter Edl. v., Oberst Ruhestand.
Erich v. Melambuch und Liechtenheim, Ludwig Ritt., Oberst Ruhestand.
Kasumović, Michael, Oberst Ruhestand.
Gottesmann, Adolph v., Rittm. a. D.
Taubert, Ignaz, Major Ruhestand.
Wagner v. Wehrborn, Rudolph Freih., GM.
Drechsler, Carl Freih. v., FML.
Dahlen v. Orlaburg, Hermann Freih., FML.
Fischhoff Edl. v. Osthof, Leopold, Obstlt. Ruhestand.
Bolthauser, August, Obstlt. Ruhestand.
Omchikus, Nikolaus, Major Armeestand.
Lovrić, Nikolaus, Oberst Ruhestand.
Reiter, Moriz, Major Ruhestand.
Baravalle Edl. v. Brackenburg, Alois Major Ruhestand.
De Best v. Löwenwald, August Ritt., Obstlt. Ruhestand.

Merveldt, Armand, Rittm. a. D.
Kaufmann, Carl. Hptm. Ruhestand.
Greiner, Gustav, FML.
Apfaltrern, Rudolph Freih. v., Major Ruhestand.
Thun-Hohenstein, Franz Gf., FML.
Csefalvay, Carl v., Major Ruhestand.
Grodzicki, Casimir v., Major Armeestand.
Caboga, Heinrich Gf., Major Ruhestand.
De Traux de Wardin, Carl Freih., Oberst k. k. Landw.
Schirnding, Carl Freih. v., Rittm. a. D.
Kallinić, Johann, Hptm. Ruhestand.
Babić, Theodor, Obrlt. Ruhestand.
Pehm. Carl, GM.
Schmidt, Joseph Edl. v., Major Ruhestand.
Schmidt Edl. v. Schwarzenschild, Jakob, Hptm. Ruhestand.
Vogl, Heinrich Edl. v., Hptm. Armeestand.
Gast, Wenzel, Hptm. Ruhestand.
Melzer, Joseph, Major k. k Landw.
Hasenbeck v. Malghera, Joseph Ritt., Oberst Ruhestand.
Heinold, Joseph Ritt. v., FML.
Wolffersdorff, Adolph Ritt. v., Obstlt. Armeestand.
Jennemann Edl. v. Werthau, Theodor, Major Ruhestand.
Teichmann, Anton, Major Ruhestand.
Gareis, Ferdinand, Hptm. Ruhestand.
Oldershausen, August Freih. v., Hptm. Ruhestand.
Fröhlich, Joseph, Hptm. Ruhestand.
Petainek v. Zrinygrad, Joseph, Obstlt. Ruhestand.
Hopffgarten, Alexand. Freih. v., Oberst Ruhestand.
Sachsen-Coburg-Gotha, Leopold Prinz zu, Herzog zu Sachsen, Durchlaucht, GM.
Colloredo - Mannsfeld, Joseph Fürst, Durchlaucht, Major k k. Landw.
Jaičinović, Johann, Hptm. Ruhestand
Blagaić, Johann, Obstlt. Ruhestand.
Edelsheim-Gyulai, Leop. Freih. v., GdC.
Kleyle, Anton Ritt. v., Oberst Ruhestand.
Lanko, Michael, Hptm. Ruhestand.
Belrupt, Hugo Gf., Major Ruhestand.
Bellegarde, August Gf., FML.
Naber, Gottfried, Major Ruhestand.
Handler, Franz, Rittm. Ruhestand.
Maravić, Emanuel Ritt. v., FML.
Pokorny, Prokop, Major Ruhestand.
Boldrini, Alois. Hptm. Ruhestand.
Du Chasteler, Maximilian, Major Ruhestand.
Bartels v. Bartberg, Gustav Ritt., Oberst Armeestand.
Gugenmoss, Joh. Ritt. v., Major Ruhestand.
De Kin v. Kinthal, Hermann, Major Ruhestand.
Roesgen v. Floss, Carl, FML.
Hoditz und Wolframitz, Johann Gf., GM.
Dormus v. Kilianshausen, Joseph Freih., FML.
Alt-Leiningen-Westerburg, Victor Gf., FML.
Leithner, Franz Edl. v., Oberst Ruhestand.
Cappi v. Cappovicco, Johann Ritt., Obstlt. Ruhestand.
Beranek, Johann, Oberst Ruhestand.
Schindler, Joseph, GM.
Bils, Anton Freih. v., FML.
Knoll, Johann, FML.
Czermak, Joseph, Oberst Ruhestand.
Lehner, Albert, Hptm. Ruhestand.
Forgách zu Ghymes und Gács, Moriz Gf., Oberst Ruhestand.
Leidl, Carl Ritt. v., Oberst, Sanitäts-Truppen-Comdt.
Albertini, Ulysses v., Oberst Ruhestand.
Ebenhöh, Eduard, Hptm. Ruhestand.
Nostitz-Rinek, Hermann Gf., FML.
Dobner v. Dobenau, Johann. GM.
Török de Szendrő, Nikolaus Gf., GM.
Hornstein, Wilhelm Freih. v., FML.
Limpens v. Donraedt, Franz, Oberst Ruhestand.
Wallis Freih. auf Carighmain, Olivier Gf., FML.
Fischer Edl. v. Ehrenborn, Heinrich, Major Ruhestand.
Töply v. Hohenvest, Johann Freih., FML.
Gugg, Franz Ritt. v., GM.
Terbuhović v. Schlachtenschwert, Marcus, Major Ruhestand.
Van der Sloot, August, Major Ruhestand.
Schuster Edl. v. Peredfeld, Nikolaus, Major Ruhestand.
Bujanovics de Agg-Telek, August, FML.
Waldeck, Gustav Gf., Obstlt. Ruhestand.

Windisch-Graetz, Ludwig Prinz zu, Durchlaucht, FML.
Wotruba, Joseph, Obstlt. Ruhestand.
Fudurić, Johann, Hptm. IR. Nr. 79.
Schlossarek, Joseph, Oberst Ruhestand.
Hauke, Eduard, Major Ruhestand.
Mützel, Hubert, Major Ruhestand.
Ivičić, Georg, Lieut. Ruhestand.
Velebit, Paul, Major Ruhestand.
Schmerhovsky, Thomas, Major Ruhestand.
Weckbecker, Hugo Freih. v., FML.
Giesl v. Gieslingen, Heinrich Ritt., GM.
Bartelmuss, Mathias, Oberst Ruhestand.
Rosenzweig v. Drauwehr, Ferdinand Freih., FML.
Zerbs, Anton, Mil.-Pensionist.
Piskor, Michael, Hptm. Ruhestand.
Minaczky, Alexander, Major Ruhestand.
Mallinarich v. Silbergrund, Johann, Oberst Ruhestand.
Abele, Vincenz Freih. v., FML.
Klöckner, Gustav, Major Armeestand
Schell v. Bauschlott, Rudolph Freih., Rittm. a. D.
Althann, Ferdinand Gf., GM.
Schmidt, Franz, Oberst Ruhestand.
Haan, Eugen Freih. v., Obstlt. Ruhestand.
Babich, Georg, Oberst IR. Nr. 74.
Nehr, Cyrill Ritt. v., Hptm. Ruhestand.
Bach v. Klarenbach, Georg, Oberst Ruhestand.
Brandenstein, Otto v., Major Ruhestand.
Widenmann, Heinrich, GM.
Kögler, Joseph, Hptm. Ruhestand.
Krump Edl. v. Kronstätten, Anton, Major Ruhestand.
Ziegler u. Klipphausen, Friedrich v., FML.
Messey de Bielle, Gustav Gf., FML.
Du Mesnil de Rochemont, Adolph, Major Ruhestand.
Hussey of Westown, Anton, Major a. D.
Liebler Edl. v. Rheinlieb, Philipp, Major Ruhestand
Klement, Emanuel, Rittm. Ruhestand.
Windisch-Graetz, Hugo Prinz zu, Durchlaucht, GM.
Königsegg zu Aulendorf, Alfred Gf., GM.
Brandenstein, Friedrich v., FZM.
Hein v. Heimsberg, Friedrich, Oberst Ruhestand
Angerer, Michael, Oberst Ruhestand.
Henniger v. Eberg, Emanuel Freih., GM.
Kreipner, Carl, Obstlt. Monturs-Verwaltungs-Branche.
Klein, Johann, Obstlt. Ruhestand.
Scholley, Otto Freih. v., FML.
Wocher, Ludwig, GM.
Müller, Ludwig Ritt. v., GM.
Grigar, Franz, Hptm. Ruhestand.
Henrici, Carl, Hptm. Ruhestand.
Lendwich, Ludwig, Oberst Ruhestand.
Petrides, Ferdinand, Obstlt. Ruhestand.
Nikšić, Demeter v., Hptm. a. D.
Fiedler, Joseph, Hptm. Ruhestand.
Liechtenstein, Franz Prinz zu, Durchlaucht, GdC.
Peduzzi, Anton, Obstlt. k. k. Landw.
Sternberg, Leopold Gf., GdC.
Mirković v. Domobran, Nikolaus Ritt., Oberst Ruhestand.
Branković, Daniel, Major Ruhestand.
Hreglianović, Ludwig v., Hptm. Ruhestand.
Miskulin, Valentin, Obrlt. Ruhestand.
Skender. Georg, Obstlt. Ruhestand.
Pelikan v. Plauenwald, Joseph, FML.
Falkenhayn, Franz Gf., Obstlt. a. D.
Dittmann v. Vendeville, Albrecht Ritt., Oberst Ruhestand.
Sied, Jakob, Major Ruhestand.
Procházka, Ottokar Freih. v., FML.
Risenfels, Theodor Freih. v., Major Ruhestand.
Catty, Adolph Freih. v., FML.
Kokotović, Alexander, Obstlt. IR. Nr. 79.
Coronini-Cronberg, Johann Gf., FZM.
Belrupt, Ferdinand Gf., Oberst Ruhestand.
Odtermath, Friedrich, Major Ruhestand.
Hofmann v. Donnersberg, Carl Freih., FML.
Pilsak Edl. v. Wellenau, Ludwig, Oberst Ruhestand.
Müller, Ludwig, Oberst Ruhestand.
Neubauer, Gustav Freih. v., GM.
Halla, Johann, Major Ruhestand.
Weinhara, Anton, Obstlt. Ruhestand.
Stefan, Joseph. Major Ruhestand.
Krügner, Cölestin. Hptm. Ruhestand.
Zepharovich, Carl Ritt. v., Major Ruhestand.
Bierfeldner, Carl. Major Ruhestand.
Schindler, Franz, Hptm. IR. Nr. 45.

Dósa v. Makfalva, Albert, Oberst Ruhestand.
Papesch Edl. v. Pappelberg, Carl, Major Ruhestand.
Witószyński, Nazar, Hptm. Ruhestand.
Jellačić de Bužim, Georg Gf., FML.
Ferdinand, Georg, GM.
Tschik, Eduard, Oberst Ruhestand.
Ohnheiser, Franz, Obstlt. Ruhestand.
Lexmüller, Wilhelm, Obstlt. Ruhestand.
Csossa, Basil, Obstlt. Ruhestand.
Böheim v. Heldensinn, Ludwig, GM.
Rother, Leopold, Hptm. Ruhestand.
Ballan Edl. v. Ballensee, Friedrich, Hptm. Ruhestand.
Franiek, Anton, Obrlt. Ruhestand.
Welsperg zu Reitenau und Primör, Richard Gf., FML.
Aughofer, Gottfried, Ritt. v., Oberst Ruhestand.
Wukomanović, Moses, Major Ruhestand.
Mayer von der Winterhalde, Adolph Ritt., GM.
Goutta, Franz Ritt. v., GM.
Fastenberger v. Wallau, Michael Ritt., GM.
Oberdorfer, Johann, Hptm. Ruhestand.
Montenuovo, Wilhelm Fürst v., GdC.
Richter v. Binnenthal, Anton, Obstlt. Ruhestand.
Taxis de Bordogna et Valnigra, Joseph Freih., FML.
Jungbauer, Franz, FML.
Runge, Alexander v., Hptm. Ruhestand.
Wessely, Franz, Hptm. Ruhestand.
Zawistowski, Johann, Hptm. k. k. Landw.
Kritzler, Joseph, Obstlt. Ruhestand.
Coudenhove, Heinrich Gf., Oberst Ruhestand.
Zedtwitz, Theodor Gf., Major Ruhestand.
Döpfner, Joseph Freih. v., FML.
Baertling, James Ritt. v., GM.
Baumgarten, Alois v., FML.
Bienerth, Carl Freih. v., FML.
Wattmann de Maelcamp - Beaulieu, Ludwig Freih., Oberst Ruhestand.
Živanović, Gabriel, Hptm. Ruhestand.
Prochaska, Eduard, Hptm. IR. Nr. 58.
Dietl, August Ritt. v., Obstlt. Ruhestand.
Kolinsky, Johann, Rittm., Vice-Wachtmeister der Arcieren-Leibgarde.
Milbacher, Carl Ritt. v., Major Ruhestand.
Müller Edl. v. Wandau, August, GM.
Baselli v. Süssenberg, Peter Freih., Oberst IR. Nr. 42.
Gerzon, Eugen v., Major Ruhestand.
Dobanovacsky, Jakob, Hptm. Ruhestand.
Vevér, Carl Freih. v., FML.
Csikos, Andreas, Major Ruhestand.
Csikos, Stephan, GM.
Sperker, Franz, Major Ruhestand.
Schvagel v. Felsö-Bogačevo, Adolph, Hptm. Ruhestand.
Hutschenreiter v. Glinzendorf, Joseph, GM.
Thom, Michael Ritt. v., FML.
Hupka, Anton, Major Ruhestand.
Götzy, August, Obstlt. Ruhestand.
Faber, Wilhelm Ritt v., FML.
Ivichich, Anton v., Oberst Ruhestand.
Mertens, Wilhelm Ritt. v., FML.
Schneider v. Dillenburg, Franz, GM.
Neuwirth, Johann Ritt. v., GM.
Stenitzer, Moriz Ritt. v., Obstlt. Genie-Waffe.
Thim v. Werthenfeldt und Engelschein, Johann, Obstlt. Ruhestand.
Rothmund, Adolph, FML.
Bersina v. Siegenthal, Eduard Freih., FML.
Neipperg, Erwin Gf. v., Erlaucht, GdC.
Montmorency-Marisco, Matthäus Gf., Obstlt. Ruhestand.
Schmidt, Theodor, Rittm. Ruhestand.
Gelan, Carl v., FML.
Dierkes, Gustav, Oberst Ruhestand.
Lichtner Edl. v. Elbenthal, Emil, Major Ruhestand.
Sagner, Johann, Major Ruhestand.
Mannich, Cleophas, Mil.-Pensionist.
Benda, Friedrich, Mil.-Pensionist.
Dagnen v. Fichtenhain, Ludwig, Obstlt. Ruhestand.
Swoboda, Joseph, Major Ruhestand.
Chotek, Otto Gf., Major a. D.
Theumern, Franz, Rittm. Ruhestand.
Hilgers v. Hilgersberg, Wilhelm, Oberst IR. Nr. 39.
Stephan, Joseph, Major Ruhestand.
Fellner v. Feldegg, Albert, Oberst Ruhestand.
Maasburg, Johann Freih. v., Obstlt. Ruhestand.
Conte, Octavian, Hptm. Ruhestand.
Niesner v. Grävenberg, Joseph, Mil.-Pensionist.

Jordan, Carl, Major Ruhestand.
Waasz, Franz, Major Ruhestand.
Weymann, Johann Edl. v., GM.
Bolesta-Koziebrodzki, Justin Gf., GM.
Urs de Margina, David Freih., Oberst Ruhestand.
Kneševič, Mathias, Major Ruhestand.
Winkler, Joseph, Obstlt. Ruhestand.
Hellmer Edl. v. Kühnwesthurg, Joseph, Oberst Ruhestand.
Scherpon v. Kronenstern, Joseph Freih., Major Ruhestand.
Jop, Adolph, Obstlt. Ruhestand.
Bülow v. Wendhausen, Albert Freih., Oberst Ruhestand.
Bozziano, Eduard, Major IR. Nr. 40.
Podhradetzky Edl. v. Stauffenheim, Leopold, Hptm. Ruhestand.
Pielsticker, Ludwig Freih. v., GM.
Prochaska, Johann, Major Ruhestand.
Schluderer Edl. v. Traunbruk, Conrad, GM.
Bernnart, Paul, Oberst k. k. Landw.
Schubert, Franz, Obrlt. Ruhestand.
Hartlieb, Otto Ritt. v., GM.
Hussarek v. Heinlein, Johann Ritt., GM.
Schmerling, Joseph Ritt. v., FZM.
Henikstein, Alfred Freih. v., FML.
Mollinary v. Monte Pastello, Anton Freih., FZM.
Packenj v. Kilstädten, Friedrich Freih., FZM.
Kuhn v. Kuhnenfeld, Franz Freih., FZM.
Wagner, Johann Ritt. v., FML.
Pachmann, Johann, Obstlt. Ruhestand.
Blanussa, Sabbas, Major Ruhestand.
Leonhardt, Franz, Obstlt. IR. Nr. 70.
Stanoilović, Johann, GM.
Stefanović v. Vilovo, Johann Ritt., Major Ruhestand.
Rodich, Gabriel Freih. v., FZM.
Castiglione, Joseph Gf., FML.
Denkstein, Alphons Ritt. v., FML.
Thürheim, Ludwig Gf., Major a. D.
Harrach zu Rohrau, Alois Gf., Obstlt. Ruhestand.
Gyurits v. Vitesz-Sokolgrada, David, FML.
Semetkowski, Friedrich Edl. v., GM.
Mirković, Ladislaus, Hptm. Ruhestand.
Fröhlich v. Salionze, Johann Freih., Oberst a. D.
Kress, Franz, Hptm. Ruhestand.
Thomas, Ernst, Hptm. Invalidenhaus Lemberg.
Pallavicini, Hippolyt Marq., Major a. D.
Mórar, Joseph, Hptm. Armeestand.
Puchner, Hannibal Freih. v., GM.
Kinsky zu Wchinitz und Tettau, Rudolph Gf., Rittm. a. D.
Waldstein-Wartenberg, Ernst Gf., Major a. D.
Arzt, Peter, Oberst Ruhestand.
Bardotz, Carl v., Major Ruhestand.
Lauber, Carl, FML.
Maier, Alois, Obstlt. Ruhestand.
Doda, Trajan, GM.
Dlauhowesky v. Langendorf, Friedrich Freih., GM.
Thüngen, Rudolph Freih. v., Obstlt. Ruhestand.
Zaitsek v. Egbell, Carl, FML.
Rüling Edl. v. Rüdingen, Ludwig, Oberst Ruhestand.
Herman, Gustav Edl. v., GM.
Babarczy, Emerich Freih. v., GM.
Manger v. Kirchsberg, Julius, FML.
Schmidt Edl. v. Schmidau, Franz, GM.
Bylandt-Rheidt, Arthur Gf., FML.
Salomon v. Friedberg, Emanuel, FML.
Podlewski v. Bogorya, Vincenz Ritt., Oberst Ruhestand.
Scudier, Anton Freih. v., FZM.
Reichardt, Franz Ritt. v., FML.
Koppi v. Albertfalva, Joseph, GM.
Rogowsky v. Kornitz, Joseph Freih., Major Ruhestand.
Karst v. Karstenwerth, Alexander, GM.
Lewicki, Michael, Hptm. Ruhestand.
Appel, Johann Freih. v., FML.
Boxberg, Ernst Freih. v., FML.
Zocher, Benedict, Major Ruhestand.
Charwat, Franz, Hptm. Ruhestand.
Lamatsch Edl v. Waffenstein, Joseph, Oberst Ruhestand.
Czech, Joseph, Hptm. Ruhestand.
Zipperer Edl. v. Enggenthal, Peter, Oberst Artillerie.
Bolzano Edl. v. Kronstätt, Friedrich, Oberst Pion.-Reg.
Perkowatz, Johann, Obstlt. IR. Nr. 23.
Demel, August, Oberst Generalstabs-Corps.
Pötting et Persing, Freih. v. Ober-Falkenstein, Carl Gf., FML.

Lanz, Carl, Major Ruhestand.
Friedel, Johann Ritt. v., Oberst Armeestand.
Goëss, Anton Gf., Major a. D.
Kast v. Ebelsberg, Arthur Freih., Rittm. a. D.
Drandler, Johann Edl. v., Oberst Ruhestand.
Ramberg, Hermann Freih. v., FML.
Fleischmann v. Theissruck, Andreas, Obstlt. Ruhestand.
Lang Edl. v. Waldthurm, Adolph, Oberst Ruhestand.
Habel, Peter, Hptm. Ruhestand.
Müller v. Elblein, Friedrich Ritt., GM.
Erlacher de Khay, Edmund, Major Ruhestand.
Braun de Praun, Alexander, Hptm. Ruhestand.
Schmidt, Heinrich, Major Ruhestand.
Penther, Gustav, Verpflegs-Official Ruhestand.
Schiviz v. Schivizhoffen, Julius, Oberst Ruhestand.
Lohr, Friedrich, Hptm. Ruhestand.
Gänger, Matthäus, Major Ruhestand.
Mayr, Alois, Oberst IR. Nr. 6.
Pachta, Robert Gf., Obstlt. Ruhestand.
Kamptz v. Dratow, Ludwig, Major k. k. Landw.
Eirich, Ignaz, Major Ruhestand.
Dunst v. Adelshelm, Gustav, GM.
Bernard Edl. v. Helmhort, Eduard, Major Ruhestand.
Halla, Johann, Rittm. Ruhestand.
Bombelles, Ludwig Gf., Oberst a. D.
Mundy, Heinrich Freih. v., Rittm. a. D.
Bernd, Carl v., FML.
Magdeburg, Carl Freih. v., FML.
Bartsch, Hermann, Major k. k. Landw.
Littrow, Heinrich Edl. v., Freg.-Capt. a. D.
Schloissnigg, Theodor Freih. v., FML.
Thun-Hohenstein, Theodor Gf., Major a. D.
Schaaffgotsche, Franz Gf., Oberst k. k. Landw.
Rogoyski-Brogow, Felix Ritt. v., Major Ruhestand.
Unschuld v. Melasfeld, Wenzel Ritt., FML.
Eckher, Leopold, Major Armeestand.
Skrzeszewski, Adolph Ritt. v., Major a. D.
Ganahl, Johann Ritt. v., Oberst Armeestand.
Nowak, Franz, Obrlt. Ruhestand.
Voss, Eugen Gf., Rittm. a. D.
Ritter, Heinrich Freih. v., GM.
Wilhelmi, Wenzel, Obstlt. a. D. der Kriegs-Marine.
Thun-Hohenstein, Hugo Gf., Major a. D.
Fligely, August v., FML.
Bazarabić, Vincenz, Obstlt. k. ung. Landw.
Belloberg, Joseph, Major Ruhestand.
Schwarz, Adolph, FML.
Hoffmann, Johann, Obstlt. Ruhestand.
Hayek, Friedrich, FML.
Döring, Julius v., Hptm. Ruhestand.
Kreb, Johann, Hptm. Ruhestand.
Grünne, Carl Gf., GdC.
Kellner v. Köllenstein, Friedrich Freih., FZM.
Walleregno, Ludwig, GM.
Fluck Edl. v. Leidenkron, Julius, GM.

1850.

Verchin, Gustav Chev. de, Obstlt. Ruhestand.
Menhard, Wenzel, Rittm. Ruhestand.
Riefel, Eduard Freih. v., Major Ruhestand.
Šokčević, Joseph Freih. v., FZM.
Settele v. Blumenburg, Joseph Ritt., GM.
Tomas, Joseph, FML.
Schauer v. Schröckenfeld, Carl Ritt., GM.
Kronenberg, Joseph Freih. v., GM.
Frischherz, Wilhelm, Hptm. Ruhestand.
Degrazia, Gottfried Freih. v., Major Ruhestand.
Muralt, Carl v., GM.
Schmidburg, Rudolph Freih. v., GM.
Kautnik, Anton, Major Ruhestand.
Heckel, Joseph, Obrlt. Ruhestand.
Steinsberg, Eduard, Hptm. Invalidenhaus Wien.
Paar, Alfred Gf., FML.
Seine kaiserl. königl. Hoheit Erzherzog Albrecht, FM.
Cappy, Heinrich Gf., Oberst Drag.-Reg. Nr. 13.
Ringlhann, Joseph, Obstlt. Ruhestand.
Erben, Emil, Major Ruhestand.
Pongrácz de Szent-Miklós et Óvár, Franz Freih., GM.
O'Donell, Maximilian Gf., GM.
Dondorf, Ferdinand Ritt. v., GM.

Mitteser v. Dervent, Joseph, Oberst Ruhestand.
Conrad, Gustav Ritt. v., FML.
Moise Edl. v. Murvell, Joseph, Oberst Armeestand.
Nugent, Arthur Gf., Oberst Ruhestand.
Hummel, Heinrich, Oberst Ruhestand.
Prieger, Friedrich, Oberst IR. Nr. 17.
Schrefel, Eduard, Major Ruhestand.
Cometti, Achilles Ritt. v., Obstlt. Ruhestand.
Lederer, Moriz Freih. v., FML.
Sebottendorf von der Rose, Moriz Freih., GM.
Tegetthoff, Carl v., FML.
Reichlin-Meldegg, Carl Freih. v., Oberst IR. Nr. 25.
Hauslab, Franz Ritt. v., FZM.
Anthoine, Carl Edl. v., GM.
Andrássy v. Szent-Péter, Norbert Ritt., Obstlt. Ruhestand.
Ebeling v. Dünkirchen, Georg, Oberst Ruhestand.
Ahsbahs von der Lanze, Friedrich Ritt., GM.
Gassner, Joseph, Hptm. Ruhestand.
Bourguignon v. Baumberg, Stanislaus Freih., FML.
Worowansky, Joseph Ritt. v., Oberst Ruhestand.
Seckendorf-Gudent, Hermann Freih. v., Obstlt. Ruhestand.
Knesević, Emanuel, Oberst Ruhestand.
Janek, Adam, Hptm. Ruhestand.
Theuerkauf, Eduard Ritt. v., Oberst Ruhestand.
Sedlnitzky, Franz Freih. v., Oberst Ruhestand.
Maltitz, Anton, Obstlt. Ruhestand.
Philippović v. Philippsberg, Franz Freih., FZM.
Schewitz, Alois Edl. v., Oberst Ruhestand.
Du Hamel de Querlonde, Emanuel Chev., GM.
Nowak, Ignaz, Oberst Ruhestand.
Berlichingen-Rossach, Friedrich Gf. v., Major a. D.
Chalaupka, Julius, Oberst Ruhestand.
Koblitz v. Willmburg, Johann Ritt., GM.
Peteani v. Steinberg, Ant. Ritt., Hptm. Ruhestand.
Formacher v. Lilienberg, Ludwig, Obstlt. Ruhestand.
Kapri, Valerian Freih. v., Obstlt. IR. Nr. 63 (WG.).
Janvars, Carl, Kriegs-Commissär Ruhestand.
Klapka, Ferdinand v., GM.
Nahorniak, Carl, Hptm. Ruhestand.
Salerno, Hieronymus Freih. v., Oberst Ruhestand.
Grasern, Johann Edl. v., Obstlt. Armeestand.
Bareis Edl. v. Barnhelm, Johann, Oberst Ruhestand.
Türkheim, Rudolph Freih. v., GM.
Janowsky, Johann Edl. v., Obstlt. Ruhestand.
Friess, Franz, Major Ruhestand.
Schmedes, Carl Ritt. v., GM.
Graef v. Libloy, Eduard Ritt., FML.
Flora, Johann, Obrlt. Ruhestand.
Olszewski, Eduard, Major Ruhestand.
Springensfeld, Peter Ritt. v., FML.
Bechtold, Emil Freih. v., Obstlt. Ruhestand.
Domide, Pantilemon, Hptm. Ruhestand.
Urban, Carl Freih. v., Oberst IR. Nr. 59.
Rusz, Demeter, Major Ruhestand.
Schreiber, Ludwig, Hptm. Ruhestand.
Krczmarž, Leopold, Hptm. Invalidenhaus Tyrnau.
Proksch, Emil, Hptm. Armeestand.
Tzwetler, Johann, Oberst k. k. Landw.
Belegishanin, Johann, Oberst Ruhestand.
Quélff, Eugen de, Hptm. Armeestand.
Simić, Franz, Major Ruhestand.
Rubidó, Alois, Major a. D. der k. ung. Landw.
Pinter, Johann, Hptm. Ruhestand.
Skarka, Anton, Hptm. Ruhestand.
Kleinheins, Franz, Mil.-Pensionist.
Seine kaiserl. königl. Hoheit Erzherzog Ernst, GdC.
Zapletal, Emanuel, Obstlt. Ruhestand.
Zapletal, Johann, Major Ruhestand.
Karth, Franz, Hptm. Ruhestand.
Brossmann, Eduard, Hptm. Ruhestand.
Mainone v. Mainsberg, Wilhelm, Oberst IR. Nr. 21 (WG.).
Fritz, Carl, Hptm. Ruhestand.
Wolff v. Wolffenberg, Jakob, Oberst Ruhestand.
Spinette, Carl Freih. v., Major Ruhestand.

Günther, Georg, Hptm. Ruhestand.
Winkler, Johann, Major Ruhestand.
Polz Edl. v. Ruttersheim, Carl, Oberst IR. Nr. 52.
Esebeck, Christian Freih. v., Hptm. a. D.
Ott Edl. v. Ottenkampf, Theodor, Oberst IR. Nr. 21.
Bognár Edl. v. Korongh, Moriz, Obstlt. Ruhestand.
Dossen Edl. v. Bilaygrad, Leopold, GM.
Wottoczek, Franz, Major Ruhestand.
Buch, Heinrich, Major Ruhestand.
Rhode, Friedrich Gf., Major Ruhestand.
Reising v. Reisinger, Carl Freih., Obstlt. Ruhestand.
Böh v. Rostkron, Joseph, Major Ruhestand.
Hauenschield v. Przerab, Franz, Oberst Ruhestand.
Vetter von der Lilie, Gustav Gf., GM.
Pechar, Johann, Major Ruhestand.
Kilić, Nikolaus, Oberst IR. Nr. 33.
Radakovich, Johann, Major Ruhestand.
Gratochwill, Carl, Hptm. Ruhestand.
Baillou, Wilbelm Freih. v., FML.
Fabro, Georg, Hptm. Ruhestand.
Kraguliac, Adam, Major Ruhestand.
Hacke, Gustav Freih v., Hptm. Invalidenhaus Prag.
Steinhoffer, Anton v., Hptm. Ruhestand.
Uffenheimer, Heinrich, Hptm. Ruhestand.
Visconti-Menati, Hugo nobile de, Major Ruhestand.
Frubin, Johann, Oberst Ruhestand.
Ballabene, Friedrich, Hptm. Ruhestand.
Sutter v. Adeltreu, Joseph, GM.
De la Renotière v. Kriegsfeld, Franz Ritt., Obstlt. Kriegs-Marine.
Latterer v. Lintenburg, Franz Ritt., GM.
Thum, Ignaz, Obstlt. Kriegs-Marine.
Sutter v. Adeltreu, Johann, Obstlt. Ruhestand.
Kober, Guido v., GM.
Wezlar v. Plankenstern, Gustav Freih., FML.
Pajer, Franz, Major Ruhestand.
Latschat, Franz, Hptm. Ruhestand.
Falk, Carl Ritt. v., Oberst Ruhestand.
Artner, Joseph, Oberst Ruhestand.
Lebzeltern, Leopold Freih. v., GM.
Maurer v. Kronegg, Joseph Ritt., Obstlt. Ruhestand.

Höger Edl. v. Högersthal, Eduard, Major Ruhestand.
Karpellus, Joseph, Obstlt. Ruhestand.
Molitor Edl. v. Moline, Johann, Oberst Ruhestand.
Horváth, Daniel, Obstlt. Ruhestand.
Szallay, Mathias, Hptm. Ruhestand.
Scholten, Alfred Freih. v., Major k. k. Landw.
Kontsek, August v., Hptm. Ruhestand.
Zubrzycki, Cornelius v., GM.
Schaub, Joseph, Hptm. Ruhestand.
Kempf, Wilhelm Edl. v., Major Ruhestand.
Bunčić, Johann, Oberst Ruhestand.
Leypold, Ludwig, Major Ruhestand.
Lattas, Stephan, Hptm. Ruhestand.
Tursky, Joseph Ritt. v., Oberst Ruhestand.
Ostoich, Constantin v., Major Ruhestand.
Vukašinović, Johann, Hptm. Ruhestand.
Ivinger, Eduard, Major Ruhestand.
Röggla, Alois, Major Ruhestand.
Banniza, Johann Ritt. v., Oberst Ruhestand.
Bruckner, Moriz Ritt. v., GM.
Hirst Edl. v. Neckarsthal, Hermann, Oberst Ruhestand.
Frank, Adolph, Major Invalidenhaus Wien.
Richter, August, Hptm. Ruhestand.
Lütgendorf, Michael Freih. v., Obstlt. Ruhestand.
Kodolitsch, Theodor v., Obstlt. k. k. Landw.
Latour Edl. v. Thurmburg, Joseph, FML.
Hamornik, Franz, Hptm. Ruhestand.
Gondrecourt, Leopold Gf., FML.
Coudenhove, Theophil Gf., Oberst Ruhestand.
Bentheim-Steinfurth, Ferdinand Prinz, Durchlaucht, Oberst Ruhestand.
Lamberg, Rudolph Gf., Obstlt. a. D.
Christophe Edl. v. Leuenfels, Alexander, Major Ruhestand.
Kellner, Joseph, Major Ruhestand.
Gontard, Heinrich, GM.
Wrbna und Freudenthal, Eugen Gf., GM.
Naske, Wilhelm, Obstlt. Ruhestand.
Riefkohl v. Wunstorf, Rudolph, Oberst Ruhestand.
Rodakowski, Maximilian Ritt. v., FML.
Mossig, Carl Ritt. v., GM.

Weisz v. Schleussenburg, Heinrich, GM.
Rupprecht v. Virtsolog, Friedrich, GM.
Kees, Georg Ritt. v., FML.
Litzelhofen, Eduard Freih. v., FML.
Fröhlich v. Elmbach, Ludwig, FML.
Littrow, Franz Ritt. v., FML.
Huniek, Anton, Hptm. Ruhestand.
Leykam, Anatolius Freih. v., GM.
Staeger v. Waldburg, Johann, Obstlt. Ruhestand.
Kermpotić, Julius v., Rittm. Ruhestand.
Bittner, Georg, Rittm. Ruhestand.
Wattenwyl, Albert Freih. v., Major Ruhestand.
Huszár, Stephan Freih. v., Hptm. Ruhestand.
Turba Edl. v. Dravenau, Eduard, Obstlt. Ruhestand.
Gorcey, Heinrich Gf., Obstlt. Ruhestand.
Hauschka v. Treuenfels, Franz, Oberst Armeestand.
Maricki Edl. v. Sremoslav, Gregor, Oberst Armeestand.
König, Gustav Freih. v., FML.
Spillauer, Carl, Oberst Ruhestand.
Ruspoli, Alois Fürst, Major Ruhestand.
Barić, Svetozar, Oberst k. ung. Landw.
Saraca, Heinrich nobile de, Obstlt. Ruhestand.
Zeppelin, Wilhelm Gf., Hptm. Ruhestand.

1851.

Jakčin, Moriz, Oberst Ruhestand.
Friess, Arnold, Major Ruhestand.
Schwarzenberg, Carl Prinz zu, Durchlaucht, Major a. D.
Schauer, Leo Ritt. v., GM.
Villefranche, Ludwig Gf., Rittm. a. D.
Nagy de Somlyó, Ludwig, FML.
Jankovics de Csalma, Anton, Oberst Ruhestand.
Waldegg, August Freih. v., FML.
Fleissner Freih. v. Wostrowitz, Eduard, Oberst Ruhestand.
Barbieri, Benedict v., Oberst Ruhestand.
Bourcy, Franz de, Oberst IR. Nr. 5.
Rauch, Franz v., Rittm. Ruhestand.
Baumrucker Edl. v. Robelswald, Jos., GM.
Łęczyński, Johann, Major Ruhestand.
Manglberger, Jakob, GM.

1852.

Kohen, Ignaz Ritt. v., Freg. - Capt. Ruhestand.
Schauer v. Schröckenfeld, Friedrich, Hptm. Ruhestand.
Veigl, Franz, Oberst Ruhestand.
Ballentović, Franz, Major Ruhestand.
Raestle, Joseph, Oberst Armeestand.
Oehlschläger, Carl, Major Ruhestand.

1853.

Pohanka v. Kulmsieg, Carl, Oberst Monturs-Verwaltungs-Branche.
Ruff, August Ritt. v., FML.
Desimon v. Sternfels, Moriz Ritt., FML.

1858.

Bischoff, Orestes Ritt. v., Major IR. Nr. 34.

1859.

Gall v. Gallenstein, Rudolph Freih., Hptm. k. k. Landw.
Rösler, Alois, Major IR. Nr. 38.
Bauer, Joseph, Oberst k. k. Landw.
Ridler Edl. v. Greif in Stein, Carl, Major Ruhestand.
Raisp Edl. v. Caliga, Eduard, Oberst Ruhestand.
Toms, Gustav, Oberst IR. Nr. 20.
Piskatczek, Carl, Major IR. Nr. 68.
Sibrik de Szarvaskend, Georg, Rittm., Vice-Wachtmeister der k. ung. Leibgarde.
Binder, Friedrich, Oberst Armeestand.
Ringelsheim, Joseph Freih. v., FZM.
Spaczer, Alphons, GM.
Sametz, Adalbert, GM.
Castella, Ludwig v., Obstlt. IR. Nr. 35.
Grobois Edl. v. Brückenau, Ignaz, Oberst Ruhestand.
Karojlović v. Brondolo, Johann, Oberst Ruhestand.
Kirsch, Adolph, Major IR. Nr. 57.
Pilat, Franz v., Major IR. Nr. 55.
Finkenzeller, Paul, Hptm. k. k. Landw.
Kintzl, Leopold, GM.
Schmidt, Alois, Major Ruhestand.
Holzhausen, Friedrich Freih. v., Hptm. Ruhestand.
Jihn, Alois, Major Ruhestand.

Haager, Johann, Major IR. Nr. 65.
Albrecht, Hermann, Major IR. Nr. 1.
Seeling, Arnold, Major Ruhestand.
Spiller, Ferdinand, Major Ruhestand.
Mathes, Friedrich, Oberst IR. Nr. 20.
Albrecht, Franz, Major Ruhestand.
Kutschera, Carl Freih. v., Hptm. Ruhestand.
Mészey, Georg, Oberst k. ung. Landw.
Rande, Carl, Major k. k. Landw.
Pintér, Anton, Major k. ung. Landw.
Reutter, Georg v., Major IR. Nr. 71.
Smetana, Anton, Hptm. Ruhestand.
Merkl, Friedrich Ritt. v., Obstlt. Ruhestand.
Grubissich, Johann, Major Ruhestand.
Bergmüller, Leopold, Oberst Ruhestand.
Bielecki, Leo, Hptm. Ruhestand.
Thodorovich, Nikolaus, GM
Ullrich, Joseph, Oberst Ruhestand.
Jósa, Alexander, Oberst Ruhestand.
Gröller, Achilles Ritt. v., Major Ruhestand.
Hiltl, Johann, Hptm. Ruhestand.
Benesch, Friedrich Ritt. v., Major Armeestand.
Hödl, Edmund Edl. v., Obstlt. Ruhestand.
Gstir, Gottfried, Rittm. und Arcieren-Leibgarde.
Henriquez, Hugo v., Oberst IR. Nr. 3.
Danninger, Mathias, Hptm. Armeestand.
Kern, Albin, Hptm. IR. Nr. 14.
Haugwitz v. Piskupitz, Norbert Freih., Obstlt. Ruhestand.
Mroczkowski v. Nałecz, Avelin, Oberst Ruhestand.
Heydt, Carl, Rittm. und Arcieren-Leibgarde.
Hofmann, Joseph, Major Ruhestand.
Hayd von und zu Haydegg, Gustav Ritt. Major IR. Nr. 17.
Diemmer, Ernst, Hptm. IR. Nr. 69.
Syrbu, Georg Ritt. v., Oberst Ruhestand.
Amon v. Treuenfest, Gustav Ritt., Rittm. und Arcieren-Leibgarde.
Doleisch, Carl, Oberst Ruhestand.
Zorics, Johann, Major IR. Nr. 33.
Goldschmidt, Johann, Major IR. Nr. 5.
Hranilović de Cvětasin, Peter, Oberst IR. Nr. 53.
Eisenstein, Richard Ritt. v., Major Drag.-Reg. Nr. 4.

Wurmbrand-Stuppach, Ernst Gf., Rittm. Ruhestand.
Petrich, Daniel, Oberst Ruhestand.
Bogović v. Grombothal, Johann Ritt., Oberst IR. Nr. 78.
Hummel, Johann, Obstlt. Ruhestand.
Pillepich v. Lippahora, Ignaz, Obstlt. Ruhestand.
Niemeczek, Joseph, Major FJB. Nr. 12.
Lendvay, Maximilian v., Hptm. Ruhestand.
Posgay de Görbö, Stanislaus, Lieut. Ruhestand.
Kirchmayr, Carl, FML.
Milde v. Helfenstein, Hugo, Oberst Generalstabs-Corps.
Bogner v. Steinburg, Guido Ritt., Oberst Ruhestand.
Bernauer, Carl, Major Ruhestand.
Brada, Ferdinand, Major Ruhestand.
Hubatschek, Anton, Major Ruhestand.
Best, Georg, Major IR. Nr. 58.
Weber, Andreas, Hptm. Ruhestand.
Bouvard, Ludwig Ritt. v., Rittm. u. Arcieren-Leibgarde.
Pauer, Joseph, Hptm. IR. Nr. 54 (WG.).
Schmid, Carl, Hptm. IR. Nr. 75.
Hillenbrand, Carl v., Major Ruhestand.
Grundinger, Philipp, Major Armeestand.
Burckhart, Carl, Hptm. IR. Nr. 65.
Bielek, Johann, Hptm. Ruhestand.
Crescini, Johann, Oberst Landw.-Ruhestand.
Stefenelli v. Prenterhof und Hohenmaur, Alois, Hptm. Ruhestand.
Strassern, Albert Ritt. v., Hptm. Ruhestand.
Eliatscheck v. Siebenburg, Hugo Freih., Major, Ruhestand.
Albori, Eugen, Oberst Generalstabs-Corps.
Spens v. Booden, Emanuel Freih., Hptm. Ruhestand.
Hirsch, Wilhelm Edl. v., Major Generalstabs-Corps.
Dieskau, Otto Ritt. v., Major k. k. Landw.
Oesterle, Carl. Hptm. k. k. Landw.
Griessmaier, Mathias, Hptm. k. k. Landw.
Pokorny, Moriz, Major FJB. Nr. 1.
Stieber, Carl, Hptm. a. D.
Häring, Franz, Major FJB. Nr. 18.
Neumayer, Theodor v., Obrlt. Ruhestand.
Gerlich Edl. v. Gerlichsburg, Johann, Mil.-Intendant Ruhestand.

Anselm, Rudolph, Major Ruhestand.
Harrer, Joseph, Oberst IR. Nr. 72.
Weltzl, Othmar, Hptm. Ruhestand.
Schkrobanek, Ferdinand, Major IR. Nr. 74.
Rosenauer, Felix, Rittm. Ruhestand.
Várhegyi, Ludwig v., Rittm. Gendarmerie.
Jäger Edl. v. Weideneck, Alexander, Oberst Ruhestand.
Mehlem, Eugen v., Oberst Ruhestand.
Eminowicz, Johann Ritt. v., Rittm. Ruhestand.
Sztaroveszky, Emerich v., Obrlt. a. D.
Mengen, Adolph v., GM.
Riebesam, Ludwig, Major k. k. Landw.
Zeppelin, Rudolph Gf., Rittm. a. D.
Schönberger, Béla Freih. v., GM.
Fabianits de Misefa, Alexius, Rittm. Uhl.-Reg. Nr. 12
Nadvornik Edl. v. Nordwalden, Georg, Rittm. Uhl.-Reg. Nr. 5 (WG.).
Pieniążek v. Odrowaz, Stephan Ritt., Hptm. Artillerie.
Lucas v. Trautenhöh, Eduard Ritt., Obstlt. Ruhestand.
Hofmann v. Donnersberg, Leopold, FML.
Schmidt, Anton, Major Ruhestand.
Kienberger, Johann, Rittm. Mil.-Fuhrw.-Corps.
Crouy, Carl Chev. de, Obstlt. Ruhestand.
Pistory, Ludwig v., GM.
Piers, Alexander Freih. v., Oberst Ruhestand.
Popp, Leonidas, Oberst Generalstabs-Corps.
Christianović, Julius, Oberst IR. Nr. 79.
Müller, Eugen, GM.
Grenso, Franz, Obstlt. Ruhestand.
Fritz, Julius, Hptm. IR. Nr. 60.
Chandelier, August, Hptm. IR. Nr. 4.
Iklódy, Gustav, Obstlt. Ruhestand.
Ruff, Wilhelm, Obstlt. Ruhestand.
Kassan, Abraham, Hptm. IR. Nr. 46.
Mammer, Johann, Major IR. Nr. 1.
Peyer, Franz, Hptm. Ruhestand.
Hochberger, Romuald, Hptm. FJB. Nr. 12.
Bellegarde, Otto Gf., Major k. k. Landw.
Schmidt, Michael, Major Ruhestand.
Latterer v. Lintenburg, Joseph Ritt., GM.
Schwarz, Anton, Hptm. Ruhestand.
Melczer v. Kellemes, Béla, Obstlt. a. D. der k. ung. Landw.

Seidl, Joseph, Rittm. Ruhestand.
Khiebach, Alois, Hptm. Ruhestand.
Zaccaria, Joseph, L.-Sch.-Capt.
Pötting et Persing, Freih. v. Ober-Falkenstein, Alois Gf., Oberst Ruhestand.
Heller v. Hellerstreu, Joseph Ritt., Obstlt. k. k. Landw.
Thour v. Fernburg, Hermann, Oberst Landw.-Ruhestand.
Seewald v. Ehrensee, Ignaz Ritt., Major Ruhestand.
Täuber v. Tiemendorf, Ignaz, Hptm. k. k. Landw.
Fischer Edl. v. Zickwolff, Heinrich, Oberst IR. Nr. 11.
Standeisky, Anton, Hptm. IR. Nr. 65.
Krautwald Edl. v. Annau, Joseph, GM.
Haschko, Samuel, Obstlt. Ruhestand.
Gerlach v. Gerlachhein, Hugo, Oberst Ruhestand.
Pohl, Otto Ritt. v., Obstlt. Generalstabs-Corps.
Keller, Johann, Hptm. Ruhestand.
Haun, Ludwig, Major Ruhestand.
Strémayr, Alexander v., Hptm. Ruhestand.
Neumann v. Spallart, Julius Ritt., Oberst Drag.-Reg. Nr. 1.
Czveits de Polissje, Alexander Ritt., Oberst Husz.-Reg. Nr. 9.
Seine kaiserl. königl. Hoheit Erzherzog Wilhelm, FZM.
Zichy de Vásonykeö, Adalbert Gf., GM.
Wurmb, Adolph v., Oberst Generalstabs-Corps.
Nawratil Edl. v. Kronenschild, Carl, Rittm. u. Arcièren-Leibgarde.
Nowak, Joseph, Hptm. k. k. Landw.
Holzinger, Rudolph, Oberst Ruhestand.
Massiczek, Franz, Obstlt. Ruhestand.
Kollibás, Mathias, Obstlt. Ruhestand.
Křížek, Matthäus, Hptm. k. k. Landw.
Dreyer, Joseph, Oberst Ruhestand.
Prohaska, Georg, Oberst Ruhestand.
Karaisl v. Karais, Franz Freih., Obstlt. Jäg.-Reg.
Daniek, Franz, Major IR. Nr. 50.
Abraham v. Abrahamsberg, Titus, Hptm. Ruhestand.
Garzarolli Edl. v. Thurnlack, Alois, Major IR. Nr. 64.
Guzmann, August, Major Ruhestand.
Uiberbacher, Nikolaus, Hptm. IR. Nr. 7.

Christalnigg von und zu Gillitzstein, Adalbert Gf., Rittm. Uhl.-Reg. Nr. 13.
Hartenthal, Gottfried v., Oberst Ruhestand.
Florian, Theodor, Major Ruhestand.
Baumann, Franz, Major k. k. Landw.
Anders, Adolph v., Obstlt. Ruhestand.
Löw, Franz Edl. v., Major Ruhestand.
Dutkiewicz, Paul, Hptm. IR. Nr. 54.
Pitzinger, Joseph, Hptm. k. k. Landw.
Rosenbaum, Paul, Hptm. Ruhestand.
Richly, Heinrich, Lieut. a. D.
Nowey v. Wundenfeld, Leonhard, Oberst Ruhestand.
Seewald, Joseph, Oberst Ruhestand.
Marnus, Joseph, Hptm. Ruhestand.
Baravalle Edl. v. Brackenburg, Albert, Obstlt. Ruhestand.
Rosenberger, Maximilian, Obrlt. Ruhestand.
Egloff v. Engweilen, Julius, Hptm. IR. Nr. 5.
Baumgarten, Maximilian v., FML.
Resić v. Ruinenburg, Adolph, GM.
Garlik v. Osoppo, Carl Ritt., Oberst Ruhestand.
Eyle, Joseph, Major IR. Nr. 31.
Kosak, Ludwig, Major IR. Nr. 18.
Pfaffenberg, Alexander, Oberst Ruhestand.
Braun, Johann, Obstlt. IR. Nr. 17.
Veltheim, Johann Freih. v., Oberst Ruhestand.
Wolkensperg, Franz Freih. v., Oberst Ruhestand.
Cramolini, Fridolin, Major Ruhestand.
Rainer, Joseph, Hptm. Ruhestand.
Serdić, Theodor, Obstlt. IR. Nr. 32.
Meyroser Edl. v. Meyberg, Edmund, Obrlt. Ruhestand.
Weyracher v. Weidenstrauch, Joseph, Oberst Ruhestand.
Meduna v. Riedburg, Johann Ritt., Oberst Ruhestand.
Schmitt v. Kehlau, Ignaz, GM.
Jeraček, Emanuel, Hptm. Ruhestand.
Mejer, August, Hptm. IR. Nr. 65.
Lang, Friedrich, Hptm. Ruhestand.
Erhardt, Eduard, GM.
Sonnenstein, Julius Ritt. v., Obstlt. Ruhestand.
Justenberg, Johann v., Major Ruhestand.

Dawidowski v. Budczina, Johann, Major Ruhestand.
Lichtenberg, Emil Freih. v., Obstlt. IR. Nr. 8.
Diller, Ludwig Freih. v., Major Ruhestand.
Malchus, Carl Freih. v., Hptm. Ruhestand.
Andrássy, Jos. Edl. v., Major Ruhestand.
Fux, Otto, Obstlt. Generalstabs-Corps.
Schmidt, Carl, GM.
Arthofen, Ferdinand, Obstlt. Ruhestand.
Pawlikowski v. Cholewa, Joseph Ritt., Oberst IR. Nr. 10.
Pecchio v. Weitenfeld, Adolph Ritt., Oberst IR. Nr. 65.
Urraca, Joseph Freih. v., GM.
Kohl v. Kohlenegg, Edgar, Major k. k. Landw.
Klimke, Joseph, Hptm. IR. Nr. 31.
Konek Edl. v. Norwall, Joseph, Major Ruhestand.
Szánky v. Tarpa, Ferdinand, Obstlt. k. ung. Landw.
Schmidt, Heinrich, Rittm. u. Arcieren-Leibgarde.
Pavlovszky v. Rosenfeld, Eduard, Rittm. k. ung. Landw.
Villecz, Friedr. v., Oberst IR. Nr. 46.
Kuss, Stephan, Obstlt. IR. Nr. 63.
Pittoni v. Dannenfeldt, Adolph Ritt., Major k. k. Landw.
Kocziczka Edl. v. Freibergswall, Alexander, GM.
Preininger, Edmund, Rittm. und Arcieren-Leibgarde.
Ruez, Franz, Hptm. Armeestand.
Wallicsek, Robert, Mil.-Pensionist.
Mayerhofer v. Grünbühl, Joseph, GM.
Werdan, Dominik, Hptm. IR. Nr. 41.
Wagner, Hubert, Obstlt. Ruhestand.
Herget, Johann Ritt. v., Oberst Ruhestand.
Horst, Ferdinand, Oberst k. k. Landw.
Soyka, Carl v., Oberst Ruhestand.
Hoen, August, Hptm. IR. Nr. 4.
Bongard v. Eberthal, Friedrich, Major Ruhestand.
Liebezeit, Eduard, Hptm. Ruhestand.
Wratschko, Jakob, Hptm. IR. Nr. 47.
Cirheimb zu Hopffenbach, Freih. auf Guettenau, Alphons v., Hptm. IR. Nr. 47.
Vagyon, Johann, Oberst Ruhestand.
Bauer, Ferdinand, FML.

Mihálik, Joh. v., Hptm. Ruhestand.
Lasswitz, Carl, Hptm. Ruhestand.
Straschiripka, Maximilian, Obrlt. Ruhestand.
Braisach, Johann Ritt. v., GM.
Woschilda, Ferdinand, GM.
Mayer, Friedrich, Obstlt. Ruhestand.
Lugmayr, Eduard, Hptm. Ruhestand.
Heindl, Carl, Obrlt. Ruhestand.
Hilgenberg, August, Hptm. IR. Nr. 19.
Hutter, Joseph, Major Ruhestand.
Weiss, Gustav Ritt. v., Major IR. Nr. 42.
Ricci, Carl, Rittm. und Arcieren-Leibgarde.
Otto, Bruno, Major IR. Nr. 38.
Godart-Kodauert, Carl. Hptm. IR. Nr. 71.
Balduin, Arnold, Obstlt. IR. Nr. 6.
Sova, Ludwig, Major IR. Nr. 16.
Schmotzer, Adolph, Major IR. Nr. 52.
Armbrust, Ferd., Hptm. k. ung. Landw.
Manker, Moriz, Unter-Intendant 2. Cl. der k. k. Landw.
Csikós v. Sessia, Peter Ritt., Oberst Ruhestand.
D'Albini, Philipp, Mil.-Pensionist.
Vogl, Carl, Obstlt. IR. Nr. 15.
Krzandalski, Wilhelm, Rittm., Vice-Wachtmeister der Arcieren-Leibgarde.
Aust, Carl, Obrlt. Monturs-Verwaltungs-Branche.
Steinherr, Ludwig v., Obstlt. k. k. Landw.
Gatterer, Heinrich Ritt. v., Major k. k. Landw.
Elvenich, Alexander Freih. v., Rittm. Ruhestand.
Groller v. Mildensee, Maximilian, Hptm. IR. Nr. 70.
Dittrich, Joseph, Obstlt. Armeestand.
Budisavljević v. Predor, Emanuel, Hptm. k. k. Landw.
Bach, Natalis, Obstlt. Ruhestand.
Prpić, Hieronymus, Hptm. IR. Nr. 70.
Stipić, Franz, Hptm. IR. Nr. 6.
Vidale, Emil v., Obrlt. Ruhestand.
Muić, Anton, Hptm. Ruhestand.
Fülek Edl. v. Wittinghausen und Szatmárvár, Heinrich, Oberst k. ung. Landw.
Müller, Wilhelm, Major Ruhestand.
Scharich v. Vranik, Georg Ritt., Oberst Ruhestand.
Metz, Alexand. Edl. v., Oberst IR. Nr. 47.
Weinsberg, August Edl. v., Oberst Ruhestand.
Hafner zu Buchenegg u. Peintner, Joseph v., Major Ruhestand.
Leidner, August, Major Ruhestand.
Mach, Johann, Hptm. Ruhestand.
Thaler, Johann, Hptm. Ruhestand.
Hotze, Friedrich, Oberst IR. Nr. 36.
Ehrenburg, Victor Freih. v., Hptm. FJB. Nr. 24.
Dubraviczky v. Dubravicz, Stephan, Major k. ung. Landw.
Del Mayno, Emil Marq., Major Ruhestand.
Pollak, Carl, Hptm. Ruhestand.
Spindler, Hugo, Hptm. Ruhestand.
Siegert, Franz, Major IR. Nr. 30.
Schmid, Georg Ritt. v., Major IR. Nr. 47.
Diewald, Joseph, Hptm Ruhestand.
Habermann, Carl, Major k. k. Landw.
Jung, Rudolph, Major Ruhestand.
Münzl v. Münzthal, Michael, Major IR. Nr. 47.
Meissl, Joseph, Obrlt.-Rechnungsführer.
Hoborski, Anton, Major k. k. Landw.
Haimann, Johann, Hptm. Sanitäts-Truppe.
Chinetti, Natalis, Hptm. Ruhestand.
Öhme, Franz, Hptm. Sanitäts-Truppe.
Krieghammer, Edmund Edl. v., Oberst Drag.-Reg. Nr. 3.
Czernin v. Chudenitz, Theobald Gf., Major a. D.
Hagn, Franz, Rittm. Ruhestand.
Wersebe, Gustav Freih. v., Obstlt. Drag.-Reg. Nr. 1.
Schindlöcker, Eugen v., GM.
Kodolitsch, Alphons v., Oberst Husz.-Reg. Nr. 6.
Pappenheim, Alexander Gf. zu, GM.
Bavier, Johann v., Major Drag.-Reg. Nr. 10 (WG.).
Fiáth v. Eörményes und Caransebes, Ludw. Freih., Oberst Ruhestand.
Szivó de Bunya, Johann, Oberst Husz.-Reg. Nr. 13.
Hübner, Alexander Freih. v., Major Husz.-Reg. Nr. 11.
Hranač, Alois, Obrlt. Drag.-Reg. Nr. 12.
Tóth, Johann v., Rittm. und k. ung. Leibgarde.
Lederer, Carl Freih. v., GM.
Benkner, Julius, Rittm. Ruhestand.
Palmano, Carl, Rittm. Ruhestand.
Walderdorff, Richard Gf., Obrlt. a. D.
Einsiedel, Carl Gf., Major k. k. Landw.

Szerviczky de Nagy-Kanisa et Karis, Stephan, Major Husz.-Reg. Nr. 13.
Kálnoky de Köröspatak, Béla Gf., Rittm. Ruhestand.
Burka, Alois, Hptm. Ruhestand.
Geldern, Carl Gf. v., Rittm. Husz.-Reg. Nr. 10.
Steuber, Ferdinand v., Rittm. a. D.
Wiedersperger v. Wiedersperg, Eduard Freih., Rittm. a. D.
Zichy de Vásonykeö, Johann Gf., Rittm. a. D.
Moltke, Adam Gf., Major Ruhestand.
Noë Edl. v. Nordberg, Carl, Rittm. Ruhestand.
Matzenauer, Julius, Major Ruhestand.
Sánta de Kozmás, Adolph, Rittm. Uhl.-Reg. Nr. 12.
Hübel Edl. v. Hübenau, Franz, Obstlt. Ruhestand.
Kirilovich, Johann, Oberst Ruhestand.
Wallaschek, Joseph Ritt. v., Major Ruhestand.
Koch, Martin Ritt. v., Obstlt. Artillerie.
Kalbfleisch v. Laaberg, Eduard, Oberst Ruhestand.
Marx, Franz, Obstlt. Ruhestand.
Braun, Joseph, Major Artillerie.
Meyer, Theodor Ritt. v., Hptm. Generalstabs-Corps.
Gegenbauer, Johann, Hptm. Artill.
Kundrat, Franz, Hptm. Ruhestand.
Müller, Friedrich Ritt. v., Oberst Artillerie.
Latal, Matthäus, Hptm. Ruhestand.
Rombeck, Ernst Ritt. v., Oberst Ruhestand.
Tassler, Joseph, Mil.-Pensionist.
Neugebauer, Gustav, Major Ruhestand.
Hoyer, Anton, Hptm. Ruhestand.
Hirsch, Maximilian Edl. v., GM.
Joelson, Robert Ritt. v., GM.
Pessiak, Eduard, Obstlt. Genie-Waffe.
Peche, Carl Ritt. v., Major Genie-Waffe.
Schmelhaus, Franz, Major Ruhestand.
Welschan, Franz, Hptm. Ruhestand.
Du Rieux de Feyau, Alfred, GM.
Stubenrauch v. Tannenburg, Georg, FML.
Bibra v. Gleicherwiesen, Wilhelm Freih., FML.
Hoffmann, Anton Edl. v., Major Armeestand.
Reichel Edl. v. Wehrfels, Anton, Major Armeestand.

Klein, Otto, Oberst Husz.-Reg. Nr. 16.
Blažeković, Carl v., Oberst Generalstabs-Corps.
Raab, Joseph Ritt. v., Oberst Generalstabs-Corps.
Hennet, Lothar Freih. v., Oberst Ruhestand.
Walther-Burg, Anton Freih. v., Oberst k. k. Landw.
Latterer v. Lintenburg, Adolph Ritt., Major IR. Nr. 43.
Schaffer v. Schäffersfeld, Anton Ritt., FML.
Merkl, Rudolph, Oberst Generalstabs-Corps.
Zach, Paul, GM.
Reinländer, Wilhelm, GM.
Daublebsky v. Sterneck, Moriz Ritt., Oberst Generalstabs-Corps.
Reicher, Joseph, Oberst Generalstabs-Corps.
Roskiewicz, Johann, Oberst IR. Nr. 5.
Hoffinger, Rudolph Ritt. v., GM.
Horváth de Zsebeház, Franz, Major FJB. Nr. 9.
Teuchert-Kauffmann Edl. v. Traunsteinburg, Friedrich Freih., FML.
Waldstätten, Johann Freih. v., GM.
Ratschiller, Renatus v., Obstlt. IR. Nr. 27.
Liebenberg, Emil Ritt. v., Major a. D.
Anacker, Ignaz v., Obstlt. Ruhestand.
Müller, Robert, Marine-Beamter.
Bourguignon v. Baumberg, Anton Freih., Admiral.
Fautz, Ludwig Ritt. v., Vice-Admiral.
Eberan v. Eberhorst, Alexander, Contre-Admiral.
Reichlin-Meldegg, Jos. Freih. v., FML.
Lehmann, Adam, Rittm. Ruhestand.
Büchl, Andreas, Hptm. Ruhestand.
Nawratil, Johann, Obstlt. Ruhestand.
Honner, Johann, Hptm. Ruhestand.
Vigny, Eduard v., Hptm. Ruhestand.
Camozzi, Franz, Hptm. Ruhestand.
Morocutti, Franz, Obstlt. IR. Nr. 61.
König, Carl, Major IR. Nr. 27.
Hatzy, Alois, Hptm. FJB. Nr. 8.
Bayer, Moriz, Major Ruhestand.
Pössl, Julius, Obrlt. Ruhestand.
Langner, Alfred, Hptm. Invalidenhaus Wien.
Medycki, Emil, Hptm. IR. Nr. 9.
Schütte v. Warensperg, Adolph Freih., FML.

Barisani, Moriz v., Hptm. k. k. Landw.
Grasböck, Leopold, Hptm. Ruhestand.
Danninger, Johann, Major Ruhestand.
Freyschlag Edl. v. Freyenstein, Adolph, Oberst IR. Nr. 28.
Mayer, Anton, Hptm. IR. Nr. 1.
Hildenbrand, Theodor, Hptm. IR. Nr. 18.
Prokesch v. Nothaft, Alois, Obstlt. Jäg.-Reg.
Bayerer, Vincenz, Hptm. IR. Nr. 21.
Fischer, Ferdinand, Hptm. Ruhestand.
Schluetenberg, Richard Edl. v., Obstlt. IR. Nr. 27.
Klobus, Hugo Edl. v., Major FJB. Nr. 19.
Acham, Franz, Hptm. IR. Nr. 27.
Thun-Hohenstein, Heinrich Gf., Hptm. Ruhestand.
Fuhrherr, Hieronymus, Hptm. Ruhestand.
Kodar, Ernst, Obstlt. IR. Nr. 30.
Hofmann, Adolph, Hptm. Ruhestand.
Menschik, Alfred, Major IR. Nr. 79.
Hülgerth, Hugo, Hptm. k. k. Landw.
Schilling, Ludwig, Hptm. k. k. Landw.
Conradt, Joseph, Major Ruhestand.
Amberg, August v., Obstlt. Ruhestand.
Randé, Franz, Major Ruhestand.
Kiszling, Alexander, Oberst IR. Nr. 66.
Schuberth, Adolph Ritt. v., Major Ruhestand.
Ecker-Krauss, Julius Edl. v., Oberst IR. Nr. 74.
Eichenauer, Gustav, Rittm. Husz.-Reg. Nr. 12.
Lipowsky v. Lipowitz, Joseph Ritt., Oberst IR. Nr. 41.
Ajroldi, Hieronymus Freih. v., Major Ruhestand.
Szvetics, Joseph v., Major k. ung. Landw.
Braun, Johann Ritt. v., Hptm. IR. Nr. 22.
Oresković, Franz, Obstlt. IR. Nr. 68.
Cerrini de Monte Varchi, Carl Gf., Major Ruhestand.
Guretzky v. Kornitz, Alfred Freih., Obstlt. IR. Nr. 76.
Berényi, Ferdinand, Hptm. Ruhestand.
Kubinyi de Felsö-Kubiny et Demény-falva, Julius, Major Ruhestand.
Bittner, Johann, Major Ruhestand.
Laudenbacher, Ferd., Major Ruhestand.
Šostarić, Ludwig, Major IR. Nr. 16.
Hassinger, Franz Edl. v., Hptm. IR. Nr. 52.
Coudenhove, Carl Freih. v., Hptm. k. k. Landw.
Kraumann, Joseph, Obstlt. IR. Nr. 41.
Žegklitz, Albert, Dr. d. R., Hptm. für den Justizdienst der k. k. Landw.
Dorner, Raimund, Major FJB. Nr. 15.
Kaltenborn, Victor v., Obstlt. Ruhestand.
Kaim Edl. v. Kaimthal, Ferdinand, Obstlt. Ruhestand.
Kronawitter, Carl, Major Ruhestand.
Singer v. Wallmoor, Wilhelm, Major Ruhestand.
Czermak, Joseph, Hptm. IR. Nr. 60.
Baranyay de Nagy-Varad, Alexander, Hptm. IR. Nr. 25.
Szimić Edl. v. Majdangrad, Peter, GM.
Knöpfler, Alois, Oberst Jäg.-Reg.
Streicher, Alois Freih. v., Hptm. Jäg.-Reg.
Howorka Edl. v. Zderas, Wenzel, Hptm. Armeestand.
Linner, Gustav, Oberst Armeestand.
Vockrodt, Gottfried, Hptm. k. k. Landw.
Gegner, Johann, Hptm. k. k. Landw.
Lanzenstorfer, Julius, Major Ruhestand.
Burkhardt von der Klee, Franz Freih., Oberst Ruhestand.
Bauer v. Bauernthal, Victor, Major Ruhestand.
Arenberg, Carl Prinz, Durchlaucht, Rittm. a. D.
Florian, Friedrich, Major Ruhestand.
Hunyady de Kéthely, Coloman Gf., GM.
Henneberg, Victor Freih. v., Rittm. Ruhestand.
Ott, Eduard, Major k. k. Landw.
Lippe-Weissenfeld, Egmont Gf. zur, Major Uhl.-Reg. Nr. 6.
Reder, Ferdinand, Hptm. Ruhestand.
Koblitz, Julius, Hptm. Artillerie.
Gleissner, Johann, Hptm. Artillerie.
Peter, Jakob, Hptm. Artillerie.
Tiller v. Turnfort, Carl Freih., FML.
Streinz, Franz, Hptm. Ruhestand.
Ester, Bartholomäus, Hptm. Artillerie.
Schwarz, Mathias, Hptm. Artillerie.
Wolter Edl. v. Eckwehr, Johann, Oberst Ruhestand.
Susić, Adolph v., Oberst Ruhestand.
Hron v. Leuchtenberg, Rudolph, Obstlt. Pion.-Reg.
Jelussig, Othmar, Major Pion.-Reg.
Winkler, Franz, Hptm. Pion.-Reg.

Thurn-Valsassina, Georg Gf., Major a. D.
Beck, Friedrich Freih. v., FML.
Joelson, Alfred Ritt. v., GM.
Panz, Victor v., GM.
Knezić, Engelbert, Oberst Ruhestand.
Millosicz, Georg Ritt. v., Contre-Admiral.

1860.

Ysenburg und Büdingen, Bruno Fürst zu, Durchlaucht, Hptm. a. D.
Györgyi de Deákona, Emerich, Oberst Ruhestand.
Hehn v. Rosenhein, Johann, Major Ruhestand.
Ogrodowicz, Edmund, Obstlt. IR. Nr. 39.
Schlath, Thomas, Major Ruhestand.
Erbach-Fürstenau, Hugo Gf. zu, Major Ruhestand.
Nicke, Alexander, GM.
Binder, Carl, Major Ruhestand.
Boronkay de Boronka, Julius, Rittm. Invalidenhaus Tyrnau.
Plönnies, Franz Ritt. v., Major IR. Nr. 23.
Froschauer v. Moosburg und Mühlrain, Adolph, Rittm. u. Arcieren-Leibgarde.
Schauer v. Schröckenfeld, Eduard, Hptm. k. k. Landw.
Herzmann, Franz, Major k. k. Landw.
Spagnoli, Dominik, Major Ruhestand.
Piškur, Eduard, Hptm. IR. Nr. 79.
Kreutz, Friedrich, GM.
Nedopil, Carl, Major Ruhestand.
Gärtler v. Blumenfeld, Paul, Major Ruhestand.
Metternich, Paul Prinz, Durchlaucht, GM.
Capdebo de Baraczház, Géza, Oberst Husz.-Reg. Nr. 11.
Aichelburg, Franz Gf., Rittm. Ruhestand.
Gebauer, Anton, Major IR. Nr. 54.
Walter v. Waltheim, Anton, Hptm. Ruhestand.

1861.

Guellard, Victor, Marine-Beamter.
Schröder, Carl, GM.

1862.

Salis-Soglio, Daniel Freih. v., GM.
Gruhl, Wilhelm, Oberst IR. Nr. 55.
Cronberg, Oswald v., Hptm. Armeestand.
Brinner, Wilhelm, Hptm. Pion.-Reg.
Barényi, Stephan, Oblt. k. ung. Landw.
Partisch, Friedrich, Hptm. Artillerie.

1863.

Czadek, Carl Ritt. v., Major Artillerie.
Dwernicki, Joseph v., Oberst Ruhestand.

1864.

Mertens, Carl Freih. v., Major Uhl.-Reg. Nr. 2
Weissmann, Franz, Major k. k. Landw.
Schlitter v. Niedernberg, Franz, Major Ruhestand.
Hochhauser, Paul, Obstlt. IR. Nr. 73.
Liebe Edl. v. Kreutzner, Anton, Rittm. und Arcieren-Leibgarde.
Höpler, Theodor, Hptm. IR. Nr. 73.
Planner, Vincenz, Major k. k. Landw.
Track, Ferdinand, Hptm. Ruhestand.
Jeney, Wilhelm, Hptm. k. k. Landw.
Manasterski, Felix Ritt. v., Hptm. IR. Nr. 30.
Endlicher, Heinrich, Oberst IR. Nr. 26 (WG.).
Gylek, Ignaz, Obstlt. k. k. Landw.
Péchy de Péch-Ujfalu, Theodor, Hptm. Ruhestand.
Pápay, Alexander v., Major IR. Nr. 34.
Schimaczek, Anton, Hptm. IR. Nr. 34.
Brilka, Urban, Hptm. IR. Nr. 34.
Daubner, Franz, Hptm. IR. Nr. 34.
Dobos de Marczinfalva, Nikolaus, Hptm. IR. Nr. 34.
Haradauer Edl. v. Heldendauer, Carl, Major Armeestand.
Went, Carl, Obstlt. IR. Nr. 7.
Heller, Franz, Major FJB Nr. 8.
Kaluschke, Moriz, Major IR. Nr. 60.
Kopelent, Franz, Hptm. FJB. Nr. 9.
Klug, Sigmund, Hptm. FJB. Nr. 9.
Buschek, Wenzel, Major Ruhestand.
Zygadłowicz, Gustav Ritt. v., Major IR. Nr. 77.
Schalk, Carl, Hptm. Armeestand.
Gillarek, Bernhard, Major Ruhestand.
Rech, Carl, Hptm. Ruhestand.
Smagalski, Ladislaus v., GM.
Waldburg-Zeil-Trauchburg, Ludwig Gf., GM.
Modřický, Eduard, Oberst Artillerie.
Drahorad, Franz, Oberst Ruhestand.

Ritschl, Hugo Ritt. v., Obstlt. Artillerie.
Waldhäusel, Johann, Hptm. Ruhestand.
Döpfner, Gustav Edl. v., Oberst IR. Nr. 68.
Ambrozy, Heinrich Ritt. v., Oberst Drag.-Reg. Nr. 3.
Wolf, Eugen, Hptm. IR. Nr. 6.
Taulow v. Rosenthal, Hugo Ritt., GM.
Czako, Franz v., Oberst IR. Nr. 59.
Schädlbauer, Joseph, Hptm. IR. Nr. 14.
Ivanossich v. Küstenfeld, Heinrich, Hptm. IR. Nr. 27.
Ochsenheimer, Friedr. Ritt. v., Oberst Generalstabs-Corps.
•Seracsin, Theodor, Obstlt. Generalstabs-Corps.
Schirp v. Bottlemberg, Johann Freih., Major Ruhestand.
Prusky, Ferd., Hptm. Ruhestand.
Czernin v. Chudenitz, Joseph Gf., Rittm. a. D.
Mayer, Carl, Rittm. Husz.-Reg. Nr. 1 (WG.).
Benischke, Franz, Obstlt. Artillerie.
Morawek, Wenzel, Hptm. Artillerie (WG.).
Mossig, Theob. Ritt. v., Oberst Genie-Waffe.
Beroldingen, Paul Gf., Rittm. und Arcieren-Leibgarde.
Löwenstern, Friedrich Freih. v., Rittm. a. D.
Boleslawski, Gustav, Hptm. Ruhestand.
Maraspin, Joseph, Freg.-Capt.
Paulucci, Hamilkar Marq., Corv.-Capt.
La Motte v. Frintropp, Franz Freih., Hptm. k. k. Landw.
Attems, Heinrich Gf., Major Ruhestand.
Steiner, Joseph, Hptm. FJB. Nr. 9.
Kronnowetter, Carl, L. Sch.-Capt.
Manfroni v. Manfort, Moriz Freih., L. Sch.-Capt.
Schöningh, Eduard, Hptm. Ruhestand.
Albrecht, Theodor, L. Sch.-Lieut.
Spanner, Anton, L. Sch.-Fähnr.
Orelli, Maximilian v., Major a. D.
Rathner, Ignaz, Oberst Ruhestand.
Roszkowski, Julian v., Oberst Genie-Waffe.

1865.

Schnetter, Johann Edl. v., Oberst Ruhestand.
Funk, Moriz Ritt. v., L. Sch.-Capt.
Bründl v. Kirchenau, Carl Ritt., Obstlt. IR. Nr. 70.
Török, Franz, Obstlt. Gendarmerie.
Pauli, Joseph, Obrlt. k. k. Landw.
Gintz, Adolph, Hptm. IR. Nr. 9.

1866.

Schönovsky v. Schönwiese, Adalbert Ritt., Oberst IR. Nr. 9.
Czaykowski v. Berynda, Alexander Ritt. Hptm. IR. Nr. 40.
Bachmann, Franz, Obrlt. Drag.-Reg. Nr. 7.
Lehmann, Otto Freih. v., Rittm. Ruhestand.
Pachner, Anton, Hptm. IR. Nr. 57.
Hofmann, Carl, Obrlt. Artillerie.
Seine kaiserl. königl. Hoheit Erzherzog Heinrich, FML.
Pöck, Friedr. Freih. v., Vice-Admiral.
Böck, Carl Freih. v., FML.
Vecsey de Vecse et Böröllyö-Iságfa, Joseph, FML.
Jung, Friedrich, GM.
Hempfling, Rudolph, Oberst IR. Nr. 76.
Merta, Emanuel, Obstlt. Generalstabs-Corps.
Schulenburg, Hans Gf. von der, Obstlt. Generalstabs-Corps.
Thyr, Maximilian, Obstlt. Generalstabs-Corps.
Ebhardt, Ferdinand, Major IR. Nr. 33.
Fiedler, Ferdinand, Obstlt. Generalstabs-Corps.
Zezschwitz, Friedrich Freih. v., Oberst Armeestand.
Catinelli, Maximilian Ritt. v., Major Generalstabs-Corps.
Gottl, Maximilian, Oberst IR. Nr. 44.
Sachse v. Rothenberg, Anton, Hptm. Ruhestand.
Torkos, Numa v., Hptm. Ruhestand.
Gawin - Niesiołowski de Niesiołowice, Victor, Hptm. IR. Nr. 40.
Bittmann, Joseph, Hptm. Ruhestand.
Artner, Géza v., Obrlt. IR. Nr. 5.
Smetana, Hermann, Obrlt. IR. Nr. 5.
Wolfzettel, Franz, Oberst Landw.-Ruhestand.
Koch Edl. v. Langentreu, Franz, Obstlt. IR. Nr. 11.
Sterger, Raimund, Major Ruhestand.
Perrelli, Wilhelm Ritt. v., Major IR Nr. 7.

Rudziński v. Rudno, Alfred Ritt., Major a. D.
Siebeneicher, Adolph Edl. v., Major IR. Nr. 59.
Kropiunig, Johann, Hptm. IR. Nr. 7.
Klimbacher, Joseph, Obrlt. Ruhestand.
Rukavina v. Liebstadt, Emil, Obrlt. u. k. ung. Leibgarde.
Vogeler, Otto, Major IR. Nr. 17.
Josch, Friedrich, Hptm. Ruhestand.
Gruden, Franz, Hptm. IR. Nr. 53.
Oberster, Anton, Hptm. Ruhestand.
Barbo, Carl, Obrlt. IR. Nr. 17.
Rechbach, Rudolph Freih. v., Obstlt. IR. Nr. 19.
Kocher, Georg, Major Ruhestand.
Killić, Peter, Major IR. Nr. 19.
Kralowetz, Franz, Hptm. IR. Nr. 19.
Drescher, Johann, Hptm. IR. Nr. 44.
Kerner, Paul, Obrlt. k. ung. Landw.
Thoma, Paul, Hptm. IR. Nr. 19.
Scholze, Hermann, Obstlt. Armeestand.
Kolb v. Frankenheld, Franz, Oberst IR. Nr. 80.
Swoboda, Wenzel, Hptm. Ruhestand.
Sitka, Gustav, Major IR. Nr. 21.
Hess, Franz, Hptm. IR. Nr. 28.
Lorenz, Adolph, Major IR. Nr. 78.
Dorotka v. Ehrenwall, Friedrich, Obrlt. IR. Nr. 28.
Rakowský, Carl, Hptm. IR. Nr. 28.
Ahsbahs, Hugo, Lieut. a. D.
Bettali, Oswald, Hptm. Genie-Waffe.
Skalka, Paul, Major Ruhestand.
Rzehak, Ferdinand, Major IR. Nr. 23.
Nachodsky v. Neudorf, Ludwig Ritt., Hptm. Ruhestand.
Schadek, Oskar, Hptm. IR. Nr. 37.
Mariani, Maximilian, Obrlt. Husz.-Reg. Nr. 7.
Kokron, Heinrich, Obrlt. IR. Nr. 29.
Mayer, Alexander, Oberst IR. Nr. 63.
Palliardi, Ludwig, Hptm. IR. Nr. 76.
Soós v. Bádok, Carl, Major IR. Nr. 31.
Strasser, Carl, Obstlt. IR. Nr. 31.
Brunner, Rudolph, Hptm. Ruhestand.
Machek, Ernst, GM.
Pezelt, Wilhelm Ritt. v., Oberst Ruhestand.
Frischeisen, Sigmund, Major Ruhestand.
Grünwald, Johann, Major Ruhestand.
Ploennies, Hermann Ritt. v., Hptm. IR. Nr. 36.
Prokop, Alois, Hptm. IR. Nr. 36.
Gózony, Johann, Obstlt. k. ung. Landw.
Körmendy, Ludwig, Obrlt. k. ung. Landw.
Gerenday, Theodor v., Obrlt. IR. Nr. 39.
Pflügl, Emil Edl. v., Hptm. IR. Nr. 39.
Storch v. Arben, Friedrich, Oberst Ruhestand.
Welsersheimb, Zeno Gf., GM.
Mallner, Hermann, Oberst IR. Nr. 54.
Rosenzweig Edl. v. Powacht, Johann, GM.
Haberecker, Constantin Edl. v., Obstlt. k. k. Landw.
Ende, Friedrich Freih. v., Oberst Ruhestand.
Blascheck, Joseph, Major IR. Nr. 48.
Kraft, Franz, Obstlt. IR. Nr. 43.
Piskor, Thomas, Hptm. IR. Nr. 48.
Heinzelmann, Joseph Ritt. v., Major IR. Nr. 51.
Richard, Carl, Major IR. Nr. 25.
Zurna, Carl, Hptm. IR. Nr. 48.
Triff, Ladislaus, Hptm. IR. Nr. 46.
Stirling, Alexander, Hptm. IR. Nr. 48.
Blaschke, Eugen, Hptm. IR. Nr. 48.
Penecke, Wilhelm, GM.
Wellikán de Boldogmező, Wilhelm, Oberst Landw.-Ruhestand.
Tesach, Joseph, Rittm. u. Arcieren-Leibgarde.
Statkiewicz, Adolph, Hptm. k. k. Landw.
Schumacher, Adolph, Rittm. und Arcieren-Leibgarde.
Glöckner, Carl, Hptm. IR. Nr. 19.
Popitianu, Basil, Hptm. Ruhestand.
Wimmer Edl. v. Ebenwald, Friedrich, Hptm. IR. Nr. 44.
Svoboda, Ferdinand, Hptm. IR. Nr. 74.
Mitrović, Spiridion, Major k. k. Landw.
Herbert-Rathkeal, Eduard Freih. v., FML.
Schiele, Robert, Obrlt. Ruhestand.
Welther v. Welthern, Moriz, Major Ruhestand.
Esztergomy, Ferdinand, Major k. ung. Landw.
Hilbert, Jakob, Hptm. IR. Nr. 63.
Wittich v. Streitfeld, Franz Ritt., Hptm. IR. Nr. 18.
Schneider, Ferdinand, Hptm. Ruhestand.
Schemel Edl. v. Kühnritt, Adolph, Hptm. Ruhestand.
Wesselý, Adolph, Major IR. Nr. 72.

Prantner, Wenzel, Hptm. IR. Nr 66.
Appel, Rudolph, Obrlt. IR. Nr. 66.
Leonhardi, Franz Freih. v., FML.
Ott Edl. v. Ottenkampf, Joseph, Oberst IR. Nr. 75.
Rosslaw, Carl, Major Ruhestand.
Popp, Carl, Hptm. IR. Nr. 74.
Scholz, Johann, Obstlt. Ruhestand.
Majneri, Joseph nobile de, Major Armeestand.
Golling, Theodor, Major Ruhestand.
Kutschereuter, Guido, Major Ruhestand.
Perin v. Wogenburg, Emil Ritt., Major Pion.-Reg.
Bücke, Wilhelm, Obrlt. Ruhestand.
Kuzmanovics, Alexander v., Major k. ung. Landw.
Gallina, Felix, Hptm. IR. Nr. 76.
Eder, Julius, Hptm. IR. Nr. 76.
Jovanović, Stephan Freih. v., FML.
Eisenstein, Carl Ritt. von und zu, Obstlt. Armeestand.
Grabrić, Barthol., Obstlt. Ruhestand.
Bigga v. Mongabia, Peter Ritt., GM.
Kukulj, Stephan, Oberst Ruhestand.
Kurelec v. Boine-mir, Eduard Ritt., Obstlt. Ruhestand.
Eichberger, Adolph, Major Ruhestand.
Sertić, Michael, Major Ruhestand.
Stoisić, Alexander, Major Ruhestand.
Weiss, Ladislaus, Oberst Ruhestand.
Roncador, Alphons, Major Ruhestand.
Haun, August, Hptm. Ruhestand.
Aufschnaiter v. Huebenburg, Maximilian, Hptm. Ruhestand.
Lantschner, Anton, Hptm. k. k. Landw.
Pichler, Anton, Hptm. Jäg.-Reg.
Sizzo-Noris, Heinrich Gf., Major Husz.-Reg. Nr. 6.
Rapold, David, Hptm. k. k. Landw.
Sieberer, Joseph, Hptm. k. k. Landw.
Rischanek, Anton, Obstlt. FJB. Nr. 25.
Buch, Arnold, Obstlt. Ruhestand.
Zhuber v. Okrog, Anton, Hptm. k. k. Landw.
Schmidburg, Joseph Freih. v., Hptm. FJB. Nr. 19.
Hannbeck, Johann, Oberst IR. Nr. 56.
De Vaux, Leonhard Freih., Major IR. Nr. 47.
Helly, Georg Edl. v., Hptm. FJB. Nr. 15.
Rainer, Johann, Hptm. FJB. Nr. 15.
Lefeber, Anton, Hptm. FJB. Nr. 11.
Estlinger, Maximil., Obrlt. FJB. Nr. 27.
Rau, Heinrich, Major IR. Nr. 64.
Frass v. Friedenfeldt, Carl Ritt., Oberst IR. Nr. 16 (WG.).
Galateo, Alfred nobile de, Obrlt. Jäg.-Reg.
Perger, Ferdinand Ritt. v., Oberst Ruhestand.
Handel, Friedrich Freih. v., Major IR. Nr. 24.
Grobois Edl. v. Brückenau, Arthur, Hptm. Ruhestand.
Dwořak v. Kulmburg, Rudolph, Hptm. FJB. Nr. 33.
Reyl-Hanisch v. Greiffenthal, Johann Ritt., Major IR. Nr. 3.
Leschak, Anton, Hptm. Ruhestand.
Wichmann, Eberhard, Hptm. FJB. Nr. 9.
Westerholt, Alexander, Hptm. FJB. Nr. 27.
Friess, Rudolph Ritt. v., Major IR. Nr. 35.
Modena, Carl Conte de, Hptm. FJB. Nr. 10.
Cumerlotti, Peter, Hptm. k. k. Landw.
Stamborszky, Carl, Obstlt. Ruhestand.
Hügel, Alexander Freih. v., Obstlt. Husz.-Reg. Nr. 15.
Wippern, August, Major Ruhestand.
Gemmingen-Guttenberg, Sigmund Freih. v., Rittm. a. D.
Nagy, Franz, Rittm. Husz.-Reg. Nr. 1. (WG.).
Tatarczy, Joh., Rittm. Husz.-Reg. Nr. 1.
Szervięzky de Nagy-Kanisa et Karis, Julius, Rittm. Husz.-Reg. Nr. 3.
Némethy, August, Obstlt. Husz.-Reg. Nr. 5.
Mecséry de Tsóor, Emerich Freih. Major Husz.-Reg. Nr. 8.
Bartakovics, August v., Rittm. Husz. Reg. Nr. 13.
Coreth v. Coredo und Starkenberg, Moriz Gf., Rittm. a. D. der k. k. Landw.
Dillen-Spiering, August Gf., Major Uhl.-Reg. Nr. 5.
Kowalski, Stanislaus Ritt. v., Major Uhl.-Reg. Nr. 7.
Helff, Anton, Rittm. Drag.-Reg. Nr. 4.
Möring, Alfred, Rittm. Uhl.-Reg. Nr. 13.
Almássy de Zsadány et Török Szt. Miklós, Béla, Rittm. Husz.-Reg. Nr. 6.
Winterstein, Carl, Oberst Ruhestand.
Zach, Ludwig, Obstlt. Artillerie.

Hayek, Eduard, Obstlt. Ruhestand.
Kolbl, Michael, Hptm. Artillerie.
Novotny, Carl, Hptm. Artillerie.
Ratajelz, Joseph, Hptm. Ruhestand.
Römer, Carl, Obrlt. Ruhestand.
Liebenwein, Carl, Hptm. Artillerie.
Kempel, Stephan, Obrlt. Artillerie.
Rodler, Wilhelm, Obrlt. Artillerie.
Vetter, Anton Edl. v., GM.
Schmarda, Anton, GM.
Schimandl, Franz, Hptm. Ruhestand.
Hajek, Franz, Major Artillerie.
Kellner, Joseph, Hptm. Artillerie.
Steinlechner, Adolph, Hptm. Artillerie.
Eberl, Joseph, Hptm. Artillerie.
Eysert, Raimund, Major Artillerie.
Melion, Anton, Hptm. Artillerie.
Spendou, Raimund, Obrlt. Artillerie.
Panusch, Adalbert, Hptm. Artillerie.
Böck, Friedrich Freih. v., Hptm. Generalstabs-Corps.
Gassner, Alexander, Obrlt. Artillerie.
Hünel, Anton, Hptm. Artillerie.
Skalla, Johann, Hptm. Artillerie.
Kretzer v. Immertreu, Johann, Obrlt. Ruhestand.
Kremmer, Clemens, Obstlt. Artillerie.
Stöver, Gustav, Hptm. Sanitäts-Truppe.
Balder, Johann, Hptm. Ruhestand.
Kohn, Joseph, Hptm. Sanitäts-Truppe.
Krübel, Franz, Hptm. Ruhestand.
Benesch, Ladislaus, Hptm. IR. Nr. 17.
Kokotović, Peter, Mil.-Pensionist.
Geiger v. Klingenberg, Carl, Hptm. Armeestand.
Ottinger, Gustav Freih. v., Oberst Ruhestand.
Rátky de Salamonfa, Alexander, GM.
Hann v. Hannenheim, Joseph, Obstlt Generalstabs-Corps.
Pálffy-Daun ab Erdöd, Wilhelm Gf., Oberst k. ung. Landw.
Veres, Johann, Rittm. Ruhestand.
Windsor, Wenzel, Rittm. Gestüts-Branche.
Nyáry de Nyáregyház, Béla Freih., Obrlt. a. D.
Török de Erdöd, Joseph, FML.
Hertlein, Michael, Obstlt. Husz.-Reg. Nr. 11.
Mac-Caffry - Keanmóre, Maximilian Gf., GM.
Wachter, Guido, Major Uhl.-Reg. Nr. 12.
Hütter, Julius, Hptm. Pion.-Reg.
Pinelli, Gustav, Hptm. FJB. Nr. 24.
Zieser, Willibald, Obrlt. k. k. Landw.
Pawlowsky, Eduard, Hptm. Artillerie.
Pomeisl, Joseph, Hptm. Artillerie.
Bittner, Wilhelm, Obrlt. Ruhestand.
Calafatti, Wilhelm, Freg.-Capt. Ruhestand.
Nölting, Adolph, L. Sch.-Capt.
Berthold, Heinrich, Freg.-Capt.
Feldmann, Ferd., Corv.-Capt. Ruhestand.
Czedik v. Bründelsberg, Hermann, Freg.-Capt.
Scheuermann, Carl, Corv.-Capt. Ruhestand.
Primavesi, Joseph, Freg.-Capt.
Tschernatsch, Franz, Corv.-Capt.
Biringer, Hermann, Corv.-Capt.
Faukal, Ottokar, L. Sch.-Lieut. Ruhestand.
Hinke, Gustav, Corv.-Capt.
Masotti, Eduard, Corv.-Capt.
Fayenz, Heinrich, Corv.-Capt.
Trapp, August Ritt. v., Corv.-Capt.
Fidler v. Isarborn, Julius, L. Sch.-Lieut. Ruhestand.
Palese Edl. v. Grettaberg, Emil, Corv.-Capt.
Gaál de Gyula, Eugen, Corv.-Capt.
Grancich, Peter, Corv.-Capt.
Stecher, Friedrich, Corv.-Capt.
Frankl, Paul, Corv.-Capt. Ruhestand.
Frank, Joseph, L. Sch.-Lieut.
Müller v. Müllenau, Carl, L. Sch.-Lieut.
Hauser, Paul, L. Sch.-Lieut. Ruhestand.
Hopfgartner, Franz, L. Sch.-Lieut.
Kalmar, Alexander. L. Sch.-Lieut.
Pogatschnigg, Richard, L. Sch.-Lieut.
Handel-Mazzetti, Wilhelm Freih. v., L. Sch.-Lieut. a. D.
Máriássy de Markus et Batiszfalva, Michael, L. Sch.-Lieut.
Wrede, Eugen Fürst, L. Sch.-Lieut.
Baritz de Ikafalva, Carl, L. Sch.-Lieut.
Schellander, Joseph, L. Sch.-Lieut.
Müller, Alfred, Marine-Beamter.
Lehnert, Joseph, L. Sch.-Lieut.
Barth, Carl, L. Sch.-Lieut.
Rosenzweig, Vincenz Edl. v., L. Sch.-Lieut.
Paradeiser, Wenzel, Marine-Beamter.
Deschauer, Hugo, L. Sch.-Lieut.
Binički, Lucas, L. Sch.-Lieut.
Wittembersky, Aurelius v., L. Sch.-Lieut. a. D.
Herber, Carl, L. Sch.-Lieut.

Kloss, Anton, L. Sch.-Lieut.
Rothauscher, Maximilian, L. Sch.-Lieut.
Pogatschnigg, Hugo, L. Sch.-Lieut.
Poglayen, Hugo, L. Sch.-Lieut. Ruhestand.
Luksch, Joseph, Marine-Beamter.
Schaffer, Anton, Hptm. IR. Nr. 61.
Gorišek, Franz, Obrlt. IR. Nr. 22.
Lenk v. Wolfsberg, Wilh. Freih., FZM.
Keil, Heinrich Ritt. v., Oberst Genie-Waffe.
Amerling, Joseph, Oberst Ruhestand.
Weeger, Leopold, Obstlt. Genie-Waffe.
Swoboda, Ignaz, Major Ruhestand.
Heinz Edl. v. Roodenfels, Anton, Hptm. Ruhestand.
Kopfinger v. Trebbienau, Eugen, GM.
Aresin, Joseph, Major a. D.
Parmann, Friedr., Major IR. Nr. 46.
Haymerle, Alois Ritt. v., Oberst Generalstabs-Corps.
Bolfras v. Ahnenburg, Arthur, Obstlt. Generalstabs-Corps.
De Vicq de Cumptich, Gustav Freih., Obstlt. Ruhestand.
Müller, Leo, Major Ruhestand.
Krynicki, Julian Ritt. v., GM.
Ružiczka, Rudolph, Major Ruhestand.
Kraliczek, Ferdinand, Hptm. IR. Nr. 11.
Hofer, Johann, Hptm. Ruhestand.
Stuchlik, Johann, Major IR. Nr. 6.
Koczýan, Heinrich, Hptm. IR. Nr. 59.
Domaschnian, Constantin, Hptm. IR. Nr. 41.
Schiffler, Carl, Major Ruhestand.
Walter, Johann, Major Ruhestand.
Bouthillier, Otto Freih. v., Hptm. k. k. Landw.
Buchfelder, Carl, Hptm. IR. Nr. 4.
Hollenstein, Joseph, Hptm. Jäg.-Reg.
Torresani v. Lanzenfeld di Camponero, Carl Freih., Mil.-Pensionist.
Czischek, Johann, Hptm. k. k. Landw.
Crusiz, Othmar, Oberst Generalstabs-Corps.
Seine kaiserl. königl. Hoheit Erzherzog Joseph, GdC.
Rodakowski, Joseph Ritt. v., GM.
Cnobloch, Friedrich Freih. v., Obstlt. a. D.
Cornaro, Ludwig Edl. v., GM.
Pacor v. Karstenfels und Hegyalja, Albert, Oberst k. ung. Landw.
Butterweck, Julius, Obstlt. Generalstabs-Corps.
Schaller, Carl, Oberst Generalstabs-Corps.
Wiser, Friedrich Ritt. v., Oberst Generalstabs-Corps.
Obauer Edl. v. Bannerfeld, Hugo, Oberst Generalstabs-Corps.
Degenfeld-Schonburg, Ferdinand Gf., Oberst Generalstabs-Corps.
Lenk v. Wolfsberg, Rudolph Freih., Oberst Artillerie.
Mühlwerth-Gärtner, Friedrich Freih. v., Major Ruhestand.
Tschebulz Edl. v. Tsebuly, Franz, Major Generalstabs-Corps.
Sembratowicz, Ludwig, Obstlt. Generalstabs-Corps.
Schmedes, Emil, Major IR. Nr. 75.
Waldstätten, Georg Freih. v., Oberst Generalstabs-Corps.
Klobus, Adolph Edl. v., Major Ruhestand.
Van der Sloot v. Vaalmingen, Eduard, GM.
Jaus, Carl, Oberst IR. Nr. 7.
Köhler, Alexander, Hptm. IR. Nr. 1.
Körner, Ferdinand, Rittm. und Arcieren-Leibgarde.
Czedik v. Bründelsberg, Emil, Obstlt. Ruhestand.
Petzoldt, Eugen, Hptm. Ruhestand.
Erich v. Melambuch u. Liechtenheim, Joseph Ritt., Obrlt. Armeestand.
Chitry Edl. v. Freyselsfeld, Anton, Major k. k. Landw.
Czermak, Johann, Hptm. Ruhestand.
Grimm, Leo, Obrlt. IR. Nr. 4 (WG.).
Sturm, Conrad, Lieut. Ruhestand.
Peschics, Lazar, Hptm. Ruhestand.
Sarić, Johann, Obstlt. IR. Nr. 2.
Wienecke, Otto, Hptm. IR. Nr. 6.
Heckl, Wenzel, Hptm. IR. Nr. 6.
Orbok, Stephan v., Hptm. Ruhestand.
Billek-August v. Auenfels, Stephan Freih., Hptm. IR. Nr. 6.
Petrović, Ferdinand, Hptm. IR. Nr. 9.
Hiefer, Rudolph, Obstlt. IR. Nr. 67.
Kamler, Joseph, Hptm. IR. Nr. 8.
Geutebruck, Georg, Hptm. IR. Nr. 14.
Berger, Moriz, Hptm. IR. Nr. 8.
Ochtzim Edl. v. Clarwall, Carl, Oberst Ruhestand.
Dittl v. Wehrberg, Carl, Major Ruhestand.
Smalawski, Eduard Ritt. v., Obstlt. IR. Nr. 40.

Bolla de Csáford-Jobaháza, Coloman, Major Generalstabs-Corps.
Lorenz, Gustav, GM.
Schuster, Franz, Hptm. IR. Nr. 49.
Würth Edl. v. Hartmühl, August, FML.
Davidovac, Sabbas, Oberst IR. Nr. 24.
Chambaud - Charrier, Ernst v., Major Armeestand.
Geyer, Oskar, Hptm. Ruhestand.
Münch-Bellinghausen, Carl Freih. v., Oberst Ruhestand.
Bierfeldner Edl. v. Feldheim, Franz, Oberst Ruhestand.
Gecz, Thomas, Oberst IR. Nr. 31.
Hervay v. Kirchberg, Carl Chev., GM.
Schram, Hugo v., Obstlt. IR. Nr. 18.
Langer, Gustav, Obstlt. IR. Nr. 32.
Eckhardt v. Eckhardtsburg, Gustav, Oberst Ruhestand.
Neuwirth, Theodor, Obstlt. k. k. Landw.
Stein zu Lausnitz, Friedrich Freih. v., Major Ruhestand.
Lesonitzky, Otto, Rittm. u. Arcieren-Leibgarde.
Haigenvelder, Carl, Oberst Ruhestand.
Linder v. Bienenwald, Eduard, Obstlt. Ruhestand.
Konja, Julius, Oberst IR. Nr. 24.
Stankiewicz de Mogiła, Leonhard Ritt., Obstlt. k. k. Landw.
Kraft, Joseph, Hptm. k. k. Landw.
Tarnowski, Ludwig, Hptm. IR. Nr. 15.
Scudier, Joseph, GM.
Gnad, Julius, Hptm. Ruhestand.
Karg v. Bebenburg, Franz Freih., Obrlt. a. D.
Kocy v. Cenisberg, Johann, GM.
Bissinger, Johann, Obstlt. IR. Nr. 9.
Gauff, Wilhelm, Obrlt. Drag.-Reg. Nr. 4.
Mayer v. Alsó-Ruszbach, Arthur, Major a. D. der k. k. Landw.
Bénisz, Franz, Obrlt. IR. Nr. 32.
Musulin v. Gomirje, Emil, Oberst k. ung. Landw.
Trupković, Joh., Major Ruhestand.
Zsarnay, Julius v., Rittm. u. k. ung. Leibgarde.
Ventour v. Thurmau, Johann, Mil.-Pensionist.
Terstyánszky, August, GM.
Eltz, Franz Gf. zu, Obstlt. Ruhestand.
Haasz v. Grünnenwaldt, Vincenz, Major IR. Nr. 26.
Marx, Alexander, Hptm. Ruhestand.
Meyer, Guido, Hptm. Generalstabs-Corps.
Klette v. Klettenhof, Erdmann, Obrlt. Ruhestand.
Hauska, Anton Ritt. v., GM.
Fontaine v. Felsenbrunn, Andr., Obstlt. k. k. Landw.
Blomberg, Ludwig Freih. v., Hptm. Ruhestand.
Eynatten, Heinrich Freih. v., Obstlt. FJB. Nr. 24.
Krabetz, Emil, Obrlt. Ruhestand.
Braun, August, Hptm. IR. Nr. 42.
Hnatek, Edmund, Hptm.-Auditor.
Täuffer, Emil, Hptm. IR. Nr. 44.
Ballisch, Julius, Obrlt. Ruhestand.
Giunio, Dominik, Major IR. Nr. 45.
Schönfeld, Anton Freih. v., FML.
Garlik, Johann, Oberst Ruhestand.
Hopels, Conrad, Obstlt. IR. Nr. 47.
Krippel, Carl, Obstlt. Ruhestand.
Grätz, Anton, Hptm. Ruhestand.
Voetter, Victor, Hptm. IR. Nr. 49.
Spaleny, Norbert, Hptm. IR. Nr. 52
Christian, Wenzel, Oberst IR. Nr. 40.
Zichardt, Gustav, Hptm. IR. Nr. 56.
Přichoda, Eduard, Hptm. IR. Nr. 56.
Görtz, Wilhelm Ritt. v., GM.
Schwoy, Julius, Major Ruhestand.
Kurz, Carl, Major FJB. Nr. 4.
Christ, August, Hptm. Ruhestand.
Schulz, Emil, Hptm. IR. Nr. 57.
Pletzger, Eduard Freih. v., Oberst Ruhestand.
Pirner, Ferdinand, Hptm. k. k. Landw.
Rupprecht v. Virtsolog, Coloman, Hptm. a. D.
Wildburg, Hermann Freih. v., Hptm. k. k. Landw.
Mattyasovszky v. Máttyásócz, Wolfgang, Hptm. k. ung. Landw.
Eichler, Franz, Hptm. IR. Nr. 61.
Appel, Joseph Ritt. v., GM.
Hönig, Arnold, Hptm. k. ung. Landw.
Peterka, Carl, Hptm. Ruhestand.
Gautsch, Julius, Hptm. IR. Nr. 1.
Schmidt, Anton, Hptm. IR. Nr. 64.
Zawadil, Anton, Obrlt. IR. Nr. 64.
Habrovszky, Joseph, Hptm. k. ung. Landw.
Gabona, Ferdinand, Obstlt. Ruhestand.
Zuna Edl. v. Krátky, Carl, Oberst Ruhestand.
Maurer v. Mörtelau, Alois, Oberst Armeestand.

Döpfner, Carl Edl. v., Oberst IR. Nr. 10.
Hiller, Joseph, Hptm. Ruhestand.
Bauer, Julius, Obstlt. IR. Nr. 12.
Leicht Edl. v. Leichtenthurm, Carl, Major IR. Nr. 73.
Schneyder, Theodor, Major Ruhestand.
Salis-Samaden, Carl Freih. v., Obstlt. IR. Nr. 58.
Schirschant, Constantin, Hptm. IR. Nr. 35.
Engels, Joseph, Hptm. IR. Nr. 1.
Müller, Joseph, Hptm. Ruhestand.
Brenneis, Carl Edl. v., Obrlt. und Second-Wachtmeister der Trabanten-Leibgarde.
Pfeiffer, Ferdinand, Obrlt. IR. Nr. 42.
Bonora, Maximilian, Oberst Ruhestand.
Meyer, Johann, Major Ruhestand.
Leuzendorf, Friedr. Ritt. v., Obrlt. a. D.
Endte, Alexander v., Major Ruhestand.
Orofino, Carl Edl. v., Hptm. Ruhestand.
Schmidt, Johann, Hptm. IR. Nr. 77.
Schottnegg Edl. v. Zinzenfels, Clemens, Hptm. IR. Nr. 29.
Hegedušević, Ladislaus, Obrlt. IR. Nr. 78.
Czógler, Georg, Obrlt. IR. Nr. 38.
Pauer v. Budahegy, Franz, Obrlt. IR. Nr. 37.
Josiphovich, Georg, Obstlt. Ruhestand.
Seracsin, Joseph, Obstlt. Ruhestand.
Popesko, Georg, Major Ruhestand.
Schagar, Carl, Hptm. Ruhestand.
Petraschko, Joseph, Hptm. IR. Nr. 5.
Betz, Carl, Hptm. IR. Nr. 37.
Novaković, Peter, Hptm. IR. Nr. 78.
Manasser, Ludwig, Major k. k. Landw.
Müller, Hugo, Mil.-Pensionist.
Fischer, Georg, Hptm. FJB. Nr. 1.
Pavek, Ludwig, Hptm. Generalstabs-Corps.
Heidler, Carl, Obrlt. Ruhestand.
Cerrini de Monte-Varchi, Edmund Gf., Obstlt. Ruhestand.
Kürsinger, Alfred Ritt. v., Major Jäg.-Reg.
Seidl, Alexander, Hptm. FJB. Nr. 3.
Höller, Franz, Hptm.-Rechnungsführer.
Luxardo, Urban, Oberst Ruhestand.
Karwath, Carl, Hptm. FJB. Nr. 17.
Rohn, Hubert, Hptm. FJB. Nr. 12.
Gruber, Carl, Hptm. FJB. Nr. 6.
Ferstner, August, Major Ruhestand.
Figura, Guido, Hptm. Jäg.-Reg.
Bandian, Ludwig, GM.
Lügner, Joseph, Obrlt. Ruhestand.
Wenz, Joseph, Major IR. Nr. 63.
Gaich, Mathias Ritt. v., Oberst Ruhestand.
Davidović, Alexander, Hptm. FJB. Nr. 17.
Chlumecký, Victor Ritt. v., Hptm. Generalstabs-Corps.
Madurowicz, Oskar Ritt. v., Oberst Armeestand.
Peters v. Pitersen, Hermann, Oberst Ruhestand.
Spiess, August, Major IR. Nr. 15.
Krepl, Franz Edl. v., Oberst Ruhestand.
Raslić, Mathias, Obstlt. FJB. Nr. 31.
Klarner, Eduard, Major Ruhestand.
Lehne, Gustav, Obstlt. k. k. Landw.
Blumauer, Alois, Hptm. FJB. Nr. 26.
Bastl, Ludwig, Hptm. FJB. Nr. 26.
Gorizzutti, Maximilian Freih. v., Major Ruhestand.
Knapp, Barnabas, Hptm. Ruhestand.
Theodorovich, Georg, Obstlt. FJB. Nr. 30.
Phaffenhuber, Eduard, Hptm. FJB. Nr. 28.
Müller, Friedrich, Hptm. FJB. Nr. 28.
Dittrich, Gustav, Major IR. Nr. 56.
Allegri, Maurus, Hptm. Ruhestand.
Berger, Johann, Hptm. Generalstabs-Corps.
Clanner v. Engelshofen, Prokop Ritt., Oberst Ruhestand.
Zweigl, Hugo, Obrlt. FJB. Nr. 12.
Brandenberg, Gottlieb, Hptm. Sanitäts-Truppe.
Fitz-Gerald, Gabriel, Major Ruhestand.
Murray, Johann, Major Ruhestand.
Klenck, Carl v., Obstlt. Drag.-Reg. Nr. 4.
Fricke, Georg, Oberst Drag.-Reg. Nr. 6.
Friedrich, Georg Ritt. v., Oberst Gestüts-Branche.
Lippert, Carl, Major Ruhestand.
Kleist, Gustav Freih. v., Major Ruhestand.
Gilsa, Carl v., Major Drag.-Reg. Nr. 12.
Frankl, Joseph v., Rittm. u. Arcieren-Leibgarde.
Stenglin, Ernst Freih. v., Rittm. Drag.-Reg. Nr. 8.
Neupauer, Eduard Ritt. v., Rittm. Ruhestand.
Isaacson v. Newfort, Heinrich Freih., FML.

Kulmer, Joseph Freih. v., Rittm. Drag.-Reg. Nr. 2.
Borzęcki v. Kozarz, Alexander Ritt., Rittm. Ruhestand.
Loziński v. Schwerttreu, Wilhelm Ritt., Rittm. k. k. Landw.
Wasmer, Johann v., Oberst Drag.-Reg. Nr. 10.
Rott, Joseph, Oberst Uhl.-Reg. Nr. 8.
Lanhaus, Franz, Obrlt. Ruhestand.
Meding, Franz Freih. v., Oberst Ruhestand.
Gradl, Wilhelm, Oberst Uhl.-Reg. Nr. 7.
Waldstein-Wartenberg, Albrecht Gf. Major a. D.
Obst, Jaroslaw, Rittm. Ruhestand.
Szirmay de Szirma-Bessenyő, Csernek et Tarkö, Wilhelm Gf., Major Ruhestand.
Zaleski. Joseph Ritt. v., Rittm. Uhl.-Reg. Nr. 7.
Dvořáček, Joseph, Rittm. Husz.-Reg. Nr. 6.
Windisch-Graetz, Joseph Prinz zu, Durchlaucht, GM.
Kaftan, Carl, Major Ruhestand.
Ruttkay de Nedecz, Johann, Rittm. Husz.-Reg. Nr. 4.
Kovács de Kovászna, Béla, Rittm. Husz.-Reg. Nr. 1.
Balogh de Beöd, Julius, Major Husz.-Reg. Nr. 3.
Dobner v. Rautenhof und Dettendorf, Carl, Rittm. k. ung. Landw.
Degenfeld-Schonburg, Christoph Gf., FML.
Henneberg, Carl Ritt. v., GM.
Lukinácz, Eduard, Obstlt. k. ung. Landw.
Stockau, Georg Gf., Major a. D.
Zaitsek v. Egbell, Carl, Major Husz.-Reg. Nr. 11.
Schlesinger, Andreas, Rittm. und k. ung. Leibgarde.
Maxon de Rövid, Ludwig, Rittm. Husz.-Reg. Nr. 9.
Tóth, Carl v., Rittm. Husz.-Reg. Nr. 3.
Orczy, Emil Freih. v., Major Armeestand.
Laky v. Niczkilak u. Ondód, Carl, Rittm. k. ung. Landw.
Villa-Secca, Roderich Freih. v., Obrlt. k. k. Landw.
Pongrácz de Szent-Miklós et Óvár, Alexander, GM.

Varga. Emil v.. Oberst Husz.-Reg. Nr. 14.
Benesovszky, Wenzel, Oberst Husz.-Reg. Nr. 4.
Gemmingen-Guttenberg, Otto Freih. v., Obstlt. Uhl.-Reg. Nr. 6.
Bothmer, Wilhelm v., Major Drag.-Reg. Nr. 3.
Waldstein-Wartenberg, Joseph Gf., FML.
Du Jarrys Freih. v. La Roche, Alexander, Rittm. Ruhestand.
Specht, Maximilian Freih. v., Rittm. Ruhestand.
Vallentsits, Alfred Edl. v., Oberst Generalstabs-Corps.
Dorner, Wilh. v., Oberst Ruhestand.
Wense, Friedrich Freih. von der, Major Ruhestand.
Eszterházy de Galantha, Alois Prinz, Durchlaucht, Major k. ung. Landw.
Kessner, Carl, Obrlt. Uhl.-Reg. Nr. 6.
Binder, Franz, Rittm. und k. ung. Leibgarde.
Rohan, Victor Prinz, Durchlaucht, GM.
Van Goethem de St. Agathe, Emil, GM.
Mac Donell O'Houlon, Alexander, Obstlt. Ruhestand.
Stolberg zu Stolberg, Günther Gf., Rittm. Uhl.-Reg. Nr. 2.
Mayer v. Eichrode, Adolph, Major Drag.-Reg. Nr. 8.
Pulz, Johann Edl. v., GM.
Milieski, Julius v., Obstlt. Ruhestand.
Gaffron v. Oberstradam, Rudolph Freih., Oberst Husz.-Reg. Nr. 2.
Lamberg, Friedrich Gf., Obrlt. k. k. Landw.
Biersbach, Johann v., Oberst Ruhestand.
Hermann, Joseph, Major Artillerie.
David Edl. v. Rhonfeld, Franz, Obstlt. Artillerie.
Fritsche. Joseph, Hptm. Artillerie.
Burger, Joseph, Obstlt. Artillerie.
Frank, Eduard, Oberst Artillerie.
Radda, Franz, Hptm. Ruhestand.
Lobkowitz, Rudolph Prinz v., Durchlaucht, Oberst Artillerie.
Horn, Rudolph, Oberst Ruhestand.
Weisbeck, Alois, Major Ruhestand.
Grigkar, Joseph, Obstlt. Artillerie.
Wolf, Wilhelm, Hptm. Artillerie.
Fekonia, Joseph, Hptm. Artillerie.

Meduna v. Riedburg, Edmund Ritt., Obrlt. Artillerie.
Glaubrecht, Julius, Obstlt. Artillerie.
Puteani, Coloman Freih. v., Major Artillerie (WG.).
Hassak, Joseph, Major Artillerie.
Ludwig, Alois, Major Artillerie.
Richter, Johann, Obstlt. Artillerie.
Volkmer, Ottomar, Hptm. Artillerie.
Tsân, Franz, Obrlt. Artillerie.
Au, Joseph, Major Ruhestand.
Schiess, Felix, Hptm. Artillerie.
Biedermann, Johann, Hptm. Artillerie.
Petričić, Adam, Hptm. Artillerie.
Schramm, Carl, Oberst Ruhestand.
Schlöglhofer, Michael, Major Ruhestand.
Kleiner, Benjamin, Hptm. Ruhestand.
Buol, Constantin Freih. v., GM.
Hanély, Alois Edl. v., Obstlt. Ruhestand.
Peschek, Ignaz, Major Ruhestand.
Kramer, Moriz, Hptm. Artillerie.
Pilsak Edl. v. Wellenau, Eduard, GM.
Kögler, Franz, Major Ruhestand.
Filz, Friedrich. Obstlt. Artillerie.
Eisler, Thomas, Hptm. Artillerie.
Schaffer, Mathias, Hptm. Artillerie.
Heissig, Hermann, Hptm. Artillerie.
Nieke, Carl, Oberst Artillerie.
Michalik, Michael, Obstlt. Artillerie.
Smrž, Anton, Hptm. Ruhestand.
Bergmann, Joseph, Major Ruhestand.
Kellner v. Treuenkron, Ferdinand Ritt., Hptm. Artillerie.
Thomann, Friedrich, Hptm. Artillerie.
Laizner, Moriz, Major Artillerie.
Nepasizky, Wenzel, Oberst Artillerie.
Aulitzky, Joseph, Major Ruhestand.
Stehlik, Carl, Hptm. Ruhestand.
Ghyczy de eadem et Assa-Abláncz-Kürth, Béla, GM.
Krisch, Adalbert, Major Ruhestand.
Teltscher, Bernhard, Major Pion.-Reg.
Schrott, Alois, Hptm. Ruhestand.
Glass, Jakob, Hptm. Pion.-Reg.
Wetzer, Leander, Hptm. Generalstabs-Corps.
Windisch-Graetz, Ernst Prinz zu, Durchlaucht, Oberst a. D.
Schaumburg-Lippe, Wilhelm Prinz zu, Durchlaucht, Obstlt. Drag.-Reg. Nr. 14.
Logothetty, Zdenko Gf., Rittm. a. D.
Némethy, Joseph Edl. v., GM.
Stach, Gustav, Oberst Ruhestand.
Schober, Johann, Major Ruhestand.
Strasser Edl. v. Obenheimer, Michael, Major Ruhestand.
Gamerra, Gustav Freih. v., GM.
Glasser, Joseph, Hptm. Ruhestand.
Stojan, Anton, Major Armeestand.
Biegler, Eduard, Hptm. k. k. Landw.
Haupt, Othmar, Hptm. Ruhestand.
Ditfurth, Ferdinand Freih. v., Hptm. Ruhestand.
Bancalari, Gustav, Major Generalstabs-Corps.
Risch, Theodor v., Oberst IR. Nr. 18.
Gürtler, Wenzel, Hptm. IR. Nr. 36.
Weltzan, Stephan, Hptm. IR. Nr. 46.
Staffa, Joseph, Hptm. Ruhestand.
Chorin, Friedrich, Rittm. Husz.-Reg. Nr. 12.
Badstüber, Ludwig, Major IR. Nr. 75.
Camelli, Georg, Hptm. Ruhestand.
Matt, Alfred Edl. v., Obrlt. FJB. Nr. 16.
Seifert, Christoph, Major Ruhestand.
Gagern, Otto Freih. v., Obstlt. Uhl.-Reg. Nr. 1.
Schmarda, Carl, GM.
Maywald, Carl, GM.
Grössl, Engelb., Rittm. Gendarmerie.
Rarrel, Franz Ritt. v., Rittm. a. D. der k. ung. Landw.
Wieser, Franz, Hptm. Ruhestand.
Ikałowicz, Leo, Hptm. Invalidenhaus Lemberg.
Schmelzer, Erwin, GM.
Ruff, August Ritt. v., Obrlt. FJB. Nr. 7.
Becsey, Emerich v., Hptm. IR. Nr. 48.
Červinka, Anton, Obrlt. Uhl.-Reg. Nr. 11.
Zatezalo v. Skerić, Raphael, Major Armeestand.
Gradvohl, Julius v., FML.
Károlyi de Károly-Paty et Vasvár, Sigmund, Major Ruhestand.
Szápáry, Ladislaus Gf., FML.
Földváry, Stephan Freih. v., Obstlt. Husz.-Reg. Nr. 8.
Schatzl v. Muhlfort, Carl, Obstlt. Ruhestand.
Wurmbrand, Gundaker Gf., Hptm. a. D.
Wachtler, Géza Ritt. v., Rittm. Uhl.-Reg. Nr. 3.
Adler v. Adlerschwung, Victor, Corv.-Capt.
Vincenz, Jakob, Hptm. k. k. Landw.
Morhammer, Johann Freih. v., FML.

Hutter, Joseph, Hptm. k. k. Landw.
Dipauli, Johann Edl. v., Obstlt. Ruhestand.
Tempis, Joseph v., Oberst IR. Nr. 25.
Willigk, Ernst, Hptm. IR. Nr. 21.
Fournier, Eduard, Hptm. k. k. Landw.
Guggenberger, Joseph, Hptm. IR. Nr. 27.
Nicklas, Anton, Obrlt. a. D.
Moritz, Carl, FML.
Bartha, Ladislaus, Oberst Ruhestand.
Gogoltan, Johann, Obstlt. Ruhestand.
Blómberg, Peter, Hptm. k. k. Landw.
Peielle, Alexander, Major Ruhestand.
Tunkl v. Asprung und Hohenstadt, Ferdinand Freih., Oberst Ruhestand.
Huberth, Andreas, Major k. ung. Landw.
Ramberg, Victor Freih. v., GM.
Durmann, Ant., Major Gestüts-Branche.
Teinzmann, Victor, Rittm. Husz.-Reg. Nr. 7.
Krenosz, Carl, Oberst Husz.-Reg. Nr. 4.
Mecséry de Tsóor, Carl Freih., Oberst Husz.-Reg. Nr. 7.
Pálffy ab Erdőd, Sigmund Gf., Oberst k. ung. Landw.
Bauer, Alois, Obrlt. Husz.-Reg. N. 14.
Bubna, Franz Gf., Obrlt. Uhl.-Reg. Nr. 4
Friedrich, Victor, Rittm. und k. ung. Leibgarde.
Wickenburg, Eduard Gf., GM.
Seyschab, Friedrich, Hptm. Artillerie
Sterz, Alfred, Major Ruhestand.
Zinner, Emerich, Major Pion.-Reg.
Feit, Adolph, Obrlt. k k. Landw.
Paumgartten, Johann Freih. v., Obrlt. Ruhestand.
Marka, Anton, Rittm. Husz.-Reg. Nr. 11.
Scherz, Carl, Rittm. u. k. ung. Leibgarde.
Cary, Heinrich, Rittm. Husz Reg. Nr. 11.
Wildmoser, Anton Ritt v., GM.

1867.

Nagy, Johann, Obrlt. IR. Nr. 2.
Thierry, Johann, Major Ruhestand.
Petvaidić, Anton, Major Ruhestand.
Gebert, Joseph, Obstlt. Ruhestand.
Erős de Bethlenfalva, Alexander, Oberst Ruhestand.
Dabsch, Joseph, Rittm. Ruhestand.
Roner v. Ehrenwerth, Philipp Freih., Obstlt. k. k. Landw.
Steffan, Wilhelm, Rittm. Gendarmerie.
Burian, Otto, L. Sch.-Lieut.

1868.

Binder, Wilhelm, GM.
Lovak, Thomas Ritt. v., Obstlt. Mil.-Grenz-Verwaltungs-Branche.
Artmann, Ferdinand, Major Ruhestand.
Grobben, Wilhelm Ritt. v., GM.
Gruber, Joseph, Hptm. IR. Nr. 32.
Alberti de Poja, Adolph Gf., Oberst Ruhestand.

1869.

Steinhart, Franz, Major Ruhestand.
Stupka, Joseph, Obstlt. Armeestand.

1870.

Lazich, Eugen, Major IR. Nr. 29.
Winterhalder, Carl, GM.
Pelzel v. Staffalo, Carl Ritt., Oberst Ruhestand.
Temessl, Ferdinand, Hptm. IR. Nr. 7.
Rinek, Ottokar, Rittm. u. Arcieren-Leibgarde.
Zimmermann, Georg, Hptm. IR. Nr. 1.
Werner, Joseph, Obrlt. IR. Nr. 44.
Nazar, Joseph, Obrlt. IR. Nr. 44.
Pfleger, Georg, Obrlt. Husz. - Reg. Nr. 11.
Negrelli v. Moldelbe, Oskar Ritt., Major IR. Nr. 48.
Thaller, Franz, Hptm. IR. Nr. 48.
Laban, Rudolph, Hptm. Generalstabs-Corps.
Pittel, Heinrich Freih. v., Oberst IR. Nr. 38.
Vuković, Franz, Hptm. IR. Nr. 61 (WG.).
Zahradnitzky, Emanuel, Obstlt. Ruhestand.
Olscha, Anton, Hptm. Ruhestand.
Forster, Leopold, Hptm. Artillerie.
Waschka, Franz, Hptm. Ruhestand.
Dwořak, Franz, Obrlt. Artillerie.
Tschreschner, Stephan, Hptm. Jäg.-Reg. (WG.).
Öhler, Ignaz, Obrlt., k. k. Landw.
Káan, Wilhelm Edl. v., Oberst Ruhestand.
Metz, Gustav, Hptm. Kriegs-Marine.
Böckmann, Heinrich Ritt. v., Obrlt. IR Nr. 49.
Butković, Michael, Hptm. Ruhestand.
Schneider, Anton, Obrlt. FJB. Nr. 8.
Kirchner v. Neukirchen, Carl, Oberst Ruhestand.

Fidler v. Isarborn, Adolph, Oberst IR. Nr. 58.
Butković, Anton, Hptm. Ruhestand.
Thill, Carl, Major a. D.

1871.

Tomašegović, Jakob, Major IR. Nr. 78.
Binički, Anton, Major Ruhestand.
Marjanović, Lucas, Hptm. IR. Nr. 79.
Dukić, Demeter, Obrlt. Ruhestand.
Rukavina, Joseph, Hptm. Mil.-Grenz-Verw.-Branche.
Serdić, Basilius, Hptm. Ruhestand.
Varešanin, Raimund, Hptm. Ruhestand.

1872.

Werner, Anton, Oberst Genie-Waffe.
Herrenschwand, Friedrich v., Major Genie-Waffe.
Bonn, Daniel, Obstlt. Generalstabs-Corps.
Langer, Ferdinand, Oberst Armeestand.
Ráak, Carl, Oberst Artillerie.
Wellenreiter, Stephan, Oberst Ruhestand.
Schwiblik, Franz, Oberst Artillerie.
Linhart, Thomas, Obrlt. Artillerie.
Kleimayrn, Hieronymus Freih. v., Obstlt. Ruhestand.
Medaković, Adam, Hptm. Pion.-Reg.
Ludwig, Carl, Obstlt. Generalstabs-Corps.

1873.

Köhler, Maximilian, Oberst k. k. Landw.
Villa, Johann Edl. v., Obstlt. Ruhestand.
Auersperg, Gottfried Gf., FML.
Deschmayer, Carl, Obstlt. Ruhestand.
Bartha, Coloman, Major Ruhestand.
Bruckmüller, Joseph, Hptm. Ruhestand.
Klement, Johann, Major Artillerie.

1874.

Vergeiner, Joseph, Obstlt. IR. Nr. 42.
Bulla, Eduard, Major Armeestand.
Milde, Anton, Major Armeestand.
Dauhlebsky v. Sterneck, Robert, Hptm. Armeestand.
Hartl, Heinrich, Hptm. Armeestand.
Georgevits de Apadia, Georg, Obstlt. Husz-Reg. Nr. 4.
Leddihn, Adolph, Oberst Generalstabs-Corps.
Auspitz, Leopold, Hptm. IR. Nr. 49.
Appel, Joseph, Obstlt. Ruhestand.
An der Lan zu Hochbrunn, Eduard v., Dr. d. R., Hptm. k. k. Landw.
Geiger, Andreas, Major Ruhestand.
Luksić, Joseph, Hptm. IR. Nr. 45.
Steiner, Carl, Oberst Armeestand.
Ludwig, Philipp, Major Armeestand.
Appel, Carl, Official in der Mil.-Kanzlei Seiner Majestät des Kaisers und Königs.
Kerchnawe, Hugo, Major Pion.-Reg.
Schmidt, Joseph, Major Genie-Waffe.
Müller, Ladislaus, Hptm. Pion.-Reg.
Reisky, Heinrich, Hptm. IR. Nr. 8.

1875.

Assenmacher, Jakob, Major Ruhestand.
Hantke, Joseph, Major Ruhestand.
Gruenewald, Alphons v., Hptm. IR. Nr. 21.
Eschenbacher, Joseph Ritt. v., Major Artillerie.
Wachtel Edl. v. Elbenbruck, Joseph, L.-Sch.-Lieut.
Pap, Johann, Major Ruhestand.
Kovačević, Paul, Major Ruhestand.
Trawniczek, Joseph, Major Artillerie.
Hess, Philipp, Hptm. Genie-Waffe.

1876.

Rüstel, Alfred Freih. v., Hptm. IR. Nr. 49.
Görtz, Bruno Ritt. v., Hptm. FJB. Nr. 21.
Albrich, Friedrich, Major Ruhestand.
Teyrowski, Hermann, Hptm. Ruhestand.
Schaefler, Wilhelm, Hptm. IR. Nr. 38.
Tobias Edl. v. Hohendorf, Sigmund, FML.
Schidlach, Franz Ritt. v., FML.
Delić, Michael, Obrlt. Pion.-Reg.
Sammer, Franz, Major Ruhestand.
Bolberitz, Ludwig Ritt. v., FML.
Herszényi de Herszény, Johann, Hptm. Armeestand.
Mell v. Mellenheim, Gustav, Oberst Ruhestand.
Schneller Edl. v. Mohrthal, Johann, Oberst Ruhestand.
Skerl Edl. v. Schmiedtheim, Joseph, Oberst Ruhestand.
Handel-Mazzetti, Eduard Freih. v., Oberst Generalstabs-Corps.
Kleinschmidt Edl. v. Wilhelmsthal, Franz, Major Generalstabs-Corps.

Becher, Michael, Hptm. IR. Nr. 4.
Petschnig, Georg, Hptm. Artillerie.
Wolf, Anton, Hptm. Artillerie.
Kotrtsch, Julius, Hptm. Artillerie..
Chmelik, Joseph, Hptm. Artillerie.
Zeidner, Franz, Hptm. Artillerie.
Kanyaurek, Ferdinand, Hptm. Artillerie.
Rutzky, Edmund, Hptm. Artillerie.
Sterbenz, Johann, Hptm. Artillerie.
Kaiser, Laurenz, Hptm. Artillerie.
Beschi, Eduard, Hptm. Artillerie.

1877.

Klepsch, Eduard, Hptm. Armeestand.
Bakalovich, Marcus, Major IR. Nr. 19.
Tinti, Gustav Freih. v., Obstlt. k. k. Landw.
Radványi. Moriz v., GM.
Dobner v. Dobenau, Leopold, Oberst Ruhestand.
Weikard, Franz, Oberst Generalstabs-Corps.
Böhm, Georg, Major Ruhestand.
Laferl, Joseph, Hptm. Pion.-Reg.
Forstner, Carl, Hptm. Genie-Waffe.
Ansion, Maximilian, Major IR. Nr. 24.
Lindner, Heinrich, Major IR. Nr. 45.
Menguser, Franz, Hptm. Ruhestand.
Schrott, Ignaz, Major IR. Nr. 52.
Ruff, Alexander, Major Armeestand.
Palm, Anton, Hptm. Ruhestand.
Kapfhamer, Franz, Major FJB. Nr. 17.
Powa, Leopold, Major Drag.-Reg. Nr. 9.
Kayser, Julius, Major Husz.-Reg. Nr. 6.
Zwehl, Jakob v., Major Uhl.-Reg. Nr. 11.
Kollaržik, Jakob, Hptm. Artillerie.
Lauffer, Emil, Major Artillerie.
Babouczek, Eduard, Major Artillerie.
Satzke v. Wanderer, Ottokar Ritt., Major Mil.-Fuhw.-Corps.
Schaller, Carl Freih. v., Hptm. Genie-Waffe.
Reymann, Ignaz, Oberst Ruhestand.
Joly, Julius Ritt. v., Corv.-Capt.
Jaitner, Franz, Major IR. Nr. 37.
Zoglauer v. Waldborn, Arthur, Hptm. k. k. Landw.
Uslar-Gleichen, Albrecht Freih. v., Major Ruhestand.
La Croix, Eduard, Obstlt. Armeestand.
Prybila, Carl Edl. v., Oberst Generalstabs-Corps (WG.).
Horalek, Anton, Major IR. Nr. 18.
Ringer, Eduard, Major IR. Nr. 5.
Nowý, Eduard, Major IR. Nr. 71.
Grüber, Johann, Hptm. IR. Nr. 9.
Paust, Johann, Hptm. IR. Nr. 54.
Grivičić, Leopold, Hptm. IR. Nr. 16.
Fattinger, Ferdinand, Hptm. IR. Nr. 30.
Schäfler, Eduard, Hptm. IR. Nr. 45.
Minutillo, Carl Freih. v., Hptm. IR. Nr. 19.
Tschandl Edl. v. Chossière, August, Hptm. IR. Nr. 60.
Speiser, Carl, Hptm. FJB. Nr. 33.
Dietrich, Carl, Rittm. Uhl.-Reg. Nr. 13.
Cypra, Franz, Rittm. Mil.-Fuhrw.-Corps.
Şermonet, Laurenz, Obrlt. IR. Nr. 52.

1878.

Stipanović, Michael, Oberst Ruhestand.
Reitzner v. Heidelberg, Victor, Hptm. IR. Nr. 60.
Sauerwald, Wilhelm, Hptm. Generalstabs-Corps.
Farkas v. Kassa, Daniel, Major k. ung. Landw.
Kraft, August, Major k. ung. Landw.
Klobučar, Wilhelm, Rittm. k. ung. Landw.
Forster v. Ersöböth, Béla, Rittm. k. ung. Landw.
Linhart, Heinrich, Obstlt. Ruhestand.
Hinke, Joseph, Oberst Landw.-Ruhestand.
Odescalchi, Herzog von Syrmien, Victor Fürst, Major, Wachtmeister der k. ung. Leibgarde.
Pucherna, Eduard, Hptm. Generalstabs-Corps.
Riegg, Ignaz, Hptm. Generalstabs-Corps.
Versbach v. Hadamar, Mansuet Ritt., Hptm. Generalstabs-Corps.
Asville, Friedrich, Hptm. Generalstabs-Corps.
Resch, Anton, Hptm. Generalstabs-Corps.
Goll, Joseph, Hptm. IR. Nr. 7,
Kocher, Johann, Hptm. IR. Nr. 7.
Mayer, Carl, Hptm. IR. Nr. 7.
Nemec, Hermann, Obrlt. IR. Nr. 7.
Dumann, Friedrich, Obrlt. IR. Nr. 7.
Fröhlich, Anton, Obrlt. IR. Nr. 7.
Le Jeune, Carl, Obrlt. IR. Nr. 7.
Preschern, Hermann, Obrlt. k. k. Landw.
Buzzi, Ernst, Obrlt. k. k. Landw.
Waberer Edl. v. Dreischwert, Anton, Hptm. IR. Nr. 16.
Haglian, Michael, Hptm. IR. Nr. 16.
Salomon, August, Hptm. IR. Nr. 17.

Slivnik, Andreas, Hptm. IR. Nr. 17.
Lukanc, Michael, Obrlt. IR. Nr. 17.
Prašnikar, Matthäus, Obrlt. IR. Nr. 17.
Modrijan, Jakob, Obrlt. IR. Nr. 17.
Mac Neven O'Kelly, Franz Freih., Lieut. IR. Nr. 17.
Ambrožić, Leopold, Lieut. IR. Nr. 17.
Janski, Ludwig, Oberst IR. Nr. 22.
Smola, Johann, Major IR. Nr. 22.
Derin, Stephan, Hptm. IR. Nr. 22.
Kaznačić, Anton, Obrlt. IR. Nr. 22.
Soukup, Johann, Obrlt. IR. Nr. 22.
Saraca, Emerich nobile de, Obrlt. IR. Nr. 22.
Pavalec, Andreas, Obrlt. IR. Nr. 22.
Karleuša, Paul, Obrlt. IR. Nr. 22.
Rois, Rudolph, Lieut. IR. Nr. 22.
Kozarčanin, Johann, Lieut. IR. Nr. 22.
Bornmüller, Albert, Hptm. IR. Nr. 27.
Axster, Victor Edl. v., Hptm. IR. Nr. 27.
Ivanossich v. Küstenfeld, Emil, Obrlt. IR. Nr. 27.
Gherardini, Moriz, Obrlt. IR. Nr. 27.
Kukowetz. Franz, Hptm. IR. Nr. 38.
Keraus. Anton, Hptm. IR. Nr. 38.
Ostermann, Carl, Hptm. IR. Nr. 38.
Kiesewetter Edl. v. Wiesenbrunn, Wilhelm, Hptm. IR. Nr. 38.
Bernath, Alphons, Hptm. IR. Nr. 38.
Schönfeld, August, Obrlt. IR. Nr. 38.
Hartlieb v. Walthor, Moriz Freih., Obrlt. IR. Nr. 38.
Präuer, Hugo, Lieut. IR. Nr. 38.
Ferch, Edmund, Lieut. IR. Nr. 38.
Antal, Joachim, Hptm. IR. Nr. 39.
Herczeg, Hermann, Hptm. IR. Nr. 39.
Horn v. Slepowron, Carl, Obrlt. IR. Nr. 39.
Rosenzweig v. Drauwehr, Coloman Freih, Obrlt. IR. Nr. 39.
Nick, Eduard, Lieut. k. ung. Landw.
Kéler, Ladislaus, Obrlt. IR. Nr. 39.
Maretich v. Riv-Alpon, Lothar Freih., Lieut. IR. Nr. 39.
Schafarzik, Franz, Lieut. IR. Nr. 39.
Herschkowitz, Israel, Lieut. IR. Nr. 39.
Pandur, Mathias, Major IR. Nr. 46.
Medveczky, Adam v., Hptm. IR. Nr. 46.
Andreánszky, Arthur, Hptm. IR. Nr. 46.
Böhn, Franz v., Hptm. IR. Nr. 46.
Mlinarić, Stephan, Hptm. IR. Nr. 46.
Beer, Joseph, Obrlt. IR. Nr. 46.
Sestak, Franz, Obrlt. IR. Nr. 46.
Schönfeld, Adolph Freih. v., Obrlt. Nr. 46.
Schmitzhausen, Victor, Obrlt. IR. Nr. 46.
Höller, Edmund, Lieut. IR. Nr. 46.
Chmeliczek, Carl, Lieut. IR. Nr. 46.
Hadfy, Emerich v., Lieut. IR. Nr. 46.
Schwarzbek, Otto, Obstlt. IR. Nr. 47.
Schaeffer, Heinrich, Hptm. IR. Nr. 47.
Rupert, Valentin, Obrlt. IR. Nr. 47.
Leskoušek, Joseph, Lieut. IR. Nr. 47.
Korbusz, Eduard, Hptm. IR. Nr. 52.
Ivinger, Carl, Hptm. IR. Nr. 52.
Renner Edl. v. Ritterstern, Wilhelm, Hptm. IR. Nr. 52.
Deutsch, Rudolph, Hptm. IR. Nr. 52.
Lovretić, Paul, Obrlt. IR. Nr. 52.
Visy, Ludwig, Lieut. IR. Nr. 52.
Günzl, Anton, Lieut. IR. Nr. 52.
Boroević, Svetozar, Lieut. IR. Nr. 52.
Appel, Michael Edl. v., Lieut. IR. Nr. 52.
Vest, Oskar Ritt. v., Lieut. IR. Nr. 52.
Knopp v. Kirchwald, Alois, Lieut. IR Nr. 52.
Begović, Paul, Hptm. IR. Nr. 53.
Lovretić, Martin, Hptm. IR. Nr. 53.
Gebauer, Carl Edl. v., Hptm. IR. Nr. 53
Krainčević, Stephan, Obrlt. IR. Nr. 53.
Wiesinger, Joseph, Obrl. IR. Nr. 53.
Mosettig, Heinrich, Lieut. IR. Nr. 53.
Radičević, Martin, Lieut. IR. Nr. 53.
Wickerhauser, Theodor, Lieut. IR. Nr. 53.
Strasoldo - Graffemberg, Julius Gf., Major IR. Nr. 61.
Zastira, Joseph, Hptm. IR. Nr. 61.
Matiević, Simeon, Hptm. IR. Nr. 61.
Grablowitz, Robert, Hptm. IR. Nr. 61.
Theodorović, Johann, Hptm. IR. Nr. 61.
Isser zu Gaudententhurm, Welf v., Hptm. IR. Nr. 61.
Steiner, Eduard, Hptm. IR. Nr. 61.
Hermann, Joseph, Obrlt. IR. Nr. 61.
Strasser, Carl, Lieut. IR. Nr. 61.
Dragosavljević, Johann, Hptm. IR. Nr. 70.
Vukmirović, Milovan, Hptm. IR. Nr. 70.
Nadamlensky, Carl, Lieut. FJB. Nr. 9.
Leskoschegg, Gustav, Lieut. FJB. Nr. 9.
Huberstorfer, Anton, Lieut. FJB. Nr. 9.
Rothschedl, Anton, Lieut. FJB. Nr. 9.
Köstner, Johann, Obrlt. FJB. Nr. 10.
Ivichich, Max v., Lieut. FJB. Nr. 10.
Salis-Soglio, Hans Freih. v., Lieut. FJB. Nr. 15.
Van Aken Edl. v. Quesar, Hermann, Obstlt. FJB. Nr. 27.
Brasseur v. Kehldorf, Emil Ritt., Hptm. FJB. Nr. 27.
Schöberl, Ludwig, Obrlt. FJB. Nr. 27.

Ettingshausen, Albert v., Lieut. FJB. Nr. 27.
Au, Joseph, Obrlt. FJB. Nr. 27.
Gunzy, Ernst, Lieut. FJB. Nr. 27.
Galler, Franz, Lieut. FJB. Nr. 27.
Kedačić, Mathias, Hptm. FJB. Nr. 31.
Schimitschek, Clemens, Hptm. FJB. Nr. 31.
Gerić, Georg, Hptm. FJB. Nr. 31.
Hülgerth, Heribert, Obrlt. FJB. Nr. 31.
Kekić, Elias, Obrlt. FJB. Nr. 31.
Nagy, Valerian v., Obrlt. Husz.-Reg. Nr. 7.
Wiesspeiner, Eugen, Obrlt. Husz.-Reg. Nr. 7.
Wehler, Stephan, Obrlt. Husz.-Reg. Nr. 7.
Tallián de Vizek, Wilhelm, Obrlt. Husz.-Reg. Nr. 7.
Esterházy, Nikolaus Prinz, Durchlaucht, Lieut. Husz.-Reg. Nr. 7.
Walter, Hippolyt, Dr. d. R., Obstlt. Uhl.-Reg. Nr. 5.
Gunkel, Eugen, Obrlt. Uhl.-Reg. Nr. 5.
Czetsch v. Lindenwald, Ludwig Ritt., Major Uhl.-Reg. Nr. 12.
Skarnitz, Johann, Hptm. Artillerie.
Halkiewicz, Joseph, Hptm. Artillerie.
Du Fresne, Leopold, Hptm. Artillerie.
Rigele, Otto, Obrlt. Artillerie.
Gasteiger Edl. v. Rabenstein und Kobach, Richard, Obrlt. Artillerie.
Materna, Arthur, Obrlt. Artillerie.
Paić, Georg, Obrlt. Artillerie.
Guth, Anton, Obrlt. Artillerie.
Dimitrievič, Basil, Lieut. Artillerie.
Zimmermann, Victor, Obrlt. Artillerie.
Sandner, Adolph, Obrlt. Artillerie.
Rubesch, Joseph, Obrlt. Artillerie.
Millivojević, Peter, Obrlt. Artillerie.
Bakalarz, Carl, Hptm. Genie-Waffe.
Tarbuk, Johann, Obrlt. Genie-Waffe.
Porges, Carl, Obrlt. Genie-Waffe.
Danko, Joseph, Hptm. Pion.-Reg.
Schneider, Paul, Obrlt. Sanitäts-Truppe.
Matasović, Carl, Obrlt. k. k. Landw.
Orsini und Rosenberg, Felix Gf., Hptm. Generalstabs-Corps.
Schönaich, Franz, Major Generalstabs-Corps.
Mathes v. Bilabruck, Carl Ritt., Hptm. Generalstabs-Corps.
Cerri, Carl, Hptm. Generalstabs-Corps.
Seine kais. königl. Hoheit Erzherzog Johann Salvator, GM.
Woinovits, Elias, Obstlt. Generalstabs-Corps.
Bach, Eduard, Major Generalstabs-Corps.
Pokorny, Hermann Edl. v., Major Generalstabs-Corps.
Görger v. St. Jörgen, Otto Ritt., Major Generalstabs-Corps.
Guttenberg, Carl Ritt. v., Major Generalstabs-Corps.
Petzholdt, Clemens v., Major Generalstabs-Corps.
Daublebsky v. Sterneck, Heinrich, Hptm. Generalstabs-Corps.
Pokorny, Victor Ritt. v., Hptm. Generalstabs-Corps.
Pohl, Eduard Ritt. v., Hptm. Generalstabs-Corps.
Gunesch, Camillo Ritt. v., Hptm. Generalstabs-Corps.
Attems, Moriz Gf., Hptm. Generalstabs-Corps.
Redlich, Adalbert, Hptm. Generalstabs-Corps.
Siedler, Ferdinand, Hptm. Generalstabs-Corps.
Naswetter, Emil, Hptm. Generalstabs-Corps.
Sommaruga, Arthur Freih. v., Obrlt. IR. Nr. 4.
Höpler, Carl, Hptm. IR. Nr. 8.
Kristen, Carl, Hptm. IR. Nr. 8.
Koller, Franz, Hptm. IR. Nr. 8.
Skal und Gross-Ellgoth, Carl Freih. v., Obrlt. IR. Nr. 8.
Heiler, Carl, Obrlt. IR. Nr. 8.
Schwabe, Carl, Lieut. IR. Nr. 8.
Pfiffer, Carl Ritt. v., Obrlt. IR. Nr. 14.
Piekarski, Joseph, Hptm. IR. Nr. 15.
Vuksan, Joseph, Hptm. IR. Nr. 16.
Jurievič, Michael, Hptm. IR. Nr. 16.
Gündel, Carl, Major IR. Nr. 17.
Stojan, Franz, Hptm. IR. Nr. 17.
Andrioli, Carl Ritt. v., Obrlt. IR. Nr. 17.
Svetek, Anton, Obrlt. IR. Nr. 17.
Sever, Othmar, Lieut. IR. Nr. 17.
Andrejka, Bartholomäus, Lieut. IR. Nr. 17.
Muha, Joseph, Lieut. IR. Nr. 17.
Hopels, Carl, Obstlt. IR. Nr. 21.
Nadherný, Wenzel, Hptm. IR. Nr. 21.
Weinrichter, Joseph, Hptm. IR. Nr. 21.
Wagner, Johann, Hptm. IR. Nr. 22.
Görig, Anton, Hptm. IR. Nr. 22.
Lazich, August, Hptm. IR. Nr. 22.

Szimić Edl. v. Majdangrad, Eugen, Obrlt. IR. Nr. 22.
Werban, Felix, Lieut. IR. Nr. 22.
Mayer, Theodor, Lieut. IR. Nr. 22.
Marchesi, Ludwig Conte, Lieut. IR. Nr. 22.
Gregurićević, Franz, Lieut. IR. Nr. 22.
Hasch, Friedrich, Lieut. IR. Nr. 22.
Paulovits, Constantin, Obrlt. IR. Nr. 23.
Gräf, Friedrich, Obrlt. IR. Nr. 23.
Poppovics v. Donauthal, Johann, Obrlt. IR. Nr. 23.
Sachers, Eduard, Lieut. IR. Nr. 23.
Peithner v. Lichtenfels, Friedrich Ritt., Lieut. IR. Nr. 23.
Maicen, Alois, Lieut. IR. Nr. 23.
Bozziano, Joseph, Obstlt. IR. Nr. 24.
Schiffner, Felix, Major IR. Nr. 24.
Biernatek, Joseph, Hptm. IR. Nr. 24.
Rick, Leopold, Obrlt. IR. Nr. 24.
Seemann, Alois, Obstlt. IR. Nr. 26.
Schwingenschlögel, Richard, Major IR. Nr. 26.
Baumholzer, Julius, Hptm. IR. Nr. 26.
Kohut, Johann, Hptm. IR. Nr. 26.
Illić, Ljubomir, Obrlt. IR. Nr. 26.
Chwatal, Johann, Lieut. IR. Nr. 26.
Sprung, Aurel, Lieut. IR. Nr. 26.
Cvitković, Johann, Obrlt. IR. Nr. 28.
Knaus, Heinrich, Hptm. IR. Nr. 29.
Zöhrer, Julius, Hptm. IR. Nr. 29.
Düringer, Franz, Hptm. IR. Nr. 29.
Veigl, Heinrich, Hptm. IR. Nr. 29.
Jovanović, Lazar, Hptm. IR. Nr. 29.
Domansky, Raimund, Obrlt. IR. Nr. 29.
Kozarev, Miloš, Lieut. IR. Nr. 29.
Siber, Edgar Freih. v., Lieut. IR. Nr. 29.
Mitischka, Emil, Lieut. IR. Nr. 29.
Wachenhusen, Gustav v., Lieut. IR. Nr. 29.
Dohanovacsky, Stephan, Lieut. IR. Nr. 29.
Kellner v. Köllenstein, Carl Freih., Obstlt. IR. Nr. 30.
Kräutner v. Thatenburg, Ferdinand Freih., Major IR. Nr. 32.
Csikós, Alois, Hptm. IR. Nr. 37.
Sprung, Adolph, Hptm. IR. Nr. 37.
Gratzl, Joseph, Obrlt. IR. Nr. 37.
Márkus, Stephan, Obrlt. IR. Nr. 37.
Meinschad, Hermann, Lieut. IR. Nr. 37.
Fekete de Bélafalva, Nikolaus, Lieut. IR. Nr. 37.
Soja, Julius, Hptm. IR. Nr. 38.
Richter, Ladislaus, Hptm. IR. Nr. 38.
Reinbold, Eugen, Obrlt. IR. Nr. 38.
Liszkai, Joseph, Lieut. IR. Nr. 38.
Schädl, Anton, Obrlt. IR. Nr. 41.
Szulakiewicz, Franz, Obrlt. IR. Nr. 41.
Baumann, Franz, Lieut. IR. Nr. 41.
Kossowicz, Constantin, Lieut. IR. Nr. 41.
Holoubek, Albin, Lieut. IR. Nr. 41.
Droste, Alexander, Lieut. IR. Nr. 41.
Drachsl, Friedrich, Obrlt. IR. Nr. 46.
Seiller, Emil, Lieut. IR. Nr. 47.
Göttlicher, Johann, Hptm. IR. Nr. 48.
Franz, Friedrich Ritt. v., Hptm. IR. Nr. 48.
Wallachy, Gottfried, Hptm. IR. Nr. 48.
Wucherer v. Huldenfeld, Carl Freih., Obrlt. IR. Nr. 48.
Rosenberger, Ignaz, Obrlt. IR. Nr. 48.
Strohmayer, Carl, Obrlt. IR. Nr. 48.
Zerbs, Gustav, Lieut. IR. Nr. 48.
Gromes, Franz, Lieut. IR. Nr. 48.
Kiepach, Alfred v., Lieut. IR. Nr. 48.
Roknić, Georg, Major IR. Nr. 53.
Petrović, Carl, Hptm. IR. Nr. 53.
Adrario, Maximilian, Lieut. k. k. Landw.
Gröller, Alexander Ritt. v., Obstlt. IR. Nr. 54.
Henikstein, Gustav Freih. v., Major IR. Nr. 54.
Hora, Joseph, Major IR. Nr. 54.
Steinbrecher, Victorin, Hptm. IR. Nr. 54.
Leth v. Lethenau, Franz Ritt., Hptm. IR. Nr. 54.
Suchan, Carl, Obrlt. IR. Nr. 54.
Kiss de Szent-György-Völgye, Leonhard, Obrlt. IR Nr. 54.
Juch, Ernst, Obrlt. IR. Nr. 54.
Gams, Berthold, Lieut. IR. Nr. 54.
Schwitzer v. Bayersheim, Ludwig Ritt., Obstlt. Generalstabs-Corps.
Suvich v. Bribir, Eugen, Hptm. IR. Nr. 60.
Mauritz, Gabriel, Hptm. IR. Nr. 60.
Pavković, Peter, Hptm. IR. Nr. 60.
Machalitzky, Carl, Oberst IR. Nr. 61.
Koller, Alois, Major IR. Nr. 68.
Addu, Theodor v., Hptm. IR. Nr. 68.
Bojer, Joseph, Hptm. IR. Nr. 68.
Menz, Georg, Hptm. IR. Nr. 68.
Rupp, Julius, Hptm. IR. Nr. 68.
Denk, Joseph, Hptm. IR. Nr. 68.
Aulich, Heinrich, Obrlt. IR. Nr. 68.
Mattyasovszky, Mathias, Lieut. IR. Nr. 68.
Petrović, Peter, Obstlt. IR. Nr. 70.
Halper v. Szigeth, Ladislaus, Major IR. Nr. 70.
Vuičić, Paul, Hptm. IR. Nr. 70.
Buml, Gustav, Hptm. IR. Nr. 75.
Hönig, Carl, Hptm. IR. Nr. 76.

Kiesewetter Edl. v. Wiesenbrunn, Ernst, Obrlt. IR. Nr. 76.
Martin, Edmund, Obrlt. IR. Nr. 76.
Pap, Arthur, Obrlt. IR. Nr. 76.
Hussy, Alexander, Lieut. IR. Nr. 76.
Lethay, Rudolph, Lieut. IR. Nr. 76.
Strak, Franz, Major IR. Nr. 78.
Van der Sloot, Johann, Major IR. Nr. 78.
Pekeć Stephan, Hptm. IR. Nr. 78.
Topitsch, Carl, Hptm. IR. Nr. 78.
Skraup, Zdenko, Obrlt. k. k. Landw.
Sokačić, Franz, Lieut. IR. Nr. 78.
Kostersitz, Carl, Obstlt. Generalstabs-Corps.
Demić, Andreas, Obrlt. IR. Nr. 79.
Poljanec, Alois, Lieut. k. k. Landw.
Miljuš, Georg, Lieut. IR Nr. 79.
Hradetzky, Anton, Hptm. FJB. Nr. 1.
Süssmilch, Ernst, Obrlt. FJB. Nr. 4.
Alberti de Poja, Thaddäus Gf., Obrlt. FJB. Nr. 10.
Bach, Ludwig, Obrlt. FJB. Nr. 12.
Berthóty v. Berthót, Paul, Lieut. FJB. Nr. 12.
Enenkl, Benjamin, Obrlt. FJB. Nr. 25.
Přehnálek, Johann, Obrlt. FJB. Nr. 25.
Moesc Edl. v. Nollendorf, Arthur, Obrlt. FJB. Nr. 25.
Donner, Hugo, Obrlt. FJB. Nr. 25.
Andes, Edgar, Obrlt. FJB. Nr. 33.
Fraydenegg-Moncello, Otto Ritt. v., Lieut. Drag.-Reg. Nr. 5.
Malburg, Adolph, Rittm. Husz.-Reg. Nr. 8.
Ther, Peter Edl. v., OberstUhl.-Reg. Nr. 5.
Kotzian, Heinrich, Obrlt. Uhl.-Reg. Nr. 5.
Kovačić, Nikolaus, Lieut. Uhl.-Reg. Nr. 5.
Polak, Eduard, Obrlt. Artillerie.
Lustig, Gustav, Lieut. Artillerie.
Gröber, Carl, Obrlt. Artillerie.
Milenković, Alexander, Obrlt. Artillerie.
Dalmata v. Hideghét, Ottokar, Obrlt. Artillerie.
Lauffer, Gustav, Obrlt. Artillerie.
Köller, Carl, Lieut. Artillerie.
Legat, Bartholomäus, Obrlt. Artillerie.
Cerri, Julius, Obrlt. Artillerie.
Kremer, Emil, Hptm. Generalstabs-Corps.
Böllmann, Ernst, Hptm. Artillerie.
Schatz, Franz, Lieut. Artillerie.
Kühnelt, Franz, Obrlt. Artillerie.
Popa, Basil, Lieut. Artillerie.
Rylski v. Gross-Scibor, Cornelius Ritt., Major Genie-Waffe.
Gyurits v. Vitesz-Sokolgrada, Michael, Major Genie-Waffe.
Szeth, Franz Ritt. v., Major Genie-Waffe.
Hirsch, Wolfgang, Major Genie-Waffe.
Pacher v. Linienstreit, Gustav, Hptm. Genie-Waffe.
Khittel, Rudolph, Hptm. Genie-Waffe.
Łepkowski, Friedrich Ritt. v., Hptm. Genie-Waffe.
Schwabe, Emil, Hptm. Genie-Waffe.
Sterlini Edl. v. Sterling, Arthur, Obrlt. Genie-Waffe.
Udvarnoky de Kis-Jóka, Julius, Obrlt. Genie-Waffe.
Tomaschek, Johann, Major Pion.-Reg.
Payer, Eduard, Hptm. Pion.-Reg.
Rupert, Victor, Hptm. Pion.-Reg.
Edelmüller, Friedrich, Hptm. Pion.-Reg.
Reitz, Victor, Obrlt. Pion.-Reg.
Wrba, Adolph, Hptm. Sanitäts-Truppe.
Neus, Georg, Obrlt. Sanitäts-Truppe.
Ellison v. Nidlef, Friedrich Ritt., Major Mil.-Fuhrw.-Corps.
Pippan, Joseph, Major Ruhestand.
Snětiwy, Vincenz, Obstlt. Generalstabs-Corps.
Klepeczka, Adalbert, Major Generalstabs-Corps.
Horsetzky Edl. v. Hornthal, Carl, Major Generalstabs-Corps.
Wyskočil, Johann, Obrlt. Artillerie.
Hartmann, Hugo, Major Genie-Waffe.
Tilzer, Carl, Major Genie-Waffe.
Lauer, Johann, Hptm. Genie-Waffe.
Peić, Stephan, Obrlt. k. k. Landw.
Tučković, Mathias, Lieut. IR. Nr. 29.
Schulz, Leopold, Obstlt. Generalstabs-Corps.
Varešanin, Marian, Hptm. Generalstabs-Corps.
Dragollovics Edl. v. Drachenburg, Albert, Hptm. Generalstabs-Corps.
Dorth, Rudolph Freih. v., Major Ruhestand.
Walther Edl. v. Walthersthal, Richard, Rittm. k. ung. Landw.
Pott, Gustav v., L. Sch.-Lieut.
Nagy, Anton Edl. v., GM.
Reisinger v. Reisinger, Otto, Hptm. IR. Nr. 27.
Czernohorsky, Alois, Hptm. IR. Nr. 27.
Juris, Heinrich, Hptm. IR. Nr. 27.
Fischer, Heinrich, Obrlt. IR. Nr. 27.
Baillet-Latour, Vincenz Gf., Obrlt. k. k. Landw.
Hillmer, Alois, Obrlt. IR. Nr. 27.
Rogulić, Nikolaus, Hptm. IR. Nr. 29.

Grossinger, Alfred, Hptm. IR. Nr. 32.
Ströher, Franz, Hptm. IR. Nr. 32.
Himmelmaier, Carl, Obrlt. IR. Nr. 32.
Rupp, Martin, Obrlt. IR. Nr. 32.
Bene, Georg v., Lieut. IR. Nr. 32.
Fabrizii, Johann Ritt. v., Obstlt. IR. Nr. 56.
Heiterer, Joseph, Obrlt. IR. Nr. 72.
Plappert, Anton, Hptm. IR. Nr. 77.
Kosatzky, Johann, Obrlt. Jäg.-Reg.
Hosp, Johann, Obrlt. Jäg.-Reg.
Mollinary v. Monte Pastello, Franz Freih., Lieut. Jäg.-Reg.
Khoss v. Kossen und Sternegg, Johann Ritt., Obstlt. FJB. Nr. 7.
Bolzano Edl. v. Kronstätt, Hugo, Hptm. FJB. Nr. 7.
Pawliczek, Alois, Hptm. FJB. Nr. 7.
Hilber, Alois, Hptm. FJB. Nr. 7.
Wagner, Adolph, Lieut. FJB. Nr. 7.
Bamberg, Fedor, Lieut. FJB. Nr. 7.
Mischier, Georg, Hptm.-Rechnungsführer.
Van der Hoop, Diego, Hptm. FJB. Nr. 19.
Pöll, Anton, Obrlt. FJB. Nr. 19.
Donhauser, Joseph, Hptm. FJB. Nr. 33.
Matiegka, August, Lieut. FJB. Nr. 33.
Linpökh, Carl Ritt. v., Obrlt. Artillerie.
Obermüller, Carl, Lieut. Artillerie.
Mayer, Johann, Hptm. Artillerie.
Sekulić, Johann, Lieut. Artillerie.
Terboglaw, Ernst, Lieut. Artillerie.
Künstler, Alois, Obrlt. Artillerie.
Skaba, Joh., Rittm. Mil.-Fuhrw.-Corps.
Peić, Michael, Rittm. k. k. Landw.
Gatter, Johann, Hptm. Genie-Waffe.
Glanz v. Eicha, Emil Freih., Hptm. Genie-Waffe.
Pickel, Friedrich, Hptm. Genie-Waffe.
Riedl, Ignaz, Hptm. Genie-Waffe.
Märkel, Carl, Hptm. Genie-Waffe.
Judas, Albin, Hptm. Genie-Waffe.
Müller v. Hörnstein, Heinrich Freih. Hptm. Genie-Waffe.
Elmayer, Ludwig, Hptm. Genie-Waffe.
Kiepach v. Haselburg, Emil, Obrlt. Pion.-Reg.
Pfeiffer v. Ehrenstein-Rohmann, Carl Freih., Oberst Generalstabs-Corps.
Stransky, Carl v., Obstlt. Generalstabs-Corps.
Bäumel, Ludwig, Hptm. Kriegs-Marine.

Besitzer des Militär-Verdienst-Kreuzes in auswärtigen Staaten.

1859.

Seine Hoheit Carl Prinz von Baden, königl. preussischer General-Lieutenant.
Isenburg-Büdingen und Philippseich, Ferdinand Gf. zu, königl. preussischer Oberst.
Rotsmann, Friedrich Freih. v., königl. preussischer Obstlt.
Seine Hoheit Wilhelm Herzog von Mecklenburg-Schwerin, königl. preussischer General der Cavallerie.
Seine Hoheit Carl Prinz von Hohenzollern-Sigmaringen, Fürst von Rumänien.
Seine königl. Hoheit Anton Fürst von Hohenzollern-Sigmaringen, königl. preussischer General der Infanterie.

1864.

Seine königl. Hoheit Friedrich Franz, Grossherzog von Mecklenburg-Schwerin, königl. preussischer General-Oberst von der Infanterie, Inhaber des k. k. österr. IR. Nr. 57.
Seine Durchlaucht Albert, Prinz von Sachsen-Altenburg, kaiserlich-russischer General-Major.
Seine königl. Hoheit Carl Prinz von Preussen, General-Feldzeugmeister, Inhaber des k. k. österr. Drag.-Reg. Nr. 8.
Seine königl. Hoheit Albrecht Prinz von Preussen, General der Cavallerie.

1866.

Seine königl. Hoheit Georg Prinz von Sachsen, königl. sächsischer General der Infanterie, Inhaber des k. k. österr. IR. Nr. 11.
Miltitz, Bernhard v., königl. sächsischer General-Major.
Holleben, Carl Freih. v., königl. sächsischer Oberst des Generalstabes.
Vitzthum v. Eckstädt, Ernst Gf., königl. sächsischer Oberst.
Schumann, Adolph, königl. sächsischer Oberst.
Pfordte, Curt von der, königl. sächsischer Oberst.

Stammer, Hennig Ludwig v., königl. sächsischer Major.
Rex, Carl Gf., königl. sächsischer Major.
Portius, August, königl. sächsischer Ingenieur-Major.
Vollert, Philipp, königl. sächsischer Ingenieur-Major.
Hübel, Moriz, königl. sächsischer Obstlt.
Nostitz-Drzewiecki, Hans v., königl. sächsischer Obstlt.
Planitz, Carl Paul Edl. von der, königl. sächsischer Major.
Römer, Hermann v., königl. sächsischer Major.
Welck, Curt Freih. v., königl. sächsischer Major.
Polenz, Friedrich v., königl. sächsischer Obstlt.
Kirchbach, Hans v., königl. sächsischer Obstlt.
Schlieben, Hermann v., königl. sächsischer Major.
Schuster, Oskar, königl. sächsischer Major.
Lossow, Friedrich v., königl. sächsischer Major.
Welck, Julius Rudolph v., königl. sächsischer Major.
Friesen, Ernst Freih. v., königl. sächsischer Major.
Martini, Bernhard, königl. sächsischer Major.
Zeschau Heinrich v., königl. sächsischer Major.
Geldern, Theobald Gf. v., königl. preussischer Rittm.
Wolf, Ernst v., königl. sächsischer Major.
Mangoldt, Hans v., königl. sächsischer Hptm.
Bucher, Alexander, königl. sächsischer Major.
Craushaar, Rudolph v., königl. sächsischer Hptm.
Jänichen, Victor, königl. sächsischer Rittm.
Haberland, Hermann, königl. sächsischer Major.
Jahn, August, königl. sächsischer Hptm.
Arnim, Georg v., königl. sächsischer Rittm.
Bodemer, Ludwig, königl. sächsischer Major.
Genthe, Friedrich, königl. sächsischer Oberst.
Einsiedel, Alexius v., königl. sächsischer Rittm.
Kalitsch, Ludwig Freih. v., königl. sächsischer Major.
Könneritz, Otto Freih. v., königl. sächsischer Major.
Stammer, Hennig Philipp v., königl. sächsischer Rittm. a. D.
Keyszelitz, Friedrich, königl. sächsischer Major.
Planitz, Carl Adolph Edl. von der, königl. sächsischer Rittm.
Schimpff, Hans Georg v., königl. sächsischer Hptm. des Generalstabes.
Braun, Constantin v., königl. preussischer Rittm.

1874.

Seine kais. Hoheit Nikolaus Constantinowitsch, Grossfürst von Russland.
Seine kais. Hoheit Eugen, Herzog von Leuchtenberg.

Tapferkeits-Medaillen.

Summarische Uebersicht

der

Ende November 1878 im k. k. Heere und der k. k. Kriegs-Marine vorhanden gewesenen derlei Medaillen.

Nr.	Benennung des Truppenkörpers, der Branche etc. etc.	Goldene Tapferkeits-Med.	Silberne Tapferkeits-Med. 1. Cl.	Silberne Tapferkeits-Med. 2. Cl.
	I. K. u. K. Garden.			
	Erste Arcieren-Leibgarde	1	1	1
	Königl. ungarische Leibgarde	—	1	1
	Trabanten-Leibgarde	2	1	3
	Leibgarde - Reiter-Escadron	—	3	3
	Hofburgwache	—	1	3
	Zusammen	3	7	11
	II. Generale	1	1	1
	III. Stabs- und Oberofficiere des Ruhestandes und ausser Dienst	42	122	127
	IV. Generalstabs-Corps	—	—	1
	V. Infanterie-Regimenter.			
1.	Kaiser Franz Joseph	1	1	2
2.	Alexander I., Kaiser v. Russland	—	—	—
3.	Erzherzog Carl	—	—	1
4.	Hoch- und Deutschmeister	—	—	—
5.	Ludwig II., König v. Bayern	—	2	—
6.	Gf. Coronini	—	2	—
7.	Freih. v. Maroičić	1	7	37
8.	Freih. v. Abele	1	17	44
9.	Freih. v. Packenj	—	—	2
10.	Freih. v. Handel	—	—	3
	Fürtrag	3	29	89
	Uebertrag	3	29	89
11.	Georg, Prinz von Sachsen	—	2	1
12.	Erzherzog Wilhelm	—	2	1
13.	Gf. Huyn	—	—	—
14.	Ludwig IV., Grossherzog v. Hessen	—	1	2
15.	Adolph, Herzog zu Nassau	—	1	1
16.	Warasdiner IR. Freih. v. Wezlar	—	3	17
17.	Freih. v. Kuhn	2	15	53
18.	Constantin, Grossfürst v. Russland	—	1	—
19.	Kronprinz Erzherzog Rudolph	—	2	1
20.	Friedrich Wilhelm, Kronprinz des deutschen Reiches und Kronpr. v. Preussen	—	—	1
21.	Freih. v. Mondel	—	5	15
22.	Freih. v. Weber	—	18	53
23.	Freih. v. Ajroldi	1	15	41
24.	Carl Ludwig, Herzog von Parma	—	2	14
25.	Edl. v. Pürcker	—	—	—
26.	Michael, Grossfürst v. Russland	—	3	15
27.	Leopold II., König der Belgier	2	12	34
28.	Ritt. v. Benedek	—	—	—
29.	Freih. v. Scudier	—	12	45
30.	Freih. v. Ringelsheim	—	—	8
31.	Friedrich Wilhelm, Grossh. v. Mecklenburg-Strelitz	—	—	6
	Fürtrag	8	123	397

Nr.	Benennung des Truppenkörpers, der Branche etc. etc.	Goldene Tapferkeits-Med.	Silberne Tapferkeits-Med. 1. Cl.	Silberne Tapferkeits-Med. 2. Cl.
	Uebertrag .	8	123	397
32.	(Vacat)	2	8	29
33.	Freih. v. Kussevich	—	1	—
34.	Wilhelm I., deutscher Kaiser und König von Preussen . .	—	1	2
35.	Freih. v. Philippović	1	1	2
36.	Freih. v. Ziemięcki .	—	1	1
37.	Erzherzog Joseph .	—	7	23
38.	Freih. v. Mollinary .	2	13	43
39.	Alexis, Grossfürst von Russland	1	5	34
40.	Gf. Auersperg . .	—	—	—
41.	Freih. v. Kellner . .	—	6	21
42.	(Vacat)	—	—	2
43.	Freih. v. Alemann .	—	—	2
44.	Erzherzog Albrecht	—	—	5
45.	Erzherzog Sigmund	1	7	11
46.	Bernhard, Herzog v. Sachsen - Meiningen	—	4	46
47.	Ritt. v. Hartung . .	—	8	30
48.	Erzherzog Ernst .	—	5	44
49.	Freih. v. Hess . . .	—	1	1
50.	Friedrich Wilhelm Ludwig, Grossherzog v. Baden . .	—	1	—
51.	Erzherzog Heinrich .	2	—	1
52.	(Vacat)	3	9	45
53.	Erzherzog Leopold .	—	11	48
54.	Gf. Thun-Hohenstein	—	1	48
55.	Gf. Gondrecourt . .	—	—	2
56.	v. Baumgarten . . .	—	2	—
57.	Friedrich Franz, Grossh. v. Mecklenburg-Schwerin	—	1	2
58.	Erzherzog Ludwig Salvator	—	1	1
59.	Erzherzog Rainer .	—	1	2
60.	v. Nagy	—	5	11
61.	Alexander Czesarewitsch, Grossfürst und Thronfolger von Russland . .	1	7	28
	Fürtrag .	21	230	881

Nr.	Benennung des Truppenkörpers, der Branche etc. etc.	Goldene Tapferkeits-Med.	Silberne Tapferkeits-Med. 1. Cl.	Silberne Tapferkeits-Med. 2. Cl.
	Uebertrag .	21	230	881
62.	Ludwig, Prinz von Bayern	—	2	1
63.	Wilhelm III., König der Niederlande .	—	—	—
64.	Carl Alexander, Grossherzog v. Sachsen-Weimar-Eisenach	1	—	—
65.	Erzh. Ludwig Victor	—	1	2
66.	Ferdinand IV., Grossherzog v. Toscana	—	—	3
67.	Ritt. v. Schmerling .	—	—	1
68.	Freih. v. Rodich . .	2	10	24
69.	Gf. Jellačić	—	1	1
70.	Peterwardeiner IR. Freih. v. Philippović	1	3	21
71.	Freih. v. Rossbacher	—	—	4
72.	Freih. v. Dormus . .	—	1	3
73.	Wilhelm, Herzog v. Württemberg . .	—	1	2
74.	Gf. Nobili	—	6	22
75.	Gf. Folliot de Crenneville	—	1	1
76.	Freih. v. Knebel . .	2	10	21
77.	Erzherz. Carl Salvator	—	—	2
78.	Freih. v. Šokčević .	—	1	24
79.	Otočaner IR. Gf. Jellačić	—	13	19
80.	Wilhelm, Prinz zu Schleswig-Holstein-Glücksburg . . .	—	—	2
	Zusammen .	27	280	1034

VI. Jäger-Truppe.

Nr.	Benennung	Goldene Tapferkeits-Med.	Silberne 1. Cl.	Silberne 2. Cl.
	a) Tiroler-Jäg.-Reg.			
—	Kaiser Franz Joseph .	1	13	32
	b) Bataillone.			
1.	Bataillon	—	—	7
2.	Bataillon	—	—	3
	Fürtrag .	1	13	42

Nr.	Benennung des Truppenkörpers, der Branche etc. etc.	Goldene Tapferkeits-Med.	Silberne Tapfer-keits-Med. 1.Cl.	Silberne Tapfer-keits-Med. 2.Cl.
	Uebertrag:	1	13	42
3.	Bataillon	—	—	1
4.	Bataillon	—	2	2
5.	Bataillon	—	—	—
6.	Bataillon	—	—	1
7.	Bataillon	1	6	10
8.	Bataillon	—	—	3
9.	Bataillon	1	5	29
10.	Bataillon	—	5	20
11.	Bataillon	—	1	1
12.	Bataillon	—	3	5
13.	Bataillon	—	—	—
14.	Bataillon	—	—	—
15.	Bataillon	—	—	—
16.	Bataillon	—	—	—
17.	Bataillon	—	1	2
18.	Bataillon	1	—	1
19.	Bataillon	—	2	7
20.	Bataillon	—	—	—
21.	Bataillon	—	1	—
22.	Bataillon	—	1	—
23.	Bataillon	—	—	1
24.	Bataillon	—	—	—
25.	Bataillon	1	7	5
26.	Bataillon	—	1	—
27.	Bataillon	—	9	23
28.	Bataillon	—	—	2
29.	Bataillon	—	—	—
30.	Bataillon	—	—	1
31.	Bataillon	—	5	17
32.	Bataillon	—	1	2
33.	Bataillon	1	4	5
	Zusammen.	6	67	180
	VII. Cavallerie.			
	1. Dragoner-Reg.			
1.	Kaiser Franz Joseph	—	1	—
2.	Gf. Festetics	—	—	—
3.	Albert, König von Sachsen	—	—	—
4.	Erzherzog Albrecht	—	1	3
5.	Nikolaus I., Kaiser v. Russland	—	—	2
	Fürtrag.	—	2	5

Nr.	Benennung des Truppenkörpers, der Branche etc. etc.	Goldene Tapferkeits-Med.	Silberne Tapfer-keits-Med. 1.Cl.	Silberne Tapfer-keits-Med. 2.Cl.
	Uebertrag.	—	2	5
6.	Alexander, Prinz v. Hessen und bei Rhein	—	1	1
7.	Wilhelm, Herzog v. Braunschweig	—	—	1
8.	Carl, Prinz v. Preussen	—	—	1
9.	Freih. v. Piret	—	2	—
10.	Fürst v. Montenuovo	—	—	1
11.	Kaiser Franz Joseph	—	—	2
12.	Gf. v. Neipperg	—	2	—
13.	Eugen, Prinz v. Savoyen	—	1	3
14.	Fürst zu Windisch-Graetz	1	—	1
	Zusammen.	1	8	15
	2. Huszaren-Reg.			
1.	Kaiser Franz Joseph	—	2	—
2.	Nikolaus, Grossfürst von Russland	—	1	1
3.	Prinz v. Thurn und Taxis	—	—	2
4.	Freih. v. Edelsheim-Gyulai	—	—	1
5.	Gf. Radetzky	—	1	—
6.	Carl I., König von Württemberg	—	1	—
7.	Friedrich Carl, Prinz v. Preussen	—	11	18
8.	Freih. v. Koller	—	5	9
9.	Franz Prinz zu Liechtenstein	2	1	4
10.	Friedrich Wilhelm III., König v. Preussen	—	1	1
11.	Alexander, Herzog v. Württemberg	—	2	—
12.	v. Fratricsevics	—	1	—
13.	Jazygier u. Kumanier Husz.-Reg. Friedrich Prinz zu Liechtenstein	—	—	—
14.	Wladimir Grossfürst von Russland	—	1	3
	Fürtrag.	2	27	39

Nr.	Benennung des Truppenkörpers, der Branche etc. etc.	Goldene Tapferkeits-Med.	Silberne Tapfer-keits-Med. 1. Cl.	2. Cl.
	Uebertrag .	2	27	39
15.	Gf. Pálffy	—	1	2
16.	Gf. Clam-Gallas . .	—	—	—
	Zusammen .	2	28	41
	3. Uhlanen-Reg.			
1.	Gf. Grünne	—	—	1
2.	Fürst Schwarzenberg	—	3	1
3.	Erzherzog Carl . .	—	—	—
4.	Kaiser Franz Joseph	—	—	—
5.	Gf. Wallmoden . .	—	9	18
6.	Kaiser Franz Joseph	—	—	1
7.	Erzh. Carl Ludwig .	—	—	—
8.	Gf. Bigot de St. Quentin	—	—	—
9.	} (Aufgelöst.)	—	—	—
10.		—	—	—
11.	Alexander II., Kaiser von Russland . .	—	—	—
12.	Franz II., König beider Sicilien . . .	—	1	5
13.	Ludwig Gf. v. Trani, Prinz beiderSicilien	—	4	2
	Zusammen .	—	17	28
	VIII. Artillerie.			
—	**a) Artillerie-Stab**	—	1	4
—	**b) Artillerie-Reg.**			
1.	Kaiser Franz Joseph	—	1	3
2.	Kronprinz Erzherzog Rudolph	—	2	4
3.	Pichler	—	—	5
4.	Ritt. v. Hauslab . .	—	2	1
5.	Freih v. Lenk . . .	2	—	5
6.	Erzherzog Wilhelm	—	1	—
7.	Luitpold, Prinz v. Bayern	—	1	2
8.	Freih. v. Hofmann .	—	2	1
9.	Gf. Bylandt-Rheidt .	—	—	—
10.	v. Hutschenreiter .	1	1	1
	Fürtrag .	3	10	22

Nr.	Benennung des Truppenkörpers, der Branche etc. etc.	Goldene Tapferkeits-Med.	Silberne Tapfer-keits-Med. 1. Cl.	2. Cl.
	Uebertrag .	3	10	22
11.	Erzherzog JohannSalvator	1	1	3
12.	v. Hofmann	2	19	49
13.	Leopold, Prinz von Bayern	—	1	1
	Zusammen .	6	31	75
	c) Fest.-Art.-Bat.	2	34	98
	d) Technische Art.	—	5	6
	IX. Genie-Waffe . .	—	—	2
	X. Pionnier-Reg. .	—	1	10
	XI. Sanitäts-Truppe	—	—	29
	XII. Militär-Fuhrw.-Corps	—	5	9
	XIII. Šerežaner-Corps	—	2	—
	XIV. Gestüts-Branche	—	—	3
	XV. Stabs- und Oberofficiere des Armeestandes . .	—	4	5
	XVI. Stabs- und Oberofficiere des bestandenen Mil.-Bau-Verw.-Officiers-Corps . .	1	—	—
	XVII. Mil. - Bildungs-Anstalten . . .	—	2	—
	XVIII. Monturs - Verwalt.-Branche .	—	—	1
	XIX. Truppen - Rechnungsführer-Officiers-Corps . .	1	2	7
	XX. Mil.-Beamte . .	1	3	7
	XXI. Kriegs-Marine .	10	26	53
	XXII. Mil.-Invalidenhäuser	60	373	375
	Zusammen .	73	418	501

Nr.	Benennung des Truppenkörpers, der Branche etc. etc.	Goldene Tapferkeits-Medaillen	Silberne Tapferkeits-Medaillen 1. Cl.	Silberne Tapferkeits-Medaillen 2. Cl.
	Recapitulation.			
	I. K. u. K. Garden	3	7	11
	II. Generale	1	1	1
	III. Stabs- und Oberofficiere des Ruhestandes und ausser Dienst	42	122	127
	IV. Generalstabs-Corps	—	—	1
	V. Infanterie-Regimenter	27	280	1034
	VI. Jäger-Truppe	6	67	180
	Zusammen	**79**	**477**	**1354**
	VII. Cavallerie:			
1.	Dragoner-Regimenter	1	8	15
2.	Huszaren-Regimenter	2	28	41
3.	Uhlanen-Regimenter	—	17	28
	Zusammen	**3**	**53**	**84**
	VIII. Artillerie:			
1.	Artillerie-Stab	—	1	4
2.	Feld-Artillerie-Regimenter	6	31	75
3.	Festungs-Artillerie-Bataillone	2	34	98
4.	Technische Artillerie	—	5	6
	Zusammen	**8**	**71**	**183**
	IX. Genie-Waffe	—	—	2
	X. Pionnier-Regiment	—	1	10
	XI. Sanitäts-Truppe	—	—	29
	XII. Mil.-Fuhrwesens-Corps	—	5	9
	XIII. Sereżaner-Corps	—	2	—
	XIV. Gestüts-Branche	—	—	3
	XV. Stabs- und Oberofficiere des Armeestandes	—	4	5
	XVI. Stabs- und Oberofficiere des bestandenen Mil.-Bau-Verw.-Officiers-Corps	1	—	—
	XVII. Mil.-Bildungs-Anstalten	—	2	—
	XVIII. Monturs-Verwaltungs-Branche	—	—	1
	XIX. Truppen-Rechnungsführer-Officiers-Corps	1	2	7
	XX. Mil.-Beamte	1	3	7
	XXI. Kriegs-Marine	10	26	53
	XXII. Mil.-Invalidenhäuser	60	373	375
	Zusammen	**73**	**418**	**501**
	Hauptsumme	**163**	**1019**	**2122**

K. K. Heer.

(Gedruckt am 21. December 1878.)

Allerhöchster Oberbefehl.

Seine Majestät der Kaiser und König

FRANZ JOSEPH I.

General-Adjutanten Seiner Majestät des Kaisers und Königs.

Mondel, Friedrich Freih. v., ÖEKO-R. 2. (KD.), ÖLO-R. (KD.), GHR., Inhaber des IR. Nr. 21, FML.

Beck, Friedrich Freih. v., ÖEKO-R. 1. (KD. 3. Cl.), ÖLO-R., MVK. (KD.), GHR., Vorstand der Mil.-Kanzlei Seiner Majestät des Kaisers und Königs, FML.

Flügel-Adjutanten Seiner Majestät des Kaisers und Königs.

Bechtolsheim, Anton Freih. v., ✠, St.O-R., ÖLO-R., ÖEKO-R. 3. (KD.), DO-C., ☦, Oberst des Uhl.-Reg. Nr. 4, Mil.-Bevollmächtigter bei der k. und k. Botschaft zu St. Petersburg.

Liechtenstein, Alois Prinz zu, Durchlaucht, ÖEKO-R. 3., Obstlt. des Generalstabs-Corps, Mil.-Bevollmächtigter bei der k. und k. Botschaft zu Berlin.

Spinette, Wladimir Freih. v., Obstlt. des IR. Nr. 37.

Arbter, Emil Ritt. v., ÖEKO-R. 3. (KD.), Major des Generalstabs-Corps.

Hübner, Alexander Freih. v., MVK. (KD.), Major des Husz.-Reg. Nr. 11.

Eschenbacher, Joseph Ritt. v., ÖFJO-R., MVK., Major des Art.-Reg. Nr. 2, zur Dienstleistung zugetheilt Seiner k. k. Hoheit dem Kronprinzen Erzherzog Rudolph.

Bakalovich, Marcus, MVK., Major des IR. Nr. 19, zur Dienstleistung zugetheilt Seiner k. k. Hoheit dem Kronprinzen Erzherzog Rudolph.

Mertens, Carl Freih. v., MVK. (KD.), Major des Uhl.-Reg. Nr. 2.

Rohonczy, Georg v., Major des Husz.-Reg. Nr. 7.

Militär-Kanzlei Seiner Majestät des Kaisers und Königs.

Vorstand.

Beck, Friedrich Freih. v., ÖEKO-R. 1. (KD. 3. Cl.), ÖLO-R., MVK. (KD.), GHR., General-Adjutant Seiner Majestät des Kaisers und Königs, FML.

Stellvertreter des Vorstandes.

Kraus, Alfred Ritt. v., Dr. d. R., ÖLO-R., ÖEKO-R. 3. (KD.), ÖFJO-R., GM.

Reimann, Carl, ÖEKO-R. 3., Oberst des IR. Nr. 13.

Pohl, Otto Ritt. v., ÖEKO-R. 3. (KD.), MVK. (KD.), Obstlt. des Generalstabs-Corps.

Orsini und Rosenberg, Felix Gf., MVK., ☦, Hptm. 1. Cl. des Generalstabs-Corps.

Lederer, Arthur Freih. v., Rittm. 1. Cl. des Husz.-Reg. Nr. 10.

Sections-Räthe.

Marquet, Franz Edl. v., ÖEKO-R. 3., ÖFJO-R.

Czerkawski, Ladislaus v., ÖEKO-R. 3.

Officiale.

Wiedl, Franz, ÖFJO-R., GVK. m. Kr., GVK., kais. Rath.

Welzer, Johann, ÖFJO-R., GVK. m. Kr., GVK., kais. Rath.

Halkiewicz, Adolph, GVK. m. Kr., kais. Rath.

Swoboda, Joseph, kais. Rath.

Appel, Carl, MVK.

Wiedl, Heinrich.

General-Inspector des k. k. Heeres.

Seine kaiserl. königl. Hoheit Erzherzog Albrecht (Friedrich Rudolph), kaiserl. Prinz und Erzherzog von Oesterreich, königl. Prinz von Ungarn und Böhmen etc. etc. etc., wie Seite 17, GVO-R., ✠GK., St.O-GK., MVK. (KD.), Inhaber des IR. Nr. 44 und des Drag.-Reg. Nr. 4, Chef des kaiserl. russischen 86. IR. Wilmanstrand und des lithau'schen 5. Uhl.-Reg., dann des königl. preussischen 2. ostpreussischen Grenadier-Reg. Nr. 3; Feldmarschall.

Flügel-Adjutanten.

Paar, Alois Gf., ☩, Major des Uhl.-Reg. Nr. 3.
Kopal, Victor Freih. v., ÖEKO-R. 3. (KD.), Hptm. 1. Cl. des FJB. Nr. 10.

Zugetheilt zur Dienstleistung.

Groller v. Mildensee, Johann, Oberst des Generalstabs-Corps.
Gayer, Joseph, Hptm. 1. Cl. des IR. Nr. 1.

K. und k. Garden.

Oberst.

Hohenlohe-Schillingsfürst, Constantin Prinz zu, Durchlaucht, GVO-R., St.O-GK., GHR., ☩, lebenslänglich Herrenhaus-Mitglied des Reichsrathes und Erster Obersthofmeister Seiner Majestät des Kaisers und Königs, FML.

Kaiserlich-königliche Erste Arcieren-Leibgarde.

1763 errichtet.

Garde-Hauptmann.

Koller, Alexander Freih. v., St.O-GK., ÖLO-GK. (KD. des Ritterkreuzes), ÖEKO-R. 1. (KD. 2. Cl.), GHR., lebenslänglich Herrenhaus-Mitglied des Reichsrathes, Inhaber des Husz.-Reg. Nr. 8, GdC.

Garde-Oberlieutenant.

Boxberg, Carl Freih. v., ÖLO-R. (KD.), ÖEKO-R. 3. (KD.), GHR., FML.

Garde-Unterlieutenant.

Babarczy, Emerich Freih. v., MVK. (KD.), ☩, GM. und Haus-Comdt.

Hofdienst-Stand.

Garde-Wachtmeister.

Paar, Ferdinand Ritt. v., ÖEKO-R. 3. (KD.), MVK. (KD.), Major.
Kreb, Moriz, Rittm.

Garde-Vice-Wachtmeister.

Haffner, Ludwig, Rittm.
Kolinsky, Johann, MVK. (KD.), Rittm.
Krzandalski, Wilhelm, MVK. (KD.), Rittm.
Magnoni, Patroclus Conte, Rittm.

Garden und Rittmeister.

Amon v. Treuenfest, Gustav Ritt., ÖEKO-R. 3. (KD.), MVK. (KD.).
Hevin de Navarre, Alois Ritt., ÖEKO-R. 3. (KD.).
Platt, Eduard.
Tesach, Joseph, MVK. (KD.).
Karnauer, Julius.
Heydt, Carl, MVK. (KD.).
Schmidt v. Naviglia, Wilhelm Ritt., ÖEKO-R. 3. (KD.).
Gstir, Gottfried, MVK. (KD.).
Winter, Julius.
Zuber Edl. v. Somma campagna, Eduard, ⊙, ○ 1.
Winter, Ignaz.
Beroldingen, Paul Gf., MVK. (KD.), DO-C., ☩.
Mengele, Franz.
Froschauer v. Moosburg und Mühlrain, Adolph, MVK. (KD.).
Majneri, Anton nobile de, ☩.
Auersperg, Joseph Gf., ☩ (Garde-Adj.).
Stoll, Maximilian.
Preininger, Edmund, MVK. (KD.).

Ricci, Carl, MVK. (KD.).
Schumacher, Adolph, MVK. (KD.).
Schmidt, Heinrich, MVK. (KD.).
Suess, Gustav.
Matzner, Valerian.
Maurer v. Kronegg zu Ungershofen, Alfred Freih.
Liebe Edl. v. Kreutzner, Anton, MVK. (KD.).
Frankl, Joseph v., MVK. (KD.).
Emmel, Alois.
Bouvard, Ludwig Ritt. v., MVK. (KD.).
Rinek, Ottokar, MVK. (KD.).
Wolff, Ernst, ○ 2.
Spilvogl, Paul, ÖEKO-R. 3. (KD.).
Nawratil Edl. v. Kronenschild, Carl, MVK. (KD.).
Lesonitzky, Otto, MVK. (KD.).
Scharoch, Michael.
Köhler, Anton.
Körner, Ferd., MVK. (KD.).

Vom Stabe.

Garde-Adjutant.

Auersperg, Joseph Gf., ✠, Rittm.

Garde-Arzt.

(Vacat).

Garde-Rechnungsführer.

Sirovátka, Joseph, Rechnungs-Official 1. Cl.

Haus-Personale.

1 Garde-Haus-Inspector, 1 Portier, 27 Bediente, 6 Hausdiener.

Uniform. Silberner Helm mit weissem Büffelhaarbusche, ponceaurother Rock mit Kragen und Aufschlägen von schwarzem Sammt und gelben Knöpfen; weisse hirschlederne enge Hose, hohe Reiterstiefel.

Königlich ungarische Leibgarde.

1760 von Ihrer Majestät der Kaiserin Maria Theresia als königlich ungarische adelige Leibgarde errichtet; — 1810 reorganisirt; — 1850 aufgelöst; — 1867 wieder errichtet; — 1868 königlich ungarische Leibgarde.

Garde-Capitän.

Fratricsevics, Ignaz v., ÖEKO-R. 3. (KD.), GHR., Inhaber des Husz.-Reg. Nr. 12, FML.

Garde-Oberlieutenant.

Simonyi de Simony et Varsány, Moriz, ÖEKO-R. 3. (KD.), FML. und Haus-Comdt.

Garde-Unterlieutenant.

Török de Szendrö, Nikolaus Gf., ÖEKO-R. 3. (KD.), MVK. (KD.), ✠, GM.

Hofdienst-Stand.

Garde-Wachtmeister.

Koppi de Telkibánya, Emil, Major und Garde-Adj.
Odescalchi, Herzog v. Syrmien, Victor Fürst, MVK. (KD.), JO-Ehrenritter, ✠, Major.
Ambrus de Velencze, Ladislaus Freih., Major.

Garde-Vice-Wachtmeister.

Schiller, Adolph, ÖEKO-R. 3. (KD.), Rittm.
Wust, Gustav, Rittm.
Scultéty, Carl, Rittm.
Sibrik de Szarvaskend, Georg, MVK. (KD.), Rittm.

Garden und Rittmeister.

Binder, Franz, MVK. (KD.).
Gyömörey de Győri-Gyömöre et Teölvár, Joh.
Fessler, Franz.
Rátz, Ladislaus, ÖEKO-R. 3. (KD.).
Havránek, Ferdinand v.
Schneider. Joseph, ÖEKO-R. 3. (KD.).
Stoffer de Vecseglő, Alexander.
Teller, Joseph.
Gábriel, Johann.
Eötvös de Szeged, Joseph.
Szent-Iványi de Szent-Ivány, Lazarus.
Ujj, Gabriel v.
Számvald, Ferdinand.
Csutor, Johann v.
Pingitzer, Carl Ritt. v., ÖEKO-R. 3. (KD.).
Keltz de Fületincz et Lók, Paul.
Koreska, Alois v.
Neszter, Joseph.
Bálint de Nemes-Csó, Julius.
Friedrich, Victor, MVK. (KD.).
Müller, Gustav, ÖEKO-R.3. (KD.).
Zsarnay, Julius v., MVK. (KD.).
Scherz, Carl, MVK. (KD.).
Schlesinger, Andreas, MVK. (KD.).
Pászthory, Julius Freih. v., ♰.
Tóth, Johann v., MVK. (KD.).
Strobl, Franz (Tit.).
Görgey de Görgö et Topporcz, Julius, ♰ (Tit.).

Garden und Oberlieutenants.

Ujfalvy de Mezőkövesd, Julius.
Rasztovits, Georg, ○ 1.
Rukavina v. Liebstadt, Emil, MVK. (KD.).
Dondorf, Moriz Ritt. v.
Butykay, Adam v.
Tschida, Carl.

Vom Stabe.

Garde-Adjutant.

Koppi de Telkibánya, Emil, Major und Garde-Wachtmeister.

Garde-Arzt.

Lányi, Joh., Dr. (Operateur), ÖFJO-R., GVK. m. Kr., k. k. Hofarzt, Stabsarzt.

Garde-Rechnungsführer.

Sztriberny, Carl, Rittm. 1. Cl.

Haus-Personale.

1 Garde-Haus-Inspector, 1 Garde-Portier, 29 Bediente, 6 Hausdiener.

Stall-Personale.

1 Stabs-Wachtmeister, 8 Pferdewärter.

Uniform. Kalpak mit grünem Tuchsacke und Reiherbusch, Attila und Beinkleid hochroth mit Silberverschnürung, Pantherfell, gelbe Czismen.

Kaiserlich-königliche Trabanten-Leibgarde.

1767 errichtet.

Garde-Hauptmann.

Neipperg, Erwin Gf. v., Erlaucht, GVO-R., ÖLO-GK. (KD. des Commandeurkreuzes), ÖEKO-R. 1. (KD. 3. Cl.), MVK. (KD.), DO-Ehrenritter, JO-Ehrenritter, GHR., ♰, Hauptmann der Hofburgwache und Inhaber des Drag.-Reg. Nr. 12, GdC.

Garde-Capitän-Lieutenant.

Schwarzer, August, Oberst und Haus-Comdt.

Garde-Oberlieutenant.

(Vacat.)

Garde-Unterlieutenant.

Spindler, Heinrich Ritt. v., ÖEKO-R. 3., Major; (6. c.) zug. dem Hofstaate Seiner k. k. Hoheit des Kronprinzen Erzherzog Rudolph.

Garde-Premier-Wachtmeister.

Hipssich, Arthur Freih. v., Hptm. 1. Cl.

Hofdienst-Stand.

Garde-Second-Wachtmeister.

Haselberger, Franz, ○ 1., ○ 2., Obrlt.
Brenneis, Carl Edl. v., MVK. (KD.), Obrlt.

4 Vice-Second-Wachtmeister, 48 Garden.

Vom Stabe.

Garde-Arzt.

(Unbesetzt.) (Der Sanitätsdienst wird durch den k. k. Hof- und Reg.-Arzt 2. Cl. in der Reserve Dr. Victor Mauezka [Operateur], versehen.)

Garde-Rechnungsführer.

Slaboch, Johann, Rechn.-Official 2. Cl.

Haus-Personale.

6 Officiers-Diener, 8 Bedienungsleute, 1 Hausdiener.

Uniform. Pickelhaube mit weissem Büffelhaarbusche, ponceaurother, goldbordirter Rock mit Kragen und Aufschlägen von schwarzem Sammt und gelben Knöpfen; weisse hirschlederne enge Hose, hohe Reiterstiefel.

Kaiserlich-königliche Leibgarde-Reiter-Escadron.

1849 errichtet.

Garde-Capitän.

Thurn und Taxis, Emerich Prinz v., Durchlaucht, GVO-R., ÖLO-R. (KD.), MVK. (KD.), GHR., lebenslänglich Herrenhaus-Mitglied des Reichsrathes, Inhaber des Husz.-Reg. Nr. 3 und Oberst-Stallmeister Seiner Majestät des Kaisers und Königs, GdC.

Oberst und Escadrons-Commandant.

Brecska, Gustav Ritt. v., ÖLO-R., ÖEKO-R. 3. (KD.).

Rittmeister 1. Classe.

Klastersky, Ferdinand.

Oberlieutenants.

Rohan, Alain Prinz, Durchlaucht.
Dürkheim-Montmartin, Wolfgang Gf.

Lieutenant.

Solms-Braunfels, Alexander Prinz, Durchlaucht.

Leibgarde-Reiter und Unter-Officiere.

2 Erste Wachtmeister.
8 Zweite Wachtmeister.
2 Trompeter.
60 Leibgarde-Reiter.

Für den Inspections-Dienst in der k. k. Hofburg.

Hof-Stabs-Adjutant.

Klinger, Johann, ○ 2., Obrlt.
2 Hof-Stabs-Wachtmeister.

Vom Stabe.

Garde-Arzt.

(Unbesetzt.) (Der Sanitätsdienst wird durch den k. k. Hof- und Stabsarzt Dr. Johann Lányi, [Operateur], ÖFJO-R., GVK. m. Kr., der k. ung. Leibgarde, versehen.)

Garde-Rechnungs-Official 2. Cl.

Korner, Julius.

1 Curschmied, 6 Officiers-Diener und 55 Soldaten als Wart-Mannschaft.

Uniform. Pickelhaube mit schwarzem Rosshaarbusche, dunkelgrüner Rock mit scharlachrother Egalisirung, vergoldeten Achselschnüren, Schuppen-Epauletten und gelben Knöpfen, weisse hirschlederne enge Hose, hohe Reiterstiefel.

Kaiserlich-königliche Hofburgwache.

1802 errichtet.

Garde-Hauptmann.

Neipperg, Erwin Gf. v., Erlaucht, GVO-R., ÖLO-GK. (KD. des Commandeurkreuzes), ÖEKO-R. 1. (KD. 3. Cl.), MVK. (KD.), DO-Ehrenritter, JO-Ehrenritter, GHR., ✠, Hauptmann der Trabanten-Leibgarde und Inhaber des Drag.-Reg. Nr. 12, GdC.

Haus-Commandant.

Fischer v. See, Carl, ÖEKO-R. 3. (KD.), Oberst.

Hauptmann 1. Classe.

Vodepp, Valentin, ○ 1.

Oberlieutenants.

Fiolitsch, Joseph, ○ 2.
Mayer, Franz.

Lieutenants.

Tamme, Willibald.
(1 Stelle unbesetzt.)

4 Feldwebel, 8 Zugsführer, 12 Führer, 210 Hofburgwachen, 2 Tambours, 7 Officiers-Diener und 16 Hausdiener.

Vom Stabe.

Oberarzt.

(Unbesetzt.) (Der Sanitäts-Dienst wird durch den k. k. Hof- und Reg.-Arzt 2. Cl. in der Reserve, Dr. Victor Mauczka, [Operateur], versehen.)

Rechnungsführer.

(Siehe: Trabanten-Leibgarde.)

Uniform: Pickelhaube mit schwarzem Rosshaarbusche, dunkelgrüner Rock mit scharlachrother Egalisirung, vergoldeten Achselschnüren, Schuppen-Epauletten und gelben Knöpfen, dunkelgrüne Pantalon mit scharlachrothem Passepoil.

Central-Leitung und Militär-Behörden.

A. Reichs-Kriegs-Ministerium.

Reichs-Kriegs-Minister.

Bylandt-Rheidt, Arthur Gf., OLO-GK., ÖEKO-R. 1., MVK. (KD.), GHR., Inhaber des Feld-Art.-Reg. Nr. 9, FML.

Sections-Chefs.

Vlasits, Franz Freih. v., St.O-C., ÖEKO-R. 2. (KD. 3. Cl.), ÖLO-R. (KD.), GHR., FML.
Bibra v. Gleicherwiesen, Wilhelm Freih., ÖLO-R., ÖEKO-R. 3. (KD.), MVK. (KD.), FML.
Früh, August Ritt. v., ÖEKO-R. 2., ÖFJO-C. (m. St.), Chef der ökonomischen Section.

Zugetheilt.

Maywald, Carl, MVK. (KD.), GM.

Präsidial-Bureau.

Vorstand. Franz, Ferdinand Freih. v., ÖEKO-R. 2. (KD. 3. Cl.), ÖLO-R. (KD.), GM.
Vorstands-Stellvertreter. Scharinger v. Olósy, Ignaz Ritt., ÖEKO-R. 3., Kanzlei-Director im R.-Kriegs-Mstm., GM.

Ripp, Isidor Freih. v., ÖEKO-R. 3., Obstlt. des Generalstabs-Corps.
Eltz, Theodor v., ÖFJO-R., Major des Armeestandes.
Ludwig, Philipp, MVK., Major des Armeestandes.
Kellner, Ludwig, Major des Armeestandes (zugetheilt).
Gayer, Franz, Rittm. 1. Cl. des Armeestandes.
Weltzebach, Hermann, Hptm. 1. Cl. des IR. Nr. 47, Redacteur des Mil.-Schematismus.
Kremla, Joseph, ÖFJO-R., Hptm. 1. Cl. des IR. Nr. 77.
Gönitz, Eduard, Hptm. 2. Cl. des IR. Nr. 40.
Prziza, Franz, Obrlt. des Drag.-Reg. Nr. 12.
Dingelstedt, Wilhelm Freih. v., Obrlt. des IR. Nr. 49, Redacteur der Verordnungsblätter für das k. k. Heer.
Wall, Leopold, Kriegs-Commissär.

Zugetheilt
(für Grenz-Landes-Angelegenheiten).

Hostinek, Joseph, ÖFJO-R., Oberst der Mil.-Grenz-Verwaltungs-Branche.
Kralik, Vincenz, ÖFJO-R., Hptm. 1. Cl. der Mil.-Grenz-Verwaltungs-Branche.

Präsidial-Protokoll.

Jäger, Franz, ÖFJO-R. Hptm. 1. Cl. des Armeestandes.

Präsidial-Expedit.

Lichtenberg, Anton, Hptm. 1. Cl. des Armeestandes, Expedits-Leiter.
Voith, Simon, Hptm. 1. Cl. des Armeestandes.
Grosz, Ignaz, Hptm. 1. Cl. des Armeestandes.
Maurich, Victor, Hptm. 1. Cl. des Armeestandes.
Schuster, Franz, Hptm. 2. Cl. des IR. Nr. 77.
Häring Edl. v. Amwall, Eugen, Hptm. 2. Cl. des IR. Nr. 39.
Erich v. Melambuch und Liechtenheim, Joseph Ritt., MVK. (KD.), Obrlt. des Armeestandes.
Kutschera, Carl, Expedits-Directions-Adjunct.
Boara, Friedrich, Expedits-Directions-Adjunct.
Eberhart, Nikolaus, Kriegs-Expeditor.
Held, Mathias, Kriegs-Expeditor.
Materna, Wilhelm, Kriegs-Kanzlist 1. Cl.

Präsidial-Registratur.

Bersuder, Julius v., Registrator.
Exner, Rudolph, Registraturs-Official 2. Cl.
Pfeifer, Franz, O 2., Registraturs-Official 3. Cl.

1. Abtheilung.

Vorstand. Kober, Guido v., MVK. (KD.), GM.

Herrmann, Adolph, Obstlt. des IR. Nr. 33.
Uher, Joseph, Rittm. 1. Cl. des Armeestandes.
Kropiunig, Johann, MVK. (KD.), Hptm. 1. Cl. des IR. Nr. 7.
Ruez, Franz, MVK. (KD.), Hptm. 2. Cl. des Armeestandes.
Blaha, Wenzel, Hptm. 1. Cl. des IR. Nr. 25.
Urbány, Eduard, Hptm. 1. Cl. des IR. Nr. 76.
Feurer, Franz, Hptm. 1. Cl. des IR. Nr. 61.
Dragan, Albert, Hptm. 1. Cl. des IR. Nr. 51.
Lensch, Rudolph, Hptm. 2. Cl. des Art.-Stabes.

Zugetheilte.

Salinger, Joseph, Obrlt. des IR. Nr. 9.
Begna del Castello di Benkovich, Alfred Conte, Obrlt. des Ruhestandes.
Brandenburger, Friedrich, Obrlt. des Drag.-Reg. Nr. 5.
Klastersky, Ludwig, Rechn.-Official 2. Cl.

2. Abtheilung.

Vorstand. Stupka, Joseph, MVK., Obstlt. des Armeestandes.

Vogl, Heinrich Edl. v., MVK. (KD.), Hptm. 1. Cl. des Armeestandes.
Pokorny, Anton, ÖFJO-R., Hptm. 1. Cl. des IR. Nr. 6.
Miksch, Ignaz, Hptm. 1. Cl. des Armeestandes.
Kralowetz, Franz, MVK. (KD.), Hptm. 1. Cl., des IR. Nr. 19.
Stuchlik, Johann, Hptm. 1. Cl. des Armeestandes.
Schneider, Anton, Hptm. 2. Cl. des IR. Nr. 20.
Polletin, Arthur, Hptm. 2. Cl. des IR. Nr. 57.
Nowak, Johann, Hptm. 2. Cl. des IR. Nr. 8.
Clodi, Maximilian, ○ 2., Obrlt. des IR. Nr. 14.
Beckerhin, Joseph, Obrlt. des IR. Nr. 8.

Zugetheilte.

Göllner, Moriz, Hptm. 2. Cl. des IR. Nr. 25.
Mzik, Johann, Obrlt. des IR. Nr. 40.
Trnka, Alfred, Obrlt. des IR. Nr. 37.

3. Abtheilung.

Vorstand. Ambrozy, Heinrich Ritt. v., ÖEKO-R. 3. (KD.), MVK. (KD.), Oberst des Drag.-Reg. Nr. 3.

Weiker, Carl, Major des Ruhestandes.
Melchart, Matthäus, Rittm. 1. Cl. des Mil.-Fuhrw.-Corps.
Obermüller, Carl, Hptm. 2. Cl. des Art.-Reg. Nr. 7.
Huber v. Penig, Johann, Hptm. 1. Cl. des Generalstabs-Corps.
Zoitl, Carl, Rittm. 2. Cl. des Mil.-Fuhrw.-Corps.
Kaiser, Friedrich, Obrlt. des Armeestandes.
Tomala, Theodor, ÖFJO-R., Kriegs-Commissär.

Zugetheilte.

Wollinger, Michael, Rittm. 1. Cl. des Uhl.-Reg. Nr. 7.
Klöckner, Valentin, Rittm. 1. Cl. des Ruhestandes.
Lenk v. Treuenfeld, Albert, Rittm. 1. Cl. des Husz.-Reg. Nr. 8.
Ceipek, August, Rittm. 1. Cl. des Drag.-Reg. Nr. 6.

4. Abtheilung.

Vorstand. Borowiczka v. Themau, Rudolph Ritt., ÖEKO-R. 3., General-Auditor.

Czastka, Eduard, ÖEKO-R. 3., Obstlt.-Auditor.
Eder, Joseph, Major-Auditor.
Kopetzky v. Rechtperg, Eugen, Hptm.-Auditor 2. Cl.

Zugetheilte.

Proschek, Ignaz, Major-Auditor.
Palm, Maximilian, Hptm.-Auditor 1. Cl.

5. Abtheilung.

Vorstand. Merkl, Rudolph, ÖLO-R., ÖEKO-R. 3., MVK. (KD.), Oberst des Generalstabs-Corps.

Hold, Alexander, ÖEKO-R. 3., Obstlt. des Generalstabs-Corps.
Schöffl, Joseph, Hptm. 1. Cl. des IR. Nr. 52 (comdt. beim Generalstabe).
Gartner, Anton, Hptm. 1. Cl. des Generalstabs-Corps.
Schraml, Emil, Hptm. 1. Cl. des Generalstabs-Corps.
Sommain, Ferdinand de, Hptm. 1. Cl. des Generalstabs-Corps.
Sundschuh, Emil Ritt. v., Hptm. 1. Cl. des Generalstabs-Corps.
Schaffařž, Joseph, Hptm. 2. Cl. des Pion.-Reg. (zug. dem Generalstabe).
Benoist de Limonet, Carl, Hptm. 2. Cl. des IR. Nr. 36 (zug. dem Generalstabe).
Beschorner, Friedrich, Mil.-Unter-Intendant 1. Cl.

Zugetheilt.

Pracher, Georg, Hptm. 1. Cl. des Ruhestandes.

6. Abtheilung.

Vorstand. Wurmb, Adolph v., ÖEKO-R. 3. (KD.), MVK. (KD.), Oberst des Generalstabs-Corps.

Feldenhauer, Franz, Major des IR. Nr. 66.
Reis, Johann, Hptm. 1. Cl. des Genie-Stabes.
Prochaska, Gabriel, Hptm. 1. Cl. des IR. Nr. 64.
Arbter, Arthur Ritt. v., Hptm. 1. Cl. des Art.-Reg. Nr. 9.
Schramek, Camillo, Hptm. 2. Cl. des Art.-Reg. Nr. 11.
Czižek, Gustav, Mil.-Unter-Intendant 1. Cl.

Zugetheilte.

Lackhner, Ferdinand Ritt. v., Rittm. 1. Cl. des Drag.-Reg. Nr. 8.
Fux, Moriz, Hptm. 1. Cl. des Generalstabs-Corps.

7. Abtheilung.

Vorstand. Müller, Friedrich Ritt. v., ÖLO-R., ÖEKO-R. 3., MVK. (KD.), Oberst des Art.-Stabes.

Dietschy, Ferdinand, Major des Armeestandes.
Hermann, Joseph, ÖFJO-R., MVK. (KD.), Major des Art.-Stabes.
Seyschab, Friedrich, ÖFJO-R., MVK. (KD.), Hptm. 1. Cl. des Art.-Stabes.
Semrad, Gustav, Hptm. 1. Cl. des Art.-Stabes.
Jasbetz, Ant., Hptm. 1. Cl. des Art.-Stabes.
Chmelik, Joseph, MVK., Hptm. 1. Cl des Art.-Stabes.
Kottek, Carl, Hptm. 1. Cl. des Art.-Stabes.
Gottstein, Anton, Hptm. 1. Cl. des Art.-Stabes.
Nigris, Alois, Hptm. 2. Cl. des Art.-Stabes.

Zugetheilte.

Schneider, Franz, ÖFJO-R., Mil.-Intendant.
Bachheimer, Franz, Rechn.-Official 2. Cl.

8. Abtheilung.

Vorstand. Becher v. Rüdenhof, Alfred Ritt., ÖEKO-R. 3., GM.

Ebhardt, Wilhelm, Major des Genie-Stabes.
Blasek, Heinrich, ÖFJO-R., Hptm. 1. Cl. des Genie-Stabes.
Zamboni v. Lorberfeld, Emil, Hptm. 1. Cl. des Genie-Stabes.
Gürtler, Eduard, Hptm. 1. Cl. des Genie-Stabes.
Michna, Ludwig, Hptm. 1. Cl. des Genie-Stabes.
Nitsche, Victor, Hptm. 1. Cl. des Genie-Reg. Nr. 2.
Szalyovich, Joseph, Hptm. 1. Cl. des Genie-Stabes.
Bobretzky, Carl, Hptm. 2. Cl. des Genie-Stabes.
Břehowský, Jakob, Mil.-Unter-Intendant 1. Cl.
Alaunek, Johann, GVK., Bau-Rechn.-Official 1. Cl.
Nierl, Johann, Bau-Rechn.-Official 3. Cl.
Petříček, Eduard, Bau-Rechn.-Official 3. Cl.

Zugetheilt.

Seichter, Julius, Obrlt. des Genie-Reg. Nr. 1.

9. Abtheilung.

Vorstand. (Vacat.)

Mit der Leitung der Abtheilung betraut:
Mikesch, Friedrich, ÖEKO-R. 3., Mil.-Ober-Intendant.

Szadbey, Anton, Hptm. 1. Cl. des Armeestandes.
Grössl, Jakob, Hptm. 1. Cl. des Armeestandes.
Sturm, Gustav, Hptm. 1. Cl. des IR. Nr. 8.
Wollenik, Agathon, ÖFJO-R., Mil.-Unter-Intendant 1. Cl.
Eckmann, Dominik, Mil.-Unter-Intendant 1. Cl.

Zugetheilte.

Maschke, Ferdinand, Hptm. 1. Cl. des Ruhestandes.
Kopač, Andreas, Hptm. 1. Cl. des Armeestandes.
Peche, Anton Ritt. v., Obrlt. des Ruhestandes.
Müller, Heinrich, Mil.-Unter-Intendant 2. Cl.

10. Abtheilung.

Vorstand. Schaller, Carl, ÖEKO-R. 3., MVK. (KD.), Oberst des Generalstabs-Corps.

Dittrich, Joseph, ÖEKO-R. 3., MVK. (KD.), Obstlt. des Armeestandes.
Canisius, Victor, Hptm. 1. Cl. des IR. Nr. 36.
Dragoni Edl. v. Rabenhorst, Alphons, Hptm. 1. Cl. des Generalstabs-Corps.
Seeland, Joseph, ○ 2., Hptm. 2. Cl. des Art.-Reg. Nr. 1.
Skibniewski, Apollinar, Obrlt. des Mil.-Fuhrw.-Corps.
Obert, Eduard, Mil.-Unter-Intendant 2. Cl.

Zugetheilt.

Pusswald, Johann Ritt. v., Major des Armeestandes.

11. Abtheilung.

Vorstand. Lambert, Adam, ÖEKO-R. 3., ÖFJO-R., Mil.-Ober-Intendant.

Eisenlohr, Ludwig, ÖFJO-R., Mil.-Intendant.
Pippich, Joh., ÖFJO-R., Mil.-Intendant.
Křitek, Johann, Mil.-Unter-Intendant 1. Cl.
Pernhoffer, Moriz, Mil.-Unter-Intendant 2. Cl.
Haiegg, Eduard. Mil.-Unter-Intendant 2. Cl.
Mayerweg, Hannibal, Kriegs-Commissär.
Koffer, Johann, Kriegs-Commissär.
Czerny, Wilhelm, Rechn.-Official 1. Cl.
Stergar, Valentin, Rechn.-Official 2. Cl.

Zugetheilte.

Wessely, Franz, Obrlt.-Rechnungsführer des IR. Nr. 9.
Reif, Franz, Mil.-Unter-Intendant 2. Cl.
Hobza, Paul, Rechn.-Official 3. Cl.

12. Abtheilung.

Vorstand. Röckenzaun, Richard, ÖEKO-R. 3., Mil.-Ober-Intendant.

Bachmayer, Anton, Mil.-Intendant.
Fraudetzky, Eduard, Mil.-Unter-Intendant 1. Cl.
Caučig, Franz, Mil.-Unter-Intendant 1. Cl.
Schneider, Franz, Mil.-Unter-Intendant 2. Cl.
Egger, Rudolph, Mil.-Unter-Intendant 2. Cl.
Bauer-Hansl, Siegfried, Verpflegs-Accessist.

Zugetheilte.

Kratschmer, Bernhard, Mil.-Unter-Intendant 1. Cl.
Kříž, Johann, Mil.-Unter-Intendant 2. Cl.
Mayer, Adolph, Verpflegs-Verwalter.

13. Abtheilung.

Vorstand. Steiner, Carl, MVK., Oberst des Armeestandes.

Illenberger, Eduard, Hptm. 2. Cl. des Armeestandes.
Kromp, Eberhard, Hptm. - Rechnungsführer 1. Cl.
Krauszler, Joseph, Mil.-Intendant.
Hertlein, Christian, ÖFJO-R., Mil.-Unter-Intendant 1. Cl.
Saffir, Emanuel, Rechnungsrath.

Zugetheilte.

Krähmer, Conrad, Obrlt. der Monturs-Verwaltungs-Branche.
Jaroschka, Ferdinand, Obrlt.-Rechnungsführer.
Viertl, Eduard, Rechnungsrath.

14. Abtheilung.

Vorstand. (Vacat.)

Mit der Leitung der Abtheilung betraut:
Frueth, Wilhelm, GVK. m. Kr., Ober-Stabsarzt 1. Cl.

Wychodil, Georg, Dr., GVK. m. Kr., Stabsarzt.
Stawa, Franz, Dr., ÖFJO-R., Stabsarzt.
Wallmann, Heinrich, Dr., Stabsarzt.
Fischer, Theodor, Dr., Reg.-Arzt 1. Cl.
Jakoby, Friedrich, Dr., Reg.-Arzt 2. Cl.

Zugetheilte.

Höny, Friedrich, Oberwundarzt des Art.-Reg. Nr. 7.
Günsberg, Osias, Oberwundarzt des Art.-Reg. Nr. 11.

15. Abtheilung.

Vorstand. Haásey v. Heerwart, Johann Ritt., ÖEKO-R. 3., ÖFJO-R., Ministerialrath.

Gessmann, Gustav, Ober-Rechnungsrath 2. Cl.
Mayer, Vincenz, Ober-Rechnungsrath 2. Cl.
Fritsche, Ignaz, ÖFJO-R., Ober-Rechnungsrath 2. Cl.
Fritsch, Christoph, Rechnungsrath.
Braunschweig, Friedrich, Rechnungsrath.
Rautenstrauch, Carl, Rechnungsrath.
Kollross, Joseph, Rechn.-Official 1. Cl.
Horky, Johann, Rechn.-Official 1. Cl.
Strasser Anton, Rechn.-Official 1. Cl.
Spannagel, Johann, Rechn.-Official 1. Cl.
Pirsch, Carl, Rechn.-Official 2. Cl.
Wrkal, Friedrich, Rechn.-Official 2. Cl.
Dollmayr, Friedrich, Rechn.-Official 2. Cl.

Zugetheilte.

Budik, Heinrich, Rechn.-Official 2. Cl.
Capp, Joseph, Rechn.-Official 2. Cl.
Kitzmantel, Georg, Rechn.-Official 2. Cl.
Scheida, Eduard, Rechn.-Official 2. Cl.
Pischek, Anton, Rechn.-Official 3. Cl.
Haider, Franz, Rechn.-Official 3. Cl.
Leitner, Joseph, Rechn.-Official 3. Cl.
Gsangler, Gustav, Rechn.-Accessist.
Haslinger, Carl, Rechn.-Accessist.
Steinitz, Leopold, Rechn.-Eleve.

Kanzlei - Direction.

Director. Scharinger v. Olósy, Ignaz Ritt., ÖEKO-R. 3., Stellvertreter des Vorstandes vom Präsidial-Bureau, GM.

Hilfs-Aemter.

Protokoll.

Director (prov.). Kliment, Adolph v., Obstlt. des Armeestandes.

Polak, Friedrich, Major des Armeestandes.
Bondziak, Michael, Hptm. 1. Cl. des Armeestandes.
Eichen, Wilhelm, Hptm. 1. Cl. des IR. Nr. 59.
Zwatz, Victor, Hptm. 1. Cl. des Armeestandes.
La Croix v. Langenheim, Franz, Hptm. 1. Cl. des Armeestandes.
Proschek, Joseph, Rittm. 1. Cl. des Armeestandes.
Lackner, Franz, Hptm. 1. Cl. des Armeestandes.
Mauerböck, Mathias, ○ 2., Lieut. des Ruhestandes.
Fuchs, Franz, Kriegs-Expeditor.

Expedit.

Director. Brenneis, Johann Edl. v., Oberst des Armeestandes.

Skallitzky, Wilhelm, Obstlt. des Armeestandes.
Wagenbauer v. Kampfruf, Anton Ritt., ÖEKO-R. 3. (KD.), Major des Armeestandes.
Pechar, Carl, ÖFJO-R., Hptm. 1. Cl. des Armeestandes.
Vivat, Carl, Hptm. 1. Cl. des Armeestandes.
Keller, Johann, ÖEKO-R. 3. (KD.). MVK. (KD.), Hptm. 1. Cl. des Ruhestandes.
Hug v. Hugenstein, Hugo Ritt., Hptm. 1. Cl. des Armeestandes.
Scherenberg, Paul, Rittm. 1. Cl. des Armeestandes.
Paternos v. Pahlenburg, August, Hptm. 1. Cl. des Ruhestandes.
Mayern, Franz, Hptm. 2. Cl. des Armeestandes.
Hoffmann, Heinrich, Hptm. 2. Cl. des Armeestandes.
Schramme, Rudolph, Hptm. 2. Cl. des Armeestandes.
Haberson, Emil Edl. v., Obrlt. des Armeestandes.
Hofer, Adolph, Obrlt. des Ruhestandes.
Kühne, Adolph, Expedits-Directions-Adjunct.
Albertiez, Eduard, Kriegs-Expeditor.
Schuller, Carl, Kriegs-Kanzlist 1. Cl.
Eckard, Franz, Kriegs-Kanzlist 1. Cl.
Hernjaković, Andreas, Kriegs-Kanzlist 2. Cl.
Anton, Victor, Kriegs-Kanzlist 2. Cl. (Tit.-Expeditor).
Janik, Johann, technischer Assistent.

Registratur *).

Director. Schwarz, Johann, GVK. m. Kr.
Unter-Director. Hrdliczka, Edmund.

---

*) Das Beamten-Personale ist aus der Rangsliste der Registraturs-Beamten ersichtlich.

Kriegs-Archiv.

Director.

Sacken, Adolph Freih. v., ÖEKO-R. 3. (KD.), GM.

Abtheilung für Kriegs-Geschichte.

Vorstand. Der Kriegs-Archivs-Director.
Nosinich, Johann, Obstlt. des Armeestandes.
Rechberger v. Rechkron, Joseph Ritt., ÖEKO-R. 3., Obstlt. des Armeestandes.
Komers v. Lindenbach, Camillo Freih., Major des Generalstabs-Corps.
Angeli, Moriz Edl. v., Tit.-Major des Armeestandes.
Klopfstock, Joseph, Hptm. 1. Cl. des FJB. Nr. 32.
Duncker, Carl, Hptm. 1. Cl. des Armeestandes (comdt. beim Generalstabe).
Kirchhammer, Alexander, Hptm. 1. Cl. des Generalstabs-Corps.
Ratzenhofer, Gustav, Hptm. 1. Cl. des Generalstabs-Corps.
Danzer, Alphons, Obrlt. des IR. Nr. 64 (comdt. beim Generalstabe).

Schriften-Archiv.

Vorstand. Rothauscher, Carl, Oberst des Armeestandes.
Gömöry v. Gömör, Gustav, Hptm. 1. Cl. des Armeestandes.
Bergmann, Maxim. Ritt. v., Hptm. 1. Cl. des Armeestandes.
Ternes, Carl, Hptm. 1. Cl. des Art.-Reg. Nr. 11.
Janny, Franz, Hptm. 1. Cl. des IR. Nr. 19.
Spigl, Friedrich, Hptm. 2. Cl. des Armeestandes.
Janko, Wilhelm Edl. v., Registratus-Official 1. Cl.

Karten-Archiv.

Vorstand. Haradauer Edl. v. Heldendauer, Carl, MVK. (KD.), Major des Armeestandes.
Krebner, Franz, Hptm. 1. Cl. des Armeestandes.
Rummel v. Ruhmburg, Wilhelm, Hptm. 1. Cl. des Armeestandes.
Fritz, Julius, MVK. (KD.), Hptm. 1. Cl. des IR. Nr. 60.
Chalaupka, Ernst, Hptm. 1. Cl. des IR. Nr. 50.

Kriegs-Bibliothek.

Vorstand. Hassenmüller v. Ortenstein, Robert Ritt., Major des Armeestandes.
Bayerer, Vincenz, MVK. (KD.), Hptm. 1. Cl. des IR. Nr. 21.
Nowák, Alois, Obrlt. des Armeestandes.

Zugetheilte.

Hipssich, Carl Freih. v., Major des Ruhestandes.
Hammer, Rudolph, Tit.-Major des Ruhestandes.
Karg v. Bebenburg, Emil Freih., ✠, Tit.-Major des Ruhestandes.
Turek, Maximilian v., Rittm. 1. Cl. des Ruhestandes.
Schinzl, Adolph, Hptm. 1. Cl. des Ruhestandes.

(Gedruckt am 22. December 1878.)

Oberster Militär-Justiz-Senat.

Präsident. Weber, Joseph Freih. v., ÖLO-C. (KD. des Ritterkreuzes), ÖEKO-R. 3. (KD.), GHR., Inhaber des IR. Nr. 22, FZM.

Abtheilung A.

Vorstand. Le Monnier, Theodor, Oberst-Auditor.

Huschner, Anton, Obstlt.-Auditor.

Abtheilung B.

Vorstand. Maczak v. Ottenburg, Hugo, ÖEKO-R. 3., General-Auditor (zugleich Kanzlei-Director).

Kittl, Carl, Obstlt.-Auditor.

Abtheilung C.

Vorstand. Weber, Gustav, Oberst-Auditor.

Eberhartinger, Thomas, Dr. d. R., ÖFJO-R., Major-Auditor.

Abtheilung D.

Vorstand. Le Monnier, Theodor, Oberst-Auditor.

Huschner, Anton, Obstlt.-Auditor.

Kriegs-Marine-Section.

(Der Personalstand dieser Section ist aus dem die k. k. Kriegs-Marine behandelnden Abschnitte ersichtlich).

Hilfs-Organe des Reichs-Kriegs-Ministeriums.

Chef des Generalstabes.

Schönfeld, Anton Freih. v., ÖEKO-R. 2. (KD.), ÖLO-R. (KD.), MVK. (KD.), GHR., FML.

Stellvertreter.

Fischer v. Ledenice, Maximilian Ritt., ÖLO-R. (KD.), FML.

Directions-Bureau.

Chef. Ochsenheimer, Friedrich Ritt. v., ÖEKO-R. 3., MVK. (KD), Oberst.

Bureau für operative und besondere Generalstabs-Arbeiten.

Chef. Galgótzy, Anton, ÖEKO-R. 3. (KD.), Oberst.

Landes-Beschreibungs-Bureau.

Chef. Samonigg, Johann, ÖEKO-R. 3. (KD.), Obstlt.

Evidenz-Bureau.

Chef. Leddihn, Adolph, MVK., Oberst.

Eisenbahn-Bureau.

Chef. Hilleprandt, Anton Edl. v., ÖLO-R., ÖEKO-R. 3. (KD.), Oberst.

Abtheilung für Kriegsgeschichte im Kriegs-Archive.

Chef. Sacken, Adolph Freih. v., ÖEKO-R. 3. (KD.), GM., Director des Kriegs-Archives.

(Sämmtlich des Generalstabs-Corps.)

Telegraphen-Bureau.

Chef. Klar, Adolph Ritt. v., ÖEKO-R 3., ÖFJO-R., Mil.-Beamter der V. Diäten-Classe, Gen.-Feld-Telegraphen-Director.

General-Artillerie-Inspector.

Seine kaiserl. königl. Hoheit Erzherzog Wilhelm (Franz Carl), Hoch- und Grossmeister des Hoch- und Deutschmeisterthums des deutschen Ritter-Ordens im Kaiserthume Oesterreich, ÖLO-GK. (KD.), MVK. (KD.), Inhaber der IR. Nr. 4 und Nr. 12, dann des Feld-Art.-Reg. Nr. 6, Chef der kaiserl. russischen Batterie Nr. 1 von der 7. reitenden Artillerie-Brigade, und Chef des königl. preussischen ostpreussischen Feld-Artillerie-Reg. Nr. 1 etc. etc., FZM.

Zugetheilte.

Sponner, Albert, Oberst des Art.-Stabes.
Cenna, Ladislaus, Hptm. 1. Cl. des Art.-Stabes.

General-Genie-Inspector.

Seine kaiserl. königl. Hoheit Erzherzog Leopold (Ludwig Maria Franz Julius Eustach Gerhard), GVO-R., St.O-GK., Inhaber des IR. Nr. 53 und des Genie-Reg. Nr. 2, Chef des kaiserl. russischen kasan'schen Drag.-Reg. Nr. 9 und des königl. preussischen 1. westpreussischen Grenadier-Reg. Nr. 6; etc. etc., GdC.

Zugetheilte.

Weeger, Leopold, MVK., Obstlt. des Genie-Stabes.

L'Estocq, Rudolph Freih. v., Hptm. 1. Cl. des Genie-Stabes.

General-Cavallerie-Inspector.

Pejacsevich v. Veröcze, Nikolaus Gf., St. O-C., ÖEKO-R. 3. (KD.), GHR., ✠, FML.

Zugetheilt. Latscher, Johann, Major des Uhl.-Reg. Nr. 2.

General-Fuhrwesens-Inspector.

Hussarek v. Heinlein, Johann Ritt., ÖEKO-R. 3. (KD.), MVK. (KD.), GM.

Zugetheilt. Mischek, Wenzel, Rittm. 1. Cl. des Mil.-Fuhrw.-Corps.

Sanitäts-Truppen-Commandant.

Leidl, Carl Ritt. v., ÖEKO-R. 3. (KD.), MVK. (KD.), Oberst der Sanitäts-Truppe.

Adjutant. Brutscher, Carl, Hptm. 1. Cl. der Sanitäts-Truppe.

Technisches und administratives Militär-Comité.

Präsident.

Salis-Soglio, Daniel Freih. v., ÖEKO-R. 3. (KD.), MVK. (KD.), ✠, GM.

Oesterreich, Franz, Oberst des Genie-Stabes, Studien-Inspector des höheren Artillerie-, des höheren Genie-Curses, dann des Vorbereitungs-Curses für Stabsofficiers - Aspiranten der Artillerie.

Sterbenz, Johann, MVK., Hptm. 2. Cl. des Art.-Stabes (Adjutant).

Demel, Carl, Obrlt. des Art.-Stabes (Prov.-Off.).

Fibiger, Augustin, Hptm.-Rechnungsführer 2. Cl.

Czerkawski, Ladislaus Ritt. v., Lieut.-Rechnungsführer.

Fischl, Hermann, Bau-Rechn.-Official 1. Cl.

Pistl, Andreas, Kriegs-Expeditor.

I. (Artillerie-) Section.

Sections-Chef.

Schmarda, Carl, ÖLO-R., ÖFJO-R., MVK. (KD.), GM.

1. Abtheilung.

Vorstand. Kreutz, Friedrich, ÖLO-R., ÖEKO-R. 3., MVK., GM. und Ober-Feuerwerksmeister.

2. Abtheilung.

Vorstand. Huffzky, Heinrich, Major des Art.-Stabes.

3. Abtheilung.

Vorstand, Czadek. Carl Ritt. v., ÖEKO-R. 3., ÖFJO-R., MVK., Major des Art.-Stabes.

4. Abtheilung.

Vorstand. Ritschl, Joseph, Major des Art.-Stabes.

Skladny, Carl, Major des Art.-Stabes (zugleich Lehrer am Vorbereitungs-Curse für Stabsofficiers-Aspiranten der Artillerie und am höheren Genie-Curse).
Babouczek, Eduard, MVK. Major des Art.-Stabes.
Friedrich, Joseph, ÖFJO-R., Hptm. 1. Cl. des Art.-Stabes.
Mollik, Heinrich, Hptm. 1. Cl. des Art.-Stabes (zugleich Lehrer am höheren Art.-Curse und am Vorbereitungs-Curse für Stabsofficiers-Aspiranten der Artillerie).
Zeidner, Franz, MVK., Hptm. 1. Cl. des Art.-Stabes.
Zieglmayer, Carl, Hptm. 1. Cl. des Art.-Stabes.
Wuich, Nikolaus, Hptm. 2. Cl. des Art.-Stabes (zugleich Lehrer am höheren Art.-Curse und an der Kriegsschule).
Zehner v. Riesenwald, Ernst, ÖFJO-R., Hptm. 2. Cl. des Art.-Stabes.
Magrinelli, Alois, Hptm. 2. Cl. des Art.-Reg. Nr. 5.
Křiwanek, Carl, Hptm. 2. Cl. des Art.-Stabes.
Beschi, Eduard, MVK., Hptm. 2. Cl. des Art.-Stabes.
Wittmann, Julius, Hptm. 2. Cl. des Art.-Stabes.
Grossmann, Carl, Hptm. 2. Cl. des Art.-Stabes.
Pawlas, Joseph, Obrlt. des Art.-Reg. Nr. 1.
Scheurer, Joseph, Obrlt. des Art.-Stabes.
Kohlruss, Carl, *Obrlt. des Art.-Stabes (Adj.).
Pelikan, Emanuel, Obrlt. des Art.-Stabes.
Schwingshandl, Alois, Obrlt. des Art.-Stabes.
Hněwkowský, Wenzel, Obrlt. des FAB. Nr. 2.
Küsswetter, Albert, Obrlt. des Art.-Reg. Nr. 5.
Schöffl, Johann, Obrlt. des FAB. Nr. 8.
Kletler, Bruno, Obrlt. des Art.-Reg. Nr. 11.
Stranský v. Greiffenfels, Felix Ritt., Obrlt. des Art.-Reg. Nr. 10.
Duchek, Johann, Obrlt. des Art.-Reg. Nr. 13.
Čuić, Georg, Obrlt. des Art.-Reg. Nr. 11.
Matoušek, Franz, Obrlt. des Art.-Reg. Nr. 3.
Koppe, Johann, Obrlt. des Art.-Reg. Nr. 7.
Juritzky, Alfred, Obrlt. des Art.-Reg. Nr. 2 (zugleich Assistent am höheren Art.-Curse).
Lokmer, Joseph, Obrlt. des Art.-Reg. Nr. 8.
Tengler, Theodor, Obrlt. des Art.-Reg. Nr. 7.
Witsch, Johann, Obrlt. des Art.-Reg. Nr. 5.
Holzner, Franz, Lieut. des FAB. Nr. 4.
Kaiser, Georg, o. Professor der Maschinen-Construction am höheren Art.-Curse.

Provisorisch zugetheilt.

Krawehl, August, Hauptm. 2. Cl. des FJB. Nr. 27.

II. (Genie-) Section.

Sections-Chef.

Bingler, Julius, Oberst des Genie-Stabes.

1. Abtheilung.

Vorstand. Pessiak, Eduard, ÖFJO-R., MVK. (KD.), Obstlt. des Genie-Stabes.

2. Abtheilung.

Vorstand. Turetschek, Gustav, Hptm. 1. Cl. des Genie-Stabes.

3. Abtheilung.

Vorstand. Vogl, Julius, Obstlt. des Genie-Stabes.

Wahlberg, Carl, Obstlt. des Genie-Stabes.
Geldern-Egmond zu Arçen, Gustav Gf. v., ÖEKO-R. 3., ♱, Major des Genie-Stabes.
Otto von Ottenfeld, Anton Ritt., Hptm. 1. Cl. des Genie-Reg. Nr. 2.
Pickel, Friedrich, ÖFJO-R., MVK., Hptm. 1. Cl. des Genie-Stabes.
Cerva, Matthäus v., Hptm. 1. Cl. des Genie-Stabes.
Ettmayer v. Adelsburg, Friedrich Ritt., Hptm. 1. Cl. des Genie-Stabes (zugleich Lehrer am höheren Genie-Curse).
Albach, Julius, Hptm. 1. Cl. des Genie-Stabes (zugleich Lehrer am höheren Genie-Curse).
Ceipek, Joseph, Hptm. 1. Cl. des Genie-Stabes.
Kropsch, Albin, Hptm. 1. Cl. des Genie-Stabes.
Pap, Adalbert, Hptm. 1. Cl. des Genie-Stabes (zugleich Lehrer an der Kriegsschule).
Wawra, Emanuel, Hptm. 1. Cl. des Genie-Stabes.
Mayer, Alfred, Hptm. 1. Cl. des Genie-Stabes.
Richling, Wilhelm, Hptm. 1. Cl. des Genie-Stabes.
Holzhey, Eduard, ÖFJO-R., o. Professor der Baumechanik und des Brückenbaues am höheren Genie-Curse.

III. (Intendanz-) Section.

Sections-Chef.

Weikard, Franz, MVK., Oberst des Generalstabs-Corps.

1. Abtheilung.

Vorstand. Strasser, Friedrich, Major des Armeestandes.

2. Abtheilung.

Vorstand. (Vacat.)

Janovski, Leopold, Major des Generalstabs-Corps (Lehrer am Intendanz-Curse).
Musil, Rudolph, Hptm. 1. Cl. des Generalstabs-Corps (Lehrer am höheren Art.- und am höheren Genie-Curse, dann am Vorbereitungs-Curse für Stabsofficiers-Aspiranten der Artillerie).
Muschitzki, Lucian, Obrlt. der IR. Nr. 5 (Adj.).
Popović, Georg, Lieut. des IR. Nr. 62.
Krügkula, Joseph, Dr., Reg.-Arzt 2. Cl. des IR. Nr. 76 (zug.).
Martin, Johann, Oberwundarzt des IR. Nr. 37 (zug.).
Damisch, Heinrich, Mil.-Unt.-Intendant 1. Cl. (Lehrer am Intendanz-Curse).
Stransky, Emanuel, Mil.-Unt.-Intendant 1. Cl. (Lehrer am Intendanz-Curse).
Reich, Anton, Mil.-Unt.-Intendant 1. Cl.
Lehmann, Joseph Edl. v., Mil.-Unt.-Intendant 1. Cl.

IV. (Technologische) Section.

Sections-Chef.

Kostersitz, Joseph, ÖFJO-R., Obstlt. des Genie-Stabes.

Noé, August Ritt. v., Hptm. 1. Cl. des Genie-Stabes.
Hess, Philipp, MVK., Hptm. 1. Cl. des Genie-Stabes (zugleich Lehrer an der Kriegsschule).
Bělohláwek, Adalbert, Hptm. 1. Cl. des Art.-Stabes.
Pizzighelli, Joseph., Hptm. 2. Cl. des Genie-Reg. Nr. 2.
Gawłowski, Marian, Hptm. 2. Cl. des Genie-Reg. Nr. 2.
Kaiser, Laurenz, MVK., Hptm. 2. Cl. des Art.-Stabes (Adj.).
Schwab, Johann, Hptm. 2. Cl. des Art.-Stabes (zugleich Lehrer am Intendanz-Curse).
Dolliak, Oskar, Obrlt. des Art.-Reg. Nr. 7.
Geitner, Heinrich, GVK., Werkführer 1. Cl.
Schneider, Johann, GVK. m. Kr., Werkführer 2. Cl.

Apostolisches Feld-Vicariat des k. k. Heeres.

Apostolischer Feld-Vicar.

Gruscha, Anton, Dr. der Theologie, ÖEKO-R. 3., Bischof von Carrhae in partibus infidelium, Domherr des Wiener Metropolitan-Capitels.

Feld-Consistorial-Director.

Stropnický, Wilhelm, Weltpriester der Diöcese Leitmeritz.

Feld-Consistorial-Secretäre.

Just, Anton, Weltpriester der Erzdiöcese Prag.
Sladovník, Thomas, SGVK., Weltpriester der Diöcese Budweis.

Militär-Appellations-Gericht.

Präsident.

Knebel v. Treuenschwert, Albert Freih., ✠, ÖEKO-R. 3. (KD.), MVK. (KD), Inhaber des IR. Nr. 76, FML.

Referenten.

Oberst-Auditore.

Schumann, Gustav (zugleich Kanzlei-Dir.).
Lesigang, Johann.
Padevit, Fridolin, ÖFJO-R.
Langer, Victor.
Zimmer, Vincenz.
Kopetzky, Eduard.

Oberstlieutenant-Auditore.

Golling, Carl.
Kominek, Emanuel, ÖFJO-R.
Nowak, Joseph, ÖFJO-R.
Walcher, Heinrich.

Für das Raths-Protokoll und Secretariat.

Major-Auditore.

Kriegs-Au, Anton Ritt. v.
Hineiss, Johann (Tit.).

Hauptmann-Auditor 1. Cl.

Pichler, Johann.

Militär-Sanitäts-Comité.

Präses.

Frisch, Anton Ritt. v., Dr., ÖEKO-R. 3., ÖFJO-R., GVK. m. Kr., C ○ 3., General-Stabsarzt und Chef des mil.-ärztlichen Officiers-Corps.

Ordentliche Mitglieder.

Leiden, Joseph, Dr., ÖFJO-R., Ober-Stabsarzt 1. Cl. beim GSp. Nr. 1 in Wien.
Bartl, Moriz, Dr., GVK., Ober-Stabsarzt 1. Cl. und Leiter des GSp. Nr. 1 in Wien.
Loeff, Anton, Dr., ÖFJO-R., GVK. m. Kr., Ober-Stabsarzt 1. Cl. und Leiter des GSp. Nr. 2 in Wien.
Neudörfer, Ignaz, Dr., ÖFJO-R., GVK., Ober-Stabsarzt 2. Cl. beim GSp. Nr. 1 in Wien.
Mühlvenzl, Franz, Dr., GVK. m. Kr., Stabsarzt beim GSp. Nr. 1 in Wien.
Reder, Albert, Dr. (Operateur u. k. k. o. Professor), ÖFJO-R., Stabsarzt beim GSp. Nr. 1 in Wien.
Podrazky, Joseph, Dr. (Operateur und k. k. a. o. Professor,), ÖFJO-R., GVK. m. Kr., Stabsarzt beim GSp. Nr. 2 in Wien.
Chimani, Richard, Dr., GVK. m. Kr., Stabsarzt beim GSp. Nr. 1 in Wien.
Chvostek, Franz, Dr. (k. k. a. o. Professor), GVK., Stabsarzt beim GSp. Nr. 1 in Wien.
Nowak, Joseph, Dr., k. k. Professor und Sanitätsrath, Reg.-Arzt 2. Cl. in der Reserve des GSp. Nr. 1 in Wien.
Kratschmer, Florian, Dr., Reg.-Arzt 2. Cl. beim GSp. Nr. 1. in Wien.
Weichselbaum, Anton, Dr. (Operateur), Reg.-Arzt 2. Cl. beim GSp. Nr. 1 in Wien.

Ausserordentliche Mitglieder.

Frueth, Wilhelm, Dr., GVK. m. Kr., Ober-Stabsarzt 1. Cl., betraut mit der Leitung der 14. Abth. des R.-Kriegs-Mstms.
Schön, Carl, Dr., GVK., C ⊙ 3., Stabsarzt beim GSp. Nr. 11 zu Prag.

Fach-Rechnungs-Abtheilung.

Vorstand. Stahl, Franz Ritt. v., ÖEKO-R. 3., Ministerialrath.

(Das Beamten-Personale ist aus der Rangsliste der Mil.-Rechn.-Controls-Beamten ersichtlich.)

B. Militär-Territorial-Behörden.

General- und Militär-Commanden.

General-Commando in Wien

(für Niederösterreich, Oberösterreich und Salzburg).

Commandirender General.

Maroičić di Madonna del Monte, Joseph Freih., ÖEKO-R. 1., ✠C., ÖLO-R. (KD.), GHR., Inhaber des IR. Nr. 7, FZM.

Zugetheilt.

Abele, Vincenz Freih. v., ÖEKO-R. 2. (KD. 3. Cl.), ÖLO-R. (KD.), MVK. (KD.), Inhaber des IR. Nr. 8, FML.

Generalstabs-Chef.

Waldstätten, Georg Freih. v., MVK. (KD.), Oberst des Generalstabs-Corps.

Militär-Abtheilung.

Vorstand.

Der Generalstabs-Chef.

Stransky, Carl v., MVK., Obstlt. des Generalstabs-Corps.

Mülldorfer, Gustav, Major des Armeestandes.

Holub, Carl, Hptm. 1. Cl. des Armeestandes.

Lindenhoffer, Leopold, Hptm. 1. Cl. des Armeestandes.

Ebner, Franz, Hptm. 1. Cl. des Armeestandes.

Peche, Heinrich, ÖEKO-R. 3. (KD.), Hptm. 1. Cl. des Armeestandes.

Danninger, Mathias, MVK. (KD.), Hptm. 1. Cl. des Armeestandes.

Cronberg, Oswald v., MVK., Hptm. 1. Cl. des Armeestandes.

Novakov, Georg, Hptm. 1. Cl. des Armeestandes.

Händl Edl. v. Rebenburg, Ludwig, Hptm. 1. Cl. des Jäg.-Reg. (zug. dem Generalstabe).

Bakó, Alexander v., Rittm. 1. Cl. des Husz.-Reg. Nr. 4 (zug. dem Generalstabe).

Latscher, Julius, Hptm. 1. Cl. des Generalstabs-Corps.

Škwor, Johann, Hptm. 1. Cl. des IR. Nr. 21.

Thoss, Paul, Hptm. 1. Cl. des Generalstabs-Corps.

Khautz v. Eulenthal, Carl, Hptm. 1. Cl. des Generalstabs-Corps.

Kroiss, Joseph, Hptm. 2. Cl. des IR. Nr. 49.

Hilfs-Organe.

Artillerie-Director.

Müller, Joseph, ÖLO-R. (KD.), ÖEKO-R. 3. (KD.), GM.

Genie-Chef.

Hurter-Ammann, Franz v., ÖEKO-R. 3., GM.

Militär-Pfarrer.

Sterbecsky v. Bangenberg, Camill Ritt., ÖFJO-R., GVK. m. Kr., Feld-Superior.

Justiz-Beirath.

Treyer, Anton, ÖFJO-R., Major-Auditor.

Sanitäts-Chef.

Haas, Carl, Dr., ÖFJO-R., GVK., Ober-Stabsarzt 1. Cl.

Militär-Intendanz.

Chef. Preininger, Maximilian, Mil.-Ober-Intendant.

General-Commando zu Brünn

(für Mähren und Schlesien).

Commandirender General.

Ringelsheim, Joseph Freih. v., ÖEKO-R. 1. (KD. 2. Cl.), ÖLO-R. (KD.), MVK. (KD.), GHR., Inhaber des IR. Nr. 30, FZM.

Zugetheilt.

Heinold, Joseph Ritt. v., ÖEKO-R. 3., MVK. (KD.), FML.

Generalstabs-Chef.

Wiser, Friedrich Ritt. v., ÖEKO-R. 3., (KD.), MVK. (KD.), Oberst des Generalstabs-Corps.

Militär-Abtheilung.

Vorstand.

Der Generalstabs-Chef.

Fraenzel, Moriz, ÖEKO-R. 3. (KD.), Obstlt. des Generalstabs-Corps.

Rapp v. Frauenfels, Ludwig, Rittm. 1. Cl. des Armeestandes.

Hirst, Gottlob, Hptm. 1. Cl. des Armeestandes.

Schalk, Carl, MVK. (KD.), Hptm. 1. Cl. des Armeestandes.

Schlögl Edl. v. Ehrenkreutz, Joseph, Rittm. 1. Cl. des Drag.-Reg. Nr. 10 (zug. dem Generalstabe).

Schwingshandl, Carl, Hptm. 1. Cl. des Generalstabs-Corps.

Buchlovsky, Franz, Hptm. 2. Cl. des IR. Nr. 3.

Hilfs-Organe.

Artillerie-Director.

Pilsak Edl. v. Wellenau, Eduard, MVK. (KD.), GM.

Genie-Chef.

Mossig, Carl Ritt. v., ÖEKO-R. 3. (KD.), MVK. (KD.), GM.

Militär-Pfarrer.

Pospischill, Johann, GGVK., GVK. m. Kr., Tit.-Consistorialrath der Diöcese Brünn.

Justiz-Beirath.

Starz, Adolph, ÖFJO-R., Major-Auditor.

Sanitäts-Chef.

Fleischhacker, Victor v., Dr., GVK., Ober-Stabsarzt 1. Cl.

Militär-Intendanz.

Chef. Eisenlohr v. Deningen, Ferdinand Ritt., ÖEKO-R. 3, Mil.-Ober-Intendant.

Generalat für Steiermark, Kärnthen, Krain, die Stadt Triest, Istrien, Görz und Gradisca.

a) General-Commando zu Graz

(für Steiermark, Kärnthen und Krain).

Commandirender General.

Kuhn v. Kuhnenfeld, Franz Freih., St. O-GK., ÖLO-GK., ✠C., ÖEKO-R.3. (KD.), MVK. (KD.), GHR., Inhaber des IR. Nr. 17, FZM.

Zugetheilt.

Görtz, Wilhelm Ritt. v., MVK. (KD.), GM.

Generalstabs-Chef.

Vallentsits, Alfred Edl. v., MVK., (KD.), Oberst des Generalstabs-Corps.

Militär-Abtheilung.

Vorstand.

Der Generalstabs-Chef.

Probszt Edl. v. Ohstorff, Emil, Obstlt. des Generalstabs-Corps.
Morawetz, Otto, Major des Generalstabs-Corps.
Nowak Edl. v. Bernekbruck, Otto, Rittm. 1 Cl. des Armeestandes.
Stupka, Jos., Hptm. 1. Cl. des IR. Nr. 80.
Schweidler, Wilhelm Ritt. v., Hptm. 1. Cl. des Generalstabs-Corps.
Schiffer, Conrad, Hptm. 2. Cl. des IR. Nr. 27.
Haymerle, Emil, Hptm. 1. Cl. des Generalstabs-Corps.
Chavanne, Rudolph Edl. v., Hptm. 1. Cl. des Generalstabs-Corps.
König, Adolph, Obrlt. des IR. Nr. 8 (zug. dem Generalstabe).

Hilfs-Organe.

Artillerie-Director.

Vetter, Anton Edl. v., MVK (KD.), GM.

Genie-Chef.

Herman, Gustav Edl. v., ÖEKO-R. 3., MVK. (KD.), GM.

Militär-Pfarrer.

Tworkiewicz, Anton, Weltpriester der Diöcese Tarnów.

Justiz-Beirath.

Wirtinger, Georg, ÖFJO-R., Obstlt.-Auditor.

Sanitäts-Chef.

Malfatti v. Rohrenbach zu Dezza, Leopold, ÖFJO-R., C⊙ 2., General-Stabsarzt.

Militär-Intendanz.

Chef. Hofmann v. Wellenhof, Paul, Mil.-Ober-Intendant.

b) Militär-Commando zu Triest

(für die Stadt Triest, Istrien, Görz und Gradisca).

Militär-Commandant.

(Prov.) Schmigoz, Julius Ritt. v., ÖLO-R. (KD.), ÖEKO-R. 3. (KD.), FML., Comdt. der XXVIII. Inf.-Trup.-Div.

Zugetheilt.

(Derzeit Schauer, Leo Ritt. v., ÖEKO-R. 3. (KD.), MVK. (KD.), GM., Comdt. der 55. Inf.-Brig.).

Generalstabs-Chef.

Schulenburg, Hans Gf. von der, ÖLO-R. (KD.), MVK. (KD.), Obstlt. des Generalstabs-Corps, zugleich Generalstabs-Chef bei der XXVIII. Inf.-Trup.-Div.

Militär-Abtheilung.

Vorstand.

Der Generalstabs-Chef.

Riegg, Ignaz, Hptm. 1. Cl. des Generalstabs-Corps.

Vogl, Wilhelm, Hptm. 2. Cl. des IR. Nr. 42.

Hainschegg, Jakob, Hptm. 2. Cl. des IR. Nr. 47.

Hilfs-Organe.

Beirath für das Artilleriewesen.

(Der jeweilig dortorts befindliche rangsälteste Artillerie-Stabs- oder Oberofficier.)

Beirath für das Geniewesen.

(Der dortige Mil.-Bau-Director.)

Militär-Pfarrer.

Háray, Ferdinand, Ehrenkämmerer Sr. päpstlichen Heiligkeit.

Justiz-Beirath.

Neupauer, Roman, Dr. d. R., Major-Auditor.

Sanitäts-Chef.

(Vacat.)

Militär-Intendanz.

Chef. Schredt, Joseph, Mil.-Ober-Intendant.

VIII. Inf.-Truppen-Divisions- und Militär-Commando zu Innsbruck

(für Tirol und Vorarlberg).

Truppen-Divisions- und Militär-Commandant

(zugleich Landes-Vertheidigungs-Commandant in Tirol und Vorarlberg).

Thun-Hohenstein, Franz Gf., ÖEKO-R. 2. (KD.), ÖLO-R. (KD.), MVK. (KD.), GHR., ✝, Inhaber des IR. Nr. 54, FML.

Zugetheilt.

(Derzeit Némethy, Joseph Edl. v., MVK. (KD.), GM., Comdt. der 15. Inf.-Brig.).

Generalstabs-Chef.

Korwin, Emanuel Ritt. v., ÖEKO-R. 3. (KD.), Oberst des Generalstabs-Corps.

Militär-Abtheilung.

Vorstand.

Der Generalstabs-Chef.

Reinhart zu Thurnfels und Ferklehen, Hermann v., Hptm. 1. Cl. des Armeestandes.

Meyer, Theodor Ritt. v., ÖEKO-R. 3. (KD.), MVK. (KD.), Hptm. 1. Cl. des Generalstabs-Corps.

Baumrucker Edl. v. Robelswald, Victor, Hptm. 1. Cl. des Generalstabs-Corps.

Květ, Joseph, Obrlt. des IR. Nr. 59 (zug. dem Generalstabe).

Hilfs-Organe.

Artillerie-Chef.

Joch, Franz, Oberst des Art.-Stabes.

Genie-Chef.

Keil, Heinrich Ritt. v., ÖEKO-R. 3. (KD.), MVK., Oberst des Genie-Stabes.

Militär-Pfarrer.

Schlaghammer, Adolph, Weltpriester und Ehren-Dechant (cum usu expositorii canonicalis) der Diöcese Tarnów.

Justiz-Beirath.

(Vacat.)

Sanitäts-Chef.

Komarek, Joseph, Dr., Ober-Stabsarzt 2. Cl.

Militär-Intendanz.

Chef. (Vacat.)

General-Commando zu Prag
(für Böhmen).

Commandirender General.

Philippović v. Philippsberg, Joseph Freih., ÖLO-GK. (KD.), ÖEKO-R. 2. (KD)., St.O-R., MVK. (KD.), GHR., Inhaber des IR. Nr. 35, FZM.

Zugetheilt.

Kopfinger v. Trebbienau, Eugen, ÖLO-R. (KD.), MVK. (KD.), GM.

Generalstabs-Chef.

Daublebsky v. Sterneck, Moriz Ritt., ÖLO-R., ÖEKO-R. 3. (KD.), MVK. (KD.), Oberst des Generalstabs-Corps.

Militär-Abtheilung.

Vorstand.

Der Generalstabs-Chef.

Fabini, Ludwig, ÖLO-R. (KD.), ÖEKO-R. 3. (KD.), Obstlt. des Generalstabs-Corps.
Schönaich, Franz, MVK., Major des Generalstabs-Corps.
Bunzini, Eduard, Hptm. 1. Cl. des Armeestandes.
Thour, Franz, Hptm. 1. Cl. des IR. Nr. 74.
Ivanossich v. Küstenfeld, Heinrich, MVK. (KD.), Hptm. 1. Cl. des IR. Nr. 27 (zug. dem Generalstabe).
Böck, Friedrich Freih. v., MVK. (KD.), Hptm. 1. Cl. des Generalstabs-Corps.
Rokos, Leopold, Hptm. 2. Cl. des Armeestandes.
Petzenka, Joseph, Hptm. 1. Cl. des Generalstabs-Corps.

Hilfs-Organe.

Artillerie-Director.

Bergler, Eduard, GM.

Genie-Chef.

Gemmingen, Otto Freih. v., GM.

Militär-Pfarrer.

Michál, Johann, GGVK., geistlicher Rath der Erz-Diöcese Salzburg.

Justiz-Beirath.

(Vacat.)

Sanitäts-Chef.

Bernstein, Sigmund, Dr., ÖEKO-R. 3., C⊙ 2., Ober-Stabsarzt 1. Cl.

Militär-Intendanz.

Chef. (Vacat.)

Generalat für Galizien und die Bukowina.

a) General-Commando zu Lemberg

(für den Amtsbereich der Heeres-Ergänzungs-Bezirke Nr. 9, 10, 15, 24, 30, 41, 45, 55, 58, 77 und 80).

Commandirender General.

Mollinary v. Monte Pastello, Anton Freih., ÖEKO-R. 1., ÖLO-R. (KD.), MVK. (KD.), GHR., Inhaber des IR. Nr. 38, FZM.

Zugetheilt.

Dormus v. Kilianshausen, Joseph Freih., ÖEKO-R. 2. (KD. 3. Cl.), ✠, MVK. (KD.), Inhaber des IR. Nr. 72, FML.

Generalstabs-Chef.

Obauer Edl. v. Bannerfeld, Hugo, ÖFJO-R., MVK (KD), Oberst des Generalstabs-Corps.

Militär - Abtheilung.

Vorstand.

Der Generalstabs-Chef.

Cronenbold, Ferdinand, Obstlt. des Generalstabs-Corps.
Proksch, Emil, MVK. (KD.), Hptm. 1. Cl. des Armeestandes.
Grois, Victor, Hptm. 1 Cl. des IR. Nr. 14 (zug. dem Generalstabe).
Venus, Moriz, Hptm. 1. Cl. des Generalstabs-Corps.
Englisch, Alfred, Hptm. 1. Cl. des Generalstabs-Corps.
Nieswiatowski, Theophil, Obrlt. des IR. Nr. 15.
Czernecki, Johann, Obrlt. des Armeestandes.
Herforth, Anton, Obrlt. des Armeestandes.

Hilfs - Organe.

Artillerie-Director.

Christl, Franz,, ÖEKO-R. 3., GM.

Genie-Chef.

Werner, Anton, ÖLO-R., ÖEKO-R. 3., MVK., Oberst des Genie-Stabes.

Militär-Pfarrer.

Gruszecki, Joseph, Tit.-Assessor des bischöflichen Consistoriums zu Fünfkirchen.

Justiz-Beirath.

Greger, Franz, Major-Auditor.

Sanitäts - Chef.

Gawalowski, Carl, Dr., Ober-Stabsarzt 1. Cl.

Militär-Intendanz.

Chef. (Vacat.)

b) Militär-Commando zu Krakau

(für den Amtsbereich der Heeres-Ergänzungs-Bezirke Nr. 13, 20, 40, 56 und 57).

Militär-Commandant.

Litzelhofen, Eduard Freih. v., ✠, MVK. (KD.), FML.

Zugetheilt.

(Derzeit Kubin, Ernst Edl. v., GM. u. Comdt. der 23. Inf.-Brig.).

Generalstabs-Chef.

Watteck, Joseph, Oberst des Generalstabs-Corps.

Militär-Abtheilung.

Vorstand.

Der Generalstabs-Chef.

Lustig, Carl, Hptm. 1. Cl. des IR. Nr. 15.
Hanzel, Ferdinand, Hptm. 1. Cl. des Armeestandes.
Fischer-Colbrie, Ludwig, Hptm. 1. Cl. des Generalstabs-Corps.
Berger, Johann, MVK. (KD.), Hptm. 1. Cl. des Generalstabs-Corps.
Alexander, Alexander, Hptm. 1. Cl. des Generalstabs-Corps.
Oehm, Hugo, Obrlt. des Armeestandes.

Hilfs-Organe.

Beirath für das Artilleriewesen.

(Der jeweilig dortorts befindliche rangsälteste Artillerie-Stabs- oder Oberofficier.)

Beirath für das Geniewesen.

(Der dortige Genie-Director.)

Militär-Pfarrer.

Bordolo-Abondi, Theodor, Ehren-Domherr des Lemberger Metropolitan-Capitels ritus latini, Tit.-Consistorial-Rath der Diöcese Siebenbürgen.

Justiz-Beirath.

Glaser, Eulog, Obstlt.-Auditor.

Sanitäts-Chef.

Lackner, Friedrich, Dr., Ober-Stabsarzt 1. Cl.

Militär-Intendanz.

Chef. Fustinioni, Ferdinand v., Mil.-Ober-Intendant.

Militär - Commando zu Zara

(für Dalmatien).

Militär-Commandant.

Rodich, Gabriel Freih. v., ÖLO-GK. (KD. des Ritterkreuzes), ÖEKO-R. 1. (KD. 3. Cl.), ✠, MVK. (KD.), GHR., Inhaber des IR. Nr. 68 und Statthalter im Königreiche Dalmatien, FZM.

Zugetheilt.

Csikos, Stephan, ÖFJO-C., ÖLO-R. (KD.), ÖEKO-R. 3. (KD.), MVK. (KD.), GM.

Generalstabs-Chef.

Blažeković, Carl v., ÖLO-R., MVK. (KD.), Oberst des Generalstabs-Corps.

Militär - Abtheilung.

Vorstand.

Der Generalstabs-Chef.

Salamon, Joseph, Hauptm. 1. Cl. des Armeestandes.

Varešanin, Marian, MVK., Hptm. 1. Cl. des Generalstabs-Corps.

Mosetig, Anton, Hptm. 1. Cl. des Generalstabs-Corps.

Kremer, Emil, MVK. (KD.), Hptm. 1. Cl. des Generalstabs-Corps.

Hilfs - Organe.

Artillerie-Chef.

Lenk v. Wolfsberg, Rudolph Freih., ÖEKO-R. 3. (KD.), MVK. (KD.), Oberst des Art.-Stabes.

Genie-Chef.

Markl, Carl, Oberst des Genie-Stabes.

Militär-Pfarrer.

Zitz, Nikolaus, ÖFJO-R., GGVK., Weltpriester der Diöcese Laibach.

Justiz-Beirath.

Bruckmüller, Ludwig, ÖFJO-R., Major-Auditor.

Sanitäts-Chef.

Haberditz, Joseph, Dr., ÖFJO-R., Ober-Stabsarzt 1. Cl.

Militär-Intendanz.

Chef. (Vacat.)

(Gedruckt am 22. December 1878.)

Generalat für Ungarn.

a) General-Commando zu Budapest

(für den Amtsbereich der Heeres-Ergänzungs-Bezirke Nr. 6, 23, 32, 38, 44, 52 und 69).

Commandirender General.

Edelsheim-Gyulai, Leopold Freih. v., ÖEKO-R. 1. (KD. 3 Cl.), ✠, ÖLO-R. (KD.), MVK. (KD.), GHR., ✠, Inhaber des Husz.-Reg. Nr. 4, GdC.

Zugetheilt.

Hayek, Friedrich, MVK. (KD.), FML.

Generalstabs-Chef.

Drexler, Carl, ÖEKO-R. 3., Oberst des Generalstabs-Corps.

Militär-Abtheilung.

Vorstand.

Der Generalstabs-Chef.

Schwerdtner, Julius, Oberst des Armeestandes.
Gustas, Leopold, Obstlt. des Generalstabs-Corps.
Csaszny, Franz, Rittm. 1. Cl. des Armeestandes.
Kardhordó, Franz v., Hptm. 1. Cl. des Armeestandes.
Herrmann, Johann, Hptm. 1. Cl. des Armeestandes.
Vornica, Joh., Hptm. 1. Cl. des Armeestandes.
Korhammer, Friedrich, Hptm. 1. Cl. des Armeestandes.
Seitz, Jaroslav, Hptm. 1. Cl. des IR. Nr. 52 (zug. dem Generalstabe).
Haager, Carl, Hptm. 1. Cl. des IR. Nr. 29.
Tuma, Carl, Hptm. 1. Cl. des IR Nr. 4.
Jäger, Albert, Hptm 2. Cl. des Armeestandes.
Soboltyński, Peter, Hptm. 1. Cl. des IR. Nr. 5.
Hohenlohe-Waldenburg, Clodwig Prinz zu, Durchlaucht, ✠, Hptm. 1. Cl. des Generalstabs-Corps.
Dürnbach, Ferdinand, Hptm. 2. Cl. des IR. Nr. 67.
Pöcher, Joseph, Hptm. 2. Cl. des IR. Nr. 61.
Rüdt v. Collenberg-Bödigheim, Weiprecht Gf., Hptm. 1. Cl. des Generalstabs-Corps.
Makowiczka, Alphons, Hptm. 2. Cl. des Gen.-Reg. Nr. 2 (zug. dem Generalstabe).
Jdiczukh, Ernst, Hptm. 1. Cl. des Generalstabs-Corps.

Hilfs-Organe.

Artillerie-Director.

Hofmann v. Donnersberg, Leopold, ÖEKO-R. 2., ÖLO-R. (KD.), MVK. (KD.), Inhaber des Art.-Reg. Nr. 12, FML.

Genie-Chef.

Fastenberger v. Wallau, Michael Ritt., ÖEKO-R. 3. (KD.), MVK. (KD.), GM.

Militär-Pfarrer.

Fuchshuber, Ignaz, GVK., Ehren-Canonicus des Neutraer Dom-Capitels.

Justiz-Beirath.

Petrovich, Alexander Ritt. v., Obstlt.-Auditor.

Sanitäts-Chef.

Gernath, Carl, Dr., ÖEKO-R. 3., Ober-Stabsarzt 1. Cl.

Militär-Intendanz.

Chef. Klauss, Anton, Ober-Intendant.

b) Militär-Commando zu Pressburg

(für den Amtsbereich der Heeres-Ergänzungs-Bezirke Nr. 12, 19, 26, 48, 71, 72 u. 76).

Militär-Commandant.

Ramberg, Hermann Freih. v., ÖLO-C., MVK. (KD.), FML.

Zugetheilt.

(Derzeit Török de Erdöd, Joseph, ÖEKO-R. 3. (KD.), MVK. (KD.), FML u. Comdt. der XXXIII Inf.-Trup.-Div.)

Generalstabs-Chef.

Handel-Mazzetti, Eduard Freih. v., MVK., Oberst des Generalstabs-Corps.

Militär-Abtheilung.

Vorstand.

Der Generalstabs-Chef.

Schäriczer, Attila, Hptm. 1. Cl. des Armeestandes.
Laban, Rudolph, MVK. (KD.), Hptm. 1. Cl. des Generalstabs-Corps.
Corti alle catene, Hugo Conte, Hptm. 1. Cl. des Generalstabs-Corps.
Koryzna, Franz Ritt. v., Obrlt. des Armeestandes.
Kummer, Heinrich, Obrlt. des Husz.-Reg. Nr. 4 (zug. dem Generalstabe).

Hilfs-Organe.

Beirath für das Artilleriewesen.

(Der jeweilig dortorts befindliche rangsälteste Artillerie-Stabs- oder Oberofficier.)

Beirath für das Geniewesen.

(Der dortige Mil.-Bau-Director.)

Militär-Pfarrer.

Hummel, Marcus, Weltpriester und Consistorial-Rath der Diöcese Djakovar, Tit.-Probst zum heil. Ladislaus von Semlin.

Justiz-Beirath.

Kämpfler, Ferdinand, Obstlt.-Auditor.

Sanitäts-Chef.

Gottlieb, Eduard, Dr., Ober-Stabsarzt 1. Cl.

Militär-Intendanz.

Chef. Pokorny, Franz, Mil.-Ober-Intendant.

---

c) Militär-Commando zu Kaschau

(für den Amtsbereich der Heeres-Ergänzungs-Bezirke Nr. 5, 25, 34, 60, 65, 66 und 67).

Militär-Commandant.

Szápáry, Ladislaus Gf., ÖLO-C. (KD.), ÖEKO-R. 2., MVK. (KD.), ✝, FML.

Zugetheilt.

(Derzeit Schmitt v. Kehlau, Ignaz, MVK. (KD.), GM., Comdt. der 29. Inf.-Brig.).

Generalstabs-Chef.

Potier des Echelles, Maximilian Freih., Oberst des Generalstabs-Corps.

Militär-Abtheilung.

Vorstand.

Der Generalstabs-Chef.

Ingarden, Nikolaus, Hptm. 1. Cl. des Armeestandes.

Herzka, Joseph, Hptm. 1. Cl. des Armeestandes.

Guggenberg zu Riedhofen, Athanasius v., Hptm. 1. Cl. des Generalstabs-Corps.

Rost, Ferdinand, Hptm. 1. Cl. des Generalstabs-Corps.

Hilfs-Organe.

Beirath für das Artilleriewesen.

(Der jeweilig dortorts befindliche rangsälteste Artillerie - Stabs- oder Oberofficier.)

Beirath für das Geniewesen.

(Der dortige Mil.-Bau-Director.)

Militär-Pfarrer.

Berkes, Franz, SGVK. Weltpriester der Diöcese Grosswardein.

Justiz-Beirath.

Tersch, Franz, Major-Auditor.

Sanitäts-Chef.

Bock, Emil, Dr., GVK. m. Kr., Ober-Stabsarzt 1. Cl.

Militär-Intendanz.

Chef. Lenz, Franz, Mil.-Ober-Intendant.

d) Militär-Commando zu Temesvár

(für den Amtsbereich der Heeres-Ergänzungs-Bezirke Nr. 29, 33, 37, 39, 43, 46, 61, und 68).

Militär-Commandant.

Pulz, Ludwig Freih. v., ✠, ÖLO.-R. (KD.), ÖEKO-R. 3. (KD.), FML.

Zugetheilt.

(Derzeit Schemel Edl. v. Kühnritt, Heinrich, ÖEKO-R. 3. (KD.), FML., Comdt. der XXXIV. Inf.-Trup.-Div.).

Generalstabs-Chef.

Gehren, Friedrich v., Obstlt. des Generalstabs-Corps.

Militär-Abtheilung.

Vorstand.

Der Generalstabs-Chef.

Hruschka, Franz, Hptm. 1. Cl. des Armeestandes.

Mórar, Joseph, MVK. (KD.), Hptm. 1. Cl. des Armeestandes.

Hoffer Edl. v. Sulmthal, Moriz, Hptm. 1. Cl. des Generalstabs-Corps.

Lubomęski, Stanislaus Ritt. v., Hptm. 1. Cl. des Generalstabs-Corps.

Orthmayer, Adalbert, Oberlt. des IR. Nr. 77 (zug. dem Generalstabe).

Hilfs-Organe.

Beirath für das Artilleriewesen.

(Der jeweilig dortorts befindliche rangsälteste Artillerie-Stabs- oder Oberofficier.)

Beirath für das Geniewesen.

(Der dortige Genie-Director.)

Militär-Pfarrer.

Molnár, Veit, GGVK., Ehren-Canonicus an der Collegiatkirche zur heil. Barbara zu Mantua, apostolischer Protonotar.

Justiz-Beirath.

Fáth, Rudolph, ÖFJO-R., Major-Auditor.

Sanitäts-Chef.

Parlagi, Martin, Dr., Ober-Stabsarzt 1. Cl.

Militär-Intendanz.

Chef. Baumann, Franz, Mil.-Ober-Intendant.

Grenz-Verwaltung.

Präsidial-Bureau.

Vorstand (prov.). Beyer, Ferd. Ritt. v., OEKO-R. 3., Septemviraltafelrath, Major-Auditor in der Reserve.

Abtheilung für Inneres.

Vorstand. Dautović, Michael, ÖEKO-R. 3., Sections-Rath, Major in der Reserve der Mil.-Grenz-Verwaltungs-Branche.

Abtheilung für Cultus und Unterricht.

Leiter. Spillauer, Stephan, Obstlt. der Mil.-Grenz-Verwaltungs-Branche.

Justiz-Abtheilung.

Vorstand (prov.). Pirka, Johann, Banaltafelrath.

Abtheilung für Finanz-Angelegenheiten.

Vorstand. Herkov, Raimund, Sectionsrath.

Abtheilung für das Bauwesen.

Vorstand Uhlig, Carl, Ober-Ingenieur der Grenz-Bau-Branche.

Abtheilung für das Forstwesen.

Vorstand (prov.). Durst, Emil, Grenz-Forst-Director.

Abtheilung für die Rechnungs-Controle.

Vorstand. Britvec, Anton, Ober-Rechn.-Rath 1. Cl.

Orientalischer Dolmetsch. Wickerhauser, Emil, Regierungsrath.

General-Commando für Bosnien und die Herzegovina, zu Serajevo.

Commandirender General

und Chef der Landes-Regierung in Bosnien und der Herzegovina.

Württemberg, Wilhelm Herzog v., königl. Hoheit, ÖEKO-R. 1. (KD.), ÖLO-C. (KD.), ✠, Inhaber des IR. Nr. 73, FZM.

Stellvertreter des commandirenden Generals und Chefs der Landes-Regierung.

Jovanović, Stephan Freih. v., ÖEKO-R. 1. (KD.), ÖLO-R. (KD.), MVK. (KD.), GHR., FML.

Generalstabs-Chef.

Albori, Eugen, ÖLO-R. (KD.), MVK. (KD.), Oberst des Generalstabs-Corps.

Militär-Abtheilung.

Vorstand.

Der Generalstabs-Chef.

———

Snětiwy, Vincenz, MVK., Obstlt. des Generalstabs-Corps.
Millinković, Theodor, ÖEKO-R. 3. (KD.), Major des Generalstabs-Corps.
Ninković, Moses, ÖFJO-R., Hptm. 1. Cl. des Armeestandes.
Daublebsky v. Sterneck, Heinrich, ÖEKO-R. 3. (KD.), MVK. (KD.), Hptm. 1. Cl. des Generalstabs-Corps.
Czibulka, Hubert, ÖEKO-R. 3. (KD.), Hptm. 1. Cl. des Generalstabs-Corps.
Pinter, Hermann, ÖEKO-R. 3. (KD.), Hptm. 1. Cl. des Generalstabs-Corps.
Czeyda, Franz, Hptm. 1. Cl. des Generalstabs-Corps.
Koczyan, Heinrich, MVK. (KD.), Hptm. 1. Cl. des IR. Nr. 59 (zug. dem Generalstabe).
Thuranszky, Peter v., Hptm. 1. Cl. des Generalstabs-Corps.
Schemua, Johann, Obrlt. des IR. Nr. 7 (zug. dem Generalstabe).
Tišljar, Michael, Obrlt. des IR. Nr. 16.
Hawel, Johann, Obrlt. des Ruhestandes.
Muschitzky, Emil, Lieut. des Ruhestandes.

Hilfs-Organe.

Artillerie-Director.

Frank, Eduard, ÖLO-R. (KD.), MVK. (KD.), Oberst des Art.-Stabes.

Genie-Chef.

Komadina, Miloš, Oberst des Genie-Stabes.

Militär-Pfarrer.

Jilk, Johann, GVK., Weltpriester der Erzdiöcese Agram.

Justiz-Beirath.

Mit den Functionen betraut: Klenka, Franz, Obstlt.-Auditor.

Sanitäts-Chef.

Mašek, Johann, ÖEKO-R. 3., Ober-Stabsarzt 1. Cl.

Militär-Intendanz.

Chef. Brojatsch, Carl, ÖEKO-R. 3., ÖFJO-R., Mil.-Ober-Intendant.

C. Militär-Local-Behörden.

Festungs- und Platz-Commanden.

Agram.

Platz-Comdt. Tapavicza, Theodor v., Major.
Platz-Hptm. 1. Cl. Quélff, Eugen de, MVK. (KD.).

Alt-Gradisca.

Fest.-Comdt. Madurowicz, Oskar Ritt. v., ÖEKO-R. 3. (KD.), MVK. (KD.), Oberst.
Platz-Comdt. (Vacat.)
Platz-Obrlt. Kellek, Georg.

Arad.

Fest.-Comdt. (Der jeweilige Mil.-Stations-Comdt.).
Platz-Comdt. Pavek, Victor, Major.
Platz-Obrlt. Adam, Nikolaus.

Brood.

Fest.-Comdt. Kaiffel, Emerich, ÖLO-R. (KD.), ÖEKO-R. 3. (KD.), Comdt. der XX. Inf.-Trup.-Div. und Etapen-Comdt., GM.
Platz-Comdt. Stojan, Anton, MVK. (KD.), Major.
Platz-Obrlt. Oresković, Stephan, ○ 1.

Bruck an der Leitha.

Lager-Platz-Comdt. Hillmayr, Wilhelm Ritt. v., Obstlt. des Pion.-Reg.

Brünn.

Platz-Comdt. Mendelein, Rudolph, Major.
Platz-Hptm. 2. Cl. Nowotný, Florian.
Platz-Obrlt. Fleiszár, Alexander.

Budapest.

Platz-Comdt. Krautwald Edl. v. Annau, Joseph, MVK. (KD.), GM.
Platz-Oberst. Raestle, Joseph, MVK. (KD.).
Platz-Major. Weltzan, Stephan, MVK. (KD.).
Platz-Hptm. 1. Cl. (prov.). Kneusel-Herdliczka, Adolph v., ÖEKO-R. 3. (KD.), des IR. Nr. 60.
Platz-Hptl. 2. Cl. Schivoinov, Sabbas (zug. als Stations-Officier zu Semlin). Demuth, Jos. (WG.)
Platz-Obrlts. Droszt, Gabriel. Boxichevich, Moriz. Goldhammer, Franz. Effenberger, Eduard.

Budua.

Platz-Comdt. Moritz, Joseph, Hptm. 2. Cl. (von der Kriegs-Marine).

Carlsburg.

Fest.-Comdt. (Der jeweilige Mil.-Stations-Comdt.).
Platz-Comdt. Mühlberger, Ant., Hptm. 2. Cl.

Cattaro.

Fest.-Comdt. (Der jeweilige Mil.-Stations-Comdt.).
Platz-Comdt. Luschinsky, Rudolph, Obstlt.
Platz-Hptm. 1. Cl. Heppner, Julius.
Platz-Obrlt. (prov.) Ambrosioni Edl. v. Ambra, Adolph, L. Sch.-Fähnr.

Castelnuovo. (Vereinigt mit Cattaro).

Fest.-Comdt. (Der Fest.-Comdt. von Cattaro).
Platz-Comdt. De la Renotière v. Kriegsfeld, Franz Ritt., MVK. (KD.), Obstlt. (von der Kriegs-Marine).
Platz-Obrlt. Peinović, Georg.

Essegg.

Fest.-Comdt. Esch, Carl Edl. v., GM.
Platz-Comdt. Czernoch, Franz, Major.
Platz-Obrlt. Belobraidić, Anton.

Fiume.

Platz-Comdt. Hoffmann, Anton Edl. v., MVK. (KD.), Major.

Platz-Hptm. Rosenkart, August (Linien-Schiffs-Lieut. 1. Cl.)

Franzensfeste.

Thalsperre-Comdt. (Der jeweilige Mil.-Stations-Comdt.)
Platz-Comdt. (prov.). Auffenberg, Alexander Freih. v., Hptm. 1. Cl. des FJB. Nr. 25.

Görz.

Platz-Comdt. Heise, Berthold, Hptm. 1. Cl.

Graz.

Platz-Comdt. Moise Edl. v. Murvell, Jos, MVK. (KD.), Oberst.
Platz-Major. Seenuss v. Freudenberg, Theobald Freih.
Platz-Hptm. 2. *Cl.* Rogić, Michael.
Platz-Obrlt. Leuzendorf v. Campo di Santa Lucia, Robert Freih.

Hermannstadt.

Platz-Comdt. Klenk, Eduard, Major.
Platz-Lieut. Doblitzky, Franz.

Innsbruck.

Platz-Comdt. (prov.). Czerny, Franz Ritt. v., Tit.-Major des Ruhestandes.
Platz-Hptm. 1. *Cl.* Hoffer, Anton (WG.).

Josephstadt.

Fest.-Comdt. (Der jeweilige Mil.-Stations-Comdt.).
Platz-Comdt. Reichel Edl. v. Wehrfels, Anton, MVK. (KD.), Major.
Platz-Obrlt. Holý, Wenzel.

Kaschau.

Platz-Comdt. Gessner, Alois, Hptm. 1. Cl.

Knin.

Strassensperre-Comdt. (Der jeweilige Mil.-Stations-Comdt.).
Platz-Comdt. Kornitz, Alexander, Hptm. 1. Cl.

Komorn.

Fest.-Comdt. Rosenzweig v. Drauwehr, Ferdinand Freih., ÖLO-C. (KD. des Ritterkreuzes), ÖEKO.-R 2. (KD. 3. Cl.), MVK. (KD.), GHR., FML.
Platz-Comdt. Binder, Friedrich, MVK. (KD.), Oberst.
Platz-Hptm. 1. *Cl.* Winkler, August.
Platz-Obrlt. Rubly, Gottlieb.

Königgrätz.

Fest.-Comdt. (Der jeweilige Mil.-Stations-Comdt.).
Platz-Comdt. Ulm, Johann, Hptm. 1. Cl.

Krakau.

Fest.-Comdt. Schaffer v. Schäffersfeld, Anton Ritt., MVK. (KD.), FML.
Platz-Comdt. Langer, Ferdinand, MVK., Oberst.
Platz-Hptm. 1. *Cl.* Schruth, Alois.
Platz-Obrlt. Witkowski, Adam.

Kufstein.

Thalsperre-Comdt. (Der jeweilige Mil.-Stations-Comdt.).
Platz-Comdt. Nemečić, Carl, Hptm. 2. Cl.

Laibach.

Platz-Comdt. Rochel, Hugo, Hptm. 1. Cl.

Lemberg.

Platz-Comdt. Lubich Edl. v. Milovan, Adolph, Obstlt.
Platz-Obrlts. { Turner, Adolph. Tichy, Johann.

Linz.

Platz-Comdt. Kutschera, Carl, Hptm. 1. Cl.

Olmütz.

Fest.-Comdt. Drechsler, Carl Freih. v., ÖEKO-R. 2. (KD. 3. Cl.), ÖLO-R. (KD.), MVK. (KD.), FML.
Platz-Comdt. Bartels v. Bartberg, Gustav Ritt., ÖEKO-R. 3. (KD.), MVK. (KD), Oberst.
Platz-Hptm. 2. *Cl.* Mergl, Leopold.
Platz-Obrlt. Wählt, Johann.

Peterwardein.

Fest.-Comdt. Riess v. Riesenfest, Laurenz Ritt., ÖLO-R., ÖEKO-R. 3. (KD.), GM.
Platz-Comdt. Rodić, Gabriel, Major.
Platz-Hptm. 2. *Cl.* Joannović, Nikolaus.

Pola.

Fest.-Comdt. (Der jeweilige Hafen-Admiral).
Platz-Comdt. Marek, Johann, Major.

Prag.

Platz-Comdt. Hauschka v. Treuenfels, Franz, MVK. (KD.), Oberst.

Platz-Hptl. 1. Cl. { Howorka Edl. v. Zderas, Wenzel, MVK. (KD.), ○ 1., ○ 2.
Ludwig, Franz.

Platz-Obrlts. { Jeserschek, Jakob.
Albrecht, Bernhard.

Pressburg.

Platz-Comdt. Dickel, Robert, Hptm. 2. Cl.

Ragusa-Gravosa.

Fest.-Comdt. (Der jeweilige Mil.-Stations-Comdt.).

Platz-Comdt. Dorotka v. Ehrenwall, Joseph, Obstlt. (des Ruhestandes, auf Mobilitäts-Dauer activirt).

Platz-Obrlts. { Hirschal, Alfred (L. Sch.-Fähnr.).
Gablenz, Joseph.

Salzburg.

Platz-Comdt. Bibra v. Gleicherwiesen, Heinrich Freih., Hptm. 1. Cl.

Sebenico.

Platz-Comdt. Gwinner, Ernst, Linien-Schiffs-Lieut. 2. Cl.

Spalato.

Platz-Comdt. Bäumel, Ludwig, MVK., Hptm. 1. Cl. (von der Kriegs-Marine).

Temesvár.

Fest.-Comdt. (Der jeweilige Mil.-Stations-Comdt.).

Platz-Comdt. Matlerna, Heinrich, Major.

Platz-Hptm. 1. Cl. Barbini, Alexander.

Theresienstadt.

Fest.-Comdt. (Der jeweilige Mil.-Stations-Comdt.).

Platz-Comdt Schrefel, Albin Ritt. v., ÖEKO-R. 3. (KD.) ○ 2., Major.

Platz-Obrlt. Kuliński, Julian.

Trient.

Platz-Comdt. *(prov.). Radványi, Anton, Hptm. 2. Cl.

Triest.

Platz-Comdt. Penecke, Julius, Major.

Platz-Hptm. 2. Cl. Gasperotti, Alexander.

Platz-Obrlt. Neuböck, Johann.

Wien.

Platz-Comdt. Bourguignon v. Baumberg, Stanislaus Freih., ÖLÖ-R. (KD.), ÖEKO-R. 3. (KD.), MVK. (KD.), FML.

Platz-Obstlt. Velten, Carl Edl. v.

Platz-Majore. { Sattler, Carl v.
Eckher, Leopold, MVK. (KD.).
Hauer, Alois, ÖFJO-R.

Platz-Hptl. 1. Cl. { Aich, Adalbert.
Eckel, Wilhelm.

Platz-Hptm. 2. Cl. { Ladweński, Andreas.
Friedl, Peter.

Platz-Obrlts. { Lohr, Richard.
Tatra, Gustav.
Frey, Franz.
Breitinger, Franz, ○ 2.

Platz-Lieuts. { Planckh, Ernst.
Frass, Joseph.

Stabsarzt. Maschek, Michael, Dr., GVK. m. Kr.

Zara.

Platz-Comdt. Scholze, Hermann, MVK. (KD.), Obstlt.

Platz-Hptm. 2. Cl. Fellner, Mathias (von der Kriegs-Marine).

Zengg.

Platz-Comdt. Metz, Gustav, MVK. (KD.), Hptm. 1. Cl. (von der Kriegs-Marine).

Die Adjustirung ist beim Concretualstande der Officiere des Armeestandes angegeben.

General- und Flügel-Adjutanten.

Feldmarschall-Lieutenants.

Mondel, Friedrich Freih. v., ÖEKO-R. 2. (KD.), ÖLO-R. (KD.), GHR., Inhaber des IR. Nr. 21; General-Adj. Seiner Majestät des Kaisers und Königs.

Beck, Friedrich Freih. v., ÖEKO-R. 1. (KD. 3. Cl.), ÖLO-R., MVK. (KD.), GHR.; General-Adj. und Vorstand der Mil.-Kanzlei Seiner Majestät des Kaisers und Königs.

Oberst.

Bechtolsheim, Ant. Freih. v., ✠, St.O-R., ÖLO-R., ÖEKO-R. 3. (KD.), DO-C., ✠, des Uhl.-Reg. Nr. 4; Flügel-Adj. Seiner Majestät des Kaisers und Königs, Mil.-Bevollmächtigter bei der k. u. k. Botschaft zu St. Petersburg.

Oberstlieutenants.

Jaeger, Franz, des Generalstabs-Corps; Flügel-Adj. des Reichs-Kriegs-Ministers.

Liechtenstein, Alois Prinz zu, Durchlaucht, ÖEKO-R. 3., des Generalstabs-Corps; Flügel-Adj. Seiner Majestät des Kaisers und Königs, Mil.-Bevollmächtigter bei der k. u. k. Botschaft zu Berlin.

Spinette, Wladimir Freih. v., des IR. Nr. 37; Flügel-Adj. Seiner Majestät des Kaisers und Königs.

Majore.

Arbter, Emil Ritt. v., ÖEKO-R. 3. (KD.), des Generalstabs-Corps; Flügel-Adj. Seiner Majestät des Kaisers und Königs.

Hübner, Alexander Freih. v., MVK. (KD.), des Husz.-Reg. Nr. 11; Flügel-Adj. Seiner Majestät des Kaisers und Königs.

Eschenbacher, Joseph Ritt. v., ÖFJO-R., MVK., des Art.-Reg. Nr. 2; Flügel-Adj. Seiner Majestät des Kaisers und Königs, zur Dienstleistung zug. Seiner k. k. Hoheit dem Kronprinzen Erzherzog Rudolph.

Bakalovich, Marcus, MVK., des IR. Nr. 19; Flügel-Adj. Seiner Majestät des Kaisers und Königs, zur Dienstleistung zug. Seiner k. k. Hoheit dem Kronprinzen Erzherzog Rudolph.

Paar, Alois Gf., ✠, des Uhl.-Reg. Nr. 3; Flügel-Adj. Seiner k. k. Hoheit des General-Inspectors des Heeres, FM. Erzherzog Albrecht.

Mertens, Carl Freih. v., MVK. (KD.), des Uhl.-Reg. Nr. 2; Flügel-Adj. Seiner Majestät des Kaisers und Königs.

Rohonczy, Georg v., des Husz.-Reg. Nr. 7; Flügel-Adj. Seiner Majestät des Kaisers und Königs.

Hauptleute 1. Classe.

Kopal, Victor Freih. v., ÖEKO-R. 3. (KD.), des FJB. Nr. 10; Flügel-Adj. Seiner k. k. Hoheit des General-Inspectors des Heeres, FM. Erzherzog Albrecht.

Stojsavljević, Miloš, des IR. Nr. 50; Flügel-Adj. des commandirenden Generals zu Serajevo.

Rittmeister 1. Classe.

Renvers, Wilhelm, des Uhl.-Reg. Nr. 7; Flügel-Adj. des Reichs-Kriegs-Ministers.

Angestellte, dann unangestellte Generale und Oberste.

Feldmarschall.

Seine kaiserl. königl. Hoheit Erzherzog Albrecht (Friedrich Rudolph), kaiserl. Prinz und Erzherzog von Oesterreich, königl. Prinz von Ungarn und Böhmen, etc. etc. wie Seite 17; GVO-R., ✠GK., St.O-GK., MVK. (KD.), Inhaber des IR. Nr. 44 und des Drag.-Reg. Nr. 4, Chef des kais. russischen 86. Inf.-Reg. Wilmanstrand und des lithau'schen 5. Uhlanen-, dann des königl. preussischen 2. ostpreussischen Grenadier-Regiments Nr. 3; General-Inspector des k. k. Heeres.

Angestellte Feldzeugmeister und Generale der Cavallerie.

Seine kaiserl. königl. Hoheit Wilhelm (Franz Carl), kaiserl. Prinz und Erzherzog von Oesterreich, königl. Prinz von Ungarn und Böhmen, etc. etc. wie Seite 18; Inhaber der IR. Nr. 4 und Nr. 12 und des Feld-Art.-Reg. Nr. 6, Chef der kais. russischen Batterie Nr. 1 von der 7. reitenden Artillerie-Brigade und Chef des königl. preussischen ostpreussischen Feld-Art.-Reg. Nr. 1; General-Artillerie-Inspector, FZM.

Seine kaiserl. königl. Hoheit Leopold (Ludwig Maria Franz Julius Eustach Gerhard), kaiserl. Prinz und Erzherzog von Oesterreich, königl. Prinz von Ungarn und Böhmen, etc. etc. wie Seite 20; Inhaber des IR. Nr. 53 und des Genie-Reg. Nr. 2, dann Chef des kais. russischen kasan'schen Drag.-Reg. Nr. 9 und des königl. preussischen 1. westpreussischen Grenadier-Reg. Nr. 6; General-Genie-Inspector, GdC.

Seine kaiserl. königl. Hoheit Joseph (Carl Ludwig), kaiserl. Prinz und Erzherzog von Oesterreich, königl. Prinz von Ungarn und Böhmen, etc. etc. wie Seite 19; Inhaber des IR. Nr. 37; Ober-Commandant der Landwehr der Länder der ungarischen Krone, GdC.

Seine kaiserl. königl. Hoheit Ernst (Carl Felix Maria Rainer Gottfried Cyriak), kaiserl. Prinz und Erzherzog von Oesterreich, königl. Prinz von Ungarn und Böhmen, etc. etc. wie Seite 20; Inhaber des IR. Nr. 48, GdC. (beurl.).

Seine kaiserl. königl. Hoheit Rainer (Ferdinand Maria Johann Evang. Franz Hygin), kaiserl. Prinz und Erzherzog von Oesterreich, königl. Prinz von Ungarn und Böhmen, etc. etc. wie Seite 21; Inhaber des IR. Nr. 59; Ober-Commandant der Landwehr der im Reichsrathe vertretenen Königreiche und Länder, FZM.

Folliot de Crenneville, Franz Gf., GVO-R., ÖLO-GK. (KD. des Ritterkreuzes), ÖEKO-R. 2., GHR., ✝, lebenslänglich Herrenhaus-Mitglied des Reichsrathes, Inhaber des IR. Nr. 75; Oberstkämmerer Seiner Majestät des Kaisers und Königs, und Kanzler des k. k. Leopold-Ordens, FZM. (Rang 12. Jän. 1867.)

Langenau, Ferdinand Freih. v., ÖLO-GK. (KD. des Ritterkreuzes), ÖEKO-R. 1., GHR., ✝; k. u. k. Botschafter u. bevollmächtigter Minister am kais. russischen Hofe zu St. Petersburg, GdC. (Rang 3. Mai 1868.)

Hessen und bei Rhein, Alexander Prinz v., grossherzogl. Hoheit, St.O-GK., ÖLO-GK., ✠, Inhaber des Drag.-Reg. Nr. 6, GdC. (beurl.). (Rang 4. Mai 1868.)

Maroičić di Madonna del Monte, Joseph Freih., ÖEKO-R. 1., ✠C., ÖLO-R.

(KD.), GHR., Inhaber des IR. Nr. 7; commandirender General in Wien, FZM. (Rang 7. Mai 1868.)

Neipperg, Erwin Gf. v., Erlaucht, GVO-R., ÖLO-GK. (KD. des Commandeurkreuzes), ÖEKO-R. 1. (KD. 3. Cl.), MVK. (KD.), DO-Ehrenritter, JO-Ehrenritter, GHR., ✠, Inhaber des Drag.-Reg. Nr. 12; Hauptmann der Trabanten-Leibgarde und der Hofburgwache, GdC. (Rang 16. Mai 1870.)

Mollinary v. Monte Pastello, Anton Freih., ÖEKO-R. 1., ÖLO-R. (KD.), MVK. (KD.), GHR., Inhaber des IR. Nr. 38; commandirender General zu Lemberg, FZM. (Rang 24. April 1873.)

Rodich, Gabriel Freih. v., ÖLO-GK. (KD. des Ritterkreuzes), ÖEKO-R. 1. (KD. 3. Cl.), ✠, MVK. (KD.), GHR., Inhaber des IR. Nr. 68; Statthalter im Königreiche Dalmatien u. Mil.-Comdt. zu Zara, FZM. (Rang 25. April 1873.)

Koller, Alexander Freih. v., St. O-GK., ÖLO-GK. (KD. des Ritterkreuzes), ÖEKO-R. 1. (KD. 2. Cl.), GHR., lebenslänglich Herrenhaus-Mitglied des Reichsrathes, Inhaber des Husz.-Reg. Nr. 8; Hauptmann der Ersten Arcieren-Leibgarde, GdC. (Rang 27. April 1873.)

Kuhn v. Kuhnenfeld, Franz Freih., St. O-GK., ÖLO-GK., ✠C., ÖEKO-R. 3. (KD.), MVK. (KD.), GHR., Inhaber des IR. Nr. 17; commandirender General zu Graz, FZM. (Rang 28. April 1873.)

Philippović v. Philippsberg, Joseph Freih., ÖLO-GK. (KD.), ÖEKO-R. 2. (KD.), St. O-R., MVK. (KD.), GHR., Inhaber des IR. Nr. 35; commandirender General zu Prag, FZM. (Rang 28. Jän. 1874.)

Edelsheim-Gyulai, Leopold Freih. v., ÖEKO-R. 1. (KD. 3. Cl.), ✠, ÖLO-R. (KD.), MVK. (KD.), GHR., ✠, Inhaber des Husz.-Reg. Nr. 4; commandirender General zu Budapest, GdC. (Rang 29. Jän. 1874.)

Philippović v. Philippsberg, Franz Freih., ÖLO-GK. (KD. des Ritterkreuzes), ÖEKO-R. 1., MVK. (KD.), GHR., Inhaber des Peterwardeiner IR. Nr. 70; commandirender General zu Agram, FZM. (Rang 14. Juni 1874.)

Weber, Joseph Freih. v., ÖLO-C. (KD. des Ritterkreuzes), ÖEKO-R. 3. (KD.), GHR., Inhaber des IR. Nr. 22; Präsident des obersten Mil.-Justiz-Senates, FZM. (Rang 24. Oct. 1876.)

Thurn und Taxis, Emerich Prinz v., Durchlaucht, GVO-R., ÖLO-R. (KD.), MVK. (KD.), GHR., lebenslänglich Herrenhaus-Mitglied des Reichsrathes, Inhaber des Husz.-Reg. Nr. 3; Oberst-Stallmeister Seiner Majestät des Kaisers und Königs und Capitän der Leibgarde-Reiter-Escadron, GdC. (Rang 25. Oct. 1876.)

Packenj v. Kilstädten, Friedrich Freih., ÖEKO-R. 2. (KD.), ✠, MVK. (KD.), GHR., Inhaber des IR. Nr. 9; Stellvertreter des Ober-Comdt. der k. k. Landwehr, FZM. (Rang 26. Oct. 1876.)

Württemberg, Wilhelm Herzog v., königl. Hoheit, ÖEKO-R. 1. (KD.), ÖLO-C. (KD.), ✠, Inhaber des IR. Nr. 73; commandirender General und Chef der Landes-Regierung in Bosnien und der Herzegovina, zu Serajevo; FZM. (Rang 20. Aug. 1878.)

Piret de Bihain, Eugen Freih., ÖLO-C. (KD.), ✠, ÖEKO-R. 3. (KD.), GHR., ✠, Inhaber des Drag.-Reg. Nr. 9; Obersthofmeister Seiner k. k. Hoheit des Erzherzogs Albrecht, GdC. (Rang 1. Nov. 1878.)

Ringelsheim, Joseph Freih. v., ÖEKO-R. 1. (KD. 2. Cl.), ÖLO-R. (KD.), MVK. (KD.), GHR., Inhaber des IR. Nr. 30; commandirender General zu Brünn, FZM. (Rang 2. Nov. 1878.)

Angestellte Feldmarschall-Lieutenants.

Seine kaiserl. königl. Hoheit Carl Ludwig (Joseph Maria), kaiserl. Prinz u. Erzherzog von Oesterreich, königl. Prinz von Ungarn und Böhmen, etc. etc. wie Seite 11; Inhaber des Uhl.-Reg. Nr. 7, Chef des kais. russischen Lubow'schen Husz.-Reg. Nr. 4 und des königl. preussischen ostpreussischen Uhl.-Reg. Nr. 8.

Seine kaiserl. königl. Hoheit Sigmund (Leopold Maria Rainer Ambrosius Valentin), kaiserl. Prinz und Erzherzog von Oesterreich, königl. Prinz von Ungarn und Böhmen, etc. etc. wie Seite 20; Inhaber des IR. Nr. 45.

Seine kaiserl. königl. Hoheit Heinrich (Anton Maria Rainer Carl Gregor), kaiserl. Prinz und Erzherzog von Oesterreich, königl. Prinz von Ungarn und Böhmen, etc. etc. wie Seite 21; Inhaber des IR. Nr. 51.

Schleswig-Holstein-Glücksburg, Wilhelm Prinz zu, Hoheit, ÖLO-GK. (KD. des Ritterkreuzes), ÖEKO-R. 2. (KD.). Inhaber des IR. Nr. 80 (beurl.). (Rang 19. Aug. 1862.)

Festetics de Tolna, Tassilo Gf., GVO-R., ÖLO-GK. (KD.), ÖEKO-R. 2. (KD.), ✠, Inhaber des Drag.-Reg. Nr. 2 (beurl.). (Rang 7. Juni 1865.)

Boxberg, Carl Freih. v., ÖLO-R. (KD.), ÖEKO-R. 3. (KD.), GHR.; Oberlieutenant der Ersten Arcieren-Leibgarde. (Rang 30. Oct. 1868.)

Rosenzweig v. Drauwehr, Ferdinand Freih., ÖLO-C. (KD. des Ritterkreuzes), ÖEKO-R. 2. (KD. 3. Cl.), MVK. (KD.), GHR.; Fest.-Comdt. zu Komorn. (Rang 30. April 1870.)

Fratricsevics, Ignaz v., ÖEKO-R. 3. (KD.), GHR., Inhaber des Husz.-Reg. Nr. 12; Capitän der k. ung. Leibgarde. (Rang 2. Mai 1870.)

Dormus v. Kilianshausen, Joseph Freih., ÖEKO-R. 2. (KD. 3. Cl.), ✠, MVK. (KD.), Inhaber des IR. Nr. 72; zug. dem Gen.-Comdo. zu Lemberg. (Rang 26. April 1871.)

Abele, Vincenz Freih. v., ÖEKO-R. 2. (KD. 3. Cl.), ÖLO-R. (KD.), MVK. (KD.), Inhaber des IR. Nr 8; zug. dem Gen.-Comdo. in Wien. (Rang 28. April 1871.)

Drechsler, Carl Freih. v., ÖEKO-R. 2. (KD. 3. Cl.), ÖLO-R. (KD.), MVK. (KD.); Fest.-Comdt. zu Olmütz. (Rang 29. April 1871.)

Knebel v. Treuenschwert, Albert Freih., ✠, ÖEKO-R. 3. (KD.), MVK. (KD.), Inhaber des IR. Nr. 76; Präsident des Mil.-Appellations-Gerichtes. (Rang 30. April 1871.)

Pürcker Edl. v. Pürkhain, Vincenz, ÖEKO-R. 2., ÖLO-R. (KD.), Inhaber des IR. Nr. 25; zug. dem Gen.-Comdo. zu Agram. (Rang 29. April 1872.)

Pulz, Ludwig Freih. v., ✠, ÖLO-R. (KD.), ÖEKO-R. 3. (KD.); Mil.-Comdt. zu Temesvár. (Rang 30. April 1872.)

Thun-Hohenstein, Franz Gf., ÖEKO-R. 2. (KD.), ÖLO-R. (KD.), MVK. (KD.), GHR., ✠, Inhaber des IR. Nr. 54; Comdt. der VIII. Inf.-Trup.-Div., Mil.-Comdt. zu Innsbruck u. Landesvertheidigungs-Comdt. in Tirol und Vorarlberg. (Rang 24. April 1873.)

Auersperg, Gottfried Gf., ÖLO-C. (KD.), ÖEKO-R. 2. Cl., MVK., Erb-Kämmerer und Erb-Marschall in Krain und in der windischen Mark, Inhaber des IR. Nr. 40; Comdt. der III. Inf.-Trup.-Div. (zu Linz). (Rang 25. April 1873.)

Mondel, Friedrich Freih. v., ÖEKO-R. 2. (KD.), ÖLO-R. (KD.), GHR., Inhaber des IR. Nr. 21; General-Adjutant Seiner Majestät des Kaisers und Königs. (Rang 31. Oct. 1873.)

Graef v. Libloy, Eduard Ritt., ÖLO-R., ÖEKO-R. 3., MVK. (KD.); ad latus des Ober-Comdt. der k. ung. Landw. (Rang 1. Nov. 1873.)

Litzelhofen, Eduard Freih. v., ✠, MVK. (KD.); Mil.-Comdt. zu Krakau. (Rang 3. Nov. 1873.)

Ramberg, Hermann Freih. v., ÖLO-C., MVK. (KD.); Mil.-Comdt. zu Pressburg. (Rang 29. April 1874.)

Bauer, Ferdinand, ÖEKO-R. 2., ÖLO-R. (KD.), MVK. (KD.); Mil.-Comdt. zu Hermannstadt. (Rang 30. April 1874.)

Szápáry, Ladislaus Gf., ÖLO-C. (KD.), ÖEKO-R. 2., MVK. (KD.), ✠; Mil.-Comdt. zu Kaschau. (Rang 20. Oct. 1874.)

Bienerth, Carl Freih. v., ÖEKO-R. 2. (KD.), ÖLO-R. (KD.), MVK. (KD.); Comdt. der II. Inf.-Trup.-Div. u. des Stabsofficiers-Curses (in Wien). (Rang 21. Oct. 1874.)

Dahlen v. Orlaburg, Hermann Freih., ÖEKO-R. 3. (KD.), MVK. (KD.); Comdt. der IX. Inf.-Trup.-Div. (zu Prag). (Rang 23. Oct. 1874.)

Bylandt-Rheidt, Arthur Gf., ÖLO-GK., ÖEKO-R. 1., MVK. (KD.), GHR., Inhaber des Feld-Art.-Reg. Nr. 9; Reichs-Kriegs-Minister. (Rang 24. Oct. 1874.)

Appel, Johann Freih. v., ÖLO-C. (KD. des Ritterkreuzes), ÖEKO-R. 2. (KD.), ✠, MVK. (KD.); Comdt. der XXV. Inf.-Trup.-Div. (in Wien). (Rang 27. Oct. 1874.)

Pejacsevich v. Veröcze, Nikolaus Gf., St.O-C., ÖEKO-R. 3. (KD.), GHR., ✠; General-Cavallerie-Inspector. (Rang 17. April 1875.)

Vlasits, Franz Freih. v., St.O-C., ÖEKO-R. 2. (KD. 3. Cl.), ÖLO-R. (KD.), GHR.; Sections-Chef beim R.-Kriegs-Mstm. (Rang 18. April 1875.)

Kees, Georg Ritt. v., ÖLO-R. (KD.), MVK. (KD.); Comdt. der XXXI. Inf.-Trup.-Div. (zu Budapest). (Rang 22. April 1875.)

Hofmann v. Donnersberg, Leopold, ÖEKO-R. 2., ÖLO-R. (KD.), MVK. (KD.), Inhaber des Feld-Art.-Reg. Nr. 12; Art.-Director beim Gen.-Comdo. zu Budapest. (Rang 23. Oct. 1875.)

Hohenlohe-Schillingsfürst, Constantin Prinz zu, Durchlaucht, GVO-R., St.O-GK., GHR., ✠, lebenslänglich Herrenhaus-Mitglied des Reichsrathes; Erster Obersthofmeister Seiner Majestät des Kaisers und Königs und Oberst sämmtlicher k. u. k. Leibgarden. (Rang 24. Oct. 1875.)

Catty, Adolph Freih. v., ÖEKO-R. 2. (KD.), ✠, ÖLO-R. (KD.), MVK. (KD.); Comdt. der V. Inf.-Trup.-Div. (zu Brünn). (Rang 25. Oct. 1875.)

Schmigoz, Julius Ritt. v., ÖLO-R. (KD.), ÖEKO-R. 3. (KD.); Comdt. der XXVIII. Inf.-Trup.-Div. (zu Triest). (Rang 26. Oct. 1875.)

Döpfner, Joseph Freih. v., ✠, ÖLO-R. (KD.), MVK. (KD.); Comdt. der XI. Inf.-Trup.-Div. (zu Lemberg). (Rang 27. Oct. 1875.)

Schönfeld, Anton Freih. v., ÖEKO-R. 2. (KD.), ÖLO-R. (KD.) MVK. (KD.), GHR.; Chef des Generalstabes. (Rang 28. Oct. 1875.)

Tiller v. Turnfort, Carl Freih., ÖLO-C., ÖEKO-R. 2., MVK. (KD.); Art.-Arsenal-Director in Wien. (Rang 29. Oct. 1875.)

Hornstein, Wilh. Freih. v., MVK. (KD.), JO-Ehrenritter, GHR., ✠; Obersthofmeister Seiner k. k. Hoheit des Erzherzogs Carl Ludwig. (Rang 24. April 1876.)

Schloissnigg, Theodor Freih. v., ÖEKO-R. 1., MVK. (KD.), GHR., ✠; Obersthofmeister Ihrer k. k Hoheit der Erzherzogin Elisabeth. (Rang 25. April 1876.)

Ziegler und Klipphausen, Friedrich v., ÖLO-R. (KD.), MVK. (KD.); Comdt. der XV. Inf.-Trup.-Div. (zu Kaschau). (Rang 26. April 1876.)

Fröhlich v. Elmbach, Ludwig, ÖEKO-R. 3. (KD.), MVK. (KD.); Comdt. der XIII. Inf.-Trup.-Div. (zu Dolnj Tuzla.) (Rang 25. Oct. 1876.)

Degenfeld-Schonburg, Christoph Gf., MVK. (KD.), ✠; Comdt. der XII. Inf.-Trup.-Div. (zu Krakau). (Rang 26. Oct. 1876.)

Jovanović, Stephan Freih. v., ÖEKO-R. 1. (KD.), ÖLO-R. (KD.), MVK. (KD.), GHR.; Stellvertreter des commandirenden Generals und Chefs der Landes-Regierung von Bosnien und der Herzegovina. (Rang 27. Oct. 1876.)

Bourguignon v. Baumberg, Stanislaus Freih., ÖLO-R. (KD.), ÖEKO-R. 3. (KD.), MVK. (KD.); Platz-Comdt. in Wien. (Rang 28. Oct. 1876.)

Gyurits v. Vitesz-Sokolgrada, David, ÖLO-R. (KD.), ÖEKO-R. 3. (KD.), MVK. (KD.); Comdt. der XVI. Inf.-Trup.-Div. (zu Hermannstadt). (Rang 29. Oct. 1876.)

Windisch - Graetz, Ludwig Prinz zu, Durchlaucht, ÖLO-R. (KD.), ÖEKO-R. 3. (KD.), MVK. (KD.), JO-Ehrenritter; Comdt. der XXVII. Inf.-Trup.-Div. (zu Krakau). (Rang 24. April 1877.)
König, Gustav Freih. v., St.O-R., ÖEKO-R. 3. (KD.), MVK. (KD.); Comdt. der X. Inf.-Trup.-Div. (zu Josephstadt). (Rang 25. April 1877.)
Lauber, Carl, ÖEKO-R. 3. (KD.), MVK. (KD.); Comdt. der XXXV. Inf.-Trup.-Div. (zu Klausenburg). (Rang 27. April 1877.)
Messey de Bielle, Gustav Gf., MVK. (KD.), GHR., ✠; Obersthofmeister Seiner k. k. Hoheit des Erzherzogs Rainer. (Rang 27. Oct. 1877.)
Hayek, Friedrich, MVK. (KD.); zug. dem Gen.-Comdo. zu Budapest. (Rang 29. Oct. 1877.)
Simonyi de Simony et Varsány, Moriz, ÖEKO-R. 3. (KD.); Oberlieutenant u. Haus-Comdt. der k. ung. Leibgarde. (Rang 23. April 1878.)
Stubenrauch v. Tannenburg, Georg, ÖLO-R. (KD.), ÖEKO-R. 3. (KD.), MVK. (KD.); Comdt. der XXXVI. Inf.-Trup.-Div. (zu Banjaluka). (Rang 24. April 1878.)
Gelan, Carl v., MVK. (KD.); Comdt. der XXIX. Inf.-Trup.-Div. (zu Theresienstadt). (Rang 25. April 1878.)
Bibra v. Gleicherwiesen, Wilh. Freih., ÖLO-R., ÖEKO-R. 3. (KD.), MVK. (KD.); Sections-Chef beim R.-Kriegs-Mstm. (Rang 26. April 1878.)
Andrássy v. Csik - Szent - Király und Kraszna-Horka, Julius Gf., GVO-R., St.O-GK., JO-GK. und Ehren-Bailli, GHR.; Minister des kaiserlichen Hauses und des Aeussern. (Rang 27. April 1878.)
Teuchert-Kauffmann Edl. v. Traunsteinburg, Friedrich Freih., ÖEKO-R. 3. (KD.), MVK. (KD.); Comdt. der XXIV. Inf.-Trup.-Div. (zu Lemberg). (Rang 28. April 1878.)
Fischer v. Ledenice, Maximilian Ritt., ÖLO-R. (KD.); Stellvertreter des Chefs des Generalstabes. (Rang 29. April 1878.)
Guran, Alexander, ÖLO-R.; Director des mil.-geogr. Inst. (Rang 1. Mai 1878.)
Kirchmayr, Carl, ÖEKO-R. 3. (KD.), MVK.; Comdt. der XVII. Inf.-Trup.-Div. (zu Grosswardein). (Rang 2. Mai 1878.)
Tegetthoff, Carl v., ÖLO-C. (KD.), MVK. (KD.); Comdt. der VI. Inf.-Trup.-Div. (zu Graz). (Rang 3. Mai 1878.)
Fischer, Friedrich v., ÖFJO-C., ÖLO-R. (KD.), ÖEKO-R. 3. (KD.); Comdt. der Kriegsschule. (Rang 4. Mai 1878.)
Beck, Friedrich Freih. v., ÖEKO-R. 1. (KD. 3. Cl.), ÖLO-R., MVK. (KD.). GHR.; General-Adjutant u. Vorstand der Mil.-Kanzlei Seiner Majestät des Kaisers und Königs. (Rang 5. Mai 1878).
Würth Edl. v. Hartmühl, August, ÖEKO-R. 3. (KD.), MVK. (KD.); Comdt. der XXXII. Inf.-Trup.-Div. (zu Budapest). (Rang 17. Sept. 1878.)
Schaffer v. Schäffersfeld, Anton Ritt., MVK. (KD.); Fest.-Comdt. zu Krakau. (Rang 18. Sept. 1878.)
Salomon v. Friedberg, Emanuel, MVK. (KD.); Comdt. der XXX. Inf.-Trup.-Div. (zu Lemberg). (Rang 19. Sept. 1878.)
Vecsey de Vecse et Böröllyö-Iságfa, Joseph, MVK. (KD.), ✠; Comdt. der I. Inf.-Trup.-Div. (zu Serajevo). (Rang 20. Sept. 1878.)
Schemel Edl. v. Kühnritt, Heinrich, ÖEKO-R. 3. (KD.); Comdt. der XXXIV. Inf.-Trup.-Div. (zu Temesvár). (Rang 21. Sept. 1878.)
Török de Erdőd, Joseph, ÖEKO-R. 3. (KD.), MVK. (KD.); Comdt. der XXXIII. Inf.-Trup.-Div. (zu Pressburg). (Rang 1. Nov. 1878.)
Heinold, Joseph Ritt. v., ÖEKO-R. 3., MVK. (KD.); zug. dem Gen.-Comdo. zu Brünn. (Rang 2. Nov. 1878.)
Stransky Edl. v. Dresdenberg, Franz, ÖEKO-R. 2., ÖLO-R.; Comdt. der IV. Inf.-Trup.-Div. (zu Serajevo). (Rang 3. Nov. 1878.)
Löwenthal, Johann Freih. v., ÖLO-C., ÖEKO-R. 3.; zug. der Präsidial-Section des k. u. k. Ministeriums des Aeussern. (Tit.).

Angestellte General-Majore.

Seine kaiserl. königl. Hoheit Ludwig Victor (Joseph Anton), kaiserl. Prinz und Erzherzog von Oesterreich, königl. Prinz von Ungarn und Böhmen, etc. etc. wie Seite 11; Inhaber des IR. Nr. 65 und Chef des kais. russischen IR. von Tomsk Nr. 39.

Seine kaiserl. königl. Hoheit Ferdinand IV., kaiserl. Prinz und Erzherzog von Oesterreich, königl. Prinz von Ungarn und Böhmen, Grossherzog von Toscana, etc. etc. wie Seite 14; Inhaber des IR. Nr. 66.

Seine kaiserl. königl. Hoheit Carl Salvator, kaiserl. Prinz und Erzherzog von Oesterreich, königl. Prinz von Ungarn und Böhmen, grossherzogl. Prinz von Toscana, etc. etc. wie Seite 15; Inhaber des IR. Nr. 77.

Seine kaiserl. königl. Hoheit Johann (Nepomuk) Salvator, kaiserl. Prinz und Erzherzog von Oesterreich, königl. Prinz von Ungarn und Böhmen, grossherzogl. Prinz von Toscana, etc. etc. wie Seite 17; Inhaber des Feld-Art.-Reg. Nr. 11; Comdt. der XVIII. Inf.-Trup.-Div. (zu Mostar).

Sabarczy, Emerich Freih. v., MVK. (KD.), ✠; Unterlieutenant u. Haus-Comdt. der Ersten Arcieren-Leibgarde. (Rang 13. Jän. 1869.)

Riess v. Riesenfest, Laurenz Ritt., ÖLO-R., ÖEKO-R. 3. (KD.); Fest.-Comdt. zu Peterwardein. (Rang 4. Mai 1872.)

Koblitz v. Willmburg, Johann Ritt., ÖLO-R., MVK. (KD.); Kammervorsteher Seiner k. k. Hoheit des Erzherzogs Wilhelm. (Rang 24. Nov. 1872.)

Pongrácz de Szent-Miklós et Óvár, Alexander, ÖLO-R., MVK. (KD.), ✠; Comdt. des I. k. ung. Landw.-Districtes (zu Budapest). (Rang 7. Mai 1873.)

Máriássy de Markus et Batiszfalva, Joh., ÖLO-R.; Comdt. des III. k. ung. Landw.-Districtes (zu Kaschau). (Rang 8. Mai 1873.)

Mederer v. Mederer und Wuthwehr, Conrad, ÖEKO-R. 3. (KD.); Comdt. der 53. Inf.-Brig. (zu Troppau). (Rang 2. Mai 1874.)

Görtz, Wilhelm Ritt. v., MVK. (KD.); zug. dem Gen.-Comdo. zu Graz. (Rang 4. Mai 1874.)

Dunst v. Adelshelm, Gustav, MVK. (KD.); Comdt. der 4. Cav.-Brig. (zu Budapest). (Rang 5. Mai 1874.)

Giesl v. Gieslingen, Heinrich Ritt., ÖEKO-R. 3. (KD.), MVK. (KD.); Gendarmerie-Inspector für die im Reichsrathe vertretenen Königreiche und Länder (in Wien). (Rang 6. Mai 1874.)

Hartlieb, Otto Ritt. v., ÖLO-R., ÖEKO-R. 3. (KD.), MVK. (KD.); Comdt. der techn. Mil.-Akad. (in Wien). (Rang 7. Mai 1874.)

Uchatius, Franz Freih. v., St.O-C., ÖEKO-R. 2., GHR.; Comdt. der Art.-Zeugs-Fabrik im Art.-Arsenale in Wien. (Rang 19. Oct. 1874.)

Müller, Joseph, ÖLO-R. (KD.), ÖEKO-R. 3. (KD.); Art.-Director beim Gen.-Comdo. in Wien. (Rang 20. Oct. 1874.)

Popp Edl. v. Poppenheim, Wilhelm, ÖLO-R. (KD.), ÖEKO-R. 3. (KD.); Comdt. der VII. Inf.-Trup.-Div. (zu Travnik). (Rang 21. Oct. 1874.)

Wischnich, Carl, ÖLO-R. (KD.); Comdt. des VII. k. ung. (croatisch-slavon.) Landw.-Districtes (zu Agram). (Rang 26. Oct. 1874.)

Pielsticker, Ludwig Freih. v., ✠, ÖLO-R. (KD.), ÖEKO-R. 3. (KD.), MVK. (KD.); Comdt. der XIV. Inf.-Trup.-Div. (zu Agram). (Rang 27. Oct. 1874.)

Grobben, Wilhelm Ritt. v., ÖEKO-R. 3., MVK.; Comdt. der 33. Inf.-Brig. (zu Grosswardein). (Rang 28. Oct. 1874.)

Salis-Soglio, Daniel Freih. v., ÖEKO-R. 3. (KD.), MVK. (KD.), ✠; Präsident, des techn. u. adm. Mil.-Comité. (Rang) 31. Oct. 1874.)

Hunyady de Kéthely, Coloman Gf., ÖLO-C., ÖEKO-R. 3. (KD.), MVK (KD.), GHR., ✠; Ober-Ceremonienmeister Seiner Majestät des Kaiser- und Königs. (Rang 16. April 1875.)

Kopfinger v. Trebbienau, Eugen, ÖLO-R. (KD.), MVK. (KD.); zug. dem Gen.-Comdo. zu Prag. (Rang 20. April 1875.)
Kaiffel, Emerich, ÖLO-R. (KD.), ÖEKO-R. 3. (KD.); Comdt. der XX. Inf.-Trup.-Div., dann Fest.- und Etapen-Comdt. zu Brood. (Rang 22. April 1875.)
Appel, Joseph Ritt. v., MVK. (KD.); Comdt. der XIX. Inf.-Trup.-Div. (zu Pilsen). (Rang 23. April 1875.)
Krautwald Edl. v. Annau, Joseph, MVK. (KD.); Platz-Comdt. zu Budapest. (Rang 24. April 1875.)
Pilsak Edl. v. Wellenau, Eduard, MVK. (KD.); Art.-Director beim Gen.-Comdo. zu Brünn. (Rang 24. Oct. 1875.)
Franz, Ferdinand Freih. v., ÖEKO-R. 2. (KD. 3. Cl.), ÖLO-R. (KD.); Vorstand des Präsidial-Bureau beim R.-Kriegs-Mstm. (Rang 25. Oct. 1875.)
Goutta, Franz Ritt. v., ÖLO-R., ÖEKO-R. 3. (KD.), MVK. (KD.); in besonderer Verwendung beim R.-Kriegs-Mstm. (Rang 26. Oct. 1875.)
Jung, Friedrich, MVK. (KD.); Comdt. der 51. Inf.-Brig. (zu Königgrätz). (Rang 28. Oct. 1875.)
Gemmingen, Otto Freih. v., Genie-Chef beim Gen.-Comdo. zu Prag. (Rang 30. Oct. 1875.)
Maywald, Carl, MVK. (KD.); zug. dem R.-Kriegs-Mstm. (Rang 31. Oct. 1875.)
Becher v. Rüdenhof, Alfred Ritt., ÖEKO-R. 3.; Vorstand der 8. Abth. des R.-Kriegs-Mstms. (Rang 1. Nov. 1875.)
Kraus, Alfred Ritt. v., Dr. d. R., ÖLO-R., ÖEKO-R. 3. (KD.), ÖFJO-R.,; Stellvertreter des Vorstandes der Mil.-Kanzlei Seiner Majestät des Kaisers und Königs. (Rang 26. April 1876.)
Hoffinger, Rudolph Ritt. v., ÖEKO-R. 3., MVK. (KD.); Comdt. der 3. Inf.-Brig. (in Wien). (Rang 29. April 1876.)
Nagy, Anton Edl. v., ÖEKO-R. 3. (KD.), MVK. (KD.); Besatzungs-Truppen-Brigadier in Nord-Dalmatien (zu Zara). (Rang 30. April 1876.)
Némethy, Joseph Edl. v., MVK.; Comdt. der 15. Inf.-Brig. (zu Innsbruck). (Rang 1. Mai 1876.)
Dumoulin, Johann Freih. v., ÖEKO-R. 2. (KD. 3. Cl.), ÖLO-R. (KD.); Comdt. der 10. Inf.-Brig. (zu Brünn). (Rang 2. Mai 1876.)
Christl, Franz, ÖEKO-R. 3.; Art.-Director beim Gen.-Comdo. zu Lemberg. (Rang 24. Oct. 1876.)
Dobay v. Dobó, Joseph, ÖLO-R.; Comdt. des IV. k. ung. Landw.-Districtes (zu Pressburg). (Rang 25. Oct. 1876.)
Coburg, Oswald Freih. v., Comdt. der 15. Cav.-Brig. (zu Debreczin). (Rang 28. Oct. 1876.)
Fidler v. Isarborn, Ferdinand, ÖLO-R., ÖEKO-R. 3. (KD.); Comdt. der 17. Inf.-Brig. (zu Prag). (Rang 29. Oct. 1876.)
Joelson, Alfred Ritt. v., MVK. (KD.); Comdt. der 12. Inf.-Brig. (zu Laibach). (Rang 30. Oct. 1876.)
Kubin, Ernst Edl. v., Comdt. der 23. Inf.-Brig. (zu Krakau). (Rang 31. Oct. 1876.)
Binder, Wilhelm, MVK.; Comdt. der 58. Inf.-Brig. (zu Theresienstadt). (Rang 1. Nov. 1876.)
Bouvard, Friedrich Ritt. v., ÖLO-R., ÖEKO-R. 3. (KD.); Comdt. der 39. Inf.-Brig. (zu Serajevo). (Rang 2. Nov. 1876.)
Krzisch, Joseph, Comdt. der 32. Inf.-Brig. (zu Hermannstadt). (Rang 3. Nov. 1876.)
Hellán, Ernst, ÖLO-C.; Comdt. des V. k. ung. Landw.-Districtes (zu Stuhlweissenburg). (Rang 4. Nov. 1876.)
Esch, Carl Edl. v., Fest.-Comdt. zu Essegg. (Rang 5. Nov. 1876.)
Pistory, Ludwig v., MVK. (KD.); Comdt. der 24. Inf.-Brig. (zu Krakau). (Rang 6. Nov. 1876.)
Rath, Carl Edl. v., ÖEKO-R. 3. (KD.); Comdt. der 19. Inf.-Brig. (zu Josephstadt). (Rang 7. Nov. 1876.)
Schmitt v. Kehlau, Ignaz, MVK. (KD.); Comdt. der 29. Inf.-Brig. (zu Kaschau). (Rang 8. Nov. 1876.)
Rodakowski, Joseph Ritt. v., MVK (KD.); Comdt. der 18. Cav.-Brig (zu Fünfkirchen). (Rang 9. Nov. 1876.)
Panz, Victor v., ÖEKO-R. 3., MVK. (KD.); Comdt. der 50. Inf.-Brig. (in Wien). (Rang 10. Nov. 1876.)

Cornaro, Ludwig Edl. v., ÖEKO-R. 2., MVK. (KD.); zur Eintheilung disponibel (derzeit beurl.). (Rang 12. Nov. 1876.)

Reinländer, Wilhelm, ÖEKO-R. 2. (KD.), ÖLO-R., MVK. (KD.); Comdt. der 28. Inf.-Brig. (zu Carlstadt). (Rang 13. Nov. 1876.)

Metternich, Paul Prinz, Durchlaucht, MVK. (KD.), ✠; Comdt. der 5. Cav.-Brig. (zu Pressburg). (Rang 14. Nov. 1876.)

Budich, Georg, Comdt. der 26. Inf.-Brig. (zu Bjelina). (Rang 24. April 1877.)

Dobler v. Friedburg, Bernhard, ÖEKO-R. 3.; Comdt. der 69. Inf.-Brig. (zu Carlsburg). (Rang 25. April 1877.)

Larisch v. Nimsdorf, Joseph, Comdt. der 38. Inf.-Brigade (zu Budweis). (Rang 26. April 1877.)

Van der Sloot v. Vaalmingen, Eduard, MVK. (KD.); Comdt. der 31. Inf.-Brig. (zu Kronstadt). (Rang 27. April 1877.)

Latterer v. Lintenburg, Franz Ritt., ÖEKO-R. 3. (KD.), MVK. (KD.); Comdt. der 2. Gebirgs-Brig. bei der VII. Inf.-Trup.-Div. (zu Livno). (Rang 28. April 1877.)

Ramberg, Victor Freih. v., MVK. (KD.); Comdt. der 10. Cav.-Brig. (zu Brünn). (Rang 30. April 1877.)

Schauer, Leo Ritt. v., ÖEKO-R. 3. (KD.), MVK. (KD.); Comdt. der 55. Inf.-Brig. (zu Triest). (Rang 1. Mai 1877.)

Thodorovich, Nikolaus, ÖLO-R. (KD.), ÖEKO-R. 3. (KD.), MVK. (KD.); Comdt. der 1. Gebirgs-Brig. bei der XVIII. Inf.-Trup.-Div. (zu Mostar). (Rang 27. Oct. 1877.)

Csikos, Stephan, ÖFJO-C., ÖLO-R. (KD.), ÖEKO-R. 3. (KD.), MVK. (KD.); zug. dem Mil.-Comdo. zu Zara. (Rang 28. Oct. 1877.)

Grävenitz, Victor Gf., Mil.-Inspector der k. k. Staats-Hengsten-Depots, fachmännischer Leiter des Pferdezucht-Departements im k. k. Ackerbau-Ministerium, und betraut mit dem Dienste des Remontirungs-Inspectors. (Rang 29. Oct. 1877.)

Thurn und Taxis, Lamoral Prinz v., Durchlaucht, Comdt. der 20. Cav.-Brig. (zu Lemberg). (Rang 30. Oct. 1877.)

Vetter, Anton Edl. v., MVK. (KD.); Art.-Director beim Gen.-Comdo. zu Graz. (Rang 31. Oct. 1877.)

Windisch-Graetz, Joseph Prinz zu, Durchlaucht, MVK. (KD.); Comdt. der 16. Cav.-Brig. (zu Oedenburg). (Rang 1. Nov. 1877.)

Ghyczy de eadem et Assa-Abláncz-Kürth, Béla, ÖLO-R., MVK. (KD.); Comdt. des VI. k. ung. Landw.-Districtes (zu Klausenburg). (Rang 2. Nov. 1877.)

Horváth v. Zalabér, Johann, ÖEKO-R. 3., ✠; Mil.-Inspector der k. ung. Pferdezucht-Anstalten und des croatisch-slavon. Hengsten-Depots (zu Budapest). (Rang 3. Nov. 1877.)

Herman, Gustav Edl. v., ÖEKO-R. 3., MVK. (KD.); Genie-Chef beim Gen.-Comdo. zu Graz. (Rang 4. Nov. 1877.)

Schluderer Edl. v. Traunbruk, Conrad, ÖLO-R. (KD.), ÖEKO-R. 3. (KD.), MVK. (KD.); Comdt. der 3. Gebirgs-Brig. bei der XVIII. Inf.-Trup.-Div. (zu Stolac). (Rang 5. Nov. 1877.)

Hussarek v. Heinlein, Johann Ritt., ÖEKO-R. 3. (KD.), MVK. (KD.); General-Fuhrwesens-Inspector. (Rang 6. Nov. 1877).

Haizinger, Anton, Comdt. der 12. Cav.-Brig. (zu Hermannstadt). (Rang 7. Nov. 1877.)

Waldstätten, Johann Freih. v., ÖFJO-C., ÖLO-R. (KD.), ÖEKO-R. 3. (KD.), MVK. (KD.); Comdt. der 7. Inf.-Brig. (zu Serajevo). (Rang 8. Nov. 1877.)

Mensdorff-Pouilly, Arthur Gf., ÖLO-R. (KD.), ÖEKO-R. 3. (KD.), ✠; Comdt. der 11. Cav.-Brig. (zu Tarnów). (Rang 9. Nov. 1877.)

Württemberg, Nikolaus Herzog v., königl. Hoheit, Comdt. der 54. Inf.-Brig. (zu Krakau). (Rang 10. Nov. 1877.)

Grünne, Philipp Gf., ÖEKO-R. 3. (KD.), ✠; Comdt. der 6. Inf.-Brig. (zu Salzburg). (Rang 11. Nov. 1877.)

Vlasits, Carl Freih. v., Comdt. der 9. Cav.-Brig. (zu Pardubitz). (Rang 13. Nov. 1877.)

Török de Szendrö, Nikolaus Gf., ÖEKO-R. 3. (KD.), MVK. (KD.), ✠; Unterlieutenant der k. ung. Leibgarde. (Rang 23. April 1878.)

Gröller, Albin Ritt. v., Comdt. der 67. Inf.-Brig. (zu Temesvár). (Rang 24. April 1878.)

Schmarda, Carl, ÖLO-R., ÖFJO-R., MVK. (KD.); Chef der I. Section im techn. u. adm. Mil.-Comité. (Rang 25. April 1878.)

Pongrácz de Szent-Miklós et Óvár, Ladislaus, Comdt. der 75. k. ung. Landw.-Inf.-Brig. (zu Klausenburg). Rang 26. April 1878.)

Görgey de Görgö et Topporcz, Cornelius, Comdt. des II. k. ung. Landw.-Districtes (zu Szegedin). (Rang 27. April 1878).

Bergler, Eduard, Art.-Director beim Gen.-Comdo. zu Prag. (Rang 28. April 1878.)

Kéler, Sigmund v., Comdt. der 47. Inf.-Brig. (zu Przemysl). (Rang 29. April 1878.)

Mingazzi di Modigliano, Eduard, Comdt. der 65. Inf.-Brig. (zu Komorn). (Rang 30. April 1878.)

Lederer, Carl Freih. v., MVK. (KD.); Comdt. der 1. Cav.-Brig. (in Wien). (Rang 1. Mai 1878.)

Horst, Julius Freih. v., ÖEKO-R. 1., ÖLO-R., GHR.; k. k. Minister für Landesvertheidigung. (Rang 2. Mai 1878.)

Péchy de Péch-Ujfalu, Eduard, Director der k. ung. Landw.-Ludoviceal-Akad. (Rang 3. Mai 1878.)

Buol, Constantin Freih. v., MVK. (KD.); Comdt. der 30. Inf.-Brig. (zu Miskolcz). (Rang 4. Mai 1878.)

Machek, Ernst, MVK. (KD.); Comdt. der 57. Inf.-Brig. (zu Theresienstadt). (Rang 5. Mai 1878.)

Kreutz, Friedrich, ÖLO-R., ÖEKO-R. 3., MVK.; Vorstand der 1. Abth. der I. Section im techn. u. adm. Mil.-Comité. (Rang 6. Mai 1878.)

Gammel, Franz, Comdt. der 27. Inf.-Brig. (zu Agram). (Rang 7. Mai 1878.)

Taulow v. Rosenthal, Hugo Ritt., MVK. (KD.); Comdt. der 21. Inf.-Brig. (zu Lemberg). (Rang 8. Mai 1878.)

Latterer v. Lintenburg, Joseph Ritt., MVK. (KD.); Comdt. der 48. Inf.-Brig. (zu Stryj). (Rang 9. Mai 1878.)

Schmedes, Carl Ritt. v., ÖEKO-R. 3. (KD.), MVK. (KD.); Comdt. der 64. Inf.-Brig. (zu Kaschau). (Rang 10. Mai 1878.)

Zach, Paul, ÖLO-R. (KD.), MVK. (KD.); Comdt. der 72. Inf.-Brig. (zu Bihać). (Rang 11. Mai 1878.)

Welsersheimb, Zeno Gf., ÖLO-R., ÖEKO-R. 3., MVK. (KD.), ✠; Comdt. der 16. Inf.-Brig. (zu Trient). (Rang 12. Mai 1878.)

Sametz, Adalbert, ÖLO-R. (KD.), ÖEKO-R. 3. (KD.), MVK. (KD.); Comdt. der 61. Inf.-Brig. (zu Budapest). (Rang 13. Mai 1878.)

Fejérváry de Komlós-Keresztes, Géza Freih., ✠, St.O-R., ✠; Staats-Secretär im k. ung. Landesvertheidigungs-Mstm. (Rang 14. Mai 1878.)

Herberstein, Heinrich Gf., DO-R., GHR., ✠; Obersthofmeister Seiner k. k. Hoheit des Erzherzogs Friedrich. (Rang 17. Sept. 1878.)

Fastenberger v. Wallau, Michael Ritt., ÖEKO-R. 3. (KD.), MVK. (KD.); Genie-Chef beim Gen.-Comdo. zu Budapest. (Rang 18. Sept. 1878.)

Hild, Carl, Comdt. der 73. k. ung. Landw.-Inf.-Brig. (zu Pressburg). (Rang 19. Sept. 1878.)

Hurter-Ammann, Franz v., ÖEKO-R. 3.; Genie-Chef beim Gen.-Comdo. in Wien. (Rang 20. Sept. 1878.)

Sacken, Adolph Freih. v., ÖEKO-R. 3. (KD.); Director des Kriegs-Archives und Vorstand der Abth. für Kriegsgeschichte. (Rang 21. Sept. 1878.)

Scharinger v. Olósy, Ignaz Ritt., ÖEKO-R. 3.; Stellvertreter des Vorstandes vom Präsidial-Bureau und Kanzlei-Director im R.-Kriegs-Mstm. (Rang 22. Sept. 1878.)

Meyszner, Ferdinand, Comdt. der 7. Cav.-Brig. (zu Temesvár). (Rang 23. Sept. 1878.)

Szveteney de Nagy-Ohay, Anton, ÖEKO-R. 3.; Comdt. der 8. Cav.-Brig. (zu Prag). (Rang 24. Sept. 1878.)

Schönberger, Béla Freih. v., ÖEKO-R. 3. (KD.), MVK. (KD.); Comdt. der 3. Cav.-Brig. (zu Marburg). (Rang 25. Sept. 1878.)

Gerlich Edl. v. Gerlichsburg, Rudolph, ÖEKO-R. 3. (KD.), ⊙; Art.-Chef beim Mil.-Comdo. zu Hermannstadt. (Rang 26. Sept. 1878.)

Kocy v. Cenisberg, Johann, MVK. (KD.); Comdt. der 70. Inf.-Brig. (zu Klausenburg). (Rang 27. Sept. 1878.)

Mossig, Carl Ritt. v., ÖEKO-R. 3. (KD.), MVK. (KD.); Genie-Chef beim Gen.-Comdo. zu Brünn. (Rang 28. Sept. 1878.)

Henneberg, Carl Ritt. v., ÖEKO-R. 3., MVK, (KD.); Comdt. der k. ung. Landw.-Cav.-Brig. (zu Jászberény). (Rang 29. Sept. 1878.)

Déesy, Georg v., ÖEKO-R. 3. (KD.); Comdt. der 40. Inf.-Brig. (zu Essegg). (Rang 30. Sept. 1878.)

Szabó, Joseph, Comdt. der 79. k. ung. Landw.-Inf.-Brig. (zu Budapest). (Rang 1. Oct. 1878.)

Prohaska, Friedrich, ÖEKO-R. 3. (KD.); Comdt. der 34. Inf.-Brig. (zu Arad). (Rang 1. Oct. 1878.)

Scotti, Georg Freih. v., Comdt. der 14. Cav.-Brig. (zu Agram). (Rang 3. Oct. 1878.)

Braumüller v. Tannbruck, Theodor, Comdt. der 68. Inf.-Brig. (zu Weisskirchen in Ungarn). (Rang 4. Oct. 1878.)

Urraca, Joseph Freih. v., ÖLO-R. (KD.), ÖEKO-R. 3. (KD.), MVK. (KD.); Comdt. der 59. Inf.-Brig. (zu Czernowitz). (Rang 5. Oct. 1878.)

Krynicki, Julian Ritt. v., MVK. (KD.); Comdt. der 37. Inf.-Brig. (zu Pilsen). (Rang 6. Oct. 1878.)

Kober, Guido v., MVK. (KD.); Vorstand der 1. Abth. des R.-Kriegs-Mstms. (Rang 7. Oct. 1878.)

Winterhalder, Carl, ÖEKO-R. 3., MVK. (KD.); Comdt. der 63. Inf.-Brig. (zu Budapest). (Rang 8. Oct. 1878.)

Ruiz de Roxas, Carl Chev., Comdt. der 6. Cav.-Brig. (zu Kaschau). (Rang 9. Oct. 1878.)

Lasollaye, Carl Freih. v.; Comdt. der 13. Cav.-Brig. (zu Brood). (Rang 10. Oct. 1878.)

Kaysersheimb, Carl v., ÖLO-R. (KD.); Comdt. der 25. Inf.-Brig. (zu Dolnj Tuzla). (Rang 1. Nov. 1878.)

Pilati Edl. v. Tassulen, Wilhelm, Comdt. der 9. Inf.-Brig. (zu Olmütz). (Rang 2. Nov. 1878.)

Lemaić, Georg, ÖLO-R. (KD.); Comdt. der 11. Inf.-Brig. (zu Graz). (Rang 3. Nov. 1878.)

Zaremba, Laurenz Ritt. v., ÖEKO-R. 3. (KD.); Comdt. der Mil.-Akad. zu Wr.-Neustadt (Rang 4. Nov. 1878.)

Angestellte Oberste.

Seine kaiserl. königl. Hoheit Rudolph (Franz Carl Joseph), kaiserl. Kronprinz und Erzherzog v. Oesterreich, königl. Prinz von Ungarn und Böhmen etc. etc. wie Seite 10, k. k. Linien-Schiffs-Capitän, Inhaber des IR. Nr. 19 und des Feld-Art.-Reg. Nr. 2, Chef des kais. russischen IR. „Sevsky" Nr. 34 und des königl. preussischen 2. brandenburgischen Uhl.-Reg. Nr. 11, Oberst-Inhaber des königl. bayerischen 2. schweren Reiter-Regimentsu. Oberst à la suite des königl. preussischen Kaiser Franz Garde-Grenadier-Reg. Nr. 2; beim IR. Freih. v. Ziemięcki Nr. 36.

Seine kaiserl. königl. Hoheit Ludwig Salvator, kaiserl. Prinz und Erzherzog von Oesterreich, königl. Prinz von Ungarn und Böhmen, grossherzogl. Prinz von Toscana etc. etc. wie Seite 16; Inhaber des IR. Nr. 58.

Seine königl. Hoheit Ernst August, Herzog von Cumberland und zu Braunschweig-Lüneburg, ✠, etc., Oberst im IR. Nr. 42.

Friedel, Johann Ritt. v., ÖEKO-R. 3., MVK. (KD.), im Armeestande; zug. dem k. k. Obersthofmeisteramte. (Rang 19. Aug. 1862.)

Windisch-Graetz, August Prinz zu, Durchlaucht, ✝, im IR. Carl Alexander, Grossherzog v. Sachsen-Weimar-Eisenach Nr. 64 (ü. c.); Oberstsilberkämmerer Seiner Majestät des Kaisers und Königs. (Rang 31. Oct. 1863.)

Cappy, Heinrich Gf., ÖLO-R. (KD.), MVK. (KD.), ✝, im Drag.-Reg. Eugen Prinz von Savoyen Nr. 13 (ü. c.); Dienstkämmerer Seiner k. k Hoheit des Erzherzogs Albrecht. (Rang 9. Sept. 1864.)

Brenneis, Johann Edl. v., im Armeestande; Expedits-Director beim R.-Kriegs-Mstm. (Rang 10. Oct. 1866.)

Schwarzer, August, Capitän-Lieutenant und Haus-Comdt. der Trabanten-Leibgarde. (Rang 17. Mai 1868.)

Moise Edl. v. Murvell, Joseph, MVK. (KD.), im Armeestande; Platz-Comdt. zu Graz. (Rang 18. April 1869.)

Ganahl, Joh. Ritt. v., ÖFJO-C., ÖEKO-R. 3., MVK. (KD.), im Armeestande; Triangulirungs-Director und Vorstand der Triangulirungs- und Calcül-Abth. im mil.-geogr. Inst. (Rang 22. Juni 1869.)

Siballić, Stephan Ritt. v., ÖEKO-R. 3., in der Mil.-Grenz-Verwaltungs-Branche; Präses der Central-Commission für die Forst-Servituten-Ablösung zu Temesvár. (Rang 24. Juni 1869.)

Trnski, Johann Ritt. v., ÖFJO-C., ÖEKO-R. 3., in der Mil.-Grenz-Verwaltungs-Branche; in besonderer Verwendung beim Gen.-Comdo. zu Agram. (Rang 25. Juni 1869.)

Hauschka v. Treuenfels, Franz, MVK. (KD.), im Armeestande; Platz-Comdt. zu Prag. (Rang 29. Oct. 1871.)

Göttlicher, Benedict, ÖEKO-R. 3., in der Mil.-Grenz-Verwaltungs-Branche; Präses der Central-Commission für die Forst-Servituten-Ablösung in der croatisch-slavonischen Mil.-Grenze. (Rang 14. Nov. 1871.)

Hostinek, Joseph, ÖFJO-R., in der Mil.-Grenz-Verwaltungs-Branche; zug. dem R.-Kriegs-Mstm. (Rang 29. Mai 1872.)

Kálnoky de Köröspatak, Gustav Gf., ÖLO-R., JO-Ehrenritter, ✝, im Armeestande; k. u. k. ausserordentl. Gesandter u. bevollmächtigter Minister am königl. dänischen Hofe. (Rang 5. Nov. 1872.)

Steiner, Carl, MVK., im Armeestande; Vorstand der 13. Abth. des R.-Kriegs-Mstms. (Rang 8. Nov. 1872.)

Maricki Edl. v. Sremoslav, Gregor, MVK. (KD.), im Armeestande; Stadt-Comdt. zu Mostar. (Rang 11. Nov. 1872.)

Oeynhausen, Heino Freih. v., im Uhl.-Reg. Erzherzog Carl Ludwig Nr. 7, (ü. c.): Präses der Remonten-Assent-Commission Nr. 3 zu Lemberg. (Rang 24. Nov. 1872.)

Leidl, Carl Ritt. v., ÖEKO-R. 3. (KD.), MVK. (KD.); Sanitäts-Truppen-Comdt. (Rang 26. Nov. 1872.)

Rothauscher, Carl, im Armeestande; Vorstand des Schriften-Archives im Kriegs-Archive. (Rang 24. April 1873.)

Ebner, Rudolph Ritt. v., im Genie-Stabe; Genie-Chef beim Gen.-Comdo. zu Agram. (Rang 2. Nov. 1873.)

Hempfling, Rudolph, ÖEKO-R. 3. (KD.), MVK. (KD.); im IR. Freih. v. Knebel Nr. 76 (ü. c.); Comdt. der 49. Inf.-Brig. (in Wien). (Rang 10. Nov. 1873.)

Krenosz, Carl, MVK. (KD.), im Husz.-Reg. Freih. v. Edelsheim-Gyulai Nr. 4 (ü. c.); Comdt. der 21. Cav.-Brig. (zu Brzezan). (Rang 12. Nov. 1873.)

Croy, Leopold Prinz, Durchlaucht, ÖEKO-R. 3., im Drag.-Reg. Carl Prinz von Preussen Nr. 8 (ü. c.); Comdt. der 2. Cav.-Brig. (zu Linz). (Rang 13. Nov. 1873.)

Liechtenberg - Mordaxt - Schneeberg, Arthur Gf., im Husz.-Reg. Prinz Thurn und Taxis Nr. 3 (ü. c.); Comdt. der 17. Cav.-Brig. (zu Güns). (Rang 14. Nov. 1873.)

Gniewosz v. Olexow, Sigmund Ritt, ♱; Comdt. des Uhl.-Reg. Ludwig Gf. von Trani, Prinz beider Sicilien Nr. 13. (Rang 15. Nov. 1873.)

Volkart, August, im IR. Freih. v. Weber Nr. 22 (ü. c.); Comdt. der 62. Inf.-Brig. (zu Stuhlweissenburg). (Rang 28. April 1874.)

Osvadić, Anton, Comdt. des Peterwardeiner IR. Freih. v. Philippović Nr. 70. (Rang 29. April 1874.)

Mällner, Hermann, MVK. (KD.) im IR. Gf. Thun-Hohenstein Nr. 54 (ü. c.); Comdt. der 2. Inf.-Brig. (zu Banjaluka). (Rang 2. Mai 1874.)

Schwerdtner, Julius, im Armeestande; beim Gen.-Comdo. zu Budapest. (Rang 3. Mai 1874.)

Pawlikowski v. Cholewa, Joseph Ritt., MVK. (KD.), im IR. Freih. v. Handel Nr. 10 (ü. c.); Comdt. der 60. Inf.-Brig. (zu Lemberg). (Rang 4. Mai 1874.)

Dückher, Gustav Freih. v., ○ 2.; Comdt. des Drag.-Reg. Nikolaus I., Kaiser von Russland Nr. 5. (Rang 5. Mai 1874.)

Gaffron v. Oberstradam, Rudolph Freih., MVK. (KD.), ○ 1.; Comdt. des Husz.-Reg. Nikolaus, Grossfürst von Russland Nr. 2. (Rang 6. Mai 1874.)

Nieke, Carl, MVK. (KD.), im Art.-Stabe; Art.-Chef beim Gen.-Comdo. zu Agram. (Rang 7. Mai 1874.)

Krieghammer, Edmund Edl. v., MVK. (KD.); Comdt. des Drag.-Reg. Albert, König v. Sachsen Nr. 3. (Rang 8. Mai 1874.)

Kukulj, Peter, im Generalstabs-Corps (ü. c.); Comdt. der 5. Inf.-Brig. (in Wien). (Rang 9. Mai 1874.)

Keil, Heinrich Ritt. v., ÖEKO-R. 3. (KD), MVK., im Genie-Stabe; Genie-Chef beim VIII. Inf.-Trup.-Div.- u. Mil.-Comdo. zu Innsbruck. (Rang 19. Oct. 1874.)

Mayer v. Monte arabico, Anton Ritt., ÖEKO-R. 3. (KD.), im IR. Freih. v. Ziemięcki Nr. 36 (ü. c.); Comdt. der 18. Inf.-Brig. (zu Prag). (Rang 20. Oct. 1874.)

Killić, Nikolaus, MVK. (KD.), im IR. Freih. v. Kussevich Nr. 33 (ü. c.); Comdt. der 8. Inf.-Brig. (zu Gorazda). (Rang 21. Oct. 1874.)

Obadich, Joseph, im IR. Carl Alexander, Grossherzog von Sachsen-Weimar-Eisenach Nr. 64 (ü. c.); Comdt. der 71. Inf.-Brig. (zu Visoka). (Rang 23. Oct. 1874.)

Villecz, Friedrich v., ÖEKO-R. 2. (KD.), MVK. (KD.), im IR. Bernhard Herzog von Sachsen-Meiningen Nr. 46 (ü c.); Comdt. der 1. Gebirgs-Brig. bei der VII. Inf.-Trup.-Div. (zu Travnik). (Rang 24. Oct. 1874.)

Frantzl v. Franzensburg, Carl Ritt., ÖLO-R. (KD.); Comdt. des IR. Erzherzog Sigmund Nr. 45. (Rang 27. Oct. 1874.)

Hiltl, Anton, ÖEKO-R. 3. (KD.), im IR. Wilhelm Herzog von Württemberg Nr. 73 (ü. c.); Comdt. der 22. Inf.-Brig. (zu Lemberg). (Rang 29. Oct. 1874).

Metz, Alexander Edl. v., ÖEKO-R. 3. (KD.), MVK. (KD.), im IR. Ritt. v. Hartung Nr. 47 (ü. c.); Comdt. der 4. Inf.-Brigade (in Wien). (Rang 30. Oct. 1874.)

Urban, Carl Freih. v., MVK. (KD.), im IR. Erzherzog Rainer Nr. 59 (ü. c.); Comdt. der 4. Gebirgs-Brig. bei der

XVIII. Inf.-Trup.-Div. (zu Mostar). (Rang 31. Oct. 1874.)

König, Arnold, ÖLO-R. (KD.), ÖEKO-R. 3. (KD.), im Generalstabs-Corps (ü. c.); Comdt. der 1. Inf.-Brig. (zu Serajevo). (Rang 2. Nov. 1874.)

Paar, Eduard Gf., ✠; Comdt. des Drag.-Reg. Erzherzog Albrecht Nr. 4. (Rang 5. Nov. 1874.)

Demel, August, MVK. (KD.), im Generalstabs-Corps; Generalstabs - Chef beim Mil.-Comdo. zu Hermannstadt. (Rang 6. Nov. 1874.)

Fricke, Georg, MVK. (KD.); Comdt. des Drag.-Reg. Alexander Prinz von Hessen und bei Rhein Nr. 6. (Rang 8. Nov. 1874.)

Pokorny, Alois, Comdt. des Husz.-Reg. Gf. Pálffy Nr. 15. (Rang 9. Nov. 1874.)

Pálffy ab Erdöd, Andreas Gf., St.O-R., ÖLO-R., ✠, im Husz.-Reg. Carl I., König von Württemberg Nr. 6 (ü. c.); Erster Stallmeister Seiner Majestät des Kaisers und Königs. (Rang 10. Nov. 1874.)

Merolt, Heinrich, Comdt. des Husz.-Reg. Gf. Radetzky Nr. 5. (Rang 11. Nov. 1874.)

Müller, Friedrich Ritt. v., ÖLO-R., ÖEKO-R. 3., MVK. (KD.), im Art.-Stabe; Vorstand der 7. Abth. des R.-Kriegs-Mstms. (Rang 15. Nov. 1874.)

Haymerle, Alois Ritt. v., ÖEKO-R. 3., MVK. (KD.), im Generalstabs-Corps; Mil.-Attaché bei der k. u. k. Botschaft am königl. italienischen Hofe zu Rom. (Rang 17. April 1875.)

Klimburg, Eugen Edl. v., ÖEKO-R. 2. (KD.), ○ 2., im IR. Leopold II., König der Belgier Nr. 27 (ü. c.); Besatzungs-Truppen-Brigadier in Süd-Dalmatien (zu Ragusa). (Rang 18. April 1875.)

Roskiewicz, Johann, ÖFJO-R., MVK. (KD.), im IR. Ludwig II., König von Bayern Nr. 5 (ü. c.); Vorstand der Kartographie-Abth. im mil.-geogr Inst. (Rang 21. April 1875.)

Borosini Edl. v. Hohenstern, Gustav Ritt., Comdt. des IR. Hoch- und Deutschmeister Nr 4. (Rang 23. April 1875.)

Korwin, Emanuel Ritt. v., ÖEKO-R. 3. (KD.), im Generalstabs-Corps; Generalstabs-Chef beim VIII. Inf.-Trup.-Div.- und Mil. - Comdo. zu Innsbruck. (Rang 27. April 1875.)

Bartuska v. Bartavár, Maximilian, Comdt. des IR. Ludwig Prinz von Bayern Nr. 62. (Rang 28. April 1875.)

Joly, Emil Ritt. v., ÖEKO-R. 3. (KD.); Comdt. des IR. Adolph Herzog zu Nassau Nr. 15. (Rang 30. April 1875.)

Kuhn v. Kuhnenfeld, Alexander Freih., ÖLO-R. (KD.); Comdt. des IR. Gf. Crenneville Nr. 75. (Rang 1. Mai 1875.)

Weikard, Franz, MVK., im Generalstabs-Corps; Chef der III. Section im techn. u. adm. Mil. - Comité. (Rang 2. Mai 1875.)

Daublebsky v. Sterneck, Moriz Ritt., ÖLO-R., ÖEKO-R. 3. (KD.), MVK. (KD.), im Generalstabs-Corps; Generalstabs-Chef beim Gen.-Comdo. zu Prag. (Rang 3. Mai 1875.)

Werner, Anton, ÖLO-R., ÖEKO-R. 3., MVK., im Genie-Stabe; Genie-Chef beim Gen.-Comdo. zu Lemberg. (Rang 4. Mai 1875.)

Brecska, Gustav Ritt. v., ÖLO-R., ÖEKO-R. 3. (KD.); Comdt. der Leibgarde-Reiter-Escadron. (Rang 5. Mai 1875.)

Romano, Albert, im Genie-Stabe; Mil.-Bau-Director zu Budapest. (Rang 6. Mai 1875.)

Neumann v. Spallart, Julius Ritt., MVK. (KD.), Comdt. des Drag.-Reg. Kaiser Franz Joseph Nr. 1. (Rang 7. Mai 1875.)

Schwarz, Albert, Comdt. des Uhl.-Reg. Alexander II., Kaiser von Russland Nr. 11. (Rang 8. Mai 1875.)

De Vaux, Ludwig Freih., ÖEKO-R. 3. (KD.), ✠; Comdt. des Uhl.-Reg. Erzherzog Carl Nr. 3. (Rang 9. Mai 1875.)

Szivó de Bunya, Johann, ÖEKO-R. 3. (KD.), MVK. (KD.); Comdt. des Jazygier und Kumanier Husz.-Reg. Friedrich Prinz zu Liechtenstein Nr. 13. (Rang 10. Mai 1875.)

Joch, Franz, im Art.-Stabe; Art.-Chef beim VIII. Inf.-Trup.-Div.- u. Mil.-Comdo. zu Innsbruck. (Rang 11. Mai 1875.)

Łaszowski v. Kraszkowicze, Miecislaus Ritt., Comdt. des Uhl.-Reg. Fürst zu Schwarzenberg Nr. 2. (Rang 14. Mai 1875.)

Lenk v. Wolfsberg, Rudolph Freih., ÖEKO-R. 3., (KD.), MVK. (KD.), im Art.-Stabe; Art.-Chef beim Mil.-Comdo. zu Zara. (Rang 15. Mai 1875.)

Frank, Eduard, ÖLO-R. (KD.), MVK. (KD.), im Art.-Stabe; Art.-Director beim Gen.-Comdo. zu Serajevo. (Rang 16. Mai 1875.)

Modřický, Eduard, ÖEKO-R. 3., MVK. (KD.); Comdt. des Feld-Art.-Reg. Kaiser Franz Joseph Nr. 1. (Rang 17. Mai 1875.)

Kubin, Johann Ritt. v., ÖEKO-R. 3. (KD.); Comdt. des Feld-Art.-Reg. Kronprinz Erzherzog Rudolph Nr 2. (Rang 18. Mai 1875.)

Maurer v. Mörtelau, Alois, MVK. (KD.); im Armeestande; Comdt. des Mil.-Invalidenhauses in Wien. (Rang 8. Aug. 1875.)

Popp, Leonidas, ÖEKO-R. 2. (KD.), MVK. (KD.); im Generalstabs-Corps; zur Disposition des Generalstabes. (Rang 27. Oct. 1875.)

Mathes, Friedrich, MVK. (KD.); Comdt. des IR. Friedrich Wilhelm, Kronprinz des deutschen Reiches und Kronprinz von Preussen Nr. 20. (Rang 28. Oct. 1875.)

Davidovac, Sabbas, MVK. (KD.), ○ 1.; Comdt. des IR. Carl Ludwig, Herzog von Parma Nr. 24. (Rang 29. Oct. 1875.)

Susich, Anton v., Comdt. des Warasdiner IR. Freih. v. Wezlar Nr. 16. (Rang 30. Oct. 1875.)

Maczak v. Ottenburg, Victor, Comdt. des IR. Erzherzog Carl Salvator Nr. 77. (Rang 3. Nov. 1875.)

Bartels v. Bartberg, Gustav Ritt., ÖEKO-R. 3. (KD.), MVK. (KD.), im Armeestande; Platz-Comdt. zu Olmütz. (Rang 4. Nov. 1875.)

Buchta, Franz, ÖEKO-R. 3. (KD.); Comdt. des IR. Erzherzog Ernst Nr. 48 (Rang 5. Nov. 1875.)

Hilleprandt, Anton Edl. v., ÖLO-R., ÖEKO-R. 3. (KD.), im Generalstabs-Corps; Chef des Eisenbahn-Bureau. (Rang 6. Nov. 1875.)

Ochsenheimer, Friedrich Ritt. v., ÖEKO-R. 3., MVK. (KD.), im Generalstabs-Corps; Chef des Directions-Bureau. (Rang 8. Nov. 1875.)

Merkl, Rudolph, ÖLO-R., ÖEKO-R. 3., MVK. (KD.), im Generalstabs-Corps; Vorstand der 5. Abth. des R.-Kriegs-Mstms. (Rang 9. Nov. 1875.)

Kiszling, Alexander, MVK. (KD.); Comdt. des IR. Ferdinand IV., Grossherzog von Toscana Nr. 66. (Rang 12. Nov. 1875.)

Bertrand d'Omballe, Emil Freih., Comdt. des Drag.-Reg. Kaiser Franz Joseph Nr. 11. (Rang 14. Nov. 1875.)

Ráak, Carl, MVK.; Comdt. des Art.-Zeugs-Depots zu Graz. (Rang 15. Nov. 1875.)

David Edl. v. Rhonfeld, Emil, ÖLO-R. (KD.); Comdt. des IR. Freih. v. Scudier Nr. 29. (Rang 16. Nov. 1875.)

Obauer Edl. v. Bannerfeld, Hugo, ÖFJO-R., MVK. (KD.), im Generalstabs-Corps; Generalstabs-Chef beim Gen.-Comdo. zu Lemberg. (Rang 17. Nov. 1875.)

Kindermann, Anton, ÖEKO-R. 3. (KD.), Comdt. des Feld-Art.-Reg. Gf. Bylandt-Rheidt Nr. 9. (Rang 20. Nov. 1875.)

Wagner, Wilhelm Ritt. v., ÖEKO-R. 3. (KD.); Comdt. des Feld-Art.-Reg. v. Hutschenreiter Nr. 10. (Rang 21. Nov. 1875.)

Wimpffen, Franz Freih. v., GHR. ✠, im Armeestande; Obersthofmeister Seiner k. k. Hoheit des Erzherzogs Ludwig Victor. (Rang 26. April 1876.)

Linner, Gustav, ÖEKO-R. 3. (KD.), MVK. (KD.), im Armeestande; Comdt. des Mil.-Invalidenhauses zu Prag. (Rang 27. April 1876.)

Turnau Edl. v. Dobczyc, Joseph, im Genie-Stabe; Mil.-Bau-Director in Wien. (Rang 28. April 1876.)

Buschmann, Franz Freih. v., Comdt. des IR. Freih. v. Dormus Nr. 72. (Rang 1. Mai 1876.)

Reicher, Joseph, MVK. (KD.), im Generalstabs-Corps; Comdt. des IR. Freih. v. Philippović Nr. 35. (Rang 2. Mai 1876.)

Bogović v. Grombothal, Johann Ritt., MVK. (KD.); Comdt. des IR. Freih. v. Šokčević Nr. 78. (Rang 5. Mai 1876.)

Polz Edl. v. Ruttersheim, Carl, MVK. (KD.); Comdt. des IR. Nr. 52. (Rang 6. Mai 1876.)

Risch, Theodor v., MVK. (KD.); Comdt. des IR. Constantin Grossfürst von Russland Nr. 18. (Rang 7. Mai 1876.)

Sekulich, Basilius, ÖEKO-R. 3. (KD.); Comdt. des IR. Alexander I., Kaiser v. Russland Nr. 2. (Rang 9. Mai 1876.)

Reichlin-Meldegg, Carl Freih. v., ÖEKO-R. 3. (KD.), MVK. (KD.); Comdt. des IR. Edl. v. Pürcker Nr. 25. (Rang 10. Mai 1876.)

Némethy, Johann Edl. v., Comdt. des IR. Freih. v. Rossbacher Nr. 71. (Rang 13. Mai 1876.)

Henriquez, Hugo v., MVK. (KD.); Comdt. des IR. Erzherzog Carl Nr. 3. (Rang 14. Mai 1876.)

Drexler, Carl, ÖEKO-R. 3., im Generalstabs-Corps; Generalstabs-Chef beim Gen.-Comdo. zu Budapest. (Rang 18. Mai 1876.)

Wiser, Friedrich Ritt. v., ÖEKO-R. 3. (KD.), MVK. (KD.), im Generalstabs-Corps; Generalstabs-Chef beim Gen.-Comdo. zu Brünn. (Rang 19. Mai 1876.)

Gruhl, Wilhelm, ÖEKO-R. 3. (KD.), MVK.; Comdt. des IR. Gf. Gondrecourt Nr. 55. (Rang 20. Mai 1876.)

Berres Edl. v. Perez, Alfred, Comdt. des Drag.-Reg. Eugen Prinz von Savoyen Nr. 13. (Rang 21. Mai 1876.)

Gabriányi, Joseph, Comdt. des Husz.-Reg. Friedrich Wilhelm III., König von Preussen Nr. 10. (Rang 22. Mai 1876.)

Kodolitsch, Alphons v., ÖEKO-R. 3. (KD.), MVK. (KD.); Comdt. des Husz.-Reg. Carl I., König v. Württemberg Nr. 6. (Rang 23. Mai 1876.)

Leddihn, Adolph, MVK., im Generalstabs-Corps; Chef des Evidenz-Bureau. (Rang 25. Mai 1876.)

Czveits de Potissje, Alexander Ritt., ÖEKO-R. 3. (KD.), MVK. (KD.), Comdt. des Husz.-Reg. Franz Prinz zu Liechtenstein Nr. 9. (Rang 26. Mai 1876.)

Degenfeld-Schonburg, Ferdinand Gf., MVK. (KD.), ✠, im Generalstabs-Corps; als Erzieher zug. dem Hofstaate Seiner k. k. Hoheit des Erzherzogs Carl Ludwig. (Rang 27. Mai 1876.)

Vallentsits, Alfred Edl. v., MVK. (KD.), im Generalstabs-Corps; Generalstabs-Chef beim Gen.-Comdo. zu Graz. (Rang 28. Mai 1876.)

Bechtolsheim, Anton Freih. v., ✠, St.O-R., ÖLO-R., ÖEKO-R. 3. (KD.), DO-C., ✠, im Uhl.-Reg. Kaiser Franz Joseph Nr. 4 (ü. c.); Flügel-Adjutant Seiner Majestät des Kaisers und Königs und Mil.-Bevollmächtigter bei der k. u. k. Botschaft zu St. Petersburg. (Rang 29. Mai 1876.)

Fischer v. Wellenborn, Carl, Comdt. des Drag.-Reg. Wilhelm Herzog v. Braunschweig Nr. 7. (Rang 30. Mai 1876.)

Smekal, Carl v., im Art.-Stabe; Fest.-Art.-Director zu Komorn. (Rang 31. Mai 1876.)

Lobkowitz, Rudolph Prinz v., Durchlaucht, ÖEKO-R. 3. (KD.), MVK. (KD.), ✠; Comdt. des Feld-Art.-Reg. Freih. v. Lenk Nr. 5. (Rang 1. Juni 1876.)

Wolter Edl. v. Eckwehr, Adolph, im Genie-Stabe; Genie-Chef beim Mil.-Comdo. zu Hermannstadt. (Rang 25. Oct. 1876.)

Fössl, Friedrich, ÖLO-R., im Genie-Stabe; Genie-Director zu Krakau. (Rang 26. Oct. 1876.)

Komadina, Miloš, im Genie-Stabe; Genie-Chef beim Gen.-Comdo. zu Serajevo. (Rang 27. Oct. 1876.)

Mossig, Theobald Ritt. v., MVK. (KD.), im Genie-Stabe; Genie-Director zu Theresienstadt. (Rang 28. Oct. 1876.)

Schmidt, Carl, im Genie-Stabe (ü. c.); Vorstand der 5. Abth. in der Marine-Section des R.-Kriegs-Mstms. (Rang 29. Oct. 1876.)

Pollini, Friedrich Ritt. v., Comdt. des Genie-Reg. Erzherzog Leopold Nr. 2. (Rang 30. Oct. 1876.)

Chiolich v. Löwensberg, Hermann, ÖEKO-R. 3., im Genie-Stabe; Genie-Director zu Komorn. (Rang 31. Oct. 1876.)

Haas, Stephan, Comdt. des IR. Wilhelm I., deutscher Kaiser u. König v. Preussen Nr. 34. (Rang 1. Nov. 1876.)

Fischer v. See, Carl, ÖEKO-R. 3. (KD.); Haus-Comdt. der Hofburgwache. (Rang 4. Nov. 1876.)

Hostinek, Paul, ÖEKO-R. 3. (KD.); Comdt. des IR. Erzherzog Leopold Nr. 53. (Rang 7. Nov. 1876.)

Kövess v. Kövessháza, Albin, Comdt. des IR. Wilhelm Prinz zu Schleswig-Holstein-Glücksburg Nr. 80. (Rang 8. Nov. 1876.)

Machalitzky, Carl, ÖEKO-R. 3. (KD.), MVK. (KD.); Comdt. des IR. Alexander Czesarewitsch, Grossfürst und Thronfolger v. Russland Nr. 61. (Rang 10. Nov. 1876.)

Hoevel, Hermann v., im Genie-Stabe; Genie-Director zu Pola. (Rang 12. Nov. 1876.)

Schmelzer, Carl, Comdt. des IR. Freih. v. Ringelsheim Nr. 30. (Rang 13. Nov. 1876.)

Heimbach, Alexander, Comdt. des IR. Ritt. v. Benedek Nr. 28. (Rang 15. Nov. 1876.)

Pecchio v. Weitenfeld, Adolph Ritt., MVK. (KD.), Comdt. des IR. Erzherzog Ludwig Victor Nr. 65. (Rang 16. Nov. 1876.)

Fidler v. Isarborn, Adolph, MVK.; Comdt. des IR. Erzherzog Ludwig Salvator Nr. 58. (Rang 19. Nov. 1876.)

Kurz, Emil, Comdt. des IR. Friedrich Franz, Grossherzog von Mecklenburg-Schwerin Nr. 57. (Rang 21. Nov. 1876.)

Czibulka, Ernst, ÖEKO-R. 3. (KD.); Comdt. des IR. Georg Prinz v. Sachsen Nr. 11. (Rang 22. Nov. 1876.)

Lempruch, Anton Freih. v., ÖEKO-R. 3. (KD.); Comdt. des IR. Nr. 42. (Rang 23. Nov. 1876.)

Duka v. Dukafalú, Constantin, Comdt. des Husz.-Reg. v. Fratricsevics Nr. 12. (Rang 24. Nov. 1876.)

Traxler v. Schrollheim, Joseph, Comdt. des Uhl.-Reg. Kaiser Franz Joseph Nr. 6. (Rang 25. Nov. 1876.)

Ambrozy, Heinrich Ritt. v., ÖEKO-R. 3. (KD.), MVK. (KD.), im Drag.-Reg. Albert, König von Sachsen Nr. 3 (ü. c.); Vorstand der 3. Abth. des R.-Kriegs-Mstms. (Rang 26. Nov. 1876.)

Pelikan, Ottomar, Comdt. des Drag.-Reg. Freih. v. Piret Nr. 9. (Rang 27. Nov. 1876.)

Blaschke, Julius, ÖEKO-R. 3. (KD.); Comdt. des IR. v. Nagy Nr. 60. (Rang 30. Nov. 1876.)

Töply v. Hohenvest, Franz, Comdt. des IR. Ritt. v. Schmerling Nr. 67. (Rang 1. Dec. 1876.)

Bourcy, Franz de, MVK. (KD.); Comdt. des IR. Ludwig II., König v. Bayern Nr. 5. (Rang 4. Dec. 1876.)

Groller v. Mildensee, Johann, im Generalstabs-Corps; in Dienstesverwendung bei Sr. k. k. Hoheit dem General-Inspector des k. k. Heeres FM. Erzherzog Albrecht. (Rang 5. Dec. 1876.)

Pittoni v. Dannenfeldt, Ferdinand Ritt., im IR. Gf. Nobili Nr. 74; in besonderer Verwendung beim R.-Kriegs-Mstm. (Rang 6. Dec. 1876.)

Zambaur, Eduard v., Comdt. des IR. Kaiser Franz Joseph Nr. 1. (Rang 9. Dec. 1876.)

Bolzano Edl. v. Kronstätt, Friedrich, MVK. (KD.), Comdt. des Pion.-Reg. (Rang 10. Dec. 1876.)

Knöpfler, Alois, ÖEKO-R. 3. (KD.), MVK. (KD.), Comdt. des Tiroler Jäg.-Reg. Kaiser Franz Joseph. (Rang 11. Dec. 1876.)

Crusiz, Othmar, ÖEKO-R. 3., MVK., (KD.), im Generalstabs-Corps; Comdt. des IR. Freih. v. Hess Nr. 49. (Rang 12. Dec. 1876.)

Körber, Hermann, Comdt. des Drag.-Reg. Gf. v. Neipperg Nr. 12. (Rang 13. Dec. 1876.)

Wrede, Nikolaus Fürst, ÖLO-R., ÖEKO-R. 3., im Husz.-Reg. Carl I., König von Württemberg Nr. 6 (ü. c.); diplomatischer Agent und Gen.-Consul zu Belgrad. (Rang 14. Dec. 1876.)

Üxküll-Gyllenband, Alexander Gf., ♰, Comdt. des Drag.-Reg. Fürst zu Windisch-Graetz Nr. 14. (Rang 15. Dec. 1876.)

Binder, Friedrich, MVK. (KD.), im Armeestande; Platz-Comdt. zu Komorn. (Rang 16. Dec. 1876.)

Giesl v. Gieslingen, Adolph, Comdt. des IR. Freih. v. Abele Nr. 8. (Rang 17. Dec. 1876.)

Galgótzy, Anton, ÖEKO-R. 3. (KD.), im Generalstabs-Corps; Chef des Burau für operative und besondere Generalstabs-Arbeiten. (Rang 18. Dec. 1876.)

Nauendorff, Heinrich v., Comdt. des Uhl.-Reg. Kaiser Franz Joseph Nr. 4. (Rang 19. Dec. 1876.)

Schwiblik, Franz, MVK., im Art.-Stabe; Fest.-Art.-Director zu Pola. (Rang 20. Dec. 1876.)

Czibarz, Alois, Comdt. des Feld-Art.-Reg. Erzherzog Wilhelm Nr. 6. (Rang 21. Dec. 1876.)

Waldstätten, Georg Freih. v., MVK. (KD.), im Generalstabs-Corps; Generalstabs-Chef beim Gen.-Comdo. in Wien. (Rang 22. Dec. 1876.)

Wurmb, Adolph v., ÖEKO-R. 3. (KD.), MVK. (KD.), im Generalstabs-Corps; Vorstand der 6. Abth. des R.-Kriegs-Mstms. (Rang 23. Dec. 1876.)

Hilgers v. Hilgersberg, Wilhelm, MVK. (KD.); Comdt. des IR. Alexis Grossfürst von Russland Nr. 39. (Rang 17. Mai 1878).

Brunswik v. Korompa, Ludwig, Comdt. des IR. Wilhelm Herzog von Württemberg Nr. 73. (Rang 18. Mai 1878).

Bordolo v. Boreo, Hermann Ritt., Res.-Comdt. des IR. Freih. v. Hess Nr. 49. (Rang 19. Mai 1878).

Ott Edl. v. Ottenkampf, Theodor, MVK. (KD.); Comdt. des IR. Freih. v. Mondel Nr. 21. (Rang 20. Mai 1878).

Hotze, Friedrich, ÖEKO-R. 3. (KD.), MVK. (KD.); Comdt. des IR. Freih. v. Ziemięcki Nr. 36. (Rang 21. Mai 1878).

Busch, August, im Drag.-Reg. Kaiser Franz Joseph Nr. 11 (ü. c.); Präses der Remonten-Assent-Commission Nr. 2 zu Grosswardein. (Rang 22. Mai 1878).

Baselli v. Süssenberg, Peter Freih., ÖEKO-R. 3. (KD.), MVK. (KD.); Res.-Comdt. des IR. Nr. 42. (Rang 23. Mai 1878).

Freyschlag Edl. v. Freyenstein, Adolph, MVK. (KD.); Res.-Comdt. des IR. Ritt. v. Benedek Nr. 28. (Rang 24. Mai 1878).

Ecker-Krauss, Julius Edl. v., MVK. (KD.); Res.-Comdt. des IR. Gf. Nobili Nr. 74. (Rang 25. Mai 1878).

Hannbeck, Johann, MVK. (KD.); Comdt. des IR. v. Baumgarten Nr. 56. (Rang 26. Mai 1878).

Pelican, Heinrich, O 2.; Comdt. des IR. Freih. v. Packenj Nr. 9. (Rang 27. Mai 1878).

Némethy, Norbert Edl. v., ÖEKO-R. 3. (KD.), O 2., im Generalstabs-Corps; zur Disposition des Generalstabes. (Rang 28. Mai 1878.).

Handel-Mazzetti, Eduard Freih. v, MVK., im Generalstabs-Corps; Generalstabs-Chef beim Mil.-Comdo. zu Pressburg. (Rang 29. Mai 1878).

Teuffenbach zu Tiefenbach und Masswegg, Albin Freih. v., ÖEKO-R. 3., im Generalstabs-Corps (ü. c.); als Erzieher zug. dem Hofstaate Seiner k. k. Hoheit des Erzherzogs Ferdinands IV., Grossherzog von Toscana. (Rang 30. Mai 1878.)

Pittel, Heinrich Freih. v., ÖLO-R. (KD.), MVK. (KD.), Comdt. des IR. Freih. v. Mollinary Nr. 38. (Rang 26. August 1878.)

Madurowicz, Oskar Ritt. v., ÖEKO-R. 3. (KD.), MVK. (KD.), im Armeestande; Fest.-Comdt. zu Alt-Gradisca. (Rang 15. Sept. 1878.)

Miskich, Franz v., im Genie-Stabe; Mil.-Bau-Director zu Prag. (Rang 18. Sept. 1878.)

Roszkowski, Julian v., MVK. (KD.), im Genie-Stabe; Genie-Director zu Serajevo. (Rang 19. Sept. 1878.)

Wonnesch, Maximilian, Comdt. des Drag.-Reg. Carl Prinz von Preussen Nr. 8. (Rang 21. Sept. 1878.)

Gradl, Wilhelm, MVK. (KD.); Comdt. des Uhl.-Reg. Erzherzog Carl Ludwig Nr. 7. (Rang 22. Sept. 1878.)

Sponner, Albert, im Art.-Stabe; zug. dem Gen.-Art.-Inspector. (Rang 23. Sept. 1878.)

Kollarz, Adolph, O 1.; Comdt. des Feld-Art.-Reg. Ritt. v. Hauslab Nr. 4. (Rang 24. Sept. 1878.)

Dierkes, Ludwig, Comdt. des IR. Kronprinz Erzherzog Rudolph Nr. 19. (Rang 25. Sept. 1878.)

Abele v. Lilienberg, Johann Freih., Comdt. des IR. Michael Grossfürst von Russland Nr. 26. (Rang 26. Sept. 1878.)

Gerstenkorn, Julius, Res.-Comdt. des IR. Erzherzog Ludwig Salvator Nr 58. (Rang 27. Sept. 1878.)

Rukavina v. Liebstadt, Joseph, Res.-Comdt. des IR. Carl Alexander, Grossherzog von Sachsen-Weimar-Eisenach Nr. 64. (Rang 28. Sept. 1878.)

Mestrović v. Arly, Peter, Comdt. des IR. Gf. Jellačić Nr. 69. (Rang 29. Sept. 1878.)

Lang, Franz, Res.-Comdt. des IR. Alexander Czesarewitsch, Grossfürst und Thronfolger von Russland Nr. 61. (Rang 30. Sept. 1878.)

Fischer Edl. v. Zickwolff, Heinrich, MVK. (KD.); Res.-Comdt. des IR. Georg Prinz von Sachsen Nr. 11. (Rang 1. Oct. 1878.)

Woržikowsky v. Kundratitz, Carl Ritt., Comdt. des IR. Bernhard Herzog von Sachsen-Meiningen Nr. 46. (Rang 2. Oct. 1878.)

Motusz de Alsó-Rasztoka, Ladislaus, Res.-Comdt. des IR. Gf. Gondrecourt Nr. 55. (Rang 3. Oct. 1878.)

Schroft, Carl, Res.-Comdt. des IR. Erzherzog Ludwig Victor Nr. 65. (Rang 4. Oct. 1878.)
Prevot, Carl, Res.-Comdt. des IR. Freih. v. Ziemięcki Nr. 36. (Rang 5. Oct. 1878.)
Brecht von der Wallwacht, Carl, Res.-Comdt. des IR. Freih. v. Kussevich Nr. 33. (Rang 6. Oct. 1878.)
Oberbacher, Anton, Comdt. des Res.-IR. Freih. v. Mollinary Nr. 38. (Rang 7. Oct. 1878.)
Mierzynski, Adolph, Comdt. des IR. Friedrich Wilhelm Ludwig, Grossherzog von Baden Nr. 50. (Rang 8. Oct. 1878.)
Konja, Julius, MVK. (KD.); Res.-Comdt. des IR. Carl Ludwig, Herzog von Parma Nr. 24. (Rang 9. Oct. 1878.)
Tempis, Joseph v., MVK. (KD.); Res.-Comdt. des IR. Edl. v. Pürcker Nr. 25. (Rang 10. Oct. 1878.)
Ott Edl. v. Ottenkampf, Joseph, MVK. (KD.); Res.-Comdt. des IR. Gf. Crenneville Nr. 75. (Rang 11. Oct. 1878.)
Harrer, Joseph, MVK. (KD.), ○ 1., ○ 2.; Res.-Comdt. des IR. Freih. v. Dormus Nr. 72. (Rang 12. Oct. 1878.)
Radaković, Simon, Res.-Comdt. des IR. Freih. v. Weber Nr. 22. (Rang 13 Oct. 1878.)
Sertić, Carl, Comdt. des Warasdiner Res.-IR. Freih. v. Wezlar Nr. 16. (Rang 14. Oct. 1878.)
Nüscheler, Conrad, ○ 2.; im Tiroler Jäg.-Reg. Kaiser Franz Joseph. (Rang 15. Oct. 1878.)
Poschacher, Martin Ritt. v., ÖEKO-R. 3. (KD.); Res.-Comdt. des IR. Ludwig Prinz v. Bayern Nr. 62. (Rang 16 Oct. 1878.)
Toms, Gustav, ÖLO-R. (KD.), OEKO-R. 3 (KD.), MVK. (KD.); Res.-Comdt. des IR. Friedrich Wilhelm, Kronprinz des deutschen Reiches und Kronprinz von Preussen Nr. 20. (Rang 17 Oct. 1878.)
Scharinger, Gustav, Res.-Comdt des IR. Ludwig IV., Grossherzog von Hessen Nr. 14. (Rang 18. Oct. 1878.)
Milde v. Helfenstein, Hugo, ÖLO-R. (KD.), MVK. (KD.), im Generalstabs-Corps; Comdt. des IR. Nr. 32. (Rang 21. Oct. 1878.)
Dubsky v. Trzebomislitz, Guido Gf., ✠, im Generalstabs-Corps; Res.-Comdt. des IR. Wilhelm Herzog von Württemberg Nr. 73. (Rang 22. Oct. 1878.)

(Gedruckt am 21. December 1878.)

Pfeiffer v. Ehrenstein-Rohmann, Carl Freih., MVK, im Generalstabs-Corps; beim Generalstabe in Wien. (Rang 23. Oct., 1878.)
Schaller, Carl, ÖEKO-R. 3., MVK. (KD.), im Generalstabs-Corps; Vorstand der 10. Abth. des R.-Kriegs-Mstms. (Rang 24. Oct. 1878.)
Dreihann v. Sulzberg am Steinhof, August Freih., Comdt. des Husz.-Reg. Kaiser Franz Joseph Nr. 1. (Rang 28. Oct. 1878.)
Festetics de Tolna, Wenzel Gf., ÖLO-R., ✠; Comdt. des Drag.-Reg. Gf. Festetics Nr. 2. (Rang 31. Oct. 1878.)
Langer, Ferdinand, MVK., im Armeestande; Platz-Comdt. zu Krakau. (Rang 1. Nov. 1878.)
Schwarzl, Ernst, in der Gestüts-Branche; Comdt. der Mil.-Abth. des k. k. Staats-Hengsten-Depots zu Prag. (Rang 2. Nov. 1878.)
Friedrich, Georg Ritt. v., ÖEKO-R. 3., MVK. (KD.), in der Gestüts-Branche; Comdt. der Mil.-Abth. des k. k. Staats-Hengsten-Depots zu Graz. (Rang 3. Nov. 1878).
Döpfner, Gustav Edl. v., MVK. (KD.), Res.-Comdt. des IR. Freih. v. Rodich Nr. 68. (Rang 5. Nov. 1878.)
Schuch, Franz, Res.-Comdt. des IR. Erzherzog Rainer Nr. 59. (Rang. 6 Nov. 1878.)
Pelikan v. Plauenwald, Norbert, Res.-Comdt. des IR. v. Nagy Nr. 60. (Rang 8. Nov. 1878.)
Christian, Wenzel, MVK. (KD.), Res.-Comdt. des IR. Gf. Auersperg Nr. 40. (Rang 9. Nov. 1878.)
Koczicka Edl. v. Freibergswall, Wenzel, Res.-Comdt. des IR. Freih. v. Mondel Nr. 21. (Rang 10. Nov. 1878.)
Kolb v. Frankenheld, Franz, MVK. (KD.), Res.-Comdt. des IR. Wilhelm Prinz zu Schleswig-Holstein-Glucksburg Nr. 80. (Rang 11. Nov. 1878.)
Reichard, Oskar, Res.-Comdt. des IR. Friedrich Wilhelm, Grossherzog von Mecklenburg-Strelitz Nr. 31. (Rang 12. Nov. 1878.)
Drandt v. Val-Tione, Joseph, Ritt., ÖEKO-R. 3. (KD.), Res.-Comdt. des IR. Freih. v. Alemann Nr. 43. (Rang 13. Nov. 1878.)

Hranilović de Cvětasin, Peter, ÖEKO-R. 3 (KD.), MVK. (KD.), Res.-Comdt. des IR. Erzherzog Leopold Nr. 53. (Rang 14. Nov. 1878.)

Watteck, Franz, im Generalstabs-Corps; Res.-Comdt. des IR. Adolph, Herzog zu Nassau Nr. 15. (Rang 15. Nov. 1878.)

Wasmer, Johann v., MVK. (KD.); beim Drag.-Reg. Fürst v. Montenuovo Nr. 10. (Rang 16. Nov. 1878.)

Benesovszky, Wenzel, MVK. (KD.); Comdt. des Husz.-Reg. Freih. v. Edelsheim-Gyulai Nr. 4. (Rang 17. Nov. 1878.)

Ripp, Carl Freih. v., im Generalstabs-Corps: beim Generalstabe in Wien. (Rang 18. Nov. 1878.)

Thoemmel, Gustav, Ritt. v., ÖLO-R. (KD.), ÖEKO-R. 3. (KD.), im Generalstabs-Corps; in besonderer Verwendung. (Rang 19. Nov. 1878.)

Albori, Eugen, ÖLO-R. (KD.), MVK. (KD.), im Generalstabs-Corps; Generalstabs-Chef beim Gen.-Comdo. zu Serajevo. (Rang 20. Nov. 1878.)

Unangestellte Feldzeugmeister und Generale der Cavallerie.

Ajroldi, Paul Freih. v., ÖLO-GK., GHR., Inhaber des IR. Nr. 23; FZM. (Verona).

Alemann, Wilhelm Freih. v., ÖEKO-R. 1., ÖLO-C. (KD.), GHR., Inhaber des IR. Nr. 43; FZM. (Wien).

Benedek, Ludwig Ritt. v., ÖLO-GK. (KD. des Commandeur-Kreuzes), ✠C., MVK. (KD.), GHR., lebenslänglich Herrenhaus-Mitglied des Reichsrathes, Inhaber des IR. Nr. 28; FZM. (Graz).

Clam-Gallas, Eduard Gf., GVO-R., ÖEKO-R. 1. (KD.), ÖLO-C. (KD.), ✠, GHR., ✠, lebenslänglich Herrenhaus-Mitglied des Reichsrathes, Inhaber des Husz.-Reg. Nr. 16, GdC. (a. D.); (Prag).

Coronini-Cronberg, Johann Gf., GVO-R., St.O-GK., ÖLO-GK., ÖEKO-R. 1., MVK. (KD.), GHR., ✠, Inhaber des IR. Nr. 6; FZM. (St. Peter bei Görz).

Grünne, Carl Gf., GVO-R., St.O-GK., ÖLO-GK., MVK. (KD), GHR., ✠, Inhaber des Uhl.-Reg. Nr. 1, GdC. (Wien).

Handel, Heinrich Freih. v., ÖEKO-R. 1., ÖLO-R. (KD.), GHR., lebenslänglich Herrenhaus-Mitglied des Reichsrathes, Inhaber des IR. Nr. 10; FZM. (Wien).

Hauslab, Franz Ritt. v., ÖLO-GK., ÖEKO-R. 2. (KD.), ✠, MVK. (KD.), GHR., lebenslänglich Herrenhaus-Mitglied des Reichsrathes, Inhaber des Feld-Art.-Reg. Nr. 4; FZM. (Wien).

Huyn, Johann Gf., ÖLO-GK. (KD. des Ritterkreuzes), ÖEKO-R. 1. (KD. 2. Cl.), GHR., ✠, Inhaber des IR. Nr. 13, FZM. (Wien).

Liechtenstein, Franz Prinz zu, Durchlaucht, ÖEKO-R. 1. (KD.), ✠, ÖLO-R. (KD.), MVK. (KD.), erbliches Herrenhaus-Mitglied des Reichsrathes, Inhaber des Husz.-Reg. Nr. 9; GdC. (Wien).

Liechtenstein, Friedrich Prinz zu, Durchlaucht, GVO-R., St.O-GK., ÖEKO-R. 1. (KD. 2. Cl.), ✠, MVK. (KD.), GHR., lebenslänglich Herrenhaus-Mitglied des Reichsrathes, Inhaber des Jazygier und Kumanier Husz.-Reg. Nr. 13; GdC. (Wien).

Montenuovo, Wilhelm Fürst v., GVO-R., ÖEKO-R. 2. (KD.), ✠, ÖLO-R. (KD.), MVK. (KD.), JO-Ehrenritter, GHR., ✠, Inhaber des Drag.-Reg. Nr. 10; GdC. (Wien).

Rossbacher, Rudolph Freih. v., ÖEKO-R. 2., ÖLO-R. (KD.), MVK. (KD.), GHR., lebenslänglich Herrenhaus-Mitglied des Reichsrathes, Inhaber des IR. Nr. 71; FZM. (Baden bei Wien).

Schmerling, Joseph Ritt. v., ÖLO-GK. (KD. des Ritterkreuzes), ÖEKO-R. 1., MVK. (KD.), GHR., Inhaber des IR. Nr. 67; FZM. (Wien).

Wallmoden-Gimborn, Carl Gf., ÖLO-C. (KD.), MVK. (KD.), GHR., Inhaber des Uhl.-Reg. Nr. 5; GdC. (Prag).

Württemberg, Alexander Herzog v., königl. Hoheit. ÖLO-GK., Inhaber des Husz.-Reg. Nr. 11; GdC. (Graz).

Unangestellte Titular-Feldzeugmeister und Generale der Cavallerie.

Bigot de St. Quentin, Carl Gf., ÖLO-GK., ÖEKO-R. 1. (KD. 3. Cl.), MVK. (KD.), GHR., ✠, Inhaber des Uhl.-Reg. Nr. 8; GdC. (Kwassitz in Mähren).

Brandenstein, Friedrich v., ÖLO-C. (KD. des Ritterkreuzes), ÖEKO-R. 2. (KD.), MVK. (KD.); FZM. (Dresden).

Doctcur, Prosper Freih. v., ÖEKO-R. 2., ÖLO-R. (KD.); FZM. (Hietzing bei Wien).

Hartung, Ernst Ritt. v., ÖEKO-R. 1. (KD. 2. Cl.), ✠, ÖLO-R. (KD.), MVK. (KD.), GHR., lebenslänglich Herrenhaus-Mitglied des Reichsrathes, Inhaber des IR. Nr. 47; FZM. (Wien).

Kellner v. Köllenstein, Friedrich Freih., ÖEKO-R. 1., ÖLO-C., MVK. (KD), GHR., lebenslänglich Herrenhaus-Mitglied des Reichsrathes. Inhaber des IR. Nr. 41; FZM. (Wien).

Kussevich v. Szamobor, Emil Freih., ÖLO-GK., GHR., Inhaber des IR. Nr. 33; FZM. (Graz).
Lederer, August Freih. v., GHR., zweiter Inhaber des Uhl.-Reg. Franz II., König beider Sicilien Nr. 12; GdC. (Graz).
Lenk v. Wolfsberg, Wilhelm Freih., ÖEKO-R. 2., ÖLO-R., MVK., Inhaber des Feld-Art.-Reg. Nr. 5; FZM. (Troppau).
Nobili, Johann Gf., ÖLO-GK., GHR., ✠, Inhaber des IR. Nr. 74; FZM. (Wien).
Sallaba, Johann Freih. v., ÖEKO-R. 1., ÖLO-R. (KD.), GHR.; FZM. (Wien).
Schönberger, Adolph Freih. v., ÖEKO-R. 2. (KD.), GHR., zweiter Inhaber des Uhl.-Reg. Alexander II., Kaiser v. Russland Nr. 11; GdC. (Görz).
Scudier, Anton Freih. v., ÖEKO-R. 1. (KD. 2. Cl.), MVK. (KD.), GHR., Inhaber des IR. Nr. 29; k. u. k. Commissär für das ungarische Grenzland, FZM. (Temesvár).
Šokčević, Joseph Freih. v., ÖLO-GK., ÖEKO-R. 1., MVK., GHR., Inhaber des IR. Nr. 78; FZM. (Wien).
Sternberg, Leopold Gf., ÖEKO-R. 2. (KD.), ✠, ÖLO-R. (KD.), MVK. (KD.), GHR., ✠, zweiter Inhaber des Drag.-Reg. Carl Prinz v. Preussen Nr. 8, GdC. (a. D.); (Pohořelitz in Mähren).
Westphalen, Wilhelm Gf., ÖLO-C.; GdC. (Mautern in Niederösterreich).
Ziemięcki v. Ziemięcin, Hieronymus Freih., ÖEKO-R. 2., ÖLO-R., GHR., ✠, Inhaber des IR. Nr. 36; FZM. (Brünn).

Unangestellte Feldmarschall-Lieutenants.

Bäumen, Felix v. (Wien).
Baumgarten, Alois v., ÖEKO-R. 3. (KD.), MVK. (KD.), GHR., Inhaber des IR. Nr. 56 (Wien).
Baumgarten, Maximilian v., ÖEKO-R. 3. (KD.), MVK. (KD.); (mit Wartegebühr beurl. in Wien).
Bellegarde, August Gf., ÖLO-GK., ÖEKO-R. 3. (KD), MVK. (KD.), GHR., ✠, (a. D.); (Wien).
Berger, Joseph Edl. v., ÖEKO-R. 2. (KD.), ÖLO-R. (KD.), zweiter Inhaber des IR. Carl Alexander, Grossherzog v. Sachsen-Weimar-Eisenach Nr. 64 (Penzing bei Wien).
Bersina v. Siegenthal, Eduard Freih., MVK. (KD.), zweiter Inhaber des Husz.-Reg. Carl I., König v. Württemberg Nr. 6 (Linz).
Bils, Anton Freih. v., ÖEKO-R. 2. (KD.), ÖLO-R. (KD.), MVK. (KD.), zweiter Inhaber des IR. Erzherzog Heinrich Nr. 51 (Görz).
Böck, Carl Freih. v., ÖEKO-R. 2., MVK. (KD.); (Prag).
Bujanovics de Agg-Telek, August, MVK. (KD.), ✠ (Ér-Mihályfalva nächst Debreczin).
Castiglione, Joseph Gf., MVK. (KD.); (Graz).
Chizzola, Paul v. (Wien).
Coudenhove, Maximilian Gf., DO-C., GHR., ✠, lebenslänglich Herrenhaus-Mitglied des Reichsrathes (Wien).
Denkstein, Alphons Ritt. v., ÖLO-R. (KD.), MVK. (KD.); (Wien).
Falkenhayn, Johann Gf., ✠ (Wien).
Fligely, August v., ÖEKO-R. 1., MVK. (KD.), GHR. (Wien).
Fromm, Ludwig Freih. v., ÖEKO-R. 2., ÖLO-R. (Wien).
Gaiszler, Johann, ÖLO-R. (KD.); (Wien).
Gallina, Joseph Freih. v., ÖEKO-R. 2., ÖLO-R. (KD.); (Wien).
Gondrecourt, Leopold Gf., ✠, ÖLO-R. (KD.), MVK. (KD.), GHR., ✠; Inhaber des IR. Nr. 55 (Salzburg).
Gradvohl, Julius v., St.O-R., MVK. (KD.); (Budapest).
Greiner, Gustav, MVK. (KD.); (Probstdorf in Niederösterreich).
Gyulai v. Maros-Némethy und Nadaska, Samuel Gf., MVK. (KD.), JO-Ehrenritter, ✠, (a. D); (Görz).
Habermann v. Habersfeld, Joseph Freih., ÖLO-C., ÖEKO-R. 3. (KD.), MVK. (KD.), GHR., zweiter Inhaber des IR. Alexis, Grossfurst v. Russland Nr. 39 (Linz).

Henikstein, Alfred Freih. v., ÖLO-R. (KD.), ÖEKO-R. 3. (KD.), MVK. (KD.), GHR., zweiter Inhaber des IR. Erzherzog Ludwig Salvator Nr. 58 (Wien).

Hofmann v. Donnersberg, Carl Freih., ÖEKO-R. 2., MVK. (KD.), Inhaber des Feld-Art.-Reg. Nr. 8 (Wien).

Hübl, Franz Freih. v., ÖEKO-R. 2. (KD. 3. Cl.), ÖLO-R. (KD.); (Teschen).

Isaacson v. Newfort, Heinrich Freih., ÖEKO-R. 2., MVK. (KD.); (Wien).

Jellačić de Bužim, Georg Gf., MVK. (KD.), ✠, Inhaber des IR. Nr. 69 (Agram).

Khautz v. Eulenthal, Carl, ÖLO-R. (KD.); (Graz).

Kisslinger, Joseph Ritt. v., ÖLO-R. (KD.); (Wien).

Kleudgen, Anton Freih. v., ÖEKO-R. 2. (KD. 3. Cl.), ÖLO-R. (KD.); (Graz).

Kochmeister, August, ÖEKO-R. 3. (KD.); (Wien).

Kudriaffsky, Ludwig Freih v., ÖEKO-R. 3. (KD.), GHR., zweiter Inhaber des IR. Erzherzog Ludwig Victor Nr. 65 (Wien).

Latour Edl. v. Thurmburg, Joseph, ÖLO-GK., St.O-C., MVK. (KD.), O2., GHR., lebenslänglich Herrenhaus-Mitglied des Reichsrathes (Wien).

Lederer, Moriz Freih. v., MVK. (KD.), GHR., zweiter Inhaber des IR Wilhelm III, König der Niederlande Nr. 63 (Graz).

Lilia v. Westegg, Carl Ritt., ÖLO-R. (KD.), MVK (KD.), GHR., zweiter Inhaber des IR. Friedrich Wilhelm, Grossherzog v. Mecklenburg-Strelitz Nr. 31 (Baden bei Wien).

Littrow, Franz Ritt. v., ÖLO-R. (KD), ÖEKO-R. 3. (KD.), MVK. (KD.); (mit Wartegebühr beurl. zu Laibach).

Loos, Hubert v., ÖLO-R. (Teplitz in Böhmen).

Macchio, Florian Freih. v., ÖLO-C., ÖEKO-R. 3. (KD.), MVK. (KD.), zweiter Inhaber des IR. Friedrich Wilhelm, Kronprinz des deutschen Reiches und Kronprinz v. Preussen Nr. 20 (Graz).

Magdeburg, Carl Freih. v., ÖLO-R., ÖEKO-R. 3., MVK. (KD.); (Graz).

Manger v. Kirchsberg, Julius, ÖEKO-R. 3. (KD.), MVK. (KD.); (Graz).

Marenzi v. Tagliuno und Talgate, Markgraf v. Val Oliola, Freih. v. Marenzfeldt und Scheneck, Franz Gf., ✠ (Triest).

Mertens, Wilhelm Ritt. v., MVK. (KD.), zweiter Inhaber des IR. Georg, Prinz v. Sachsen Nr. 11 (Vilke bei Losoncz in Ungarn).

Morhammer, Johann Freih. v., ÖEKO-R. 2., MVK. (Graz).

Nagy, Carl v., ÖLO-C., ÖEKO-R. 3. (KD.), Inhaber des IR. Nr. 60 (Wien).

Nagy de Somlyó, Ludwig, MVK. (KD.), zweiter Inhaber des Drag.-Reg. Albert, König v. Sachsen Nr. 3 (Wien).

Nostitz-Rinek, Hermann Gf., ✠, MVK. (KD.), GHR., ✠, zweiter Inhaber des Uhl.-Reg. Ludwig Gf. v. Trani, Prinz beider Sicilien Nr. 13 (Prag).

Paar, Alfred Gf., ÖEKO-R. 1., MVK. (KD.), GHR., ✠, zweiter Inhaber des Uhl.-Reg. Kaiser Franz Joseph Nr. 4 (Wien).

Pálffy ab Erdöd, Moriz Gf., ÖLO-GK. (KD. des Ritterkreuzes), ÖEKO-R. 2. (KD.), St.O-R., GHR., ✠, Inhaber des Husz.-Reg. Nr. 15 (Smolenitz bei Pressburg).

Pavellić, Georg, ÖEKO-R. 3. (KD.); (Wien).

Pelikan v. Plauenwald, Joseph, ÖEKO-R. 3. (KD.), MVK. (KD.); (Brünn).

Pessić v. Koschnadol, Maximilian, ÖLO-R. (Graz).

Pidoll v. Quintenbach, Franz Freih., ÖEKO-R. 3. (KD.); (Wien).

Pollack v. Klumberg, Alexander Ritt, ÖEKO-R. 3. (KD.); (Wien).

Pötting et Persing, Freih. v. Ober-Falkenstein, Carl Gf., ÖEKO-R. 2., ÖLO-R., MVK. (KD.), ✠ (Wien).

Procházka, Ottokar Freih. v., ÖEKO-R. 2. (KD. 3. Cl.), ÖLO-R. (KD.), MVK. (KD.); (Penzing bei Wien).

Reichlin-Meldegg, Joseph Freih. v., ÖEKO-R. 2., MVK. (KD.), GHR. (Ehrenhausen in Steiermark).

Rezniček, Joseph Freih. v., ÖLO-R. (KD.), ÖEKO-R. 3. (KD.), MVK. (KD); (Graz)

Rothmund, Adolph, MVK. (KD.); (Wien).

Ruff, August Ritt. v., ÖLO-R., MVK. (Baden bei Wien).

Schneider v. Arno, Carl Freih. (Wien).

Schwartz v. Meiller, Eduard Freih., ÖEKO-R. 2., zweiter Inhaber des IR. Wilhelm I., deutscher Kaiser und König v. Preussen Nr. 34 (Wien).
Signorini, Martin (Pressburg).
Springensfeld, Peter Ritt v., ÖLO-R. (KD.), MVK. (KD.); (Graz).
Stillfried-Ratenicz, August Freih. v., ÖLO-R. (KD.), ✠, zweiter Inhaber des IR. Friedrich Wilhelm Ludwig, Grossherzog v. Baden Nr. 50 (Währing bei Wien).
Susan, Johann Freih. v., ÖEKO-R. 2. (KD.), ÖLO-R. (KD.), MVK. (KD.); zweiter Inhaber des IR. Michael, Grossfürst v. Russland Nr. 26 (Wien).
Thom, Michael Ritt. v., ÖLO-R. (KD.), ÖEKO-R. 3. (KD.), MVK. (KD.); (Wien).
Tomas, Joseph, ÖLO-R., MVK. (KD.); (Wien).
Töply v. Hohenvest, Johann Freih., ÖEKO-R. 2. (KD.), MVK. (KD.); (Kaschau).
Wagner, Johann Ritt. v., ÖLO-R. (KD.), ÖEKO-R. 3. (KD.), MVK. (KD.); (Agram).
Wallis Freih. auf Carighmain, Olivier Gf., ÖLO-R. (KD.), ÖEKO-R. 3. (KD.), MVK. (KD.), ✠ (Słocina bei Rzeszów).
Weckbecker, Hugo Freih. v., ÖEKO-R. 2. (KD.), ÖLO-R., MVK. (KD.); (Wien).
Weigelsperg, Friedrich Freih. v., ÖEKO-R. 2. (Wien).
Weigl, Leop. Freih. v., ÖEKO-R. 2. (KD. 3. Cl.), ÖLO-R. (KD.), MVK. (KD.); (Wien).
Welsperg zu Reitenau u. Primör, Richard Gf., ÖEKO-R. 2., ÖLO-R., MVK. (KD.); (Wien).
Wezlar v. Plankenstern, Gustav Freih., ÖEKO-R. 2. (KD.), ÖLO-R. (KD.), MVK. (KD.), Inhaber des Warasdiner IR. Nr. 16 (Wien).
Wimpffen, Gustav Gf., ✠ (Graz).
Zaitsek v. Egbell, Carl, MVK. (KD.), Inhaber des Uhl.-Reg. Fürst zu Schwarzenberg Nr. 2 (Budapest).

Unangestellte Titular-Feldmarschall-Lieutenants.

Alt-Leinigen-Westerburg, Victor Gf., ÖLO-R. (KD.), ÖEKO-R. 3. (KD.), MVK. (KD.), ✠ (Bessungen bei Darmstadt).
Attems Freih. auf Heiligenkreuz, Alexander Gf., MVK. (KD.), JO-C., GHR., ✠, Obersthofmeister Seiner k. k. Hoheit des Erzherzogs Carl Salvator (Wien).
Baillou, Wilhelm Freih. v., ÖEKO-R. 3. (KD.), MVK. (KD.); (Weisskirchen in Mähren).
Bäumen, Alfred v. (Wien).
Beckers zu Westerstetten, Emil Gf., ✠ (Linz).
Bernd, Carl v., ÖEKO-R. 3. (KD.), MVK. (KD.); (Baden bei Wien).
Biedermann, Wilh. Ritt. v., ÖLO-R., ÖEKO-R. 3. (KD.); (Ober-Döbling bei Wien).
Bitermann Edl. v. Mannsthal, Johann (Mölk).
Bolberitz, Ludwig Ritt. v., ÖEKO-R. 3. (KD.). MVK; (Budapest).
Boxberg, Ernst Freih. v., MVK. (Güns).
Brehm, Rudolph Ritt. v., ÖLO-R. (KD.); (Brescia).
Buday de Bátor, Gabriel Freih. v. ÖLO-R. (KD.); (Triest).
Burlo v. Ehrwall, Anton Ritt., ÖEKO-R. 3. (KD.); (Innsbruck).
Conrad, Gustav Ritt. v., ÖLO-R. (KD.), MVK. (KD.); (Baden bei Wien).
Corti, Franz Conte, ÖLO-R. (KD.); (Graz).
Daun, Wladimir Gf., ÖEKO-R. 3. (KD.), ✠ (Wien).
Desimon v. Sternfels, Moriz Ritt., ÖEKO-R. 3. (KD.). MVK. (Görz).
Drašković v. Trakostjan, Georg Gf., ÖEKO-R. 3. (KD.), GHR., ✠ (Graz).
Ebner, Johann Ritt. v. (Wien).
Ebner v. Eschenbach, Moriz Freih., ÖLO-R., ÖEKO-R. 3. (Wien).
Faber, Wilhelm Ritt. v., ÖLO-R., ÖEKO-R. 3. (KD.), MVK. (KD.); (Wien).
Fellner v. Feldegg, Joseph, ÖLO-R., ÖEKO-R. 3. (KD.); (Prag).
Ferrari da Grado, Friedrich Freih., ÖEKO-R. 2., ÖLO-R. (KD.); (Wien).

Froschmair v. Scheibenhof, Franz Ritt., ÖLO-R. (Wien).
Gebler, Wilhelm Edl. v. (Meran).
Geuder, Rudolph Freih. v., ÖEKO-R. 3. (KD.); (Wien).
Herbert-Rathkeal, Eduard Freih. v., MVK. (KD.), ✠ (Wien).
Jochmus v. Cotignola, August Freih., ÖLO-C., (a. D.); (Wien).
Jósika v. Branyicska, Johann Freih., ✠, zweiter Inhaber des Husz.-Reg. Nikolaus, Grossfürst v. Russland Nr. 2 (Lemberg).
Jungbauer, Franz, MVK. (KD.); (Graz).
Knoll, Johann, MVK. (KD.); (Wr.-Neustadt).
Kopal, Bruno (Pressburg).
Kress v. Kressenstein, Georg Freih., ÖEKO-R. 2., ✠ (Wien).
Leonhardi, Franz Freih. v., ÖEKO-R. 3., (KD.), MVK. (KD.); (Pressburg).
Lippert, Georg Freih. v., ÖEKO-R. 2. (KD.); (Wien).
Maravić, Emanuel Ritt. v., ÖEKO-R. 3. (KD.), MVK. (KD.); (Agram).
Moll, Johann Freih. v., ÖLO-R., GHR, ✠ (Villa Lagarina bei Roveredo).
Moritz, Carl, MVK. (KD.); (Pressburg).
Müller, Vincenz, ÖEKO-R. 2. (Wien).
Neuber, August, ÖEKO.-R. 3. (KD.); (Brünn).
Nuhk, Joseph, ÖEKO-R. 3. (KD.); (Leitmeritz).
Pechmann v. Massen, Eduard Ritt., ÖEKO-R. 3. (Gmunden).
Puffer, Joseph Freih. v., ÖEKO-R. 2. (KD.), ÖLO-R. (KD.); (Baden bei Wien).
Reichardt, Franz Ritt. v., MVK. (KD.); (Brünn).
Rodakowski, Maximilian Ritt. v., ÖLO-R. (KD.), MVK. (KD.); (Stanislau).
Roesgen v Floss, Carl, ÖEKO-R. 3. (KD.), MVK. (KD.); (Wien).
Schidlach, Franz Ritt. v., ÖLO-R. (KD.), MVK. (Innsbruck).
Schlechta v. Wschehrd, Vincenz Freih., ÖEKO-R. 3. (KD.); (Wien).
Schobeln, Eduard Ritt. v., MVK. (KD.); (Waidhofen an der Ybbs).
Scholley, Otto Freih. v., MVK. (KD.) (Prag).
Schütte v. Warensperg, Adolph Freih., ÖEKO-R. 2., ÖLO-R. (KD.), MVK. (KD.); (Görz).
Schwarz, Adolph, MVK. (KD.); (Linz.)
Taxis de Bordogna et Valnigra, Joseph Freih., MVK. (KD.), ✠ (Wien).
Tobias Edl. v. Hohendorf, Sigmund, ÖLO-R. (KD.), MVK. (Graz).
Unschuld v. Melasfeld, Wenzel Ritt., ÖEKO-R.3.(KD.), MVK.(KD.); (Krems).
Vevér, Carl Freih. v., ✠, MVK. (KD.); (Pressburg)
Villata v. Villatburg, Guido, ÖEKO-R. 3. (KD.), ✠ (Wien).
Waldegg, August Freih. v., MVK. (KD.); (Freiwaldau in Schlesien).
Waldstein-Wartenberg, Joseph Gf., MVK. (KD.), JO-Ehrenritter, ✠, lebenslänglich Herrenhaus-Mitglied des Reichsrathes, (a. D.); (Schloss Perstein bei Jungbunzlau).
Woinović, Johann v., ÖEKO-R. 3. (KD.); (Graz).

Unangestellte General-Majore.

Abshabs von der Lanze, Friedrich Ritt., ÖEKO-R. 3. (KD.), MVK. (KD.); (Wien).
Althann, Ferdinand Gf., ÖEKO-R. 2. (KD.), ÖLO-R. (KD.), MVK. (KD.), ✠, Grand von Spanien 1. Cl. (Essegg).
Anthoine, Carl Edl. v., ÖEKO-R. 3. (KD.) MVK. (KD.); (Wien).
Apponyi, Carl Gf., ✠, (a. D.); (Wien).
Baertling, James Ritt. v., ÖLO-R. (KD.), ÖEKO-R. 3. (KD.), MVK (KD.); (Graz).
Bandian, Ludwig, ÖEKO-R. 3. (KD.), MVK. (KD.); (mit Wartegebühr beurl. zu Graz).
Baselli v. Süssenberg, Eduard Freih., ÖLO-R. (KD.); ✠ (Pressburg).
Bermann, Adolph Edl. v. (Wien).
Bernay-Favancourt, Julius Gf., ✠, ✠ (Graz).
Bigga v. Mongabia, Peter Ritt., ÖLO-R. (KD.), MVK. (KD.); (Neusatz).

Blumencron, Robert Freih. v., ÖEKO-R. 3. (KD.); (Wien).
Bogutovac, Cosmas, ÖLO-R. (KD.), ÖEKO-R. 3., MVK. (KD.); (Brod in Slavonien).
Böheim v. Heldensinn, Ludwig, MVK. (KD.); (Pressburg).
Braisach, Johann Ritt. v., ÖEKO-R. 3. (KD.), MVK. (KD.); (Mödling bei Wien).
Bruckner. Moriz Ritt. v., ÖLO-R. (KD.), ÖEKO-R. 3. (KD.), MVK. (KD.); (Wien).
Brudermann, Rudolph Ritt. v., ÖLO-R. (Pressburg).
Csollich, Nicetas Freih. v. (Budapest).
Dienstl, Edmund (Koltha, Komorner Comitat).
Dlauhowesky v. Langendorf, Friedrich Freih., MVK. (KD.), ✠ (Salzburg).
Dobner v. Dobenau, Johann, ÖEKO-R. 3. (KD.), MVK. (KD.); (Wien).
Doda, Trajan, MVK. (KD.); (Karansebes).
Dondorf, Ferdinand Ritt. v., ÖEKO-R. 3. (KD.), MVK. (KD.); (Wr.-Neustadt).
Dormus, Anton Ritt. v., ÖLO-R. (KD.); (Wien).
Dossen Edl. v. Bilaygrad, Leopold, MVK. (KD.); (Fiume).
Dreihann v. Sulzberg am Steinhof, Ferdinand Ritt. (Wien).
Du Hamel de Querlonde, Emanuel Chev., MVK. (KD.), ✠ (Graz)
Du Rieux de Feyau, Alfred, ÖEKO-R. 3. (KD.), MVK. (KD.); (Graz).
Erhardt, Eduard, MVK. (KD.); (Linz).
Ferdinand, Georg, MVK. (KD.); (Pressburg).
Filippi, Eduard, ÖEKO-R. 3. (Wien).
Gamerra, Gustav Freih. v., MVK. (KD.); (Görz).
Georgievics, Georg Edl. v., ÖEKO-R. 3. (Wien).
Gosztonyi, Emerich v., ✠ (Pressburg).
Gugz, Franz Ritt. v., ÖLO-R. (KD.), MVK. (KD.); (Prag).
Haasz v. Grünnenwaldt, Hyacinth (Cilli).
Hankenstein, Carl v. (Wien).
Hauska, Anton Ritt. v., ÖLO-R., MVK. (KD.); (Krems).
Henniger v. Eberg, Emanuel Freih., ÖLO-R. (KD.), ÖEKO-R. 3. (KD.), MVK. (KD.); (Graz).
Hertwek Edl. v. Haueneberstein, Moriz, ÖEKO-R. 3. (KD.); (Baden bei Wien).
Hervay v. Kirchberg, Carl Chev., MVK. (KD.); (Gmunden).
Heydte, August Freih. von der, ÖLO-R., ÖEKO-R. 3. (Franzensbad in Böhmen).
Hoditz und Wolframitz, Johann Gf., MVK., ✠ (Wien).
Huber v. Penig, Joseph, ÖLO-R., ÖEKO-R. 3. (Wien).
Hutschenreiter v. Glinzendorf, Joseph, ÖLO-R. (KD.), MVK. (KD.); Inhaber des Feld-Art.-Reg. Nr. 10 (Graz).
Ivanović v. Kolinensieg, Joseph (Graz).
John v. Stauffenfels, Anton (Wien).
Kaim Edl. v. Kaimthal, Carl (Linz).
Karst v. Karstenwerth, Alexander, MVK. (KD); (Innsbruck).
Kintzl, Leopold, MVK. (KD.); (Wien).
Klapka, Ferdinand v., MVK. (KD.); (Brünn).
Königsegg zu Aulendorf, Alfred, Gf., ÖLO-GK., MVK. (KD.), GHR., ✠ (Wien).
Kopal, Joseph (Lemberg).
Kronenberg, Joseph Freih. v., ÖEKO-R. 2., ÖLO-R. (KD), MVK. (KD.); (Linz).
Lebzeltern, Leopold Freih. v., ÖLO-R. (KD.), MVK. (KD.); (Verona).
Leykam, Anatolius Freih. v., ÖEKO-R. 3. (KD.), MVK. (KD.); (Wien).
Maina, Theodor Ritt. v., ÖEKO-R. 3. (KD.); (Inzersdorf bei Wien).
Manger v. Kirchsberg, Carl, ÖLO-R. (KD.), ÖEKO-R. 3. (KD.); (Graz).
Mayer v. der Winterhalde. Adolph Ritt., ÖEKO-R. 3. (KD.), MVK. (KD.); (Graz).
Mengen, Adolph v., ÖEKO R. 3. (KD.), MVK. (KD.); (Gmunden).
Mengen, Ferdinand v., ÖEKO-R. 2., ÖLO-R.; (Gloggnitz in Niederösterreich).
Merville, Friedrich Freih. v. (Wien).
Mesko de Felsö-Kubiný, Stephan (Wien).
Müller, Eugen, ÖLO-R. (KD.), ÖEKO-R. 3. (KD.), MVK. (KD.), ○ 1.; (mit Wartegebühr beurl. zu Graz).
Müller, Ludwig Ritt. v., ÖEKO-R. 3. (KD.), MVK. (KD.); (Triest).
Müller Edl. v. Wandau, August, MVK. (KD.); (Wien).
Nádosy de Nádas, Alexander, ÖLO-R., ✠ (Wien).
Neubauer, Gustav Freih. v., ✠, MVK. (KD.); (Wien).
Neuwirth, Johann Ritt. v., MVK. (KD.); (Alt-Orsova).

Pappenheim, Alexander Gf. zu, ÖEKO-R. 3. (KD.), MVK. (KD.); (Graz).
Paska, Joseph Edl. v.; (Deutsch-Feistritz in Steiermark).
Pászthory, Emerich Freih. v. (Wien).
Pichler, Alois, ÖEKO-R. 3. (KD.), Inhaber des Feld-Art.-Reg. Nr. 3 (Pressburg).
Pollatschek v. Nordwall, Sigmund, ÖEKO-R. 3. (KD.); (Wien).
Pongrácz de Szent-Miklós et Óvár, Franz Freih., MVK. (KD.), ✠, ✠ (Wien).
Prouvy de Menil et Flassigny, Isidor Chev. (Graz).
Puchner, Hannibal Freih. v., ÖEKO-R. 2. (KD.), ÖLO-R. (KD.), MVK. (KD.); (Bikól im Baranyer Comitate).
Pulz, Johann Edl. v., MVK. (KD.); (Güns).
Ritter, Heinrich Freih. v., MVK. (KD.); (Graz).
Rothkirch und Panthen, Lothar Gf., ✠ (Graz).
Rudolph Edl. v. Fris, Joseph (Wien).
Rukavina v. Vidovgrad, Hieronymus, MVK. (KD.); (Agram).
Rupprecht v. Virtsolog, Friedrich, MVK. (KD.); (Baden bei Wien).
Sachsen-Coburg-Gotha, Leopold Prinz zu, Herzog zu Sachsen, Durchlaucht, MVK. (KD.), (a. D.); (Wien).
Sachsen-Weimar-Eisenach, Gustav Prinz zu, Herzog zu Sachsen, Hoheit, ÖLO-R. (KD.); (Wien).
Saffran, Emanuel Freih. v., ÖEKO-R. 3. (Wien).
Salomon v. Friedberg, Edmund (Wien).
Schaffgotsche von und zu Kynast, Freih. zu Trachenberg, Hugo Gf., JO-C. (Wien).
Schauer v. Schröckenfeld, Carl Ritt., ÖLO-R., ÖEKO-R. 3. (KD.), MVK. (KD); (Wien).
Schindler, Joseph, ÖEKO-R. 3. (KD.), MVK. (KD.); (Baden bei Wien).
Schindlöcker, Eugen v., ÖLO-R. (KD.), MVK. (KD.); (Graz).
Schlag Edl. v. Scharhelm, Wilhelm, ÖLO-R. (Wien).
Schlitter v. Niedernberg, Joh. (Wien).
Schmelzer, Erwin, MVK. (KD.); (Hietzing bei Wien).
Schmidburg, Rudolph Freih. v., ÖEKO-R. 2. (KD.), MVK. (KD.), ✠ (Graz).
Schmidt, Carl, MVK. (KD.); (Wien).
Schmidt Edl. v. Schmidau, Franz, MVK. (KD.); (Graz).
Schneider v. Arno, Ludwig Freih. (Pressburg).
Scholl, Heinrich Freih. v., ÖEKO-R. 2. (KD. 3. Cl.), ÖLO-R. (KD.); (Görz).
Sebottendorf von der Rose, Moriz Freih., ÖEKO-R. 3. (KD.), MVK. (KD.); (Wien).
Ségur-Cabanac, Arthur Gf., ✠ (St. Peter in der Au in Niederösterreich).
Settele v. Blumenburg, Joseph Ritt., MVK. (Graz).
Smagalski, Ladislaus v., ÖEKO-R. 3. (KD.), MVK. (KD.); (Pressburg).
Stanoilović, Johann, MVK. (KD.); (Weisskirchen in Ungarn).
Stelczyk, Gustav (Krościenko bei Krosno in Galizien).
Sternegg, Friedrich Freih. v. (Graz).
Suchodolski de Suchodol, Franz, ÖEKO-R. 3. (Krakau).
Szimić Edl. v. Majdangrad, Peter, MVK. (KD.); (Agram).
Tiller v. Turnfort, Ferdinand Ritt. (Pressburg).
Torri v. Dornstein, Carl (Graz).
Türkheim, Rudolph Freih. v., ÖEKO-R. 3., MVK. (KD.); (Venedig).
Udvarnoky de Kis-Jóka, Eduard, ÖEKO-R. 3. (KD.); (Graz).
Veranneman v. Watervliet, Carl Ritt. (Wien).
Vetter von der Lilie, Gustav Gf., ÖLO-R., ÖEKO-R. 3. (KD.), MVK. (KD.); (Graz).
Vopaterny, Joseph v. (Wien).
Wagner v. Wehrborn, Rudolph Freih., ✠, MVK. (KD.); (Gmunden).
Waldstätten, Georg Freih. v. (Klagenfurt).
Wasserthal Edl. v. Zuccari, Constantin, ÖEKO-R. 3. (Graz).
Wickenburg, Eduard Gf., MVK. (KD.), ✠ (Haggberg bei Amstetten in Niederösterreich).
Widenmann, Heinrich, ÖEKO-R. 3. (KD.), MVK. (KD.); (Baden bei Wien).
Wimpffen zu Mollberg, Adolph Freih. v., ÖEKO-R. 3. (KD.); (Wien).
Wolter Edl. v. Eckwehr, Ernst (mit Wartegebühr beurl. in Wien).
Woschilda, Ferdinand, MVK. (KD.); (Döbling bei Wien).

Wrbna und Freudenthal, Eugen Gf., ÖEKO-R. 3. (KD.), MVK. (KD.), ♰, (a. D.); (Wien).
Zaitsek v. Eghell, Franz (Graz).
Zaremba, Franz Ritt. v., ÖEKO-R. 3. (KD.); (Lemberg).
Zichy de Vásonykeö, Adalbert Gf., St.O-R., MVK. (KD.), JO-Ehrenritter, GHR., ♰ (Oedenburg).
Zocchi v. Morecci, Joseph Ritt., ÖLO-R. (KD.); (Frankfurt am Main).

Unangestellte Titular-General-Majore.

Abele von und zu Lilienberg, Franz Freih., ÖLO-R. (KD.); (Klagenfurt).
Adler, Prokop (Wien).
Alker v. Ollenburg, Johann Ritt., ÖEKO-R. 3. (Wien).
Baumrucker Edl. v. Robelswald, Joseph, ÖEKO-R. 3., MVK. (KD.); (Wien).
Beales, Carl, ÖEKO-R. 3. (KD.); (Wien).
Beck, Johann (Wien).
Békeffy v. Sallovölgy, Carl (Pressburg).
Bieschin v. Bieschin, Anton Ritt., ÖEKO-R. 3., ♰ (Bieletsch in Böhmen).
Bolesta-Koziebrodzki, Justin Gf., ÖEKO-R.3., (KD.), MVK.(KD.), ♰ (Lemberg).
Bussetti, Camillo (Mödling bei Wien).
Camerlander, Nikolaus Freih. v. (Wien).
Cruss, Maximilian Ritt. v. (Pressburg).
Daun auf Sachsenheim und Callaborn, Ottokar Gf. von und zu (Prag).
Ernst, Georg v., O 2. (Salzburg).
Fleckhammer v. Aystetten, Emanuel Freih., ÖEKO-R. 3. (KD.); (Troppau).
Fluck Edl. v. Leidenkron, Julius, MVK. (KD.); (Wien).
Forghieri, Ignaz Cavaliere de, ÖLO-R. (in Italien).
Gelich, Richard (Fünfkirchen).
Gollas, Carl Ritt. v., ÖEKO-R. 3.(Wien).
Gombos v Hathàza, Ladislaus (Graz).
Gontard, Heinrich, MVK. (KD.); (Prossnitz in Mähren).
Grobois, Friedrich Ritt. v., ÖEKO-R. 3. (KD.); (Krems).
Günther v. Sternegg, Ignaz Freih. (Wien).
Haan, Leopold Freih. v., ♰ (Graz).
Hanus, Carl (Pressburg).
Hassenmüller v. Ortenstein, Heinrich Ritt. (Wien).
Hauser, Heinrich Freih. v., ✠, ♰, (Wien)
Herbert v. Herbot, Adolph Ritt., ÖEKO-R. 3. (Baden bei Wien).
Hirsch, Maximilian Edl. v., MVK. (KD.); (Graz).
Höffern zu Saalfeld, Heribert Ritt. v., ÖLO-R. (KD.), ÖEKO-R. 3. (KD.); (Salzburg).
Holzhausen, Hect. Freih. v., ♰ (Linz).
Joelson, Robert Ritt. v., ÖEKO-R. 3., MVK. (KD.); (Wien).
Kadich Edl. v. Pferd, Heinrich (Wien).
Kálnoky de Köröspatak, Alexander Gf., ÖEKO-R. 3. (KD.), ♰, (a. D.); (Lettowitz in Mähren).
Karl, Ludwig Ritt. v., ÖEKO-R. 3., MVK. (KD.); (Wien).
Kayserseimb, Franz v. (Krems).
Kocziczka Edl. v. Freibergswall, Alexander, ÖEKO-R. 3. (KD.), MVK. (KD.); (Brünn).
Koppi v. Albertfalva, Joseph, MVK. (KD.); (Budapest).
Leipold, Eduard (Prag).
Lindemann, Leopold Edl. v. (Görz).
Linpökh, Joseph Ritt. v., ÖEKO-R. 3. (Wien).
Lorenz, Gustav, MVK. (KD.); (Fünfkirchen).
Mac-Caffry-Keanmore, Maximilian Gf., MVK. (KD.); (Wien).
Mainoni, Dominik Edl. v. (Wien).
Manglberger, Jakob, MVK. (KD.); (Pressburg).
Mayerhofer v. Grünbühl, Joseph, MVK. (KD.); (Wien).
Merey, Nikolaus v., ♰ (Hluboczekwielki in Galizien).
Montluisant, Bruno Freih. v., ✠, ÖEKO-R. 3 (KD.); (Graz).
Müller v. Elblein, Friedrich Ritt., ÖEKO-R. 3. (KD.), MVK. (KD.), ♰ (Wien).
Muralt, Carl v., ÖEKO-R. 3. (KD.), MVK. (KD.), ♰ (Wien).
Netzer v. Sillthal, Carl (Pilzno in Galizien).

Nieke, Alexander, MVK. (KD.); (Agram).
O'Donell, Maximilian Gf., ÖLO-C., MVK. (KD.), JO-Ehrenritter, ✠ (Goldegg bei St. Johann in Salzburg).
Ornstein Edl. v. Hortstein, Aurel (Batorkeszi bei Gran).
Pehm, Carl, MVK. (KD.); (Linz).
Penecke. Wilhelm, MVK. (KD.); (Graz).
Pirner, Carl (Wien).
Radványi, Moriz v., MVK. (Wien).
Raimondi degli Astolfi, Alexander (Wien).
Raynaud, Hannibal (Brünn).
Rátky de Salamonfa, Alexander, ÖEKO-R. 3., MVK. (KD.); (Porrog, Somogyer Comitat).
Rehm, Gustav (Wien).
Reinbold v. Aroldingen-Eltzingen, Georg (Hannover).
Resić v. Ruinenburg, Adolph, ÖEKO-R. 3. (KD.), MVK. (KD.); (Krems).
Rohan, Victor Prinz, Durchlaucht, MVK. (KD.), JO-Ehrenritter (Salzburg).
Rosenzweig Edl. v. Powacht, Johann, MVK. (KD.); (Graz).
Roth, Carl v. (Unter-Zellenitz b. Pressburg).
Sachsen-Coburg-Gotha, August Prinz zu, Herzog zu Sachsen, Durchlaucht, GVO-R., JO-GK. und Ehren-Bailli, erbliches Herrenhaus-Mitglied des Reichsrathes, (a. D.); (Wien).
Saly v. Ösvár, Ladislaus Ritt., ÖEKO-R. 3. (Raab).
Scheda, Joseph Ritt. v., ÖFJO-C. (m. St.), ÖEKO-R. 3. (Mauer bei Wien).
Schmarda, Anton, MVK. (KD.); (Wien).
Schneider v. Dillenburg, Franz, MVK. (KD.); ✠ (Teplitz in Böhmen).
Schröder, Carl, MVK.; (Graz).
Scudier, Joseph, MVK. (KD.); (Temesvár).
Semetkowski, Friedrich Edl. v., MVK. (KD.); (Graz).
Severus Edl. v. Laubenfeld, Rud. (Prag).
Sichrowski, Joseph, ÖEKO-R. 3. (KD.); (Graz).
Siebert, Ignaz, ÖEKO-R. 3.; (Wien).
Sonklar Edl. v. Innstädten, Carl, ÖFJO-C., ÖEKO-R. 3. (Innsbruck).
Spaczer, Alphons, MVK. (KD.); (Lemberg).
Sturmfeder, Carl Freih. v., ✠ (Datschitz in Mähren).
Sutter v. Adeltreu, Joseph, ÖEKO-R. 3. (KD.), MVK. (KD.); (Pressburg).
Tasch, Carl Edl v., ÖEKO-R. 3. (Wien).
Terstyánszky, August, MVK. (KD.); (Kaschau).
Vallentsits, Anton Edl. v. (Graz).
Van Goethem de St. Agathe, Emil, ÖEKO-R. 3., MVK. (KD.); (Wien).
Waldburg-Zeil-Trauchburg, Ludwig Gf., ÖLO-C., MVK. (KD.), ✠ (Wien).
Walleregno, Ludwig, MVK. (Pressburg).
Watzesch v. Waldbach, Moriz (Leutschau).
Weiss, Anton Ritt. v., ÖEKO-R. 3. (Wien).
Weisz v. Schleussenburg, Heinrich, MVK. (KD.); (Graz).
Weymann, Joh. Edl. v., MVK. (KD.); (Wien).
Wiedemann Edl. v. Warnhelm, Carl (Engerau bei Pressburg).
Wildmoser, Anton Ritt. v., ÖEKO-R. 3., MVK. (Wien).
Windisch-Graetz, Hugo Prinz zu, Durchlaucht, MVK. (KD.), (a. D.); (Schloss Wagensperg bei Littay in Krain).
Wocher, Ludwig, MVK. (KD.); (Wien).
Wurmbrand-Stuppach, Ferdinand Gf., ÖLO-GK., ÖEKO-R. 1., GHR., ✠ (Wien).
Zubrzycki, Cornelius v., ÖEKO-R. 3. (KD.), MVK. (KD.); (Krakau).

Unangestellte Oberste.

Aggermann v. Bellenberg, Wilhelm (Stockerau).
Alberti de Poja, Adolph Gf., MVK. (Graz).
Albertini, Ulysses v., ÖLO-R. (KD.), ÖEKO-R. 3. (KD.), MVK. (KD.); (Frymannsburg bei Fluntern in der Schweiz).
Alemann, Felix v. (Wien).
Angerer, Michael, ÖLO-R. (KD.), ÖEKO-R. 3. (KD.), MVK. (KD.); (Baden bei Wien).
Arndt, Gustav (Pressburg).
Aughofer, Gottfried Ritt. v., ÖEKO-R. 3. (KD.), MVK. (KD.); (Wien)
Babouczek, Anton (Iglau).

Bach v. Klarenbach, Georg, MVK. (KD.); (Klosterneuburg).
Backes, Joseph (Wien).
Backi, Adolph (Wien).
Bagnalasta, Julius, ÖEKO-R. 3. (KD.); (Baden bei Wien).
Banniza, Johann Ritt. v., ÖEKO-R 3., (KD.), MVK. (KD.); (Graz).
Barbieri, Benedict v., MVK. (KD.); (Graz).
Bareis Edl. v. Barnhelm, Johann, ÖEKO-R. 3. (KD.), MVK. (KD.); (Wien).
Bareis Edl. v. Barnhelm, Joseph, ÖEKO-R. 3. (KD.); (Graz).
Bartelmuss, Mathias, ÖEKO-R. 3. (KD.), MVK. (KD.); (Brünn).
Bartha, Ladislaus, MVK. (KD.); (Wien).
Baselli v. Süssenberg, Wilhelm Freih. (Wien).
Baumbach, Adolph (Pressburg).
Belcredi, Edmund Gf. (Prag).
Belegishanin, Johann, MVK. (KD.); (Graz).
Bellmond Edl. v. Adlerhorst, Carl (Graz).
Belrupt, Ferdinand Gf., MVK. (KD.), ♱ (Triest).
Bentheim-Steinfurth, Ferdinand Prinz, Durchlaucht, MVK. (KD.); (Prag).
Beranek, Johann, MVK. (KD.), ✠ (Marburg).
Berndt, Franz v. (Krems).
Bézard, Johann, ÖEKO-R. 3. (KD.); (mit Wartegebühr beurl. zu Przyborów bei Brzesko in Galizien).
Bierfeldner Edl. v. Feldheim, Franz, MVK. (KD.); (Wien).
Biró, Alexander v. (Székely-Udvarhely).
Bochal, Anton Ritt. v., ÖEKO-R. 3. (Wien)
Boichetta, Alexander v. (Laibach).
Bogner v. Steinburg, Guido Ritt., ÖEKO-R. 3. (KD.), MVK. (KD.); (Klagenfurt).
Bolfek, Victor (Graz).
Bolzano Edl. v. Kronstätt, Ludwig (Schlan).
Bombelles, Ludwig Gf., MVK. (KD.), JO-Ehrenritter, ♱, (a. D.); (Girinca, Zempliner Comitat).
Boniperti, Johann v. (Fünfkirchen).
Bonora, Maxim., MVK. (KD.); (Graz).
Bordolo Edl. v. Boreo, Eduard (Wien).
Bordolo-Abondi, Albin (Wien).
Brzesina v. Birkenhain, Franz Ritt., ÖLO-R. (KD.), ÖEKO-R. 3. (KD.); (Budapest).
Bukowsky v. Buchenkron, Joseph (Wien).
Bülow v. Wendhausen, Albert Freih., MVK. (KD.); (Teschen).
Bundschuh, Ludwig v. (Kronstadt).
Burggraf, Carl (Wien).
Burkhardt von der Klee, Franz Freih., MVK. (KD.); (Troppau).
Casati, Johann Edl. v., ÖEKO-R. 3.; (Graz).
Centner, Joseph v. (Wien).
Ceschi di Santa Croce, Joseph Freih., ÖLO-R. (KD.), MVK. (KD.), ♱ (Wien).
Chalaupka, Julius, MVK. (KD.); (Graz).
Christl, Joseph (Wien).
Clanner v. Engelshofen, Prokop Ritt. MVK. (KD.); (Pilsen).
Coudenhove, Heinrich Gf., DO-C., MVK. (KD.), ♱ (Wien).
Coudenhove, Theophil Gf., MVK. (KD.), ♱ (Wien).
Crompton, Friedrich (Wien).
Csikós v. Sessia, Peter Ritt., ÖEKO-R. 3. (KD.), MVK. (KD.); (Belovar).
Daniel, Johann (Wien).
Dell'U, Constantin (Görz).
Demetzy, Anton, ÖEKO-R. 3. (Wien).
Depaix, Gustav Chev., ÖEKO-R. 3. (KD.); (Triest).
Dervin v. Waffenhorst, Carl (Wien).
Dierkes, Gustav, MVK. (KD.); (Graz).
Dierzer, Alois (Wien).
Dits, Ferdinand, ✠ (Budapest).
Dittmann v. Vendeville, Albrecht Ritt., ÖEKO-R. 3. (KD.), MVK. (KD.); (Budweis).
Dobner v. Dobenau, Leopold, MVK. (Krems).
Doleisch, Carl, ÖEKO-R. 3. (KD.), MVK. (KD.); (Erlau).
Domini, Raimund Conte (Fiume).
Dorner, Wilhelm v., MVK. (KD.); (Pressburg).
Dósa v. Makfalva, Albert, MVK. (KD.); (Graz).
Drakulić, Cosmas (Neusatz).
Drandler, Johann Edl. v., MVK. (KD.); (Wien).
Draženović v. Pošertve, Adalbert (Graz).
Dreger, Gottfried v. (Baden bei Wien).
Du Hamel de Querlonde, Alois Chev., ♱ (Graz).

Dwernicki, Joseph v., MVK. (Wien).
Eckhardt v. Eckhardtsburg, Gustav, MVK. (KD.); (Prag).
Ellger, Mathias (Carlstadt).
Ellrichshausen, Otto Freih. v. (Wien).
Ende, Friedrich Freih. v., ÖEKO-R. 3. (KD.), MVK. (KD.); (Görz).
Endlicher, Heinrich, MVK. (KD.); (mit Wartegebühr beurl. in Wien).
Erbach-Fürstenau, Edgar Gf. zu, ÖEKO-R. 3. (KD.); (Baden bei Wien).
Erös de Bethlenfalva, Alexander, MVK. (KD.), ♰ (Wien).
Fabrizii, Carl Ritt. v., ÖEKO-R. 3. (KD.); (Raab).
Falk, Carl Ritt. v., ÖEKO-R. 3. (KD.), MVK. KD.); (Wien).
Fellner v. Feldegg, Albert, ÖLO-R. (KD.), MVK. (KD.); (Wien).
Ferrić Edl. v. Annenheim, Edmund (Prag).
Fischer, Peter Edl. v., ÖEKO-R. 3. (KD.), MVK. (KD.); (Hietzing bei Wien).
Fischer v. Nagy-Szalatnya, Alexander Freih., ÖLO-R. (Buzinka, Tornaer Comitat).
Fischmeister, Johann Ritt. v., ÖLO-R. (Wien).
Fleissner Freih. v. Wostrowitz, Eduard, MVK. (KD.); (Oedenburg).
Fleschner-Jetzer, Eugen Freih. v. (a.D.); (Baden bei Wien).
Forgách zu Ghymes und Gács, Moriz Gf., MVK., ♰ (Nagy-Gomba, Somogyer Comitat).
Franul v. Weissenthurm, Ludwig (Triest).
Frass v. Friedenfeldt, Carl Ritt., MVK. (KD.); (mit Wartegebühr beurl. zu Biala).
Friess, Friedrich Ritt. v. (Wien).
Fromm, Carl Ritt. v., ÖEKO-R. 3., ÖFJO-R. (Wien).
Gämmerler, Franz Edl. v. (Znaim).
Garlik, Johann, MVK. (KD.); (Pressburg).
Garlik v. Osoppo, Carl Ritt., ÖEKO-R. 3. (KD.), MVK. (KD.); (Wien).
Gerber, Johann Edl. v. (Waidhofen an der Ybbs).
Gerlach v. Gerlachhein, Hugo, MVK. (KD.); (Linz).
Geum, Johann (Graz).
Giorgi, Lucas nobile de, ÖEKO-R. 3. (KD.), JO-Ehrenritter, ♰ (Ragusa).
Glaninger, Ferdinand (Wien).
Govorcsin, Constantin (Weisskirchen in Ungarn).
Grobois, Joseph (Graz).
Grobois Edl. v. Brückenau, Ignaz MVK. (KD.); (Bregenz).
Györgyi de Deákona, Emerich, ÖEKO-R. 3. (KD.), MVK. (KD.); (Wien).
Hackelberg-Landau, Victor Freih. v. (Wien).
Haigenvelder, Carl, MVK. (KD.); (Wien).
Halbknapp, Leopold (Wien).
Halzl v. Flamir, Stephan Ritt. (mit Wartegebühr beurl. zu Graz).
Hampel v. Waffenthal, Ludwig (Wien).
Hartenthal, Gottfried v., MVK. (KD)., (Wien).
Hasenbeck v. Malghera, Joseph Ritt. ÖEKO-R. 3. (KD.), MVK. (KD.); (Brunn am Gebirge bei Wien).
Hauenschield v. Przerąb, Franz, MVK. (KD.), k. k. Truchsess (Lemberg).
Hein v. Heimsberg, Friedrich, MVK. (KD.); (Pressburg).
Hellmer Edl. v. Kühnwestburg, Joseph, MVK. (KD.); (Wien).
Hennevogl Edl. v. Ebenburg, Martin, ÖEKO-R. 3. (KD.); (Graz).
Herget, Johann Ritt. v., ÖEKO-R. 3., MVK. (KD.); (Prag).
Hermann, Anton (Troppau).
Hickl, Edmund (mit Wartebühr beurl. in Wien).
Hipssich, Philipp (Graz).
Hirst Edl. v. Neckarsthal, Hermann, MVK (KD.); (Linz).
Höcker, Jakob (Wr.-Neustadt).
Hoditz und Wolframitz, Julius Gf., ♰ (Modern in Ungarn).
Hofmann, Leopold (Wien).
Hofmann v. Donnersberg, Alexander (Wien).
Holzinger, Rudolph, MVK. (KD.); (Brünn).
Hopffgarten, Alexander Freih. v., MVK. (KD.); (Baden bei Wien).
Horetzky v. Horkau, Johann, ÖEKO-R. 3. (KD.); (Wien).
Horn, Rudolph, MVK. (KD.), ʘ (Wr.-Neustadt).
Hössler, Carl (Budapest).
Hoyda, Johann (Smichow bei Prag).
Hummel, Heinrich, MVK. (KD.); (Linz).
Ilnicki, Carl, ÖEKO-R. 3.; (Fogaras).
Imbrišević v. Aalion, Martin Ritt., ✠, ÖEKO-R. 3. (Agram).
Imelić, Theodor Edl. v., ✠ (Graz).
Jablonsky, Emil v. (Triest).

Jäger Edl. v. Weideneck, Alexander, MVK. (KD.); (Döbling bei Wien).
Jakčin, Moriz, MVK. (KD.); (Wien).
Jankovics de Csalma, Anton, MVK. (KD.); (Wien).
Jellenčić, Franz (Graz).
Joelson, Moriz Ritt. v. (Wien).
Jósa, Alexander, OEKO-R. 3. (KD.), MVK. (KD.); (Wien).
Káan, Wilhelm Edl. v., MVK. (Wien).
Kalbfleisch v. Laaberg, Eduard, MVK. (KD.); (Wien).
Karojlović v. Brondolo, Johann, ÖEKO-R. 3. (KD.), MVK. (KD.); (Leutschau).
Kasumović, Michael, MVK. (KD.); (Agram).
Kendler, Franz Edl. v. (Salcano bei Görz).
Kirchner v. Neukirchen, Carl, ÖEKO-R. 3., MVK. (Wien).
Kirilovich, Johann, ÖEKO-R. 3., MVK. (KD.); (Mödling bei Wien).
Kirsch, Heinrich (Pilsen).
Kleyle, Anton Ritt. v., MVK.(KD.); (Wien).
Knesević, Emanuel, ÖEKO-R. 3. (KD.), MVK. (KD.); (Graz).
Knezić, Engelbert, MVK. (KD.); (Ragusa).
Knisch, Carl (Mauer bei Wien).
Kopp Edl. v. Ankergrund, Leopold (Budapest)
Koppitsch, Otto, ÖEKO-R. 3. (Graz).
Kostyán, Franz v. (Budapest).
Kottulinsky, Rudolph Gf. (St Pölten).
Krepl, Franz Edl. v, MVK. (KD.); (Pilsen).
Kriehuber, Joseph Ritt. v., ÖEKO-R. 3. (Wien).
Kronenfels, Adolph Ritt. v. (mit Wartegebühr beurl zu Brünn).
Kržisch v. Kulmthal Adolph (Graz).
Kuhe, Franz (Szegedin).
Kuhne, Friedrich, ÖEKO-R. 3. (KD.); (Pressburg).
Kukulj, Stephan, MVK. (KD.); (Agram).
Lachnit, Heinrich Ritt. v. (Wien).
Landgraf, Richard Ritt. v. (Graz).
Lang Edl. v. Waldthurm, Adolph, MVK. (KD.); (Linz).
Langer, Raimund (Graz).
Lauppert, Nikolaus (Agram).
Lazarewicz, Roman (Rozbórz, Bez. Jaroslau in Galizien).
Lazić, Eugen v., ÖEKO-R. 3. (KD.); (Graz).
Łępkowski, Vitalis Ritt. v., ÖEKO-R. 3. (KD.); (Wien).
Libert v. Paradis, Leonhard (Wien).
Lorenz, Alfred (Wr.-Neustadt).
Lovrić, Nikolaus, MVK. (KD.); (Graz).
Mähler Edl. v. Mählersheim, Bernhard (Prag).
Mainone v. Mainsberg, Wilhelm, ÖEKO-R. 3. (KD.). MVK. (KD.); (mit Wartegebühr beurl. zu Budweis).
Mallinarich v. Silbergrund, Johann, MVK. (KD.); (Graz).
Maquić, Robert (Carlstadt).
Mares, Ladislaus (Kis-Salló, Barcser Comitat).
Marković, Michael (Carlstadt.)
Martini, Carl Ritt. v. (Cilli.)
Mattanovich, Franz Edl. v. (Marburg).
Mayer v. Alsó-Ruszbach, Ferdinand (Wien).
Meangya, Stephan (Brünn).
Medich, Peter (Agram).
Meding, Franz Freih. v., MVK. (KD.); (Klagenfurt).
Meduna v. Riedburg, Johann Ritt, ÖEKO-R. 3., MVK. (KD.); (Teplitz in Böhmen).
Mehlem, Eugen v, MVK. (KD.); (Wien).
Mell v. Mellenheim, Gustav, MVK. (Smichow bei Prag.)
Mensdorff-Pouilly, Alphons Gf., ÖLO-C., lebenslänglich Herrenhaus-Mitglied des Reichsrathes, ✠, (a. D.); (Boskowitz in Mähren).
Meraviglia, Leopold Gf., ✠ (Dux in Böhmen).
Mestrović, Stephan Ritt. v., ÖEKO-R. 3. (KD.); (Graz).
Mikessich, Gustav Edl. v. (Wien).
Mindl, Franz, Edl. v. (Wien).
Mirković v. Domobran, Nikolaus Ritt., ÖEKO-R. 3. (KD.), MVK. (KD.), (Agram).
Mitteser v. Dervent, Joseph, MVK. (KD.); (Marburg).
Mohr Edl. v. Ehrenfeld, Carl (Prag).
Molitor Edl. v. Moline, Johann, MVK. (KD.); (Krems).
Mor v. Sunnegg und Morberg, Franz, ÖEKO-R. 3. (KD); (Klagenfurt).
Moritz Edl. v. Mottony, Aurelius (Wien).
Morzin, Vincenz Gf., JO-Ehrenritter, ✠ (Wien).
Mroczkowski v. Nałecz, Avelin, MVK. (KD.); (Reinthal bei Graz).

Much, Ferdinand (Mitter-Retzbach in Niederösterreich).
Müller, Ludwig, MVK. (KD.); (Graz).
Münch-Bellinghausen, Carl Freih. v., MVK. (KD.); (Graz).
Neumann, Ferdinand (Wien).
Nickerl, Franz (Graz).
Nowak, Ignaz, MVK. (KD.); (Graz).
Nowey v. Wundenfeld, Leonhard, MVK. (KD.); (Wien).
Nugent, Arthur Gf., MVK. (KD.), ♰ (Agram).
O'Connel-O'Connor-Kerry, Daniel Freih. (Wien).
Oeller, Carl (Wien).
Ottinger, Gustav Freih. v., MVK. (KD.); (Pressburg).
Paich, Adam (Görz).
Palombini, Scipio Freih. v. (Graz).
Paulich, August v. (Graz).
Pelzel v. Staffalo, Carl Ritt, ÖEKO-R.3. (KD.), MVK. (KD.); (Graz).
Perger, Ferdinand Ritt. v., MVK. (KD.); (Prag).
Peters v. Pitersen, Hermann, MVK. (KD.); (Graz).
Petheö de Gyöngyös, Franz (Budapest).
Petrich, Daniel, MVK. (KD.); (Wien).
Pezelt, Wilhelm Ritt. v., ÖEKO-R. 3., MVK. (KD.); (Baden bei Wien).
Pfaffenberg, Alexander, MVK. (KD.); (Linz).
Pfisterer, Rudolph (Auhof bei Pergkirchen in Oberösterreich).
Pildner v. Steinburg, Julius (Wien).
Pilsak Edl. v. Wellenau, Ludwig, MVK. (KD.); (Baden bei Wien).
Pindter v. Pindtershofen, Ludwig, ÖEKO-R. 3. (KD.); (Wien).
Pinsker, Adolph (Wien).
Pitlik, Wenzel (Wien).
Placzek, Carl (Klausenburg).
Pletzger, Eduard Freih. v., MVK. (KD.); (Graz).
Polansky, Anton, ÖEKO-R. 3. (Brünn).
Pongrácz de Szent-Miklós et Óvár, Eugen Gf., ♰ (Nagy-Kágya, Biharer Comitat).
Popovics, Wilhelm, ÖEKO-R. 3. (KD.); (Pressburg).
Porcia, Anton Gf., JO-R., ♰ (in Italien).
Porcia et Brugnera, Leopold Gf., ÖLO-R., ÖEKO-R. 3. (KD.); (in Italien).
Pötting et Persing, Freih. v. Ober-Falkenstein, Alois Gf., ÖLO-R. (KD.), ÖEKO-R. 3. (KD.), MVK. (KD.), ♰ (Gross-Teinitz bei Olmütz).
Preissler Edl v. Tannenwald, Friedrich (Wien).
Prodanov, Arsenius (Pressburg).
Prohaska, Georg, MVK. (KD.); (Linz).
Prybila, Carl Edl. v., MVK. (mit Wartegebühr beurl. in Wien).
Pulsator, Philipp (Graz).
Pürcker Edl. v. Pürkhain, Moriz, ÖEKO-R. 3. (KD.); (Cilli).
Püschel v. Felsberg, Anton (Oedenburg).
Puškar, Basil (mit Wartegebühr beurl. zu Petrinja).
Raabl v. Blankenwaffen, Sarkander (Brünn).
Radovanović, Demeter (Mitrovic).
Raffelsberger, Wilhelm (Wien).
Rainer zu Haarbach, Maximilian Ritt. v. (Klagenfurt).
Raisp Edl. v. Caliga, Eduard, MVK. (KD.); (Olmütz).
Rampelt v. Rüdenstein, Leonhard (Teplitz in Böhmen).
Rapp-Dobry, Johann v. (Wien).
Reder, Franz (Wien).
Reiche v. Thuerecht, Philipp (Mödritz bei Brünn).
Reicher, Johann (Wien).
Reymann, Ignaz, MVK. (Stryj).
Reznicek, Carl (Graz).
Rombeck, Ernst Ritt. v., ÖEKO-R. 3. (KD.), MVK. (KD.), ○ 1., ○ 2. (Budweis).
Rott, Johann (Wien).
Sabolić, Joseph (Belovar).
Samoly de Szék, Alexander (Graz).
Schaffgotsche von und zu Kynast und Greiffenstein, Friedrich Gf., ♰ (Pressburg).
Scharich v. Vranik, Georg Ritt, MVK. (KD.); (Mitrovic).
Schesztak, Carl (Görz).
Schimmelpenning, Vincenz Freih. v. (Wien).
Schindler, Gustav (Wien).
Schiviz v. Schivizhoffen, Julius, MVK. (KD.); (Laibach).
Schlossarek, Joseph, MVK. (KD.); (Wien).
Schmidt v. Ehrenberg, Hieronymus (Wien).
Schnetter, Johann Edl. v., MVK. (Graz).

Schwarzenbrunner, Carl (Graz).
Schwickert Ernst (Wr.-Neustadt).
Sedlnitzky, Franz Freih. v., MVK. (KD.); (Salzburg).
Seewald, Joseph, ÖEKO-R. 3. (KD.), MVK. (KD.); (Neuhaus in Böhmen).
Sommery, Ludwig Gf., ✠, (a. D.); (Margate in England).
Sontag, August (Smichow bei Prag).
Soragna, Guido Marq. de (in Italien).
Soyka, Carl v., MVK. (KD.); (Linz).
Specz de Ladháza, Carl (Csömöte bei Güns).
Spiegelfeld, Anton Freih. v. (St. Marein in Steiermark).
Spilberger v. Spilwall, Eduard, ÖEKO-R. 3. (KD.); (Smichow bei Prag).
Spillauer, Carl, MVK. (KD.); (Fogaras).
Stach, Gustav, MVK. (Znaim).
Stadler, Wilhelm (Wien).
Stark, Adolph Edl. v. (Wien).
Steiger v. Münsingen, Carl, ÖLO-R. (KD.), ÖEKO-R. 3. (KD.), ✠ (Wien).
Steutter, Ernst (Wien).
Stipanović, Michael, MVK. (Agram).
Strandl, Adolph Edl. v. (Temesvár).
Strastil v. Strassenheim, Anton (Pressburg).
Strigl, Carl Ritt. v., ÖEKO-R. 3. (Graz).
Susić, Adolph v., MVK. (KD.); (Cilli).
Syrbu, Georg Ritt. v., ÖEKO-R. 3. (KD.), MVK. (KD.); (Krems).
Tallián de Vizek, Ignaz (Pressburg).
Terbuhović, Marcus (Graz).
Theiss, Willibald (Graz).
Theuerkauf, Eduard Ritt. v., ÖEKO-R. 3. (KD.), MVK. (KD.); (Graz).
Titz, Wenzel (Graz).
Trauttenberg, Joseph Freih. v., ÖEKO-R. 3. (KD.); (Pressburg).
Triulzi, Anton Edl. v. (Hietzing bei Wien).
Truskolaski, Martin v. (Rzeszów).
Tschik, Eduard, MVK. (KD.); (Graz).
Tunkl v. Asprung und Hohenstadt, Ferdinand Freih., MVK. (KD.); (Görz).
Turek, Maximilian (Wien).
Tursky, Jos. Ritt. v., MVK. (KD.); (Wien).
Uchatius, Jos. Ritt. v., ÖEKO-R. 3. (Wien).
Ueberfeld, Wilhelm (Wien).
Urs de Margina, David Freih., ÖEKO-R. 2. (KD.), ✠, MVK. (KD); (Hermannstadt).
Van Crasbek v. Wiesenbach, Julius (Görz).
Van Crasbek v. Wiesenbach, Ludwig (Wien).
Veigl, Franz, MVK. (KD.); (Graz).
Vetter Edl. v. Doggenfeld, Johann (Prag).
Walluschek v. Wallfeld, Friedrich, ÖEKO-R. 3. (KD.); (Zürich in der Schweiz).
Wanka v. Lenzenheim, Joseph, ÖEKO-R. 3. (Wien).
Wattmann de Maelcamp-Beaulieu, Ludwig Freih., MVK. (KD.); (Ruda rozaniecka bei Cieszanow in Galizien).
Watzesch v. Waldbach, Nikolaus (Fünfkirchen).
Weiler, Franz (Budapest).
Weinsberg, August Edl. v., MVK. (KD.); (Wien).
Weiss, Ladislaus, MVK. (KD.); (Triest).
Weisser, Johann, ÖEKO-R. 3. (KD.), MVK. (KD.); (Salzburg).
Welsperg zu Reitenau und Primör, Wolfgang Gf. (Brixen).
Wenko, Adolph Edl. v. (Graz).
Wereszczyński, Joseph v., ✠ (Krakau).
Wermann v. Wehrmann, Franz Ritt., ÖEKO-R. 3. (Krems).
Weyracher v. Weidenstrauch, Johann, ÖEKO-R. 3. (KD.); (Graz).
Weyracher v. Weidenstrauch, Joseph, MVK. (KD.); (Agram).
Wickenburg, Otto Gf., ✠ (Wien).
Wilczek Edl. v. Schild, Johann (Temesvár).
Wiedemann v. Warnhelm, Ernst Ritt., ÖEKO-R. 3. (KD.); (Görz).
Winterstein, Carl, ÖLO-R. (KD.), ÖEKO-R. 3. (KD.), MVK. (KD.); (Görz).
Wippersdorf, Gustav (Teschen).
Wolkensperg, Franz Freih. v., MVK. (KD.); (Sello in Krain).
Wolter Edl. v. Eckwehr, Johann, ÖEKO-R. 3. (KD.), MVK. (KD.); (Graz).
Wussin, Victor (Brüx).
Zedtwitz, Hieronymus Gf. (Essegg).
Zedtwitz, Edmund Gf. (Wien).
Zollern, Franz (Graz).
Zuna Edl. v. Krátky, Carl, MVK. (KD.); (Mödling bei Wien).

Unangestellte Titular-Oberste.

Abele v. Lilienberg, Franz Freih. (Güns).
Amerling, Joseph, MVK. (Wien).
Anderle v. Sylor, Anton (Graz).
Artner, Joseph, MVK. (KD.); (Penzing bei Wien).
Arzt, Peter, MVK. (KD.); (Kronstadt).
Baillou, Johann Freih. v. (Vörös-Berény, Veszprimer Comitat).
Bajzath de Peszak, Gustav (Pressburg).
Barisani, Joseph v. (auf Mobilitäts-Dauer activirt, bei der Etapen-Dir. zu Brood).
Bayer v. Bayersburg, August (Graz).
Bayer v. Waldkirch, Carl (Währing bei Wien).
Benčević, Joseph Edl. v. (Peterwardein).
Beran, Joseph Ritt. v, ÖEKO-R. 3. (KD.); (Görz).
Bergh v. Trips, Maxim. Gf. (Graz).
Bergmüller, Leop., MVK. (KD.); (Krems).
Biersbach, Joh. v., MVK. (KD.); (Prag).
Blasek, Wenzel, ✠ (Graz).
Borderaux, Ignaz (Wien).
Boxberg, Emerich Freih. v. (Tarna-Eörs bei Gyöngyös in Ungarn).
Bunčić, Johann, MVK. (KD.); (Carlstadt).
Carrière de Tour de Camp, Ferdinand (Graz).
Christelbauer, Franz (Prag).
Clam-Martinitz, Richard Gf., ✝ (Ertischowitz bei Příbram in Böhmen).
Clanner v. Engelshofen, Jos. Ritt. (Prag).
Coronini-Cronberg, Franz Gf., ✝, (a. D.); (St. Peter bei Görz).
Csicsa, Lazarus (Olmütz).
Czermak, Joseph, MVK. (KD.); (Graz).
De Butts, Friedrich, ÖEKO-R. 3. (KD.); (Dublin in Irland).
Dessović, Mathias Edl. v. (Grosswardein).
Dötscher, Carl Edl. v., ✠ (Teplitz in Böhmen).
Drahorad, Franz, MVK. (KD.); (Graz).
Drašenović, Georg, ÖLO-R. (KD.), ÖEKO-R. 3. (KD.); (Alland bei Baden).
Dreyer, Jos., MVK. (KD.); (Pressburg).
Ebeling v. Dünkirchen, Georg, MVK. (Güns).
Engelhoffer, Joseph (Graz).
Erich v. Melambuch und Liechtenheim, Ludwig Ritt., MVK. (KD.); (Graz).
Farkas de Nagy-Jóka, Vincenz, ÖLO-R. (KD.), ✠, ✝ (Pressburg).

Fellinger, Alexander v. (St. Pölten).
Fiáth v. Eörményes und Caransebes, Ludwig Freih., MVK. (KD.), ✝ (Duna-Földvár, Tolnaer Comitat).
Fischer, Friedrich (Wien).
Friwisz Edl. v. Wertershain, Anton, ✠ (Budapest).
Fröhlich v. Salionze, Johann Freih., ✠, ÖLO-R. (KD.), MVK. (KD.), (a. D.); (Wien).
Frubin, Johann, MVK. (KD.); (Graz).
Fugger-Babenhausen, Carl Gf., ÖFJO-C. (m. St.), ✝, (a. D.); (Klagenfurt).
Gaich, Mathias Ritt. v., MVK. (KD.); (Wien).
Gallatz, Johann (Graz).
Grumeth v. Treuenfeld, Friedrich Ritt. (Wien).
Harnisch, Joseph (Krakau).
Hegedüs, Ferdinand v., ÖEKO-R. 3. (Fünfkirchen).
Hennet, Lothar Freih. v., MVK. (KD.), ✝ (Schloss Steckwitz bei Saaz).
Heyderich, Theodor, ○ 2. (Brünn).
Hofmann, Johann (Graz).
Hopfern v. Aichelburg, Ferdinand (Teplitz in Böhmen).
Hubatius, Anton (Prag)
Ivichich-Anton v., MVK. (KD.), ✠ (Graz).
Jäger v. Kronenberg, Friedrich Ritt., ÖEKO-R. 3. (KD.); (Wien).
Juch, Ernst (Graz).
Jurisković v. Hagendorf, Ferd. (Triest).
Karger v. Rengersdorf, Carl (Wien).
Karnitschnig, Warmund (Laibach).
Klein, Ignaz (Drahotusch bei Weisskirchen in Mähren).
Kneissler, Anton Edl. v., ✠ (Linz).
Kolowrat-Krakowsky, Philipp Gf. (Wien).
Kovács, Joseph (Oedenburg).
Kozina, Johann (Ober-Pullendorf bei Oedenburg).
Kriesche, Ignaz (Wien).
Lamatsch Edl. v. Waffenstein, Joseph, MVK. (KD.); (Prag).
Lazarini, Cajetan Freih. v., DO-C., ✝ (Laibach).
Leithner, Franz Edl. v., MVK. (KD.); (Salzburg).
Lendl v. Murgthal, Pantaleon Ritt., ÖLO-R., ✠ (Teplitz in Böhmen).

Lendwich, Ludwig, ÖEKO-R. 3. (KD.), MVK. (KD.); (Cilli).
Leypold, Franz (Graz).
Lilien, Anton Freih. v. (Salzburg).
Limpens v. Donraedt, Franz, MVK. (Pressburg).
Luxardo, Urban, MVK. (KD.); (auf Mobilitäts-Dauer activirt, Etapen-Comdt. zu Metkovich).
Macchio, Wenzel v. (Baden bei Wien).
Marenić, Gabriel v. (Graz).
Martini, Eduard v. (Wien).
Mosing, Jos. Edl. v., ✠ (Hermannstadt).
Murgić, Johann (Agram).
Muszynski, Carl, ÖFJO-R. (Reichenau bei Gloggnitz in Niederösterreich).
Mylius, Victor Freih. v. (Unter-Vogau bei Leibnitz in Steiermark).
Nagy de Galantha, Adolph (Urfahr bei Linz).
Neckermann, Raimund (Brixen).
Neuhauser, Hermann Edl. v., ÖEKO-R. 3. (KD.), MVK. (KD.); (Perchtoldsdorf bei Wien).
Noelle, Heinrich (Görz).
Nowey, Joseph Edl. v. (Salzburg).
Nugent, Albert Gf., ÖEKO-R. 3. (KD.); (Wien).
Ochtzim Edl. v. Clarwall, Carl, MVK. (KD.); (Krems).
Paić, Stanislaus (Rakovac in Croatien).
Pappenheim, Heinrich Gf. zu, ÖEKO-R. 3., ✠ (Graz).
Pasch Edl. v. Corunione, Johann, ○ 2. (Görz).
Peschka, Wenzel Edl. v. (Budweis).
Petzl, Franz (Linz).
Pichler, Alexander v. (Graz).
Piers, Alexander Freih. v., ÖLO-R., ÖEKO-R. 3. (KD.), MVK. (KD.), ✠ (Gmunden).
Piret de Bihain, Béla Freih. v., ✠ (Wien).
Podlewski v. Bogorya, Vincenz Ritt., MVK. (KD.); (Czernica in Galizien).
Poquet, Joseph (Klosterneuburg).
Radötzky v. Radotz, Ludwig (Graz).
Rapaić v. Ruhmwerth, Emanuel (Petrinja).
Rathner, Ignaz, MVK., ✠ (Graz).
Ratković, Anton (Agram).
Rieben Edl. v. Riebenfeld, Jos. (Graz).
Riefkohl v. Wunstorf, Rudolph, MVK. (KD.); (Wien).
Roch, Moriz (Laibach).
Rodt, Ludwig (Sterkowic bei Saaz).
Rüling Edl. v. Rüdingen, Ludwig, MVK. (KD.); (Laibach).
Salerno, Hieronymus Freih. v., MVK. (KD.); (Wien).
Scheravitza, Joseph (Pancsova).
Schewitz, Alois Edl. v., MVK. (KD.), ✠ (Krems).
Schmidt, Franz, MVK. (KD.); (Wien).
Schneller Edl. v. Mohrthal, Johann, MVK. (Krems).
Schramm, Carl, MVK. (KD.), ○ 1. (Agram).
Schuppler, Joseph Edl. v. (Prag).
Schwarzfischer, Johann (Wien).
Sieberer, Jakob Ritt. v., ÖLO-R. (KD.); (Ottensheim in Oberösterreich).
Simbschen, Eugen Freih. v. (Linz).
Steinbrecher, Edmund (Raab).
Storch v. Arben, Friedrich, ÖLO-R. (KD.), MVK. (KD.); (Bistritz in Siebenbürgen).
Stumm, Johann (Korneuburg).
Tavola, Vincenz (Ober-Meidling bei Wien).
Testa, Carl Freih. v. (Constantinopel).
Thomić, Carl (Pancsova).
Trebersburg, Julius Freih v. (Rajk im Zalaer Comitat).
Ullrich, Joseph, MVK. (KD.); (Innsbruck).
Vagyon, Johann, MVK. (KD.); (Wien).
Veltheim, Johann Freih. v., ÖEKO-R. 3. (KD.), MVK. (KD.); (Eger).
Vučković, Paul (Mitrovic).
Wellenreiter, Stephan, MVK. (Wien).
Widerkhern v. Wiederspach, Leopold Ritt. (Görz).
Windisch-Graetz, Ernst Prinz zu, Durchlaucht, MVK. (KD.), (a. D.); (Graz).
Wolff v. Wolffenberg, Jakob, MVK. (KD.); (Laibach).
Worowansky, Joseph Ritt. v., ÖEKO-R. 3., MVK. (KD.); (Linz).
Württemberg, Philipp Herzog v., königl. Hoheit, GVO-R., (a. D.), (königl. württembergischer Oberst); (Wien).
Zieglmayer, Anton (Wien).

Generalstab.

Generalstabs - Corps.

Chef des Generalstabes.

Schönfeld, Anton Freih. v., ÖEKO-R. 2. (KD.), ÖLO-R. (KD.), MKV. (KD.), GHR., FML.

Stellvertreter.

Fischer v. Ledenice, Maximilian Ritt., ÖLO.-R. (KD.), FML.

Commandant der Kriegsschule.

Fischer, Friedrich v., ÖFJO-C., ÖLO-R. (KD.), ÖEKO-R. 3. (KD.), FML.

Director des Kriegs-Archives und Vorstand der Abtheilung für Kriegs-Geschichte.

Sacken, Adolph Freih. v., ÖEKO-R. 3. (KD.), GM.

Oberste.

Kukulj, Peter, (ü. c.) Comdt. der 5. Inf.-Brig. in Wien.

König, Arnold, ÖLO-R. (KD.), ÖEKO-R. 3. (KD.), (ü c.) Comdt. der 1. Inf-Brig. zu Serajevo.

Demel, August, MVK. (KD.), Generalstabs-Chef beim Mil.-Comdo. zu Hermannstadt.

Haymerle, Alois Ritt. v., OEKO-R. 3., MVK. (KD.), Mil.-Attaché bei der k. u. k. Botschaft am königl. italienischen Hofe zu Rom.

Korwin, Emanuel Ritt. v., ÖEKO-R. 3. (KD.), Generalstabs-Chef beim VIII. Inf.-Trup.-Div.- u. Mil.-Comdo. zu Innsbruck.

Weikard, Franz, MVK., Chef der III. Section im techn. u. adm. Mil.-Comité.

Daublebsky v. Sterneck, Moriz Ritt., ÖLO.-R., ÖEKO-R. 3. (KD.), MVK. (KD.), Generalstabs-Chef beim Gen.-Comdo. zu Prag.

Popp, Leonidas, ÖEKO-R. 2. (KD), MVK. (KD.), zur Disposition des Generalstabes.

Hilleprandt, Anton Edl. v., ÖLO-R., ÖEKO-R. 3. (KD.), Chef des Eisenbahn-Bureau.

Ochsenheimer, Friedrich Ritt. v., ÖEKO-R 3., MVK. (KD.), Chef des Directions-Bureau.

Merkl, Rudolph, ÖLO-R., ÖEKO-R. 3., MVK. (KD.), Vorstand der 5. Abth. des R.-Kriegs-Mstms.

Obauer Edl. v. Bannerfeld, Hugo, ÖFJO-R., MVK. (KD.), Generalstabs-Chef beim Gen.-Comdo. zu Lemberg.

Reicher, Joseph, MVK. (KD.), Comdt. des IR. Nr. 35

Drexler, Carl, ÖEKO-R. 3., Generalstabs-Chef beim Gen.-Comdo. zu Budapest.

Wiser, Friedrich Ritt. v., ÖEKO-R. 3. (KD.). MVK. (KD.), Generalstabs-Chef beim Gen.-Comdo. zu Brünn.

Leddihn, Adolph. MVK., Chef des Evidenz-Bureau.

Degenfeld-Schonburg, Ferdinand Gf., MVK. (KD.), ✠, (ü. c.) als Erzieher zug. dem Hofstaate Sr. k. k. Hoheit des Erzherzogs Carl Ludwig.

Vullentsits, Alfred Edl. v., MVK. (KD.), Generalstabs-Chef beim Gen.-Comdo. zu Graz.

Groller v. Mildensee, Johann, (ü. c) bei Sr. k. k. Hoheit dem General-Inspector des Heeres FM Erzherzog Albrecht.

Crusiz, Othmar, ÖEKO-R.3., MVK. (KD.), Comdt. des IR. Nr. 49.

Galgótzy, Anton, ÖEKO-R. 3. (KD.), Chef des Bureau für operative und besondere Generalstabs-Arbeiten.

Waldstätten, Georg Freih. v., MVK. (KD.), Generalstabs-Chef beim Gen.-Comdo. in Wien.

Wurmb, Adolph v., ÖEKO-R. 3. (KD.), MVK. (KD.), (ü.c.) Vorstand der 6. Abth. des R.-Kriegs-Mstms.

Potier des Echelles, Maximilian Freih., Generalstabs-Chef beim Mil.-Comdo. zu Kaschau.

Blažeković, Carl v., ÖLO-R., MVK. (KD.), Generalstabs-Chef beim Mil.-Comdo. zu Zara.

Raab, Joseph Ritt. v., ÖEKO-R. 3. (KD.), MVK. (KD.), Mil.-Attaché bei der k. u. k. Botschaft zu Constantinopel.

Watteck, Joseph, Generalstabs-Chef beim Mil.-Comdo zu Krakau.

Némethy, Norbert Edl. v., ÖEKO-R. 3. (KD.), ○ 2., zur Disposition des Generalstabes.

Handel-Mazzetti, Eduard Freih. v., MVK., Generalstabs-Chef beim Mil.-Comdo. zu Pressburg.

Teuffenbach zu Tiefenbach u. Masswegg, Albin Freih. v., ÖEKO-R 3., (ü. c.); als Erzieher zug. dem Hofstaate Sr. k. k. Hoheit des Erzherzogs Ferdinand IV., Grossherzog von Toscana.

Milde v. Helfenstein, Hugo, ÖLO-R. (KD.), MVK. (KD.), Comdt. des IR Nr. 32.

Dubsky v. Trzebomislitz, Guido Gf., ✠, Res.-Comdt. des IR. Nr. 73.

Pfeiffer v. Ehrenstein-Rohmann, Carl Freih., MVK., beim Generalstabe in Wien.

Schaller, Carl, ÖEKO-R. 3., MVK. (KD.), Vorstand der 10. Abth. des R.-Kriegs-Mstms.

Watteck, Franz, Res.-Comdt. des IR. Nr. 15.

Ripp, Carl Freih. v., beim Generalstabe in Wien.

Thoemmel, Gustav Ritt. v., ÖLO-R. (KD.), ÖEKO-R. 3 (KD.), (ü. c.) in besonderer Verwendung.

Albori, Eugen, ÖLO-R. (KD.), MVK. (KD.), Generalstabs-Chef beim Gen.-Comdo. zu Serajevo.

Oberstlieutenants.

Hann v. Hannenheim, Joseph, MVK. (KD.), beim Generalstabe in Wien (Rang 1. Mai 1876).

Fux, Otto, MVK. (KD.), Res.-Comdt. des IR. Nr. 18 (Rang 1. Mai 1876).

Pitreich, Anton Ritt. v., ÖEKO-R. 3., beim Generalstabe in Wien (Rang 1. Mai 1876).

Butterweck, Julius, MVK. (KD.), Lehrer an der Kriegsschule (Rang 1. Mai 1876).

Samonigg, Johann, ÖEKO-R. 3. (KD.), Chef des Landesbeschreibungs-Bureau (Rang 1. Mai 1876).

Merta, Emanuel, ÖFJO-R., MVK. (KD.), beim Generalstabe in Wien (Rang 1. Nov. 1876).

Trapsia, Michael, ÖEKO-R. 3. (KD.), b. Generalstabe in Wien (Rang 1. Nov. 1876)

Habiger v. Harteneck, Victor (WG.) (Rang 1. Nov. 1876).

Schulenburg, Hans Gf. von der, ÖLO-R. (KD.), MVK. (KD.), Generalstabs-Chef beim Mil.-Comdo. und zugleich bei der XXVIII. Inf.-Trup.-Div. zu Triest (Rang 1. Nov. 1876).

Jaeger, Franz (ü. c.) Flügel-Adj. des Reichs-Kriegs-Ministers. (Rang 1. Nov. 1876).

Hold, Alexander, ÖEKO-R. 3., beim R.-Kriegs-Mstm. (Rang 1. Nov. 1876).

Probszt Edl. v. Ohstorff, Emil, beim Gen.-Comdo. zu Graz (Rang 1. Nov. 1876).

Bonn, Daniel, MVK., Mil.-Attaché bei der k. und k. Botschaft in Paris (Rang 1. Nov. 1876).

Gehren, Friedrich v., Generalstabs-Chef beim Mil.-Comdo. zu Temesvár (Rang 1. Nov. 1876).

Vallner, Anton v., Generalstabs-Chef bei der X. Inf.-Trup.-Div. zu Josephstadt (Rang 1. Nov. 1876).

Woinovits, Elias, MVK. (KD.), beim Generalstabe in Wien (Rang 1. Nov. 1876).

Ludwig, Carl, ÖLO-R., ÖEKO-R. 3. (KD.), MVK., Generalstabs-Chef beim Gen.-Comdo. zu Agram (Rang 1. Nov. 1876).

Sembratowicz, Ludwig, MVK. (KD.), beim Generalstabe in Wien (Rang 1. Mai 1877).

Poleschensky, Friedrich, beim IR. Nr. 20 (Rang 1. Mai 1877).

Liechtenstein, Alois Prinz zu, Durchlaucht, ÖEKO-R. 3., Flügel-Adj. Sr. Majestät des Kaisers und Königs, Mil.-Bevollmächtigter bei der k. u. k. Botschaft zu Berlin (Rang 1. Mai 1877).

Neuwirth, Victor Ritt. v., Generalstabs-Chef bei der XII. Inf.-Trup.-Div. zu Krakau (Rang 1. Mai 1877).

Snětiwy, Vincenz, MVK, beim Gen.-Comdo zu Serajevo. (Rang 1. Mai 1877).
Thyr, Maximilian, MVK. (KD.), Lehrer an der Kriegsschule (Rang 1. Mai 1877)
Fabini Ludwig. ÖLO-R. (KD.), ÖEKO-R. 3. (KD.), beim Gen.-Comdo. zu Prag (Rang 1 Mai 1877).
Gustas, Leopold, beim Gen.-Comdo. zu Budapest (Rang 1. Nov. 1877).
Hauschka, Alois, Lehrer am Stabsofficiers-Curse (Rang 1. Nov. 1877).
Fraenzel, Moriz, ÖEKO-R. 3. (KD.), beim Gen.-Comdo. zu Brünn (Rang 1. Nov. 1877).
Bolfras v. Ahnenburg. Arthur, ÖEKO-R. 3. (KD.), ÖFJO-R., MVK. (KD.), beim IR. Nr. 7 (Rang 1. Mai 1878).
Stransky, Carl v., MVK., beim Gen.-Comdo. in Wien (Rang 1. Mai 1878).
Schwitzer v. Bayersheim, Ludwig Ritt, ÖEKO-R. 3. (KD.), MVK. (KD.), beim IR Nr. 60 (Rang 1. Mai 1878).
Ripp, Isidor Freih. v., ÖEKO-R. 3., beim R.-Kriegs-Mstm. (Rang 1. Mai 1878).
Cronenbold, Ferdinand, beim Gen.-Comdo. zu Lemberg (Rang 15. Sept. 1878).
Adrowski. Heinrich, Lehrer an der Kriegsschule (Rang 15. Sept. 1878).
Schulz, Leopold, MVK., bei der Etappen-Dir. zu Brood (Rang 15. Sept 1878).
Wannisch, Wilhelm, beim IR. Nr. 8 (Rang 15. Sept. 1878).
Hegedüs de Tiszavölgy, Ludwig, beim Husz.-Reg. Nr. 15 (Rang 15. Sept. 1878).
Fiedler, Ferdinand, MVK. (KD.), Lehrer an der Kriegsschule (Rang 15. Sept. 1878).
Pohl, Otto Ritt v., ÖEKO-R. 3. (KD.), MVK. (KD.), (ü. c.) in der Mil.-Kanzlei Sr. Majestät des Kaisers und Königs (Rang 15. Sept. 1878).
Stanger, Wilhelm, beim Generalstabe in Wien (Rang 15. Sept 1878).
Seracsin, Theodor, ÖLO-R. (KD.), MVK. (KD.), Generalstabs-Chef bei der XX. Inf.-Trup.-Div. zu Brood (Rang 15. Sept. 1878).
Gold, Carl Ritt v., Lehrer an der Kriegsschule (Rang 1. Nov. 1878)
Kostersitz, Carl, MVK. (KD.), beim IR. Nr. 79 (Rang 1. Nov. 1878).
Catinelli, Maximilian Ritt. v., ÖEKO-R. 3. (KD.), MVK. (KD.), beim Generalstabe in Wien (Rang 1. Nov. 1878).
Bilimek Edl v. Waissolm, Hugo, Generalstabs-Chef bei der II. Inf.-Trup.-Div. in Wien (Rang 1. Nov. 1878).

Majore.

Tschebulz Edl. v. Tsebuly, Franz, MVK. (KD.), Generalstabs-Chef bei der XVII. Inf.-Trup.-Div. zu Grosswardein (Rang 1. Nov. 1876).
Franz v. Astrenberg, Joseph Ritt., beim Gen.-Comdo. zu Agram (Rang 1. Nov. 1876).
Kielmansegg, Oswald Gf., ✠, Generalstabs-Chef bei der V. Inf-Trup.-Div. zu Brünn (Rang 1. Nov. 1876).
Bach, Eduard, MVK. (KD.), Generalstabs-Chef bei der IV. Inf.-Trup.-Div. zu Serajevo (Rang 1. Nov. 1876).
Pokorny, Hermann Edl. v., MVK (KD.), Generalstabs-Chef bei der XXXI. Inf. Trup.-Div. zu Budapest (Rang 1. Nov. 1876).
Arbter, Emil Ritt. v., ÖEKO-R. 3. (KD.); (ü. c.) Flügel-Adj. Seiner Majestät des Kaisers und Königs (Rang 1. Nov. 1876).
Hirsch, Wilh. Edl. v., MVK. (KD.), Lehrer am Stabsofficiers-Curse (Rang 1. Nov. 1876).
Klepeczka, Adalbert, MVK., Generalstabs-Chef bei der XIII Inf.-Trup.-Div. zu Dolnj Tuzla. (Rang 1. Nov. 1876).
Fleck, Hugo, Generalstabs-Chef bei der XIX. Inf.-Trup.-Div. zu Pilsen (Rang 1. Nov. 1876).
Czerny, Franz Ritt. v., Generalstabs-Chef bei der I. Inf.-Trup.-Div. zu Serajevo (Rang 1. Nov. 1876).
Görger v. St. Jörgen, Otto Ritt, MVK. (KD.), Generalstabs-Chef bei der III. Inf.-Trup.-Div. zu Linz (Rang 1. Nov. 1876).
Duré, Friedr., Director der Mil.-Mappirung im mil.-geogr. Inst. (Rang 1. Mai 1877).
Heyrowsky, Carl, beim IR Nr. 74 (Rang 1. Mai 1877).
Arthold, Johann, Generalstabs-Chef bei der XXIX. Inf.-Trup.-Div. zu Theresienstadt (Rang 1. Mai 1877).
Halecki v Nordenhorst, Oskar Ritt., Generalstabs-Chef bei der XVI. Inf.-Trup.-Div. zu Hermannstadt (Rang 1. Mai 1877).
Lehmann, Franz, ÖEKO-R. 3. (KD.), Generalstabs-Chef bei der XXXVI. Inf.-Trup.-Div. zu Banjaluka (Rang 1. Mai 1877).

Karger, Eduard, Generalstabs-Chef bei der XIV. Inf.-Trup.-Div. zu Agram (Rang 1. Mai 1877).
Morawetz, Otto, beim Gen.-Comdo. zu Graz (Rang 1. Mai 1877).
Komers v. Lindenbach, Camillo Freih., beim Generalstabe in Wien (Rang 1. Nov. 1877).
Riedl, Rudolph, Generalstabs-Chef bei der XXX. Inf.-Trup.-Div. zu Lemberg (Rang 1. Nov. 1877).
Guttenberg, Emil Ritt. v., ÖLO-R. (KD.), ÖFJO-R., Generalstabs-Chef bei der VI. Inf.-Trup.-Div. zu Graz (Rang 1. Nov. 1877).
Hoffmeister, Edmund, Lehrer am Stabsofficiers-Curse (Rang 1. Nov. 1877).
Hoch, Carl, Generalstabs-Chef bei der XXIV. Inf.-Trup.-Div. zu Lemberg (Rang 1. Nov. 1877).
Hollub, Alois, Generalstabs-Chef bei der XI. Inf.-Trup.-Div. zu Lemberg (Rang 1. Nov. 1877).
Sinnreich, Carl, Generalstabs-Chef bei der XXXII. Inf.-Trup.-Div. zu Budapest (Rang 1. Nov. 1877).
Plentzner v. Scharneck, Gustav Ritt., Generalstabs-Chef bei der XXXIII. Inf.-Trup.-Div. zu Pressburg (Rang 1. Nov. 1877).
Kleinschmidt Edl. v. Wilhelmsthal, Franz, MVK., Lehrer an der Kriegsschule (Rang 1877).
Schlayer, Hugo v., Lehrer an der Kriegsschule (Rang 1. Mai 1878).
Kerczek, Christian, ÖEKO-R. 3. (KD.), beim IR. Nr. 17 (Rang 1. Mai 1878).
Bolla de Csáford-Jobaháza, Coloman, ÖLO-R. (KD.), ÖEKO-R. 3. (KD.), MVK. (KD.), Generalstabs-Chef bei der XXV. Inf.-Trup.-Div. in Wien (Rang 1. Mai 1878).
Slameczka, August, ÖLO-R. (KD.), Generalstabs-Chef bei der XVIII. Inf.-Trup.-Div. zu Mostar (Rang 1. Mai 1878).
Guttenberg, Carl Ritt. v., MVK. (KD.), Generalstabs-Chef bei der XV. Inf.-Trup.-Div. zu Kaschau (Rang 15. Sept. 1878).
Benkiser v. Porta-Comasina, Heinrich Ritt., Generalstabs-Chef bei der XXXV. Inf.-Trup.-Div. zu Klausenburg (Rang 15. Sept. 1878).
Horsetzky Edl. v. Hornthal, Carl, MVK., beim Generalstabe in Wien (Rang 15. Sept. 1878).
Drathschmidt v. Bruckheim, Carl, Lehrer am Stabsofficiers-Curse (Rang 15. Sept. 1878).
Gerstner v. Gerstenkorn, Eduard Freih., Generalstabs-Chef bei d. XXVII. Inf.-Trup.-Div. zu Krakau (Rang 15. Sept. 1878).
Schönaich, Franz, MVK., beim Gen.-Comdo. zu Prag (Rang 15. Sept. 1878).
Pitreich, Heinrich Ritt. v., beim Generalstabe in Wien (Rang 15. Sept. 1878).
Janovski, Leopold, Lehrer am Intendanz-Curse (Rang 1. Nov. 1878).
Kirchner, Christian v., Generalstabs-Chef bei der XXXIV. Inf.-Trup.-Div. zu Temesvár (Rang 1. Nov. 1878).
Bancalari, Gustav, MVK. (KD.), beim IR. Nr. 57 (Rang 1. Nov. 1878).
Petzholdt, Clemens v., MVK. (KD), Generalstabs-Chef bei der VII. Inf.-Trup.-Div. zu Travnik (Rang 1. Nov. 1878).
Netuschill, Joseph, beim IR. Nr. 56 (Rang 1. Nov. 1878).
Millinković, Theodor, ÖEKO-R. 3. (KD.), beim Gen.-Comdo. zu Serajevo (Rang 1. Nov. 1878).

Hauptleute I. Cl.

Schohay, Edmund, bei der XVII. Inf.-Trup.-Div. zu Grosswardein (Rang 1. Nov. 1870).
Lovetto, Carl, beim Generalstabe in Wien (Rang 1. Nov. 1870).
Prawda, Friedrich, beim Generalstabe in Wien (Rang 1. Mai 1871).
Dauhlebsky v. Sterneck, Heinrich, ÖEKO-R. 3. (KD.), MVK. (KD.), beim Gen.-Comdo. zu Serajevo. (Rang 1. Nov. 1871).
Mathes v. Bilabruck, Carl Ritt., MVK., prov. Generalstabs-Chef bei der IX. Inf.-Trup.-Div. zu Prag (Rang 1. Nov. 1871).
Musil, Rudolph, Lehrer an den beiden höheren Cursen u. am Vorbereitungs-Curse für Stabsofficiers-Aspiranten der Artillerie im techn. u. adm. Mil.-Comité. (Rang 1. Mai 1872).
Podstawski, Peter, beim Generalstabe in Wien (Rang 1. Mai 1872).
Chlumecký, Vict. Ritt. v., MVK. (KD.), beim Generalstabe in Wien (Rang 1. Mai 1872).
Horsetzky Edl. v. Hornthal, Adolph, zur Disposition des Chefs des Generalstabes (Rang 1. Mai 1872).

Wetzer, Leander, ÖFJO-R., MVK. (KD.), Lehrer an der Kriegsschule (Rang 1. Mai 1872).
Pokorny, Victor Ritt. v., ÖEKO-R. 3. (KD.), MVK. (KD.), bei der IV. Inf.-Trup.-Div. zu Serajevo (Rang 1. Mai 1872).
Fux, Moriz (ü c.) beim R.-Kriegs-Mstm. (Rang 1. Mai 1872).
Putzker, Carl. bei der XXXI. Inf.-Trup.-Div. zu Budapest (Rang 1. Mai 1872).
Benedek, Andreas v., Unter-Dir. der 5. Mappirungs-Abtn. (Rang 1. Mai 1872).
Tuma, Anton, beim Generalstabe in Wien (Rang 1. Mai 1872).
Reitz, Eduard, Lehrer an der Mil.-Akad. zu Wr.-Neustadt (Rang 1. Mai 1872).
Mayer v. Marnegg, Edmund Ritt., Lehrer an der techn. Mil.-Akad. (Rang 1. Mai 1872).
Parmann, Oskar, beim Generalstabe in Wien (Rang 1. Mai 1872).
Czihulka, Hubert, ÖEKO-R. 3. (KD.) beim Gen.-Comdo zu Serajevo (Rang 1. Mai 1872).
Pucherna, Eduard, MVK. (KD.), bei der VI. Inf.-Trup.-Div. zu Graz (Rang 1. Mai 1872).
Steinbrecher, Johann, bei der XXVII. Inf.-Trup.-Div. zu Krakau (Rang 1. Nov. 1872).
Wurmbrand-Stuppach, Hugo Gf., ✠, in besonderer Verwendung (Rang 1. Nov. 1872).
Gravisi, Carl v., Unter-Dir. der 9. Mappirungs-Abth. (Rang 1. Nov. 1872).
Albrecht, Julius, Unter-Dir. der 8. Mappirungs-Abth. (Rang 1. Nov. 1872).
Pavek, Ludwig MVK. (KD.), beim Generalstabe in Wien (Rang 1. Nov. 1872).
Pinter, Hermann. ÖEKO-R. 3. (KD.), beim Gen.-Comdo. zu Serajevo (Rang 1. Nov. 1872).
Pohl, Eduard Ritt. v., MVK. (KD.), bei der I. Inf.-Trup.-Div. zu Serajevo (Rang 1. Nov. 1872).
Gunesch, Camillo Ritt. v., MVK. (KD.), bei der VII. Inf.-Trup.-Div. zu Travnik (Rang 1. Nov. 1872).
Urich, Hans, ÖEKO-R. 3. (KD.), zur Disposition des Generalstabes (Rang 1. Nov. 1872).
Schweidler, Wilhelm Ritt. v., beim Gen.-Comdo. zu Graz (Rang 1. Nov. 1872).
Dessović, Wilhelm Edl. v., ÖEKO-R. 3. (KD.), bei der XVIII. Inf.-Trup.-Div. zu Mostar (Rang 1. Nov. 1872).
Ullmann, Joseph, bei der XX. Inf.-Trup.-Div. zu Brood (Rang 1. Nov. 1872).
Maretich v. Riv-Alpon, Gedeon Freih., beim Generalstabe in Wien (Rang 1. Nov. 1872).
Guggenberg zu Riedhofen, Athanasius v., beim Mil.-Comdo. zu Kaschau (Rang 1. Nov. 1872).
Orsini und Rosenberg, Felix Gf., MVK., ✠ (ü. c.) in der Mil.-Kanzlei Seiner Majestät des Kaisers und Königs (Rang 1. Nov. 1872).
Gartner, Anton, beim R.-Kriegs-Mstm. (Rang 1. Nov. 1872).
Siebert, Joseph, bei der XXIV. Inf.-Trup.-Div. zu Lemberg (Rang 1. Mai 1873).
Schulheim, Hyacinth Edl. v., bei der X. Inf.-Trup.-Div. zu Josephstadt (Rang 1. Mai 1873).
Latscher, Julius, beim Gen.-Comdo. in Wien (Rang 1. Mai 1873).
Eissner, Franz, beim Generalstabe in Wien (Rang 1. Mai 1873).
Spiegelfeld, Joseph Freih. v., ✠, bei der II. Inf.-Trup.-Div. in Wien (Rang 1. Mai 1873).
Cerri, Carl, MVK., beim Generalstabe in Wien (Rang 1. Mai 1873).
Manojlović, Michael, ÖEKO-R. 3. (KD.), bei der 72. Inf.-Brig. zu Bihać (Rang 1. Mai 1873).
Tillwerth, Theodor v., bei der III. Inf.-Trup.-Div. zu Linz (Rang 1. Mai 1873).
Brudermann, Anton Ritt. v., bei der Mil.-Mappirung (Rang 1. Mai 1873).
Hofmann v. Donnersberg, August, bei der Mil.-Mappirung (Rang 1. Mai 1873).
Vaješanin, Marian, MVK., beim Mil.-Comdo. zu Zara (Rang 1. Mai 1873).
Czedik v. Bründelsberg, Carl, bei der XI. Inf.-Trup.-Div. zu Lemberg (Rang 1. Mai 1873).
Buss, Hermann Ritt. v., bei der Mil.-Mappirung (Rang 1. Mai 1873).
Czeyda, Franz, beim Gen.-Comdo. zu Serajevo (Rang 1. Nov. 1873).
Meyer, Theodor Ritt. v., ÖEKO-R. 3. (KD.), MVK. (KD.), beim VIII. Inf.-Trup.-Div.- u. Mil.-Comdo. zu Innsbruck (Rang 1. Nov. 1873).
Renner, Carl, bei der Mil.-Mappirung (Rang 1. Nov. 1873).
Schraml, Emil, beim R.-Kriegs-Mstm. (Rang 1. Nov. 1873).
Kirchhammer, Alexander, beim Generalstabe in Wien (Rang 1. Nov. 1873).
Steeb, Christian Ritt. v., beim Generalstabe in Wien. (Rang 1. Nov. 1873).
Riegg, Ignaz, MVK. (KD.), beim Mil.-Comdo. zu Triest (Rang 1. Nov. 1873).

Keibl, Joseph, bei der Mil.-Mappirung (Rang 1. Mai 1874).

Steininger, Carl Freih. v. (ü. c.) Personal-Adj. des Gen.-Adj. Sr. Majestät des Kaisers und Königs FML. Freih. v. Mondel (Rang 1. Mai 1874).

Mörk v. Mörkenstein, Johann, beim Generalstabe in Wien (Rang 1. Mai 1874).

Wagner, Hugo, beim Gen.-Comdo. zu Agram (Rang 1. Mai 1874).

Thoss, Paul, beim Gen.-Comdo. in Wien (Rang 1. Mai 1875).

Merta, Ignaz, bei der Mil.-Mappirung (Rang 1. Mai 1875).

Bittner, Wilhelm, beim Generalstabe in Wien (Rang 1. Mai 1875).

Friedenthal, Arthur Ritt. v., bei der XXIX. Inf.-Trup.-Div. zu Theresienstadt (Rang 1. Nov. 1875).

Staněk, Johann, beim FJB. Nr. 32 (Rang 1. Nov. 1875).

Wöss, Carl, bei der XXVIII. Inf.-Trup.-Div. zu Triest (Rang 1. Nov. 1875).

Molnár de Kereszt et Vajka, Hugo, bei der Mil.-Triangulirung (Rang 1. Nov. 1875).

Siglitz, Franz, Unter-Dir. der 7. Mappirungs-Abth. (Rang 1. Nov. 1875).

Sauerwald, Wilhelm, MVK. (KD.), in besonderer Verwendung (Rang 1. Nov. 1875).

Mosetig, Anton, beim Mil.-Comdo. zu Zara (Rang 1. Mai 1876).

Khautz v. Eulenthal, Carl, beim Gen.-Comdo. in Wien (Rang 1. Mai 1876).

Ratzenhofer, Gustav, beim Generalstabe in Wien (Rang 1. Mai 1876).

Meyer, Guido, MVK. (KD.), bei der XXXV. Inf.-Trup.-Div. zu Klausenburg (Rang 1. Mai 1876).

Mathes v. Bilabruck, Victor Ritt., bei der XIV. Inf.-Trup.-Div. zu Agram (Rang 1. Mai 1876).

Böck, Friedrich Freih. v., MVK. (KD.), beim Gen.-Comdo. zu Prag (Rang 1. Mai 1876).

Venus, Moriz, beim Gen.-Comdo. zu Lemberg (Rang 1. Mai 1876).

Hoffer Edl. v. Sulmthal, Moriz, beim Mil.-Comdo. zu Temesvár (Rang 1. Mai 1876).

Baumrucker Edl. v. Robelswald, Victor, beim VIII. Inf.-Trup.-Div.- u. Mil.-Comdo. zu Innsbruck (Rang 1. Mai 1876).

Laban, Rudolph, MVK. (KD.), beim Mil.-Comdo. zu Pressburg (Rang 1. Mai 1876).

Dragoni Edl. v. Rabenhorst, Alphons, beim R.-Kriegs-Mstm. (Rang 1. Mai 1876).

Buss, Leonhard Ritt. v., beim Generalstabe in Wien (Rang 1. Mai 1876).

Troll, Camillo, beim Generalstabe in Wien (Rang 1. Mai 1876).

Sommain, Ferd. de, beim R.-Kriegs-Mstm. (Rang 1. Mai 1876).

Redlich, Adalbert, MVK. (KD.), bei der 13. Cav.-Brig. zu Brood (Rang 1. Mai 1876).

Huber v. Penig, Johann (ü. c.) beim R.-Kriegs-Mstm. (Rang 1. Nov. 1876).

Binder, Carl, bei der XIII. Inf.-Trup.-Div. zu Dolnj Tuzla (Rang 1. Nov. 1876).

Hohenbühel, genannt Heufler zu Rasen, August Freih. v., beim IR. Nr. 9 (Rang 1. Nov. 1876).

Lang, Carl, bei der Mil.-Mappirung (Rang 1. Nov. 1876).

Klobučar, Victor, bei der XVIII. Inf.-Trup.-Div. zu Mostar (Rang 1. Nov. 1876).

Rost, Ferdinand, beim Mil.-Comdo. zu Kaschau (Rang 1. Nov. 1876).

Gaudernak, Joseph, bei der 1. Gebirgs-Brig. der XVIII. Inf.-Trup.-Div. zu Mostar (Rang 1. Nov. 1876).

Steinitzer, Franz, beim Generalstabe in Wien (Rang 1. Nov. 1876).

Bundschuh, Emil Ritt. v., beim R.-Kriegs-Mstm. (Rang 1. Nov. 1876).

Hohenlohe-Waldenburg, Clodwig Prinz zu, Durchlaucht, ☧, beim Gen.-Comdo. zu Budapest (Rang 1. Nov. 1876).

Heimroth, Adolph, in besonderer Verwendung (Rang 1. Mai 1877).

Mayer, Albert, beim Generalstabe in Wien (Rang 1. Mai 1877).

Pavlović, Elias, beim Mil.-Comdo. zu Hermannstadt (Rang 1. Mai 1877).

Dragollovics Edl. v. Drachenburg, Albert, MVK., beim Gen.-Comdo. zu Agram (Rang 1. Mai 1877).

Müller, Joseph, bei der XXXII. Inf.-Trup.-Div. zu Budapest (Rang 1. Mai 1877).

Corti alle catene, Hugo Conte, beim Mil.-Comdo. zu Pressburg (Rang 1. Mai 1877).

Leuzendorf v. Campo di Santa Lucia, Arthur Freih., beim Generalstabe in Wien (Rang 1. Mai 1877).

Springer, Anton, bei der Mil.-Mappirung (Rang 1. Mai 1877).

Scheiner, Emanuel, beim Generalstabe in Wien. (Rang 1. Mai 1877).

Jablonski del Monte Berico, Carl Freih., beim Mil.-Comdo. zu Hermannstadt (Rang 1. Mai 1877).

Manéga, Joseph, ÖEKO.-R. 3., in besonderer Verwendung (Rang 1. Mai 1877).
Englisch, Alfred, beim Gen.-Comdo. zu Lemberg (Rang 1. Mai 1877).
Koller, Albert, bei der XVIII. Inf-Trup.-Div. zu Mostar (Rang 1. Mai 1877).
Gaiszler, Rudolph, bei der XXV. Inf.-Trup.-Div. in Wien (Rang 1. Mai 1877).
Regenspursky, Carl, bei der XXX. Inf.-Trup.-Div. zu Lemberg (Rang 1. Mai 1877).
Rüdt v. Collenberg-Bödigheim, Weiprecht Gf., beim Gen.-Comdo. zu Budapest (Rang 1. Nov. 1877).
Fischer-Colbrie, Ludwig, beim Mil.-Comdo. zu Krakau (Rang 1. Nov. 1877).
Schwingshandl, Carl, beim Gen.-Comdo. zu Brünn (Rang 1. Nov. 1877).
Barkassy, Béla v., beim Husz.-Reg. Nr. 1 (Rang 1. Nov. 1877).
Melzer v. Orienburg, Franz, bei der XV. Inf.-Trup.-Div. zu Kaschau (Rang 1. Nov. 1877).
Haymerle, Emil, beim Gen.-Comdo. zu Graz (Rang 1. Nov. 1877).
Matzke, Joseph, ÖEKO-R. 3. (KD.), bei der XX. Inf.-Trup.-Div. zu Brood (Rang 1. Nov. 1877).
Pierer, Eduard, beim IR. Nr. 47 (Rang 1. Nov. 1877).
Steinsberg, Moriz, beim Generalstabe in Wien (Rang 1. Nov. 1877).
Lubomęski, Stanislaus Ritt. v., beim Mil.-Comdo. zu Temesvár (Rang 1. Nov. 1877).
Thuranszky, Peter v., beim Gen.-Comdo. zu Serajevo (Rang 1. Nov. 1877).
Chavanne, Rudolph Edl. v., beim Gen.-Comdo. zu Graz (Rang 1. Nov. 1877).
Berger, Johann, MVK. (KD.), beim Mil.-Comdo. zu Krakau (Rang 1. Mai 1878).
Idiczukh, Ernst, beim Gen.-Comdo. zu Budapest (Rang 1. Mai 1878).
Appel, Christian Freih. v., bei der XXXIV. Inf.-Trup.-Div. zu Temesvár (Rang 1. Mai 1878).
Kremer, Emil, MVK. (KD.), beim Mil.-Comdo. zu Zara (Rang 1. Mai 1878).
Alexander, Alexander, beim Mil.-Comdo. zu Krakau (Rang 1. Mai 1878).
Faccioli, Amelio de, Dr. d. R., bei der V. Inf.-Trup-Div zu Brünn (Rang 1. Mai 1878).
Thoss, Erich, beim Gen.-Comdo. zu Agram (Rang 1. Mai 1878).
Debić, Johann, bei der XXXVI. Inf.-Trup.-Div. zu Banjaluka (Rang 1. Mai 1878).
Čanić, Georg, bei der XXXIII. Inf.-Trup.-Div. zu Pressburg (Rang 1. Mai 1878).
Perl, Moriz, bei der XII. Inf.-Trup.-Div. zu Krakau (Rang 1. Mai 1878).
Petzenka, Joseph, beim Gen.-Comdo zu Prag (Rang 1. Mai 1878).
Wojtěch, Adalbert, bei der Mil.-Mappirung (Rang 1. Mai 1878).
Attems, Moriz Gf., MVK. (KD.), bei der I. Inf.-Trup.-Div. zu Serajevo (Rang 1. Mai 1878).
Versbach v. Hadamar, Mansuet Ritt., MVK. (KD.), bei der 2. Gebirgs-Brig. der VII. Inf.-Trup.-Div. zu Livno (Rang 15. Sept. 1878).
Asville, Friedrich, MVK. (KD.), zur Disposition des Generalstabes (Rang 15. Sept. 1878).
Rainer v. Lindenbüchel, Robert Ritt., bei der 67. Inf.-Brig. zu Temesvár (Rang 15. Sept. 1878).
Treyer, Anton, bei der XXXVI. Inf.-Trup.-Div. zu Banjaluka (Rang 15. Sept. 1878).
Schmidt, Carl Edl. v., bei der 7. Cav.-Brig. zu Temesvár (Rang 15. Sept. 1878).
Laube, Adalbert, bei der 55. Inf.-Brig. zu Triest (Rang 15. Sept. 1878).
Resch, Anton, MVK. (KD.), bei der VII. Inf.-Trup.-Div. zu Travnik (Rang 15. Sept. 1878).
Pott, Emil v., ÖEKO-R. 3. (KD.), bei der 1. Gebirgs-Brig. der VII. Inf.-Trup.-Div. zu Travnik (Rang 15. Sept. 1878).
Jonak Edl. v. Freyenwald, Arthur, bei der 1. Cav.-Brig. in Wien (Rang 1. Nov. 1878).
Meduna v. Riedburg, Victor Ritt., beim Generalstabe in Wien (Rang 1. Nov. 1878).
Siedler, Ferdinand, MVK. (KD.), bei der 12. Inf.-Brig. zu Laibach (Rang 1. Nov. 1878).
Naswetter, Emil, MVK. (KD.) bei der 28. Inf.-Brig. zu Carlstadt (Rang 1. Nov. 1878).

Hut mit grünem Federbusch, dunkelgrüner Waffenrock mit Kragen und Aufschlägen von schwarzem Sammt, scharlachrothem Passepoil und gelben glatten Knöpfen, blaugraue Pantalon mit scharlachrothem Passepoil, Mantel blaugrau.

Zugetheilte Oberofficiere.

Hauptleute und Rittmeister 1. Classe.

Vaymár, Ludwig v., des Pion.-Reg., beim Generalstabe in Wien.
Händl Edl. v. Rebenburg, Ludwig, des Jäg.-Reg., beim Gen.-Comdo. in Wien.
Seitz, Jaroslav, des IR. Nr. 52, beim Gen.-Comdo. zu Budapest.
Hallavanya v. Radoičić, Georg, des IR. Nr. 79, zur Disposition des Generalstabes.
Bakó, Alexander v., des Husz-Reg. Nr. 4, beim Gen.-Comdo. in Wien.
Grois, Victor, des IR. Nr. 14, beim Gen.-Comdo zu Lemberg.
Hütter, Julius, MVK. (KD.), des Pion.-Reg., beim Generalstabe in Wien.
Wiener, Ludwig, des IR. Nr. 57, bei der XIII. Inf.-Trup.-Div. zu Dolnj Tuzla.
Koczyan, Heinrich, MVK. (KD.), des IR. Nr. 59, beim Gen.-Comdo. zu Serajevo.
Ivanossich v. Küstenfeld, Heinrich, MVK. (KD.), des IR. Nr. 27, beim Gen.-Comdo. zu Prag.
Berger, Moriz Edl. v., des IR. Nr. 49, bei der XX. Inf.-Trup.-Div. zu Brood.
Latscher, Victor, des IR. Nr. 66, bei der XIX. Inf.-Trup.-Div. zu Pilsen.
Schlögl Edl. v. Ehrenkreutz, Joseph, des Drag.-Reg. Nr. 10, beim Gen.-Comdo. zu Brünn.

Hauptleute 2. Classe.

Schaffarž, Joseph, des Pion.-Reg., beim R.-Kriegs-Mstm.
Brusch, Wenzel, des IR. Nr. 51, bei der IV. Inf.-Trup.-Div. zu Serajevo.
Leveling, Carl, des IR. Nr. 4, bei der 63. Inf.-Brig. zu Budapest.
Rogulić, Nikolaus, MVK. (KD.), des IR. Nr. 29, bei der Besatzungs-Brig. in Nord-Dalmatien zu Zara.
Podhorodecki, Hippolyt Ritt. v., Dr., des IR. Nr. 80, beim Mil.-Comdo. zu Hermannstadt.
Makowiczka, Alphons, des Genie-Reg. Nr. 2, beim Gen.-Comdo. zu Budapest.
Proschinger, Joseph, des FJB. Nr. 25, bei der 49. Inf.-Brig. in Wien.
Voetter, Victor, MVK. (KD.), des IR. Nr. 49, bei der 39. Inf.-Brig. zu Serajevo.
Benoist de Limonet, Carl, des IR. Nr. 36, beim R.-Kriegs-Mstm.
Ullrich Edl. v. Helmschild, Rudolph, des IR. Nr. 1, bei der IX. Inf.-Trup.-Div. zu Prag.
Lederle, Leo, des Genie-Reg. Nr. 2, bei der XVII. Inf.-Trup.-Div. zu Grosswardein.
Matt, Alfred Edl. v., MVK. (KD.), des FJB. Nr. 16, bei der 17. Inf.-Brig. zu Prag.
Pfrim, Anton, des Art.-Reg. Nr. 8, bei der 15. Cav.-Brig. zu Debreczin.
Cavallar v. Grabensprung, Ferdinand Ritt., des IR. Nr. 32, bei der 53. Inf.-Brig. zu Troppau.
Liebl, Vincenz, des IR. Nr. 69, bei der 19. Inf.-Brig. zu Josephstadt.

Oberlieutenants.

Winzor, Anton, des Uhl.-Reg. Nr. 5, bei der 58. Inf.-Brig. zu Theresienstadt.
Frossard, Johann Edl. v., des Husz.-Reg. Nr. 15, beim Generalstabe in Wien.
Zeller v. Zellhain, Alois Ritt., des FAB. Nr. 7, bei der 10. Inf.-Brig. zu Brünn.
Schmerling, Carl Ritt. v., des Drag.-Reg., Nr. 7, bei der 8 Cav.-Brig. zu Prag.
Schüssler, Albert, ◯ 2., des IR. Nr. 27, bei der VI. Inf.-Trup.-Div. zu Graz.
Morawitz, Rudolph, des IR. Nr. 41, bei der IV. Inf.-Trup.-Div. zu Serajevo.
Łyczkowski, Wilhelm, des IR. Nr. 80, bei der 9. Inf. Brig. zu Olmütz.
Schrinner, Gustav, ÖEKO-R. 3. (KD.), des IR. Nr. 65, bei der 3. Gebirgs-Brig. der XVIII. Inf.-Trup.-Div. zu Stolac.
Wachsmann, Wilhelm, des IR. Nr. 63, bei der 69. Inf.-Brig. zu Carlsburg.
König, Adolph, des IR. Nr. 8, beim Gen.-Comdo. zu Graz.
Morawek, Wenzel, des FJB. Nr. 23, bei der 32. Inf.-Brig. zu Hermannstadt.
Pangher, Johann, des IR. Nr. 22, bei der 68. Inf.-Brig. zu Weisskirchen in Ungarn.
Koreska, Anton v., des Husz.-Reg. Nr. 9, bei der 20. Cav.-Brig. zu Lemberg.
Potiorek, Oskar, des Genie-Reg. Nr. 2, bei XXXVI. Inf.-Trup.-Div zu Banjaluka.
Schmidt, Oswald, des IR. Nr. 57, bei der 7. Inf.-Brig. zu Serajevo.
Ritter, Ferdinand, des Drag.-Reg. Nr. 8, bei der 18. Cav.-Brig. zu Fünfkirchen.
Ströhr, Adolph, des Uhl.-Reg. Nr. 6, bei der 25. Inf.-Brig. zu Dolnj Tuzla.
Sluka, Ferdinand, des Genie-Reg. Nr. 1, bei der 21. Inf.-Brig. zu Lemberg.

Schiebel, Johann, des Genie-Reg. Nr. 2., bei der 31. Inf.-Brig. zu Kronstadt

Orthmayer, Adalbert, des Inf.-Reg. Nr. 77, beim Mil.-Comdo. zu Temesvár.

Sterlini Edl. v. Sterling, Arthur, MVK. (KD.), des Genie-Reg. Nr. 2, bei der XXXIII. Inf.-Trup.-Div. zu Pressburg.

Květ, Joseph, des IR. Nr. 59, beim VIII. Inf.-Trup.-Div.- u. Mil. Comdo. zu Innsbruck.

Filippini-Höffern, Otto, des IR. Nr. 35, bei der Besatzungs-Trup.-Brig. in Süd-Dalmatien zu Ragusa.

Glotz, Ludwig Edl. v., des Drag.-Reg. Nr. 13, bei der 26. Inf.-Brig. zu Bjelina.

Sretkow, Constantin, des Uhl.-Reg. Nr. 12, bei der 30. Inf.-Brig. zu Miskolcz.

Barth, Franz, des Drag.-Reg. Nr. 7, bei der 21. Cav.-Brig. zu Brzezan.

Kövess v. Kövesshàza, Hermann, des Genie-Reg. Nr. 2, bei der XVI Inf.-Trup.-Div. zu Hermannstadt.

Haas, Ottokar, des IR Nr. 24, bei der 57. Inf.-Brig. zu Theresienstadt.

Miksch, Alfred, des Art.-Reg. Nr. 11, bei der 40. Inf.-Brig. zu Essegg.

Schemerka, Christoph, des Art.-Reg. Nr. 3, bei der 3. Cav.-Brig. zu Marburg.

Fontaine v. Felsenbrunn, Heinrich, des Drag.-Reg. Nr. 8, bei der V. Inf.-Trup.-Div. zu Brünn.

Stradal, Carl, des Genie-Reg. Nr. 2, bei der XXXIV. Inf.-Trup.-Div. zu Temesvár.

Klein, Rudolph, des FJB. Nr. 28 bei der 70. Inf.-Brig. zu Klausenburg.

Schürrer, Ludwig, des IR. Nr. 77, bei der 34. Inf.-Brig. zu Arad.

Rummer, Adolph, des IR. Nr. 51, bei der XI. Inf.-Trup.-Div. zu Lemberg.

Babitsch, Franz Ritt. v., ○ 2., des IR. Nr. 15, bei der 2. Gebirgs-Brig. der XVIII. Inf.-Trup.-Div. zu Trebinje.

Kutschera, Oskar Freih. v., ○ 2., des FJB. Nr. 32, bei der 54. Inf.-Brig. zu Krakau.

Hayek, Ferdinand, des FJB. Nr. 27, bei der 33. Inf.-Brig. zu Grosswardein.

Mayrhofer Edl. v. Grünbühl, Ferdinand, des IR. Nr. 42, beim Gen.-Comdo. zu Agram.

Czvian, Georg, des IR. Nr. 6, bei der XVIII. Inf.-Trup.-Div. zu Mostar.

Jacobs v. Kantstein, Friedrich Freih., des IR. Nr 28, bei der 50. Inf.-Brig. in Wien.

Rezniček, Carl, des IR. Nr. 14, beim Generalstabe in Wien.

Gerba, Raimund, des IR. Nr. 29, bei der 71. Inf.-Brig. zu Visoka.

Radanovich, Heinrich, des IR. Nr. 49, bei der X. Inf.-Trup.-Div. zu Josephstadt.

Brenneis, Adolph Edl. v., des IR. Nr. 73, bei der 2. Inf.-Brig. zu Banjaluka.

Wagner, Adolph, des IR. Nr. 42, bei der XXX. Inf.-Trup.-Div. zu Lemberg.

Jacobs v. Kantstein, Carl Freih., des FJB. Nr 14, bei der 64. Inf.-Brig. zu Kaschau.

Schemua, Johann, des IR. Nr. 7, beim Gen.-Comdo. zu Serajevo.

Milenković, Alexander, MVK. (KD.), des Art.-Reg. Nr. 12, bei der XX. Inf.-Trup.-Div. zu Brood.

Jenisch, Gustav, des Art.-Reg. Nr. 12, bei der 66. Inf-Brig. zu Pressburg.

Streicher, Carl Freih. v., des Jäg.-Reg., bei der 6. Inf.-Brig. zu Salzburg.

Pfaffinger, Vincenz, des FAB. Nr. 1, bei der 38. Inf.-Brig. zu Budweis

Woinovich, Emil, des IR. Nr. 25, bei der 29. Inf.-Brig. zu Kaschau.

Fiderkiewicz, Ludwig, des Art.-Reg. Nr. 9, bei der 5. Cav.-Brig. zu Pressburg.

Weeber, Albert, des Uhl.-Reg. Nr. 3, bei der 12. Cav.-Brig zu Hermannstadt.

Ehrler v. Ehrlenburg, Guido, des Drag.-Reg. Nr. 13, bei der 51. Inf.-Brig. zu Königgrätz.

Soldan, Ernst, des Art.-Reg. Nr. 2, bei der 65. Inf.-Brig. zu Komorn.

Linpökh, Carl Ritt. v., MVK. (KD.), des Art.-Reg. Nr. 7, bei der 4. Gebirgs-Brig. der XVIII. Inf.-Trup.-Div. zu Mostar.

Frank, Liborius, des Jäg.-Reg., beim Generalstabe in Wien.

Pfiffer, Carl Ritt. v., MVK. (KD.), des IR. Nr. 14, bei der 1. Inf.-Brig. zu Serajevo.

Dębicki, Adam, des IR. Nr. 45, bei der 22. Inf.-Brig. zu Lemberg.

Trost, Guido, des Jäg-Reg., bei der 16. Inf.-Brig. zu Trient.

Fiala, Anton, des Art.-Reg. Nr. 13, bei der 17. Cav.-Brig. zu Güns.

Schoedler, Franz. des IR. Nr. 14. bei der 5. Inf.-Brig. zu Wien.

Conrad v. Hötzendorf, Franz, des FJB. Nr. 11, bei der 8. Inf.-Brig. zu Gorazda.

Porges, Heinrich, des Art.-Reg. Nr. 7, bei der 2. Cav.-Brig. zu Linz.

Fanta, Carl, des Art.-Reg. Nr. 1, bei der 11. Cav.-Brig. zu Tarnów.

Seftsovits, Paul, des FJB. Nr. 13, bei der 6. Cav.-Brig. zu Kaschau.

Salomon v. Friedberg, Edmund, des FJB. Nr. 9, bei der XXV. Inf.-Trup.-Div. in Wien.

Cvitković, Johann, MVK. (KD.), des IR. Nr. 28, bei der 27. Inf.-Brig. zu Agram.
Auffenberg, Moriz Ritt. v., des IR. Nr. 28, bei der 61. Inf.-Brig. zu Budapest.
Jihn, Friedrich, des Art.-Reg. Nr. 7, bei der 11. Inf.-Brig. zu Graz.
Lehmann, Vincenz, des FJB. Nr. 1, bei der 15. Inf.-Brig. zu Innsbruck.
Schreiber, Victor, des Art.-Reg. Nr. 1, bei der 10. Cav.-Brig. zu Brünn.
Schikofsky, Carl, des Art.-Reg. Nr. 4, bei der 9. Cav.-Brig. zu Pardubitz.
Kummer, Heinrich, des Husz.-Reg. Nr. 4, beim Mil.-Comdo. zu Pressburg.
Schneider, Ferdinand, des Drag.-Reg. Nr. 4, bei der 16. Cav.-Brig. zu Oedenburg.
Marsch, Anton, des Art.-Reg. Nr. 11, bei der 4. Inf.-Brig. in Wien.
Bružek, Alfred, des IR. Nr. 3, bei der 18 Inf.-Brig. zu Prag.
Karl, Johann Ritt. v., des IR. Nr. 73, bei der 62. Inf.-Brig. zu Stuhlweissenburg.
Sabljak, Philipp, des Art.-Reg. Nr. 7, bei der 60. Inf.-Brig. zu Lemberg.
Jahl, Gustav, des Art.-Reg. Nr. 11, bei der 59. Inf.-Brig. zu Czernowitz.
Guzek, Ludwig, des Art.-Reg. Nr. 2, bei der 4. Cav.-Brig. zu Budapest.
Esch, Carl, des Pion.-Reg., bei der 3. Inf.-Brig. in Wien.
Arnold, Peter, des Drag.-Reg. Nr. 12, bei der 14. Cav.-Brig. zu Agram.
Melzer, Oskar, des Art.-Reg. Nr. 9, bei der 24. Inf.-Brig. zu Krakau.
Preyer, Carl, des IR. Nr. 38, bei der 37. Inf.-Brig. zu Pilsen.
Csanády, Arthur v., des IR. Nr. 23, bei der XII. Inf.-Trup.-Div. zu Krakau.
Prohaska, Rudolph, des IR. Nr. 7, bei der 48. Inf.-Brig. zu Stryj.
Nowak, Arthur, des IR. Nr. 15, bei der 47. Inf.-Brig. zu Przemysl.
Terkulja, Johann, des Art.-Reg. Nr. 7, bei der XXXII. Inf.-Trup.-Div. zu Budapest.
Grobois Edl. v. Brückenau, Hugo, des Art.-Reg. Nr. 11, bei der II. Inf.-Trup.-Div. in Wien.

Lieutenants.

Dragaš, Stephan, des FAB. Nr. 3, beim Generalstabe in Wien.
Weigl, Joseph Freih. v., des Art.-Reg. Nr. 11, bei der 23. Inf.-Brig. zu Krakau.
Hoffmann, Hugo, des Art.-Reg. Nr. 8, bei der XIX. Inf.-Trup.-Div. zu Pilsen

---

Commandirte Officiere.

a) Vom Truppenstande.

Hauptleute 1. Cl.

Přihoda, Johann, des IR. Nr. 67, beim Generalstabe in Wien.
Rosenkranz, Adolph, des IR. Nr. 9, beim Generalstabe in Wien.
Potier des Echelles, Rudolph Freih., ÖFJO-R., des IR. Nr. 72, beim Generalstabe in Wien.
Woat, Maximilian, des Genie-Stabes, beim Generalstabe in Wien.
Schöffl, Joseph, des IR. Nr. 52, beim R.-Kriegs-Mstm.
Mosch, Ferdinand Freih. v., des IR. Nr. 24, beim Generalstabe in Wien.
Kick, Franz, des IR. Nr. 50, beim Generalstabe in Wien.

Oberlieutenants.

Mollinary, Coloman, des IR. Nr. 75, bei der IX. Inf.-Trup.-Div. zu Prag.
Danzer, Alphons, des IR. Nr. 64, beim Generalstabe in Wien.
Mannsbart, Friedrich, des IR. Nr. 47, bei der XXVIII. Inf.-Trup.-Div. zu Triest.

b) Vom Armeestande.

Majore.

Strasser, Friedrich, Vorstand der 1. Abth. der III. Section im techn. u. adm. Mil.-Comité.
Grodzicki, Casimir v., MVK. (KD.), beim Generalstabe in Wien.
Auffenberg, Joseph, ○ 1., beim Generalstabe in Wien.
Haymerle, Carl Ritt. v., beim Generalstabe in Wien.

Rittmeister 1. Classe.

Privitzer, Alois v., beim Generalstabe in Wien.

Hauptleute 1. Cl.

Fries, Ludwig Ritt. v., beim Generalstabe in Wien.
Maurer v. Kronegg, Johann, beim Generalstabe in Wien.
Opačić, Eugen, beim Generalstabe in Wien.
Mayer, Carl, beim Generalstabe in Wien.
Debelak, Julius, beim Generalstabe in Wien.
Duncker, Carl, beim Generalstabe in Wien.

Hauptmann 2. Classe.

Kuhn v. Kuhnenfeld, Franz, beim Generalstabe in Wien.

---

c) Vom Ruhestande.

Hauptleute 1. Cl.

Hettinger, Victor, beim Generalstabe in Wien.
Pracher, Georg, beim R.-Kriegs-Mstm.
Lang, Friedrich, MVK. (KD.), beim Generalstabe in Wien.

Oberlieutenant.

Hoser, Joseph, beim Generalstabe in Wien.

General-Feld-Telegraphen-Director.

Klar, Adolph Ritt. v., ÖEKO-R. 3., ÖFJO-R., Chef des Telegraphen-Bureau (Mil.-Beamter der V. Diäten-Classe).

Rangsliste

der Oberstlieutenants, Majore und Hauptleute der Infanterie, der Jäger-Truppe und des Pionnier-Regiments.

Oberstlieutenants.

13. IR. **Seine k. k. Hoheit Erzherzog Friedrich etc.**

1. November 1875.

45. IR. Kochen Victor Edl. v., Res.-Comdt.

1. Mai 1876.

63. IR. Kapri Valerian Freih. v., MVK. (KD.), (WG.).
51. „ Wallerstein Adolph.
57. „ Güllich Carl, Res.-Comdt.
54. „ Neumann-Ettenreich v. Spallart Robert Ritt., Res.-Comdt.
9. „ Della Torre Johann, Res.-Comdt.
34. „ Lipp Carl, Res.-Comdt.
77. „ Riedl Adolph, Res.-Comdt.

1. November 1876.

63. IR. Springer Moriz (WG.).
14. „ Lustig Carl.
47. „ Hopels Conrad, MVK. (KD.).
13. „ Opitz Carl, Res.-Comdt.
3. „ Spiller Alois.
3. „ Löw Gustav Edl. v., Res.-Comdt.
1. „ Potier des Echelles Sigmund Freih., Res.-Comdt.
27. „ Schluetenberg Richard Edl. v., ÖEKO-R. 3. (KD.), MVK. (KD.), Res.-Comdt.
4. „ Möraus Anton Edl. v., Res.-Comdt.
2. „ Sarić Johann, MVK. (KD.), Res.-Comdt.
76. „ Lippa Johann, Res.-Comdt.
Jäg.-R. Karaisl v. Karais Franz Freih., MVK. (KD.).
39. IR. Mihalótzy Julius v., Res.-Comdt.
50. „ Milletić Timotheus, Res.-Comdt.
8. „ Lichtenberg Emil Freih. v., MVK. (KD.), Res.-Comdt.
69. „ Standeisky Carl, Res.-Comdt.
7. „ Rizzetti Alexander, ÖEKO-R. 3. (KD.), Res.-Comdt.
26. „ Baumrucker Edl. v. Robelswald Wilhelm, Res.-Comdt.

1. November 1876.

17. IR. Knobloch Franz, ÖEKO-R. 3 (KD.), Res.-Comdt.
19. „ Rechbach Rudolph Freih. v., MVK. (KD.), Res.-Comdt.
29. „ Olujević Andreas, Res.-Comdt.
79. „ Kokotović, Alexander, ÖEKO-R. 3. (KD.), MVK. (KD.), Res.-Reg.-Comdt.
27. „ Ratschiller Renatus v., MVK. (KD)
35. „ Castella Ludw. v., ÖLO-R., ÖEKO-R. 3. (KD.), MVK. (KD.), Res.-Comdt.
79. „ Hallavanya v. Radoičić Carl
70. „ Barrault Johann (WG.).
48. „ Trautsch Alois, Res.-Comdt.
10. „ Gniewosz v. Olexow Wladislaus Ritt., ♰, Res.-Comdt.
Pion.-R. Hron v. Leuchtenberg Rudolph, MVK. (KD.).
56. IR. Fabrizii Johann Ritt. v., MVK. (KD.), Res.-Comdt.
6. „ Tschofen Carl, Res.-Reg.-Comdt.
51. „ Fuchs Johann, ⊙, Res.-Comdt.
47. „ Dittl Raimund Ritt. v., ÖEKO-R. 3. (KD.), Res.-Comdt.
68. „ Oresković Franz, MVK. (KD.).
70. „ Petrović Peter, MVK. (KD.), Res.-Comdt.
30. „ Kellner v. Köllenstein Carl Freih., MVK. (KD.), Res.-Comdt.
71. „ Jenemann Edl. v. Werthau Gustav, Res.-Comdt.
5. „ Appel Ferdinand Ritt. v., Res.-Comdt.
58. „ Salis-Samaden Carl Freih. v., MVK. (KD.), JO-Ehrenritter, ♰.

1. Mai 1877.

23. IR. Perkowatz Johann, MVK. (KD.), Res.-Comdt.
52. „ Urbański Johann, Res.-Comdt.
30. „ Mosing Heinrich.

1. Mai 1877.

63. IR. Kuss Stephan, MVK. (KD.). Res.-Comdt.
37. „ Adžia Joseph, Res.-Comdt.
67. „ Hiefer Rudolph, MVK. (KD.), Res.-Comdt.
57. „ Schemel Edl. v. Kühuritt Ferdinand.
80. „ Schmitt v. Kehlau Theodor (WG.).
12. „ Bauer Julius, MVK. (KD.), Res-Comdt.
72. „ Rech Alexander.
15. „ Vogl Carl, ÖEKO-R. 3. (KD.), MVK. (KD.).
24. „ Bozziano Joseph, MVK. (KD.).
FJB. 24. Eynatten Heinrich Freih. v., MVK. (KD.).
82. IR. Langer Gustav, MVK. (KD.), Res.-Reg.-Comdt.
3. „ Hauptmann Alois.
30. „ Kodar Ernst, MVK. (KD.).
32. „ Pachner v. Eggendorf Ferdinand, ÖLO-R. (KD.).
FJB. 21. Suez Raimund Edl. v.
61. IR. Kupelwieser Leopold.
56. „ Budisavljević Alexander v.
44. „ Woinovich Constant, Res.-Comdt.
76. „ Guretzky v. Kornitz Alfred Freih., MVK. (KD.).
42. „ Vergeiner Joseph, MVK.
46. „ Salmen Daniel, ÖEKO-R. 3. (KD.), Res.-Comdt.
61. „ Morocutti Franz, ÖLO-R. (KD.), ÖEKO-R. 3. (KD.), MVK. (KD.).
23. „ Nemečić Joseph.
FJB. 27. Van Aken Edl v. Quesar Hermann, MVK (KD.).
26. IR. Seemann Alois, MVK. (KD.).
FJB. 7. Khoss v. Kossen und Sternegg Johann Ritt., ÖEKO-R. 3. (KD.), MVK. (KD.).
70. IR. Bründl v. Kirchenau, Carl Ritt., ÖEKO-R 3., MVK. (ü. c.), Comdt. des Serežaner-Corps.
FJB. 31. Raslić Mathias, ÖEKO-R. 3. (KD.), MVK. (KD.).
54. IR. Gröller, Alexander Ritt v., MVK. (KD.).

1. November 1877.

44. IR. Geramb Joseph Freih. v.
58. „ Neuhaus de St. Mauro Julius Gf.
16. „ Lončarević Abraham.
48. „ Spiller Joseph.

1. November 1877.

71. IR. Teutschenbach v. Ehrenruh Gustav.
74. „ Scharschmid Edl. v. Adlertreu Ferdinand.
18. „ Schram Hugo v., MVK. (KD.).
13. „ Iwański Carl, ÖFJO-R. (ü. c.) Comdt. der Mil.-Unter-Realschule zu Güns.
FJB. 28. Dämisch Johann.
77. IR. Hoche Joseph.
39. „ Ogrodowicz Edmund, ÖEKO-R. 3. (KD.), MVK. (KD.).
31. „ Strasser Carl, MVK. (KD.).
49. „ Liebe Edl. v. Kreutzner Joseph.
FJB. 25. Rischanek Anton MVK. (KD.).
19. IR. Heitz Johann.
45. „ Ružičić Edl. v. Sanodol, Nikolaus.
78. „ Perpić Johann.,
FJB. 30. Theodorovich Georg, ÖEKO-R. 3. (KD.), MVK. (KD.).
80. IR. Pürkher Alois.
22. „ Kopal Carl Freih. v. (WG.).
41. „ Kraumann Joseph, MVK. (KD.).
17. „ Braun Johann, MVK. (KD.).
28. „ Matuschka Edl. v. Wendenkron Alois.
21. „ Hopels Carl, MVK. (KD.).
37. „ Sedlmayr Adolph.
55. „ Adam Joseph.
35. „ Mosing Franz v.
36. „ Scheuch Heinrich.
5. „ Pókay Johann.
37. „ Spinette, Wladimir Freih. v. (ü. c.) Flügel-Adj. Seiner Majestät des Kaisers und Königs.

1. Mai 1878.

77. IR. Schönau Jaroslav Freih. v., ♰ (WG.).
27. „ Rathausky Albin.
65. „ Baller Anton.
29. „ Schrodt Johann.
73. „ Hochhauser Paul, MVK. (KD.).
70. „ Leonhardt Franz, MVK. (KD.).
38. „ Šegerc Rudolph, ÖEKO-R. 3. (KD.).
Jäg.-R. Prokesch v. Nothaft Alois, MVK. (KD.).
7. IR. Went Carl, MVK. (KD.).
10. „ Huschek Alexander Edl. v.
32. „ Serdić Theodor, MVK. (KD.).
FJB. 11. Heimerich Johann v.
11. IR. Koch Edl. v. Langentreu Franz, MVK. (KD.).

1. Mai 1878.

33. IR. Herrmann Adolph (ü. c.) beim R.-Kriegs-Mstm.
75 „ Schilhawsky v. Bahnbrück Jos. Ritt., ÖEKO-R. 3. (KD.).

15. September 1878.

9. IR. Bissinger Johann, MVK. (KD.).
67. „ Tetzeli Fridolin.
47. „ Schwarzbek Otto, MVK. (KD.).
6. „ Balduin Arnold, MVK. (KD.).
25. „ Pürker Eduard.
59. „ Wasel Eduard.
13. „ Birti Edl. v. Lavarone Anton.
1. „ Stoeber Joseph.
69. „ Halecki v. Nordenhorst Anton Ritt.
50. „ Dietrich Adolph.
FJB. 20. Hentsch Joseph.
4. IR. Faby Joseph Edl. v.
FJB. 26. Schmidt Moriz.
„ 3. Sztankovics Carl Freih. v.

15. September 1878.

46. IR. Ellison v. Nidleff Otto Ritt., ÖEKO-R. 3. (KD.), O 2.

1. November 1878.

34. IR. Weikard Friedrich.
40. „ Smalawski Eduard Ritt. v., MVK. (KD.).
64. „ Putsch Ferdinand.
22. „ Pflanzer Joseph.
61. „ Petter Anton
FJB. 14. Winternitz Adolph.
63. IR. Schönfeld Wenzel Ritt. v.
12. „ Kraiatz Theodor Edl. v.
66. „ Hess Emil.
4. „ Polak Emerich.
2. „ De Fin Ferdinand Freih., DO-C., ✠.
43. „ Kraft Franz, MVK. (KD.).
Pion.-R. Hillmayr Wilh. Ritt. v. (ü. c.) Lager-Platz-Comdt. zu Bruck an der Leitha.

Majore.

20. Mai 1869.

39. IR. Assenmacher Friedrich.

20. November 1870.

51. IR. Schönnermarck Rudolph v.

5. Juni 1871.

50. IR. Daniek Franz, MVK. (KD.).

1. November 1872.

74. IR. Thour Bernhard (WG.).

1. November 1874.

52. IR. Polka Vincenz.
FJB. 13. Cordier v. Löwenhaupt Otto.
33. IR. Strohall Johann.
53. „ Scharúnatz Theodor, ÖFJO-R.
FJB. 9. Horváth de Zsebeház Franz, ÖEKO-R 3. (KD.), MVK. (KD.).
59. IR. Höffern zu Saalfeld Nicomedes Ritt. v.
57. „ Kirsch Adolph, MVK. (KD.).
15. „ Anders Emil v.
2. „ Karić Paul, ÖEKO-R. 3. (KD.).
62. „ Schöninger Alfred.
8. „ Schmidl Carl, ÖEKO-R. 3. (KD.).
50. „ Watzger Ferdinand.
12. „ Grünwald Joseph.

1. November 1874.

19. IR. Killić Peter, MVK. (KD.).
73. „ Ružička Johann.
21. „ Sitka Gustav, MVK. (KD.).
22. „ Putti Comingio.
11. „ Bruna Jos. Ritt. v., ÖEKO-R. 3. (KD.).
FJB. 19. Klobus Hugo Edl. v., ÖEKO-R. 3. (KD.), MVK. (KD.).
14. IR. Wondratschek Joseph.
25. „ Heillinger Moriz Edl. v.
40. „ Bozziano Eduard, MVK. (KD.).
46. „ Bubna v. Warlich Hermann.
42. „ Weiss Gustav Ritt. v., ÖEKO-R. 3. (KD.), MVK. (KD.).

1. Mai 1875.

75. IR. Frendl August.
68. „ Koller Alois, MVK. (KD.), O 2.
6. „ Stuchlik Johann, ÖFJO-R., MVK. (KD.).
33. „ Zorics Johann, MVK. (KD.).
69. „ Obhlidal Conrad.
38. „ Straner Friedrich, O 2.
28. „ Ružička Franz.
42. „ Wünsche Heinrich.
26. „ Medwey Ludwig v.
49. „ Jurisković v. Hagendorf Anton.

1. Mai 1875.

11. IR. Landwehr Edl. v. Wehrheim Hugo.
24. „ Metzger Eduard.
16. „ Šostarić Ludw., MVK. (KD.).
15. „ Wanka Alfred.
53. „ Babal Anton.
20. „ Spulak Johann.
48. „ Lönhard Joseph.
55. „ Pilat Franz v., MVK. (KD.).
22. „ Reinprecht Johann.
FJB. 10. Beck Edl. v. Nordenau Friedrich.
„ 22. Czermak Ferdinand, ◯ 1.
3. IR. Kappeller v. Muthamberg Anton.
60. „ Descovich v. Oltra Franz Ritt.
66. „ Sauer Benedict.
59. „ Soden Friedrich.
29. „ Dragančić Edl. v. Drachenfeld Stanislaus.
16. „ Sokolović Emerich.
78. „ Alemann Joh. v.
61. „ Convay v. Watterfort Emil Ritt.
FJB. 5. Navarini Octavius v.

1. November 1875.

31. IR. Hoeger Gustav.
77. „ Zygadłowicz Gustav Ritt. v., MVK. (KD.)
22. „ Monari v. Neufeld Adolph.
18. „ Kosak Ludwig, ÖEKO-R. 3., MVK. (KD.).
40. „ Fassel Hugo.
35. „ Friess Rudolph Ritt. v., MVK. (KD.).
1. „ Mammer Johann, MVK. (KD.).
56. „ Dittrich Gustav, MVK. (KD.); (ü. c.) Lehrer an der Mil.-Akad. zu Wr.-Neustadt.
65. „ Mild Carl.
47. „ Schmid Georg Ritt. v., ÖEKO-R. 3. (KD.), MVK. (KD.).
71. „ Gennotte Ludwig.
FJB. 32. Hübsch Johann.
3. IR. Reyl-Hanisch v. Greiffenthal Johann Ritt., MVK. (KD.).
28. „ Nauman Julius Ritt. v.
FJB. 1. Pokorny Moriz, ÖLO-R. (KD.), MVK. (KD.).
26. IR. Schwingenschlögel Richard, MVK. (KD.).
FJB. 8. Heller Franz, ÖEKO-R. 3. (KD.), ÖFJO-R., MVK. (KD.).
43. IR. Benda Franz.
Jäg.-R. De Fin Hamilkar Freih., ✝.
9. IR. Hauer Joseph.

(Gedruckt am 21. December 1878.)

1. November 1875.

78. IR. Tomašegović Jakob, MVK.
10. „ Hartmann Franz.
32. „ Kräutner v. Thatenburg Ferdinand Freih., MVK. (KD.).
77. „ Pauer v. Traut Johann.
6. „ Gábor Heinrich.
63. „ D'Elvert Alfred Ritt.
73. „ Steger Laurenz.
1. „ Pistor Wilfried Ritt. v.
4. „ Schmedes Ernst (ü. c.) Lehrer an der techn. Mil.-Akad.
53. „ Boccalari Carl (WG.).
13. „ Meixner Carl.
26. „ Haasz v. Grünnenwaldt Vincenz, MVK. (KD.).
30. „ Michałowski Peter Ritt. v.
66. „ Feldenhauer Franz (ü. c.) beim R.-Kriegs-Mstm.
64. „ Wellspacher Joseph.
65. „ Fischer v. See Richard.
45. „ Klein Emerich, ◯ 2.
38. „ Dillmann v. Dillmont Ferdinand, ÖEKO-R. 3. (KD.).
64. „ Rau Heinrich, MVK. (KD.).
46. „ Pandur Mathias, ÖFJO-R., MVK. (KD.).
34. „ Bischoff Orestes Ritt. v., ÖEKO-R. 3. (KD.), MVK.
34. „ Rziha Eduard.
Jäg.-R. Finke Edmund.
40. IR. Gnirs Carl.
68. „ Tomičić Joh., ÖEKO-R. 3. (KD.).
80. „ Stransky Franz.

1. Mai 1876.

43. IR. Tersch Anton Ritt. v.
60. „ Rauer v. Rauhenburg Victor.
70. „ Khern Alexander.
23. „ Plönnies Franz Ritt. v., MVK. (KD.).
69. „ Filauss Friedrich.
75. „ Badstüber Ludwig, MVK. (KD.).
54. „ Holeschowský Franz.
51. „ Heinzelmann Joseph Ritt. v., ÖEKO-R. 3. (KD.), MVK. (KD.).
10. „ Kreipner Franz, ÖEKO-R. 3. (KD.).
63. „ Wenz Joseph, MVK. (KD.).
15. „ Spiess August, MVK. (KD.).
6. „ Rauecker Edl. v. Lilienheim Alfred.
FJB. 16. Mikessić Adolph Edl. v.
8. IR. Schöller Ernst Edl. v.
28. „ Holzbach Johann.

1. Mai 1876.

7. IR. Winkler Johann.
Jäg.-R. Theuerkauf Rudolph, ÖLO-R. (KD.).

1. November 1876.

72. IR. Baumgartner Eduard.
55. „ Wenzl Carl.
FJB. 15. Dorner Raimund, MVK. (KD.).
13. IR. Juraczek Joseph.
70. „ Bogdan Ludwig.
21. „ Hillmayr Friedrich Ritt. v.
12. „ Smekal Heinrich.
FJB. 29. Veith Wilhelm.
52. IR. Magerl Carl.
66. „ Baller Adolph.
14. „ Bartsch Oswald.
9. „ Prokopp Wilhelm.
32. „ Öhlmayr Joseph v., ÖEKO-R. 3. (KD.).
74. „ Pensch Ernst.
62. „ Beinhauer Emil.
FJB. 2. Hauska Moriz.
58. IR. Formandel Johann.
72. „ Lanzenstorfer Ludwig.
FJB. 4. Kurz Carl, MVK. (KD.).
44. IR. Kwassinger Ferdinand.
49. „ Lenk Johann.
55. „ Matłachowski Johann.
16. „ Dotlić Thomas.
73. „ Weiss Rudolph.
34. „ Pápay Alexander v., MVK. (KD.).
36. „ Wolf Thaddäus.
4. „ Prüger Mathias.
5. „ Goldschmidt Johann, MVK. (KD.).
19. „ Schaffer v. Schäffersfeld Moriz Ritt.
76. „ Waldkirch Eduard Edl. v., ÖEKO-R. 3. (KD.).
69. „ Kaluschke Moriz, MVK. (KD.).
35. „ Brosch Alfred.
61. „ Bucellari Marcus.
30. „ Markl Ignaz (WG.).
12. „ Streitschek Johann (WG.).
46. „ Ornstein Joseph.
60. „ Balogh Stephan v.
17. „ Gündel Carl, MVK. (KD.).
48. „ Friedetzky Joseph.
16. „ Sova Ludwig, ÖEKO-R. 3. (KD.), MVK. (KD.).
12. „ Fischer Wenzel.
76. „ Claricini Eduard v.
29. „ Lazich Eugen, ÖEKO-R. 3. (KD.), MVK. (KD.).

1. November 1876.

58. IR. Best Georg, MVK. (KD.).
13. „ Sommer Joseph.
54. „ Henikstein Gustav Freih. v., MVK. (KD.).
8. „ Gassenmayr Paul (WG.).
Jäg.-R. Potschka Ludwig, ÖEKO-R. 3. (KD.).

1. Mai 1877.

34. IR. Schreiber Albert.
33. „ Theil Michael.
36. „ Lüftner Carl.
43. „ Latterer v. Lintenburg Adolph Ritt., MVK. (KD.).
60. „ Schütz Joseph.
56. „ Poglies Raimund Ritt. v.
57. „ Thiele Alois.
41. „ Grimm Adalbert, ÖEKO-R. 3. (KD.).
27. „ König Carl, MVK. (KD.).
21. „ Althaus Camillo Freih. v. (WG.).
37. „ Urbaschek Alfred.
48. „ Blascheck Joseph, ÖEKO-R. 3. (KD.), MVK. (KD.).
FJB. 12. Niemeczek Joseph, ÖEKO-R. 3. (KD.), MVK. (KD.).
67. IR. Chmela Oskar.
67. „ Kählig Eduard.
8. „ Scherak Joseph.
26. „ Schwinner Ignaz.
14. „ Fürich v. Fürichshain Emil.
31. „ Soós v. Bádok Carl, MVK. (KD.).
41. „ Jorkasch-Koch Joseph, ÖEKO-R. 3. (KD.).
29. „ Blaschek Vincenz, Edl. v.
38. „ Rösler Alois, MVK. (KD.).
5. „ Pensch Christian.
9. „ Zuber Ferdinand.
4. „ Player Alois.
67. „ Ott Edl. v. Ottenkampf Anton.
80. „ Brádka Adolph.
66. „ Ullmann Joseph.
63. „ Villa Peter.
71. „ Rabel Carl.
53. „ Liel August.
11. „ Rübsaamen v. Kronwiesen Leopold Ritt., ÖEKO-R. 3. (KD.).
17. „ Vogeler Otto, MVK. (KD.).
78. „ Strak Franz, MVK. (KD.).
41. „ Schnayder Ladislaus.
37. „ Kämpf Joseph.
35. „ Wander Robert.

1. Mai 1877.

Pion.-R. Zinner Emerich, MVK. (KD.).
70. IR. Halper v. Szigeth Ladislaus, MVK. (KD.).
2. „ Chwalla Adolph.
56. „ Moser Vincenz, ÖEKO-R. 3. (KD.), ○ 1. (WG.).
59. „ Beroldingen Joseph Gf., ✠.
56. „ Janota Robert.
62. „ Zathuretzky v. Alsó-Zathursca Carl.
66. „ Drechsler Laurenz.
37. „ Fritsch Alois (WG.).
67. „ Weissmann Carl, ÖEKO-R. 3. (KD.).

24. Juli 1877.

19. IR. Bakalovich Marcus, MVK. (ü. c.); Flügel-Adj. Seiner Majestät des Kaisers und Königs, zur Dienstleistung zug. Sr. k. k. Hoheit dem Kronprinzen Erzherzog Rudolph.

1. November 1877.

68. IR. Schmitt Carl.
50. „ Lischtiak Florian.
33. „ Helmich Carl.
79. „ Prebeg Sebastian.
4. „ Hinek Edmund.
Pion.-R. Jelussig Othmar, ÖEKO-R. 3. (KD.), MVK. (KD.).
80. IR. Dobrowolski Adolph.
24. „ Schiffner Felix, MVK. (KD.).
64. „ Garzarolli Edl. v. Thurnlack Alois, MVK. (KD.).
14. „ Klooss Adolph.
28. „ Rzehak Ferdinand, MVK. (KD.).
73. „ Leicht Edl. v. Leichtenthurm Carl, MVK. (KD.).
18. „ Kaliwoda Joseph.
74. „ Waage Eduard.
42. „ Anderwert Joseph.
23. „ Ulmansky Alexander.
5. „ Kraus August.
58. „ Worliczek Adolph.
29. „ Mauermann Joseph.
49. „ Seifert Johann.
FJB. 6. Horrak Johann.
20. IR. Berka Maximilian.
51. „ Herrmann Vincenz.
50. „ Siegl v. Siegwille Franz.
24. „ Ansion Maximilian, MVK.
FJB. 23. Grosschmid Sigmund v.
27. IR. Vorhauser Friedrich.
70. „ Ivanišević Anton.

1. November 1877.

25. IR. Krammer Joseph (WG.).
25. „ Fries Otto Freih. v.
Jäg.-R. Kürsinger Alfred Ritt. v., MVK. (KD.).
31. IR. Gotter-Resti-Ferrari Anton Freih. v.
45. „ Lindner Heinrich, MVK.
79. „ Peschke Hugo (WG.).
44. „ Wolff Anton.
45. „ Giunio Dominik, MVK. (KD.).
54. „ Gebauer Anton, ÖFJO-R., MVK. (KD.).
17. „ Hayd von und zu Haydegg Gustav Ritt., ÖEKO-R. 3. (KD.), MVK. (KD.).

1. Mai 1878.

43. IR. Smekal Emanuel.
31. „ Eyle Joseph, ÖFJO-R., MVK. (KD.).
10. „ Ullmann Emanuel (ü. c.) im mil.-geogr. Inst.
48. „ Negrelli v. Moldelbe Oskar Ritt., MVK. (KD.).
42. „ Kostelleczky Ferdinand.
FJB. 17. Kapfhamer Franz, MVK.
19. IR. Fochtmann Moriz.
3. „ Žischka Theodor.
44. „ Chavanne-Wöber Anton Edl. v.
10. „ Bob Joseph v.
35. „ Götting Wilhelm.
39. „ Görbitz Paul.
52. „ Schrott Ignaz, ÖEKO-R. 3. (KD.), MVK.
69. „ Gáal de Gyula Eugen (WG.).
65. „ Haager Johann, MVK. (KD.).
1. „ Albrecht Hermann, ÖFJO-R., MVK. (KD.).
20. „ Würl Edmund.
79. „ Menschik Alfred, ÖFJO-R., MVK. (KD.).
63. „ Mauler Alois.
72. „ Durst Roman.
7. „ Hausser Georg.
40. „ Pstross Emanuel.
80. „ Hauska Joseph.
50. „ Bihoy Aaron.
36. „ Löbl Eduard.
18. „ Horalek Anton, MVK.
30. „ Thalheim Julius.
75. „ Schmedes Emil, MVK. (KD.).
FJB. 33. Grivičić Daniel.
Pion.-R. Kerchnawe Hugo, MVK.

15. September 1878.

78. IR. Van der Sloot Joh., MVK. (KD.).
16. „ Radossević Johann.
47. „ Münzl v. Münzthal Michael, MVK. (KD.).
4. „ Lettowsky Franz.
45. „ Schrimpf Georg.
77. „ Madry Friedrich.
18. „ Müller Alois.
78. „ Lorenz Adolph, MVK. (KD.).
79. „ Ballasko Carl.
47. „ De Vaux Leonhard Freih., MVK. (KD.), ☩.
11. „ Ptaczek Anton.
74. „ Hudeček Franz.
22. „ Imhoff Carl Freih. v., ÖEKO-R. 3. (KD.).
53. „ Roknić Georg, MVK. (KD.).
61. „ Strasoldo - Graffemberg Julius Gf., MVK. (KD.).
54. „ Hora Joseph, MVK. (KD.).
78. „ Sussich Joseph (ü. c.) im mil.-geogr. Inst.
24. „ Handel Friedrich Freih. v., MVK. (KD.).
39. „ Kraus Sigmund.
68. „ Piskatczek Carl, MVK. (KD.).
30. „ Siegert Franz, MVK. (KD.).
7. „ Mikowetz Joseph Edl. v.
53. „ Radoy Theodor.
33. „ Ebhardt Ferdinand, MVK. (KD.).
77. „ Adler v. Adlerschwung Maximilian (ü. c.) im mil.-geogr. Inst.
12. „ Straub Adolph Ritt. v.
14. „ Ehlers Julius.
27. „ Einem Adolph v.
32. „ Kunst Julius.
72. „ Lerch Ludwig.
77. „ Gogojewicz Vincenz.
37. „ Graas Joseph.
28. „ Spengel Anton.
7. „ Perrelli Wilhelm Ritt. v., MVK. (KD.).
76. „ Kratschman Carl.
62. „ Mathiae August.
41. „ Keil Vincenz.

15. September 1878.

Pion.-R. Teltscher Bernhard, MVK. (KD.).
23. IR. Tost Franz.
Pion.-R. Tomaschek Johann, MVK. (KD.).
38. IR. Toifel Carl.
5. „ Ringer Eduard, MVK.
65. „ Hörl Franz.
32. „ Kirchgässer Julius.
74. „ Schkrobanek Ferdinand, ÖEKO-R. 3. (KD.), MVK. (KD.).
71. „ Reutter Georg v., MVK. (KD.).
71. „ Nowý Eduard, MVK.
15. „ Boičetta Wilhelm.
52. „ Schmotzer Adolph, MVK. (KD.).
69. „ Thim Joseph.
19. „ Schilhawsky Johann.
52. „ Dörner Adolph.
70. „ Wiesner Joseph.

1. November 1878.

22. IR. Smola Johann, MVK. (KD.).
49. „ Gelb Carl.
8. „ Rungg Johann.
6. „ Rehmann Andreas.
59. „ Siebeneicher Adolph Edl. v., MVK. (KD.).
25. „ Richard Carl, MVK. (KD.).
38. „ Otto Bruno, ÖEKO-R. 3. (KD.), MVK. (KD.).
9. „ Czetsch v. Lindenwald Heinrich.
38. „ Dreyhaupt August.
Pion.-R. Perin v. Wogenburg Emil Ritt., MVK. (KD.).
72. „ Wesselý Adolph, MVK. (KD.).
FJB. 18. Häring Franz, ÖFJO-R., MVK. (KD.).
46. IR. Parmann Friedrich, MVK. (KD.).
75. „ Horák Eduard.
51. „ Descovich v. Oltra Alois Ritt.
76. „ Mikić Mathias, ÖEKO-R. 3. (KD.).
21. „ Spurny Adolph.
36. „ Wiktorin Moriz.
20. „ Dylewski Anton Ritt. v.
21. „ Feyl Ferdinand.
2. „ Herdy Anton.
37. „ Jaitner Franz, MVK.

Hauptleute.

2. IR. **Seine kais. Hoheit Sergius Alexandrowitsch, Grossfürst von Russland.**

1. October 1856.

49. IR. Grünzweig v. Eichensieg Franz

24. April 1859.

23. IR. Burkhardt von der Klee Johann Freih.

5. Mai 1859.

45. IR. Schindler Franz, MVK. (KD.)

13. Mai 1859.

13. IR. Lubach Moriz

13. Mai 1859.

40. IR. Gawin - Niesiołowski de Niesiołowice Victor, MVK. (KD.)
7. „ Verga Carl de
17. „ Saulig Theodor
10. „ Glossner Gustav Edl. v.
FJB. 33. Dworžak v. Kulmburg Rud., MVK. (KD.)
41. IR. Werdan Dominik, MVK. (KD.)
59. „ Meindl August
70. „ Krivačić Paul (ü. c.) bei der Grundbuchs-Anlegung.

26. Mai 1859.

Jäg.-R. Köth Robert Ritt. v., ÖEKO-R. 3 (KD.)

28. Mai 1859.

58. IR. Prochaska Eduard, MVK. (KD.)

8. Juni 1859.

11. IR. Seegert Georg

24. Juni 1859.

63. IR. Bachitsch Johann

29. Juni 1859.

80. IR. Stupka Jos. (ü. c.) beim Gen.-Comdo. zu Graz

30. Juni 1859.

70. IR. Thodorović Miloš (ü. c.) bei der Feld-Gendarmerie
68. „ Alster Joseph

1. Juli 1859.

8. IR. Czaplinski Edmund

14. Juli 1859.

55. IR. Geýr Vincenz

18. März 1861.

FJB. 20. Higerasperger Franz

25. April 1861.

62. IR. Monó Friedrich

6. September 1862.

55. IR. Baruskín Stephan

25. December 1862.

47. IR. Brilli Johann
48. „ Ullmann Stephan
50. „ Borgovan Stephan, ○ 1.
57. „ Seidel Ferdinand

1. Juli 1863.

74. IR. Svoboda, Ferdinand MVK. (KD.)

1. October 1863.

28. IR. Hess Franz, MVK. (KD.)

1. December 1863.

Jäg.-R. Mayr Andreas, ÖEKO-R. 3. (KD.)

3. Jänner 1864.

52. IR. Ungar Carl
18. „ Guha Emil
3. „ Handel - Mazzetti Gustav Freih. v. (WG.)

14. Jänner 1864.

55. IR. Kramer Johann.

1. Februar 1864.

50. IR. Mocznay Wilhelm
40. „ Nowak Maximilian

11. Februar 1864.

27 IR. Acham Franz, MVK. (KD.)
30. „ Hoschek Anton

13. Februar 1864.

79. IR. Novaković v. Gjuraboj Joseph
12. „ Danzinger Johann
59. „ Eichen Wilhelm (ü. c.) beim R.-Kriegs-Mstm.

1. März 1864.

65. IR. Horalek Vincenz

18. März 1864.

53. IR. Schmelkes Johann

18. April 1864.

31. IR. Krauss v. Ehrenfeld Joseph
5. „ Stolfá Albin
54. „ Keim Adolph (WG.)
10. „ Kirschinger Ludwig, ÖEKO-R. 3. (KD.)

22. April 1864.

24. IR. Biernacki Leo (WG.)

1. Juni 1864.

60. IR. Kneusel - Herdliczka Adolph v., ÖEKO-R. 3. (KD.)

1. Juli 1864.

45. IR. Luksić Joseph, MVK.
17. „ Sivkovich Emil v.

1. August 1864.

39. IR. Thanböck Julius

1. October 1864.

68. IR. Rodić Peter

11. October 1864.

61. IR. Weissl Edmund

1. November 1864.

51. IR. Morelli Peter (ü. c.) prov. Comdt. des Garn. - Transportshauses zu Hermannstadt.
35. „ Hladký Franz

1. December 1864.

17. IR. Keki Franz
71. „ Komarek Wenzel (WG.)
6. „ Pokorny Anton, ÖFJO-R. (ü. c.) beim R.-Kriegs-Mstm.

1. März 1865.

27. IR. Melotti Germanus

21. März 1865.

48. IR. Piskor Thomas, MVK. (KD.)

29. April 1865.

31. IR. Horaczek Joseph (ü. c.) in der Marine-Akad.

30. Juni 1865.

24. IR. Maculan Alois, ○2.

1. August 1865.

41. IR. Schmidt Andreas
28. „ Schroll Ferdinand

1. October 1865.

64. IR. Klement Johann

1. November 1865.

38. IR. Schramm Wilhelm

1. December 1865.

55. IR. Betta Julius de

6. Jänner 1866.

60. IR. Hein Joseph
67. „ Přihoda Johann (ü. c.) comdt. beim Generalstabe

21. Februar 1866.

74. IR. Bellschan v. Mildenburg Adolph

29. März 1866.

32. IR. Gruber Jos., MVK.
78. „ Schmidt v. Silberburg Ferdinand

1. Mai 1866.

79. IR. Fudurić Joh., MVK. (KD.)
66. „ Vucelić Nikolaus (ü. c.) beim Etapen-Comdo. zu Vranduk.
32. „ Bartsch Franz
78. „ Wukellić Franz
52. „ Komadina Miloš
5. „ Weisskircher Friedrich
62. „ Darvas Stephan
8. „ Maly Carl Ritt. v.
29. „ Knaus Heinrich, MVK. (KD.)
10. „ Nowak Blasius
28. „ Koller v. Marchenegg Joseph Ritt.
21. „ Bayerer Vincenz, MVK. (KD.); (ü. c.) im Kriegs-Archive
7. „ Uiberbacher Nik., MVK. (KD.)

1. Mai 1866.

53. IR. Begović Paul, MVK. (KD.)
76. „ Wilfling Alois
19. „ Janny Franz (ü. c.) im Kriegs-Archive
54. „ Albrecht Franz
12. „ Kovačević Paul
71. „ Bielin Joseph
FJB. 10. Modena Carl Conte de, MVK. (KD.)
48. IR. Bellobraidić Leop. (WG.)
15. „ Bradiašević Mathias (WG.)
FJB. 26. Luxardo Eugen
„ 23. Fazolo Ludwig v.
17. IR. Pfeifer Franz
FJB. 9. Zollmann v. Zollerndorf Leop. Ritt. (WG.)
4. IR. Buchfelder Carl, MVK. (KD.)
64. „ Dannenberg Rich. Freih. v.
49. „ Weber Alexander
63. „ Brzezina Edl. v. Birkenthal Eduard
8. „ Huber Leop. (WG.)
45. „ Heruth Rudolph
9. „ Rosenkranz Adolph (ü. c.) comdt. beim Generalstabe
50. „ Melas Gustav
13. „ Tschenek Ferdinand
2. „ Perneczky Constantin
77. „ Kinauer Johann
78. „ Niver Franz
70. „ Milojević Johann
9. „ Ludwik Gotthard (WG.)

11. Mai 1866.

52. IR. Bartak Franz
27. „ Sponner Marcell

12. Mai 1866.

55. IR. Theimer Julius

16. Mai 1866.

49. IR. Gallina Friedrich (ü. c.) in der Mil.-Ober-Realschule

30. Mai 1866.

1. IR. Mayer Anton, MVK. (KD.)

1. Juni 1866.

11. IR. Wolf Joseph
10. „ Theml Johann
70. „ Pavellić Blasius (ü. c.) beim Serežener-Corps
FJB. 9. Goll Ferdinand

10. Juni 1866.

76. IR. Stenzel Carl, ÖEKO-R. 3. (KD.)

11. Juni 1866.

46. IR. Strunz Franz
72. „ Potier des Echelles Rudolph Freih., ÖFJO-R. (ü. c.) comdt. beim Generalstabe
61. „ Gettmann Anton
68. „ Korbuss Julius

16. Juni 1866.

22. IR. Braun Johann Ritt. v., ÖEKO-R. 3. (KD.), MVK. (KD.)

17. Juni 1866.

39. IR. Springer Joseph

25. Juni 1866.

41. IR. Ulrich Adolph
3. „ Plitzner Friedr.
12. „ Krinner Alois
66. „ Langendorf Carl
29. „ Kastner Andreas
39. „ Müller Adolph

28. Juni 1866.

64. IR. Ploner Friedrich
56. „ Jaworski Stephan
6. „ Frisch Anton
79. „ Neumann Gotthard
55. „ Herzog Joseph
13. „ Freihub Johann
60. „ Czermak Joseph, MVK. (KD.)
79. „ Bossi Robert (ü. c.) im mil.-geogr. Inst.

28. Juni 1866.

6. IR. Bubenik Ferdinand
1. „ Schmid Joseph
25. „ Baranyay de Nagy-Varad Alexander, ÖFJO-R., MVK. (KD.)
71. „ Oldofredi Leonce Gf., ♰
57. „ Miłkowski v. Habdank Emil Ritt.
4. „ Chandelier Aug., MVK. (KD.); (ü. c.) im mil.-geogr. Inst.
9. „ Medycki Emil, MVK. (KD.)
8. „ Mosing Ferdinand
FJB. 10. Kopal Victor Freih. v., ÖEKO-R. 3 (KD.), (ü. c.) Flügel-Adj. Sr. k. k. Hoheit des General - Inspectors des Heeres, FM. Erzherzog Albrecht.
„ 24. Ehrenburg Victor Freih. v., MVK. (KD.)
„ 1. Fischer Georg, MVK. (KD.)
59. IR. Troll Edmund Ritt. v.
FJB. 2. Lenz Heinrich
„ 26. Blumauer Alois, MVK. (KD.)
13. „ Höchsmann Jos.
23. „ Linpökh Carl
10. „ Šmejkal Ignaz
67. „ Schmidt Joseph
27. „ Bornmüller Albert, MVK. (KD.)
20. „ Haas Ignaz

29. Juni 1866.

21. IR. Willigk Ernst, MVK. (KD.)
32. „ Omischel Joseph
59. „ Schrickel August
33. „ Scheidel v. Beneschau Adolph
32. „ Laktics Julius
21. „ Mattas Anton
26. „ Hönl Heinrich
15. „ Skibinski Cornelius
77. „ Höhenrieder Moriz
9. „ Grüber Johann, MVK.

29. Juni 1866.

15. IR. Schonowski Georg
57. „ Obst Eduard
21. „ Schaffgotsche Carl Gf.
35. „ Bux Alois
77. „ Pokorny Alexander
2. „ Rumpelmayer Euthim
2. „ Schubert Joseph
15. „ Noderer Adolph
2. „ Khonn Paul
15. „ Gröller Ludwig Ritt. v.
23. „ Kirchner Carl
26. „ Baumholzer Julius, MVK. (KD.)
77. „ Mercało Gabriel
48. „ Jobst v. Ruprecht Joseph

30. Juni 1866.

18. IR. Stöckelle Gustav
18. „ Hildenbrand Theodor, MVK. (KD.)
35. „ Nossek Johann
35. „ Krtek Joseph
6. „ Hofbauer Emil
21. „ Witasek Victor
42. „ Stopfer Franz
42. „ Benesch Willibald
72. „ Junghannss Georg
42. „ Schmid Vincenz
73. „ Pflügl Alexander Edl. v.
72. „ Medritzer Wilhelm
6. „ Herzl Carl
16. „ Chiurkow Anton
4. „ Wallenberg Adolph
54. „ Paust Johann, MVK.
73. „ Rassl Theodor
73. „ Funk Gustav
33. „ Kwetkowits Anton
19. „ Forstner Edl. v. Billau Franz
39. „ Várhegyi Rud. v.
33. „ Powolny Joseph

1. Juli 1866.

58. IR. Widmar Peter
24. „ Kossin Joseph
52. „ Relković Anton
60. „ Weidl Julius
11. „ Etz v. Strassthal Conrad Ritt.

1. Juli 1866.

6. IR. Jovanović Eugen
1. „ Krauss Peregrin
16. „ Grivičić Leopold, MVK.
FJB. 18. Steinsky Franz
30. IR. Bartsch Adalbert (WG.)
17. „ Berg Albert
37. „ Scotti Philipp Freih. v.
47. „ Rukavina v. Vidovgrad Ladislaus Freih.
68. „ Traub Anton
65. „ Weber Felix

2. Juli 1866.

61. IR. Spanner Leopold

4. Juli 1866.

47. IR. Weltzebach Hermann (ü. c.) beim R.-Kriegs-Mstm.
47. „ Mundy Carl
47. „ Latterer v. Lintenburg Const. Ritt.
2. „ Maschek Paul (WG.)
56. „ Langer Adolph
8. „ Kamler Joseph, MVK. (KD.)
53. „ Petković Johann
46. „ Maxim Georg
46. „ Raubiczek Franz
80. „ Kotowski Miecislaus Ritt. v.
46. „ Ivanović Nikolaus
54. „ Dutkiewicz Paul, MVK. (KD.)
73. „ Günste Gideon
69. „ Mallinarich v. Silbergrund Heinrich
67. „ Niemetz Erwin
56. „ Chudoba Joseph
22. „ Grünenwald Robert v.
60. „ Fritz Julius, MVK. (KD.); (ü. c.) im Kriegs-Archive
78. „ Rom Carl (ü. c.) beim Sereźaner-Corps
69. „ Pielsticker v. Pfeilburg Arthur

4. Juli 1866.

47. IR. Preissler Anton
72. „ Pickl v. Witkenberg Alexand. (WG.)
68. „ Buml Leopold
12. „ Bellmond Franz
19. „ Horváthy v. Dysznosy August (Res.)
56. „ Přichoda Eduard, ÖFJO - R., MVK. (KD.); (ü. c.) im mil.-geogr. Inst.
74. „ Podhagský Stanislaus
FJB. 14. Porth Wenzel
46. IR. Kassan Abraham, MVK. (KD.)
FJB. 19. Wohlstein Julius
34. IR. Schimaczek Anton, MVK. (KD.)
34. „ Brilka Urban, MVK. (KD.)
71. „ Mudra Johann
8. „ Höpler Carl, MVK. (KD.)
8. „ Gläser Theodor
36. „ Sehrig Joseph (WG.)
57. „ Sóchaniewicz Jos.
68. „ Thian Anton v.
18. „ Gilnreiner Nikolaus
6. „ Wolf Eugen, MVK. (KD.)
35. IR. Schirschant Constantin, MVK. (KD.)
Jäg.-R. Feueregger Carl
38. IR. Přidalek Franz, ÖEKO-R. 3. (KD.)
34. „ Strastil v. Strassenheim Theodor
FJB. 12. Hochberger Romuald, ÖFJO - R., MVK. (KD.)
„ 21 Fürich v. Fürichshain Joseph
42. IR. Schönlin Maximil. v.
48. „ Cavallar Anton (WG.)
FJB. 33. Speiser Carl, MVK.
7. IR. Ferrari Carl
FJB. 31. Haas Theodor
24. IR. Liborio Oskar
FJB. 17. Karwath Carl, MVK. (KD.)
„ 20. Gariboldi Ferd. Ritt. v.

4. Juli 1866.

FJB. 5. Schiefer Eduard
„ 7. Bolzano Edl. v. Kronstätt Hugo, MVK. (KD.)
17. IR. Watterich v. Watterichsburg Friedr.
Jäg.-R. Vigelius Albert
FJB. 15. Helly Georg Edl. v., MVK. (KD.)
„ 32. Moczkovcsák Victor
„ 30. Berka Johann
50. IR. König Eduard
37. „ Stieglitz Gustav
38. „ Kukowetz Franz, MVK. (KD.)
FJB. 11. Vivenot Ernst Edl. v., Indigena des Königreiches Ungarn
70. IR. Kovačić Ludwig
61. „ Mierka Carl
61. „ Drobniak Isidor
42. „ Lang Eduard
54. „ Meixner Johann
51. „ Campéanu Lucas
73. „ Maly August Ritt. v. (ü. c.) in der Mil.-Akad. zu Wr.-Neustadt
18. IR. Prausa Ignaz
28. „ Zeidler Julius
43. „ Forster Johann
57. „ Szczućinski Ladislaus v.
42. „ Hartmann Raimund (WG.)
32. „ Schlacher Joseph
30. „ Fattinger Ferdinand, MVK.
36. „ Hälbig Edmund Ritt. v.
45. „ Schüfler Eduard, MVK. (KD.)
65. „ Mejer August, MVK. (KD.)
56. „ Zichardt Gustav, MVK. (KD.)
1. „ Gayer Joseph (ü. c.) beim General - Inspector des k. k. Heeres
1. „ Rehn Friedrich
12. „ Ságody Johann v.
19. „ Minutillo Carl Freih. v., MVK.

4. Juli 1866.

38. IR. Lenz Adolph
15. „ Stöckl Carl
38. „ Egger Carl
33. „ Sterzi Anton
6. „ Wienecke Otto, MVK. (KD.)

8. Juli 1866.

4. IR. Castaldo Ludwig
44. „ Petrás Johann v.

11. Juli 1866.

60. IR. Offenbach Joseph
60. „ Tschandl Edl. v. Chossière August, MVK.
60. „ Wirkner v. Torda Gabriel

12. Juli 1866.

44. IR. Csisca Alexander

16. Juli 1866.

71. IR. Binder Friedrich
71. „ Unkelhäuser v. Abenst Georg
33. „ Roschanz Stephan

17. Juli 1866.

58. IR. Raslić Gustav
15. „ Strauss Edl. v. Eichenlaub Alexander
FJB. 4. Nolting Bernhard v.
30. IR. Reymann Thomas
40. „ Schubert Johann (WG.)
1. „ Friedrich Franz

18. Juli 1866.

Jäg.-R. Pallang Anton

21. Juli 1866.

Jäg.-R. Politzki Heinrich (WG.)

22. Juli 1866.

18. IR. Rau von und zu Holzhausen Victor Freih., ÖEKO-R. 3. (KD.)

25. Juli 1866.

Jäg.-R. Spaur Maximilian Gf., JO.-Ehrenritter, ✝ (Res.)

26. Juli 1866.

11. IR. Wittek v. Salzberg Joseph

30. Juli 1866.

30. IR. Paulewicz Michael

1. August 1866.

47. IR. Treffenschedl Franz, ÖEKO-R. 3. (KD.)
31. „ Klimke Joseph, MVK. (KD.)
7. „ Bucher Joseph
7. „ Goll Joseph, MVK. (KD.)
22. „ Derin Stephan, MVK. (KD.)
FJB. 6. Steinitz Eduard Ritt. v.
30. IR. Manasterski Felix Ritt. v., MVK. (KD.)
21. „ Koenigsbrunn Roderich Freih. v.
54. „ Gruner Wilhelm
15. „ Sermak Carl
58. „ Konzer Julius
32. „ Přeďák Carl, ÖEKO-R. 3. (KD.)

10. August 1866.

72. IR. Weber Edl. v. Webersheim Ignaz

18. August 1866.

FJB. 16. Moser Moriz

20. August 1866.

10. IR. Keess Joseph

26. August 1866.

FJB. 27. Brasseur v. Kehldorf Emil Ritt., MVK. (KD.)

1. September 1866.

30. IR. Hugelmann Joseph
76. „ Cordon Carl Freih. v.

13. April 1867.

Pion.-R. Wukmirowić Joh. (WG.)

26. August 1867.

FJB. 24. Pinelli Gustav, MVK. (KD.)

1. Mai 1868.

9. IR. Lawatschek Otto
40. „ Soika Raphael (ü. c.) prov. Gerichts-Beisitzer beim Gerichtshofe zu Ogulin

1. November 1868.

3. IR. Fridrich Eduard
79. „ Petričić Peter
70. „ Ratky de eadem et Salamonfa Carl
79. „ Kling Thomas
53. „ Petrović Carl, MVK. (KD.)

10. April 1869.

Jäg.-R. Della Torre v. Thunberg Julius (Res.)

1. Mai 1869.

77. IR. Benda Gustav
Pion.-R. Schwarz Joseph
„ Hackenschmidt Leo
1. IR Wýbiral Joseph
62. „ Pflichtenheld Oskar v.
4. „ Hoen August, ÖEKO-R. 3. (KD.), MVK. (KD.)
27. „ Rauschke Constant.
27. „ Chevalier August (ü. c.) in der techn. Mil.-Akad.
4. „ Rauscher Friedrich (WG.)
50. „ Dworzak Anton
9. „ Časek Joseph
29. „ Tietze Ferdinand.
64. „ Divizioli Alois nobile de
44. „ Minichreiter Joseph
36. „ Ballieux v. Guelfenberg Emil

1. Mai 1869.

52. IR. Hassinger Franz Edl. v., MVK. (KD.); (ü. c.) im mil.-geogr. Inst.
Pion.-R. Jacquemot Ludwig, ÖFJO-R.
30. IR. Mitter Raimund
58. „ Linde Franz
47. „ Liebezeit Carl
47. „ Karlin Jakob
62. „ Hauk August
43. „ Putti Carl
67. „ Wilkens Ludwig
51. „ Heinz Isidor
Pion.-R. Laferl Joseph, MVK. (KD.)
72. IR. Márton Johann
Pion.-R. Brinner Wilhelm, MVK. (KD.)
62. IR. Zivković Svetosar
49. „ Pegan Felix
9. „ Van der Abeele Carl
25. „ Linkmann Eduard
53. „ Viditz Alois
74. „ Lauenstein Carl
3. „ Kranner Hugo
49. „ Mehler Franz
41. „ Cordier v. Löwenhaupt Joseph
43. „ Hablitschek Carl
62. „ Truchelut Gottfried
22. „ Lavaux de Vrecourt Arthur Gf.
Pion.-R. Preiss Franz
21. IR. Lebeda Eduard
70. „ Vuičić Paul, MVK. (KD.)
62. „ Schrodt Wilhelm v.
2. „ Zubović Michael
Jäg.-R. Hafner Robert v.
70. IR. Groller v. Mildensee Maximil., MVK. (KD.); (ü. c.) im mil.-geogr. Inst.

1. November 1869.

Pion.-R. Müller Ladislaus, MVK., (ü. c.); Comdt. der Pion.-Cadetenschule
FJB. 33. Bastendorff Rudolph, (ü. c.) im mil.-geogr. Inst.
„ 29. Pokorny Carl

1. Mai 1870.

48. IR. Thaller Franz, MVK. (KD.)
45. „ Eder Emil Freih. v.
55. „ Suzdelewicz Johann
31. „ Jerusalem Ferd.
54. „ Pauer Joseph, MVK. (KD.), (WG.)
3. „ Eiss Alexander, ÖEKO-R. 3. (KD.)
55. „ Wandruszka Wilh.
21. „ Janda Carl (WG.)
14. „ Kern Albin, ÖEKO-R. 3. (KD.), MVK. (KD.)
53. „ Sallegg Joseph
27. „ Axster Victor Edl. v., MVK. (KD.)
11. „ Clanner v. Engelshofen Rudolph Ritt.
22. „ Zeyer Emil
20. „ Beutler Jonas
67. „ Tessely v. Marsheil Ferdinand (WG.)
44. „ Täuffer Emil, MVK. (KD.)
45. „ Obich v. Turnstein Franz
27. „ Segenschmid Franz Edl. v.
12. „ Schmidag Alexand.
49. „ Rüstel Alfred Freih. v., MVK.
15. „ Kreitschy Anton
54. „ Ruhri Anton
31. „ Molnár Franz (WG.)
2. „ Schwarz Carl
47. „ Cirheimb zu Hopffenbach, Freih. auf Guettenau Alphons v., MVK. (KD.)
34. „ Antalffy de Bankfalva Ludwig
62. „ Pawlick Joseph
40. „ Celle Johann
77. „ Kamler Franz
29. „ Reiss Friedrich
41. „ Fedra Johann
80. „ Waydowski Severin
22. „ Roskiewicz Ludwig
46. „ Seeling August
14. „ Geutebrück Georg, MVK. (KD.)

1. Mai 1870.

Pion.-R. Schuch Carl
64. IR. Deltl Joseph

1. November 1870.

14. IR. Pelikan Joseph
69. „ Königsbrunn Arthur Freih. v.
8. „ Breyding Friedrich
44. „ Herdt Anton, ÖEKO-R. 3. (KD.)
69. „ Korbl Adolph
27. „ Gstättner Joseph
60. „ Zwieberg Ignaz Freih. v.
8. „ Berger Moriz, ÖEKO-R. 3. (KD.), MVK. (KD.)
80. „ Osmólski v. Bończa August Ritt.
14. „ Dolleschall Anton
19. „ Goessmann Otto
27. „ Guggenberger Jos., ÖEKO-R. 3. (KD.), ÖFJO-R., MVK. (KD.)
39. „ Antal Joachim, MVK. (KD.)
78. „ Berdeis Michael (WG.)
24. „ Zima Johann
67. „ Reinel Anton
73. „ Ludovici Friedrich
49. „ Köstler Heinrich
31. „ Mallik v. Dreyenburg Ferdinand Ritt.
3. „ Pohanka v. Kulmsieg Vincenz
11. „ Český Ferdinand (ü. c.); in der Mil.-Akad. zu Wr.-Neustadt
11. „ Scrabal Theodor
53. „ Birwas Eduard
5. „ Egloff v. Engweilen Julius, ÖFJO-R., MVK. (KD.)
11. „ Cerrini di Monte Varchi Carl
59. „ Strohueber Edmund
12. „ Beulwitz Friedrich Freih. v.
24. „ Suk Johann
25. „ Albrecht Adalbert

1. November 1870.

17. IR. Guttmann Joseph
44. „ Müller Adolph
62. „ Hönig Wilhelm
78. „ Drasenović v. Posertve Michael
52. „ Schöffl Joseph (ü. c.) comdt. beim Generalstabe
54. „ Senarclens de Grancy Emil Freih.
37. „ Rosenzweig v. Drauwehr Ferdinand Freih., ÖEKO-R. 3. (KD.)
7. „ Tragge Ferdinand
28. „ Zach Gustav
76. „ Bartenstein Leopold
74. „ Kominek Rudolph
73. „ Irra Ernst
80. „ Probst Heinrich
52. „ Koch Adalbert, ÖEKO-R. 3. (KD.)
49. „ Siebenhüner Jos.
68. „ Trzeschtik Julius
9. „ Dausch Philipp (ü. c.) Oekon.-Inspector in der Mil.-Akad. zu Wr.-Neustadt
45. „ Reitter Carl
74. „ Šindelář-Sachs Franz Ritt. v.
19. „ Kralowetz Franz, MVK. (KD.); (ü. c.) beim R.-Kriegs-Mstm.
43. „ Nikolić Miloš
63. „ Schwerenfeld Gustav v.
8. „ Rössel Ignaz
79. „ Piškur Eduard, MVK. (KD.)
Pion.-R. Vaymár Ludwig v. (ü. c.) zug. dem Generalstabe
„ Bara Carl
37. IR. Planner Victor Edl. v.

1. Mai 1871.

9. IR. Eder Alois
73 „ Hemmrich Emil
60. „ Holzschuh Ludwig

1. Mai 1871.

14. IR. Perin v. Wogenburg Moriz Ritt.
45. „ Karpiński Joseph, ÖEKO-R. 3. (KD.)
72. „ Páva Emil
36. „ Ploennies Hermann Ritt. v., MVK. (KD.)
3. „ Heyszl Johann
36. „ Menzinger Moriz (ü. c.) in der Mil.-Ober-Realschule
63. „ Balás Emanuel v.
8. „ Sturm Gustav (ü.c.) beim R.-Kriegs-Mstm.
12. „ Csáky Julius v.
7. „ Fischern Albrecht Edl. v.
52. „ Koppen August
75. „ Mayer Julius
56. „ Wähner Wladimir
27. „ Molitoris Wilhelm
59. „ Engel Julius Ritt. v.
69. „ Zechmeister Joh.
48. „ Becsey Emerich v., MVK. (KD.)
56. „ Ruebenbauer Ferdinand
47. „ Schaeffer Heinrich, MVK. (KD.)
31. „ Klein Franz
42. „ Hobe Roland
17. „ Salomon August, MVK. (KD.)
17. „ Strohmayer Albert, ÖEKO-R. (KD.)
53. „ Lovretić Martin, MVK. (KD.)
25. „ Scheicher Joseph
19. „ Hilgenberg August, MVK. (KD.)
25. „ Hussar August
74. „ Veit Adolph
27. „ Grachegg Gustav
14. „ Steinbauer Mathias
30. „ Draganić Gideon
34. „ Overbeck Alexander
34. „ Daubner Franz, MVK. (KD.)
34. „ Dobos de Marczinfalva Nikolaus, MVK. (KD.)

1. Mai 1871.

72. IR. Prochaska Carl
69. „ Neyer Hermann
3. „ Jelussig Albin
71. „ Lederer Seligmann
23. „ Issekutz Julius v.
13. „ Zoretić Franz
36. „ Schrag Alfred
77. „ Antony Franz

1. November 1871.

Jäg.-R. Tschreschner Stephan, MVK. (KD.), (WG.)
37. IR. Szérdahelyi de Ag-Csernyő et Szerdahely Julius
FJB. 8. Mark Michael
Jäg.-R. Streicher Alois Freih. v., ÖEKO-R. 3. (KD.), ÖFJO-R., MVK. (KD.)
37. IR. Kupussarovich Michael
49. „ Auspitz Leopold, MVK.
31. „ Werchowiecki Carl
52. „ Szilvássy Alexander v.
34. „ Kreuziger Eduard
16. „ Prieger Cajetan v.
43. „ Ursprung Joseph v., Dr. d. R.
14. „ Moosthal Theodor Ritt. v.
66. „ Bilinski v. Słotyło Adam Ritt.
1. „ Gstöttner Carl
24. „ Pitsch Franz
41. „ Mastny Leopold, ÖEKO-R. 3. (KD.)
63. „ Nikolić Miloš
15. „ Słoninka Julius (ü. c.) im mil.-geogr. Inst.
65. „ Ellerich Wenzeslaus (WG.)
75. „ Kreb Stanislaus
Pion.-R. Bernard Carl
4. IR. Giordani Eduard

1. Mai 1872.

47. IR. Stojan Franz, MVK. (KD.)
Pion.-R. Payer Eduard, MVK. (KD.)

1. Mai 1872.

FJB. 31. Kedačić Mathias, MVK. (KD.)
Pion.-R. Mayer von der Winterhalde Oskar Ritt.
FJB. 13. Rostoczil Moriz
„ 9. Kopelent Franz, MVK. (KD.)
„ 33. Donhauser Joseph, MVK. (KD.)
Jäg.-R. Händl Edl. v. Rebenburg Ludwig (ü c.) zug. dem Generalstabe.
67. IR. Hartl Wenzel
FJB. 27. Gröer Hugo (WG.)
28. IR. Terzaghi Edl. v. Pontenuovo Anton
50. „ Brechler v. Troskowitz Adolph Ritt.
44. „ Kminek Jakob
31. „ Toma Johann
67. „ Hallada Alois (ü. c.) im mil.-geogr. Inst.
76. „ Palliardi Ludwig, MVK. (KD.)
3. „ Stingl Gustav
3. „ Kowařiček Franz
61. „ Eichler Franz, MVK. (KD.)
76. „ Schwörer Franz
46. „ Medveczky Adam v., MVK. (KD.)
25. „ Görtz Arthur Ritt. v.
19. „ Matzner Alois
52. „ Seitz Jaroslav (ü. c.) zug. dem Generalstabe
40. „ Hartmann Wenzel
26. „ Bermann Adolph Edl. v.
56. „ Tusch Johann
69. „ Kleisser Friedrich
69. „ Diemmer Ernst, MVK. (KD.)
28. „ Klautschek Johann
80. „ Boniewski Joseph
56. „ Zawilski Ladislaus
54. „ Prochaska Gustav
31. „ Poklosy Stephan
5. „ Wojatżek Joseph
63. „ Freysinger Ernst
6. „ Gidro Gregor v.

1. Mai 1871.

13. IR. Czapek Johann
3. „ Schneider Rudolph
27. „ Schadek Adolph
35. „ Hofmann Carl
32. „ Grossinger Alfard, MVK. (KD.)
23. „ Streitenfels Emerich
41. „ Odolski Adolph
25. „ Linhart Joseph
71. „ Friedl Johann
44. „ Czertik Anton
63. „ Steiner Ferdinand

1. November 1872.

FJB. 13. Hauschild Johann
„ 25. Desero Angelo (WG.)
Pion.-R. Kaas Joseph
FJB. 28. West Johann v.
„ 7. Urschütz Joseph
Pion.-R. Rupert Viktor, MVK. (KD.)
„ Stürz Joseph
„ Winkler Alois
FJB. 9. Wichmann Eberhard, MVK. (KD.)
„ 23. Kühn Eduard
„ 3. Brameshuber August.
„ 8. Prokopp Peter
„ 15. Rainer Johann, MVK (KD.)
„ 32. Klopfstock Joseph (ü. c.) im Kriegs-Archive
„ 21. Görtz Bruno Ritt. v., MVK.
„ 6. Wolski v. Dunin Leon Ritt.
„ 28. Phaffenhuber Eduard, MVK. (KD.)
79. IR. Hullavanya v. Radoičić Georg (ü. c.) zug. dem Generalstabe
54. „ Hetzendorf Georg v.
62. „ Stuchlick Reinhard
36. „ Wiesner Joseph
74. „ Seybold Alexander
20. „ Kaill Martin

1. November 1872.

FJB. 21. Kurzwernhart Ant
26. IR. Zirty August v. (WG.)
16. „ Waberer Edl. v. Dreischwert Anton, MVK. (KD.)
6. „ Nikowitz Eduard
18. „ Bogdanović Simeon
57. „ Pachner Anton, MVK. (KD.)
13. „ Heger Georg
58. „ Ebert Adalbert
Jäg.-R. Niklas Philipp
22. IR. Wagner Johann, MVK. (KD.)
64. „ Krayatsch Emanuel
65. „ Paar Heinrich (WG.)
69. „ Duka v. Dukafalu Coloman
FJB. 6. Marek Joseph
60. „ Baloghy de Balogh Aladár
49 „ Dorn Moriz
32. „ Ströher Franz, MVK. (KD.)
79. „ Lukić Paul, O 2.
61. „ Bechinie v. Lažan Bruno Freih.
25. „ Rzehák Johann
43. „ Chizzola Carl v.
66. „ Eminowicz Stanislaus Ritt. v.
22. „ Görig Anton, MVK. (KD.)
11. „ Brunner Johann
36. „ Stranik Heinrich
68. „ Adda Theodor v., MVK. (KD.)
53. „ Guretzky v. Kornitz-Gureck Alexander Freih.
39. „ Láner Victor, ÖEKO-R. 3. (KD.)
20. „ Schreyer Moriz
4. „ Kutschera Johann
47. „ Eichen Wilhelm
51. „ Radanović Martin
11. „ Plack Joseph
14. „ Grois Victor (ü. c.) zug. dem Generalstabe
26. „ Follenius Hermann
80. „ Singer Ludwig

1. November 1872.

45. IR. Kottek Joseph
64. „ Bourcy Heinrich de
14. „ Partisch Gustav
22. „ Valentić Daniel
22. „ Lazich August, MVK. (KD.)
32. „ Kratky Wilhelm
74. „ Peche Carl
44. „ Gászner Moriz v.
54. „ Grab Julius Edl. v.
55. „ Metzger Joseph
10. „ Hussa Hugo
70. „ Bradarić Athanasius
7. „ Comel Andreas
57. „ Rothe Ottokar
59. „ Glaise v. Horstenau Edmund
39. „ Mayer Ferdinand
42. „ Adam Albrecht (ü. c.) in der Mil.-Akad. zu Wr.-Neustadt
59. „ Scheidl Friedrich
10. „ Strohe Emil Edl. v. (ü. c.) zug. der k. k. Landw.
9. „ Grimm Franz
51. „ Milleusnić Marcus
45. „ Giuppani Ferdinand
48. „ Heinzel Ferdinand
15. „ Piers Wilh. (ü. c.) in der Mil.-Unter-Realschule zu Güns
11. „ Preu zu Corburg und Lusenegg Anton v., Landmann von Tirol (ü. c.) in der Mil.-Akad. zu Wr.-Neustadt
36. „ Heinrich Heinrich (ü. c.) in der Mil.-Unter-Realschule zu St. Pölten
19. „ Schwägerl Martin
10. „ Pekarek Carl
4 „ Lökher Roman
65. „ Gatti Friedrich (ü. c.) in der Mil.-Ober-Realschule
71. „ Adler Joseph
4. „ Hausner Liborius

1. Mai 1873.

Pion.-R. Winkler Franz, MVK. (KD.)
„ Kwětt Joseph
„ Hoser Julius
„ Hütter Julius, MVK. (KD.), (ü. c.) zug. dem Generalstabe
Jäg.-R. Stillebacher Jos.
38. IR. Zierler Friedrich
30. „ Reiss Anton
17. „ Gatti Anton
49. „ Traun Vincenz Edl. v.
80. „ Troharsch Franz
42. „ Hähling v. Lanzenauer Gustav
18. „ Wittich Heinrich
17. „ Stanzer Ferdinand
58. „ Sperk Franz
24. „ Mosch Ferd. Freih. v. (ü. c.) comdt. beim Generalstabe
17. „ Tornago Alois (ü. c.) Personal-Adj. des FZM. Freih. v. Kuhn
2. „ Hager Carl
68. „ Bojer Joseph, MVK. (KD.)
40. „ Lenartowicz Marcell
61. „ Zastira Joseph, MVK. (KD.)
17. „ Schemerl Victor
Pion.-R. Apath Johann
5. IR. Syrowy Rudolph
60. „ Petřik Franz
57. „ Wiener Ludwig (ü. c.) zug. dem Generalstabe
7. „ Scheriau Hugo
12. „ Tomann Otto
55. „ Gątkiewicz Joh. v.
25. „ Kozlovac Georg
17. „ Drennig Theodor, ÖEKO-R. 3. (KD.)
70. „ Lellek Ferdinand
FJB. 29. Mitterberger Peter
78. IR. Pekeć Stephan, MVK. (KD.)
35. „ Haueisen Clemens
Jäg.-R. Strasszer Alois
45. IR. Glasser Ferdinand
53. „ Le Fort Ernst Ritt. v.
51. „ Verkljan Peter

1. Mai 1873.

30. IR. Wartha Anton
71. „ Godart-Kodauert Carl, MVK. (KD.)
66. „ Kunst Eduard
56. „ Bude Emanuel
3. „ Werner Johann
77. „ Schindler Ignaz
39. „ Boros de Pápi et Miskolcz Victor
14. „ Bohn Heinrich v.
49. „ Feldhoffer Ferdinand
29. „ Serdić Georg
84. „ Pfannl Anton
21. „ Nadherný Wenzel, MVK. (KD.)
6. „ Tomasa Franz
57. „ Ocetkiewicz Stanislaus
40. „ Wiszniewski v. Zwarzyło Stanislaus Ritt.
55. „ Niederreiter Eduard
Jäg.-R. Oberkirch Ludwig Freih. v.
29. IR. Zöhrer Julius, MVK. (KD.)
4. „ Kleindinst Joseph
19. „ Bankó Johann
26. „ Lipawsky Julius
7. „ Kropiunig Johann, MVK. (KD.), (ü. c.) beim R.-Kriegs-Mstm.
32. „ Patoczka Julius
75. „ Dittrich Julius (WG.)
34. „ Lukachich Emanuel v.
15. „ Jakhel Eduard (ü. c.) im mil.-geogr. Inst.
52. „ Vukadinović Samuel
76. „ Schöller Carl Edl. v.
25. „ Linko Adolph
62. „ Mülldorfer Victor (ü. c.) im mil.-geogr. Inst.
77. „ Schmidt Johann, MVK. (KD.)
45. „ Laykauf Rudolph
FJB. 25. Obora Heinrich
41. IR. Glass Johann (WG.)

1. Mai 1873.

Pion.-R. Horak v. Plankenstein Alois (ü. c.) beim Lager-Platz-Comdo. zu Bruck an der Leitha
Pion.-R. Bumbala Emil

1. November 1873.

50. IR. Stojsavljević Miloš (ü. c.) Flügel-Adj. des commandirenden Generals zu Serajevo.
41. „ Kopertynski Wilh.
11. „ Tschúsi zu Schmidhoffen Alois Ritt. v.
60. „ Suvich v. Bribir Eugen, MVK. (KD.)
72. „ Budiovski Rudolph
18. „ Bartsch Albert
44. „ Lots Hermann (WG.)
69. „ De Brucq Julius (WG.)
50. „ Moshamer Theodor
34. „ Gönczy Stephan
66. „ Depauli Ferdinand (WG.)
50. „ Střizek Johann
14. „ Balka Joseph
66. „ Stingl Johann
10. „ Gutteter Emil v.
55. „ Styller v. Löwenwerth Gustav
13. „ Hostoński Hermann
70. „ Ekmečić Georg (WG.)
6. „ Schegaratz Const.
50. „ Ballan Svetozar
11. IR. Pollmann Carl
15. „ Piekarski Joseph, MVK. (KD.)
17. „ Semliner Thomas
49. „ Fabricius Carl
36. „ Hladký Joseph
8. „ Knott Georg
67. „ Madry Johann
74. „ Popp Carl, MVK. (KD.)
13. „ Dörfler Anton
15. „ Lustig Carl (ü. c.) beim Mil.-Comdo. zu Krakau

1. November 1873.

9. IR. Gruber Franz
65. „ Pauković Adam
7. „ Riedinger Carl
70. „ Jaklenović Nikolaus
28. „ Peschka Carl
77. „ Tesarž Franz
78. „ Hečimović Johann (WG.)
6. „ Rogulja Paul
37. „ Csikós Alois, MVK. (KD.)
68. „ Menz Georg, MVK. (KD.)
79. „ Rabatić Simon
37. „ Heissig Carl (WG.)
Pion.-R. Edelmüller Fried., MVK. (KD.)
5. IR. Stojanow Johann
62. „ Abramović Nikolaus
6. „ Serdić Andreas
9. „ Schweyda Johann (ü. c.) Adj. in der Kriegsschule

1. Mai 1874.

FJB. 10. Bruckner Rudolph
Jäg.-R. Giongo Johann
„ Hauber Adam, ○ 2.
9. IR. Kohmann Adolph
FJB. 13. Watznauer Joseph
Jäg.-R. Rengelrod Constantin
„ Fantoni Anton
31. IR. Domide Leo
35. „ Frodl Julius
75. „ Schindler Otto
49. „ Peters Philipp
58. „ Renzhausen Oskar
29. „ Düringer Franz, MVK. (KD.)
52. „ Konja Alexander
70. „ Poljak Joseph
78. „ Jakober Nikolaus
80. „ Krajačić Lazar
16. „ Arnold Anton
80. „ Hauser Carl
68. „ Bábolnay Ludwig
53. „ Cvetićanin Emanuel (ü. c.) beim Sicherheits - Corps für Bosnien
8. „ Neiser Joseph

1. Mai 1874.

64. IR. Prochaska Gabriel (ü. c.), beim R.-Kriegs-Mstm.
79. „ Šumonja Ignaz
48. „ Petrović Sabbas
70. „ Cvetoević Eugen
34. „ Letz Joseph
38. „ Knezević Basilius
48. „ Plivelić Joseph
6. „ Stipić Franz, MVK. (KD.)
61. „ Vuković Franz, MVK. (KD.), (WG.)
FJB. 19. Van der Hoop Diego, MVK. (KD.)
„ 6. Enhuber August Edl. v.
„ 30. Schima Carl

1. November 1874.

36. IR. Kuiwida Leopold
16. „ Haglian Michael, MVK. (KD.)
53. „ Halla Adolph
5. „ Čučković Moses
61. „ Petrović Demeter
70. „ Krnić Abraham
67. „ Alilović Carl
47. „ Petrovich Stephan (WG.)
9. „ Hammer Franz
50. „ Marginean Johann
78. „ Ziegesberger Alois
56. „ Bogisch Rudolph
38. „ Keraus Anton, MVK. (KD.)
50. „ Hiden Wilhelm
32. „ Reinhart Wilhelm v.
21. „ Grünenwald Alphons v., MVK.
23. „ Knežević Marcus, ÖEKO-R. 3. (KD.)
70. „ Sternadt Joseph
17. „ Poth Franz v.
47. „ Grafoner Franz, ○ 2.
58. „ Lemport Heinrich
40. „ Hauser Adolph
1. „ Görtz Gustav Ritt. v.
11. „ Götz Bruno v.
35. „ Daudistel Adolph
58. „ Rivé v. Westen Norbert

1. November 1874.

58. IR. Piskorsch Joseph
65. „ Standeisky Anton, MVK. (KD.), (ü. z.) beurl.
38. „ Hollaky de Kis-Halmágy Zoltán
19. „ Grünberg Eugen
46. „ Gvozdanović Anton v.
32. „ Zutić Miloš
59. „ Lieb Jakob
54. „ Ritschel August (WG.)
75. „ Pitsch Friedrich
75. „ Schmid Carl, MVK. (KD.)
11. „ Nigrin Anton
42. „ Czernin Moriz
18. „ Reinisch Edl. v. Sonderburg Carl
19. „ Ellerich Ludwig
8. „ Reisky Heinrich, MVK.
5. „ Capinski Anton
5. „ Gallauner Albert
64. „ Ungard Friedrich
21. „ Škwor Johann (ü.c.) beim Gen.-Comdo. in Wien
27. „ Tiller Johann
12. „ Góts Johann
39. „ Neumayer Joseph
39. „ Vladár Gabriel
3. „ Steiger Maximillian
21. „ Rubringer Wilhelm
74. „ Thour Franz (ü. c.) beim Gen.-Comdo. zu Prag
49. „ Urbas Ernst v.
FJB. 32. Hochenadl Heinrich
„ 17. Ferenz Ferdinand (WG.)
Pion.-R. Blondein Gustav, ÖFJO-R.
FJB. 3. Jandowsky Anton
„ 25. Auffenberg Alexander Freih. v.
„ 21. Sturm Johann
„ 1. Schaschl Leopold
„ 24. Karner Carl
„ 16. Czaslawsky Friedrich

1. November 1874.

Pion.-R. Suchomel August
FJB. 12. Pyrker de Felsö-Eör Victor
„ 2. Monin Johann.
„ 15. Oppitz Emanuel
„ 30. Fitz Heinrich
„ 31. Hultsch Joseph
„ 7. Pawliczek Alois, MVK. (KD.)
„ 7. Grüner Johann
Pion.-R. Eisenstädter Anton
„ Krzisch Carl
„ Glass Jakob, MVK. (KD.)

1. Mai 1875.

25. IR. Küvel Gustav
25. „ Blaha Wenzel (ü.c.) b. R.-Kriegs-Mstm.
17. „ Caučig Jakob
64. „ Liebenberg Joseph Freih. v.
76. „ Dolliner Georg
47. „ Wratschko Jakob, MVK. (KD.)
7. „ Kocher Johann, MVK. (KD.)
7. „ Temessl Ferdinand MVK. (KD.)
7. „ Noeth Rudolph
7. „ Lebitsch Rudolph
7. „ Mayer Carl, MVK. (KD.)
35. „ Kussmann Johann
14. „ Schachinger Georg
75. „ Bischel Friedrich
14. „ Czech Johann
42. „ Nauheimer Franz
12. „ Kern Mauriz
54. „ Heldmann Joseph
12. „ Vorauer Johann
12. „ Kratzmann Gustav
54. „ Steinbrecher Victorin, MVK. (KD.)
71. „ Klein Joseph (WG.)
46. „ Chaluppa Emil
32. „ Bellmond Wilhelm, ÖEKO-R. 3. (KD.)
3. „ Aulicky Anton
49. „ Leporini Valentin de
59. „ Froschmair v. Scheibenhof Eduard Ritt.

1. Mai 1875.

33. IR. Kholler Ladislaus v.
56. „ Schwarz Anton
64. „ Gaudi Adolph
31. „ Walleczek Leo
33. „ Kráner Joseph
25. „ Zaffauk Ludwig
56. „ Kuhn Rudolph (ü.c.) im mil.-geogr. Inst.
56. „ Schimonski Georg v.
25. „ Kwapil Johann
69. „ Fasching Andreas
33. „ Offner Carl
38. „ Armandola Carl
50. „ Reithoffer Carl
49. „ Kapiller Franz
59. „ Koczýan Heinrich, MVK. (KD.), (ü. c.) zug. dem Generalstabe
33. „ Rauscher Gustav
39. „ Sperber Joseph
32. „ Haasz v. Grünnenwaldt Camillo
39. „ Navratil Ludwig
47. „ Baschinger Anton
78. „ Ferić Andreas
69. „ Janda Anton
40. „ Rabel Oswald
40. „ Fritsch Wilhelm
66. „ Appel Franz
40. „ Schroft Stephan
40. „ Ziegel Joseph
19. „ Jüstel Eduard
52. „ Korbusz Eduard, MVK. (KD.)
52. „ Barth Joseph
76. „ Pinsker Anton
52. „ Schemerka Carl
36. „ Krauss Anton
40. „ Kurowski Leo Ritt. v.
63. „ Stauber Johann
63. „ Skoda Franz
63. „ Lackner Victor
62. „ Schwarz Rainer
62. „ Csányi Joseph
76. „ Gallina Felix, MVK. (KD.)
68. „ Rupp Julius, MVK. (KD.)
6. „ Flora Edl. v. Cvetne-Doline Joseph
26. „ Haasz v. Grünnenwaldt Alphons

1. Mai 1875.

76. IR. Urbány Eduard (ü. c.) beim R.-Kriegs-Mstm.
59. „ Pumb Clemens
1. „ Köhler Alexander, MVK. (KD.)
FJB. 11. Posselt Heinrich
„ 8. Hatzy Alois, MVK. (KD.)

1. November 1875.

22. IR. Kovačević Nikolaus
30. „ Konopacki v. Polkow Ludwig Ritt.
52. „ Thour Alex.
44. „ Eisenbauer Carl Edl. v. (ü. c.) in der Mil.-Akad. zu Wr.-Neustadt
27. „ Ivanossich v. Küstenfeld Heinrich, MVK. (KD.); (ü. c.) zug. dem Generalstabe
26. „ Basler Gustav (ü.c.) im mil.-geogr. Inst.
1. „ Bannić Ant. Ritt. v.
49. „ Berger Moriz Edl. v. (ü. c.) zug. dem Generalstabe.
22. „ Zrelec Joseph
72. „ Bechtel Georg
4. „ Guretzky v. Kornitz Constant. Freih.
45. „ Bolgiani Alexander
43. „ Günther v. Sternegg Heinrich Freih.
58. „ Trinks Eduard
30. „ Deimel Anton
71. „ Benniowski Anton
71. „ Arenstorff Maximil. Ritt. v.
8. „ Allé Ferdinand
66. „ Steinwalter Alex.
34. „ Trupković Michael (ü. c.) bei der Etapen-Dir. zu Brood.
34. „ Derekassy de Krancsesd Joseph (WG.)
61. „ Bystroň Carl
77. „ Łoziński Nikolaus
23. „ Fitsche Ignaz

1. November 1875.

52. IR. Ivinger Carl, MVK. (KD.)

27. „ Allesch Rudolph

36. „ Czech Hugo

19. „ Zedlitz v. Niemersatt Emil Freih.

35. „ Muck Andreas

42. „ Meyer Otto

10. „ Halm Joseph

44. „ Lackenbacher Friedrich (WG.)

10. „ Holzinger Johann

10. „ Urbanowicz Leop.

4. „ Reineck Otto

54. „ Spielmann Emil Freih. v.

76. „ Hofmann Carl

43. „ Kessegić Laurenz

2. „ Pöppel Heinrich

38. „ Puteani Claudius Freih. v., ✠

75. „ Tichy Carl

18. „ Willum Alfred

18. „ Přidalek Adalbert

68. „ Schmidt Hugo

58. „ Zaręba v. Dobek Joseph Ritt.

49. „ Schuster Franz, MVK. (KD.)

38. „ Ostermann Carl, MVK. (KD.)

77. „ Heiss Joseph Ritt. v., ÖEKO-R. 3. (KD.)

63. „ Sperl Franz

26. „ Giovanelli-Gerstburg Heinrich Gf., Herr und Landmann in Tirol (WG.)

19. „ Glöckner Carl, MVK. (KD.)

51. „ Watzdorf Carl v.

37. „ Schreiner Joseph

1. „ Gautsch Jul., MVK. (KD.)

36. „ Kaftan Maximilian

50. „ Kick Franz (ü. c.) comdt. beim Generalstabe

37. „ Sprung Adolph, MVK. (KD.)

37. „ Wittausch Rudolph

68. „ Czédli Joseph

37. „ Schmitzhausen Franz

1. November 1875.

80. IR. Schaffranek Joseph (WG.)

72. „ Lopacki v. Stumberg Heinrich

35. „ Exeli Wenzel

69. „ Szolenszky Hugo

35. „ Czelechovsky Rudolph (ü. c.) im mil. geogr. Inst.

24. „ Faulhaber Julius

6. „ Brosch August (ü. c.) in der Mil.-Akad. zu Wr.-Neustadt

50. „ Cosgaria Nikolaus

50. „ Chalaupka Ernst (ü. c.) im Kriegs-Archive

50. „ Kötterer Heinrich

29. „ Haager Carl (ü. c.) beim Gen.-Comdo. zu Budapest

78. „ Kasimir Adolph

29. „ Chmielius Johann

28. „ Bittinger Leopold

24. „ Frodl Anton

73. „ Tanneberger Gust.

72. „ Auer Engelbert

18. „ Leusmann Emil

56. „ Nettel Johann

2. „ Zapp Anton (ü. c.) im mil.-geogr. Inst.

62. „ Müller Gustav

80. „ Klossowski Felix

26. „ Friml Alexander

11. „ Möschl Johann

2. „ Puškarić Georg

78. „ Charvath Carl

23. „ Heikelmann Joseph

48. „ Schenda Joseph

24. „ Mach Friedrich

24. „ Stecher v. Sebenitz Emil

10. „ Möser Joseph

24. „ Capp Josaphat

57. „ Hölzel Franz

57. „ Chrzanowski Alexander

51. „ Brunn Franz

39. „ Zaiączkowski de Zaręba Casimir Ritt. (ü. c.) in der Mil.-Akad. zu Wr.-Neustadt

1. November 1875.

66. IR. Prantner Wenzel, MVK. (KD.)

66. „ Madziarski Johann

13. „ Schröder Johann

36. „ Lode Victor

26. „ Schrutek Carl

59. „ Spitzmüller Franz, ○ 2.

48. „ Zurna Carl, MVK. (KD.)

44. „ Müller Johann

60. „ Kriegelstein v. Sternfeld Carl Ritt.

39. „ Kunkel Carl

23. „ Leipold Franz

80. „ Hartleitner Carl

16. „ Vuksan Joseph, MVK. (KD.)

15. „ Krulich Otto

24. „ Krug Adolph

15. „ Lachowicz Nikolaus (WG.)

20. „ Wawrausch Johann

13. „ Szaflarski Johann

80. „ Galli Johann

20. „ Kasznica Ladislaus

20. „ Podoski Julius v.

65. „ Kratochwill v. Löwenfeld Alois Ritt.

67. „ Donhoffer Gustav

20. „ Bogdanyi Franz v. (ü.c.) im mil.-geogr. Inst.

67. „ Pacher v. Linienstreit Hermann

23. „ Wagner Peter

67. „ Okrugić Stephan

51. „ Augé Franz

51. „ Maxymowicz Joh.

24. „ Biernatek Joseph, MVK. (KD.)

60. „ Morée Ferdinand

69. „ Sadtler Mathias

5. „ Küttel Attilio Edl. v.

19. „ Voetter Otto

74. „ Huschek Gustav

78. „ Bogoević Andreas (WG.)

61. „ Feurer Franz (ü.c.) beim R.-Kriegs-Mstm.

61. „ Flindt Alexander

61. „ Neuhäuser Ferdinand

1. November 1875.

65. IR. Burckhart Carl, MVK. (KD.)
41. „ Harasiewicz Anton
8. „ Dragica Martin
60. „ Kneusel - Herdliczka Arnold v.
43. „ Suardi Emil Gf. v.
12. „ Grimpner Carl
48. „ Roth Adalbert
26. „ Jandowsky Georg
56. „ Wolny Alexander
27. „ Almstein Joseph v., ÖEKO-R. 3. (KD.)
17. „ Krauland Georg
30. „ Czernowicz Edl. v. Ilnicki Clemens
10. „ Krzyżewski Joseph
5. „ Czernoević Hermann
75. „ Kříž Johann
25. „ Lutowsky Carl
49. „ Griesser Franz
29. „ Kottek Alexander
2. „ Labres Ferdinand
FJB. 20. Hartnagl Alois
Jäg.-R. Melchiori Eman. Gf.
FJB. 5. Surić Johann
„ 24. Pirner Franz
„ 15. Födransperg Heinrich Ritt. v.
Jäg.-R. Schmidt Otto
„ Lanzinger Mathias
29. IR. Auffarth Adolph
FJB. 8. Diwisch August
Jäg.-R. Frizzi Quintilius
66. IR. Latscher Victor (ü. c.) zug. dem Generalstabe

1. Mai 1876.

7. IR. Blangy Heinrich Freih. v. (ü. c.) in der Mil.-Ober-Realschule
52. „ Renner Edl. v. Ritterstern Wilhelm, MVK. (KD.)
8. „ Martinek Anton, ÖEKO-R. 3. (KD.)
74. „ Prucker Nikolaus
22. „ Gerbić Johann, ÖEKO-R. 3. (KD.)
67. „ Novaković Adam

1. Mai 1876.

33. IR. Nageldinger v. Traunwehr Joseph Freih.
46. „ Ungard Albert
6. „ Kuria Johann
79. „ Jurković Marcus Freih. v.
4. „ Schroll Wilhelm
42. „ Debich Franz
11. „ Dittrich Joseph
26. „ Meisslinger Maximilian (WG.)
48. „ Trappel Johann
53. „ Sarapa Basilius
35. „ Dengler Anton
1. „ Schaaf Johann
47. „ Anacker Alphons Edl. v.
45. „ Bechtinger Gustav
59. „ Stolz Joseph
59. „ Kofler v. Nordwende Heinr., ○ 1.
59. „ Bachner Ignaz
22. „ Grimme Franz
4. „ Tuma Carl (ü. c.) beim Gen. - Comdo. zu Budapest
40. „ Heinz Moriz
38. „ Schaefler Wilhelm, MVK.
8. „ Kafka Johann
51. „ Gindelly Ferdinand
51. „ Hirsch Gustav Edl. v.
51. „ Dragan Albert (ü. c.) beim R.-Kriegs-Mstm.
64. „ Schmidt Anton MVK. (KD.)
71. „ Rumel Adolph
43. „ Hellmann Franz
23. „ Jutmann Victor
41. „ Serwatky Anton
43. „ Parsch Eduard Ritt. v.
76. „ Hönig Carl, MVK. (KD.), ○
45. „ Slameczka Adolph
73. „ Praxa Edl. v. Bärenthal Anton
14. „ Penecke Heinrich
73. „ Kleedorfer Franz
41. „ Gotthard Carl
13. „ Pellizaro Victor

1. Mai 1878.

56. IR. Martinelli Ferd.
76. „ Pittner Emerich
74. „ Cordier v. Löwenhaupt Wilhelm
36. „ Gilio - Rimoldi nobile dalla Spada Victor
73. „ Höpler Theod. MVK. (KD.)
73. „ Gutherz Franz
44. Ternegg Johann
6. Kulnig Dominik
76. Gumberth Alphons
55. Stary Jakob
44. „ Baczewski Simon
54. „ Matiussi Anton
46. „ Strasser Eduard
6. „ Billek - August v. Auenfels Stephan Freih., MVK. (KD.)
46. „ Jovančić Hermann
62. „ Knaipp Gustav
78. „ Seidel Adolph
8. „ Kříwda Joseph
37. „ Nagy Carl
9. „ Köhler Anton
65. „ Friedlein Carl
58. „ Schramm Dominik
20. „ Ramisch Carl
1. „ Feik Rudolph
23. „ Czermák Wenzel
27. „ Reising v. Reisinger Otto, MVK. (KD.)
60. „ Mauritz Gabriel, MVK. (KD.)
18. „ Schram Wilhelm
4. „ Hohensinn Mathias
22. „ Kantz Georg
53. „ Gruden Franz, MVK. (KD.)
16. „ Srebotnak Vincenz
16. „ Svetina Moriz
37. „ Blumauer Eduard
37. „ Kuczka Joseph
4. „ Schubert Augustin
67. „ Muck Johann
44. „ Drescher Johann, MVK. (KD.)
42. „ Ennser Peter ○ 2.
31. „ Lindner Andreas, ○ 2.
45. „ Langhof Anton
28. „ Watzke Adolph

(Gedruckt am 21. December 1878.)

1. Mai 1876.

53. IR. Jemrić Mathias
36. „ Canisius Victor (ü. c.) beim R.-Kriegs-Mstm.
77. „ Schwarz Gabriel
53. „ Ellerich Franz
53. „ Perković Paul
30. „ Joseph Gustav
69. „ Polonkay Albert
75. „ Petrini Friedrich
75. „ Batka Carl
55. „ Feistmantel Heinrich
30. „ Weiss Robert
40. „ Unczowski Romulus
71. „ Gross Ignaz
80. „ Hofmann v. Sternhort Arthur
23. „ Lucchi Joseph
19. „ Keszler Barnabas
FJB. 33. Reisinger Carl
27. IR. Koppreiter Hugo
69. „ Marchhardt Géza
FJB. 26. Mayor Árpád v.
„ 16. Hoffmann Hugo
54. IR. Niemetz v. Elbenstein Joseph
31. „ Rothbauer Constantin, ○ 2.
34. „ Bosits Johann v.
41. „ Wottawa Rudolph
70. „ Babić Stephan
26. „ Ottstätt Aurel
Jäg.-R. Fleischmann Franz
FJB. 3. Arthold Hermann
„ 30. Merz Adolph
11. IR. Sellinski Franz
31. „ Jurković Anton
55. „ Prišik Nikolaus
5. „ Javorina Marcus
Jäg.-R. Oberhauser Carl
FJB. 19. Bretschneider Alexander
77. IR. Kremla Jos. ÖFJO-R. (ü. c.) beim R.-Kriegs-Mstm.
77. „ Wechtersbach Ludwig
47. „ Hirsch Eduard
FJB. 27. Weyher Carl
37. IR. Pfersmann v. Eichthal Johann
28. „ Trnka Carl (ü. c.) im mil.-geogr. Inst.
FJB. 9. Klug Sigmund MVK. (KD.)
„ 17. Schön v. Monte Cerro Ferdinand
„ 29. Pessler Clemens Ritt. v.
Jäg.-R. Pichler Anton, MVK. (KD.)
„ Pellegrini Joseph
FJB. 16. Krzepinski Wenzel
„ 32. Schlesinger Franz
42. IR. Zeischke Franz
29. „ Petit Carl
25. „ Eill Franz
24. „ Dobrzański v. Częstopian Zeno Ritt.
74. „ Sander Julius
31. „ Burmaz Sabbas
29. „ Sassić Stephan
32. „ Csollich Benno Freih. v.
44. „ Krall August
78. „ Miščević Simon

1. November 1876.

63. IR. Krauss Carl (ü. z.) beurl.
52. „ Manoilović Samuel
FJB. 17. Gerla Ignaz
„ 11. Baltin Joseph Freih. v.
„ 23. Zerdahelyi de Nyitra-Zerdahely Joseph
„ 26. Pöschl Joseph
„ 14. Červinka Ferdinand
„ 22. Göttlicher Peter
„ 13. Sedlaček Franz
„ 23. Neustädter Daniel, SVK., ○ 2.
Pion.-R. Zeiringer Carl
FJB. 1. Hradetzky Anton, MVK. (KD.)
„ 29. Czeschka Hugo
„ 18. Hrubik Anton
Jäg.-R. Figura Guido MVK. (KD.)
Pion.-R. Kattner Franz
FJB. 31. Schimitschek Clemens, MVK. (KD.)
61. IR. Wagner Friedrich
FJB. 25. Schwab Carl
„ 4. Ferle Joseph
„ 22. Grimm Adolph

1. November 1876.

FJB. 27. Schrök Carl ○ 1.
„ 12. Rohn Hubert, MVK. (KD.)
„ 8. Ghelleri Anton
„ 1. Klekler-Schiller v. Herdern Ludwig Freih.
„ 22. Erhardt Ferdinand
Pion.-R. Pukl Adolph (ü. c.) in der techn. Mil-Akad.
FJB. 12. Hoffmann Carl
57. IR. Mikowetz Theodor
13. „ Królikiewicz de Rożyc Johann
22. „ Lulić Stephan
10. „ Elsner Moriz v.
79. „ Csicserics Carl
56. „ Tepser Wilhelm Edl. v.
52. „ Klein Leopold (ü. c.) in der Mil.-Unter-Realschule zu Güns
34. „ Zathureczky de Felsö- et Alsó-Zathurcsa Maximilian
8. „ Janovski Heinrich
60. „ Pavković Peter, MVK. (KD.)
80. „ Ritter Hugo
65. „ Kirsek Johann
24. „ Vukovac Johann
78. „ Mogyorossy Sigmund
7. „ Pirkebner Ignaz
46. „ Triff Ladislaus, MVK. (KD.)
40. „ Kohn Leopold
44. Petz Leopold
28. Hummel Rudolph
20. Lubieniecki Peter
41. Czerwenka Heinr.
64. Olariu Alexander
64. Lupu Alexander
29. „ Veigl Heinrich, MVK. (KD.)
61. „ Schaffer Anton, MVK. (KD.)
3. „ Weigent Franz
48. „ Poeckl Anton
27. „ Czernohorsky Alois, MVK. (KD.)
66. „ Fellner Franz
41. „ Wittek Wenzel

1. November 1876.

41. IR. Güttler Anton
31. „ Noušak Johann
72. „ Kroy Joseph
67. „ Jahn Sebastian
71. „ Wesselý Joseph
25. „ Schembera Ernst
20. „ Gmeiner Carl
14. „ Schädlbauer Joseph, MVK. (KD.)
80. „ Lukić Constantin
33. „ Bussu Spiridion
37. „ Betz Carl, MVK. (KD.)
31. „ Jukić Franz
70. „ Jovanović Trifun
31. „ Tomerlin Martin
70. „ Grubić Basil
30. „ Okrótny Ladislaus (ü. c.) beim Mil.-Comdo. zu Hermannstadt
63. „ Frumossu Jakob
43. „ Tömes Janku
30. „ Guth Anton
7. „ Schett Franz
18. „ Franze Anton (ü. c.) in der Mil.-Akad. zu Wr.-Neustadt
5. „ Soboltyński Peter (ü. c.) beim Gen.-Comdo. zu Budapest
65. „ Fischer Carl v.
37. „ Janeček Wenzel
28. „ Postelt Raimund
36. „ Petz v. Hohenrhode Eduard Ritt.
31. „ Wellean Jeremias
1. „ Loy v. Sternschwert Wilhelm
18. „ Thierfelder Carl (WG.)
34. „ Leth v. Lethenau Franz Ritt., MVK. (KD.)
69. „ Knar Albert
Pion.-R. Magdeburg Albert Freih. v.
59. IR. Wallner Johann
72. „ Schnaider Emil
74. „ Dwořák Joseph
30. „ Wainiczke Carl
80. „ Zukanović Carl
37. „ Sawczyński Johann ○ 1., ○ 2.

1. November 1876.

32. IR. Gaszner Ludwig Ritt. v.
72. „ Wachter Lambert
47. „ Murnig Franz
56. „ Dhonel Carl
39. „ Pflügl Emil Edl. v., MVK. (KD.)
61. „ Arnold Sebastian
51. „ Tomičić Adam
40. „ Hild Julius
23. „ Christophé Asmund
61. „ Matiević Simeon, MVK. (KD.)
16. „ Oreškovič Michael
79. „ Wittas Samuel
50. „ Budisavljević Budislav v.
16. „ Cvituš Andreas
79. „ Kasumović Johann
70. „ Stanić Alexander
23. „ Panjković Peter, ÖEKO-R. 3. (KD.)
70. „ Prpić Hieronymus, MVK. (KD.)
28. „ Lang Franz
78. „ Novaković Peter, MVK. (KD.)
66. „ Neuhold v. Sövényháza Emil, ○ 2.
3. „ Pölzel Johann
5. „ Stawarski Julian
27. „ Hornung Carl
28. „ Mandelblüh Clemens
22. „ Glumac Peter
24. „ Wachtel Eduard
7. „ Unzeitig Leonhard
14. „ Zeyringer Heinrich
48. „ Göttlicher Johann, MVK. (KD.)
50. „ Ferentzy de Bodok Paul
50. „ Marginean Ernst
75. „ Baier Wenzel (WG.)
5. „ Alten-Bockum Oskar Freih. v.
60. „ Kandler Carl
18. „ Wittich v. Streitfeld Franz Ritt., MVK. (KD.)
63. „ Schottenhammer Johann
63. „ Hilbert Jakob, MVK. (KD.)
31. „ Pettkesku Georg

1. November 1876.

44. IR. Wimmer Edl. v. Ebenwald Friedrich, MVK. (KD.)
19. „ Deutsch Julius
75. „ Marauschek Carl
36. „ Gürtler Wenzel, MVK. (KD.)
30. „ Peters Hermann
42. „ Nowak Rudolph
5. „ Hummel Julius
18. „ Puteany Benno
38. „ Waly Joseph
5. „ Hörmann Theodor v. (ü. c.) in der Mil.-Unter-Realschule zu St. Pölten
68. „ Draugentz Johann
54. „ Pilavka Valentin
57. „ Breuer Ignaz (WG.)
28. „ Oschtzadal Edl. v. Miraberg Franz (ü. c.) in der Mil.-Akad. zu Wr.-Neustadt
28. „ Kubínek Anton
17. „ Slivnik Andreas, MVK. (KD.)
26. „ Müller Edl. v. Müllenau Moriz
62. „ Picha Gottlieb
39. „ Zoretich Ludwig
13. „ Handel-Mazzetti Victor Freih. v.
38. „ Polivka v. Treuensee Theodor Ritt.

1. Mai 1877.

23. IR. Čorak Thomas
36. „ Grim Rudolph
FJB. 18. Gayer Hermann
„ 28. Andrzejowski Miecislaus, ○ 2.
42. IR. Margoni Joseph
FJB. 4. Wenus Otto
„ 5. Wikaukal Ferdinand
„ 25. Rubesch Joseph, ○ 1.
Jäg.-R. Barth v. Barthenau Ferdinand Ritt.
FJB. 11. Lefeber Anton, MVK (KD.), ○ 1.
Pion.-R. Schaffarž Joseph (ü. c.) zug. dem Generalstabe.

1. Mai 1877.

Pion.-R. Peyerle Wilhelm
" Mrázek Victor
" Oestereicher Joseph
22. IR. Prica Georg
66. " Mrávincsics Guido Ritt. v.
55. " Sperru Johann
Jäg.-R. Hollenstein Joseph, MVK. (KD.)
" Esch Ludwig
FJB. 7. Hilber Alois. MVK. (KD.)
29. IR. Schwarschnig Ant.
FJB. 20. Üblagger Julius Freih. v.
72. IR. Handschuh Carl
FJB. 26. Bastl Ludwig, MVK. (KD.)
" 27. Westerholt Alexander, MVK. (KD.)
" 22. Rumpold Friedrich
" 31. Gerić Georg, MVK. (KD.)
39. IR. Geiszberg Camillo
65. " Frydl Eduard
9. " Pankiewicz Victor (ü. c.) im mil.-geogr. Inst.
2. " Kosztka Franz
44. " Wallitschek Joseph
24. " Kopetzky Joseph
70. " Jovičić Emil
22. " Bellanović Marcus
2. " Šumarski Ljubomir
20. " Kuhn v. Kuhnenfeld Gustav
34. " Drašenovich Edl. v. Pošertve Raimund
58. " Lackner Carl
1. " Süss Rudolph
73. " Schäfer Wilhelm (ü. c.) in der Mil.-Ober.-Realschule
1. " Pfeil Gustav
1. " Schön Franz
4. " BruckmüllerJohann
4. " Becher Mich., MVK.
3. " Axmann Joseph
58. " Schmidt Johann, ○ 1.
23. " Rukavina v. Vidovgrad Georg, ÖEKO-R. 3. (KD.).
23. " Smolensky Franz

1. Mai 1877.

FJB. 4. Höcker Joseph
3. IR. Varga August
20. " Schmelzer Emil
60. " Wonner Ludwig
1. " Fuchs Johann, ⊙
15. " Komers Carl
9. " Dobiasch Joseph
FJB. 12. Mastny Franz
" 6. Gruber Carl, MVK. (KD.)
" 25. Bauer Adolph
" 28. Müller Friedrich, MVK. (KD.) ○ 2.
70. IR. Panoš Alois
FJB. 30. Schmidt Emil
79. IR. Hallavanya v. Radoičić Theophil
9. " Sypniewski Alfred Ritt. v.
65. " Mayer Emerich
20. " Ruczinski Vincenz
23. " Babić Nikolaus
10. " Bockenheim Carl Ritt. v. •
FJB. 21. Schmid Franz, ÖEKO-R. 3. (KD.)
" 7. Suda Anton
" 18. Gabeson Ludwig
22. IR. Himmel Heinrich
9. " Łyszkowski Franz
20. " Fröhlich Johann
41. " Neudecker Albert
9. " Doppler Ludwig
30. " Nowotny Richard
23. " Gräf Carl
23. " Schiller Carl
20. " Schneider Anton (ü. c.) beim R.-Kriegs-Mstm.
41. " Peschel Thomas
20. " Nauta Ludwig
21. " Frey Maximilian
32. " Fellermayer Anton
24. " Swoboda Mathias
18. " Finckh Clemens v.
75. " Schilhart Eduard
32. " Gáldony Johann
79. " Glaser Franz
46. " Andreánszky Arthur, MVK. (KD.)
21. " Kruntorad Johann, (WG.)
21. " Zach Johann

1. Mai 1877.

21. IR. Weinrichter Joseph, MVK. (KD.)
21. " Jahoda Hugo
77. " Kulczycki Stanislaus v.
67. " Dürnbach Ferd. (ü. c.) beim Gen.-Cmdo. zu Budapest
77. " Pluppert Anton, MVK. (KD.)
21. " Petrini Oskar
FJB. 10. Schikl Ferdinand
75. IR. Khloyber Leop. v.
64. " Kleisch Mich., ⊙
36. " Bidla Johann
21. " Sobotka Anton
21. " Voith-Herites v. Sterbez Vincenz Freih.
32. " Traun Jakob v. (ü. c.) in der Mil.-Ober-Realschule
46. " Polivka v. Treuensee Anton Ritt.
77. " Schuster Franz (ü. c.) beim R.-Kriegs-Mstm.
88. " Strasser Edl. v. Obenheimer Ludwig
79. " Blaschke Hermann
77. " Zathey Johann
10. " Lenert Carl
2. " Zill Carl
2. " Joannović Michael
63. " Pauli Ignaz
23. " Ballentović Johann
13. " Scholz Emil
15. " Wenzlik Jakob
15. " Lutyński Anton (ü. c.) im mil.-geogr. Inst.
23. " Soutschek Rudolph
29. " Schottnegg Edl. v. Zinzenfels Clemens, MVK. (KD.)
77. " Kriesch Franz
15. " Drązkiewicz Bonaventura
19. " Orkónyi Victor v.
31. " Gebauer Carl
22. " Horný Felix
26. " Prohaszka Joseph
46. " Sztupitzky Victor

1. Mai 1877.

69. IR. Slawik Heinrich
29. „ Steyskal Carl
62. „ Lazarini Carl Freih. v., ✠
2. „ Kunz Carl
2. „ Suchy Theodor
76. „ Helwig Michael
79. „ Rukavina v. Vidovgrad Emerich Freih.
35. „ Mayer Wilhelm (ü. c.) in der Mil.-Akad. zu Wr.-Neustadt
35. „ Böhm Mauriz
35. „ Strobl Franz
19. „ Grünenwald Heinrich v.
67. „ Hayde Ludwig
6. „ Martini Joh. Ritt. v.
46. „ Kopetzky v. Rechtperg Emanuel
6. „ Albrecht Friedr. (ü. c.) in der Mil.-Ober-Realschule
21. „ Russ Anton
6. „ Delpiny Alexander v.
19. „ Kaltner Maximilian
73. „ Seeburg Adolph
1. „ Engels Joseph, MVK. (KD.)
42. „ Rieth Rudolph (ü.c.) in der techn. Mil.-Akad.
59. „ Rovere Joseph
76. „ Wildeisen Moriz Ritt. v.
45. „ Krick Wilhelm
41. „ Kolarz Eduard
33. „ Neudek Heinrich
45. „ Sacher Cleophas
73. „ Hoppe Wilhelm
25. „ Hennlich Alexander
18. „ Otto Joseph
33. „ Knežević Anton
11. „ Villani Carl Freih. v.
45. „ Luksić Heinrich
73. „ Garger Eduard
18. „ Leoville Ludwig
42 „ Newes Johann
FJB. 32. Benda Eduard
42. IR. Vogl Wilhelm (ü. c.) beim Mil.-Comdo. zu Triest
45. „ Hüttenbach August
42. „ Müller Gustav

1. Mai 1877.

33. IR. Margineanu Ignaz
33. „ Michl Arnold (ü. c.) in der Mil.-Ober-Realschule
33. „ Stengl Albert
19. „ Hadrowa Paul
70. „ Naglić Johann
78. „ Vrbanić Carl
41. „ Madjerić Balthasar
29. „ Obrenov Athanasius
61. „ Grablowitz Robert, MVK. (KD.)
64. „ Popp Carl
15. „ Hauptmann Alfred
33. „ Richter Edm., ○ 1.
FJB. 19. Kropač Narciss
30. IR. Tippek Johann
Jäg.-R. Steinböck Joseph
1. IR. Weyrich Julius (ü. c.) in der Mil.-Ober-Realschule
1. „ Olbrich Wilh., ○ 1.
15. „ Gruber Carl
57. „ Uhl Alfred
Jäg.-R. Schiavini Achilles
74. IR. Schaffer Joh., SVK.
12. „ Mesić Leopold
36. „ Mannsbart Alexand
69. „ Gürtelgruber-Mayer Albert Edl. v.
FJB. 9. Versbach v. Hadamar Emil Ritt.
53. IR. Mraović Joseph
78. „ Gergurić Carl
44. „ Riedel Johann
50. „ Rom Joseph
28. „ Rainer Joseph
47. „ Scherl Paul
22. „ Paulitsch Johann
59. „ Klein Otto
38. „ Ekert Carl
46. „ Noak de Hunyad Michael
46. „ Dordia Elias
57. „ Junek Johann
15. „ Krynicki Hippolyt
30. „ Kummèrer v. Kummersberg Alphons Ritt.
57. „ Steinauer Julius
40. „ Gönitz Eduard (ü.c.) beim R.-Krgs-Mstm.
43. „ Romanú Ivanu
36. „ Nemanský Joseph

1. Mai 1877.

74. IR. Plönnies Albert Ritt. v.
74. „ Pusch Anton (WG.)
47. „ Mally Franz
49. „ Schröder Hermann
22. „ Senekovitsch Cajet.
72. „ Hofbauer Carl
12. „ Baier Moriz
13. „ Sobotik Ferdinand
26. „ Eder Carl
48. „ Franz Fried. Ritt. v., MVK. (KD.).
74. „ Walter Carl (WG.)
56. „ Borkowski Adolph
43. „ Boltres Joseph
45. „ Brönner Alfred
35. „ Ohrn Ferdinand
79. „ Karlić Emerich
69. „ Koss Rudolph
9. „ Petrović Ferdinand, MVK. (KD.)
38. „ Claricini Hermann nobile de
46. „ Kubitza Paul
46. „ Poscha Adolph
46. „ Sturm Adolph
4. „ Köberl Ludwig
FJB. 11. Fenz Edmund
27. IR. Juris Heinrich, MVK. (KD.)
78. „ Topitsch Carl, MVK. (KD.).
FJB. 29. Kessler Carl
79. IR. Clementz Joseph
44. „ Hofstättner Carl
32. „ Engelmann Philipp, ÖFJO-R.
FJB. 5. Walzel Johann
62. IR. Koronthály de Kis-Vicsap Rud., ○ 1.
31. „ Jokić Adam
FJB. 3. Seidl Alexander, MVK. (KD.), ○ 2.
„ 14. Kreitschy Joseph
57. IR. Polletin Arthur (ü. c.) beim R.-Kriegs-Mstm.
34. „ Klimkovics Gabriel
FJB. 10. Neugebauer Franz, ÖEKO-R. 3. (KD.)
72. IR. Spaczek Anton
61. „ Theodorović Joh., MVK. (KD.)
FJB. 21. Höhenrieder Albert

1. Mai 1877.

FJB. 9. Steiner Joseph, MVK. (KD.)
51. IR. Brusch Wenzel (ü. c.) zug. dem Generalstabe
Jäg.-R. Kántz Johann v.
FJB. 24. Oppel Gustav
„ 16. Zlabinger Ludwig
„ 4. Reichart Moriz
„ 13. Sanleque Maximilian Freih. v. (ü. c.) in der techn. Mil.-Akad.

1. November 1877.

53. IR. Krizekár Eduard
69. „ Papp Franz
20. „ Dołkowski Johann
65. „ Tarnóczy Ferd. v.
3. „ Studniczka Carl
68. „ Chavanne Johann Edl. v.
33. „ Kuresko Johann
4. „ Leveling Carl (ü. c.) zug. dem Generalstabe
FJB. 2. Kukulj Johann
52. IR. Steinberg Joh. Edl. v., ÖEKO-R.3.(KD.)
FJB. 33. Hell Anton
„ 2. Mader Carl
52. IR. Deutsch Rudolph, MVK. (KD.), ⊙, ○ 1.
16. „ Pintar Michael (ü. c.) beim Gen.-Comdo. zu Agram
40. „ Loidin Jakob
37. „ Platzer Carl
FJB. 11. Hensler Rudolph
51. IR. Raatz Adalbert
6. „ Chavanne Ludwig Edl. v.
52. „ Kohl Carl
FJB. 15. Obermayer Camillo
„ 27. Fischer Carl Ritt. v.
„ 19. Schmidburg Joseph Freih. v., MVK. (KD.)
„ 1. Baum v. Appelshofen Carl Freih.
61. IR. Pokorny Edl. v. Fürstenschild Maximilian (ü. c.) im mil.-geogr. Inst.

1. November 1877.

Jäg.-R. Gomansky Eugen
75. IR. Buml Gustav, MVK. (KD.)
57. „ Schulz Emil, MVK. (KD.)
FJB. 13. Siegert Ferdinand
79. IR. Herzeg Ludwig
68. „ Denk Joseph, MVK. (KD.)
4. „ Potestá Cäsar
35. „ Fessel Carl
46. „ Kahlen Ernst
57. „ Jirauch Emanuel
61. „ Pöcher Jos. (ü. c.) beim Gen.-Comdo. zu Budapest
51. „ Mikleu Johann
36. „ Mally Emanuel (ü. c.) im mil.-geogr. Inst.
60. „ Lindenmayer Alexander
35. „ Vinzl Rudolph, ⊙
FJB. 22. Aichelburg Bohuslav Gf. (ü. c) zug. dem Hofstaate Seiner k. k. Hoheit des Erzherzogs Carl Ludwig
73. IR. Junck Franz
10. „ Quirsfeld Joseph
34. „ Fränkel Leonhard, ○ 2.
34. „ Mayer Joseph
30. „ Knopp Jos., ○ 2.
21. „ Taufar Alois
34. „ Szártory de Lipcse Rudolph (ü. c.) in der Mil.-Akad. zu Wr.-Neustadt
34. „ Chitry Edl. v. Freyselsfeld Heinrich
37. „ Tronner Alfred
FJB. 20. Cavallar Julius
30. IR. Völpel Heinr., ○ 2.
78. „ Medeotti Emil
35. „ Funk Wilhelm
46. „ Böhn Franz v., MVK. (KD.)
FJB. 22. Sandmann Emil
41. IR. Rzepecki Quirinus
68. „ Rohr Georg
77. „ Stinka Wenzel
38. „ Kupsa Victor (ü. c.) in der techn. Mil. Akad.

1. November 1877.

55. IR. Schütz Carl
5. „ Bogner Mathias
37. „ Churawy Bruno
39. „ Woinovich Georg
26. „ Radanović Vincenz
20. „ Waniczek Adolph
8. „ Beischläger Emil
8. „ Stix Ludwig
38. „ Korbarz Johann
73. „ Zachistal Wenzel
45. „ Zichardt Rudolph
54. „ Küffer v. Asmannsvilla Albert Ritt.
21. „ Göttlicher Ernst, ○ 1.
79. „ Balko Sigmund
45. „ Purschka Ferdinand Ritt. v. (ü. c.) im mil.-geogr. Inst.
55. „ Padlewski v. Skorupka Julius Ritt.
27. „ Kille Eman. Edl. v.
45. „ Colombo Carl, ○ 1.
18. „ Suchánek Ignaz
73. „ Rohrer Robert
4. „ Malyevacz Ernst Edl. v.
73. „ Igálffy v. Igály Adolph
42. „ Braun August, MVK. (KD.)
73. „ Fritsch Vincenz
42. „ Döller Joseph
44. „ Bibra v. Irmelshausen Reinhard Freih., †
15. „ Milaczek Ferdin.
35. „ Loeschner Emanuel
8. „ Stephanides Julius
6. „ Weeber Rudolph
42. „ Pidoll v. Quintenbach Franz Freih.
29. „ Kapić Marcus
46. „ Mlinarić Stephan, MVK. (KD.)
38. „ Soja Julius, MVK. (KD.)
1. „ Pallas Hermann
1. „ Paulucci delle Roncole Ant. Marchese
8. „ Kristen Carl, MVK. (KD.)
18. „ Schön Carl

1. November 1877.

20. IR. Chowanetz Adolph
37. „ Schadek Oskar, MVK. (KD.)
80. „ Berkić Alexander
60. „ Vuković Ferdinand
64. „ Menini, genannt Bizzaro Franz
71. „ König Franz
71. „ Papaczek Ferd.
13. „ Weisser Eduard
71. „ Patzoll Theodor
12. „ Lityński Marcell v.
5. „ Petrović Peter
27. „ Schiffer Conrad (ü. c.) beim Gen.-Comdo. zu Graz
30. „ Rabatsch Joseph
11. „ Schweida Jakob
49. „ Dunst v. Adelshelm Carl
11. „ Kraliczek Ferdinand, MVK. (KD.)
30. „ Hönl Gustav
71. „ Rambausek Rudolph
26. „ Maistorović Johann
79. „ Zloch Engelbert
50. „ Anculia Elias
79. „ Gruičić Damian, O 1, O 2.
53. „ Turner Felix
22. „ Dolleuz Joh. (ü. c.) im mil.-geogr. Inst.
59. „ Höss Leopold
59. „ Doppler Ignaz
42. „ Pazult Edl. v. Adelschwung Eduard
65. „ Lopašić Hugo
30. „ Forkapić Johann
58. „ Nidiol Joseph
30. „ Niemeczek Franz, O 2.
23. „ Kempf Johann
75. „ Nejebsý Ubald
16. „ Jurievič Michael, MVK. (KD.)
23. „ Dimić Aaron
7. „ D'Elvert Arthur Ritt.
79. „ Kovačević Peter
78. „ Mayer Moriz
63. „ Radoević Marcus
52. „ Kovarbašić v. Zboriště Svetozar

1. November 1877.

55. IR. Strmac Nikolaus (ü. c.) bei der Grundbuchs-Anlegung
55. „ Živić Elias
39. „ Häring Edl. v. Amwall Eugen (ü. c.) beim R.-Kriegs.-Mstm.
2. „ Meichsner v. Meichsenau Julius
17. „ Merizzi Carl
40. „ Czaykowski v. Berynda Alexander Ritt., MVK. (KD.)
9. „ Gintz Adolph, MVK.
22. „ Grandi Julius
74. „ Spačil Sebastian, O 2.
25. „ Petru Franz
58. „ Betzel Georg
25. „ Holegeba Gustav
62. „ Dattler Carl
58. „ Voit Adalbert
48. „ Stirling Alexander MVK. (KD.)
15. „ Lerner Joseph
75. „ Pawellić Lucas
39. „ Tretter Michael, ÖEKO-R. 3. (KD.)
54. „ Schöfnagl Franz
75. „ Kubick Franz
43. „ Zirl Carl
12. „ Maywald Peter
53. „ Novaković v. Gjuraboj Michael
22. „ Pfeiffer v. Ehrenstein Alfred
29. „ Rogulić Nikolaus, MVK. (KD.), (ü. c.) zug. dem Generalstabe
16. „ Tarbuk v. Odsiek Michael Ritt.
13. „ Laxa Joseph
54. „ Kimmel Johann
14. „ Schardlmiller Joh.
80. „ Podhorodecki Hippolyt Ritt. v., Dr. (ü. c.) zug. dem Generalstabe
62. „ Pramberger-Eyssler v. Ehrenwart Wilh. Ritt.

1. November 1877.

Pion.-R. Stöhr Adolph
9. IR. Pomiankowski Casimir
Pion.-R. Renvers Wilhelm
„ Brinning Franz
„ Turba Edl. v. Dravenau Eduard
49. IR. Kahler Anton

1. Mai 1878.

Jäg.-R. Pulciani v. Glücksberg Joseph
17. IR. Gennotte Carl
FJB. 4. Tlusty Robert
„ 18. Riedl Lorenz
„ 29. Wilde Carl
„ 5. Appeltauer Wenz.
22. IR. Freysinger Joseph (WG.)
FJB. 13. Valášek Johann
„ 25. Proschinger Joseph (ü. c.) zug. dem Generalstabe
„ 2. Heyda Franz
„ 24. Zahradnik Vincenz
„ 27. Krawehl August (ü. c.) im techn. u. adm. Mil.-Comité
„ 5. Wischkowský Alois
„ 30. Pukl Carl
„ 4. Mras Ambros, ÖEKO-R. 3. (KD.)
„ 14. Hurkiewiez Leon
„ 17. Davidović Alexander, MVK. (KD.)
„ 17. Gabriel Carl
„ 18. Winter Ignaz O 2.
„ 14. Krannich Joseph
„ 1. Grau Hermann
73. IR. Neumann Hermann
35. „ Siebert Eduard
Jäg.-R. Bodeck v. Ellgau Franz Freih., ✠
64. IR. Merz Ferdinand
66. „ Vojvodić Jakob
67. „ Piskur Carl
7. „ Ellmer Michael
68. „ Nagy Eugen v.
16. „ Mayerhoffer Joh.
70. „ Dragosavljević Johann, MVK. (KD.)
29. „ Poppa Nikolaus
43. „ Thopal Johann
68. „ Pazdrian Mathias

1. Mai 1878.

70. IR. Dorossullich Marcus (ü. c.) bei der Grundbuchs-Anlegung
60. „ Barković Joseph
11. „ Suchomel Joseph, ○ 1.
26. „ Hübschmann Vinc.
23. „ Bellovarić Johann
50. „ Karl Anton
39. „ Mühlbauer Hugo
44. „ Herált Johann
79. „ Berger Ferdinand
14. „ Stauber Franz
14. „ Freimiller Johann
49. „ Roncalli Leopold
49. „ Voetter Victor, MVK. (KD.), (ü. c.) zug. dem Generalstabe.
47. „ Hainschegg Jakob (ü. c.) beim Mil.-Comdo. zu Triest
33. „ Steffula Moriz
63. „ Triangi zu Latsch und Madernburg Auxentius Gf.
44. „ Csepy Carl
39. „ Schatzl Johann
59. „ Knappe Johann
69. „ Ballieux Edl. v. Guelfenberg Heinrich
43. „ Malicki Alois
43. „ Doerr Carl, ○ 2.
43. „ Metzerich Carl v.
8. „ Jüstel Ludwig
76. „ Mikola Franz, ÖEKO-R. 3. (KD.)
11. „ Weissberger Ignaz
13. „ Pałkowski Anton
43. „ Bayer Franz
4. „ Jäger Anton
49. „ Kroiss Joseph (ü. c.) beim Gen.-Comdo. in Wien
67. „ Springholz Rudolph
69. „ Zamecznik Wenzel
14. „ Happak Florian
79. „ Vukoević Johann
56. „ Derndarski Welisar
61. „ Milovsky Georg

1. Mai 1878.

78. IR. Milojević Stephan
16. „ Jadann Joseph
16. „ Kovačević Carl
79. „ Sedlar Nikolaus
79. „ Hellmann Marcus
16. „ Bošnjak Stephan
70. „ Voinović Theodor (ü. c.) beim Sicherheits-Corps für Bosnien
70. „ Opačić Gregor
53. „ Sabolov Blasius
16. „ Varga Alexander
56. „ Miklić Georg
16. „ Terninić Stephan
16. „ Kerčelić Adolph v.
58. „ Serdić Michael
58. „ Rotquić Joseph
53. „ Malenković Steph.
16. „ Maretić Joseph
45. „ Wilsky Albin
24. „ Hirjan Peter
6. „ Novacović Peter
39. „ Herczeg Hermann, MVK. (KD.)
47. „ Sešhun Moriz
29. „ Jovanović Lazar, MVK. (KD.).
31. „ Avram Georg
67. „ Schuppler Heinrich Edl. v. (ü. c.) in der Mil.-Unter-Realschule zu Güns
7. „ Breitenbach Ferdinand
74. „ Mucha Julius (WG.)
49. „ Harbich Franz
74. „ Ružička Johann
38. „ Richter Ladislaus, MVK. (KD.), ○ 1.
53. „ Gebauer Carl Edl. v., MVK. (KD.), ○ 1.
62. „ Stürmer Alexander
20. „ Swoboda Heinrich
61. „ Isser zu Gaudententhurm Welf v., MVK. (KD.)
9. „ Meier Erwin
72. „ Huber Leopold
65. „ Klein Camillo
3. „ Rauterberg Adolph (ü. c) im mil.-geogr. Inst.

1. Mai 1878.

8. IR. Nowak Johann (ü. c.) beim R.-Kriegs-Mstm.
72. „ Tachida Franz
53. „ Žeravica Eduard
22. „ Söll Freih. von u. zu Teissenegg auf Stainburg Arthur
40. „ Saar Rudolph v.
41. „ Domaschnian Constantin, MVK. (KD.)
41. „ Hilbert Ferdinand
25. „ Mandić Stephan (ü. c.) beim Etapen-Comdo. zu Banjaluka
11. „ Heyda v. Lowczicz Joseph
80. „ Scheiber Gustav
74. „ Burda Albert
6. „ Kotach Carl
76. „ Chizzola Paul v.
61. „ Steiner Eduard, MVK. (KD.), ○ 1.
64. „ Mauler Hugo
79. „ Löhnert Franz
39. „ Conradt Carl, ○ 2.
36. „ Massow Wilh. v.
8. „ Koller Franz, MVK. (KD.)
31. „ Störk Ignaz
55. „ Urycki Theophil
80. „ Szalay Joseph
80. „ Žiwsa Alfred
37. „ Krmpotić Georg
5. „ Lang Franz
76. „ Eder Julius, MVK. (KD.)
15. „ Stoliczka Joseph (WG.)
52. „ Spaleny Norbert MVK. (KD.)
27. „ Knorz Justus
65. „ Schmidt Andreas
25. „ Göllner Moriz
35. „ Peschke Franz, ○ 1.
36. „ Schlemüller Wilh.
36. „ Benoist de Limonet Carl (ü. c.) zug. dem Generalstabe

1. Mai 1878.

48. IR. Karl Ferdinand
1. „ Ullrich Edl. v. Helmschild Rudolph (ü. c.) zug. dem Generalstabe
28. „ Mayrhofer Gustav (ü. c.) im mil.-geogr. Inst.
69. „ Franz Heinr. Ritt. v. (ü. c.) im mil.-geogr. Inst.
66. „ Gottesheim Ludwig Freih. v.
14. „ Lütgendorf Hugo Freih. v.
36. „ Jahn Jaromir (ü. c.) in der Mil.-Ober-Realschule
42. „ Goldmayr Carl
38. „ Kiesewetter Edl. v. Wiesenbrunn Wilhelm, MVK. (KD.)
39. „ Hann Hugo
31. „ Nestor Emil (ü. c.) mil.-geogr. Inst.
64. „ Baldass Franz Edl. v.
39. IR. Schwarzleitner Arthur (ü. c.) in der Mil. - Unter - Realschule zu St. Pölten
57. „ Felix Bernhard
7. „ Birnbacher Victor
68. „ Zwicknagl Anton
26. „ Haberzettel Philipp
65. „ Buschta Adalbert
3. „ Mager Gottlieb
28. „ Rakowský Carl, MVK. (KD.)
28. „ Daublebsky v. Sterneck zu Ehrenstein Hermann Freih.
8. „ Löffelholz v. Colberg Carl Freih.
40. „ Strial Franz, ÖFJO-R.
12. „ Schubert Joseph
3. „ Buchlovsky Franz (ü.c.) beim General-Comdo. zu Brünn
67. „ Maličky Adolph
28. „ Luttna Vincenz
58. „ Deinl Michael
66. „ Hadrawa Anton

15. September 1878.

6. IR. Heckl Wenzel, MVK. (KD.), (Res.)
43. „ Schindler Stanislaus
76. „ Peretti Arthur (Res.)
14. „ Obermüller v. Draueck Joseph Ritt.
33. „ Görtz Friedrich Ritt. v.
FJB. 33. Saller Wenzel
Jäg.-R. Streicher Johann Freih. v.
„ Gratzy Carl
FJB. 27. Fugger - Glött Fidel Gf.
Jäg.-R. Tiefenthaler Jos.
FJB. 28. Pull Johann (ü. c.) im mil.-geogr. Inst.
Jäg.-R. Röggla Edmund
FJB. 31. Wimmer Carl
Jäg.-R. Panzl Reinhold
FJB. 9. Manussi Carl Edl. v. (ü. c.) zug. dem Hofstaate Sr. k. k. Hoheit des Erzherzogs Ferdinand IV., Grossherzogs von Toscana
77. IR. Fligely Johann
Pion.-R. Konecżny Carl Ritt. v.
„ Danko Joseph, MVK. (KD.)
78. IR. Radivojev Moses (Res.)
28. „ Skenžić Spiridion
Pion.-R. Ehrlich Julius
51. IR. Selović Theodor
48. „ Bunjevac Jaromir Edl. v.
22. „ Heinrich Joseph
47. „ Beckh - Widmanstetter Leopold v.
Pion.-R. Szakatsits Carl
5. IR. Petraschko Joseph, MVK. (KD.)
29. „ Georgievics Alexander
41. „ Čavčić Emerich
16. „ Pavlović Peter
79. „ Marjanović Lucus, MVK. (ü. c.) beim Serežaner-Corps

15. September 1878.

68. IR. Burich Joseph
17. „ Delić Johann
88. „ Heilmann Eduard (ü. c.) bei der Grundbuchs - Anlegung
FJB. 10. Meister Leopold, ◯ 1.
„ 9. Edelmann Andreas, ◯ 1.
„ 3. Riedlechner Otto
„ 16. Matt Alfred Edl. v., MVK. (KD.), (ü. c.) zug. dem Generalstabe
„ 25. Plentzner v. Scharneck Franz Ritt.
„ 3. Wurmbrand Ernst Gf.
„ 19. Došen Georg
„ 25. Gelinek Hubert
39. IR. Reng Anton
72. „ Einem Hermann v.
72. „ Vuletić Emil
48. „ Wallachy Gottfried, MVK. (KD.)
72. „ Hutter Georg
35. „ Rattay Joseph, ◯ 2.
23 „ Žemlička Johann
35. „ Stanka Julius
29. „ Steffel Joseph
27. „ Schaffer Jos., ◯
27. „ Schüssler Ernst, ÖEKO-R. 3. (KD.), ◯ 2.
32. „ Wiesler Joseph
51. „ Wurmb Emil Ritt. v.
32. „ Gugger v. Staudach Carl
53. „ Ecker Joseph
25. „ Wolf Ignaz
67. „ Flachnecker Gust.
12. „ Fuhrmann Wilh.
71. „ Agricola Theodor
72. „ Tribus Dionys
36. „ Prokop Alois, MVK. (KD.)
24. „ Janda Hugo
21. „ Schwanzara Anton
1. „ Zimmermann Georg, MVK. (KD.)

15. September 1878.

68. IR. Karas Joseph
56. „ König Julius
31. „ Blaschke Friedrich, ○ 2.
5. „ Fuchs Anton
61. „ Zbyszewski Sigm.
41. „ Wunderer Ferd.
32. „ Schildorfer Gust.
66. „ Bakoss Balthasar
66. „ Stadler Joseph
58. „ Raschek Victor
29. „ Schuch Heinrich
2. „ Schüler Otto
3. „ Chaluppa Wilh.
32. „ Schlott Johann
26. „ Kohut Johann, MVK. (KD.)
19. „ Klier Adolph
19. „ Thoma Paul, MVK. (KD.)
19. „ Holasek Carl
15. „ Tarnowski Ludwig, MVK. (KD.)
75. „ Benedickter Anton
63. „ Cherdlitzky Franz
33. „ Kromar Conrad
11. „ Polák Franz
76. „ Clausnitz Otto
71. „ Fritz Theodor
8. „ Maschek Hugo
17. „ Wischinka Adolph
76. „ Grünzweig Johann
44. „ Helm Theodor
63. „ Jantzen Robert
75. „ Grund Rudolph
64. „ Zorich Johann
46. „ Peppa Peter
44. „ Funke Gustav
28. „ Beyrodt Wenzel
48. „ Halva Joseph
33. „ Sándor de Vist Basil
15. „ Doppler Anton
57. „ Chizzola Leodegar v.
10. „ Šmejkal Ferdinand (ü. c.) im mil.-geogr. Inst.
24. „ Wildburg August Freih. v.
48. „ Keczkés de Ganocz Victor
28. „ Khern Johann
23. „ Schneider Joseph

15. September 1878.

22. IR. Marchand Anton
21. „ Smola Ferdinand
60. „ Hetterich Ladislaus
Pion.-R. Mannert Johann
67. IR. Jellinek Johann
66. „ Staffen Hubert
54. „ Trapp Wilhelm
70. „ Vukmirović Milovan, MVK. (KD.)
79. „ Medić Lucas
63. „ Bakić Marcus
70. „ Fiala Vincenz
24. „ Kral Michael
70. „ Živanović Demeter
51. „ Gruić Auxentius
78. „ Agić Carl v.
65. „ Taussig Carl
24. „ Golić Lucas
79. „ Trbuhović Georg
6. „ Krajnović Raphael
38. „ Bernath Alphons, MVK. (KD.)
22. „ Dmitrović Georg
52. „ Domac Johann
79. „ Müller Adalbert (ü. c.) in der Mil.-Unter-Realschule zu St. Pölten
48. „ Mesić Marcus
60. „ Reutterer Johann
71. „ Köller Hugo (ü. c.) Prov.-Off. bei der IV. Inf.-Trup.-Div.
71. „ Hron Johann
8. „ Schwab Julius (ü. c.) im mil.-geogr. Inst.
69. „ Csáky Victor
50. „ Trenner Virgil
25. „ Neuschl Carl
26. „ Wettendorfer Ludwig
61. „ Urs de Margina Georg
3. „ Kox Richard
49. „ Hoyos Joseph Gf.
48. „ Amtmann Gottl., ○ 2.
51. „ Wodniansky Johann
2. „ Sekeschan Elias
71. „ Zarić Elias

15. September 1878.

71. IR. Baur Carl
47. „ Schaeffer Ludwig
13. „ Müller Johann
2. „ Hessdorfer Carl

1. November 1878.

74. IR. Kiefhaber Emil
FJB. 16. Stolz Heinrich
„ 15. Lafite Ludwig (ü. c.) im mil.-geogr. Inst.
„ 23. Hennevogl Edl. v. Ebenburg Heinrich
„ 12. Rosenberg Gotthard
FJB. 16. Beidl Alexander.
Pion.-R. Ther Otto
„ Kemenović Felix
„ Scheibler Friedrich
„ Szlavik Gustav
FJB. 15. Stitz August (ü. c.) im mil.-geogr. Inst.
4. IR. Frühwirth Alois
55. „ Lavante Adalbert
51. „ Wittmann v. Neuborn Eduard
13. „ Träger Anton
65. „ Schicker Franz
9. „ Wallek Ferdinand
49. „ Westreicher Ant.
19. „ Trojan Heinrich
FJB. 10. Ozlberger Ferdinand.
74. IR. Wybiral Richard
16. „ Taritaš Thomas
75. „ Wischin Franz
5. „ Dobrowolny Ant.
17. „ Benesch Ladisl., MVK. (KD.), ○ 2. (ü. c.) in der Mil. Unter-Realschule zu Güns.
78. „ Radosavljević v. Posavina Johann Ritt.
56. „ Felhauer Joseph
35. „ Lehrl Franz (ü. c.) im mil.-geogr. Inst.
21. „ Rebensteiger v. Blankenfeld Ferdinand
67. „ Zergollern Jos. v.
32. „ Cavallar v. Grabensprung Ferd. Ritt. (ü. c.) zug. dem Generalstabe

1. November 1878.

59. IR. Noll Ludwig
44. „ Enhuber Friedr. Edl. v. (ü. c.) im mil.-geogr. Inst.
1. „ Fischer Emerich Edl. v.
40. „ Wlassack Ludwig
43. „ Dimić Constantin
60. „ Hofbauer Stephan
69. „ Liebl Vincenz (ü. c.) zug. dem Generalstabe
76. „ Wittchen Gustav
20. „ Eberan v. Eberhorst Friedrich
10. „ Dubsky Julius
25. „ Microys Wilhelm
53. „ Terbuhović Emanuel
40. „ Laube Alois (ü. c.) in der Mil.-Akad. zu Wr.-Neustadt
66. „ Pilzer Franz
31. „ Moritsch Carl (ü. c.) im mil.-geogr. Inst.
34. „ Lodgman v. Auen Wilh. Ritt.
17. „ Skrem Alexander ÖEKO-R. 3. (KD.)

1. November 1878.

3. IR. Mandelblüh Victor
50. „ Hallavanya v. Radoičić Julius
61. „ Jannosch Stephan
32. „ Weber Carl
26. „ Mühlbacher Franz
48. „ Blaschke Eugen, MVK. (KD.), (ü.c.) im mil.-geogr. Inst.
56. „ Bilek Wilhelm
15. „ Schwamberg Jos.
9. „ Stary Carl
Jäg.-R. Grossrubatscher Hartmann
FJB. 8. Sulik Johann
65. IR. Lazarsfeld Carl
FJB. 32. Shaniel Heinrich
62. „ Bardos Andreas (ü. c.) in der Mil.-Unter-Realschule zu Güns
16. „ Jamnitzky Mathias
44. „ Miestinger Franz
13. „ Schmitz Hermann
60. „ Reitzner v. Heidelberg Victor, MVK.
28. „ Lamina Adolph
3. „ Weinhofer Heinrich

1. November 1878.

52. IR. Gullinger Victor
7. „ Cattanei zu Momo Carl Freih. v.
15. „ Hauser Joseph
11. „ Wallek Franz (ü. c.) im mil.-geogr. Inst.
65. „ Šestak Johann
67. „ Kozak Joseph
75. „ Pekary Engelbert
79. „ Ranisavljević Živko
23. „ Dworžak Ferdinand
17. „ Kaučić Friedrich
54. „ Schlieben Ludwig v.
72. „ Koreska Georg v.
31. „ Farkas Etele
62 „ Riebel v. Festertreu Ferdinand (ü. c.) im mil.-geogr. Inst.
76. „ Bohutinsky Emil
80. „ Kucharski Franz
15. „ Uriel August
FJB. 6. Hake Friedrich v.
Pion.-R. Medaković Adam, ÖFJO-R., MVK.
„ Teuchmann Heinrich (ü. c.) im mil.-geogr. Inst.

Rangsliste der Oberlieutenants, Lieutenants und Cadeten der Infanterie.

Oberlieutenants.

Reg.

21. Novemb. 1865.

78 Huber Ludwig (Res.)

1. Mai 1866.

54 Brossmann Aug.
76 Latzke Carl (WG.).

18. Juni 1866.

28 Dorotka v. Ehrenwall Friedrich, MVK. (KD.), (Res.)

Reg.

29. Juni 1866.

77 Kisling Laurenz (ü. c.) prov. Adjunct b. Gerichtshofe zu Szluin.
1 Lamprecht Ferd. (Res.)
66 Hussakowski Ignaz (WG.)
45 Osuchowski Desid. Ritt. v.

30. Juni 1866.

18 Kögler Bernhard
33 Borkowetz Wenz.

Reg.

4. Juli 1866.

38 Grimm Heinrich
67 Staviarž Carl (Res.)
78 Antolović Franz
52 Gauser Joseph
61 Altenburger Seb. (Res.)

8. Juli 1866.

4 Grimm Leo, MVK. (KD.), (WG.).

1. September 1866.

14 Zenz Johann

Reg.

1. Mai 1869.

79 Gjurić Georg
27 Preiser Victor (WG.)

8. October 1869.

60 Meissner Adolph (Res.)

1. November 1871.

46 Ivančević Constantin
69 Fritz Heinrich (WG.)

Reg.

1. Mai 1872.

39 Pecha Anton (Res.)

1. November 1872.

74 Tuschl Franz
62 Dwořak Carl (Res.)
65 Fellner Julius
7 Allnoch v. Edelstadt Oswald Freih (Res.)
77 Graas Ferd. (WG.)
36 Kabeláč Gustav (WG.)

1. Mai 1873.

25 Ruchinger Ludw.
68 Schirschaut Jos.
14 Leeb Hugo
32 Czermák Ferd.
22 Skočdopole Jos. (WG.)
65 Borodaikiewicz Philemon
12 Spirmann Adalbert
19 Fitz Georg, O 1.
38 Buniotti Franz
13 Wendt Jakob
5 Rosolen Adam, O 1.
64 Hamsa Agasin
26 Raunig Carl
13 Heydenreich Richard
7 Gurko Anton
34 Kauffmann Ludw.
54 Pabst Heinrich
17 Blabolill Joseph
4 Weibel Carl
73 Kellermann Adolph
27 Schüssler Albert, O 2. (ü. c.) zug. dem Generalstabe
42 Walter Carl
41 Morawitz Rudolph (ü. c.) zug. dem Generalstabe.
45 Nyiry Alois
44 Merkl Joseph
28 Schmidburg Wilhelm Freih. v.

Reg.

1. Mai 1873.

80 Łyczkowski Wilhelm (ü. c.) zug. dem Generalstabe
56 Wilczek Carl
14 Koller Joseph v.
48 Wucherer v. Huldenfeld Carl Freih., DO-R., MVK. (KD.)
5 Konopitzky Heinrich
49 Eitelberger Ant., O 1.
69 Hirz Johann
62 Trnka Johann
55 Neumann Emil (ü. c.) im mil.-geogr. Inst.
55 Ficałowicz Rom.
17 Schurz Franz
27 Ivanossich von Küstenfeld Emil, MVK. (KD.)
35 Wolný Johann
65 Schrinner Gustav, ÖEKO-R.3. (KD.), (ü. c.) zug. dem Generalstabe
29 Domansky Raim., MVK. (KD.)
53 Diappa Gedeon
40 Radda Franz
63 Wachsmann Wilhelm (ü.c.) zug. dem Generalstabe
60 Quintus Joseph Ritt. v.
78 Schildenfeld Jos. Ritt. v.
8 König Adolph (ü. c.) zug. dem Generalstabe
37 Pauer v. Budahegy Franz, MVK. (KD.)
32 Venturini Carl v.
7 Wlach Wilhelm
66 Höberth Edl. v. Schwarzthal Alois
42 Pfeiffer Ferdin., MVK. (KD.)

Reg.

1. Mai 1873.

69 Böheim v. Heldensinn Ludwig
48 Gross Ernst
52 Hegedüs Eugen v.
51 Veith Felix
5 Schusser Norbert
12 Bobics Joseph v. (ü. c.) in der techn. Mil - Akad.
27 Hoffmann Edl. v. Wendheim Norb. (Res.)
3 Dreihann v. Sulzberg am Steinhof Adolph Ritt. (ü.c.) im mil.-geogr. Inst.
26 Peresch Johann
18 Džbánek Johann
67 Ulrich Alois
4 Oppenauer Joh.
64 Achimesco Timotheus
76 Schäfer Wilhelm
38 Bibus Alfred
10 Haura Joh. (WG.)
9 Salinger Joseph (ü. c.) beim R.-Kriegs-Mstm.
50 Benischko Vinc.
27 Halbhuber von Festwill Theodor Freih.
42 Reigersberg Ludwig Gf. v.
80 Rohr v. Rohrau Eugen Ritt.
19 Grivičić Emil
28 Syka Carl
66 Lorenz Carl
63 Magaraš Stanislaus
14 Clodi Maximilian, O 2., (ü. c.) beim R.-Kriegs-Mstm.
49 Böckmann Heinr. Ritt. v., MVK. (KD.)
69 Cvianović Johann
26 Hruschka Rudolph
55 Hofmann v. Sternhort Alfred

Reg.

1. Mai 1873.

2 Bayer Franz
53 Koczian Rudolph
29 Schmidt Gustav
15 Kopaczyński Johann
22 Vallon Peter, Dr. der Ingenieur- und Architectur-Wissenschaft
9 Wehrstein Carl
66 Appel Rudolph, MVK. (KD.)
53 Kalbacher Joh., ÖEKO-R. 3. (KD.)
39 Loy v. Leichenfeld Alois
76 Witte Hermann
18 Henniger Seeberg Desfours zu Mont und Adienville Vincenz Freih. v.
54 Sýka Ludwig
18 Cibulka Johann
60 Biegler Clemens (Res.)
15 Nieswiatowski Theophil (ü. c.) beim Gen.-Comdo. zu Lemberg
22 Egle Alphons (ü. c.) im mil.-geogr. Inst.
28 Rambausek Gustav
7 Thianich Franz v.
25 Pell Franz
52 Holtz Georg Freih. v.
64 Korel Friedrich
18 Horalek Wenzel
56 Mayr Anton
40 Rychlicki Miecislaus Ritt. v.
64 Terfaloga Johann (ü. c.) im mil.-geogr. Inst.
80 Gall v. Gallenstein Carl Freih., O 2.
64 Cena Nikolaus
18 Beck Ludwig
61 Mierka Lambert

Reg.

1. Mai 1873.

39 Horn v. Slepowron Carl, MVK. (KD.)
29 Steiner Johann
43 Czermak Franz
76 Fischer Carl (ü. c) im mil.-geogr. Inst.
50 Jung Johann
9 Zachar Alfred
64 Boschkar Nikolaus
42 Hacker Anton
28 Wagner Georg
5 Allgayer Johann
59 Wachtlechner Ignaz
61 Andreević Georg
9 Pochowski Faustin
79 Demić Andreas, MVK. (KD.)
20 Fussek Joseph
49 Schröck Carl (ü. c.) zug. dem Gen.-Comdo. zu Serajevo
36 Cantor Sigmund
63 Pietroszynski Joseph
38 Hudeček Franz
14 Demelt Carl (ü.c.) im mil.-geogr. Inst.
71 Lefévre Julius
42 Junck Ignaz
56 Grüber Alfred
78 Nosseck Norbert
44 Unger Jaroslav
48 Reissenauer Joh.
25 Ratzka Johann
60 Niemtschik Adolph
22 Pangher Johann (ü. c.) zug. dem Generalstabe
18 Badalowsky Julius
69 Malletić Ludwig (ü. c.) Personal-Adj. des FZM. Freih. v. Rodich
45 Sattler Joseph
19 Janiczek Joseph

Reg.

1. Mai 1873.

30 Rustler Carl
69 Stadler Carl
2 Nagy Joh., MVK. (KD.)
12 Lukić Gabriel
47 Halbhuber von Festwill Carl Freih.
23 Paulovits Const., MVK. (KD.)
74 Branke Joseph
11 Piller Carl
21 Juda Adolph
58 Lederle Sigmund
51 Louvens Julius
65 Přidalek Victor
42 Blesnowie Franz
66 Wuckowić Michael
36 Ballasko Wenzel
41 Zieliński Carl, O 2.
60 Peter Benjamin
14 Bohn Oskar v.
72 Vaskovits Adolph
69 Lászlóy Anton
30 Meyer Marcell Edl. v.
48 Glück Wilhelm
62 Hauk Moriz
47 Skribe Victor
49 Korb August v.
26 Hartmann v. Hartenthal Douglas
43 Wurst Joseph
7 Nemec Hermann, MVK. (KD.)

1. November 1873.

24 Čikan Marcus
54 Franceschini Friedrich
69 Berleković Stephan (ü. c.) Prov.-Off. bei der XVIII. Inf.-Trup.-Div.
5 Dumenčić Adam
14 Reddi Joseph
18 Souček Franz
77 Hochleitner Carl
65 Striegl Alois
1 Heymann Eduard
28 Butta Anton

Reg.

1. November 1873.

27 Mayer Edl. v. Myrthenhain Nikolaus
54 Udrycki de Udryce Sigmund
66 Pieré Heinrich (Res.)
19 Springholz Franz
63 Kautny Ernst
57 Ursprung Franz v.
60 Heimbach Wilh. (ü. c.) im mil.-geogr. Inst.
31 Stenzl Alois
13 Werner Franz (WG.)
50 Ryzewski Franz
78 Krisch Anton (WG.)
57 Schmidt Oswald (ü. c.) zug. dem Generalstabe
55 Schedelberger Joseph
76 Battistig Edl. v. Tauffersbach Emil
34 Lang Rudolph
48 Ditz Joseph
43 Maschka Alexand.
43 Strojesko Troila
40 Ulrich Joseph
56 Kraus Wilhelm
58 Rosa Hermann
67 Wagner Wilhelm
30 Turczyński Ferd., O 2.
11 Steinbach Johann
1 Pollak Eduard
20 Schirnböck Eduard
54 Prack Carl (ü. c.) in der Marine-Akad.
57 Striech Ignaz
65 Partsch Anton (ü. c.) im mil.-geogr. Inst.
26 Kleindorf Friedr.
22 Vitas Sam., O 2.
2 Prennschitz v. Schützenau Arth.
54 Fribort Joseph

Reg.

1. November 1873.

44 Dohnál Franz
46 Rajhaty Coloman
14 Kuchta Franz, O 1.
11 Weiser Joseph
55 Riedl Carl
8 Uwira Johann
33 Mayer Joseph
31 Bacea Jakob
47 Walter Franz
18 Daněk Franz
74 Rosenberg Athanasius
42 Martinet Gustav (WG.)
57 Kukolić Nikolaus
28 Huber Carl
36 Töpfer Leopold
65 Kollarsky Michael
30 Duduković Jos.
2 Tauscher Joseph
45 Wurm August
36 Pauer Johann
53 Rajčetić Emil (Res.)
40 Doncević Carl
38 Krebs Hieron.
5 Lukutza Pintilie
26 Pisačić de Hižanovec Georg
20 Matasić Joseph (ü. c.) im mil.-geogr. Inst.
25 Lampe Franz (ü. c.) im mil.-geogr. Inst.
74 Schnittspahn Ferdinand
48 Des Loges Franz Ritt. v.
50 Angerholzer Ant. (ü. c.) im mil.-geogr. Inst.
11 Winter Adolph
33 Müller Carl
16 Rapljan Michael
47 Heidler Anton
45 Kirpal Vincenz
1 Scheinpflug Alfred
36 Pastrnek Ignaz
50 Riesz Franz

Reg.

1. November 1873.

9 Zapłatynski Franz
67 Machold Johann
37 Höcker Wilhelm
1 Winkler Joseph
28 Kiss Ludwig
40 Mzik Johann
26 Stegmaier Otto
45 Gressel Joseph
48 Rosenberger Ignaz, MVK. (KD.)
40 Stanslicki Joseph
76 Schönstein Carl
3 Plefka Joseph
48 Vorkapić Johann
56 Małecki Rudolph (ü. c.) im mil.-geogr. Inst.
10 Hofbauer Sylv.
42 Crull Herm. (WG.)
38 Strnad Joseph
77 Michniowski Franz
67 Martini Cajetan
66 Hollegha Carl (ü. c.) im mil. geogr. Inst.
28 Skála Johann
9 Weydner Adolph
46 Majerian Nikolaus
38 Dittrich Gustav
71 Beszedes Friedrich (ü. c.) in der Mil.-Akad. zu Wr. Neustadt
79 Bekić Georg
32 Rizardini Franz.

1. Mai 1874.

9 Strihafka Adolph
21 Bude Franz (WG.)
27 Kaltenborn Arwed v.
76 Bein Edl. v. Monte-Pelago Guido (Res.)
65 Leminger Joseph
12 Wiblitzhauser Robert
37 Stipetić Michael
19 Opitz Johann
41 Weninger Julius (ü. c.) im mil.-geogr. Inst.

Reg.

1. Mai 1874.

6 Pongrácz de Szent-Miklós et Óvár Vincenz Freih.
26 Rehfeld Edmund
76 Kastel Ottokar
61 Drobniak Michael
76 Lattis Carl
65 Hebinger Sylv.
57 Rotter Wilhelm
1 Turkalj Mathias
14 Laist Robert, O2.
26 Szútsek Rudolph
19 Wieser Franz
28 Wimmer Wilhelm
70 Kovačević Valent.
44 David Franz
32 Bénisz Franz, MVK., (KD.), (ü. c.) Prov.-Off. bei der XVIII. Inf.-Trup.-Div.
50 Sandul Theodor
79 Horváth Nikolaus
44 Werner Joseph, MVK. (KD.)
65 Jaworski Joseph
11 Tobis Franz (ü. c.) im mil.-geogr. Inst.
9 West Franz
32 Schrottmüller Franz (ü. c.) zug. der Mil.-Intdtr.
40 Dorossullić Jos.
62 Irlanda Cäsar
61 Wanjeck Gustav
39 Csáky de Keresztszeg et Adorjan Alexand. Gf.
1 Sehořž Franz
40 Illić Mladen
10 Orzechowski Sigmund
62 Perathoner Joh.
54 Tuhaček Mathias
11 Adamek Joseph
61 Greku Nikolaus
77 Orthmayer Adalbert (ü. c.) zug. dem Generalstabe

Reg.

1. Mai 1874.

41 Konstantinowicz Grekul Themistokles Ritt. v.
69 Kerékfi Franz
59 Vogl Paul
42 Kleinpeter Carl
3 Kuiwida Wilhelm
28 Voigt Heinrich
2 Leschetizky Alexander
62 Bichmann Wilhelm
10 Jahnel Ernst
33 Dallendörfer Thomas
16 Boltek Mathias
25 Molnár Sigmund
76 Thávon Anton
50 Finger Wilhelm
48 Czenger Ferdinand
28 Kiegler Jakob
46 Péchy de Péch-Ujfalu Stephan
19 Frančić Joseph
57 Neugebauer Hubert
55 Steinbach Carl
11 Friepes Conrad (ü. c.) zug. der Mil.-Intdtr.
42 Arenstorff Georg Ritt. v.
76 Pönisch Alois (ü. c.) im mil.-geogr. Inst.
50 Plapperer Franz
48 Wellanschitz Andreas
42 Püschel Joseph
77 Schwaabe Julian
45 Tschiedel Adolph
1 Villani Ottokar Freih. v. (ü. c.) in der Mil.-Unter-Realschule zu St. Pölten.

1. November 1874.

2 Bachmann Fidelius
78 Schulte Heinrich
46 Decsy Ladislaus

Reg.

1. November 1874.

7 Kastner Emil
30 Towarek Carl
10 Hampl Alois
1 Kuhn Heinrich (ü. c.) zug. der Mil.-Intdtr.
75 Hanslick Joseph
18 Kodousek Wenzel
3 Kuberth Robert
22 Pelichy Joseph Freih. v.
3 Seelack Friedrich
75 Weywara Florian
59 Höllbacher Jos.
75 Prowazek Joseph
3 Pitron Anton (ü. c.) im mil.-geogr. Inst.
79 Perčević Franz
18 Eschler Johann
18 Stingl Theodor
59 Tost Theodor
59 Engerth August Freih. v.
3 Brier Ignaz
77 Crnković Julius (ü. c.) im mil.-geogr. Inst.
59 Květ Joseph (ü. c.) zug. dem Generalstabe
26 Neumayer Joseph
42 Rollinger Johann (WG.)
33 Krausz Alexander
51 Miholek Joseph
10 Lampel Johann
34 Borsiczky Franz
55 Wiśniewski Julian
59 Wagner Adolph
33 Maliczky Albin
11 Weiss Georg
50 Pöhlig Hermann
61 Hanel Hugo
2 Asbóth Ludwig v.
35 Lešeticky Joseph
49 Nägele Caspar
77 Romowicz Anton
26 Schönfeld Peter Ritt. v.
50 Steinbach Wenzel
61 Milutinov Athanasius

Reg.
1. November 1874.

46 Secsujatz v. Heldenfeld Alexander (WG.)
56 Babić Paul (ü. c.) bei der Grundbuchs-Anlegung
10 Blaschuty Carl
63 Benčević Gustav Edl. v.
25 Vasilio Ludwig
59 Schwab Gustav
26 Piškur Johann
62 Domac Franz
80 Dolezal Johann
79 Marinović Paul
79 Branković Daniel, ○ 2.
70 Berkanec Nikol.
79 Lattas Stephan
2 Poppović Leop. (ü. c.) bei der Grundbuchs-Anlegung
22 Kaznačić Anton, MVK. (KD.)
25 Pelikan Wilhelm
23 Fischer Carl
19 Živanović Živan
22 Szimić Edl. v. Majdangrad Eugen, MVK. (KD.)
16 Angjelić Mathias
39 Zillich Carl
31 Wadrariu Gregor
78 Milošević Michael
10 Samardžić Adam
37 Odobasić Athanasius
66 Weitzler Alois
79 Pekeč Nikol. (ü. c.) bei der Grundbuchs-Anlegung
6 Bašić Mathias
58 Waldecker Franz
2 Sekulić Paul
70 Borošić Joh.
31 Csintalan Johann
52 Lovretić Paul, MVK. (KD.)
31 Butković Nikol.
16 Brodarić Mich.
31 Radivojević Alexander (Res.)

Reg.
1. November 1874.

16 Šallamunec Franz
33 Cservenka Camil.
70 Vesić Živoin
61 Opria Rudolph (WG.)
77 Živković Stephan
32 Krenn Joseph
33 Magnani Eduard
37 Karrer Carl, ÖEKO-R. 3. (KD.)
70 Došen Mathias
16 Bastaja Daniel
25 Masić Stephan
6 Bosnić Paul
70 Lazić Moses
3 Czap Ferdinand
29 Mészáros August
61 Katusić Franz
10 Wilfert Leo
46 Böcka Peter
48 Pohl Heinrich
36 Petz v. Hohenrhode Joseph Ritt.
73 Köstler Hermann
52 Sermonet Laur., MVK.
8 Pollak Franz
80 Vestner Carl (ü. c.) im mil.-geogr. Inst.
79 Krajnović Peter
51 Fröhlich Ernst
16 Cvitković Peter
53 Pavellić Johann
45 Schaub Raimund
73 Peters Anton
16 Herrak Johann
39 Pönisch Heinrich (WG.)
24 Sladeczek Franz
66 Müller Gustav (WG.).
15 Linhart Adolph
8 Beckerhin Joseph (ü. c.) beim R.-Kriegs-Mstm.
70 Radišević Moses
73 Kuretschka Friedrich
39 Zeiller Eduard
58 Soukup Joseph
52 Pollovina Andreas
39 Jovanović Stephan

Reg.
1. November 1874.

79 Pocernić Georg
39 Köszeghy Joh. v.
10 Turić Emil (ü. c.) bei der Grundbuchs-Anlegung
58 Gürsching Eduard
24 Mück Ferdinand
10 Sopotnicki Joseph Ritt. v.
23 Turkail Johann (Res.)
24 Czomkiewicz Alexander
24 Nawratil August
38 Brillmaier Anton
32 Duron Alois
23 Tesař Heinrich
58 Waniček Joseph
38 Satleder Friedrich
61 Goiković Velimir
16 Swoboda Engelbert (ü. c.) bei der Grundbuchs-Anlegung
58 Krzeczunowicz Victor
24 Auchner Rudolph
51 Gerber Jakob
24 Purtscher Eduard (ü. c.) im mil. geogr. Inst.
56 Bussan Carl
58 Sliwiński Adolph
14 Berghofer Wilh.
58 Serbeński Cyprian
24 Niessner Severin
5 Koschokar Dionysius (WG.)
24 Rick Leopold, MVK. (KD.)
47 Crevar Cyrill
37 Bayer Joseph
14 Krause Wilhelm (ü. c.) in der Mil.-Unter-Realschule zu Güns
54 Rejschek Johann
66 Löffler Joseph
64 Banda Peter
22 Jeličić Marcus
50 Hundsfeld Johann
3 Lischtiak Franz

Reg.
1. November 1874.

35 Stohl Joseph
1 Wohlgemuth Martin
12 Sladeczek Franz
66 Rogulja Basil
35 Kreutzer Wenzel
54 Suchan Carl, MVK. (KD.)
22 Soukup Johann, MVK. (KD.)
64 Müllern v. Schönebeck Ferdinand
54 Könitz Loth. Freih. v.
35 Lang Johann
25 Metzger Anton
64 Ptach Emil
80 Rigler Eduard
5 Gallena Laurenz
4 Rotter Johann
56 Pokorny Gustav
80 Sintić Peter
53 Krnjaić Alexander
71 Ille Leopold (WG.)
4 Katt Anton
4 Bartušek Jakob
56 Minojetti Fortunatus
68 Wolnhoffer Emil v.
43 Bacsilla Joseph
53 Pabst Wenzel
62 Domide Florian
4 Stepanek Alois
23 Vukelić Michael
22 Klein Carl
54 Hampel Theodor
14 Salvioli Johann
43 Hallada Ferdinand
59 Kleindienst Carl
54 Hütner Anton
25 Hodinař Anton
66 Vuković Peter
4 Edbauer Julius
22 Ciani Anton
22 Sklebar Blasius
4 Donaubauer Alois
4 Pascher Johann
4 Barth Julius
41 Duffek Franz
68 Zdrahal Joseph
72 Haupt Carl
3 Janosch Leonh.

Reg.

1. November 1874.

33 Vank de Tövis Julius
10 Polański Wladimir
28 Müller Edl. v. Müllenau Heinr.
34 Richter Gustav (ü. c.) in der Mil.-Ober-Realschule.
74 Fischer v. Tiefensee Carl
61 Roksandić Daniel
59 Wück Alois
75 Mollinary Coloman (ü. c.) comdt. beim Generalstabe
42 Pototschnigg Carl
15 Rieger Julius
70 Zebetić Joseph
37 Burda Johann
41 Czerniawski Arcadius
6 Sertić Anton
72 Mezey Joseph
67 Surmin Marcus
8 Rumel Ferdinand
47 Frass Paul
32 Endrődy de Endrőd Oskar
27 Pilz Carl, ◯
8 Reidlinger Gotthard
63 Löffler Julius
58 Gerstmann Jos. v.
69 Hollefeld Franz
67 Hanke v. Hankenstein Carl
52 Winkler Anton (ü. c.) zug. der Mil.-Intdtr.
23 Bellmond Conrad
39 Gerenday Theod. v., MVK. (KD.)
17 Braun Franz
74 Baudisch Gustav (ü. c.) Adj. in der Mil.-Unter-Realschule zu St. Pölten

1. Mai 1875.

10 Paulik Franz
59 Helmreich v. Brunnfeld Wenzel

Reg.

1. Mai 1875.

69 Kekić Carl
35 Herczik Wenzel
30 Wildburg Alois Freih. v. (ü. c.) in der Mil.-Akad. zu Wr.-Neustadt
6 Marinić Valentin
12 Fiala Theodor
17 Konschegg Aug. (ü. c.) im mil.-geogr. Inst.
64 Krenthaller Jos.
53 Riedlmayr Wilh. Edl. v.
52 Haga Adam
40 Kutrzeba Thomas
67 Jankovics Theod.
53 Unglerth Albin (Res.)
8 Horny Joseph
78 Matasović Ferd.
31 Sándor de Vist Nikolaus
47 Rock Robert
12 Kronsteiner Aug.
67 Cvetoević Math.
44 Bernáth Johann v.
7 Posch Carl (ü. c.) im mil.-geogr. Inst.
46 Beer Jos., MVK. (KD.)
73 Sommerhoff Theodor (Res.)
75 Kačirek Mathias, ◯ 1.
41 Gottfried Eduard
17 Hauptmann Andr.
78 Mallinović Lucas
52 Stefan Joseph
67 Bann Simon
69 Dorini Victor
76 Kirschner Emer.
12 Seiffert Oskar
27 Vogl Friedrich
15 Gerber Ernst
57 Pelikan Gustav (ü. c.) im mil.-geogr. Inst.
47 Kürbuss Joseph
8 Pabst Carl
6 Šimić Mathias
75 Schlotter Gustav

Reg.

1. Mai 1875.

43 Poppov Elias
67 Omeisz Anton
34 Hilbert Ludwig
69 De Soye Alexander
15 Schneider Gottfried
53 Marokini Arnold v. (ü. c.) beim Sérežaner-Corps
45 Uhle Ludwig
39 Müller Joseph
27 Eis Joseph, ◯ 2.
75 Halberstadt Joh.
12 Franić Mathias
78 Białobrzeski Deodat, ◯ 2.
5 Hofmann Carl
64 Zawadil Anton, MVK. (KD.), (ü. c.) im mil.-geogr. Inst.
37 Wagner Alois (Res.)
40 Boičetta Wladimir
16 Kovačević Franz
43 Ebert Sebastian (Res.)
52 Ratković Johann
7 Wrann Ferdinand
17 Beck Arthur (ü. c.) im mil.-geogr. Inst.
64 Danzer Alphons (ü. c.) comdt. beim Generalstabe
43 Jakobich Ignaz Ritt. v.
79 Milković Joseph
44 Obert Carl
68 West Alexander
78 Pucz Georg v.
53 Kašai Franz
75 Kaifer Joseph
15 Lazić Nikolaus
63 Emmert Benedict
23 Stivičević Simon
37 Blaschek Joseph
5 Szabó Michael
46 Hadinger Andreas
8 Spurny Ludwig

Reg.

1. Mai 1875.

26 Černko Stephan
49 Massak Alexius
31 Fenzl Franz (ü. c.) im mil.-geogr. Inst.
43 Bauer Franz (ü. c.) in der Mil.-Unter-Realschule zu St. Pölten
34 Heim Franz
15 Lechicki Carl
78 Hegedušević Ladislaus, MVK. (KD.)
52 Petričević Paul
74 Kober Richard v.
53 Ulrich Heinrich
69 Schmidinger Anton
49 Ulbrich Johann (ü. c.) im mil.-geogr. Inst.
15 Tuppal August (ü. c.) im mil.-geogr. Inst.
75 Mauretter Hugo
31 Fronius Johann
64 Bants Georg
73 Planitz Alban Edl. v. der
78 Poglayen Edl. v. Leyenburg Sigmund
37 Schipek Johann
64 Reck Ludwig
25 Kotzian Joseph (WG.)
43 Herger Sigmund
79 Velebit Marcus (WG.)
40 Wenninger Joh.
39 Jovanović Nikolaus
52 Burger Franz
63 Csossa Paul
74 Polak Emanuel
31 Dietrich Joseph
16 Mihoković Peter
68 Putsch Samuel
27 Lanyar Franz
47 Lensch Wilhelm
53 Tannenberger Hubert

Reg.

1. Mai 1875.

69 Cernko Emil
5 Artner Géza v., MVK. (KD.), (Res.)
37 Szlávy de Okány Ladislaus (Res.)
36 Blažić Peter
6 Eifler Ferdinand
40 Stanić Ladislaus
64 Manojlović Svetozar
74 Radimský Leop.
37 Zepeniág Georg
44 Strehn Carl
34 Gollubić Franz
31 Fronius Ludwig
12 Hartmann Gustav
2 Gröber Joseph
70 Weber Ferdinand (ü. c.) im mil.-geogr. Inst.
17 Barbo Carl, MVK. (KD.)
11 Daublebsky v. Sterneck zu Ehrenstein Carl Freih.
50 Pleschner Wilhelm
27 Afan de Rivera Franz (WG.).
72 Vogel Albert
74 Zineker Franz
44 Hambek Ludwig
32 Wawruschka Wenzel
56 Sarić Arkadie
27 Höttl Carl
17 Kert Matthäus
47 Treusch v. Buttlar Richard Freih.
52 Carina Alphons v.
17 Kautschitsch Joseph
63 Kollmann Carl (Res.)
63 Likoser Valentin
27 Christian Johann
32 Himmelmaier Carl, MVK. (KD.)
41 Pistel Hugo
52 Hirt Eugen

Reg.

1. Mai 1875.

31 Munteanu Paul (ü. c.) bei der Grundbuchs-Anlegung
17 Rhomberg Robert
36 Kohlert Eugen
17 Mallner Carl (ü. c.) im mil.-geogr. Inst.
33 Simon Carl
50 Glöckner Victor
23 Hudovernig Franz
62 Posnan Pantaleon
5 Czech Paul
40 Peschka Eugen
54 Hron v. Leuchtenberg Anton
35 Filippini-Höffern Otto (ü. c.) zug. dem Generalstabe
36 Hurth Joseph
4 Sommaruga Arth. Freih. v., MVK. (KD.)
44 Maasburg Johann Freih. v.
71 Stefanie Adolph (ü. c.) im mil.-geogr. Inst.
36 Neudeck Ludwig (ü. c.) in der techn. Mil.-Akad.
9 Kuderna Adalbert
60 Bajcsy de Geczelfalva Carl
30 Seemann Alois
60 Erlanger Franz
21 Savost Friedrich
79 Bistrić Franz (ü. c.) beim Seressaner-Corps
21 Fendl Joseph (ü. c.) im mil.-geogr. Inst.
35 Grimm Hermann
5 Demelić Isidor v.
45 Chalaupka Carl
36 Wlk Florian
9 Rössel Franz
20 Löwy Löbel
80 Franke Anton
56 Kernić Joseph

Reg.

1. Mai 1875.

32 Mikočević Ferdinand
14 Milani Joseph
30 Franz Robert
72 Hauer Gustav
29 Böse Joseph
30 Tscherin Franz
60 Premužić Philipp
36 Neuberg Moriz Ritt. v.
71 Protiwensky Joseph
62 Jakel Anton
21 Baur-Breitenfeld Georg v.
71 Treutner Ignaz
80 Hofmann Anton
22 Saraca Emerich nobile de, MVK. (KD.).
30 Wydra Franz
38 Czógler Georg, ÖEKO-R. 3. (KD.). MVK. (KD.)
29 Zistler Carl
35 Hofmann Vincenz
71 Mekiska Johann
35 Hauch Johann
71 Poppović Stanislaus
71 Kernreuter Leop. (ü. c.) Adj. im Stabsofficiers-Curse
21 Wepřovský Johann
12 Branković Thomas
36 Kokoschinegg Heinrich (ü. c.) im mil.-geogr. Inst.
36 Stiastný August
20 Schnützer Bernhard
80 Walka Carl
36 Dalmata v. Hideghét Arthur
65 Fallaux August (ü. c.) in der Mil.-Unter-Realschule zu St. Pölten

Reg.

29. August 1875.

4 Jüstel Carl (ü. c.) im mil.-geogr. Inst.

1. November 1875.

45 Catinelli Adolph
69 Bolanović Milan
74 Zídek Anton
53 Jemrić Stephan
41 Römer Adolph (Res.)
67 Jereb Mathias
52 Roschitz Jakob
80 Hart Martin, ○ 2.
60 Bögös Ludwig
24 Fibinger Emil
29 Sekulits Milutin
44 Weiss Hermann
71 Lenz August
21 Hoffmann v. Vestenhoff August Ritt.
71 Schmidt August
20 Küchler Eduard
25 Persch Emil
29 Kral Johann
36 Krauss Heinrich
29 Kokron Heinrich. MVK. (KD.) (Res.)
14 Kunzfeld Franz
71 Tamele Alois (ü. c.) im mil.-geogr. Inst.
37 Keller Joseph
44 Swaty Anton
25 Pavellić Lucas
46 Paumgartner Hermann
17 Polainer Johann
31 Riebel v. Festertreu Wilhelm
50 Thot Anton
44 Nazar Joseph, MVK. (KD.) (ü. c.) bei der Feld-Signal-Abth. der XVIII. Inf.-Trup.-Div.
36 Arnold Franz
46 Sestak Franz, MVK. (KD.).

Reg.
1. November 1875.

3 Schubert Franz (ü. c.) im mil.-geogr. Inst.
64 Radler Joseph (ü. c.) im mil.-geogr. Inst.
71 Raab Robert
17 Handschuh Victor
58 Ostrawski Andr.
64 Petrovits Johann v.
4 Braun Johann
72 Stefanović Alexander
8 Walter Emil
11 Schrámek Ant. v. (ü. c.) im mil.-geogr. Inst.
39 Radetzky Ladisl.
40 Urbania Joseph
44 Harrer Franz
19 Tropper Johann
11 Lhotka Vincenz, ○ 1.
59 Ficker Ignaz
21 Tyll Anton
73 Genser Vincenz, ○ 2.
38 Brandstätter Joseph
35 Schumák Rudolph
45 Flach Moriz
39 Lebon-Bachem Lambert
14 Miller Joseph
23 Schwarz Willibald (ü. c.) im mil.-geogr. Inst.
27 Fortin Theodor
25 Flekeles-Ramschak Eduard
60 Kühn Johann
48 Bellobraidić Nikolaus
66 Nikolić Marcus
37 Trnka Alfred
31 Roschitz Leopold
10 Šignjar Emil
1 Czikann v. Wahlborn Hermann (ü. c.) im mil.-geogr. Institute
21 Petz Adolph

Reg.
1. November 1875.

25 Riedl Joseph
28 Schuh Johann
74 Bodenstein Jos.
21 Imhof v. Geislinghof Vict. Ritt.
11 Wilucki Clemens v.
54 Florik Ignaz
3 Šiprak Joseph
79 Duić Raim. (ü. c.) beim Sereżaner-Corps
5 Braumberger Joseph
63 Bidler Friedrich
7 Poschenu Laurenz
49 Edelmayer Ignaz
34 Takács de Kis-Joka Alexander
34 Springer Samuel
64 Lindtner Franz (ü. c.) in der Mil.-Ober-Realschule
13 Zastoupil Joh.
45 Kustynowicz Zyphon
10 Langer Johann
39 Zeiterer Joseph
79 Grozdanić Mich.
61 Djukić Damian
52 Raić Miloš
6 Podt Johann
45 Sadler Gustav
12 Vaisz Adalbert
57 Pilch Carl
3 Kolnberger Georg
10 Brunner Joseph (ü. c.) im mil.-geogr. Inst.
5 Muschitzki Lucian
60 Stipetić Michael
43 Kočevar Ant.
75 Doležal Martin
59 Gallistl Johann
66 Weigl Wolfgang
72 Brzorad Vincenz (Res.)
67 Kovačević Lucas
29 Wagner Felix
2 Speiser Aaron
70 Knežević Elias
79 Turkalj Georg

Reg.
1. November 1875.

75 Geřabek Johann (ü. c.) in der Mil.-Unter-Realschule zu Güns
56 Hubischta Joseph
8 Wemola Ludwig
70 Nikolić Peter
18 Wrba Franz
70 Gruić Mladen
52 Neumann Herm.
11 Kottowský Johann
28 Dusspyva Franz
25 Blaschuty Joseph
69 Zimonya Johann
53 Radanović Steph.
79 Kovačević Daniel
50 Schwarz Florian (ü. c.) in der Probepraxis für den Truppen-Rechnungsdienst.
48 Kangrga Rade
22 Herzog Johann
63 Illiucz Sophronius, SVK. m. Kr.
45 Wuich Anton (ü. c.) zug. der k. k. Landw.
51 Rosenkranz Franz
70 Brozović Johann
16 Cankl Rudolph (ü. c.) im mil.-geogr. Inst.
67 Seifert Carl
79 Wolf Johann (ü. c.) bei der Grundbuchs-Anlegung
46 Szálay Adam
70 Nikšić Stephan
57 Partyka Adalbert
16 Šarampovec Jak.
2 Turić Anton
76 Uhl Martin
77 Blažetić Ferdinand (WG.)
60 Kahovec Thomas
62 Hoffmann Carl
53 Brixy Joseph
5 Smetana Herm., MVK. (KD.)
79 Radulović Eman.
16 Šurmin Michael
7 Müllner August

Reg.
1. November 1875.

48 Starčević Lucas
80 Nemling Adolph (ü. c.) im mil.-geogr. Inst.
36 Kraek Joseph, ○ 1.
5 Nyerges Michael (ü. c.) im mil.-geogr. Inst.
75 Werdt Carl Freih. v. (Res.)
22 Gorišek Franz, MVK. (KD.), ○ 2.
8 Neviani Johann
76 Marsano Paul v. (ü. z.) beurl.
47 Kreutzberger Carl
38 Belloberg Balthasar
7 Sternbach Hermann Freih. v.
5 Landa Friedrich
46 Schönfeld Adolph Freih. v., MVK. (KD.)
19 Paál Julius
70 Poletilović Marian
50 Kvergić Georg
4 Rainer Gustav
46 Drachsl Friedrich ÖFJO-R., MVK. (KD.)
28 Mrázek Franz
23 Živanović Paul ○ 1. (WG.)
49 Urban Carl
26 Gerley Julius (Res.)
38 Winter Georg (Res.)
28 Nowák Ludwig
48 Hofer Ignaz, ○ 2.
75 Doležal Carl, ○ 2.
39 Chalaupka Franz
32 Kissling Alfred
6 Friedrich Anton
60 Wirkner v. Torda Carl
66 Lots Anton, ○ 2.
59 Khautz v. Eulenthal Alphons
29 Sagaičan Sabbas

Reg.

1. November 1875.

19 Storch Ottilio (ü. c.) im mil.-geogr. Inst.
39 Romsauer Johann (Res.)
66 Fock Heinrich
17 Lukanc Michael, MVK. (KD.)
56 Kossanić Johann Ritt. v., ○ 1.
46 Szentpeteri Joh.
63 Kubin Hugo
66 Swoboda Franz, ○ 2.
17 Vičić Anton
43 Mitkrois Alfred
17 Miler Julius
40 Niedzwiedzki Basil
72 Eberl Anton
30 Pruner Carl
72 Prenninger Theodor
30 Tempusz Ferdin., ○ 2.
30 Schneider Edl. v. Manns-Au Johann (ü. c.) im mil.-geogr. Inst.
30 Bzowski Sigmund Ritt. v.
20 Mayer Theodor
58 Rohm Eugen
24 Gölis Robert
60 Truxes Eberhard
39 Rosenzweig v. Drauwehr Coloman Freih., MVK. (KD.)
10 Nevolly Joseph
60 Ducke Ludwig (ü. c.) im mil.-geogr. Inst.
24 Haas Ottokar (ü. c.) zug. dem Generalstabe
23 Gräf Friedrich, MVK. (KD.)
2 Tax Veit
23 Schossberger Jakob, ○ 1.
10 Hanasiewicz Ignaz (Res.)

Reg.

1. November 1875.

24 Prohaska Wilh., ○ 2.
15 Lux Johann (ü. c.) in der Mil.-Akad. zu Wr. Neustadt
58 Radnicki Sigmund
80 Szczetynski Joseph (Res.)
24 Kunz Eduard
4 Zwikl Georg
1 Moszler Joseph (Res.)
41 Stefanowicz Cajetan.
10 Boruszczak Theodor, ○ 2. (ü. c.) im mil.-geogr. Inst.
80 Dietrich Anton
9 Ilnicki Peter
24 Strasser Julius, ○ 2.
67 Edeskuty Ferdinand v.
3 Fichtner Johann
9 Pekarek Franz
58 Zagitzek v. Kehlfeld Carl
3 Pitter Mich., ○ 2.
58 Janowicz Vincenz
24 Stock Vincenz
55 Mörth Carl (WG.)
53 Mehlem Erwin Ritt. v., ○ 2.
13 Schaffař Franz
13 Wendling Robert
58 Lipowski-Paternay Carl
20 Alber Ferdinand
9 Wayer Edl. v. Stromwell Camillo
20 Gross Alois
20 Kulnigg Friedrich
20 Marszalko Steph.
20 Gruber Eduard
23 Krajewski Joh.

1. Mai 1876.

17 Handschuh Adolph (ü. c.) in der Mil.-Akad. zu Wr.-Neustadt

Reg.

1. Mai 1876.

43 Pise Franz
50 Ramberger Carl
15 Seelig Carl, ○ 1., (ü. z.) beurl.
41 Dulinski Peter
9 Tracikiewicz Carl (ü. c.) in der Mil.-Unter-Realschule zu St. Pölten
2 Dilscher Carl
11 Papesch Franz
68 Kriss Vincenz, ○ 1.
20 Biskupski Thaddäus, ○ 2.
32 Grünberg Adolph
38 Winter Hugo
48 Seremak Wenzel
77 Schürrer Ludwig (ü. c.) zug. dem Generalstabe
15 Zachar Johann
1 Klapetek Ignaz, ○ 2. (Res.)
26 Widmann Adalb. Ritt. v.
7 Hild Eduard
31 Herbert Gustav
59 Fiebig Waldem. v.
75 Kettner Edl. v. Kettenau Richard
42 Kramer Heinrich, ○ 2. (Res.)
34 Siegler Edl. v. Eberswald Heinrich
13 Siber Alfred Freiherr v.
75 Halauska Wenzel
54 Winkler Ferd.
71 Tauschinsky Eduard
21 Fukátko Anton (WG.)
61 Kunicsel Nikolaus
23 Poppovics v. Donauthal Johann, MVK. (KD.)
32 Trampits Carl
33 Gasslunger Jos.
15 Hizdeu v. Lupaszko Joh. Ritt.
44 Kottil Julius

Reg.

1. Mai 1876.

23 Freidich Johann
21 Lorenz Franz
2 Grünbaum Adalbert
13 Nickl Hugo
33 Ronay Cornelius
21 Keller Julius
2 Spindlbauer Gust. (Res.)
15 Rossmann Paul
23 Blanussa Alexand.
77 Gawin de Niesiołowice Niesiołowski Johann
77 Ebenberger Heinr.
15 Rzepek - Rzepinski v. Rawicz Lud. Ritt.
30 Ertl Friedrich
77 Gellvogel Heinr.
77 Stuhlik Ignaz
77 Piasecki Plato v.
28 Brinnof Alexander
77 Parsch Rud. Ritt. v., ○ 2.
73 Tirschek Franz
18 Potoček Johann
46 Hönsch Rudolph
72 Siller Anton
6 Hallada Dominik
1 Pizzighelli Cajetan
72 Gattermann Jos.
73 Winkelhöfer Jos.
66 Piskor Michael
35 Groth Wilhelm
18 Kossek Franz
21 Dworžák Alois
73 Richter Joh., ○ 2.
42 Müller Anton
35 Matěk Wenzel
37 Hauptmann Ferd. (WG.).
45 Berti Michael
37 Weidl Paul
18 Kaldarar Emanuel
45 Všetečka Ferd. (Res.)
21 Eisner v. Eisenstein Hugo Ritt.
35 Weiss Alfr., ○ 2.
45 Nečásek August
18 Gärber Wilhelm

Reg.

1. Mai 1876.

18 Hlawaczek Jos.

18 Bykowski v. Jaxa Witold Ritt. (ü. z.) beurl.

16 Pokopac Marcus

16 Sabolović Paul

65 Avvakumovits Georg, ○ 1.

19 Hascha August

29 Weissl v. Ehrentreu Julius

8 Jelinek Johann

77 Czerný Carl

46 Kokanović Johann

24 Stenzel Friedrich

53 Mužina Ladislaus

64 Hauser Maximilian

10 Sontag August

49 Küenburg Vincenz Gf., ♰

77 Luksch Heinrich

12 Kilian Andreas, ○ 1.

76 Puntigam Carl, ⊙, ○ 2.

76 Adrigan Stephan, ○ 1.

37 Jedynakiewicz Wladislaw

32 Kerner Dominik

27 Wittits Joh., ○ 2.

60 Rainprecht et Ruperto Alexander v., ○ 1., ○ 2.

49 Rödlich Carl

26 Gregor Adolph

34 Werfer Emil

45 Kowalski Ferd.

38 Endler Theodor

73 Kranzl Jos., ○ 1.

72 Voit Alexander

47 Rupert Valentin, MVK. (KD.).

77 Baraniecki Ladislaus

49 Schiffleuthner Joseph

1 Walter Franz, ○ 2.

47 Hantsch Gustav

9 Gugubauer Franz

37 Wessely Johann

55 Kisela Joseph

Reg.

1. Mai 1876.

62 Stürmer Rudolph, ○ 1.

56 Wenzel Franz

51 Rummer Adolph (ü. c.) zug. dem Generalstabe

68 Pataky Alex. v.

72 Firbas Anton

44 Hölzl Robert (Res.)

15 Babitsch Franz Ritt. v., ○ 2, (ü. c.) zug. dem Generalstabe

9 Białowolski Basil, ○ 2.

25 Filip Anton

76 Zanković Anton

40 Nowakowski Erasmus

45 Bauer Anton

45 Zaryńczuk Johann (WG.)

42 Brockdorff Herald Freih. v.

57 Falkowski Ladisl.

78 Galliuf Robert

14 Trenzani Barthol.

49 Hönig Ignaz

72 Vuletić Joh., ○ 2.

32 Mochola Johann

26 Pichler Heinrich

12 Müller Franz (Res.)

35 Straka Johann

78 Petrović Alois

6 Heintzl Johann

69 Némethy Jul. v.

38 Smolarž Robert

4 Hajek Joh. (ü. c.) im mil.-geogr. Inst.

38 Wachter Wilhelm (ü. c.) Prov.-Off. bei der XX. Inf.-Trup.-Div.

52 Steinbach Jos.

68 Riessler Carl

34 Schmidt Joseph, ○ 1.

6 Jovičić Basilius

57 Kopřiwa Joseph, ○ 2.

74 Weis Ignaz

Reg.

1. Mai 1876.

12 Höchsmann Hippolyt

55 Past Heinrich Ritt. v.

60 Raschendorfer Joseph

59 Prokopp Alois, ○ 2.

57 Richter Carl

47 Janschek Laurenz

32 Vojnović Elias

25 Meissler Wilhelm

34 Hrubant Philipp

4 Jöchlinger Michael

72 Schneider Otto

58 König v. Baumshausen Ludwig

73 Scheiger Franz Edl. v

26 Kosina Joseph

57 Ćosić Elias

76 Reichard Béla. ○ 1.

76 Wrchovsky Heinrich, ○ 2.

69 Lidl Heinrich

24 Kruzlewski Justin (Res.)

31 Thalmeyer Wilhelm, ○ 2.

65 Botta Theodor

47 Gabriel Carl

42 Mayerhofer Edl. v. Grünbühl Ferdinand (ü. c.) zug. dem Generalstabe

37 Tornay Carl (Res.)

64 Baldass Bernhard Edl. v.

78 Kramarić Eduard

33 Mazuth Stephan

52 Bergleiter Ernst

50 Melzer Edl. v. Tapferheim Leonhard

17 Beck Alfred

53 Degoriczia v. Freunwaldt Carl

8 Fröhlich v. Elmbach Stanislaus

7 Hugelmann Ferdinand v.

Reg.

1. Mai 1876.

59 Hettwer Emil (ü. c.) im mil.-geogr. Inst.

57 Wieser Edl. v. Brunnecken Aug. (Res.)

76 Kiesewetter Edl. v. Wiesenbrunn Ernst MVK. (KD.), (Res.)

6 Stephanek Wilh.

50 Commendo Carl

6 Steingassner Julius

51 De Brucq Theod.

6 Czvian Georg (ü. c.) zug. dem Generalstabe

35 Radanovich Emil

67 Hauptmann Gust.

55 Zvanetti Ernst

36 Penecke Hugo (ü. c.) im mil.-geogr. Inst.

71 Kattinger Friedrich, ○ 2.

54 Wurm Johann

21 Pěkný Johann

60 Fischer Emerich

68 Rutich Joseph v.

59 Plattner Theodor

6 Tříska Franz

68 Miškov Peter

7 Zwerger Isidor

11 Müller v. Strömenfeld Eduard

73 Schiefner August

80 Bilowitzky Rud.

25 Strobel Rudolph

58 Musil Wilh., ○ 2.

73 Schuh Franz

73 Kuttner Andreas

74 Zeyringer Albert

30 Brühl Sigmund

3 Watzka Heinrich

21 Malinovszký Jos.

40 Planner Alois

46 Bányik Michael

39 Frass Anton

79 Smolčić Adam

59 Jeglinger Hugo (ü. c.) im mil.-geogr. Inst.

Reg.

1. Mai 1876.

13 Steciak Leo, GVK. (Res.)
29 Perić Lazar (WG.)
79 Pievac Stephan
23 Stojsavljević Stephan
19 Vuičić Justin
22 Candolini Joseph
51 Schubon Gregor
69 Katić Mich. (ü. c.) bei der Grundbuchs-Anlegung
79 Čanić Joh. (Res.)
78 Schiviz v. Schivizhoffen Alphons
38 Hartmann Wilh., ÖEKO-R. 3. (KD.)
50 Melzer Adolph
32 Rupp Mart., MVK. (KD.), ○ 1.
26 Egger Joseph
11 Zaunmüller Jos.
4 Schwarzacher Joseph
21 Ebért Wenzel
39 Czedziwoda Carl
45 Pribičević Adam
21 Hagen Robert
15 Janča Georg
2 Tompa v. Horšova Emil
6 Schürffer Wilh., ○ 1.
6 Mayerhofer Ant.
9 Jabłonski Ladisl.
42 Drtina Johann (ü. c.) in der Mil.-Ober-Realschule
28 Jacobs v. Kantstein Friedr. Freih. (ü. c.) zug. dem Generalstabe
5 Traun Victor Edl. v.
18 Liemert Johann
16 Roknić Joseph
29 Huber Carl
49 Dingelstedt Wilh. Freih. v. (ü. c.) beim R.-Kriegs-Mstm.
7 Dumann Friedr., MVK. (KD.)

Reg.

1. Mai 1876.

53 Bozičević Johann
56 Pucherna Ludwig (ü. c.) im mil.-geogr. Inst.
24 Brever genannt v. Fürth Felix Freih. v.
78 Benčević Carl Edl. v.
6 Dešcović Dionysius
42 Fontaine v. Felsenbrunn Victor
6 Očić Nikolaus
48 Bellobraidić Johann
14 Rezníček Carl (ü. c.) zug. dem Generalstabe
38 Schmidt Paul Edl. v.
58 Pollović Eduard
5 Nagy de Galantha Alfred
1 Genauck Emil
28 Voith v. Sterbez Rudolph Freih.
49 Zenone Carl Conte (Res.)
77 Bier Alois
51 Tomljenović Marcus
29 Gerba Raimund (ü. c.) zug. dem Generalstabe.
4 Urbas Ludwig
76 Grünwald Alfred
62 Beinitz Johann
49 Radanovich Heinrich (ü. c.) zug dem Generalstabe
73 Brenneis Adolph Edl. v. (ü. c.) zug. dem Generalstabe
34 Kelcz v. Fületincz Sigmund
42 Wagner Adolph (ü. c.) zug. dem Generalstabe
80 Aulich Ernst
6 Schegaratz Alexander

Reg.

1. Mai 1876.

7 Schemua Johann (ü. c.) zug. dem Generalstabe
78 Bradiašević Joh.
45 Mörk v. Mörkenstein Wenzel (ü. c.) im mil.-geogr. Inst.
54 Kiss de Szent-György-Völgye Leonhard, MVK. (KD.)
23 Csaszny Valerius
1 Kuczera Anton
13 Koss Julius (ü. c.) im mil.-geogr. Inst.
48 Beöszc Julius
58 Bosanac August
8 Skal und Gross-Ellgoth Carl Freih. v., MVK. (KD.)
21 Schindler v. Wallenstern Carl
13 Heitzmann Franz
51 Doskočil Ludwig
57 Sertić Lucas
25 Woinovich Emil (ü. c.) zug. dem Generalstabe

1. November 1876.

78 Svaton Ludwig
57 Suchovsky Leo (WG.).
67 Schuppler Albrecht Edl. v.
33 Nicoladoni Heinrich
65 Kuschee Paul
68 Berg v. Falkenberg Carl
14 Neumann Wilh.
12 Stockmayer Carl
14 Pfiffer Carl Ritt. v., MVK. (KD.) (ü. c.) zug. dem Generalstabe
5 Dieterich Ferd.
45 Dębicki Adam (ü. c.) zug. dem Generalstabe

Reg.

1. November 1876.

75 Genauck Hugo
79 Spanić Stephan
30 Manowarda Edl. v. Janna Anast.
80 Gregorowicz Leo
61 Marin Nikolaus
62 Petrowich Eduard
46 Addobbati Simon
57 Görtz Franz Ritt. v., (ü. c.) zug. der Mil.-Intdtr.
1 Scharschmid Edl. v. Adlertreu Ernst
32 Lányi v. Jakobey Alexander
14 Bischel Wilhelm
38 Reinbold Eugen, MVK. (KD.)
8 Mendelein Friedrich
58 Savi Cato
46 Udvarnoky de Kis-Jóka Victor
29 Žagrović Thomas
26 Zinnern v. Burgthal Franz
54 Langer Ferdinand
34 Mindeilein Eduard
11 Kreipner Julius ○ 2.
6 Wukowić Nestor
15 Golik Stephan
8 Heiler Carl, MVK. (KD.)
43 Banda Peter
14 Uchatius Georg Ritt. v.
20 Kauba Ferdinand
62 Bacsilla Georg
8 Schmid Rudolph (ü. c.) im mil.-geogr. Inst.
8 Hoffmann Franz (ü. c.) im mil.-geogr. Inst.
46 Selceleanu Gabriel
43 Strobel Ant., ○ 2. (ü. c.) im mil.-geogr. Inst.
35 Füsszl Ludwig (Res.)

Reg.

1. November 1876.

74 Welper Ludwig, ○ 2.
2 Jagar Nikolaus (ü. c.) im mil.-geogr. Inst.
7 Grobois Victor, ○ 2.
26 Mattausch Anton
21 Jaksch Gustav
26 Wache Franz
67 Ugarković Marcus
73 Felber Adolph
42 Budinszky August
73 Türk Georg (ü. c.) im mil.-geogr. Inst.
68 Tonhäuser Ignaz (Res.)
49 Antonino Joseph
23 Phillipp Franz
9 Hladik Alexander (ü. c.) im mil.-geogr. Inst.
71 Pumm Wilhelm (ü. c.) im mil.-geogr. Inst.
51 Horváth Georg
7 Ruttner Alphons (ü. c.) im mil.-geogr. Inst.
40 Fabrick Franz
19 Kregar Franz
19 Petrović Demeter, ○ 1., (ü. c.) zug. der Mil.-Intdtr.
6 Aschenbrand Albert
72 Schneider Ignaz
23 Popović Vitomir
66 Fleischhanderl Franz
34 Steiger Emil
3 Rzemenowsky Eduard
9 König Carl (Res.)
32 Schweitzer Eduard, ÖEKO-R. 3. (KD.)
34 Divić Paul
9 Rössel Johann
63 Matica Peter
14 Anders Carl Freih. v.

Reg.

1. Mai 1877.

8 Matković Eduard
34 Noszko Mathias
6 Kessegić Lucas
76 Király Géza v.
14 Schoedler Franz (ü. c.) zug. dem Generalstabe
59 Heissl Franz (ü. c.) im mil.-geogr. Inst.
2 Kratky Franz
74 Řezáč Ladislaus
72 Blažeg Anton (ü. c.) im mil.-geogr. Inst.
27 Gherardini Moriz, MVK. (KD.)
28 Cvitković Johann, MVK. (KD.), (ü. c.) zug. dem Generalstabe
4 Mayer Gustav
28 Auffenberg Moriz Ritt v. (ü. c.) zug. dem Generalstabe
21 Kuchinka Carl (ü. c.) im mil.-geogr. Inst.
75 Körber Julius v.
49 Nuppenau Aurelius Freih. v.
47 Mannsbart Friedr. (ü. c.) comdt. beim Generalstabe
53 Ivanišević Ferd.
11 Kalliwoda Ottokar
36 Böck Joseph Freih. v.
57 Jonak Edl. v. Freyenwald Rich. (ü. c.) im mil.-geogr. Inst.
60 Várjon de Mumók Ludwig
80 Haimann Anton
6 Wanner Hermann
54 Pöschmann Gustav
36 Procházka Gottfried Freih. v. (WG.)
32 Wayer Edl. v. Stromwell Carl

Reg.

1. Mai 1877.

24 Ansion Arthur (ü. c.) im mil.-geogr. Inst.
37 Brzesina v. Birkenhain Jul. Ritt. (ü. c.) im mil.-geogr. Inst.
16 Draženović Julius
3 Mayr Rudolph
29 Mamula Simon
53 Phillipović Marc.
42 Siegel Eduard
14 Bonnet Emil
54 Mandlik Johann
2 Trombitas Nikolaus
54 Schartel Johann
30 Stonawski Paul
61 Sachs Johann (ü. c.) im mil.-geogr. Inst.
74 Wild Georg (ü. c.) in der Mil.-Unter-Realschule zu Güns
46 Erlach Franz v. (ü. c.) in der Mil.-Unter-Realschule zu St. Pölten
55 Schwarz Vincenz
43 Šokčević Michael (WG.)
68 Aulich Heinrich, MVK. (KD.)
57 Grünberger Ottokar
74 Umann Ludwig (ü. c.) im mil.-geogr. Inst.
63 Müller Michael
60 Hurta Ignaz
58 Niemiec Johann
53 Ljustina Johann
77 Gruić Phil., ○ 2. (ü. c.) bei der Grundbuchs-Anlegung
33 Czillich Albert
55 Nickl Wilhelm
22 Schäffler Julius (ü. c.) im mil.-geogr. Inst.
27 Giriczek Eduard

Reg.

1. Mai 1877.

24 Hofbauer Heinrich, ○ 2.
45 Schneller Ernst
77 Połoszynowicz Johann
75 Dwořák Joseph
5 Kesić Marcus, SVK. m. Kr.
60 Sobotić Nikolaus
29 Aleidinger Heinrich
54 Kallina Joseph
60 Böhm Franz
10 Krepper Carl
40 Schreier Friedrich
30 Mazour Franz
9 Scherer Reinhard
3 Tittl Joseph
64 Popoviciu Georg
71 Schafařik Anton
39 Martinidesz Edmund v. (Res.)
18 Dytrt Joseph (ü. c.) in der Mil.-Unter-Realschule zu St. Pölten
54 Fasan Friedrich
56 Remer de Grzymała Wladimir
23 Ehrenberger Emil (ü. c.) Prov.-Off. bei der 1. Gebirgs-Brig. der VII. Inf.-Trup.-Div.
44 Palitzki Anton
38 Lassmann Friedrich
41 Czerwenka Leopold
58 Sołtyński Carl
41 Hubrich Otto
68 Čuvić Michael (ü. c.) Prov.-Off. bei der XIII. Inf.-Trup.-Div.
18 Horník Franz
61 Šokčević Ignaz
76 Leclair Ferd. Edl. v.
18 Kindler Joseph
1 Müller Carl

Reg.

1. November 1877.

26 Schweigel Alois

13 Settele v. Blumenburg Adolph Ritt.

15 Starostik Franz

53 Turčić Mathias

47 Neuner Johann

41 Schädl Anton, MVK. (KD.)

31 Pogačnik Johann

54 Koudela Johann

27 Tindl Franz

64 Rieglhofer Ferd.

30 Schulz Julius

7 Hampel Rudolph, O 2.

6 Dabčević Ferd.

41 Doležel Franz

56 Jakobsohn Isaak

27 Weis Conrad

64 Beck Leopold

61 Novaković Thomas

8 Pohl Gustav

66 Niagu Joseph

74 Jacob Wenzel

29 Kreitner Gustav (ü. z.) beurl.

52 Orlović Emanuel

65 Zwak Adolph

58 Hlubek Johann

53 Krainčević Stephan, MVK. (KD.)

43 Hostrić Georg

15 Feldmann Johann

73 Mategczek Joseph

55 Csala Paul v.

73 Speth Franz Freih. v.

15 Schnattinger Joh.

39 Walter v. Waltersberg Arthur

73 Baldini Alexander

4 Anglmayer Jos.

59 Kraus Ernst

55 Rautschek Carl

69 Henneberg Carl Freih. v.

26 Jakšić Johann

73 Faber Philipp

18 Oražem Johann (ü. c.) im mil.-geogr. Inst.

Reg.

1. November 1877.

21 Schmitt Carl

33 Trajlović Gregor (ü. c.) im mil.-geogr. Inst.

40 Vuković Peter

64 Stöhr Anton

62 Gergić Emerich

2 Černokrak Michael (ü. c.) im mil.-geogr. Inst.

5 Knežić Marcus

65 Navratil Franz

38 Bock Rudolph (ü. c.) im mil.-geogr. Inst.

5 Smeu Paul

45 Tinz Stanislaus, O 1.

9 Hoffmann Julius

75 Wawra Amand

21 Kletler Edwin

11 Spiess Hubert

68 Winkler Eduard

69 Wučković Eman.

2 Baschny Joseph

23 Novák Franz

58 Hesse Joseph

31 Philippović Daniel

75 Borský Franz

68 Simić Mathias

22 Nagy Stephan

3 Delavos Carl

11 Zallmann Felix

37 Weczerek Maximilian

19 Grivičić Johann

40 Schmidt Victor

56 Grudzinski Wilh.

48 Kovács Anton

3 Bružek Alfred (ü. c.) zug. dem Generalstabe

73 Karl Johann Ritt. v. (ü. c.) zug. dem Generalstabe

61 Riposán Julius

65 Chalaupka Maximilian

16 Šintić Joseph

35 Smetáček Alph.

68 Kreipner Friedr.

28 Wolf Adolph

Reg.

1. November 1877.

75 Sorko Napoleon

30 Metz Wilhelm

51 Tomljenović Adam

19 Gölis Carl Edl. v.

71 Strasser Julius

5 Pinter Julius

75 Streichert Edm.

17 Andrioli Carl Ritt. v., MVK. (KD.)

53 Badovinac Johann

32 Cruss Maximilian Ritt. v.

13 Gerbert v. Hornau Carl Ritt.

23 Kadić Franz

18 Jonasch Felix

55 Kernreich Gust.

42 Plahl Joseph

22 Stannić Emanuel

56 Rebensteiger v. Blankenfeld Cam.

16 Velebit Dušan

41 Szulakiewicz Franz, MVK. (KD.)

8 Fink Carl

80 Brason Anton

61 Ratkovic Adolph

6 Wukmirović Pet.

46 Schönfeld Theobald Freih. v.

59 Wittmann Adolph

69 Schaumann Aug.

42 Mayrhofer Franz

1. Mai 1878.

45 Wassizh Franz

40 Korwin Eugen v.

29 Pavellić Martin

67 Cybulz Maxim. (ü. c.) im mil.-geogr. Inst.

30 Schmid Carl

57 Cymbulski Leop.

14 Bitterlich Carl

59 Schuster Hugo

36 Matura Johann

20 Orlita Franz (ü. c.) im mil.-geogr. Inst.

52 Leonarde Friedr. Ritt. v.

4 Panzl Rudolph

Reg.

1. Mai 1878.

4 Zickler Georg

22 Mihelić Johann

69 Motter Michael

22 Vendramin Carl

36 Pelant Johann

4 Massiczek Wilh.

23 Polák Gabriel

43 Krischer Johann

69 Hajdinović Georg

31 Scheibel Johann (Res.)

29 Mudrovčić Joseph

40 Kotula Emil

28 Studený Hugo

69 Thanner Richard

48 Moise Edl. v. Murvell Joseph

62 Vukelić Nikolaus

30 Rössner Augustin

10 Schabiński Carl

6 Wenečky Christ.

35 Wladyka August

29 Matiegka Wilh.

37 Halagić Ljubomir

57 Wieńkowski Georg Ritt. v.

75 Schmidt Bruno

7 Stopfer Franz

41 Tylkowski Theophil

22 Beck Ludwig

25 Merliczek Franz

57 Rizy Franz

15 Hubl Heinrich

76 Humlján Martin

11 Blažek Franz

28 Štěpánek Joseph (ü. c.) im mil.-geogr. Inst.

35 Felix Wenzel

55 Lippa Paul

11 Schön Franz

62 Torbica Nikolaus

67 Pawelik Barthol.

43 Arendt Ludwig

38 Trika Georg (ü. c.) im mil.-geogr. Inst.

16 Ratković Lazar

48 Zivčić Johann

56 Trojan Franz

5 Rössler Wilhelm

4 Tschofen Georg

Reg.

1. Mai 1878.

27 Dicht Adolph
69 Neukirch Moriz
1 Thiel Franz
31 Chohulski Stanislaus
52 Zepke Joh. (ü. c.) im mil.-geogr. Inst.
24 Kreiss Julius
74 Baštař Franz
57 Hopp Gustav
34 Russek Franz (ü. c.) im mil.-geogr. Inst.
71 Lamesch Carl
19 Knop Franz
38 Marton v. Berethe Hugo
73 Hannakampf Ant.
17 Braune Albert
31 Petainek Ignaz
34 Goršić Joseph (ü. c.) im mil.-geogr. Inst.
68 Leth Johann
28 Podpěra Anton
3 Fiala Wenzel (ü. c.) im mil.-geogr. Inst.
22 Jessenko Anton (ü. c.) im mil.-geogr. Inst.
61 Radivojević Novak
8 Křepelka Moriz
49 Ponset Ludwig
68 Zakarias Anton
65 Szlimak Andreas (ü. c.) im mil.-geogr Inst.
48 Strohmayer Carl, MVK. (KD.)
49 Hladisch Gustav
9 Keltscha Julius
33 Ragy Lazar
20 Wawreczka Jos.
9 Wenzel Johann
17 Meschnark Valentin
Eisenbach Paul
15 Weitenweber ...uuaro, ○ 2.

Reg.

1. Mai 1878.

2 Pandria David
45 Stransky Ludwig
45 Ettmayer v. Adelsburg Wilhelm Ritt.
20 Dobrucki Anton
60 Plöchl Joseph
5 Lawatsch Ernst
60 Krajačić Philipp
33 Witész August
7 Obersnu Joseph
79 Vuletić Johann, SVK. (ü. c.) beim Šerežaner-Corps
11 Komadina Daniel (ü. c.) beim Sicherheits - Corps für Bosnien
38 Schönfeldt August, MVK. (KD.)
8 Löbl Joseph
48 Gerbačić Georg
16 Branković Peter
12 Otava Thomas (ü. c.) im mil.-geogr. Inst.
51 Miljanović Franz
36 Ludwig Johann

15. Sept. 1878.

39 Reisser Adolph (Res.)
33 Janda Alois (Res).
76 Riszner Anton (Res.)
26 Anker Joseph (Res.)
71 Tandler Joseph (Res.)
10 Millner Ivo, ○ 2.
52 Lesska Heinrich
30 Tomek Wenzel
26 Illić Ljubomir, MVK. (KD.)
17 Prašnikar Math., MVK. (KD.)
11 Pröll Wenzel
44 Kartner Emil
74 Peitzker Otto
9 Jakesch Arthur
40 Undra Florian

Reg

15. Sept. 1878.

22 Ofner Carl
32 Vagács - Rácz Martin
34 Schürger Mathias
76 Ballentović Johann
25 Balgha Julius
44 Lobkowitz Wilh.
41 Matiaske August
11 Nirtl Carl
33 Puria Nikolaus
69 Horatschek Rudolph
77 Byrka Carl (ü. c.) im mil.-geogr. Inst.
22 Pavalec Andreas, MVK. (KD.)
25 Stokin Mladen

15. Sept. 1878 *).

26 Müllern Eduard v.
45 Eichberger Flor.
32 Liedemann Carl
72 Heiterer Joseph, MVK. (KD.)
27 Zamponi Ludwig
48 Koukal Franz
74 Erben Franz
27 Fischer Heinrich, MVK. (KD.)
37 Fábry v. Bártfa-Ujfalu Stephan
46 Spitzer Heinrich
36 Richter Moriz Januarius
48 Hoffmann Joseph
72 Sessler Heinrich
48 Nikisch Victor
29 Gutmann Emil
41 Komarnicki Wladimir
45 Trauttenberg Oswald Freih. v.
74 Kazda Wenzel
37 Balog v. Mankobück Carl
39 Knapp Theodor v.
37 Vetsey Stephan v., Dr.
48 Grosz Friedrich

Reg.

15. Sept. 1878 *).

37 Márkus Stephan, MVK. (KD.)
79 Skolaudy Anton
45 Achatz Carl
24 Wolski v. Lubicz Franz Ritt.
26 Krüzner Emil
29 Seitschek Joseph
37 Hedry-Jelenik Edl. v. Hedri u. Csetnek Ernst
32 Várady de Dicske Alexander
32 Reichenhaller Adalbert v.
37 Sztoczek Nikolaus

15. Sept. 1878.

32 Hartlieb v. Walthor Moriz Freih., MVK. (KD.)
35 Müller Anton
56 Neumann Carl
71 Knížek Hugo
33 Dietrich Wilhelm
2 Dobler v. Friedburg Bernhard
23 Hondl Johann
23 Andrés Arnold
53 Wiesinger Jos., MVK. (KD.)
69 Tanninger Ignaz
58 Bouček Guido
61 Mayer Georg
43 Živanović Eugen
3 Urbanek Anton
23 Schnöreh Julius
38 Hauke Theodor
21 Schellhardt Hermann
50 Mayer Edl. v. Starkenthurm Arthur
31 Marić Carl
72 Plass Heinrich
46 Brendler Gotthard
1 Weyrich Walter
68 Kaspar Eduard (ü. c.) bei der Feld-Signal-Abth. der IV. Inf.-Trup.-Div.

---

*) Oberlieutenants in der Reserve.

Reg.

15. Sept. 1878.

31 Vojnović Daniel
72 Gastgeb v. Fichtenzweig Julius (ü. c.) im mil.-geogr. Inst.
8 Daschek Wenzel
13 Zemanek Johann
64 Jaksch Franz
5 Hawel Carl
63 Visoina Vincenz
13 Haslinger Friedr.
2 Bernhauer Clem. (ü. c.) im mil.-geogr. Inst.
41 Formanek Jaromir
59 Assmayr Ferdinand
58 Marquart Adolph (ü. c.) im mil.-geogr. Inst.
60 Schönner Odilo
69 Kimlein Peter (ü. c.) im mil.-geogr. Inst.
38 Czimpoka Michael (ü. c.) im mil.-geogr. Inst.
39 Bajcsy de Geczelfalva Ludwig
19 Fischer Alexander
66 Debelak Johann
71 Batysta Thomas
47 Huber Valentin
31 Möckesch Eduard
67 Linhart Engelbert
35 Krieglstein Mich.
51 Tamele Johann (ü. c.) im mil.-geogr. Inst.
39 Vogel Simon
37 Gerhardt Titus
63 Reddi Heinrich
19 Wibiral Roman, ○ 2.
28 Pauly Victor
79 Gazdović Stanisl.
80 Böhm Franz
32 Grünzweig Franz
50 Waradin Stephan
48 Novaković Athanasius
55 Kolitscher Carl

Reg.

15. Sept. 1878.

1 Mitterwallner Michael
62 Kabaković Mich.
31 Krippner Joseph
54 Juch Ernst, MVK. (KD.)
69 Mesko de Felsö-Kubin Stephan
46 Mendra Franz
75 Stárka Eustach (ü. c.) in der Mil.-Unter-Realschule zu Güns
1 Halma Hermann
80 Dedović Eduard v.
43 Buda Wenzel
70 Podaný Eduard
27 Hillmer Alois, MVK. (KD.)
42 Garger Gustav
51 Melzer Wilhelm
57 Neumann Joseph
72 Rauschan Alexander
20 Plemenčić Laur.
37 Lausch Carl
51 Sabaila Dionysius
9 Wagner Adam (Res.)
32 Jávorik Ludwig
76 Bürger Edmund
38 Platzer Theodor
53 Šivković Stephan
70 Vujaklia Daniel
12 Petričević Adalb.
71 Nestroy Franz
22 Karleuša Paul, MVK. (KD.)
13 Gatalica Fabian
26 Baar Joseph (Res.)
61 Ružička Franz
54 Offermann Eduard
77 Rodler Alfred
66 Ulik Otto
41 Wodziczko Eduard
8 Kümmerling Carl
50 Lauterbach Ludwig
77 Heinold Carl
39 Peer Anton
58 Krauss Ferdinand
66 Irgl Joseph

Reg.

15. Sept. 1878.

7 Fröhlich Anton, MVK. (KD.)
46 Miličić Gregor
20 Zbożeń Franz, ○ 2., (ü. c.) im mil.-geogr. Inst.
44 Bogunović Marc.
41 Kubeček Joseph
32 Rupprecht v. Virtsolog Carl
43 Jandroković Nikolaus
14 Jax Anton (ü. c.) im mil.-geogr. Inst.
2 Schuster Andreas
3 Röck Julius
44 Gürtler Joseph
21 Stifter Johann
34 Sugović Vincenz
2 Molnar Julius v.
14 Götzendorfer Georg
55 Büsch Johann
2 Wiesner Johann
66 Lisacz Raimund
3 Komers Adolph
3 Czöppan Johann
71 Jandesek Julius
76 Sicard v. Sicardsburg Moriz, ○ 2.
3 Strauss Salomon
40 Chraca Johann
61 Hank Camillo
29 Fux Carl
32 Weidenhöfer Johann (ü. c.) bei der Feld-Signal-Abth. der XVIII. Inf.-Trup.-Div.
63 Kappel Johann
37 Stojadinović Peter
74 Schönfeld Julius
17 Modrijan Jakob, MVK. (KD.)
46 Nemčic Paul
75 Skuhra Ignaz
57 Nadherný Johann
61 Zizoni Spiridion
64 Popoviciu Georg
41 Pecchio v. Weitenfeld Adolph Ritt.

Reg.

15. Sept. 1878.

38 Preyer Carl (ü. c.) zug. dem Generalstabe
23 Csanády Arthur v. (ü. c.) zug. dem Generalstabe
7 Prohaska Rudolph (ü. c.) zug. dem Generalstabe
72 Materna Erwin
15 Nowak Arthur (ü. c.) zug. dem Generalstabe
78 Lončar Daniel
71 Smiller Richard
10 Jarzembecki Ladislaus
59 Schmudermayer Carl
16 Cvitković Lazar
12 Weiler Julius
52 Ruttkay v. Nedecz Albert
65 Gyurits v. Vitesz-Sokolgrada Johann
34 Lechner Gustav
55 Fikerment Alfred
4 Lützenburger Franz
26 Wagner Nikolaus
77 Kukić Emanuel
60 Gangl Eduard
76 Haan Carl Freih. v.
40 Ziemba Michael
9 Neumayer Franz
62 Wagner Alfred
68 Stanić Stephan
33 Peraković Joseph
31 Stanislav Theodor
66 Würth Edl. v. Hartmühl Gustav
2 Georgiević Ladislaus
69 Haan Friedrich Freih. v.
20 Dąbrowski-Junosza Arthur Ritt. v.
22 Bidermann Jos.
3 Wagner Victor
48 Popović Georg

Reg.

15. Sept. 1878.

1 Reiser Theodor
16 Purić Georg
33 Funk Joseph
61 Kurelec v. Boinemir Eduard Ritt.
6 Wessely Victor
16 Lazić Sebastian
7 Wölfel Albert Edl. v.
37 Reisenbüchler Stephan
66 Kutschereuter Felix
80 Krauss Carl
50 Hoch Andreas
16 Blažek Ignaz
53 Mamula Theodosius
48 Jović Johann
22 Clausnitz Hugo
64 Höflinger Adolph
70 Sekanina Martin
2 Bârsan Mathias
44 Peraković Johann (ü. c.) im mil.-geogr. Inst.
7 Le Jeune Carl, MVK. (KD.), (ü. c.) bei der Feld-Signal-Abth. der IV. Inf.-Trup.-Div.
23 Millivojević Paul
11 Guthwirth Georg (ü. c.) im mil.-geogr. Inst.
16 Gönner Carl
27 Voglsanger Heinrich
17 Konschegg Eugen
54 Székely de Doba Carl
3 Lahousen Wilh.
14 Chizzola Cäsar v.
22 Rubesch Arthur

1. November 1878.

8 Hollub Franz
53 Hron Carl

Reg.

1. November 1878.

49 Bitterl v. Tessenberg Arthur Ritt.

1. Nov. 1878 *).

72 Madarassy de Gojzest Johann
27 Zechner Friedrich
17 Vogl Alois
27 Kubin Moriz
45 Kliczka Johann
17 Fabriotti Heinr.
61 Hermann Joseph, MVK. (KD.)
41 Dajewski Miecisl. Ritt. v.
37 Klug Otto
22 Fiers August
58 Zelenka Joseph
26 Gerley Adalbert
69 Lang Carl
22 Loser Carl
48 Pokorny Hugo
58 Steindler Leop., Dr.
45 Brożowsky v. Prawoslaw Ottokar
22 Tonetti Richard
72 Petermandl Jos.
48 Spitzer Sidney
47 Seibt Joseph
21 Horner Anton
68 Hegyessy de Mezöhegyes Alexander
68 Persina Julius
72 Keifel Joseph
79 Webern Carl v.
45 Lang Eduard
24 Majkut Michael
38 Pokorný Heinrich
24 Malow Joseph
54 Manský Joseph
69 Hámos Edl. v. Pelsőcz Ladislaus
48 Persich Edl. v. Köstenheim Ferdinand
26 Magyary Aug. v.
24 Waniek Anton

Reg.

1. Nov. 1878 *).

69 Tóth Aladár v.
19 Kalt Joseph
6 Rychnowsky Johann
6 Gindl Joseph
48 Merker Franz
76 Baditz Ludw. v.
78 Bertić Milutin
74 Nešnera Joseph
46 Csáky v. Kőrösszegh u. Adorján Felix Gf.
17 Svetek Anton, MVK. (KD.).
46 Schwarczer Edmund
6 Schick Berthold
6 Melichar Johann
76 Sohár Paul
26 Czibur Emerich
78 Schwarz Max.
39 Tamássy Géza
76 Pap Arthur, MVK. (KD.).
33 Meszaros Caspar
61 Moravetz Adolph
76 Beer Carl
44 Barkoczy de Szala Emil Freih.
38 Kovacs Isaak
24 Buynowski v. Budzisz Titus Ritt.
24 Stadnicki v. Studnik Wilh. Ritt.
53 Mikolji Franz

1. November 1878.

14 Wunsam Joseph
62 Ziegler Carl
74 Berner Eduard
14 Posch Eduard
48 Reichenauer Franz
50 Algya alias Poppa de Alsó-Komana Dionys (ü. c.) im mil.-geogr. Inst.
37 Gratzl Joseph, MVK. (KD.).

Reg.

1. November 1878.

74 Stanić Georg
13 Sheibal Wilhelm
13 Heinninger Ferdinand
5 Deutsch Emanuel
23 Krebs Gotthold
65 Manias Carl
27 Peckler Vincenz
10 Heissler Johann
15 Schmidt Maxim.
4 Prunlechner Alex.
13 Muzika Joseph
74 Zwilling Gottfried
33 Pistrilla Olympius
35 Wodwářka Joh.
14 Watzeck Carl
53 Alt Samuel
66 Meisinger Franz
62 Hausenblass Carl
48 Juhász Ferdinand
77 Wasserreich Friedrich Edl. v.
18 Jahnel Gottlieb
44 Paulačić Nikolaus
38 Feneschan Johann
13 Korbel Andreas
69 Schniderschitz Alphons
27 Felber Wilhelm
65 Szpoynarowski Peter
67 Lunz v. Lindenbrand Alexander
78 Golubović Carl (ü. c.) beim Serežaner Corps
31 Fischer Johann
60 Légrády de Belfenyér Wilhelm
39 Kéler Ladislaus, MVK. (KD.)
27 Schnötzinger Franz
12 Baygar Carl (ü.c.) im mil.-geogr. Inst.
46 Wilheim Adolph
38 Maximov Johann
80 Klein Joseph
4 Uhl Lambert

---

*) Oberlieutenants in der Reserve.

Reg.
1. November 1878.
42 Fontaine v. Felsenbrunn Carl
59 Olowinsky Joseph
44 Riva Peter
11 Dobrenić Andreas
76 Rukavina Michael (Res.)
12 Zohorna August
80 Hönig Edl. v. Hönigshoff Adolph
26 Nosko Carl
24 Fränkel Maximil.
62 Žagar Johann
25 Gollubić Michael
46 Schmitzhausen Victor, MVK. (KD.)
70 Bachmann Johann
68 Borota Marcus
48 Čokorac Pantaleon (ü. c.) im mil.-geogr. Inst.
34 Brudl Philipp
42 Siegel Jaroslav
20 Altmann Alois
15 Serdić Michael
11 Rehne Hermann
46 Trost Gabriel
5 Shakić Emil
37 Mrazovac Elias
65 Salomon v. Friedberg Ernst

Reg.
1. November 1878.
67 Neudecker Jos.
5 Onheiser Leop.
31 Malle Albert
51 Bálinth de Lemhény Aurel
1 Gröger Joseph
71 Bastecký Franz
62 Fischer Ludwig v.
77 Zavadil Wilhelm
52 Tadić Michael
29 Athanazković Constantin
39 Gidró Stephan
5 Popeskul Johann
35 Schwamberger Anton
8 Nemanić Stephan
36 Singer Ignaz
76 Blašković Georg
54 Nasswetter Ferd.
17 Velkaverh Johann
45 Stasiniewicz Sigmund
45 Gebauer Franz
28 Saffin Emanuel
59 Kautezky Carl
47 Wisiack Anton
54 Haisler Joseph
9 Radawiecki Jos.
20 Cronister v. Cronenwald Anton

Reg.
1. November 1878.
53 Kiesler Jakob
16 Šesić Stephan
31 Schenk Carl
20 Cvitaš Wilhelm
20 Borovac Svetozar (ü. c.) im mil.-geogr. Inst.
47 Frass Johann
67 Czernohorsky Anton
72 Bodansky Ferd.
9 Nechay v. Felseis Joseph Ritt.
47 Schrey Edl. v. Redlwerth Joseph
60 Kovačević Emer.
39 Weiser Johann
24 Winnicki v. Radziewicz Calixtus Ritt.
34 Szalay Bartholomäus
61 Urbanitzky Edl. v. Mühlenbach Eduard
54 Podloučekf oh.
13 Pechnik Joseph
69 Nowosel Franz
76 Martin Edmund, MVK. (KD.).
24 Hübel Franz

Reg.
1. November 1878.
37 Molinek Johann
50 Zinnern v. Burgthal Carl
28 Breit Joseph
38 Vogl Anton
45 Mestek Joseph
72 Gürth Carl
23 Fogt Joseph
68 Ludwig Carl
66 Berger Anton
56 Sedlaczek Alois
73 Haberditzl Laur.
33 Schmidt Johann
58 Breyner Adolph
51 Hofmann Heinrich
79 Jerbić Johann
68 Fiedler Ignaz
61 Dubaić Damian
24 Medlits Eduard
16 Tišljar Michael
63 Platz Carl
16 Šimić Johann
9 Pistol Joseph
41 Cikaliak Elias
56 Brozsek Carl
23 Metzner Ludwig
63 Woycziechowski Victor
20 Byrnasf ohann
26 Orechowszky Ludwig.

Lieutenants.

Reg.
1 **Seine kais. königl. Hoheit Erzherzog Carl Stephan etc. etc.**
32 **Seine kais. königl. Hoheit Erzherzog Franz Ferdinand von Oesterreich-Este etc. etc**
77 **Seine kais. königl. Hoheit Erzherzog Leopold Salvator etc. etc.**

Reg.
1. Mai 1863.
59 Holeczek Heinr. (Res.)

24. Juni 1866.
3 Geiger Joseph (Res.)

25. Juni 1866.
63 Regius Eduard v. (Res.)

1. Juli 1866.
78 Glanz v. Eicha Hugo Freih. (Res.)

Reg.
4. Juli 1866.
44 Schmullers Georg (Res.)

1. August 1866.
66 Nicolai Friedrich (Res.)

5. November 1866.
61 Kosinka Ludwig ○ 1.

18. October 1867.
31 Meichsner von Meichsenau Alois (Res.)

Reg.
1. Jänner 1870 *).
27 Pegan Alois
1 Oehl Joseph jun.
1 Baiger Anton
19 Stern Adolph, Dr.
5 Schedewy Alois
74 Schick Leopold
16 Horak Joseph
7 Leclair Joseph Edl. v.
77 Götzl Alois
21 Görner Carl
4 Polzer Aurelius
1 Henke Johann

---

*) Lieutenants in der Reserve.

Reg.

1. Jänner 1870 *).

17 Gozani Ferdinand Marq.
14 Müller Ludwig
59 Stieger Heinrich
36 Lang Gustav
34 Voglhuth Alexander
34 Vadász Joseph v.
54 Fillunger Johann
16 Handler Johann
32 Tahy v. Tahvár et Turkeő Alexander
16 Spöck Johann, Dr.
29 Steinitzer Géza
32 Tichtl v. Tutzingen et Szt. Mihály Friedrich
48 Mahr Franz
54 Neumayer Joseph
16 Rauscher Franz
54 Stasser Franz
29 Freund Alexand.
34 Fabry Joseph
65 Bodaszewski Lucas
53 Kugler Nikol. v.
34 Kaczvinszky Géza v.
34 Eckerdt Johann
35 Krieglstein Vincenz
74 Janouschek Jos.
48 Taubenkorb Jul.
74 Reichel Wenzel
45 Muhr Joseph, Dr. der Philosophie
43 Czekelius Marcell
37 Adler Carl
48 Lábán Joseph
33 Schwob Aurelius
37 Joob Ludwig v.

21. Juni 1870.

47 Attems Franz Gf. (Res.)

1. November 1870.

35 Wartha Johann (Res.)
5 Boldis Samuel (Res.)

Reg.

1. Jänner 1871 *).

34 Olszewski Carl
14 Bader Carl
61 Spitzka August
15 Braf Albin
64 Rosmann Adolph
80 Friedmann Ezechiel, Dr.
45 Duschenes Julius, Dr. d. R.
47 Melk Benedict
59 Wurmser Anton Edl. v.
62 Javorsky Albert
17 Fohn Alois
54 John Franz
59 Wurmser Carl Edl. v.
45 Feigel Felix
61 Spatariu Wladimir
17 Paulizza Ludwig
43 Mazorana Anton
45 Lorenz Alois
80 Żarski Bojomir Ritt. v.
35 Fikeis Wratislaw
58 Iskierski Wilhelm
35 Horner Andreas
15 Linhart Leopold
9 Bretter Robert
47 Haas Carl
30 Mussil Bronislaus
78 Broschan Friedrich
10 Reichel Joseph
17 Dobida Joseph
14 Küenburg Leopold Gf.
5 Petruss Joseph, Dr.
9 Rock Wilhelm
9 Strobl v. Albeg Lothar Ritt.
55 Dornbaum Johann, Dr.
41 Hołodyński Anton
59 Wagner Bruno
15 Götz Adolph
73 Seyss Julius
51 Schüller Wenzel

Reg.

1. Jänner 1871 *).

35 Anderlik Otto
11 Woldan Franz
40 Jahn Raimund
4 Weymann Victor Edl. v.
47 Glaser Heinrich
51 Stuckheil Gustav
59 Seidnitzer Mich.
25 Petrogalli Arthur v.
42 Kheres Hugo
48 Bernetich Joseph
73 Breymann Johann
11 Kreitner Leopold
57 Engelmayer Anton
20 Linhardt Emil.
73 Kaltenbök Carl
80 Niebieszczánski Andreas
51 Dobokay Ludwig v.
12 Neubauer Franz
68 Wellesz Samuel
10 Haas Gustav
56 Pulikowski Miecislaus Ritt. v.
34 Widder Moriz
80 Loreth Sidon
17 Strukel Michael
42 Elsinger Friedr.
17 Skofić Franz
68 Schmidt Joseph
78 Jakšić Nicodem
5 Wasshuber Erh. Ritt. v.
11 Ritter Franz
67 Melitsko Friedr.
62 Schiel Gustav
77 Hinze Alfred
5 Hadwiger Eduard
9 Mader Anton
9 Epstein Robert
3 Ihl Anton
43 Kroh Eduard
43 Sztankovits Géza v.
9 Hayderer Heinr. Edl. v.
80 Łaba Victor
42 Schmidt Heinr.

Reg.

1. Jänner 1871 *).

42 Brauliçk Carl Ritt. v., Dr.
51 Feeg Theodor
51 Mayerhöfer Carl
31 Gluwczeski Rud.
40 Ledl Carl
59 Schreiner Rup.
59 Hammer Cajetan
63 Stiball Carl
77 Kanczucki Alexander
20 Spiess Leo v.
76 Hannibal Joseph v.
46 Novák Joseph
80 Herschmann Edwin
80 Hohenauer Edm.
40 Schmid Joseph
56 Glass Nikolaus
42 Esche Joseph
78 Tekus Wilhelm
12 Mack Franz
13 Ichheiser Bernhard
25 Lang Wenzel
17 Karlin Martin
45 Tereba Rudolph
9 Swoboda Carl
29 Vogel Albin
17 Malfatti v. Rohrenbach zu Dezza Virgil
28 Siedek Franz
80 Vetulani Roman
57 Stählin Carl Freih. v.
59 Pummer Gustav
17 Ratschitsch Carl
49 Gamerith Friedr.
44 Goczigh Joseph
30 Szypiło Carl
24 Burkhart Jul.
80 Reiss Eduard
13 Czipa Adalbert
64 Okolicsányi Géza
73 Schneider Leopold
51 Wydra Ludwig
25 Roth Nikolaus

*) Lieutenants in der Reserve.

Reg.

1. Jänner 1871 *).

61 Andrysek Otto
57 Richter Paul
80 Dzieduszycki Moriz Gf.
40 Haubner Jakob
73 Kaiser August
65 Wagini Carl
73 Körbl Hugo
20 Böhm Johann
8 Balzar Arnold
62 Kökösy Árpád
15 Nalecz-Leszkiewicz-Olpinski Julian, Dr.
55 Wiskočil Eduard
44 Löw Theodor
44 Brunkala Ladisl.
59 Knipetz Valentin
20 Wenzel Joseph
20 Michel Anton
20 Swoboda Ferdinand
20 Fischer Rudolph, Dr. d. R.
20 Löw Emil
73 Hörnes Rudolph
67 Zsembery Coloman
71 Golitschek Edl. v. Elbwart Emr.
75 Heran Wilhelm
3 Arnold Emil
3 Arleth Wenzel
80 Pitzsch Julius
62 Giesel August
57 Kotzent Carl
57 Hoffmann Adalb.
13 Grek Stanislaus Ritt. v.
55 Fraenkel Marcell, Dr.
30 Rozwadowski Franz Ritt v.
46 Thoma Theodor
57 Durkalec Johann
56 Beck Ferdinand
15 Guth Franz
42 Finger Julius
25 Philipp Peter
56 Faschank Felix
80 Kabat Wladimir
57 Brdek Franz
8 Steinbrecher Ant.
61 Binder Franz
73 Hähnel Friedrich
57 Grolle Joh. Edl. v.
30 Petry Wilhelm
51 Schilling Coloman
5 Hersch Wilhelm
39 Vajdafy Richard
55 Agopsowicz v. Hasso Stanisl. Ritt.
3 Seifert Moriz
57 Krátky Simon
25 Mauks Alexius
25 Horvath Joseph
57 Fischer Leopold
57 Moráwek Johann
59 Straubinger Jos.
58 Matkowski Stan.
58 Jorkasch-Koch August
58 Wolski Johann Ritt. v.
58 Laskiewicz v. Friedensfeld Stanislaus
73 Morsack Alois
64 Paulitschke Hub.
67 Werner Julius
2 Copony Wilhelm

1. Mai 1871 *).

61 Nagy Eugen v.

1. Nov. 1871 *).

61 Motzke Stephan
1 Zirbs Wilhelm
28 Machotka Bolesl. Ritt. v.
32 Hoffmann Edmund
45 Heller Joh., Dr. d. R.
19 Schlesinger Salomon
15 Utschik Anton
76 Jonak Edl v. Freyenwald Richard
45 Sobička Jaroslaus
7 Winkler Carl
27 Wolfbauer Joseph
7 Drasch Robert
28 Přibyl Leo, Dr.
80 Kownacki Johann Ritt. v.
49 Böltz Johann
49 Sauer Julius
49 Eschner Carl
21 Richter Ignaz
50 Bellazi Carl
40 Moskwa Roman
41 Kasprzycki Apol.
16 Rakovac Alex.
49 Löhr Eduard Ritt. v.
14 Iglseder Franz
57 Scheller Eugen
29 Gerstner Gustav, Dr. d. R.
27 Höffinger Victor
7 Stuchez Friedr.
9 Hönigsmann Fel.
17 Mac Neven-O' Kelly Franz Freih., MVK. (KD.).
37 Böszörményi Géza v.
3 Kroupa Franz
28 Mach Franz
57 Bielański Jul.
76 Deipenbrock Joseph
50 Hütter Heinrich
74 Aichelburg Alphons Gf.
27 Heuberger Richard
13 Morelowski Jul. Ritt. v.
18 Freund Ludwig
76 Petrik Adolph
46 Návay v. Földeák Emerich
3 Strassner Joseph
49 Ladenbauer Emil
4 Wieser Friedrich Ritt. v.
8 Popelak Johann
41 Elias Gustav
41 Elias Carl
63 Havelka Wenzel
30 Guszalewicz Michael
72 Zsigárdy Julius v.
49 Langer Carl
48 Lénárd Nikolaus
77 Hölzel Stephan
59 Strnadt Victor
26 Pongraz Georg v.
45 Tabora Anton v.
55 Laski v. Korab Lud. Ritt.
20 Pittauer Leopold
12 Putschar Moriz
18 Burkert Wilhelm
23 Czap Alois
80 Jägermann Jos.
43 Germ Eduard
20 Reinhard Joseph
13 Jeziorski Franz
13 Meissner Heinrich
74 Gottwald Adolph
15 Dlouhy Franz, Dr.
45 Barański Emil
12 Schwarzer Jul.
76 Schüller Theod.
49 Schneller Adalbert
30 Dormus v. Kilianshausen Otto Freih., Dr. d. R.
40 Mańkowski Wlad. Ritt. v.
77 Jasinicki Wlad.
13 Bohutinský Jos.
36 Kruis Carl
11 Rothmund Oskar
32 Gömöry Anton v.
27 Bernardt Arthur
75 Leclair Ant. Edl. v.
5 Farago Alexan.
7 Unterkreuter Wenzel
56 Matouszek Rud.
56 Pawel Jaroslaus
54 Gödel Conrad
67 Krajnyak Eduard
14 Schauer Franz
55 Obertyński Emil Ritt. v.

---

*) Lieutenants in der Reserve.

Reg.

1. Nov. 1871 *).

59 Strigl Joseph
37 Payer Albert
32 Pitey Peter
77 Chyliński Cajetan
14 Sieghartner Friedrich
1 Rudziński v. Rudno Arthur
48 Liebitzky Anton
73 Rusche Joseph
49 Hoffmann Franz
62 Tavaszi Coloman
60 Fink Coloman
55 Kiernig Ladislaus
55 Obertyński Adam Ritt. v.
73 Bechmann Carl
5 HostowskyAdolph
51 Girtler Rudolph
54 Bezdiek Anton
61 StrehblowAdolph
55 Hejda Joseph
58 Haczewski Carl
65 Klein Anton
74 Mikenda Anton
11 Merklas Ladisl.
74 Buchal Carl
6 Mikel Carl
49 Pichler Friedrich
71 Czerwinka Wilh.
39 Csanády Béla v.
67 Raisz Béla v.
58 Turteltaub Julius
17 Mušič Franz
75 Babuschka Rud.
25 Lichard Dusan
57 Pareński Theod.
49 Menninger Moriz Edl. v.
65 Lupi Mathias
80 Roller Friedrich
77 Rudloff Johann
51 Marton Béla
56 Langer Otto
56 Brosch Julius
54 Metz Jos. Edl. v.
42 Weckebrod Jos.
73 Ritschel Emanuel
37 Rauchlechner Theodor
79 Florian Franz

Reg.

1. Nov. 1871 *).

79 Kalaš Joseph
25 NechutnyThomas
61 Folnesics Joseph
60 Fekete Carl
63 Stiebitz Gustav
5 Weinlich Carl
78 Nikolajević Emil
6 Froschauer Lor.
52 Reinfeld Emerich
23 Frányo Carl
36 Boucek Ottokar
43 Klein Albert
56 MeyerhöferFerd.
57 Kosch Joseph
56 Albinski Sigmund
29 Grandjean Jos.
53 GartenauerHeinr.
39 Csóka Joseph
66 Zupančić Joseph
39 Theisz Johann
26 Kalmán Emerich
25 Bukowinsky Arthur v.
17 Polec Julius
17 StempiharValent.
77 Stiastny Hugo
77 Groh Carl
79 Gstirner Gustav
7 Gussich Paul Freih. v.
45 Rygiel Johann
70 König Joseph
56 Męcinski Alexander
28 Hahn Ferdinand
71 Sovadina Johann
66 Grünert Maximil.
71 Dolležil Wladimir
26 Párvi Victor
5 Öshégyi Joseph
60 Kray Stephan v.
26 Bornemisza Zoltan v.
38 Meczner Adalb. v.
48 Friedrich Joseph
27 Guggenberger Richard
25 Luczenbacher Paul
66 Steindl Hugo
17 Globočnik Victor

Reg.

1. Nov. 1871 *).

39 Swatosch Thomas
68 Timon Béla
74 Valenta Joseph
11 Müller Franz
66 Strejček Franz
17 Možina Anton
29 Kokits Johann
54 Rauch Franz
54 Meissner Franz
38 Widder Moriz
71 Kulp Adalbert
65 Mateičić Franz
79 Mediero Fridolin Ritt. v.
71 Jahl Anton
20 Zoffal Alfred
20 Głębocki de Lubicz Stanislaus
55 Łuczakowski Constantin
77 Czaprański Sigmund
76 Reitmann Franz
31 Tóbiás Andreas
76 Romai Michael
60 Liptay Ludwig
60 Ziska Stephan
62 Ferdinko Albert
78 Dilena Joseph
54 Ullmann Eduard
75 Chmela Stanisl.
43 Kempski v. Rakoszyn Michael Ritt.
12 Conlegner Carl
39 Szép Ludwig
71 Kroutil Franz
65 Reiss Eduard
48 Stockhammer Adolph
1 Öhl Joseph sen.
71 Martinetz Hugo
79 Holik Ludwig
75 Leština Joseph
66 Timcsak Franz v.

1. Mai 1872.

34 Dębicki Claudius (Res.)
57 Swiderski Alex. (Res.)

Reg.

20. October 1872.

72 PerdaFranz(Res.)

1. Nov. 1872.

19 Janiczek Johann (WG.)

1. Nov. 1872 *).

12 Marek Eduard
46 Seemayer Carl
46 Lám Friedrich
6 Müller Rudolph
34 Nagy Árpád
1 Jacobi d'Eckholm Carl Freih.
34 Klupaty Arthur
20 German Ludomil
40 Michejda Johann
22 Hackel Eduard
13 Schramm Ladislaus
57 Harwot Georg
38 Prüuer Hugo, MVK. (KD.)
75 Zabrada Franz
18 Wendelberger Andreas
4 Gautsch v. Frankenthurn Paul, Dr.
4 Keller Carl
15 Przyluski Stanislaus
18 Mell Alexander
64 Pott Emil
47 Schlamberger Anton
47 Hauptmann Franz
39 Hettinger Anton
41 Gretz Leopold
49 Stelzel Adalbert
39 Falk Ludwig
48 Ossoinak Alois
47 Schreiner Heinrich
9 Pollmann v. Danillowicz Clemens Ritt.
26 Bozděch Gustav
8 Pichler Edl. v. Deében Eduard

---

*) Lieutenants in der Reserve.

Reg.
1. Nov. 1872. *)

13 Zaremba Felix, Ritt. v.
49 Beudel Ferdinand
54 Hübel v. Stollenbach Guido Ritt
77 Steuermann Jos.
11 Ledecky Franz
57 Pick Alfred
49 Wolffhardt Eduard, Dr. d. R.
52 Pósch Julius
75 Schwarz Wilhelm
75 Hora Carl
56 Kulisch Adam
28 Klapper Joseph
35 Mareš Franz
27 Brunnlechner August
41 Wunderlich Jul.
43 Cischini Franz Ritt. v.
76 Lazár Otto
3 Kleiber Ernst
17 Gozani Ludwig Marq.
54 Biener Clemens
78 Bellazi Joseph
54 Holzinger Friedrich
34 Kiszely Joseph
49 Krenn Franz, Dr.
57 Winkowski Jos.
75 Stadlbauer Carl
75 Hanslitschek Vincenz
15 Matynkiewicz Stephan
36 Grünwald Carl
53 Cuculić Milorad Ritt. v.
12 Remenyik Emerich
49 Romstorfer Carl
34 Görgey Adalbert
56 Siegler Edl. v. Eberswald Adolph
13 Waligórski Adalbert
10 Krupiński Ladislaus
75 Howorka Wenzel

Reg.
1. Nov. 1872 *).

78 Hofstätter Ludwig
10 Löwenthal Emil
30 Weinreb Benedict
14 Gilhofer Hermann
18 Nosek Carl
68 Kraft Carl
4 Boynger Rudolph
54 Alt Joseph
17 Saghi Béla v.
21 Halauska Anton
78 Hettinger Carl
36 Barton Adolph
74 Dimter Joseph
22 Bachrach Oskar
22 Vecchi Lucian
68 Piger Adolph
10 Zawadzki Joseph Ritt. v.
10 Hołodyński Julian
71 Bartelmus Arthur
47 Omulec Johann, Dr. d. R.
34 Remisovszky Johann
34 Kabina Coloman
30 Borejko Joseph
8 Maxa Rudolph
31 Küchler Julius
47 Gross Franz, Dr. d. R.
8 Hansel Victor
54 Nechwatal Ernst
6 Anders Carl
74 Kindler Joseph
47 Munda Jakob
47 Reitter Johann
27 Sowoda Heinrich
66 Lányi Albert
14 Schubert August
68 Piller Eugen
12 Fenyvesi Arnold
36 Kriesche Wenzel
65 Bardel Georg
27 Krautforst Othmar
76 Nagy Géza v.
73 Nikenday Anton
71 Nowotný Joseph

Reg.
1. Nov. 1872 *).

14 Roschkofsky Heinrich
17 Skraba August
1 Heinkel August
4 Höbinger Franz
60 Kornke Emil
41 Bayer Franz, Dr.
30 Stromenger Johann
45 Pająk Joseph, Dr. d. R.
39 Ungvári Andreas
59 Straberger Alfred
52 Libics Adolph v.
64 Pacher Hubert
76 Schandera Moriz
35 Liebus Johann
40 Dundaczek Raimund
21 Saraurer Joseph
15 Piwocki Victor
30 Folusiewicz Sophronius
67 Wagner Heinrich
26 Zamborszky Jos.
28 Mikosch Carl
32 Steiner Joseph
39 Nánásy Ludwig v.
57 Molin Johann
27 Brunar Joseph
26 Csöke Franz
32 Wagner Julius
36 Gaertner Hermann
22 Brunner Maximilian
27 Pokorny Carl
14 Glas Ludwig
59 Hager Anton
32 Jámbor Julius
46 Svehla Julius
12 Koczor Franz
54 Jahn Gustav
71 Kilian Ferdinand
10 Haszlakiewicz v. Gottleb Ladislaus Ritt.
19 Felner David
73 Stadler v. Wolffersgrün Friedr.
65 Toborfy Béla v.

Reg.
1. Nov. 1872 *).

80 Doboszynski Adam
58 Lechicki Joseph
8 Bayer Richard
59 Berger Franz
76 Milde Carl v.
26 Antoni Carl
28 Herold Joseph
7 Abuja Mathias, Dr. d. R.
32 Bene Georg v., MVK. (KD.).
50 Makowei Nikanor
69 Wocher Nikolaus
57 Krasicki Ladisl.
31 Pokorny Gottfried
9 Bandrowski de Nowosielce Alfred Ritt.
55 Dzieduszycki Michael Gf.
15 Schmetterling Julius
41 Brecher Ignaz, Dr.
18 Cerych Gottlieb
19 Berg Adolph
67 Queiss Carl
38 Sauska Eugen
52 Hoffmann Ludwig
39 Küffer Julius
17 Hribar Emil
38 Olsawszky Eugen
11 Dwořák Joseph
59 Förchtgott Alfred
5 Renner Raimund
59 Frauscher Carl
59 Wastl Johann
3 Kolda Johann
27 Kratter Carl
30 Drexler Philipp
65 Isseczeskul Alexander
46 Morgenbesser Carl
60 Mattyasovszky Nikolaus
75 Hrnčiř Adalbert
73 Pensl Georg
35 Prohaska Gustav
63 Richter Wilhelm

*) Lieutenants in der Reserve.

Reg.

1. Nov. 1872 *).

3 Matauschek Albert
68 Lipcsey Erwin
24 Kiszczukiewicz Alexander
9 Rudnicki Casimir Ritt. v.
24 Tuffek Titus
59 Hadáry Ludwig Edl. v.
23 Lesner Franz
66 Moskowits Moriz, Dr.
28 Gross Julius.
69 Beckel Franz
74 Končinský Joseph
83 Bohać Ottokar
77 Tomek Joseph
77 Beill Leopold
77 Rottenburg Wilhelm
69 Schletter Carl
32 Hermann Béla
78 Karela Wenzel
36 Schier Joseph
70 Nedwed Emerich
58 Zarewicz Adam v.
16 Sieber Eduard
22 Mischkof Julius
22 Remschmidt Alois
14 Prieth Camillo
56 Zapletal Alphons
64 Müller Ernst
39 Boczkó Samuel
11 Adam Friedrich
1 Eckel Carl
20 Rusch Gustav
19 Mayer Georg
2 Stenner Friedrich
57 Ruczka Stanislaus
15 Bauer Bronislaus
57 Deissenberg Stanislaus
24 Terlikowski Franz
71 Klatovski Adolph
78 Hartisch Carl
71 Luksch Joseph
64 Heyrovský Leop.
48 Müllern Nikolaus v.

Reg.

1. Nov. 1872 *).

43 Wittenbach Gustav Freih. v.
24 Kanczuski Alois
14 Horwatitsch Victor
21 Niemetz Wilhelm
79 Strommer Ferd.
64 Hollaki Arthur v.
38 Mauks Julius
38 Wimmer Anton
55 Brandstätter Eduard
20 Körber Friedr. v.
80 Ziembicki Gregor Ritt. v.
24 Charak Georg
80 Borzęcki Mathias Ritt. v.
58 Baranowski Mieczislaus
45 Słączka Adalbert
30 Guttmann Gerson
9 Nartowski v. Trzaska Bronislaus Ritt.
58 Wasilewski Johann v.
70 Svoboda Johann
43 Elsner Emil
80 Sadowski Johann
23 Alapfy Julius
55 Terlitza Victor
68 Schneider Julius
13 Dębicki Julius Gf.
18 Beer Vincenz
69 Winkler Paul
21 Wiesner Johann

1. Mai 1873.

51 Schiedek Theodor (Res.)
31 Lusinský Ferdinand
55 Januszewski Joh. (Res.)
46 Rziha Albert (WG.)
25 Fertsek Wilhelm (Res.)
44 Galian Stephan

Reg.

1. Mai 1873.

4 Billig Moriz (Res.)
49 Mausberger Joh. (Res.)
67 Kohn Moriz (Res.)
8 Schwabe Carl, MVK.(KD.),(Res.)
71 Strassmann Mor. (Res.)
52 Visy Ludwig, MVK.(KD.),(Res.)
21 Sattler Lothar v. (Res.)
11 Ritt August (Res.)
37 Parall Franz (Res.)

1. September 1873.

59 Mörk v. Mörkenstein Alexander
58 Banovčanin Jeftimir (WG.)

1. November 1873.

10 Hessdorfer Franz
71 Milch Naftali (Res.)
50 Tröstl Joseph
6 Tokódy de Szt. András Árpád (Res.)
40 Šoustal Johann (Res.)
62 Zakariás Johann (Res.)
37 Krátký Ernst
30 Wnękiewicz Ladislaus (Res.)
37 Bonna Joh. (Res.)
76 Zerlike Emil
9 Wasylewski Alexander
33 Stefanutz Basilius
10 Pirgo Adam
35 Mayer Gabriel (Res.)
10 Barczewski Vincenz
29 Mészáros Anton (Res.)

Reg.

1. November 1873.

69 Janković Georg (WG.)
7 Kreipner Theod.

1. Nov. 1873 *).

73 Schreiter Ignaz
75 Homolač Franz
74 Čižek Franz
1 Lux Gustav
52 Czierer Achatius
41 Czerwenka Carl
39 Goedicke Eduard
56 Reicher Alois
76 Hussy Alexander, MVK. (KD.).
15 Studziński Marian Ritt. v.
57 Gruszka Stanislaus
13 Kopff Joseph Ritt. v.
3 Nawratil Franz
76 Thirring Ferdinand
4 Rougon Ludwig
80 Muzyka Ladislaus
49 Hornberger Carl
16 Posilović Stephan
36 Braungarten Ferdinand
48 Thierry Emil Ritt. v.
4 Szalay Ludwig
30 Epstein Franz
75 Dressel Joseph
53 Ferrić Carl
76 Pesty Béla v.
7 Feldner Alois, Dr. d. R.
34 Imre Aurelius
13 Wyrobek Joseph
8 Haselstein Franz
56 Heinisch Wenzel
34 Berczik Julius v.
72 Slubek Ernst
13 Paszkowski Franz Ritt. v.
63 Sutoris Moriz
10 Binder Wilhelm
5 Hotinczan Nikolaus

*) Lieutenants in der Reserve.

Reg.
1. Nov. 1873 *).

4 Rossner Heinrich
35 Wach Joseph
16 Smolli Adolph
76 Hauer Julius
72 Bella Ludwig
15 Fruchtmann Jak.
16 Waldner Victor
53 Mallin Johann
10 Stejskal Carl
6 Kavčić Jakob
60 Schwantner August
13 Bednarž Stanisl.
40 Schön Heinrich
53 Mikić Emil
63 Schmidt Victor
3 Staschek Ludwig
53 Smodek Ladislaus
5 Schlögl Ludwig
40 Jahl Ladislaus
23 Sachers Eduard, MVK. (KD.)
48 Brolly Theodor
34 Jaworszky Constantin
22 Miklaučić Johann
7 Horrakh Friedrich, Dr. d. R.
39 Kardos Nikolaus
39 Fisch Moriz
77 Dittrich Friedrich
13 Dadlez Wilhelm
23 Hartstein Géza
29 Czerny Franz
44 Reis Sigmund
46 Kossa de Nagy Megyer Andreas
3 Rozkošný Franz
44 Watzka Johann
16 Valenko Levin
31 Mangesius Gustav, Dr.
25 Willim Franz
5 Domaszewsky Victor
63 Lustig Carl
63 Metlicowitz Jos.
66 Fabry Alfred
34 Schweiger Franz
23 Laszgallner Edm.
3 Schandera Albert

Reg.
1. Nov. 1873 *).

40 Nawrocki Jakob
2 Vulkanu Mathias
72 Martinengo Alois
3 Stoklaska Ottokar
55 Tanczakowski Stephan
72 Adamek Otto
23 Wolfrumb v. Wolfersgrün Carl
78 Kraljević Thomas v.
18 Rohleder Edmund
17 Trinker Carl
9 Kučera Johann
23 Kózma Alexander
23 Lux Hugo
11 Heyberger Joh.
11 Schmidtmayer Wenzel
13 Paul Victor
52 Follert Franz
61 Tötössy de Szepetnek Béla
33 Szathmáry Julius
73 Treiber August
64 Morocutti Max
24 Dluzański Johann
29 Bernatz Carl
77 Hilscher Paul
68 Sándor Andreas
76 Guoth Alexander
68 Palugyay Carl
75 Spallek Erwin
15 Winternitz Oskar
2 Marsovszky Árpád v.
41 Hammer Arthur
41 Kador Johann
13 Anger Adolph
11 Stein Rudolph
63 Förg Adolph
76 Baranyay Eugen v.
36 Lerche Franz
10 Pierzchała Bronislaus
33 Fabian Ludwig v.
33 Steinitzer Edm.
16 Levar Wilhelm
74 Schöfl Wenzel
16 Einspieler Thom.

Reg.
1. Nov. 1873 *).

23 Arbesser v. Rastburg Maximilian
73 Scheff Sigmund
14 Braunstingel Theodor
58 Hrdliczka Alexius
61 Scheff Ladislaus
18 Suida Wilhelm
8 Worzikowsky v. Kundratitz Wilhelm Ritt.
58 Jungmann Wilh.
66 Fuchs Edmund
66 Fabry Adolph
66 Pater Coloman
50 Bucz Ludwig
60 Bernáth Béla
50 Marginean Nikol.
73 Frenzl Anton
65 Sebastiani Eugen
59 Kubinger August
5 Jezernitzky Joh. v.
39 Schönberger Samuel
41 Lieopold Alfred
58 Krinner Carl
10 Preissing Carl
41 Jurowicz Heinr.
74 Schnabl Joseph
47 Senčar Joseph
9 Schindler Franz
62 Slubek Julius
36 Jantsch Albert
59 Hofeneder Heinr.
64 Fischer Edl. v. Wildensee Eduard
9 Wachmann Heinrich
40 Serschen Richard
76 Eckel Johann
55 Tuček Stanislaus
36 Pietrzikowski Friedrich
77 Gludovics de Sziklos Bruno Leop.
59 Bamberger Alfred
12 Hille Stephan
12 Payer Heinrich
20 Peer Ferdinand
66 Pollák Alexander

Reg.
1. Nov. 1873 *).

15 Woratschka Franz
30 Kilian Johann
30 Nikorowicz Anton Ritt. v.
23 Auersperg Julius Gf.
64 Kerschbaum Joseph, Dr. d. R.
62 Schweiger Engelbert
62 Mollnár de Fet-Apáth Árpád
58 Lakomy Joseph
14 Pollak Franz
59 Koziel Otto
78 Isajlović Georg
9 Svarofsky Carl
75 Hejtman Adolph
55 Uliény Joseph
51 Hoszu Pompejus
59 Bažant Joseph
15 Lawetzky Wilhelm
29 Blasser Emerich
35 Klein Ignaz
15 Lagler Vincenz
30 Nowotny Adolph
6 Muža Albin
60 Benczur Adalbert
66 Schwabik Franz
32 Wettstein v. Westersheimb Julius Ritt.
46 Czinner Johann
52 Spitzer Carl
17 Louschin v. Ebengreuth Paul Ritt.
10 Hetsch Eduard
5 Csizsár Ludwig
5 Gyurits Julius
33 Kresz Leopold
16 Trenz Franz
20 Koranda Alois
20 Strienz Wilhelm
55 Zbitek Theodor
9 Kurowski Joseph
16 Ivandia Joseph
50 Dürr Rudolph
62 Pfitzner Alexander
31 Preda Basilius v.
2 Trenk Franz

*) Lieutenants in der Reserve.

(Gedruckt am 21. December 1878.)

Reg.

1. Nov. 1873 *).

59 Ramsauer Victor
23 Jović Johann
1 Köllner Joseph
31 Kabdebo Oskar, Dr.
31 KurovszkyAdolph
55 Hruban Franz
72 DoubnikFriedrich
18 Keil Felix
74 Wartburg Jos. v.
38 Melczer Ludwig
25 Matolay Barthol.
43 Diaconović Adolph
12 Dobák Julius
52 Bolza Joseph Gf.
29 Massiczek Paul
30 Waniek Carl
9 Abgarowicz Jos.
21 Sockl Albin
72 Sykora Eduard
22 Kos Johann
30 Kopecki Eduard
30 Lehmann Albin, Dr. d. R.
9 Hołubowicz Hilarius
28 Nissl Franz
25 Roszner v. Roseneck Erwin Freih.
67 Materny Ludwig
66 Klein Johann
66 Laszgallner Coloman
14 Mayer Franz

1. Mai 1874.

21 Kritscher Engelb.
41 Bereznicki Julian
35 Schuster Carl
64 KirchmayerFranz
15 Stanković Živan
55 Fruwirth Herm. (Res.)
34 Czenger Stephan
78 Tomšić Franz
78 Radosavljević v. Posavina Stephan Ritt.

Reg.

1. Mai 1874.

68 Nikelsberg Carl Edl. v.
79 Kukić Elias
17 Sever Othmar, MVK. (KD.)
17 Kaligar Alois
45 Vogl Victor (WG.)
53 Turić Leopold
49 BrunnariusEduard (Res.)
49 Epple Joseph
34 Bauer Richard
78 Kokotović Carl
35 Hopfner Friedrich (Res.)
21 Novak Joseph (Res.)
62 Dragišić Michael
12 Hanževački Jos.
12 Mugrauer Math.
27 Hausmanninger Heinrich
38 Gürtl Alois
59 Schumann Wilhelm
1 Kirnig Johann (Res.)
63 Graulik Ignaz
59 Grössl Carl
74 Rukavina Johann
5 Radu Elias
74 Hejtmann Wenzel
44 Siegler Edl. v. Eberswald Franz (Res.)
5 Jovesko Johann
65 Schandru Mich.
29 Szerelmy Ladisl. (Res.)
78 Leitner Julius
32 Duduković Theodor
56 Gałuszka Gottlieb
37 Cindrić Johann
6 Trenka Joseph (ü. c.) im mil.-geogr. Inst.
29 Kozarev Miloš, MVK. (KD.)
22 Jambrusić Simon

Reg.

1. Mai 1874.

44 Mahl-Schedl v. Alpenburg Hugo Ritt.
35 Hubel Anton
3 Fritsch Franz
11 Mayer Johann
7 Wagner Ernst
33 Parapatić Ludwig (WG.)
37 Schölzig Carl
58 Hölzelhuber Pet.
35 Denk Anton
8 Rischanek Anton
57 Bielawski Joseph
48 Schrott Joseph
15 Tremac Paul
63 Puić Živan
21 Kouda Wenzel
9 Macieszkiewicz Casimir (Res.)
51 Cerjak Thomas
72 Hickmann Emil
11 Mühlpeck Thom.
53 Wąsowicz Eduard
12 Hubaček Anton
1 Häusler Victor
65 Dluhos Leo
26 PuschmannWenz.
1 Geissler Carl
13 Staszczyk Johann
6 Schadek Maxim.
6 Mrazek Stephan
52 Duralia Paul
51 Dembitzky Phil.
29 Müller v. Strömenfeld Vincenz
41 Zakrzewski Stanislaus
49 Höck Franz
52 Szabović Otto
15 Haczek Adolph
41 Schuster Anton
57 Maciąga Joseph
12 Demić Stephan
45 Hoffenthal Rud.
41 Stankiewicz v. Mogiła Hyppolit Johann Ritt.
70 Žunac Georg
55 Zajączkowski Valentin

Reg.

1. Mai 1874.

39 Knapp Zoltán v.
21 Werner Johann
53 Krneta Gideon, ÖEKO-R. 3. (KD.)
41 Rischka Alexander
64 Kastner Carl
56 Gredelj Stanisl.
47 Mandelsloh Werner v.
28 Gans Jos. (ü.c.) im mil.-geogr. Inst.
63 Hangan Andreas
67 Obermayer Mich.
31 Novaković Math.
51 Humitza Johann (ü. c.) im mil.-geogr. Inst.
51 Spiske Franz
32 Kramberger Metell
52 Krivošić Johann
80 Drakulić Stephan
73 Brandenstein Ernst v.
18 Ržiha Johann
48 Leško Michael
64 Boldea Georg
12 Hermann Alfred
77 Daubek Anton (ü. c.) im mil.-geogr. Inst.
20 Miernicki Johann
12 Niksić Johann
10 Kostelac Jakob
32 Knezević Anton
17 Pregelj Johann
53 Prica Obrad
77 Ramor Alfred
2 Erber Adolph
68 Dütsch Franz
42 Trentinaglia v. Telvenberg Franz Ritt.
15 DobrzańskiJoseph
78 Svilar Constantin (ü. c.) beim Serežaner-Corps
53 Vučković Stanisl.
51 Nagy de Felső Vályi Arthur

---

*) Lieutenants in der Reserve.

Reg.

1. Mai 1874.

8 Gregor Gregor (Res.)
30 Brauner Joseph
30 Terlikowski Johann
44 Boschi Otto
15 Mierzeński Casim.
58 Pasternak Johann
27 Haditsch Franz (Res.)
11 Kirchstetter Gustav
41 Worobkiewicz Victor
17 Šeme Franz
24 Dumański Wladimir (Res.)
21 Kruess Julius (Res.)
56 Schlesinger Wilhelm (Res.)

1. September 1874.

14 Lorenz Johann
4 Bayer Carl
49 Ziegler Alfred Ritt. v.
44 Bakálovich Constantin
45 Weissmann Joh.
73 Tauschinski Franz
79 Rukavina Franz
12 Klar Franz
43 Zergollern Paul v
68 Nyiri Alexander
29 Kiszling Carl
62 Albrecht Alfred
27 Wagner Heinrich
7 Schemua Blasius (ü. z.) beurl.
63 Schreiber Rudolph
52 Günzl Anton, MVK. (KD.)
21 Roček Joseph (ü. c.) im mil.-geogr. Inst.
77 Křiž Joseph (WG.)
17 Mattanović Ernst
34 Ornstein Edl. v. Hortstein Lothar
3 Plachetka Johann

Reg.

1. September 1874.

35 Bormann Wilhelm
47 Guseck Heinrich Edl. v.
78 Rehmann Wilh.
54 Mildner Raimund
34 Palletz Franz
22 Poluczek Heinrich
74 Suppan Carl
80 Fiałkowski Peter
50 Goglia Gustav
60 Wagner Georg
36 Pastrnek Rudolph
70 Nikschics Stephan
33 Čanić Carl
25 Zednik Oskar
79 Funck v. Senfftenau Weikhard
55 Holzapfel de Faalmi Stephan
22 Rois Rudolph, MVK. (KD.)
27 Fronmüller v. Weidenburg u. Gross-Kirchheim Eduard Freih.
69 Bertalan Stephan
10 Sathinovich Ignaz
59 Walter Franz
76 Eichinger Franz
15 Firbas Ferdinand
9 Kastner Joseph

1. November 1874.

34 Ornstein Edl. v. Hortstein Franz
45 Tausche Joseph (Res.)
15 Kniže Wenzel (Res.)
7 Sanchez de la Cerda Heinrich
42 Schrottwieser Johann
32 Sandner Emerich
18 Czech Vincenz (WG.)
48 Kollak Johann
21 Hubáček Franz
52 Hickmann Béla (ü. c.) im mil.-geogr. Inst.
68 Kalić Johann
80 Janusz Eduard

Reg.

1. November 1874.

63 Schulze Victor (Res.)
43 Obornyak Sigm.
22 Wenz Jakob
60 Pavić Nikolaus
78 Oklopčia Isaak v.
25 Paić Stojan
67 Szlanyina Johann, ○ 2.
28 Salač Wenzel
51 Lang Heinrich
59 Theiler Joseph
21 Scherl Johann
57 Kloc Michael
4 Castaldo Joseph
62 Muić Stephan
57 Hrabik Heinrich
35 Turinsky Miloslav
30 Karge Paul
25 Fritsch Ludwig
63 Krauss Georg (Res.)
16 Kovačević Joseph
63 Pavelea Emil
45 Gorowski Vincenz
35 Killian Robert (Res.)
75 Wölfl Gottlieb
51 Bacsilla Cyriak
31 Tischer Albrecht
35 Bayer Georg
21 Brejcha Heinrich
2 Literat Basilius
38 Gluvakow Constantin
55 Bogdanović Gregor
14 Sackl Joseph
2 Szendy Ludwig
17 Hipssich Ludwig
32 Blum Anton
10 Ludmann Julius
33 Pepa Johann
21 Lukesch Johann
73 Ruppert Joseph
17 Ambrožić Leop., MVK. (KD.)
79 Schenar Mich.
14 Seydl Otto
50 Dragoi Alexander
74 Čech Wenzel
80 Wysocki Ferd.
64 Dragomir Nikolaus

Reg.

1. November 1874.

10 Kriegseisen Jos. (Res.)
30 Drežepolski Alexander (Res.)
80 Majewski Franz (Res.)
68 Aigner Adolph
11 Czerný Johann
44 Salix de Felberthal Ludwig
78 Czapp Joseph
25 Stubna-Bajo Daniel (ü. c.) im mil.-geogr. Inst.
30 Schaff Marcus
8 König Hermann
73 Albrecht Alfred
62 Popović Georg
73 Tschochner Joseph
51 Beg Nikolaus
47 Dolšak Jakob
29 Lissek Arthur (WG.)
73 Slawkowsky Wilhelm Ritt. v. (ü. c.) im mil.-geogr. Inst.
22 Malković Adam
51 Snjarić Lucas
67 Surmin Michael
64 Materinga Daniel
16 Rumenović Steph.
43 Vučić Basilius
39 Busia Franz
74 Rezek Joseph
79 Žegarac Michael
20 Fiedler Johann
44 Göllner Friedrich
74 Slosárek Franz
68 Grünwald Marcus (Res.)
15 Schimak Eugen
46 Tausch Rudolph
23 Cerlenjak Steph.
4 Waneck Franz
54 Arbesser Ludwig
51 Paika Lucas
46 Wenko Carl (ü.c.) im mil.-geogr. Inst.
70 Kullich Alphons
39 Alt Alois

Reg.
1. November 1874.

9 Schmeisser August
3 Urban Leopold
65 Werthschitzki Carl
11 Langauer Franz
65 Szloboda Ferdinand
73 Bareuther Franz
44 Weiner David
50 Witek Johann
16 Mazánek Ludwig
2 Matašić Stephan
74 Horaček Franz
44 Kérneta Peter
72 Gersich Carl
22 Pavelka Franz
55 Holjevac Thomas
22 Werban Felix, MVK. (KD.)
46 Strohmayer Eduard
53 Šafranek Ludwig
18 Moschnitschka Franz
19 Balogh de Galantha Johann
7 Vest Eduard Edl. v. (Res.)
22 Herceg Stephan
6 Ekmečić Constantin
26 Chwatal Johann, MVK. (KD.)
21 Alferi Adolph
23 Wendling Anton
60 Bressa Julius
18 Kubias Johann
17 Zebisch Hugo
56 Mudrinić Michael (WG.)
46 Kiesewetter Edl. v. Wiesenbrunn Otto (ü. c.) Prov.-Off. bei der 2. Gebirgs-Brig. der VII. Inf.-Trup.-Div.
19 Haid v. Haidenburg Alexander

Reg.
1. November 1874.

24 Bienkowski Marcell v. (ü. z.) beurl.
29 Oncs Nestor
6 Marić Radovan
24 Ustyanowski Bronislaw
43 Brumar Demeter
76 Grafl Jakob
14 Kmentt Emil (Res.)
1 Prachowny Franz
78 Fröhlich Anton
75 Hasel Michael (ü. c.) zug. der k. k. Gendarmerie
35 Stitkowec Franz (ü. c.) im mil.-geogr. Inst.
73 Weilheim Richard
24 Kruzlewski Isidor
76 Eder Paul
7 Schlichtner Franz
68 Diksić Vincenz
3 Schwarz Vincenz
64 Radulović Daniel
11 Schaffelhofer Wenzel
43 Müller Joseph
5 Pessiak Victor
44 Krisanich Edl. v. Mraczlin Andreas
11 Meisetschläger Alois
43 John Jenakie
27 Möller Adolph
34 Aust Arthur
40 Sawicki Miecislaus Ritt. v.
49 Smieth Anton
30 Kregler Gustav
51 Wrbka Carl
26 Havliczek Ludwig (WG.)
37 Pokrajac Peter
44 Stenzl Felix

1. Nov. 1874 *).

18 Pacowský Wratislav
2 Zeller Alfred

Reg.
1. Nov. 1874 *).

17 Zakrajšek Franz
27 Arbesser Edl. v. Rastburg Joseph
75 Cihlař Jakob
56 Pieczonka Victor
20 Jaworski Bronisl.
40 Drobner Ladislaus
30 Jonas Wilhelm
79 Malvić Franz
2 Gutsch Andreas
30 Malinowski Stanislaus
77 Chołodecki Jos. Ritt. v.
32 Gervay Paul, Dr.
72 Nadhera Anton
61 Kedačić Carl
13 Bierfeldner Edl. v. Feldheim Friedr.
37 Gerdanovits Alexander
40 Doliński Roman
3 Speck Georg
71 Emerich Franz
17 Hubad Franz
19 Zechmeister Carl
43 Meixner Carl
22 Pfeiffer Victor
32 Juhász Edl. v. Karansebes Alb.
17 Zhuber v. Okrog Amon
36 Wotzel Anton
8 Trawniček Jos.
51 Incze Coloman
23 Chitil Willibald
72 Koreska Wilh. v.
50 Székely Stephan
63 Schuster Rudolph
15 Napadiewicz Jos.
35 Jahnl Hugo
28 Kämpf Maximilian
38 Weldin Joseph
43 Mensi-Klarbach Franz Freih. v.
71 Adler Julius
18 Maurer v. Mörlelau Arthur
71 Milch Ignaz
43 Last Ludwig

Reg.
1. Nov. 1874 *).

8 Zednik Julius
57 Daniel Isidor
3 Sowa Theodor
55 Zapałowicz Hugo, Dr. d. R.
12 Baranyai Sigmund
55 Angermüller Ferdinand
51 Isacu Pompilius
13 Grund Joseph
34 Greiner Arthur
38 Martini Wilhelm
54 Krist Hermann
43 Pitner Adolph
3 Pastrnek Franz
75 Kodiček Sigmund
56 Warzeszkiewicz Johann
39 Szikszay Béla
43 Schindler Hugo
67 Melicsko Joseph
37 Steiner Ignaz
57 Nowiński Bronislaus
32 Tahedl Anton
76 Dorner Michael
44 Vasdenyey Géza v.
41 Jeremiewicz Joh.
72 Constantin Peter
30 Horodyski des Wappens Korczak Joseph Ritt. v., Dr. d. R.
7 Deschmann Georg
47 Postruschnik Anton
71 Navrátil Valentin
12 Dvořak Alois
28 Schalek Carl
43 Decker Franz
3 Brösler Israel
50 Barcsan Johann
30 Hillbricht Ferd.
76 Meller Ignaz
7 Guttmann Johann
37 Gedeon Albert v.
26 Nogáll Carl
43 Blenk Joseph
35 Stross Heinrich

---

*) Lieutenants in der Reserve.

Reg.

1. Nov. 1874 *).

25 Silberstein Heinr.
20 Nitribit Alexander
36 Kučera Carl
21 Kreyczi Carl
71 Raffay Robert
48 Zallay alias Polák Ludwig
38 Ferch Edmund, MVK. (KD.)
23 Peithner v. Lichtenfels Friedrich Ritt., MVK. (KD.).
63 Buchler Oskar
47 Sketh Jakob
71 Halla Ludwig
17 Kos Franz
67 Schulek Géza
43 Weny Johann
67 Geczy Joseph
29 Kichler Wilhelm
71 Duffek Carl
29 Jüllig Maximilian
71 Munk Moriz
71 Siedek Oskar
32 Draskóczy Nikol.
60 Blum Moriz
71 Robitschek Adolph
39 Somossy Béla
17 Dolinar Stephan
76 Schmidbauer Moriz
37 Rodler Julius
46 Koch Bernhard
59 Danter Matthäus
12 Kruml Anton
12 Pöcze Johann
12 Aranyossy Ladislaus
17 Levec Anton
72 Giesl v. Gieslingen Oskar
46 Pollak Isidor
73 Entlicher Rudolph
18 Kohm Joseph
12 Nowotny Johann
76 Jesovitz Maximil.
41 Burski Anton
41 Brzozowski Eduard
60 Kiss v. Szuboticzu Emanuel

Reg.

1. Nov. 1874 *).

61 Wolafka Anton
72 Györik Martin
76 Bauer Joseph
42 Büchner Ernst
12 Galba Carl
39 Márton Emerich
23 Fellner Thomas
66 Klein Berthold
75 Duschek Ignaz
41 Ullreich Adolph
7 Gugenberger Marcus
21 Pick Adolph
41 Lugert Adolph
72 Schwerdtner Simon
9 Kociuba Michael
30 Brühl Leopold
55 Wolny Carl
69 Bauer Franz
69 Baumeister Anton
33 Herrling Carl
60 Eulenberg Salom.
73 Prix Franz
2 Nedved Carl
55 Tuček Adalbert
38 Sarfy Guido
21 Ježek Joseph
66 Steinhausz Ladislaus
76 Király Ernst
61 Freund Alexander
76 Köberl Joseph
44 Kwapil Heinrich
10 Horoch Adam Freih. v.
64 Lázár Árpád v.
60 Tichtl v. Tuzingen et Szentmihály Johann
69 Kalmus Jakob
29 Ásperger Carl
59 Kudielka Carl
7 Lausegger Alois
30 Janowski Alfred, Dr. d. R.
53 König Wilhelm
17 Toriser Johann
78 Marinović Otto
2 Vajna de Pava Victor

Reg.

1. Nov. 1874 *).

76 Berecz Abel
12 Leschanofsky Victor
56 Gach Joseph
55 Mandybur Franz
41 Kozak Cornelius
25 Krbek Ottokar
75 Kutschera Carl
46 Gál Franz
46 Nagy Franz
68 Schröder Cornel
53 Vončina Johann
72 Zapletal Gustav
28 Čupr Ladislaus
75 Kordina Carl
2 Bernhard Franz
2 Pimper Alois
53 Majcen Joseph, Dr.
47 Marguč Joseph
29 Nechansky Aug.
41 Obengruber Joh.
36 Kabeš Franz
44 Lesigang Wilhelm
43 Asboth Aladár
29 Perger Richard Ritt. v.
75 Šticha Johann
38 Gschwindt v. Györi Georg
63 Medicus August
2 Miess Christian
2 Leonhardt Franz
2 Hausleitner Friedrich
11 Bohdanecky Jos.
35 Benedikt Anton
35 Benda Joseph
42 Diessl Anton
70 Buch Ludwig

1. December 1874.

36 Erben Leo

1. Mai 1875.

69 Čeranić Johann (ü. c.) bei der Feld-Signal-Abth. der XVIII. Inf.-Trup.-Div.
62 Biró Jul. (Res.)
24 Pazdirek Joseph (Res.)

Reg.

1. Mai 1875.

78 Gunčević Mich.
15 Zivanović Svetislav
27 Massiczek Julius
4 Haller August
36 Martin Franz (Res.)
28 Pany Leopold (Res.)
76 Reymond Ludw. v.
57 Vozka Franz
8 Kubeš Carl
32 Zigić Peter
8 Maloušek Franz
66 Mattanić Joseph
70 Dragoilović Adam
50 Fabus Balthasar
66 Capan Julius
36 Kolarević Steph.
11 Nowák Franz
42 Hielle Joseph
23 Masić Ladislaus
61 Kapunatz Živan
25 Krcs Johann
34 Bodnar Stephan
57 Wall Andreas
14 Summesberger Franz
20 Sichulski Ladislaus
75 Fabčić Anton
46 Rupčić Blasius
36 Frech Ladislaus
60 Miščević Gregor
36 Brauner Ferdin.
17 Šmolnikar Franz
46 Šimić Peter
27 Strohmeier Florian
48 Nisznyánszky Joseph
24 Sebastyański Marcell
37 Marx Franz
34 Kiss Zoltán
38 Kosanović Johann
67 Vrchovina Wendelin
34 Lányi Stephan v.
71 Arenstorff Alfred Ritt. v.

*) Lieutenants in der Reserve.

Reg.

1. Mai 1875.

58 Feigel Roman
36 Herzig Carl
67 Oláh Béla v.
32 Hödl Felix
42 Keizl Peter
39 Zeiterer Carl
29 Peškir Adam
61 Jeličić Michael
36 Koch Franz
46 Rataik Vincenz
67 Schuster Friedrich
42 Fohr Roman
25 Eliatscheck v. Siebenburg Hugo Freih.
65 Czaykowski Emanuel v.
64 Eötvös Béla v.
9 Petschacher Alexander
26 Mates Robert
20 Płachta Thomas
31 Chabért Sigmund
49 Schubert Theodor
55 Lisac Fabian
10 Maurer Heinrich
50 Spanić Johann
67 Heurteux Felix
71 Muster Ignaz
41 Janosz Minodor v
31 Hersch Michael
62 Haltrich Ernst
52 Zink Joseph
27 Mayrhauser zu Spermannsfeld Erich v.
57 Amon Ludwig
73 Mast Wilhelm
54 Janauschek Carl
4 Laska Julius
72 Mauthner Felix
71 Konrad Eduard (WG.)
46 Höller Edmund, MVK., (KD.)
30 Raikić Franz
29 Siber Edgar Freih. v., MVK. (KD.).
2 Ludwik Otto
38 Geyso Moriz Freih. v.

Reg.

1. Mai 1875.

11 Klar Maximilian (WG.)
32 Zeppezauer Carl
69 Mahowsky Mart.
65 Wagner Anton
7 Goritschnig Simon (Res.)
52 Benkö Jul. (Res.)
53 Petaj Peter (Res.)
28 Reisinger Edmund
20 Bandrowski Ferdinand
37 Kotauschek Heinrich
49 Schölss Franz
62 Winzerling Paul
28 Kruis Friedrich
37 Kirasić Nikolaus
24 Paunel Isidor Ritt. v.
24 Neuwirth Ferd.
52 Boroević Svetozar, MVK. (KD.)
70 Jasić Adam
16 Pav Stephan
16 Peršin Michael
47 Mouillé v. Brückensturm Arthur
22 Dobrauz Johann
1 Speil Wilhelm
61 Obrenović Steph.
5 Pitigouy Georg
20 Nowak Jakob
33 Bičanić Nikolaus
57 Szymberski Ladislaus
65 Zydło Julius
61 Popović Georg
24 Herzegovatz Nikolaus
52 Menzlik Alexander
60 Klein Stephan v.
2 Cvitković Georg
44 Kirchner Hermann
61 Mága Joseph
1 Böhm Johann
63 Momčilović Michael
2 Jankulov Radosav
47 Schicho Julius

Reg.

1. Mai 1875.

77 Kubečka Carl
31 Simmet Joseph
23 Colombini Carl, ÖEKO-R. 3. (KD.)
48 Vuinović Franz
7 Reichhold Jos.
62 Gischler Conrad
24 Putz Franz
24 Dumanski Emil
73 Harisch Otto
49 Martini Carl Ritt. v.
21 Pohlreich Eduard
63 Zimmermann Joseph
79 Matanović Carl
48 Ferić Johann
49 Toifel Hermann
75 Richter Ferd.
37 Radanović Basilius
1 Kozell Ferdinand
49 Schaufler Franz
80 Barber Hippolyt
41 Dubniański Theodor
38 Mecsery Carl v.
64 Dasović Thom.
48 Jerković Georg
46 Chmeliczek Carl, MVK. (KD.)
43 Bogdan Peter
75 Wiesauer Carl
12 Klikić Georg
43 Rekić Eugen
46 Hadfy Emerich v., MVK. (KD.)
79 Borić Johann
64 Cucu Peter
63 Lutter Joseph
31 Martinz Anton
80 Preclik Joseph
59 Niemeczek Joh.
13 Czechowski Longin
51 Furtasz Carl
23 Radelić Rade
64 Ruja Demeter
67 Okrutzky Maximilian
9 Petschacher Wilhelm
78 Tergovac Joseph

Reg.

1. Mai 1875.

69 Bogat Stephan
70 Stoišić Svetosar
1 Komaretho Adolph
66 Jonász Moriz
33 Ofner Vincenz
78 Dragić Svetosar
53 Pavičić Georg
53 Barić Constantin
57 Igálffy v. Igály Albert
7 Trost Hugo
3 Hofrichter Adolph
15 Friedmann I. Moriz
29 Dasović Joh.
23 Bernáth Oskar, (ü. c.) bei der Feld-Signal-Abth. der VII. Inf.-Trup.-Div.
14 Gjenz Lazarus
74 Flanderka Julius
29 Tučković Math., MVK. (KD.)
74 Petraš Michael
28 Lemarie August (Res.)
42 Steinitz Joseph (Res.)

1. September 1875.

2 Vajna de Pava Albert
75 Herget Emanuel Ritt. v.
17 Schmid Otto
49 Rukavina Emil
42 Schöffel Franz
69 Nowosel Joseph
60 Fejszenyi Elemér v. (WG.)
57 Griessler Andr.
47 Gostischa Ernst
53 Petković Anton
79 Nestroy Gustav
11 Pastrnek Alex.
30 Roller Carl
71 Gludovics Edl. v. Siklós Franz
28 Buschmann Eduard Freih. v.

Reg.
1. September 1875.

56 Kopecky Arthur
40 Kasa Leonhard
14 Uherek Florentin
23 Schreder Franz
52 Hantke Carl
48 Momčilović Emil
27 Gadolla Cajetan Ritt. v.
76 Grünsweig v. Eichensieg Arthur
72 Blažeg Carl
10 Malek Ludwig
43 Weigl Heinrich
41 Baumann Franz, MVK. (KD.)
70 Wagner Emil Ritt. v.
8 Nastopil Carl
25 Steiner August
3 Krebs v. Sturmwall Victor
56 Wodniansky v. Wildenfeld Friedrich Freih.
17 Görtz Lindor Ritt. v. (ü.c.) Personal-Adj. des FZM. Herzog v. Württemberg
19 Lendváy v. Olaszvár Oskar Ritt.
8 Wittmann Camillo
62 Seide Emil
61 Strasser Carl, MVK. (KD.)
4 Kettner Edl. v. Kettenau Camillo
59 Fabrizii Johann Ritt. v.
3 Kopfinger v. Trebbienau Ernst
58 Merta Theodor
39 Olbert Ferdinand
42 Schatzl v. Mühlfort Eduard
51 Dienstl Edmund
26 Eisenbach Franz
1 Reinsperg Hugo Freih. v.
29 Wodiczka Rudolph

Reg.
1. September 1875

7 Saremba Carl
54 Rambausek Friedrich
32 Kummer Stephan

1. November 1875.

29 Geiter Carl Edl. v. (Res.)
66 Koselek Johann
15 Wikulil Carl
49 Stark Ignaz (Res.)
66 Tomecsko Ferdinand (Res.)
49 Bauer Philipp (Res.)
21 Struschka Hermann (Res.)
14 Kraus Gustav
23 Schmidt Carl, SVK. m. Kr.
54 Leonhard Gottfr.
69 Jékey Alexand. v.
17 Andrejka Bartholomäus, MVK. (KD.)
33 Sandner Carl
69 Halm Rudolph
39 Maretich v. Riv-Alpon Lothar Freih., MVK. (KD.)
27 Cappy Franz Gf.
10 Francetić Franz
80 Schubuth Romuald
10 Bradarić Gregor
60 Beöthy Nikolaus (Res.)
60 Beöthy Carl (Res.)
41 Lavrić Johann
77 De Angelis Anton
10 Halfar Victor
80 Osberger Carl
25 Brix Simon
40 Spaček Franz
51 Bernd Rudolph v. (WG.)
26 Hauska Wilhelm
61 Sandner Ferdin.
59 Schmucker Adolph
13 Prochaska Paul

Reg.
1. November 1875.

56 Kukla Adolph
74 Taussig Leopold
37 Sikić Leopold
51 Nikšić Georg
18 John Carl
6 Stričević Sabbas
64 Bogdan Johann
42 Ringl Franz
6 Nebrigić Alex.
50 Zerdahely Arth. v.
32 Blásković Mich.
78 Marić Johann
33 Herlo Peter
56 Muranko Joseph
70 Bogičević Basilius (ü. c.) beim Sicherheits-Corps für Bosnien
34 Weszelovszky Carl
1 Katscher Rud.
77 Ćović Georg
79 Pešut Raimund
80 Farszky Stephan
29 Mitischka Emil, MVK (KD.)
66 Terninić Heinrich
58 Hutter Joseph
72 Weber Rudolph
10 Marković Bartholomäus
57 Turčić Franz
53 Marković Thom.
44 Biller Theophil
72 Algey v. Lustenau Alexander
50 Zinnern v. Burgthal Victor
57 Kahl Anton
39 Blöckinger Andr.
8 Ludwig Joseph
47 Kornpichl Jos.
80 Łukasiewicz Casimir
67 Choma Peter
5 Lederer Wilh.
42 Blumencron Carl Ritt. v.
12 Vukelić Peter
62 Rendl v. Heitzenberg Carl

Reg.
1. November 1875.

48 Haueise Eduard
76 Reitter Matthäus
19 Hofbauer Eduard
31 Schuller Albert
78 Kovaček Mich.
8 Pliczka Lambert
9 Türdischek Gust.
64 Herbay Johann
72 Kosinar Johann
19 Eckardt Franz
15 Ruppert Ferd.
30 Korytko Demeter
80 Kramer Franz
71 Elsner Joseph
4 Widermann Leopold
17 Raslić Carl
78 Buretić Leopold
54 Berger Georg
63 Gindl Anton
71 Souček Johann
8 Hoschek Ottokar
29 Stokić Paul
49 Reiss Wenzel
29 Niemiloviez Ant.
4 Velten Victor Edl. v.
62 Bergner Ivo
2 Streulia Paul
29 Schlimarzik Arnold
56 Pecchio v. Weitenfeld Gust. Ritt.
65 Forti Camillo
52 Kreipner Ferd.
67 Arming Wilhelm
42 Lorz Joh. (Res.)
76 Szabó Lud (Res.)
42 Ertl Ferd. (Res.)
70 Vrga Theodor (ü. c.) beim Sicherheits-Corps für Bosnien
37 Sebastian Joseph

1. Nov. 1875 *).

23 Bányai-Reitz Otto Ritt. v.
2 Pavelka Carl
71 Smiałowski Valerian

---

*) Lieutenants in der Reserve.

Reg.

1. Nov. 1875 *).

64 Rieger Alfred
16 Blažković Alex.
10 Zawadzki Anton Ritt. v.
63 Steopoe Dionysius
38 Schreiber Fried.
13 Piekarski Joseph
34 Gantzstuckh v. Hammersberg Ladislaus
67 Münnich Aurelius
69 Koebelen Franz
43 Zimmermann Heinrich
38 Holt Ernst
37 Stellwag v. Carion Friedrich
25 Zugschwerdt Oskar
39 Fekete de Bélafalva Johann
68 Gerster Béla
18 Eppinger Carl
65 Schönauer Ferdinand.
65 Schwarz Alois
46 Radisics Edl. v. Kútas Eugen
65 D'Elvert Heinrich Freih.
23 Falcioni Ferdinand
38 Baintner Hugo
12 Ruffy de Királyháza Paul
64 Piposiu Cornelius
63 Alexi Arthemisius
71 Nagy Gustav v.
51 Schwenk Franz
67 Fuchsz Stephan
46 Görgey de Görgö et Topporcz Stephan
61 Deutsch Heinrich
68 Dobias Arnold
55 Bordolo Victor
33 Bildhauer Joseph
39 Áron Eugen
64 Levitzky Julius
36 Leitner Richard
22 Büsch Paul

Reg.

1. Nov. 1875 *).

19 Steinberger Rudolph
69 Stauber Joseph
55 Hauenschield v. Przerąb Eugen
18 Stolovsky Eduard
35 Benda Wenzel
67 Lanyi Victor
61 Griez v. Ronse Joseph Ritt.
51 Veress Julius
65 Wilhelm Friedr.
55 Hausner Witold
69 Say Franz
25 Molnár Joseph
7 Hainzl Conrad
35 Seifert Alexander
68 Seefranz Gustav
69 Lehmann Johann
73 Swoboda Robert
64 Levitzky Albert
47 Šetinc Joseph
43 Rollett Cornelius
32 Reichenhaller Julius v.
48 Richter Eduard
37 Grünn Rudolph
54 Vařeka Johann
18 Bausek Anton
41 Krześniowski Carl
71 Akay Cornelius
2 Diwald Julius
74 Arnold Carl
78 Reisner Adam v.
51 Friess Sigmund Ritt. v.
36 Gülich Franz
29 Kahlik Franz
25 Young Eduard
33 Ziegler Victor
66 Ulbrich Eduard
7 Angermann Franz
37 Weisz Jakob
67 Czölder Johann
71 Medzihradszky Friedrich v.
73 Schubert August
29 Běhalek Eduard
18 Goldschmidt Otto

Reg.

1. Nov. 1875 *).

35 Mayer Joseph
55 Philipp Edmund
62 Ruth Franz
41 Fleminger Friedrich
48 Hencz August v.
76 Zobel Adolph
45 Barański Victor
10 Warmski Mieczislaus
32 Gruber Franz
72 Kostyál Joseph
66 Gedeon Aladár v.
65 Lachmayer Jos.
76 Kretschy Alex.
69 Löwl Ferdinand
69 Dwořzak Wenzel
37 Martini Carl
71 Swoboda Heinr.
73 Schönfelder Carl
61 Hesse Adalbert
54 Schartel Joseph
71 Porsch Franz
71 Bundsmann Carl
59 Radnitzky Ludw.
51 Roediger Julius
40 Stawski Joseph
55 Dültz Eugen
52 Müller Alfred
6 Koppay Joseph
68 Karácsonyi Eug.
48 Geiszl Coloman
68 Brósz Ladislaus
78 Goriupp v. Kamjonka Emil
46 Újj Joseph
48 Kautsch Carl
29 Pessina Georg
62 Kaspar Wenzel
28 Sprawka Anton
25 Mayer Wilhelm
6 Weinert Victor
67 Zsedenyi Otto v.
51 Baltl Joseph
37 Könczey Joseph v.
25 Martiny Stephan
37 Grünn Oskar
19 Strasser Samuel
43 Tatra Friedrich
35 Grund Anton
32 Ruda Béla

Reg.

1. Nov. 1875 *).

18 Latour Edl. v. Thurmburg Erwin
47 Felber Joseph
51 Duval Quirinus Freih. v.
51 Gáár Joseph
64 Fabini Eduard
55 Łysakowski Joseph
28 Masopust Rudolph
78 Meixner Wilhelm
32 Farkas Robert
32 Cserna Georg
68 Boronkay v. Boronka Georg
25 Dupal Johann
37 Král Franz
31 Filipescul Julius
2 Zeitler Carl
80 Dąbrowski Eusebius
36 Hraba Joseph
37 Gariup Emil
41 Andronik Maximilian
67 Palecsko Peter
51 Geissler Wilhelm
68 Hudich Joseph v.
41 Tittinger Carl
2 Laczko Alexander
53 Osvald Johann
6 Zwibach Adolph
61 Mesko v. Felsö-Kubin Béla
44 Lázár Žoltan v.
43 Rucker Ignaz
54 Gams Berthold, MVK. (KD.)
71 Zimmermann Otto
71 Lecher Ernst
25 Sedlakovitz Cäsar v.
25 Sagburg Ferdinand v.
17 Muha Joseph, MVK. (KD.)

*) Lieutenants in der Reserve.

Reg.

1. Mai 1876.

19 Tomanóczy Jul. (Res.)
1 Bortlik Joseph (Res.)
20 Bobek Casimir (Res.)
56 Lichtenegger Wladimir
66 Pjevac Raimund
59 Maurer Anton
13 Kusionowicz Michael (Res.)
45 Christen Adolph
55 Feistmantel Friedrich (WG.)
73 Smeikal Johann
18 Titz Eugen
79 Rončević Johann
42 Heidrich Robert
37 Unghváry de Nagy-Món Otto
36 Glass Johann
56 Kurz v. Traubenstein Joseph
63 Hann Johann
42 Weckbecker Rudolph Ritt. v.
18 Süss Franz (Res.)
3 Zrounek Emil (Res.)
54 Heger Johann (Res.)
36 Wanke Carl (Res).
55 Wereszczyński Felix v.
39 Friedl Norbert
27 Stelzl Oskar
39 Csáky de Keresztszeg et Adorjan Hilarius Gf. (Res.)
64 Leitschaft Carl
29 Gussich Moriz Freih. v.
47 Feichter Johann
20 Bednarek Blasius
67 Schertl Georg
78 Ivankov Paul
66 Regele Oskar
47 Reichenberg Georg
35 Hüttl Johann
28 Machalický Ottokar

Reg.

1. Mai 1876.

41 Schubert Joseph (WG.)
74 Stern Lazar
25 Spindler Carl
78 Sokačić Franz, MVK. (KD.)
8 Oertl Heinrich
41 Tomkiewicz Hip.
22 Rubčić Marcus
27 Malzer Gustav
79 Pribanić Alois
78 Kurelac Thomas
29 Horwáth Ludwig
3 Jelenac Peter
74 Brixy Anton
78 Mervos Joseph
44 Büttner Arthur
7 Schulterer Jos.
38 Liszkai Joseph, MVK. (KD.)
15 Teichmann Jos.
74 Purm Wenzel
70 Knežević Paul
71 Botić Michael
52 Turek Felix
20 Buczowski Joh.
7 Wassermann Johann
35 Libeš Franz
27 Knechtl Anton
4 Iglseder August
79 Kulaš Mathias
61 Kéler Sigmund v.
28 Krbawac Joachim
65 Astleithner Arthur
66 Schara Emil
12 Froschmair v. Scheibenhof Constantin Ritt.
65 Schönn Carl
64 Blasiu Simeon
39 Hoffmann Albert
39 Diensthuber Julius (Res.)
56 Janiczek Carl
76 Schreitter v. Schwarzenfeld Leo Ritt.
67 Steinwender Ferdinand
22 Vallon Carl
27 Galler Georg Gf.

Reg.

1. Mai 1876.

29 Djurić Damian
24 Blazsejovszky Joseph
72 Gogela Gregor
42 Hubl Alfred
45 Puchyr Johann
61 Hruschka Alfred
42 Gatterer Alois
75 Waniek Wilhelm
16 Baukovac Joseph
52 Bencze Ferdinand v.
71 Brüda Alois
58 Kovačević Franz
63 Czetz Emil
43 Lalesko Constant.
75 Schmek Georg
19 Kwapil Anton
16 Belčić Stephan
6 Narančić Lazar
8 Dolležal Alexand.
62 Dratsay Joseph
25 Rücker Eduard
6 Trbljanić Marcus
19 Vranesević Adam
36 Krahl Franz
37 Bussu Carl
14 Winternitz Emil
65 Sarrić Anton
29 Malovetz Ludwig
74 Pospišil Franz
36 Heiss Carl
26 Kruttschnitt Paul
29 König Victor
64 Cech Joseph
64 Bajna Moses
12 Landa Othmar
32 Szajbeli Dionysius
64 Tomić Alexander
22 Gatti Raimund
16 Sekulić Nikolaus
63 Rosenfeld Moriz
3 Stich Rudolph
25 Müller Anton
61 Cozzi Franz
25 Mavrenović Basilius
26 Kalas Andreas v.
48 Schultheisz Emil
55 Empfling Eduard
71 Vitászek Eduard
42 Loos Jos. (Res)

Reg.

1. Mai 1876.

29 Pawlik Franz (Res.)
76 Eichberger Jos. (Res.)
51 Szentkirályi Ludwig (Res.)

1. September 1876.

54 Kral Emanuel
55 Marter Edmund
52 Appel Michael Edl. v., MVK. (KD.)
14 Rhemen zu Barensfeld Adolph Freih. v.
76 Kraitsy Stephan
25 Töpfer Carl
1 Berger Julius
27 Guseck Richard Edl. v.
49 Hofmann Oskar
30 Krulisch Edmund
37 Kuczera Hugo
7 Halla Gustav
19 Kestřanek Paul
10 Colard Hermann v.
62 Fegyverneky de Fegyvernek Alexander
32 Schnablegger Franz
50 Suyer Eugen
43 Swoboda Franz
29 Wachenhusen Gustav v., MVK. (KD.)
68 Brandner Arnold
72 Koičić Theodor
75 Glossauer Anton
47 Hendl zu Goldrain und Castelbell Ludwig Gf.
71 Horak Carl
26 Grobois Alexand.
13 Wolgner Joseph
4 Lesigang Gustav
79 Prebeg Alois
59 Biedermann Adolph
40 Fangor Sigmund
67 Hauser Maximil.
6 Petsics Adalbert

Reg.

1. September 1876.

73 Sternberger Julius
60 Fiedler Heinrich Freih. v.
20 Guilleaume Maximilian
8 Czasson Theodor
23 Babić Anton
24 Alexandrowiez Carl
66 Langer Richard
70 Drakulić Edl. v. Mersingrad Nikolaus
80 GęsiorowskiFelix
46 Högg Carl
57 Albeck Julius Ritt. v.
56 Chorąży Joseph
53 Dervodelić Jos.
58 L'Estocq Gustav Freih. v.
18 Skala Friedrich
38 Szabo Alexius
78 Marjanović Jos.
13 Wojakowski Sylvester
42 Piwonka Johann Ritt. v.
5 Semenetz Carl
35 Schmieg Georg
48 Zerbs Gustav, MVK. (KD.).
12 Gärtler v. Blumenfeld Joseph
63 Ruscha Joseph
17 Kreschel Edl. v. Wittigheim Alzides

1. November 1876.

37 Liszkay Emerich (Res.).
49 Eichberger Gust. (Res.).
17 Schermansky Wladimir
59 Specher Thomas
20 Gerhardt Moriz (Res.).
29 Marek Carl (Res.).
19 Bartholy Ludwig

Reg.

1. November 1876.

68 Orthmayr Gust.
1 Floder Joseph
9 Sobota Johann
75 Loudal Franz
73 Lamböck Carl (WG.)
24 Elger Leopold
30 Witoszyński Joseph.
24 Snieszek vel Nieczuja Stanislaus Ritt.
49 Winter Georg
19 Wodička Carl
77 Blumenthal Isidor
57 Suberle Ladislaus
22 Kozarčanin Joh., MVK. (KD.)
1 Fox Wilhelm
45 Franzel Johann
19 Kořinek Franz
22 Žagar Johann
57 Höllerer Michael
21 Němec Wenzel
43 Stojanel Joseph
30 Stankiewicz de Mogiła Wladimir
70 Jellić Marian
48 Vestner Ferd.
45 Walla Joseph
54 Elfmark Franz
31 Foglár Joseph
64 Dobrenu Daniel
59 Melzer Albert
31 Topolković Georg
53 Njegovan Johann
56 Petri Alexander
17 Schenk Andreas
27 Braunstingl Joh.
66 Ploner Conrad
18 Bastl Johann
7 Zdunić Joseph
49 Tuwóra Moriz
65 Samardžia Nikol
17 Fladung Raim. v.
76 Lethay Rudolph, MVK. (KD.)
8 Husserl Wilhelm
72 Botzenhart Jos.
50 Szabo Johann
72 Petöcz Johann v.
63 Hrstić Peter
70 Ćosić Gregor

Reg.

1. November 1876.

33 Nagy de Dombrad Julius
67 Schlesinger Flor.
38 Platzer Guido Ritt. v.
40 Janczyk Stephan
1 Horny Franz
79 Biber Alois
6 Koičić Svetozar
11 Koch Joseph
28 Ibl Franz
68 Rendulić Philipp
13 Gottesheim Wilhelm Freih v.
39 Mihailović Joh.
10 Kuzyk Theodor
2 Petri Ernst
69 Spanner Emil
40 Klenk Adolph
58 Dürrigl Carl
24 Daszkiewicz Vict.
24 Nowicki Joseph
27 Pistotnik Edmund
73 Meincke Adolph
77 Walter Carl
79 Brmbolić Paul
77 Kotzourek Anton
21 Buchwald Emerich Edl. v.
11 Würfel Ladislaus
3 Kossegg Carl
33 Simandan Johann
35 Kainer Anton
16 Brebar Michael
49 Fischer Leonhard
14 Althann Aug. Gf.
13 Dindorf Peter
23 Hinić Simon
38 Wieser Paul
28 Maximow Wasa
8 Schwendt Joseph
71 Vogel Oswald
45 Benić Nikolaus
40 Spitzberg Wilh
70 Markovinović Vincenz
70 Ninković Ljubom.
70 Šibalić Marian
72 Mezzadri Johann
22 Mayer Theodor, MVK. (KD.)
47 Aljančić Bartholomäus

Reg.

1. November 1876.

49 Schaumburg Franz Ritt. v.
57 Mederer v. Mederer und Wuthwehr August
72 Schiller Adolph v.
72 Cysar Oskar
4 Mörk v. Mörkenstein Ludwig
55 Werner Arnold
12 Veličan Stephan
13 Konrady Alfred
40 Maliborski Joh.
15 Haibl Joseph
22 Marchesi Ludwig Conte, MVK. (KD.)
23 Maicen Alois, MVK. (KD.), SVK. m. Kr.
33 Muntean Georg
41 Dimitrievié Paul
80 Dzieduszycki Andreas Gf.
21 Reischach Franz Freih. v.
72 Mathans Ludwig
33 Šranković Anton
72 Walko Géza
9 Krejči Jakob
43 Hausner Arthur
16 Ivančan Stephan (WG.)
78 Jovanović Alex.
70 Subašić Marian
74 Kašaj Emerich
71 Vogl Moriz
6 Kermpotić Marc.
29 Avramov Radovan
29 Dobanovacsky Stephan, MVK. (KD.)
47 Furmann Blasius
34 Budahazy Joseph
34 Puky Joseph
39 Zorčić Thomas
5 Lilesko Johann
62 CeusianuNikolaus
9 Mitis Franz (WG.)
9 Serwacki Anton
45 Radlmacher Theodor
76 Both Raimund
9 Přikryl Joseph

Reg.

1. November 1876.

63 Kolbász Nikolaus
24 Alexandrowicz Franz
7 Petrović Michael
61 Rank Anton
11 Zaunmüller Jos.
4 Zuckerkandl Vict.
67 Zellniczek Georg
61 Herbster Alexand.
54 Oščadal Florian (Res.).
7 Treiber Rudolph
66 Groissenberger Victor
15 Blaustern Ludwig, Dr.
66 Schönhofer Lud.
65 Weis Joseph
75 Hložek Franz
36 Sixl Peter
42 Bubl Eduard
68 Diessner Joseph
47 Brischnik Blasius
3 Juhn Adolph
28 Gerisch Eduard
74 Lauschmann Emanuel
15 Tichy Ladislaus
30 Filipowski Miec.
36 Strohmer Eduard
57 Kittel Alois
20 Turek Stanislaus
10 Szczurowski Maximilian

1. Nov. 1876 *).

56 Miksch Adolph
3 Ambros Julius
13 Rothwein Leon
10 Löwenthal Bernhard
32 Baltay Gustav
32 Prosz Leopold
6 Schneider Carl
63 Hofgräff Arthur
59 Pesendorfer Franz
41 Gribowski Theodor
72 Kunz Rudolph
61 Elter Johann

Reg.

1. Nov. 1876 *).

32 Villecz Moriz v.
7 Potiorek Victor
1 Marquet Franz Edl. v.
4 Domaszewski Alfred v.
28 Foges Theodor
4 Beck Paul
4 Breuner Arnold
67 Glasner Anton
4 Kutschera Carl
4 Auer v. Welsbach Alois Ritt.
4 Horsetzky Edl. v. Hornthal Victor
1 Schustala Adolph
32 Kedves de Csik-Szt. Domokos Stephan
29 Wälder Alois
45 Feistner Wilhelm
28 Paroubek Johann
3 Silberstein Salomon
75 Rabik Emanuel
4 Buresch Ludwig
67 Glós Carl
16 Haberditz Friedrich
33 Habtmann Otto
60 Demárcsek Adalb.
79 Ossanna Carl
70 Kapferer Carl
53 Bandel Eduard
2 Kovacs Géza
34 Rutter Emil
35 Salz Adalbert
4 Mannlicher Rudolph
12 Wenisch Rudolph
77 Stelzer Carl v.
30 Pajęczkowski Joseph Ritt. v.
4 Fröschels Paul
33 Jahn Wilhelm
17 Noë Franz
16 Führich Eduard
77 Iricek Carl
57 Adamski Roman
13 Herasimowicz Joseph

Reg.

1. Nov. 1876 *).

54 Molitor Gustav
23 Rossi Carl
22 Tamino Bartholomäus
22 Tamino Rudolph
41 Hopp Ferdinand
25 Fischer Anton
1 Müller Johann
3 Kofler Anton
43 Peter Carl
42 Fischer Joseph
28 Braunsdorfer Eduard
53 Eisner Emil
17 Polley Friedrich
73 Reissenauer Franz
35 Gutwillig Richard
16 Hantschel Augustin
1 Wiskočil Arthur
36 Teuchert Carl
42 Gauba Franz
50 Frischherz Clement
41 Allerhand Joseph
58 Biernatzky Engelbert
14 Engerth Eduard Freih. v.
41 Zybaczynski Jos.
41 Mayer Johann
14 Wohlmuth Vinc.
1 Twarużek Franz
14 Hackl Franz
60 Demiany Albert
60 Tahy Michael v.
62 Baumgarten Carl
65 Rebhann Anton
57 Janosza-Galecki Miecislaus Ritt v.
66 Glück Hermann
63 Popp Alexander
19 Greil Julius
21 Haemmerle Oskar
62 Marschal Emil
79 Forst Joseph
77 Klebinder Sigmund
79 Swoboda Alexander

Reg.

1. Nov. 1876 *).

43 Soretić Franz
72 Steiner Ludwig
41 Koczynski Ladislaus
30 Szydłowsky Alexander Ritt v.
79 Gentilli Hermann
69 Végh Andreas
43 Nusko Johann
7 Huber Friedrich
79 Liebitzky Johann
23 Rautenkranz Anton
80 Schmid Carl
29 Hiltscher Rudolph
24 Vlkolinszký Julius
12 Koch Alexander
17 Rossetti de Scander Carl
48 Gromes Franz, MVK. (KD.)
33 Adler Leopold
56 Olearski Casimir v.
77 Kieszkowski Boguslaus Ritt. v.
43 Weisz Heinrich
17 Rossetti de Scander Johann
41 Mehoffer Nikolaus Edl. v.
15 Nussbaum Victor
41 Edelstein Leon
29 Kassal Anton
29 Zacke Gottlieb
16 Gamperle Carl
70 Kyovský Carl
79 Rubeš Richard
53 Mataja Victor
39 Pliwa Ernst
70 Baier Georg
24 Purschke Carl
30 Füger v. Rechtborn Carl
16 Grohmann Adolph
39 Kaluschke Hugo
79 Hoffer Edl. v. Sulmthal Oskar
53 Baldemair Nikol.
3 Grapl-Kopřiva Wilhelm

---

*) Lieutenants in der Reserve.

Reg.

1. Nov. 1876 *).

39 Paumgartten Heinrich v.
50 Pollandt Sylvester
79 Geramb Victor Ritt. v.
10 Mierka Bronislaus
46 Scheinberger Ignaz
77 Maślanka Martin
79 Řivnáč Joseph
29 Čihak Adalbert
42 Bräunl Wenzel
64 David Daniel
39 Fisch Ignaz
48 Menz Albert
3 Werner Bernard
33 Farkas Ernst
46 Déghy Julius
38 Ernuszt Géza
19 Hubert Wilhelm
32 Spur Johann
48 Kuželovský Anton
64 Schelker Gustav
29 Titz Alfred
60 Zsigmondy Ernst
78 Adamovich de Csepin Béla
11 Seemann Carl
78 Beck Günther
50 Seeger Alois
58 Steiner Joseph
50 Chiapo Leopold v.
7 Webern Franz v.
32 Darvai Philipp
65 Langer Gustav
16 Benda Robert
77 Eiselt Johann
43 Wohlfarth Moriz v.
43 Trowofsky Carl
50 Faschingbauer Joseph
58 Nawratil Richard
46 Stein Joseph
31 Giacomuzzi Joh.
70 Sprung Ludwig
79 Fischl Heinrich
75 Wita Joseph
46 Koczor Johann
40 Labowicz Bronislav
76 Romwalter Alfred
58 Duzinkiewicz Basil v.
60 Barcs Béla
60 Glaez Ottomar
60 Röttinger Carl
50 Papp Nikolaus
60 Kolczonay Anton
23 Kühnel Conrad
37 Paulik Joseph
76 Fröhlich Nikolaus
60 Ankert Franz
40 Gedl Eduard
78 Ferrari Ludwig
77 Sedlaczek Arthur
14 Winkler Friedr.
50 Hanusch Friedrich
80 Malinowski Florian
77 Komorra Thaddäus
77 Pragłowski Thaddäus
55 Bobikiewicz Constantin
17 Herborn Johann
60 Matavovszky Béla
60 Schwarz Arthur
79 Krpal Anton
39 Sander Albert
17 Tischina Franz
31 Schaefer Adolph
39 Káván Anton
48 Köröskényi Ludwig v.
19 Angyal Hermann
25 Netsch Joseph
43 Schilcher Maximilian
25 Schulcz Ludwig
60 Liptay Stephan
9 Kostecki Julian
57 Dzierzynski Jos.
20 Kwolewski Eduard
80 Lodynski Georg Ritt. v.
48 Odstrčil Vincenz
49 Ladein Joseph
76 Borcsitzky Adalb.
74 Schlechta Edl. v. Hrochov Friedr.
26 Schwarz Alfred
2 Martin Theodor
50 Teutsch Johann
50 Popea Radu
43 Wähner Franz
7 Brandstätter Joh.
78 Wolfgruber Ferdinand
68 Hannak Johann
39 Hampel Julius
58 Wazl Friedrich v.
40 Sobolewski Felician
17 Marini Carl
8 Paumgartten Philipp Ritt. v.
78 Buchwald Steph. v.
76 Molnár Béla
10 Winter Emanuel
55 Bartel Justin
58 Buzor Theodor
18 Renner Franz
56 Korn Carl
69 Drach Franz
53 Kamenar Georg
60 Sváby v. Sváboczy u. Tótfalvi Alexander
72 Madach Emanuel
50 Glück Adolph
72 Marcsiss Johann
65 Szikszay Alexius
32 Schlauch v. Linden Ludwig
32 Kapy v. Kapivár Nikolaus
32 Gyulányi Béla
34 Ewa Ernst
23 Vargha Julius v.
69 Müller Joseph
23 Rohácsek Carl
69 Hahn Johann

1. Mai 1877.

31 Steinhausen Franz
41 Dąbrowski Sigmund
65 Pichler Richard
17 Dollenz Anton
38 Trausch v. Trauschenfels Friedr.
53 Hatz Alexander
22 Dannecker Arthur
74 Schwarz Carl (Res.)
18 Lettocha Ignaz (Res.)
8 Schlosser Johann (Res.)
18 Mitzka Xenophon (Res.)
21 Payer Peter (Res.)
72 Doubrawa Eduard (Res.)
20 Łodyński v. Łodnya Thaddäus Ritt.
75 Havliček Thomas (Res.)
71 Bušić Georg
56 Kotula Boleslaus (Res.)
42 Behrbalk Carl (Res.)
23 Fleischer v. Kämpfimfeld Eugen
49 Steindl Georg
46 Aigner Theodor Ritt. v.
38 Somody Emil
10 Lang Carl
50 Schreiner Alois
43 Seracin Michael
27 Korner Anton
60 Gaith Adolph (WG.)
72 Pápay Ignaz (Res.)
60 Grohmann Adalb.
17 Milavc Joseph
11 Mašák Wenzel
21 Kryštufek Stanislaus
61 Dwořak Julius
71 Kristinus Emil
1 Leinweber Eduard
20 Witwicki Aital

*) Lieutenants in der Reserve.

Reg.

1. Mai 1877.

14 Woracz Alfred
33 Egger Robert
65 Ludikar Theodor
36 Mrázek August
45 Neumeister Carl
21 Kocourek Adalbert
3 Deutschel Ferd.
49 Schwabe Franz
61 Müller Adolph
23 Schegula Franz
9 Brázda Burghard
36 Merbeller Wilb.
45 Wais Joseph
34 Fülhegyi Edmund
58 Beranek Wenzel
70 Vuković Rudolph
36 Němeček Franz
21 Vacek Alois
75 Božičević Gregor
70 Stojanović Laur.
17 Bobik Carl
73 Keller Hugo
17 Arkar Joseph
38 Curry Franz
75 Batinić Michael
29 Kalvo Maximilian
62 Simić Stephan
40 Grubić Simon
70 Katušić Thomas
71 Modritzky Franz
41 Hlauschke Joseph
47 Erlacher Eugen
18 Mohapel Gustav
65 Kankowski Joh.
18 Rakus Heinrich
20 Heller Eduard
60 Jósza Gabriel
32 Tiry Géza
32 Filtsó Johann
14 Frank Adolph
49 Martinek Franz
19 Friedmann Coloman
41 Weber Adolph
39 Petöcz Lazar v.
75 Manajlović Georg (WG.)
63 Gutt Johann
4 Fugger Anton
1 Poleschenský Gustav
70 Zoretić Blasius

Reg.

1. Mai 1877.

60 Györgyössy Joh.
26 Baar Vincenz
30 Lewkow Theodor
22 Greguričević Franz, MVK. (KD.)
21 Suchý Felix
72 Franz Leopold
21 Valentić Georg
27 Poniński Franz Gf.
45 Mally Gustav
27 Pongrácz de Szent Miklós et Óvár Heinrich
30 Malinowski Michael
77 Bensa Anton
8 Vocke Wilhelm
23 Bauer Ludwig
23 Stainer Ludwig
1 Gela Joseph
15 Tessarowicz Jos.
52 Imelić Joh. Edl. v.
46 Winkler Oskar
79 Reissig Carl
61 Mervos Natalis
71 Přihoda Richard
58 Mayer Carl
76 Giebisch Maximilian
51 Szász Georg
18 Siegl Ambros
19 Hellmann Joseph
19 Haunzwickl Joseph
26 Hobza Rudolph
3 Braun Julius
28 Otruba Thomas
41 Paliczka Elias
67 Nemes Robert
8 Waitzendorfer Carl
66 Krausz Julius
50 Macsego Albert
8 Deiss Johann
32 Nikolini Ludwig
32 Moker Victor
56 Ulrich Severin
33 Costanu Paul
50 Binder Friedrich
65 Szekcső Árpád
11 Bredschneider Emil

Reg.

1. Mai 1877.

30 Sobota Stephan
71 Rathauský Albin
63 Zikely Joseph
47 Stibenegg Franz
37 Humitza Johann
45 Błyskal Joseph
49 Liechtenecker Franz
53 Schleicher Wilhelm
48 Kiepach Alfred v., MVK. (KD.)
23 Horváth Valentin
35 Landshut Jos.
78 Gerčić Alexander
6 Glavačević Jos.
74 Felix Wilhelm
51 Florentin Edl. v. Biederheim Aurelius
3 Hudlik August
54 Matura Johann
9 Baderle Edmund
60 Kienast Johann
2 Reichel Oskar
15 Mućurlia Gottlieb
20 Haselbach Heinrich
78 Smerček Emerich
21 Dević Johann
39 Radoiković Ljubomir
75 Wegrath Johann
18 Mayr Alexander
76 Lorencz Othmar
58 Poźniak Alfred
32 Blanther Joseph, ÖEKO-R. 3. (KD.)
63 Herberth Martin
64 Zigrisch Johann
1 Kraus Jakob
23 Munižaba Thom.
22 Petretić Thomas
30 Frühling Bernhard
55 Schultz Ludwig
52 Mecz Géza
28 Petvaidić Otto
39 Knapp Carl
43 Fülepp Akos
7 Münzel Arnold
60 Müllner Aemilian (WG.)

Reg.

1. Mai 1877.

25 Moese Edl. v. Nollendorf Friedrich
25 Merkh Maximilian
26 Baar Eduard
47 Bernot Johann
35 Eisenhut Franz
60 Srna Gustav
60 Keimel Franz
28 Selinka Heinrich
78 Holterer Anton
6 Damin Anton
2 Ludwik Emerich
13 Müller Michael
47 Glantschnig August
50 Muntean Nikol. (ü. c.) in der Probepraxis für den Truppen-Rechnungsdienst
28 Pazourek Joseph (WG.)
29 Togni Peter
63 Rendl v. Heitzenberg Gustav
5 Kunek Johann
40 Vujaklia Peter
34 Lepesch Victor
69 Gorsić Georg
41 Hauser Philipp
35 Hubel Johann
33 Schelker Carl
75 Stiller Carl
6 Gaišin David
51 Jannosch Johann
13 Engelhart Friedr.
78 Doskočil Emil
46 Raubar Joseph
72 Hasko Michael
28 Fischer Carl
46 Sonnewend Wilhelm
13 Brandt Franz
18 Lobkowitz Carl
12 Majewski Franz
67 Haluska Wendelin
10 Czuma Theodor
35 Wufka Otto
26 Singer Salomon
63 Hatfaludy de Hatmansdorf Ernst
80 Rozejowski Jos.

Reg.

1. Mai 1877.

22 Vraćan Mathias
10 Lityński Peter (Res.)
35 Strommer August
34 Glück David (Res.)
17 Crusiz Eugen

1. Juli 1877 *).

62 Lederer Gustav
74 Kopperl Sigmund
64 Popović Stephan
20 Schmidt Friedr.
47 Pallich Edl. v. Carburg Joseph
51 Marussig Richard
69 Pospesch Carl
47 Sok Lorenz
15 Rippl Joseph
20 Zapletal Jaroslav
20 Salter Moriz
53 Zečević Otto
9 Kolczykiewicz Mathias
47 Gassner Norbert
69 Berzeller Anton
47 Schwab Ernst
53 Mosettig Heinrich, MVK. (KD.)
33 Prister Carl
33 Czerwiakowsky Franz
29 Steingassner Coloman
69 Wellisch Ludwig
9 Kořistka Engelb.
9 Swoboda Edl. v. Fernow Eduard
47 Seiller Emil, MVK. (KD.)
33 Tomaselli Heinr.
62 Bucher Carl
47 Paroli Anton
70 Jelinek Alfred
52 Vest Oskar Ritt. v., MVK. (KD.)
70 Pompe Carl
47 Stor Franz
13 Zieleniewski Edmund
52 Pichler Johann

Reg.

1. Juli 1877 *).

31 Tribusz Gustav
40 Seliger Alois
52 Kollegger Joseph
52 Neuner Franz
52 Prati Eugen
8 Ebersberg Oskar
44 Gedeon Ladislaus
15 Trausel Joseph
46 Scomparini Cäsar
5 Denhof Friedrich
26 Pipp Alexander
9 Wacht Ignaz
38 Engel Adolph
46 Illes Eugen
46 Richnovsky Julian
15 Prochaska Carl
40 Nowicki Leon
12 Wenninger Math.
46 Haymann Alphons
40 Fischer v. Fischering Alfred
6 Peterdy Ludwig
40 Stradiot Zdislaus
12 Toth Ludwig
44 Kremer Cajetan
15 Cartellieri Friedrich
52 Schäffer Rudolph
52 Ertl Ludwig
50 Gassner Hermann
15 Peschl Emanuel
9 Rakowitsch Reinhold
26 Eybner Otto
51 Schmarda Edmund
38 Rozsavölgyi Emanuel
45 Bichterle Adolph
51 Hatfaludy Steph. v.
12 Konkoly Coloman v.
24 Graf Rupert
40 Kozaurek Julius
40 Bauer Michael
40 Harth Joseph
9 Kollik Rudolph
31 Miess Rudolph
61 Kiticsan Johann
23 Stettner Ladislaus
50 Weber Friedrich

Reg.

1. Juli 1877 *).

50 Links Friedrich
68 Lenk Alexander
68 Pauer Julius
24 Merfort Carl
69 Haračić Franz
19 Gürtler Joseph
19 Wunderer Leop.
19 Babel Friedrich
53 Ducat Carl
24 Luft Maximilian
12 Farkas Géza
45 Kniha Adalbert
46 Lázár Georg
31 Wallstein Leo
13 Stein Arthur
15 Stanek Franz
15 Wierzbicki Martin
19 Haris Johann
19 Hennel Carl
42 Pergner Wenzel
70 Jursa Johann
44 Dolleschall Ernst
45 Beutl Joseph
24 Feigl Romuald
24 Lassig Johann
47 Steffan Carl
40 Ramult Balduin Ritt. v.
9 Schubert Johann
44 Breuer Maximilian
65 Schwetz Heinrich
66 Ilgner Carl
66 Salo Ludwig
45 Uihlein Edmund
46 Funk Carl
45 Aulich Adalbert
64 Russ Rudolph
29 Schwanfelder Joseph
6 Jirasek Arthur
24 Wachlowski Carl
66 Krzemieniecki Vincenz
65 Redinger Isidor
69 Andolsek Franz
70 Balajthy Alfred Edl. v.
70 Ballhár Conrad
64 Eckhardt Moriz
70 Sturm August
63 Braun Wilhelm

Reg.

1. Juli 1877 *).

61 Löffler Leopold
63 Gentilli Angelo
33 Cosolo Albert
33 Reya Eduard v.
33 Sandrinelli Alois
6 Scheure Joh. v.
53 Kirschner Joseph
24 Dębicki Anton
67 Zwilling Carl
71 Smutny Johann
2 Paul August
6 Löwenhöfer Franz
66 Hedry Bartholomäus
69 Szilágyi August
70 Robakowski Jos.
68 Jilke Carl
44 Fischer Árpád
44 Schüler Ferdinand
65 Rienössl Franz
66 Schratt Heinrich
52 Grund Franz
68 Magyar Ambrosius
33 Spitzer Joseph
65 Kacuzyński Anton
38 Rizy Carl
53 Neumann Jakob
52 Riegl Wilhelm
70 Schoch Julius
6 Braun Joseph
6 Preissler Joseph
63 Schweitzer Julius
44 Maly Franz
40 Dzieduszycki Franz Gf.
51 Szende Béla v.
15 Grünberg Casimir
15 Philipp Eugen
31 Eglauer Theodor
52 Hess Franz
63 Söllner Johann
63 Waltherr Gedeon v.
33 Pollak Salomon
31 Flecker Oswald
53 Vranković Georg
63 Distl Johann
44 Simek Anton
52 Haberditzl Andreas

---

*) Lieutenants in der Reserve.

Reg.

1. Juli 1877 *).

61 Benesch Alfred
51 Marki Alexander
15 Fedorowicz Joh.
61 Novak Eugen
23 Mikić Johann
31 Popelka Adolph
38 Kunz Gustav
70 Janota Jaromir
64 Kappel Carl
64 Müller Johann
44 Matuga Miloš
31 Ebner Gustav
63 Szelewski Boleslaus
46 Dobo Emerich
68 Petzrik Stephan
3 Turetschek Franz
44 Nerey Coloman
10 Weselsky Emil
31 Mlekus Hippolyt
64 Sandbichler Jos.
29 Hegyi Johann
47 Gassner Anton

1. September 1877.

1 Bunnach Theodor
20 Mikulicz Valerian
37 Meinschad Hermann, MVK. (KD.)
4 Strasser Edl. v. Obenheimer Jos.
19 Gerhauser Sigmund v.
14 Chmela Carl
7 Pöschmann Eugen
53 Radičević Martin, MVK. (KD.)
59 Hausenblas Alfred
76 Novak Friedrich
55 Krulisch Franz
25 Klose Ernst
13 Chmielowski Martin Ritt. v.
73 Demar Ludwig
44 Colerus de Geldern Emil
11 Piwetz Emanuel
43 Marginian Julius
47 Hannsmann Hubert

Reg.

1. September 1877.

75 Wraschtil Emil
49 Wimmer Anton
42 Schiess Carl
3 Nesweda Richard
32 Ziegler Joseph
41 Petelenz Leonh.
18 Novak Richard
80 Schiefer Oskar
35 Teisinger Joseph
23 Szeiff Carl
42 Görgl Adolph
70 Levačić Johann
54 Oehler Friedrich
21 Uher Carl
30 Beinhauer Johann
60 Dimitrievié Sev.
63 Stauber Leopold
61 Barbini Alexander
26 Padewit Fridolin
4 Semek Anton
52 Knopp v. Kirchwald Alois, MVK. (KD.)
10 Mitschke Peter
6 Marinkow Emil
22 Spoliarić Franz
9 Bobik Edmund
36 Marcovich Anton
28 Čižek Carl
33 Mazuth Alexander
10 Semp Adolph
38 Butschek Albert

1. November 1877.

52 Hochenegg Jos.
74 Kolářský Joseph (Res.)
17 Pallua Julian
8 Liznar Joseph (Res.)
19 Berlin August
22 Kokoška Johann
29 Serdić Philipp
9 Ptaček Peter
71 Plietz Ludwig
43 Bussu Alexander
79 Blašković Eduard
19 Ugrešić Theodor
24 Schwertführer Alfred
76 Krauss Emil

Reg.

1. November 1877.

10 Bülow Bernhard v.
19 Uzelac Michael
29 Adler Mathias (WG.)
40 Krzywonos Wenzel
33 Hermann Georg
71 Maschek Wenzel
53 Panian Albin
51 Radosavljević Lazarus
41 Csadek Franz
12 Romanowski Peter
56 Preschel Oskar
23 Banutáy Emerich
57 Rampacher Rudolph
76 Hampel Mathias
4 Hofmann v. Donnersberg Joseph
32 Badovinac Emil
5 Weiss Leopold
55 Dębicki Wilhelm
22 Jurić Vitus
37 Menzer Hugo
31 Czink Adolph
57 Schantz Adolph
50 Kubesch Alfred
50 Swastits Stephan
49 Le Brun Alfred
34 Cserépy Adalbert
34 Boczan Isidor
66 Jakubovics Jos.
2 Tompa Gabriel
5 Mayer Moriz
4 Hüttner Adolph
76 Depetris Stephan
71 Tschadesch Alois
77 Zaschkoda Ludw.
44 Würzl Wilhelm
63 Gardik de Kárda Paul
51 Deseő de Szent Viszló Franz
2 Albrecht Ludwig
64 Nedelcu Elias
65 Hubrich Hugo
24 Rutkowski Ladislaus

Reg.

1. November 1877.

30 Biedermann Gustav Ritt. v.
13 Wladyka Joseph
14 Bauer Johann
41 Prochaska Romuald
62 Marschner Jos.
7 Ibounig Franz
42 Haan Maximilian Freih. v.
16 Sekulić Thomas
73 Zuber Heinrich
27 Keizar Stanislaus
36 Wlk Bohuslav
71 Prade Eduard
59 Kooks Otto
77 Maier Hugo
77 Zukanović Stephan
2 Murz Friedrich
69 Vidović Michael
69 Vučić Anton
25 Krix Joseph
40 Pawlus Carl
22 Todorović Radoslav
55 Salibill Franz
56 Skala Albert
7 Rieder Heinrich
37 Büschu Nikolaus
33 Winter Alois
14 Kaltenborn Oskar v.
55 Kastelitz Carl
16 Auerbach Adalbert
29 Sagaičan Johann
12 Langer Alexander
56 Csala Johann v.
77 Hussakowski Anton
7 Huber Joseph
19 Kvassay de Kvassó et de Brogyán Ludwig
14 Ehrlich Edmund
7 Layroutz Valentin
77 Albinowski Roman
80 Lassnigg Carl

---

*) Lieutenants in der Reserve.

Reg.

1. November 1877.

80 Pomykáček Joseph
38 Hodowal Joseph
11 Schober Johann
12 Obauer Alfred
69 Korrica Nowak
24 Wittich Gustav
76 Albrecht Julius
44 Kwapil Alois
4 Teppner Hermann
34 Ratkay de Oerves et Rozvagy Paul
64 Scherbesko Peter
66 Klestinszky Coloman
68 Hummel v. Schmelzreutlingen Carl
4 Liechtenecker Georg
19 Kubin Carl Edl. v.
75 Kuchinka Ernst
77 Wojtěchowský Carl
59 Knauer Ambros
36 Eckhardt v. Eckhardtsburg Jos.
20 Strohal Richard
67 Pankiewicz Sigmund
60 Nagy Ladislaus
49 Müller Alfred
62 Wayda Hans v.
1 Pitlik Andreas
55 Weissmann Eduard
34 Janik de Emöke Géza

1. Nov. 1877 *).

3 Koller Carl
73 Muck Johann
43 Koller Raphael
16 Opian Peter
3 Sicha Franz
77 Ziegler Carl
23 Benkert Joseph
43 Oehninger Jos.
77 Lasson Anton

Reg.

1. November 1877.

55 Wasilewski Stanislaus Ritt. v.
34 Schwartz Maximilian
30 Boroević Nikolaus

1. Nov. 1877 *).

42 Schneider Heinr.
74 Novotný Ottokar
72 Macher Julius
41 Silberbusch Salomon
36 Isak Robert
3 Ganzwohl Wilh.
56 Wintuschka Casimir
13 Raubal Joseph
75 Lukasch Johann
22 Dobrilla Peter
7 Candutti Sylvius
1 Weiss Heinrich
28 Schindelka Eduard
28 Přibram Emil
9 Kunaszowski Joh. Ritt. v.
27 Schiffer Julius
17 Bouvier Victor
7 Weinländer Georg
39 Hüberth Carl
49 Werkowitsch Victor
8 Kraus Carl
14 Poth Julius v.
14 Piemann Friedr.
14 Bertold Franz
14 Furthmoser Hugo
9 Krynicki Wladimir Ritt. v.
52 Clementschitsch Arnold
28 Stipek Richard
7 Lindemann Alexander Edl. v.

1. November 1877.

13 Smidowicz Zdislaus
3 Linhart Johann
28 Dvořák Carl

Reg.

1. November 1877.

23 Mladenović Georg
56 Huppert Sigmund
37 Lukács Alexander
79 Sertić Johann
7 Matuschka Ludw.
65 Schidlo Franz
56 Göbel Joseph
1 Glogar Joseph
33 Klepp Dagobert
25 Parassin Viktor
80 Scherer Leo
28 Herglotz Wilhelm
1 Petrasch Johann
41 Remde Ernst
18 Bolik Franz
17 Kump Mathias
42 Wohl Wilhelm
80 Wild Thaddäus
71 Vilhar Julius
20 Bajorek Andreas
56 Lawner Carl.

1. Nov. 1877 *).

73 Toischer Wendelin
8 Blumenschein Carl
47 Fischer Johann
31 Plattner Johann
41 Kossowicz Constantin, MVK. (KD.)
4 Räth Joseph
28 Kauble Carl
67 Steirer Franz
60 Piesslinger Carl
60 Piesslinger Mich.
71 Miklosy Ludwig
61 Zenker Franz
76 Kluge Carl
71 Sandor Carl
1 Rössler Moriz
44 Josephy Gustav
2 Wufka Franz
35 Sigmond Robert
19 Billig Nathan
64 Kristel Joseph
35 Rosenberg Anton
44 Slatin Heinrich
11 Urban Moriz
62 Bene Géza v.
76 Illes Aladár v.

Reg.

1. Nov. 1877 *).

76 Arnhold Carl
26 Wiesner Adolph
32 Seitz Franz
14 Wozku Joseph
13 Kaminker Sigmund
49 Huber Victor
56 Schmeer Friedrich
16 Šekula Franz
75 Steinocher Adolph
8 Rindl Emanuel
52 Moldoványi Stephan
63 Simandl Ferdin.
53 Manojlović Gabriel
13 Hrdlička Leopold
33 Altmann Stephan
11 Svoboda Joseph
35 Pascher Heinrich
72 Jeszenszky Géza v.
19 Slatin Rudolph
79 Schubert Hugo
44 Böhm Adalbert
66 Körös Ladislaus
26 Fritz August
6 Michalek Franz
53 Jerković Michael
71 Černo Bohumil
71 Sooky Camillo v.
5 Ritscher Marcellus
16 Jan Johann
54 Padewit Fridolin
44 Kienast Andreas
5 Tropper Ferdinand
64 Cholewkiewicz Leo
1 Dostal Ernst
62 Kolbenheyer Hermann
8 Scholz Rudolph
14 Helm Heinrich
62 Conrad Emil
24 Stoklassa Aemilian
51 Koch Franz

---

*) Lieutenants in der Reserve.

Reg.
1. Nov. 1877 *).
66 Kilian Joseph
58 Bardasch Joseph
13 Mrozowski Franz
33 Herzig Alfred
61 Dittrich Franz
60 Sašeci Gottfried
6 Homatsch Anton
67 Kehrling Alfred
67 Schelley Arnim
9 Jahn Johann
25 Zaborszky Béla
44 Hänisch Friedrich
2 Jekelius Heinrich
16 Demicheli Achilles
38 Guttmann Moriz
75 Podhaiský Carl
13 Hromadka Johann
11 Mlčan Franz
46 Erdélyi Michael
50 Liskowacki Mieczislaus Ritt. v.
28 Žak Anton
70 Wilka Paul
77 Haluska Stephan
38 Tomcsányi Maximilian
32 Petrovits Nikolaus
36 Schubert Friedr.
72 Altdorfer Stephan
50 Goldstücker Marcus
48 Baumgartner Sigmund
79 Maischberger Thomas
75 Fürst Carl
24 Mehoffer Rudolph Edl. v.
40 Konarski Franz
50 Köhler Carl
74 Ladenbauer Cajetan
28 Khas Joseph
3 Přecechtěl Joh.
70 Gold Franz
18 Splichal Wenzel
43 Balás Adalbert
58 Chrzanowski Victor

Reg.
1. Nov. 1877 *).
70 Schimscha Math.
15 Wimmer Wladislaus
76 Leitgeb Johann
12 Niklas Anton
20 Wagner Johann
63 Pollitzer Adolph
26 Wunder Emil
35 Parassin Alex.
37 Peter Johann
59 Hartl Johann
2 Paul Wilhelm
35 Krynes Wenzel
10 Rauch Wilhelm
27 Gutmann Gustav
10 Brousek Carl
75 Zátka Dobroslav
11 Koral Franz
40 Dziedzicki Leon
32 Bún Julius
70 Leschnigg Rud.
21 Hertik Emanuel
74 Benesch Robert
69 Kramer Ernst
58 Mathias Gustav
58 Rauch Franz
60 Mader Julius
6 Wacha Zdenko
21 Kocy Franz
29 Steingaszner Oliver
46 Bruckmann Wilhelm
22 Tagliapietra Constantin
2 Freitinger Jos.
64 Capesius Wilh.
5 Petz Johann
5 Pick Leopold
70 Kallina Rudolph
18 Bock Moriz
65 Lanner Carl
72 Gervay Johann
26 Sattinger Conrad
75 Dvoržak Johann
74 Pick Eduard
61 Panajoth Joseph
79 Schmid Heinrich
79 Schaumburg Alexander
46 Reiner David

Reg.
1. Nov. 1877 *).
6 Vlček Franz
25 Appelt Franz
25 Hallisch Ludwig
42 Weigel Joseph
64 Peiser Carl
35 Haas Joseph
5 Hörnes Franz
6 Feldmann Rudolph
5 Böszörmenyi de Hirip et Ivacsko Alexander
68 Eipeltauer Rudolph
10 Bernacki Felix
18 Peschka Franz
34 Burger Árpád
54 Nowotny Johann
70 Weinbrenner Carl
72 Holesch Stephan
30 Zimny Stanislaus
67 Kiszelly Julius
52 Korchmáros Coloman
26 Brzorad Rudolph
67 Krompaszky Adolph
63 Gaar Gustav
36 Hellich Emanuel
57 Sednik Stephan
57 Kropaczek Casimir
12 Zednik Joseph
79 Kraiger Blasius
60 Bassler Ernst
50 Herzog Julius
25 Szontagh Emanuel v.
10 Marynowski Lucian
69 Poljak Ladislaus
2 Stolle Carl
6 Wintersteiner Gottfried
50 Dubowy Romuald
13 Mokry Anton
6 Triescher Joseph
5 Kässmayer Moriz
80 Ohanowicz Jos.
68 Fischer Ludwig

Reg.
1. Nov. 1877 *).
66 Nathansohn Sim.
6 Czermak Johann
59 Blaszellner Jos.
63 Domide Gerasim
30 Nogaj Joseph
30 Janisch Ludwig
34 Bretz Alexander
34 Burger Alexander
56 Fiałkowski Attila
16 Oreschek Joseph
5 Amand Joseph
64 Ehrlich Samuel
33 Zamečnik Joseph
33 Sykora Alois
76 Krump Nikolaus
76 Fischer Joseph
60 Schuller Johann
24 Pniwczuk Basil
61 Schäffer Adalbert
23 Herrmann Alois
52 Strohschneider Anton
39 Schafarzik Franz, MVK. (KD.)
21 Malek Leopold
75 Pick Jakob
46 Rosenberg Béla
59 Mertens Demeter Ritt. v.
12 Platzer Richard
64 Laschitzer Simon
40 Bauer Franz
64 Richetti Aegydius
16 Schwarz Friedrich
46 Pincherle Eduard
49 Neubauer Hermann
34 Freiberger Maximilian
35 Zink Alois
13 Madziara Anton
63 Bedeus v. Scharberg, Carl
63 Grapini Pamphilius
51 Papp Emerich
22 Rupnik Ernst
44 Weitzenböck Georg
44 Sauer August

*) Lieutenants in der Reserve.

Reg.
1. Nov. 1877 *).

74 Urban Franz
12 Löwenstein Theodor
67 Glatz Aurel
39 Walter Carl
33 Hoffer Carl
26 Wojta Joseph
75 Honza Johann
48 Petzel Alois
11 Kadlec Wenzel
22 Degiovanni Demeter
80 Doms Robert
5 Mayer Joseph
22 Bure Anton
64 Wolf Stephan
38 Sulyok Árpád
74 Wohnaut Franz
11 Hruška Franz
64 Pleskott Heinrich
16 Urbanija Jakob
9 Krommer Joseph
3 Polaschek Anton
49 Peithner v. Lichtenfels Rudolph Ritt.
21 Kisslinger Joseph
18 Kwizda Franz
67 Tirscher Stephan
63 Domokos Joseph
66 Frank Ignaz
13 Wacha Adolph
31 Kohn Emil
22 Ferra Heinrich v.
4 Moser Carl
74 Zikmund Joseph
30 Albinowski Julius
42 Süssner Franz
18 Rittersporn Ludwig
74 Istvan Mathias
61 Müller Carl
79 Pawlitschek Alfr.
66 Horvath Akos
79 Starkel Theodor
19 Mang Franz
52 Kulisz Johann
75 Frey Joseph
52 Himmler Adolph
45 Marcinkiewicz Witold

Reg.
1. Nov. 1877 *).

69 Eltér Julius
6 Potomcsik Ignaz
62 Fáy Samuel
32 Pech Desiderius
32 Zenker Alois
4 Obrecht Johann
73 Haberzettl Carl
3 Demel Wladimir
68 Fischer Moriz
46 Molnár Edl. v. Adorjanháza Elemér
77 Chłopecki Vincenz
12 Losonczy v. Losoncz Ernst
12 Turcsányi Edmund v.
52 Hartlieb v. Walthor Rud. Freih.
40 Gottlieb Johann
77 Goldberger Albert
74 Kostial Johann
25 Popper Alfred
72 Scherz Alfred v.
61 Triller Johann
67 Jakobovics Sigm.
67 Binder Albert
49 Altmann Joseph
80 Kohmann Stanisl.
65 Klein Sigmund
66 Bernáth v. Bernáthfalva Zoltán
34 Seemann Ferd.
3 Metlitzky Heinr.
62 Kovácsy Albert
22 Kaderk Heinrich
22 Kosovel Valentin
68 Klenk Julius
53 Wickerhauser Theodor, MVK. (KD.)
53 Betlheim Arthur
32 Machalla Rudolph
52 Gross Conrad
68 Pascolotti Peter
69 Strammer Anton
20 Bolt Richard
42 Zahn Franz
20 Weiss Salomon

Reg.
1. Nov. 1877 *).

61 Hirn Marian
33 Karpeles Hugo
38 Reisenauer Ernst
68 Lukáts Andreas
50 Klugmann Benjamin
53 Maurović Stanisl.
35 Rosenberg Aug.
5 Bauer Johann
54 Einaigl Eugen
62 Heinisch Conrad
21 Dattelzweig Alfr.
53 Schweiger Franz
11 Říha Franz
9 Stella Stephan
66 Kindermann Ludwig
29 Geml Carl
12 Teubl Paul
4 Breindl Hermann
71 Lavotha Edl. v. Izsebfalu Albert
19 Fügi Carl
19 Márkus August
15 Mockford Johann
38 Lassner Gustav
56 Slouk Arcadius
39 Fischer Joseph
29 Slavits Ivan
24 Milenkovič Duschan
40 Hlaváček Alois
2 Ullrich Heinrich
56 Winkowski Franz
6 Piswanger Joseph
20 Ziegler Johann
57 Ujejski Gustav
40 Parfiński Johann
30 Tyrowicz Johann
19 Ganser Ignaz
13 Korber Adolph
20 Lenartowicz Franz
20 Sikorski Narciss
56 Napadiewicz Julian
2 Balogh Carl
38 Berger Moriz
69 Hets Nikolaus
79 Toplak Ludwig, ÖEKO-R. 3. (KD.)

Reg.
1. Nov. 1877 *).

80 Horn Heinrich
29 Kadelburger Moriz
29 Schlesinger Eduard
66 Fülöp Carl
21 Stransky Heinrich
12 Scheriau Otto
53 Verbanić Georg, Dr.
9 Sowiński Michael
58 Streyjski Eugen
45 Szutran Alexander
38 Telbiss Carl
68 Abrai Ludwig
40 Zenk Arthur
13 Dolzycki Carl
2 Bonomo Maximilian
38 Zawirka Johann
13 Zipser Julius
5 Miklosich Moriz Ritt. v.
68 Molnár Sigmund
71 Szmetanay Johann
25 Wildmann August
58 Dunikowski Emil, Dr.
54 Peychl Siegbert
2 Mitri Georg
50 Favetti Carl
12 Kaplanek Carl
38 Rubner Carl
79 Kauz Franz
56 Joniec Anton
20 Myciński Johann
50 Papp Johann v.
40 Staudacher Ferdinand
42 Süssner Thomas
45 Streith Maximilian
19 Müller Hermann
21 Pros Joseph
31 Fischer Salomon
62 Moldoner Carl
19 Schöpfer Hermann

---

*) Lieutenants in der Reserve.

Reg.
1. Nov. 1877 *).
24 Czauderna Johann
30 Delong Johann
53 Hranilović de Cvětasin Coloman
68 Wittmann Mathias
34 Kaluschke Richard
32 Knoll Peter
38 Marschovsky Julius
33 Mattausch Anton
38 Gollner Ernst
69 Tirala Theobald
35 Starck Franz
26 Palkovich Carl v.
11 Novak Mathias
68 Szomjas Ladisl.
52 Geutebrück Ernst
52 Steinberg Friedrich Ritt. v.
45 Wiessner Johann
44 Ehrendorfer Joh.
72 Tretelszky Theodor
70 Gelber Hermann
50 Kadár Georg
64 Caspaar Valentin
74 Wambersky Jos.
25 Liesko Eduard
29 Norischan Ignaz
74 Walldorf Carl
79 Schiebel Adolph
46 Wagner Julius
28 Kramer Leopold
79 Glaser Franz
50 Perasso Franz
63 Hoffmann Rudolph
4 Sagburg Erich v.
19 Tusch Julius
30 Dawidowski Andreas
21 Weiner Salamon
65 Salzmann Marcus
39 Szabó Nikolaus
65 Valko Sigmund
66 Markos de Bedö Georg
20 Heinrich Carl
38 Schmitson Arthur
1 Mammer Rudolph

Reg.
1. Nov. 1877 *).
48 Pirovics Adalbert
66 Fink Julius
80 Bartkiewicz Ludwig
25 Zotti Rudolph
25 Vonbun Joseph
61 Ebner Alphons
22 Pozzo-Balbi Hyginus
19 Prantner Joseph
74 Drbohlaw Joseph
30 Lysiak Joachim
45 Tichy Julius
71 Malbohan Guido
70 Beer Ludwig
70 Bily Franz
16 Pajanović Georg
39 Schütze Otto
18 Schreivogel Franz
45 Doležel Franz
22 Danilo Anton
69 Pawłowski Ladislaus
69 Krug Alexander
33 Watzel Friedrich
33 Scharf Jakob
48 Lischka Adolph
50 Schiller Friedrich
40 Grünhut Ludwig
28 Hajny Carl
28 Chaloupecky Johann
71 Medveczky Joh.
23 Rudnay Béla
60 Moczár Ludwig
69 Kaszás Coloman
23 Dürr Edmund
79 Follius Robert
79 Khull Ferdinand
27 Ferk Ernst
76 Ratz Otto
68 Mattyasovszky Mathias, MVK. (KD)
73 Früchtl Carl
73 Mühlbauer Wendelin
30 Boziewicz Carl
3 Mandl Adalbert
3 Freiss Carl

Reg.
1. Nov. 1877 *).
69 Deszkásy Balthas.
13 Gayer v. Ehrenberg Carl Freih.
72 Obora Albin
46 Csejtey Anton
42 Bergmann Carl
21 Osen Laurenz
21 Latzel Franz
40 Solecki Leo
80 Schapire Theod.
48 Rosenberg Ernst
19 Modl Martin
58 Tesař Franz
22 Ebner v. Ebenthal Eduard
57 Zawilinski Roman
13 Zelek Joseph
22 Klein Richard
22 Tagliaferro Heinrich
23 Scherer Franz
16 Willitschitsch Heinrich
50 Porenta Anton Ritt. v.
70 Pucich Joseph
19 Wasch recte Baš Lorenz
35 Starck Joseph
73 Plass Johann
34 Schürger Franz
35 Maschek Joseph
9 Odstrčil Wilhelm
48 Saly Augustin
48 Nagy Ludwig
8 Langer Johann
6 Flatt Victor
23 Bohner Jakob
44 Finaly Ludwig
44 Kallner Alexius
44 Kiss Edmund
61 Keppich Heinrich
38 Skrobanek Joh.
60 Cigler Hermann
18 Bittner Victorin
18 Sika Johann
80 Gozdowski Ladislaus
61 Florescu Victor
6 Girg Friedrich
6 Eisner Albert

Reg.
1. Nov. 1877 *).
63 Dan Johann
65 Sólcz Balthasar
46 Illes Julius
22 Mansutti Franz
18 Stahl Adolph
25 Mayr Joseph
25 Brehm Joseph
67 Mihalffy de eadem Victor
23 Herepey Árpád
32 Bernáth Emerich
16 Kirchner Victor
12 Turtsányi Coloman
19 Ferenczy Gedeon
35 Knobloch Carl
51 Kuzmich Maximilian
26 Bedros Joseph
38 Czeitler Adalbert
68 Plachner Alexander
23 Sonnenberg Carl
72 Pethes Adalbert
38 Janauschek Ant.
58 Dömötör Ludwig
23 Schön Rudolph
32 Helvey Adalbert
23 Wassischek Joh.
38 Magyar Casimir
38 Grabner Ernst
3 Satzke Erwin
56 Ollinger Anton
53 Vaupotić Mathias
53 Salter Johann
70 Klietsch Leopold
22 Mazorana Emil
2 Pardo Leo
12 Leistler Otto
4 Hornung Franz
58 Eliasch Franz
79 Gavrančić Milovan
35 Telesch Anton
19 Sziládky Norbert
16 Bouvier Erich
21 Pippich Emanuel
44 Klassohn Anton
44 Gronay Stephan
22 Rupnik Richard
21 Delavigne Gustav

*) Lieutenants in der Reserve.

Reg.
1. Nov. 1877 *).

33 Deutsch Sigmund
30 Adamiak Titus
30 Max Ernst
26 Vockenberger Johann
11 Janeczek Franz
53 Smrekar Emil
53 Vrabel Joseph
10 Gutkowski des Wappens Slepowron, Bronislaus Ritt. v.
71 Reviczky Eugen v.
5 Baldass Max Edl. v.
45 Michel Anton
76 Manhardt Rudolph
72 Peinlich Edl. v. Immenburg Carl
25 Ettel Alois
25 Rudesch Alfred
33 Russ Alois
46 Forschek Johann
20 Pink Otto
25 Weizsäcker Carl
45 Bräunl Joseph
33 Bartelmus Eugen
25 Pichl Julius
62 Mach Johann
19 Ruschka Anton
29 Wesching Andreas
10 Treszkiewicz Joseph
30 Durski-Trzasko Anton Ritt. v.
30 Fischer v. Fischering Carl
42 Ambrosi Heinrich
29 Geml Eugen
46 Burger Stephan
58 Hajek Ottokar
24 Čurkowski Andreas
79 Kugler Julius
21 Japp Ferdinand
56 Sittig Rudolph
77 Čihak Franz

Reg.
1. Nov. 1877 *).

13 Mars Stanislaus Ritt. v.
44 Unsinn Aegydius
21 Reif Johann
68 Nöhring Maximilian
23 Lallosevits Johann
69 Brestyanski Victor v.
65 Petri Joseph
2 Rudda Carl
56 Czap Julius
76 Leinner Michael
74 Peche Joseph Freih. v.
62 Kožišek Franz
33 Bihler Carl
33 Seidner Hugo
72 Ambro Julius
21 Prohazka Joseph
80 Mayer Heinrich
34 Tomcsányi Ludwig
24 Neumann Gustav
58 Ebenberger Apollinar
16 Angermüller Julius
30 Losch Emil
44 Fesztl Georg
66 Kelemen Hermann
80 Horbaczewski Anton
13 Gawlik Thomas
38 Linsberger Andreas
36 Bischitzky Alfred
36 Smetana Emil
34 Haaz Adalbert
34 Koch Géza
68 Ludányi Adalbert
48 Würth Anton Edl. v.
79 Fröhlich Carl
16 Schwarzl Franz
63 Höselmayer Joh.
5 Buschmann Franz Freih. v.
11 Fikar August

Reg.
1. Nov. 1877 *).

58 Harasimowicz Theophil
46 Rakita Edmund
42 Waagner Heinr.
21 Smaha Johann
43 Krivan Anton
4 Timmel Franz
22 Primz Martin
58 Epstein Wilhelm
44 Stauber Joseph
18 Schwarzer Jos.
36 Stary Johann
80 Paliwoda Michael
61 Büchler Carl
77 Gottlieb v. Haszlakiewicz Johann Ritt.
34 Francsek Emanuel, Dr.
2 Ludwig Rudolph
72 Madach Ladislaus
34 Kralovanszky Ladislaus
33 Corrossacz Franz
36 Nedobity Friedr.
29 Rosenberg Gustav
80 Grossek Anton
30 Lewicki Philipp
30 Goralski Heinrich
46 Benuzzi Joseph
31 Asboth Oskar, Dr.
52 Zewedin Carl
38 Schreitter v. Schwarzenfeld Ludwig Ritt.
16 Thilen Moriz
60 Streitmann Julius
54 Pospischil Johann

1. Mai 1878.

41 Gross le Maiere v. Kleingrünberg Emil Ritt.
74 Hofman Johann
47 Waldhart Franz
78 Bartholovich Adam
47 Senekovič Andreas (Res.)

Reg.
1. Mai 1878.

4 Laula Eduard (Res.)
14 Pauli Ludwig (Res.)
68 Jovanović Alexander
65 Ćosić Johann
20 Džugan Johann
56 Schulz Emil
15 Friedmann II. Moriz
50 Savković Constantin
44 Matyuga Alexander
42 Müller Carl (Res.)
42 Köhler Hermann (Res.)
17 Postel Adolph (Res.)
8 Serda Johann (Res.)
47 Krainz Heinrich (Res.)
10 Fousek Gustav (Res.)
11 Wolf Alois (Res.)
31 Zornberg Wilhelm Freih. v. (Res.)
51 Haubert Camillo
73 Weiss Joseph
34 Lechner Georg
17 Sartori Usko
69 Wohl Heinrich
39 Herschkowitz Israel, MVK. (KD.)
78 Kaisenberger Andreas
9 Ratschitzky Emil
12 Kraft Carl
3 Engler Rudolph
40 Danielewicz Ant.
77 Eppich Ludwig
48 Szentgyörgyi Joseph
24 Hönich Samuel
3 Pawlé Conrad
7 Bischoff Edl. v. Widderstein Alexander

---

*) Lieutenants in der Reserve.

Reg.
1. Mai 1878.

10 Kłosowski Joh.
26 Wellewill Moriz
54 Kratschmer Carl
54 Schmid Fridolin
68 Neuwohner Jos.
47 Leskoušek Jos., MVK. (KD.)
32 Barich Mathias
9 Hrziwna Gabriel
49 Scherf Michael
41 Holoubek Albin, MVK. (KD.)
4 Vitzthum Franz
19 Tichy Carl
79 Mandić Constant.
75 Měska Franz
79 Valentić Johann
44 Bartl Georg
79 Füsterer Stephan
57 Hantschel August
56 Scholz Emanuel
73 Hess August
43 Stifter Moriz
13 Sierosławski Stanislaus
1 Weyrich Alois
37 Wenzel Carl
31 Balbierer Joseph
43 Winkler Johann
20 Raczyński Hieronymus Ritt. v.
26 Duval de Dampierre Amatus Freih.
30 Weppner Rudolph
58 Lukaszewicz Leo
70 Azlen Stephan
35 Hausar Joseph
12 Fülöpp Arthur
53 Sabljar Adolph
45 Kreysa Carl
54 Latal Carl
49 Kannet - Stelzig Emil
47 Lebar Alois
16 Petek Martin
5 Horvath Franz
72 Kostyál v. Tharnó Carl
65 Jahn August
80 Janz Theobald
64 Petrovan Georg
77 Welz Franz

Reg.
1. Mai 1878.

23 Melkuhn Carl
16 Vodogažec Martin
76 Nagy Franz
60 Feiner Carl
64 Blasek Gustav
69 Spath Bernhard
46 Moškerc August
1 Wagenbauer v. Kampfruf Aristides Ritt.
43 Leiter Johann
43 Urban Carl
56 Grzybowski Joh.
20 Figus Johann
14 Wittigschlager Anton
31 Simonis Ludwig
48 Lončar Hieronym.
78 Plavetić Michael
44 Sorsich Adalbert v.
79 Babić Peter
45 Kreysa Eduard
80 Hörmann v. Wüllerstorf u. Urbair, Ernst Ritt.
41 Peltsarszky Emil
74 Wonka Joseph
77 Horowitz Leon
22 Sudaš Thomas
79 Miljuš Georg, MVK. (KD.)
18 Udalrik Anton (WG.)
65 Ruszth Georg
65 Ehardt Martin
31 Berger Andreas
50 Szegedy Ludwig
28 Beneš Wenzel
16 Čučković Lazar
61 Jovanović Julius
52 Lieleg Adolph
57 Schindler Franz
73 Meyer Rudolph Edl. v.
7 Archer Anton
15 Bryliński Isidor v.
57 Warchoł Andreas
79 Pribić Emanuel
59 Lidauer Ferdin.
39 Stepski Oskar Ritt. v.
30 Götter Hippolyt

Reg.
1. Mai 1878.

80 Zadurowicz Ludomir Ritt. v.
53 Subarić Michael
31 Topolković Stephan
39 Kellek Carl
76 Auer Johann
12 Kuźniarski Joh.
38 Philippović Alois
6 Žužić Mathias
29 Spariossu Basil
60 Támár Desiderius
29 Holzknecht Thom.
8 Max Joseph
78 Scharnbeck Joh.
45 Mandel Friedrich
59 Dunzendorfer Franz
74 Karnold Zdenko
20 Rosenberg Moriz
75 Widl Franz
2 Pocsa de Hatolyka Béla
11 Šulek Ludwig
63 Urbányi Julius
58 Pellech Theodor
5 Szenderszky Franz
76 Lilpop Robert
64 Krallič Vincenz
74 Peitzker Franz
52 Kotertsch recte Reindl Eduard
70 Živoinović Paul
19 Huber Franz
38 Benárd v. Szilvágyi Eugen
69 Molnár David
80 Dziubinski Vinc.
79 Matasić Carl
71 Pichler Wratislav
36 Němec Heinrich
43 Jeger Peter
30 Schneider Ludw.
74 Porm Adolph
42 Peyer Florian
63 Szunyoghy Ludw.
48 Vlainić Božo
62 Foszto Ludwig
18 Rob Johann
35 Lieb Joseph
35 Wondráček Jos.
45 Kolak Daniel

Reg.
1. Mai 1878.

8 Höllebrand Julius
47 Kielhauser Maximilian
51 Kukulj Constantin
51 Knezević Anton
59 Fuchs Ferdinand
43 Russ Basilius
58 Michulowicz Sigmund
2 Rojdl Alfred
19 Mettelka Johann
60 Pittner Joseph
75 Lhotský Joseph
61 Kaltneker Arthur
70 Savin Ljubomir
44 Siegler Edl. v. Eberswald Conr.
68 Rosenbaum Herm.
23 Petainek Jos. v.
39 Kokanović Joh.
26 Wüst Julius
63 Dragan Simeon
77 Baczyński Joh.
60 Mészáros Carl
58 Suchanek Adam
57 Adamski Titus
16 Taritaš Vincenz
38 Šiak Emil
28 Bock Camillo
42 Löscher Adolph
29 Brundula Franz
16 Petrović Michael
15 Karress Eduard
33 Baitz Carl
14 Liebl Adolph
11 Selinka Carl
58 Minasowicz Carl
13 Gerstberger Hugo
8 Linner Victor
26 Sprung Aurel, MVK. (KD.)
55 Freund Heinrich
51 Sarkotić Martin
5 Badesko Daniel
16 Brandner Adam
6 Kuček Joseph
14 Lego Ignaz
42 Pfeiffer Julius
73 Rzeznik Ferdinand
42 Svoboda Franz
6 Bozorić Anton
51 Vidović Johann

Reg.

1. Mai 1878.

45 Indyk Joseph
15 Bisom Johann
33 Pecurariu Ludwig
2 Heinz Edmund
36 Schuldes Franz
61 Linzu Johann
40 Zwach Franz
40 Hochmann Sebastian
18 Schwarz Carl
18 Hammerschlag Emanuel
41 Droste Alexander, MVK. (KD.)
70 Paupié Julius
5 Kintorn Nikolaus
39 Delić Michael
62 Müller Michael
2 Kissling Emil
76 Stephani Rudolph
58 Bryła Casimir
13 Kubiakowski Emil
38 Gál Ferdinand
60 Philipp Ludwig
70 Mihailović Demeter (ü. c.) beim Sicherheits-Corps für Bosnien
62 Friedl Gustav
32 Kleinod Eduard
44 Schreyer Herm.
2 Jokelius Joseph
55 Wraubek Rudolph
23 Hećimović Joseph
12 Schambek Roman
78 Giurković Carl
15 Urbanek Hubert
46 Klamm Johann
32 Harold Anton
15 Christof Hubert
19 Pachner Alfred
43 Manojlović Joh.
70 Bajac Timotheus
54 Langer Wenzel
3 Haisler Joseph
72 Marek Johann
20 Dziedzic Johann
12 Pfohl Joseph
68 Helf Philipp
8 Liboswarsky Franz

Reg.

1. Mai 1878.

43 Steiner Rudolph
5 Telehary Johann
58 Krausz Samuel
24 Kustinowicz Zeno
9 Weinmann Alois
55 Tomkiewicz Ladislaus
22 Flumiani Franz
24 Jaszczor Clemens
78 Unterrainer Georg
14 Angsüsser Joh.
9 Braun Joseph
1 Brauner Carl
32 Tschuschner Franz Edl. v.
79 Dollhopf Gustav
50 Krajčević Julius v.
62 Gvozdić Mathias
5 Nulle Joseph
13 Bürkl Rudolph
72 Stritzko Leopold
12 Blažeković Hugo
65 Baternay Ludwig
66 Wass v. Bessenyö Géza
61 Huszár Anton
25 Jurašin Carl
31 Binder Carl
57 Reitmayer Heinr.
16 Löschner Ludwig
24 Trichtl Heinrich
49 Högl Franz
34 Siegler Edl. v. Eberswald Georg
66 Staničić Peter
1 Wedell Maximilian v.
41 Gebauer Rudolph
18 Wesselak Wenzel
44 Krings Theodor
62 Zaglits Joseph
55 Tuczek Anton
4 Sterz Adolph
52 Lenner Franz
12 Blažeković Victor
42 Kuderna Alexand.
1 Sattler Victor v.
45 Schneider Eduard
78 Dmitrović Elias
73 Riedl Lorenz

Reg.

1. Mai 1878.

77 Rakuš Wilhelm
16 Czibulka Moriz
41 Hoffmann Johann
59 Peckenzell Adolph Freih. v.
78 Allesch Johann
9 Cunz v. Kronhelm Vincenz Ritt.
67 Laczko August
12 Krbek Franz
20 Stransky Albin Edl. v.
12 Salzer Philipp
53 Jovičić Athanasius
13 Damask Moriz
13 Węglarz Bartholomäus
53 Vernić v. Kis-Turan Maximilian
52 Fister Carl
3 Leth Alexander
68 Schuller Wendel.
63 Gavrilutiu Georg
57 Pacyna Laurenz
73 Iwanow Emanuel
33 Petter Carl
34 Häckel Wilhelm
21 Schmid Albert
63 Eggenweiler Otto
5 Hoprich Othmar
18 Tannich Johann (WG.)
76 Lenz Hermann
49 Schmitt Carl
64 Hollaky de Kis-Halmágy Georg
15 Sabransky v. Thalbrück Carl
34 Kelp Albert
24 Nistenberger Eduard
77 Łuszpiński Hilar
11 Rossović Albert
40 Faber Joseph
39 Schumanka Nikolaus
44 Mager Carl
41 Cipser Zeno
34 Schneider Albert
43 Komary Franz
39 Passini Liborius

Reg.

1. Mai 1878.

38 Endre Alexander
77 Walla Heinrich
35 Meyer Georg
26 Mayer Carl
30 Gabriel Julius
1 Herold v. Stoda Johann
64 Franko Julius
36 Sweerts-Spork Gustav Gf.
67 Hennel Emil
67 Bella Andreas
44 Jekey Camillo v.
23 Udvarlaky Carl
53 Ralić Daniel
19 Gorcey-Longuyon Franz Gf.
19 Dollny Alfred
67 Šepović Peter
19 Bakats Andreas
72 Schrammel Franz
66 Resch Franz
73 Faber Joseph
54 Székely de Doba Gustav
59 Reichel Victor
21 Ehrenhofer Carl
51 Sloboda Georg
17 Rabl Franz
43 Schuler Eugen
39 Geml Ignaz

1. Mai 1878 *).

26 Hermann Johann
76 Lainer Anton
20 Berger Franz
42 Sieber Johann
76 Csedera Julius
68 Jamrógiewicz Apollinar
42 Uiblagger Maximilian Ritt. v.
6 Freissler Julius
11 Neplech Joseph
11 Hauser Heinrich
34 Marzsó Carl
67 Fuchs Alexander
40 Křížek Anton
69 Vayda Paul
68 Feix Cornelius

---

*) Lieutenants in der Reserve.

Reg.

1. Mai 1878 *).

10 Holub Franz
12 Farkas Franz
31 Fischer Franz
23 Horwáth Ernst
5 Kovacs Elemér
39 Csanak Joseph
50 Popu Jakob
45 Pukl Jakob
32 Jatzko Michael
35 Černý Mathias

1. September 1878.

56 Wolański v. Wolany Carl Ritt.
71 Laube Julius
64 Gohn Albert
79 Hartmann Franz
27 Hayd von und zu Haydegg Rudolph Ritt.
52 Maggi August
31 Bruckner Emil
36 Groh Eugen
30 Hailig v. Hailingen Emil Ritt.
46 Amon Andreas
34 Fiedler Constant.
35 Schneider Wilh.
55 Meixner Otto
55 Meixner Hugo
26 Kornhaber Adolph
37 Fekete de Bélafálva Nikolaus, MVK. (KD.)
8 Zimmermann Robert
20 Wodniansky v. Wildenfeld Rudolph Freih.
51 Seibt Gottfried
14 Schaub Dominik
72 Radda Gottlieb
49 Svetić Joseph
63 Le Gay Edl. v. Lierfels Johann
70 Vuković Alois
10 Lubojemski Narciss
40 Rössler Ludwig Edl. v.

Reg.

1. September 1878.

21 Bechinie Johann
19 Wasserthal Edl. v. Zuccari Hugo
75 Lemarie Carl
79 Čutić Ambros
36 Jitschinsky Otto
74 Truska Carl
35 Nossek Johann
64 Erle Ignaz
46 Marenzi v. Tagliuno u. Talgate, Markgraf v. Val-Oliola, Freih. v. Marenzfeldt und Schenck, Franz Gf.
38 Meduna v. Riedburg Adolph Ritt.
77 Jaroszynski Michael
6 Hepp Johann
9 Kempski v. Rakoszyn Carl
22 Hasch Friedrich, MVK. (KD.)
27 Jedina Angelo Ritt. v.
71 Schweidl Carl
25 Žiwna August
2 Krismanić Manfred Ritt. v.
23 Dobrić Ljubomir
18 Borsky Carl
28 Pokorny Julius
34 Bedöcs Joseph
54 Kluch Maximilian
78 Rukavina Julius
7 Mayerhofer v. Grünbühl Joseph
52 Appel Sigmund Edl. v.
32 Wokal Franz
39 Kobylinski Stanislaus Ritt. v.
47 Liebezeit Philipp
56 Pelz Eduard
5 Hammerschmid Julius
59 Hauschka Gustav Ritt v.

Reg.

1. September 1878.

13 Schiller v. Schildenfeld Hieronymus
68 Vladár Franz v.
53 Oreškovié Johann
57 Albeck Medard Ritt. v.
45 Raab Eduard
43 Bielecki Alexander v.
69 Pill Carl

7. September 1878.

47 Faninger Ernst
44 Georgi Carl
38 Czihlař Johann
76 Tröster Arnold

15. Sept. 1878.

47 Schimek Joseph
33 Knežević Ferd.
23 Werklian Michael
28 Bretter August
70 Bernstein Jakob
46 Schmidt Adolph
68 Knoll Moriz
8 Auspitzer Emil (Res.)
79 Uzellac Michael
33 Schiller Isidor
19 Steiner Joseph
75 Schwarzbach Carl
43 Pušak Johann
20 Hölzl Carl
68 Weltner Emil
76 Wallner Gustav
79 Bartaković Julius
68 Matzek Johann
21 Hock Julius
66 Jungbauer Moriz
78 Scharf Johann
61 Mahr Franz, ○ 1.
10 Kotliński Johann
20 Kaltenborn Moriz v.
73 Müller Joseph (Res.)
61 Tomandl Franz (Res.)

Reg.

15. Sept. 1878.

61 Busich Christoph (Res.)
68 Laczko Carl (Res.)
72 Wolf Carl (Res.)
61 Stiller Victor, ○ 2.
68 Seidl Gustav
41 Jurkiewicz Marcell
80 Topolnicki Aurel Ritt. v.
13 Jaworski Eugen
53 Peternek Carl
77 Dudek Joseph
55 Chitrejko Sigm.
4 Rabel Richard (Res.)
22 Benedetti Simon de (Res.)
53 Komadina Miloš (Res.)
76 Kopfmann Carl (Res.)
49 Korner Ernst (Res.)
41 Le Gay Edl. v. Lierfels Victor
32 Willheim Franz (Res.)
7 Poschinger Franz
75 May Eduard
55 Schaude Hugo
20 Grzesicki Victor Ritt. v.
63 Poppinger Alois
8 Pollak Michael
79 Nickerl Victor
39 Göpfert v. Altburg Stephan
30 Kunst Rudolph
1 Essler Conrad
57 Frohner Franz
54 Bernhauer Hugo
15 Kozower Joseph
18 Matzinger Franz
35 Tugemann Adolph
1 Festenberg-Packisch Sigm. v.
6 Vitanović Georg

*) Lieutenants in der Reserve.

Reg.

1. October 1878.

54 Nitsch Ignaz
54 Neubauer Adolph
31 Teutsch Wilhelm
77 Schritter Adolph
62 Steinfeld Moriz

31. October 1878.

24 Sokołowski Ant.

1. November 1878.

22 Gelpi Arthur (ü.c.) zug. der k. k. Landw.
53 Jaksić Alexander, ○ 1., ○ 2.
32 Schäffer Joseph (Res.)
49 Protiwenski Arthur (Res.)
17 Tavčar Johann (Res.)
24 Filipović Emerich
22 Lichtner Edl. v. Lichtenbrand Johann
67 Stark Julius (Res.)
21 Pacher Gottlieb

1. Nov. 1878 *).

74 Novotný Adolph
16 Rapprich Franz
78 Haslinger Martin
34 Jesze Carl
78 Stöckl Franz
34 Heyda Carl
64 Piso Simon

1. November 1878.

8 Riedl Johann
71 Lanzer Michael
9 Mykytiuk Leo
72 Woynar Stanisl.
41 Droste Carl

1. Nov. 1878 *).

26 Morawik Carl
77 Wessely Alois
44 Meinl Ernst
44 König Rudolph
21 Roscher Johann

Reg.

1. Nov. 1878 *).

23 Stumpfögger Eduard
42 Peissig Wenzel
17 Koder Anton
59 Doppler Joseph
7 Laharner Anton
28 Reitler Alfred
69 Vamos Desiderius
50 Jucho Franz
65 Nowak Bartholomäus

1. November 1878.

41 Witkowski Carl
8 Schüller Friedr.
9 Dietz Ludwig
80 Englert Carl
41 Rakowski Ladisl.
40 Winkler Maxim.
19 Thomka Edl. v. Thomkaháza et Farkasfalva Victor
8 Nowak Joseph
32 Spányik Constantin v.
25 Patzelt Johann
54 Kratschmer Ernst
49 Pellmann Julius
29 Pankarić Balthas.
8 Křehlik Franz, ○ 1.
30 Barysz Cornel
51 Mayor Nikolaus
38 Werner Anton
73 Seipka Joseph
76 Brmbolić Johann
56 Malinowski Victor
49 Lauda Anton
45 Kohn Richard
39 Joković Georg
29 Püchler Julius
20 Zieliński Sigmund Ritt. v.
54 Tuppi Joseph
29 Magosch Joseph
11 Bonka Joseph
77 Mark Joseph
35 Kryč Mathias
76 Pintig Joseph

Reg.

1. November 1878.

18 Kohout Carl
32 Eypeltauer Emil
74 Bednář Joseph
16 Ruškovac Franz
21 Leippert Victor
71 Blum Samuel
12 Gjuran Mathias
2 Schuller Johann
45 Andres Julius
13 Homme Johann
44 Marx Wilhelm
11 Lalić Simon
69 Honsig Franz
68 Simler Carl
52 Szeykora Lambert
39 Ballon Joseph
68 Jeřabek Ferd.
70 Waberer Edl. v. Dreischwert Gustav
72 Hellebauer Conr.
5 Sertic Otto
68 Wiederspan Ludwig
35 Haustein Heinrich
5 Miskovits Stephan
8 Böhm Carl
68 Nesweda August, ○ 1.
24 Bořke Joseph
21 Stell Carl
69 Riess v. Riesenfest Theodor Ritt.
57 Guber Camillo
69 Kompast Carl
24 Tauschinsky Stephan
14 Teufel Franz
17 Hirschall Ludw.
72 Fiessl Joseph
1 Raubitschek Alfred
46 Bučar Joseph
14 Sperl Alfred
26 Lepél Ferdinand Freih. v.
14 David Franz
25 Schiviz v. Schivizhoffen Julius
10 Daszyński Thom.

Reg.

1. November 1878.

32 Nabicht Franz, ○ 2.
39 Spányik Emil v.
45 Magdon Franz
52 Obsenica Budislaus.
79 Čutić Daniel
10 Franke Julius
72 Brausewetter Benno
33 Redl Carl
27 Veith Carl
54 Smejkal Anton, ○ 2.
17 Fajdiga Johann
71 Kwapil Sylvester
62 Aigner Wilhelm
48 Weingärtner Robert
1 Schidlo recte Ružicka Heinrich
21 Zimmermann Gustav
54 Tilsen Georg, ○ 2.
25 Lončarević Jos.
2 Halmagy Johann
8 Heblein Gottfried
13 Hroch Vincenz
75 Mičan Joseph
68 Schamschula Rudolph
14 Fichtmüller Jos.
17 Andriani Felix
25 Marković Georg
53 Babić Marcus
10 Dobiecki v. Grzymała Sigm.
59 Hausleithner Joseph
7 Zuzzi Engelbert
47 Kruschitz Joseph
37 Kašai Franz
23 Wörner Carl
73 Hřebetz Joseph
8 Dutka Hubert
80 Novak Guido
77 Hubl Ladislaus
62 Török Coloman
66 Rott Joseph
46 Gaidich Julius
54 Bariczek Emil

*) Lieutenants in der Reserve.

Reg.

1. November 1878.

48 Navratil Carl
46 Schneller Vincenz
11 Malek Eduard
50 Habor Franz
50 Klemens Peter
60 Lippner Carl
8 Martini Aurelius
38 Lackenbacher Carl
21 Hanusch Anton
10 Steindl Rudolph

Reg.

1. November 1878.

71 Puttik Johann
69 Vrklian Martin
75 Plefka Rudolph
32 Schmidt Adalbert
7 Puntschart Thomas
7 Pichler Johann
15 Pollak Simon
63 Böhm Peter
12 Jerkov Georg
22 Grospić Joseph

Reg.

1. November 1878.

74 Kaiser Johann
1 Malisch Carl
51 Lázár Carl
56 Bariczek Arthur
12 Prelogović Stephan
3 Bauer Martin
77 Palička August
46 Stanišić Georg
78 Vincek Alexander

Reg.

1. November 1878.

73 Werner Joseph (Res.)

1. December 1878.

56 Sobolewski Felix Ritt. v.
18 Altmann Robert
13 Brandstätter Emil
58 Smirzitz Heinr.
60 Kuskeline Arnold

Cadeten.

Reg.

1. Nov. 1869 *).

28 Brzorad Carl

1. Jänner 1870 *).

28 Gross Ludwig

1. Jänner 1871 *).

47 Platz Ferdinand, Gf.
49 Wallner Carl
74 Reif Georg
42 Weitlof August
57 Trötscher Joseph
1 Hackenberg Gottfried

1. November 1871.

28 Smetáček Sebald (Res.)
5 Wessely Carl
35 Wořišek Joseph (Res.)
47 Goldner Carl (Res.)
31 Schubert Franz (Res.)

1. Nov. 1872 *).

15 Král Oskar
36 Roček Wilhelm
74 Hippmann Gottlieb
54 Zitka Alphons
43 Ott Anton
40 Schmidt Gustav

Reg.

1. Nov. 1872 *).

75 John Joh.
1 Saliger Johann sen.

1. Nov. 1873 *).

39 Curry Adolph

1. November 1873.

35 Bayer Wenzel (Res.)
22 Balanč Joh. (Res.)
39 Hoff Johann
41 St. Paul Adalbert de (Res.)
12 Hruschka Franz (Res.)
43 Tarnawski Basilius (Res.)
4 Korn Adolph (Res.)
71 Ginzl Johann
29 Radovanov Georg (Res.)
6 Apich Joseph (Res.)
6 Karlin Joseph (Res.)
35 Weber Joseph (Res.)
1 Bsirske Johann (Res.)
30 Juchmanko Anton (Res.)
17 Omahna Anton (Res.)

Reg.

17. Februar 1874.

4 Warnesius Eduard (Res.)

1. November 1874.

59 Vötter Julius
13 Günther Alfred
17 Lukaczuk Georg

1. Nov. 1874 *).

72 Kuhlirz Daniel
77 Werner Willibald
14 Pierer Oskar
42 Trinks Emil
54 Haschka Ferd.
49 Eichberger Alois
18 Dimter Johann
14 Wittmann Franz

1. Nov. 1875 *).

50 Prunk Friedrich
12 Steinkogler Michael.

1. November 1875.

56 Pniower Alfred (Res.)
36 Domačinović Ferdinand
10 Hostynek Gottlieb (Res.)
62 Wächter Franz
68 Greschke Carl v.

Reg.

1. Nov. 1875 *).

43 Scharf Ferdinand
47 Jerovsek Franz
35 Frank Anton
47 Lederhas Ludwig
29 Nabělek Franz
17 Caporali Eduard
18 Elias Carl
47 Gril Matthäus
37 Dungl Carl
10 Mayer Eduard
17 Mulej Martin

1. November 1876.

4 Pick Alfred
59 Baumgartner Franz (Res.)
78 Tadić Demeter

1. Nov. 1876 *).

75 Morawec Johann
42 Nestler Anton
15 Wanyura Johann
48 Natter Johann
65 Höllering Joseph
29 Görgner Carl
21 Sommer Leopold
75 Schima Johann
71 Derer Joseph
16 Eisenkolb Ferdinand
36 Hodny Joseph
23 Scheiber Alexander, ○ 2.

---

*) Cadeten im Reservestande.

Reg.

1. Juli 1877 *).

47 Belec Carl
32 Pollak Hermann
47 Milher Gregor
28 Formanek Camill
4 Raubal Nikolaus
41 Kelur Georg
67 Soos Ludwig
28 Benes Bohuslav

1. November 1877.

24 Ladzinski Eduard
6 Schossberger Adolph
6 Libano Franz
59 Loos Carl

1. Nov. 1877 *)

16 Brunda Andreas
1 Suliger Joh. jun.
14 Jungwirth Johann
42 Vesely Anton
75 Smirous Joseph
40 Gołąb Franz
48 Bondy Maximil.
26 Langner Theodor
48 Antolek Joseph
73 Welzl Joseph
28 Kraus Joseph
11 Elias Johann
34 Hlebovi Georg
65 Krupička Franz
25 Blumer Joseph
25 Holy Joseph
66 Twarużek Ignaz
13 Jaglarz Johann
18 Kroulik Joseph
18 Illek Franz
72 Deblik Carl
73 Hüttisch Joseph
42 Pietsch Franz
70 Zotzek Ferdinand
65 Kolacskovszky Constantin
21 Weinberger Dav.
38 Argay Johann
50 Korény Johann
56 Salzmann Leon
65 Widra Adolph
6 Pohnert Carl
36 Puchta Carl
40 Trojan Joseph

Reg.

1. Nov. 1877 *).

58 Pastorček Johann
13 Jaglarz Andreas
50 Ševšak Vincenz
35 Salzmann Alois
50 Deutsch Aaron
6 Jeisel Heinrich

1. Jänner 1878.

13 Czech Alfred
42 Stadler v. Wolfersgrün Emil (Res.)

1. Juni 1878.

70 Momčilović Stephan

1. Juli 1878 *).

18 Promberger Romuald
46 Lövy Wilhelm

1. September 1878.

69 Vukadinovič Wolfgang
44 Stadler Carl
48 Franić Philipp
41 Wagner Julius
6 Schuhmacher Georg
52 Schuster Joseph
43 Verovac Wladimir
9 Susičky Ferd.
6 Kádár de Nyárát-Gálfalva Joseph
22 Löffler Johann
52 Alvian Johann
58 Stánkowski Joseph Ritt. v.
51 Marosan Mathias
4 Moriggl Anton
3 Zikan Johann
52 Patzák Coloman
64 Herbay de Jofü Sylvius
16 Kučenjak Andreas
80 Tęczarowski Isidor
9 Zurbuch Carl

Reg.

1. September 1878.

62 Forget de Burst Heinrich Chev.
62 Fekete Nikolaus
78 Zaharić Jeftomir
26 Krnić Raphael
11 Chwojka Wenzel
67 Peinović Johann
34 Kohn Philipp
22 Tichy Eduard
65 Astleithner Alphons
18 Maulik Carl
67 Bothmer Árpád Freih. v.
23 Le Gay Edl. v. Lierfels Albert, ○ 1.
30 Schwarz Joachim
59 Fahrner Nikolaus
21 Pitasch Carl
49 Rottmann Max v.
28 Rang Zdenko
27 Wuck Adolph
7 Radler Rudolph
58 Blažek Sigmund
62 Keinzel Oskar
75 Pachner v. Eggenstorf Franz Ritt.
78 Kramarić Ludwig
46 Betlehem Joseph
37 Vukdragović Philipp
76 Frosch Carl
39 Budimlia Velistav
11 Komma Georg
79 Bičanić Johann
24 Wittich Edmund
78 Jemrić Andreas
13 Fery Franz
7 Sedlnitzky v. Choltič Carl Freih.
26 Wagner Adalbert
64 Majling Anton
47 Gangl Franz
31 Pittelka Carl
64 Pietsch Ludwig, ○ 2.
61 Bariss Béla
66 Knežević David
40 Bannert Adam

Reg.

1. September 1878.

10 Richter Emil
44 Horvath Ladislaus
1 Leobner Oskar
42 Liehmann Wenzel
33 Höfner Leopold
44 Spergely Alexius
34 Ilosvay Tihamer
79 Rajković Johann
27 Theuerkauf Eduard Ritt. v.
30 Gruszecki Robert
56 Koppens Ladislaus
19 Grohmann Arthur
66 Pucarin Basil
28 Gärtner Wilhelm
57 Bartnik Joseph
63 Steczowicz Stanislaus
76 Zdunić Mathias v.
32 Plaveczky Oskar
64 Razl Leopold
77 Schneider Emil
26 Šabolić Michael
68 Šarrić Georg
29 Veinović Michael
16 Horvat Franz
40 Saural Ferdinand
36 Kriesch Conrad
13 Betkowski v. Prawdzic Johann Ritt.
23 Morgenstern Gustav, ⊙
78 Petrović Michael
71 Tobel Johann
27 Garber Adolph
79 Dmitrašinović Prokop
18 Němec Wenzel
75 Richter Adolph
6 Remeta Peter
42 Müller Joseph
11 Irlacher Franz
78 Zebić Alexander
61 Fischer Carl
59 Walenda Anton
17 Kristof Ernst
39 Jurak Milan
58 Hübner Georg
79 Šašić Gabriel, ○ 2.

---

*) Cadeten im Reservestande.

Reg.
1. September 1878.

57 Burzinsky Joh.
78 Zrnić Michael
16 Kolar Michael
37 Crnko Anton
19 Radošević Peter
42 Hahnel Wenzel
73 Winzerling Alwin
57 Kout Johann
27 Geramb Rudolph Ritt. v.
62 Bora de Szemerja Alexander
63 Hangea - Bobb Alexander
21 Spravka Ladisl.
24 Theodosiewicz Emil
5 Dominke Johann
3 Glück David
59 Bossert August
56 Mostowski v. Dołęga Heinr. Ritt.
59 Ende Hubert
31 Kreutzer Ludwig
23 Chodacznik Franz
5 Stadler Johann
72 Brodsky Carl
79 Matiević Joseph
48 Vuchetich Stephan v.
36 Radl Hermann
32 Smetana Franz
60 Opačić Simon
53 Balogh de Galantha Johann
31 Krauss Michael
62 Békésy Joseph
53 Minić Michael
55 Dąbrowski Heinr.
67 Paripović Elias
25 Řezniczek Emil
26 Pittoni v. Dannenfeldt Béla Ritt.
15 Pohl Carl
60 Zutić Mathias
38 Burian Ludwig
52 Noë Engelbert
70 Janković Georg
10 Angermann Theophil
52 Tinz Rudolph
46 Obelić Marcus

Reg.
1. September 1878.

31 Roman Xenophon
74 Janda Joseph
72 Zandt Carl
12 Boltek Michael
19 Mućurlia Michael
77 Roneš Emanuel
13 Golachowski Johann
12 Šimunić Joseph
43 Salaćanin Demeter
53 Pejaković Johann
16 Voiković Joseph
36 Kostka Stanislaus
59 Weiss Franz
74 Makalousch Emil
43 Baukovac Alfred
6 Jerkov Stephan
28 Hannisch Conrad
35 Roztoský Victor
75 Procháska Georg
76 Eder Johann
37 Wacátka Ladisl.
28 Glückselig Sylvester
74 Čapek Stanislaus
9 Rozwadowski Stanislaus Ritt. v.
28 Zezula Joseph
26 Salmon Heinrich
40 Erber Carl
22 Müller Eduard, ○ 2.
22 Fuhrmann Eman.
18 Risch Carl v.
50 Binder Joseph
35 Stark Valentin
26 Zedtwitz v. Neuberg-Neuschloss Edmund Gf.
80 Erbes Rudolph
27 Schmid Andreas
27 Tropp Maximil.
32 Mihalić Johann
50 Orbai Ladislaus
31 Lazarewicz Adolph
51 Büsch v. Tessenborn Victor
9 Kwiatkowski Joseph
36 Schutterstein Emil Edl. v.

Reg.
1. September 1878.

36 Trsek Eduard
74 Waage Gottfried
69 Vrklian Anton
31 Lazarewicz Alexander
63 Pokay Joseph
47 Frankol Thomas
16 Komlenić Georg
49 Haschkowetz Rudolph
57 Gasser v. Streitberg Leonhard Ritt.
58 Poll Peter
65 Prudl Ludwig
28 Steiger Carl
17 Zudermann Carl, ○ 1.
68 Szentkiralyi de Szepsi - Szentkirályi Franz
7 Sommer Albin
40 Gálotzý Stanisl.
13 Heisck Joseph
28 Pöll Rudolph
80 Tauleczek Alois
44 Decleva Carl
36 Exner Carl
41 Illika Pantaleon
24 Szybalski Eduard
40 Pichl Carl
35 Weber Emanuel
51 Kempner Paul
23 Stojanik Joseph
70 Bečić Anton
66 Hodak Michael
36 Thiemer Gustav
2 Papp Franz
50 Gürtler Ferdin.
1 Raupenstrauch Victor
63 Münster Carl v.
72 Klima Leopold
71 Simić Paul
80 Schreiber Maximilian
13 Szczepański Jos.
48 Bubla Emerich
73 Flach Franz
63 Brateanu Michael
2 Nagy Rudolph
51 Ristow Gustav
10 Jandrilović Joh.

Reg.
1. September 1878.

48 Ljubotina Marcus
22 Swoboda Heinr.
55 Jahoda Anton
70 Joksimović Mich.
33 Oliwa Anton
49 Ludwig Alois
20 Weeber Friedrich
69 Prouvy de Menille Lambert Chev.
50 Ferber Leopold
22 Pattay Paul ○ 1.
15 Jank Wilhelm
66 Rauch Carl
65 Krček Joseph
21 Enis Heinrich Freih. v.
60 Huber Jakob
57 Fogelmann Ladislaus
25 Moser Zdenko
20 Cudzich Jakob
16 Boltek Mathias
24 Urbanowicz Basil
2 Gusieillâ de Negrea Alexander
4 Zischka Franz
44 Cernčić Albert
61 Platt Joseph
19 Gasteiger Franz
4 Stein Carl v.
26 Langer Julius
24 Hnatiuk Georg
33 Blažek Franz
2 Hoyss Joseph
70 Sretković Michael
71 Žulac Anton
9 Skrypuch Simon
22 Tomschitz Anton
15 Kostecki Gregor
41 German Johann
20 Ryznerski Ladisl.
28 Fischer Eduard
29 Stocker Stephan
64 Milanov Radoslav
76 Fürnkranz Joh.
4 Kopitsch Victor
34 Donner Rudolph
20 Czyżyk Alois
6 Schneider Friedrich
58 Kohuth Johann

Reg.
1. September 1878.
17 Svĕtličić Johann
74 Marek Carl
42 Klein Anton
66 Hagenauer Joh.
25 Farszky Anton
73 Speth Victor Freih. v.
75 Chrsch Otto
74 Prüsker Hugo
65 Mikulić Athanasius
11 Herrmann Oskar
34 Sebesy de Bolgárfalva Árpád
58 Kuzmin Adolph
14 Pöffel Eduard
80 Rudnicki Victor
70 Mihailović Paul
39 Muić Anton
23 Schaffer Joseph
77 Pokorný Friedr.
55 Zelenka Alois
67 Golić Friedrich
41 Engel Franz
73 Döbler Albert
72 Petöcz Alexand. v.
18 Müller August
33 Stumpe Anton
38 Galović Ignaz
37 Vidulović Alexander
46 Diklić Stephan
55 Herites Alfred Edl. v.
4 Schlechta Gustav
61 Stepper Bernhard
23 Poka Desiderius v., ○ 2.
10 Dudek Johann
38 Komarek Johann
43 Dimitrievic Lazar
66 Kicki Wladislav
71 Guerard Gustav
3 Hutla Joseph
29 Krčmar Joseph
29 Kundak Nikolaus
37 Rendulić Stephan
41 Sieczyński Leo
34 Wolff Samuel
80 Kamiński v. Topor Zdzislaus Ritt.

Reg.
1. September 1878.
34 Sirk Oskar
60 Koeziczka Edl. v. Freibergswall Carl
28 Fössl Johann
53 Simonović Julius
49 Marterer Carl
11 Killian Hugo
4 Eck Friedrich
67 Serdić Stanislaus
14 Rašin Franz
33 Jennel Theodor
45 Kaltenborn Adalbert Ritt. v.
47 Plavetz Andreas
72 Hill Franz
13 Neubauer Eugen
19 Šarac Simon
45 Haller Gustav
14 Kössldorfer Ferdinand
14 Anderl Franz
8 Trübauer Emil
76 Güntter Alexander
67 Gál Gustav
14 Behr Hugo
55 Brykowicz Stanislaus
56 Dzikowski Julian
33 Fiala Benjamin
43 Matzner v. Heilwerth Emil Ritt.
79 Spaničić Nikolaus
10 Soniewicki Porphyr
42 Garger Victor
27 Strell Paul
12 Nowotny Philipp
38 Radojević Wladimir
25 Bučar Joseph
64 Franko Georg
22 Eckhardt v. Eckhardtsburg Friedrich
3 Černy Johann
4 Michl Carl
10 Schultis Carl
67 Kiffer Adolph
1 Faber Theodor

Reg.
1. September 1878.
7 Grünzweig Heinrich
14 Remm Ernst
7 Novak Franz
22 Bauer Carl
27 Prohaska Stephan
47 Steinberg Alexander Ritt. v.
58 Thenen Bachmil
21 Funduk Peter
2 Altstädter Carl
10 Zawadzki Ludw.
42 Süss Ferdinand
69 Kolba Johann
42 Heller Carl
40 Fleischmann August
50 Staněk Carl
50 Breitenfeld Alois
65 Harth Friedrich
20 Tomkowski Jos.
13 Grelewicz Jos.
38 Lorenz Friedrich
60 Simko Coloman
37 Ištvanović Nikolaus
24 Davidovac Paul
53 Kirpal Fridolin
5 Papsch Joseph
14 Schilcher Carl
49 Kopetz Franz
53 Stuchly Theodor
5 Jovičić Alois
50 Crespi Edl v. Frangolo Ludwig
63 Stephan Carl
60 Kubinyi Paul v.
6 Hrenović Heinr.
31 Krestels Joseph
33 Lončar Elias
79 Vladetić Daniel
59 Andersen Carl
73 Trausel Wenzel
12 Lukičić Michael
24 Csirkovits Alexander
32 Szokoly Zoltán
53 Zajec Dušan
39 Dorninger Franz
8 Cohn Alois (Res.)
72 Ingor Carl (Res.)

Reg.
11. Sept. 1878.
9 Stasyszyn Jos.
41 Zachariasiewicz Joseph
56 Medritzky Wilh.
57 Karpinski Stanislaus

13. Sept. 1878.
1 Patzelt Eduard

1. October 1878.
72 Spoliarić David
32 Tamásy Géza (Res.).
16 Lessar Paul

12. October 1878.
31 Hansmann Adolph

20. October 1878.
52 Moritz Emil

1. November 1878.
66 Neuschl Franz
49 Nadeniczek Robert (Res.)

4. November 1878.
53 Hreglianović Wolfgang v.

Rang seinerzeit*)
6 Vujkovits Demet.
6 Kubatzkay Alexander
6 Haubert Heinrich
6 Theodorovits Peter
6 Hoffmann Carl
6 Koppay Julius
6 Piday Eugen
7 Frey Carl v.
7 Stich Hilarius
8 Frič Martin
8 Schüller Alexander
8 Albrecht Robert
8 Rzehak Anton
8 Kutscha Wilh.
8 Lober Edmund
8 Heidler Arnold

*) Cadeten im Reservestande.

Reg.

Rang seinerzeit *).

8 Pollak Franz
8 Kletter Ernst
8 Zemlička Anton
8 Witting Leopold
8 PaumgarttenCarl Ritt. v.
17 Fölsing Friedrich
17 Finetti Anton v.
17 Catinelli Franz
17 Pichler Carl
17 Buschbock Erhard, ○ 2.
17 Hermansdorfer Franz
17 Milossovich Jos.
17 Iskra Anton
19 Dorner Carl
19 Somogyi Valentin
19 Csemesz Stephan
19 Schlesinger Alexander
19 Fischer Alexander v.
19 Szily Zoltán v.
22 Steindler Leo
22 Porzia Carl
22 Reya Virgil
23 Strasser Samuel
23 Peter Johann
23 Engel Samuel
24 Peicsics Georg
24 Kircz Victor
26 StandnerAlexand.

Reg.

Rang seinerzeit *).

26 Ormay Alexander
26 Wacha Rudolph
26 Taxner Carl
26 Matray Julius
27 Fürnschuss Carl
27 Damian Arnold
27 Mayr Franz
27 Reinschmidt Joh.
27 Martinak Carl
27 Martinak Eduard
27 Hausenbichler Friedrich
27 Rettich Hugo Edl. v.
27 Rochel Augustin
27 Hackstock Carl
27 Baumann Anton
32 Bäumel Wilhelm
37 Szonda Joseph
38 Löwinger Carl
38 Reich Emanuel
38 Nouvier Johann
38 Weiss Isidor
38 Klein Samuel
38 Kelecsny Zador
38 Sarfy Julius
41 Lorber Anton
41 Mohr Johann
41 Riedt Joseph
41 Jellinek Ernst
41 Czeisberger Ernst
41 Sachs Sigmund

Reg.

Rang seinerzeit *)

41 Olinski Theophil
41 Turturian Anfilochius
47 Globočnik Johann
48 Rosmanith Albert, ○ 2.
48 Mester Joseph
48 Grunner Carl
48 Kele Anton
49 Tschurtschenthaler Heinrich
49 Wozelka Leopold
49 Fortelka Franz
52 Gruber Eduard
52 Egerszeghi Mich.
52 Hartmann Gustav
52 Gallovits Arthur
53 Perok Philipp
53 Bukovčan Balthasar
53 Partaš Rado v.
53 Huth Carl
53 Seunik Joseph
53 Durbesić Johann
53 Kršnjavi Ignaz
53 Šarac Velimir
54 Dosudil Robert
54 Schubert Ignaz
60 Greguss Emerich
60 Scholtz Maxim.
60 Nónay Desiderius
61 Küchler Julius, ○ 1.

Reg.

Rang seinerzeit *)

61 Miklea Trifun
68 Krüger Johann
68 Jaszencsák Alexander
68 Marki Gabriel
68 Sziráky Barnabas
68 Uhlyarik Albin
70 Subotić Joseph
70 Luksch Joseph
71 Schumichrast Julius
72 Minich Jaroslaw
72 Brünner Franz
72 Kirchner Joseph
72 Brunovszky Adolph
72 Rohn Joseph
72 Mandelik Alexander
72 Schickmüller Johann
72 Gróf Joseph
72 Kutsera Stephan
76 Schneider Ferd.
76 Lipp Franz
76 Blasković Edm. v.
76 Hering Sigmund
76 Schneider Leopold
76 László Daniel
76 Thot Ladislaus
78 Stumpf Carl
79 Hödl Alfred

*) Cadeten im Reservestande.

Infanterie.

Infanterie-Regimenter.

1.

Schlesisches Infanterie-Regiment.

Regiments-Stab: Wien.

Reserve- und Ergänzungs-Bezirks-Commando: *Troppau.*

1716 als chur-trier'sches Regiment Alt-Lothringen in kaiserliche Dienste übernommen, Leopold, Herzog v. Lothringen Oberst; 1726 Franz Stephan, Erbprinz (1729 Herzog) zu Lothringen, GL.; 1745 Franz I., Röm. Kaiser; 1765 Kaiser Joseph II.; 1790 Kaiser Leopold II.; 1792 Kaiser Franz; 1806 Kaiser Franz; 1835 Kaiser Ferdinand.

(Zweite Inhaber waren: von 1767—1803 Botta d'Adorno, Jacob Marquis, FM.; von 1803—1827 Brady, Thomas Freih., FZM.; von 1827—1842 Hauger, Franz, FML.; von 1843—1850 D'Aspre, Constantin Freih., FZM.; von 1850—1855 Ramberg, Georg Freih. v., FML.; von 1855—1864 Teimer, Ignaz, FML.; von 1864—1869 Jablonski del Monte Berico, Joseph Freih., FML.)

1848 Kaiser Franz Joseph.

Oberst u. Reg.-Comdt. Zambaur, Eduard v.

Oberstlieutenants.

Potier des Echelles, Sigmund Freih., Res.-Cmdt.
Stoeber, Joseph.

Majore.

Mammer, Johann, MVK. (KD.).
Pistor, Wilfried Ritt. v.
Albrecht, Hermann, ÖFJO.-R., MVK. (KD.).

Hauptleute 1. Classe.

Mayer, Anton, MVK. (KD.).
Schmid, Joseph.
Krauss, Peregrin.
Gayer, Joseph (ü. c.) zug. dem Gen.-Inspector des k. k. Heeres.
Rehn, Friedrich.
Friedrich, Franz.
Wýbiral, Joseph.
Gstöttner, Carl.
Görtz, Gustav Ritt. v.
Köhler, Alexander, MVK. (KD.).
Bannić, Anton Ritt. v.
Gautsch, Julius, MVK. (KD.).
Schaaf, Johann.
Feik, Rudolph.
Loy v. Sternschwert, Wilhelm.

Hauptleute 2. Classe.

Süss, Rudolph
Pfeil, Gustav.
Schön, Franz.
Fuchs, Johann, ⊙.
Engels, Joseph, MVK. (KD.).
Weyrich, Julius (ü. c.) Lehrer an der Mil.-Ober-Realschule.
Olbrich, Wilhelm, ○ 1.
Pallas, Hermann.
Paulucci delle Roncole, Anton Marchese.
Ullrich Edl. v. Helmschild, Rudolph (ü. c.) zug. dem Generalstabe.
Zimmermann, Georg, MVK. (KD.).
Fischer, Emerich Edl. v.

Oberlieutenants.

Lamprecht, Ferdin. (Res.).
Heymann, Eduard.
Pollak, Eduard.
Scheinpflug, Alfred.
Winkler, Joseph.
Turkalj, Mathias.
Sehorž, Franz (Prov.-Off.).
Villani, Ottokar Freih. v. (ü. c.) Lehrer an der Mil.-Unter-Realschule zu St. Pölten.

Kuhn, Heinrich (ü. c.) zug. der Mil.-Intdtr.
Wohlgemuth, Martin.
Czikann v. Wahlborn, Hermann Ritt. (ü.c.) im mil.-geogr. Inst.
Moszler, Joseph (Res.).
Klapetek, Ignaz, ○ 2 (Res.).
Pizzighelli, Cajetan.
Walter, Franz, ○ 2. (Erg.-Bez.-Off.).
Genauck, Emil.
Kuczera, Anton.
Scharschmid Edl. v. Adlertreu, Ernst.
Müller, Carl.
Thiel, Franz (Reg.-Adj.).
Weyrich, Walter.
Mitterwallner, Michael.
Halma, Hermann.
Reiser, Theodor.
Gröger, Joseph (Res.-Comdo.-Adj.).

Lieutenants.

Seine kais. königl. Hoheit Erzherzog Carl Stephan, etc.

Oehl, Joseph jun. (Res.).
Baiger, Anton (Res.).
Henke, Johann (Res.).
Zirba, Wilhelm (Res.).
Rudziński v. Rudno, Arthur (Res.).
Öhl, Joseph sen. (Res.).
Jacobi d'Eckholm, Carl Freih. (Res.).
Heinkel, August (Res.).
Eckel, Carl (Res).
Lux, Gustav (Res.).
Köllner, Joseph (Res.).
Kirnig, Johann (Res.).
Häusler, Victor.
Geissler, Carl.
Prachowny, Franz (Bat.-Adj.).
Speil, Wilhelm.
Böhm, Johann.
Kozell, Ferdinand.
Komaretho, Adolph (Bat.-Adj.).
Reinsperg, Hugo Freih. v.
Katscher, Rudolph.
Bortlik, Joseph (Res.).
Berger, Julius (Bat.-Adj.).
Floder, Joseph (Bat.-Adj.).
Fox, Wilhelm (Bat.-Adj.).
Horny, Franz.
Marquet, Franz Edl. v. (Res.).
Schustala, Adolph (Res.).
Müller, Johann (Res.).
Wiskočil, Arthur (Res.).
Twaružek, Franz (Res.).
Leinweber, Eduard.
Poleschenský, Gustav.
Gela, Joseph.
Kraus, Jakob.
Bannach, Theodor.
Pitlik, Andreas.
Weiss, Heinrich (Res.).
Glogar, Joseph.
Petrasch, Johann.
Rössler, Moriz (Res.).
Dostal, Ernst (Res.).
Mammer, Rudolph (Res.).
Weyrich, Alois.
Wagenbauer v. Kampfruf, Aristides Ritt.
Brauner, Carl.
Wedell, Maximilian v.
Sattler, Victor v.
Herold v. Stoda, Johann.
Essler, Conrad.
Festenberg-Packisch, Sigmund v.
Raubitschek, Alfred.
Schidlo recte Ružicka, Heinrich.
Malisch, Carl.

Cadeten.

Hackenberg, Gottfried (Res.)
Saliger, Johann sen. (Res.).
Bsirske, Johann (Res.).
Saliger, Johann jun. (Res.).
Leobner, Oskar (Off.-Stellv.).
Raupenstrauch, Victor (Off.-Stellv.).
Faber, Theodor.
Patzelt, Eduard (Off.-Stellv.).

Mil.-Aerzte.

Wanner, Carl, Dr., Stabsarzt.
Laufberger, Ferdinand, Dr., Reg.-Arzt 1. Cl.
Ebstein, Joseph, Dr., Reg.-Arzt 1. Cl.
Bromeissel, Carl, Dr., Reg.-Arzt 2. Cl.
Czeicke, Adolph, Dr., Reg.-Arzt 2. Cl.

Rechnungsführer.

Zelinka, Liborius, Hptm. 1. Cl.
Wawrosch, Rudolph, Hptm. 1. Cl.

Egalisirung dunkelroth (wie Nr. 18, 52 u. 53), Knöpfe gelb.

Adjustirung der Officiere sämmtlicher Infanterie-Regimenter.

Czako, dunkelblauer Waffenrock mit glatten Knöpfen, lichtblaue Pantalon, Mantel blaugrau.

Die Farbe der Egalisirung und der Knöpfe ist bei jedem Regimente angegeben.

2.

Ungarisches Infanterie-Regiment.

Regiments-Stab: Kronstadt.

Reserve- und Ergänzungs-Bezirks-Commando: *Fogaras.*

1741 errichtet, Ujváry, Ladislaus Freih., GM.; 1749 Erzherzog Carl, Oberst; 1761 Erzherzog Ferdinand, FM.; 1806 Hiller, Johann Freih., FZM.

(Zweite Inhaber waren: von 1767—1773 Koch, Johann Freih., FML.; von 1773—1794 Browne, Georg Gf., FZM.; von 1801—1806 Hiller, Johann Freih., FML.; von 1814—1825 Koller, Franz Freih., FML.)

1814 Alexander I., Kaiser von Russland.

(† zu Taganrog in der Krim den 1. December 1825.)

(Das Regiment hat diesen Namen für immerwährende Zeit zu behalten.)

Seitdem waren Inhaber: 1825 Koller, Franz Freih. v., FML.; 1827 Rétsey de Rétse, Adam Ritt., FZM.; 1852 Schirnding, Ferdinand Freih. v., FML.; 1866 Ruckstuhl, Anton Freih. v., FML.

Inhaber.

1873 Alexander II., Kaiser von Russland.

Oberst u. Reg.-Comdt. Sekulich, Basilius, ÖEKO-R. 3. (KD.).

Oberstlieutenants.

Sarić, Johann, MVK. (KD.), Res.-Comdt.
De Fin, Ferdinand Freih., DO-C., ♰.

Majore.

Karić, Paul, ÖEKO-R. 3. (KD.).
Chwalla, Adolph.
Herdy, Anton.

Hauptleute 1. Classe.

Seine kais. Hoheit Sergius Alexandrowitsch, Grossfürst von Russland.
Perneczky, Constantin.
Rumpelmayer, Euthim.
Schubert, Joseph.
Khoun, Paul.
Muschek, Paul (WG.).
Zubović, Michael.
Schwarz, Carl.
Hager, Carl.
Pöppel, Heinrich.
Zapp, Anton (ü. c.) im mil.-geogr. Inst.
Puškarić, Georg.
Labres, Ferdinand.

Hauptleute 2. Classe.

Kosztka, Franz.
Šumarski, Ljubomir.
Zill, Carl.
Joannović, Michael.
Kunz, Carl.
Suchy, Theodor.
Meichsner v. Meichsenau, Julius.
Schüler, Otto.
Sekeschan, Elias
Hessdorfer, Carl.

Oberlieutenants.

Bayer, Franz.
Nagy, Johann, MVK. (KD.).
Prennschitz v. Schützenau, Arthur.
Tauscher, Joseph.
Leschetizky, Alexander.
Bachmann, Fidelius.
Asbóth, Ludwig v.
Popović, Leopold (ü. c.), bei der Grundbuchs-Anlegung.
Sekulić, Paul.
Gröber, Joseph.
Speiser, Aaron (Erg.-Bez.-Off.).
Turić, Anton.
Tax, Veit.
Dilscher, Carl.
Grünbaum, Adalbert (Reg.-Adj.).
Spindlbauer, Gustav (Res.).
Tompa v. Horšova, Emil (Prov.-Off.).

Jagar, Nikolaus (ü. c.) im mil.-geogr. Inst.
Kratky, Franz.
Trombitas, Nikolaus.
Cernokrak, Michael (ü c.) im mil.-geogr. Inst.
Baschny, Joseph.
Pandria, David.
Dobler v. Friedburg, Bernhard.
Bernhauer, Clemens (ü. c.) im mil.-geogr. Inst.
Schuster, Andreas.
Molnar, Julius v. (Res.-Comdo.-Adj.).
Wiesner, Johann.
Georgiević, Ladislaus (Bat.-Adj.).
Bârsan, Mathias.

Lieutenants.

Copony, Wilhelm (Res.).
Stenner, Friedrich (Res.).
Vulkanu, Mathias (Res.).
Marsovszky, Árpád v. (Res.).
Trenk, Franz (Res.).
Erber, Adolph (Bat.-Adj.).
Literat, Basilius.
Szendy, Ludwig.
Matasić, Stephan (Bat.-Adj.).
Zeller, Alfred (Res.).
Gutsch, Andreas (Res.).
Nedved, Carl (Res.).
Vajna de Pava, Victor (Res.).
Bernhard, Franz (Res.).
Pimper, Alois (Res.).
Miess, Christian (Res.).
Leonhardt, Franz (Res.).
Hausleitner, Friedrich (Res.).
Ludwik, Otto.
Cvitković, Georg (Bat.-Adj.).
Jankulov, Radosav (Bat.-Adj.).
Vajna de Pava, Albert.
Streulin, Paul.
Pavelka, Carl (Res.).
Diwald, Julius (Res.).
Zeitler, Carl (Res.).
Laczko, Alexander (Res.).
Petri, Ernst.
Kovacs, Géza (Res.).
Martin, Theodor (Res.).
Reichel, Oskar.
Ludwik, Emerich.
Paul, August (Res.).
Tompa, Gabriel.
Albrecht, Ludwig.
Murz, Friedrich.
Wufka, Franz (Res.).
Jekelius, Heinrich (Res.).
Paul, Wilhelm (Res.).
Freitinger, Joseph (Res.).
Stolle, Carl (Res.).
Ullrich, Heinrich (Res.).
Balogh, Carl (Res.).
Bonomo, Maximilian (Res.).
Mitri, Georg (Res.).
Pardo, Leo (Res.).
Rudda, Carl (Res.).
Ludwig, Rudolph (Res.).
Pocsa de Hatolyka, Béla.
Rojdl, Alfred.
Heinz, Edmund.
Kissling, Emil.
Jekelius, Joseph.
Krismanić, Manfred Ritt. v.
Schuller, Johann.
Halmagy, Johann.

Cadeten.

Papp, Franz (Off.-Stellv.).
Nagy, Rudolph.
Gusieillâ de Negrea, Alexander (Off.-Stellv.).
Hoyss, Joseph.
Altstädter, Carl (Off.-Stellv.).

Mil.-Aerzte.

Madarász, Emerich, Dr., Reg.-Arzt 1. Cl.
Zimmermann, Michael, Dr., Reg.-Arzt 2. Cl.
Beck, Ignaz, Dr., Reg.-Arzt 2. Cl.
Muresianu, Julius, Dr., Oberarzt.

Rechnungsführer.

Amann, Thaddäus, Hptm. 1. Cl.
Dertzmanek, Paul, ⊙, Obrlt.

Egalisirung kaisergelb (wie Nr. 22, 27 u. 31), Knöpfe gelb.

3.

Mährisches Infanterie-Regiment.

Regiments-Stab: Olmütz.

Reserve- und Ergänzungs-Bezirks-Commando: *Kremsier.*

1715 errichtet, Jung-Lothringen; 1716 Lothringen, Franz Stephan, Erbprinz, Oberst; 1726 Ligneville, Leopold Comte de, GM.; 1734 Wuttgenau, Gottfried Ernest Freih., FZM.; 1736 Pallavicini, Giovanni Lucas Conte di, GM.; 1736 Lothringen, Carl Alexander Herzog v., FM.;
(Zweite Inhaber waren: von 1780—1791 Drechsel, Damian Freih., FML.; von 1791—1808 Staader, Joseph Freih., FZM.; von 1809—1825 Weissenwolf, Nikolaus Gf., FML.; von 1827—1840 Salis-Zizers, Rudolph Gf., FML.; von 1840—1847 Puchner, Anton Freih. GdC.)

1780 Carl, Erzherzog, FM.

(† in Wien den 30. April 1847.)

(Das Regiment hat diesen Namen für immerwährende Zeiten zu behalten.)

Seitdem waren Inhaber: 1847 Puchner, Anton Freih., GdC.; 1853—1876 Fiedler, Joseph Freih. v., FML.

Oberst u. Reg.-Comdt. Henriquez, Hugo v., MVK. (KD.).

Oberstlieutenants.

Spiller, Alois.
Löw, Gustav Edl. v., Res.-Comdt.
Hauptmann, Alois.

Majore.

Kappeller v. Muthamberg, Anton.
Reyl-Hanisch v. Greiffenthal, Johann Ritt., MVK. (KD.).
Žischka, Theodor.

Hauptleute 1. Classe.

Handel - Mazzetti, Gustav Freih. v. (WG.).
Plitzner, Friedrich.
Fridrich, Eduard.
Kranner, Hugo.
Eiss, Alexander, ÖEKO-R. 3. (KD.).
Pohanka v. Kulmsieg, Vinc.
Heyszl, Johann.
Jelussig, Albin.
Stingl. Gustav.
Kowaříček, Franz.
Schneider, Rudolph.
Werner, Johann.
Steiger, Maximilian.
Aulicky, Anton.
Weigent, Franz.

Hauptleute 2. Classe.

Pölzel, Johann.
Axmann, Joseph.
Varga, August.
Studniczka, Carl.
Rauterberg, Adolph (ü. c.) im mil.-geogr. Inst.
Mager, Gottlieb.
Buchlovsky, Franz (ü. c.) beim Gen.-Comdo. zu Brünn.
Chaluppa, Wilhelm.
Kox, Richard.
Mandelblüh, Victor.
Weinhofer, Heinrich.

Oberlieutenants.

Dreihann v. Sulzberg am Steinhof, Adolph Ritt. (ü. c.) im mil.-geogr. Inst.
Plefka, Joseph.
Kuiwida, Wilhelm.
Kuberth, Robert.
Seelack, Friedrich.
Pitron, Anton (ü. c.) im mil.-geogr. Inst.
Brier, Ignaz.
Czap, Ferdinand (Prov.-Off.).
Lischtiak, Franz.
Janosch, Leonhard.
Schubert, Franz (ü. c.) im mil.-geogr. Inst.
Šiprak, Joseph.
Kolnberger, Georg.
Fichtner, Johann.
Pitter, Michael, O2.
Watzka, Heinrich.
Rzemenowsky, Eduard (Res.-Comdo.-Adj.).
Mayr, Rudolph.
Tittl, Joseph.
Delavos, Carl (Erg.-Bez.-Off.).

Brušek, Alfred (ü. c.) zug. dem Generalstabe.
Fiala, Wenzel (ü. c.) im mil.-geogr. Inst.
Urbanek, Anton.
Röck, Julius.
Komers, Adolph.
Czöppan, Johann.
Strauss, Salomon (Bat.-Adj.).
Wagner, Victor.
Lahousen, Wilhelm.

Lieutenants.

Geiger, Joseph
Ihl, Anton
Arnold, Emil
Arleth, Wenzel
Seifert, Moriz
Kroupa, Franz
Strassner, Joseph
Kleiber, Ernst
Kolda, Johann
Matauschek, Albert
Navratil, Franz
Staschek, Ludwig
Rozkošný, Franz
Schandera, Albert
Stoklaska, Ottokar
(Res.)
Fritsch, Franz.
Plachetka, Johann (Bat.-Adj.).
Urban, Leopold (Bat.-Adj.).
Schwarz, Vincenz.
Speck, Georg (Res.).
Sowa, Theodor (Res.).
Pastrnek, Franz (Res.).
Brösler, Israel (Res.).
Hofrichter, Adolph.
Krebs v. Sturmwall, Victor (Reg.-Adj.).
Kopfinger v. Trebbienau, Ernst (Bat.-Adj.).
Zrounek, Emil (Res.).
Jelenac, Peter.
Stich, Rudolph.
Kossegg, Carl.
Juhn, Adolph.
Ambros, Julius
Silberstein, Salomon
Kofler, Anton
Grapl-Kopřiva, Wilhelm
Werner, Bernard
(Res.)
Deutschel, Ferdinand.
Braun, Julius.
Hudlik, August.
Turetschek, Franz (Res.).
Nesweda, Richard (Bat.-Adj.).
Koller, Carl (Res.).
Sicha, Franz (Res.).
Ganzwohl, Wilhelm (Res.).
Linhart, Johann.
Rindl, Emanuel
Přecechtěl, Johann
Polaschek, Anton
Demel, Wladimir
Metlitzky, Heinrich
Mandl, Adalbert
Freiss, Carl
Satzke, Erwin
(Res.)
Engler, Rudolph.
Pawlé, Conrad.
Haisler, Joseph.
Leth, Alexander.
Bauer, Martin.

Cadeten.

Zikan, Johann
Glück, David
Hatla, Joseph
Černy, Johann
(Off.-Stellv.)

Mil.-Aerzte.

Ehrenhöfer, Jakob, Dr., Reg.-Arzt 1. Cl.
Sapara, Johann, Dr., Reg.-Arzt 1 Cl.
Molitor, Franz, Dr. (Operateur), Reg.-Arzt 2. Cl.
Hřiva, Joseph, Dr., Reg.-Arzt 2. Cl.
Raab, Wenzel, Oberwundarzt.

Rechnungsführer.

Truxes, Richard, Hptm. 2. Cl.
Seipelt, Joseph, Obrlt.
Kristinus, Carl, Lieut.

Egalisirung himmelblau (wie Nr. 4, 19 u. 32), Knöpfe weiss.

4.

Niederösterreichisches Infanterie-Regiment.

Regiments-Stab und Ergänzungs-Bezirks-Commando: Wien.

Reserve-Commando: *Korneuburg*.

Hoch- und Deutschmeister.

1696 errichtet; ist seit der Errichtung in der Benennung unverändert geblieben.

Inhaber waren: 1696 Franz Ludwig, Pfalzgraf bei Rhein, Herzog von Neuburg, Oberst; 1732 Clemens August, Churfürst von Cölln, Oberst; 1761 Carl, Herzog von Lothringen, FM.; 1780 Maximilian, Erzherzog, Churfürst von Cölln, FM.; 1801 Carl, Erzherzog, FM.; 1804 Anton Victor, Erzherzog, FZM.; 1835 Maximilian Joseph d'Este, Erzherzog, FZM.

(Zweiter Inhaber war: von 1780—1790 Schröder, Wilhelm Freih., FML.)

1863 Wilhelm, Erzherzog, FZM.

Oberst u. Reg.-Comdt. Borosini Edl. v. Hohenstern, Gustav Ritt.

Oberstlieutenants.

Möraus, Anton Edl. v., Res.-Comdt.
Faby, Joseph Edl. v.
Polak, Emerich (Erg.-Bez.-Comdt.).

Majore.

Schmedes, Ernst (ü. c.) Lehrer an der techn. Mil.-Akad.
Prüger, Mathias.
Player, Alois.
Rinek, Edmund.
Lettowsky, Franz.

Hauptleute 1. Classe.

Buchfelder, Carl, MVK. (KD.).
Chandelier, August, MVK. (KD.); (ü.c.) im mil.-geogr. Inst.
Wallenberg, Adolph.
Castaldo, Ludwig.
Hoen, August, ÖEKO-R. 3. (KD.), MVK. (KD.).
Rauscher, Friedrich (WG.).
Giordani, Eduard.
Kutschera, Johann.
Lökher, Roman.
Hausner, Liborius.
Kleindinst, Joseph.
Guretzky von Kornitz, Constantin Freih.
Reineck, Otto.
Schroll, Wilhelm.
Tuma, Carl (ü. c.) beim Gen.-Comdo. zu Budapest.
Hohensinn, Mathias
Schubert, Augustin.

Hauptleute 2. Classe.

Bruckmüller, Johann.
Becher, Michael, MVK.
Köberl, Ludwig.
Leveling, Carl (ü. c.) zug. dem Generalstabe.
Potestá, Cäsar.
Malyevacz, Ernst Edl. v.
Jäger, Anton.
Frühwirth, Alois.

Oberlieutenants.

Grimm, Leo, MVK. (KD.), (WG.).
Weibel, Carl (Reg.-Adj.).
Oppenauer, Johann (Prov.-Off.).
Rotter, Johann.
Katt, Anton.
Bartušek, Jakob.
Stepanek, Alois (Res.-Comdo.-Adj.).
Edbauer, Julius.
Donaubauer, Alois.
Pascher, Johann.
Barth, Julius (Erg.-Bez.-Off.).
Sommaruga, Arthur Freih. v., MVK. (KD.).
Jüstel, Carl (ü. c.) im mil.-geogr. Inst.
Braun, Johann.
Rainer, Gustav.
Zwikl, Georg.
Hajek, Johann (ü. c.) im mil.-geogr. Inst.

Jöchlinger, Michael.
Schwarzacher, Joseph.
Urbas, Ludwig.
Mayer, Gustav.
Anglmayer, Joseph.
Panzl, Rudolph.
Zickler, Georg.
Massiczek, Wilh. (Bat.-Adj.).
Tschofen, Georg.
Lützenburger, Franz.
Prunlechner, Alexander.
Uhl, Lambert (Bat.-Adj.).

Lieutenants.

Polzer, Aurelius (Res.).
Weymann, Victor Edl. v. (Res.).
Wieser, Friedrich Ritt. v. (Res.).
Gautsch v. Frankenthurn, Paul, Dr. (Res.).
Keller, Carl (Res.).
Boynger, Rudolph (Res.).
Höbinger, Franz (Res.).
Billig, Moriz (Res.).
Rougon, Ludwig (Res.).
Szalay, Ludwig (Res.).
Rossner, Heinrich (Res.).
Bayer, Carl.
Castaldo, Joseph (Bat.-Adj.).
Waneck, Franz.
Haller, August.
Laska, Julius.
Kettner Edl. v. Kettenau, Camillo (Bat.-Adj.).
Widermann, Leopold.
Velten, Victor Edl. v.
Iglseder, Augustin.
Lesigang, Gustav.
Mörk v. Mörkenstein, Ludwig.
Zuckerkandl, Victor.
Domaszewski, Alfred v. (Res.).
Beck, Paul (Res.).
Breuner, Arnold (Res.).
Kutschera, Carl (Res.).
Auer v. Welsbach, Alois Ritt. (Res.).
Horsetzky Edl. v. Hornthal, Victor (Res.).
Buresch, Ludwig (Res.).
Mannlicher, Rudolph (Res.).
Fröschels, Paul
Fugger, Anton.
Strasser Edl. v. Obenheimer, Joseph (Bat.-Adj.).
Semek, Anton.
Hofmann v. Donnersberg, Jos.
Hüttner, Adolph.
Teppner, Hermann.
Liechtenecker, Georg.
Räth, Joseph (Res.).
Moser, Carl (Res.).
Obrecht, Johann (Res.).
Breindl, Hermann (Res.).
Sagburg, Erich v. (Res.).
Hornung, Franz (Res.).
Timmel, Franz (Res.).
Laula, Eduard (Res.).
Vitzthum, Franz.
Sterz, Adolph.
Rabel, Richard (Res.).

Cadeten.

Korn, Adolph (Off.-Stellv.), (Res.).
Warnesius, Eduard (Res.).
Pick, Alfred.
Raubal, Nikolaus (Res.).
Moriggl, Anton (Off.-Stellv.).
Zischka, Franz (Off.-Stellv.).
Stein, Carl v. (Off.-Stellv.).
Kopitsch, Victor (Off.-Stellv.).
Schlechta, Gustav (Off.-Stellv.).
Eck, Friedrich (Off.-Stellv.).
Michl, Carl (Off.-Stellv.).

Mil.-Aerzte.

Blaschke, Vincenz, Dr., GVK. m. Kr., Reg.-Arzt 1. Cl.
Lobinger, Johann, Dr., Reg.-Arzt 1. Cl.
Povše, Joseph, Dr., Reg.-Arzt 2. Cl.
Milota, Carl, Dr., Reg.-Arzt 2. Cl.
Neubauer, Carl, Oberwundarzt.
Just, Florian, Oberwundarzt.

Rechnungsführer.

Abele, Franz, Obrlt.
Schwarz, Leopold, Obrlt.
Vestner, Ludwig, Lieut.

Egalisirung himmelblau (wie Nr. 3, 19 u. 32), Knöpfe gelb.

5.

Ungarisches Infanterie-Regiment.

Regiments-Stab: Kaschau.

Reserve- und Ergänzungs-Bezirks-Commando: *Szathmár*.

Vormals das erste Garnisons-Regiment, 1766 errichtet; im Jahre 1808 in das 1. und 2. Garnisons-Bataillon umgestaltet.

1762 als erstes Szekler Grenz-Infanterie-Regiment errichtet; 1764 neu organisirt; 1851 in ein Linien-Infanterie-Regiment umgewandelt.

1851 Liechtenstein, Eduard Fürst, FML.

(*Zweiter Inhaber war: von 1864—1870 Wezlar v. Plankenstern, Gustav Freih., FML.*)

1864 Ludwig II., König von Bayern.

Oberste.
Roskiewicz, Johann, ÖFJO-R., MVK. (KD.), (ü. c.); Vorstand der Topographie-Abth. im mil.-geogr. Inst.
Bourcy, Franz de, MVK. (KD.), Reg.-Comdt.

Oberstlieutenants.

Appel, Ferdinand Ritt. v., Res.-Comdt.
Pókay, Johann.

Majore.

Goldschmidt, Johann, MVK. (KD.).
Pensch, Christian.
Kraus, August.
Ringer, Eduard, MVK.

Hauptleute 1. Classe.

Stolfi, Albin.
Weisskircher, Friedrich.
Egloff v. Engweilen, Julius, ÖFJO-R., MVK. (KD.).
Wojatšek, Joseph.
Syrowy, Rudolph.
Stojanow, Johann.
Čučković, Moses.
Capinski, Anton.
Gallauner, Albert.
Küttel, Attilio Edl. v.
Javorina, Marcus.
Soboltyński, Peter (ü. c.) beim Gen.-Comdo. zu Budapest.

Hauptleute 2. Classe.

Czernoević, Hermann.
Stawarski, Julian.
Alten-Bockum, Oskar Freih. v.
Hummel, Julius.
Hörmann, Theodor v. (ü. c.) Lehrer an der Mil.-Unter-Realschule zu St. Pölten.
Bogner, Mathias.
Petrović, Peter.
Lang, Franz.
Petraschko, Joseph, MVK. (KD.).
Fuchs, Anton.
Dobrowolny, Anton.

Oberlieutenants.

Rosolen, Adam, ○ 1.
Konopitzky, Heinrich.
Schusser, Norbert.
Allgayer, Johann.
Dumenčić, Adam.
Lukutza, Pintilie.
Koschokar, Dionysius (WG.).
Gallena, Laurenz (Erg.-Bez.-Off.).
Hofmann, Carl (Prov.-Off.).
Szabó, Michael.
Artner, Géza v., MVK. (KD.); (Res.).
Czech, Paul.
Demelić, Isidor v.
Braumberger, Joseph.
Muschitzki, Lucian (zug. dem techn. u. adm. Mil.-Comité).
Smetana, Hermann, MVK. (KD.).
Nyerges, Michael (ü. c.) im mil.-geogr. Inst.
Landa, Friedrich.
Traun, Victor Edl. v. (Reg.-Adj.).
Nagy de Galantha, Alfred.
Dieterich, Ferdinand.
Kesić, Marcus, SVK. m. Kr.
Knezić, Marcus.
Smeu, Paul.

Pinter, Julius.
Rössler, Wilhelm.
Lawatsch, Ernst (Bat.-Adj.).
Hawel, Carl (Bat.-Adj.).
Deutsch, Eman. (Res.-Comdo.-Adj.).
Shakić, Emil.
Onheiser, Leopold (Bat.-Adj.).
Popeskul, Johann (Bat.-Adj.).

Lieutenants.

Schedewy, Alois (Res.).
Boldis, Samuel (Res.).
Petruss, Joseph, Dr. (Res.).
Wasshuber, Erhard Ritt. v. (Res.).
Hadwiger, Eduard (Res.).
Hersch, Wilhelm (Res.).
Farago, Alexander, (Res.).
Hostowsky, Adolph (Res.).
Weinlich, Carl (Res.).
Öshégyi, Joseph (Res.).
Renner, Raimund (Res.).
Hotinczan, Nikolaus (Res.).
Schlögl, Ludwig (Res.).
Domaszewsky, Victor (Res.).
Jezernitzky, Johann v. (Res.).
Csizsár, Ludwig (Res.).
Gyurits, Julius (Res.).
Radu, Elias.
Jovesko, Johann.
Pessiak, Victor (Bat.-Adj.).
Pitigouy, Georg.
Lederer, Wilhelm.
Semenetz, Carl.
Lilesko, Johann.
Kunek, Johann.
Denhof, Friedrich (Res.).
Weiss, Leopold.
Mayer, Moriz.
Ritscher, Marcellus (Res.).
Tropper, Ferdinand (Res.).
Petz, Johann (Res.).
Pick, Leopold (Res.).
Hörnes, Franz (Res.).
Böszörmenyi de Hirip et Ivacsko, Alexander (Res.).
Kässmayer, Moriz (Res.).
Amand, Joseph (Res.).
Mayer, Joseph (Res.).
Bauer, Johann (Res.).
Miklosich, Moriz Ritt. v. (Res.).
Baldass, Max Edl. v. (Res.).
Buschmann, Franz Freih. v. (Res.).
Horvath, Franz.
Szenderszky, Franz.
Badesko, Daniel.
Kintoan, Nikolaus.
Telehazy, Johann.
Nulle, Joseph.
Hoprich, Othmar.
Kovacs, Elemér (Res.).
Hammerschmid, Julius.
Sertić, Otto.
Miskovits, Stephan.

Cadeten.

Wessely, Carl (Off.-Stellv.).
Dominke, Johann (Off.-Stellv.).
Stadler, Johann (Off.-Stellv.).
Papsch, Joseph (Off.-Stellv.).
Jovičić, Alois (Off.-Stellv.).

Mil.-Aerzte.

Pechaczek, Johann, Dr., Stabsarzt.
Fassetta, Albert, Dr., Reg.-Arzt 1. Cl.
Resofszky, Joseph, Dr., Reg.-Arzt 2. Cl.
Polnisch, Arthur, Dr., Reg.-Arzt 2. Cl.
Singer, Paul, Oberwundarzt.

Rechnungsführer.

Hausner, Adolph, Obrlt.
Pokorny, Alois, Obrlt.
Hubaczek, Franz, Lieut.

Egalisirung rosenroth (wie Nr. 6 und 13), Knöpfe gelb

6.

Ungarisches Infanterie-Regiment.

Regiments-Stab: Budapest.

Reserve-Regiments-Stab: Serajevo.

Ergänzungs-Bezirks-Commando: *Neusatz.*

(Vormals das zweite Garnisons-Regiment, 1767 mit der Errichtung begonnen; bis 1770 completirt; seit dem Jahre 1808 in das 3. und 4. Garnisons-Bataillon umgestaltet.)

1762 als zweites Székler Grenz-Infanterie-Regiment errichtet, 1764 neu organisirt; 1851 in ein Linien-Infanterie-Regiment umgewandelt.

1851 Coronini-Cronberg, Johann Gf., FZM.

Oberst u. Reg.-Comdt. Mayr, Alois, MVK. (KD.).

Oberstlieutenants.

Tschofen, Carl, Res.-Reg.-Comdt.
Balduin, Arnold, MVK. (KD.)

Majore.

Stuchlik, Johann, ÖFJO-R., MVK. (KD.).
Gábor, Heinrich.
Rauecker Edl. v. Lilienheim, Alfred.
Rehmann, Andreas.

Hauptleute 1. Classe.

Pokorny, Anton, ÖFJO-R. (ü. c.) beim R.-Kriegs-Mstm.
Frisch, Anton.
Bubenik, Ferdinand.
Hofbauer, Emil.
Herzl, Carl.
Jovanović, Eugen.
Wolf, Eugen, MVK. (KD.).
Wienecke, Otto, MVK. (KD.).
Gidro, Gregor v.
Nikowitz, Eduard.
Tomssa, Franz.
Schegaratz, Constantin.
Rogulja, Paul.
Serdić, Andreas.
Stipić, Franz, MVK. (KD.).
Flora Edl. v. Cvetne-Doline, Joseph.
Brosch, August (ü. c.) Lehrer an der Mil.-Akad. zu Wr.-Neustadt.
Kuria, Johann.
Kulnig, Dominik.
Billek-August v. Auenfels, Stephan Freih., MVK. (KD.).

Hauptleute 2. Classe.

Martini, Johann Ritt. v.
Albrecht, Friedrich (ü. c.) Lehrer an der Mil.-Ober-Realschule.
Delpiny, Alexander v.
Chavanne, Ludwig Edl. v.
Weeber, Rudolph.
Novacović, Peter.
Kotsch, Carl.
Heckl, Wenzel, MVK. (KD.), (Res.).
Krajnović, Raphael.

Oberlieutenants.

Pongrácz de Szent-Miklós et Óvár, Vincenz Freih.
Bašic, Mathias.
Bosnić, Paul.
Sertić, Anton.
Marinić, Valentin.
Šimić, Mathias (Prov.-Off.).
Eifler, Ferdinand.
Podt, Johann.
Friedrich, Anton.
Hallada, Dominik (Erg.-Bez.-Off.).
Heintzl, Johann.
Jovičić, Basilius.
Stephauek, Wilhelm.
Steingassner, Julius (Res.-Reg.-Adj.).

Cavian, Georg (ü. c.) zug. dem Generalstabe.
Tříska, Franz.
Schärffer, Wilhelm, ○ l.
Mayerhofer, Anton.
Dešković, Dionysius.
Očić, Nikolaus (Reg.-Adj.).
Schegaratz, Alexander.
Wukowić, Nestor.
Aschenbrand, Albert.
Kessegić, Lucas.
Wanner, Hermann (Bat.-Adj.).
Dabčević, Ferd. (Prov.-Off.).
Wukmirović, Peter.
Wenečky, Christoph.
Wessely, Victor (Bat.-Adj.).
Rychnowsky, Johann (Res.).
Gindl, Joseph (Res.).
Schick, Berthold (Res.).
Melichar, Johann (Res.).

Lieutenants.

Mikel, Carl
Froschauer, Lorenz
Müller, Rudolph
Anders, Carl
Tokódy de Szent-András, Árpád
Kavčić, Jakob
Muža Albin } (Res.)
Trenka, Joseph (ü. c.) im mil.-geogr. Inst.
Schadek, Maxim., (Bat.-Adj.).
Mrazek, Stephan.
Ekmečić, Constantin (Bat.-Adj.).
Marić, Radovan (Bat.-Adj.).
Stričević, Sabbas.
Nebrigić, Alexander.
Koppay, Joseph (Res.).
Weinert, Victor (Res.).
Zwibach, Adolph (Res.).
Naranečić, Lazar.
Trbljanić, Marcus.
Petsics, Adalbert.
Koičić, Svetozar.
Kermpotić, Marcus.
Schneider, Carl (Res.).
Glavačević, Joseph.
Damin, Anton.
Gaišin, David.
Peterdy, Ludwig
Jirasek, Arthur
Scheure, Johann v.
Löwenhöfer, Franz
Braun, Joseph
Preissler, Joseph } (Res.)
Marinkow, Emil (Bat.-Adj.).
Michalek, Franz
Homatsch, Anton
Wacha, Zdenko
Vlček, Franz
Feldmann, Rudolph
Wintersteiner, Gottfried
Triescher, Joseph
Czermak, Johann
Potomesik, Ignaz
Piswanger, Joseph
Flatt, Victor
Girg, Friedrich
Eisner, Albert } (Res.)
Žužić, Mathias.
Kuček, Joseph.
Bozorić, Anton.
Freissler, Julius (Res.).
Hepp, Johann.
Vitanović, Georg.

Cadeten.

Apich, Joseph (Res.).
Karlin, Joseph (Off.-Stellv.), (Res.).
Schossberger, Adolph.
Libano, Franz.
Pohnert, Carl (Off.-Stellv.), (Res.).
Jeisel, Heinrich (Off.-Stellv.), (Res.).
Schuhmacher, Georg
Kádár de Nyárát-Gálfalva, Joseph
Remeta, Peter
Jerkov, Stephan
Schneider, Friedrich
Hrenović, Heinrich } (Off.-Stellv.).
Vujkovits, Demeter
Kubatzkay, Alexander
Haubert, Heinrich
Theodorovits, Peter
Hoffmann, Carl
Koppay, Julius
Pidsy, Eugen } (Off.-Stellv.), (Res.).

Mil.-Aerzte.

Wolf, Franz, Dr., Reg.-Arzt 1. Cl.
Stojanović, Georg, Dr., Reg.-Arzt 1. Cl.
Krumpholz, Joseph, Dr., Reg.-Arzt 2. Cl.
Gidaly, Anton, Dr., Reg.-Arzt 2. Cl.
Petsics, Seraphin, Oberwundarzt.
Gruber, Alexander, Oberwundarzt.

Rechnungsführer.

Fetter, Lucas, Hptm. 1. Cl.
Reich, Heinrich, Obrlt.
Colombana, Johann, ○ 1., Obrlt.
Böltz, Michael, Lieut.

Egalisirung rosenroth (wie Nr. 5 u. 13), Knöpfe weiss.

Kärnthnerisches Infanterie-Regiment.

Regiments-Stab: Innsbruck.

Reserve- und Ergänzungs-Bezirks-Commando: *Klagenfurt.*

1691 errichtet, Öttingen-Baldern, Notger Wilhelm Gf., GM.; 1691 Pfeffershofen, Johann Freih., GM.; 1700 Neipperg, Eberhard Friedrich Gf., FM.; 1717 Neipperg, Reinhard Wilhelm Gf., FM.; 1774 Harrach, Franz Xaver Gf., FML.; 1783 Schröder, Carl Friedrich Freih., FML.; 1809 Ferdinand Grossherzog von Würzburg, FM.; 1814 Ferdinand, Grossherzog von Toscana, FM.; 1824 Lattermann, Christoph Freih., FM.; 1835 Prohaska von Guelphenburg, Franz Adolph Freih., GdC.

(Zweiter Inhaber war: von 1809—1824 Lattermann, Christoph Freih., FZM.)

1862 Maroičić di Madonna del Monte, Joseph Freih., FZM.

Oberst u. Reg.-Comdt. Jaus, Carl, MVK. (KD.),

Oberstlieutenants.

Rizzetti, Alexander, ÖEKO-3. (KD.), Res.-Comdt.
Went, Carl, MVK. (KD.)
Bolfras v. Ahnenburg Arthur, ÖEKO-R. 3. (KD.), ÖFJO-R., MVK. (KD.), (des Generalstabs-Corps).

Majore.

Winkler, Johann.
Hausser, Georg.
Mikowetz, Joseph Edl. v.
Perrelli, Wilhelm Ritt. v., MVK. (KD.).

Hauptleute 1. Classe.

Verga, Carl de.
Uiberbacher, Nikolaus, MVK. (KD.).
Ferrari, Carl.
Bucher, Joseph.
Goll, Joseph, MVK. (KD.).
Tragge, Ferdinand.
Fischern, Albrecht Edl. v.
Comel, Andreas.
Scheriau, Hugo.
Kropiunig, Joh., MVK (KD.); (ü. c.) beim R.-Kriegs-Mstm.
Riedinger, Carl.
Kocher, Johann, MVK. (KD.).
Temessl, Ferd., MVK. (KD.).
Noeth, Rudolph.
Lebitsch, Rudolph.
Mayer, Carl, MVK. (KD.).
Blangy, Heinrich Freih. v., (ü. c.) Lehrer an der Mil.-Ober-Realschule.
Pirkebner, Ignaz.
Schett, Franz.

Hauptleute 2. Classe.

Unzeitig, Leonhard.
D'Elvert, Arthur Ritt.
Ellmer, Michael.
Breitenbach, Ferdinand.
Birnbacher, Victor.
Cattanei zu Momo, Carl Freih. v.

Oberlieutenants.

Allnoch v. Edelstadt, Oswald Freih. (Res.).
Gurko, Anton.
Wlach, Wilhelm.
Thianich, Franz v.
Nemec, Herm., MVK. (KD.)
Kastner, Emil.
Posch, Carl (ü. c.) im mil.-geogr. Inst.
Wrana, Ferdinand (Reg.-Adj.).
Poschenu, Lorenz (Prov.-Off.).
Müllner, August.
Sternbach, Herm. Freih. v.
Hild, Eduard.
Hugelmann, Ferdinand v.

Zwerger, Isidor (Erg.-Bez.-Off.).
Dumann, Friedrich, MVK. (KD.).
Schemua, Johann (ü. c.) zug. dem Generalstabe.
Grobois, Victor, ○ 2.
Ruttner, Alphons (ü. c.) im mil.-geogr. Inst.
Hampel, Rudolph, ○ 2.
Stopfer, Franz.
Obersnu, Joseph.
Fröhlich, Anton, MVK. (KD.), (Res.-Comdo.-Adj.).
Prohaska, Rudolph (ü. c.) zug. dem Generalstabe.
Wölfel, Albert Edl. v. (Bat.-Adj.).
Le Jeune, Carl, MVK. (KD.), (ü. c.) bei der Feld-Signal-Abth. der IV. Inf.-Trup.-Div.

Lieutenants.

Leclair, Joseph Edl. v. (Res.).
Maniglier, Sigmund (Res.).
Stuchez, Gustav (Res.).
Winkler, Carl (Res.).
Drasch, Robert (Res.).
Unterkreuter, Wenzel (Res.).
Gussich, Paul Freih. v. (Res.).
Abuja, Mathias, Dr. d. R. (Res.).
Kreipner, Theodor.
Feldner, Alois, Dr. d. R. (Res.).
Horrakh, Friedrich, Dr. d. R. (Res.).
Wagner, Ernst.
Schemua, Blasius (ü. z.) beurl.
Sanchez de la Cerda, Heinrich.
Vest, Eduard Edl. v. (Res.).
Schlichtner, Franz.
Deschmann, Georg (Res.).
Gutmann, Johann (Res.).
Guggenberger, Marcus (Res.).
Lausegger, Alois (Res.).
Goritschnig, Simon (Res.).
Reichhold, Joseph (Bat.-Adj.).
Trost, Hugo.
Saremba, Carl (Bat.-Adj.).
Hainzl, Conrad (Res.).
Angermann, Franz (Res.).
Schulterer, Joseph.
Wassermann, Johann (Bat.-Adj.).
Halla, Gustav (Bat.-Adj.).
Zdunić, Joseph.
Petrović, Michael.
Treiber, Rudolph.
Potiorek, Victor (Res.).
Huber, Friedrich (Res.).
Webern, Franz v. (Res.).
Brandstätter, Johann (Res.).
Münzel, Arnold.
Pöschmann, Eugen.
Ibounig, Franz.
Rieder, Heinrich.
Huber, Joseph.
Layroutz, Valentin.
Candutti, Sylvius (Res.).
Weinländer, Georg (Res.).
Lindemann, Alexander Edl. v. (Res.).
Matuschka, Ludwig.
Bischoff Edl. v. Widderstein, Alexander.
Archer, Anton.
Mayerhofer v. Grünbühl, Joseph.
Poschinger, Franz.
Laharner, Anton (Res.).
Zuzzi, Engelbert.
Puntschart, Thomas.
Pichler, Johann.

Cadeten.

Radler, Rudolph (Off.-Stellv.).
Sedlnitzky v. Choltič, Carl, Freih.
Sommer, Albin (Off.-Stellv.).
Grünzweig, Heinrich (Off.-Stellv.).
Novak, Franz (Off.-Stellv.).
Frey, Carl v. (Res.).
Stich, Hilarius (Res.).

Mil.-Aerzte.

Janežić, Valentin, Dr., ÖFJO-R., Reg.-Arzt 1. Cl.
Schonta, Victor, Dr., GVK., Reg.-Arzt 1. Cl.
Perko, Franz, Dr., GVK. m. Kr., Reg.-Arzt 2. Cl.
Haunold, Joseph, Dr., Reg.-Arzt 2. Cl.
Hönigschmied, Johann, Dr., Oberarzt.
Eberth, Johann, Oberwundarzt.

Rechnungsführer.

Sedlmayer, Mich., Hptm. 1. Cl.
List, Joseph, Hptm. 1. Cl.

Egalisirung dunkelbraun (wie Nr. 12), Knöpfe weiss.

8.

Mährisches Infanterie-Regiment.

Regiments-Stab : Serajevo.

Reserve- und Ergänzungs-Bezirks-Commando: Brünn.

1647 errichtet, Starhemberg, Johann Richard Gf. v., FML.; 1661 Pio di Savoya, Marchese, Herbert FZM.; 1676 Arch, Prosper Gf. v., FZM.; 1679 Starhemberg, Maximilian Laurenz Gf. v., FM. 1689 Chizzola, Philipp Freih. v., Oberst; 1691 Lapaczek, Leonhard Alexander Freih. v., GM.; 1700 Pálffy ab Erdöd, Nikolaus Gf., Oberst: 1732 Sachsen-Hildburghausen, Johann Friedrich Prinz zu, FM.; 1787 Pallavicini, Carl Gf., GM.; 1790 Huff, Carl Freih. v., FML. 1801 Ludwig Joseph, Erzherzog, FZM.; 1865 Gerstner v. Gerstenkorn, Joseph Freih., FML. 1870 Jacobs v. Kantstein, Friedrich Freih., FZM.

(Zweite Inhaber waren: von 1801—1815 Minkwitz, Ferdinand Freih., FML.; von 1815 bis 1831 Stutterheim, Joseph Freih., FML.; von 1831—1834 Schwaeger v. Hohenbruck, Joseph Freih., FML.; von 1834—1846 Schneider v. Arno, Carl Freih., FML.; von 1846—1856 Gerhardi, Ignaz v., FZM.; von 1856—1865 Gerstner, Joseph Freih. v., FML.)

1877 Abele, Vincenz, Freih. v., FML.

Oberst u. Reg.-Comdt. Giesl v. Gieslingen, Adolph.

Oberstlieutenants.

Lichtenberg, Emil Freih. v., MVK. (KD.), Res.-Comdt.
Wannisch, Wilhelm (des Generalstabs-Corps.)

Majore.

Schmidl, Carl, ÖEKO-R. 3. (KD.).
Schöller, Ernst Edl. v.
Scherak, Joseph.
Rungg, Johann.

Hauptleute 1. Classe.

Czaplinski, Edmund.
Maly, Carl Ritt. v.
Huber, Leopold (WG.).
Mosing, Ferdinand.
Kamler, Jos., MVK. (KD.).
Höpler, Carl, MVK. (KD.).
Gläser, Theodor.
Breyding, Friedrich.
Berger, Moriz, ÖEKO-R. 3. (KD.), MVK. (KD.).
Rössel, Ignaz.
Sturm, Gustav (ü. c.) beim R.-Kriegs-Mstm.
Knott, Georg.
Neiser, Joseph.
Reisky, Heinrich, MVK.
Allé, Ferdinand.
Dragica, Martin.
Martinek, Anton, ÖEKO-R. 3. (KD.).
Kafka, Johann.
Křiwda, Joseph.
Janovski, Heinrich.

Hauptleute 2. Classe.

Beischläger, Emil.
Stix, Ludwig.
Stephanides, Julius.
Kristen, Carl, MVK. (KD.).
Jüstel, Ludwig.
Nowak, Johann (ü. c.) beim R.-Kriegs-Mstm.
Koller, Franz, MVK. (KD.).
Löffelholz v. Colberg, Carl Freih.
Maschek, Hugo.
Schwab, Julius (ü. c.) im mil.-geogr. Inst.

Oberlieutenants.

König, Adolph (ü. c.) zug. dem Generalstabe.
Uwira, Johann.
Pollak, Franz.
Beckerhin, Jos. (ü. c.) beim R.-Kriegs-Mstm.
Rumel, Ferdinand.
Reidlinger, Gotthard.
Horny, Joseph (Reg.-Adj.).
Pabst, Carl.
Spurny, Ludwig.
Walter, Emil.
Wemola, Ludwig (Prov.-Off.).
Neviani, Johann.
Jelinek, Johann (Erg.-Bez.-Off.).

Fröhlich v. Elmbach, Stanislaus.
Skal und Gross-Ellgoth, Carl Freih. v., MVK. (KD.).
Mendelein, Friedrich.
Heiler, Carl, MVK. (KD.).
Schmid, Rudolph (ü. c.) im mil.-geogr. Inst.
Hoffmann, Franz (ü.c.) im mil.-geogr. Inst.
Matković, Eduard.
Pohl, Gustav.
Fink, Carl.
Křepelka, Moriz.
Löbl, Joseph.
Daschek, Wenzel (Bat.-Adj.).
Kämmerling, Carl.
Hollub, Franz.
Nemanić, Stephan.

Lieutenants.

Balzar, Arnold
Steinbrecher, Anton
Popelak, Johann
Pichler Edl. v. Deében, Eduard
Maxa, Rudolph
Hansel, Victor
Bayer, Richard
Schwabe, Carl, MVK. (KD.)
Haselstein, Franz
Woršikowsky v. Kundratitz, Wilhelm Ritt.
(Res.).
Rischanek, Anton (Bat.-Adj.).
Gregor, Gregor (Res.).
König, Hermann.
Trawniček, Joseph (Res.).
Zednik, Julius (Res.).
Kubeš, Carl.
Maloušek, Franz.
Nastopil, Carl (Res.-Comdo.-Adj.).
Wittmann, Camillo.
Ludwig, Joseph.
Pliczka, Lambert.
Hoschek, Ottokar.
Oertl, Heinrich.
Dolležal, Alexander (Bat.-Adj.).
Czasson, Theodor (Bat.-Adj.).
Husserl, Wilhelm (Bat.-Adj.).
Schwendt, Joseph.
Paumgartten, Philipp Ritt. v. (Res.).
Schlosser, Johann (Res.).
Vocke, Wilhelm.
Waitzendorfer, Carl.
Deiss, Johann.
Ebersberg, Oskar
Liznar, Joseph
Kraus, Carl
Blumenschein, Carl
Scholz, Rudolph
Langer, Johann
Serda, Johann
(Res.).
Max, Joseph.
Höllebrand, Julius.
Linner, Victor.
Liboswarsky, Franz.
Zimmermann, Robert.
Auspitzer, Emil (Res.).
Pollak, Michael.
Riedl, Johann.
Schüller, Friedrich.
Nowak, Joseph.
Křehlik, Franz, ○ 1.
Böhm, Carl.
Heblein, Gottfried.
Dutka, Hubert.
Martini, Aurelius.

Cadeten.

Trübauer, Emil (Off.-Stellv.).
Cohn, Alois
Frić, Martin
Schüller, Alexander
Albrecht, Robert
Rzehak, Anton
Kutscha, Wilhelm
Lober, Edmund
Heidler, Arnold
Pollak, Franz
Kletter, Ernst
Zemlička, Anton
Witting, Leopold
Paumgartten, Carl Ritt. v.
(Res.).

Mil.-Aerzte.

Borak, Alfred, Dr., Reg.-Arzt 1. Cl.
Hantschel, Franz, Dr., Reg.-Arzt 2. Cl.
Voigt, Emanuel, Dr., Reg.-Arzt 2. Cl.
Igl, Johann, Dr., Reg.-Arzt 2. Cl.
Fort, Wilhelm, Oberwundarzt.
Huth, Moses, Oberwundarzt.

Rechnungsführer.

Winter, Engelbert, Hptm. 1. Cl.
Schwarz, Oswald, Obrlt.

Egalisirung grasgrün (wie Nr. 28, 61 und 62), Knöpfe gelb

9.

Galizisches Infanterie-Regiment.

Regiments-Stab: Olmütz.

Reserve- und Ergänzungs-Bezirks-Commando: *Stryj.*

1725 errichtet, Los-Rios, Franz Marq., FM.; 1775 Clerfayt, Carl Gf., FM.; 1802 Czartoryski-Sanguszko Adam Fürst, FM.; 1825 Bentheim-Steinfurt, Wilhelm Friedrich Fürst, FML.; 1839 Hartmann Klarstein, Procop Gf., FZM.; 1869 Merteus, Carl, Freih. v., FZM.

1874 Packenj v. Kilstädten, Friedrich Freih., FZM.

Oberste.
- Schönovsky v. Schönwiese, Adalbert Ritt., MVK. (KD.), (ü. z.) beurl.
- Pelican, Heinrich, ○ 2., Reg.-Comdt.

Oberstlieutenants.

Della Torre, Johann, Res.-Comdt.
Bissinger, Johann, MVK. (KD.).

Majore.

Hauer, Joseph.
Prokopp, Wilhelm.
Zuber, Ferdinand.
Czetsch v. Lindenwald, Heinrich.

Hauptleute 1. Classe.

Rosenkranz, Adolph (ü. c.) comdt. beim Generalstabe.
Ludwik, Gotthard (WG.).
Medycki, Emil, MVK. (KD.).
Grüber, Johann, MVK.
Lawatschek, Otto.
Časek, Joseph.
Van der Abeele, Carl.
Dausch, Philipp (ü.c.) Oekonomie-Inspector in der Mil.-Akad. zu Wr.-Neustadt.
Eder, Alois.
Grimm, Franz.
Gruber, Franz.
Schweyda, Johann (ü. c.) Adj. in der Kriegsschule.
Kohmann, Adolph.
Hammer, Franz.
Köhler, Anton.
Hohenbühel, genannt Heufler zu Rasen, August Freih. v. (des Generalstabs-Corps.)

Hauptleute 2. Classe.

Pankiewicz, Victor (ü. c.) im mil.-geogr. Inst.
Dobiasch, Joseph.
Sypniewski, Alfred Ritt. v.
Łyszkowski, Franz.
Doppler, Ludwig.
Petrović, Ferdinand, MVK. (KD.).
Gintz, Adolph, MVK.
Pomiankowski, Casimir.
Meier, Erwin.
Wallek, Ferdinand.
Stary, Carl.

Oberlieutenants.

Salinger, Joseph (ü. c.) beim R.-Kriegs-Mstm.
Wehrstein, Carl.
Zachar, Alfred.
Pochowski, Faustin.
Zapłatynski, Franz.
Weydner, Adolph.
Strihafka, Adolph.
West, Franz.
Kuderna, Adalbert.
Rössel, Franz (Reg.-Adj.).
Ilnicki, Peter.
Pekarek, Franz.
Wayer Edl. v. Stromwell, Camillo (Res.-Comdo.-Adj.).
Tracikiewicz, Carl (ü. c.) Lehrer an der Mil.-Unter-Realschule zu St. Pölten.
Gugubauer, Franz.
Białowolski, Basil, ○ 2. (Prov.-Off.).
Jabłonski, Ladislaus.
Hladik, Alexander (ü. c.) im mil.-geogr. Inst.
König, Carl (Res.).
Rössel, Johann.
Scherer, Reinhard.
Hoffmann, Julius.
Keltscha, Julius.
Wenzel, Johann (Bat.-Adj.).
Jakesch, Arthur (Bat.-Adj.).
Wagner, Adam (Res.).
Neumayer, Franz.
Radawiecki, Joseph.
Nechay v. Felseis, Joseph Ritt.
Pistol, Joseph.

Lieutenants.

Bretter, Robert (Res.).
Rock, Wilhelm (Res.).
Strobl v. Albeg, Lothar Ritt. (Res.).
Mader, Anton (Res.).
Epstein, Robert (Res.).

Hayderer, Heinr. Edl. v. (Res.).
Swoboda, Carl (Res.).
Hönigsmann, Felix (Res.).
Pollmann v. Danilowicz, Clem. Ritt. (Res.).
Bandrowski de Nowosielce, Alfred (Res.).
Rudnicki, Casimir Ritt. v. (Res.).
Nartowski v. Trzaska, Bronisl. Ritt. (Res.).
Wasylewski, Alexander.
Kučera, Johann (Res.).
Schindler, Franz (Res.).
Wachmann, Heinrich (Res.).
Svarofsky, Carl (Res.).
Kurowski, Joseph (Res.).
Abgarowicz, Joseph (Res.).
Hołubowicz, Hilarius (Res.).
Macieszkiewicz, Casimir (Res.).
Kastner, Joseph (Bat.-Adj.).
Schmeisser, Aug. (Bat.-Adj.).
Kociuba, Michael (Res.).
Petschacher, Alexander.
Petschacher, Wilhelm.
Türdischek, Gustav.
Sobota, Johann.
Krejčí, Jakob.
Mitis, Franz (WG.)
Serwacki, Anton (Bat.-Adj.).
Přikryl, Joseph.

Kostecki, Julian (Res.).
Brázda, Burghard.
Baderle, Edmund.
Kolczykiewicz, Mathias (Res.).
Kořistka, Engelbert (Res.).
Swoboda Edl. v. Fernow, Eduard (Res.).
Wacht, Ignaz (Res.).
Rakowitsch, Reinhold (Res.).
Kollik, Rudolph (Res.).
Schubert, Johann (Res.).
Bobik, Edmund.
Ptaček, Peter.
Kunaszowski, Johann Ritt. v. (Res.).
Krynicki, Wladimir Ritt. v. (Res.).
Jahn, Johann (Res.).
Krommer, Joseph (Res.).
Stella, Stephan (Res.).
Sowiński, Michael (Res.).
Odstrčil, Wilhelm (Res.).
Ratschitzky, Emil.
Hrziwna, Gabriel.
Weinmann, Alois.
Braun, Joseph.
Cunz v. Kronhelm, Vincenz Ritt.
Kempski v. Rakoszyn, Carl.
Mykytiuk, Leo.
Dietz, Ludwig.

Cadeten.

Susičky, Ferdinand. (Off.-Stellv.).
Zurbuch, Carl. (Off.-Stellv.).
Rozwadowski, Stanislaus Ritt. v. (Off.-Stellv.).
Kwiatkowski, Joseph. (Off.-Stellv.).
Skrypuch, Simon. (Off.-Stellv.).
Stasyszyn, Joseph. (Off.-Stellv.).

Mil.-Aerzte.

Eisenberg, Jakob, Dr., Reg.-Arzt 1. Cl.
Ardelt, Richard, Dr., Reg.-Arzt 1. Cl.
Kiesewetter, Emil, Dr., Reg.-Arzt 2. Cl.
Link, Ignaz, Dr., Oberarzt.
Wrabec, Anton, Dr., Oberarzt.

Rechnungsführer.

Tuškan, Michael, Hptm. 1. Cl.
Wessely, Franz, Obrlt. (ü. c.) zug. der Mil.-Intdtr.
Szabović, Anselm, Obrlt.
Rudnicki, Emerich v., Lieut.

Egalisirung apfelgrün (wie Nr. 54 u. 79); Knöpfe gelb.

10.

Galizisches Infanterie-Regiment.

Regiments-Stab: Jaroslau.

Reserve- und Ergänzungs-Bezirks-Commando: *Przemysl.*

1715 errichtet, Württemberg, Heinrich Friedrich Prinz, FML.; 1717 Württemberg, Ludwig Prinz, FZM.; 1734 Lindesheim, Georg Anton Freih. v., FML.; 1740 Braunschweig-Wolfenbüttel, Ernst Ludwig Prinz zu, FM.; 1790 Kheul, Carl Freih., FML.; 1802 Anspach und Bayreuth, Christian Friedrich Markgraf, GM.; 1806 Mittrowsky, Anton Freih., FML.; 1809 Reisky v. Dubnitz Franz Freih., FML.; 1817 Mazzuchelli, Alois Gf., FZM.

1869 Handel, Heinrich Freih. v., FZM.

Oberste.
- Pawlikowski v. Cholewa, Joseph Ritt., MVK. (KD.), (ü. c.) Comdt. der 60. Inf.-Brig. zu Lemberg.
- Döpfner, Carl Edl. v., MVK. (KD.), Reg.-Comdt.

Oberstlieutenants.

Gniewosz v. Olexow, Wladislaus Ritt., ✠, Res.-Comdt.
Huschek, Alexander Edl. v.

Majore.

Hartmann, Franz.
Kreipner, Franz, ÖEKO-R. 3. (KD.).
Ullmann, Emanuel (ü. c.) im mil.-geogr. Inst.
Bob, Joseph v.

Hauptleute 1. Classe.

Glossner, Gustav Edl. v.
Kirschinger, Ludw., ÖEKO-R. 3. (KD.).
Nowak, Blasius.
Theml, Johann.
Šmejkal, Ignaz.
Keess, Joseph.
Hussa, Hugo.
Strobe, Emil Edl. v. (ü. c.) zug. der k. k. Landw.
Pekarek, Carl.
Gutteter, Emil v.
Halm, Joseph.
Holzinger, Johann.
Urbanowicz, Leopold.
Möser, Joseph.
Krzyżewski, Joseph.
Elsner, Moriz v.

Hauptleute 2. Classe.

Bockenheim, Carl Ritt. v.
Lenert, Carl.
Quirsfeld, Joseph.
Šmejkal, Ferdinand (ü.c.) im mil.-geogr. Inst.
Dubsky, Julius.

Oberlieutenants.

Haura, Johann (WG.).
Hofbauer, Sylvester.
Orzechowski, Sigmund.
Jahnel, Ernst.
Hampl, Alois.
Lampel, Johann.
Blaschuty, Carl.
Samardžić, Adam (Reg.-Adj.).
Wilfert, Leo.
Turić, Emil (ü. c.) bei der Grundbuchs-Anlegung.
Sopotnicki, Joseph Ritt. v.
Polański, Wladimir.
Paulik, Franz.
Šignjar, Emil.
Langer, Johann.
Brunner, Joseph (ü. c.) im mil.-geogr. Inst.
Nevolly, Joseph.
Hanasiewicz, Ignaz (Res.).
Boruszczak, Theodor, ○ 2. (ü. c.) im mil.-geogr. Inst.
Sontag, August.
Krepper, Carl (Prov.-Off.).
Schabiński, Carl (Erg.-Bez.-Off.).
Millner, Ivo, ○ 2.
Jarzembecki, Ladislaus.
Heissler, Johann (Res.-Comdo.-Adj.).

Lieutenants.

Reichel, Joseph (Res.)
Haas, Gustav (Res.)
Krupiński, Ladislaus (Res.)
Löwenthal, Emil (Res.)
Zawadzki, Joseph Ritt. v. (Res.)
Hołodyński, Julian (Res.)
Haszlakiewicz v. Gottlieb, Ladislaus Ritt. (Res.)
Hessdorfer Franz.

Pirgo, Adam.
Barczewski, Vincenz.
Binder, Wilhelm
Stejskal, Carl
Pierzchała, Bronislaus
Preissing, Carl
Hetsch, Eduard } (Res.)
Kostelac, Jakob (Bat.-Adj.).
Sathinovich, Ignaz (Bat.-Adj.).
Ludmann, Julius.
Kriegseisen, Joseph (Res.).
Horoch, Adam Freih. v. (Res.).
Maurer, Heinrich.
Malek, Ludwig (Bat.-Adj.)
Francetić, Franz.
Bradarić, Gregor.
Halfar, Victor.
Marković, Bartholomäus.
Zawadzki, Anton Ritt. v. (Res.)
Warmski, Miecislaus (Res.).
Colard, Hermann v. (Bat.-Adj.).
Kuzyk, Theodor.
Szczurowski, Maximilian.
Löwenthal, Bernhard (Res.).
Mierka, Bronislaus (Res.).
Winter, Emanuel (Res.).
Lang, Carl.
Czuma, Theodor.

Lityński, Peter (Res.).
Weselsky, Emil (Res.).
Mitschke, Peter.
Semp, Adolph (Bat.-Adj.).
Bülow, Bernhard v.
Rauch, Wilhelm
Brousek, Carl
Bernacki, Felix
Marynowski, Lucian
Gutkowski des Wappens Slepowron, Bronisl. Ritt. v.
Treszkiewicz, Joseph
Fousek, Gustav } (Res.)
Kłosowski, Johann.
Holub, Franz (Res.).
Lubojemski, Narciss.
Kotliński, Johann.
Daszyński, Thomas.
Franke, Julius.
Dobiecki v. Grzymała, Sigmund.
Steindl, Rudolph.

Cadeten.

Hostynek, Gottlieb (Off.-Stellv.) (Res.).
Mayer, Eduard (Res.).
Richter, Emil (Off.-Stellv.).

Angermann, Theophil
Dudek, Johann
Soniewicki, Porphyr
Schultis, Carl
Zawadzki, Ludwig (Bat.-Adj.) } (Off.-Stellv.).

Mil.-Aerzte.

Szalay, Alois v., Dr., Reg.-Arzt 1. Cl.
Rosner, Martin, Dr., Reg.-Arzt 1. Cl.
Kaczkowski, Johann, Dr., Reg.-Arzt 2. Cl.
Mysłowski, Caspar, Oberwundarzt.

Rechnungsführer.

Turek, Peter, Hptm. 2. Cl.
Zuckrigl, Franz, Hptm. 2. Cl.
Wiligut Ernst, Lieut.

Egalisirung papageigrün (wie Nr. 46 und 50), Knöpfe weiss.

11.

Böhmisches Infanterie-Regiment.

Regiments-Stab: Pilsen.

Reserve- und Ergänzungs-Bezirks-Commando: *Pisek.*

1630 errichtet, Hardegg, Julius Gf., Oberst; 1637 de Mers, Franz Freih. v., Oberst; 1667 Monteverques, Ludwig v., GM.; 1669 Tasso, Albert v., Oberst; 1669 Knigge, Jobst Hilmar Freih. v., FML.; 1683 Metternich-Winneburg und Beilstein, Philipp Emerich Gf. v., FZM.; 1698 Hasslingen, Heinrich Tobias Freih. v., FM.; 1717 Wilczek, Heinrich Wilhelm Gf. v., FM.; 1739 Hasslingen, Ignaz Freih. v., FML.; 1739 Wallis, Franz Wenzel Gf. v., FM.; 1774 Wallis, Michael Johann Gf. v., FM.; 1801 Rainer Joseph, Erzherzog, FZM. 1853 Albert, Kronprinz von Sachsen.

(Zweite Inhaber waren: von 1801—1824 Kolowrat-Liebsteinsky, Vincenz Gf., FZM.; von 1825—1832 Mumb v. Muhlheim, Franz, FML.; von 1832—1848 Rougier, Camillo Gilbert Freih., FML.; von 1849—1864 Lichnowsky, Wilhelm Carl Gf., FZM.)

1873 Georg, Prinz von Sachsen.

Zweiter Inhaber.

Mertens, Wilhelm Ritt. v., FML. (1864)

Oberste.
Czibulka, Ernst, ÖEKO-R. 3. (KD.), Reg.-Comdt.
Fischer Edl. v. Zickwolff, Heinrich, MVK. (KD.), Res.-Comdt.

Oberstlieutenant.

Koch Edl. v. Langentreu, Franz, MVK. (KD.)

Majore.

Bruna, Joseph Ritt. v., ÖEKO-R. 3. (KD.).
Landwehr Edl. v. Wehrheim, Hugo.
Rübsaamen v. Kronwiesen, Leopold Ritt., ÖEKO-R. 3. (KD.).
Ptaczek, Anton.

Hauptleute 1. Classe.

Seegert, Georg.
Wolf, Joseph.
Etz v. Strassthal, Conrad Ritt.
Wittek v. Salzberg, Joseph.
Clanner v. Engelshofen, Rud. Ritt.
Čenský, Ferdinand (ü. c.) Lehrer an der Mil.-Akad. zu Wr.-Neustadt.
Scrabal, Theodor.
Brunner, Johann.
Ptáck, Joseph.
Preu zu Corburg und Lussenegg, Anton v., Landmann von Tirol (ü. c.) Lehrer an der Mil.-Akad. zu Wr.-Neustadt.
Tschúsi zu Schmidhoffen, Alois Ritt. v.
Pollmann, Carl.
Götz, Bruno v.
Nigrin, Anton.
Möschl, Johann.
Dittrich, Joseph.
Sellinski, Franz.

Hauptleute 2. Classe.

Villani, Carl Freih. v.
Schweida, Jakob.
Kraliczek, Ferd., MVK. (KD.).
Suchomel, Joseph, ○ 1.
Weissberger, Ignaz.
Heyda v. Lowczicz, Joseph.
Polák, Franz.
Wallek, Franz (ü. c.) im mil.-geogr. Inst.

Oberlieutenants.

Piller, Carl.
Steinbach, Johann.
Weiser, Joseph.
Winter, Adolph.
Weninger, Julius (ü. c.) im mil.-geogr. Inst.
Tobis, Franz (ü. c.) im mil.-geogr. Inst.
Adamek, Joseph.
Friepes, Conrad (ü. c.) zug. der Mil. Intdtr.
Weiss, Georg.
Daublebsky v. Sterneck zu Ehrenstein, Carl Freih.
Schrámek, Anton v. (ü. c.) im mil.-geogr. Inst.
Lhotka, Vincenz, ○ 1.
Wilucki, Clemens v.

Kottowský, Johann (Prov.-Off.).
Papesch, Franz.
Müller v. Strömenfeld, Eduard.
Zaunmüller, Joseph.
Kreipner, Julius, ○ 2.
Kalliwoda, Ottokar (Bat.-Adj.).
Spiess, Hubert.
Zallmann, Felix.
Blažek, Franz.
Schön, Franz.
Komadina, Daniel (ü. c.) beim Sicherheits-Corps für Bosnien.
Pröll, Wenzel (Erg.-Bez.-Off.).
Nirtl, Carl (Reg.-Adj.).
Gutwirth, Georg (ü. c.) im mil.-geogr. Inst.
Dobrenić, Andreas.
Rehne, Hermann.

Lieutenants.

Woldan, Franz
Kreitner, Leopold
Ritter, Franz
Rothmund, Oskar
Merklas, Ladislaus
Müller, Franz
Ledecky, Franz
Dwořák, Joseph
Adam, Friedrich
Ritt, August
Heyberger, Johann
} (Res.).
Schmidtmayer, Wenzel (Res.).
Stein, Rudolph (Res.).
Mayer, Johann (Bat.-Adj.).
Mühlpeck, Thomas (Bat.-Adj.).
Kirchstetter, Gustav (Res.-Comdo.-Adj.).
Czerný, Johann.
Langauer, Franz.
Schaffelhofer, Wenzel.
Meisetschläger, Alois.
Bohdanecky, Joseph (Res.).
Nowák, Franz.
Klar, Maximilian (WG.).
Pastrnek, Alexander.
Koch, Joseph.
Würfel, Ladislaus.
Zaunmüller, Joseph.
Seemann, Carl (Res.).
Mašák, Wenzel (Bat.-Adj.).
Bredschneider, Emil.
Piwetz, Emanuel.
Schober, Johann (Bat.-Adj.).
Urban, Moriz
Swoboda, Joseph
Mlčan, Franz
Koral, Franz
Kadlec, Wenzel
Hruška, Franz
Říha, Franz
Novak, Mathias
Janeczek, Franz
Fikar, August
Wolf, Alois
} (Res.).
Šulek, Ludwig.
Selinka, Carl.
Rossović, Albert.
Neplech, Joseph (Res.).
Hauser, Heinrich (Res.).
Bonka, Joseph.
Lalić, Simon.
Malek, Eduard.

Cadeten.

Elias, Johann (Res.).
Chwojka, Wenzel
Komma, Georg
Irlacher, Franz
Herrmann, Oskar
Killian, Hugo
} (Off.-Stellv.).

Mil.-Aerzte.

Tonner, Wilhelm, Dr., Reg.-Arzt 1. Cl.
Böhm, Carl, Dr., Reg.-Arzt 1. Cl.
Falnbigl, Carl, Dr., Reg.-Arzt 2. Cl.
Dřewikowský, Friedrich, Dr., Reg.-Arzt 2. Cl.
Glassl, Franz, Dr., Oberarzt.

Rechnungsführer.

Lodgman v. Auen, Carl Ritt., Hptm. 2. Cl.
Pawec, Joseph, Lieut.

Egalisirung aschgrau (wie Nr. 24, 33 u. 51), Knöpfe gelb.

12.

Ungarisches Infanterie-Regiment.

Regiments-Stab: Krakau.

Reserve- und Ergänzungs-Bezirks-Commando: *Comorn.*

1702 errichtet, Holstein-Plön, Adolph August Herzog zu, FM.; 1704 du Saix d'Arnan, Hubert Dominik Freih., FM.; 1728 Kettler, Christoph Bernhard Freih. v., FML.; 1734 Rumpf, Franz Ignaz Gf. v., GM.; 1736 Wuttgenau, Gottfried Ernst Gf. v., FZM.; 1737 Reitzenstein, Friedrich Ernst Freih. v., FML.; 1739 Botta d'Adorno, Anton Otto Marq., FM.; 1775 Khevenhüller-Metsch, Joseph Gf., FML.; 1792 Manfredini, Friedrich Marq., FML.; 1809 Liechtenstein Alois Fürst zu, FZM..; 1834 Rothkirch und Panthen, Leonhard Gf., FML.

(Zweite Inhaber waren: von 1842—1844 Lobenstein, Wilhelm v., FML.; von 1844—1851 Mertz, Friedrich Wilhelm v., FML.; von 1851—1864 Rath, Heinrich Freih. v., FML.; von 1865—1870 Rossbacher, Rudolph Freih. v., FML.)

1842 Wilhelm, Erzherzog, FZM.

Oberst u. Reg.-Comdt. Opitz, Anton.

Oberstlieutenants.

Bauer, Julius, MVK. (KD.), Res.-Comdt.
Kraiatz, Theodor Edl. v.

Majore.

Grünwald, Joseph.
Smekal, Heinrich.
Fischer, Wenzel.
Straub, Adolph Ritt. v.

Hauptleute 1. Classe.

Danzinger, Johann.
Kovačević, Paul.
Krinner, Alois.
Bellmond, Franz.
Ságody, Johann v.
Schmidag, Alexander.
Beulwitz, Friedrich Freih. v.
Csáky, Julius v.
Tomann, Otto.
Góts, Johann.
Kern, Mauriz.
Vorauer, Johann.
Kratzmann, Gustav.
Grimpner, Carl.

Hauptleute 2. Classe.

Mesić, Leopold.
Baier, Moriz.
Lityński, Marcell v.
Maywald, Peter.
Schubert, Joseph.
Fuhrmann, Wilhelm.

Oberlieutenants.

Spirmann, Adalbert (Erg.-Bez.-Off.).
Bobics, Joseph v. (ü.c.) Lehrer an der techn. Mil.-Akad.
Lukić, Gabriel.
Wiblitzhauser, Robert.
Sladeczek, Franz.
Fiala, Theodor (Res.-Comdo.-Adj.).
Kronsteiner, August.
Seiffert, Oskar.
Franić, Mathias.
Hartmann, Gustav.
Branković, Thomas.
Vaisz, Adalbert.
Kilian, Andreas, ○ 1.
Müller, Franz (Res.).
Höchsmann, Hippolyt (Reg.-Adj.).
Stockmayer, Carl.
Otava, Thomas (ü. c.) im mil.-geogr. Inst.
Petričević, Adalbert.
Weiler, Julius.
Baygar, Carl (ü. c.) im mil.-geogr. Inst.
Zohorna, August (Prov.-Off.).

Lieutenants.

Neubauer, Franz (Res.)
Mack, Franz (Res.)
Putschar, Moriz (Res.)
Schwarzer, Julius (Res.)
Conlegner, Carl (Res.)
Marek, Eduard (Res.)
Remenyik, Emerich (Res.)
Fenyvesi, Arnold (Res.)
Koczor, Franz (Res.)
Hille, Stephan (Res.)
Payer, Heinrich (Res.)
Dobák, Julius (Res.)
Hanževački, Joseph.
Mugrauer, Mathias (Bat.-Adj.).
Hubaček, Anton (Bat.-Adj.).

Demić, Stephan.
Hermann, Alfred (Bat.-Adj.).
Niksić, Johann (Bat.-Adj.).
Klar, Franz.
Baranyai, Sigmund
Dvořak, Alois
Kruml, Anton
Pöcze, Johann
Aranyossy, Ladislaus
Nowotny, Johann
Galba, Carl
Leschanofsky, Victor
(Res.).
Klikić, Georg.
Vukelić, Peter.
Ruffy de Királyháza, Paul (Res.).
Froschmair v. Scheibenhof, Constantin Ritt.
Lauda, Othmar.
Gärtler v. Blumenfeld, Joseph.
Veličan, Stephan (Bat.-Adj.)
Wenisch, Rudolph (Res.).
Koch, Alexander (Res.).
Majewski, Franz.
Wenninger, Mathias (Res.).
Toth, Ludwig (Res.).
Konkoly, Coloman v. (Res.).
Farkas, Géza (Res.).
Romanowski, Peter.
Langer, Alexander.
Obauer, Alfred (Bat.-Adj.).

Niklas, Anton
Zednik, Joseph
Platzer, Richard
Löwenstein, Theodor
Losonczy v. Losoncz, Ernst
Turcsányi, Edmund v.
Teubl, Paul
Scheriau, Otto
Kaplanek, Carl
Turtsányi, Coloman
Leistler, Otto
(Res.).
Kraft, Carl.
Fülöpp, Arthur.
Kuźniarski, Johann.
Schambek, Roman.
Pfohl, Joseph.
Blažeković, Hugo.
Blažeković, Victor.
Krbek, Franz.
Salzer, Philipp.
Farkas, Franz (Res.).
Gjuran, Mathias.
Jerkov, Georg.
Prelogović, Stephan.

Cadeten.

Hruschka, Franz (Res.).
Steinkogler, Michael (Off.-Stellv.), (Res.).

Boltek, Michael
Šimunić, Joseph
Nowotny, Philipp
Lukičić, Michael
(Off.-Stellv.).

Mil.-Aerzte.

Rohr, Joseph, Dr., Reg.-Arzt 1. Cl.
Pavlik, Johann, Dr., Reg.-Arzt 2. Cl.
Goldberg, Adolph, Dr., GVK., Reg.-Arzt 2. Cl.
Tuwora, Ignaz, Oberwundarzt.

Rechnungsführer.

Dobertsberger, Joseph, Hptm. 2. Cl.
Schwarz, Georg, Obrlt.
Simmet, Caspar, Lieut.

Egalisirung dunkelbraun (wie Nr. 7), Knöpfe gelb.

13.

Galizisches Infanterie-Regiment.

Regiments-Stab, Reserve- und Ergänzungs-Bezirks-Commando: Krakau.

1630 errichtet; Baden-Baden, Leopold Wilhelm Markgraf, FM.; 1671 La Borde, Louis Freih. de, Oberst; 1681 Scherffenberg, Friedrich Gf., FML.; 1688 Starhemberg, Guido Gf., FM.; 1737 Moltke, Philipp Ludwig Freih., FM.; 1780 Zedwitz, Johann Franz Anton Freih., FZM.; 1786 Reisky v. Dubnitz, Franz Wenzel Freih., FML.; 1809 reducirt; — 1814 neu errichtet; 1815 Wimpffen, Maximilian Freih., FM.; 1855 Hohenlohe-Langenburg, Gustav Heinrich Prinz, FML.; 1861 Bamberg Joseph Freih. v., FML.; 1871 Baltin, Carl Freih. v., FZM.

1873 Huyn, Johann Gf., FZM.

Oberste.
- Reimann, Carl, ÖEKO-R. 3., (ü. c.) in der Mil.-Kanzlei Seiner Majestät des Kaisers und Königs.
- Klestill, Anton, Reg.-Comdt.

Oberstlieutenants.

Seine k. k. Hoheit Erzherzog Friedrich etc.
Opitz, Carl, Res.-Comdt.
Iwański, Carl, ÖFJO-R., (ü. c.); Comdt. der Mil.-Unter-Realschule zu Güns.
Birti Edl. v. Lavarone, Anton.

Majore.

Meixner, Carl.
Juraczek, Joseph.
Sommer, Joseph.

Hauptleute 1. Classe.

Lubach, Moriz.
Tschenek, Ferdinand.
Freihub, Johann.
Höchsmann, Joseph.
Zoretić, Franz.
Czapek, Johann.
Heger, Georg.
Hostoński, Hermann.
Dörfler, Anton.
Schröder, Johann.
Szaflarski, Johann.
Pellizaro, Victor.
Królikiewicz de Rożyc, Joh.

Hauptleute 2. Classe.

Handel-Mazzetti, Victor Freih. v.
Scholz, Emil.
Sobotik, Ferdinand.
Weisser, Eduard.
Laxa, Joseph.
Pałkowski, Anton.
Müller, Johann.
Träger, Anton.
Schmitz, Hermann.

Oberlieutenants.

Wendt, Jakob.
Heydenreich, Richard.
Werner, Franz (WG.).
Zastoupil, Johann.
Schaffař, Franz (Reg.-Adj.).
Wendling, Robert.
Siber, Alfred Freih. v. (Res.-Comdo.-Adj.).
Nickl, Hugo.
Steciak, Leo, GVK. (Res.).
Koss, Julius (ü. c.) im mil.-geogr. Inst.
Heitzmann, Franz.
Settele v. Blumenburg, Adolph Ritt.
Gerbert v. Hornau, Carl Ritt.
Zemanek, Johann.
Haslinger, Friedrich (Prov.-Off.).
Gatalica, Fabian.
Sheibal, Wilhelm.
Heinninger, Ferd. (Bat.-Adj.).
Muzika, Joseph.
Korbel, Andreas.
Pechnik, Joseph (Erg.-Bez.-Off.).

Lieutenants.

(Res.):
Ichheiser, Bernhard
Czipa, Adalbert
Grek, Stanislaus Ritt. v.
Morelowski, Julius Ritt. v.
Jeziorski, Franz
Meissner, Heinrich
Bohutinský, Joseph
Schramm, Ladislaus
Zaremba, Felix Ritt. v.
Waligórski, Adalbert
Dębicki, Julius Gf.
Kopff, Joseph Ritt. v.
Wyrobek, Joseph
Paszkowski, Franz Ritt. v.
Bednarz, Stanislaus
Dadlez, Wilhelm
Paul, Victor

Anger, Adolph (Res.).
Staszczyk, Johann.
Bierfeldner Edl. v. Feldheim, Friedrich (Res.).
Grund, Joseph (Res.).
Czechowski, Longin (Bat.-Adj.).
Prochaska, Paul (Bat.-Adj.).
Piekarski, Joseph (Res.).
Kusionowicz, Michael (Res.).
Wolgner, Joseph (Bat.-Adj.).
Wojakowski, Sylvester.
Gottesheim, Wilhelm Freih. v.
Dindorf, Peter.
Konrady, Alfred (Bat.-Adj.).
Rothwein, Leon (Res.).
Herasimowicz, Joseph (Res.).
Müller, Michael.
Engelhart, Friedrich.
Brandt, Franz.
Zieleniewski, Edmund (Res.).
Stein, Arthur (Res.).
Chmielowski, Martin Ritt. v.
Wladyka, Joseph.
Raubal, Joseph (Res.).
Smidowicz, Zdislaus.
Kamiaker, Sigmund
Hrdlička, Leopold
Mrozowski Franz
Hromadka, Johann
} (Res.).

Mokry, Anton
Madziara, Anton
Wacha, Adolph
Korber, Adolph
Dolzycki, Carl
Zipser, Julius
Gayer v. Ehrenberg, Carl Freih.
Zelek, Joseph
Mars, Stanislaus Ritt. v.
Gawlik, Thomas
} (Res.).
Sierosławski, Stanislaus.
Gerstberger, Hugo.
Kubiakowski, Emil.
Bürkl, Rudolph.
Damask, Moriz
Węglarz, Bartholomäus.
Schiller v. Schildenfeld, Hieronymus.
Jaworski, Eugen.
Homme, Johann.
Hroch, Vincenz.
Brandstätter, Emil.

Cadeten.

Günther, Alfred (Off.-Stellv.).
Jaglarz, Johann (Res.).
Jaglarz, Andreas (Res.).
Czech, Alfred (Off.-Stellv.).
Fery, Franz (Off.-Stellv.).
Bętkowski v. Prawdzic, Johann Ritt.
Golachowski, Johann
Heisek, Joseph
Szczepański, Joseph
Neubauer, Eugen
Grelewicz, Joseph
} (Off.-Stellv.).

Mil.-Aerzte.

Foltanek, Johann, Dr., Reg.-Arzt 1. Cl.
Schmid, Siegfried, Dr., Reg.-Arzt 1. Cl.
Weber, Vincenz, Dr., Reg.-Arzt 2. Cl.
Haas, Joseph, Dr., Oberarzt.
Krzemień, Paul, Dr., Oberarzt.

Rechnungsführer.

Steinbach, Leo, Hptm. 1. Cl.
Schnattinger, Carl, Obrlt.
Ressel, Wenzel, Lieut.

Egalisirung rosenroth (wie Nr. 5 u. 6), Knöpfe gelb.

14.

Oberösterreichisches Infanterie-Regiment.

Regiments-Stab: Wien.

Reserve- und Ergänzungs-Bezirks-Commando: *Linz.*

1733 errichtet, Salm-Salm, Niclas Leopold Rheingraf v., FM.; 1770 Ferraris, Franz Gf., FML.; 1775 Tillier, Joseph Freih., FML.; 1788 Klebek, Wilhelm Freih., FZM.; 1811 Rudolph, Erzherzog, Oberst (seit 1819 Cardinal-Fürst-Erzbischof von Olmütz); 1832 Richter v. Binnenthal, Franz Xav., FZM.; 1840 Hrabovsky v. Hrabova, Johann Freih., FML.; 1849 Wohlgemuth, Ludwig Freih., FML.; 1851 Ludwig III., Grossherzog von Hessen.

(Zweite Inhaber waren: von 1811—1818 Radivojevich, Paul v., FML.; von 1818—1832 Richter v. Binnenthal, Franz Xav., FZM.; 1851—1867 Vogl, Anton, FML.; 1867—1871 Baltin Carl Freih. v., FML.)

1877 Ludwig IV., Grossherzog von Hessen.

Oberste. Grossmann v. Stahlborn, Joseph, Reg.-Comdt.
Scharinger, Gustav, Res.-Comdt.

Oberstlieutenant.

Lustig, Carl.

Majore.

Wondratschek, Joseph.
Bartsch, Oswald.
Fürich v. Fürichshain, Emil.
Klooss, Adolph.
Ehlers, Julius.

Hauptleute 1. Classe.

Kern, Albin, ÖEKO-R. 3. (KD.), MVK. (KD.).
Geutebrück, Georg, MVK. (KD.).
Pelikan, Joseph.
Dolleschall, Anton.
Perin v. Wogenburg, Moriz Ritt.
Steinbauer, Mathias.
Moosthal, Theodor Ritt. v.
Grois, Victor (ü. c.) zug. dem Generalstabe.
Partisch, Gustav.
Bohn, Heinrich v.
Balka, Joseph.
Schachinger, Georg.
Czech, Johann.
Penecke, Heinrich.
Schädlbauer, Joseph, MVK. (KD.).

Hauptleute 2. Classe.

Zeyringer, Heinrich.
Schardlmiller, Johann.
Stauber, Franz.
Freimiller, Johann.
Happak, Florian.
Lütgendorf, Hugo Freih. v.
Obermüller v. Draueck, Jos. Ritt.

Oberlieutenants.

Zenz, Johann.
Leeb, Hugo.
Koller, Joseph v.
Clodi, Maximilian, ○ 2. (ü. c. beim R.-Kriegs-Mstm.
Demelt, Carl (ü. c.) im mil.-geogr. Inst.
Bohn, Oskar v.
Reddi, Joseph.
Kuchta, Franz, ○ 1.
Laist, Robert, ○ 2.
Berghofer, Wilhelm.
Krause, Wilhelm (ü. c.) Lehrer an der Mil.-Unter-Realschule zu Güns.
Salvioli, Johann.
Milani, Joseph.
Kunzfeld, Franz.
Miller, Joseph.
Trenzani, Bartholomäus.
Rezniček, Carl (ü. c.) zug. dem Generalstabe.
Neumann, Wilhelm.
Pfiffer, Carl Ritt. v., MVK. (KD.), (ü. c.) zug. dem Generalstabe.
Bischel, Wilhelm.
Uchatius, Georg Ritt. v.
Anders, Carl Freih. v.
Schoedler, Franz (ü. c.) zug. dem Generalstabe.
Bonnet, Emil (Reg.-Adj.).
Bitterlich, Carl (Erg.-Bez.-Off.)
Jax, Anton (ü. c.) im mil.-geogr. Inst.

Götzendorfer, Georg.
Chizzola, Cäsar v. (Res.-Comdo.-Adj.).
Wunsam, Joseph.
Posch, Eduard.
Watzeck, Carl (Prov.-Off.).

Lieutenants.

Müller, Ludwig (Res.).
Bader, Carl (Res.).
Küenburg, Leopold Gf. (Res.).
Iglseder, Franz (Res.).
Schauer, Franz (Res.).
Sieghartner, Friedrich (Res.).
Gilhofer, Hermann (Res.).
Schubert, August (Res.).
Roschkofsky, Heinrich (Res.).
Glas, Ludwig (Res.).
Prieth, Camillo (Res.).
Horwatitsch, Victor (Res.).
Braunstingel, Theodor (Res.).
Pollak, Franz (Res.).
Mayer, Franz (Res.).
Lorenz, Johann.
Sackl, Joseph.
Seydl, Otto.
Kmentt, Emil (Res.).
Summesberger, Franz.
Gjenz, Lazarus.
Uherek, Florentin (Bat.-Adj.).
Kraus, Gustav (Bat.-Adj.).
Winternitz, Emil.
Rhemen zu Barensfeld, Adolph Freih. v. (Bat.-Adj.).
Althann, August Gf. (Bat.-Adj.).
Engerth, Eduard Freih. v. (Res.).
Wohlmuth, Vincenz (Res.).
Hackl, Franz (Res.).
Winkler, Friedrich (Res.).
Woracz, Alfred (Bat.-Adj.).
Frank, Adolph.
Chmela, Carl.
Bauer, Johann.
Kaltenborn, Oskar v.
Ehrlich, Edmund.
Poth, Julius v. (Res.).
Piemann, Friedrich (Res.).
Bertold, Franz (Res.).
Furthmoser, Hugo (Res.).
Wozka, Joseph (Res.).
Helm, Heinrich (Res.).
Pauli, Ludwig (Res.).
Wittigschlager, Anton.
Liebl, Adolph.
Lego, Ignaz.
Angsüsser, Johann.
Schaub, Dominik.
Teufel, Franz.
Sperl, Alfred.
David, Franz.
Fichtmüller, Joseph.

Cadeten.

Pierer, Oskar (Res.).
Wittmann, Franz (Res.).
Jungwirth, Johann (Res.).
Pöffel, Eduard.
Rašin, Franz.
Kössldorfer, Ferdinand.
Anderl, Franz.
Behr, Hugo (Off.-Stellv.).
Remm, Ernst.
Schilcher, Carl.

Mil.-Aerzte.

Hrubý, August, Dr., Reg.-Arzt 1. Cl.
Kislinger, Johann, Dr., Reg.-Arzt 2. Cl. (Res.).
Woříšek, Anton, Dr., Reg.-Arzt 2. Cl. (Res.).
Dunkler, Anton, Oberwundarzt.

Rechnungsführer.

Seitner, Moriz, Hptm. 1. Cl.
Blazowski, Caspar Ritt. v., Hptm. 2. Cl.

Egalisirung schwarz (wie Nr. 26, 38 u. 58), Knöpfe gelb.

15.

Galizisches Infanterie-Regiment.

Regiments-Stab: Josephstadt.

Reserve- und Ergänzungs-Bezirks-Commando: *Tarnopol.*

1701 errichtet, Bischof zu Osnabrück, Carl, Herzog von Lothringen und Bar; 1716 Lothringen, Carl, Herzog, FM.; 1726 Lothringen, Herzog Carl, Oberst; 1736 Pallavicini, Giovanni Lucas Conte di, FM.; 1773 Fabris, Dominik Conte de, FZM.; 1790 D'Alton, Eduard Gf., FML.; 1797 Oranien Wilhelm Georg Prinz v., FZM.; 1802 Riese, Carl Freih., FML.; 1806 Zach, Anton Freih., FZM.; 1827 Dom Pedro, Kaiser von Brasilien; 1832 Dom Pedro, Herzog von Braganza; 1835 Bertoletti, Anton Freih., FZM.

(Zweite Inhaber waren: von 1827—1838 Bertoletti, Anton Freih., FML.; von 1846—1849 Ludolf, Franz Gf., FML.; von 1849—1864 Csorich v. Monte-Creto, Anton Freih., FZM.; von 1864—1870 Jacobs v. Kantstein, Friedrich Freih., FML.)

1846 Adolph, Herzog zu Nassau.

Oberste. { Joly, Emil Ritt. v., ÖEKO-R. 3. (KD.), Reg.-Comdt.
Watteck, Franz (des Generalstabs-Corps), Res.-Comdt.

Oberstlieutenant.

Vogl, Carl, ÖEKO-R. 3. (KD.), MVK. (KD.).

Majore.

Anders, Emil v.
Wanka, Alfred.
Spiess, August, MVK. (KD.).
Boičetta, Wilhelm.

Hauptleute 1. Classe.

Bradiašević, Mathias (WG.).
Skibinski, Cornelius.
Schonowski, Georg.
Noderer, Adolph.
Gröller, Ludwig Ritt. v.
Stöckl, Carl.
Strauss Edl. v. Eichenlaub, Alexander.
Sermak, Carl.
Kreitschy, Anton.
Sloninka, Julius (ü. c.) im mil.-geogr. Inst.
Piers, Wilhelm (ü. c.) Lehrer an der Mil.-Unter-Realschule zu Güns.
Jakhel, Eduard (ü. c.) im mil.-geogr. Inst.
Piekarski, Joseph, MVK. (KD.).
Lustig, Carl (ü. c.) beim Mil.-Comdo. zu Krakau.
Krulich, Otto.

Hauptleute 2. Classe.

Lachowicz, Nikolaus (WG.).
Komers, Carl.
Wenzlik, Jakob.
Lutyński, Anton (ü. c.) im mil.-geogr. Inst.
Drązkiewicz, Bonaventura.
Hauptmann, Alfred.
Gruber, Carl.
Krynicki, Hippolyt.
Milaczek, Ferdinand.
Lerner, Joseph.
Stoliczka, Joseph (WG.).
Tarnowski, Ludwig, MVK. (KD.).
Doppler, Anton.
Schwamberg, Joseph.
Hauser, Joseph.
Uriel, August.

Oberlieutenants.

Kopaczyński, Johann.
Nieswiatowski, Theophil (ü. c.) beim Gen.-Comdo. zu Lemberg.
Linhart, Adolph.
Rieger, Julius.
Gerber, Ernst.
Schneider, Gottfried.
Lazić, Nikolaus.
Lechicki, Carl.
Tuppal, August (ü. c.) im mil.-geogr. Inst.
Lux, Johann (ü. c.) Lehrer an der Mil.-Akad. zu Wr.-Neustadt.
Seelig, Carl, ○ 1., (ü. z.) beurl.
Zachar, Johann (Prov.-Off.).
Hizdeu v. Lupassko, Joh. Ritt.
Rossmann, Paul.
Rzepek-Rzepinski v. Rawicz, Ludwig Ritt.
Babitsch, Franz Ritt. v., ○ 2., (ü. c.) zug. dem Generalstabe.
Janča, Georg.
Golik, Stephan.
Starostik, Franz.
Feldmann, Johann.
Schnattinger, Johann.

Hubl, Heinrich (Erg.-Bez.-Off.).
Nowak, Arthur (ü. c.) zug. dem Generalstabe.
Schmidt, Maximilian.
Serdić, Michael (Res.-Comdo.-Adj.).

Lieutenants.

Braf, Albin (Res.)
Linhart, Leopold (Res.)
Götz, Adolph (Res.)
Nalecz-Leszkiewicz-Olpinski, Julian, Dr. (Res.)
Guth, Franz (Res.)
Utschik, Anton (Res.)
Dlouhy, Franz, Dr. (Res.)
Przyluski, Stanislaus (Res.)
Matynkiewicz, Stephan (Res.)
Piwocki, Victor (Res.)
Schmetterling, Julius (Res.)
Bauer, Bronislaus (Res.)
Studziński, Marian Ritt. v. (Res.)
Fruchtmann, Jakob (Res.)
Winternitz, Oskar (Res.)
Woratschka, Franz (Res.)
Lawetzky, Wilhelm (Res.)
Lagler, Vincenz (Res.)
Stanković, Živan.
Tremac, Paul.
Haczek, Adolph (Bat.-Adj.).
Dobrzański, Joseph.
Mierzeński, Casimir (Bat.-Adj.).
Firbas, Ferdinand (Reg.-Adj.).
Kniže, Wenzel (Res.).
Schimak, Eugen (Bat.-Adj.).
Napadiewicz, Joseph (Res.).
Zivanović, Svetislav.
Friedmann I., Moriz.
Wikulil, Carl.
Ruppert, Ferdinand.
Teichmann, Joseph.
Haibl, Joseph.
Blaustern, Ludwig, Dr.
Tichy, Ladislaus.
Nussbaum, Victor (Res.).
Tessarowicz, Joseph.
Mučurlia, Gottlieb (Bat.-Adj.).
Rippl, Joseph (Res.)
Trausel, Joseph (Res.)
Prochaska, Carl (Res.)
Cartellieri, Friedrich (Res.)
Peschl, Emanuel (Res.)
Stanek, Franz (Res.)
Wierzbicki, Martin (Res.)
Grünberg, Casimir (Res.)
Philipp, Eugen (Res.)
Feodorowicz, Johann (Res.)
Wimmer, Wladislaus (Res.)
Mockford, Johann (Res.)
Friedmann II., Moriz.
Bryliński, Isidor v.
Karress, Eduard (Bat.-Adj.).
Bisom, Johann.
Urbanek, Hubert.
Christof, Hubert.
Sabransky v. Thalbrück, Carl.
Kozower, Joseph.
Pollak, Simon.

Cadeten.

Král, Oskar (Off.-Stellv.), (Res.).
Wanyura, Johann (Res.).
Pohl, Carl.
Jank, Wilhelm (Off.-Stellv.).
Kostecki, Gregor (Off.-Stellv.).

Mil.-Aerzte.

Szeliga, Roman, Dr., Reg.-Arzt 1. Cl.
Fischer, Anton, Dr., Reg.-Arzt 1. Cl.
Franzos, Hermann, Dr., Reg.-Arzt 1. Cl.
Vopařil, Joseph, Dr., Reg.-Arzt 2. Cl.
Schöfer, Johann, Dr., Reg.-Arzt 2. Cl.
Meixner, Franz, Oberwundarzt.

Rechnungsführer.

Forstner, Andreas, Hptm. 1. Cl.
Iwanicki, Joseph, Obrlt.

Egalisirung krapproth (wie Nr. 34, 44 u. 74), Knöpfe gelb.

16.

Ungarisches (croatisches) Infanterie-Regiment.

Regiments-Stab: Pola.

Reserve-Regiments-Stab: Prjedor.

Ergänzungs-Bezirks-Commando: *Belovar.*

1703 errichtet, Virmond, Damian Hugo Gf. v., FZM.; 1722 Livingstein, Alano Gf. v., GM.; 1741 Königsegg-Rothenfels, Christian Mauritius Eugen Gf. v., FM.; 1778 Terzy, Joseph Freih., FZM.; 1802 Rudolph Erzherzog, Oberst; 1806 Lusignan, Franz Marquis, FZM.; 1833 Kinski, Christian Gf., FML.; 1835 Ertmann, Stephan v., FML.; 1835 Friedrich Erzherzog, Vice-Admiral, (FML); 1848 Zanini, Peter, FML.; 1855 Wernhardt, Stephan Freih. v., FML.

(Zweite Inhaber waren: von 1802—1806 Lusignan, Franz Marquis, FML.; — von 1835—1837 de Lort, Joseph, FML.; — 1837—1845 Pausch v. Werthland, Carl Ritt., FZM.; — 1845—1846 Hauer, Ferdinand Anton Freih. v., FML.; — von 1846—1847 Zanini, Peter, FML.).

1749 errichtet aus der Warasdiner Grenz-Miliz; Leylersperg, Freih. v., GM.; — 1756 Warasdiner-Creuzer-Grenz-Inf.-Reg. Nr. 5.

1749 errichtet aus der Warasdiner Grenz-Miliz; Kengyel, Nikolaus Freih. v. GM.; 1754 Petazzi, Benvenuto Sigmund Gf., GM.; 1754 Guicciardi, Joseph Philipp Gf., GM.; — 1756 Warasdiner St. Georger Grenz-Inf.-Reg. Nr. 6. (Mit 1. Jänner 1872 wurden diese drei Regimenter verschmolzen.)

Warasdiner Infanterie-Regiment.

Inhaber.

1870 Wezlar v. Plankenstern, Gustav Freih., FML.

Oberste. Susich, Anton v., Reg.-Comdt.
Sertić, Carl, Res.-Reg.-Comdt.

Oberstlieutenant.

Lončarević, Abraham.

Majore.

Šostarić, Ludwig, MVK. (KD.).
Sokolović, Emerich.
Dotlić, Thomas.
Sova, Ludwig, ÖEKO.-R. 3. (KD.), MVK. (KD.).
Radossević, Johann.

Hauptleute 1. Classe.

Chiurkow, Anton.
Grivičić, Leopold, MVK.
Prieger, Cajetan.
Waberer Edl. v. Dreischwert, Anton, MVK. (KD.).
Arnold, Anton
Haglian, Michael, MVK. (KD.).
Vuksan, Joseph, MVK. (KD.).
Srebotnak, Vincenz.
Svetina, Moriz.

Hauptleute 2. Classe.

Oreŝković, Michael.
Cvitaŝ, Andreas.
Pintar, Michael (ü. c.) beim Gen.-Comdo. zu Agram.
Jurievič, Michael, MVK. (KD.).
Tarbuk v. Odsiek, Michael Ritt.
Mayerhoffer, Johann.
Jadann, Joseph.
Kovačević, Carl.
Bošnjak, Stephan.
Varga, Alexander.
Terninić, Stephan.
Kerčelić, Adolph v.
Maretić, Joseph.
Pavlović, Peter.
Taritaŝ, Thomas.
Jamnitzky, Mathias.

Oberlieutenants.

Rapljan, Michael.
Boltek, Mathias.
Angjelić, Mathias.
Brodarić, Michael (Reg.-Adj.).
Šallamunec, Franz.
Bastaja, Daniel.
Cvitković, Peter.
Herrak, Johann.
Swoboda, Engelbert (ü. c.) bei der Grundbuchs-Anlegung.
Kovačević, Franz.
Mihoković, Peter.
Cankl, Rudolph (ü. c.) im mil.-geogr. Inst.
Šarampovec, Jakob.
Šurmin, Michael.
Pokopac, Marcus.
Sabolović, Paul.
Roknić, Joseph.
Draženović, Julius.

Šintić, Joseph.
Velebit, Dušan.
Ratković, Lazar.
Branković, Peter.
Cvitković, Lazar (Bat.-Adj.).
Purić, Georg.
Lazić, Sebastian.
Blažek, Ignaz (Erg.-Bez.-Off.).
Gönner, Carl.
Šešić, Stephan.
Tišljar, Michael (zug. dem Gen.-Comdo. zu Serajevo).
Šimić, Johann.

Lieutenants.

Horak, Joseph (Res.)
Handler, Johann (Res.)
Spöck, Johann, Dr. (Res.)
Rauscher, Franz (Res.)
Rakovac, Alexander (Res.)
Sieber, Eduard (Res.)
Posilović, Stephan (Res.)
Smolli, Adolph (Res.)
Waldner, Victor (Res.)
Valenko, Levin (Res.)
Levar, Wilhelm (Res.)
Einspieler, Thomas (Res.)
Trenz, Franz (Res.)
Ivandia, Joseph (Res.)
Kovačević, Joseph.
Rumenović, Stephan (Res.-Reg.-Adj.).
Mazánek, Ludwig (Bat.-Adj.).
Pav, Stephan (Prov.-Off.).
Peršin, Michael (Bat.-Adj.).
Blažković, Alexander (Res.).
Baukovac, Joseph (Bat.-Adj.).
Belčić. Stephan (Bat.-Adj.).
Sekullić, Nikolaus.
Brebar, Michael.
Ivančan, Stephan (WG.).
Haberditz, Friedrich (Res.)
Führich, Eduard (Res.)
Hantschel, Augustin (Res.)
Gamperle, Carl (Res.)
Grohmann, Adolph (Res.)
Benda, Robert (Res.)
Sekulić, Thomas.
Auerbach, Adalbert.
Opian, Peter (Res.)
Šekula, Franz (Res.)
Jan, Johann (Res.)
Demicheli, Achilles (Res.)
Oreschek, Joseph (Res.)
Schwarz, Friedrich (Res.)
Urbanija, Jakob (Res.)
Pajanović, Georg (Res.)
Willitschitsch, Heinrich (Res.)
Kirchner, Victor (Res.)
Bouvier, Erich (Res.)
Angermüller, Julius (Res.)
Schwarzl, Franz (Res.)
Thilen, Moriz (Res.)
Petek, Martin.
Vodogažec, Martin.
Čučković, Lazar.
Tarităš, Vincenz.
Petrović, Michael.
Brandner, Adam.
Löschner, Ludwig.
Czibulka, Moriz.
Rapprich, Franz (Res.).
Ruškovac, Franz.

Cadeten.

Eisenkolb, Ferdinand (Off.-Stellv.), (Res.).
Brunda, Andreas (Res.).
Kučenjak, Andreas
Horvat, Franz (Off.-Stellv.).
Kolar, Michael
Voiković, Joseph.
Komlenić, Georg
Boltek, Mathias.
Lessar, Paul (Off.-Stellv.)

Mil.-Aerzte.

Höferer, Joseph, Dr., Reg.-Arzt 1. Cl.
Kessler, Victor, Dr., Reg.-Arzt 1. Cl
Traub, Stephan, Dr., Reg.Arzt 2. Cl.
Färber, Salomon, Dr., GVK. m. Kr., Reg.-Arzt 2. Cl.
Huber, Albert, Dr., Oberarzt.
Spanner, Anton, Oberwundarzt.
Schwarzenbrunner, Carl, Oberwundarzt.
Riedl, Alexander, Oberwundarzt.

Rechnungsführer.

Sekulić, Stephan, Hptm. 1. Cl.
Badovinac, Alexander, Lieut.
Schneider, Eduard, Lieut.

Egalisirung schwefelgelb (wie Nr. 41), Knöpfe gelb.

17.

Kraineriseches Infanterie-Regiment.

Regiments-Stab: Livno.

Reserve- und Ergänzungs-Bezirks-Commando: *Laibach.*

1674 errichtet, Reuss-Plauen, Heinrich Gf. v., Oberst; 1675 Stadl, Ferdinand Freih., FM.; 1694 Fürstenberg, Carl Egon Graf zu Fürstenberg-Möskirch, Fürst, FML.; 1703 Longueval, Carl Emanuel Fürst, GM.; 1703 Württemberg, Alexander Prinz, FM.; 1737 Kolowrat-Krakovsky, Cajetan Gf., FM.; 1773 Koch, Johann Freih., FML.; 1780 Hohenlohe-Kirchberg, Friedrich Wilhelm Fürst, FZM.; 1801 Reuss-Plauen, Heinrich XV., Prinz, FM.; 1826 Hohenlohe-Langenburg, Gustav Wilhelm Prinz, FZM.

1866 Kuhn v. Kuhnenfeld, Franz Freih., FZM.

Oberst u. Reg.-Comdt. Prieger, Friedrich, ÖEKO-R. 3. (KD.), MVK. (KD.), Reg.-Comdt.

Oberstlieutenants.

Knobloch, Franz, ÖEKO-R. 3. (KD.), Res.-Comdt.
Braun, Johann, MVK. (KD.).

Majore.

Gündel, Carl, MVK. (KD.).
Vogeler, Otto, MVK. (KD.).
Hayd von und zu Haydegg, Gustav Ritt., ÖEKO-R. 3. (KD.), MVK. (KD.).
Kerczek, Christian, ÖEKO-R. 3. (KD.), (des Generalstabs-Corps).

Hauptleute 1. Classe.

Saulig, Theodor.
Sivkovich, Emil v.
Keki, Franz.
Pfeifer, Franz.
Berg, Albert.
Watterich v. Watterichsburg, Friedr.
Guttmann, Joseph.
Salomon, August, MVK. (KD.).
Strohmayer, Albert, ÖEKO-R 3. (KD.).
Stojan, Franz, MVK. (KD.).
Gatti, Anton.
Stanzer, Ferdinand.
Tornago, Alois (ü. c.) Personal-Adj. des FZM. Freih. v. Kuhn.
Schemerl, Victor.
Drennig, Theodor, ÖEKO-R. 3. (KD.).
Semliner, Thomas.
Poth, Franz v.
Caučig, Jakob.
Krauland, Georg.

Hauptleute 2. Classe.

Slivnik, Andreas, MVK. (KD.).
Merizzi, Carl.
Gennotte, Carl.
Delić, Johann.
Wischinka, Adolph.
Benesch, Ladislaus, MVK. (KD.), ◯ 2., (ü. c.) Lehrer an der Mil.-Unter-Realschule zu Güns.
Skrem, Alexander, ÖEKO-R. 3. (KD.).
Kaučić, Friedrich.

Oberlieutenants.

Blabolill, Joseph.
Schurz, Franz.
Braun, Franz.
Konschegg, August (ü. c.) im mil.-geogr. Inst.
Hauptmann, Andreas (Prov.-Off.).
Beck, Arthur (ü. c.) im mil.-geogr. Inst.
Barbo, Carl, MVK. (KD.).
Kert, Matthäus.
Kautschitsch, Joseph.
Rhomberg, Robert.
Mallner, Carl (ü. c.) im mil.-geogr. Inst.
Polainer, Johann.
Handschuh, Victor.
Lukanc, Michael, MVK. (KD.).
Vičić, Anton (Erg.-Bez.-Off.).
Miler, Julius.
Handschuh, Adolph (ü. c.) Adj. in der Mil.-Akad. zu Wr.-Neustadt.
Beck, Alfred.
Andrioli, Carl Ritt. v., MVK. (KD.), (Reg.-Adj.)
Braune Albert.
Prašnikar, Matthäus, MVK. (KD.), (Bat.-Adj.).
Modrijan, Jakob, MVK. (KD.).
Konschegg, Eugen (Res.-Comdo.-Adj.).
Vogl, Alois (Res.).
Fabriotti, Heinrich (Res.).
Svetek, Anton, MVK. (KD.), (Res.).
Velkaverh, Johann.

Lieutenants.

Gozani, Ferd. Marq. (Res.).
Fohn, Alois (Res.).

Paulizza, Ludwig
Dobida, Joseph
Strukel, Michael
Škofić, Franz
Karlin, Martin
Malfatti v. Rohrenbach zu Dezza, Virgil
Ratschitsch, Carl
Mac Neven O'Kelly, Franz Freih., MVK. (KD.).
Musič, Franz
Polec, Julius
Stempihar, Valentin
Globočnik, Victor
Možina, Anton
Gozani, Ludwig Marq.
Saghi, Béla v.
Skraba, August
Hribar, Emil
Trinker, Carl
Louschin v. Ebengreuth, Paul Ritt.
} (Res.)

Sever, Othmar, MVK. (KD.).
Kaligar, Alois.
Pregelj, Johann.
Šeme, Franz (Bat.-Adj.)
Mattanović, Ernst.
Hipssich, Ludwig.
Ambrožić, Leopold, MVK. (KD.), (Bat.-Adj.).
Zebisch, Hugo.

Zakrajšek, Franz
Hubad, Franz
Zhuber v. Okrog, Amon
Kos, Franz
Dolinar, Stephan
Levec, Anton
Toriser, Johann
} (Res.)

Smolnikar, Franz (Bat.-Adj.).
Schmid, Otto.
Görtz, Lindor Ritt. v. (ü. c.) Personal-Adj. des FZM. Herzog v. Württemberg.

Andrejka, Bartholomäus, MVK. (KD.).
Raslić Carl.
Muha, Joseph, MVK. (KD.). (Res.).
Kreschel Edl. v. Wittigheim, Alzides.
Schermansky, Wladimir (Bat.-Adj.).
Schenk, Andreas.
Fladung, Raimund v.

Noë, Franz
Polley, Friedrich
Rossetti de Scander, Carl
Rossetti de Scander, Johann
Herborn, Johann
Tischina, Franz
Marini, Carl
} (Res.)

Dollenz, Anton.
Milavc, Joseph.
Bobik, Carl.
Arkar, Joseph.
Crusiz, Eugen.
Pallua, Julian.
Bouvier, Victor (Res.).
Kump, Mathias.
Postel, Adolph (Res.).
Sartori, Usko.
Rabl, Franz.
Tavčar, Johann (Res.).
Koder, Anton (Res.).
Hirschall, Ludwig.
Fajdiga, Johann, ◯ 2.
Audriani, Felix.

Cadeten.

Omahna, Anton (Res.).
Lukaczuk, Georg (Off.-Stellv.).
Caporali, Eduard (Off.-Stellv.), (Res.).
Mulej, Martin (Off.-Stellv.), (Res.).

Kristof, Ernst.
Zudermann, Carl, ◯ 1.
Světličić, Johann.

Fölsing, Friedrich
Finetti, Anton v.
Catinelli, Franz
Pichler, Carl
Buschbock, Erhard, ◯ 2.
Hermansdorfer, Franz
Milossovich, Joseph
Iskra, Anton
} (Res.)

Mil.-Aerzte.

Mrha, Franz, Dr., GVK., Reg.-Arzt 1. Cl.
Ebner, Ludwig, Dr. (Operateur), Reg.-Arzt 1. Cl.
Bahner, Joseph, Dr., GVK. m. Kr., Reg.-Arzt 1. Cl.
Mandić, Simon, Dr., GVK., Reg.-Arzt 1. Cl.
Wagner, Arthur Ritt. v., Dr., Reg.-Arzt 2 Cl.
Smatla, Bartholomäus, Dr., Reg.-Arzt 2. Cl.
Mosing, Wilhelm, Edl. v., Dr., Oberarzt.

Rechnungsführer.

Löwenstein, Albert, Hptm. 1. Cl.
Bergkessel, Raimund, Obrlt.

Egalisirung rothbraun (wie Nr. 55, 68 u. 78), Knöpfe weiss.

19.

Ungarisches Infanterie-Regiment.

Regiments-Stab: Pressburg.

Reserve- und Ergänzungs-Bezirks-Commando: *Raab.*

1734 errichtet, Pálffy, Leopold Gf., FM.; 1773 D'Alton, Richard Gf., FZM.; 1786 Allvintzi de Berberek, Joseph Freih., FM.; 1812 Hessen-Homburg, Philipp Prinz, FZM.; 1839 Hessen-Homburg, Philipp Landgraf, FM.; 1847 Schwarzenberg, Carl Fürst, FZM.

(Zweiter Inhaber war: von 1858—1869 Handel, Heinrich Freih. v., FZM.)

1858 Kronprinz Erzherzog Rudolph, Oberst.

Oberst u. Reg.-Comdt. Dierkes, Ludwig.

Oberstlieutenants.

Rechbach, Rudolph Freih. v., MVK. (KD.), (Res.-Comdt.).
Heitz, Johann.

Majore.

Killić, Peter, MVK. (KD.).
Schaffer v. Schäffersfeld, Moriz Ritt.
Bekalovich, Marcus, MVK., (ü. c.); Flügel-Adj. Seiner Majestät des Kaisers und Königs, zur Dienstleistung zug. Seiner k. k. Hoheit dem Kronprinzen Erzherzog Rudolph.
Fochtmann, Moriz.
Schilhawsky, Johann.

Hauptleute 1. Classe.

Janny, Franz (ü. c.) im Kriegs-Archive.
Forstner Edl. v. Billau, Franz.
Horváthy v. Dysznosy, August (Res.)
Minutillo, Carl Freih. v, MVK.
Goessmann, Otto.
Kralowetz, Franz, MVK. (KD.), (ü. c.) beim R.-Kriegs-Mstm.
Hilgenberg, Aug., MVK. (KD.).
Matzner, Alois.
Schwägerl, Martin.
Bankó, Johann.
Grünberg, Eugen.
Ellerich, Ludwig.
Jüstel, Eduard.
Zedlitz v. Niemersatt, Emil Freih.
Glöckner, Carl, MVK. (KD.).
Voetter, Otto.
Keszler, Barnabas.

Hauptleute 2. Classe.

Deutsch, Julius.
Orkónyi, Victor v.
Grünenwald, Heinrich v.
Kaltner, Maximilian.
Hadrowa, Paul.
Klier, Adolph.
Thoma, Paul, MVK. (KD.).
Holasek, Carl.
Trojan, Heinrich.

Oberlieutenants.

Fitz, Georg, ○ 1.
Grivičić, Emil.
Janiczek, Joseph.
Springholz, Franz.
Opitz, Johann.
Wieser, Franz.
Frančić, Joseph.
Živanović, Živan.
Tropper, Johann.
Paál, Julius.
Storch, Ottilio (ü. c.) im mil.-geogr. Inst.
Hascha, August (Prov.-Off.).
Vuičić, Justin.
Kregar, Franz (Reg.-Adj.).
Petrović, Demeter, ○ 1, (ü.c.) zug. der Mil.-Intdtr.
Grivičić, Johann.
Gölis, Carl Edl. v.
Knop, Franz (Res.-Comdo.-Adj.).
Fischer, Alexander (Erg.-Bez.-Off.).
Wibiral, Roman, ○ 2.
Kalt, Joseph (Res.).

Lieutenants.

Stern, Adolph, Dr. (Res.).
Schlesinger, Salomon (Res.).
Janiczek, Johann (WG.).
Felner, David (Res.).
Berg, Adolph (Res.).
Mayer, Georg (Res.).
Balogh de Galantha, Johann.
Haid v. Haidenburg, Alexander (Bat.-Adj.).
Zechmeister, Carl (Res.).

Lendváy v. Olaszvár, Oskar Ritt. (Bat.-Adj.).
Hofbauer, Eduard (Bat.-Adj.).
Eckardt, Franz (Bat.-Adj.).
Steinberger, Rudolph (Res.).
Strasser, Samuel (Res.).
Tomanóczy, Julius (Res.).
Kwapil, Anton.
Vranešević, Adam.
Kestřanek, Paul (Bat.-Adj.).
Bartholy, Ludwig.
Wodička, Carl.
Kořinek, Franz.
Greil, Julius (Res.).
Hubert, Wilhelm (Res.).
Angyal, Hermann (Res.).
Friedmann, Coloman.
Hellmann, Joseph.
Haunzwickl, Joseph.
Gürtler, Joseph (Res.).
Wunderer, Leopold (Res.).
Babel, Friedrich (Res.).
Haris, Johann (Res.).
Hennel, Carl (Res.).
Gerhauser, Sigmund v.
Berlin, August.
Ugrešić, Theodor.
Uzelac, Michael.
Kvassay de Kvassó et de Brogyán, Ludwig.
Kubin, Carl Edl. v.
Billig, Nathan (Res.).
Slatin, Rudolph (Res.).
Mang, Franz (Res.).
Fügi, Carl (Res.).
Márkus, August (Res.).
Gauser, Ignaz (Res.).
Müller, Hermann (Res.).
Schöpfer, Hermann (Res.).
Tusch, Julius (Res.).
Prantner, Joseph (Res.).
Modl, Martin (Res.).
Wasch recte Baš, Lorenz (Res.).
Ferenczy, Gedeon (Res.).
Sziládky, Norbert (Res.).
Ruschka, Anton (Res.).
Tichy, Carl.
Huber, Franz.
Mettelka, Johann.
Pachner, Alfred.
Gorcey-Longuyon, Franz Gf.
Dollny, Alfred.
Bakats, Andreas.
Wasserthal Edl. v. Zuccari, Hugo.
Steiner, Joseph
Thomka Edl. v. Thomkaháza et Farkasfalva, Victor.

Cadeten.

Grohmann, Arthur (Off.-Stellv.).
Radošević, Peter (Off.-Stellv.).
Mučurlia, Michael (Off.-Stellv.).
Jandrilović, Johann (Off.-Stellv.).
Gasteiger, Franz (Off.-Stellv.).
Šarac, Simon (Off.-Stellv.).
Dorner, Carl
Somogyi, Valentin (Off.-Stellv.), (Res.).
Csemesz, Stephan (Off.-Stellv.), (Res.).
Schlesinger, Alexander (Off.-Stellv.), (Res.).
Fischer, Alexander v., (Off.-Stellv.), (Res.).
Szily, Zoltán v., (Off.-Stellv.), (Res.).

Mil.-Aerzte.

Prokesch, Ferdinand, Dr., Stabsarzt
Hampl, Vincenz, Dr., Reg.-Arzt 1. Cl.
Sedlaczek, Stephan, Dr., Reg.-Arzt 2. Cl.
Spinka, Adolph, Dr., Reg.-Arzt 2. Cl.

Rechnungsführer.

Körner, Wilhelm, Hptm. 1. Cl.
Smrczka, Anton, Obrlt.

Egalisirung himmelblau (wie Nr. 3, 4 u. 32), Knöpfe weiss.

20.

Galizisches Infanterie-Regiment.

Regiments-Stab : Wien.

Reserve- und Ergänzungs-Bezirks-Commando: *Neu-Sandec.*

1681 errichtet, Pfalz-Graf zu Neuburg, Ludwig Anton. Oberst; 1694 Thüngen, Hans Carl Gf., FM.; 1709 Holstein-Beck, Friedrich Wilhelm Prinz, FML.; 1719 Diesbach, Johann Friedrich Gf., FML.; 1709 Colloredo-Waldsee, Anton Gf., FM.; 1785 Kaunitz-Rietberg, Wenzel Gf., FZM.; 1826 Hochenegg, Friedrich Gf., FML : 1849 Welden, Ludwig Freih., FZM.: 1853 Prinz Friedrich Wilhelm von Preussen; 1861 Friedrich Wilhelm, Kronprinz von Preussen.

(Zweiter Inhaber war: von 1853—1857 Bordolo v. Boreo, Johann Ritter, FML.)

1871 Friedrich Wilhelm, Kronprinz des deutschen Reiches und Kronprinz von Preussen.

Zweiter Inhaber.

Macchio, Florian Freih. v., FML. (1857).

Oberste.
- Mathes, Friedrich, MVK. (KD.), Reg.-Comdt.
- Toms, Gustav, ÖLO-R. (KD.), ÖEKO-R. 3. (KD.), MVK. (KD.), Res.-Comdt.

Oberstlieutenant.

Poleschensky, Friedrich, (des Generalstabs-Corps).

Majore.

Spulak, Johann.
Berka, Maximilian.
Würl, Edmund.
Dylewski, Anton Ritt. v.

Hauptleute 1. Classe.

Haas, Ignaz.
Beutler, Jonas.
Kaill, Martin.
Schreyer, Moriz.
Wawrausch, Johann.
Kasznica, Ladislaus.
Podoski, Julius v.
Bogdanyi, Franz v. (ü. c.) im mil.-geogr. Inst.
Ramisch, Carl.
Lubieniecki, Peter.
Gmeiner, Carl.

Hauptleute 2. Classe.

Kuhn v. Kuhnenfeld, Gustav.
Schmelzer, Emil.
Rucinski, Vincenz.
Fröhlich, Johann.
Schneider, Anton (ü. c.) beim R.-Kriegs-Mstm.).
Nauta, Ludwig.
Dołkowski, Johann.
Waniczek, Adolph.
Chowanetz, Adolph.
Swoboda, Heinrich.
Eberan v. Eberhorst, Friedrich.

Oberlieutenants.

Fussek, Joseph.
Schirnböck, Eduard.
Matasić, Joseph (ü. c.) im mil.-geogr. Inst.
Löwy, Löbel, (Prov.-Off.).
Schnützer, Bernhard.
Küchler, Eduard.
Mayer, Theodor.
Alber, Ferdinand.
Gross, Alois (Reg.-Adj.).
Kulnigg, Friedrich.
Marszalko, Stephan.
Gruber, Eduard.
Biskupski, Thaddäus, ○ 2.
Kauba, Ferdinand.
Orlita, Franz (ü. c.) im mil.-geogr. Inst.
Wawreczka, Joseph.
Dobrucki, Anton.
Plemenčić, Laurenz.
Zbożeń, Franz, ○ 2. (ü. c.) im mil.-geogr. Inst.
Dąbrowski-Junosza, Arthur Ritt. v.
Altmann, Alois.
Cronister v. Croneuwald, Anton.
Cvitaš, Wilhelm.
Borovac, Svetozar (ü. c.) im mil.-geogr. Inst.
Byrnas, Johann (Erg.-Bez.-Off.).

Lieutenants.

Linhardt, Emil
Spiess, Leo v.
Böhm, Johann
Wenzel, Joseph
Michel, Anton
} (Res.).

Swoboda, Ferdinand (Res.)
Fischer, Rudolph, Dr. d. R. (Res.)
Löw, Emil (Res.)
Pittauer, Leopold (Res.)
Reinhard, Joseph (Res.)
Zoffal, Alfred (Res.)
Głębocki de Lubicz, Stanislaus (Res.)
German, Ludomil (Res.)
Rusch, Gustav (Res.)
Körber, Friedrich v. (Res.)
Peer, Ferdinand (Res.)
Koranda, Alois (Res.)
Strienz, Wilhelm
Mieruicki, Johann.
Fiedler, Johanu.
Jaworski, Bronislaus (Res.).
Nitribitt, Alexander (Res.).
Sichulski, Ladislaus.
Plachta, Thomas (Bat.-Adj.).
Bandrowski, Ferdinand (Res.-Comdo.-Adj.).
Nowak, Jakob (Bat.-Adj.).
Bobek, Casimir (Res.).
Bednarek, Blasius (Bat.-Adj.).
Buczowski, Johann.
Guilleaume, Maximilian.
Turek, Stanislaus.
Kwolewski, Eduard (Res.).
Łodyński v. Łodynia, Thaddäus Ritt.
Witwicki, Aital.

Heller, Eduard.
Haselbach, Heinrich.
Schmidt, Friedrich (Res.).
Zaptetal, Jaroslav (Res.).
Salter, Moriz (Res.).
Mikulicz, Valerian.
Strohal, Richard (Bat.-Adj.).
Bajorek, Andreas.
Wagner, Johann (Res.)
Bolt, Richard (Res.)
Weiss, Salomon (Res.)
Ziegler, Johann (Res.)
Lenartowicz, Franz (Res.)
Sikorski, Narciss (Res.)
Myciński, Johann (Res.)
Heinrich Carl (Res.)
Pink, Otto (Res.)
Dżugan, Johann.
Raczyński, Hieronymus Ritt. v.
Figus, Johann.
Rosenberg, Moriz.
Dziedzic, Johann.
Stransky, Albin Edl. v.
Berger, Franz (Res.).
Wodniansky v. Wildenfeld, Rudolph Freih.
Hölzl, Carl.
Kaltenborn, Moriz v.
Grzesicki, Victor Ritt. v.
Zieliński, Sigmund Ritt. v.

Cadeten.

Weeber, Friedrich (Off.-Stellv.)
Cadzich, Jakob (Off.-Stellv.)
Ryznerski, Ladislaus (Off.-Stellv.)
Czyżyk, Alois (Off.-Stellv.)
Tomkowski, Joseph (Off.-Stellv.)

Mil.-Aerzte.

Gratza, Anton, Dr., Reg.-Arzt 1. Cl.
Urbanik, Anton, Dr., Reg.-Arzt 2. Cl.
Krammer, Johann, Dr., Reg.-Arzt 2. Cl.
Katz, Salomon, Oberwundarzt.
Zitterbart, Alois, Oberwundarzt.

Rechnungsführer.

Sigmund, Michael, Hptm. 1. Cl.
Höllrigl, Johann, Obrlt.
Lober, Franz, Lieut.

Egalisirung krebsroth (wie Nr. 35, 67 u. 71), Knöpfe weiss.

21.

Böhmisches Infanterie-Regiment.

Regiments-Stab: Mostar.

Reserve- und Ergänzungs-Bezirks-Commando: *Časlau.*

1733 errichtet, Colmenero, Franz Gf., GM.; 1734 Schulenburg-Oeynhausen, Ludwig Ferdinand Gf. FZM.; 1754 Arhemberg, Carl Herzog, FM.: 1778 Gemmingen auf Hornberg, Sigismund Freih., FZM.; 1808 Rohan, Victor Prinz, FML.; 1810 Gyulai v. Maros-Németh und Nádaska, Albert Gf., FML.; 1835 Paumgartten, Johann Baptist Freih. v., FML.; 1849 Schwarzenberg, Felix Fürst, FML.; 1852 Leiningen-Westerburg, Christian Gf., FML; 1857 Reischach, Sigmund Freih. v., FZM.

1878 Mondel, Friedrich Freih. v., FML.

Oberste. Ott Edl. v. Ottenkampf, Theodor, MVK. (KD.), Reg.-Comdt.
Kocziczka Edl. v. Freibergswall, Wenzel, Res.-Comdt.

Oberstlieutenant.

Hopels, Carl, MVK. (KD.).

Majore.

Sitka, Gustav, MVK. (KD.)
Hillmayr, Friedrich Ritt. v.
Spurny, Adolph.
Feyl, Ferdinand.

Hauptleute 1. Classe.

Bayerer, Vinc., MVK. (KD.), (ü. c.) im Kriegs-Archive.
Willigk, Ernst, MVK. (KD.).
Mattass, Anton.
Schaffgotsche, Carl Gf.
Witasek, Victor.
Koenigsbrunn, Rod. Freih. v.
Lebeda, Eduard.
Janda, Carl (WG.).
Nadherný, Wenzel, MVK. (KD.).
Grünenwald, Alphons v., MVK.
Škwor, Johann (ü. c.) beim Gen.-Comdo. in Wien.
Rubringer, Wilhelm.

Hauptleute 2. Classe.

Frey, Maximilian.
Kruntorad, Johann (WG.).
Zach, Johann.
Weinrichter, Joseph, MVK. (KD.).
Jahoda, Hugo.
Petrini, Oskar.
Sobotka, Anton.
Voith-Herites v. Sterbez, Vincenz Freih.
Russ, Anton.
Taufar, Alois.
Göttlicher, Ernst, ○ 1.
Schwanzara, Anton.
Smola, Ferdinand.
Rebensteiger v. Blankenfeld, Ferdinand.

Oberlieutenants.

Juda, Adolph.
Bude, Franz (WG.).
Savost, Friedrich.
Fendl, Joseph (ü. c.) im mil.-geogr. Inst.
Baur-Breitenfeld, Georg v.
Wepřovský, Johann (Res.-Comdo.-Adj.).
Hoffmann v. Vestenhoff, Aug. Ritt.
Tyll, Anton.
Petz, Adolph.
Imhof v. Geisslinghof, Victor Ritt.
Fukátko, Anton (WG.).
Lorenz, Franz.
Keller, Julius (Bat.-Adj.).
Dworžák, Aloïs (Reg.-Adj.).
Eisner v. Eisenstein, Hugo Ritt.
Pěkný, Johann.
Malinovszký, Joseph.
Ebért, Wenzel (Prov.-Off.).
Hagen, Robert.
Schindler v. Wallenstern, Carl.
Jaksch, Gustav.
Kuchinka, Carl (ü. c.) im mil.-geogr. Inst.
Schmitt, Carl (Erg.-Bez.-Off.).
Kletler, Edwin.
Schellhardt, Hermann.
Stifter, Johann (Bat.-Adj.).
Horner, Anton (Res.).

Lieutenants.

Görner, Carl (Res.).
Richter, Ignaz (Res.).
Halauska, Anton (Res.).
Saraurer, Joseph (Res.).
Niemetz, Wilhelm (Res.).
Wiesner, Johann (Res.).
Sattler, Lothar v. (Res.).
Sockl, Albin (Res.).
Kritscher, Engelbert.
Novak, Joseph (Res.).
Kouda, Wenzel.
Werner, Johann.
Kruess, Julius (Res.).
Roček, Joseph (ü. c.) im mil.-geogr. Inst.
Hubáček, Franz.
Scherl, Johann (Bat.-Adj.).
Brejcha, Heinrich.
Lukesch, Johann.
Alferi, Adolph.
Kreyczi, Carl (Res.).
Pick, Adolph (Res.).
Ježek, Joseph (Res.).
Pohlreich, Eduard.
Struschka, Hermann (Res.).
Němec, Wenzel.
Buchwald, Emerich Edl. v.
Reischach, Franz Freih. v.
Haemmerle, Oskar (Res.).
Payer, Peter (Res.).
Kryštufek, Stanislaus.
Kocourek, Adalbert.
Vacek, Alois (Bat.-Adj.).
Suchý, Felix.
Valentić, Georg (Bat.-Adj.).
Dević, Johann.
Uher, Carl.
Hertik, Emanuel (Res.).
Kocy, Franz (Res.).
Malek, Leopold (Res.).
Kisslinger, Joseph (Res.).
Dattelzweig, Alfred (Res.).
Stransky, Heinrich (Res.).
Pros, Joseph (Res.).
Weiner, Salomon (Res.).
Osen, Laurenz (Res.).
Latzel, Franz (Res.).
Pippich, Emanuel (Res.).
Delavigne, Gustav (Res.).
Japp, Ferdinand (Res.).
Reif, Johann (Res.).
Prohazka, Joseph (Res.).
Smaha, Johann (Res.).
Schmid, Albert.
Ehrenhofer, Carl.
Bechinie, Johann.
Hock, Julius.
Pacher, Gottlieb.
Roscher, Johann (Res.).
Leippert, Victor.
Stell, Carl.
Zimmermann, Gustav.
Hanusch, Anton.

Cadeten.

Sommer, Leopold (Res.).
Weinberger, David (Res.).
Pitasch, Carl (Off.-Stellv.).
Spravka, Ladislaus (Off.-Stellv.).
Enis, Heinrich Freih. v. (Off.-Stellv.).
Funduk, Peter.

Mil.-Aerzte.

Dobeš, Franz, Dr., Reg.-Arzt 1. Cl.
Sieber, Wenzel, Dr., Reg.-Arzt 1. Cl.
Toberny, Anton, Dr., Reg.-Arzt 2. Cl.
Hanisch, Anton, Oberwundarzt.

Rechnungsführer.

Wiedemann, Augustin, Hptm. 2. Cl.
Janiszkiewicz, Nicodemus, Obrlt.

Egalisirung meergrün (wie Nr. 25 u. 70), Knöpfe gelb.

22.

Küstenländisches Infanterie-Regiment.

Regiments-Stab: Ragusa.

Reserve- und Ergänzungs-Bezirks-Commando: *Spalato.*

Expositur des Erg.-Bez.-Comdo.: *Triest.*

1709 errichtet, Plischau, Engelhard v., FML.; 1718 Laimpruch, Freih. zu Epurg, Franz Carl, GM. 1723 Brandenburg-Culmbach, Adalbert Wolfgang Prinz, FML.; 1734 Suckow, August Jakob Heinrich Freih., FZM.; 1741 Roth, Wilhelm Moriz Freih., FML.; 1748 Hagenbach, Jacob Ignaz Freih., FML.; 1757 Sprecher v. Bernegg, Salomon, FML.; 1758 Lacy, Franz Moriz Gf., FM.; 1802 Sachsen-Coburg-Saalfeld, Friedrich Josias Prinz, FM.; 1815 Nassau-Usingen, Friedrich Herzog, FM.; 1816 Prinz Leopold beider Sicilien; 1851 Wimpffen, Franz Gf., FML.

(Zweite Inhaber waren: von 1816—1831 Tomassich, Franz Freih., FML.; von 1831—1840 Collenbach, Gabriel Freih., FML.; von 1840—1849 Welden, Ludwig Freih., FZM.; von 1849—1851 Wimpffen, Franz Gf., FZM.)

1871 Weber, Joseph Freih. v., FZM.

Oberste
- Volkart, August, (ü. c.) Comdt. der 62. Inf.-Brig. zu Stuhlweissenburg.
- Janski, Ludwig, ÖEKO-R. 3. (KD.), MVK. (KD.) Reg.-Comdt.
- Radaković, Simon, Res.-Comdt.

Oberstlieutenant.

Pflanzer, Joseph.

Majore.

Putti, Comingio.
Reinprecht, Johann.
Monari v. Neufeld, Adolph.
Imhoff, Carl Freih. v., ÖEKO-R. 3. (KD).
Smola, Johann, MVK. (KD.).

Hauptleute 1. Classe.

Braun, Johann Ritt. v., ÖEKO.-R. 3. (KD.), MVK. (KD.).
Grünenwald, Robert v.
Derin, Stephan, MVK. (KD.).
Lavaux de Vrecourt, Arthur Gf.
Zeyer, Emil.
Roskiewicz, Ludwig.
Wagner, Johann, MVK. (KD.).
Görig, Anton, MVK. (KD.).
Valentić, Daniel.
Lazich, August, MVK. (KD.).
Kovačević, Nikolaus.
Zrelec, Joseph.
Gerbić, Johann, ÖEKO-R. 3. (KD.).
Grimme, Franz.
Kantz, Georg.
Lulić, Stephan.

Hauptleute 2. Classe.

Glumac, Peter.
Prica, Georg.
Bellanović, Marcus.
Himmel, Heinrich.
Horný, Felix.
Paulitsch, Johann.
Senekovitsch, Cajetan.
Dollenz, Johann (ü. c.) im mil.-geogr. Inst.
Grandi, Julius.
Pfeiffer v. Ehrenstein, Alfr.
Freysinger, Joseph (WG.).
Söll Freih. von u. zu Teissenegg auf Steinburg, Arthur.
Heinrich, Joseph.
Marchand, Anton.
Dmitrović, Alexander.

Oberlieutenants.

Skočdopole, Joseph (WG.).
Vallon, Peter, Dr. d. Ingenieur- und Architectur-Wissenschaft.
Egle, Alphons (ü. c.) im mil.-geogr. Inst.
Pangher, Johann (ü. c.) zug. dem Generalstabe.
Vitas, Samuel, ○ 2.
Pelichy, Joseph Freih. v.
Kaznačić, Anton, MVK. (KD.).
Szimić Edl. v. Majdangrad, Eugen, MVK. (KD.).
Jeličić, Marcus.
Soukup, Johann, MVK. (KD.), (Bat.-Adj.).
Klein, Carl (Erg.-Bez.-Off.).
Ciani, Anton.
Sklebar, Blasius (Res.-Comdo.-Adj.).
Saraca, Emerich nobile de, MVK. (KD.).
Herzog, Johann (Bat.-Adj.).
Gorišek, Franz, MVK. (KD.), ○ 2.
Candolini, Joseph, (Prov.-Off.).
Schäffler, Julius (ü. c.) im mil.-geogr. Inst.
Nagy, Stephan.
Stannić, Emanuel (Bat.-Adj.).
Mihelić, Johann.
Vendramin, Carl.
Beck, Ludwig.
Jessenko, Anton (ü. c.) im mil.-geogr. Inst.

Ofner, Carl.
Pavalec, Andreas, MVK. (KD.).
Karleuša, Paul, MVK. (KD.). (Reg.-Adj.).
Bidermann, Joseph.
Clausnitz, Hugo (Erg.-Bez.-Off.).
Rubesch, Arthur.
Fiers, August (Res.).
Loser, Carl (Res.).
Tonetti, Richard (Res.).

Lieutenants.

Hackel, Eduard (Res.).
Bachrach, Oskar (Res.).
Vecchi, Lucian (Res.).
Brunner, Maximilian (Res.).
Mischkof, Julius (Res.).
Remschmidt, Alois (Res.).
Miklaučić, Johann (Res.).
Kos, Johann (Res.).
Jambrušić, Simon.
Polaczek, Heinrich.
Rois, Rudolph, MVK. (KD.). (Bat.-Adj.).
Wenz, Jakob.
Matković, Adam.
Pavelka, Franz.
Werban, Felix, MVK. (KD.). (Bat.-Adj.).
Herceg, Stephan.
Pfeiffer, Victor (Res.).
Dobrauz, Johann.
Büsch, Paul (Res.).
Rubčić, Marcus.
Vallon, Carl.
Gatti, Raimund.
Kozarčanin, Johann, MVK. (KD.).
Žagar, Johann.
Mayer, Theodor, MVK. (KD.).
Marchesi, Ludwig Conte, MVK. (KD.).
Tamino, Bartholomäus (Res.).
Tamino, Rudolph (Res.).
Dannecker, Arthur.
Greguričević, Franz, MVK. (KD.).
Petretić, Thomas.
Vračan, Mathias.
Spoliarić, Franz.
Kokoška, Johann.
Jurić, Vitus.
Todorović, Radoslav.
Dobrilla, Peter (Res.).
Tagliapietra, Constantin (Res.).
Rupnik, Ernst (Res.).
Degiovanni, Demeter (Res.).
Bure, Anton (Res.).
Ferra, Heinrich v. (Res.).
Kaderk, Heinrich (Res.).
Kosovel, Valentin (Res.).
Pozzo-Balbi, Hyginus (Res.).
Danilo, Anton (Res.).
Ebner v. Ebenthal, Eduard (Res.).
Klein, Richard (Res.).
Tagliaferro, Heinrich (Res.).
Mansutti, Franz (Res.).
Mazorana, Emil (Res.).
Rupnik, Richard (Res.).
Primz, Martin (Res.).
Sudaš, Thomas.
Flumiani, Franz.
Hasch, Friedrich, MVK. (KD.).
Benedetti, Simon de (Res.).
Gelpi, Arthur (ü. c.) zug. der k. k. Landw.
Lichtner Edl. v. Lichtenbrand, Johann.
Grospić, Joseph.

Cadeten.

Balanč, Johann (Res.)
Löffler, Johann (Off.-Stellv.).
Tichy, Eduard (Off.-Stellv.).
Müller, Eduard, ○ 2 (Off.-Stellv.).
Fuhrmann, Emanuel (Off.-Stellv.).
Swoboda, Heinrich (Off.-Stellv.).
Pattay, Paul, ○ 1 (Off.-Stellv.).
Tomschitz, Anton.
Eckhardt v. Eckhardtsburg, Friedrich.
Bauer, Carl.
Steindler, Leo (Res.).
Porzia, Carl (Res.).
Reya, Virgil (Res.).

Mil.-Aerzte.

Harner, Ignaz, Dr., Reg.-Arzt 1. Cl.
Beyer, Joseph, Dr., GVK. m. Kr., Reg.-Arzt 1. Cl.
Frank, Johann, Dr., GVK. m. Kr., Reg.-Arzt 1. Cl.
Bierer, Jakob, Dr., Oberarzt.
Staré, Anton, Dr., GVK. m. Kr., Oberarzt.
Neckermann, Franz, Oberwundarzt.

Rechnungsführer.

Andorfer, Anton, Hptm. 1. Cl.
Simonić, Ignaz, Lieut.
Golubić, Franz, Lieut.

Egalisirung kaisergelb (wie Nr. 2, 27 u. 31), Knöpfe weiss.

23.

Ungarisches Infanterie-Regiment.

Regiments-Stab: Bihać.

Reserve- und Ergänzungs-Bezirks-Commando: *Zombor*

1672 errichtet, Wopping Ferdinand Ludwig Freih., Oberst; 1674 Baden-Baden, Hermann, Markgraf FZM.; 1676 Baden-Baden, Ludwig Wilhelm Markgraf GL.; 1707 Baden-Baden, Ludwig Georg Markgraf FZM.; 1761 Baden-Baden, August Georg Markgraf FM.; 1771 Ried, Joseph Heinrich Freih., FZM.; 1779 Ferdinand, Grossherzog von Toscana, FM.; 1803 Ferdinand, Churfürst von Salzburg, FM.; 1805 Ferdinand, Churfürst (1807 Grossherzog) von Würzburg, FM.; 1809 reducirt; — 1814 neu errichtet; 1815 Mauroy de Merville, Franz Freih., FML.; 1817 Greth, Carl, FML.; 1821 Söldner v. Söldenhofen, Joseph, FML.; 1837 Ceccopieri, Ferdinand Gf., FML.

(Zweite Inhaber waren: von 1779—1799 Hohenfeld, Otto Philipp Gf., FZM.; von 1801 bis 1809 Lattermann, Christoph Freih., FML.)

1850 Ajroldi, Paul Freih. v., FZM.

Oberst u. Reg.-Comdt. Fiala, Emerich.

Oberstlieutenants.

Perkowatz, Johann, MVK. (KD.), Res.-Comdt.
Nemečić, Joseph.

Majore.

Plönnies, Franz Ritt. v., MVK. (KD.).
Rzehak, Ferdinand, MVK. (KD.).
Ulmansky, Alexander.
Tost, Franz.

Hauptleute 1. Classe.

Burkhardt von der Klee, Johann Freih.
Linpökh, Carl.
Kirchner, Carl.
Issekutz, Julius v.
Streitenfels, Emerich.
Knežević, Marcus, ÖEKO-R. 3. (KD.).
Fitsche, Ignaz.
Heikelmann, Joseph.
Leipold, Franz.
Wagner, Peter.
Jutmann, Victor.
Czermak, Wenzel.
Lucchi, Joseph.
Christophé, Asmund.

Hauptleute 2. Classe.

Panjković, Peter, ÖEKO-R. 3. (KD.).
Čorak, Thomas.
Rukavina v. Vidovgrad, Georg, ÖEKO-R. 3. (KD.).
Smolensky, Franz.
Babić, Nikolaus.
Gräf, Carl.
Schiller, Carl.
Ballentović, Johann.
Soutschek, Rudolph.
Kempf, Johann.
Dimić, Aaron.
Bellovarić, Johann.
Žemlička, Johann.
Schneider, Joseph.
Dworžak, Ferdinand.

Oberlieutenants.

Paulovits, Constantin, MVK. (KD.).
Fischer, Carl.
Turkail, Johann (Res.).
Tesař, Heinrich.
Vukelić, Michael.
Bellmond, Conrad.
Stivičević, Simon.
Hudovernig, Franz.
Schwarz, Willibald (ü. c.) im mil.-geogr. Inst.
Živanović, Paul, ○ 1. (WG.).
Gräf, Friedrich, MVK. (KD.).
Schossberger, Jakob, ○ 1. (Res.-Comdo.-Adj.).
Krajewski, Johann.
Poppovics v. Donauthal, Joh., MVK. (KD.).
Freidich, Joh. (Erg.-Bez.-Off.).
Blanussa, Alexander.
Stojsavljević, Stephan.
Csaszny, Valerius.
Phillipp, Franz (Reg.-Adj.).
Popović, Vitomir.
Ehrenberger, Emil (ü. c.) Prov.-Off. bei der 1. Gebirgs-Brig. der VII. Inf.-Trup.-Div.
Novák, Franz.
Kadić, Franz.
Polák, Gabriel (Prov.-Off.).
Hondl, Johann.
Andrés, Arnold.
Schnörch, Julius
Csanády, Arthur v. (ü. c.) zug. dem Generalstabe.
Millivojević, Paul.

Krebs, Gotthold.
Fogt, Joseph.
Metzner, Ludwig.

Lieutenants.

Czap, Alois
Frányo, Carl
Lesner, Franz
Alapfy, Julius
Sachers, Eduard, MVK. (KD.)
Hartstein, Géza
Laszgallner, Edmund
Wolfrumb v. Wolfersgrün, Carl
Kózma, Alexander
Lux, Hugo
Arbesser, v. Rastburg, Maximilian
Auersperg, Julius Gf.
Jović, Johann
} (Res.).
Cerlenjak, Stephan.
Wendling, Anton (Bat.-Adj.).
Chitil, Willibald (Res.).
Peithner v. Lichtenfels, Fried. Ritt., MVK. (KD.), (Res.).
Fellner, Thomas (Res.).
Masić, Ladislaus (Bat.-Adj.).
Colombini, Carl, ÖEKO-R. 3. (KD.).
Radelić, Rade.
Bernáth, Oskar (ü. c.) bei der Feld-Signal-Abth. der VII. Inf.-Trup.-Div.
Schréder, Franz (Bat.-Adj.).
Schmidt, Carl, SVK. m. Kr.
Bányai-Reitz, Otto Ritt. v. (Res.).
Falcioni, Ferdinand (Res.).

Babić, Anton (Bat.-Adj.).
Hinić, Simon.
Maicen, Alois, MVK. (KD.), SVK. m. Kr.
Rossi, Carl
Rautenkranz, Anton
Kühnel, Conrad
Vargha, Julius v.
Rohácsek, Carl
} (Res.).
Fleischer v. Kämpfimfeld, Eugen.
Schegula, Franz.
Bauer, Ludwig (Bat.-Adj.).
Stainer, Ludwig.
Horváth, Valentin.
Munižaba, Thomas.
Stettner, Ladislaus (Res.).
Mikić, Johann (Res.).
Szeiff, Carl
Bánutay, Emerich.
Benkert, Joseph (Res.).
Mladenović, Georg.
Herrmann, Alois
Rudnay, Béla
Dürr, Edmund
Scherer, Franz
Bohner, Jakob
Herepey, Árpád
Sonnenberg, Carl
Schön, Rudolph
Wassischek, Johann
Lallosevits, Johann
} (Res.).
Melkuhn, Carl.
Petainek, Joseph v.
Hečimović, Joseph.
Udvarlaky, Carl.
Horwáth, Ernst (Res.).
Dobrić, Ljubomir.
Werklian, Michael.

Stumpfögger, Eduard (Res.).
Wörner, Carl.

Cadeten.

Scheiber, Alexander, ○ 2., (Off.-Stellv.) (Res.).
Le Gay Edl. v. Lierfels, Albert, ○ 1.
Morgenstern, Gustav, ○.
Chodaznik, Franz
Stojanik, Joseph
} (Off.-Stellv.).
Schaffer, Joseph.
Poka, Desiderius v., ○ 2. (Off.-Stellv.).
Strasser, Samuel
Peter, Johann
Engel, Samuel
} (Res.).

Mil.-Aerzte.

Leinzinger, Eduard, Dr., Reg.-Arzt 1. Cl.
Diesselbacher, Alex., Dr., Reg.-Arzt 1. Cl.
Schaff, Jakob, Dr., Reg.-Arzt 1. Cl.
Springer, Constantin, Dr., Reg.-Arzt 2. Cl.
Hübl v. Stollenbach, Eduard Ritt., Dr., Oberarzt.
Pavec, Vincenz, Dr., Oberarzt.

Rechnungsführer.

Braut, Franz, Hptm. 1. Cl.
Pelikan, Leopold, Obrlt.

Egalisirung kirschroth (wie Nr. 43, 73 u. 77), Knöpfe weiss.

24.

Galizisches Infanterie-Regiment.

Regiments-Stab: Bjelina.

Reserve- und Ergänzungs-Bezirks-Commando: *Kolomea.*

1662 errichtet, Spieck, Lucas Freih., GM.; 1665 Leslie, Jakob Gf., FML.; 1675 Mannsfeld, Fürst zu Fondi, Heinrich Franz Gf., FM.; 1702 Chalons, Christoph Heinrich, Baron v., genannt „Gehlen", Oberst; 1703 Starhemberg, Maximilian Adam Gf., FM.; 1741 Starhemberg, Emanuel Michael Gf., FZM.; 1771 Preiss, Johann Franz Joseph Freih., FZM.; 1801 Auersperg, Carl Fürst, FML.; 1808 Strauch, Gottfried Freih., FZM.; 1836 Carl Ludwig, Herzog v. Lucca;

(Zweite Inhaber waren: von 1836–1857 Odelga, Joseph Freih. v., FZM.; von 1857–1872 Trattnern v. Petrocza, Carl Freih., FML.).

1848 Carl Ludwig, Herzog von Parma.

Oberste. Davidovac, Sabbas, MVK. (KD.), ○ 1, Reg.-Comdt.
Konja, Julius, MVK. (KD.), Res.-Comdt.

Oberstlieutenant.

Bozziano, Joseph, MVK. (KD.).

Majore.

Metzger, Eduard.
Schiffner, Felix, MVK. (KD.).
Ansion, Maximilian, MVK.
Handel, Friedrich Freih. v., MVK. (KD.).

Hauptleute 1. Classe.

Biernacki, Leo (WG.).
Maculan, Alois, ○ 2.
Kossin, Joseph.
Liborio, Oskar.
Zima, Johann.
Suk, Johann.
Pitsch, Franz.
Mosch, Ferdinand Freih. v. (ü. c.) comdt. beim Generalstabe.
Faulhaber, Julius.
Frodl, Anton.
Mach, Friedrich.
Stecher v. Sebenitz, Emil.
Capp, Josaphat.
Krug, Adolph.
Biernatek, Joseph, MVK. (KD.).
Dobrzański v. Częstopian, Zeno Ritt.
Vukovac, Johann.

Hauptleute 2. Classe.

Wachtel, Eduard.
Kopetzky, Joseph.
Swoboda, Mathias.
Hirjan, Peter.
Janda, Hugo.
Wildburg, August Freih. v.
Kral, Michael.
Golić, Lucas.

Oberlieutenants.

Čikan, Marcus.
Sladeczek, Franz.
Mück, Ferdinand.
Czomkiewicz, Alexander (Reg.-Adj.).
Nawratil, August (Prov.-Off.).
Auchner, Rudolph.
Purtscher, Eduard (ü. c.) im mil.-geogr. Inst.
Niessner, Severin.
Rick, Leopold, MVK. (KD.).
Fibinger, Emil.
Gölis, Robert.
Haas, Ottokar (ü. c.) zug. dem Generalstabe.
Prohaska, Wilhelm, ○ 2.
Kunz, Eduard.
Strasser, Julius.
Stock, Vincenz (Res.-Comdo.-Adj.).
Stenzel, Friedrich.
Kruzlewski, Justin (Res.).
Brever, gen. v. Fürth, Felix Freih. v.
Ansion, Arthur (ü. c.) im mil.-geogr. Inst.
Hoffbauer, Heinrich, ○ 2. (Erg.-Bez.-Off.).
Kreiss, Julius (Bat.-Adj.).
Wolski v. Lubicz, Franz Ritt. (Res.).
Majkut, Michael (Res.).
Malow, Joseph (Res.).
Waniek, Anton (Res.).
Buynowski v. Budzisz, Titus Ritt. (Res.).
Stadnicki v Stadnik, Wilh. Ritt. (Res.).
Fränkel, Maximilian (Bat.-Adj.).
Winnicki v. Radziewicz, Calixtus Ritt. (Bat.-Adj.).
Hübel, Franz.
Medlitz, Eduard.

Lieutenants.

Burkhart, Julius
Kiszczukiewicz, Alexander
Tuffek, Titus
Terlikowski, Franz
Kanczuski, Alois
Charak, Georg
Dluzański, Johann
(Res.).
Dumański, Wladimir
Bienkowski, Marcell v. (ü. z.) beurl.
Ustyanowski, Bronislaw.
Kruzlewski, Isidor (Bat.-Adj.).
Pazdirek, Joseph (Res.).
Sebastyański, Marcell.
Paunel, Isidor Ritt. v.
Neuwirth, Ferdinand.
Herzegovatz, Nikolaus (Bat.-Adj.).
Putz, Franz.
Dumanski, Emil.
Blazsejovszky, Joseph.
Alexandrowicz, Carl.
Elger, Leopold.
Snieszek vel Snieszko v. Nieczuja, Stanisl. Ritt.
Daszkiewicz, Victor.
Nowicki, Joseph (Bat.-Adj.).
Alexandrowicz, Franz.
Vlkolinszký, Julius (Res.).
Purschke, Carl (Res.).
Graf, Rupert (Res.).

Merfort, Carl
Luft, Maximilian
Feigl, Romuald
Lassig, Johann
Wachlowski, Carl
(Res.).
Dębicki, Anton
Schwertführer, Alfred.
Rutkowski, Ladislaus.
Wittich, Gustav.
Stoklassa, Aemilian
Mehoffer, Rudolph Edl. v.
Pniwczuk, Basil
Milenković, Dušan
Czauderna, Johann
Čurkowski, Andreas
(Res.).
Neumann, Gustav
Hönich, Samuel.
Kustinowicz, Zeno.
Jaszczor, Clemens.
Trichtl, Heinrich.
Nistenberger, Eduard.
Sokołowski, Anton.
Filipović, Emerich.
Bořke, Joseph.
Tauschinsky, Stephan.

Cadeten.

Ladzinski, Eduard
Wittich, Edmund
Theodosiewicz, Emil
Szybalski, Eduard
Urbanowicz, Basil
Hnatiuk, Georg
(Off.-Stellv.).

Davidovac, Paul (Off.-Stellv.).
Csirkovits, Alexander (Off.-Stellv.).
Peicsics, Georg (Off.-Stellv.), (Res.).
Kircz, Victor (Res.).

Mil.-Aerzte.

Schlosser, Anton, Dr., Reg.-Arzt 1. Cl.
Veselik, Joseph, Dr., Reg.-Arzt 1. Cl.
Schmid, Joseph, Dr., Reg.-Arzt 2. Cl.
Lonauer, Peter, Dr., Reg.-Arzt 2. Cl.
Goldstein, Moriz, Dr, Oberarzt.
Alexandrowicz, Joseph, Oberwundarzt.

Rechnungsführer.

Steidl, Hermann, Obrlt.
Zrębowicz, Johann, Obrlt.

Egalisirung aschgrau (wie Nr. 11, 33 und 51), Knöpfe weiss.

25.

Ungarisches Infanterie-Regiment.

Regiments-Stab: Prag.

Reserve- und Ergänzungs-Bezirks-Commando: *Losoncz.*

1672 errichtet, Serenyi, Johann Carl Gf., FM.; 1691 Amenzaga, Franz Christoph Freih., GM.; 1693 Bagni, Scipio Gf., FM.; 1721 Langlet, Philipp Freih., FML.; 1723 Luciny, Matthäus Marquis de, FML.; 1731 Wachtendonk, Carl Franz Freih., FZM.; 1741 Piccolomini, Octavius Fürst, FZM.; 1757 Thürheim, Franz Ludwig Gf., FM.; 1783 Brechainville, Ludwig Gf., FML.; 1801 Spork, Johann Rudiger Gf., FML.; 1808 Zedtwitz, Franz Julius Gf., FML.; 1809 De-Vaux, Thiery Freih., FZM.; 1823 Trapp, Werner Freih. v., FZM.; 1842 Wocher, Gustav, FZM.; 1858 Salis-Zizers, Heinrich Gf., FML.; 1858 Mamula, Lazarus Freih. v., FZM.

1878 Pürcker Edl. v. Pürkhain, Vincenz, FML.

Oberste. Reichlin-Meldegg, Carl Freih. v., ÖEKO-R. 3. (KD.), MVK. (KD.), Reg.-Comdt.
Tempis, Joseph v., MVK. (KD.). Res.-Comdt.

Oberstlieutenant.

Pürker, Eduard.

Majore.

Heillinger, Moriz Edl. v.
Fries, Otto Freih. v.
Richard, Carl, MVK. (KD.)

Hauptleute 1. Classe.

Baranyai de Nagy-Varad, Alexander, ÖFJO-R., MVK. (KD.).
Linkmann, Eduard.
Albrecht, Adalbert.
Scheicher, Joseph.
Hussar, August.
Görtz, Arthur Ritt. v.
Linhart, Joseph.
Rzehák, Johann.
Kozlovac, Georg.
Linko, Adolph.
Küvel, Gustav.
Blaha, Wenzel (ü. c.) beim R.-Kriegs-Mstm.
Zaffauk, Ludwig.
Kwapil, Johann
Lutowsky, Carl.
Eill, Franz.
Schembera, Ernst.

Hauptleute 2. Classe.

Hennlich, Alexander.
Petru, Franz.
Holegcha, Gustav.
Mandić, Stephan (ü. c.) beim Etapen-Comdo. zu Banjaluka.
Göllner, Moriz (zug. dem R.-Kriegs-Mstm.).
Wolf, Ignaz.
Neuschl, Carl.
Microys, Wilhelm.

Oberlieutenants.

Ruchinger, Ludwig.
Pell, Franz.
Ratzka, Johann.
Lampe, Franz (ü. c.) im mil.-geogr. Inst.
Molnár, Sigmund.
Vasilio, Ludwig.
Pelikan, Wilhelm.
Masić, Stephan.
Metzger, Anton.
Hodinař, Anton.
Kotzian, Joseph (WG.).
Persch, Emil.
Pavellić, Lucas.
Flekeles-Ramschak, Eduard.
Riedl, Joseph.
Blaschuty, Joseph.
Filip, Anton (Prov.-Off.).
Meissler, Wilhelm.
Strobel, Rudolph.
Woinovich, Emil (ü. c.) zug. dem Generalstabe.
Merliczek, Franz (Reg.-Adj.).
Balgha, Julius.
Stokin, Mladen.
Gollubić, Michael.

Lieutenants.

Petrogalli, Arthur v.
Lang, Wenzel
Both, Nikolaus
Philipp, Peter
Mauks, Alexius
Horvath, Joseph
Lichard, Dušan
Nechutny, Thomas
Bukowinsky, Arthur v.
Luczenbacher, Paul
Fertsek, Wilhelm
Willim, Franz
Matolay, Bartholomäus
(Res.).
Roszner v. Roseneck, Erwin Freih.
Zednik, Oskar.
Paić, Stojan.
Fritsch, Ludwig.
Stubna-Bajo, Daniel (ü. c.) im mil.-geogr. Inst.
Silberstein, Heinrich (Res.).
Krbek, Ottokar (Res.).
Kres, Johann (Erg. - Bez.-Off.).
Eliatscheck v. Siebenburg, Hugo Freih. (Bat.-Adj.).
Steiner, August (Bat.-Adj.).
Brix, Simon.
Zugschwerdt, Oskar
Molnár, Joseph
Young, Eduard
Mayer, Wilhelm
Martiny, Stephan
Dupal, Johann
Sedlakovitz, Cäsar v.
Sagburg, Ferdinand v.
(Res.).
Spindler, Carl (Res.-Comdo.-Adj.).
Rücker, Eduard.
Müller, Anton.
Mavrenović, Basilius.
Töpfer, Carl (Bat.-Adj.).
Fischer, Anton (Res.).
Netsch, Joseph (Res.).
Schulcz, Ludwig (Res.).
Moese Edl. v. Nollendorf, Friedrich.
Merkh, Maximilian (Bat.-Adj.).
Klose, Ernst (Bat.-Adj.).
Krix, Joseph.
Parassin, Victor.
Zaborszky, Béla
Parassin, Alexander
Appelt, Franz
Hallisch, Ludwig
Szontagh, Emanuel v.
Popper, Alfred
Wildmann, August
Liesko, Eduard
Zotti, Rudolph
Vonbun, Joseph
Mayr, Joseph
Brehm, Joseph
Ettel, Alois
Rudesch, Alfred
Weizsäcker, Carl
Pichl, Julius
(Res.).
Jurašin, Carl.
Žiwna, August.
Patzelt, Johann.
Schiviz v. Schivizhoffen, Julius.
Lončarević, Joseph.
Marković, Georg.

Cadeten.

Kraus, Joseph (Res.).
Blumer, Joseph (Res.).
Holy, Joseph (Res.).
Rezniczek, Emil
Moser, Zdenko
Farszky, Anton
(Off.-Stellv.).
Bučar, Joseph.

Mil.-Aerzte.

Schulhof, Philipp, Dr., Reg.-Arzt 1. Cl.
Klein, Hermann, Dr., Reg.-Arzt 2. Cl.
Schneider, Anton, Dr., Reg.-Arzt 2. Cl.
Halpern, Nicodemus, Dr., Oberarzt.
Glaser, Philipp, Oberwundarzt.

Rechnungsführer.

Baudisch, Johann, Obrlt.
Krause, Johann, Obrlt.

Egalisirung meergrün (wie Nr. 21 u. 70), Knöpfe weiss.

26.

Ungarisches Infanterie-Regiment.

Regiments-Stab: Banjaluka.

Reserve- und Ergänzungs-Bezirks-Commando: *Gran.*

1717 errichtet, Carl Wilhelm Friedrich, Erbprinz (1723 Markgraf) zu Brandenburg-Onolzbach (Anspach) GM.; 1724 Müffling, Heinrich Freih., FML.; 1737 Grünne, Nikolaus Gf., FML.; 1751 Puebla, Portugalo Antonio Conde de, Gf., FZM.; 1770 Riese, Carl Freih., FZM.; 1786 Allvintzi, Joseph Freih., GM.; 1786 D'Alton, Richard Gf., FZM.; 1790 Schröder, Wilhelm Freih., FZM.; 1803 Hohenlohe-Bartenstein, Ludwig Fürst, FZM.; 1814 Wilhelm Prinz von Oranien, FZM.; 1815 Wilhelm I., König von Niederland, FM.; 1841 König Wilhelm, FM.; 1844 Ferdinand Carl Victor von Este, Erzherzog, GM.

(Zweite Inhaber waren von 1814—1815 Hohenlohe-Bartenstein, Ludwig Fürst, FZM.; von 1815—1817 Pfanzelter, Joseph v., FML.; von 1819—1844 Faber, Philipp v., FZM.; von 1844—1852 Schick v. Siegenburg, Anton, FML.)

1852 Michael, Grossfürst von Russland.

Zweiter Inhaber.

Susan, Johann Freih. v., FML. (1853).

Oberst u. Reg.-Comdt. Abele v. Lilienberg, Johann Freih.

Oberstlieutenants.

Baumrucker Edl. v. Robelswald, Wilhelm, Res.-Comdt.
Seemann, Alois, MVK. (KD.).

Majore.

Medwey, Ludwig v.
Schwingenschlögel, Rich., MVK. (KD.).
Haasz v. Grünnenwaldt, Vincenz, MVK. (KD.).
Schwinner, Ignaz.

Hauptleute 1. Classe.

Hönl, Heinrich.
Baumholzer, Julius, MVK. (KD.).
Bermann, Adolph Edl. v.
Zirty, August v. (WG.).
Follenius, Hermann.
Lipawsky, Julius.
Haasz v. Grünnenwaldt, Alphons.
Basler, Gustav (ü. c.) im mil.-geogr. Inst.
Giovanelli-Gerstburg, Heinr. Gf., Herr und Landmann in Tirol (WG.).
Friml, Alexander.
Schrutek, Carl.
Jandowsky, Georg.
Meisslinger, Maximilian (WG.).
Ottstätt, Aurelius.

Hauptleute 2. Classe.

Müller Edl. v. Müllenau, Moriz.
Prohaszka, Joseph.
Eder, Carl.
Radanović, Vincenz.
Maistorović, Johann.
Hübschmann, Vincenz.
Haberzettel, Philipp.
Kohut, Johann, MVK. (KD.).
Wettendorfer, Ludwig.
Mühlbacher, Franz.

Oberlieutenants.

Raunig, Carl.
Peresch, Johann.
Hruschka, Rudolph.
Hartmann v. Hartenthal, Douglas.
Kleindorf, Friedrich.
Pisačić de Hižnovec, Georg.
Stegmaier, Otto.
Rehfeld, Edmund.
Szútsek, Rud. (Res.-Comdo.-Adj.).
Neumayer, Joseph.
Schönfeld, Peter Ritt. v.
Piškur, Johann.
Černko, Stephan.

Gerley, Julius (Res.).
Widmann, Adalbert Ritt. v.
Gregor, Adolph.
Pichler, Heinrich (Reg.-Adj.).
Kosina, Joseph.
Egger, Joseph.
Zinnern v. Burgthal, Franz.
Mattausch, Anton.
Wache, Franz.
Schweigel, Alois.
Jaksić, Johann.
Anker, Joseph (Res.).
Ilić, Ljubomir, MVK. (KD.).
Müllern, Eduard v. (Res.).
Krüzner, Emil (Res.).
Baar, Joseph (Res.).
Wagner, Nikolaus.
Gerley, Adalbert (Res.).
Magyary, August v. (Res.).
Czibur, Emerich (Res.).
Nosko, Carl (Bat.-Adj.).
Orechowszky, Ludwig (Prov.-Off.).

Lieutenants.

Pongraz, Georg v.
Kalmán, Emerich
Párvi, Victor
Bornemisza, Zoltán v.
Bozděch, Gustav
Zamborszky, Joseph
Csöke, Franz
Antoni, Carl
(Res.).
Puschmann, Wenzel (Bat.-Adj.).
Chwatal, Johann, MVK. (KD.), (Bat.-Adj.).
Havliczek, Ludwig (WG.).
Nogáll, Carl (Res.).
Mates, Robert.
Eisenbach, Franz.
Hauska, Wilhelm.
Kruttschnitt, Paul (Erg.-Bez.-Off.).
Kalas, Andreas v. (Bat.-Adj.).
Grobois, Alexander.
Schwarz, Alfred (Res.).
Baar, Vincenz.
Hobza, Rudolph.
Baar, Eduard.
Singer, Salomon.
Pipp, Alexander (Res.).
Eybner, Otto (Res.).
Padewit, Fridolin (Bat.-Adj.).
Wiesner, Adolph
Fritz, August
Wunder, Emil
Sattinger, Conrad
Brzorad, Rudolph
Wojta, Joseph
Palkovich, Carl v.
Bedros, Joseph
Vockenberger, Johann
(Res.).
Wellewill, Moriz.
Duval de Dampierre, Amatus Freih.
Wüst, Julius.
Sprung, Aurel, MVK. (KD.).
Mayer, Carl.
Hermann, Johann (Res.).
Kornhaber, Adolph.
Jungbauer, Moriz.
Morawik, Carl (Res.).
Lepél, Ferdinand Freih. v.

Cadeten.

Langner, Theod. (Off.-Stellv.) (Res.).
Krnić, Raphael (Off.-Stellv.).
Wagner, Adalbert (Off.-Stellv.).
Sabolić, Michael (Off.-Stellv.).
Pittoni v. Dannenfeldt, Béla Ritt.
Salmon, Heinr. (Off.-Stellv.).
Zedtwitz v. Neuberg-Neuschloss, Edmund Gf. (Off.-Stellv.).
Langer, Julius (Off.-Stellv.).
Staudner, Alexander
Ormay, Alexander
Wacha, Rudolph
Taxner, Carl
Matray, Julius
(Res.).

Mil.-Aerzte.

Vogl, Conrad, Dr., Reg.-Arzt 1. Cl.
Leitner, Anton, Dr., Reg.-Arzt 1. Cl.
Horn, Hermann, Dr., Reg.-Arzt 1. Cl.
Navara, Anton, Dr., SVK. m. Kr., Reg.-Arzt 2. Cl.
Rieger, Hugo, Unterarzt.

Rechnungsführer.

Richter, August, Hptm. 1. Cl.
Havel, Anton, Obrlt.
Kwiatkowski, Franz, Obrlt.
Hölzl, Johann, Lieut.

Egalisirung schwarz (wie Nr. 14, 38 u. 58), Knöpfe gelb.

27.

Steierisches Infanterie - Regiment.

Regiments-Stab: Zara.

Reserve- und Ergänzungs-Bezirks-Commando: *Graz.*

1682 errichtet, Nigrelli, Ottavio Gf., FZM.; 1703 Von und zum Jungen, Johann Hieronymus Freih., FM.; 1782 Hessen-Cassel, Maximilian Prinz zu, FM.; 1753 Baden-Durlach, Christoph Prinz zu, FM.; 1791 Strasoldo, Leopold Gf., FML.; 1809 Chasteler, Johann Gabriel Marquis FZM.; 1826 Luxem, Jakob Ritt. v., FML.; 1841 Piret de Bihain, Ludwig Freih., FML.; 1853 Leopold I., König der Belgier.

(Zweite Inhaber waren: von 1853—1862 Piret de Bihain, Ludwig Freih., FML.; 1862 bis 1874 Schiller von Herdern, Adolph Freih., FML.)

1865 Leopold II., König der Belgier.

Oberste. Klimburg, Eugen Edl. v., ÖEKO-R. 2. (KD.), ○ 2. (ü. c.) Besatzungs-Truppen-Brigadier in Süd-Dalmatien zu Ragusa.
Lauer, Hugo Freih. v., Reg.-Comdt.

Oberstlieutenants.

Schluetenberg, Richard Edl. v., ÖEKO-R. 3. (KD.), MVK. (KD.), Res.-Comdt.
Ratschiller, Renatus v., MVK. (KD.).
Rathausky, Albin.

Majore.

König, Carl, MVK. (KD.).
Vorhauser, Friedrich.
Einem, Adolph v.

Hauptleute 1. Classe.

Acham, Franz, MVK. (KD.).
Melotti, Germanus.
Sponner, Marcell.
Bornmüller, Albert, MVK. (KD.).
Rauschke, Constantin.
Chevalier, August (ü. c.) Oekonomie-Inspector in der techn. Mil.-Akad.
Axster, Victor Edl. v., MVK. (KD.).
Segenschmid, Franz Edl. v.
Gstättner, Joseph.
Guggenberger, Jos., ÖEKO-R. 3. (KD.), ÖFJO-R., MVK. (KD.).
Molitoris, Wilhelm.
Grachegg, Gustav.
Schadek, Adolph.
Tiller, Johann.
Ivanossich v. Küstenfeld, Heinrich, MVK. (KD.); (ü. c.) zug. dem Generalstabe.
Allesch, Rudolph.
Almstein, Joseph v., ÖEKO-R. 3 (KD.).
Reising v. Reisinger, Otto, MVK. (KD.).
Koppreiter, Hugo.
Czernohorsky, Alois, MVK. (KD.).

Hauptleute 2. Classe.

Hornung, Carl.
Juris, Heinrich, MVK. (KD.).
Kille, Emanuel Edl. v.
Schiffer, Conrad (ü. c.) beim Gen.-Comdo. zu Graz.
Knorz, Justus.
Schaffer, Joseph, ⊙.
Schüssler, Ernst, ÖEKO-R. 3. (KD.), ○ 2.

Oberlieutenants.

Preiser, Victor (WG.).
Schüssler, Albert, ○ 2. (ü. c.) zug. dem Generalstabe.
Ivanossich v. Küstenfeld, Emil, MVK. (KD.), (Res.-Comdo.-Adj.).
Hoffmann Edl. v. Wendheim, Norbert (Res.).
Halbhuber v. Festwill, Theodor Freih.
Mayer Edl. v. Myrthenhain, Nikolaus.
Kaltenborn, Arwed v.
Pilz, Carl, ⊙.
Vogl, Friedrich.
Eis, Joseph, ○ 2.
Lanyar, Franz.
Afan de Rivera, Franz (WG.).
Höttl, Carl (Erg.-Bez.-Off.).

Christian, Johann (Prov.-Off.).
Fortin, Theodor.
Wittits, Johann, ○ 2.
Gherardini, Moriz, MVK. (KD.).
Giriczek, Eduard.
Tindl, Franz (Reg.-Adj.).
Weis, Conrad.
Dicht, Adolph.
Zamponi, Ludwig (Res.).
Fischer, Heinrich, MVK. (KD.).
Hillmer, Alois, MVK. (KD.).
Voglsanger, Heinrich.
Zechner, Friedrich (Res.).
Kubin, Moriz (Res.).
Peckler Vincenz.
Felber, Wilhelm.
Schnötzinger, Franz.

Lieutenants.

Pegan, Alois
Wolfbauer, Joseph
Höffinger, Victor
Heuberger, Richard
Bernardt, Arthur
Guggenberger, Richard
Brunnlechner, August
Sowoda, Heinrich
Krautforst, Othmar
Brunar, Joseph
Pokorny, Carl
Kratter, Carl
} (Res.).
Hausmanninger, Heinrich.
Haditsch, Franz (Res.).
Wagner, Heinrich (Bat.-Adj.).
Fronmüller v. Weidenburg u. Gross-Kirchheim, Eduard Freih. (Bat.-Adj.).
Möller, Adolph.
Arbesser Edl. v. Rastburg, Joseph (Res.).
Massiczek, Julius.
Strohmeier, Florian.
Mayrhauser zu Spermannsfeld, Erich v.
Gadolla, Cajetan Ritt. v. (Bat.-Adj.).
Cappy, Franz Gf.
Steizl, Oskar.
Malzer, Gustav.
Knechtl, Anton (Bat.-Adj.).
Galler, Georg Gf.
Guseck, Richard Edl. v. (Bat.-Adj.).
Braunstingl, Johann.
Pistotnik, Edmund.
Korner, Anton.
Poniński, Franz Gf.
Pongrácz de Szent-Miklós et Óvár, Heinrich.
Keizar, Stanislaus.
Schiffer, Julius (Res.).
Gutmann, Gustav (Res.).
Ferk, Ernst.
Hayd von und zu Haydegg, Rudolph Ritt.
Jedina, Angelo Ritt. v.
Veith, Carl.

Cadeten.

Wuck, Adolph.
Theuerkauf, Eduard Ritt. v.
Garber, Adolph.
Geramb, Rudolph Ritt. v.
Schmid, Andreas.
Tropp, Maximilian.
Strell, Paul.

Prohaska, Stephan.
Fürnschuss, Carl
Damian, Arnold
Mayr, Franz
Remschmidt, Johann
Martinak, Carl
Martinak, Eduard
Hausenbichler, Friedrich
Rettich, Hugo Edl. v.
Rochel, Augustin
Hackstock, Carl
Baumann, Johann
} (Res.).

Mil.-Aerzte.

Pollak, Leopold, Dr., GVK. m. Kr., Reg.-Arzt 1. Cl.
May, Ferdinand, Dr., Reg.-Arzt 1. Cl.
Lein, Anton, Dr., Reg.-Arzt 2. Cl.
Wolff, Hugo, Dr., ÖFJO.R., Reg.-Arzt 2. Cl.
Trenz, Ferdinand, Dr., Reg.-Arzt 2. Cl.
Klier, Heinrich, Dr., Oberarzt.
Wiesinger, Johann, Dr., Oberarzt.
Apollonio, Alois, Dr., Oberarzt.

Rechnungsführer.

Scheinbogen, Coloman, Hptm. 1. Cl.
Prohaska, Wenzel, Obrlt.
Cernek, Franz, Lieut.
Roknić, Peter, Lieut.

Egalisirung kaisergelb (wie Nr. 2, 22 u. 31), Knöpfe gelb.

28.

Böhmisches Infanterie-Regiment.

Regiments-Stab: Budweis.

Reserve- und Ergänzungs-Bezirks-Commando: *Prag.*

1698 errichtet, Thürheim, Franz Sebastian Gf. v., FZM.; 1713 Von der Lanckhen, Philipp Ernst, FML.; 1716 Arhemberg, Leopold Philipp Herzog, FM.: 1754 Scherzer, Leopold Freih., GM.; 1754 Wied-Runkel, Heinrich Carl Gf., FM.; 1779 Wartensleben, Wilhelm Gf., FZM.; 1799 Frohlich, Michael v., FML.; 1815 Kutschera, Johann Freih. v., FZM.; 1832 Baillet de Latour, Theodor Gf., FZM.

1849 Benedek, Ludwig Ritt. v., FZM.

Oberste.
- Heimbach, Alexander, Reg.-Comdt.
- Freyschlag Edl. v. Freyenstein, Adolph, MVK. (KD.), Res.-Comdt.

Oberstlieutenant.

Matuschka Edl. v. Wendenkron, Alois.

Majore.

Ružička, Franz.
Nauman, Julius Ritt. v.
Holzbach, Johann.
Spengel, Anton.

Hauptleute 1. Classe.

Hess, Franz, MVK. (KD.).
Schroll, Ferdinand.
Koller v. Marchenegg, Joseph Ritt.
Zeidler, Julius.
Zach, Gustav.
Terzaghi Edl. v. Pontenuovo, Anton.
Klautschek, Johann.
Peschka, Carl.
Bittinger, Leopold.
Watzke, Adolph.
Trnka, Carl (ü. c.) im mil.-geogr. Inst.
Hummel, Rudolph.
Postelt, Raimund.

Hauptleute 2. Classe.

Lang, Franz.
Mandelblüh, Clemens.
Oschtzadal Edl. v. Miraberg, Franz (ü. c.) Lehrer an der Mil.-Akad. zu Wr.-Neustadt.
Kubínek, Anton.
Rainer, Joseph.
Mayrhofer, Gustav (ü. c.) im mil.-geogr. Inst.
Rakowský, Carl, MVK. (KD.).
Daublebsky v. Sterneck zu Ehrenstein, Hermann Freih.
Luttna, Vincenz.
Skenžić, Spiridion.
Beyrodt, Wenzel.
Khern, Johann.
Lamina, Adolph.

Oberlieutenants.

Dorotka v. Ehrenwall, Friedrich, MVK. (KD.), (Res.).
Schmidburg, Wilh. Freih. v.
Syka, Carl.
Rambausek, Gustav.
Wagner, Georg.
Butta, Anton.
Huber, Carl.
Kiss, Ludwig.
Skála, Johann.
Wimmer, Wilhelm.
Voigt, Heinrich.
Kiegler, Jakob.
Müller Edl. v. Müllenau, Heinrich.
Schuh, Johann (Prov.-Off.).
Dusspyva, Franz (Res.-Comdo.-Adj.).
Mrázek, Franz.
Nowák, Ludwig.
Brinnof, Alexander.
Jacobs v. Kantstein, Friedrich Freih. (ü. c.) zug. dem Generalstabe.
Voith v. Sterbez, Rud. Freih.
Cvitković, Joh., MVK. (KD.). (ü. c.) zug. dem Generalstabe.
Auffenberg, Moriz Ritt. v. (ü. c.) zug. dem Generalstabe.
Wolf, Adolph.
Studený, Hugo (Reg.-Adj.).
Štěpánek, Joseph (ü. c.) im mil.-geogr. Inst.
Podpěra, Anton.
Pauly, Victor.
Saffin, Emanuel.
Breit, Joseph.

Lieutenants.

Siedek, Franz (Res.).
Machotka, Boleslaw Ritt. v. (Res.).
Přibyl, Leo, Dr. (Res.).
Mach, Franz (Res.).
Hahn, Ferdinand (Res.).
Klapper, Joseph (Res.).
Mikosch, Carl (Res.).
Herold, Joseph (Res.).
Gross, Julius (Res.).
Nissl, Franz (Res.).
Gans, Joseph (ü. c.) im mil.-geogr. Inst.
Salač, Wenzel.
Kämpf, Maximilian (Res.).
Schalek, Carl (Res.).
Čupr, Ladislaus (Res.).
Pany, Leopold (Res.).
Reisinger, Edm. (Bat.-Adj.).
Kruis, Friedrich (Bat.-Adj.).
Lemarie, August (Res.).
Buschmann, Eduard Freih. v. (Bat.-Adj.).
Sprawka, Anton (Res.).
Masopust, Rudolph (Res.).
Machalický, Ottokar (Erg.-Bez.-Off.).
Krbawac, Joachim (Bat.-Adj.).
Ibl, Franz.
Maximow, Wasa.
Gerisch, Eduard.
Foges, Theodor (Res.).
Paroubek, Johann (Res.).
Braunsdorfer, Eduard (Res.).
Doubrawa, Eduard (Res.).
Otruba, Thomas.
Petraidić, Otto.
Selinka, Heinrich.
Pazourek, Joseph (WG.).
Fischer, Carl.
Čižek, Carl (Bat.-Adj.).
Schindelka, Eduard (Res.).
Přibram, Emil (Res.).
Stipek, Richard (Res.).
Dvořák, Carl.
Herglotz, Wilhelm.
Kauble, Carl (Res.).
Žak, Anton (Res.).
Khas, Joseph (Res.).
Kramer, Leopold (Res.).
Hajny, Carl (Res.).
Chaloupecky, Johann (Res.).
Beneš, Wenzel.
Bock, Camillo.
Pokorny, Julius.
Bretter, August.
Reitler, Alfred (Res.).

Cadeten.

Brzorad, Carl (Off.-Stellv.), (Res.).
Gross, Ludwig (Res.).
Smetáček, Sebald (Off.-Stellv.), (Res.).
Formanek, Camillo (Res.).
Beneš, Bohuslav (Res.).
Rang, Zdenko (Off.-Stellv.).
Gärtner, Wilhelm (Off.-Stellv.).
Hannisch, Conrad (Off.-Stellv.).
Glückselig, Sylvester (Off.-Stellv.).
Zezula, Joseph (Off.-Stellv.).
Steiger, Carl (Off.-Stellv.).
Pöll, Rudolph (Off.-Stellv.).
Fischer, Eduard (Off.-Stellv.).
Fössl, Johann.

Mil.-Aerzte.

Schalek, Joseph, Dr., ÖFJO-R., GVK., Reg.-Arzt 1. Cl.
Stanek, Franz, Dr., Reg.-Arzt 1. Cl.
Schwarz, Bernhard, Dr., Oberarzt.
Dočkal, Joseph, Oberwundarzt.

Rechnungsführer.

Michalek, Ferdinand, Hptm. 1. Cl.
Wawra, Joseph, Obrlt.
Fischer, Alexander, Lieut.

Egalisirung grasgrün (wie Nr. 8, 61 u. 62), Knöpfe weiss.

29.

Ungarisches Infanterie-Regiment.

Regiments-Stab: Višegrad.

Reserve- und Ergänzungs-Bezirks-Commando: *Gross-Becskerek.*

1704 aus Abtheilungen der Regimenter Hasslingen und Alt-Daun zusammengesetzt: de Wendt, Johann Adam, GM.; 1709 Braunschweig-Wolfenbüttel-Berern, Ferdinand Albert Herzog zu, FM.; 1736 Braunschweig-Wolfenbüttel, Carl Herzog zu, FM.; 1760 Loudon, Gideon Freih. v., FM.; 1791 Wallis, Olivier Gf., FZM; 1803 Lindenau, Carl v., FZM.; 1818 Nassau, Wilhelm Herzog; 1840 Fölseis, Joseph v., FML.; 1841 Hartmann v. Hartenthal, Anton, FML.; 1844 Schmeling, Carl v., FML.; 1847 Schönhals, Carl Ritter v., FZM.; 1857 Thun-Hohenstein, Carl Gf., FZM.

(Zweiter Inhaber war: von 1818—1840 Fölseis, Joseph v., FML.)

1876 Scudier, Anton Freih. v., FZM.

Oberst u. Reg.-Comdt. David Edl. v. Rhonfeld, Emil, ÖLO-R. (KD.).

Oberstlieutenants.

Olujević, Andreas, Res.-Comdt.
Schrodt, Johann.

Majore.

Draganćić Edl. v. Drachenfeld, Stanislaus.
Lazich, Eugen, ÖEKO-R. 3. (KD.), MVK. (KD.).
Blaschek, Vincenz Edl. v.
Mauermann, Joseph.

Hauptleute 1. Classe.

Knaus, Heinrich, MVK. (KD.).
Kastner, Andreas.
Tietze, Ferdinand.
Reiss, Friedrich.
Serdić, Georg.
Zöhrer, Julius, MVK. (KD.).
Düringer, Franz, MVK. (KD.).
Haager, Carl (ü. c.) beim Gen.-Comdo. zu Budapest.
Chmielius, Johann.
Kottek, Alexander.
Petit, Carl.
Sassić, Stephan.
Veigl, Heinrich, MVK. (KD.).

Hauptleute 2. Classe.

Auffarth, Adolph.
Schwarschnig, Anton.
Schottnegg Edl. v. Zinzenfels, Clemens, MVK. (KD.).
Steyskal, Carl.
Obrenov, Athanasius.
Kapić, Markus.
Rogulić, Nikolaus, MVK. (KD.), (ü. c.) zug. dem Generalstabe.
Poppa, Nikolaus.
Jovanović, Lazar, MVK. (KD.).
Georgievics, Alexander.
Steffel, Joseph.
Schuch, Heinrich.

Oberlieutenants.

Domansky, Raimund, MVK. (KD.).
Schmidt, Gustav.
Steiner, Johann (Reg.-Adj.).
Mészáros, August.
Böse, Joseph.
Zistler, Carl.
Sekulits, Milutin.
Kral, Johann.
Kokron, Heinrich, MVK. (KD.), (Res.).
Wagner, Felix.
Sagaičan, Sabbas.
Weissl v. Ehrentreu, Julius.
Perić, Lazar (WG.).
Huber, Carl.
Gerba, Raimund (ü. c.) zug. dem Generalstabe.
Žagrović, Thomas.
Mamula, Simon.
Aleidinger, Heinrich.
Kreitner, Gustav (ü. z.) beurl.
Pavellić, Martin.
Mudrovčić, Joseph.
Matiegka, Wilhelm (Erg.-Bez.-Off.).
Gutmann, Emil (Res.).
Seitschek, Joseph (Res.).
Fux, Carl.
Athanaskovič, Constantin (Bat.-Adj.).

Lieutenants.

Steinitzer, Géza
Freund, Alexander
Vogel, Albin
Gerstner, Gustav, Dr. d. R.
} (Res.).

Grandjean, Joseph (Res.).
Kokits, Johann (Res.).
Mészáros, Anton (Res.).
Czerny, Franz (Res.).
Bernatz, Carl (Res.).
Blasser, Emerich (Res.).
Massiczek, Paul (Res.).
Szerelmy, Ladislaus (Res.).
Kozarev, Miloš, MVK. (KD.).
Müller v. Strömenfeld, Vincenz.
Kiszling, Carl (Res.-Comdo-Adj.).
Lissek, Arthur (WG.).
Oncs, Nestor.
Kichler, Wilhelm (Res.).
Jüllig, Maximilian (Res.).
Asperger, Carl (Res.).
Nechansky, August (Res.).
Perger, Richard Ritt. v. (Res.).
Peškir, Adam.
Siber, Edgar Freih. v., MVK. (KD.).
Dasović, Johann.
Tučkorić, Mathias, MVK. (KD.).
Wodiczka, Rudolph.
Geiter, Carl Edl. v. (Res.).
Mitischka, Emil, MVK. (KD.).
Stokić, Paul.
Niemilovicz, Anton.
Schlimarzik, Arnold (Bat.-Adj.).
Kahlik, Franz (Res.).
Běhalek, Eduard (Res.).
Pessina, Georg (Res.).
Gussich, Moriz Freih. v.
Horwáth, Ludwig (Bat.-Adj.).
Djurić, Damian.
Malovetz, Ludwig.
König, Victor.
Pawlik, Franz (Res.).
Wachenhusen, Gustav v., MVK. (KD.), (Bat.-Adj.).
Gerhardt, Moriz (Res.).
Marek, Carl (Res.).
Avramov, Radovan.
Dobanovacsky, Stephan, MVK. (KD.), (Prov.-Off.).
Wälder, Alois (Res.).
Hiltscher, Rudolph (Res.).
Kassal, Anton (Res.).
Zacke, Gottlieb (Res.).
Čihak, Adalbert (Res.).
Titz, Alfred (Res.).
Kalvo, Max.
Togni, Peter.
Steingassner, Coloman (Res.).
Schwanfelder, Joseph (Res.).
Hegyi, Johann (Res.).
Serdić, Philipp.
Adler, Mathias (WG.).
Sagaičan, Johann.
Steingassner, Oliver (Res.).
Geml, Carl (Res.).
Slavits, Johann (Res.).
Kadelburger, Moriz (Res.).
Schlesinger, Eduard (Res.).
Norischan, Ignaz (Res.).
Wosching, Andreas (Res.).
Geml, Eugen (Res.).
Rosenberg, Gustav (Res.).
Spariossu, Basil.
Holzknecht, Thomas.
Brundula, Franz.
Pankarić, Balthasar.
Püchler, Julius.
Magosch, Joseph.

Cadeten.

Radovanov, Georg (Off.-Stellv.), (Res.).
Nabělek, Franz (Off.-Stellv.), (Res.).
Görgner, Carl (Res.).
Veinović, Michael.
Stocker, Stephan.
Krčmar, Joseph.
Kundak, Nikolaus.

Mil.-Aerzte.

Gombócz-Bayer de Rogacz, Eduard, Dr., Reg.-Arzt 1. Cl.
Lukanc, Johann, Dr., Reg.-Arzt 2. Cl.
Zuckermann, Jakob, Dr., Reg.-Arzt 2. Cl.
Riéss, Joseph, Dr., Reg.-Arzt 2. Cl.
Worell, Eugen, Dr., Oberarzt.
Holy, Carl, Dr., Oberarzt.

Rechnungsführer.

Zolkiewicz, Laurenz, Hptm. 2. Cl.
Nückerl, Carl, Obrlt.

Egalisirung lichtblau (wie Nr. 40, 72 u. 75); Knöpfe weiss.

30.

Galizisches Infanterie-Regiment.

Regiments-Stab, Reserve- und Ergänzungs-Bezirks-Commando: Lemberg.

1725 errichtet, Priè-Turinetti, Marchese de Pancalierr, Johann Anton, FZM.; 1753 Sachsen-Gotha, Wilhelm Prinz zu, FZM.; 1771 De Ligne, Carl Fürst, FM.; 1815 Nugent, Laval Gf., römischer Fürst, FM.; 1862 Martini v. Nosedo Joseph Freih., FML.; 1869 Jabłoński del Monte Berico, Joseph Freih., FZM.

1876 Ringelsheim, Joseph Freih. v., FZM.

Oberst u. Reg.-Comdt. Schmelzer, Carl.

Oberstlieutenants.

Kellner v. Köllenstein, Carl Freih., MVK. (KD.), Res.-Comdt.
Mosing, Heinrich.
Kodar, Ernst, MVK. (KD.).

Majore.

Michałowski, Peter Ritt. v.
Thalheim, Julius.
Siegert, Franz, MVK. (KD.).

Hauptleute 1. Classe.

Hoschek, Anton.
Bartsch, Adalbert (WG.).
Fattinger, Ferdinand, MVK.
Reymann, Thomas.
Paulewicz, Michael.
Manasterski, Felix Ritt. v., MVK. (KD.).
Hugelmann, Joseph.
Mitter, Raimund.
Draganić, Gideon.
Reiss, Anton.
Wartha, Anton.
Konopacki v. Polkow, Ludwig Ritt.
Deimel, Anton.
Czernowicz Edl. v. Ilnicki, Clemens.
Joseph, Gustav.
Weiss, Robert.
Wainiczke, Carl.

Hauptleute 2. Classe.

Peters, Hermann.
Nowotny, Richard.
Tippek, Johann.
Kummerer v. Kummersberg, Alphons Ritt.
Knopp, Joseph, O 2.
Völpel, Heinrich, O 2.
Rabatsch, Joseph.
Hönl, Gustav.
Forkapić, Johann.
Niemeczek, Franz, O 2.

Oberlieutenants.

Rustler, Carl.
Meyer, Marcell Edl. v.
Turczyński, Ferdinand, O 2. (Erg.-Bez.-Off.).
Duduković, Joseph.
Towarek, Carl.
Wildburg, Alois Freih. v. (ü. c.) Lehrer an der Mil.-Akad. zu Wr.-Neustadt.
Seemann, Alois.
Franz, Robert.
Tscherin, Franz.
Wydra, Franz.
Pruner, Carl (Prov.-Off.).
Tempusz, Ferdinand, O 2.
Schneider Edl. v. Manns-Au, Joh. (ü. c.) im mil.-geogr. Inst.
Bzowski, Sigmund Ritt. v.
Ertl, Friedrich.
Brühl, Sigmund.
Manowarda Edl. v. Jana, Anastasius (Res.-Comdo.-Adj.).
Stonawski, Paul.
Mazour, Franz.
Schulz, Julius.
Metz, Wilhelm.
Schmid, Carl (Bat.-Adj.).
Rössner, Augustin (Reg.-Adj).
Tomek, Wenzel.

Lieutenants.

Mussil, Bronislaus (Res.).
Szypaiło, Carl (Res.).

Rozwadowski, Franz Ritt. v.
Petry, Wilhelm
Guszalewicz, Michael
Dormus v. Kilianshausen, Otto Freih., Dr. d. R.
Weinreb, Benedict
Borejko, Joseph
Stromenger, Johann
Folusiewicz, Sophronius
Drexler, Philipp
Guttmann, Gerson
Wnękiewicz, Ladisl.
Epstein, Franz
Kilian, Johann
Nikorowicz, Anton Ritt. v.
Nowotny, Adolph
Waniek, Carl
Kopecki, Eduard
Lehmann, Albin, Dr. d. R.
(Res.).

Brauner, Joseph.
Terlikowski, Joh. (Bat.-Adj.).
Karge, Paul.
Drezepolski, Alex. (Res.).
Schaff, Marcus (Bat.-Adj.).
Kregler, Gustav.

Jonas, Wilhelm
Malinowski, Stanislaus
Horodyski des Wappens Korczak, Joseph Ritt. v., Dr. d. R.
Hillbricht, Ferdinand
Brühl, Leopold
Janowski, Alfred, Dr. d. R.
(Res.).

Raikić, Franz.
Roller, Carl.
Korytko, Demeter.
Krulisch, Edmund (Bat.-Adj.).
Witoszyński, Joseph.
Stankiewicz de Mogiła, Wladimir.
Filipowski, Mieczislaus.
Pajączkowski, Joseph Ritt. v. (Res.).
Szydłowski, Alexander Ritt. v. (Res.).
Füger v. Rechtborn, Carl (Res.).
Lewków, Theodor.
Malinowski, Michael.
Sobota, Stephan.
Frühling, Bernhard.
Beinhauer, Johann (Bat.-Adj.).
Biedermann, Gustav Ritt. v.
Boroević, Nikolaus.

Zimny, Stanislaus
Nogaj, Joseph
Janisch, Ludwig
Albinowski, Julius
Tyrowicz, Johann
Delong, Johann
Dawidowski, Andreas
Lysiak, Joachim
Boziewicz, Carl
Adamiak, Titus
Max, Ernst
Durski-Trzasko, Anton Ritt. v.
Fischer v. Fischering, Carl
Losch, Emil
Lewicki, Philipp
Goralski, Heinrich
(Res.).

Weppner, Rudolph.
Götter, Hippolyt.
Schneider, Ludwig.
Gabriel, Julius.
Hailig v. Hailingen, Emil Ritt.
Barysz, Cornel.

Cadeten.

Juchmanko, Anton (Off.-Stellv.), (Res.).
Schwarz, Joach. (Off.-Stellv.).
Gruszecki, Rob. (Off.-Stellv.).

Mil.-Aerzte.

Winter, Emil, Dr., Reg.-Arzt 1. Cl.
Weiss, Moriz, Dr., Reg.-Arzt 2. Cl.
Finkelstein, Wolfgang, Dr., Reg.-Arzt 2. Cl.
Moretzky, Clemens, Dr., Oberarzt.

Rechnungsführer.

Wittmann, Franz, Hptm. 1. Cl.
Dreschowitz, Joseph, Hptm. 1. Cl.
Juni, Adolph, Lieut.

Egalisirung hechtgrau (wie Nr. 49, 69 u. 76); Knöpfe gelb.

31.

Ungarisches Infanterie-Regiment.

Regiments-Stab, Reserve- und Ergänzungs-Bezirks-Commando:

Hermannstadt.

1741 errichtet, Haller v. Hallerstein, Samuel Freih., FZM; 1777 Eszterházy de Galantha, Anton Gf., GM.; 1780 Orosz Joseph Gf., FML.; 1792 Beaulieu, Johann Freih., FML.; 1794 Benjovsky v. Benjov, Johann, FML.; 1817 Maximilian Joseph I., König von Bayern; 1825 Splényi v. Mihåldy, Franz Freih., FML.; 1829 Leiningen-Westerburg, August Gf., FML.; 1849 Culoz, Carl Freih., FZM.

(Zweite Inhaber waren: von 1817—1822 Benjovsky v. Benjov, Johann, FML.; von 1823 bis 1825 Splényi v. Mihåldy, Franz Freih., FML.)

1863 Friedrich Wilhelm, Grossherzog von Mecklenburg-Strelitz.

Zweiter Inhaber.

Lilia v. Westegg, Carl Ritt., FML. (1863).

Oberste. { Gecz, Thomas, MVK. (KD.), Reg.-Comdt.
Reichard, Oskar, Res.-Comdt.

Oberstlieutenant.

Strasser, Carl, MVK. (KD.).

Majore.

Hoeger, Gustav.
Soós v. Bádok, Carl, MVK. (KD.).
Gotter-Resti-Ferrari, Anton Freih. v.
Eyle, Joseph, ÖFJO-R., MVK. (KD.).

Hauptleute 1. Classe.

Krauss v. Ehrenfeld, Joseph.
Horaczek, Joseph (ü. c.) Lehrer an der Marine-Akad.
Klimke, Joseph, MVK. (KD.).
Jerusalem, Ferdinand.
Molnár, Franz (WG.).
Mallik v. Dreyenburg, Ferdinand Ritt.
Klein, Franz.
Werchowiecki, Carl.
Toma, Johann.
Poklosy, Stephan.
Walleczek, Leo.
Lindner, Andreas, ○ 2.
Rothbauer, Constantin, ○ 2.
Jurković, Anton.
Burmaz, Sabbas.
Tomerlin, Martin.
Wellean, Jeremias.

Hauptleute 2. Classe.

Pettkesku, Georg.
Gebauer, Carl.
Jokić, Adam.
Avram, Georg.
Störk, Ignaz.
Nestor, Emil (ü. c.) im mil.-geogr. Inst.
Blaschke, Friedrich, ○ 2.
Moritsch, Carl (ü. c.) im mil.-geogr. Inst.
Farkas, Etele.

Oberlieutenants.

Stenzl, Alois.
Bacea, Jakob.
Wadrariu, Gregor.
Butković, Nikolaus.
Radivojević, Alexander (Res.).
Sándor de Vist, Nikolaus.
Fenzl, Franz (ü. c.) im mil.-geogr. Inst.
Fronius, Johann (Erg.-Bez.-Off.).
Dietrich, Joseph (Reg.-Adj.).
Fronius, Ludwig (Prov.-Off.).
Munteanu, Paul (ü. c.) bei der Grundbuchs-Anlegung
Riebel v. Festertreu, Wilh.
Roschitz, Leopold.
Herbert, Gustav.
Thalmeyer, Wilhelm, ○ 2.
Pogačnik, Johann.

Philippović, Daniel.
Scheibel, Johann (Res.).
Chohulski, Stanislaus.
Petzinek, Ignaz.
Marić, Carl (Res.-Comdo.-Adj.).
Vojnović, Daniel.
Möckesch, Eduard.
Krippner, Joseph.
Stanislav, Theodor.
Fischer, Johann.
Malle, Albert.
Schenk, Carl.

Lieutenants.

Meichsner v. Meichsenau, Alois (Res.).
Gluwczeski, Rudolph, Dr. (Res.).
Tóbiás, Andreas (Res.).
Küchler, Julius (Res.).
Pokorny, Gottfried (Res.).
Lusinský, Ferdinand.
Mangesius, Gustav, Dr. (Res.).
Preda, Basilius v. (Res.).
Kabdebo, Oskar, Dr. (Res.).
Kurovszky, Adolph (Res.).
Novaković, Mathias.
Tischer, Albrecht.
Chabért, Sigmund.
Hersch, Michael.
Simmet, Joseph.
Martinz, Anton (Bat.-Adj.).
Schuller, Albert (Bat.-Adj.).
Filipescul, Julius (Res.).
Fogllár, Joseph (Bat.-Adj.).
Topolković, Georg (Bat.-Adj.).
Giacomuzzi, Johann (Res.).
Schaefer, Adolph (Res.).
Steinhausen, Franz.
Tribusz, Gustav (Res.).
Miess, Rudolph (Res.).
Wallstein, Leo (Res.).
Eglauer, Theodor (Res.).
Flecker, Oswald (Res.).
Popelka, Adolph (Res.).
Ebner, Gustav (Res.).
Mlekus, Hippolyt (Res.).
Czink, Adolph.
Plattner, Johann (Res.).
Kohn, Emil (Res.).
Fischer, Salomon (Res.).
Asboth, Oskar, Dr. (Res.).
Zornberg, Wilhelm Freih. v. (Res.).
Balbierer, Joseph (Bat.-Adj.).
Simonis, Ludwig.
Berger, Andreas.
Topolković, Stephan.
Binder, Carl.
Fischer, Franz (Res.).
Bruckner, Emil.
Teutsch, Wilhelm.

Cadeten.

Schubert, Franz (Res.).
Kreutzer, Ludwig (Off.-Stellv.).
Krauss, Michael (Off.-Stellv.).
Roman, Xenophon (Off.-Stellv.).
Lazarewicz, Adolph (Off.-Stellv.).
Lazarewicz, Alexander (Off.-Stellv.).
Wolff, Samuel (Off.-Stellv.).
Krestels, Joseph (Off.-Stellv.).
Hansmann, Adolph (Off.-Stellv.).

Mil.-Aerzte.

Friedenwanger, Jakob, Dr., Reg.-Arzt 1. Cl.
Böckl, Wenzel, Dr., Reg.-Arzt 1. Cl.
Zerbes, Peter, Dr., Reg.-Arzt 2. Cl.
Brote, Emil, Dr., Oberarzt.

Rechnungsführer.

Konečni, Leopold, Hptm. 2. Cl.
Jaschek, Johann, Hptm. 2. Cl.
Back, Leopold, Oblt.

Egalisirung kaisergelb (wie Nr. 2, 22 u. 27); Knöpfe weiss.

32.

Ungarisches Infanterie-Regiment.

Regiments-Stab: Wien.

Reserve-Regiments-Stab: Brčka.

Ergänzungs-Bezirks-Commando: *Budapest.*

1741 errichtet, Forgách, Ignaz Gf., FZM.; 1773 Gyulai, Samuel Gf., FML.; 1802 Eszterházy v. Galantha, Nikolaus Fürst, FZM.; 1834 Franz Ferdinand d'Este, Erzherzog, Herzog von Modena, FML.

(Zweite Inhaber waren: von 1834—1835 Járossy, Mathias v., GM.; von 1835—1847 Csorich v. Monte-Creto, Franz Freih., FML.; von 1847—1850 Weigelsperg, Franz Freih. v., FML.; von 1850—1863 Kempen v. Fichtenstamm, Johann Freih., FZM.; von 1863—1876 Pokorny v. Fürstenschild, Alois Freih., FZM.)

Inhaber.

(Vacat.)

Oberst u. Reg.-Comdt. Milde v. Helfenstein, Hugo, ÖLO-R. (KD.), MVK. (KD.) (des Generalstabs-Corps).

Oberstlieutenants.

Langer, Gustav, MVK. (KD.), Res.-Reg.-Comdt.
Pachner v. Eggendorf, Ferdinand, ÖLO-R. (KD.).
Serdić, Theodor, MVK. (KD.).

Majore.

Kräutner v. Thatenburg, Ferdinand Freih., MVK. (KD.).
Öhlmayr, Joseph v., ÖEKO-R. 3. (KD.).
Kunst, Julius.
Kirchgässer, Julius.

Hauptleute 1. Classe.

Gruber, Joseph, MVK.
Bartsch, Franz.
Omischel, Joseph.
Laktics, Julius.
Schlacher, Joseph.
Přeďák, Carl, ÖEKO-R. 3. (KD.).
Grossinger, Alfard, MVK. (KD.).
Ströher, Franz, MVK. (KD.).
Kratky, Wilhelm.
Patoczka, Julius.
Reinhart, Wilhelm v.
Zutić, Miloš.
Bellmond, Wilhelm, ÖEKO.-R. 3. (KD.).
Haasz v. Grünnenwaldt, Camillo.
Csollich, Benno Freih. v.
Gaszner, Ludwig Ritt. v.

Hauptleute 2. Classe.

Fellermayer, Anton.
Gáldony, Johann.
Traun, Jakob v. (ü. c.) Lehrer an der Mil.-Ober-Realschule.
Engelmann, Philipp, ÖFJO-R.
Wieslor, Joseph.
Gugger v. Staudach, Carl.
Schildorfer, Gustav.
Schlott, Johann.
Cavallar v. Grabensprung, Ferdinand Ritt. (ü. c.) zug. dem Generalstabe.
Weber, Carl.

Oberlieutenants.

Czermák, Ferdinand.
Venturini, Carl v.
Rizardini, Franz.
Béniss, Franz, MVK. (KD.), (ü. c.) Prov.-Off. bei der XVIII. Inf.-Trup.-Div.
Schrottmüller, Franz (ü. c.). zug. der Mil.-Intdtr.
Krenn, Joseph.
Duron, Alois.
Endrődy de Endrőd, Oskar.
Wawruschka, Wenzel.
Himmelmaier, Carl, MVK. (KD.).
Mikoević, Ferdinand.
Kissling, Alfred.
Grünberg, Adolph (Prov.-Off.).
Trampits, Carl (Bat.-Adj.).
Kerner, Dominik (Erg.-Bez.-Off.).

Mochola, Johann.
Voinović, Elias.
Rupp, Martin, MVK. (KD.), ○ 1.
Lányi v. Jakobey, Alexander.
Schweitzer, Eduard, ÖEKO-R. 3. (KD.), (Reg.-Adj.).
Wayer Edl. v. Stromwell, Carl (Res.-Reg.-Adj.)
Cruss, Maximilian Ritt. v.
Vagács Rácz, Martin (Bat.-Adj.).
Liedemann, Carl (Res.).
Várady de Dicske, Alexander (Res.).
Reichenhaller, Adalbert v. (Res.).
Grünzweig, Franz.
Jávorik, Ludwig.
Rupprecht v. Virtsolog, Carl.
Weidenhöfer, Johann (ü. c.) bei der Feld-Signal-Abth. der XVIII. Inf.-Trup.-Div.

Lieutenants.

Seine kais. königl. Hoheit Erzherzog Franz Ferdinand von Oesterreich-Este, etc.
Taby v. Tahvár et Turkeő, Alexander (Res.).
Tichtl v. Tutzingen et Szt. Mihály, Friedrich
Hoffmann, Edmund
Gömöry, Anton v.
Pitey, Peter
Steiner, Joseph
Wagner, Julius
Jámbor, Julius
Bene, Georg v., MVK. (KD.).
Hermann, Béla
Wettstein v. Westersheimb, Julius Ritt.
(Res.)
Duduković, Theodor (Bat.-Adj.).
Kramberger, Metell.
Knezević, Anton.

Sandner, Emerich.
Blum, Anton.
Gervay, Paul, Dr.
Juhász Edl. Karansebes, Albert
Tahedl, Anton
Draskóczy, Nikolaus
(Res.)
Zigić, Peter (Bat.-Adj.).
Hödl, Felix.
Zeppezauer, Carl.
Kummer, Stephan.
Blásković, Michael.
Reichenhaller, Julius v.
Gruber, Franz
Ruda, Béla
Farkas, Robert
Cserna, Georg
(Res.)
Szajbeli, Dionysius.
Schnablegger, Franz (Bat.-Adj.).
Baltay, Gustav
Prosz, Leopold
Villecz, Moriz v.
Kedves de Csik-Szent-Domokos, Stephan
Spur, Johann
Darwai, Philipp
Schlauch v. Linden, Ludwig
Kapy v. Kapivár, Nicolaus
Gyulányi, Béla
(Res.)
Tiry, Géza.
Filtsó, Johann
Nikolini, Ludwig.
Moker, Victor.
Blanther, Joseph, ÖEKO-R. 3. (KD.).
Ziegler, Joseph (Bat.-Adj.).
Badovinac, Emil.
Seitz, Franz
Petrovits, Nikolaus
Bún, Julius
Pech, Desiderius
Zenker, Alois
Knoll, Peter
Bernáth, Emerich
Helvey, Adalbert
(Res.)
Kleinod, Eduard.
Harold, Anton.

Tschuschner, Franz Edl. v.
Jatzko, Michael (Res.).
Wokal, Franz.
Willheim, Franz (Res.).
Schäffer, Joseph (Res.).
Spányik, Constantin v.
Eypeltauer, Emil.
Nabicht, Franz, ○ 2.
Schmidt, Adalbert.

Cadeten.

Pollak, Hermann (Res.).
Plaveczky, Oskar.
Smetana, Franz (Off.-Stellv.).
Mihalić, Johann (Off.-Stellv.).
Szokoly, Zoltán (Off.-Stellv.).
Tamásy, Géza (Res.).
Bäumel, Wilhelm (Res.).

Mil.-Aerzte.

Kränkl, Joseph, Dr., ÖFJO-R., Reg.-Arzt 1. Cl.
Wolf, Johann, Dr., Reg.-Arzt 2. Cl.
Zeilinger, Joseph, Dr., Reg.-Arzt 2. Cl.
Wolf, Ferdinand, Dr., Oberarzt.
Čuček, Lorenz, Dr., Oberarzt.
Gschirhakl, Johann, Dr., Oberarzt.
Seemann, Eugen, Dr., Oberarzt.
Janku, Franz, Dr., Oberarzt.
Horak, Franz, Oberwundarzt.

Rechnungsführer.

Czermak, Ferdinand, Hptm. 1. Cl.
Haller, Carl, Obrlt.
Gjurković, Theodor, Obrlt.

Egalisirung himmelblau (wie Nr. 3, 4 u. 19), Knöpfe gelb.

33.

Ungarisches Infanterie - Regiment.

Regiments-Stab: Budapest.

Reserve- und Ergänzungs-Bezirks-Commando: *Festung Arad.*

1741 errichtet; 1744 Andrássy, Adam Freih., FML.; 1753 Eszterbázy, Nikolaus Fürst, FM.; 1791 Sztáray, Anton Gf., FZM.; 1809 Colloredo-Mannsfeld, Hieronymus Gf., FZM.; 1828 Bakonyi, Emerich Freih., FML.; 1845 Gyulai v. Maros-Némethy und Nádaska, Franz Gf., FZM.

1869 Kussevich v. Szamobor, Emil Freih., FZM.

Oberste.
Killić, Nikolaus, MVK. (KD.), (ü. c.) Comdt. der 8. Inf.-Brig. zu Gorazda.
Wellikán de Boldogmező, Joseph, Reg.-Comdt.
Brecht von der Wallwacht, Carl, Res.-Comdt.

Oberstlieutenant.

Herrmann, Adolph (ü. c.) beim R.-Kriegs-Mstm.

Majore.

Stroball, Johann.
Zorics, Johann, MVK. (KD.).
Theil, Michael.
Helmich, Carl.
Ebhardt, Ferdinand, MVK. (KD.).

Hauptleute 1. Classe.

Scheidel v. Beneschau, Adolph.
Kwetkowits, Anton.
Powolny, Joseph.
Sterzl, Anton.
Roschanz, Stephan.
Kholler, Ladislaus v.
Kráner, Joseph.
Offner, Carl.
Rauscher, Gustav.
Nageldinger v. Traunwehr, Joseph Freih.
Bussu, Spiridion.

Hauptleute 2. Classe.

Neudek, Heinrich.
Knežević, Anton.
Margineanu, Ignaz.
Michl, Arnold (ü. c.), Lehrer an der Mil.-Ober-Real-schule.
Stengl, Albert.
Richter, Edmund, ○ 1.
Kuresko, Johann.
Steffula, Moriz.
Görtz, Friedrich Ritt. v.
Kromar, Conrad.
Sándor de Vist, Basil.

Oberlieutenants.

Borkowetz, Wenzel.
Mayer, Joseph.
Müller, Carl.
Dallendörfer, Thomas.
Krauss, Alexander (Erg.-Bez.-Off.).
Maliczky, Albin.
Cservenka, Camillo.
Magnani, Eduard (Reg.-Adj.)
Vank de Tövis, Julius.
Simon, Carl.
Gasslunger, Joseph (Res.-Comdo.-Adj.).
Ronay, Cornelius.
Mazuth, Stephan.
Nicoladoni, Heinrich.
Czillich, Albert.
Trajlović, Gregor (ü. c.) im mil.-geogr. Inst.
Ragy, Lazar.
Witész, August.
Janda, Alois (Res.).
Puria, Nikolaus.
Dietrich, Wilhelm.
Peraković, Joseph.
Funk, Joseph.
Meszaros, Caspar (Res.).
Pistrilla, Olympius (Bat.-Adj.).
Schmidt, Johann.

Lieutenants.

Schwob, Aurelius (Res.).
Stefanutz, Basilius.
Szathmáry, Julius (Res.).
Fabian, Ludwig v. (Res.).
Steinitzer, Edmund (Res.).
Kresz, Leopold (Res.).
Parapatić, Ludwig (WG.).
Čanić, Carl (Bat.-Adj.).
Pepa, Johann (Bat.-Adj.).

Herrling, Carl (Res.).
Bičanić, Nikolaus.
Ofner, Vincenz (Bat.-Adj.).
Sandner, Carl.
Herlo, Peter.
Bildhauer, Joseph (Res.).
Ziegler, Victor (Res.).
Nagy de Dombrad, Julius.
Simandan, Johann.
Muntean, Georg (Prov.-Off.).
Šranković, Anton (Bat.-Adj).
Habtmann, Otto
Jahn, Wilhelm
Adler, Leopold
Faraks, Ernst
(Res.)
Egger, Robert.
Costanu, Paul.
Schelker, Carl.
Prister, Carl
Czerwiakowsky, Franz
Tomaselli, Heinrich
Cosolo, Albert
Reya, Eduard v.
Sandrinelli, Alois
Spitzer, Joseph
Pollak, Salomon
(Res.)
Mazuth, Alexander.

Hermann, Georg.
Winter, Alois.
Klepp, Dagobert.
Altmann, Stephan
Herzig, Alfred
Zamečnik, Joseph
Sykora, Alois
Hoffer, Carl
Karpeles, Hugo
Mattausch, Anton
Watzel, Friedrich
Scharf, Jakob
Deutsch, Sigmund
Russ, Alois
Bartelmus, Eugen
Bihler, Carl
Seidner, Hugo
Corrossacz, Franz
(Res.)
Baitz, Carl.
Pecurariu, Ludwig.
Petter, Carl.
Knežević, Ferdinand.
Schiller, Isidor.
Redl, Carl.

Cadeten.

Oliwa, Anton (Off.-Stellv.).
Blažek, Franz (Off.-Stellv.).
Stumpe, Anton (Off.-Stellv.).
Jennel, Theodor (Off.-Stellv.).
Fiala, Benjamin.
Lončar, Elias (Off.-Stellv.).

Mil.-Aerzte.

Löw, Moriz, Dr., Reg.-Arzt 1. Cl.
Ulmer, Lazar, Dr., Reg.-Arzt 1. Cl.
Geršetić, Nikolaus, Dr., Reg.-Arzt 2. Cl.
Nussbaum, Augustin, Dr., Reg.-Arzt 2. Cl.
Beyer, Franz, Oberwundarzt.

Rechnungsführer.

Macych, Joseph, Hptm. 1. Cl.
Gallhofer, Anton, Hptm. 2. Cl.
Fabry, Eugen, Lieut.

Egalisirung aschgrau (wie Nr. 11, 24 u. 51), Knöpfe weiss.

34.

Ungarisches Infanterie-Regiment.

Regiments-Stab: Komorn.

Reserve- und Ergänzungs-Bezirks-Commando: *Kaschau.*

1734 errichtet, Kökényesdy de Vetes, Ladislaus Freih., FZM.; 1756 Batthyányi, Adam Wenzel Gf. (wurde 1772 Fürst), FZM.; 1780 Eszterházy v. Galantha, Anton Fürst, FML.; 1799 Kray de Krajowa, Paul Freih., FZM.; 1804 Davidovich, Paul Freih., FZM.; 1815 Wied-Runkel, Friedrich Prinz, FML.; 1827 Benczur, Joseph v., FML.; 1841 Prinz (Wilhelm) von Preussen; 1858 Prinz-Regent (Wilhelm) von Preussen; 1861 Wilhelm I., König von Preussen.

(Zweite Inhaber waren: von 1841—1846 Benczur, Joseph v., FML.; von 1846—1866 Thurn-Valle-Sassina, Georg Gf., FZM.)

1871 Wilhelm I., deutscher Kaiser und König von Preussen.

Zweiter Inhaber.

Schwartz v. Meiller, Eduard Freih., FML. (1866).

Oberst u. Reg.-Comdt. Haas, Stephan.

Oberstlieutenants.

Lipp, Carl, Res.-Comdt.
Weikard, Friedrich.

Majore.

Bischoff, Orestes Ritt. v., ÖEKO-R. 3. (KD.), MVK.
Rziha, Eduard.
Pápay, Alexander v., MVK. (KD.).
Schreiber, Albert.

Hauptleute 1. Classe.

Schimaczek, Anton, MVK. (KD.).
Brilka, Urban, MVK. (KD.).
Strastil v. Strassenheim, Theodor.
Antalffy de Bankfalva, Ludw.
Overbeck, Alexander.
Daubner, Franz, MVK. (KD.).
Dobos de Marczinfalva, Nikolaus, MVK. (KD.).
Kreuziger, Eduard.
Pfannl, Anton.
Lukschich, Emanuel v.
Gönczy, Stephan.
Letz, Joseph.
Trupković, Michael, (ü. c.) bei der Etap.-Dir. zu Brood.
Derekassy de Krancsesd, Joseph (WG.).
Bosits, Johann v.
Zathureczky de Felső- et Alsó-Zathurcsa, Maxim.

Hauptleute 2. Classe.

Drašenovich Edl. v. Pošertve, Raimund.
Klimkovics, Gabriel.
Fränkel, Leonhard, ○ 2.
Mayer, Joseph.
Szartory de Lipcse, Rud. (ü. c.) Lehrer an der Mil.-Akad. zu Wr.-Neustadt.
Chitry Edl. v. Freyselsfeld, Heinrich.
Lodgman v. Auen, Wilh. Ritt.

Oberlieutenants.

Kauffmann, Ludwig.
Lang, Rudolph.
Borsiczky, Franz.
Richter, Gustav (ü. c.), Lehrer a. d. Mil.-Ober-Realschule.
Hilbert, Ludw. (Res.-Comdo.-Adj.).
Heim, Franz.
Gollubić, Franz.
Takács de Kis-Joka, Alexand.
Springer, Samuel.
Siegler Edl. v. Eberswald, Heinrich.
Werfer, Emil.
Schmidt, Joseph, ○ 1.
Hrubant, Philipp.
Kelcz v. Fületincz, Sigmund.
Minderlein, Eduard.
Steiger, Emil.
Divić, Paul (Reg.-Adj.).

Noszko, Mathias.
Russek, Franz (ü. c.) im mil.-geogr. Inst.
Goršić, Joseph (ü. c.) im mil.-geogr. Inst.
Schürger, Mathias (Erg.-Bez.-Off.).
Sugović, Vincenz.
Lechner, Gustav (Bat.-Adj.).
Brudl, Philipp.
Szalay, Bartholomäus.

Lieutenants.

Vogelhuth, Alexander
Vadász, Joseph v.
Fabry, Joseph
Kaczvinszky, Géza v.
Eckerdt, Johann
Olszewski, Carl
Widder, Moriz
Dębicki, Claudius
Nagy, Árpád
Klupaty, Anton, Dr.
Kisseły, Joseph
Görgey, Adalbert
Remisovszky, Johann
Kabina, Coloman
Imre, Aurelius
Berczik, Julius v.
Jaworszky, Constantin
Schweiger, Franz
} (Res.)
Czenger, Stephan (Prov.-Off.).
Bauer, Richard (Bat.-Adj.).
Ornstein Edl. v. Hortstein, Lothar.
Palletz, Franz.
Ornstein Edl. v. Hortstein, Franz.
Aust, Arthur.
Greiner, Arthur (Res.).
Bodnar, Stephan.
Kiss, Zoltán (Bat.-Adj.).
Lányi, Stephan v.
Weszelovszky, Carl.
Gantzstuckh v. Hammersberg, Ladislaus (Res.).
Budahazy, Joseph.
Puky, Joseph.
Rutter, Emil (Res.).
Ewa, Ernst (Res.).
Fülhegyi, Edmund.
Lepesch, Victor (Bat.-Adj.).
Glück, David (Res.).
Cserépy, Adalbert.
Boczan, Isidor.
Ratkay de Oeroes et Rozvagy, Paul.
Janik de Emőke, Géza.
Schwartz, Maximilian.
Burger, Árpád
Bretz, Alexander
Burger, Alexander
Freiberger, Maximilian
Seemann, Ferdinand
Kaluschke, Richard
Schürger, Franz
Tomcsányi, Ludwig
Haaz, Adalbert
Koch, Géza
Francsek, Emanuel, Dr.
Kralovanszky, Ladislaus
} (Res.)
Lechner, Georg.
Siegler Edl. v. Eberswald, Georg.
Häckel, Wilhelm.
Kelp, Albert.
Schneider, Albert.
Marzsó, Carl (Res.).
Fiedler, Constantin (Bat.-Adj.).
Bedöcs, Joseph.
Jesze, Carl (Res.).
Heyda, Carl (Res.).

Cadeten.

Hlebovi, Georg (Res.).
Kohn, Philipp
Ilosvay, Tihamer
Donner, Rudolph
Sebesy de Bolgárfalva, Árpád
Sirk, Oskar
} (Off.-Stellv.)

Mil.-Aerzte.

Reinl, Christoph, Dr., GVK., Reg.-Arzt 1. Cl.
Wittenberger, Johann, Dr., Reg.-Arzt 1. Cl.
Kisperský, Adalb., Dr., GVK. m. Kr., Reg.-Arzt 1. Cl.
Kraicz, Joseph, Dr., Oberarzt.

Rechnungsführer.

Susa, Jakob, Hptm. 2. Cl.
Kirchhofer, Franz, Obrlt.

Egalisirung krapproth (wie Nr. 15, 44 u. 74), Knöpfe weiss.

35.

Böhmisches Infanterie-Regiment.

Regiments-Stab: Prag.

Reserve- und Ergänzungs-Bezirks-Commando: *Pilsen.*

1683 errichtet, Württemberg, Georg Friedrich Herzog, GM.; 1685 Spinola, Johann Domenico Marquis de, Oberst; 1686 Starhemberg, Guido Gf., Oberst; 1688 Archinto, Conte de Tayna, Ludwig, GM.; 1693 Gschwind, Freih. v. Pöckstein, Johann Martin, FM.; 1721 Trautsohn, Johann Carl Gf., GM.; 1730 Fürstenbusch, Daniel Freih., FML.; 1739 Waldeck, Carl August Fürst, FM.; 1763 Macquire, Johann Sigmund Gf. v., FZM.; 1767 Hessen-Darmstadt, Ludwig Erbprinz, Oberst; 1774 Wallis, Olivier Remigius Gf., FML.; 1788 Brentano, Anton Freih., GM.; 1793 Wenckheim, Franz Freih., FML.; 1802 Herkules Rainald, Erzherzog, Herzog v. Modena, FM.; 1803 Maximilian, Erzherzog, FML.; 1807 Johann Nepomuk, Erzherzog, FZM.; 1809 Argenteau, Eugen Gf., FZM.; 1822 Herzogenberg, August Freih., FML.; 1834 Fleischer v. Eichenkranz, Ferdinand Freih., FML.; 1841 Khevenhüller-Metsch, Franz Gf., FZM.

(Zweite Inhaber waren: von 1802—1804 Bussy, Anton Gf., GM.; von 1804—1809 Argenteau, Eugen Gf., FZM.)

1867 Philippović v. Philippsberg, Joseph Freih., FZM.

Oberst u. Reg.-Comdt. Reicher, Joseph, MVK. (KD.) (des Generalstabs-Corps).

Oberstlieutenants.

Castella, Ludwig v., ÖLO-R., ÖEKO-R. 3. (KD.), MVK. (KD.), Res.-Cmdt.
Mosing, Franz v.

Majore.

Friess, Rudolph Ritt. v., MVK. (KD.).
Brosch, Alfred.
Wander, Robert.
Götting, Wilhelm.

Hauptleute 1. Classe.

Hladký, Franz.
Bux, Alois.
Nossek, Johann.
Krtek, Joseph.
Schirschant, Constantin, MVK. (KD.).
Hofmann, Carl.
Haueisen, Clemens.
Frodl, Julius.
Daudistel, Adolph.
Kussmann, Johann.
Muck, Andreas.
Exeli, Wenzel.
Czelechovsky, Rudolph (ü. c.) im mil.-geogr. Inst.
Dengler, Anton.

Hauptleute 2. Classe.

Mayer, Wilhelm (ü. c.) Lehrer an der Mil.-Akad. zu Wr.-Neustadt.
Böhm, Mauriz.
Strobl, Franz.
Ohrn, Ferdinand.
Fessel, Carl.
Vinzl, Rudolph, ○.
Funk, Wilhelm.
Loeschner, Emanuel.
Siebert, Eduard.
Peschke, Franz, ○ 1.
Rattay, Joseph, ○ 2.
Stanka, Julius.
Lehrl, Franz (ü. c.) im mil.-geogr. Inst.

Oberlieutenants.

Wolný, Johann.
Lešeticky, Joseph.
Stohl, Joseph.
Kreutzer, Wenzel.
Lang, Johann.
Herczik, Wenzel.
Filippini-Höffern, Otto (ü. c.) zug. dem Generalstabe.
Grimm, Hermann.
Hofmann, Vincenz.
Rauch, Johann.
Schumák, Rudolph.
Groth, Wilhelm (Erg.-Bez.-Off.).
Matěk, Wenzel.
Weiss, Alfred, ○ 2.
Radanovich, Emil.
Füszl, Ludwig (Res.).
Smetáček, Alphons.
Wladyka, August.
Felix, Wenzel.

Müller, Anton.
Krieglstein, Michael.
Wodwářka, Johann.
Schwamberger, Anton.

Lieutenants.

Krieglstein, Vincenz
Wartha, Johann
Fikeis, Wratislaw
Horner, Andreas
Anderlik, Otto
Mareš, Franz
Liebus, Johann
Prohaska, Gustav
Mayer, Gabriel
Wach, Joseph
Klein, Ignaz
(Res).
Schuster, Carl.
Hopfner, Friedrich (Res.).
Hubel, Anton.
Denk, Anton (Bat.-Adj.).
Bormann, Wilhelm (Bat.-Adj.).
Turinsky, Miloslav.
Killian, Robert (Res.).
Bayer, Georg (Reg.-Adj.).
Stitkowec, Franz (ü. c.) im mil.-geogr. Inst.
Jahnl, Hugo
Stross, Heinrich
Benedikt, Anton
Benda, Joseph
Benda, Wenzel
Seifert, Alexander
Mayer, Joseph
(Res.).
Grund, Anton (Res).
Hüttl, Johann (Bat.-Adj.).
Libeš, Franz.
Schmieg, Georg.
Kainer, Anton (Prov.-Off.).
Salz, Adalbert (Res.).
Gutwillig, Richard (Res.).
Landshut, Joseph.
Eisenhut, Franz (Bat. Adj.).
Hubel, Johann.
Wufka, Otto.
Stummer, August (Bat.-Adj.)
Teisinger, Joseph.
Sigmond, Robert
Rosenberg, Anton
Pascher, Heinrich
Krynes Wenzel
Haas Joseph
Zink, Alois
Rosenberg, August
Starck, Franz
Starck, Joseph
Maschek, Joseph
Knobloch, Carl
Telesch, Anton
(Res.).
Hausar, Joseph
Lieb, Joseph.
Wondráček, Joseph.
Meyer, Georg.
Černý, Mathias (Res.).
Schneider, Wilhelm.
Nossek, Johann.
Tugemann, Adolph.
Kryč, Mathias.
Haustein, Heinrich.

Cadeten.

Wořišek, Joseph (Off.-Stellv.), (Res.).
Bayer, Wenzel (Res.).
Weber, Joseph (Res.).
Frank, Anton (Res.)
Salzmann, Alois (Res.).
Höfner, Leopold
Roztozký, Victor
Stark, Valentin
Weber, Emanuel
(Off.-Stellv.).

Mil.-Aerzte.

Haala, Adalbert, Dr., Stabs-Arzt.
Amler, Franz, Dr., Reg.-Arzt 1. Cl.
Hlawáczek, Franz, Dr., Reg.-Arzt 2. Cl.
Janich, Wendelin, Dr., Oberarzt.
Tobolař, Augustin, Dr., Oberarzt.

Rechnungsführer.

Kříž, Joseph, Hptm. 1. Cl.
Maresch, Franz, Hptm. 1. Cl.

Egalisirung krebsroth (wie Nr. 20, 67 u. 71), Knöpfe gelb.

36.

Böhmisches Infanterie-Regiment.

Regiments-Stab: Prag.

Reserve- und Ergänzungs-Bezirks-Commando: *Jungbunzlau.*

1683 errichtet, Leslie, Jakob Gf., FM.; 1692 Liechtenstein, Philipp Erasmus Fürst zu, FML.; 1704 Regal, Maximilian Ludwig Gf., FZM.; 1718 Wallis, Franz Gf., FZM.; 1737 Browne, de Camus Ulysses Gf., FM.; 1757 Browne de Camus, Joseph Gf., GM.; 1759 Tillier, Johann Anton Freih., FML.; 1761 Kinsky, Ulrich Fürst, FM.; 1797 Fürstenberg, Carl Fürst, FML.; 1801 Kolowrat-Krakowsky, Carl Gf., FM.; 1817 Palombini, Joseph Friedrich Freih., FML.; 1850 Colloredo-Mannsfeld, Franz Fürst zu, FML.; 1852 Degenfeld-Schonburg, August Gf., FZM.

1876 Ziemięcki v. Ziemięcin, Hieronymus Freih., FZM.

Oberste.
- **Seine k. k. Hoheit Kronprinz Erzherzog Rudolph etc. etc.**, wie Seite 10.
- Mayer v. Monte arabico, Anton Ritt., ÖEKO-R. 3. (KD.). (ü. c.) Comdt. der 18. Inf.-Brig. zu Prag.
- Hotze, Friedrich ÖEKO-R. 3. (KD.), MVK. (KD.), Reg.-Comdt.
- Prevot, Carl, Res.-Comdt.

Oberstlieutenant.

Scheuch, Heinrich.

Majore.

Wolf, Thaddäus.
Lüftner, Carl.
Löbl, Eduard.
Wiktorin, Moriz.

Hauptleute 1. Classe.

Sehrig, Joseph (WG.).
Hälbig, Edmund Ritt. v.
Ballieux v. Guelfenberg, Emil.
Ploennies, Hermann Ritt. v., MVK. (KD.).
Menzinger, Moriz (ü. c.) Lehrer an der Mil.-Ober-Realschule.
Schrag, Alfred.
Wiesner, Joseph.
Stranik, Heinrich.
Heinrich, Heinr. (ü.c.), Lehrer an der Mil.-Unter-Realschule zu St. Pölten.
Hladký, Joseph.
Kuiwida, Leopold.
Krauss, Anton.
Czech, Hugo.
Kaftan, Maximilian.
Lode, Victor.
Gilio-Rimoldi nobile dalla Spada, Victor.
Canisius, Victor (ü. c.) beim R.-Kriegs-Mstm.
Petz v. Hohenrhode, Eduard Ritt.

Hauptleute 2. Classe.

Gürtler, Wenzel, MVK. (KD).
Grim, Rudolph.
Bidla, Johann.
Mannsbart, Alexander.
Nemanský, Joseph.
Mally, Emanuel (ü. c.) im mil.-geogr. Inst.
Massow, Wilhelm v.
Schlemüller, Wilhelm.
Benoist de Limonet, Carl (ü. c.) zug. dem Generalstabe.
Jahn, Jaromir (ü. c.) Lehrer an der Mil.-Ober-Realschule.
Prokop, Alois, MVK. (KD.).

Oberlieutenants.

Kabeláč, Gustav (WG.).
Cantor, Sigmund.
Ballasko, Wenzel.
Töpfer, Leopold.
Pauer, Johann.
Pastrnek, Ignaz.
Petz v. Hohenrhode, Joseph Ritt.
Blažić, Peter.
Kohlert, Eugen.
Hurth, Joseph.
Neudeck, Ludwig (ü. c.) Lehrer an der techn. Mil.-Akad.
Wlk, Florian (Reg.-Adj.).
Neuberg, Moriz Ritt. v.
Kokoschinegg, Heinrich. (ü. c.) im mil.-geogr. Inst.

Stiastný, August.
Dalmata v. Hideghét, Arthur
Krauss, Heinrich.
Arnold, Franz (Res.-Comdo.-Adj.).
Krsek, Joseph, ○ 1. (Prov.-Off.)
Penecke, Hugo (ü. c.) im mil.-geogr. Inst.
Böck, Joseph Freih. v.
Procházka, Gottfried Freih. v. (WG.).
Matura, Johann.
Pelant, Johann (Erg.-Bez.-Off.).
Ludwig, Johann.
Richter, Moriz Januarius (Res.).
Singer, Ignaz.

Lieutenants.

Lang, Gustav
Kruis, Carl
Bouček, Ottokar
Grünwald, Carl
Barton, Adolph
Kriesche, Wenzel
Guertner, Hermann
Schier, Joseph
Braungarten, Ferd.
Lerche, Franz.
Jantsch, Albert
Pietrzikowski, Friedrich.
(Lang … Pietrzikowski: Res.)
Pastrnek, Rudolph (Bat.-Adj.).
Wotzel, Anton (Res.).
Kučera, Carl (Res.).
Kabeš, Franz (Res.).
Erben, Leo.
Martin, Franz (Res.).
Kolarević, Stephan.
Frech, Ladislaus.
Brauner, Ferdinand (Bat.-Adj).
Herzig, Carl.
Koch, Franz.
Leitner, Richard (Res.).
Gülich, Franz (Res.).
Hraba, Joseph (Res.).
Glass, Johann.
Wanke, Carl (Res.).
Krahl, Franz (Bat.-Adj.).
Heiss, Carl.
Sixl, Peter.
Strohmer, Eduard (Bat.-Adj.).
Teuchert, Carl (Res.).
Mrázek, August.
Merbeller, Wilhelm.
Němeček, Franz.
Marcovich, Anton.
Vlk, Bohuslav.
Eckhardt v. Eckhardtsburg, Joseph (Bat.-Adj.).
Isak, Robert
Schubert, Friedrich
Hellich, Emanuel
Bischitzky, Alfred
Smetana, Emil
Stary, Johann
Nedobity, Friedrich
(Isak … Nedobity: Res.)
Němec, Heinrich.
Schuldes, Franz.
Sweerts-Spork, Gustav Gf.
Groh, Eugen.
Jitschinsky Otto.

Cadeten.

Roček, Wilhelm (Off.-Stellv.), (Res.).
Domačinović, Ferdinand (Off.-Stellv.).
Hodný, Joseph (Res.).
Puchta, Carl (Res.).
Kriesch, Conrad
Radl, Hermann
Kostka, Stanislaus
Schutterstein, Emil Edl. v.
Trsek, Eduard
Exner, Carl
Thiemer, Gustav
(Kriesch … Thiemer: Off.-Stellv.)

Mil.-Aerzte.

Kendjk, Franz, Dr., Stabs-Arzt.
Stranský, Joseph, Dr., Reg.-Arzt 1. Cl.
Emmer, Emanuel, Dr., Reg.-Arzt 2. Cl.
Mikolasch, David, Dr., Oberarzt.

Rechnungsführer.

Högg, Alois, Hptm. 1. Cl.
Wais, Mathias, Obrlt.

Egalisirung blassroth (wie Nr. 57, 65 u. 66), Knöpfe weiss

37.

Ungarisches Infanterie-Regiment.

Regiments-Stab: Serajevo.

Reserve- und Ergänzungs-Bezirks-Commando: *Grosswardein.*

1741 errichtet, Szirmay, Thomas, Oberst; 1747 Eszterházy de Galantha, Joseph Gf., FML.; 1762 Siskovics, Joseph Gf., FZM.; 1784 De Vins, Joseph Freih., FZM.; 1803 Auffenberg, Franz Freih., FML.; 1808 Auersperg, Franz Gf., FML.; 1808 Weidenfeld, Carl Philipp Freih., FML.; 1813 Máriássy de Markus- et Batis-Falva, Andreas Freih., FZM.; 1846 Michael, Grossfürst von Russland; 1850 Paskiewitsch, Iwan Fedorowitsch, Fürst von Warschau und Gf. v. Eriwan, FM *(Zweite Inhaber waren: von 1846—1854 Pfersmann v. Eichthal, Alois, FML.; von 1854 bis 1869 Mertens, Carl Freih. v., FZM.)*

1856 Joseph, Erzherzog, GdC.

Oberst u. Reg.-Comdt. Mühlwerth, Moriz v.

Oberstlieutenants.

Adžia, Joseph, Res.-Comdt.
Sedlmayr, Adolph.
Spinette, Wladimir Freih. v. (ü. c.); Flügel-Adj. Seiner Majestät des Kaisers und Königs.

Majore.

Urbaschek, Alfred.
Kämpf, Joseph.
Graas, Joseph.
Jaitner, Franz MVK.

Hauptleute 1. Classe.

Scotti, Philipp Freih. v.
Stieglitz, Gustav.
Rosenzweig v. Drauwehr, Ferdinand Freih., ÖEKO-R. 3. (KD.).
Planner, Victor Edl. v.
Szerdahelyi de Ag - Csernyö et Szerdahely, Julius.
Kupussarovich, Michael.
Csikós, Alois, MVK. (KD.).
Heissig, Carl (WG.).
Schreiner, Joseph.
Sprung, Adolph, MVK. (KD.).
Wittausch, Rudolph.
Schmitzhausen, Franz.
Nagy, Carl.
Blumauer, Eduard.
Pfersmann v. Eichthal, Johann.
Betz, Carl, MVK. (KD.).

Hauptleute 2. Classe.

Kuczka, Joseph.
Platzer, Carl.
Tronner, Alfred.
Churawy, Bruno.
Schadek, Oskar, MVK. (KD.).
Krmpotić, Georg.

Oberlieutenants.

Pauer v. Budahegy, Franz, MVK. (KD.).
Höcker, Wilhelm
Stipetić, Michael.
Odobasić, Athanasius.
Karrer, Carl, ÖEKO-R. 3. (KD.).
Bayer, Joseph.
Burda, Johann.
Wagner, Alois (Res.).
Blaschek, Joseph.
Schipek, Johann (Erg.-Bez.-Off.).
Szlávy de Okány, Ladislaus (Res.).
Zepeniág, Georg.
Keller, Joseph.
Trnka, Alfred (zug. dem R.-Kriegs-Mstm.).
Hauptmann, Ferdinand (WG.).
Weidl, Paul.
Jedynakiewicz, Wladislaw.
Wessely, Johann.
Tornay, Carl (Res.).
Brzesina v. Birkenhain, Julius Ritt. (ü. c.) im mil.-geogr. Inst.
Weczerek, Maximilian.
Halagić, Ljubomir.
Fábry v. Bártfa-Ujfalu, Stephan
Balog v. Mankobück, Carl
Vetsey, Stephan v., Dr.
Márkus, Stephan, MVK (KD.)
Hedri - Jelenik Edl v. Hedri und Csetnek, Ernst
Sztoczek, Nikolaus
} (Res.).
Gerhardt, Titus (Res.-Comdo.-Adj.)
Lausch, Carl.
Stojadinović, Peter.
Reisenbüchler, Stephan (Bat.-Adj.).
Klug, Otto (Res.).
Gratzl, Joseph, MVK. (KD.), (Bat.-Adj.).
Mrazovac, Elias (Bat.-Adj.).
Molinek, Johann.

Lieutenants.

Adler, Carl
Joob, Ludwig v.
Böszörményi, Géza v.
Payer, Albert
Rauchlechner, Theodor
Parall, Franz
} (Res.).

Krátký, Ernst.
Bonna, Johann (Res.)
Cindrić, Johann (Bat.-Adj.).
Schölzig, Carl.
Pokrajac, Peter.
Gerdanovits, Alexander (Res.).
Steiner, Ignaz (Res.).
Gedeon, Albert v. (Res.).
Rodler, Julius (Res.).
Marx, Franz (Reg.-Adj.).
Kotauschek, Heinrich.
Kirasić, Nikolaus (Bat.-Adj.).
Radanović, Basilius (Bat.-Adj.).
Sikić, Leopold.
Sebastian, Joseph (Prov.-Off.).

Stellwag v. Carion, Friedrich
Grünn, Rudolph
Weisz, Jakob
Martini, Carl
} (Res.).

Könczey, Joseph v.
Grünn, Oskar
Král, Franz
Gariup, Emil
} (Res.).

Unghváry de Nagy-Món, Otto.
Bussu, Carl.
Kuczera, Hugo (Bat.-Adj.).
Liszkay, Emerich (Res.).
Paulik, Joseph (Res.).
Humitza, Johann.
Meinschad, Hermann, MVK. (KD.).
Menzer, Hugo.
Büschu, Nikolaus.
Lukács, Alexander.
Peter, Johann (Res.).
Wenzel, Carl.
Fekete de Bélafalva, Nikolaus, MVK. (KD.).
Kašai, Franz.

Cadeten.

Dungl, Carl (Res.).

Vukdragović, Philipp
Crnko, Anton
Wacátka, Ladislaus
Vidulović, Alexander
Rendulić, Stephan
} (Off.-Stellv.).

Ištvanović, Nikolaus (Off.-Stellv.).
Szonda, Joseph (Res.).

Mil.-Aerzte.

Péchy de Péch-Ujfalu, Carl, Dr., Reg.-Arzt 1. Cl.
Frantz, Eduard, Dr., Reg.-Arzt 1. Cl.
Knöchel, Conrad, Dr., Reg.-Arzt 1. Cl.
Martin, Johann, Oberwundarzt, (zug. dem techn. u. adm. Mil.-Comité).
Gáspár, Alois, Oberwundarzt.

Rechnungsführer.

Gilnreiner, Leopold, Hptm. 1. Cl.
Huwer, Mathias, Hptm. 2. Cl.

Egalisirung scharlachroth (wie Nr. 39, 45 u. 80), Knöpfe gelb.

38.

Ungarisches Infanterie-Regiment.

Regiments-Stab: Wien.

Reserve-Regiments-Stab: Gračanica.

Ergänzungs-Bezirks-Commando: *Kecskemét.*

1725 errichtet; De Ligne, Claudius Fürst, FM.; 1766 Merode, Marquis V d'Ayase, Carl Gf., FZM.; 1774 Kaunitz-Rietberg, Franz Wenzel Gf., FML.; 1785 Württemberg, Ferdinand Herzog, FM; 1809 reducirt; — 1814 neu errichtet; 1815 Prohaska, Johann Freih. v., FML.; 1824 Haugwitz, Eugen Gf., FML.

1867 Mollinary v. Monte Pastello, Anton Freih., FZM.

Oberste. { Pittel, Heinrich Freiherr v., ÖLO-R. (KD.). MVK. (KD.), Reg.-Comdt.
Oberbacher, Anton, Res.-Reg.-Comdt.

Oberstlieutenant.

Šegerc, Rudolph, ÖEKO-R. 3. (KD.).

Majore.

Straner, Friedrich, ○ 2.
Dillmann v. Dillmont, Ferdinand, ÖEKO-R. 3. (KD.).
Rösler, Alois, MVK. (KD.).
Toifel, Carl.
Otto, Bruno, ÖEKO-R. 3. (KD.), MVK. (KD.).
Dreyhaupt, August.

Hauptleute 1. Classe.

Schramm, Wilhelm.
Přidalek, Franz, ÖEKO-R. 3. (KD.).
Kukowetz, Franz MVK. (KD.).
Lenz, Adolph.
Egger, Carl.
Zierler, Friedrich.
Knezević, Basilius.
Keraus, Anton MVK. (KD.).
Armandola, Carl.
Puteani, Claudius Freih. v., ♆.
Ostermann, Carl, MVK. (KD.).
Schaefler, Wilhelm, MVK.
Polivka v. Treuensee, Theodor Ritt.

Hauptleute 2. Classe.

Hollaky de Kis-Halmágy, Zoltán.
Waly, Joseph.
Strasser Edl. v Obenheimer, Ludwig.
Ekert, Carl.
Claricini, Hermann, nobile de.
Kupsa, Victor (ü. c.) Lehrer an der techn. Mil.-Akad.
Korbarz, Johann.
Soja, Julius, MVK. (KD.).
Richter, Ladislaus, MVK. (KD.), ○ 1.
Kiesewetter Edl. v. Wiesenbrunn, Wilhelm, MVK. (KD.).
Heilmann, Eduard (ü. c.) bei der Grundbuchs-Anlegung.
Bernath, Alphons, MVK. (KD.).

Oberlieutenants.

Grimm, Heinrich.
Buniotti, Franz.
Bibus, Alfred.
Hudeček, Franz.
Krebs, Hieronymus.
Strnad, Joseph.
Dittrich, Gustav.
Brillmaier, Anton.
Satleder, Friedrich.
Czögler, Georg. ÖEKO-R. 3. (KD.), MVK. (KD.), (Reg.-Adj.).
Brandstätter, Joseph.
Belloberg, Balthasar (Prov.-Off.).
Winter, Georg (Res.).
Winter, Hugo.
Endler, Theodor.
Smolaři, Robert.
Wachter, Wilhelm (ü. c.) Prov.-Off. bei der XX. Inf.-Trup.-Div.
Hartmann, Wilhelm, ÖEKO-R. 3. (KD.).
Schmidt, Paul Edl. v.
Reinbold, Eugen, MVK. (KD.).
Lassmann, Friedrich (Bat.-Adj.).
Bock, Rudolph (ü. c.) im mil.-geogr. Inst.
Trika, Georg (ü. c.) im mil.-geogr. Inst.
Marton v. Berethe, Hugo (Erg.-Bez.-Off.).
Schönfeldt, August, MVK. (KD.), (Bat.-Adj.).
Hartlieb v. Walthor, Moriz Freih., MVK (KD.).
Hanke, Theodor (Res.-Reg.-Adj.).

Czimpoka, Michael (ü. c.) im mil.-geogr. Inst.
Platzer, Theodor (Bat.-Adj.).
Preyer, Carl (ü. c.) zug. dem Generalstabe.
Pokorný, Heinrich (Res.).
Kovacs, Isaak (Res.).
Feneschan, Johann.
Maximov, Johann.
Vogl, Anton (Bat.-Adj.).

Lieutenants.

Meczner, Adalbert v.
Widder, Moriz (Res.).
Präuer, Hugo, MVK. (KD.) (Res.).
Sauska, Eugen (Res.).
Olsawszky, Eugen (Res.).
Mauks, Julius (Res.).
Wimmer, Anton (Res.).
Melczer, Ludwig (Res.).
Gürtl, Alois.
Gluvakow, Constantin.
Weldin, Joseph (Res.).
Martini, Wilhelm (Res.).
Ferch, Edmund MVK. (KD.) (Res.).
Sarfy, Guido (Res.).
Gschwindt v. Györi, Georg (Res.).
Kosanović, Johann.
Geyso, Moriz Freih. v.
Mecsery, Carl v.
Schreiber, Friedrich (Res.).
Holt, Ernst (Res.).
Baintner, Hugo (Res.).
Liszkai, Joseph, MVK. (KD.).
Szabo, Alexius (Bat.-Adj.).
Platzer, Guido Ritt. v.
Wieser, Paul.
Ernuszt, Géza (Res.).
Trausch v. Trauschenfels, Friedrich.
Somody, Emil.
Curry, Franz.
Engel, Adolph (Res.).
Rozsavölgyi, Emanuel (Res.).
Rizy, Carl (Res.).
Kunz, Gustav (Res.).
Butschek, Albert.
Hodowal, Joseph.
Guttmann, Moriz (Res.).
Tomcsányi, Maximilian (Res.).
Sulyok, Árpád (Res.).
Reisenauer, Ernst (Res.).
Lassner, Gustav (Res.).
Berger, Moriz (Res.).
Telbiss, Carl (Res.).
Zawirka, Johann (Res.).
Rubner, Carl (Res.).
Marschovsky, Julius (Res.).
Gollner, Ernst (Res.).
Schmitson, Arthur (Res.).
Skrobanek, Johann (Res.).
Czeitler, Adalbert (Res.).
Janauschek, Anton (Res.).
Magyar, Casimir (Res.).
Grabner, Ernst (Res.).
Linsberger, Andreas (Res.).
Schreitter v. Schwarzenfeld, Ludwig Ritt. (Res.).
Philippović, Alois.
Benárd v. Szilágyi, Eugen (Bat.-Adj.).
Šiak, Emil.
Gál, Ferdinand.
Endre, Alexander.
Meduna v. Riedburg, Adolph Ritt.
Czihlař, Johann.
Werner, Anton.
Lackenbacher, Carl.

Cadeten.

Argay, Johann (Res.).
Burian, Ludwig.
Galović, Ignaz.
Komarek, Johann.
Radojević, Wladimir.
Lorenz, Friedrich.
Löwinger, Carl (Res.).
Reich, Emanuel (Res.).
Nouvier, Johann (Res.).
Weiss, Isidor (Res.).
Klein, Samuel (Res.).
Kelecsny, Zador (Res.).
Sarfy, Julius (Res.).

Mil.-Aerzte.

Urbanek, Franz, Dr., Reg.-Arzt 1. Cl.
Lukas, Lorenz, Dr., Reg.-Arzt 1. Cl.
Galambos, Sigmund, Dr., Reg.-Arzt 2. Cl.
Swoboda, Carl, Dr., Reg.-Arzt 2 Cl.
Kubin, Carl, Dr., Reg.-Arzt 2. Cl.
Wotschinka, Joseph, Unterarzt.

Rechnungsführer.

Krusbersky, Peter, Hptm. 1. Cl.
Dublowski, Sigmund, Hptm. 2. Cl.
Slach, Joseph, Oberlt.
Karabely, Joseph, Lieut.

Egalisirung schwarz (wie Nr. 14, 26 u. 58), Knöpfe weiss.

39.

Ungarisches Infanterie-Regiment.

Regiments-Stab: Djakovar.

Reserve- und Ergänzungs-Bezirks-Commando : *Debreczin.*

1756 errichtet, Pálffy v. Erdöd, Johann Gf., Oberst; 1758 Preysach, Jakob v., FZM.; 1787 Nádasdy, Thomas Gf., FML.; 1803 Duka, Peter Freih. v, FZM.; 1827—1866 Dom Miguel, Herzog von Braganza, Infant von Portugal. 1866—1872 Habermann v. Habersfeld Joseph Freih. FML

(Zweite Inhaber waren: von 1827—1844 Csollich, Marcus Freih. v., FZM.; von 1844—1849 Blagoevich. Emerich Freih. v., FML.; von 1849—1864 Schulzig, Franz Freih. v., FML.; von 1864—1866, dann 1872 Habermann v. Habersfeld, Joseph Freih., FML.)

1872 Alexis, Grossfürst von Russland.

Zweiter Inhaber.

Habermann v. Habersfeld, Joseph Freih., FML. (1872).

Oberst u. Reg.-Comdt. Hilgers v. Hilgersberg Wilhelm, MVK. (KD.).

Oberstlieutenants.

Mihalótzky, Julius v, Res.-Comdt.
Ogrodowicz, Edmund, ÖEKO-R. 3 (KD.), MVK. (KD.).

Majore.

Assenmacher, Friedrich.
Görbitz, Paul.
Kraus, Sigmund.

Hauptleute 1. Classe.

Thanböck, Julius.
Springer, Joseph.
Müller, Adolph.
Várhegyi, Rudolph v.
Antal, Joachim MVK. (KD.).
Láner, Victor ÖEKO-R. 3. (KD.).
Mayer, Ferdinand.
Boros de Pápi et Miskolcz, Victor.
Neumayer, Joseph.
Vladár, Gabriel.
Sperber, Joseph.
Navratil, Ludwig.
Zaiączkowski de Zaręba, Casimir Ritt. (ü. c.) Lehrer an der Mil.-Akad. zu Wr.-Neustadt.
Kunkel, Carl.
Pflügl, Emil Edl. v.. MVK (KD.).

Hauptleute 2. Classe.

Zoretich, Ludwig
Geiszberg, Camillo.
Woinovich, Georg.
Häring Edl. v. Amwall, Eugen (ü. c.) beim R.-Kriegs-Mstm.
Tretter, Michael, ÖEKO-R. 3. (KD.).
Mühlbauer, Hugo.
Schatzl, Johann.
Herczeg, Hermann, MVK. (KD.).
Conradt, Carl, ○ 2.
Hann, Hugo.
Schwarzleitner, Arthur (ü. c.) Lehrer an der Mil.-Unter-Realschule zu St. Pölten.
Reng, Anton.

Oberlieutenants.

Pecha, Anton (Res.).
Loy v. Leichenfeld, Alois.
Horn v. Slepowron, Carl, MVK. (KD.).
Császky de Keresztszeg et Adorjan, Alexander, Gf.
Zillich, Carl.
Pönisch, Heinrich (WG.).
Zeiller, Eduard.
Jovanović, Stephan.
Köszeghy, Johann v.
Gerenday, Theodor v., MVK. (KD.).
Müller, Joseph.
Jovanović, Nikolaus (Reg.-Adj.).
Radetzky, Ladislaus.
Lebon-Bachem, Lambert.

Zeiterer, Joseph.
Chalaupka, Franz.
Romsauer, Johann (Res.).
Rosenzweig v. Drauwehr, Coloman Freih. MVK. (KD.).
Czedziwoda, Carl.
Martinidesz, Edmund v. (Res.).
Walter v. Waltersberg, Arthur.
Reisser, Adolph (Res.).
Knapp, Theodor v. (Res.).
Bajcsy de Geczelfalva, Ludwig (Erg.-Bez.-Off.).
Vogel, Simon.
Peer, Anton (Prov.-Off.).
Tamássy, Géza (Res.).
Kéler, Ladislaus. MVK. (KD.), (Bat.-Adj.).
Gidró. Stephan (Res.-Comdo.-Adj.).
Weiser, Johann.

Lieutenants.

Vajdafy, Richard
Csanády, Béla v.
Csóka, Joseph
Theisz, Johann
Swatosch, Thomas
Szép, Ludwig
Hettinger, Anton
Falk, Ludwig
Ungvári, Andreas
Nánásy, Ludwig v.
Küffer, Julius
Boczkó, Samuel
Goedicke, Eduard
Kardos, Nikolaus
Fisch, Moriz
Schönberger, Samuel } (Res.)
Knapp, Zoltán v.
Busia, Franz (Bat.-Adj.).
Alt, Alois.
Szikszay, Béla (Res.).
Somossy, Béla (Res.).
Márton, Emerich (Res.).
Zeiterer, Carl.
Olbert, Ferdinand.
Maretich v. Riv-Alpon, Lothar Freih., MVK. (KD.).
Blöckinger, Andreas.
Fekete de Bélafalva, Johann (Res.).
Áron, Eugen (Res.).
Friedl, Norbert.
Csáky de Keresztszeg et Adorján, Hilarius Gf. (Res.).
Hoffmann, Albert (Bat.-Adj.).
Dienstbuber, Julius (Res.).
Mihailović, Johann.
Zorčić, Thomas.
Pliwa, Ernst
Kaluschke, Hugo
Paumgartten, Heinrich v.
Fisch, Ignaz
Sander, Albert
Kávás, Anton
Hampel, Julius } (Res.)
Petöcz, Lazar v.
Radoiković, Ljubomir (Bat.-Adj.).
Knapp, Carl (Bat.-Adj.).
Höberth, Carl (Res.).
Schafarzik, Franz, MVK. (KD.)
Walter, Carl
Fischer, Joseph
Szabó, Nikolaus
Schütze, Otto } (Res.)
Herschkowitz, Israel, MVK. (KD.).
Stepski, Oskar Ritt. v.
Kellek, Carl.
Kokanović, Johann.
Delić, Michael.
Schumanka, Nikolaus.
Passini, Liborius.
Geml, Ignaz.
Csanak, Joseph (Res.).
Kobylinski, Stanislaus Ritt. v.
Göpfert v. Altburg, Stephan.
Joković, Georg.
Ballon, Joseph.
Spányik, Emil v.

Cadeten.

Curry, Adolph (Res.)
Hoff, Johann
Budimlin, Velistav
Jurak, Milan
Muić, Anton
Dorninger, Franz } (Off.-Stellv.)

Mil. - Aerzte.

Kornauth, Johann, Dr., Stabsarzt.
Brutmann, Alois, Dr., Reg.-Arzt 2 Cl.
Sterger, Gustav, Dr., Reg.-arzt 2. Cl.
Červinka, Wladimir, Dr., Oberarzt.
Syrowy, Joseph, Oberwundarzt.

Rechnungsführer.

Werner, Gustav, Hptm. 1. Cl.
Glasner, Johann, Obrlt.
Popović, Maximilian, Lieut.

Egalisirung scharlachroth (wie Nr. 37, 45 u. 80), Knöpfe weiss.

40.

Galizisches Infanterie-Regiment.

Regiments-Stab: Krakau.

Reserve- und Ergänzungs-Bezirks-Commando: *Rzeszów.*

1734 errichtet, Damnitz, Wolfgang Sigmund Freih. v., FM.: 1754 Colloredo, Carl Gf., FML.; 1786 Mittrowsky, Joseph Gf., FZM.: 1809 Württemberg. Ferdinand Herzog. FM.: 1834 Koudelka, Joseph Freih. v., FML.; 1850 Rossbach, Heinrich Freih. v., FZM; 1867 Rupprecht v. Virtsolog. Heinrich, FML.

1878 Auersperg, Gottfried Gf., FML.

Oberste. Büchel Edl. v. Adlersklau, Franz, Reg.-Comdt.
Christian, Wenzel, MVK. (KD.), Res.-Comdt.

Oberstlieutenant.

Smalawski, Eduard Ritt. v., MVK. (KD.).

Majore.

Bozziano, Eduard, MVK. (KD.).
Fassel, Hugo.
Gnirs, Carl.
Pstross, Emanuel.

Hauptleute 1. Classe.

Gawin-Niesiołowski de Niesiołowice, Victor, MVK. (KD.).
Nowak, Maximilian.
Schubert, Johann (WG.).
Soika, Raphael (ü. c.) prov. Gerichts-Beisitzer beim Gerichtshofe zu Ogulin.
Celle, Johann.
Hartmann, Wenzel.
Lenartowicz, Marcell.
Wiszniewski v. Zwarzyło, Stanislaus Ritt.
Hauser, Adolph.
Rabel, Oswald.
Fritsch, Wilhelm.
Schroft, Stephan.
Ziegel, Joseph.
Kurowski, Leo Ritt v.
Heinz, Moriz.
Unczowski, Romulus.
Kohn, Leopold.
Hild, Julius.

Hauptleute 2. Classe.

Gönitz, Eduard (ü. c.) beim R.-Kriegs-Mstm.
Loidin, Jakob.
Czaykowski v. Berynda, Alexander Ritt., MVK. (KD.).
Saar, Rudolph v.
Strial, Franz, ÖFJO-R.
Wlassack, Ludwig.
Laube, Alois (ü. c.) Lehrer an der Mil.-Akad. zu Wr.-Neustadt.

Oberlieutenants.

Radda, Franz.
Rychlicki, Miecislaus Ritt. v.
Ulrich, Joseph.
Doncević, Carl.
Mzik, Johann (zug. dem R.-Kriegs-Mstm.).
Stanslicki, Joseph.
Dorossullić, Joseph.
Jilić, Mladen (Reg.-Adj.).
Kutrzeba, Thomas.
Boičetta, Wladimir.
Wenninger, Johann.
Stanić, Ladislaus.
Peschka, Eugen.
Urbania, Joseph.
Niedzwiedzki, Basil.
Nowakowski, Erasmus (Erg.-Bez.-Off.).
Planner, Alois.
Fabrick, Franz (Bat.-Adj.)
Schreier, Friedrich (Prov.-Off.).
Vuković, Peter (Bat.-Adj.).
Schmidt, Victor.
Korwin, Eugen v.
Kotula, Emil (Res.-Comdo.-Adj.).
Ondra, Florian (Bat.-Adj.)
Chraca, Johann.
Ziemba, Michael (Bat.-Adj.).

Lieutenants.

Jahn, Raimund (Res.).
Ledl, Carl (Res.).
Schmid, Joseph (Res.).
Haubner, Jakob (Res.).
Moskwa, Roman (Res.).

Mańkowski, Wladimir Ritt. v.
Michejda, Johann
Dundaczek, Raimund
Šoustal, Johann
Schön, Heinrich
Jahl, Ladislaus
Nawrocki, Jakob
Serschen, Richard
Sawicki, Miecislaus Ritt. v.
(Res.).
Drobner, Ladislaus (Res.).
Doliński, Roman (Res.).
Kasal, Leonhard.
Spaček, Franz.
Stawski, Joseph (Res.).
Fangor, Sigmund (Bat.-Adj.).
Janczyk, Stephan.
Klenk, Adolph.
Spitzberg, Wilhelm.
Maliborski, Johann.
Lahowicz, Bronislav (Res.).
Gedl, Eduard (Res.).
Sobolewski, Felician (Res.).
Grubić, Simon.
Vujaklia, Peter.
Seliger, Alois
Nowicki, Leon
Fischer v. Fischering, Alfred
Stradiot, Zdislaus
Kozaurek, Julius
(Res.).
Bauer, Michael
Harth, Joseph
Ramult, Balduin Ritt. v.
Dzieduszycki, Franz Gf.
(Res.).
Krzywonos, Wenzel.
Pawlas, Carl.
Konarski, Franz
Dziedzicki, Leon
Bauer, Franz
Gottlieb, Johann
Hlavaček, Alois
Parfiński, Johann
Zenk, Arthur
Staudacher, Ferdinand
Grünhut, Ludwig
Solecki, Leo
(Res.).
Danielewicz, Anton.
Zwach, Franz.
Hochmann, Sebastian.
Faber, Joseph.
Křížek, Anton (Res.).
Rössler, Ludwig Edl. v.
Winkler, Maximilian.

Cadeten.

Schmidt, Gustav (Res.).
Gołab, Franz (Res.).
Trojan, Joseph (Res.).
Bannert, Adam (Off.-Stellv.).
Saural, Ferd. (Off.-Stellv.).
Erber, Carl (Off.-Stellv.).
Gálotzý, Stanisl. (Off.-Stellv.).
Pichl, Carl (Off.-Stellv.).
Fleischmann, August (Off.-Stellv.).

Mil.-Aerzte.

Kotab, Franz, Dr., GVK. m. Kr., Reg.-Arzt 1. Cl.
Žitko, Ignaz, Dr., Reg.-Arzt 1. Cl.
Kröner, Franz, Dr., Reg.-Arzt 2. Cl.
Sekanina, Johann, Dr., Oberarzt.
Schlesinger, Bernhard, Oberwundarzt.

Rechnungsführer.

Riezberger, Joseph, Hptm. 1. Cl.
Merkl, Heinrich, Obrlt.
Słabkowski, Joseph, Lieut.

Egalisirung lichtblau (wie Nr. 29, 72 u. 75), Knöpfe gelb.

41.

Bukowina'sches Infanterie-Regiment.

Regiments-Stab: Sarajevo.

Reserve- und Ergänzungs-Bezirks-Commando: *Czernowitz.*

1701 errichtet, Bayreuth, Christian Ernst Markgraf, FM.: 1704 Bayreuth, Georg Wilhelm Prinz, (1712 Markgraf), FM.; 1727 Bayreuth, Wilhelm Ernst Markgraf., Oberst; 1734 Bayreuth, Friedrich Markgraf, FZM.; 1765 Plunquet, Thomas Gf., FML.; 1770 Fürstenberg, Joseph Wenzel Fürst, GM.; 1777 Belgiojoso, Ludwig Carl Barbiano Gf., GM.; 1778 Bender, Blasius Columbus Freih., FM.; 1803 Württemberg, Wilhelm Friedrich Erbprinz, (1803 Churprinz), GM., 1805 Sachsen-Hildburgshausen, Friedrich Herzog, FML.; 1808 Kottulinsky, Friedrich Freih., FML.: 1815 Hohenlohe-Bartenstein, Ludwig Fürst, FZM.; 1817 Marschal v. Perclat, Ignaz Peter Freih., FML.; 1823 Watlet, Wenzel Freih. v., FML.; 1841 Sivkovich, Johann Freih. v., FML.

1857 Kellner v. Köllenstein, Friedrich Freih., FZM.

Oberste.
- Lipowsky v. Lipowitz, Joseph Ritt., ÖLO-R. (KD.), MVK. (KD.), Reg.-Comdt.
- Tilemann, genannt Schenk, Franz v., Res.-Comdt.

Oberstlieutenant.

Kraumann, Joseph, MVK. (KD.).

Majore.

Grimm, Adalbert, ÖEKO-R. 3. (KD.).
Jorkasch-Koch, Joseph, ÖEKO-R. 3. (KD.).
Schnayder, Ladislaus.
Keil, Vincenz.

Hauptleute 1. Classe.

Werdan, Dominik, MVK. (KD.).
Schmidt, Andreas.
Ulrich, Adolph.
Cordier v. Löwenhaupt, Jos.
Fedra, Johann.
Mastny, Leopold, ÖEKO-R. 3. (KD.).
Odolski, Adolph.
Glass, Johann (WG.).
Kopertynski, Wilhelm.
Harasiewicz, Anton.
Serwatky, Anton.
Gotthard, Carl.
Wottawa, Rudolph.
Czerwenka, Heinrich.
Wittek, Wenzel.

Hauptleute 2. Classe.

Güttler, Anton.
Neudecker, Albert.
Peschel, Thomas.
Kolarz, Eduard.
Madjerić, Balthasar.
Rzepecki, Quirinus.
Domaschnian, Constantin, MVK. (KD.).
Hilbert, Ferdinand.
Čavčić, Emerich.
Wunderer, Ferdinand

Oberlieutenants.

Morawitz, Rudolph (ü. c.) zug. dem Generalstabe.
Zieliński, Carl, ○ 2.
Konstantinowicz-Grekul, Themistokles Ritt. v.
Duffek, Franz.
Czerniawski, Arcadius.
Gottfried, Eduard.
Pistel, Hugo.
Römer, Adolph (Res.).
Stefanowicz, Caj. (Prov.-Off.).
Dulinski, Peter.
Czerwenka, Leopold.
Hubrich, Otto.
Schädl, Anton, MVK. (KD.).
Doležel, Franz.
Szulakiewicz, Franz, MVK. (KD.), (Reg.-Adj.).
Tylkowski, Theophil.
Matiaske, August.
Komarnicki, Wladimir (Res.).
Formanek, Jaromir.
Wodziczko, Eduard.
Kubeček, Joseph.
Pecchio v. Weitenfeld, Adolph Ritt.
Dajewski, Miecislaus Ritt. v. (Res.).
Cikaliak, Elias.

Lieutenants.

Hołodyński, Anton
Kasprzycki, Apollinar
Elias, Gustav
Elias, Carl
Gretz, Leopold
Wunderlich, Julius
Bayer, Franz, Dr.
Brecher, Ignaz, Dr.
Czerwenka, Carl
Hammer, Arthur

(Res.).

Kador, Johann (Res.).
Lieopold, Alfred (Res.).
Jurowicz, Heinrich (Res).
Bereznicki, Julian.
Zakrzewski, Stanislaus (Bat.-Adj.).
Schuster, Anton (Erg.-Bez.-Off.).
Stankiewicz v. Mogiła, Hippolyt Ritt. (Res.-Comdo.-Adj.).
Rischka, Alexander.
Worobkiewicz, Victor.
Jeremiewicz, Johann, Burski, Anton, Brzozowski, Eduard, Ullreich, Adolph, Lugert, Adolph, Kozak, Cornelius, Obengruber, Johann (Res.).
Janosz, Minodor v.
Dubniański, Theodor.
Baumann, Franz, MVK. (KD.), (Bat.-Adj.).
Lavrič, Johann.
Krześniowski, Carl (Res.).
Fleminger, Friedrich (Res.).
Andronik, Maximilian (Res.).
Tittinger, Carl (Res.).
Schubert, Joseph (WG.).
Tomkiewicz, Hippolyt.
Dimitrievič, Paul.
Gribowski, Theodor, Hopp, Ferdinand, Allerhand, Joseph, Zybaczynski, Joseph, Mayer, Johann, Koczynski, Ladislaus, Mehoffer, Nikolaus Edl v. (Res.).
Edelstein, Leon (Res.).
Dąbrowski, Sigmund (Bat.-Adj.).
Hlauschke, Joseph.
Weber, Adolph.
Paliczka, Elias.
Hauser, Philipp.
Petelenz, Leonhard (Bat.-Adj.).
Csadek, Franz.
Prochaska, Romuald.
Silberbusch, Salomon (Res.).
Remde, Ernst.
Kossowicz, Constantin, MVK. (KD.), (Res.).
Gross le Maiere v. Kleingrünberg, Emil Ritt.
Holoubek, Albin, MVK. (KD.).
Peltsarszky, Emil.
Droste, Alexander, MVK. (KD.).
Gebauer, Rudolph.
Hoffmann, Johann.
Cipser, Zeno.
Jurkiewicz, Marcell
Le Gay Edl. v. Lierfels, Victor.
Droste, Carl.
Witkowski, Carl.
Rakowski, Ladislaus.

Cadeten.

St. Paul, Adalbert de (Off.-Stellv.), (Res.).
Kelar, Georg (Off.-Stellv.), (Res.).
Wagner, Julius (Off.-Stellv.).
Illika, Pantaleon.
German, Johann, Engel, Franz, Sieczyński, Leo (Off.-Stellv.).
Zachariasiewicz, Joseph.
Lorber, Anton (Off.-Stellv.), Mohr, Johann, Riedt, Joseph, Jellinek, Ernst (Off.-Stellv.), Czeisberger, Ernst (Off.-Stellv.), Sachs, Sigmund, Olinski, Theophil, Turturian, Anfilochius (Res.).

Mil.-Aerzte.

Korak, Franz, Dr., Reg.-Arzt 1. Cl.
Jaeggle, Franz, Dr., GVK. m. Kr., Reg.-Arzt 2. Cl.
Kowalski, Heinrich, Dr., Oberarzt.
Czerwenka, Franz, Dr., Oberarzt.
Kiener, Georg, Oberwundarzt.

Rechnungsführer.

Tögl, Carl, Obrlt.
Schmullers, Anton, Lieut.
Ully, Ignaz, Lieut.

Egalisirung schwefelgelb, (wie Nr. 16), Knöpfe weiss.

42.

Böhmisches Infanterie-Regiment.

Regiments-Stab, Reserve- und Ergänzungs-Bezirks-Commando: Theresienstadt.

1685 als Würzburgisches Regiment in kaiserl. Dienste übernommen; Thüngen, Hans Carl v., FZM.: 1694 Thavonat, Leopold Freih. v., Oberst; 1694 Guttenstein, Wenzel Gf., FML.; 1707 Wetzel, Johann Adam Freih. v., FZM.; 1720 Bettendorf, Philipp Ludwig Freih. v., FML.; 1734 O'Nelly, Alexander Gf., FZM.; 1743 Gaisruck, Sigmund Friedrich Gf., FM.; 1769 Gemmingen, Reinhard Freih., FML.; 1775 Mathesen, Andreas Freih., FZM.; 1793 Erbach, Carl Eugen Gf., FZM.; 1815 Wellington, Arthur Herzog, FM; 1852 Georg V., Kögig von Hanover.

(Zweite Inhaber waren: von 1824—1830 Weigl v. Lowenwart, Joseph Freih., FML.; von 1830—1833 Stanissavljevics v. Wellenstreit, Aron Freih., FML.; von 1834—1846 Mesemacre, Vicomte de Lardenois de Ville. Joseph de, FML.; von 1847—1850 Wezlar v. Plankenstern, Heinrich Freih., FML.; von 1850—1854 Karaisl v. Karais, Carl Freih., FML.; von 1854—1878 Dreihann v. Sulzberg am Steinhof, Ignaz Freih., FZM).

(Darf wegen besonderer Auszeichnung in der Schlacht von Deutsch-Wagram, am 6. Juli 1809, in allen Gelegenheiten den Grenadier-Marsch schlagen.)

Inhaber.

(Vacat.)

Oberste.
- **Seine königl. Hoheit Ernst August, Herzog von Cumberland und zu Braunschweig-Lüneburg, ✠ etc.**
- Lempruch, Anton Freih. v., ÖEKO-R. 3., (KD.), Reg.-Comdt.
- Baselli v. Süssenberg, Peter Freih., ÖEKO-R. 3. (KD.), MVK. (KD.), Res.-Comdt.

Oberstlieutenant.

Vergeiner, Joseph, MVK.

Majore.

Weiss, Gustav Ritt. v., ÖEKO-R. 3. (KD.), MVK. (KD.).
Wünsche, Heinrich.
Anderwert, Joseph.
Kostellezky, Ferdinand.

Hauptleute 1. Classe.

Stopfer, Franz.
Benesch, Willibald.
Schmid, Vincenz.
Schönlin, Maximilian v.
Lang, Eduard.
Hartmann, Raimund (WG.).
Hobe, Roland.
Adam, Albrecht (ü. c.) Lehrer an der Mil.-Akad. zu Wr.-Neustadt.
Hähling v. Lanzenauer, Gust.
Czernin, Moriz.
Nauheimer, Franz.
Meyer, Otto.
Debich, Franz.
Ennser, Peter, ○ 2.
Zeischke, Franz.

Hauptleute 2. Classe.

Nowak, Rudolph.
Margoni, Joseph.
Rieth, Rudolph (ü. c.) Lehrer an der techn. Mil.-Akad.
Newes, Johann.
Vogl, Wilhelm (ü. c.) beim Mil.-Comdo. zu Triest.
Müller, Gustav.
Braun, August, MVK. (KD.).
Döller, Joseph.
Pidoll v. Quintenbach, Franz Freih.
Pazalt Edl. v. Adelschwung, Eduard.
Goldmayr, Carl.

Oberlieutenants.

Walter, Carl (Prov.-Off.).
Pfeiffer, Ferd., MVK. (KD.).
Reigersberg, Ludwig Gf. v.
Hacker, Anton.
Junck, Ignaz.
Blesnowic, Franz.
Martinet, Gustav (WG.).
Crull, Hermann (WG.).
Kleinpeter, Carl.
Arenstorff, Georg Ritt. v.
Püschel, Jos. (Erg.-Bez.-Off.).
Rollinger, Johann (WG.).

Pototschnigg, Carl.
Kramer, Heinrich, ○ 2. (Res.).
Müller, Anton.
Brockdorff, Herald Freih. v.
Mayerhofer Edl. v. Grünbühl, Ferdinand (ü. c.) zug. dem Generalstabe.
Drtina, Joh. (ü c.) Lehrer an der Mil.-Ober-Realschule.
Fontaine v. Felsenbrunn, Victor.
Wagner, Adolph (ü. c) zug. dem Generalstabe.
Budinszky, August.
Siegel, Eduard.
Plahl, Joseph (Reg.-Adj.).
Mayrhofer, Franz (Res.-Comdo.-Adj.).
Garger, Gustav.
Fontaine v. Felsenbrunn, Carl (Bat.-Adj).
Siegel, Jaroslav (Bat.-Adj.).

Lieutenants.

Kheres, Hugo (Res.).
Elsinger, Friedrich (Res.).
Schmidt, Heinrich (Res.).
Braulick, Carl Ritt. v., Dr. (Res.).
Esche, Joseph (Res.).
Finger, Julius (Res.).
Weckebrod, Joseph (Res.).
Trentinaglia v. Telvenberg, Franz Ritt.
Schrottwieser. Johann (Bat.-Adj.).
Büchner, Ernst (Res.).
Diessl, Anton (Res.).
Hielle, Joseph (Bat.-Adj.).
Keizl, Peter.
Fohr, Roman.
Steinitz, Joseph (Res.).
Schöffel, Franz.
Schatzl v. Mühlfort, Eduard. (Bat.-Adj.).
Ringl, Franz.
Blumencron, Carl Ritt. v.
Lorz, Johann (Res.).
Ertl, Ferdinand (Res.).
Heidrich, Robert.
Weckbecker, Rudolph Ritt. v.
Hubl, Alfred.
Gatterer, Alois.
Loos, Joseph (Res.).
Piwonka, Johann Ritt. v.
Buhl, Eduard.
Fischer, Joseph (Res.).
Gauba, Franz (Res.).
Bräunl, Wenzel (Res.).
Behrbalk, Carl (Res.).
Pergner, Wenzel (Res.).
Schiess, Carl.
Görgl, Adolph.
Haan, Maximilian Freih. v.
Schneider, Heinrich (Res.).
Wohl, Wilhelm.
Weigl, Joseph (Res.).
Süssner, Franz (Res.).
Zahn, Franz (Res.).
Süssner, Thomas (Res.).
Bergmann, Carl (Res.).
Ambrosi, Heinrich (Res.).
Waagner, Heinrich (Res.).
Müller, Carl (Res.).
Köhler, Hermann (Res.).
Peyer, Florian.
Löscher, Adolph.
Pfeiffer, Julius.
Svoboda, Franz.
Kuderna, Alexander.
Sieber, Johann (Res.).
Uiblagger, Maximilian Ritt. v. (Res.).
Peissig, Wenzel (Res.).

Cadeten.

Weitlof, August (Off.-Stellv.) (Res.).
Trinks, Emil (Res.).
Nestler, Anton (Res.).
Vesely, Anton (Res.).
Pietsch, Franz (Res.).
Stadler v. Wolffersgrün, Emil (Res.).
Liehmann, Wenzel.
Müller, Joseph.
Hahnel, Wenzel.
Klein, Anton.
Garger, Victor.
Süss, Ferdinand.
Heller, Carl.

Mil.-Aerzte.

Schütz, Franz, Dr., Reg.-Arzt 1. Cl.
Strnad, Johann, Dr., Reg.-Arzt 1. Cl.
Junk, Alois, Dr., Oberarzt.
Petr, Johann, Oberwundarzt.

Rechnungsführer.

Mayer, Ignaz, Hptm. 2. Cl.
Schwenzner, Johann, Obrlt.

Egalisirung orangegelb (wie Nr. 59, 63 u. 64), Knöpfe weiss.

43.

Ungarisches Infanterie-Regiment.

Regiments-Stab: Triest.

Reserve- und Ergänzungs-Bezirks-Commando: *Caransebes.*

1715 errichtet; Wallis, Franz Paul Gf., GM., 1718 Geyer, Ferdinand Leopold Freih., GM.; 1725 Starhemberg, Erasmus Gf., GM.; 1730 Lochstädt, Johann Adrian v., Oberst; 1732 D'Andia, Marchese di Valparaiso, Bartholomäus, FML.; 1734 Wuschletitsch, Mathias Freih., FML; 1737 Platz, Joseph Anton Gf., FZM.; 1767 Buttler, Ludwig Gf. v., FML.; 1775 Thurn-Vale-Sassina, Anton Gf., FZM; 1806 Simbschen, Joseph Freih., FZM.; 1809 reducirt; — 1814 neu errichtet; 1815 Paar, Johann Carl Fürst, GM.; 1821 Geppert, Meinrad Freih. v., FZM.

1855 Alemann, Wilhelm Freih. v., FZM.

Oberste. Krafft, Vincenz, Reg.-Comdt.; Draudt v. Val-Tione, Joseph Ritt., ÖEKO-R. 3. (KD.), Res.-Comdt.

Oberstlieutenant.

Kraft, Franz, MVK. (KD.).

Majore.

Benda, Franz.
Tersch, Anton Ritt. v.
Latterer v. Lintenburg, Adolph Ritt., MVK. (KD.).
Smekal, Emanuel.

Hauptleute 1. Classe.

Forster, Johann.
Putti, Carl.
Hablitschek, Carl.
Nikolić, Miloš.
Ursprung, Joseph v., Dr. d. R.
Chizzola, Carl v.
Günther v. Sternegg, Heinrich Freih.
Kessegić, Laurenz.
Suardi, Emil Gf. v.
Hellmann, Franz.
Parsch, Eduard Ritt. v.
Tömes, Janku.

Hauptleute 2. Classe.

Romanú, Ivanu.
Boltres, Joseph.
Zirl, Carl.
Thopal, Johann.
Malicki, Alois.
Doerr, Carl, ○ 2.
Metzerich, Carl v.
Bayer, Franz.
Schindler, Stanislaus.
Dimić, Constantin.

Oberlieutenants.

Czermak, Franz.
Wurst, Joseph.
Maschka, Alexander.
Strojesko, Traila.
Bacsilla, Joseph.
Hallada, Ferdinand.
Poppov, Elias.
Ebert, Sebastian (Res.).
Jakobich, Ignaz Ritt. v.
Bauer, Franz (ü. c.) Lehrer an der Mil.-Unter-Realschule zu St. Pölten.
Herger, Sigmund.
Kočevar, Anton.
Mitkrois, Alfred (Reg.-Adj.).
Pise, Franz (Prov.-Off.).
Banda, Peter.
Strobel, Anton, ○ 2. (ü. c.) im mil.-geogr. Inst.
Šokčević, Michael (WG.).
Hostrić, Georg (Erg.-Bez.-Off.).
Krischer, Johann (Bat.-Adj.).
Arendt, Ludwig.
Živanović, Eugen (Res.-Comdo.-Adj.).
Buda, Wenzel.
Jandroković, Nikolaus.

Lieutenants.

Czekelius, Marcell (Res.).
Mazorana, Anton (Res.).
Kroh, Eduard (Res.).
Sztankovits, Géza v. (Res.).
Germ, Eduard (Res.).
Klein, Albert (Res.).
Kempski v. Rakoszyn, Mich. Ritt. (Res.).
Cischini, Franz Ritt. v. (Res.).

Wittenbach, Gustav Freih. v. (Res.).
Elsner, Emil (Res.).
Diaconović, Adolph (Res.).
Zergollern, Paul v.
Obornyak, Sigmund.
Vučić, Basilius.
Brumar, Demeter.
Müller, Joseph (Bat.-Adj.).
John, Jenakie (Bat.-Adj.).
Meixner, Carl (Res.).
Mensi-Klarbach, Franz Freih. v. (Res.).
Last, Ludwig (Res.).
Pitner, Adolph (Res.).
Schindler, Hugo (Res.).
Decker, Franz (Res.).
Blenk, Joseph (Res.).
Weny, Johann (Res.).
Asboth, Aladár (Res.).
Bogdan, Peter.
Rekić, Eugen.
Weigl, Heinrich (Bat.-Adj.).
Zimerman, Heinrich (Res.)
Rollett, Cornelius (Res.).
Tatra, Friedrich (Res.).
Rucker, Ignaz (Res.).
Lalesko, Constantin.
Swoboda, Franz
Stojanel, Joseph (Bat.-Adj.).
Hausner, Arthur.
Peter, Carl (Res.).
Soretić, Franz (Res.).
Nusko, Johann (Res.).
Weisz, Heinrich (Res.).
Wohlfarth, Moriz v. (Res.).
Trowofsky, Carl (Res.).
Schilcher, Maximilian (Res.).
Wähner, Franz (Res.).
Seracin, Michael.
Fülepp, Akos.
Marginian, Julius.
Bussu, Alexander.
Koller, Raphael (Res.).
Oehninger, Joseph (Res.).
Balás, Adalbert (Res.).
Krivan, Anton (Res.)
Stifter, Moriz.
Winkler, Johann.
Leiter, Johann.
Urban, Carl.
Jeger, Peter.
Russ, Basilius.
Manojlović, Johann.
Komary, Franz.
Schuler, Eugen.
Bielecki, Alexander v.
Pašak, Johann.

Cadeten.

Ott, Anton (Off.-Stellv.), (Res.).
Tarnawski, Basilius (Off.-Stellv.), (Res.).
Scharf, Ferdinand (Res.).
Verovac, Wladimir. (Off.-Stellv.).
Saladanin, Demeter. (Off.-Stellv.).
Baukovac, Alfred. (Off.-Stellv.).
Dimitrievič, Lazar. (Off.-Stellv.).
Matzner v. Heilwerth, Emil Ritt. (Off.-Stellv.).

Mil.-Aerzte.

Spitz, Benedict, Dr., Reg.-Arzt 1. Cl.
Kraucher, Carl, Dr., Reg.-Arzt 1. Cl.
Sanna, Heinrich, Dr., Reg.-Arzt 2. Cl.
Tschernich, Johann, Dr., Reg.-Arzt 2. Cl.
Sickinger, Alois, Dr., Oberarzt.

Rechnungsführer.

Kobay, Johann, Hptm. 1. Cl.
Bancsov, Eduard, Hptm. 1. Cl.
Eberth, Heinrich, Lieut.

Egalisirung kirschroth (wie Nr. 23, 73 u. 77), Knöpfe gelb.

44.

Ungarisches Infanterie-Regiment.

Regiments-Stab: **Mostar.**

Reserve- und Ergänzungs-Bezirks-Commando: *Kaposvár.*

1744 errichtet, Clerici, Anton Georg Marquis de, FZM.; 1769 Gaisruck, Rudolph Carl Gf., FZM.; 1778 Belgiojoso v. Barbiano Ludwig Carl Gf., FML.; 1801 Bellegarde, Friedrich Gf., FML. *(Zweite Inhaber waren: von 1830—1848 Lauer, Joseph Freih. v., FZM.; von 1849—1860 Nobili, Johann Gf., FML; von 1860—1872 Braida, Moriz Gf., FZM.)*

1830 Albrecht, Erzherzog, FM.

Oberst u. Reg.-Comdt. Gottl, Maximilian, MVK. (KD.).

Oberstlieutenants.

Woinovich, Constantin, Res.-Comdt.
Geramb, Joseph Freih. v.

Majore.

Kwassinger, Ferdinand.
Wolff, Anton.
Chavanne-Wöber, Anton Edl. v.

Hauptleute 1. Classe.

Petrás, Johann v.
Csicsa, Alexander.
Minichreiter, Joseph.
Täuffer, Emil, MVK. (KD.).
Herdt, Anton, ÖEKO-R. 3. (KD.).
Müller, Adolph.
Kminek, Jakob.
Czertik, Anton.
Gászner, Moriz v.
Lots, Hermann (WG.).
Eisenbauer, Carl Edl. v. (ü. c.) Lehrer an der Mil.-Akad. zu Wr.-Neustadt.
Lackenbacher, Friedr. (WG.).
Müller, Johann.
Ternegg, Johann.
Baczewski, Simon.
Krall, August.
Petz, Leopold.

Hauptleute 2. Classe.

Drescher, Johann, MVK. (KD.).
Wimmer Edl. v. Ebenwald, Friedrich, MVK. (KD.).
Wallitschek, Joseph.
Riedel, Johann.
Hofstättner, Carl.
Bibra v. Irmelshausen, Reinhard Freih., ✠.
Herált, Johann.
Csepy, Carl.
Helm, Theodor.
Funke, Gustav.
Enhuber, Friedrich Edl. v. (ü. c.) im mil.-geogr. Inst.
Miestinger, Franz.

Oberlieutenants.

Merkl, Joseph.
Unger, Jaroslav.
Dohnál, Franz.
David, Franz.
Werner, Joseph MVK. (KD.).
Bernáth, Johann v.
Obert, Carl (Res.-Comdo.-Adj.).
Strehn, Carl.
Hambek, Ludwig (Prov.-Off.).
Maasburg, Johann Freih. v.
Weiss, Hermann.
Swaty, Anton.
Nazar, Joseph, MVK. (KD.), (ü. c.) bei der Feld-Signal-Abth. der XVIII. Inf.-Trup.-Div.
Harrer, Franz.
Kottil, Julius.
Hölzl, Robert (Res.).
Palitzki, Anton (Erg.-Bez.-Off.).
Kartner, Emil.
Lobkowitz, Wilhelm (Reg.-Adj.).
Bogunović, Marcus (Bat.-Adj.).
Gürtler, Joseph (Bat.-Adj.).
Peraković, Johann (ü. c.) im mil.-geogr. Inst.
Barkoczy de Szala, Emil Freih. (Res.).
Paulačić, Nikolaus.
Riva, Peter.

Lieutenants.

Schmullers, Georg (Res.).
Goczigh, Joseph (Res.).
Löw, Theodor (Res.).
Brunkala, Ladislaus (Res.).
Galian, Stephan.
Reis, Sigmund (Res.).

Watzka, Johann (Res.).
Siegler Edl. v. Eberswald, Franz (Res.).
Mahl-Schedl v. Alpenburg, Hugo Ritt. (Bat.-Adj.).
Boschi, Otto.
Bakálovich, Constantin (Bat.-Adj.).
Salix de Felberthal, Ludwig.
Göllner, Friedrich.
Weiner, David.
Kérnets, Peter (Bat.-Adj.).
Krisanich Edl. v. Mraczlin, Andr.
Stenzl, Felix.
Vasdenyey, Géza v. (Res.).
Kwapil, Heinrich (Res.).
Lesigang, Wilhelm (Res.).
Kirchner, Hermann.
Biller, Theophil.
Lázár, Zoltán v. (Res.).
Büttner, Arthur.
Gedeon, Ladislaus (Res.)
Kremer, Cajetan (Res.)
Dolleschal, Ernst (Res.)
Breuer, Maximilian (Res.)
Fischer, Árpád (Res.)
Schüler, Ferdinand (Res.)
Maly, Franz (Res.)
Simek, Anton (Res.)
Matuga, Miloš (Res.)
Nerey, Coloman (Res.)
Colerus de Geldern, Emil.
Würzl, Wilhelm.
Kwapil, Alois.
Josephy, Gustav (Res.)
Slatin, Heinrich (Res.)
Böhm, Adalbert (Res.)
Kienast, Andreas (Res.)
Hänisch, Friedrich (Res.)
Weitzenböck, Georg (Res.)
Sauer, August (Res.)
Ehrendorfer, Johann (Res.)
Finaly, Ludwig (Res.)
Kallner, Alexius (Res.)
Kiss, Edmund (Res.)
Klassohn, Anton (Res.)
Gronay, Stephan (Res.)
Unsinn, Aegydius (Res.)
Fesztl, Georg (Res.)
Stauber, Joseph (Res.)
Matyuga, Alexander.
Bartl, Georg.
Sorsich, Adalbert v.
Siegler Edl. v. Eberswald, Conrad.
Schreyer, Hermann.
Krings, Theodor.
Mager, Carl.
Jekey, Camillo v.
Georgi, Carl.
Meinl, Ernst (Res.).
König, Rudolph (Res.).
Marx, Wilhelm.

Cadeten.

Stadler, Carl (Off.-Stellv.)
Horvath, Ladislaus (Off.-Stellv.)
Spergely, Alexius (Off.-Stellv.)
Decleva, Carl (Off.-Stellv.)
Cernčić, Albert (Off.-Stellv.)

Mil.-Aerzte.

Kirchberger, Joseph Dr., Reg.-Arzt 1. Cl.
Ressig, Adolph, Dr., Reg.-Arzt 1. Cl.
Steiner, Leopold, Dr., Reg.-Arzt 2. Cl.
Dular, Johann, Dr., Reg.-Arzt 2. Cl.
Schewczik, Arsenius Dr., Reg.-Arzt 2. Cl.

Rechnungsführer.

Rúsky, Friedrich, Hptm. 1. Cl.
Mitterlechner, Carl, Lieut.

Egalisirung krapproth (wie Nr. 15, 34 u. 74), Knöpfe gelb.

45.

Galizisches Infanterie-Regiment.

Regiments-Stab: Konjica.

Reserve- und Ergänzungs-Bezirks-Commando: *Sanok*.

1682 errichtet; Trauttmannsdorff, Sigmund Joachim Gf. v., Oberst; 1682 Salm, Leopold Philipp Carl Fürst Wildgraf zu Dhaun und Kirburg, Rheingraf zum Stein Fürst, FML.: 1683 Salm, Carl Theodor Otto, Wildgraf zu Dhaun und Kirburg, Rheingraf zum Stein, Herr zu Vinstingen und Anholdt, Fürst zu, FM. und Obersthofmeister Seiner Majestät des Kaisers Joseph I.; 1711 Daun, Heinrich Joseph Dietrich Martin Gf. von und zu, FM.; 1761 O'Kelly v. Gallagh und Tywoly, Wilhelm Freih., FZM.; 1767 Büllow, Ferdinand Friedrich Freih. v., FZM.; 1776 Lattermann, Franz Freih. v., FML.; 1806 de Vaux, Thierry Freih., FML.; 1809 reducirt. — 1816 aus den vier aufgelösten italienischen leichten Bataillons neu formirt; 1817 Mayer v. Heldensfeld, Anton Freih., FZM.; 1842 Herbert-Rathkeal, Heinrich Constantin Freih. v., FML.

(Zweite Inhaber waren: von 1847—1862 Hartlieb v. Wallthor, Carl Vincenz Freih., FZM.; 1862—1873 Lang, Adolph, Freih. v., FML.).

1847 Sigmund, Erzherzog, FML.

Oberst u. Reg.-Comdt. Frantzl v. Franzensburg, Carl Ritt., ÖLO-R. (KD.).

Oberstlieutenants.

Kochen, Victor Edl. v., Res.-Comdt.
Ružičić Edl. v. Sanodol, Nikolaus.

Majore.

Klein, Emerich, ○ 2.
Lindner, Heinrich, MVK.
Giunio, Dominik, MVK. (KD.).
Schrimpf, Georg.

Hauptleute 1. Classe.

Schindler, Franz, MVK. (KD.).
Luksić, Joseph, MVK.
Heruth, Rudolph.
Schäfler, Eduard MVK. (KD.).
Eder, Emil Freih. v.
Obich v. Turnstein, Franz.
Reitter, Carl.
Karpiński, Joseph, ÖEKO-R. 3. (KD.).
Kottek, Joseph.
Giuppani, Ferdinand.
Glasser, Ferdinand.
Laykauf, Rudolph.
Bolgiani, Alexander.
Bechtinger, Gustav.
Slameczka, Adolph.
Langhof, Anton.

Hauptleute 2. Classe.

Krick, Wilhelm.
Sacher, Cleophas.
Luksić, Heinrich.
Hüttenbach, August.
Brönner, Alfred.
Zichardt, Rudolph.
Purschka, Ferdinand Ritt. v. (ü. c.) im mil.-geogr. Inst.
Colombo, Carl, ○ 1.
Wilsky, Albin.

Oberlieutenants.

Osuchowski, Desiderius Ritt. v.
Nyiry, Alois.
Sattler, Joseph (zug. dem Sicherheits-Corps für Bosnien).
Wurm, August.
Kirpal, Vincenz.
Gressel, Joseph.
Tschiedel, Adolph (Reg.-Adj).
Schaub, Raimund.
Uhle, Ludwig.
Chalaupka, Carl.
Catinelli, Adolph.
Flach, Moriz.
Kustynowicz, Zyphon.
Sadler, Gustav (Res.-Comdo.-Adj.).
Wuich, Anton (ü. c.) zug. der k. k. Landw.
Berti, Michael.
Všetečka, Ferdinand (Res.).
Nečásek, August.
Kowalski, Ferd. (Erg.-Bez.-Off.).
Bauer, Anton.
Zaryúczuk, Johann (WG.).

Pribićević, Adam (Prov.-Off.).
Mörk v. Mörkenstein, Wenz. (ü. c.) im mil.-geogr. Inst.
Dębicki, Adam (ü. c.) zug. dem Generalstabe.
Schneller, Ernst.
Tinz, Stanislaus, ○ 1. (Bat.-Adj.).
Wassizh, Franz.
Weitenweber, Eduard, ○ 2. (Bat.-Adj.).
Stransky, Ludwig.
Ettmayer v. Adelsburg. Wilh. Ritt.
Eichberger, Florian (Res.).
Trauttenberg, Oswald Freih. v. (Res.).
Achatz, Carl (Res.).
Kliczka, Johann (Res.).
Brożowsky v. Prawoslaw, Ottokar (Res.).
Lang, Erhard (Res.).
Stasiniewicz, Sigmund.
Gebauer, Franz.
Mestek, Joseph.

Lieutenants.

Mohr, Joseph, Dr. der Philosophie (Res.).
Duschenes, Julius, Dr. d. R. (Res.).
Feigel, Felix (Res.).
Lorenz, Alois (Res.).
Tereba, Rudolph (Res.).
Heller, Johann, Dr. d. R. (Res.).
Sobička, Jaroslaus (Res.).
Tabora, Anton v. (Res.).
Barański, Emil (Res.).
Rygiel, Johann (Res.).
Pujak, Joseph, Dr d. R. (Res.).
Słęczka, Adalbert (Res.).
Vogl, Victor (WG.).
Hoffenthal, Rudolph (Bat.-Adj.).
Weissmann, Johann.
Tausche, Joseph (Res).
Gorowski, Vincenz.
Barański, Victor (Res.).
Christen, Adolph.
Puchyr, Johann (Bat.-Adj.).
Franzel, Johann.
Walla, Joseph.
Benić, Nikolaus.
Radlmacher, Theodor.
Feistner, Wilhelm (Res.).
Neumeister, Carl (Bat.-Adj.).
Wais, Joseph.
Mally, Gustav.
Błyskal, Joseph.
Bichterle, Adolph (Res.).
Kniha, Adalbert (Res.).
Beutl, Joseph (Res.).
Uiblein, Edmund (Res.).
Aulich, Adalbert (Res.).
Marcinkiewicz, Witold (Res.).
Szutran, Alexander (Res.).
Streith, Maximilian (Res.).
Wiessner, Johann (Res.).
Tichy, Julius (Res.).
Doležel, Franz (Res.).
Michel, Anton (Res.).
Bräunl, Joseph (Res.).
Kreysa, Carl.
Kreysa, Eduard.
Mandel, Friedrich.
Kolak, Daniel.
Indyk, Joseph.
Steiner, Rudolph.
Schneider, Eduard.
Pukl, Jakob (Res.).
Raab, Eduard.
Kohn, Richard.
Andres, Julius.
Magdou, Franz.

Cadeten.

Kaltenborn, Adalbert Ritt. v. (Off.-Stellv.).
Haller, Gustav (Off.-Stellv.).

Mil.-Aerzte.

Nagel, Philipp, Dr., Reg.-Arzt 1. Cl.
Kleemann, Friedrich Ritt. v., Dr., Reg.-Arzt 2. Cl.
Lipež, Franz, Dr., Reg.-Arzt 2. Cl.
Danzer, Ottokar, Dr., Reg.-Arzt 2. Cl.
Horny, Johann, Dr., Oberarzt.
Thurnwald, Andreas, Dr., Oberarzt.

Rechnungsführer.

Dubina, Carl, Hptm. 1. Cl.
Pacowský, Jos., Obrlt. (ü. c.) zug. der Mil.-Intdtr.
Čorić, Paul, Lieut.

Egalisirung scharlachroth (wie Nr. 37, 39 u. 80), Knöpfe gelb.

46.

Ungarisches Infanterie-Regiment.

Regiments-Stab: Travnik.

Reserve- und Ergänzungs-Bezirks-Commando: *Szegedin.*

1762 als erstes Siebenbürger-Walachen-Grenz-Infanterie-Regiment errichtet; 1765 neu organisirt; 1849 als erstes Romanen-Grenz-Infanterie-Regiment benannt; 1851 in ein Linien-Infanterie-Regiment umgewandelt; 1851 Jellačić de Bužim, Joseph Gf., FZM.; 1859 Prinz Alexander von Hessen und bei Rhein, FML.

(*Zweiter Inhaber war: von 1862—1878 Schlitter v. Niedernberg, Carl Freih., FZM.*).

(Das früher unter der Nr. 46 bestandene Linien-Infanterie-Regiment wurde 1745 als Tiroler Feld- und Land-Regiment errichtet; seit 1766 führt das Regiment den Namen der Inhaber.)

Inhaber waren: 1748 O'Gilvy, Carl Hermann Gf., FM.; 1751 Sincère, Claudius Freih., GM.; 1751 Macquire, Johann Sigismund Gf. v., FZM.; 1764 Migazzi, Vincenz Felix Gf. v., FZM.; 1786 Neugebauer, Franz Ludwig Freih., FML.; 1808 Chasteler, Johann Gabriel Marq., FML; 1809 reducirt.)

1862 Bernhard, Herzog von Sachsen-Meiningen.

Oberste.
- Villecz, Friedrich v., ÖEKO-R. 2. (KD.), MVK. (KD.), (ü. c.) Comdt. der 1. Gebirgs-Brig. bei der VII. Inf.-Trup.-Div. zu Travnik.
- Woržikowsky v. Kundratitz, Carl Ritt., Reg.-Comdt.

Oberstlieutenants.

Salmen, Daniel, ÖEKO-R. 3. (KD.), Res.-Comdt.
Ellison v. Nidlef, Otto Ritt., ÖEKO-R. 3. (KD.), ○ 2.

Majore.

Bubna v. Warlich, Herm.
Pandur, Mathias, ÖFJO-R., MVK. (KD.).
Ornstein, Joseph.
Parmann, Friedrich, MVK. (KD.).

Hauptleute 1. Classe.

Strunz, Franz.
Maxim, Georg.
Raubiczek, Franz.
Ivanović, Nikolaus.
Kassan, Abraham, MVK. (KD.).
Seeling, August.
Medveczky, Adam v., MVK. (KD.).
Gvozdanović, Anton v.
Chaluppa, Emil.
Ungard, Albert.
Strasser, Eduard.
Jovančić, Hermann.
Triff, Ladislaus, MVK. (KD.).

Hauptleute 2. Classe.

Andreánszky, Arthur, MVK. (KD.).
Polivka v. Treuensee, Anton Ritt.
Sztupitzky, Victor.
Kopetzky v. Rechtperg, Emanuel.
Noak de Hunyad, Michael.
Dordia, Elias.
Kubitza, Paul.
Poscha, Adolph.
Sturm, Adolph.
Kahlen, Ernst.
Böhm, Franz v., MVK. (KD.).
Mlinarić, Stephan, MVK. (KD.).
Peppa, Peter.

Oberlieutenants.

Ivančević, Constantin.
Rajhaty, Coloman.
Majerian, Nikolaus.
Péchy de Péch-Ujfalu, Stephan.
Decsy, Ladislaus.
Secsujatz v. Heldenfeld, Alexander (WG.).
Böcka, Peter.
Beer, Joseph, MVK. (KD.). (Reg.-Adj.).
Hadinger, Andreas.
Paumgartner, Hermann.
Sestak, Franz, MVK. (KD).
Szálay, Adam.

Schönfeld, Adolph Freih. v. MVK. (KD.).
Drachsl, Friedrich, ÖFJO-R., MVK. (KD.).
Szentpeteri, Johann.
Hönsch, Rudolph.
Kokanović, Johann.
Bányik, Michael.
Addobbati, Simon.
Udvarnoky de Kis-Jóka, Vict.
Selceleanu, Gabriel (Erg.-Bez.-Off.).
Erlach, Franz v. (ü. c.) Lehrer in der Mil.-Unter-Realschule zu St. Pölten.
Schönfeld, Theobald Freih. v.
Spitzer, Heinrich (Res.).
Brendler, Gotthard (Prov.-Off.).
Mendra, Franz.
Miličić, Gregor.
Nemčec, Paul.
Csáky v. Körösszegh und Adorján, Felix Gf. (Res.).
Schwarczer, Edmund (Res.).
Wilheim, Adolph.
Schmitzhausen, Victor, MVK. (KD.).
Trost, Gabriel (Bat.-Adj.).

Lieutenants.

Novák, Joseph
Thoma, Theodor
Návay v. Földeák, Emerich
Seemayer, Carl
Lám, Friedrich
Svehla, Julius
(Res.).
Morgenbesser, Carl
Rziha, Albert (WG.).
Kossa de Nagy-Megyer, Andreas (Res.).
Czinner, Johann (Res.).
Tausch, Rudolph.
Wenko, Carl (ü. c.) im mil.-geogr. Inst.
Strohmayer, Eduard.

Kiesewetter Edl. v. Wiesenbrunn, Otto (ü. c.) Prov.-Off. bei der 2. Gebirgs-Brig. der VII. Inf.-Trup.-Div.
Koch, Bernhard
Pollak, Isidor
Gál, Franz
Nagy, Franz
(Res.).
Rupčić, Blasius (Res.-Comdo.-Adj.).
Šimić, Peter.
Rataik, Vincenz.
Höller, Edmund, MVK (KD.) (Bat.-Adj.).
Chmeliczek, Carl, MVK. (KD.) (Bat.-Adj.).
Hadfy, Emerich v., MVK. (KD.)
Radisics Edl. v. Kútas, Eugen (Res.).
Görgey de Görgő et Topporcz, Stephan (Res.).
Újj, Joseph (Res.).
Högg, Carl (Bat.-Adj.).
Scheinberger, Ignaz
Déghy, Julius
Stein, Joseph
Koczor, Johann
(Res.).
Aigner, Theodor Ritt. v.
Winkler, Oskar.
Raubar, Joseph (Bat.-Adj.).
Sonnewend, Wilhelm.
Scomparini, Cäsar
Illes, Eugen
Richnovsky, Julian
Haymann, Alphons
Lázár, Georg
Funk, Carl
Dobo, Emerich
Erdélyi, Michael
Bruckmann, Wilhelm
Reiner, David
Rosenberg, Béla
Pincherle, Eduard
Molnár Edl. v. Adorjanháza, Elemér
(Res.).

Wagner, Julius
Csejtey, Anton
Illes, Julius
Forschek, Johann
Burger, Stephan
Rakita, Edmund
Benuzzi, Joseph
(Res.).
Moškerc, August.
Klamm, Johann.
Amon, Andreas.
Marenzi v. Tagliuno und Talgate, Markgraf v. Val-Oliola, Freih. v. Marenzfeldt und Scheneck, Franz Gf.
Schmidt, Adolph.
Bučar, Joseph.
Gaidich, Julius.
Schneller, Vincenz.
Stanjšić, Georg.

Cadeten.

Lövy, Wilhelm (Res.).
Betlehem, Joseph.
Obelić, Markus.
Diklić, Stephan.

Mil.-Aerzte.

Buckholz, Theodor, Dr., Reg.-Arzt. 2. Cl.
Marek, Wenzel, Dr., Reg.-Arzt 2. Cl.
Neumann, Emil, Dr., Oberarzt.
Heim, Jakob, Oberwundarzt.

Rechnungsführer.

Muntyan, Johann, Hptm. 1. Cl.
Schlesinger, Joseph, Lieut.

Egalisirung papageigrün (wie Nr. 10 u. 50), Knöpfe gelb.

47.
Steierisches Infanterie-Regiment.

Regiments-Stab: Trient.

Reserve- und Ergänzungs-Bezirks-Commando: *Marburg.*

1682 errichtet: Wallis, Georg Gf., FML.; 1689 Jörger de Tollet, Franz Helfried Gf., GM.; 1691 Öttingen-Baldern, Notger Wilhelm Gf., FML.; 1693 Sapieha, Michael Gf., GM.; 1694 Solari, Victor Gf., GM.; 1704 Harrach, Joseph Gf., FM.; 1764 Bayreuth, Friedrich Christian, Markgraf, FZM.; 1769 Elrichshausen, Ludwig Freih., FZM.; 1779 Kinsky, Franz Gf., FM., 1803 Vogelsang, Ludwig Freih. v., FZM.; 1823 Klopstein v. Ennsbruck, Joseph Freih., GM.: 1827 — 1864 Kinski, Anton Gf., FZM.

1864 Hartung, Ernst Ritt. v., FZM.

Oberste.
- Metz, Alexander Edl. v., ÖEKO-R. 3. (KD.), MVK. (KD.), (ü. c.) Comdt. der 4. Inf.-Brig. in Wien.
- Kinnart, Ludwig v., ÖLO-R. (KD.), Reg.-Comdt.

Oberstlieutenants.

Hopels, Conrad, MVK. (KD.).
Dittl, Raimund Ritt. v., ÖEKO-R. 3. (KD.), Res.-Comdt.
Schwarzbek, Otto, MVK. (KD.).

Majore.

Schmid, Georg Ritt. v., ÖEKO-R. 3. (KD.), MVK. (KD.).
Münzl v. Münzthal Michael, MVK. (KD.).
De Vaux, Leonhard Freih., MVK. (KD.), ✠.

Hauptleute 1. Classe.

Brilli, Johann.
Rukavina v. Vidovgrad, Ladislaus Freih.
Weltzebach, Hermann (ü. c.) beim R.-Kriegs-Mstm.
Mundy, Carl.
Latterer v. Lintenburg, Constantin Ritt.
Preissler, Anton.
Treffenschedl, Franz, ÖEKO-R. 3. (KD.).
Liebezeit, Carl.
Karlin, Jakob.
Cirheimb zu Hopffenbach, Freih. auf Guettenau, Alphons v., MVK. (KD.).
Schaeffer, Heinrich, MVK. (KD.).
Eichen, Wilhelm.
Petrovich, Stephan (WG.).
Grafoner, Franz. ○ 2.
Wratschko, Jakob, MVK. (KD.).
Baschinger, Anton.
Anacker, Alphons Edl. v.
Murnig, Franz.
Pierer, Eduard (des Generalstabs-Corps).

Hauptleute 2. Classe.

Hirsch, Eduard.
Scherl, Paul.
Mally, Franz.
Hainschegg, Jakob (ü. c.) beim Mil.-Comdo. zu Triest.
Seshun, Moriz.
Beckh-Widmanstetter, Leopold v.
Schaeffer, Ludwig.

Oberlieutenants.

Halbhuber v. Festwill, Carl Freih.
Skribe, Victor (Reg.-Adj.)
Walter, Franz (Bat.-Adj.).
Heidler, Anton.
Crevar, Cyrill.
Frass, Paul.
Rock, Robert.
Kürbuss, Joseph.
Lensch, Wilhelm.
Treusch v. Buttlar, Richard Freih.
Kreutzberger, Carl.
Rupert, Valentin, MVK. (KD.). (Res.-Comdo.-Adj.).
Hantsch, Gustav.
Janschek, Laurenz (Prov.-Off.).
Gabriel, Carl.
Mannsbart, Friedrich (ü. c.) comdt. beim Generalstabe,
Neuner, Johann.
Meschnark, Valentin.

Huber, Valentin (Erg.-Bez.-Off.).
Seibt, Joseph (Res.).
Wisiack, Anton.
Frass, Johann.
Schrey Edl. v. Redlwerth, Jos.

Lieutenants.

Attems, Franz Gf. (Res.).
Melk, Benedict (Res.).
Haas, Carl (Res.).
Glaser, Heinrich (Res.).
Schlamberger, Anton (Res.).
Hauptmann, Franz (Res.).
Schreiner, Heinrich (Res.).
Omulec, Johann, Dr. d. R (Res.).
Gross, Franz, Dr. d. R. (Res.).
Munda, Jakob (Res.).
Reitter, Johann (Res.).
Senčar, Joseph (Res.).
Mandelsloh, Werner v.
Guseck, Heinrich Edl. v.
Dolšak, Jakob.
Postruschnik, Anton (Res.).
Sketh, Jakob (Res.).
Marguč, Joseph (Res.).
Mouillé v. Brückensturm, Arth.
Schicho, Julius (Bat.-Adj.).
Gostischa, Ernst.
Kornpichl, Joseph.
Šetinc, Joseph (Res.).
Felber, Joseph (Res.).
Feichter, Johann.
Reichenberg, Georg.
Hendl zu Goldrain und Castelbell, Ludw. Gf., (Bat.-Adj.).
Aljančić, Bartholomäus.
Furmann, Blasius.
Brischnik, Blasius (Bat.-Adj.).
Erlacher, Eugen.
Stibenegg, Franz.
Bernot, Johann.
Glantschnig, August (Bat.-Adj.).
Pallich Edl. v. Carburg, Joseph (Res.).
Sok, Lorenz (Res.).
Gassner, Norbert (Res.).
Schwab, Ernst (Res.).
Seiller, Emil, MVK. (KD.) (Res.).
Paroli, Anton (Res.).
Stor, Franz (Res.).
Steffan, Carl (Res.).
Gassner, Anton (Res.).
Hannsmann, Hubert.
Fischer, Johann (Res.).
Waldhart, Franz.
Senekovič, Andreas (Res.).
Krainz, Heinrich (Res.).
Leskoušek, Jos., MVK. (KD.).
Lebar, Alois.
Kielhauser, Maximilian.
Liebezeit, Philipp.
Faninger, Ernst.
Schimek, Joseph.
Kruschitz, Joseph.

Cadeten.

Platz, Ferdinand Gf. (Off.-Stellv.), (Res.).
Goldner, Carl (Res.).
Jerovšek, Franz (Res.).
Lederhas, Ludw. (Off.-Stellv.), (Res.).
Gril, Matthäus (Off.-Stellv.), (Res.).
Belec, Carl (Res.).
Milher, Gregor (Res.).
Gangl, Franz (Off.-Stellv.).
Frankol, Thomas (Off.-Stellv.).
Plavetz, Andreas.
Steinberg, Alexander Ritt. v.
Globočnik, Johann (Res.).

Mil.-Aerzte.

Pig, Richard, Dr., Reg.-Arzt 1. Cl.
Bayer, Wilhelm, Dr., Reg.-Arzt 1. Cl.
Kukuk, Paul, Dr., Reg.-Arzt 2. Cl.
Cvetko, Franz, Dr., Reg.-Arzt 2. Cl.

Rechnungsführer.

Czillmann, Anton, Hptm. 2. Cl.
Kaudela, Thomas, Oblt.
Pfeiffer, Joseph, Lieut.

Egalisirung stahlgrün (wie Nr. 48, 56 u. 60), Knöpfe weiss.

48.

Ungarisches Infanterie-Regiment.

Regiments-Stab: Graz.

Reserve- und Ergänzungs-Bezirks-Commando: *Gross-Kanizsa.*

1721 errichtet; Alcaudete, Anton Gf., FML.; 1734 Vasquez de Binas Johann, Jakob Gf., FM.; 1755 Luzan, Emanuel Conte, FZM.; 1765 Ried, Joseph Heinrich Freih., FML.; 1773 Caprara, Aeneas Gf. v., FML.; 1794 Schmidfeld, Johann Freih., FML.; 1796 reducirt; — 1798 neu errichtet; 1799 Vukassovich, Philipp Freih., FML.; 1809 Simbschen, Joseph Freih., FZM.; 1815 Radivojevich, Paul Freih. v, FZM.; 1829 Gollner v. Goldnenfels, Alois Freih., FML.

(Zweite Inhaber waren: von 1848—1852 Wissiak v. Wiesenhorst, Leopold Ritt., FML.; von 1852—1873 Wengersky v. Ungerschütz, Eduard Gf., FML.)

1845 Ernst, Erzherzog, GdC.

Oberst u. Reg.-Comdt. Buchta, Franz, ÖEKO-R. 3. (KD.).

Oberstlieutenants.

Trautsch, Alois, Res.-Comdt.
Spiller, Joseph.

Majore.

Lönhard, Joseph.
Friedetzky, Joseph.
Blascheck, Joseph, ÖEKO-R. 3. (KD.), MVK. (KD.).
Negrelli v. Moldelbe, Oskar Ritt., MVK. (KD.).

Hauptleute 1. Classe.

Ullmann, Stephan.
Piskor, Thom., MVK. (KD.).
Bellobraidić, Leopold (WG.)
Jobst v. Ruprecht, Joseph.
Cavallar, Anton (WG.).
Thaller, Franz, MVK. (KD.).
Becsey, Emer. v., MVK. (KD.).
Heinzel, Ferdinand.
Petrović, Sabbas.
Plivelić, Joseph.
Schenda, Joseph.
Zurna, Carl, MVK. (KD.).
Roth, Adalbert.
Trappel, Johann.
Poeckl, Anton.

Hauptleute 2. Classe.

Göttlicher, Johann, MVK. (KD.).
Franz, Friedrich Ritt. v., MVK. (KD.).
Stirling, Alexander, MVK. (KD.).
Karl, Ferdinand.
Bunjevac, Jaromir Edl. v.
Wallachy, Gottfried, MVK. (KD.).
Halva, Joseph.
Keczkés de Ganocz, Victor.
Mesić, Marcus.
Amtmann, Gottlieb, ○ 2.
Blaschke, Eugen, MVK. (KD.), (ü. c.) im mil.-geogr. Inst.

Oberlieutenants.

Wucherer v. Huldenfeld, Carl Freih., DO-R., MVK. (KD.).
Gross, Ernst.
Reissenauer, Johann.
Glück, Wilhelm.
Ditz, Joseph.
Des Loges, Franz Ritt. v.
Rosenberger, Ignaz, MVK. (KD.).
Vorkapić, Johann.
Czenger, Ferdinand.
Wellanschitz, Andreas (Erg.-Bez.-Off.).
Pohl, Heinrich.
Bellobraidić, Nikolaus.
Kangrga, Rade.
Starčević, Lucas.
Hofer, Ignaz, ○ 2.
Seremak, Wenzel.
Bellobraidić, Johann.
Beösze, Julius.
Kovács, Anton.
Moise Edl. v. Murvell, Joseph.
Zivčić, Johann.
Strohmayer, Carl, MVK. (KD.), (Reg.-Adj.).
Gerbačić, Georg.
Koukal, Franz (Res.)
Hoffmann, Joseph (Res.)
Nikisch, Victor (Res.)
Grosz, Friedrich (Res.)
Novaković, Athanasius.

Popović, Georg.
Jović, Johann.
Pokorny, Hugo (Res.).
Spitzer, Sidney (Res.).
Persich Edl. v. Köstenheim, Ferdinand (Res.).
Merker, Franz (Res.).
Reichenauer, Franz (ü. c.) im mil.-geogr. Inst.
Juhász, Ferdinand.
Čokorac, Pantaleon (ü. c.) im mil.-geogr. Inst.

Lieutenants.

Mahr, Franz (Res.).
Taubenkorb, Julius (Res.).
Lábán, Joseph (Res.).
Bernetich, Joseph (Res.).
Lénárd, Nikolaus (Res.).
Liebitzky, Anton (Res.).
Friedrich, Joseph (Res.).
Stockhammer, Adolph (Res.).
Ossoinak, Alois (Res.).
Müllern, Nikolaus v. (Res.).
Thierry, Emil Ritt. v. (Res.).
Brolly, Theodor (Res.).
Schrott, Joseph.
Leško, Michael.
Kollak, Johann.
Zallay, alias Polák, Ludwig (Res.).
Nizsnyánszky, Joseph.
Vuinović, Franz.
Ferić, Johann (Bat.-Adj.).
Jerković, Georg, (Res.-Comdo.-Adj.).
Momčilović, Emil.
Haueise, Eduard.
Richter, Eduard (Res.).
Hencz, August v. (Res.).
Geiszl, Coloman (Res.).
Kautsch, Carl (Res.).
Schultheisz, Emil (Bat.-Adj.).
Zerbs, Gustav, MVK. (KD.), (Bat.-Adj.).
Vestner, Ferdinand (Prov.-Off.).
Gromes, Franz, MVK. (KD.) (Res.).
Menz, Albert (Res.).
Kuželovský, Anton (Res.).
Köröskényi, Ludwig v. (Res.).
Odstrčil, Vincenz (Res.).
Kiepach, Alfred v., MVK. (KD.), (Bat.-Adj.).
Baumgartner, Sigmund (Res.).
Petzel, Alois (Res.).
Pirovics, Adalbert (Res.).
Lischka, Adolph (Res.).
Rosenberg, Ernst (Res.).
Saly, Augustin (Res.).
Nagy, Ludwig (Res.).
Würth, Anton Edl. v. (Res.).
Szentgyörgyi, Joseph.
Lončar, Hieronymus.
Vlainić, Božo.
Weingärtner, Robert.
Navratil, Carl.

Cadeten.

Natter, Johann (Res.).
Bondy, Maximilian (Off.-Stellv.), (Res.).
Antolek, Joseph (Res.) (Off.-Stellv.).
Franić, Philipp (Off.-Stellv.).
Vuchetich, Stephan v. (Off.-Stellv.).
Bubla, Emerich (Off.-Stellv.).
Ljubotina, Marcus (Off.-Stellv.).
Rosmanith, Albert, ○ 2. (Off.-Stellv.) (Res.).
Mester, Joseph (Res.).
Grunner, Carl (Res.).
Kele, Anton (Res.).

Mil.-Aerzte.

Müller, Jakob, Dr., Reg.-Arzt 1. Cl.
Bena, Franz, Dr., GVK. m. Kr., Reg.-Arzt 1. Cl.
Nemičić, Emil, Dr., Reg.-Arzt 2. Cl.
Vukovac, Feodor, Dr., Reg.-Arzt 2. Cl.

Rechnungsführer.

Millivojević, Michael, Hptm. 1. Cl.
Smreker, Heinrich, Oblt.
Widemann, Franz, Lieut.

Egalisirung stahlgrün (wie Nr. 47, 56 u. 60), Knöpfe gelb.

49.

Niederösterreichisches Infanterie-Regiment.

Regiments-Stab: Serajevo.

Reserve- und Ergänzungs-Bezirks-Commando: *St. Pölten.*

1715 errichtet, Baden-Durlach, Carl Wilhelm Markgraf, FM.; 1724 Walsegg, Otto Gf., FZM.; 1743 Bärnklau, Johann Leopold Freih., FML.; 1747 Kheul, Carl Gustav Gf., FM.; 1758 Angern, Ludwig Freih. v., FZM.; 1767 Pellegrini, Carl Gf. v., FM.; 1797 Kerpen, Wilhelm Freih. v., FZM.; 1824 Langenau, Friedrich Carl Gustav Freih., FML.; 1840 Schön v. Treuenwerth, Michael, FML.

1844 Hess, Heinrich Freih. v., FM.

(† am 13. April 1870 in Wien.)

(Das Regiment hat diesen Namen für immerwährende Zeiten zu behalten.)

Oberste. { Crusiz, Othmar, ÖEKO-R. 3., MVK. (KD.), (des Generalstabs-Corps), Reg.-Comdt.
Bordolo v. Boreo, Hermann Ritt., Res.-Comdt.

Oberstlieutenant.

Liebe Edl. v. Kreutzner, Joseph.

Majore.

Jurisković v. Hagendorf, Anton.
Lenk, Johann.
Seifert, Johann.
Gelb, Carl.

Hauptleute 1. Classe.

Grünzweig v. Eichensieg, Franz.
Weber, Alexander.
Gallina, Friedrich (ü. c.) Lehrer an der Mil.-Ober-Realschule.
Pegan, Felix.
Mehler, Franz.
Rüstel, Alfred Freih. v., MVK., Comdt. der Garn.-Schiessstätte in Wien.
Köstler, Heinrich.
Siebenhüner, Joseph.
Auspitz, Leopold, MVK.
Dorn, Moriz.
Traun, Vincenz Edl. v.
Feldhoffer, Ferdinand.
Fabricius, Carl.
Peters, Philipp.
Urbas, Ernst v.
Leporini, Valentin de.
Kapiller, Franz.
Berger, Moriz Edl. v. (ü. c.) zug. dem Generalstabe.
Schuster, Franz, MVK. (KD.).
Griesser, Franz.

Hauptleute 2. Classe.

Schröder, Hermann.
Dunst v. Adelshelm, Carl.
Kahler, Anton.
Roncalli, Leopold.
Voetter, Victor, MVK. (KD.), (ü. c.) zug. dem Generalstabe.
Kroiss, Joseph (ü. c.) beim Gen.-Comdo. in Wien.
Harbich, Franz.
Hoyos, Joseph Gf.
Westreicher, Anton.

Oberlieutenants.

Eitelberger, Anton, ○ 1.
Böckmann, Heinrich Ritt. v., MVK. (KD.), (zug. dem Gen.-Comdo. zu Serajevo.
Schröck, Carl (ü. c.) zug. dem Gen.-Comdo zu Serajevo.
Korb, August v.
Nägele, Caspar (Res.-Comdo.-Adj.).
Massak, Alexius.
Ulbrich, Johann (ü. c.) im mil.-geogr. Inst.
Edelmayer, Ignaz.
Urban, Carl (Erg.-Bez.-Off.).
Küenburg, Vincenz Gf., ☦.
Rödlich, Carl (Prov.-Off.).
Schiffleuthner, Joseph.
Hönig, Ignaz.
Dingelstedt, Wilhelm Freih. v. (ü. c.) beim R.-Kriegs-Mstm.
Zenone, Carl Conte (Res.).
Radanovich, Heinrich (ü. c.) zug. dem Generalstabe.
Antonino, Joseph (Reg.-Adj.).
Nuppenau, Aurelius Freih. v.
Ponset, Ludwig.

Hladisch, Gustav.
Eisenbach, Paul.
Bitterl v. Tessenberg, Arthur Ritt.

Lieutenants.

Gamerith, Friedrich
Böltz, Johann
Sauer, Julius
Eschner, Carl
Löhr, Eduard Ritt. v.
Ladenbauer, Emil
Langer, Carl
Schneller, Adalbert
Hoffmann, Franz
Pichler, Friedrich
Menninger, Moriz Edl v.
Stelzel, Adalbert
Beudel, Ferdinand
Wolffhardt, Eduard, Dr. d. R.
Krenn, Franz, Dr.
Romstorfer, Carl
Mausberger, Johann
Hornberger, Carl
Brunnarius, Eduard
(Res.).
Epple, Joseph.
Höck, Franz (Bat.-Adj.).
Ziegler, Alfred Ritt. v.
Smieth, Anton (Bat.-Adj.).
Schubert, Theodor.
Schölss, Franz.
Martini, Carl Ritt. v.
Toifel, Hermann.
Schaufler, Franz.
Rukavina, Emil.
Stark, Ignaz (Res.).
Bauer, Philipp (Res.).
Reiss, Wenzel.
Hofmann, Oskar (Bat.-Adj.).
Eichberger, Gustav (Res.).
Winter, Georg.
Tuwóra, Moriz.
Fischer, Leonhard.
Schaumburg, Franz Ritt. v. (Bat.-Adj.).
Ladein, Joseph (Res.).
Steindl, Georg.
Schwabe, Franz.
Martinek, Franz.
Liechtenecker, Franz.
Wimmer, Anton (Bat.-Adj.).
Le Brun, Alfred.
Müller, Alfred.
Werkowitsch, Victor
Huber, Victor
Neubauer, Hermann
Peithner von Lichtenfels, Rudolph Ritt.
(Res.).
Altmann, Joseph
Scherf, Michael.
Kannet-Stelzig, Emil.
Högl, Franz.
Schmitt, Carl.
Svetić, Joseph.
Korner, Ernst (Res.).
Protiwenski, Arthur (Res.).
Pellmann, Julius.
Lauda, Anton.

Cadeten.

Wallner Carl (Off.-Stellv.), (Res.).
Eichberger, Alois (Res.).
Rottmann, Max v.
Haschkowetz, Rudolph
Ludwig, Alois
Marterer, Carl
Kopetz, Franz
(Off.-Stellv.).
Nadeniczek, Robert (Res.).
Tschurtschenthaler, Heinrich
Wozelka, Leopold
Fortelka, Franz
(Off.-Stellv.), (Res.).

Mil.-Aerzte.

Maluschka, Carl, Dr., Stabsarzt.
Lederer, Salomon, Dr., Reg.-Arzt 1. Cl.
Blaha, Adolph, Dr., Reg.-Arzt 2. Cl.

Rechnungsführer.

Demus, Franz, Hptm. 1. Cl.
Ender, Carl, Hptm. 2. Cl.

Egalisirung hechtgrau (wie Nr. 30, 69 u. 76), Knöpfe weiss.

50.

Ungarisches Infanterie-Regiment.

Regiments-Stab: Klausenburg.

Reserve- und Ergänzungs-Bezirks-Commando: *Carlsburg.*

1762 als zweites Siebenbürger-Walachen-Grenz-Infanterie-Regiment errichtet; 1763 neu organisirt; 1849 als zweites Romanen-Grenz-Infanterie-Regiment benannt; 1851 in ein Linien-Infanterie-Regiment umgewandelt; 1851 Thurn und Taxis, Hannibal Friedrich Fürst v., GdC.

(Das erste Bataillon des Regiments besitzt eine demselben mit dem Armee-Befehle Nr. 14, ddo Schönbrunn am 27. August 1851 (siehe das k. k. Armee-Verordnungsblatt, I. Jahrgang, Nr. 93, vom 29. August 1851), verliehene, an der Fahne zu tragende goldene Medaille mit dem Bilde Seiner Majestät des Kaisers Franz Joseph I., und der Umschrift: „Für standhaftes Ausharren in der beschwornen Treue im Jahre 1848“.)

(Das früher unter der Nummer 50 bestandene Infanterie-Regiment wurde 1642 errichtet; de Souches, Louis Radwitz, Gf., FM.; 1676 de Souches, Carl Ludwig Radwitz, Gf., FZM.; 1691 Herberstein, Leopold Gf. v., FM.; 1728 Wurmbrand-Stuppach, Casimir Heinrich Gf. v., FZM.; 1749 Harsch, Ferdinand Philipp Gf. v., FZM; 1766 Poniatowski, Andreas Fürst v., FZM.; 1773 Stain, Leopold Gf. v., FZM.; 1809 reducirt.)

1857 Friedrich Wilhelm Ludwig, Grossherzog von Baden.

Zweiter Inhaber.

Stillfried-Ratenicz, August Freih. v., FML. (1857).

Oberst u. Reg.-Comdt. Mierzynski, Adolph.

Oberstlieutenants.

Milletić, Timotheus, Res.-Comdt.
Dietrich, Adolph.

Majore.

Daniek, Franz, MVK. (KD.).
Walzger, Ferdinand
Lischtiak, Florian.
Siegl v. Siegwille, Franz.
Bihoy, Aaron.

Hauptleute 1. Classe.

Borgovan, Stephan, ○ 1.
Mocznay, Wilhelm.
Melas, Gustav.
König, Eduard.
Dworzak, Anton.
Brechler v. Troskowitz, Adolph Ritt.
Stojsavljević, Miloš (ü. c.) Flügel-Adj. des commandirenden Generals zu Serajevo.
Moshamer, Theodor.
Střížek, Johann.
Ballan, Svetozar.
Marginean, Johann.
Hiden, Wilhelm.
Reithoffer, Carl.
Kick, Franz (ü. c.) comdt. beim Generalstabe.
Cosgaria, Nikolaus.
Chalaupka, Ernst (ü. c.) im Kriegs-Archive.
Kötterer, Heinrich.
Okrótny, Ladislaus (ü.c.) beim Mil.-Comdo. zu Hermannstadt.
Guth, Anton.

Hauptleute 2. Classe.

Budisavljević, Budislav v.
Ferentzy de Bodok, Paul.
Marginean, Ernst.
Rom, Joseph.
Anculia, Elias.
Karl, Anton.
Trenner, Virgil.
Hallavanya v. Radoičić, Julius.

Oberlieutenants.

Benischko, Vincenz.
Jung, Johann.
Ryzewski, Franz.
Angerholzer, Anton (ü. c.) im mil.-geogr. Inst.
Riesz, Franz.
Sandul, Theodor.
Finger, Wilhelm.
Plapperer, Franz.
Pöhlig, Hermann (Reg.-Adj.).
Steinbach, Wenzel.
Hundsfeld, Johann (Res.-Comdo.-Adj.).
Pleschner, Wilhelm.
Glöckner, Victor.
Thot, Anton.

Schwarz, Florian (ü. c.) in der Probepraxis für den Truppen-Rechnungsdienst.
Kvergić, Georg.
Ramberger, Carl.
Melzer Edl. v. Tapferheim, Leonhard.
Commendo, Carl.
Melzer, Adolph.
Mayer Edl. v. Starkenthurm, Arthur.
Waradin, Stephan.
Lauterbach, Ludwig.
Hoch, Andreas (Prov.-Off.).
Algya alias Poppa de Alsó-Komana, Dionys (ü. c.) im mil.-geogr. Inst.
Zinnern v. Burgthal, Carl (Erg.-Bez.-Off.).

Lieutenants.

Bellazi, Carl (Res.).
Hütter, Heinrich (Res.).
Makowei, Nikanor (Res.).
Tröstl, Joseph.
Bucz, Ludwig (Res.).
Margineau, Nikolaus (Res).
Dürr, Rudolph (Res.).
Goglia, Gustav.
Dragoi, Alexander.
Witek, Johann.
Székely, Stephan (Res.).
Barcsan, Johann (Res.).
Fabus, Balthasar (Bat.-Adj.).
Spanić, Johann (Bat.-Adj.).
Zerdahely, Arthur v.
Zinnern v. Burgthal, Victor.
Suyer, Eugen (Bat.-Adj.).
Szabo, Johann.

Frischherz, Clement
Pollandt, Sylvester
Seeger, Alois
Chiapo, Leopold v.
Faschingbauer, Joseph
Papp, Nikolaus
Hanusch, Friedrich
Teutsch, Johann
Popea, Radu
Glück, Adolph
} (Res.).

Schreiner, Alois.
Macsego, Albert (Bat.-Adj.).
Binder, Friedrich (Bat.-Adj.).
Muntean, Nikolaus (ü. c.) in der Probepraxis für den Truppen-Rechnungsdienst.
Gassner, Hermann (Res.)
Weber, Friedrich (Res.).
Links, Friedrich (Res.).
Kubesch, Alfred.
Swastits, Stephan.

Liskowacki, Miecislaus, Ritt. v.
Goldstücker, Marcus
Köhler, Carl
Herzog, Julius
Dubowy, Romuald
Klugmann, Benjamin
Favetti, Carl
Papp, Johann v.
Kadár, Georg
Perasso, Franz
Schiller, Friedrich
Porenta, Anton Ritt. v.
} (Res.).

Savković, Constantin.
Szegedy, Ludwig.
Krajčević, Julius v.
Popu, Jakob (Res.).
Kunst, Rudolph.

Jucho, Franz (Res.).
Habor, Franz.
Klemens, Peter.

Cadeten.

Prunk, Friedrich (Res.).
Korény, Johann (Off.-Stellv.), (Res.).
Ševčak, Vincenz (Off.-Stellv.), (Res.).
Deutsch, Aaron (Res.).

Binder, Joseph
Orbai, Ladislaus
Gürtler, Ferdinand
Ferber, Leopold
Staněk, Carl
Crespi Edl. v. Frangolo, Ludwig
} (Off.-Stellv.).

Mil.-Aerzte.

Sedlaček, Jakob, Dr., Reg.-Arzt 1. Cl.
Ficker, Leopold, Dr., Reg.-Arzt 1. Cl.
Stefezius, Johann, Dr., GVK. m. Kr., Reg.-Arzt 2. Cl.
Lugo, Emil, Dr., Reg.-Arzt 2. Cl.
Taun, Eduard, Dr., Oberarzt.

Rechnungsführer.

Plačowsky, Jos., Hptm. 1. Cl.
Eckert, Augustin, Obrlt.
Stimač, Georg, Lieut.

Egalisirung papageigrün (wie Nr. 10 u. 46), Knöpfe weiss.

51.

Ungarisches Infanterie-Regiment.

Regiments-Stab: Grosswardein.

Reserve- und Ergänzungs-Bezirks-Commando: *Klausenburg.*

1702 errichtet, Bagosy, Paul, Oberst; 1707 Gyulai, Franz Gf., FML.; 1729 Pálffy v. Erdöd, Franz Gf., GM.; 1735 Gyulai, Stephan Gf., FML.; 1759 Gyulai, Franz Gf., GM.; 1788 Splényi v. Mihâldy, Gabriel Freih., FML.; 1822 Mecséry, Johann Freih. v., FML.; 1833 Carl Ferdinand, Erzherzog, GdC.

(Zweiter Inhaber war: von 1833—1864 Berger von der Pleisse, Johann Nepomuk Freih., FZM.)

1875 Heinrich, Erzherzog, FML.

Zweiter Inhaber.

Bils, Anton Freih. v., FML. (1864).

Oberst u. Reg.-Comdt. Arlow, Sebastian Ritt. v., ÖEKO-R. 3. (KD.).

Oberstlieutenants.

Wallerstein, Adolph.
Fuchs, Johann, ⊙, Res.-Comdt.

Majore.

Schönnermarck, Rudolph v.
Heinzelmann, Joseph Ritt. v., ÖEKO-R. 3. (KD.), MVK. (KD.).
Herrmann, Vincenz.
Descovich v. Oltra, Alois Ritt.

Hauptleute 1. Classe.

Morelli, Peter (ü. c.) prov. Comdt. des Garn.-Transportshauses zu Hermannstadt.
Campéanu, Lucas.
Heinz, Isidor.
Radanović, Martin.
Milleusnić, Marcus.
Verkljan, Peter.
Domide, Leo.
Watzdorf, Carl v.
Brunn, Franz.
Augé, Franz.
Maxymowicz, Johann.
Gindelly, Ferdinand.
Hirsch, Gustav Edl. v.
Dragan, Albert (ü. c.) beim R.-Kriegs.-Mstm.
Noušak, Johann.
Jukić, Franz.
Tomičić, Adam.

Hauptleute 2. Classe.

Brusch, Wenzel (ü. c.) zug. dem Generalstabe.
Raatz, Adalbert.
Mikleu, Johann.
Selović, Theodor.
Wurmb, Emil Ritt. v.
Gruić, Auxentius.
Wodniansky, Johann.
Wittman v. Neuborn, Eduard.

Oberlieutenants.

Veith, Felix.
Louvens, Julius.
Miholek, Joseph.
Csintalan, Johann.
Fröhlich, Ernst.
Gerber, Jakob (Reg.-Adj.).
Rosenkranz, Franz.
Rummer, Adolph (ü. z.) zug. dem Generalstabe.
De Brucq, Theodor.
Schubon, Gregor.
Tomljenović, Marcus.
Doskočil, Ludwig.
Horváth, Georg.
Tomljenović, Adam.
Miljanović, Franz (Erg.-Bez.-Off.).
Tamele, Johann (ü. c.) im mil.-geogr. Inst.
Melzer, Wilhelm.
Sabaila, Dionysius.
Bálinth de Lembény, Aurel.
Hofmann, Heinrich.

Lieutenants.

Schüller, Wenzel (Res.).
Stuckheil, Gustav (Res.).
Dobokay, Ludwig v. (Res.).
Feeg, Theodor (Res.).
Mayerhöfer, Carl (Res.).
Wydra, Ludwig (Res.).

Schilling, Coloman
Girtler, Rudolph
Marton, Béla
Schiedek, Theodor
Hoszu, Pompejus
} (Res.).
Cerjak, Thomas.
Dembitzky, Philipp.
Humitza, Johann (ü. c.) im mil.-geogr. Inst.
Spiske, Franz.
Nagy de Felsö-Vályi, Arthur (Bat.-Adj.).
Lang, Heinrich.
Bacsilla, Cyriak.
Beg, Nikolaus.
Snjarić, Lucas (Res.-Comdo.-Adj.).
Paika, Lucas (Prov.-Off.).
Wrbka, Carl.
Incze, Coloman (Res.).
Isacu, Pompilius (Res.).
Furtasz, Carl (Bat.-Adj.).
Dienstl, Edmund (Bat.-Adj.).
Bernd, Rudolph v. (WG.).
Nikšić, Georg (Bat.-Adj.).
Schwenk, Franz
Veress, Julius
Fries, Sigmund Ritt. v.
Roediger, Julius
} (Res.).
Baltl, Joseph
Duval, Quirinus Freih. v.
Gáár, Joseph
Geissler, Wilhelm
Szentkirályi, Ludwig
} (Res.).
Szás, Georg.
Florentin Edl. v. Biederheim, Aurelius.
Jannosch, Johann.
Marussig, Richard
Schmarda, Edmund
Hatfaludy, Stephan v.
Szende, Béla v.
Marki, Alexander
} (Res.).
Radosavljević, Lazarus (Bat.-Adj.).
Deseő de Szent-Viszló, Franz.
Koch, Franz (Res.).
Papp, Emerich (Res.).
Kuzmich, Maximilian (Res.).
Haubert, Camillo.
Kukulj, Constantin.
Knezević, Anton.
Sarkotić, Martin.
Vidović, Johann.
Sloboda, Georg.
Seibt, Gottfried.
Mayor, Nikolaus.
Lázár, Carl.

Cadeten.

Marosan, Mathias
Pittelka Carl
Büsch v. Tessenborn, Victor
Kempner, Paul
Ristow, Gustav
} (Off.-Stellv.).

Mil.-Aerzte.

Tüške, Franz, Dr., GVK. m. Kr., Reg.-Arzt 1. Cl.
Berks, Ludwig Ritt. v., Dr., Reg.-Arzt 1. Cl.
Epstein, Joseph, Dr., Reg.-Arzt 1. Cl.
Jüttner, Carl, Dr., Reg.-Arzt 2. Cl.
Hroch, Franz, Unterarzt.

Rechnungsführer.

D'Albini, Heinr., Hptm. 1. Cl.
Nun, Anton, Hptm. 1. Cl.

Egalisirung aschgrau (wie Nr. 11, 24 u. 33), Knöpfe gelb.

52.

Ungarisches Infanterie-Regiment.

Regiments-Stab: Wien.

Reserve- und Ergänzungs-Bezirks-Commando: *Fünfkirchen.*

1741 errichtet, Bethlen, Wolfgang Gf., FML.; 1763 Károlyi de Nagy-Károly, Franz Anton Gf., FZM.; 1791 Anton Victor, Erzherzog; 1804 Franz Carl, Erzherzog, FML.

(Zweite Inhaber waren: von 1791—1803 Wenckheim, Joseph Freih., FML.; von 1803 bis 1817 Rukavina v. Bonyograd, Mathias, FML.; von 1818—1825 Reinwald v. Waldegg, Joseph, FML.; von 1825—1855 Martonitz, Andreas Freih., FZM.; von 1855—1868 Herzinger, Anton Freih. v., FML.

Inhaber.

(Vacat.)

Oberst u. Reg.-Comdt. Polz Edl. v. Ruttersheim, Carl, MVK. (KD.).

Oberstlieutenant.

Urbański, Johann, Res.-Comdt.

Majore.

Polka, Vincenz.
Magerl, Carl.
Schrott, Ignaz, ÖEKO-R. 3. (KD.), MVK.
Schmotzer, Adolph, MVK. (KD.).
Dörner, Adolph.

Hauptleute 1. Classe.

Ungar, Carl.
Komadina, Miloš.
Bartak, Franz.
Relković, Anton.
Hassinger, Franz Edl. v., MVK. (KD.), (ü. c.) im mil.-geogr. Inst.
Schöffl, Joseph (ü. c.) comdt. beim Generalstabe.
Koch, Adalbert, ÖEKO-R. 3. (KD.).
Koppen, August.
Szilvássy, Alexander v.
Seitz, Jaroslav (ü. c.) zug. dem Generalstabe.
Vukadinović, Samuel.
Konja, Alexander.
Korbusz, Eduard, MVK. (KD.).
Barth, Joseph.
Schemerka, Carl.
Thour, Alexander.
Irin.ger, Carl, MVK. (KD.).
Renner Edl. v. Ritterstern, Wilhelm, MVK. (KD.).
Manoilović, Samuel.
Klein, Leop. (ü. c.) Lehrer an der Mil.-Unter-Realschule zu Güns.

Hauptleute 2. Classe.

Steinberg, Johann Edl. v., ÖEKO-R. 3. (KD.).
Deutsch, Rudolph, MVK. (KD.), ⊙, ○ 1.
Kohl, Carl.
Kovarbašić v. Zborište, Svetozar.
Spaleny, Norbert, MVK. (KD.).
Domac, Johann.
Gullinger, Victor.

Oberlieutenants.

Gauser, Joseph.
Hegedüs, Eugen v.
Holtz, Georg Freih. v.
Lovretić, Paul, MVK. (KD.).
Sermonet, Laurenz, MVK.
Pollovina, Andreas.
Winkler, Anton (ü. c.) zug. der Mil.-Intdtr.
Haga, Adam.
Stefan, Joseph.
Ratković, Johann (Reg.-Adj.).
Petričević, Paul.
Burger, Franz.
Carina, Alphons v.
Hirt, Eugen (Res.-Comdo.-Adj.).
Roschitz, Jakob.
Raić, Miloš.
Neumann, Hermann.
Steinbach, Joseph (Prov.-Off.).
Bergleiter, Ernst.
Orlović, Emanuel.

Leonarde, Friedrich Ritt. v.
Zepke, Johann (ü. c.) im mil.-geogr. Inst.
Lesska, Heinrich.
Ruttkay v. Nedecz, Albert.
Tadić, Michael.

Lieutenants.

Reinfeld, Emerich (Res.).
Pösch, Julius (Res.).
Libics, Adolph v. (Res.).
Hoffmann, Ludwig (Res.).
Visy, Ludwig, MVK. (KD.) (Res.).
Czierer, Achatius (Res.).
Follert, Franz (Res.).
Spitzer, Carl (Res.).
Bolza, Joseph Gf. (Res.).
Duralia, Paul (Bat.-Adj.).
Szabović, Otto.
Krivošić, Johann.
Günzl, Anton, MVK. (KD.), (Bat.-Adj.).
Hickmann, Béla (ü. c.) im mil.-geogr. Inst
Zink, Joseph.
Benkö, Julius (Res.).
Boroević, Svetozar, MVK. (KD.), (Bat.-Adj.).
Menzlik, Alexander (Erg.-Bez.-Off.).
Hantke, Carl (Bat.-Adj.).
Kreipner, Ferdinand.
Müller, Alfred (Res.).
Turek, Felix.
Bencze, Ferdinand v.
Appel, Michael Edl. v., MVK. (KD.).
Imelić, Johann Edl. v.
Mecz, Géza.

Vest, Oskar Ritt. v., MVK. (KD.) (Res.).
Pichler, Johann (Res.).
Kollegger, Joseph (Res.).
Neuner, Franz (Res.).
Prati, Eugen (Res.).
Schäffer, Rudolph (Res.).
Ertl, Ludwig (Res.).
Grund, Franz (Res.).
Riegl, Wilhelm (Res.).
Hess, Franz (Res.).
Haberditzl, Andreas (Res.).
Knopp v. Kirchwald, Alois, MVK. (KD.).
Hochenegg, Joseph.
Clementschitsch, Arnold (Res.).
Moldoványi, Stephan (Res.).
Korchmáros, Coloman (Res.).
Strohschneider, Anton (Res.).
Kulisz, Johann (Res.).
Himmler, Adolph (Res.).
Hartlieb v. Walthor, Rudolph Freih. (Res.).
Machalla, Rudolph (Res.).
Gross, Conrad (Res.).
Geutebrück, Ernst (Res.).
Steinberg, Friedrich Ritt. v. (Res.).
Zevedin, Carl (Res.).
Barich, Mathias.
Lieleg, Adolph.
Kotertsch recte Reindl, Eduard.
Lenner, Franz.
Fister, Carl.
Maggi, August.
Appel, Sigmund Edl. v.
Szeykora, Lambert.
Obsenica, Budislaus.

Cadeten.

Schuster, Joseph.
Alvian, Johann.
Patzák, Coloman (Off.-Stellv.).
Noë, Engelbert.
Tinz, Rudolph (Off.-Stellv.).
Moritz, Emil.
Gruber, Eduard (Res.).
Egerszeghi, Michael (Res.).
Hartmann, Gustav (Res.).
Gallovits, Arthur (Res.).

Mil.-Aerzte.

Czikann, Clemens, Dr., Stabsarzt.
Fellner, Friedrich, Dr., Reg.-Arzt 1. Cl.
Schirmer, Franz, Dr., Reg.-Arzt 2. Cl.
Sorz, Leopold, Dr., Reg.-Arzt 2. Cl.
Lipowsky, Johann, SVK. m. Kr., Oberwundarzt.
Ertl, Franz, Oberwundarzt.

Rechnungsführer.

Christen, Alois, Obrlt.
Pervuliev, Alexander, Obrlt.
Rejchrt, Johann, Lieut.

Egalisirung dunkelroth (wie Nr. 1, 18 u. 53), Knöpfe gelb.

53.

Ungarisches (croat.) Infanterie-Regiment.

Regiments-Stab: Bugojno.

Reserve- und Ergänzungs-Bezirks-Commando: *Agram.*

1741 errichtet als Panduren-Corps, Trenk, Franz Freih. von der, Oberst; 1745 Trenk'sches Panduren-Regiment; 1748 auf ein Bataillon reducirt und „Slavonisches Panduren-Bataillon" genannt; 1750 Baday, Adam v., Oberst; 1753 Simbschen, Carl Freih., Oberst; 1756 als Linien-Infanterie-Regiment organisirt; Simbschen, Carl Freih., FML.; 1763 Beck, Philipp Lewin Freih., FZM.; 1768 Pálffy v. Erdöd, Johann Leopold Gf., FZM.; 1791 Jellachich de Bužim, Johann, FML.; 1814 Hiller, Johann Freih., FZM.; 1825 Radossevich v. Rados, Demeter Freih., FML.
(Zweite Inhaber waren: von 1835—1852 Wöber, Anton v., FZM.: von 1852—1869 Cordon, Franz Freih. v., FML.)

1835 Leopold, Erzherzog, GdC.

Oberste.
- Hostinek, Paul, ÖEKO-R. 3. (KD.), Reg.-Comdt.
- Hranilović de Cvětasin, Peter, ÖEKO-R. 3. (KD.), MVK. (KD.). Res.-Comdt.

Oberstlieutenants.

(Vacant.)

Majore.

Scharinatz, Theodor, ÖFJO-R.
Babal, Anton.
Liel, August.
Roknić, Georg, MVK. (KD.).
Radoy, Theodor.

Hauptleute 1. Classe.

Schmelkes, Johann.
Begović, Paul, MVK. (KD.).
Petković, Johann.
Petrović, Carl, MVK. (KD.).
Viditz, Alois.
Sallegg, Joseph.
Birwas, Eduard.
Lovretić, Martin, MVK. (KD.).
Guretzky v. Kornitz-Gureck, Alexander Freih.
Le Fort, Ernst Ritt. v.
Cvetićanin, Emanuel (ü. c.) beim Sicherheits-Corps für Bosnien.
Halla, Adolph.
Sarapa, Basilius.
Gruden, Franz, MVK. (KD.).
Jemrić, Mathias.
Ellerich, Franz.
Perković, Paul.

Hauptleute 2. Classe.

Mraović, Joseph.
Krizekár, Eduard.
Turner, Felix.
Novaković v. Gjuraboj, Mich.
Sabolov, Blasius.
Rotquić, Joseph.
Malenković, Stephan.
Gebauer, Carl Edl. v., MVK. (KD.), ○ 1.
Žeravica, Eduard.
Ecker, Joseph.
Terbuhović, Emanuel.

Oberlieutenants.

Diappa, Gedeon.
Koczian, Rudolph.
Kalbacher, Joh., ÖEKO-R. 3. (KD.).
Rajčetić, Emil (Res.).
Pavellić, Johann.
Krnjaić, Alexander.
Pabst, Wenzel.
Riedlmayr, Wilhelm Edl. v.
Unglerth, Albin (Res.).
Marokini, Arnold v. (ü. c.) beim Sereżaner-Corps.
Kašai, Franz.
Ulrich, Heinr. (Res.-Comdo.-Adj.).
Tannenberger, Hubert.
Jemrić, Stephan.
Radanović, Stephan.
Brixy, Joseph.
Mužina, Ladislaus.
Degoriczia v. Freunwaldt, Carl (Erg.-Bez.-Off.).
Božičević, Joh (Bat.-Adj.).
Ivanišević, Ferdinand.
Phillipović, Marcus.

Ljustina, Johann (Bat.-Adj.).
Turčić, Mathias.
Krainčević, Stephan, MVK. (KD.), (Reg.-Adj.).
Badovinac, Johann (Bat.Adj.).
Wiesinger, Joseph, MVK. (KD.) (Prov.-Off.).
Šivković, Stephan.
Mamula, Theodosius (Bat.-Adj.).
Hron, Carl.
Mikolji, Franz (Res.).
Alt, Samuel.

Lieutenants.

Kugler, Nikolaus v.
Gartenauer, Heinrich
Cuculić, Milorad Ritt. v.
Ferrić, Carl
Mallin, Johann
Mikić, Emil
Smodek, Ladislaus
} (Res.).
Turić, Leopold.
Krneta, Gideon, ÖEKO-R. 3. (KD.).
Prica, Obrad.
Vučković, Stanislaus.
Šafranek, Ludwig.
König, Wilhelm (Res.).
Vončina, Johann (Res.).
Majcen, Joseph, Dr. (Res.).
Petaj, Peter (Res.).
Pavičić, Georg.
Barić, Constantin.
Petković, Anton (Bat.-Adj.).
Marković, Thomas.
Osvald, Johann (Res.).
Dervodelić, Joseph.
Njegovan, Johann.

Bandel, Eduard
Eisner, Emil
Mataja, Victor
Baldemair, Nikolaus
Kamenar, Georg
} (Res.).
Hatz, Alexander (Bat.-Adj.).
Schleicher, Wilhelm.
Zečević, Otto
Mosettig, Heinrich, MVK. (KD.)
Ducat, Carl
Kirschner, Joseph
Neumann, Jakob
Vranković, Georg
} (Res.).
Radičević, Martin, MVK. (KD.).
Panian, Albin.
Manojlović, Gabriel
Jerković, Michael
Wickerhauser, Theodor, MVK. (KD.)
Betlheim, Arthur
Maurović, Stanislaus
Schweiger, Franz
Verhanić, Georg, Dr.
Hranilović de Cvětasin, Coloman
Vaupotić, Mathias
Satter, Johann
Smrekar, Emil
Vrabel, Joseph
} (Res.).
Sabljar, Adolph.
Subarić, Michael.
Jovičić, Athanas.
Vernić v. Kis-Turan, Maximil.
Ralić, Daniel.
Oreškovič, Johann.
Peternek, Carl.
Komadina, Miloš (Res.).
Jaksić, Alexander, ○ 1., ○ 2.
Babić, Marcus.

Cadeten.

Balogh de Galantha, Joh.
Minić, Michael
Pejaković, Johann
Simonović, Julius
Kirpal, Fridolin
Stuchly, Theodor
Zajec, Dušan
} (Off.-Stellv.).
Hreglianović, Wolfgang v.
Perok, Philipp
Bukovčan, Balthasar
Partas, Rado v.,
Huth, Carl
Sennik, Joseph
Durbesić, Johann
Kršnjavi, Ignaz
Šarac, Velimir
} (Res.).

Mil.-Aerzte.

Huber, Alexander, Dr., Reg.-Arzt 1. Cl.
Jirka, Johann, Dr., GVK. m. Kr., GVK., Reg.-Arzt 1. Cl.
Sklenarž, Rudolph, Dr., Reg.-Arzt 1. Cl.
Köhler, Joseph, Dr., Reg.-Arzt 2. Cl.
Rogozinski, Philipp, Dr., ÖFJO-R., Reg.-Arzt 2. Cl.

Rechnungsführer.

Tomić, Carl, Hptm. 2. Cl.
Grek, Nikolaus, Obrlt.
Zaryczuk, Anton, Lieut.

Egalisirung dunkelroth (wie Nr. 1, 18 u. 52), Knöpfe weiss.

54.

Mährisches Infanterie-Regiment.

Regiments-Stab: Gorazda.

Reserve- und Ergänzungs-Bezirks-Commando: *Olmütz.*

1661 als churbrandenburgisches Regiment übernommen, Sparr, Ladislaus Gf. v., FML.; 1669 Starhemberg, Ernst Rüdiger Gf., FM.; 1701 Kriechbaum, Georg Friedrich Freih., FZM.; 1710 Wachtendonk, Bertrand Anton Freih., FML.; 1720 Königsegg-Rothenfels, Lothar Gf. v., FM.; 1751 Sincère, Claudius Freih. v., FZM.; 1769 Callenberg, Carl Gf., FML.; 1802 Morzin, Ferdinand Gf., FML.; 1805 Froon v. Kirchrath, Joseph Freih., FZM.; 1823 Lamezan-Saline, Joseph Gf., GM.; 1831 Prinz Emil von Hessen und bei Rhein, FZM.; 1857 Grueber, Wilhelm, Freih. v., FML.

(Zweite Inhaber waren: von 1832—1836 Milutinovich v. Weichselburg, Theodor Freih., FML.; von 1836—1839 Cometti, Johann Baptist Ritter, FML.; von 1839—1857 Grueber, Wilhelm Freih. v., FML.)

1877 Thun-Hohenstein, Franz, Gf., FML.

Oberste.
- Mallner, Hermann, MVK. (KD.), (ü. c.) Comdt. der 2. Inf.-Brig. zu Banjaluka.
- Soucop Edl. v. Dobenek, Emil, Reg.-Comdt.

Oberstlieutenants.

Neumann-Ettenreich v. Spallart, Robert Ritt., Res.-Comdt.
Gröller, Alexander Ritt. v., MVK. (KD.).

Majore.

Holeschowský, Franz.
Henikstein, Gustav Freih. v., MVK. (KD.).
Gebauer, Anton, ÖFJO-R., MVK. (KD.).
Hora, Joseph MVK. (KD.).

Hauptleute 1. Classe.

Keim, Adolph (WG.).
Albrecht, Franz.
Paust, Johann, MVK.
Dutkiewicz, Paul, MVK. (KD.).
Meixner, Johann.
Gruner, Wilhelm.
Pauer, Joseph, MVK. (KD.), (WG.).
Ruhri, Anton.
Senarclens de Grancy, Emil Freih.
Prochaska, Gustav.
Hetzendorf, Georg v.
Grab, Julius Edl. v.
Ritschel, August (WG.).
Heldmann, Joseph.
Steinbrecher, Victorin, MVK. (KD.).
Spielmann, Emil Freih. v.
Matiussi, Anton.
Niemetz v. Elbenstein, Jos.
Leth v. Lethenau, Franz Ritt., MVK. (KD.).

Hauptleute 2. Classe.

Pilavka, Valentin.
Küffer v. Asmannsvilla, Albert Ritt.
Schöfnagl, Franz.
Kimmel, Johann.
Trapp, Wilhelm.
Schlieben, Ludwig v.

Oberlieutenants.

Brossmann, August.
Pabst, Heinrich.
Sýka, Ludwig.
Franceschini, Friedrich.
Udrycki de Udryce, Sigmund.
Prack, Carl (ü. c.) Lehrer an der Marine-Akad.
Fribort, Joseph.
Tuhaček, Mathias.
Rejschek, Johann (Erg.-Bez.-Off.).
Suchan, Carl, MVK. (KD.).
Könitz, Lothar Freih. v.
Hampel, Theodor.
Hütner, Anton.
Hron v. Leuchtenberg, Anton (Bat.-Adj.).
Florik, Ignaz (Prov.-Off.).
Winkler, Ferdinand.
Wurm, Johann.
Kiss de Szent-György-Völgye, Leonhard, MVK. (KD.), (Reg.-Adj.).
Langer, Ferdinand (Bat.-Adj.).

Pöschmann, Gustav.
Mandlik, Johann.
Schartel, Johann.
Kallina, Joseph.
Fasan, Friedrich.
Koudela, Johann.
Juch, Ernst, MVK. (KD.).
Offermann, Eduard (Res.-Comdo.-Adj.).
Székely de Doba, Carl (Bat.-Adj.).
Manský, Joseph (Res.).
Nasswetter, Ferdinand (Bat.-Adj.).
Haisler, Joseph.
Podlouček, Johann.

Lieutenants.

Fillunger, Johann
Neumayer, Joseph
Stasser, Franz
John, Franz
Gödel, Conrad
Bezdiek, Anton
Metz, Joseph Edl. v.
Rauch, Franz
Meissner, Franz
Ullmann, Eduard
Hübel v. Stollenbach, Guido Ritt.
Biener, Clemens
Holzinger, Friedrich
Alt, Joseph
Nechwatal, Ernst
Jahn, Gustav
} (Res.).

Mildner, Raimund (Bat.-Adj.).
Arbesser, Ludwig.
Krist, Hermann (Res.).
Janauschek, Carl.
Rambausek, Friedrich.
Leonhard, Gottfried.
Berger, Georg.
Vařeka, Johann (Res.).
Schartel, Joseph (Res.).
Gams, Berthold, MVK. (KD.), (Res.).
Heger, Johann (Res.).
Kral, Emanuel (Bat.-Adj.).
Elfmark, Franz.
Oščadal, Florian (Res.).
Molitor, Gustav (Res.).
Matura, Johann.
Oehler, Friedrich.
Padewit, Fridolin
Nowotny, Johann
Einaigl, Eugen
Peychl, Siegbert
Pospischil, Johann
} (Res.).
Kratschmer, Carl.
Schmid, Fridolin.
Latal, Carl.
Langer, Wenzel.
Székely de Doba, Gustav.
Kluch, Maximilian.
Bernhauer, Hugo.
Nitsch, Ignaz.
Neubauer, Adolph.
Kratschmer, Ernst.
Tuppi, Joseph.
Smejkal, Anton, ○ 2.
Tilsen, Georg, ○ 2.
Bariczek, Emil.

Cadeten.

Zitka, Alphons (Off.-Stellv.), (Res.).
Haschka, Ferdinand (Res.).
Dosudil, Robert (Res.).
Schubert, Ignaz (Res.).

Mil.-Aerzte.

Luft, Hermann, Dr., Reg.-Arzt 1. Cl.
Schlossarek, Heinrich, Dr., Reg.-Arzt 1. Cl.
Korbelař, Adalbert, Dr., ÖFJO-R., Reg.-Arzt 2. Cl.
Sonnewend, Ferdinand, Dr., Reg.-Arzt 2. Cl.
Dollmann, Franz, Oberwundarzt.

Rechnungsführer.

Schaller, Joseph, ÖFJO-R., Hptm. 1. Cl.
Bach, Carl, Hptm. 1. Cl.

Egalisirung apfelgrün (wie Nr. 9 u. 79), Knöpfe weiss.

55.

Galizisches Infanterie-Regiment.

Regiments-Stab: Lemberg.

Reserve- und Ergänzungs-Bezirks-Commando: *Brzezan.*

1799 errichtet, Joseph Franz, Erzherzog; 1807 Baillet-Merlemont, Ludwig Gf., FZM.; 1811 Bianchi, Duca di Casa Lanza, Friedrich Freih., FML.; 1833 Bianchi, Friedrich Freih., Duca di Casa Lanza, FML.

(Zweiter Inhaber war: von 1801—1807 Baillet-Merlemont, Ludwig Gf., FML.)

(Das früher unter Nr. 55 bestandene Infanterie-Regiment wurde 1742 als niederländisches National-Infanterie-Regiment errichtet; 1746 d'Arberg, Carl Anton Gf., FZM.; 1768 Murray de Melgum, Joseph Jakob Gf., FZM; 1803 Reuss-Greitz, Fürst Heinrich XIII., FZM.; 1809 reducirt.)

Das seit 1. November 1852 unter dieser Nummer betehende Infanterie-Regiment führte früher die Nr. 63.

1865 Gondrecourt, Leopold Gf., FML.

Oberste. { Gruhl, Wilhelm, ÖEKO-R. 3. (KD.), MVK., Reg.-Comdt.
Motusz de Alsó-Rasztoka, Ladislaus, Res.-Comdt.

Oberstlieutenant.

Adam, Joseph.

Majore.

Pilat, Franz v., MVK. (KD.).
Wenzl, Carl.
Matłachowski, Johann.

Hauptleute 1. Classe.

Geyr, Vincenz.
Baruskín, Stephan.
Kramer, Johann.
Betta, Julius de.
Theimer, Julius.
Herzog, Joseph.
Suzdelewicz, Johann.
Wandruszka, Wilhelm.
Metzger, Joseph.
Gątkiewicz, Johann v.
Niederreiter, Eduard.
Styller v. Löwenwerth, Gustav.
Stary, Jakob.
Feistmantel, Heinrich.
Prišik, Nikolaus.

Hauptleute 2. Classe.

Sperro, Johann.
Schütz, Carl.
Padlewski v. Skorupka, Julius Ritt.
Strmac, Nikolaus (ü. c.) bei der Grundbuchs-Anlegung.
Živić, Elias.
Urycki, Theophil.
Lavante, Adalbert.

Oberlieutenants.

Neumann, Emil (ü. c.) im mil.-geogr. Inst.
Ficałowicz, Romuald.
Hofmann v. Sternhort, Alfred.
Schedelberger, Joseph.
Riedl, Carl.
Steinbach, Carl.
Wiśniewski, Julian (Reg.-Adj.).
Mörth, Carl (WG.).
Mehlem, Erwin Ritt. v., ○ 2.
Kisela, Joseph (Erg.-Bez.-Off.).
Straka, Johann.
Past, Heinrich Ritt. v.
Zvanetti, Ernst.
Schwarz, Vincenz.
Nickl, Wilhelm.
Csala, Paul v. (Prov.-Off.).
Rautschek, Carl.
Kernreich, Gustav.
Lippa, Paul (Res.-Comdo.-Adj.).
Kolitscher, Carl (Bat.-Adj.).
Büsch, Johann.
Fikerment, Alfred.
Kiesler, Jakob.

Lieutenants.

Dornbaum, Johann, Dr.
Wiskočil, Eduard
Fraenkel, Marcell, Dr.
Agopsowicz v. Ilasso, Stanislaus Ritt.
Laski v. Korab, Ludwig Ritt.
Obertyński, Emil Ritt. v.
Kiernig, Ladislaus
Obertyński, Adam Ritt. v.
Hejda, Joseph
Łuczakowski, Constantin
} (Res.).

Dzieduszycki, Michael Gf. (Res.).
Brandstätter, Eduard (Res.).
Terlitza, Victor (Res.).
Januszewski, Johann (Res.).
Tanczakowski, Stephan (Res.).
Tuček, Stanislaus (Res.).
Uličny, Joseph (Res.).
Zbitek, Theodor (Res.).
Hruban, Franz (Res.).
Fruwirth, Hermann (Res.).
Wąsowicz, Eduard.
Zajaczkowski, Valentin.
Holzapfel de Faalmi, Stephan.
Bogdanović, Gregor.
Holjevac, Thomas.
Zapałowicz, Hugo, Dr.d.R. (Res.).
Angermüller, Ferdinand (Res.).
Wolny, Carl (Res.).
Tuček, Adalbert (Res.).
Mandybur, Franz (Res.).
Lisac, Fabian.
Bordolo, Victor (Res.).
Hauenschield v. Przerąb, Eugen (Res.).
Hausner, Witold (Res.).
Philipp, Edmund (Res.).
Dültz, Eugen (Res.).
Łysakowski, Joseph (Res.).
Feistmantel, Friedrich (WG.).
Wereszczyński, Felix v.

Empfling, Eduard.
Marter, Edmund (Bat.-Adj.).
Werner, Arnold.
Bobikiewicz. Constantin (Res.).
Bartel, Justin (Res.).
Schultz, Ludwig.
Krulisch, Franz (Bat.-Adj.).
Dębicki, Wilhelm.
Salibill, Franz.
Kastelitz, Carl.
Weissmann, Eduard (Bat.-Adj.).
Wasilewski, Stanislaus Ritt. v. (Bat.-Adj.).
Freund, Heinrich.
Wraubek, Rudolph.
Tomkiewicz, Ladislaus.
Tuczek, Anton.
Meixner, Otto.
Meixner, Hugo.
Chitrejko, Sigmund.
Schaude, Hugo.

Cadeten.

Dąbrowski, Heinrich (Off.-Stellv.).
Jahoda, Anton (Off.-Stellv.).
Zelenka, Alois (Off.-Stellv.).

Herites, Alfred Edl. v. (Off.-Stellv.).
Brykowicz, Stanislaus (Off.-Stellv.).

Mil.-Aerzte.

Rasp, Heinrich, Dr., Reg.-Arzt 1. Cl.
Bayer, Friedrich, Dr., Reg.-Arzt 2. Cl.
Pokorny, Eugen, Dr., Reg.-Arzt 2. Cl.
Frauenglas, Jakob, Dr., Oberarzt.
Finkelstein, Wilhelm, Oberwundarzt.

Rechnungsführer.

Reicher, Emil, Hptm. 2. Cl.
Czappek, Wilhelm, Hptm. 2. Cl.
Auerbach, Aaron, Lieut.

Egalisirung rothbraun (wie Nr. 17, 68 u. 78), Knöpfe gelb.

56.

Galizisches Infanterie-Regiment.

Regiments-Stab: Krakau.

Reserve- und Ergänzungs-Bezirks-Commando: *Wadowice.*

1684 errichtet, Houchin, Paul Anton Freih., FZM.; 1690 Daun, Wirich Philipp Lorenz Gf., Fürst zu Thiano, FM.; 1741 Mercy-Argenteau, Anton Ignaz Gf., FM.; 1767 Nugent, Jakob Gf., FML.; 1784 Colloredo-Waldsee. Wenzel Gf., FM.: 1825 Fürstenwärther, Burgsassen zu Odenbach, Carl Freih. v., FML.; 1857 Gorizzutti, Franz Freih. v. FML.

1875 Baumgarten, Alois v., FML.

Oberst u. Reg.-Comdt. Hannbeck, Johann, MVK. (KD.)

Oberstlieutenants.

Fabrizii, Johann Ritt. v., MVK. (KD.), Res.-Comdt.
Budisavljević, Alexander v.

Majore.

Dittrich, Gustav, MVK., (KD.); (ü. c.) Lehrer an Mil.-Akad. zu Wr.-Neustadt.
Poglies, Raimund Ritt. v.
Janota, Robert.
Netuschill, Joseph (des Generalstabs-Corps).

Hauptleute 1. Classe.

Jaworski, Stephan.
Langer, Adolph.
Chudoba, Joseph.
Přichoda, Eduard, ÖFJO-R., MVK. (KD.), (ü. c.) im mil.-geogr. Inst.
Zichardt, Gustav, MVK. (KD.).
Wähner, Wladimir.
Ruebenbauer, Ferdinand.
Tusch, Johann.
Zawilski, Ladislaus.
Bude, Emanuel.
Bogisch, Rudolph.
Schwarz, Anton.
Kuhn, Rudolph (ü. c.) im mil.-geogr. Inst.
Schimonski, Georg v.
Nettel, Johann.
Wolny, Alexander.
Martinelli, Ferdinand.
Tepser, Wilhelm Edl. v.
Dhonel, Carl.

Hauptleute 2. Classe.

Borkowski, Adolph.
Derndarski, Welisar.
Miklić, Georg.
König, Julius.
Felhauer, Joseph.
Bilek, Wilhelm.

Oberlieutenants.

Wilczek, Carl.
Mayr, Anton.
Grüber, Alfred.
Kraus, Wilhelm.
Małecki, Rudolph (ü. c.) im mil.-geogr.-Inst.
Babić, Paul (ü. c.) bei der Grundbuchs-Anlegung
Bussan, Carl.
Pokorny, Gustav.
Minojetti, Fortunatus.
Sarić, Arkadie.
Kernić, Joseph (Reg.-Adj.).
Hubischta, Joseph.
Kossanić, Johann Ritt. v., O 1.
Wenzel, Franz (Prov.-Off.).
Pucherna, Ludwig (ü. c.) im mil.-geogr. Inst.
Remer de Grzymała, Wladimir.
Jakobsohn, Isaak.
Grudzinski, Wilhelm.
Rebensteiger v. Blankenfeld, Camillo.
Trojan, Franz.
Neumann, Carl (Erg.-Bez.-Off.).
Sedlaczek, Alois.
Brozsek, Carl.

Lieutenants.

Pulikowski, Miecislaus Ritt. v. (Res.)
Glass, Nikolaus (Res.)
Beck, Ferdinand (Res.)
Faschank, Felix (Res.)

Matouszek, Rudolph
Pawel, Jaroslaus
Langer, Otto
Brosch, Julius
Meyerhöfer, Ferdinand
Albinski, Sigmund
Męcinski, Alexander
Kulisch, Adam
Siegler Edl. v. Eberswald, Adolph
Zapletal, Alphons
Reicher, Alois
Heinisch, Wenzel
(Res.).
Gałuszka, Gottlieb.
Gredelj, Stanislaus.
Schlesinger, Wilhelm (Res.).
Mudrinić, Michael (WG.).
Pieczonka, Victor (Res.).
Warzeszkiewicz, Joh. (Res.).
Gach, Joseph (Res.).
Kopecky, Arthur (Bat.-Adj.).
Wodniansky v. Wildenfeld, Friedrich Freih. (Res.-Comdo.-Adj.).
Kukla, Adolph (Bat.-Adj.).
Muranko, Joseph.
Pecchio v. Weitenfeld, Gustav Ritt.
Lichtenegger, Wladimir.
Kurz v. Traubenstein, Joseph.
Janiczek, Carl (Bat.-Adj.).
Chorąży, Joseph (Bat.-Adj.).
Petri, Alexander.
Miksch, Adolph (Res.).
Olearski, Casimir v. (Res.).
Korn, Carl (Res.).
Kotula, Boleslaus (Res.).
Ulrich, Severin.
Preschel, Oskar.
Skala, Albert.
Csala, Johann v.
Wintuschka, Casimir (Res.).
Huppert, Sigmund.
Göbel, Joseph (Bat.-Adj.).
Lawner, Carl.
Schmeer, Friedrich
Fiałkowski, Attila
Slouk, Arcadius
Winkowski, Franz
Napadiewicz, Julian
Joniec, Anton
Ollinger, Anton
Sittig, Rudolph
Czap, Julius
(Res.).
Schulz, Emil.
Scholz, Emanuel.
Grzybowski, Johann.
Wolański v. Wolany, Carl Ritt.
Pelz, Eduard.
Malinowski, Victor.
Bariczek, Arthur.
Sobolewski, Felix Ritt. v.

Cadeten.

Pniower, Alfred (Off.-Stellv.), (Res.).
Salzmann, Leon (Res.)
Koppens, Ladislaus
Mostowski v. Dołęga, Heinrich Ritt.
Dzikowski, Julian
Medritzky, Wilhelm
(Off.-Stellv.).

Mil.-Aerzte.

Boese, Johann, Dr., Stabsarzt.
Dubsky, Joseph, Dr., Reg.-Arzt 2 Cl.
Schöfer, Joseph, Dr., Reg.-Arzt 2. Cl.
Einäugler, Leo, Dr., Reg.-Arzt 2. Cl.
Gussmann, Isaak, Dr., Oberarzt.
Weczerka, Augustin, Oberwundarzt.

Rechnungsführer.

Piotrowitz, Cajetan, Hptm. 1 Cl.
Serafinski, Ferdinand, Obrlt.

Egalisirung stahlgrün (wie Nr. 47, 48 u. 60), Knöpfe gelb.

56.

Galizisches Infanterie-Regiment.

Regiments-Stab: Krakau.

Reserve- und Ergänzungs-Bezirks-Commando: *Wadowice.*

1684 errichtet, Houchin, Paul Anton Freih., FZM.; 1690 Daun, Wirich Philipp Lorenz Gf., Fürst zu Thiano, FM.; 1741 Mercy-Argenteau, Anton Ignaz Gf., FM.; 1767 Nugent, Jakob Gf., FML.; 1784 Colloredo-Waldsee, Wenzel Gf., FM.; 1825 Förstenwärther, Burgsassen zu Odenbach, Carl Freih. v., FML.; 1857 Gorizzutti, Franz Freih. v. FML.

1875 Baumgarten, Alois v., FML.

Oberst u. Reg.-Comdt. Hannbeck, Johann, MVK. (KD.)

Oberstlieutenants.

Fabrizii, Johann Ritt. v., MVK. (KD.), Res.-Comdt.
Budisavljević, Alexander v.

Majore.

Dittrich, Gustav, MVK., (KD.); (ü. c.) Lehrer an Mil.-Akad. zu Wr.-Neustadt.
Poglies, Raimund Ritt. v.
Janota, Robert.
Netuschill, Joseph (des Generalstabs-Corps).

Hauptleute 1. Classe.

Jaworski, Stephan.
Langer, Adolph.
Chudoba, Joseph.
Přichoda, Eduard, ÖFJO-R., MVK. (KD.), (ü. c.) im mil.-geogr. Inst.
Zichardt, Gustav, MVK. (KD.).
Wähner, Wladimir.
Ruebenbauer, Ferdinand.
Tusch, Johann.
Zawilski, Ladislaus.
Bude, Emanuel.
Bogisch, Rudolph.
Schwarz, Anton.
Kuhn, Rudolph (ü. c.) im mil.-geogr. Inst.
Schimonski, Georg v.
Nettel, Johann.
Wolny, Alexander.
Martinelli, Ferdinand.
Tepser, Wilhelm Edl. v.
Dhonel, Carl.

Hauptleute 2. Classe.

Borkowski, Adolph.
Derndarski, Welisar.
Miklić, Georg.
König, Julius.
Felhauer, Joseph.
Bilek, Wilhelm.

Oberlieutenants.

Wilczek, Carl.
Mayr, Anton.
Grüber, Alfred.
Kraus, Wilhelm.
Małecki, Rud. [illegible] mil.-geo[illegible]
Babić, Paul (ü. c.) bei der Grundbuchs-Anlegung
Bussan, Carl.
Pokorny, Gustav.
Minojetti, Fortunatus.
Sarić, Arkadie.
Kernić, Joseph (Reg.-Adj.).
Hubischta, Joseph.
Kossanić, Johann Ritt. v. O l.
Wenzel, Franz (Prov.-Off.).
Pucherna, Ludwig (ü. c.) im mil.-geogr. Inst.
Remer de Grzymała, Wladimir.
Jakobsohn, Isaak.
Grudziński, Wilhelm.
Rebensteiger v. Blankenfeld, Camillo.
Trojan, Franz.
Neumann, Carl (Erg.-Bez.-Off.).
Sedlaczek, Alois.
Brozsek, Carl.

Lieutenants.

Pulik[illegible]

Matcuszek, [illegible]
Pawel, [illegible]
[illegible]lager, [illegible]
[illegible]rosen, [illegible]
Meyerhofer, [illegible]
Albinski, [illegible]
Mecinski, [illegible]exander
[illegible]unsen, [illegible]
Siegler Edl. v. [illegible]
Adolph
Zapletal, [illegible]
Hetener, Alois
Hermsen, Werner
Gadanska, Gottlieb
Grenell, Stanislaus
Schlesinger, Wilhelm [illegible]
[illegible], Michael [illegible]
[illegible], [illegible]
[illegible]ewicz, [illegible]
Goeth, Joseph (R[illegible])
[illegible], Artur [illegible]
[illegible], [illegible] Wilhelm[illegible]
Friedrich [illegible]

Kukla, Adolph (R[illegible])
Merz[illegible], Joseph

Rita
Lichtenegger, Wladimir
Kurz v. Traubenstein, Joseph
[illegible]ielzek, Carl [illegible]

57.

Galizisches Infanterie-Regiment.

Regiments-Stab: Troppau.

Reserve- und Ergänzungs-Bezirks-Commando: *Tarnów.*

1689 errichtet, Sachsen-Coburg, Albert Herzog, FML.; 1699 Kratze, Carl Sebastian Freih. v., GM.; 1704 Sickingen, Damian Johann Philipp Freih., FML.; 1713 Wellenstein, Johann Hannibal Freih., GM.; 1715 Browne de Camus, Georg Gf. v., FZM.; 1731 O'Neillan (Neylan) Franz Baron v., GM.; 1734 Thüngen Adam Sigmund Freih., FZM.; 1745 Andlau, Joseph Freih., FZM.; 1769 Colloredo-Waldsee, Joseph Gf., FM.; 1823 Minutillo, Friedrich Freih., FML.; 1832 Mihalievits, Michael Freih. v., FZM.; 1845 Haynau, Julius Freih. v., FZM.; 1853 Jabłonowski, Felix Fürst, FML.

(Zweiter Inhaber war von 1857—1873: Simbschen, Ferdinand, Freih. v., FML.)

1857 Friedrich Franz, Grossherzog von Mecklenburg-Schwerin.

Oberst u. Reg.-Comdt. Kurz, Emil.

Oberstlieutenants.

Güllich, Carl, Res.-Comdt.
Schemel Edl. v. Kühnritt, Ferdinand.

Majore.

Kirsch, Adolph, MVK. (KD.).
Thiele, Alois.
Bancalari, Gustav, MVK. (KD.) (des Generalstabs-Corps).

Hauptleute 1. Classe.

Seidel, Ferdinand.
Miłkowski v. Habdank, Emil Ritt.
Obst, Eduard.
Sóchaniewicz, Joseph.
Szczućinski, Ladislaus v.
Pachner, Anton, MVK. (KD.).
Rothe, Ottokar.
Wiener, Ludwig (ü. c.) zug. dem Generalstabe.
Ocetkiewicz, Stanislaus.
Hölzel, Franz.
Chrzanowski, Alexander.
Mikowetz, Theodor.
Janeček, Wenzel.
Sawczyński, Joh., ○ 1, ⚲ 2.

Hauptleute 2. Classe.

Breuer, Ignaz (WG.).
Uhl, Alfred.
Junek, Johann.
Steinauer, Julius.
Polletin, Arthur (ü. c.) beim R.-Kriegs-Mstm.
Schulz, Emil, MVK. (KD.).
Jirauch, Emanuel.
Felix, Bernhard.
Chizzola, Leodegar v.

Oberlieutenants.

Ursprung, Franz v.
Schmidt, Oswald (ü. c.) zug. dem Generalstabe.
Striech, Ignaz.
Kukolić, Nikol. (Reg.-Adj.).
Rotter, Wilhelm.
Neugebauer, Hubert.
Pelikan, Gustav (ü. c.) im mil.-geogr. Inst.
Pilch, Carl (Erg.-Bez.-Off.).
Partyka, Adalbert.
Falkowski, Ladislaus.
Kopřiwa, Joseph, ○ 2.
Richter, Carl (Res.-Cmdo.-Adj.).
Čosić, Elias.
Wieser Edl. v. Brunnecken, August (Res.).
Sertić, Lucas.
Suchovsky, Leo (WG.).
Görtz, Franz Ritt. v. (ü. c.) zug. der Mil.-Intdtr.
Jonak Edl. v. Freyenwald, Richard (ü. c.) im mil.-geogr. Inst.
Grünberger, Ottokar.
Cymbulski, Leopold.
Wieńkowski, Georg Ritt. v.
Rizy, Franz.
Hopp, Gustav.
Neumann, Joseph (Prov.-Off.).
Nadherný, Johann.

Lieutenants.

Engelmayer, Anton
Stählin, Carl Freih. v.
Richter, Paul
Kotzent, Carl
Hoffmann, Adalbert
Durkalec, Johann
Brdek, Franz
Grolle, Johann Edl. v.
Krátky, Simon
Fischer, Leopold
Moráwek, Johann
Scheller, Eugen
Bielański, Julius
Pareński, Theodor
Kosch, Joseph
Swiderski, Alexander
Harwot, Georg
Pick, Alfred
Winkowski, Joseph
Molin, Johann
Krasicki, Ladislaus
Ruczka, Stanislaus
Deissenberg, Stanislaus
Gruszka, Stanislaus (Res.).
Bielawski, Joseph (Bat.-Adj.).
Maciąga, Joseph (Bat.-Adj.).
Kloç, Michael.
Hrabik. Heinrich.
Daniel, Isidor (Res.).
Nowiński, Bronislaus (Res.).
Vozka, Franz.
Wall, Andreas.
Amon, Ludwig (Bat.-Adj.).
Szymberski, Ladislaus.
Igálffy v. Igály, Albert (Bat.-Adj.).
Griessler, Andreas (Bat.-Adj.).
Turčić, Franz.
Kahl, Anton.
Albeck, Julius Ritt. v.
Suberle, Ladislaus.
Höllerer, Michael.
Mederer v. Mederer und Wuthwehr, August.
Kittel, Alois.
Adamski, Roman (Res.).
Janosza-Galecki, Miecislaus Ritt. v. (Res.).
Dzierzynski, Joseph (Res.).
Rampacher, Rudolph.
Schantz, Adolph.
Sednik, Stephan
Kropaczek, Casimir
Ujejski, Gustav
Zawilinski, Roman (Res.).
Hantschel, August.
Schindler, Franz.
Warchoł, Andreas.
Adamski, Titus.
Reitmayer, Heinrich.
Pacyna, Laurenz.
Albeck, Medard Ritt. v.
Frohner, Franz.
Guber, Camillo.

Cadeten.

Trötscher, Joseph (Res.)
Bartnik, Joseph
Burzinsky, Johann
Kout, Johann
Gasser v. Streitberg, Leonhard Ritt.
Fogelmann, Ladislaus
Karpinski, Stanislaus (Off.-Stellv.).

Mil.-Aerzte.

Wilczek, Romuald, Dr., GVK. m. Kr., Stabsarzt.
Griebsch, Carl, Dr., (Operateur), Reg.-Arzt 1. Cl.
Rossmanith, Johann, Dr., Reg.-Arzt 1. Cl.
Illing, Ferdinand, Dr., Reg.-Arzt 2. Cl.
Hausser, Alexander, Dr., Reg.-Arzt 2. Cl.

Rechnungsführer.

Köcher, Wenzel, Hptm. 1. Cl.
Geller, David, Obrlt.

Egalisirung blassroth (wie Nr. 36, 65 u 66), Knöpfe gelb.

58.

Galizisches Infanterie-Regiment.

Regiments-Stab: Agram.

Reserve- und Ergänzungs-Bezirks-Commando: *Stanislau.*

1763 errichtet, Vierset, Carl Freih., GM.; 1794 Beaulieu, Johann Peter Freih., FZM.; 1822 L'Espine, Joseph Gf., FML.; 1827 Veyder v. Malberg, Carl Freih., GM.; 1830 Stephan, Erzherzog, FML.

(Zweiter Inhaber war: von 1830—1861 Abele von Lilienberg, Franz Freih., FML.)

1867 Ludwig Salvator, Erzherzog, Oberst.

Zweiter Inhaber.

Henikstein, Alfred Freih. v., FML. (1861).

Oberste. Fidler v. Isarborn, Adolph, MVK., Reg.-Comdt.; Gerstenkorn, Julius, Res.-Comdt.

Oberstlieutenants.

Salis-Samaden, Carl Freih. v., MVK. (KD.), JO-Ehrenritter, ♰.
Neuhaus de St. Mauro, Julius Gf.

Majore.

Formandel, Johann.
Best, Georg, MVK. (KD.).
Worliczek, Adolph.

Hauptleute 1. Classe.

Prochaska, Eduard, MVK. (KD.)
Widmar, Peter.
Raslić, Gustav.
Konzer, Julius.
Linde, Franz.
Ebert, Adalbert.
Sperk, Franz.
Renzhausen, Oskar.
Lemport, Heinrich.
Rivé v. Westen, Norbert.
Piskorsch, Joseph.
Trinks, Eduard.
Zaręba v. Dobek, Joseph Ritt.
Schramm, Dominik.

Hauptleute 2. Classe.

Lackner, Carl.
Schmidt, Johann, ○ 1.
Nidiol, Joseph.
Betzel, Georg.
Voit, Adalbert.
Serdić, Michael.
Deinl, Michael.
Raschek, Victor.

Oberlieutenants.

Lederle, Sigmund.
Rosa, Hermann.
Waldecker, Franz (Bat.-Adj.)
Soukup, Joseph.
Gürsching, Eduard.
Waniček, Joseph.
Krzeczunowicz, Victor.
Sliwiński, Adolph.
Serbeński, Cyprian.
Gerstmann, Joseph v.
Ostrawski, Andreas.
Rohm, Eugen.
Radnicki, Sigmund.
Zagitzek v. Kehlfeld, Carl.
Jauowicz, Vincenz.
Lipowski-Paternay, Carl.
König v Baumshausen, Ludwig.
Musil, Wilhelm ○ 2. (Prov.-Off.).
Pollović, Eduard.
Bosanac, August.
Savi, Cato.
Niemiec, Johann.
Sołtyński, Carl (Erg.-Bez.-Off.).
Hlubek, Johann (Reg.-Adj.).
Hesse, Joseph.
Bouček, Guido (Bat.-Adj.).
Marquart, Adolph (ü. c.) im mil.-geogr. Inst

Krauss, Ferdinand (Res.-Comdo.-Adj.).
Zelenka, Joseph (Res.).
Steindler, Leopold, Dr. (Res.).
Breyner, Adolph.

Lieutenants.

Iskierski, Wilhelm (Res.).
Matkowski, Stanislaus (Res.).
Jorkasch-Koch, August (Res.).
Wolski, Johann Ritt. v. (Res.).
Laskiewicz v. Friedensfeld, Stanislaus (Res.).
Haczewski, Carl (Res.).
Turteltaub, Julius (Res.).
Lechicki, Joseph (Res.).
Zarewicz, Adam v. (Res.).
Baranowski, Miecislaus (Res.).
Wasilewski, Johann v. (Res.).
Banovčanin, Jeftimir (WG.)
Hrdliczka, Alexius (Res.).
Jungmann, Wilhelm (Res.).
Krinner, Carl (Res.).
Lakomy, Joseph (Res.).
Hölzelhuber, Peter.
Pasternak, Joh. (Bat.-Adj.).
Feigel, Roman.
Merta, Theodor.
Hutter, Joseph.
Kovačević, Franz.
L'Estocq, Gustav Freih. v. (Bat.-Adj.).
Dürrigl, Carl.
Biernatzky, Engelbert (Res.).
Steiner, Joseph (Res.).
Nawratil, Richard (Res.).
Dzinkiewicz, Basil v. (Res.).
Wasl, Friedrich v. (Res.).
Buzor, Theodor (Res.).
Beranek, Wenzel (Bat.-Adj.).
Mayer, Carl.
Poźniak, Alfred.
Bardasch, Joseph (Res.).
Chrzanowski, Victor (Res.).
Mathias, Gustav (Res.).
Rauch, Franz (Res.).
Streyjski, Eugen (Res.).
Dunikowski, Emil, Dr. (Res.).
Tesař, Franz (Res.).
Dömötör, Ludwig (Res.).
Eliasch, Franz (Res.).
Hajek, Ottokar (Res.).
Ebenberger, Apollinar (Res.).
Harasimowicz, Theophil (Res.).
Epstein, Wilhelm.
Łukaszewicz, Leo.
Pellech, Theodor.
Michulowicz, Sigmund.
Suchanek, Adam.
Minasowicz, Carl.
Bryła, Casimir.
Krausz, Samuel.
Smirzitz, Heinrich.

Cadeten.

Pastorček, Johann (Off.-Stellv.), (Res.).
Stánkowski, Joseph Ritt. v. (Off.-Stellv.).
Blažek, Sigmund (Off.-Stellv.).
Hübner, Georg (Off.-Stellv.).
Poll, Peter (Off.-Stellv.).
Kohuth, Johann (Off.-Stellv.).
Kuzmin. Adolph (Off.-Stellv.).
Thenen, Bachmil (Off.-Stellv.).

Mil.-Aerzte.

Arzt, Emanuel, Dr., GVK. m. Kr., Stabsarzt.
Schlauf, Carl, Dr., Reg.-Arzt 1. Cl.
Slama, Robert, Dr., Reg.-Arzt 2. Cl.
Geržabek, Siegbert, Dr., Reg.-Arzt 2. Cl.
Hahn. Bartholomäus, Dr., Reg.-Arzt 2. Cl.
Bruna, Dionysius, Oberwundarzt.

Rechnungsführer.

Ogiegło, Johann, Hptm. 1. Cl.
Torczyński, Anton, Obrlt.

Egalisirung schwarz (wie Nr. 14, 26 u. 38), Knöpfe weiss.

59.

Salzburg-oberösterreichisches Infanterie-Regiment.

Regiments-Stab, Reserve- und Ergänzungs-Bezirks-Commando: Salzburg.

1682 errichtet, Van der Beckh, Melchior Leopold Freih., FZM.; 1698 Marsigli, Ludwig Ferdinand Gf., GM.; 1704 Jörger zu Tollet, Anton Aegyd. Gf., GM.; 1716 Starhemberg, Ottokar Franz Gf., FML.; 1731 Wallis, Franz Wenzel Gf., FML.; 1740 Daun, Leopold Joseph Maria Gf., Fürst von Thiano, FM.; 1766 Daun, Franz Carl Gf., Fürst von Thiano, GM.; 1771 Langlois, Peter v., FML.; 1790 Jordis, Alexander v., FML.; 1815 Carl Friedrich, Grossherzog von Baden; 1818 Ludwig, Grossherzog von Baden; 1830 Leopold, Grossherzog von Baden.
(Zweite Inhaber waren: von 1815—1821 Jordis. Alexander v., FML.; von 1822—1843 Eckhard, Ludwig Freih., FZM.; von 1844—1858 Dahlen v. Orlaburg, Franz Freih., FZM.; 1858—1872 Teuchert Friedrich, Freih. v., FZM.)

1852 Rainer, Erzherzog, FZM.

Oberste.
- Urban, Carl Freih. v., MVK. (KD.), (ü. c.) Comdt. der 4. Gebirgs-Brig. bei der XVIII. Inf.-Trup.-Div. zu Mostar.
- Czsko, Franz v., MVK. (KD.), Reg.-Comdt.
- Schüch, Franz, Res.-Comdt.

Oberstlieutenant.

Wa sel, Eduard.

Majore.

Höffern zu Saalfeld, Nicomedes Ritt. v.
Soden, Friedrich.
Beroldingen, Joseph, Gf. ✠.
Siebeneicher, Adolph Edl. v., MVK. (KD.).

Hauptleute 1. Classe.

Meindl, August.
Eichen, Wilhelm (ü. c.) beim R.-Kriegs-Mstm.
Troll, Edmund Ritt. v.
Schrickel, August.
Strohueber, Edmund.
Engel, Julius Ritt. v.
Glaise v. Horstenau, Edmund.
Scheidl, Friedrich.
Lieb, Jakob.
Froschmair v. Scheibenhof, Eduard Ritt.
Koczyan, Heinrich, MVK. (KD.), (ü. c.) zug. dem Generalstabe.
Pumb, Clemens.
Spitzmüller, Franz, O 2.
Stolz, Joseph
Kofler v. Nordwende, Heinrich, O 1.
Bachner, Ignaz.
Wallner, Johann.

Hauptleute 2. Classe.

Rovere, Joseph.
Klein, Otto.
Höss, Leopold.
Doppler, Ignaz.
Knappe, Johann.
Noll, Ludwig.

Oberlieutenants.

Wachtlechner, Ignaz.
Vogl, Paul.
Höllbacher, Joseph (Erg.-Bez.-Off.).
Tost, Theodor (Reg.-Adj.).
Engerth, August Freih. v.
Květ, Joseph (ü. c.) zug. dem Generalstabe.
Wagner, Adolph.
Schwab, Gustav.
Kleindienst, Carl.
Wück, Alois (Bat.-Adj.).
Helmreich v. Brunnfeld, Wenzel.
Ficker, Ignaz (Prov.-Off.).
Gallistl, Johann.
Khautz v. Eulenthal, Alphons.
Fiebig, Waldemar v.
Prokopp, Alois, O 2.
Hettwer, Emil (ü. c.) im mil.-geogr. Inst.
Plattner, Theodor.
Frass, Anton.

Jeglinger, Hugo (ü.c.) im mil.-geogr. Inst.
Heissl, Franz (ü. c.) im mil.-geogr. Inst.
Kraus, Ernst (Res.-Comdo.-Adj.).
Wittmann, Adolph.
Schuster, Hugo.
Assmayr, Ferd. (Bat.-Adj.).
Schmudermayer, Carl.
Olowinsky, Joseph.
Kautezky, Carl.

Lieutenants.

Holeczek, Heinrich
Stieger, Heinrich
Wurmser, Anton Edl. v.
Wurmser, Carl Edl. v.
Wagner, Bruno
Seidnitzer, Michael
Schreiner, Rupert
Hammer, Cajetan
Pummer, Gustav
Knipetz, Valentin
Straubinger, Joseph
Strnadt, Victor
Strigl, Joseph
Straberger, Alfred
Hager, Anton
Berger, Franz
Förchtgott, Alfred
Frauscher, Carl
Wastl, Johann
Hadáry, Ludwig Edl. v.
(Res.)

Mörk v. Mörkenstein, Alexander.
Kubinger, August (Res.).
Hofeneder, Heinrich (Res.).
Bamberger, Alfred (Res.).
Koziel, Otto (Res.).
Bažant, Joseph (Res.).
Ramsauer, Victor (Res.).
Schumann, Wilhelm (Bat.-Adj.).
Grössl, Carl (Bat.-Adj.).
Walter, Franz.
Theiler, Joseph.
Danter, Matthäus (Res.).
Kudielka, Carl (Res.).
Niemoczek, Johann.
Fabrizii, Johann Ritt. v.
Schmucker, Adolph.
Radnitzky, Ludwig (Res.).
Maurer, Anton.
Biedermann, Adolph (Bat.-Adj.).
Specher, Thomas.
Melzer, Albert.
Pesendorfer, Franz (Res.).
Hausenblas, Alfred.
Kooks, Otto.
Knauer, Ambros.
Hartl, Johann (Res.).
Blaszellner, Joseph (Res.).
Mertens, Demeter Ritt. v. (Res.).
Lidauer, Ferdinand.
Dunzendorfer, Franz.
Fuchs, Ferdinand.
Peckenzell, Adolph Freih. v.
Reichel, Victor.
Hauschka, Gustav Ritt. v.
Doppler, Joseph (Res.).
Hausleithner, Joseph.

Cadeten.

Vötter, Julius (Off.-Stellv.)
Baumgartner, Franz (Off.-Stellv.), (Res.).
Loos, Carl.
Fahrner, Nikolaus.
Walenda, Anton
Bossert, August
Ende, Hubert
Weiss, Franz
Andersen, Carl
(Off.-Stellv.).

Mil.-Aerzte.

Vogel, Franz, Dr., Reg.-Arzt 1. Cl.
Pokorny, Carl, Dr. (Operateur), Reg.-Arzt 1. Cl.
Mayer, Theodor, Dr., Reg.-Arzt 2. Cl.
Haas, Julius, Dr., Reg.-Arzt 2. Cl.
Fiebiger, Franz, Oberwundarzt.

Rechnungsführer.

Schara, Carl, Hptm. 1. Cl.
Nowák, Johann, Obrlt.

Egalisirung orangegelb (wie Nr. 42, 63 u. 64), Knöpfe gelb.

60.

Ungarisches Infanterie-Regiment.

Regiments-Stab: Zwornik.

Reserve- und Ergänzungs-Bezirks-Commando: *Erlau.*

1798 errichtet; 1801 Gyulai v. Maros-Németh und Nádaska, Ignaz Gf., FZM.; 1831 Gustav Prinz v. Wasa, FML.; 1877 Benedek, Alexander, FML.

1878 Nagy, Carl v., FML.

Oberste. Blaschke, Julius, ÖEKO-R. 3. (KD.), Reg.-Comdt.
Pelikan v. Plauenwald, Norbert, Res.-Comdt.

Oberstlieutenant.

Schwitzer v. Bayersheim, Ludwig Ritt., ÖEKO-R. 3. (KD), MVK. (KD.). (des Generalstabs-Corps).

Majore.

Descovich v. Oltra, Franz Ritt.
Rauer v. Rauhenburg, Victor.
Balogh, Stephan v.
Schütz, Joseph.

Hauptleute 1. Classe.

Kneusel-Herdliczka, Adolph v., ÖEKO-R. 3. (KD.), (zug. dem Platz-Comdo. zu Budapest).
Hein, Joseph.
Czermak, Joseph, MVK. (KD.).
Weidl, Julius.
Fritz, Julius, MVK. (KD.), (ü. c.) im Kriegs-Archive.
Offenbach, Joseph.
Tschandl Edl. v. Chossière, August, MVK.
Wirkner v. Torda, Gabriel.
Zwieberg, Ignaz Freih. v.
Holzschuh, Ludwig.
Baloghy de Balogh, Aladár.
Petřik, Franz.
Suvich v. Bribir, Eugen, MVK. (KD.).
Kriegelstein v. Sternfeld, Carl Ritt.
Morée, Ferdinand.
Kneusel-Herdliczka, Arnold v.
Mauritz, Gabriel, MVK. (KD.).
Pavković, Peter, MVK. (KD.).

Hauptleute 2. Classe.

Kandler, Carl.
Wonner, Ludwig.
Lindenmayer, Alexander.
Vuković, Ferdinand.
Barković, Joseph (zug. dem Sicherheits-Corps für Bosnien).
Hetterich, Ladislaus.
Reutterer, Johann.
Hofbauer, Stephan.
Reitzner v. Heidelberg, Victor, MVK.

Oberlieutenants.

Meissner, Adolph (Res.).
Quintus, Joseph Ritt. v.
Biegler, Clemens (Res.).
Niemtschik, Adolph.
Péter, Benjamin.
Heimbach, Wilhelm (ü. c.) im mil.-geogr. Inst.
Bajcsy de Geczelfalva, Carl.
Erlanger, Franz (Erg.-Bez.-Off.).
Premužić, Philipp (Reg.-Adj.).
Bögös, Ludwig.
Kühn, Johann.
Stipetić, Michael.
Kahovec, Thomas.
Wirkner v. Torda, Carl.
Truxes, Eberhard.
Ducke, Ludwig (ü. c.) im mil. geogr. Inst.
Rainprecht et Ruperto, Alexander v., ○ 1., ○ 2.
Raschendorfer, Joseph.
Fischer, Emerich (Res.-Comdo.-Adj.).
Várjon de Mumók, Ludwig.
Hurta, Ignaz.
Sobotić, Nikolaus.
Böhm, Franz.
Plöchl, Joseph.
Krajačić, Philipp (Prov.Off.).
Schönner, Odilo.
Gangl, Eduard (Bat.-Adj.).
Légrády de Belfenyér, Wilh.
Kovačević, Emerich.

Lieutenants.

Fink, Coloman (Res.).
Fekete, Carl (Res.).
Kray, Stephan v. (Res.).
Liptay, Ludwig (Res.).
Ziska, Stephan (Res.).
Kornke, Emil (Res.).
Mattyasovszky, Nikolaus (Res.).
Schwantner, August (Res.).
Bernáth, Béla (Res.).
Benczur, Adalbert (Res.).
Wagner, Georg (Bat.-Adj.).
Pavić, Nikolaus (Bat.-Adj.).
Bressa, Julius (Bat.-Adj.).
Blum, Moriz (Res.).
Kiss v. Szuboticza, Emanuel (Res.).
Eulenberg, Salomon (Res.).
Tichtl v. Tuzingen et Szent-míhaly, Johann (Res.).
Misčević, Gregor.
Klein, Stephan v.
Fejszényi, Elemér v. (WG.).
Beőthy, Nikolaus (Res.).
Beőthy, Carl (Res.).
Fiedler, Heinrich, Freih. v. (Bat.-Adj.).
Demárcsek, Adalbert (Res.).
Demiany, Albert (Res.).
Tahy, Michael v. (Res.).
Zsigmondy, Ernst (Res.).
Barcs, Béla (Res.).
Glacz, Ottomar (Res.).
Röttinger, Carl (Res.).
Kolczonay, Anton (Res.).
Ankert, Franz (Res.).
Matavovszky, Béla (Res.).
Schwarz, Arthur (Res.).
Liptay, Stephan (Res.).
Sváby v. Svábóczy u. Tót-falvi, Alexander (Res.).
Gaith, Adolph (WG.).
Grohmann, Adalbert.
Józsa, Gabriel.
Györgyössy, Johann.
Kienast, Johann.
Müllner, Aemilian (WG.).
Srna, Gustav.
Keimel, Franz.
Dimitriević, Severin.
Nagy, Ladislaus.
Piesslinger, Carl (Res.).
Piesslinger, Michael (Res.).
Šašeci, Gottfried (Res.).
Mader, Julius (Res.).
Bassler, Ernst (Res.).
Schuller, Johann (Res.).
Moczár, Ludwig (Res.).
Cigler, Hermann (Res.).
Streitmann, Julius (Res.).
Feiner, Carl.
Támár, Desiderius.
Pittner, Joseph.
Mészáros, Carl.
Philipp, Ludwig.
Lippner, Carl.
Kaszeline, Arnold.

Cadeten.

Opačić, Simon (Off.-Stellv.)
Zutić, Mathias (Off.-Stellv.)
Huber, Jakob (Off.-Stellv.)
Kocziczka Edl. v. Freibergswall, Carl (Off.-Stellv.)
Breitenfeld, Alois (Off.-Stellv.)
Simko, Coloman (Off.-Stellv.)
Kubinyi, Paul v.
Greguss, Emerich (Res.).
Scholtz, Maximilian (Res.).
Nónay, Desiderius (Res.).

Mil.-Aerzte.

Schulhof, Philipp, Dr., Reg.-Arzt 2. Cl.
Fábián Edl. v. Makka, Adalbert, Dr., Reg.-Arzt 2. Cl.
Zeisberger, Wilhelm, Dr., Oberarzt.
Uhlik, Joseph, Dr., Oberarzt.
Prskawetz, Joseph, Oberwundarzt.

Rechnungsführer.

Novaković, Joseph, Hptm. 1. Cl.
Salzer, Franz, Obrlt.

Egalisirung stahlgrün (wie Nr. 47, 48 u. 56), Knöpfe weiss.

61.

Ungarisches Infanterie-Regiment.

Regiments-Stab: Essegg.

Reserve- und Ergänzungs-Bezirks-Commando: *Temesvár.*

1798 neu errichtet; 1802 Saint Julien, Franz Gf., FZM.; 1836 Rukavina v. Vidovgrad, Georg Freih., FZM.; 1849 Strasoldo-Graffemberg, Julius Gf., FML.; 1855 Zobel v. Giebelstadt und Darstadt, Thomas Friedrich Freih., FML.; 1859 Nikolaus Czesarewitsch, Grossfürst und Thronfolger von Russland.

(Zweiter Inhaber war: von 1859—1869 Zobel v. Giebelstadt u. Darstadt, Thomas Friedrich Freih., FML.)

1865 Alexander Czesarewitsch, Grossfürst und Thronfolger von Russland.

Oberste. { Machalitzky, Carl, ÖEKO-R. 3. (KD.), MVK. (KD.), Reg.-Comdt.
Lang, Franz, Res.-Comdt.

Oberstlieutenants.

Kupelwieser, Leopold.
Morocutti, Franz, ÖLO-R. (KD.), ÖEKO-R. 3. (KD.), MVK. (KD.).
Petter, Anton.

Majore.

Convay v. Watterfort, Emil Ritt.
Bucellari, Marcus.
Strasoldo - Graffemberg, Julius Gf., MVK. (KD.).

Hauptleute 1. Classe.

Weissl, Edmund.
Gettmann, Anton.
Spanner, Leopold.
Mierka, Carl.
Drobniak, Isidor.
Eichler, Franz, MVK. (KD.).
Bechinie v. Lažan, Bruno Freih.
Zastira, Joseph. MVK. (KD.).
Vuković, Franz, MVK. (KD.), (WG.).
Bystroń, Carl.
Feurer, Franz (ü. c.) beim R.-Kriegs-Mstm.
Flindt, Alexander.
Neuhäuser, Ferdinand.
Wagner, Friedrich.
Schaffer, Anton, MVK. (KD.).
Arnold, Sebastian.
Matiević, Simeon, MVK. (KD.)

Hauptleute 2. Classe.

Petrović, Demeter.
Grablowitz, Robert, MVK. (KD.).
Theodorović, Johann, MVK. (KD.).
Pokorny Edl. v. Fürstenschild, Maximilian (ü. c.) im mil.-geogr. Inst.
Pöcher, Joseph (ü. c.) beim Gen.-Comdo. zu Budapest.
Milovsky, Georg.
Isser zu Gaudententhurm, Welf v., MVK. (KD.).
Steiner, Eduard, MVK. (KD.), O 1.
Zbyszewski, Sigmund.
Urs de Margina. Georg.
Jannosch, Stephan.

Oberlieutenants.

Altenburger, Sebastian (Res.).
Mierka, Lambert (Reg.-Adj.).
Audreević, Georg.
Drobniak, Michael.
Wanjeck. Gustav.
Greku, Nikolaus.
Hanel, Hugo.
Milutinov, Athanasius (Erg.-Bez.-Off.).
Opria, Rudolph (WG.).
Katušić, Franz.
Goiković, Velimir.

Roksandić, Daniel.
Djukić, Damian.
Kunicsel, Nikolaus.
Marin, Nikolaus.
Sachs, Johann (ü. c.) im mil.-geogr. Inst.
Šokčević, Ignaz.
Novaković, Thomas.
Riposan, Julius.
Ratković, Adolph.
Radivojević, Novak (Prov.-Off.).
Mayer, Georg.
Ružička, Franz.
Rank, Camillo (Res.-Comdo.-Adj.).
Zizoni, Spiridion.
Kurelec v. Boine-mir, Eduard Ritt.
Hermann, Joseph, MVK. (KD.), (Res.).
Moravetz, Adolph (Res.).
Urbanitzky Edl. v. Mühlenbach, Eduard.
Dubaić, Damian.

Lieutenants.

Kosinka, Ludwig, ◯ 1.
Spitzka, August (Res.).
Spatariu, Wladimir (Res.).
Andrysek, Otto (Res.).
Binder, Franz (Res.).
Nagy, Eugen v. (Res.).
Motzke, Stephan (Res.).
Strebblow, Adolph (Res.).
Folnesics, Joseph (Res.).
Tötössy de Szepetnek, Béla (Res.).
Scheff, Ladislaus (Res.).
Kedačić, Carl (Res.).
Wolafka, Anton (Res.).
Freund, Alexander.
Kapunatz, Živan.
Jeličić, Michael.
Obrenović, Stephan.
Popović, Georg.
Mága, Joseph.
Strasser, Carl, MVK. (KD.), (Bat.-Adj.).
Sandner, Ferdinand.
Deutsch, Heinrich (Res.).
Griez v. Ronse, Joseph Ritt. (Res.).
Hesse, Adalbert (Res.).
Mesko v. Felső-Kubin, Béla (Res.).
Kéler, Sigmund v., (Bat.-Adj.).
Hruschka, Alfred (Bat.-Adj.).
Cozzi, Franz.
Rank, Anton.
Herbster, Alexander. (Bat.-Adj.).
Elter, Johann (Res.).
Dwořak, Julius.
Müller, Adolph.
Mervos, Natalis (Bat.-Adj.).
Kiticsan, Johann (Res.).
Löffler, Leopold (Res.).
Benesch, Alfred (Res.).
Novak, Eugen (Res.).
Barbini, Alexander.
Zenker, Franz (Res.).
Dittrich, Franz (Res.).
Panajoth, Joseph (Res.).
Schäffer, Adalbert (Res.).
Müller, Carl (Res.).
Triller, Johann (Res.).
Hirn, Marian (Res.).
Ebner, Alphons (Res.).
Keppich, Heinrich (Res.).
Florescu, Victor (Res.).
Büchler, Carl (Res.).
Jovanović, Julius.
Kaltneker, Arthur.
Linzu, Johann.
Huszár, Anton.
Mahr, Franz, ◯ 1.
Tomandl, Franz (Res.).
Busich, Christoph (Res.).
Stiller, Victor, ◯ 2.

Cadeten.

Bariss, Béla (Off.-Stellv.).
Fischer, Carl (Off.-Stellv.).
Platt, Joseph (Off.-Stellv.).
Stepper, Bernhard (Off.-Stellv.).
Küchler, Julius, ◯ 1. (Res.).
Miklea, Trifun (Res.).

Mil.-Aerzte.

Thrumić, Alexander, Dr., Reg.-Arzt 1. Cl.
Gaertner, Franz, Dr., Reg.-Arzt 2. Cl.
Vorbuchner, Friedrich, Dr., Reg.-Arzt 2. Cl.
Stancl, Johann, Dr., Oberarzt.
Wenzl, Johann, Dr., Oberarzt.

Rechnungsführer.

Winkler, Anton, Hptm. 2. Cl.
Stojanović, Sima, Obrlt.
Heiman, Carl, Lieut.

Egalisirung grasgrün (wie Nr. 8, 28 u. 62), Knöpfe gelb.

62.

Ungarisches Infanterie-Regiment.

Regiments-Stab: Carlsburg.

Reserve- und Ergänzungs-Bezirks-Commando: *Maros-Vásárhely.*

1798 errichtet; 1802 Jellachich de Bužim, Franz Freih., FML.; 1810 Waequant-Geozelles, Theodor Freih. v., FZM.; 1844 Turszky, Johann August Freih. v., FZM.; 1856 Heinrich, Erzherzog, FML.

(Zweiter Inhaber war: von 1856—1873 Melczer v. Kellemes. Andor Freih. v., FML.)

1868 Ludwig, Prinz von Bayern.

Oberste. { Bartuska v. Bartavár, Maximilian, Reg.-Comdt.
Poschacher, Martin Ritt. v., ÖEKO-R. 3. (KD.), Res.-Comdt.

Oberstlieutenants.

(Vacant.)

Majore.

Schöninger, Alfred.
Beinhauer, Emil.
Zathuretzky v. Alsó-Zathurcsa, Carl.
Mathiae, August.

Hauptleute 1. Classe.

Monó, Friedrich.
Darvas, Stephan.
Pflichtenheld, Oskar v.
Hauk, August.
Zivković, Svetozar.
Truchelut, Gottfried.
Schrodt, Wilhelm v.
Pawlick, Joseph.
Hönig, Wilhelm.
Stuchlick, Reinhard.
Mülldorfer, Victor (ü. c.) im mil.-geogr. Inst.
Abramović, Nikolaus.
Schwarz, Rainer
Csányi, Joseph.
Müller, Gustav.
Knaipp, Gustav.

Hauptleute 2. Classe.

Picha, Gottlieb.
Lazarini, Carl Freih. v., ♇.
Koronthály de Kis-Vicsap, Rudolph, ○ 1.
Dattler, Carl.
Pramberger-Eyssler v. Ehrenwart, Wilhelm Ritt., ○ 2.
Stürmer, Alexander.
Bardos, Andreas (ü.c.) Adj. und Oekon.-Off. an der Mil.-Unter-Realschule zu Güns.
Riebel v. Festertreu, Ferdinand (ü. c.) im mil.-geogr. Inst.

Oberlieutenants.

Dwořak, Carl (Res.).
Trnka, Johann.
Hauk, Moriz.
Irlanda, Cäsar.
Perathoner, Johann (Prov.-Off.).
Bichmann, Wilhelm.
Domac, Franz.
Domide, Florian.
Posnan, Pantaleon (Bat.-Adj.).
Jakel, Anton (Res.-Comdo.-Adj.).
Hoffmann, Carl.
Stürmer, Rudolph, ○ 1.
Beinitz, Johann.
Petrowich, Eduard (Reg.-Adj.).
Bacsilla, Georg.
Gergić, Emerich (Bat.-Adj.).
Vukelić, Nikolaus.
Torbica, Nikolaus (Bat.-Adj.).
Kabaković, Michael.
Wagner, Alfred.
Ziegler, Carl (Erg.-Bez.-Off.)
Hausenblass, Carl.
Žagar, Johann.
Fischer, Ludwig v.

Lieutenants.

Javorsky, Albert
Schiel, Gustav
Köközy, Árpád
Giesel, August
Tavaszi, Coloman
Ferdinko, Albert
Zakariás, Johann (Res.).
Slubek, Julius
Schweiger, Engelbert
Molnár de Fet-Apáth, Árpád
Pfitzner, Alexander
Dragišić, Michael.
Albrecht, Alfred.
Muić, Stephan.
Popović, Georg (zug. dem techn. u. adm. Mil.-Comité).
Biró, Julius (Res.).
Haltrich, Ernst.
Winzerling, Paul.
Gischler, Conrad.
Seide, Emil.
Rendl v. Heitzenberg, Carl.
Bergner, Ivo (Bat.-Adj.).
Ruth, Franz (Res.).
Kaspar, Wenzel (Res.).
Dratsay, Joseph.
Fegyverneky de Fegyvernek, Alexander (Bat.-Adj.).
Ceusianu, Nikolaus.
Baumgarten, Carl (Res.).
Marschal, Emil (Res.).
Simić, Stephan.
Lederer, Gustav (Res.).
Bucher, Carl (Res.).
Marschner, Joseph.
Wayda, Hans v.
Bene, Géza v.
Kolbenheyer, Hermann
Conrad, Emil
Fáy, Samuel
Kovácsy, Albert (Res.).
Heinisch, Conrad
Maldoner, Carl
Msch, Johann
Kožišek, Franz
Foszto, Ludwig.
Müller, Michael.
Friedl, Gustav.
Gvozdić, Mathias.
Zaglits, Joseph.
Steinfeld, Moriz.
Aigner, Wilhelm.
Török, Coloman.

Cadeten.

Wächter, Franz.
Forget de Barst, Heinrich Chev. (Off.-Stellv.).
Fekete, Nikolaus (Off.-Stellv.).
Keinzel, Oskar (Off.-Stellv.).
Bora de Szemerja, Alexander (Off.-Stellv.).
Békésy, Joseph (Off.-Stellv.).

Mil.-Aerzte.

Jungbauer, Johann, Dr., Reg.-Arzt 1. Cl.
Gruber, Joseph, Dr., Reg.-Arzt 1. Cl.
Szentpéteri, Johann, Dr., Reg.-Arzt 2. Cl.
Setz, Carl, Dr., Reg.-Arzt 2. Cl.
Popu, Johann, Dr., Oberarzt.

Rechnungsführer.

Witkowicki des Wappens Dołęga, Victor Ritt. v., Hptm. 1. Cl.
Burian, Johann, Obrlt.

Egalisirung grasgrün (wie Nr. 8, 28 u. 61), Knöpfe weiss.

63.

Ungarisches Infanterie-Regiment *).

Regiments-Stab: Wien.

Reserve- und Ergänzungs-Bezirks-Commando: *Bistritz in Siebenbürgen.*

Mit 1. Februar 1860 formirt aus den Linien-Infanterie-Regimentern Nr. 41 und 62.

1860 Wilhelm III., König der Niederlande.

Zweiter Inhaber.

Lederer, Moriz Freih. v., FML. (1860).

Oberst u. Reg.-Comdt. Mayer, Alexander, MVK. (KD.), Reg.-Comdt.

Oberstlieutenants.

Kuss, Stephan, MVK. (KD.), Res.-Comdt.
Schönfeld, Wenzel Ritt. v.

Majore.

D'Elvert, Alfred Ritt.
Wenz, Joseph, MVK. (KD.).
Villa, Peter.
Mauler, Alois.

Hauptleute 1. Classe.

Bachitsch, Johann.
Brzezina Edl. v. Birkenthal, Eduard.
Schwerenfeld, Gustav v.
Balás, Emanuel v.
Nikolić, Miloš.
Freysinger, Ernst.
Steiner, Ferdinand.
Stauber, Johann.
Skoda, Franz.
Lackner, Victor.
Sperl, Franz.
Krauss, Carl (ü. z.) beurl.
Frumossu, Jakob.

Hauptleute 2. Classe.

Schottenhammer, Johann.
Hilbert, Jakob, MVK. (KD.).
Pauli, Ignaz,
Radoević, Marcus.
Triangi zu Latsch und Madernburg, Auxentius Gf.
Cherdlitzky, Franz.
Jantzen, Robert.
Bakić, Marcus.

Oberlieutenants.

Wachsmann, Wilhelm (ü. c.) zug. dem Generalstabe.
Magaraš, Stanislaus.
Pietroszynski, Joseph.
Kautny, Ernst.
Benčević, Gustav Edl. v.
Löffler, Julius.
Emmert, Benedict (Res.-Comdo.-Adj.).
Csossa, Paul.
Kollmann, Carl (Res.).
Likoser, Valentin.
Bidler, Friedrich.
Illiucz, Sophronius, SVK. m. Kr.
Kubin, Hugo.
Matica, Peter.
Müller, Michael (Reg.-Adj.).
Visoina, Vincenz.
Reddi, Heinrich.
Kappel, Johann.
Platz, Carl.
Woycziechowski, Victor.

Lieutenants.

Regius, Eduard v. (Res.)
Stiball, Carl (Res.)
Havelka, Wenzel (Res.)
Stiebitz, Gustav (Res.)

*) Das früher unter dieser Nummer bestandene Infanterie-Regiment wurde mit 1. November 1852 unter der Nummer 33 eingereiht.

Richter, Wilhelm (Res.).
Bohač, Ottokar (Res.).
Sutoris, Moriz (Res.).
Schmidt, Victor (Res.).
Lustig, Carl (Res.).
Metlicowitz, Joseph (Res.).
Förg, Adolph (Res.).
Graulik, Ignaz.
Puić, Živan (Prov.-Off.).
Hangan, Andreas (Erg.-Bez.-Off.).
Schreiber, Rudolph.
Schulze, Victor (Res.)
Krauss, Georg (Res.).
Pavelea, Emil.
Schuster, Rudolph (Res.).
Buchler, Oskar (Res.).
Medicus, August (Res.).
Momčilović, Michael.
Zimmermann, Joseph (Bat.-Adj.).
Lutter, Joseph.
Gindl, Anton.
Steopoe, Dionysius (Res.).
Alexi, Arthemius (Res.).
Hann, Johann.
Czetz, Emil.
Rosenfeld, Moriz.
Ruscha, Joseph.
Hrstić, Peter.
Kolbasz, Nikolaus.
Hofgräff, Arthur (Res.).
Popp, Alexander (Res.).

Gutt, Johann.
Zikely, Joseph (Bat.-Adj.).
Herberth, Martin (Bat.-Adj.).
Rendl v. Heitzenberg, Gustav.
Hatfaludy de Hatmansdorf, Ernst (Bat.-Adj.).
Braun, Wilhelm (Res.).
Gentilli, Angelo (Res.).
Schweitzer, Julius (Res.).
Söllner, Johann (Res.).
Waltherr, Gedeon v. (Res.).
Distl, Johann (Res.).
Szelewski, Boleslaus (Res.).
Stauber, Leopold.
Gardik de Karda, Paul.
Simandl, Ferdinand (Res.).
Pollitzer, Adolph (Res.).
Gaar, Gustav (Res.).
Domide, Gerasim (Res.).
Bedeus v. Scharberg, Carl (Res.).
Grapini, Pamphilius (Res.).
Domokos, Joseph (Res.).
Hoffmann, Rudolph (Res.).
Dan, Johann (Res.).
Höselmayer, Johann
Dragan, Simeon (Bat.-Adj.).
Gavrilutiu, Georg.
Eggenweiler, Otto.
Le Gay Edl. v. Lierfels, Johann.
Poppinger, Alois.
Böhm, Peter.

Cadeten.

Hangea-Bobb, Alexander (Off.-Stellv.)
Pokay, Joseph (Off.-Stellv.)
Münster, Carl v. (Off.-Stellv.)
Brateanu, Michael (Off.-Stellv.)
Stephan, Carl (Off.-Stellv.)

Mil.-Aerzte.

Grossmann, Leopold, Dr., Reg.-Arzt 1. Cl.
Abay, Hermann, Dr., Reg.-Arzt 1. Cl.
Reitter, Anton, Dr., Reg.-Arzt 2. Cl.
Veress, Ludwig, Dr., Oberarzt.
Schlauf, Julius, Dr., Oberarzt.

Rechnungsführer.

Löscher, Peter, Obrlt.
Vukovac, Joseph, Obrlt.

Egalisirung orangegelb (wie Nr. 42, 59 u. 64), Knöpfe weiss.

64.

Ungarisches Infanterie-Regiment.

Regiments-Stab: Weisskirchen in Ungarn.

Reserve- und Ergänzungs-Bezirks-Commando: *Broos.*

Mit 1. Februar 1860 formirt aus den Linien-Infanterie-Regimentern Nr. 31, 50 und 51.

(Das früher unter dieser Nummer bestandene Tiroler-Jäger-Regiment wurde 1801 errichtet, 1808 aufgelöst und in neun selbstständige Jäger-Divisionen umgewandelt, welche den Stamm der gegenwärtigen Feld-Jäger-Bataillone Nr. 1—9 bildeten. Inhaber war: von 1802—1808 Chasteler, Gabriel Marq., FML.).

1860 Carl Alexander, Grossherzog von Sachsen-Weimar-Eisenach.

Zweiter Inhaber.

Berger, Joseph Edl. v., FML. (1860).

Oberste.
- Windisch-Graetz, August Prinz zu, Durchlaucht, ♰, (ü. c.) Oberst-silberkämmerer Seiner Majestät des Kaisers und Königs.
- Obadich, Joseph, (ü. c.) Comdt. der 71. Inf.-Brig. zu Visoka.
- Pisačić de Hižanovec, Adolph, Reg.-Comdt.
- Rukavina v. Liebstadt, Joseph, Res.-Comdt.

Oberstlieutenant.

Putsch, Ferdinand.

Majore.

Wellspacher, Joseph.
Rau, Heinrich, MVK. (KD.).
Garzarolli Edl. v. Thurnlack, Alois, MVK. (KD.).

Hauptleute 1. Classe.

Klement, Johann.
Dannenberg, Richard Freih. v.
Ploner, Friedrich.
Divizioli, Alois nobile de.
Deitl, Joseph.
Krayatsch, Emanuel.
Bourcy, Heinrich de.
Prochaska, Gabriel (ü. c.) beim R.-Kriegs-Mstm.
Ungard, Friedrich.
Liebenberg, Joseph Freih. v.
Gaudi, Adolph.
Schmidt, Anton, MVK. (KD.).
Olariu, Alexander.
Lupu, Alexander.

Hauptleute 2. Classe.

Kleisch, Michael, ⊙.
Popp, Carl.
Menini, genannt Bizzaro, Franz.
Merz, Ferdinand.
Mauler, Hugo.
Baldass, Franz Edl. v.
Zorich, Johann.

Oberlieutenants.

Hamsa, Agasin.
Achimesco, Timotheus.
Korel, Friedrich.
Terfaloga, Johann (ü. c.) im mil.-geogr. Inst.
Cena, Nikolaus.
Boschkar, Nikolaus.
Banda, Peter.
Müllern v. Schönebeck, Ferdinand.
Ptach, Emil.
Krenthaller, Joseph.
Zawadil, Anton, MVK. (KD.), (ü. c.) im mil. geogr. Inst.

Danzer, Alphons (ü. c.) comdt. beim Generalstabe.
Bants, Georg.
Reck, Ludwig.
Manojlović, Svetozar.
Radler, Joseph (ü. c.) im mil.-geogr. Inst.
Petrovits, Johann v.
Lindtner, Franz (ü. c.) Lehrer an der Mil.-Ober-Realschule.
Hauser, Maximilian.
Baldass, Bernhard Edl. v.
Popoviciu, Georg.
Rieglhofer, Ferdinand.
Beck, Leopold (Res.Comdo.-Adj.).
Stöhr, Anton.
Jaksch, Franz (Bat.-Adj.).
Popoviciu, Georg.
Höflinger, Adolph.

Lieutenants.

Rosmann, Adolph (Res.)
Okolicsányi, Géza (Res.)
Paulitschke, Hubert (Res.)
Pott, Emil (Res.)
Pacher, Hubert (Res.)
Müller, Ernst (Res.)
Heyrovský, Leopold (Res.)
Hollaki, Arthur v. (Res.)
Morocutti, Max (Res.)
Fischer Edl. v. Wildensee, Eduard (Res.)
Kerschbaum, Joseph, Dr. d. R. (Res.)
Kirchmayer, Franz.
Kastner, Carl.
Boldea, Georg (Erg.-Bez.-Off.).
Dragomir, Nikolaus (Bat.-Adj.).
Materinga, Daniel (Prov.-Off.).
Radulović, Daniel (Reg.-Adj.).
Lázár, Árpád v. (Res.).
Eötvös, Béla v. (Bat.-Adj.).
Dasović, Thomas.
Cucu, Peter.
Ruja, Demeter.
Bogdan, Johann (Bat.-Adj.).
Herbay, Johann.
Rieger, Alfred (Res.)
Piposiu, Cornelius (Res.)
Levitzky, Julius (Res.)
Levitzky, Albert (Res.)
Fabini, Eduard (Res.)
Leitschaft, Carl.
Blasiu, Simeon.
Cech, Joseph.
Bajna, Moses.
Tomić, Alexand. (Bat.-Adj.).
Dobrenu, Daniel.
David, Daniel (Res.).
Schelker, Gustav (Res.).
Zigrisch, Johann.
Popović, Stephan (Res.).
Russ, Rudolph (Res.).
Eckhardt, Moriz (Res.).
Kappel, Carl (Res.).
Müller, Johann (Res.).
Sandbichler, Joseph (Res.).
Nedelcu, Elias.
Scherbesko, Peter.
Kristel, Joseph (Res.)
Cholewkiewicz, Leo (Res.)
Capesius, Wilhelm (Res.)
Peiser, Carl (Res.)
Ehrlich, Samuel (Res.)
Laschitzer, Simon (Res.)
Richetti, Aegydius (Res.)
Wolf, Stephan (Res.)
Pleskott, Heinrich (Res.)
Caspaar, Valentin (Res.).
Petrovan, Georg.
Blasek, Gustav.
Krallić, Vincenz.
Hollaky de Kis-Halmágy, Georg.
Franko, Julius.
Gohn, Albert.
Erle, Ignaz.
Piso, Simon (Res.).

Cadeten.

Herbay de Joffü, Sylvius (Off.-Stellv.).
Majling, Anton (Off.-Stellv.).
Pietsch, Ludwig v. (Off.-Stellv.).
Razl, Leopold (Off.-Stellv.).
Milanov, Radoslav (Off.-Stellv.).
Franko, Georg (Off.-Stellv.).

Mil.-Aerzte.

Müller, Franz, Dr., Reg.-Arzt 1. Cl.
Kellner, Martin, Dr., Reg.-Arzt 1. Cl.
Přehnal, Joseph, Dr., Reg.-Arzt 1. Cl.
Császár, Christoph, Dr., Reg-Arzt 2. Cl.
Tůma, Johann, Dr., Reg.-Arzt 2. Cl.
Maruna, Jos., Dr , Oberarzt.

Rechnungsführer.

Krähl, Ferdinand, Hptm.1.Cl.
Regula, Ludwig, Oblt.

Egalisirung orangegelb (wie Nr. 42, 59 u. 63), Knöpfe gelb.

65.
Ungarisches Infanterie-Regiment.

Regiments-Stab: Miskolcz.

Reserve- und Ergänzungs-Bezirks-Commando: *Munkács.*

Mit Februar 1860 formirt aus den Linien-Infanterie-Regimentern Nr. 5 und 38.

1860 Ludwig Victor, Erzherzog, GM.

Zweiter Inhaber.

Kudriaffsky, Ludwig Freih. v., FML. (1860).

Oberste. { Pecchio v. Weitenfeld, Adolph Ritt., MVK. (KD.), Reg.-Comdt.
Schroft, Carl, Res.-Comdt.

Oberstlieutenant.

Baller, Anton.

Majore.

Mild, Carl.
Fischer v. See, Richard.
Haager, Johann, MVK. (KD.)
Hörl, Franz.

Hauptleute 1. Classe.

Horalek, Vincenz.
Weber, Felix.
Mejer, August, MVK. (KD.).
Ellerich, Wenzeslaus (WG.)
Paar, Heinrich (WG.).
Gatti, Friedrich (ü. c.) Lehrer an der Mil.-Ober-Real-schule.
Pauković, Adam.
Standeisky, Anton, MVK. (KD.) (ü. z.) beurl.
Kratochwill v. Löwenfeld, Alois Ritt.
Burckhart, Carl, MVK. (KD.).
Friedlein, Carl.
Kirsek, Johann.
Fischer, Carl v.

Hauptleute 2. Classe.

Frydl, Eduard.
Mayer, Emerich.
Tarnóczy, Ferdinand v.
Lopašić, Hugo.
Klein, Camillo.
Schmidt, Andreas.
Buschta, Adalbert.
Taussig, Carl.
Schicker, Franz.
Lazarsfeld, Carl.
Šestak, Johann.

Oberlieutenants.

Fellner, Julius.
Borodaikiewicz, Philemon.
Schrinner, Gustav, ÖEKO-R. 3. (KD.), (ü. c.) zug. dem Generalstabe.
Přidalek, Victor.
Striegl, Alois (Reg.-Adj.).
Partsch, Anton (ü. c.) im mil.-geogr. Inst.
Kollarsky, Michael.
Leminger, Joseph.
Hebinger, Sylvester (Res.-Comdo.-Adj.).
Jaworski, Joseph.
Fallaux, August (ü.c.) Lehrer an der Mil. Unter-Real-schule zu St. Pölten.
Avvakumovits, Georg, ○ 1. (Prov.-Off.).
Botta, Theodor.
Kuschee, Paul.
Zwak, Adolph.
Navratil, Franz.
Chalaupka, Maximilian.
Szlimak, Andreas (ü. c.) im mil.-geogr. Inst.
Gyurits v. Vitesz-Sokolgrada, Johann (Bat.-Adj.).
Manias, Carl.
Szpoynarowski, Peter.
Salomon v. Friedberg, Ernst.

Lieutenants.

Bodaszewski, Lucas (Res.)
Wagini, Carl (Res.)
Klein, Anton (Res.)
Lupi, Mathias (Res.)
Mateičić, Franz (Res.)
Reiss, Eduard (Res.)
Bardel, Georg (Res.)
Pohorfy, Béla v.

Isseczeskul, Alexander (Res.).
Sebastiani, Eugen (Res.).
Schandru, Michael (Bat.-Adj.).
Dluhos, Leo (Bat.-Adj.).
Werthschitzki, Carl.
Szloboda, Ferdinand.
Czaykowski, Emanuel v.
Wagner, Anton (Bat.-Adj.).
Zydło, Julius (Bat.-Adj.).
Forti, Camillo.
Schönauer, Ferdinand (Res.).
Schwarz, Alois (Res.).
D'Elvert, Heinr. Freih. (Res.).
Wilhelm, Friedrich (Res.).
Lachmayer, Joseph (Res.).
Astleithner, Arthur.
Schöun, Carl.
Sarrić, Anton.
Samardžia, Nikolaus.
Weis, Joseph.
Rebhann, Anton (Res.).
Langer, Gustav (Res.).
Szikszay, Alexius (Res.).
Pichler, Richard.
Ludikar, Theodor (Erg.-Bez. Off.).
Kankowski, Johann.
Szekcső, Árpád.

Schwetz, Heinrich (Res.).
Redinger, Isidor (Res.).
Rienössl, Franz (Res.).
Kauczyński, Anton (Res.).
Hubrich, Hugo.
Schidlo, Franz.
Lanner, Carl (Res.).
Klein, Sigmund (Res.).
Salzmann, Marcus (Res.).
Valko, Sigmund (Res.).
Sólcz, Balthasar (Res.).
Petri, Joseph (Res.).
Ćosić, Johann.
Jahn, August.
Ruszth, Georg.
Ehardt, Martin.
Urbányi, Julius.
Szunyoghy, Ludwig.
Baternay, Ludwig.
Nowak, Bartholomäus (Res.).

Cadeten.

Höllering, Joseph (Res.).
Krupička, Franz (Res.).
Kolacskovszky, Constantin (Res.).
Widra, Adolph (Res.).

Astleithner, Alphons (Off.-Stellv.).
Steczowicz, Stanislaus (Off.-Stellv.).
Prudl, Ludwig (Off.-Stellv.).
Krček, Joseph (Off.-Stellv.).
Mikulić, Athanasius (Off.-Stellv.).
Harth, Friedrich (Off.-Stellv.).

Mil.-Aerzte.

Scholler, Gustav, Dr., Reg.-Arzt 1. Cl.
Zocher, Joseph, Dr., Reg.-Arzt 1. Cl.
Ulrich, Joseph, Dr., Reg.-Arzt 2. Cl.
Helmbacher, Michael, Dr., Reg.-Arzt 2. Cl.

Rechnungsführer.

Pszczeluik, Cyrill, Obrlt.
Nędziński, Ignaz, Obrlt.
Tschida, Friedrich, Lieut.

Egalisirung blassroth (wie Nr. 36, 57 u. 66), Knöpfe gelb.

66.

Ungarisches Infanterie-Regiment.

Regiments-Stab: Budapest.

Reserve- und Ergänzungs-Bezirks-Commando: *Unghvár.*

Mit 1. Februar 1860 formirt aus den Linien-Infanterie-Regimentern Nr. 34, 40 und 57.

(Zweiter Inhaber war: von 1860—1868: Sztankovics, Ludwig Freih. v., FZM.)

1860 Ferdinand IV., Grossherzog von Toscana, GM.

Oberste. Kiszling, Alexander, MVK. (KD.), Reg.-Comdt.
Ettner, Moriz, ÖEKO-R. 3. (KD.), Res.-Comdt.

Oberstlieutenant.

Hess, Emil.

Majore.

Sauer, Benedict.
Feldenhauer, Franz (ü. c.) beim R.-Kriegs-Mstm.
Baller, Adolph.
Ullmann, Joseph.
Drechsler, Laurenz.

Hauptleute 1. Classe.

Vucelić, Nikolaus (ü. c.) beim Etapen-Comdo. zu Vranduk.
Langendorf, Carl.
Bilinski v. Słotyło, Adam Ritt.
Eminowicz, Stanislaus Ritt. v.
Kunst, Eduard.
Depauli, Ferdinand (WG.).
Stingl, Johann.
Appel, Franz.
Steinwalter, Alexander.
Prantner, Wenzel, MVK. (KD.).
Madziarski, Johann.
Latscher, Victor (ü. c.) zug. dem Generalstabe.
Fellner, Franz.

Hauptleute 2. Classe.

Neuhold v. Sövényháza, Emil, ○ 2.
Mrávincsics, Guido Ritt. v.
Vojvodić, Jakob.
Gottesheim, Ludwig Freih. v.
Hadrawa, Anton.
Bakoss, Balthasar.
Stadler, Joseph.
Staffen, Hubert.
Pilzer, Franz.

Oberlieutenants.

Hussakowski, Ignaz (WG.).
Höberth Edl. v. Schwarzthal, Alois.
Lorenz, Carl.
Appel, Rudolph, MVK. (KD.).
Wuckowić, Michael.
Pieré, Heinrich (Res.).
Hollegha, Carl (ü. c.) im mil.-geogr. Inst.
Weitzler, Alois.
Müller, Gustav (WG.).
Löffler, Joseph.
Rogulja, Basil.
Vuković, Peter.
Nikolić, Marcus.
Weigl, Wolfgang.
Lots, Anton, ○ 2.
Fock, Heinrich.
Swoboda, Franz ○ 2. (Prov.-Off.).
Piskor, Michael (Reg.-Adj.).
Fleischanderl, Franz.
Niagu, Joseph.
Debelak, Johann (Res.-Comdo.-Adj.).
Ulik, Otto (Erg.-Bez.-Off.).
Irgl, Joseph.
Lisacz, Raimund.
Würth Edl. v. Hartmühl, Gust. (Bat.-Adj.).
Kutschereuter, Felix.
Meisinger, Franz.
Berger, Anton.

Lieutenants.

Nicolai, Friedrich
Zupančić, Joseph
Grünert, Maximilian
Steindl, Hugo
Strejček, Franz
Timcsak, Franz v.
Lányi, Albert
Moskowits, Moriz, Dr.
Fabry, Alfred
Fuchs, Edmund
Fabry, Adolph
Pater, Coloman
Pollák, Alexander
(Res.)

Schwabik, Franz
Klein, Johann
Laszgallner, Coloman
Klein, Berthold
Steinhausz, Ladislaus
(Res.).

Mattanić, Joseph.
Capan, Julius.
Jonász, Moriz.
Koselek, Johann.
Tomecsko, Ferdinand (Res.).
Terninić, Heinrich.
Ulbrich, Eduard (Res.).
Gedeon, Aladár v. (Res.).
Pjevac, Raimund.
Regele, Oskar (Bat.-Adj.).
Schara, Emil.
Langer, Richard (Bat.-Adj.).
Ploner, Conrad.
Groissenberger, Victor.
Schönhofer, Ludwig (Bat.-Adj.).
Glück, Hermann (Res.).
Krausz, Julius (Bat.-Adj.).

Ilgner, Carl
Salo, Ludwig
Krzemieniecki, Vincenz
(Res.).

Hedry, Bartholomäus (Res.).
Schratt, Heinrich (Res.).
Jakubovics, Joseph.
Klestinszky, Coloman.

Körös, Ladislaus
Kilian, Joseph
Nathansohn, Simon
Frank, Ignaz
Horvath, Akos
Bernáth v. Bernáthfalva, Zoltán
Kindermann, Ludwig
Fülöp, Carl
Markos de Bedö, Georg
Fink, Julius
Kelemen, Hermann
(Res.).

Wass v. Bessenyö, Géza.
Staničić, Peter.
Resch, Franz.
Rott, Joseph.

Cadeten.

Twarušek, Ignaz (Res.).
Knežević, David (Off.-Stellv.).
Pucarin, Basil (Off.-Stellv.).

Hodak, Michael
Rauch, Carl.
Hagenauer, Johann
Kicki, Wladislaw
Neuschl, Franz
(Off.-Stellv.).

Mil.-Aerzte.

Bartha, Johann, Dr., ÖFJO-R., Reg.-Arzt 1. Cl.
Tomsa, Bořiwoj, Dr., Reg.-Arzt 2. Cl.
Vojta, Johann, Dr., Oberarzt.
Klein, Eberhard, Dr., Oberarzt.
Hietl, Joseph, Oberwundarzt.

Rechnungsführer.

Zeiler, Franz, Obrlt.
Hauser, Alois, Obrlt.
Hirst Edl. v. Neckarsthal, Otto, Lieut.

Egalisirung blassroth (wie Nr. 36, 57 u. 65), Knöpfe weiss.

(Gedruckt am 23. December 1878.)

67.

Ungarisches Infanterie-Regiment.

Regiments-Stab: Budapest.

Reserve- und Ergänzungs-Bezirks-Commando: *Eperies.*

Mit 1. Februar 1860 formirt aus den Linien-Infanterie-Regimentern Nr. 20 und 60

1860 Schmerling, Joseph Ritt. v., FZM.

Oberst u. Reg.-Comdt. Töply v. Hohenvest, Franz.

Oberstlieutenants.

Hiefer, Rudolph, MVK. (KD.), Res.-Comdt.
Tetzeli, Fridolin.

Majore.

Chmela, Oskar.
Kählig, Eduard.
Ott Edl. v. Ottenkampf, Anton.
Weissmann, Carl, ÖEKO-R. 3. (KD.).

Hauptleute 1. Classe.

Přihoda, Johann (ü. c.) comdt. beim Generalstabe.
Schmidt, Joseph.
Niemetz, Erwin.
Wilkens, Ludwig.
Tessely v. Marsheil, Ferdinand (WG.).
Reinel, Anton.
Hartl, Wenzel.
Hallada, Alois (ü. c.) im mil.-geogr. Inst.
Madry, Johann.
Alilović, Carl.
Donhoffer, Gustav.
Pacher v. Linienstreit, Hermann.
Okrugić, Stephan.
Novaković, Adam.
Muck, Johann.
Jahn, Sebastian.

Hauptleute 2. Classe.

Dürnbach, Ferdinand (ü. c.) beim Gen.-Comdo. zu Budapest.
Hayde, Ludwig.
Piskur, Carl.
Springholz, Rudolph.
Schuppler, Heinrich Edl. v. (ü. c.) Lehrer an der Mil.-Unter-Realschule zu Güns.
Maličky, Adolph.
Flachnecker, Gustav.
Jellinek, Johann.
Zergollern, Joseph v.
Kozak, Joseph.

Oberlieutenants.

Staviarž, Carl (Res.).
Ulbrich, Alois.
Wagner, Wilhelm (Erg.-Bez.-Off.).
Machold, Johann.
Martini, Cajetan (Res.-Cmdo.-Adj.).
Surmin, Marcus (Prov.-Off.).
Hanke v. Hankenstein, Carl.
Jankovics, Theodor.
Cvetoević, Mathias.
Bann, Simon.
Omeisz, Anton.
Jereb, Mathias.
Kovačević, Lucas.
Seifert, Carl.
Edeskuty, Ferdinand v.
Hauptmann, Gustav.
Schuppler, Albrecht Edl. v.
Ugarković, Marcus (Reg.-Adj.).
Cybulz, Maximilian (ü. c.) im mil.-geogr. Inst.
Pawelik, Bartholomäus.
Linhart, Engelbert.
Lunz v. Lindenbrand, Alexander.
Neudecker, Jos. (Bat.-Adj.).
Czernohorsky, Anton (Bat.-Adj.).

Lieutenants.

Melitsko, Friedrich (Res.)
Zsembery, Coloman (Res.)
Werner, Julius (Res.)
Krajnyak, Eduard (Res.)
Raisz, Béla v. (Res.)
Wagner, Heinrich (Res.)
Queiss, Carl (Res.)
Kohn, Moriz (Res.)
Materny, Ludwig (Res.)
Obermayer, Mich. (Bat.-Adj.).
Szlanyina, Johann, ○ 2.
Surmin, Michael (Bat.-Adj.).
Melicsko, Joseph (Res.).
Schulek, Géza (Res.).

Geczy, Joseph (Res.).
Vrchovina, Wendelin.
Oláh, Béla v.
Schuster, Friedrich.
Heurteux, Felix.
Okrutzky, Maximilian.
Choma, Peter.
Arming, Wilhelm (Bat.-Adj.).
Münnich, Aurelius (Res.).
Fuchsz, Stephan (Res.).
Lanyi, Victor (Res.).
Czölder, Johann (Res.).
Zsedenyi, Otto v. (Res.).
Palecsko, Peter (Res.).
Schertl, Georg.
Steinwender, Ferdinand.
Hauser, Maximilian.
Schlesinger, Florian.
Zellniczek, Georg.
Glasner, Anton (Res.).
Glós, Carl (Res.).
Nemes, Robert.
Halusha, Wendelin.
Zwilling, Carl (Res.).
Pankiewicz, Sigmund.
Steirer, Franz (Res.).
Kehrling, Alfred (Res.).
Schelley, Arnim (Res.).
Kiszelly, Julius (Res.).
Krompaszky, Adolph (Res.).
Glatz, Aurel (Res.).
Tirscher, Stephan (Res.).
Jakobovics, Sigmund (Res.).
Binder, Albert (Res.).
Mihaffy de eadem, Victor (Res.).
Laczko, August.
Hennel, Emil.
Bella, Andreas.
Šepović, Peter.
Fuchs, Alexander (Res.).
Stark, Julius (Res.).

Cadeten.

Soos, Ludwig (Res.).
Peinović, Joh. (Off.-Stellv.).
Bothmer, Árpád Freih. v. (Off.-Stellv.).
Paripović, Elias (Off.-Stellv.).
Golić Friedrich (Off.-Stellv.).
Serdi, Stanisl. (Off.-Stellv.).
Gál, Gustav (Off.-Stellv.).
Kiffer, Adolph.

Mil.-Aerzte.

Vollerić, Michael, Dr., Reg.-Arzt 1. Cl.
Seidel, Johann, Dr., Reg.-Arzt 2. Cl.
Wysocki, Alexander, Dr, Oberarzt.
Hesky, Heinrich, Dr., Oberarzt.

Rechnungsführer.

Hammer, Carl, Obrlt.
Ružička, Johann, Obrlt.
Then, Adolph, Lieut.

Egalisirung krebsroth (wie Nr. 20, 35 u. 71), Knöpfe weiss.

68.

Ungarisches Infanterie-Regiment.

Regiments-Stab: Dolnj-Tuzla.

Reserve- und Ergänzungs-Bezirks-Commando: *Szolnok.*

Mit 1. Februar 1860 formirt aus den Linien-Infanterie-Regimentern Nr. 33, 37 und 46.
1860 Steininger, Carl Freih. v., FZM.

1867 Rodich, Gabriel Freih. v., FZM.

Oberste. Brunner, Franz, ÖLO-R. (KD.), Reg.-Comdt.
Döpfner, Gustav Edl. v., MVK. (KD.), Res.-Comdt.

Oberstlieutenant.

Oresković, Franz, MVK. (KD.).

Majore.

Koller, Alois, MVK. (KD.), O 2.
Tomičić, Johann, ÖEKO-R. 3. (KD.).
Schmitt, Carl.
Piskatczek, Carl, MVK. (KD.).

Hauptleute 1. Classe.

Alster, Joseph.
Rodić, Peter.
Korbuss, Julius.
Traub, Anton.
Buml, Leopold.
Thian, Anton v.
Trzeschtik, Julius.
Adda, Theodor v., MVK. (KD.).
Bojer, Joseph, MVK. (KD.).
Menz, Georg, MVK. (KD.).
Bábolnay, Ludwig.
Rupp, Julius, MVK. (KD.).
Schmidt, Hugo.
Czédli, Joseph.

Hauptleute 2. Classe.

Draugentz, Johann.
Chavanne, Johann Edl. v.
Denk, Joseph, MVK. (KD.).
Rohr, Georg.
Nagy, Eugen v.
Pazdrian, Mathias.
Zwicknagl, Anton.
Burich, Joseph.
Karas, Joseph.

Oberlieutenants.

Schirschant, Joseph.
Wolnhoffer, Emil v.
Zdrahal, Joseph.
West, Alexander.
Putsch, Samuel (Erg.-Bez.-Off.).
Kriss, Vincenz, O 1.
Pataky, Alexander v.
Riessler, Carl.
Rutich, Joseph v.
Miškov, Peter.
Berg v. Falkenberg, Carl.
Tonhäuser, Ignaz (Res.).
Aulich, Heinrich, MVK. (KD.), (Reg.-Adj.).
Čović, Michael (ü. c.) Prov.-Off. bei der XIII. Inf.-Trup.-Div.
Winkler, Eduard (Bat.-Adj.).
Simić, Mathias (Prov.-Off.).
Kreipner, Friedrich.
Leth, Johann.
Zakarias, Anton.
Kaspar, Eduard (ü. c.) bei der Feld-Signal-Abth. der IV. Inf.-Trup.-Div.
Stanić, Stephan (Bat.-Adj.).
Hegyessy de Mezőhegyes, Alexander (Res.).
Persina, Julius (Res.).
Borota, Marcus.
Ludwig, Carl.
Fiedler, Ignaz.

Lieutenants.

Wellesz, Samuel (Res.).
Schmidt, Joseph (Res.).
Timon, Béla (Res.).
Kraft, Carl (Res.).
Piger, Adolph (Res.).
Piller, Eugen (Res.).
Lipcsey, Erwin (Res.).
Schneider, Julius (Res.).
Sándor, Andreas (Res.).
Palugyay, Carl (Res.).
Nikelsberg, Carl Edl. v.
Dütsch, Franz.
Nyiri, Alexander (Bat.-Adj.).
Kalić, Johann.
Aigner, Adolph.
Grünwald, Marcus (Res.).
Diksić, Vincenz (Res.-Comdo.-Adj.).
Schröder, Cornel (Res.).
Gerster, Béla (Res.).
Dobias, Arnold (Res.).

Seefranz, Gustav (Res.).
Karácsonyi, Eugen (Res.).
Brósz, Ladislaus (Res.).
Boronkay v. Boronka, Georg (Res.).
Hudich, Joseph v. (Res.).
Brandner, Arnold (Bat.-Adj.).
Orthmayr, Gustav (Bat.-Adj.).
Rendulić, Philipp (Bat.-Adj.).
Diessner, Joseph.
Hannak, Johann (Res.).
Lenk, Alexander (Res.).
Pauer, Julius (Res.).
Jilke, Carl (Res.).
Magyar, Ambrosius (Res.).
Pelžrik, Stephan (Res.).
Hummel v. Schmelzreutlingen, Carl.
Eipeltauer, Rudolph (Res.).
Fischer, Ludwig (Res.).
Fischer, Moriz (Res.).
Klenk, Julius (Res.).
Pascolotti, Peter (Res.).
Lukáts, Andreas (Res.).
Abrai, Ludwig (Res.).
Molnár, Sigmund (Res.).
Wittmann, Mathias (Res.).
Szomjas, Ladislaus (Res.).

Mattyasovszky, Mathias, MVK. (KD.). (Res.).
Plachner, Alexander (Res.).
Nöhring, Maximilian (Res.).
Ludányi, Adalbert (Res.).
Jovanović, Alexander.
Neuwohner, Joseph.
Rosenbaum, Hermann.
Helf, Philipp.
Schuller, Wendelin.
Jamrógiewicz, Apollinar (Res.).
Feix, Cornelius (Res.).
Vladár, Franz v.
Knoll, Moriz.
Weltner, Emil.
Matzek, Johann.
Laczko, Carl (Res.).
Seidl, Gustav.
Simler, Carl.
Jeřabek, Ferdinand.
Wiederspan, Ludwig.
Nesweda, August, ○ 1.
Schamschula, Rudolph.

Cadeten.

Greschke, Carl v.
Sarrić, Georg (Off.-Stellv.).
Szentkirályi de Szepsi-Szentkirályi, Franz (Off.-Stellv.).
Krüger, Johann, (Off.-Stellv.) (Res.).
Jaszencsák, Alexander (Off.-Stellv.) (Res.).
Marki, Gabriel (Res.).
Sziráky, Barnabas, ○ 2. (Res.).
Uhlyarik, Albin (Res.).

Mil.-Aerzte.

Stuckheil, Franz, Dr., ÖFJO-R., Reg.-Arzt 1. Cl.
Martineck, Albert, Dr., Reg.-Arzt 1. Cl.
Müller, Johann, Dr., GVK. m. Kr., Reg.-Arzt 2. Cl.
Nick, Moses, GVK., Oberwundarzt.

Rechnungsführer.

Schmitt, Eduard, Hptm. 1. Cl.
Jeschina, Alois, Obrlt.

Egalisirung rothbraun (wie Nr. 17, 55 u. 78), Knöpfe gelb.

69.

Ungarisches Infanterie-Regiment.

Regiments-Stab: Stolac.

Reserve- und Ergänzungs-Bezirks-Commando: *Stuhlweissenburg.*

Mit 1. Februar 1860 formirt aus den Linien-Infanterie-Regimentern Nr. 19 und 27.

1860 Jellačić de Bužim, Georg Gf., FML.

Oberst u. Reg.-Comdt. Mestrović v. Arly, Peter.

Oberstlieutenants.

Standeisky, Carl, Res.-Comdt.
Halecki v. Nordenhorst, Anton, Ritt.

Majore.

Obhlidal, Conrad.
Filauss, Friedrich.
Kaluschke, Moriz, MVK. (KD.).
Thim, Joseph.

Hauptleute 1. Classe.

Mallinarich v. Silbergrund, Heinrich.
Pielsticker v. Pfeilburg, Arthur.
Königsbrunn, Arthur Freih. v.
Korbl, Adolph.
Zechmeister, Johann.
Neyer, Hermann.
Kleisser, Friedrich.
Diemmer, Ernst, MVK. (KD.).
Duka v. Dukafalu, Coloman.
De Brucq, Julius (WG.).
Fasching, Andreas.
Janda, Anton.
Szolenszky, Hugo.
Sadtler, Mathias.
Polonkay, Albert.
Marchhardt, Géza.
Knar, Albert.

Hauptleute 2. Classe.

Slawik, Heinrich.
Gärtelgruber-Mayer, Albert Edl. v.
Koss, Rudolph.
Papp, Franz.
Ballieux Edl. v. Guelfenberg, Heinrich.
Zamecznik, Wenzel.
Franz, Heinrich Ritt. v. (ü. c.) im mil.-geogr. Inst.
Csáky, Victor.
Liebl, Vincenz (ü. c.) zug. dem Generalstabe.

Oberlieutenants.

Fritz, Heinrich (WG.).
Hirz, Johann.
Böheim v. Heldensinn, Ludw.
Čvianović, Johann.
Malletić, Ludwig (ü. c.) Personal-Adj. des FZM. Freih. v. Rodich.
Stadler, Carl.
Lászlóy, Anton.
Berleković, Stephan (ü. c.) Prov.-Off. bei der XVIII. Inf.-Trup.-Div.
Kerékfi, Franz.
Hollefeld, Franz.
Kekić, Carl.
Dorini, Victor (Reg.-Adj.).
De Soye, Alexander.
Schmidinger, Anton.
Cernko, Emil.
Bolanović, Milan.
Zimonya, Johann.
Némethy, Julius v. (Erg.-Bez.-Off.).
Lidl Heinrich.
Katić, Michael (ü. c.) bei der Grundbuchs-Anlegung.
Henneberg, Carl Freih. v.
Wučković, Emanuel (Res.-Comdo.-Adj.).
Schaumann, August.
Motter, Michael.
Hajdinović, Georg (Bat.-Adj.).
Thanner, Richard (Bat.-Adj.).
Neukirch, Moriz.
Horatschek, Rudolph (Bat.-Adj.).
Tanninger, Ignaz.
Kimlein, Peter (ü. c.) im mil.-geogr. Inst.
Mesko de Felsö-Kubin, Steph.
Haan, Friedrich Freih. v.
Lang, Carl (Res.).
Hámos Edl. v. Pelsöcz, Ladislaus (Res.).
Toth, Aladár v. (Res.).
Schniderschitz, Alphons (Prov.-Off.).
Nowosel, Franz

Lieutenants.

Wocher, Nikolaus (Res.).
Beckel, Franz (Res.).
Schletter, Carl (Res.).
Winkler, Paul (Res.).
Janković, Georg (WG.).
Bertalan, Stephan.
Bauer, Franz (Res.).
Baumeister, Anton (Res.).
Kalmus, Jakob (Res.).
Ceranić, Johann (ü. c.) bei der Feld-Signal-Abth. der XVIII. Inf.-Trup.-Div.
Mahowsky, Martin (Bat.-Adj.).
Bogat, Stephan.
Nowosel, Joseph (Bat.-Adj.).
Jékey, Alexander v.
Halm, Rudolph.
Koebelen, Franz (Res.).
Stauber, Joseph (Res.).
Say, Franz (Res.).
Lehmann, Johann (Res.).
Löwl, Ferdinand (Res.).
Dworžak, Wenzel (Res.).
Spanner, Emil.
Végh, Andreas (Res.).
Urach, Franz (Res.).
Müller, Joseph (Res.).
Hahn, Johann (Res.).
Goršić, Georg.
Pospesch, Carl (Res.).
Berzeller, Anton (Res.).
Wellisch, Ludwig (Res.).
Haračić, Franz (Res.).
Andolsek, Franz (Res.).
Szilágyi, August (Res.).
Vidović, Michael.
Vučić, Anton.
Korrica, Nowak.
Kramer, Ernst (Res.).
Poljak, Ladislaus (Res.).
Eltér, Julius (Res.).
Strammer, Anton (Res.).
Hets, Nikolaus (Res.).
Tirala, Theobald (Res.).
Pawłowski, Ladislaus (Res.).
Krug, Alexander (Res.).
Kaszás, Coloman (Res.).
Deszkásy, Balthasar (Res.).
Brestyansky, Victor v. (Res.).
Wohl, Heinrich.
Spath, Bernhard.
Molnár, David.
Vayda, Paul (Res.).
Pill, Carl.
Vamos, Desiderius (Res.).
Honsig, Franz.
Riess v. Riesenfest, Theodor Ritt.
Kompast, Carl.
Vrklian, Martin.

Cadeten.

Vukadinović, Wolfgang (Off.-Stellv.)
Viklian, Anton (Off.-Stellv.).
Prouvy de Meaille, Lambert Chev. (Off.-Stellv.).
Kolba, Johann (Off.-Stellv.).

Mil.-Aerzte.

Mayer, Moriz, Dr., Reg.-Arzt 1. Cl.
Paur, Anton, Dr., Reg.-Arzt 2. Cl.
Renčin, Marcus, Dr., Reg.-Arzt 2. Cl.
Miglic, Peter, Dr., Reg.-Arzt 2. Cl.
Hniliczka, Emil, Dr., Reg.-Arzt 2. Cl.
Zwack, Johann, Dr., Oberarzt.
Selig, Ignaz, Oberwundarzt.
Dörrich, Joh., Oberwundarzt.

Rechnungsführer.

Wellean, Georg, Hptm. 1. Cl.
Polanecky, Moriz, Hptm. 2. Cl.
Brukner, Ignaz, Lieut.

Egalisirung hechtgrau (wie Nr. 30, 49 u. 76), Knöpfe weiss.

70.

Ungarisches (slavonisches) Infanterie-Regiment.

Regiments-Stab: Brood.

Reserve- und Ergänzungs-Bezirks-Commando: *Peterwardein.*

Mit 1. Februar 1860 formirt aus den Linien-Infanterie-Regimentern Nr. 1, 3 und 25.
1860—1872 Nagy v. Alsó-Szopor, Ladislaus Freih., FZM.
(Mit 1. October 1873 wurde der bisherige Regiments-Ergänzungs-Bezirk (Neusohl) aufgelassen.)
1747 als slavonisches Peterwardeiner National-Grenz-Infanterie-Regiment errichtet; Inhaber waren: 1750 Helfreich, Christian, Freih. v., FZM.; 1757 Lietzen, Friedrich Freih., FML.; 1762 Wulffen, Christian, Freih v., FML.
(Mit 1. October 1873 wurde aus diesem das neuaufgestellte Peterwardeiner Inf.-Reg. Nr. 70 formirt.)
1873 Berg, Friedrich Wilhelm Gf., kais. russischer FM.

Peterwardeiner Infanterie-Regiment.

Inhaber.

1874 Philippović v. Philippsberg, Franz Freih., FZM.

Oberst u. Reg.-Comdt. Osvadić, Anton.

Oberstlieutenants.

Petrović, Peter, MVK. (KD.). Res.-Comdt.
Bründl v. Kirchenau Carl Ritt., ÖEKO-R. 3., MVK. (ü. c.), Comdt. des Sereżaner-Corps.
Leonhardt, Franz, MVK. (KD.).

Majore.

Khern, Alexander.
Bogdan, Ludwig.
Halper v. Szigeth, Ladislaus, MVK. (KD.).
Ivanišević, Anton.
Wiesner, Joseph.

Hauptleute 1. Classe.

Krivačić, Paul (ü. c.) bei der Grundbuchs-Anlegung.
Thodorović, Miloš (ü. c.) bei der Feld-Gendarmerie.
Milojević, Johann.
Pavellić, Blasius (ü. c.) beim Sereżaner-Corps.
Kovačić, Ludwig.
Ratky de eadem et Salamonfa, Carl.
Vuičić, Paul, MVK. (KD.).
Groller v. Mildensee, Maximilian, MVK. (KD.); (ü. c.) im mil.-geogr.-Inst.
Bradarić, Athanasius.
Lellek, Ferdinand.
Jaklenović, Nikolaus.
Poljak, Joseph.
Cvetoević, Eugen.
Krnić, Abraham.
Sternadt, Joseph.
Babić, Stephan.
Jovanović, Trifun.
Grubić, Basil.

Hauptleute 2. Classe.

Ekmečić, Georg (WG.).
Stanić, Alexander.
Prpić, Hieronymus, MVK. (KD.).
Jovičić, Emil.
Panoš, Alois.
Naglić, Johann.
Dragosavljević, Johann, MVK. (KD.).
Dorossullich, Marcus (ü. c.) bei der Grundbuchs-Anlegung.
Voinović, Theodor (ü. c.) beim Sicherheits-Corps für Bosnien.
Opačić, Gregor.
Vukmirović, Milovan, MVK. (KD.).
Fiala, Vincenz.
Živanović, Demeter.

Oberlieutenants.

Kovačević, Valentin.
Berkanec, Nikolaus.
Borošić, Johann.
Vesić, Živoin (Reg.-Adj.).
Došen, Mathias.
Lazić, Moses.

Radišević, Moses.
Zebetić, Joseph (Erg.-Bez.-Off.).
Weber, Ferdinand (ü. c.) im mil.-geogr. Inst.
Knežević, Elias (Res.-Comdo.-Adj.).
Nikolić, Peter.
Gruić, Mladen (Prov.-Off.).
Brozović, Johann.
Nikšić, Stephan.
Poletilović, Marian.
Podaný, Eduard.
Vujaklia, Daniel.
Sekanina, Martin.
Bachmann, Johann.

Lieutenants.

König, Joseph (Res.).
Nedwed, Emerich (Res.).
Svoboda, Johann (Res.).
Žunac, Georg.
Nikschics, Stephan.
Kutlich, Alphons.
Buch, Ludwig (Res.).
Dragoilović, Adam (Bat.-Adj.).
Jasić, Adam.
Stoišić, Svetozar (Bat.-Adj.).
Wagner, Emil Ritt. v.
Bogičević, Basil (ü. c.) beim Sicherheits-Corps für Bosnien.
ga, Theodor (ü. c.) beim Sicherheits-Corps für Bos-
Vrnien.
Knežević, Paul (Bat.-Adj.).
Drakulić Edl. v. Mersingrad, Nikolaus.
Jellić, Mariam.
Čosić, Gregor (Bat.-Adj.).

Markovinović, Vincenz.
Ninković, Ljubomir.
Šibalić, Marian.
Subašić, Marian.
Kupferer, Carl (Res.).
Kyovský, Carl (Res.).
Baier, Georg (Res.).
Sprung, Ludwig (Res.).
Vuković, Rudolph.
Stojanović, Laurenz.
Katušić, Thomas.
Zoretić, Blasius.
Jelinek, Alfred
Pompe, Carl
Jurea, Johann
Balajthy, Alfred Edl. v.
Ballhár, Conrad
Sturm, August
Robakowski, Joseph
Schoch, Julius
Janota, Jaromir
(Res.)
Levačić, Johann.
Witka, Paul
Gold, Franz
Schimscha, Mathias
Leschnigg, Rudolph.
Kallina, Rudolph
Weinbrenner, Carl
Gelber, Hermann
Beer, Ludwig
Bily, Franz
Pucich, Joseph
Klietsch, Leopold
(Res.)
Azlen, Stephan.
Živoinović, Paul.
Savin, Ljubomir.
Paupić, Julius.
Mihailović, Demeter (ü. c.) beim Sicherheits-Corps für Bosnien.
Bajac, Timotheus.

Vuković, Alois.
Bernstein, Jakob.
Waberer Edl. v. Dreischwert, Gustav.

Cadeten.

Zotzek, Ferdinand (Off.-Stellv.), (Res.).
Momčilović, Stephan (Off.-Stellv.).
Janković, Georg (Off.-Stellv.).
Bečić, Anton (Off.-Stellv.).
Joksimović, Michael (Off.-Stellv.).
Sretković, Michael (Off.-Stellv.).
Mihailović, Paul (Off.-Stellv.).
Subotić, Joseph (Res.).
Luksch, Joseph (Res.).

Mil.-Aerzte.

Ručević, Stephan, Dr., Reg.-Arzt 2. Cl.
Grgetić, Johann, Dr., Reg.-Arzt 2. Cl.
Pineles, Joseph, Dr., Oberarzt.
Stoll, Ignaz, ÖFJO-R., Oberwundarzt.

Rechnungsführer.

Mik, Demeter, Hptm. 1. Cl.
Kupeczek, Adolph, Obrlt.
Ugrinov, Vitalis, Lieut.

Egalisirung meergrün (wie Nr. 21 u. 25), Knöpfe gelb,

71.

Ungarisches Infanterie-Regiment.

Regiments-Stab: Brünn.

Reserve-Commando: Otočac.

Ergänzungs-Bezirks-Commando: *Trencsin.*

Mit 1. Februar 1860 formirt aus den Linien-Infanterie-Regimentern Nr. 8, 12 und 54; 1860 Leopold II., Grossherzog von Toscana, GdC.

(Zweiter Inhaber war: von 1860—1868 Boyneburg-Lengsfeld, Moriz Freih., GdC.)

1870 Rossbacher, Rudolph Freih. v., FZM.

Oberst u. Reg.-Comdt. Némethy, Johann Edl. v.

Oberstlieutenants.

Jenemann Edl. v. Werthau, Gustav, Res.-Comdt.
Teutschenbach v. Ehrenruh, Gustav.

Majore.

Gennotte, Ludwig.
Rabel, Carl.
Reutter, Georg v., MVK. (KD.)
Nowý, Eduard, MVK.

Hauptleute 1. Classe.

Komarek, Wenzel (WG.).
Bielin, Joseph.
Oldofredi, Leonce, Gf., ✠.
Mudra, Johann.
Binder, Friedrich.
Unkelhäuser v. Abenst, Georg.
Lederer, Seligmann.
Friedl, Johann.
Adler, Joseph.
Godart-Kodauert, Carl, MVK. (KD.).
Klein, Joseph (WG.).
Bemniowski, Anton.
Arenstorff, Maximilian Ritt. v.
Rumel, Adolph.
Gross, Ignaz.
Wesselý, Joseph.

Hauptleute 2. Classe.

König, Franz.
Papaczek, Ferdinand.
Patzoll, Theodor.
Rambausek, Rudolph.
Agricola, Theodor.
Fritz, Theodor.
Köller, Hugo (ü. c.) Prov.-Off. bei der IV. Inf.-Trup.-Div.
Hron, Johann.
Zarić, Elias.
Baur, Carl.

Oberlieutenants.

Lefévre, Julius.
Beszedes, Friedrich (ü. c.) Lehrer an der Mil.-Akad. zu Wr.-Neustadt.
Ille, Leopold (WG.).
Stefanie, Adolph (ü. c.) im mil.-geogr. Inst.
Protiwensky, Joseph.
Treutner, Ignaz (Prov.-Off.).
Mekiska, Johann.
Poppović, Stanislaus.
Kernreuter, Leopold (ü. c.) Adj. im Stabsofficiers-Curse.
Lenz, August (Erg.-Bez.-Off.).
Schmidt, August.
Tamele, Alois (ü. c.) im mil.-geogr. Inst.
Raab, Robert.
Tauschinsky, Eduard.
Kattinger, Friedrich, ○ 2.
Pumm, Wilh. (ü. c.) im mil.-geogr. Inst.
Schafařik, Anton.
Strasser, Julius.
Lamesch, Carl.
Tandler, Joseph (Res.).
Knížek, Hugo.
Batysta, Thomas.
Nestroy, Franz (Reg.-Adj.).
Jandesek, Julius.
Smiller, Richard.
Bastecký, Franz (Res.-Comdo.-Adj.).

Lieutenants.

Golitschek Edl. v. Elbwart, Emerich (Res.).
Czerwinka, Wilhelm (Res.).

Sovadina, Johann (Res.).
Dolležil, Wladimir (Res.).
Kulp, Adalbert (Res.).
Jahl, Anton (Res.).
Kroutil, Franz (Res.).
Martinetz, Hugo (Res.).
Bartelmus, Arthur (Res.).
Nowotný, Joseph (Res.).
Kilian, Ferdinand (Res.).
Klatovski, Adolph (Res.).
Luksch, Joseph (Res.).
Strassmann, Moriz (Res.).
Milch, Naftali (Res.).
Emerich, Franz (Res.).
Adler, Julius (Res.).
Milch, Ignaz (Res.).
Navrátil, Valentin (Res.).
Raffay, Robert (Res.).
Halla, Ludwig (Res.).
Duffek, Carl (Res.).
Munk, Moriz (Res.).
Siedek, Oskar (Res.).
Robitschek, Adolph (Res.).
Arenstorff, Alfred Ritt. v.
Muster, Ignaz.
Konrad, Eduard (WG.).
Gludovics Edl. v. Siklós, Franz.
Elsner, Joseph.
Souček, Johann (Bat.-Adj.).
Smiałowski, Valerian (Res.).
Nagy, Gustav v. (Res.).
Akay, Cornelius (Res.).
Medzihradszky Fried. v. (Res.).
Swoboda, Heinrich (Res.).
Porsch Franz (Res.).
Bundsmann, Carl (Res.).
Zimmermann, Otto (Res.).
Lecher, Ernst (Res.).
Botić, Michael (Bat.-Adj.).
Brüda, Alois.
Vitászek, Eduard.
Horak, Carl (Bat.-Adj.).
Vogel, Oswald.
Vogl, Moriz (Bat.-Adj.).
Bušić, Georg.
Kristinus, Emil.
Modritzky, Franz (Bat.-Adj.).
Přihoda, Richard.
Rathausky, Albin (Bat.-Adj.).
Smutny, Johann (Res.).
Plietz, Ludwig.
Maschek, Wenzel.
Tschadesch, Alois.
Prade, Eduard.
Vilhar, Julius.
Miklosy, Ludwig (Res.).
Sandor, Carl (Res.).
Černo, Bohumil (Res.).
Sooky, Camillo v. (Res.).
Lavotha Edl. v. Izsebfalu, Albert (Res.).
Szmetanay, Johann (Res.).
Malbohan, Guido (Res.).
Medveczky, Johann (Res.).
Reviczky, Eugen v. (Res.).
Pichler, Wratislav.
Laube, Julius.
Schweidl, Carl.
Lanzer, Michael.
Blum, Samuel.
Kwapil, Sylvester.
Puttik, Johann.

Cadeten.

Ginzl, Johann (Off.-Stellv.).
Derer, Joseph (Off.-Stellv.), (Res.).
Tobel, Johann.
Simić, Paul.
Žalac, Anton.
Guerard, Gustav.
Schumichrast, Julius (Res.).

Mil.-Aerzte.

Gerlich, Albert, Dr., GVK. m. K., Reg.-Arzt 1. Cl.
Gradt, Ernst, Dr., Reg.-Arzt 2. Cl.
Schwarschnig, Johann, Dr., Reg.-Arzt 2. Cl.
Kirchner, Rudolph, Dr., Oberarzt.
Sittig, Robert, Dr., Oberarzt.

Rechnungsführer.

Kovačević, Nikolaus, Obrlt.
Markus, Ludwig, Obrlt.
Kreismann, Adolph, Lieut.

Egalisirung krebsroth (wie Nr. 20, 35 u. 67), Knöpfe gelb.

72.

Ungarisches Infanterie-Regiment.

Regiments-Stab: Cattaro.

Reserve- und Ergänzungs-Bezirks-Commando: *Pressburg.*

Mit 1. Februar 1860 formirt aus den Linien-Infanterie-Regimentern Nr. 4 und 23.
1860 Ramming v. Riedkirchen, Wilhelm Freih., FZM.

1876 Dormus v. Kiliansbausen, Joseph Freih., FML.

Oberste. { Buschmann, Franz Freih. v, Reg.-Comdt.
Harrer, Joseph, MVK. (KD.), ○ 1., ○ 2., Res.-Comdt.

Oberstlieutenant.

Rech, Alexander.

Majore.

Baumgartner, Eduard.
Lanzenstorfer, Ludwig.
Durst, Roman.
Lerch, Ludwig.
Wessely, Adolph, MVK. (KD.).

Hauptleute 1. Classe.

Potier des Echelles, Rudolph Freih., ÖFJO-R. (ü. c.) comdt. beim Generalstabe.
Junghanns, Georg.
Medritzer, Wilhelm.
Pickl v. Witkenberg, Alexander (WG.).
Weber Edl. v. Webersheim, Ignaz.
Márton, Johann.
Páva, Emil.
Prochaska, Carl.
Budiovski, Rudolph.
Bechtel, Georg.
Lopacki v. Stumberg, Heinr.
Auer, Engelbert.
Kroy, Joseph.
Schnaider, Emil.
Wachter, Lambert.

Hauptleute 2. Classe.

Handschuh, Carl.
Hofbauer, Carl.
Spaczek, Anton.
Huber, Leopold.
Tschida, Franz.
Einem, Hermann v.
Vuletić, Emil.
Hutter, Georg.
Tribus, Dionys.
Koreska, Georg v.

Oberlieutenants.

Vaskovits, Adolph.
Haupt, Carl (Bat.-Adj.).
Mezey, Joseph.
Vogel, Albert.
Hauer, Gustav.
Stefanović, Alexander.
Brzorad, Vincenz (Res.).
Eberl, Anton.
Prenninger, Theodor.
Siller, Anton.
Guttermann, Joseph.
Voit, Alexander.
Firbas, Anton.
Vuletić, Johann, ○ 2. (Reg.-Adj.).
Schneider, Otto (Erg.-Bez.-Off.).
Schneider, Ignaz.
Blažeg, Anton (ü. c.) im mil.-geogr.-Inst.
Heiterer, Joseph, MVK. (KD.). (Res.).
Sessler, Heinrich (Res.).
Plass, Heinrich.
Gastgeb v. Fichtenzweig, Julius (ü. c.) im mil.-geogr. Inst.
Rauschan, Alexander.
Materna, Erwin.
Madarassy de Gojzest, Johann (Res.).
Petermandl, Joseph (Res.).
Keifel, Joseph (Res.).
Bodansky, Ferdinand (Prov.-Off.).
Gürth, Carl (Bat.-Adj.).

Lieutenants.

Zsigárdy, Julius v.
Perda, Franz
Slubek, Ernst
Bella, Ludwig
Martinengo, Alois
} (Res.).

Adamek, Otto
Doubnik, Friedrich
Sykora, Eduard } (Res.).
Hickmann, Emil (Res.-Comdo.-Adj.).
Gersich, Carl.
Nadhera, Anton
Koreska, Wilhelm v.
Constan'in, Peter
Giesl v. Gieslingen, Oskar
Györik, Martin
Schwerdtner, Simon
Zapletal, Gustav } (Res.).
Mauthner, Felix.
Blažeg, Carl (Bat.-Adj.).
Weber, Rudolph.
Algey v. Lustenau, Alexander.
Kosinar, Johann.
Kostyál, Joseph (Res.).
Gogela, Gregor (Bat.-Adj.).
Koičić, Theodor (Bat.-Adj.).
Botzenhart, Joseph.
Petöcz, Johann v.
Mezzadri, Johann (Bat.-Adj.).
Schiller, Adolph v.
Cysar, Oskar.
Mathans, Ludwig.
Walko, Géza.
Kunz, Rudolph
Steiner, Ludwig
Madách, Emanuel
Marcsiss, Johann
Pápay, Ignaz } (Res.).
Franz, Leopold.

Hasko, Michael.
Macher, Julius
Jeszenszky, Géza v.
Altdorfer, Stephan
Gervay, Johann
Holesch, Stephan
Scherz, Alfred v.
Tretelszky, Theodor
Obora, Albin
Pethes, Adalbert
Peinlich Edl. v. Immenburg, Carl
Ambro, Julius
Madach, Ladislaus } (Res.).
Kostyál v. Tharnó, Carl.
Marek, Johann.
Stritzko, Leopold.
Schrammel, Franz.
Radda, Gottlieb.
Wolf, Carl (Res.).
Woynar, Stanislaus.
Hellebauer, Conrad.
Fiessl, Joseph.
Brausewetter, Benno.

Cadeten.

Kuhlirz, Daniel (Res.).
Deblik, Carl (Res.).
Brodsky, Carl
Zandt, Carl
Klima, Leopold
Petöcz, Alexander v.
Hill, Franz } (Off.-Stellv.).
Ingor, Carl (Res.).

Spoliarić, David.
Minich, Jaroslaw
Brünner, Franz
Kirchner, Joseph
Brunovszky, Adolph
Rohn, Joseph
Mandelik, Alexander
Schickmüller, Johann
Gróf, Joseph } (Res.).
Kutsera, Stephan.

Mil.-Aerzte.

Hauer, Eduard Ritt. v., Dr., Reg.-Arzt 1. Cl.
Rotter, Ludwig, Dr., Reg.-Arzt 1. Cl.
Spitz, Hermann, Dr., Reg.-Arzt 2. Cl.
Werner, Salomon, Dr., Reg.-Arzt 2. Cl.
Hoffmann, Eduard, Dr., Reg.-Arzt 2. Cl.
Machan, Anton, Oberwundarzt.
Hudeček, Wenzel, Oberwundarzt.

Rechnungsführer.

Sokoll, Joseph, Hptm. 2. Cl.
Giessauf, Ignaz, Obrlt.
Schmidt, Rupert, Lieut.

Egalisirung lichtblau (wie Nr. 29, 40 u. 75), Knöpfe gelb.

73.

Böhmisches Infanterie-Regiment.

Regiments-Stab: Theresienstadt.

Reserve- und Ergänzungs-Bezirks-Commando: *Eger.*

Mit 1. Februar 1860 formirt aus den Linien-Infanterie-Regimentern Nr. 35, 42 und 55.
1860 Mensdorff-Pouilly, Alexander Gf., FML.:

1865 Wilhelm, Herzog von Württemberg, FZM.

Oberste.
Hiltl, Anton, ÖEKO-R. 3. (KD.), (ü. c.) Comdt. der 22. Inf.-Brig. zu Lemberg.
Brunswik v. Korompa, Ludwig, Reg.-Comdt.
Dubsky v. Trzebomislitz, Guido Gf. ✠. (des Generalstabs-Corps), Res.-Comdt.

Oberstlieutenant.

Hochhauser, Paul MVK. (KD.).

Majore.

Ružička, Johann.
Steger, Laurenz.
Weiss, Rudolph.
Leicht Edl. v. Leichtenthurm, Carl, MVK. (KD.).

Hauptleute 1. Classe.

Pflügl, Alexander Edl. v.
Rassl, Theodor.
Funk, Gustav.
Günste, Gideon.
Maly, August Ritt. v. (ü. c.) Lehrer an der Mil.-Akad. zu Wr.-Neustadt.
Ludovici, Friedrich.
Cerrini di Monte Varchi, Carl.
Irra, Ernst.
Hemmrich, Emil.
Tanneberger, Gustav.
Praxa Edl. v. Bärenthal, Anton.
Kleedorfer, Franz.
Höpler, Theodor, MVK. (KD.).
Gutherz, Franz.

Hauptleute 2. Classe.

Schäfer, Wilh. (ü. c.) Lehrer an der Mil.-Ober-Realschule.
Seeburg, Adolph.
Hoppe, Wilhelm.
Garger, Eduard.
Junck, Franz.
Zachistal, Wenzel.
Rohrer, Robert.
Igálffy v. Igály, Adolph.
Fritsch, Vincenz.
Neumann, Hermann.

Oberlieutenants.

Kellermann, Adolph.
Köstler, Hermann.
Peters, Anton.
Kuretschka, Friedrich.
Sommerhoff, Theodor (Res.).
Planitz, Alban Edl. von der.
Genser, Vincenz, ○ 2.
Tirschek, Franz (Erg.-Bez.-Off.).
Winkelhöfer, Joseph.
Richter, Johann, ○ 2. (Prov.-Off.).
Kranzl, Joseph, ○ 1.
Scheiger, Franz Edl. v.
Schiefner, August.
Schuh, Franz.
Kuttner, Andreas (Res.-Comdo.-Adj.).
Brenneis, Adolph Edl. v. (ü. c.) zug. dem Generalstabe.
Felber, Adolph.
Türk, Georg (ü. c.) im mil.-geogr. Inst.
Mategczek, Joseph (Bat.-Adj.).
Speth, Franz Freih. v.
Baldini, Alexander (Bat.-Adj.).
Faber, Philipp.
Karl, Johann Ritt. v. (ü. c.) zug. dem Generalstabe.
Hannakampf, Anton (Reg.-Adj.).
Haberditzl, Laurenz.

Lieutenants.

Seyss, Julius
Breymann, Johann
Kaltenbäk, Carl
Schneider, Leopold
Kaiser, August
Körbl, Hugo
Hörnes, Rudolph
Hähnel, Friedrich
} (Res.).

Morsack, Alois
Rusche, Joseph
Bechmann, Carl
Ritschel, Emanuel
Nikenday, Anton
Stadler v. Wolffersgrün, Friedr.
Pensl, Georg
Schreiter, Ignaz
Treiber, August
Scheff, Sigmund
Frenzl, Anton
(Res.).
Brandenstein, Ernst v.
Tauschinski, Franz.
Ruppert, Joseph.
Albrecht, Alfred.
Tschochner, Joseph.
Slawkowsky, Wilhelm Ritt. v. (ü. c.) im mil.-geogr. Inst.
Bareuther, Franz (Bat.-Adj.).
Weilheim, Richard.
Entlicher, Rudolph (Res.).
Prix, Franz (Res.).
Mast, Wilhelm.
Harisch, Otto.
Swoboda, Robert (Res.).
Schubert, August (Res.).
Schönfelder, Carl (Res.).
Smeikal, Johann.
Sternberger, Julius (Bat.-Adj.).

Lamböck, Carl (WG.).
Meincke, Adolph.
Reissenauer, Franz (Res.).
Keller, Hugo.
Demar, Ludwig (Bat.-Adj.).
Zuber, Heinrich.
Muck, Johann
Toischer, Wendelin
Haberzettl, Carl
Früchtl, Carl
Mühlbauer, Wendelin
Plass, Johann
(Res.).
Weiss, Joseph.
Hess, August.
Meyer, Rudolph Edl. v.
Rzeznik, Ferdinand.
Riedl, Lorenz.
Iwanow, Emanuel.
Faber, Joseph.
Müller, Joseph (Res.).
Seipka, Joseph.
Hřebetz, Joseph.
Werner, Joseph (Res.).

Cadeten.

Welzl, Joseph (Res.).
Hüttisch, Joseph (Res.).
Winzerling, Alwin
Flach, Franz
Speth, Victor Freih. v.
(Off.-Stellv.).

Döbler, Albert (Off.-Stellv.).
Trausel, Wenzel.

Mil.-Aerzte.

Kraus, Georg, Dr., Reg.-Arzt 1. Cl.
Wittig, August, Dr., Reg.-Arzt 1. Cl.
Regner, Chistoph, Dr., Reg.-Arzt 2. Cl.
Hrb, Johann, Dr., Oberarzt.
Schön, Adolph, Oberwundarzt.

Rechnungsführer.

Dietl, Johann, Hptm. 1. Cl.
Schneider Edl. v. Manns-Au, Anton, Obrlt.
Pap Edl. v. Tövis, Joseph, Obrlt.

Egalisirung kirschroth (wie Nr. 23, 43 u. 77), Knöpfe gelb.

74.

Böhmisches Infanterie-Regiment.

Regiments-Stab: Trebinje.

Reserve- und Ergänzungs-Bezirks-Commando: *Jičin.*

Mit 1. Februar 1860 formirt aus den Linien-Infanterie-Regimentern Nr. 28, 36 und 55.

1860 Nobili, Johann Gf., FZM.

Oberste.
- Pittoni v. Dannenfeldt, Ferdinand Ritt. (zug. dem It.-Kriegs-Mstm.).
- Babich, Georg, ÖLO-R. (KD.), MVK. (KD.), Reg.-Comdt.
- Ecker-Krauss, Julius Edl. v., MVK. (KD.), Res.-Comdt.

Oberstlieutenant.

Scharschmid Edl. v. Adlertreu, Ferdinand.

Majore.

Pensch, Ernst.
Heyrowsky, Carl (des Generalstabs-Corps).
Waage, Eduard.
Hudeček, Franz.
Schkrobanek, Ferdinand, ÖEKO-R. 3. (KD.), MVK. (KD.).

Hauptleute 1. Classe.

Svoboda, Ferd., MVK. (KD).
Beilschan v. Mildenburg, Adolph.
Podhagský, Stanislaus.
Lauenstein, Carl.
Kominek, Rudolph.
Šindelář-Sachs, Franz Ritt. v.
Veit, Adolph.
Seybold, Alexander.
Peche, Carl.
Popp, Carl, MVK. (KD.).
Thour, Franz (ü. c.) beim Gen.-Comdo. zu Prag.
Huschek, Gustav.
Prucker, Nikolaus.
Cordier v. Löwenhaupt, Wilh.
Sander, Julius.
Dwořák, Joseph.

Hauptleute 2. Classe.

Schaffer, Johann, SVK.
Plönnies, Albert Ritt. v.
Pusch, Anton (WG.).
Walter, Carl (WG.).
Spačil, Sebastian, ○ 2.
Mucha, Julius (WG.).
Ružička, Johann.
Burda, Albert.
Kiefhaber, Emil.
Wybiral, Richard.

Oberlieutenants.

Tuschl, Franz.
Brauke, Joseph (Erg.-Bez.-Off.).
Rosenberg, Athanasius.
Schnittspahn, Ferdinand.
Fischer v. Tiefensee, Carl.
Baudisch, Gustav (ü. c.) Adj. in der Mil.-Unter-Realschule zu St. Pölten.
Kober, Richard v.
Polak, Emanuel.
Radimský, Leopold.
Zineker, Franz.
Zidek, Anton.
Bodenstein, Joseph.
Weis, Ignaz (Reg.-Adj.).
Zeyringer, Albert (Res.-Comdo.-Adj.).
Welper, Ludwig, ○ 2. (Bat.-Adj.).
Řezáč, Ladislaus.
Wild, Georg (ü. c.) Lehrer an der Mil.-Unter-Realschule zu Güns.
Umann, Ludwig (ü. c.) im mil.-geogr. Inst.
Jacob, Wenzel (Bat.-Adj.).
Baštař, Franz.
Peitzker, Otto.
Erben, Franz (Res.).
Kazda, Wenzel (Res.).
Schönfeld, Julius.
Nešnera, Joseph (Res.).
Berner, Eduard.
Stanić, Georg.
Zwilling, Gottfried.

Lieutenants.

Schick, Leopold (Res.).
Janouschek, Joseph (Res.).
Reichel, Wenzel (Res.).
Aichelburg, Alphons Gf. (Res.).
Gottwald, Adolph (Res.).
Mikenda, Anton (Res.).
Buchal, Carl (Res.).

Valenta, Joseph
Dimter, Joseph
Kindler, Joseph
Končinský, Joseph
Čížek, Franz
Schöfl, Wenzel
Schnabl, Joseph
Wartburg, Joseph v.
} (Res.).

Rukavina, Johann (Bat.-Adj.).
Hejtmann, Wenzel.
Suppan, Carl (Bat.-Adj.).
Čech, Wenzel.
Rezek, Joseph (Bat.-Adj.).
Šlosárek, Franz.
Horaček, Franz.
Flanderka, Julius.
Petraš, Michael.
Taussig, Leopold.
Arnold, Carl (Res.).
Stern, Lazar.
Brixy, Anton.
Purm, Wenzel.
Pospišil, Franz (Prov.-Off.).
Kašaj, Emerich.
Lauschmann, Emanuel.
Schlechta Edl. v. Hrochov, Friedrich (Res.).
Schwarz, Carl (Res.).
Felix, Wilhelm.

Kopperl, Sigmund
Kolářský, Joseph
Novotný, Ottokar
Ladenbauer, Cajetan
Benesch, Robert
Pick, Eduard
Urban, Franz
Wohnaut, Franz
Zikmund, Joseph
Istvan, Mathias
Kostial, Johann
Wambersky, Joseph
Walldorf, Carl
Drbohlaw, Joseph
Peche, Joseph, Freih. v.
} (Res.).

Hofman, Johann.
Woňka, Joseph.
Karnold, Zdenko.
Peitzker, Franz.
Porm, Adolph.
Truska, Carl.
Novotný, Adolph (Res.).
Bednář, Joseph.
Kaiser, Johann.

Cadeten.

Reif, Georg (Off.-Stellv.), (Res.).

Hippmann, Gottlieb (Res.).

Janda, Joseph
Makalousch, Emil
Čapek, Stanislaus
Waage, Gottfried
Marek, Carl
Prüsker, Hugo
} (Off.-Stellv.).

Mil.-Aerzte.

Čechak, Franz, Dr., Reg.-Arzt 1. Cl.
Winterstein, Philipp, Dr., Reg.-Arzt 1. Cl.
Huth, Samuel, Dr., Reg.-Arzt 1. Cl.
Spitzner, August, Oberwundarzt.

Rechnungsführer.

Wessely, Jakob, Hptm. 1. Cl.
Neustein, Franz, Hptm. 2. Cl.

Egalisirung krapproth (wie Nr. 15, 34 u. 44), Knöpfe weiss.

75.

Böhmisches Infanterie-Regiment.

Regiments-Stab: Prag.

Reserve- und Ergänzungs-Bezirks-Commando: *Neuhaus.*

Mit 1. Februar 1860 formirt aus den Linien-Infanterie-Regimentern Nr. 11, 18 und 21.

1860 Folliot de Crenneville, Franz Gf., FZM.

Oberste. Kuhn v. Kuhnenfeld, Alexander Freih., ÖLO-R. (KD.), Reg.-Comdt.
Ott Edl. v. Ottenkampf, Joseph, MVK. (KD.), Res.-Comdt.

Oberstlieutenant.

Schilhawsky v. Bahnbrück, Joseph Ritt., ÖEKO-R. 3. (KD.).

Majore.

Frendl, August.
Badstüber, Ludwig, MVK. (KD).
Schmedes, Emil, MVK. (KD.).
Horák, Eduard.

Hauptleute 1. Classe.

Mayer, Julius.
Kreh, Stanislaus.
Dittrich, Julius (WG.).
Schindler, Otto.
Pitsch, Friedrich.
Schmid, Carl, MVK. (KD.).
Bischel, Friedrich.
Tichy, Carl.
Kříž, Johann.
Petrini, Friedrich.
Batka, Carl.

Hauptleute 2. Classe.

Baier, Wenzel (WG.).
Maruuschek, Carl.
Schilhart, Eduard.
Khloyber, Leopold v.
Buml, Gustav, MVK. (KD.).
Nejebsý, Ubald.
Pawellić, Lucas.
Kubick, Franz.
Benedickter, Anton.
Grund, Rudolph.
Wischin, Franz.
Pekary, Engelbert.

Oberlieutenants.

Hanslick, Joseph.
Weywara, Florian.
Prowazek, Joseph (Erg.-Bez.-Off.).
Mollinary, Coloman (ü. c.) comdt. beim Generalstabe.
Kačirek, Mathias, ○ 1.
Schlotter, Gustav.
Halberstadt, Johann (Prov. Off.).
Kaifer, Joseph (Reg.-Adj.).
Mauretter, Hugo.
Doležal, Martin.
Geřabek, Johann (ü. c.) Lehrer an der Mil.-Unter-Realschule zu Güns.
Werdt, Carl Freih. v. (Res.).
Doležal, Carl, ○ 2.
Kettner Edl. v Kettenau, Richard.
Halauska, Wenzel.
Genauck, Hugo.
Körber, Julius v.
Dwořák, Joseph.
Wawra, Amand.
Borský, Franz.
Sorko, Napoleon.
Streichert, Edmund (Bat.-Adj.).
Schmidt, Bruno (Bat.-Adj.).
Stárka, Eustach (ü. c.) Lehrer an der Mil.-Unter-Realschule zu Güns.
Skuhra, Ignaz (Bat.-Adj.).

Lieutenants.

(Res.):
Heran, Wilhelm
Leclair, Anton Edl. v.
Babuschka, Rudolph
Chmela, Stanislaus
Leština, Joseph
Zahrada, Franz
Schwarz, Wilhelm
Hora, Carl
Stadlbauer, Carl
Hanslitschek, Vincenz
Howorka, Wenzel
Hrnčiř, Adalbert
Homoláč, Franz
Dressel, Joseph
Spallek, Erwin
Hejtman, Adolph

Wölfl, Gottlieb.
Hasel, Michael (ü. c.) zug. der k. k. Gendarmerie.
Cihlař, Jakob (Res.).
Kodiček, Sigmund (Res.).
Duschek, Ignaz (Res.).
Kutschera, Carl (Res.).
Kordina, Carl (Res.).
Šticha, Johann (Res.).
Fabčič, Anton (Bat.-Adj.).
Richter, Ferdinand.
Wiesauer, Carl.
Herget, Emanuel Ritt. v.
Waniek, Wilhelm.
Schmek, Georg.
Glossauer, Anton.
Loudal, Franz.
Hložek, Franz.
Rabík, Emanuel (Res.).
Wita, Joseph (Res.).
Havliček, Thomas (Res.).
Božičević, Gregor (Res.-Comdo.-Adj.).
Batinić, Michael.
Manajlović, Georg (WG.).
Wegrath, Johann.
Stiller, Carl (Bat.-Adj.).
Wraschtil, Emil.
Kuchinka, Ernst.
Lukasch, Johann (Res.).
Steinocher, Adolph (Res.).
Podhaiský, Carl (Res.).
Fürst, Carl (Res.).
Zátka, Dobroslav (Res.).
Dvořák, Johann (Res.).
Pick, Jakob (Res.).
Honza, Johann (Res.).
Frey, Joseph (Res.).
Měska, Franz.
Widl, Franz.
Lhotský, Joseph.
Lemarie, Carl.
Schwarzbach, Carl.
May, Eduard.
Mičan, Joseph.
Plefka, Rudolph.

Cadeten.

John, Johann (Res.).
Moravec, Johann (Res.).
Schima, Johann (Res.).
Smirous, Joseph (Res.).
Pachner v. Eggenstorf, Franz Ritt. (Off.-Stellv.).
Richter, Adolph (Off.-Stellv.).
Prochaska, Georg (Off.-Stellv.).
Chrsch, Otto (Off.-Stellv.).

Mil.-Aerzte.

Gottwald, Anton, Dr. (Operateur), Reg.-Arzt 1. Cl.
Marek, Joseph, Dr., Reg.-Arzt 1. Cl.
Baumann, Michael, Dr., GVK., Reg.-Arzt 1. Cl.
Nusko, Carl, Dr., Reg.-Arzt 2. Cl.
Kohn, Adolph, Dr., Reg.-Arzt 2. Cl.

Rechnungsführer.

Borsky, Franz, Hptm. 1. Cl.
Bielina, Johann, ○ 2., Oblt.

Egalisirung lichtblau (wie Nr. 29, 40 u. 72), Knöpfe weiss.

76.

Ungarisches Infanterie-Regiment.

Regiments-Stab: Banjaluka.

Reserve-Commando: *Carlstadt.*

Ergänzungs-Bezirks-Commando: *Oedenburg.*

Mit 1. Februar 1860 formirt aus den Linien-Infanterie-Regimentern Nr. 43 und 49.

1860 Paumgartten, Franz Freih. v., FML.; 1866 John, Franz Freih. v., FZM.

1876 Knebel v. Treuenschwert, Albert Freih., FML.

Oberste. Hempfling, Rudolph, ÖEKO-R. 3. (KD.), MVK. (KD.), (ü. c.) Comdt. der 49. Inf.-Brig. in Wien.
Kuttig, Albin, Reg.-Comdt.

Oberstlieutenants.

Lippa, Johann, Res.-Komdt.
Guretzky v. Kornitz, Alfred Freih., MVK. (KD.).

Majore.

Waldkirch, Eduard Edl. v., ÖEKO-R. 3. (KD.).
Claricini, Eduard v.
Kratschman, Carl.
Mikić, Mathias, ÖEKO-R. 3. (KD.).

Hauptleute 1. Classe.

Wilfling, Alois.
Stenzel, Carl, ÖEKO-R. 3. (KD.).
Cordon, Carl Freih. v.
Bartenstein, Leopold.
Palliardi, Ludwig, MVK. (KD.).
Schwörer, Franz.
Schöller, Carl Edl. v.
Dolliner, Georg.
Pinsker, Anton.
Gallina, Felix, MVK. (KD.).
Urbány, Eduard (ü. c.) beim R.-Kriegs-Mstm.
Hofmann, Karl.
Hönig, Carl, MVK. (KD.), ⊙.
Pittner, Emerich.
Gumberth, Alphons.

Hauptleute 2. Classe.

Helwig, Michael.
Wildeisen, Moriz Ritt. v.
Mikola, Franz, ÖEKO-R. 3. (KD.).
Chizzola, Paul v.
Eder, Julius, MVK. (KD.).
Peretti, Arthur (Res.).
Clausnitz, Otto.
Grünzweig, Johann.
Wittchen, Gustav.
Bohutinsky, Emil.

Oberlieutenants.

Latzke, Carl (WG.).
Schäfer, Wilhelm.
Witte, Hermann.
Fischer, Carl (ü. c.) im mil.-geogr. Inst.
Battistig Edl. v. Tauffersbach, Emil.
Schönstein, Carl (Prov.-Off.).
Bein Edl. v. Monte-Pelago, Guido (Res.).
Kastel, Ottokar.
Lattis, Carl (Erg.-Bez.-Off.).
Thávon, Anton.
Pönisch, Alois (ü. c.) im mil.-geogr. Inst.
Kirschner, Emerich.
Uhl, Martin.
Marsano, Paul v. (ü. z.) beurl.
Puntigam, Carl, ⊙, ○ 2. (Bat.-Adj.).
Adrigan, Stephan, ○ 1.
Zanković, Anton.
Reichard, Béla, ○ 1. (Reg.-Adj.).
Wrchovsky, Heinrich, ○ 2.
Kiesewetter Edl. v. Wiesenbrunn, Ernst, MVK. (KD.), (Res.).
Grünwald, Alfred.
Király, Géza v.
Leclair, Ferdinand Edl. v. (Res.-Comdo.-Adj.).
Humlján, Martin.
Riszner, Anton (Res.).
Ballentović, Johann (Bat.-Adj.).

Bürger, Edmund (Bat.-Adj.).
Sicard v. Sicardsburg, Moriz, ○ 2. (Bat.-Adj.).
Haan, Carl Freih. v.
Baditz, Ludwig v.
Sohár, Paul
Pap, Arthur, MVK. (KD.) (Res.).
Beer, Carl
Rukavina, Michael
Blašković, Georg.
Martin, Edmund, MVK. (KD.).

Lieutenants.

Hannibal, Joseph v.
Jonak Edl. v. Freyenwald, Richard
Deipenbrock, Joseph
Petrik, Adolph
Schüller, Theodor
Reitmann, Franz (Res.).
Romai, Michael
Lazár, Otto
Nagy, Géza v.
Schandera, Moriz
Milde, Carl v.
Zerlike, Emil.
Hussy, Alexander, MVK. (KD.)
Thirring, Ferdinand
Pesty, Béla v. (Res.).
Bauer, Julius
Guoth, Alexander
Baranyay, Eugen v.
Eckel, Johann
Eichinger, Franz.
Grafl, Jakob.
Eder, Paul.
Dorner, Michael
Meller, Ignaz
Schmidbauer, Moriz
Jesovitz, Maximilian (Res.).
Bauer, Joseph
Király, Ernst
Köberl, Joseph

Berecz, Abel (Res.).
Reymond, Ludwig v.
Grünzweig v. Eichensieg, Arthur (Bat.-Adj.).
Reitter, Matthäus.
Szabó, Ludwig (Res.).
Zobel, Adolph (Res.).
Kretschy, Alexander (Res.).
Schreitter v. Schwarzenfeld, Leo Ritt.
Eichberger, Joseph (Res.).
Kraitsy, Stephan.
Lethay, Rudolph, MVK. (KD.).
Both, Raimund.
Romwalter, Alfred
Fröhlich, Nikolaus (Res.).
Borcsitzky, Adalbert
Molnár, Béla
Giebisch, Max.
Lorencz, Othmar.
Novak, Friedrich.
Krauss, Emil.
Hampel, Mathias.
Depetris, Stephan.
Albrecht, Julius.
Kluge, Carl
Illes, Aladár v.
Arnhold, Carl
Leitgeb, Johann
Krump, Nicolaus (Res.)
Fischer, Joseph
Ratz, Otto
Manhardt, Rudolph
Leinner Michael
Nagy, Franz.
Auer, Johann.
Lilpop, Robert.
Stephani, Rudolph.
Lenz, Hermann.
Lainer, Anton (Res.).
Csedera, Julius (Res.).
Tröster, Arnold.
Wallner, Gustav.
Kopfmann, Carl (Res.).

Brmbolić, Johann.
Pintig, Joseph.

Cadeten.

Frosch, Carl
Zdunić, Mathias v.
Eder, Johann (Off.-Stellv.).
Fürnkranz, Johann
Güntter, Alexander
Schneider, Ferdinand
Lipp, Franz (Off.-Stellv.)
Blašković, Edmund v. (Off.-Stellv.)
Hering, Sigmund (Res.).
Schneider, Leopold
Laszló, Daniel (Off.-Stellv.)
Thot, Ladislaus

Mil.-Aerzte.

Schnöll, Johann, Dr., GVK. m. Kr., Reg.-Arzt 1. Cl.
Weese, Franz, Dr., Reg.-Arzt 1. Cl.
Krügkula, Joseph, Dr., Reg.-Arzt 2. Cl. (zug. dem techn.- u. adm. Mil.-Comité).
Heinz, Carl, Dr. (Operateur) Reg.-Arzt 2. Cl.
Kundt, Julius, Dr., Reg.-arzt 2. Cl.

Rechnungsführer.

Hofmann, Florian, Hptm. 1. Cl.
Rösch, Joseph, Hptm. 2. Cl.
Sonnabend, Carl, Lieut.

Egalisirung hechtgrau (wie Nr. 30, 49 u. 69), Knöpfe gelb.

77.

Galizisches Infanterie-Regiment.

Regiments-Stab: Königgrätz.

Reserve- und Ergänzungs-Bezirks-Commando: *Sambor.*

Mit 1. Februar 1860 formirt aus den Linien-Infanterie-Regimentern Nr. 9 und 10.

(Zweiter Inhaber war von 1860 bis 1869 Kussevich v. Szamobor, Emil Freih., FZM.)

1860 Carl Salvator, Erzherzog, GM.

Oberst u. Reg.-Comdt. Maczak v. Ottenburg, Victor.

Oberstlieutenants.

Riedl, Adolph, Res.-Comdt.
Hoche, Joseph.

Majore.

Zygadłowicz, Gustav Ritt. v., MVK. (KD.).
Pauer v. Traut, Johann.
Madry, Friedrich.
Adler v. Adlerschwung, Maximilian, (ü.c.) im mil.-geogr. Inst.
Gogojewicz. Vincenz.

Hauptleute 1. Classe.

Kinauer, Johann.
Höhenrieder, Moriz.
Pokorny, Alexander.
Mercało, Gabriel.
Benda, Gustav.
Kamler, Franz.
Antony, Franz.
Schindler, Ignaz.
Schmidt, Johann, MVK.(KD.).
Tesaři, Franz.
Łoziński, Nikolaus.
Heiss, Joseph Ritt. v., ÖEKO-R. 3. (KD.).
Schwarz, Gabriel.
Kremla, Joseph, ÖFJO-R. (ü. c.) beim R.-Kriegs-Mstm.
Wechtersbach, Ludwig.

Hauptleute 2. Classe.

Kulczycki, Stanislaus v.
Plappert, Anton, MVK. (KD.).
Schuster, Franz (ü. c.) beim R.-Kriegs-Mstm.
Zathey, Johann.
Kriesch, Franz.
Stinka, Wenzel.
Fligely, Johann.

Oberlieutenants.

Kisling, Laurenz (ü. c.) prov. Adjunct beim Gerichtshofe zu Szluin.
Graas, Ferdinand (WG.).
Hochleitner, Carl.
Michniowski, Franz.
Orthmayer, Adalbert (ü. c.) zug. dem Generalstabe.
Schwaabe, Julian.
Crnković, Julius (ü. c.) im mil.-geogr. Inst.
Romowicz, Anton.
Živković, Stephan.
Blažetić, Ferdinand (WG.).
Schürrer, Ludwig (ü. c.) zug. dem Generalstabe.
Gawin de Niesiołowice Niesiołowski, Johann.
Ebenberger, Heinrich.
Gellvogel, Heinrich.
Stuhlik, Ignaz (Reg.-Adj.).
Piasecki, Plato v.
Parsch, Rudolph Ritt. v., ◯ 2.
Czerný, Carl.
Luksch, Heinrich.
Baraniecki, Ladislaus.
Bier, Alois.
Gruić, Philipp, ◯ 2. (ü. c.) bei der Grundbuchs-Anlegung.
Połoszynowicz, Johann (Erg.-Bez.-Off.).
Byrka, Carl (ü. c.) im mil.-geogr. Inst.
Rodler, Alfred.
Heinold, Carl.
Kukić, Emanuel.
Wasserreich, Friedrich Edl. v.
Zavadil, Wilhelm.

Lieutenants.

Seine kais. königl. Hoheit Erzherzog Leopold Salvator etc.

Götzl, Alois
Hinze, Alfred
Kanczucki, Alexander
Hölzel, Stephan
Jasinicki, Wladimir
Chyliński, Cajetan
Rudloff, Johann
Stiastny, Hugo
Groh, Carl
Czaprański, Sigmund
Steuermann, Joseph
Tomek, Joseph
Beill, Leopold
Rottenburg, Wilhelm
Dittrich, Friedrich
Hilscher, Paul
Gludovics de Sziklos, Bruno
(Res.).
Daubek, Anton (ü. c.) im mil.-geogr. Inst.
Ramor, Alfred (Bat.-Adj.).
Kříž, Joseph (WG.).
Chołodecki, Josph Ritt. v. (Res.).
Kubečka, Carl (Res.-Comdo.-Adj).
De Angelis, Anton (Bat.-Adj.).
Čović, Georg (Prov.-Off.).
Blumenthal, Isidor.
Walter, Carl (Bat.-Adj.).
Kotzourek, Anton.
Stelzer, Carl v.
Jricek, Carl
Klebinder, Sigmund
Kieszkowski, Boguslaus Ritt. v.
Maślanka, Martin
Eiselt, Johann
Sedlaczek, Arthur
Komorra, Thaddäus
Prągłowski, Thaddäus
(Res.).
Bensa, Anton.
Zaschkoda, Ludwig (Bat.-Adj.).
Maier, Hugo.
Zukanović, Stephan.
Hussakowski, Anton (Bat.-Adj.).
Albinowski, Roman.
Wojtěchowský, Carl.
Ziegler, Carl
Lasson, Anton
Haluska, Stephan
Chłopecki, Vincenz
Goldberger, Albert
Čihak, Franz
Gottlieb v. Haszlakiewicz, Johann Ritt.
(Res.).
Eppich, Ludwig.
Welz, Franz.
Horowitz, Leon.
Baczyński, Johann.
Rakuš, Wilhelm.
Łuszpiński, Hilar.
Walla, Heinrich.
Jaroszynski, Michael.
Dudek, Joseph.
Schritter, Adolph.
Wessely Alois (Res.).
Mark, Joseph.
Hubl, Ladislaus.
Palička, August.

Cadeten.

Werner, Willibald (Res.).
Schneider, Emil (Off.-Stellv.).
Roneš, Emanuel (Off.-Stellv.).
Pokorný, Friedr. (Off.-Stellv.).

Mil.-Aerzte.

Schäfler, Carl, Dr., Reg.-Arzt 1. Cl.
Patzelt, Franz, Dr., Reg.-Arzt 2. Cl.
Kirchenberger, Salomon, Dr., Oberarzt.
Quenot, Alois, Oberwundarzt.
Habrich, Johann, Oberwundarzt.

Rechnungsführer.

Jannochna, Joh., Hptm. 1. Cl.
Kemenović, Carl, Obrlt.

Egalisirung kirschroth (wie Nr. 23, 43 u. 73), Knöpfe weiss.

78.

Ungarisches (croatisch-slavon.) Infanterie-Regiment.

Regiments-Stab: Temesvár.

Reserve-Regiments-Stab: Rogatica.

Reserve- und Ergänzungs-Bezirks-Commando: *Essegg.*

Mit 1. Februar 1860 formirt aus den Linien-Infanterie-Regimentern Nr. 17, 47 und 53.

1860 Šokčević, Joseph Freih. v., FZM.

Oberste { Bogović v. Grombothal, Johann Ritt., MVK. (KD.), Reg.-Comdt.
Rakasović Edl. v. Savodol, Maximilian, Res.-Reg.-Comdt.

Oberstlieutenant.

Perpić, Johann.

Majore.

Alemann, Johann v.
Tomašegović, Jakob, MVK.
Strak, Franz, MVK. (KD.).
Van der Sloot, Johann, MVK. (KD.).
Lorenz, Adolph, MVK. (KD.).
Sussich, Joseph (ü. c.) im mil.-geogr. Inst.

Hauptleute 1. Classe.

Schmidt v. Silberburg, Ferd.
Wukellić, Franz.
Niver, Franz.
Rom, Carl (ü. c.) beim Sereżaner-Corps.
Berdeis, Michael (WG.).
Drasenović v. Posertve, Mich.
Pekeć, Stephan, MVK. (KD.).
Hečimović, Johann (WG.).
Jakober, Nikolaus.
Ziegesberger, Alois.
Ferić, Andreas.
Kasimir, Adolph.
Charvath, Carl.
Bogoević, Andreas (WG.).
Seidel, Adolph.
Miščević, Simon.
Mogyorossy, Sigmund.

Hauptleute 2. Classe.

Novaković, Peter, MVK. (KD.).
Vrbanić, Carl.
Gergurić, Carl.
Topitsch, Carl, MVK. (KD.).
Medeotti, Emil.
Mayer, Moriz.
Milojević, Stephan.
Radivojev, Moses (Res.).
Agić, Carl v.
Radosavljević v. Posavina, Johann Ritt.

Oberlieutenants.

Huber, Ludwig (Res.).
Antolović, Franz.
Schildenfeld, Jos. Ritt. v.
Nosseck, Norbert.
Krisch, Anton (WG.).
Schulte, Heinrich.
Milošević, Michael.
Matasović, Ferdinand (Erg.-Bez.-Off.).
Mallinović, Lucas.
Białobrzeski Deodat, ○ 2.
Pucz, Georg v.
Hegedušević, Ladislaus, MVK. (KD.).
Poglayen Edl. v. Leyenburg, Sigmund.
Galliuf, Robert.
Petrović, Alois.
Kramarić, Eduard.
Schiviz v. Schivizhoffen, Alph.
Benčević, Carl Edl. v. (Reg.-Adj.).
Bradiašević, Johann.
Svaton, Ludwig.
Lončar, Daniel.
Bertić, Milutin (Res.).
Schwarz, Maximilian (Res.).
Golubović, Carl (ü. c.) beim Sereżaner-Corps.

Lieutenants.

Glanz v. Eicha, Hugo Freih. (Res.)
Broschan, Friedrich (Res.)
Jakšić, Nicodem (Res.)
Tekus, Wilhelm (Res.)
Nikolajević, Emil (Res.)
Dilena, Joseph (Res.)
Bellazi, Joseph (Res.)
Hofstätter, Ludwig (Res.)
Hettinger, Carl (Res.)
Karela, Wenzel (Res.)

Hartisch, Carl (Res.).
Kraljević, Thomas v. (Res.).
Isajlović, Georg (Res.).
Tomšić, Franz.
Radosavljević v. Posavina, Stephan Ritt. (Bat.-Adj.).
Kokotović, Carl.
Leitner, Julius.
Svilar, Constantin (ü. c.) beim Sereżaner-Corps.
Rehmann, Wilhelm (Res.-Reg.-Adj.).
Oklopčia, Isaak v.
Czapp, Joseph.
Fröhlich, Anton.
Marinović, Otto (Res.).
Gunčević, Michael (Bat.-Adj.)
Tergovac, Joseph (Bat.-Adj.).
Dragić, Svetozar (Bat.-Adj.).
Marić, Johann (Prov.-Off.).
Kovaček, Michael.
Buretić, Leopold.
Reisner, Adam v. (Res.).
Goriupp v. Kamjonka, Emil (Res.).
Meixner, Wilhelm (Res.).
Ivankov, Paul.
Sokačić, Franz, MVK. (KD.).
Kurelac, Thomas.
Mervoš, Joseph.
Marjanović, Joseph (Bat.-Adj.)
Jovanović, Alexander.
Adamovich de Csepin, Béla
Beck, Günther
Ferrari, Ludwig
Wolfgruber, Ferdinand
Buchwald, Stephan v. } (Res.).
Gerčić, Alexander (Bat.-Adj.).
Smerček, Emerich.
Holterer, Anton.
Doskočil, Emil.
Bartholovich, Adam.
Kaisenberger, Andreas.
Plavetić, Michael.
Scharnbeck, Johann.
Giurković, Carl.
Unterrainer, Georg.
Dmitrović, Elias.
Allesch, Johann.
Rukavina, Julius.
Scharf, Johann.
Haslinger, Martin (Res.).
Stöckl, Franz (Res.).
Vincek, Alexander.

Cadeten.

Tadić, Demeter
Zaharić, Jeftomir
Kramarić, Ludwig } (Off.-Stellv.).
Jemrić, Andreas
Petrović, Michael
Zebić, Alexander
Zrnić, Michael } (Off.-Stellv.).
Stumpf, Carl (Res.).

Mil.-Aerzte.

Grittner, Felix, Dr., ÖFJO-R., GVK. m. Kr., Reg.-Arzt 1. Cl.
Christoph, Albin, Dr., Reg.-Arzt 2. Cl.
Pauliček, Emanuel, Dr., GVK., Reg.-Arzt 2. Cl.
Kurzweil, Leo, Dr., Oberarzt.

Rechnungsführer.

Cutz, Johann, Hptm. 1. Cl.
Janowsky, Emil Edl. v., ○ 2., Lieut.
Pilpel, Sigmund, Lieut.

Egalisirung rothbraun (wie Nr. 17, 55 u. 68), Knöpfe weiss.

79.

Ungarisches (croatisches) Infanterie-Regiment.

Regiments-Stab: Maglaj.

Reserve-Regiments-Stab: Krupa.

Ergänzungs-Bezirks-Commando: *Otočac.*

Mit 1. Februar 1860 formirt aus den Linien-Infanterie-Regimentern Nr. 22 und 26.

1860 Franck, Carl Ritt. v., FZM.; 1867 Heyn, Johann Carl Gf., FZM.

(Mit. 1. October 1873 wurde der bisherige Regiments-Ergänzungs-Bezirk [Nyiregyháza] aufgelassen.)

1746 errichtet Guicciardi, Joseph Philipp Gf., GM.; 1753 Scherzer, Leopold Eugen Freih., GM.; 1754 Petazzi, Benvenuto Gf. v., FML.: 1763 Liccaner Grenz-Infanterie-Regiment Nr. 1; 1860 Liccaner Grenz-Infanterie-Regiment Kaiser Franz Joseph Nr. 1.

1746 errichtet Herberstein, Carl Joseph Gf., GM.: 1753 Otočaner Grenz-Infanterie-Regiment Nr. 2.

1746 errichtet, Dillis v., Oberst; 1750 Scherzer, Leopold Eugen Freih. v., GM.; 1753 Oguliner Grenz-Infanterie-Regiment Nr. 3.

1746 errichtet Petazzi, Benvenuto Gf., GM; 1753 Szluiner Grenz-Infanterie-Regiment Nr. 4.

1750 errichtet 1. Banal-Grenz-Infanterie-Regiment Nr. 10; von 1750—1809 übte der Banus von Croatien die Inhabers-Rechte aus; seither waren Inhaber: 1823 Gyulai v. Maros-Németh und Nádaska, Ignaz Gf., FZM.; 1832 Vlasits, Franz Freih. v., FML.; 1842 Haller v. Hallerkeő, Franz Gf., GM.; 1848 Jellačić de Bužim, Joseph Gf., FZM.; 1859 Coronini-Cronberg, Johann Gf., FZM.; 1860 Šokčević, Joseph Freih. v., FZM.

(Diese fünf Grenz-Infanterie-Regimenter wurden 1809 aufgelöst, — 1813 wieder errichtet; mit 1. October 1873 wurden diese Regimenter verschmolzen und aus denselben das neu aufgestellte Otočaner Infanterie-Regiment Nr. 79 formirt.)

Otočaner Infanterie-Regiment.

1873 Jellačić de Bužim, Joseph Gf., FZM.

(† zu Agram am 19. Mai 1859.)

(Das Regiment hat diesen Namen für immerwährende Zeiten zu behalten.)

Oberst u. Reg.-Comdt. Christianović, Julius, ÖEKO-R. 3. (KD.), MVK. (KD.).

Oberstlieutenants.

Kokotović, Alexander, ÖEKO-R. 3. (KD.), MVK. (KD.), Res.-Reg.-Comdt.
Hallavanya v. Radoičić, Carl.
Kostersitz, Carl, MVK. (KD.), (des Generalstabs-Corps).

Majore.

Prebeg, Sebastian.
Menschik, Alfred, ÖFJO-R., MVK. (KD.).
Ballasko, Carl.

Hauptleute 1. Classe.

Novaković v. Gjuraboj, Jos.
Fudurić, Johann, MVK. (KD.).
Neumann, Gotthard.
Bossi, Robert (ü. c.) im mil.-geogr. Inst.
Petričić, Peter.
Kling, Thomas.
Piškur, Eduard, MVK. (KD.).
Hallavanya v. Radoičić, Georg, (ü. c.) zug dem Generalstabe.
Lukić, Paul, ○ 2
Rabatić, Simon.
Šumonja, Ignaz.
Jurković, Marcus Freih. v.
Csicserics, Carl.

Hauptleute 2. Classe.

Wittas, Samuel.
Kasumović, Johann.
Hallavanya v. Radoičić, Theophil.
Glaser, Franz.
Blaschke, Hermann.
Rukavina v. Vidovgrad, Emerich Freih.
Karlić, Emerich.
Clementz, Joseph.
Herzeg, Ludwig.
Balko, Sigmund.
Zloch, Engelbert.
Gruičić, Damian, ○ 1., ○ 2.
Kovačević, Peter.
Berger, Ferdinand.

Vukoević, Johann.
Sedlar, Nikolaus.
Hellmann, Marcus.
Löhnert, Franz.
Marjanović, Lucas, MVK. (ü. c.) beim Serežaner-Corps.
Medić, Lucas.
Trbuhović, Georg.
Müller, Adalbert (ü. c.), Lehrer an der Mil. - Unter-Realschule zu St. Pölten.
Ranisavljević, Živko.

Oberlieutenants.

Gjurić, Georg.
Demić, Andreas, MVK. (KD.).
Bekić, Georg.
Horváth, Nikolaus.
Perčević, Franz.
Marinović, Paul (Prov.-Off.).
Branković, Daniel, ○2.
Lattas, Stephan (Erg.-Bez.-Off.).
Pekeč, Nikolaus (ü.c.) bei der Grundbuchs-Anlegung.
Krajnović, Peter.
Pocernić, Georg.
Milković, Joseph.
Velebit, Marcus (WG.).
Bistrić, Franz (ü c.) beim Serežaner-Corps.
Duić, Raimund (ü. c.) beim Serežaner-Corps.
Grozdanić, Michael.
Turkalj, Georg.
Kovačević, Daniel.
Wolf, Johann (ü. c.) bei der Grundbuchs-Anlegung.
Radulović, Emanuel.
Smolčić, Adam.
Pievac, Stephan.
Čanić, Johann (Res.).
Spanić, Stephan.
Vuletić, Johann, SVK. (ü. c.) beim Serežaner-Corps.
Skolaudy, Anton (Res.).
Gazdović, Stanislaus.
Webern, Carl v. (Res.).
Jerbić, Johann.

Lieutenants.

Florian, Franz (Res.).
Kalaš, Joseph (Res.).
Gstirner, Gustav (Res.).
Mediero, Fridolin Ritt. v. (Res.).
Holik, Ludwig (Res.).
Strommer, Ferdinand (Res.).
Kukić, Elias (Bat.-Adj.).
Rukavina, Franz.
Funck v. Senfftenau, Weikhard.
Schenar, Michael.
Žegarac, Michael.
Malvić, Franz (Res.).
Matanović, Carl (Bat.-Adj.).
Borić, Johann.
Nestroy, Gustav (Reg.-Adj.).
Pešut, Raimund.
Rončević, Johann.
Pribanić, Alois.
Kulaš, Mathias (Res.-Reg.-Adj.).
Prebeg, Alois.
Biber, Alois.
Brmbolić, Paul.
Ossanna, Carl (Res.).
Forst, Joseph (Res.).
Swoboda, Alexander (Res.).
Gentilli, Hermann (Res.).
Liebitzky, Johann (Res.).
Rubeš, Richard (Res.).
Hoffer Edl. v. Sulmthal, Oskar (Res.).
Geramb, Victor Ritt. v. (Res.).
Rivnáč, Joseph (Res.).
Fischl, Heinrich (Res.).
Krpal, Anton (Res.).
Reissig, Carl (Bat.-Adj.).
Blašković, Eduard.
Sertić, Johann.
Schubert, Hugo (Res.).
Maischberger, Thomas (Res.).
Schmid, Heinrich (Res.).
Schaumburg, Alexander (Res.).
Kraiger, Blasius (Res.).
Pawlitschek, Alfred (Res.).
Starkel, Theodor (Res.).
Toplak, Ludwig, ÖEKO-R. 3. (KD.) (Res.).
Kauz, Franz (Res.).
Schiebel, Adolph (Res.).
Glaser, Franz (Res.).
Follius, Robert (Res.).
Khull, Ferdinand (Res.).
Gavrančić, Milovan (Res.).
Kugler, Julius (Res.).
Fröhlich, Carl (Res.).
Mandić, Constantin.
Valentić, Johann.
Füsterer, Stephan.
Babić, Peter.
Miljuš, Georg, MVK. (KD.).
Pribić, Emanuel.
Matasić, Carl (Bat.-Adj.).
Dollhopf, Gustav.
Hartmann, Franz (Bat.-Adj.).
Čutić, Ambros.
Uzellac, Michael.
Bartaković, Julius.
Nickerl, Victor.
Čutić, Daniel.

Cadeten.

Bičanić, Johann.
Rajković, Johann.
Dmitrašinović, Prokop.
Šašić, Gabriel, ○ 2. (Off.-Stellv.).
Matiević, Joseph.
Španićić, Nikolaus.
Vladetić, Daniel (Off.-Stellv.).
Hödl, Alfred (Res.).

Mil.-Aerzte.

Clementschitsch, Julius, Dr., Reg.-Arzt 1. Cl.
Horvat, Joseph, Dr., Reg.-Arzt 1. Cl.
Mocnaj, Adolph, Dr., Reg.-Arzt 2. Cl.
Hönisch, August, Dr., Reg.-Arzt 2. Cl.
Zimmert, Ferdinand, Dr., Oberarzt.
Formanek, Joseph, Dr., Oberarzt.
Gastmüller, Hieronymus, Oberwundarzt.

Rechnungsführer.

Lovašen, Balthasar, Hptm. 1. Cl.
Šrámek, Joseph, Lieut.
Kessegić, Vinzenz, Lieut.
Brunnhofer, Johann, Lieut.

Egalisirung apfelgrün (wie Nr. 9 u. 54), Knöpfe weiss.

80.

Galizisches Infanterie-Regiment.

Regiments-Stab: Lemberg.

Reserve- und Ergänzungs-Bezirks-Commando: *Złoczów.*

Mit 1. Februar 1860 formirt aus den Linien-Infanterie-Regimentern Nr. 13 und 16.

1860 Wilhelm, Prinz zu Schleswig-Holstein-Glücksburg, FML.

Oberste. { Kövess v. Kövessháza, Albin, Reg.-Comdt.
Kolb v. Frankenheld, Franz MVK. (KD.), Res.-Comdt.

Oberstlieutenant.

Pürkher, Alois.

Majore.

Stransky, Franz.
Brádka, Adolph.
Dobrowolski, Adolph.
Hauska, Joseph.

Hauptleute 1. Classe.

Stupka, Joseph (ü. c.) beim Gen.-Comdo. zu Graz.
Kotowski, Miecislaus Ritt. v.
Waydowski, Severin.
Osmólski v. Bończa, August Ritt.
Probst, Heinrich.
Boniewski, Joseph.
Singer, Ludwig.
Troharsch, Franz.
Krajačić, Lazar.
Hauser, Carl.
Klossowski, Felix.
Hartleitner, Carl.
Galli, Johann.
Hofmann v. Sternhort, Arthur.
Ritter, Hugo.
Lukić, Constantin.
Zukanović, Carl.

Hauptleute 2. Classe.

Schaffranek, Joseph (WG.).
Berkić, Alexander.
Podhorodecki, Hippolyt Ritt. v., Dr., (ü. c.) zug. dem Generalstabe.
Scheiber, Gustav.
Szalay, Joseph.
Żiwsa, Alfred.
Kucharski, Franz.

Oberlieutenants.

Łyczkowski, Wilhelm (ü. c.) zug. dem Generalstabe.
Rohr v. Rohrau, Eugen Ritt.
Gall v. Gallenstein, Carl Freih., O 2.
Dolezal, Johann.
Vestner, Carl (ü. c.) im mil.-geogr. Inst.
Rigler, Eduard.
Sintić, Peter.
Franke, Anton.
Hofmann, Anton.
Walka, Carl (Prov.-Off.).
Hart, Martin, O 2.
Nemling, Adolph (ü. c.) im mil.-geogr. Inst.
Szczetynski, Joseph (Res.).
Dietrich, Anton.
Bilowitzky, Rudolph.
Aulich, Ernst (Erg.-Bez.-Off.).
Gregorowicz, Leo.
Haimann, Anton.
Brason, Anton.
Böhm, Franz (Reg.-Adj.).
Dedović, Eduard v.
Krauss, Carl.
Klein, Joseph.
Hönig Edl. v. Hönigshoff, Adolph (Res.-Comdo.-Adj.).

Lieutenants.

Friedmann, Ezechiel, Dr.
Żarski, Bojomir Ritt. v.
Niebieszczański, Andreas
Loreth, Sidon
Łaba, Victor
Herschmann, Edwin
Hohenauer, Edmund
Vetulani, Roman
Reiss, Eduard
Dzieduszycki, Moriz Gf.
Pitzsch, Julius
Kabat, Wladimir
Kownacki, Johann Ritt. v.
Jägermann, Joseph
Roller, Friedrich
Doboszynski, Adam
Ziembicki, Gregor Ritt. v.
Borzęcki, Mathias Ritt. v.
Sadowski, Johann
Muzyka, Ladislaus
} (Res.).

Drakulić, Stephan.

Fiałkowski, Peter.
Janusz, Eduard.
Wysocki, Ferdinand.
Majewski, Franz (Res.).
Barher, Hippolyt.
Preclik, Joseph.
Schubuth, Romuald.
Osberger, Carl (Bat.-Adj.).
Farszky, Stephan (Bat.-Adj.).
Łukasiewicz, Casimir.
Kramer, Franz.
Dąbrowski, Eusebius (Res.).
Gęsiorowski, Felix (Bat.-Adj.).
Dzieduszycki, Andreas Gf.
Schmid, Carl (Res.).
Malinowski, Florian (Res.).
Łodynski, Georg Ritt. v. (Res.).
Rozejowski, Joseph.
Schiefer, Oskar.
Lassnigg, Carl.
Pomykáček, Joseph (Bat.-Adj.).
Scherer, Leo.
Wild, Thaddäus.
Ohanowicz, Joseph (Res.).

Doms, Robert (Res.).
Kohmann, Stanislaus (Res.).
Horn, Heinrich (Res.).
Bartkiewicz, Ludwig (Res.).
Schapire, Theodor (Res.).
Gozdowski, Ladislaus (Res.).
Mayer. Heinrich (Res.).
Horbaczewski, Anton (Res.).
Paliwoda, Michael (Res.).
Grossek, Anton (Res.).
Janz, Theobald.
Hörmann v. Wüllerstorf und Urbair, Ernst Ritt.
Zadurowicz, Ludomir Ritt. v. (Bat.-Adj.).
Dziubinski, Vincenz.
Topolnicki, Aurel Ritt. v.
Englert, Carl.
Novak, Guido.

Cadeten.

Tęczarowski, Isidor (Off.-Stellv.).
Erbes, Rudolph (Off.-Stellv.).
Tauleczek, Alois (Off.-Stellv.).
Schreiber, Maximilian (Off.-Stellv.).
Rudnicki, Victor (Off.-Stellv.).

Kamiński v. Topor, Zdzislaus Ritt. (Off.-Stellv.).

Mil.-Aerzte.

Spitaler, Anton, Dr., Reg.-Arzt 1. Cl.
Poglies, Ludwig Ritt. v., Dr., Reg.-Arzt. 1. Cl.
Hawranek, Alfred, Dr., Reg.-Arzt 2. Cl.
Miksch, Julian, Dr., GVK. m. Kr., Reg.-Arzt 2. Cl.
Bodek, Isidor, Dr., Oberarzt.

Rechnungsführer.

Kugel, Marcus, Hptm. 2. Cl.
Prohaska, Ernst, Lieut.
Goldstaub, David, Lieut.

Egalisirung scharlachroth (wie Nr. 37, 39 u. 45), Knöpfe weiss.

Jäger-Truppe.

Rangsliste

der Oberstlieutenants, Majore, Hauptleute, Oberlieutenants, Lieutenants und Cadeten der gesammten Jäger-Truppe.

Oberstlieutenants.

1. November 1876.

Jäg.-R. Karaisl v. Karais Franz Freih., MVK. (KD.)

1. Mai 1877.

24. FJB. Eynatten Heinrich Freih. v., MVK. (KD.)
21. „ Suez Raimund Edl. v.
27. „ Van Aken Edl. v. Quesar Hermann, MVK. (KD.)

1. Mai 1877.

7. FJB. Khoss v. Kossen und Sternegg Joh. Ritt., ÖEKO-R. 3. (KD.), MVK. (KD.).
31. „ Raslić Mathias, ÖEKO-R. 3. (KD.), MVK. (KD.)

1. November 1877.

28. FJB. Dämisch Johann.
25. „ Rischanek Anton, MVK. (KD.)
30. „ Theodorovich Georg, ÖEKO-R. 3. (KD.), MVK. (KD.)

1. Mai 1878.

Jäg.-R. Prokesch v. Nothaft Alois, MVK. (KD.)
11. FJB. Heimerich Johann v.

15. September 1878.

20. FJB. Hentsch Joseph
26. „ Schmidt Moriz
3. „ Sztankovics Carl Freih. v.

1. November 1878.

14. FJB. Winternitz Adolph

Majore.

1. November 1874.

13. „ Cordier v. Löwenhaupt Otto
9. „ Horváth de Zsebeház Franz, ÖEKO-R. 3.,(KD.), MVK.(KD.)
19. „ Klobus Hugo Edl. v., ÖEKO-R. 3. (KD.), MVK. (KD.)

1. Mai 1875.

10. FJB. Beck Edl. v. Nordenau Friedrich
22. „ Czermak Ferdinand, O 1.
5. „ Navarini Octavius v.

1. November 1875.

32. FJB. Hübsch Johann
1. „ Pokorny Moriz, ÖLO-R. (KD.), MVK. (KD.)

8. FJB. Heller Franz, ÖEKO-R. 3 (KD.), ÖFJO-R., MVK. (KD.)
Jäg.-R. De Fin Hamilkar Freih. †.
„ Finke Edmund

1. Mai 1876.

16. FJB. Mikessić Adolph Edl. v.
Jäg.-R. Theuerkauf Rud., ÖLO-R. (KD.)

1. November 1876.

15. FJB. Dorner Raimund, MVK. (KD.)
29. „ Veith Wilhelm
2. „ Hauska Moriz
4. „ Kurz Carl, MVK. (KD.)
Jäg.-R. Potschka Ludwig, ÖEKO-R. 3. (KD.)

1. Mai 1877.

12. FJB. Niemeczek Joseph, ÖEKO-R. 3. (KD.), MVK. (KD.)

1. November 1877.

6. FJB. Horrak Johann
23. „ Grosschmid Sigmund v.
Jäg.-R. Kürsinger Alfred Ritt. v., MVK. (KD.)

1. Mai 1878.

17. FJB. Kapfhamer Franz, MVK.
33. „ Grivičić Daniel

1. November 1878.

18. FJB. Häring Franz, ÖFJO-R., MVK. (KD.)

Hauptleute.

13. Mai 1859.

33. FJB. Dworžak v. Kulmburg Rudolph, MVK. (KD.)

26. Mai 1859.

Jäg.-R. Köth Robert Ritt. v., ÖEKO-R. 3. (KD.)

18. März 1861.

20. FJB. Higersperger Franz

1. December 1863.

Jäg.-R. Mayr Andreas, ÖEKO-R. 3. (KD.)

1. Mai 1866.

10. FJB. Modena Carl Conte de, MVK. (KD.)
26. „ Luxardo Eugen
23. „ Fazolo Ludwig v.
9. „ Zollmann v. Zollerndorf Leopold Ritt. (WG.).

1. Juni 1866.

9. FJB. Goll Ferdinand

28. Juni 1866.

10. FJB. Kopal Victor Freih. v., ÖEKO-R. 3. (KD.), (ü. c.) Flügel-Adj. Sr. k. k. Hoheit des General - Inspectors des Heeres, FM. Erzherzog Albrecht.
24. „ Ehrenburg Victor Freih. v., MVK. (KD.)
1. „ Fischer Georg, MVK. (KD.)
2. „ Lenz Heinrich
26. „ Blumauer Alois, MVK. (KD.)

1. Juli 1866.

18. FJB. Steinsky Franz

4. Juli 1866.

14. FJB. Porth Wenzel
19. „ Wohlstein Julius
Jäg.-R. Feueregger Carl

12. FJB. Hochberger Romuald, ÖFJO-R., MVK. (KD.)
21. „ Fürich v. Fürichshain Joseph

4. Juli 1866.

33. FJB. Speiser Carl, MVK.
31. „ Haas Theodor
17. „ Karwath Carl, MVK. (KD.)
20. „ Gariboldi Ferdinand Ritt. v.
5. „ Schiefer Eduard
7. „ Bolzano Edl. v. Kronstätt Hugo, MVK. (KD.)
Jäg.-R. Vigelius Albert
15. FJB. Helly Georg Edl. v., MVK. (KD.)
32. „ Moczkovcsák Victor
30. „ Berka Johann
11. „ Vivenot Ernst Edl. v., Indigena des Königreiches Ungarn

17. Juli 1866.

4. FJB. Nolting Bernhard v.

18. Juli 1866.

Jäg.-R. Pallang Anton

21. Juli 1866.

Jäg.-R. Politzki Heinr. (WG.)

25. Juli 1866.

Jäg.-R. Spaur Maximilian Gf., JO-Ehrenritter, ♰ (Res.).

1. August 1866.

6. FJB. Steinitz Eduard Ritt. v.

18. August 1866.

16. FJB. Moser Moriz

26. August 1866.

27. FJB. Brasseur v. Kehldorf Emil Ritt., MVK. (KD.)

26. August 1867.

24. FJB. Pinelli Gustav, MVK. (KD.)

10. April 1869.

Jäg.-R. Della Torre v. Thunberg Julius (Res.)

1. Mai 1869.

Jäg.-R. Hafner Robert v.

1. November 1869.

33. FJB. Bastendorff Rudolph (ü. c.) im mil. geogr. Inst.
29. „ Pokorny Carl.

1. November 1871.

Jäg.-R. Tschreschner Stephan, MVK. (KD.), (WG.)
8. FJB. Mark Michael
Jäg.-R. Streicher Alois Freih. v., ÖEKO-R. 3 (KD.), ÖFJO-R., MVK. (KD.)

1. Mai 1872.

31. FJB. Kedačić Mathias, MVK. (KD.)
13. „ Rostoczil Moriz
9. „ Kopelent Franz, MVK. (KD.)
33. „ Donhauser Joseph, MVK. (KD.)
Jäg.-R. Hündl Edl. v. Rebenburg Ludwig (ü. c.) zug. dem Generalstabe
27. FJB. Gröer Hugo (WG.)

1. November 1872.

13. FJB. Hauschild Johann
25. „ Desero Angelo (WG.)
28. „ West Johann v.
7. „ Urschütz Joseph
9. „ Wichmann Eberhard, MVK. (KD.)
23. „ Kühn Eduard
3. „ Brameshuber Aug.
8. „ Prokopp Peter

1. November 1872.

15. FJB. Rainer Johann, MVK. (KD.)
32. „ Klopfstock Joseph (ü. c.) im Kriegs-Archive.
21. „ Görtz Bruno Ritt. v., MVK.
6. „ Wolski v. Dunin Leon Ritt.
28. „ Phaffenhuber Eduard, MVK. (KD.)
21. „ Kurzwernhart Ant.
Jäg.-R. Niklas Philipp
6. FJB. Marek Joseph

1. Mai 1873.

Jäg.-R. Stillebacher Joseph
29. FJB. Mitterberger Peter
Jäg.-R. Strasszer Alois
„ Oberkirch Ludwig Freih. v.
25. FJB. Obora Heinrich

1. Mai 1874.

10. FJB. Bruckner Rudolph
Jäg.-R. Giongo Johann
„ Hauber Adam, ○ 2.
13. FJB. Watznauer Joseph
Jäg.-R. Rengelrod Const.
„ Fantoni Anton
19. FJB. Van der Hoop Diego, MVK. (KD.)
6. „ Enhuber August Edl. v.
30. „ Schima Carl

1. November 1874.

32. FJB. Hochenadl Heinrich
17. „ Ferenz Ferdinand (WG.)
3. „ Jandowsky Anton
25. „ Auffenberg Alexand. Freih. v.
21. „ Sturm Johann
1. „ Schaschl Leopold
24. „ Karner Carl
16. „ Czaslawsky Friedrich
12. „ Pyerker de Felső-Eör Victor
2. „ Monin Johann
15. „ Oppitz Emanuel
30. „ Fitz Heinrich
31. „ Hultsch Joseph

1. November 1874.

7. FJB. Pawliczek Alois, MVK. (KD.)
7. „ Grüner Johann

1. Mai 1875.

11. FJB. Posselt Heinrich
8. „ Hatzy Alois, MVK. (KD.)

1. November 1875.

20. FJB. Hartnagl Alois
Jäg.-R. Melchiori Eman. Gf.
5. FJB. Surić Johann
24. „ Pirner Franz
15. „ Födransperg Heinrich Ritt. v.
Jäg.-R. Schmidt Otto
„ Lanzinger Mathias
8. FJB. Diwisch August
Jäg.-R. Frizzi Quintilius

1. Mai 1876.

33. FJB. Reisinger Carl
26. „ Mayor Árpád v.
16. „ Hoffmann Hugo
Jäg.-R. Fleischmann Franz
3. FJB. Arthold Hermann
30. „ Merz Adolph
Jäg.-R. Oberhauser Carl
19. FJB. Bretschneider Alexander
27. „ Weyher Carl
9. „ Klug Sigmund, MVK. (KD.)
17. „ Schön v. Monte-Cerro Ferdinand
29. „ Pessler Clem. Ritt v.
Jäg.-R. Pichler Anton, MVK. (KD.)
„ Pellegrini Joseph
16. FJB. Krzepinski Wenzel
32. „ Schlesinger Franz

1. November 1876.

17. FJB. Gerla Ignaz
11. „ Baltin Jos. Freih. v.
23. „ Zerdahelyi de Nyitra-Zerdahely Jos.
26. „ Pöschl Joseph
14. „ Červinka Ferdinand
22. „ Göttlicher Peter
13. „ Sedlaček Franz
23. „ Neustädter Daniel, SVK., ○ 2.

1. November 1876.

1. FJB. Hradetzky Anton, MVK. (KD.)
29. „ Czeschka Hugo
18. „ Hrubik Anton
Jäg.-R. Figura Guido, MVK. (KD.)
31. FJB. Schimitschek Clemens, MVK. (KD.)
25. „ Schwab Carl
4. „ Ferle Joseph
22. „ Grimm Adolph
27. „ Schrök Carl, ○ 1.
12. „ Rohn Hubert, MVK. (KD.)
8. „ Ghelleri Anton
1. „ Klekler-Schiller v. Herdern Ludwig Freih.
22. „ Erhardt Ferdinand
12. „ Hoffmann Carl

1. Mai 1877.

18. FJB. Gayer Hermann
28. „ Andrzejowski Miecislaus, ○ 2.
4. „ Wenus Otto
5. „ Wikaukal Ferdinand
25. „ Rubesch Jos., ○ 1.
Jäg.-R. Barth v. Barthenau Ferdinand Ritt.
11. FJB. Lefeber Ant., MVK. (KD.), ○ 1.
Jäg.-R. Hollenstein Joseph, MVK. (KD.)
„ Esch Ludwig
7. FJB. Hilber Alois, MVK. (KD.)
20. „ Üblagger Julius Freih. v.
26. „ Bastl Ludwig, MVK. (KD.)
27. „ Westerholt Alexander, MVK. (KD.)
22. „ Rumpold Friedrich
31. „ Gerić Georg, MVK. (KD.)
4. „ Höcker Joseph
12. „ Mastny Franz
6. „ Gruber Carl, MVK. (KD.)
25. „ Bauer Adolph
28. „ Müller Friedrich, MVK. (KD.), ○ 2.
30. „ Schmidt Emil

1. Mai 1877.

21. FJB. Schmid Franz, ÖEKO-R. 3. (KD.)
7. „ Suda Anton
18. „ Gabeson Ludwig
10. „ Schikl Ferdinand
32. „ Benda Eduard
19. „ Kropač Narciss
Jäg.-R. Steinböck Joseph
„ Schiavini Achilles
9. FJB. Versbach v. Hadamar Emil Ritt.
11. „ Fenz Edmund
29. „ Kessler Carl
5. „ Walzel Johann
3. „ Seidl Alexander, MVK. (KD.), ○ 2.
14. „ Kreitschy Joseph
10. „ Neugebauer Franz, ÖEKO-R. 3. (KD.)
21. „ Höhenrieder Albert
9. „ Steiner Joseph, MVK. (KD.)
Jäg.-R. Kántz Joh. v.
24. FJB. Oppel Gustav
16. „ Zlabinger Ludwig
4. „ Reichart Moriz
13. „ SanlequeMaximilian Freih. v. (ü. c.) in der techn. Mil.-Akad.

1. November 1877.

2. FJB. Kukulj Johann
33. „ Hell Anton
2. „ Mader Carl
11. „ Hensler Rudolph
15. „ Obermayer Camillo
27. „ Fischer Carl Ritt. v.
19. „ Schmidburg Joseph Freih. v., MVK. (KD.)
1. „ Baum v. Appelshofen Carl Freih.
Jäg.-R. Gomansky Eugen
13. FJB. Siegert Ferdinand

1. November 1877.

22. FJB. Aichelburg Bohuslav Gf., (ü. c.) zug. dem Hofstaate Sr. k. k. Hoheit des Erzherzogs Carl Ludwig
20. „ Cavallar Julius
22. „ Sandmann Emil

1. Mai 1878.

Jäg.-R. Pulciani v. Glücksberg Joseph
4. FJB. Tlusty Robert
18. „ Riedl Lorenz
29. „ Wilde Carl
5. „ Appeltauer Wenzel
13. „ Valášek Johann
25. „ Proschinger Joseph (ü. c.) zug. dem Generalstabe
2. „ Heyda Franz
24. „ Zahradnik Vincenz
27. „ Krawehl August (ü. c.) im techn. u. adm. Mil.-Comité
5. „ Wischkowský Alois
30. „ Pukl Carl
4. „ Mras Ambros, ÖEKO-R. 3. (KD.)
14. „ Hurkiewicz Leon
17. „ Davidović Alexand., MVK. (KD.)
17. „ Gabriel Carl
18. „ Winter Ignaz, ○ 2.
14. „ Krannich Joseph
1. „ Grau Hermann
Jäg.-R. Bodeck v. Ellgau Franz Freih., ♰.

15. September 1878.

33. FJB. Saller Wenzel
Jäg.-R. Streicher Johann Freih. v.
„ Gratzy Carl
27. FJB. Fugger-Glött Fidel Gf.

15. September 1878.

Jäg.-R. Tiefenthaler Jos.
28. FJB. Pull Johann (ü. c.) im mil.-geogr. Inst.
Jäg.-R. Röggla Edmund
31. FJB. Wimmer Carl
Jäg.-R. Panzl Reinhold
9. FJB. Manussi Carl Edl. v. (ü. c.) zug. dem Hofstaate Sr. k. k. Hoheit des Erzherzogs Ferdinand IV., Grossherzog v. Toscana.
10. „ Meister Leop., ○ 1.
9. „ Edelmann Andreas, ○ 1.
3. „ Riedlechner Otto
16. „ Matt Alfred Edl. v., MVK. (KD.); (ü. c.) zug. dem Generalstabe
25. „ Plentzner v. Scharneck Franz Ritt.
3. „ Wurmbrand Ernst Gf.
19. „ Došen Georg
25. „ Gelinek Hubert

1. November 1878.

16. FJB. Stolz Heinrich
15. „ Lafite Ludwig (ü. c.) im mil.-geogr. Inst.
23. „ Hennevogl Edl. v. Ebenburg Heinr.
12. „ Rosenberg Gotthard
16. „ Beidl Alexander
15. „ Stitz August (ü. c.) im mil.-geogr. Inst.
10. „ Ozlberger Ferd.
Jäg.-R. Grossrubatscher Hartmann
8. FJB. Sulik Johann
32. „ Shaniel Heinrich
6. „ Hake Friedrich v.

Oberlieutenants.

4. Juli 1866.

24. FJB. Le Mari Emanuel (Res.)

15. November 1871.

32. FJB. Klyncharich Arthur Ritt v. (Res.)

1. November 1872.

26. FJB. Ehrengruber Joseph
10. „ Hübl Anton
33. „ Salomon Anton
27. „ Weiss Franz Ritt. v.
Jäg.-R. Galateo Alfred nobile de, MVK. (KD.)

1. November 1872.

1. FJB. Hausenblas Eduard
Jäg.-R. Radinger Carl
4. FJB. Appel Joseph
20. „ Kutschera Hugo Freih. v.
Jäg.-R. Pescoller Franz

(Gedruckt am 22. December 1878.)

1. November 1872.

Jäg.-R. Köpf Eduard Ritt. v.
29. FJB. Raab Victor (WG.)
19. „ Pöll Anton, MVK. (KD.)
Jäg.-R. Scheyrer August
„ Polatzek Johann
„ Gschwenter Franz
28. FJB. Faltin Eduard
12. „ Buch Ludwig, MVK. (KD.)

1. Mai 1873.

22. FJB. Waldheger Adolph
8. „ Spiess Cajetan
Jäg.-R. Pfaundler Otto
25. FJB. Enenkl Benjamin, MVK. (KD.)
18. „ Kottek Kuno
11. „ Bourry Edl. v. Oedewald Emanuel
28. „ Setz Carl
19. „ Püchler Anton
23. „ Morawek Wenzel (ü. c.) zug. dem Generalstabe
Jäg.-R. Steffan Johann
1. FJB. Breidert Ernst
Jäg.-R. Friedrich Wilhelm
25. FJB. Sixta Adalbert
25. „ Fritz Hermann
20. „ Rosen Ferdinand
Jäg.-R. Bodmann-Möggingen, Eberh. Freih. v.
„ Purtscher Ernst
„ Mörl zu Mühlen und Sichelburg Alois Ritt. v.
9. FJB. Nostitz Eduard v. (Res.)
4. „ Gerstmann Edmund
29. „ Scharschmid Edl. v. Adlertreu Hugo

1. November 1873.

14. FJB. Siegert Eduard
21. „ Bachner Ant., ○ 1.
9. „ Angermayer Stanislaus v.
21. „ Hildemann Erich
Jäg.-R. Lechner Franz, ○ 1.

1. Mai 1874.

22. FJB. Teutsch Edl. v. Teutschenstamm Hermann
19. FJB. Jacz Coloman
Jäg.-R. Kleine Eduard
„ Klarner Carl
31. FJB. Hülgerth Heribert, MVK. (KD.)
1. „ Pichel Carl
5. „ Wolf Joseph
32. „ Schiebel Carl
23. „ Köhler Eusignius
33. „ Trampusch Carl
3. „ Henkel Adam
20. „ Tresser Alois
16. „ Holl Franz

1. November 1874.

18. FJB. Hawelka Alexander
26. „ Nipp Friedrich
13. „ Bernauer Johann
20. „ Lützow Hugo Freih. v.
14. „ Hawelka Theodor
8. „ Schneider Anton, MVK. (KD.)
7. „ Windisch Jakob, ○ 1., ○ 2.
15. „ Raidt Heinrich
2. „ Kiczek Ferdinand
1. „ Fischer Carl (ü. c.) Prov.-Off. bei der 1. Inf.-Trupp.-Div.
5. „ Scheiter Carl
13. „ Czech Anton
31. „ Starčević Emil
7. „ Ruff August Ritt. v. MVK. (KD.); (Res.)
1. „ Kopetzky Georg
2. „ Jahoda Carl
4. „ Süssmilch Ernst, MVK. (KD.)
9. „ Schlögl Carl, ○ 2.
27. „ Estlinger Maximilian, MVK. (KD.); (ü. c.) im mil.-geogr. Inst.
24. „ Rossnagel Alois
12. „ Zweigl Hugo, MVK. (KD.)

1. Mai 1875.

Jäg.-R. Muck Ernst
10. FJB. Suffert Rudolph
16. „ Koller Carl
11. „ Turba Wenzel, ○ 2.

1. November 1875.

3. FJB. Haller Anton
33. „ Storich Peter (WG.)
26. „ Passy Armand
6. „ Hlawin Peter (ü. c.) bei der Feld-Signal-Abth. der VII. Inf.-Trup.-Div.
27. „ Buresch Anton
30. „ Bilecki Eduard
4. „ Trawniczek Johann
15. „ Zintl Adolph
3. „ Pranner Theodor
Jäg.-R. Nitsch Franz
„ Hummel Otto
22. FJB. Köferle Ludwig
18. „ Nunn Carl
4. „ Veit Ferdinand
19. „ Guttmann Johann
12. „ Jarabin Leop. (Res.)
7. „ Kopp Carl, ○ 1.
17. „ Čerwinka Hugo
4. „ Hofschuster Albert

1. Mai 1876.

1. FJB. Müllner Franz
20. „ Ranner Franz (WG.)
3. „ Koller Joseph
Jäg.-R. Schmotzer Anton, ○ 2.
„ Kosatzky Johann, MVK. (KD.), ○ 1.
„ Miniarz Eduard
„ Habianitsch Alex.
„ Krismer Heinrich
„ Thun-Hohenstein Sigm. Gf., ○ 2. (Res.)
„ Melchiori Joseph Gf., ○ 2.
18. FJB. Helm Franz Ritt. v.
32. „ Platenik Franz (ü. c.) im mil.-geogr. Inst.
9. „ Ehmann Carl
28. „ Klein Rudolph (ü. c.) zug. dem Generalstabe
Jäg.-R. Dagnen v. Fichtenhain August
6. FJB. Nahlik Carl
8. „ Tawornigg Anton, ○ 2.
25. „ Přehnálek Johann, MVK. (KD.)
25. „ Nový Franz
7. „ Matschek Ferdinand

1. Mai 1876.

25. FJB. Hunka Joseph
12. „ Laimgruber Johann
18. „ Blaschka Ludwig, ○ 2.
26. „ Sahulle Heinrich
30. „ Karaczewski Joseph
26. „ Fabello Anton, ○ 1.
31. „ Řezač Alexander
32. „ Kutschera Oskar Freih. v., ○ 2. (ü. c.) zug. dem Generalstabe
2. „ Lenk Joseph
Jäg.-R. Drassegg Gebhard, ○ 1.
27. FJB. Hayek Ferdinand (ü. c.) zug. dem Generalstabe
8. „ Borri Joseph (ü. c.) im mil.-geogr. Inst.
5. „ Bayard de Volo Nikolaus Gf.
10. „ Bastl Maximilian
15. „ Thelen Rudolph v.
30. „ Netuschill Franz (ü. c.) in der Mil.-Ober-Realschule
21. „ Giovannini Ferdinand
1. „ Zimburg Edl. v. Reinerz Friedrich (ü. c.) im mil.-geogr. Inst.
2. „ Igálffy v. Igály Victor
33. „ Nahlik Alois (ü. c.) im mil.-geogr. Inst.
28. „ Tepser Franz Edl. v.
22. „ Prenn Leopold
30. „ Roth Johann
Jäg.-R. Bratanitsch Rudolph
„ Pallang Ferdinand
„ Hosp Johann, MVK. (KD.)
10. FJB. Elmayer Franz
Jäg.-R. Noggler Joseph
„ Schober Pet., ○ 1. (ü. c.) im mil.-geogr. Inst.
„ Spiess Moriz
17. FJB. Prochaska Jakob
12. „ Gebhart Franz (ü. c.) im mil.-geogr. Inst.

1. Mai 1876.

Jäg.-R. Burian Julius, ○ 1.
24. FJB. Sommer Carl
10. „ Lange August
11. „ Tappeiner Joseph (ü. c.) in der Mil.-Akad. zu Wr.-Neustadt
11. „ Gollinger Johann
33. „ Riedl Robert, ○ 2.
1. „ Reichmann Anton
2. „ Micháľý Jos., ○ 2.
29. „ Braunkittel Franz
11. „ Figura Arthur
33. „ Kasperl Valentin, ○ 1.
30. „ Beuck Johann, ○ 2.
33. „ Neuwirth Edmund Ritt. v.
17. „ Boháč Wenzel, ○ 1., ○ 2.
22. „ Fejér de Bück Ant.
8. „ Sedlaczek Alois
26. „ Günther Ottokar
31. „ Halla Aurel
14. „ Jacobs v. Kantstein Carl Freih. (ü. c.) zug. dem Generalstabe
3. „ Kandelsdorfer Carl
Jäg.-R. Streicher Carl Freih. v. (ü. c.) zug. dem Generalstabe

1. November 1876.

Jäg.-R. Frank Liborius (ü. c.) zug. dem Generalstabe
3. FJB. Bulla Adolph (ü. c.) im mil.-geogr. Inst.
23. „ Török de Telekes Stephan
Jäg.-R Trost Guido (ü. c.) zug. dem Generalstabe
27. FJB. Walter Emil
2. „ Prüsker Arthur (ü. c.) im mil.-geogr. Inst.
31. „ Grivičić Emil
30. „ Ansion Victor (ü. c.) im mil.-geogr. Inst.
32. „ Sieczyński Leopold
6. „ Janda Anton
7. „ Raizner Emil v.

1. November 1876.

32. FJB. Woitech Ernst
18. „ Pichel Franz
Jäg.-R. Putze Gustav (Res.)
9. FJB. Haas Vincenz Ritt. v., ○ 2. (ü. c.) im mil.-geogr. Inst.
18. „ Pistecky Rudolph
22. „ Hacker Ferdinand

1. Mai 1877.

32. FJB. Justus Johann, ○ 1.
12. „ Seidl Johann
11. „ Conrad v. Hötzendorf Franz (ü. c.) zug. dem Generalstabe
16. „ Rudžinski v. Rudno Carl
13. „ Seftsovits Paul (ü. c.) zug. dem Generalstabe
7. „ Schneider v. Arno Carl Freih.
9. „ Salomon v. Friedberg Edmund (ü. c.) zug. dem Generalstabe
26. „ Stockklausner Christian
27. „ Meschede Otto (ü. c.) im mil.-geogr. Inst.
2. „ Kuhn Carl
2. „ Wittmann Eduard
6. „ Georgi Friedrich
19. „ Myrbach v. Rheinfeld Felician Freih.
6. „ Rubin Ernst
21. „ Herold Carl
5. „ Bügler Victor
10. „ Narančić Eugen
8. „ Arzt Franz
Jäg.-R. Sonklar Edl. v. Innstädten Victor, ÖEKO-R. 3. (KD.)
1. FJB. Lehmann Vincenz (ü. c.) zug. dem Generalstabe
32. „ Vonderheid Alfred
4. „ Haussner Wilhelm
Jäg.-R. Winter Waldemar
16. FJB. Brossmann Wenzel
31. „ Kekić Elias, MVK. (KD.)
17. „ Stollek Franz

1. Mai 1877.

10. FJB. Köstner Johann, MVK. (KD.)
31. „ Stoiković Thomas
17. „ Pfeiffer Carl
24. „ Uherek Moriz
8. „ Graf Franz, ○ 2.

1. November 1877.

19. FJB. Tomić Nikolaus
27. „ Schöberl Ludwig, MVK. (KD.)
31. „ Vučetić Stephan
23. „ Prinz Carl
9. „ Sanchez de la Cerda Ludwig
3. „ Puffer Carl Freih. v.
5. „ Dits Martial (ü. c.) im mil.-geogr. Inst.
25. „ Moese Edl. v. Nollendorf Arthur, MVK. (KD.)
23. „ Schilder Carl
22. „ Nagy Eugen
23. „ Csák Franz (ü. z.) beurl.
19. „ Szemán Georg
7. „ Link Alfred

1. Mai 1878.

12. FJB. Žantovsky Johann
23. „ Schochterus Adolph

1. Mai 1878.

Jäg.-R. Jusa Franz
15. FJB. Gabriel Carl
Jäg.-R. Schmidl Alfred
5. FJB. Hochmiller Johann
Jäg.-R. Roschatt Hermann, SVK.

15. September 1878.

24. FJB. Joscht Wenzel
33. „ Andes Edgar, MVK. (KD.), (Res.)
Jäg.-R. Achberger Joseph
10. FJB. Alberti de Poja Thaddäus Gf., MVK. (KD.)
11. „ Schraml Johann
24. „ Szermanski Richard
25. „ Donner Hugo, MVK. (KD.)
7. „ Zobel Alois ⊙, ○ 2.

1. November 1878.

9. FJB. Peithner v. Lichtenfels Adolph Ritt.
9. „ Lattermann Cäsar Freih. v.
11. „ Kolmer Herm.
25. „ Demel Hugo
(Res.)

1. November 1878.

Jäg.-R. Perathoner Julius
27. FJB. Rizzi Franz
12. „ Schneider Adalbert
(Res.)
Jäg.-R. Resch Franz
28. FJB. Neugeboren Eduard
14. „ Korbas Franz
31. „ Merliček Carl
33. „ Tauber Georg
31. „ Divjak Emanuel
31. „ Terbuhović Demet.
17. „ Saara Carl (ü. c.) im mil.-geogr. Inst.
6. „ Löwenstein Rud. Freih. v.
14. „ Jirasko Johann
27. „ Au Joseph, MVK. (KD.)
27. „ Bunk Heinrich
13. „ Ivanossich v. Küstenfeld Arthur
17. „ Fischer Joseph
28. „ Masner Carl
30. „ Redl Ludwig
20. „ Rukavina Gregor
12. „ Werner Joseph
2. „ Braf Carl
Jäg.-R. Isser Hermann
9. FJB. Fruhwirth Johann
21. „ Prosche Joseph
Jäg.-R. Strobl Adolph

Lieutenants.

Jäg.-R. **Seine k. k. Hoheit Erzherzog Eugen etc.**

28. Juni 1866.

32. FJB. Desloges Franz Ritt. v., ○ 2. (Res.)

5. Juli 1866.

Jäg.-R. Pallavicini Alfred Markgraf (Res.)

16. Juli 1866.

20. FJB. Leippert Friedrich Ritt. v. (Res.)

25. Juli 1866 *).

28. FJB. Mayer Adolph
32. „ Hatfaludy de Hatmansdorf Alexander
20. „ Eckhoff Christian

1. Jänner 1870 *).

16. FJB. Breyer Emil
33. „ Mayer Otto v.
28. „ Dietrich Hermann, Dr.
28. „ Fritsch Carl
Jäg.-R. Pernter Alois
15. FJB. Steinböck Rudolph

1. Jänner 1870 *).

Jäg.-R. Cles Bernhard Freih. v.
„ Job Emanuel de
3. FJB. Somogyi v. Gyöngyös Zoltán

1. Jänner 1871 *).

14. FJB. Haessler Emil
24. „ Mayer Gustav
17. „ Spanily Adolph
Jäg.-R. Goëss Leopold Gf. v., ✝
27. FJB. Popelka Albert
9. „ Rotondi d'Arailza Adolph

---

*) Lieutenants in der Reserve.

1. Jänner 1871 *)

16. FJB. Pruschak Johann
18. „ Richter Franz
18. „ Schanzer Ignaz
Jäg.-R. Leon Wilhelm Ritt. v.
16. FJB. Riedel Alfred
Jäg.-R. Bautz August
18. FJB. Brandstätter Christian
Jäg.-R. Vittorelli Paul
„ Kathrein Carl
2. FJB. Kreutz Albin
13. „ Šedivý Joseph
Jäg.-R. Zallinger Paul
„ Prossliner Carl
„ Vogl Cajetan v.
„ Ankershofen Julius Freih. v.
30. FJB. Wagner Alexander
Jäg.-R. Di Pauli Leonhard Freih. v.
„ Sutter Eduard
17. FJB. Axmann Eduard
30. „ Oehl Adolph

1. Mai 1871 *).

10. FJB. Theyer Leopold

1. November 1871 *).

9. FJB. Nadamlensky Carl, MVK. (KD.)
30. „ Peteleuz Ignaz Ritt. v.
22. „ Sturmann Carl
27. „ Ettingshausen Albert v., MVK. (KD.)
Jäg.-R. Greil Wilhelm
6. FJB. Willmitzer Franz
Jäg.-R. Jäger Ernst, Dr.
„ Mayr Franz
13. FJB. Stüdl Franz
12. „ Kubinyi Andreas v.
17. „ Beck Paul
4. „ Lohr Eduard
10. „ Pinapfel Eduard
30. „ Bayer Eduard, Dr.
11. „ Goldsand Heinrich
Jäg.-R. Zimmeter Franz
28. FJB. Scholmaschi August
20. „ Heim Franz

1. November 1872 *).

30. FJB. Elsner Gustav
13. „ Klose Adolph
Jäg.-R. Wilczeck Heinrich Gf.
16. FJB. Pjetschka Ferdinand
1. „ Grimm Joseph Ritt. v.
23. „ Krasser Hermann
3. „ Kham Hugo v.
30. „ Jaegermann Anton
20. „ Pramberger Victor
Jäg.-R. Bertolassi Fortunat
10. FJB. Ivichich Max v., MVK. (KD.)
27. „ Millanich-Lucchese Arthur
Jäg.-R. Schmidt Siegfried
9. FJB. Leskoschegg Gustav, MVK. (KD.)
Jäg.-R. Trafoier Adalbert
3. FJB. Reininger Carl
10. „ Hiller Max
Jäg.-R. Greil Joseph
„ Thaler Georg
18. FJB. Zenker Carl
Jäg.-R. Putz Maximilian, Dr.
28. FJB. Schopf Franz
29. „ Staněk Anton
21. „ Hentl Friedrich Ritt. v.
23. „ Haggi Alexander
Jäg.-R. Rossi Eduard
„ Stockhammer Ludwig
„ Noldin Robert
20. FJB. Protmann Robert
7. „ Valentinitsch Emil
21. „ Fritsch Ferdinand
7. „ Vogl Joseph
Jäg.-R. Hosp Gustav
25. FJB. Jirku Heinrich
9. „ Ebner Johann
20. „ Ploberger Carl
22. „ Daut Franz
23. „ Szöcs Johann
29. „ Maar Wilhelm
27. „ Poljanz Victor
27. „ Hellin Adolph
27. „ Wagner Rudolph
Jäg.-R. Gröbner Ludwig

1. November 1872 *).

Jäg.-R. Schletterer August
2. FJB. Koerber Carl Edl. v.

1. Mai 1873 *).

6. FJB. Schindler Johann

1. November 1873 *).

19. FJB. Derschatta v. Standhalt Julius
5. „ Dennig Eugen
14. „ Martinek Anton
32. „ Korab Camillo
31. „ Suflay Daniel
11. „ Rechtenberg Arthur Edl. v.
29. „ Jahnel Carl
5. „ Czibulka Victor
6. „ Friedmann Eugen
19. „ Nissl Anton, Dr.
4. „ Přibislavsky Adolph
2. „ Potocki Arthur Gf.
19. „ Odelga Adolph Freih. v.
32. „ Mikulik Joseph
19. „ Fischer Gebhard
8. „ Girstmayer Eduard
8. „ Link Joseph
10. „ Strasoldo-Graffemberg Cäsar Gf.
19. „ Kerer Anton
8. „ Krapf Carl
8. „ Schülle Carl
19. „ Schmid Georg
19. „ Perathoner Wilhelm
6. „ Berger Thomas
6. „ Hild Hugo
2. „ Kregcz Franz
26. „ Pfretschner Norbert
23. „ Munteanu Jordan
7. „ Wagner Adoiph, MVK. (KD.)
3. „ Laengle Simon
3. „ Kapferer Heinrich
12. „ Wittenberger Emil
16. „ Tiller Otto
21. „ Kloiber Victor
21. „ Candussi Candidus
14. „ Schöffl Joseph
3. „ Brigl Leonhard
23. „ Hannenheim Carl v.
7. „ Millanich-Luchese Oskar, Dr.

---

*) Lieutenants in der Reserve.

1. November 1873 *).

26. FJB. Passler Peter
23. „ Hiemesch Franz
26. „ Stigelleithner Jos.
23. „ Heitz Rudolph
23. „ Kappel Georg
26 „ Tomasin Franz
29. „ Sattler Robert v.
1. „ Schmidt Ernst
11. „ Kiss v. Szubolitza Clemens
25. „ Blaschke Joseph

1. Mai 1874.

20. FJB. Thonhauser Matthäus
15. „ Hammerschmid Simon
33. „ Charlemont Rudolph (ü. c.) im mil.-geogr. Inst.
1. „ Herlitschka Gustav
Jäg.-R. Merhart v. Bernegg Curt
12. FJB. Berthóty v. Berthót Paul, MVK. (KD.)
22. „ Jetel Carl
32. „ Lang Matthäus
16. „ Normann Alexander v.
Jäg.-R. Hradetzky Arthur
30. FJB. Wlk vulgo Berka Anton
21. „ Aperger v. Friedheim Theodor
23. „ Hirth Johann
32. „ Mass v. Wachenhusen Anton
Jäg.-R. Salvini v. Meeresburg Michael Ritt.
„ Latour Edl. v. Thurmburg Maximilian
21. FJB. Hornberger Gustav
29. „ Engelthaler Leo
12. „ Hainz Jakob
26. „ Lipka Carl
17. „ Herda Carl

1. September 1874.

28. FJB. Popletsan Johann
20. „ Schleyer Wilhelm
14. FJB. Hornik Theodor Edl. v.
4. „ Barleon Victor
22. „ Di Corte Friedrich
10. „ Feldwebel Carl
4. „ Kailer Carl.
16. „ Meschede Richard (ü. c.) im mil.-geogr. Inst.
Jäg.-R. Zerbs Alfred
11. FJB. Frank Otto
6. „ Georgi Franz
Jäg.-R. Bonelli Otto v.
3. FJB. Kuhn v. Kuhnenfeld Eugen Freih.

1. November 1874.

Jäg.-R. Röster Albin
13. FJB. Kunzl Georg
33. „ Stanger Heinrich
16. „ Kogutowicz Carl
1. „ Barisani Joseph v.
17. „ Cirheimb zu Hopffenbach Freih. auf Guettenau Victor v.
26. „ Bihaly Jakob
11. „ Manussi Maximilian Edl. v.
23. „ Neumann Moriz
7. „ Bamberg Fedor, MVK. (KD.)
18. „ Witek Robert (ü. c.) im mil.-geogr. Inst.
11. „ Sollak Johann
14. „ Günzburger Albert
9. „ Hoberstorfer Anton, MVK. (KD.)
9. „ Kohl Emerich
2. „ Brylinski Johann
30. „ Nowak Ferdinand
Jäg.-R. Froschmair v. Scheibenhof Arthur Ritt.
31. FJB. Bunjevac Arthur v.
Jäg.-R. Kremser Carl
11. FJB. Pichler Wilhelm

1. November 1874 *).

Jäg.-R. Bauer Theodor
„ Huber Johann
„ Grabmayr Alois v.
„ Hoffmann Carl
31. FJB. Herwelly August
Jäg.-R. Mayr Franz

1. November 1874 *).

3. FJB. Conrad v. Eybesfeld Hugo Freih.
Jäg.-R. Unterberger Franz
1. FJB. Neugeborn Franz
26. „ Klebel Adolph
31. „ Kasch Ignaz
1. „ Kindler Franz
10. „ Meissner Carl
10. „ Haffner Alexander
33. „ Vouk Franz
32. „ Rosner Heinrich Ritt. v.
22. „ Auer Franz
Jäg.-R. Rokita Carl
„ Martineck Nikolaus
„ Gassner Johann
1. FJB. Kirchgatter Rud.
Jäg.-R. Ziglauer Valerian v.
25. FJB. Pokorny Adalbert
Jäg.-R. Brehm Rudolph Ritt v.
15. FJB. Grell Adolph
15. „ Demian Simon
15. „ Alberti d' Enno Albert Gf.
Jäg.-R. Scomazzoni Ernst
15. FJB. Goebbel Johann
1. „ Lewisch Franz

1. Mai 1875.

13. FJB. Hynke Ferd. (Res.)
32. „ Hegedušić Martin
Jäg.-R Baronio v. Rosenthal Carl Ritt. (ü. z.) beurl.
33. FJB. Matiegka August, MVK. (KD.)
7. „ Pelko Anton
14. „ Ledl Franz
3. „ Nenning Anton (ü. c.) im mil.-geogr. Inst.
28. „ Elger v. Elgenfeld Alphons
27. „ Weixler Alexander
27. „ Piringer Leodegar (ü. c.) zug. der k. k. Gendarmerie.
26. „ Motz Leopold
14. „ Habel Arthur
11. „ Wesener Prosper
21. „ Exner Adolph (WG.)

*) Lieutenants in der Reserve.

1. Mai 1875.

10. FJB. Lavaux de Vrecourt Victor Gf. (Res.)
31. „ Rogoz Stephan
19. „ Bayer Carl
15. „ Veyder-Malberg Arthur Freih. v.
13. „ Berka Mathias
Jäg.-R. Landrichter Anton
7. FJB. Simić Daniel (ü. c.) Prov.-Off. bei der 3. Gebirgs-Brig. der XVIII. Inf.-Trup.-Div.
Jäg.-R. Arlati Jakob

1. November 1875.

Jäg.-R. Zanna Johann Chev. de
6. FJB. Czermak Alois
20. „ Stěpanek Johann
15. „ Albrecht Anton
22. „ Laub Adrian
13. „ Sedlaczek Adalbert
Jäg.-R. Fuchs v. Grünfeld Moriz (WG.)
„ Neubacher Maximil.
24. FJB. Heller Carl
28. „ Kosztka Paul

1. November 1875 *).

25. FJB. Zahradnik Adolph
12. „ Antony Stephan
Jäg.-R. Hepperger Joseph v.
„ Mollinary v. Monte-Pastello Franz Freiherr, MVK. (KD.).
„ Lutz Joseph
21. FJB. Steingraber Gustav
Jäg.-R. Pucsko Alexander
„ Daimer Rudolph
15. FJB. Salis-Soglio Hans Freih. v., MVK. (KD).
22. „ Renner Wilhelm
Jäg.-R. Mayr Anton
„ Udoutsch Franz
„ Althon Joseph
„ Feder Joseph
12. FJB. Buschmann Franz Freih. v.
1. „ Endes Ludwig
32. „ Berzeviczy Albert v.
Jäg.-R. Maldoner Ignaz

1. November 1875 *).

13. FJB. Hahnel Georg
1. „ Oberth Carl
33. „ Ott Joseph
15. „ Pietzka Gottfried
33. „ Krüzner Ferdinand
2. „ Páwlik Alois
25. „ Oehler Franz
Jäg.-R. Seidner Otto
13. FJB. Garabella Rudolph
4. „ Gatkiewicz Franz Ritt. v.
33. „ Bergmann Adolph
5. „ Benninger Alfred
Jäg.-R. Schueler Franz
19. FJB. Frass Anton
25. „ Klier Emil
33. „ Jaklitsch Johann
1. „ Fabritius Ludwig
18. „ Sidek Victor
Jäg.-R. Ceschi di Santa Croce Anton Freih.
32. FJB. Bitter August
7. „ Adam Benedict
1. „ Brandsch Heinrich
30. „ Goldhaber Emil
13. „ Wrany Eugen
17. „ Horn Carl
17. „ Dressler Gustav
8. „ Hölscher Franz
8. „ Wall Theodor
32. „ Maurig v. Sarnfeld Ferdinand Ritt.
10. „ Barth Carl
14. „ Schuster Traugott
14. „ Möess Carl
14. „ Fritsch Gustav
20. „ Klima Anton
18. „ Adam Vincenz
32. „ Föderl Anton

1. Mai 1876.

Jäg.-R. Peternelli Matthäus (ü. z.) beurl.
23. FJB. Maurer Martin
25. „ Tumlirz Carl (Res.)
29. „ Alber Friedrich (Res.)
29. „ Kohout Carl
13. „ Hecht Wilhelm
20. „ Weiss Carl
18. „ Vaněk Alois

1. Mai 1876.

29. FJB. Jirotka Wenzel
Jäg.-R. Verdross Ignaz
3. FJB. Szathmáry-Király Albert v.
15. „ Arz v. Straussenburg Carl
18. „ Schwetz Emanuel

1. September 1876.

25. FJB. Knopp v. Kirchwald Norbert
Jäg.-R. Daler August

1. November 1876.

29. FJB. Biron Odo
16. „ Hanel Eduard
31. „ Milanović Emanuel
Jäg.-R. Gelb Carl
„ Schöpfer Joseph
„ Castelpietra Emil
27. FJB. Gunzy Ernst, MVK. (KD.)
9. „ Rothschedl Anton, MVK. (KD.)
19. „ Šufflay Belisar
27. „ Galler Franz, MVK. (KD.)
2. „ Malcomes Camillo Freih. v.
11. „ Hirsch Moriz Edl. v.
17. „ Stankiewicz Ladislaus v.
30. „ Golda Johann
30. „ Klein Ferdinand
Jäg.-R. Lepuschitz Paul
3. FJB. Dürfeld Rudolph Freih. v.
28. „ Woroniecki Jos.
7. „ Pildner Johann
21. „ Oeppinger Carl
Jäg.-R. Attlmayr v. Meranegg Joseph Ritt.
11. FJB. Majorkovics Anton
23. „ Cziffra Ladislaus
25. „ Korger Heinrich (Res.)
12. „ Aroni Ferdinand

1. November 1876 *).

13. FJB. Schödl Gustav
28. „ Szilvásy Aladár v.
3. „ Tüller Joseph

*) Lieutenants in der Reserve.

1. November 1876 *).

29. FJB. Geissler Ferdinand
2. „ Přibyl Victor, Dr.
Jäg.-R. Schmidt Carl
1. FJB. Grabmayr Maximilian Ritt. v.
7. „ Rohrmann Joseph
Jäg.-R. Mayrhauser August v.
„ Tschurtschenthaler Carl
6. FJB. Tschiedel Gustav
7. „ Eichelter Rudolph
Jäg.-R. Lachmüller Carl Ritt. v.
„ Metzler Franz
17. FJB. Hollfinder Michael
18. „ Werner Carl
Jäg.-R. Tschurtschenthaler Anton
2. FJB. Tragau Ludwig
2. „ Bělský Zdenko
29. „ Häusler Carl
29. „ Herschel Eduard
9. „ Schuster Wilhelm
9. „ Lehmann Johann Edl. v.
9. „ Zeitlinger Franz
24. „ Rasp Joseph
22. „ Lassak Carl
26. „ Wimmer Julius
5. „ Wagner Emil
24. „ Holzknecht Carl
11. „ Hochenburger Victor
11. „ Weghaupt Johann

1. Mai 1877.

4. FJB. Steinböck August
17. „ Tragau Franz
33. „ Kerekes Ladislaus
5. „ Winkler Arthur
20. „ Merhart v. Bernegg Walter
7. „ Baukovac Emil
17. „ Hanel Ignaz
Jäg.-R. Tutzer Carl
5. FJB. Rotter Friedrich
33. „ Stiotta Alfred
31. „ Havliček Joseph
25. „ Malik Vincenz
22. „ Picha Carl

1. Mai 1877.

32. FJB. Mühlhofer Emil
6. „ Karpeles Heinrich
33. „ Beranek Julius
19. „ Skala Hugo
26. „ Simo Martin
24. „ Fitz Carl
14. „ Taubenthaler Ferd.
1. „ Primavesi Carl
Jäg.-R. Leutner Emil v.
28. FJB. Schmidt Adolph
Jäg.-R. Zellner Sylvester
„ Bonifacio Vincenz
11. FJB. Ljubanović Thomas
Jäg.-R. Bonmassar Benjam.
28. FJB. Reissner Hugo
15. „ Ledl Johann
18. „ Kautzner Moriz
8. „ Riedl Joseph
16. „ Gottfried Aurel
10. „ Böck Carl Freih. v.
30. „ Marcyniuk Basilius
21. „ Drda Robert
10. „ Schubert Franz
29. „ Bělský Stanislaus
Jäg.-R. Schuller Guido
32. FJB. Uhrl Joseph
24. „ Mirčić Peter
22. „ Pothorn Franz (Res.)
Jäg.-R. Karwinsky v. Karwin Gustav Freih.
15. FJB. Lanzinger Anton
9. „ Strolz Oswald
Jäg.-R. Kreuzer Johann
„ Dobler Alois (Res.)
„ Haas August (Res.)

1. Juli 1877 *).

20. FJB. Randl Matthäus
19. „ Železinger Franz
3. „ Koch Joseph
Jäg.-R. Vitorelli Gottfried

1. September 1877.

1. FJB. Kück Julius
6. „ Philipp Eugen

1. November 1877.

14. FJB. Blažek Carl
13. „ Ludwig Anton
27. „ Nossek Joseph
3. „ Althann Joseph Gf.

1. November 1877.

29. FJB. Michler Felix
29. „ Altmann Gust. (Res.)
Jäg.-R. Bombiero Julius, ÖEKO-R. 3. (KD.).
19. FJB. Wretscher Conrad
4. „ Manz v. Mariensee Ludwig Ritt.
21. „ Fischer Oskar
4. „ Manz v. Mariensee Albrecht Ritt.

1. November 1877 *).

Jäg.-R. Zerboni di Sposetti Maximilian
27. FJB. Nouackh Ignaz
4. „ Bucher Adolph
7. „ Kastreuz Aegydius
4. „ Eckhardt Alfred
Jäg.-R. Blaas Joseph
9. FJB. Schmidt v. Schmidsfelden Robert
4. „ Mossang Camillo
33. „ Wrchowsky Cornelius
32. „ Fischer Alois
6. „ Wilhelm Franz
15. „ Thun-Hohenstein Joseph Gf.
23. „ Haupt v. Scheuerheim Albert Ritt.
5. „ Thiemer Ferdinand
15. „ Zellner Nikolaus
22. „ Schmidl Franz
11. „ Pfeiffer Franz
Jäg.-R. Thun-Hohenstein Johann Gf.
„ Perktold Fidelius
28. FJB. Szöcs Nikolaus
12. „ Vetter von der Lilie Arthur Gf.
12. „ Plechner Wilhelm
Jäg.-R. Mumelter Franz
21. FJB. Fruhwirth Adolph
13. „ Fischl Gustav
25. „ Sprongl Carl
30. „ Hammer Alexander
12. „ Frank Adolph
7. „ Hartenthal Gottfried v.
6. „ Mach Anton

*) Lieutenants in der Reserve.

1. November 1877 *).

8. FJB. Langer v. Podgoro Maximilian Ritt.
21. „ Puschmann Emil
21. „ Fritsche Gustav
20. „ Fabiani Alois
Jäg.-R. Juffmann Alois
5. FJB. Pollak Heinrich
Jäg.-R. Kleinhans Otto
4. FJB. Obengruber Leop.
4. „ Mahr Franz
28. „ Ungar Georg
1. „ Panzner Hubert
Jäg.-R. Kohlert Anton
24. FJB. Weinzierl Robert v.
8. „ Margheri Rudolph Gf.
2. „ Weintraub Heinr.
5. „ Mlejnecky Friedr.
Jäg.-R. Zambra Julius
9. FJB. Dölzer Joseph
30. „ Ostersetzer Heinr.
6. „ Bräcklein Aurel
3. „ Haas Sebastian
16. „ Maršalek Joseph
30. „ Ulrich Leo
21. „ Dober Franz
17. „ Heger Wenzel
20. „ Lendenfeld Robert Ritt. v.
32. „ Balugyanszky Adalbert
18. „ Marxt Johann
16. „ Scholz Richard
18. „ Pokorny Carl

1. Mai 1878.

12. FJB. Fischer Franz
20. „ Higersperger Heinrich
8. „ Schueler Joseph
2. „ Anderka Carl
Jäg.-R. Rauter Alois
5. FJB. Erbstein Adolph
9. „ Schiessler Oskar
4. „ Koncz de Nagy-Solymos Heinrich
29. „ Munjas Wolfgang

1. Mai 1878.

7. FJB. Schenk Theodor
16. „ Blaha Johann
15. „ Dornfeld Lothar Ritt. v.
25. „ Tomasini Otto Ritt. v.
28. „ Kirtner Gustav
18. „ Noltes Clemens
7. „ Tartler Carl
22. „ Loos Moriz v.
14. „ Thorwesten Carl
10. „ Textoris Victor
13. „ Nowottny Emanuel
5. „ Kail Arthur
31. „ Wesselý Joseph
32. „ Mass v. Wachenhusen Hellmuth
Jäg.-R. Meichlbeckh Johann
33. FJB. Beitl Carl
8. „ Halmschlager Eduard
Jäg.-R. Unterkircher Peter
29. FJB. Jakšić Georg
5. „ Konarowski Leopold
10. „ Waniek Eduard
3. „ Schnaidtinger Felix
Jäg.-R. Romagnolo Felix
5. FJB. Schmidt Eduard
17. „ Jesser Moriz
13. „ Hoch Daniel

1. September 1878.

13. FJB. Janku Emil
27. „ Stegmann August
23. „ Arz v. Straussenburg Arthur

15. September 1878.

Jäg.-R. Muchalitzky Carl
15. FJB. Leonhardt Franz
Jäg.-R. Festner Richard
3. FJB. Turing v. Ferrier Alexander
11. „ Reichler Joseph
17. „ O'Flanagan Johann
11. „ Gelb Georg

15. September 1878.

24. FJB. Stenitzer Moriz Ritt. v.
32. „ Eble Joseph
10. „ Mayer Richard
Jäg.-R. Attlmayr v. Meranegg Sigmund Ritt. (Res.)
„ Schenk Hermann (Res.)
28. FJB. Bolesch Heinrich (Res.)
30. „ Glässer Heinrich

1. October 1878.

5. FJB. Langer Hugo

1. November 1878.

1. FJB. Kissling Otto Ritt. v.
1. „ Schronk Jos. (Res.)
33. „ Samide Jos. (Res.)
10. „ Fischer Clemens (Res.)
1. „ Kinzl Julius
25. „ Hampl Richard
25. „ Dočkal Ferdinand
8. „ Remiz Conrad
12. „ Wessecký Wenzel
27. „ Jaske Johann
11. „ Thalhammer Heinrich
29. „ Steinbach Adolph
16. „ Sobczyk Adolph
6. „ Dittert Julius
19. „ Mathi Maximilian
9. „ Schober Cosmas
19. „ Gaissbauer Berth.
Jäg.-R. Fleischmann Ignaz
24. FJB. Waschak Johann
15. „ Steiner Joseph
14. „ Lachmann Joseph
Jäg.-R. Dieterich Ernst
23. FJB. Szabo de Gyula-Fehérvár Eugen
Jäg.-R. Seyffertitz Theobald Freih. v.
28. FJB. Gergelyffy Julius v. (Res.).

*) Lieutenants in der Reserve.

Cadeten.

1. Juli 1868 *).

14. FJB. Freyhöfer Hugo

1. November 1874 *).

19. FJB. Ivković Michael
29. „ Beckert Franz
20. „ Mattek Blasius

1. Juli 1877 *).

27. FJB. Nager Albin

1. November 1877.

27. FJB. Vetter von der Lilie Gustav Gf.

1. November 1877 *).

26. FJB. Reittinger Johann
Jäg.-R. Peterlongo Johann
„ Zeni Maximilian
„ Perkmann Christian

1. März 1878.

3. FJB. Pflügl Franz Edl. v.

1. Juli 1878 *).

Jäg.-R. Battisti August

1. September 1878.

14. FJB. Bartak Adolph
10. „ Sellinschegg Albert
27. „ Preuschl Friedrich
27. „ Rödling Franz
33. „ Rotta Julius
22. „ Schreitter v. Schwarzenfeld Walter Ritt.
1. „ Keller Carl
7. „ Sterzinger Erich
21. „ Zedtwitz v. Neuberg-Neuschloss Hubert Gf.
23. „ Vogl Joseph
30. „ Golda Michael
Jäg.-R. Schueler Franz
28. FJB. Gottschling Julius
7. „ Hecht Franz
3. „ Truhlář Johann
33. „ Kratky Hugo
Jäg.-R. Fessler Gebhard
5. FJB. Šrom Zdenko
31. „ Urbanschütz Carl
Jäg.-R. Martiner Anton
33. FJB. Soupper Ernst
19. „ Trostmann Adolph
Jäg.-R. Weisskopf Carl
9. FJB. Stuchly Leopold
31. „ Dubravčić Franz
13. „ Berchtold Anton
29. „ Erben Friedrich
26. „ Hellenreiner Julius
21. „ Scherpon v. Kronenstern Oswald Freih.
1. „ Radl Jakob
Jäg.-R. Concini Raphael Ritt. v.
11. FJB. Pallme Ottokar
2. „ Butzký Dionys
14. „ Ceip Franz
Jäg.-R. Oberbauer Carl
12. FJB. Nowak Rudolph
28. „ Zimmermann Arthur
5. „ Haitl Ludwig
25. „ Ramisch Heinrich
9. „ Maggi Eduard
16. „ Hanel Rudolph
15. „ Specht1 Arthur
8. „ Trautvetter Friedrich
12. „ Dürfeld Heinrich Freih.
29. „ Bottenstein Julius
10. „ Cassutti Alois
6. „ Schlager Carl
4. „ Reichel Adalbert
7. „ Linzer Franz
4. „ Kreisel Octavian
28. „ Simon Gustav
Jäg.-R. Bernardi Guido
15. FJB. Wechselberger Alphons
21. „ Mielli Ernst
30. „ Deblessem Wilhelm
24. „ Zoppetti Joseph
10. „ Jäger Joseph
19. „ Gibara Hugo
25. „ Sedlnitzky v. Choltič Johann Freih.
25. FJB. Sedlnitzky v. Choltič Guido Freih.
30. „ Mykytiuk Nikolaus
Jäg.-R. Gumer v. Engelsburg Eugen
16. FJB. Plitzka Joseph
Jäg.-R. Sauerwein Ludwig
„ Renner Wilhelm
„ Ruard Leo
22. FJB. Schäfer Franz

1. October 1878.

22. FJB. Ullsperger Franz (Res.)
29. „ Haneschka Heinrich

1. November 1878.

12. FJB. Biber Guido.

12. November 1878.

24. FJB. Diller Carl

(Rang seinerzeit). *)

Jäg.-R. Povinelli Carl
„ Hohenauer Joseph
„ Perlick Anton
„ Clar Carl
4. FJB. Grabscheid Leo
4. „ Lieblein Hermann
4. „ Dimitrowitz Elias
4. „ Markes Franz
4. „ Hodel Jakob
4. „ Sternberg Maximilian
4. „ Woyti Wilhelm
4. „ Jakubowski Steph.
4. „ Seinfeld David
9. „ Schmidt Albin
9. „ Steinwenter Jos.
9. „ Ebenhöhe Johann
9. „ Flick Emil
9. „ Cybulka Franz
9. „ Sprung Franz
12. „ Gabriel Theodor
12. „ Sieber Victor
12. „ Perl Ernst
19. „ Smola Albin
25. „ Kuntschner Franz

---

*) Cadeten im Reservestande.

Tiroler Jäger-Regiment.

Regiments-Stab und Ergänzungs-Bezirks-Commando: Innsbruck.

1. Bat.: Bregenz. 2. Bat.: Stolac. 3. Bat.: Stolac. 4. Bat.: Hall. 5. Bat.: Roveredo. 6. Bat.: Riva. 7. Bat.: Pergine. 1., 2., 3., 4., 5., 6. u. 7. Reserve-Comp. dann Ergänzungs-Bataillons-Cadre: Innsbruck.

1813 errichtet als Fenner Jäger-Corps, Fenner v. Fenneberg, Philipp Freih., FML.; 1816 Tiroler Jäger-Regiment Kaiser Franz; 1835 Kaiser Ferdinand.

(Zweite Inhaber waren: von 1816—1824 Fenner v. Fenneberg, Philipp Freih., FML.: von 1824—1837 Pflüger, Philipp Freih. v., FML.; von 1837—1843 Waldstätten, Georg Freih. v., FML.; von 1843—1861 Pirquet v. Mardaga und Cesenatico, Peter Freih. v., FZM.; von 1861—1871 Castiglione, Johann Gf., FML.)

(Die früher bestandenen Tiroler Jäger-Regimenter siehe bei den Infanterie-Regimentern Nr. 46 und 64.)

1848 Kaiser Franz Joseph.

Oberste.
Knöpfler, Alois, ÖEKO-R. 3. (KD.), MVK. (KD.), Reg.-Comdt.
Nüscheler, Conrad, ○ 2., beim Reg.-Stabe.

Oberstlieutenants.

Karaisl v. Karais, Franz Freih., MVK. (KD.); Comdt. des 6. Bat.
Prokesch v. Nothaft, Alois, MVK. (KD.); Comdt. des 5. Bat.

Majore.

De Fin, Hamilkar Freih., ☩, Comdt. des 2. Bat.
Finke, Edmund, Comdt. des 4. Bat.
Theuerkauf, Rudolph, ÖLO-R. (KD.), Comdt. des 3. Bat.
Potschka, Ludwig, ÖEKO-R. 3. (KD.); Comdt. des 7. Bat.
Kürsinger, Alfred Ritt. v., MVK. (KD.); Comdt. des 1. Bat.

Hauptleute 1. Classe.

*) EBC. Köth, Robert Ritt. v. ÖEKO-R. 3. (KD.).
2.RC. Mayr, Andreas, ÖEKO-R. 3. (KD.).
5. „ Feueregger, Carl.
4.RC. Vigelius, Albert.
6. B. Pallang, Anton.
4. „ Politzki, Heinrich (WG.)
5 „ Hafner, Robert v.
6. „ Tschreschner, Stephan, MVK. (KD.), (WG.)
1. „ Streicher, Alois Freih. v., ÖEKO.-R. 3. (KD.), ÖFJO-R., MVK. (KD.).
— Händl Edl. v. Rebenburg, Ludwig (ü. c.) zug. d. Generalstabe.
3. B. Niklas, Philipp.
4. „ Stillebacher, Joseph.
2. „ Strasszer, Alois.
7. „ Oberkirch, Ludwig Freih. v.
5. „ Giongo, Johann.
3. „ Hauber, Adam, ○ 2.
7. „ Rengelrod, Constantin.
6. „ Fantoni, Anton.
5. „ Melchiori, Emanuel Gf.
2.RC. Schmidt, Otto.
7. B. Lanzinger, Mathias.
6. „ Frizzi, Quintilius.
2. „ Fleischmann, Franz.
4. „ Oberhauser, Carl.
7.RC. Pichler, Anton, MVK. (KD.).
1.RC. Pellegrini, Joseph.
2. B. Figura, Guido, MVK. (KD.).

Hauptleute 2. Classe.

EBC. Spaur, Maximilian Gf., JO-Ehrenritter, ☩ (Res.).
„ Della Torre v. Thunberg, Julius (Res.).
7. B. Barth v. Barthenau, Ferdinand Ritt.
1. „ Hollenstein, Joseph, MVK. (KD.).
2. „ Esch, Ludwig.
3. „ Steinböck, Joseph.
3. „ Schiavini, Achilles.
6. „ Kántz, Johann v.
4. „ Gomansky, Eugen.
6. „ Pulciani v. Glücksberg, Joseph.
1. „ Bodeck v. Ellgau, Franz Freih., ☩.
5. „ Streicher, Johann Freih. v.
6.RC. Gratzy, Carl.
1. B. Tiefenthaler, Joseph.
3.RC. Röggla, Edmund.

---

*) B. bedeutet hier Bataillon, RC. Reserve-Compagnie, EBC. Ergänzungs-Bataillons-Cadre.

3. B. Panzl, Reinhold.
4. „ Grossrubatscher, Hartmann.

Oberlieutenants.

7.RC. Galateo, Alfred nobile de, MVK. (KD.).
6. „ Radinger, Carl.
Stab. Pescoller, Franz (Reg.-Adj.).
5.RC. Köpf, Eduard Ritt. v.
EBC. Scheyrer, August.
1. B. Polatzek, Johann.
7. „ Gschwenter, Franz.
6. „ Pfaundler, Otto.
4. „ Steffan, Johann.
1.RC. Friedrich, Wilhelm.
2. B. Bodmann - Möggingen Eberhard Freih. v.
5. „ Purtscher, Ernst (Bat.-Adj.).
2.RC. Mörl zu Mühlen und Sichelburg, Alois Ritt. v.
1. B. Lechner, Franz, ○ 1.
7. „ Kleine, Eduard.
4. „ Klarner, Carl.
1. „ Muck, Ernst.
6. „ Nitsch, Franz (Bat.-Adj.).
5. „ Hummel, Otto.
5. „ Schmotzer, Anton, ○ 2.
3. „ Kosatzky, Johann, MVK. (KD.), ○ 1.
6. „ Miniarz, Eduard.
3. „ Habianitsch, Alexander.
EBC. Krismer Heinrich.
4. B. Thun-Hohenstein, Sigmund Gf., ○ 2. (Res.).
2. „ Melchiori, Joseph Gf., ○ 2.
2. „ Dagnen v. Fichtenhain, August.
7. „ Drassegg, Gebhard, ○ 1.
3. „ Bratanitsch, Rudolph (Bat.-Adj.).
6. „ Pallang, Ferdinand.
3. „ Hosp, Johann, MVK. (KD.).
2. „ Noggler, Joseph.
— Schober, Peter, ○ 1; (ü. c.) im mil.-geogr. Inst.
6. B. Spiess, Moriz.
4. „ Burian, Julius, ○ 1. (Prov.-Off.).
4. B. Streicher, Carl Freih. v. (ü c.) zug. dem Generalstabe.
— Frank, Liborius (ü. c) zug. dem Generalstabe.
— Trost, Guido (ü. c.) zug. dem Generalstabe.
EBC. Putze, Gustav (Res.).
3. B. Sonklar Edl. v. Innstädten, Victor, ÖEKO-R. 3. (KD.).
7. „ Winter, Waldemar.
5. „ Jusa, Franz.
4. „ Schmidl, Alfred.
1. „ Roschatt, Hermann, SVK. (Bat.-Adj.).
6. „ Achberger, Jos. (Prov.-Off.).
3. „ Perathoner, Julius (Res.)
3. „ Resch, Franz (Prov.-Off.).
7. „ Isser, Hermann (Prov.-Off.).
Stab. Strobl, Adolph (Erg.-Bez.-Off.).

Lieutenants.

— **Seine k. k. Hoheit Erzherzog Eugen etc.**

2. B. Pallavicini, Alfred Markgraf
1. „ Pernter, Alois
2. „ Cles, Bernh. Freih. v.
4.RC. Job, Emanuel de
4. B. Goëss, Leopold Gf. v., ♰.
EBC. Leon, Wilh. Ritt. v.
4. B. Bautz, August
2.RC. Vittorelli, Paul
4. B. Kathrein, Carl
4. „ Zallinger, Paul
4. „ Prosaliner, Carl
5. B. Vogl, Cajetan v.
5. „ Ankershofen, Julius Freih. v.
2. „ Di Pauli, Leonhard Freih. v.
5. „ Sutter, Eduard
EBC. Greil, Wilhelm
2. B. Jäger, Ernst, Dr.
3. „ Mayr I., Franz
3. „ Zimmeter, Franz
5. „ Wilczeck, Heinr. Gf.
(Res.).
5. B. Bertolassi, Fortunat
6. „ Schmidt, Siegfried
6. „ Trafoier, Adalbert
7. „ Greil, Joseph
6. „ Thaler, Georg
7. „ Putz, Maximilian, Dr.
EBC. Rossi, Eduard
7. B. Stockhammer, Ludwig
7. „ Noldin, Robert
6.RC. Hosp, Gustav
7. „ Gröbner, Ludwig
3. B. Schletterer, August
(Res.).
3. „ Merhart v. Bernegg, Curt.
6. „ Hradetzky, Arthur.
1. „ Salvini v. Meeresburg, Michael Ritt. (Prov.-Off.).
7. „ Latour Edl. v. Thurmburg, Maximilian.
1. „ Zerba, Alfred.
6. „ Bonelli, Otto v.
7. „ Röster, Albin (Bat.-Adj.).
2. „ Froschmair v. Scheibenhof, Arthur Ritt. (Bat.-Adj.).
5. „ Kremser, Carl.
1. „ Bauer, Theodor
4.RC. Huber, Johann
6. B. Grabmayr, Alois v.
7. „ Hoffmann, Carl
7.RC. Mayr II., Franz.
1. B. Unterberger, Franz
3. „ Rokita, Carl
5. „ Martineck, Nikolaus
5. „ Gassner, Johann
6. „ Ziglauer, Valerian v.
2.RC. Brehm, Rud. Ritt. v.
6. „ Scomazzoni, Ernst
(Res.).
1. B. Baronio v. Rosenthal, Carl Ritt. (ü. z.) beurl.
5.RC. Landrichter, Anton.
4. B. Arlati, Jakob (Bat.-Adj.).
7. „ Zanna, Johann Chev. de.
3. „ Fuchs v. Grünfeld, Moriz (WG.).
2.RC. Neubacher, Maximilian.
2. B. Hepperger, Joseph v. (Res.).
3. „ Mollinary v. Monte Pastello, Franz Freih., MVK. (KD.), (Res.).

7. B. Lutz, Joseph
7.RC. Pucsko, Alexander
5. „ Daimer, Rudolph
4. B. Mayr, Anton
7. „ Udoutsch, Franz
1.RC. Althon, Joseph
4. „ Feder, Joseph
3. B. Maldoner, Ignaz
1. „ Seidner, Otto
3. „ Schueler, Franz
6. „ Ceschi di Santa Croce, Anton Freih.
(Res.)
6. B. Peternelli, Matthäus (ü. z.) beurl.
2. „ Verdross, Ignaz (Prov.-Off.).
3. „ Daler, August.
7.RC. Gelb, Carl.
4. B. Schöpfer, Joseph.
3.RC. Castelpietra, Emil.
6. B. Lepuschitz, Paul.
6.RC. Attlmayr v. Meranegg, Joseph Ritt.
2. B. Schmidt, Carl
4. „ Mayrhauser, August v.
5. „ Tschurtschenthaler, Carl
6. „ Lachmüller, Carl Ritt. v.
1.RC. Metzler, Franz
2. B. Tschurtschenthaler, Anton
(Res.)
5. „ Tutzer, Carl (Prov.-Off.).
4. „ Leutner, Emil v.
2. „ Zellner, Sylvester.
7. „ Bonifacio, Vincenz.
5. „ Bonmassar, Benjamin.
1. „ Schuller, Guido.
5. „ Karwinsky v. Karwin, Gustav Freih.
1. „ Kreuzer, Johann.
EBC. Dobler, Alois (Res.).
EBC. Haas, August (Res.).
1. B. Vitorelli, Gottfried (Res.).
3. „ Bombiero, Julius ÖEKO-R. 3. (KD.).

3. B. Zerboni di Sposetti, Maximilian
7. „ Blaas Joseph
7. „ Thun-Hohenstein, Johann Gf.
6. „ Perktold, Fidelius
1. „ Mumelter, Franz
4. „ Juffmann, Alois
EBC. Kleinhans, Otto
5.RC. Kohlert, Anton
(Res.)
EBC. Zambra, Julius
1. B. Rauter, Alois.
4.RC. Meichlbeckh, Johann.
5. B. Unterkircher, Peter.
7. „ Romagnolo, Felix.
1. „ Machalitzky, Carl.
4. „ Festner, Richard.
5.RC. Attlmayr v. Meranegg, Sigmund Ritt. (Res.).
2. B. Schenk, Hermann (Res.).
4. „ Fleischmann, Ignaz.
1.RC. Dieterich, Ernst.
2. B Seyffertitz, Theobald Freih. v.

Cadeten.

2. B. Peterlongo, Johann (Res.).
4. „ Zeni, Maximilian (Res.).
6. „ Perkmann, Christ. (Res.).
3. „ Battisti, August (Res.).
5. „ Schueler, Franz (Off.-Stellv.)
5. „ Fessler, Gebhard (Off.-Stellv.).
7. „ Martiner, Anton.
2. „ Weisskopf, Carl (Off.-Stellv.).
1. „ Concini, Raphael Ritt. v. (Off.-Stellv.).
4. „ Oberhauer, Carl (Off.-Stellv.).
6. „ Bernardi, Guido (Off.-Stellv.).
7. „ Gumer v. Engelsburg, Eugen.
1. „ Sauerwein, Ludwig (Off.-Stellv.).

4. B. Renner, Wilhelm (Off.-Stellv.).
2. „ Ruard, Leo (Off.-Stellv.).
3. „ Povinelli, Carl (Res.).
3. „ Hohenauer, Jos. (Res.).
3. „ Perlick, Anton (Res.).
3. „ Clar, Carl (Res.).

Mil.-Aerzte.

EBC. Neugebauer, Joseph, Dr., GVK., Reg.-Arzt 1. Cl.
6. B. Wolfgang, Joseph, Dr., Reg.-Arzt 1. Cl.
1. B. Wedenig, Joseph, Dr., Reg.-Arzt 1. Cl.
3. „ Schwager, Joseph, Dr., ÖFJO-R., Reg.-Arzt 1. Cl.
2. „ Ganahl v. Bergbrunn, Carl, Dr., Reg.-Arzt 2. Cl.
4. „ Bundsmann, Anton, Dr., Reg.-Arzt 2. Cl.
5. „ Plahl, Joh., Dr. (Operateur), Reg.-Arzt 2. Cl.
7. „ Zweythurm, Ludwig, Dr., Reg.-Arzt 2. Cl.
1. „ Huemer, Ignaz, Dr., Reg.-Arzt 2. Cl.
Stab. Bergmeister, Hermann, Oberwundarzt.
7. B. Buinoch, Eduard, Oberwundarzt.

Rechnungsführer.

Stab. Stöger, Carl, Hptm. 1. Cl.
2. B. Böhm, Adolph, Hptm. 2. Cl.
3. „ Nouschak Franz, Oblt.
7. „ Stangl, Arnold, Oblt.
1. „ Millovanović, Theodor, Oblt.
5. „ Oblasser, Engelbert, Lieut.
6. „ Ondřej, Anton, Lieut.
4. „ Herzog, Ant., O2, Lieut.
Stab. Vidović, Thaddäus, Lieut.

Adjustirung der Officiere der Jäger-Truppe.

Hut mit schwarzem Federbusch, hechtgrauer Waffenrock mit grasgrüner Egalisirung, Knöpfe gelb, und zwar beim Tiroler Jäger-Reg. glatt, bei den Feld-Jäger-Bataillonen mit der Bataillons-Nummer; hechtgraue Pantalon mit grasgrünen Lampassen, Mantel blaugrau.

1. Böhmisches Feld-Jäger-Bataillon.

Stab: Petrovac.

Reserve-Compagnie und Ergänzungs-Comp.-Cadre: *Theresienstadt.*

Ergänzt sich aus dem Bezirke des Infanterie-Regiments Nr. 42.

Errichtet 1808.

Major u. Bat.-Comdt. Pokorny, Moriz, ÖLO-R. (KD.), MVK. (KD.).

Hauptleute 1. Classe.

Fischer, Georg, MVK. (KD.).
Schaschl, Leopold (Res.-Comp.-Comdt.).
Hradetzky, Anton, MVK. (KD.).
Kiekler-Schiller v. Herdern, Ludwig Freih.

Hauptleute 2. Classe.

Baum v. Appelshofen, Carl Freih.
Grau, Hermann.

Oberlieutenants.

Hausenblas, Eduard (Bat.-Adj.).
Breidert, Ernst.
Pichel, Carl.
Fischer, Carl (ü. c.) Prov.-Off. bei der 1. Infant.-Trup.-Div.
Kopetzky, Georg (Prov.-Off.).
Müllner, Franz.
Zimburg Edl. v. Reinerz, Friedrich (ü. c.) im mil.-geogr. Inst.
Reichmann, Anton
Lehmann, Vincenz (ü. c.) zug. dem Generalstabe.

Lieutenants.

Grimm, Joseph Ritt. v. (Res.).
Schmidt, Ernst (Res.).
Herlitschka, Gustav.
Barisani, Joseph v.
Neugeborn, Franz
Kindler, Franz
Kirchgatter, Rudolph
Lewisch, Franz.
Endes, Ludwig
Oberth, Carl
Fabritius, Ludwig
} (Res.)
Brandsch, Heinrich
Grabmayr, Maximilian Ritt. v.
} (Res.)
Primavesi, Carl.
Kück, Julius.
Panzner, Hubert (Res.).
Kissling, Otto Ritt. v.
Schronk, Joseph (Res.).
Kinzl, Julius.

Cadeten.

Keller, Carl (Off.-Stellv.).
Radl, Jakob (Off.-Stellv.).

Mil.-Aerzte.

Samesch, Anton, Dr., GVK. m. Kr., Reg.-Arzt 1. Cl.
Popp, Johann, Dr., Reg.-Arzt 2. Cl.

Rechnungsführer.

Sträche, Otto, Lieut.

---

2. Böhmisches Feld-Jäger-Bataillon.

Stab: Tarnów.

Reserve-Compagnie und Ergänzungs-Comp.-Cadre: *Königgrätz.*

Ergänzt sich aus dem Bezirke des Infanterie-Regiments Nr. 18.

Errichtet 1808.

Major u. Bat.-Comdt. Hauska, Moriz.

Hauptleute 1. Classe.

Lenz, Heinrich.
Monin, Johann.

Hauptleute 2. Classe.

Kukulj, Johann.
Mader, Carl.
Heyda, Franz.

Oberlieutenants.

Kiczek, Ferdinand (Prov.-Off.).
Jahoda, Carl.
Lenk, Joseph.
Igálffy v. Igály, Victor (Bat.-Adj.).
Micháľý, Joseph, ○2.
Prüsker, Arthur (ü. c.) im mil.-geogr. Inst.
Kuhn, Carl.
Wittmann, Eduard.
Braf, Carl.

Lieutenants.

Kreutz, Albin (Res.).
Koerber, Carl Edl. v. (Res.).
Potocki, Arthur Gf. (Res.).
Kregcz, Franz (Res.).
Brylinski, Johann.
Páwlik, Alois (Res.).
Malcomes, Camillo Freih. v.
Přibyl, Victor, Dr. (Res.).
Tragau, Ludwig (Res.).
Bělský, Zdenko (Res.).
Weintraub, Heinrich (Res.).
Anderka, Carl.

Cadet.

Butzký, Dionys (Off.-Stellv.)

Reg.-Arzt 1. Classe.

Portik, Johann, Dr.

Rechnungsführer.

Pejesko, Vincenz, Obrlt.

3.

Oberösterreichisches Feld-Jäger-Bataillon.

Stab: Wien.

Reserve-Compagnie und Ergänzungs-Comp.-Cadre: *Linz.*

Ergänzt sich aus dem Bezirke des Infanterie-Regiments Nr. 14.

Errichtet 1808.

Obstlt. u. Bat.-Comdt. Sztankovics, Carl Freih. v.

Hauptleute 1. Classe.

Brameshuber, August.
Jandowsky, Anton (Res.-Comp.-Comdt.).
Arthold, Hermann.

Hauptleute 2. Classe.

Seidl, Alexander, MVK. (KD.), ○ 2.
Riedlechner, Otto.
Wurmbrand, Ernst Gf.

Oberlieutenants.

Henkel, Adam.
Haller, Anton (Prov.-Off.).
Pranner, Theodor.
Koller, Joseph.
Kandelsdorfer, Carl (Bat.-Adj.).
Bulla, Adolph (ü. c.) im mil.-geogr. Inst.
Puffer, Carl Freih. v.

Lieutenants.

Somogyi v. Gyöngyös, Žoltán
Kham, Hugo v.
Reininger, Carl
Laengle, Simon
Kapferer, Heinrich
Brigl, Leonhard
} (Res.).
Kuhn v. Kuhnenfeld, Eugen Freih.
Conrad v. Eybesfeld, Hugo Freih. (Res.).
Nenning, Anton (ü. c.) im mil.-geogr. Inst.
Szathmáry-Király, Albert v.
Dürfeld, Rudolph Freih. v.
Tüller, Joseph (Res.).
Koch, Joseph (Res.).
Althann, Joseph Gf.
Haas, Sebastian (Res.).
Schnaidtinger, Felix.
Turing v Ferrier, Alexander.

Cadeten.

Pflügl, Franz Edl. v. (Off.-Stellv.).
Truhlář, Johann (Off.-Stellv.).

Reg.-Arzt 1. Classe.

Kloss, Franz, Dr.

Rechnungsführer.

Kühnel, Wenzel, Obrlt.

4.

Mährisches Feld-Jäger-Bataillon.

Stab: Serajevo.

Reserve-Compagnie und Ergänzungs-Comp.-Cadre: *Olmütz.*

Ergänzt sich aus dem Bezirke des Infanterie-Regiments Nr. 54.

Errichtet 1808.

Major u. Bat.-Comdt. Kurz, Carl, MVK. (KD.).

Hauptleute 1. Classe.

Nolting, Bernhard v.
Ferle, Joseph.

Hauptleute 2. Classe.

Wenus, Otto.
Höcker, Joseph.
Reichart, Moriz.
Tlusty, Robert (Res.-Comp.-Comdt.).
Mras, Ambros, ÖEKO-R. 3. (KD.).

Oberlieutenants.

Appel, Joseph.
Gerstmann, Edmund.
Süssmilch, Ernst, MVK. (KD.).
Trawniczek, Johann.
Veit, Ferdinand.
Hofschuster, Albert.
Haussner, Wilhelm (Prov.-Off.).

Lieutenants.

Lohr, Eduard (Res.).
Přibislavsky, Adolph (Res.).
Barleon, Victor.
Kailer, Carl (Bat.-Adj.).
Gatkiewicz, Franz Ritt. v. (Res.).
Steinböck, August.
Manz v. Mariensee, Ludwig Ritt.
Manz v. Mariensee, Albrecht Ritt.
Eucher, Adolph (Res.).

Eckhardt, Alfred (Res.).
Mossang, Camillo (Res.).
Obengruber, Leopold (Res.).
Mahr, Franz (Res.).
Koncz de Nagy-Solymos, Heinrich.

Cadeten.

Reichel, Adalb. (Off.-Stellv.).
Kreisel, Octav. (Off.-Stellv.).
Grabscheid, Leo (Res.).
Lieblein, Hermann (Res.).
Dimitrowitz, Elias (Res.).
Markes, Franz (Res.).

Hodel, Jakob (Res.).
Sternberg, Maximilian (Res.).
Woyti, Wilhelm (Res.).
Jakubowski, Stephan (Res.).
Seinfeld, David (Res.).

Mil.-Aerzte.

Hartmann, Heinrich, Dr., Reg.-Arzt 2. Cl.
Seethaler, Rudolph, Oberwundarzt.

Rechnungsführer.

Ralica, Nikolaus, Lieut.

5.

Mährisches Feld-Jäger-Bataillon.

Stab: Czernowitz.

Reserve-Compagnie und Ergänzungs-Comp.-Cadre: *Holleschau.*

Ergänzt sich aus den Bezirken der Infanterie-Regimenter Nr. 1 u. 3.

Errichtet 1808.

Major u. Bat.-Comdt. Navarini, Octavius v.

Hauptleute 1. Classe.

Schiefer, Eduard.
Šurić, Johann.

Hauptleute 2. Classe.

Wikaukal, Ferdinand (Res.-Comp.-Comdt.).
Walzel, Johann.
Appeltauer, Wenzel.
Wischkowský, Alois.

Oberlieutenants.

Wolf, Joseph.
Scheiter, Carl.
Bayard de Volo, Nikolaus Gf.
Bügler, Victor.
Dits, Martial (ü. c.) im mil.-geogr. Inst.).
Hochmiller, Johann (Bat.-Adj.).

Lieutenants.

Dennig, Eugen (Res.).
Czibulka, Victor (Res.).
Benninger, Alfred (Res.).
Wagner, Emil (Res.).
Winkler, Arthur.
Rotter, Friedrich.
Thiemer, Ferdinand (Res.).
Pollak, Heinrich (Res.).
Mlejnecky, Friedrich (Res.).
Erbstein, Adolph (Prov.-Off.).
Kail, Arthur.
Konarowski, Leopold.
Schmidt, Eduard.
Langer, Hugo.

Cadeten.

Šrom, Zdenko (Off.-Stellv.)
Hartl, Ludwig.

Reg.-Arzt 1. Cl.

Melzer, Wenzel, Dr.

Rechnungsführer.

Jaworsky, Valerian v., Oblt.

6.

Böhmisches Feld-Jäger-Bataillon.

Stab: Prag.

Reserve-Compagnie und Ergänzungs-Comp.-Cadre: *Staab.*

Ergänzt sich aus dem Bezirke des Infanterie-Regiments Nr. 35.

Errichtet 1808.

Major u. Bat.-Comdt. Horrak, Johann.

Hauptleute 1. Classe.

Steinitz, Eduard Ritt. v.
Wolski v. Dunin, Leon Ritt.
Marek, Joseph (Res.-Comp.-Comdt.).
Enhuber, August Edl. v.

Hauptleute 2. Classe.

Gruber, Carl, MVK. (KD.).
Hake, Friedrich v.

Oberlieutenants.

Hlawin, Peter (ü. c.) bei der Feld-Signal-Abth. der VII. Inf.-Trup.-Div.
Nahlik, Carl (Prov.-Off.).
Janda, Anton.
Georgi, Friedrich.
Rubin, Ernst.
Löwenstein, Rudolph Freih. v.

Lieutenants.

Willmitzer, Franz
Schindler, Johann
Friedmann, Eugen
Berger, Thomas
Hild, Hugo
} (Res.).
Georgi, Franz (Bat.-Adj.).
Czermak, Alois.
Tschiedel, Gustav (Res.).
Karpeles, Heinrich.
Philipp, Eugen.
Wilhelm, Franz (Res.).
Mach, Anton (Res.).
Bräcklein, Aurel (Res.).
Dittert, Julius.

Cadet.

Schlager, Carl.

Reg.-Arzt 1. Classe.

Hadwiger, Ignaz, Dr.

Rechnungsführer.

Káš, Simeon, Obrlt.

7.

Kärnthner-krainerisches Feld-Jäger-Bataillon.

Stab: Mostar.

Reserve-Compagnie und Ergänzungs-Comp.-Cadre: *Laibach.*

Ergänzt sich aus den Bezirken der Infanterie-Regimenter Nr. 7 u. 17.

Errichtet 1808.

Obstlt. u. Bat.-Comdt. Khoss v. Kossen und Sternegg, Johann Ritt., ÖEKO-R. 3. (KD.), MVK. (KD.).

Hauptleute 1. Classe.

Bolzano Edl. v. Kronstätt, Hugo, MVK. (KD.)
Urschütz, Jos. (Res.-Comp.-Comdt.).
Pawliczek, Alois, MVK. (KD.).
Grüner, Johann.

Hauptleute 2. Classe.

Hilber, Alois, MVK. (KD.).
Suda, Anton.

Oberlieutenants.

Windisch, Jakob, ○ 1., ○ 2.
Ruff, August Ritt. v., MVK. (KD.), (Res.).
Kopp, Carl, ○ 1.
Matschek, Ferdinand.
Raizner, Emil v.
Schneider v. Arno, Carl Freih.
Link, Alfred.
Zobel, Alois, ○, ○ 2. (Bat.-Adj.).

Lieutenants.

Valentinitsch, Emil (Res.).
Vogl, Joseph (Res.).

(Gedruckt am 21. December 1878.)

Wagner, Adolph, MVK. (KD.). (Res.).
Millanich-Luchese, Oskar, Dr. (Res.).
Bamberg, Fedor, MVK. (KD).
Pelko, Anton.
Simić, Daniel (ü. c.), Prov.-Off. bei der 3. Gebirgs-Brig. der XVIII. Inf.-Trup.-Div.
Adam, Benedict (Res.).
Pildner, Johann.
Rohrmann, Joseph (Res.).
Eichelter, Rudolph (Res.).
Baukovac, Emil (Prov.-Off.).
Kastreuz, Aegydius (Res.).
Hartenthal, Gottfried v. (Res.).
Schenk, Theodor.
Tartler, Carl.

Cadeten.

Sterzinger, Erich, Hecht, Franz, Linzer, Franz (Off.-Stellv.).

Reg.-Arzt 2. Classe.

Wurner, Joseph, Dr., ÖFJO-R.

Rechnungsführer.

Mischier, Georg, MVK. (KD.), Hptm. 1. Cl.
Chrupek, Victor, Lieut.

8.

Steierisches Feld-Jäger-Bataillon.

Stab: Capo d'Istria.

Reserve-Compagnie und Ergänzungs-Comp.-Cadre: *Cilli.*

Ergänzt sich aus dem Bezirke des Infanterie-Regiments Nr. 47.

Errichtet 1808.

Major u. Bat.-Comdt. Heller, Franz, ÖEKO-R. 3. (KD.), ÖFJO-R., MVK. (KD.).

Hauptleute 1. Classe.

Mark, Michael (Res.-Comp.-Comdt.).
Prokopp, Peter.
Hatzy, Alois, MVK. (KD.).
Diwisch, August.
Ghelleri, Anton.

Hauptmann 2. Classe.

Sulik, Johann.

Oberlieutenants.

Spiess, Cajetan.
Schneider, Anton, MVK (KD.).
Tawornigg, Anton, O 2, (Prov.-Off.).
Borri, Joseph (ü. c.) im mil.-geogr. Inst.
Sedlaczek, Alois.
Arzt, Franz (Bat.-Adj.).
Graf, Franz, O 2.

Lieutenants.

Girstmayer, Eduard, Link, Joseph, Krapf, Carl, Schülle, Carl, Hölscher, Franz, Wall, Theodor (Res.).
Riedl, Joseph.
Langer v. Podgoro, Maximilian Ritt. (Res.).
Margheri, Rudolph Gf. (Res.).
Schueler, Joseph.
Halmschlager, Eduard.
Remiz, Conrad.

Cadet.

Trautvetter, Friedrich.

Reg.-Arzt 1. Classe.

Zielina, Johann, Dr.

Rechnungsführer.

Baumann, Carl, Hptm. 2. Cl.

9.
Steierisches Feld-Jäger-Bataillon.

Stab: Judenburg.
Reserve-Compagnie: *Graz.*
Ergänzungs-Comp.-Cadre: *Graz.*
Ergänzt sich aus dem Bezirke des Infanterie-Regiments Nr. 27.
Errichtet 1808.

Major u. Bat.-Comdt. Horváth de Zsebeház, Franz, ÖEKO-R. 3. (KD.), MVK. (KD.).

Hauptleute 1. Classe.

Zollmann v. Zollerndorf, Leopold Ritt. (WG.).
Goll, Ferdinand.
Kopelent, Franz, MVK. (KD.); (Res.-Comp.-Comdt.).
Wichmann, Eberhard, MVK. (KD.).
Klug, Sigmund, MVK. (KD.).

Hauptleute 2. Classe.

Versbach v. Hadamar, Emil Ritt.
Steiner, Joseph, MVK. (KD.).
Manussi, Carl Edl. v. (ü. c.) zug. dem Hofstaate Sr. k. k. Hoheit des Erzherzogs Ferdinand IV., Grossherzog von Toscana.
Edelmann, Andreas, ○ 1.

Oberlieutenants.

Nostitz, Eduard v. (Res.).
Angermayer, Stanislaus v.
Schlögl, Carl, ○ 2.
Ehmann, Carl.
Haas, Vincenz Ritt. v., ○ 2.; (ü. c.) im mil.-geogr. Inst.
Salomon v. Friedberg, Edmund (ü. c.) zug. dem Generalstabe.
Sanchez de la Cerda, Ludwig (Prov.-Off.).
Peithner v. Lichtenfels, Adolph Ritt. (Res.).
Lattermann, Cäsar Freih. v. (Res.).
Fruhwirth, Johann.

Lieutenants.

Rotondi d'Arailza, Adolph (Res.).
Nadamlensky, Carl, MVK. (KD. (Res.).
Leskoschegg, Gustav, MVK. (KD.) (Res.).
Ebner, Johann (Res.).
Hoberstorfer, Anton, MVK. (KD.), (Bat.-Adj.).
Kohl, Emerich.
Rothschedl, Anton, MVK. (KD.).
Schuster, Wilhelm (Res.).
Lehmann, Joh. Edl. v. (Res.).
Zeitlinger, Franz (Res.).
Strolz, Oswald.
Schmidt v. Schmidsfelden, Robert (Res.)
Dölzer, Joseph (Res.).
Schiessler, Oskar.
Schober, Cosmas.

Cadeten.

Stuchly, Leop. (Off.-Stellv.).
Maggi, Eduard.
Schmidt, Albin (Res.).
Steinwenter, Joseph (Res.).
Ebenhöhe, Johann (Res.).
Flick, Emil (Res.).
Cybulka, Franz (Res.).
Sprung, Franz (Res.).

Reg.-Arzt 1. Classe.

Nossek, Alexander, Dr., ÖFJO-R., GVK. m. Kr.

Rechnungsführer.

Deuster, Emanuel, Hptm. 2. Cl.

10.
Niederösterreichisches Feld-Jäger-Bataillon.

Stab: Livno.
Reserve-Compagnie und Ergänzungs-Comp.-Cadre: *St. Pölten.*
Ergänzt sich aus dem Bezirke des Infanterie-Regiments Nr. 49.
Errichtet 1813.

(Seit dem Jahre 1849 besitzt das Bataillon ein silbernes Signalhorn, mit der Inschrift „**Dem tapferen 10. Feld-Jäger-Bataillon, die italienische Armee unter dem Sieger RADETZKY 1848**". In einem auf dem Horne angebrachten, von dem österreichischen Doppel-Adler gehaltenen Schilde sind die Worte zu lesen: „**Monte Berico**" — „**Kopal ruft!**")

Major u. Bat.-Comdt. Beck Edl. v. Nordenau, Friedrich.

Hauptleute 1. Classe.

Modena, Carl Conte de, MVK. (KD.).
Kopal, Victor Freih. v., ÖEKO-R. 3. (KD.), (ü. c.) Flügel-Adj. Sr. k. k. Hoheit des General-Inspectors des Heeres, FM. Erzherzog Albrecht.
Bruckner, Rudolph.

Hauptleute 2. Classe.
Schikl, Ferdinand.
Neugebauer, Franz, ÖEKO-R. 3. (KD.).
Meister, Leopold, ○ 1. (Res-Comp.-Comdt.).
Ozlberger, Ferdinand.

Oberlieutenants.
Hübl, Anton.
Suffert, Rudolph (Prov.-Off.).
Bastl, Maximilian.
Elmayer, Franz.
Lange, August.
Narančić, Eugen.
Köstner, Johann, MVK. (KD.).
Alberti de Poja, Thaddäus Gf., MVK. (KD.), (Bat.-Adj.).

Lieutenants.
Theyer, Leopold (Res.).
Pinapfel, Eduard (Res.).
Ivichich, Max v., MVK. (KD.) (Res.).
Hiller, Max (Res.).
Strasoldo-Graffemberg, Cäsar Gf. (Res.).
Feldwebel, Carl.
Meissner, Carl (Res.).
Haffner, Alexander (Res.).
Lavaux de Vrecourt, Victor Gf. (Res.).
Barth, Carl (Res.).
Böck, Carl Freih. v.
Schubert, Franz.
Textoris, Victor.
Waniek, Eduard.
Mayer, Richard.
Fischer, Clemens (Res.).

Cadeten.
Sellinschegg, Albert.
Cassutti, Alois.
Jäger, Joseph.

Reg.-Arzt 1. Classe.
Sperlich, Carl, Dr.

Rechnungsführer.
Perschmann, Carl, Hptm. 1. Cl.

11.

Niederösterreichisches Feld-Jäger-Bataillon.

Stab: Gacko.

Reserve-Compagnie und Ergänzungs-Comp.-Cadre: *St. Pölten.*

Ergänzt sich aus den Bezirken der Infanterie-Regimenter Nr. 14 u. 49.

Errichtet 1813.

Obstlt. u. Bat.-Comdt. Heimerich, Johann v.

Hauptleute 1. Classe.
Vivenot, Ernst Edl. v., Indigena des Königreiches Ungarn.
Posselt, Heinrich (Res.-Comp. Comdt.).
Baltin, Joseph Freih. v.

Hauptleute 2. Classe.
Lefeber, Anton, MVK. (KD.), ○ 1.
Fenz, Edmund.
Hensler, Rudolph.

Oberlieutenants.
Bourry Edl. v. Oedewald, Emanuel.
Turba, Wenzel, ○ 2.
Tappeiner, Jos. (ü. c.) Lehrer an der Mil.-Akad. zu Wr.-Neustadt.
Gollinger, Johann.
Figura, Arthur.
Conrad v. Hötzendorf, Franz (ü. c.) zug. dem Generalstabe.
Kolmer, Hermann (Res.).
Schraml, Johann (Prov.-Off.).

Lieutenants.
Goldsand, Heinrich (Res.).
Rechtenberg, Arthur Edl. v. (Res.).
Kiss v. Szubolitza, Clemens (Res.).
Frank, Otto.
Manussi, Maximilian Edl. v.
Sollak, Johann.
Pichler, Wilhelm (Bat.-Adj.).
Wesener, Prosper.
Hirsch, Moriz Edl. v.
Majorkovics, Anton.
Hochenburger, Victor (Res.).
Weghaupt, Johann (Res.).
Ljubanović, Thomas.
Pfeiffer, Franz (Res.).
Reichler, Joseph.
Gelb, Georg.
Thalhammer, Heinrich.

Cadet.
Pallme, Ottokar.

Mil.-Aerzte.
Wittoss, Alexander Edl. v. Dr., Reg.-Arzt 1. Cl.
Schilder, Adolph, Dr., Oberarzt.
Kadlicky, Franz, Dr., GVK. m. Kr., GVK., Oberarzt.
Ruth, Anton, Oberwundarzt.

Rechnungsführer.
Jakob, Joseph, Hptm. 1. Cl.
Skrivan, Anton, Obrlt.

12.

Böhmisches Feld-Jäger-Bataillon.

Stab: Gračac.

Reserve-Compagnie und Ergänzungs-Comp.-Cadre: *Kolin.*

Ergänzt sich aus dem Bezirke des Infanterie-Regiments Nr. 36.

Errichtet 1813.

Major u. Bat.-Comdt. Niemeczek, Joseph, ÖEKO-R. 3. (KD.), MVK. (KD.).

Hauptleute 1. Classe.

Hochberger, Romuald, ÖFJO-R., MVK. (KD.).
Pyerker de Felsö-Eör, Victor.
Rohn, Hubert, MVK. (KD.).
Hoffmann, Carl.

Hauptleute 2. Classe.

Mastny, Franz (Res.-Comp.-Comdt.).
Rosenberg, Gotthard.

Oberlieutenants.

Bach, Ludwig, MVK. (KD.).
Zweigl, Hugo, MVK. (KD.).
Jarabin, Leopold (Res.).
Laimgruber, Johann.
Gebhart, Franz (ü. c.) im mil.-geogr. Inst.
Seidl, Johann (Bat.-Adj.).
Žantovsky, Johann (Prov.-Off.).
Schneider, Adalbert (Res.).
Werner, Joseph.

Lieutenants.

Kubinyi, Andreas v. (Res.).
Wittenberger, Emil (Res.).
Berthóty v. Berthót, Paul, MVK. (KD.).
Hainz, Jakob.
Antoný, Stephan (Res.).
Buschmann, Franz Freih. v. (Res.).
Aroni, Ferdinand.
Vetter v. der Lilie, Arthur Gf. (Res.).
Plechner, Wilhelm (Res.).
Frank, Adolph (Res.).
Fischer, Franz.
Wessecký, Wenzel.

Cadeten.

Nowak, Rudolph (Off.-Stellv.).
Dürfeld, Heinrich Freih. v. (Off.-Stellv.).
Biber, Guido.
Gabriel, Theodor (Res.).
Sieber, Victor (Res.).
Perl, Ernst (Res.).

Mil.-Aerzte.

Vyskočil, Paul, Dr., Reg.-Arzt 2. Cl.
Giertler, Ignaz, Oberwundarzt.

Rechnungsführer.

Jerschin, Anton, Obrlt.

13.

Böhmisches Feld-Jäger-Bataillon.

Stab: Kaaden.

Reserve-Compagnie und Ergänzungs-Compagnie-Cadre: *Prag.*

Ergänzt sich aus dem Bezirke des Infanterie-Regiments Nr. 28.

Errichtet 1849.

Major u. Bat.-Comdt. Cordier v. Löwenhaupt, Otto.

Hauptleute 1. Classe.

Rostoczil, Moriz.
Hauschild, Johann.
Watznauer, Joseph.
Sedlaček, Franz.

Hauptleute 2. Classe.

Sanleque, Maximilian Freih. v. (ü. c.) Lehrer an der techn. Mil.-Akad.
Siegert, Ferdinand, (Res.-Comp.-Comdt.).
Valášek, Johann.

Oberlieutenants.

Bernauer, Johann.
Czech, Anton.
Seftsovits, Paul (ü. c.) zug. dem Generalstabe.
Ivanossich v. Küstenfeld, Arthur (Bat.-Adj.).

Lieutenants.

Šedivý, Joseph (Res.).
Städl, Franz (Res.).
Klose, Adolph (Res.).
Kunzl, Georg.
Hynke, Ferdinand (Res.).
Berka, Mathias.
Sedlaczek, Adalbert.
Hahnel, Georg (Res.).
Garabella, Rudolph (Res.).
Wraný, Eugen (Res.).
Hecht, Wilhelm (Prov.-Off.).
Schödl, Gustav (Res.).
Ludwig, Anton.
Fischl, Gustav (Res.)
Nowottny, Emanuel.
Hoch, Daniel.
Janka, Emil.

Cadet.

Berchtold, Anton Gf. (Off.-Stellv.).

Reg.-Arzt 1. Classe.

Nossal, Benedict, Dr.

Rechnungsführer.

Powondra, Gustav, Hptm. 2. Cl.

14.
Böhmisches Feld-Jäger-Bataillon.

Stab: Wittingau.

Reserve-Compagnie und Ergänzungs-Comp.-Cadre: *Kuttenberg.*

Ergänzt sich aus dem Bezirke des Infanterie-Regiments Nr. 21.

Errichtet 1849.

Obstlt. u. Bat.-Comdt. Winternitz, Adolph.

Hauptleute 1. Classe.

Porth, Wenzel.
Červinka, Ferdinand.

Hauptleute 2. Classe.

Kreitschy, Joseph (Res.-Comp.-Comdt.).
Hurkiewicz, Leon.
'Krannich, Joseph.

Oberlieutenants.

Siegert, Eduard.
Hawelka, Theodor.
Jacobs v. Kantstein, Carl Freih. (ü. c.) zug. dem Generalstabe.
Korbas, Franz.
Jirasko, Johann (Prov.-Off.).

Lieutenants.

Haessler, Emil (Res.).
Martinek, Anton (Res.).
Schöffl, Joseph (Res.).
Hornik, Theodor Edl. v.
Günzburger, Albert.
Ledl, Franz (Bat.-Adj.).
Habel, Arthur.
Schuster, Traugott (Res.).
Möess, Carl (Res.).
Fritsch, Gustav (Res.).
Taubenthaler, Ferdinand.
Blažek, Carl.
Thorwesten, Carl.
Lachmann, Joseph.

Cadeten.

Freyhöfer, Hugo (Off.-Stellv.), (Res.).
Bartak, Adolph.
Ceip, Franz (Off.-Stellv.).

Mil.-Aerzte.

Říha, Johann, Dr., Reg.-Arzt 2. Cl.
Lederer, Theodor, Oberwundarzt.

Rechnungsführer.

Schifter, Emil Ritt. v., Oberlt.

15.

Salzburg-oberösterreichisches Feld-Jäger-Bataillon.

Stab: Wien.

Reserve-Comp. und Ergänzungs-Comp.-Cadre: *Salzburg.*

Ergänzt sich aus dem Bezirke des Infanterie-Regiments Nr. 59.

Errichtet 1849.

Major u. Bat.-Comdt. Dorner, Raimund, MVK. (KD.).

Hauptleute 1. Classe.

Helly, Georg Edl. v., MVK. (KD.).
Rainer, Johann, MVK. (KD.), (Res.-Comp.-Comdt.).
Oppitz, Emanuel.
Födransperg, Heinrich Ritt. v.

Hauptleute 2. Classe.

Obermayer, Camillo.
Lafite, Ludwig (ü. c.) im mil.-geogr. Inst.
Stitz, August (ü. c.) im mil.-geogr. Inst.

Oberlieutenants.

Raidt, Heinrich.
Zintl, Adolph (Bat.-Adj.).
Thelen, Rudolph v.
Gabriel, Carl (Prov.-Off.).

Lieutenants.

Steinböck, Rudolph (Res.).
Hammerschmid, Simon.
Grell, Adolph (Res.).
Demian, Simon (Res.).
Alberti d'Enno, Albert Gf. (Res.).
Goebbel, Johann (Res.).
Veyder-Malberg, Arthur Freih. v.
Albrecht, Anton.
Salis-Soglio, Hans Freih. v., MVK. (KD.), (Res.).
Pietzka, Gottfried (Res.).
Arz v. Straussenburg, Carl.
Ledl, Johann.
Lanzinger, Anton.
Thun-Hohenstein, Joseph Gf. (Res.).
Zellner, Nikolaus (Res.).
Dornfeld, Lothar Ritt. v.
Leonhardt, Franz.
Steiner, Joseph.

Cadeten.

Spechtl, Arthur.
Wechselberger, Alphons.

Reg.-Arzt 2. Classe.

Schein, Jakob, Dr.

Rechnungsführer.

Haglauer, Carl, Obrlt.

16.

Schlesisches Feld-Jäger-Bataillon.

Stab: Brody.

Reserve-Compagnie und Ergänzungs-Compagnie-Cadre: *Teschen.*

Ergänzt sich aus dem Bezirke des Infanterie-Regiments Nr. 1.

Errichtet 1849.

Major u. Bat.-Comdt. Mikessić, Adolph Edl. v.

Hauptleute 1. Classe.

Moser, Moriz.
Czaslawsky, Friedrich.
Hoffmann, Hugo.
Krzepinski, Wenzel.

Hauptleute 2. Classe.

Zlabinger, Ludwig (Res.-Comp.-Comdt.).

Matt, Alfred Edl. v., MVK. (KD.); (ü. c.) zug. dem Generalstabe.
Stolz, Heinrich.
Beidl, Alexander.

Oberlieutenants.

Holl, Franz.
Koller, Carl.
Rudziński v. Rudno, Carl (Bat.-Adj.).
Brossmann, Wenzel (Prov.-Off.).

Lieutenants.

Breyer, Emil (Res.)
Pruschak, Johann (Res.)
Riedel, Alfred (Res.)
Pjetschka, Ferdinand (Res.)
Tiller, Otto (Res.)
Normann, Alexander v.
Meschede, Richard (ü. c.) im mil.-geogr. Inst.
Kogutowicz, Carl.
Hanel, Eduard.
Gottfried, Aurel.
Maršalek, Joseph (Res.).
Scholz, Richard (Res.).
Blaha, Johann.
Sobczyk, Adolph.

Cadeten.

Hanel, Rudolph.
Plitzka, Joseph.

Reg.-Arzt 2. Classe.

Reder, Leo, Dr.

Rechnungsführer.

Heim, Sigmund, Obrlt.

17.

Mährisches Feld-Jäger-Bataillon.

Stab: Teschen.

Reserve-Compagnie und Ergänzungs-Comp.-Cadre: *Brünn.*

Ergänzt sich aus dem Bezirke des Infanterie-Regiments Nr. 8.

Errichtet 1849.

Major u. Bat.-Comdt. Kapfhamer, Franz, MVK.

Hauptleute 1. Classe.

Karwath, Carl, MVK. (KD.).
Ferenz, Ferdinand (WG.).
Schön v. Monte Cerro, Ferdinand.
Gerla, Ignaz (Res.-Comp.-Comdt.).

Hauptleute 2. Classe.

Davidović, Alexander, MVK. (KD.).
Gabriel, Carl.

Oberlieutenants.

Čerwinka, Hugo.
Prochaska, Jakob.
Boháč, Wenzel, ○ 1, ○ 2. (Bat.-Adj.).
Stollek, Franz.
Pfeiffer, Carl.
Saara, Carl (ü. c.) im mil.-geogr. Inst.
Fischer, Joseph.

Lieutenants.

Spanily, Adolph (Res.).
Axmann, Eduard (Res.).
Beck, Paul (Res.).
Herda, Carl.
Cirheimb zu Hopffenbach Freih. auf Guettenau, Victor v.
Horn, Carl (Res.).
Dressler, Gustav (Res.).
Stankiewicz, Ladisl. v. (Prov.-Off.).
Holländer, Michael (Res.).
Tragau, Franz.
Hanel, Ignaz.
Heger, Wenzel (Res.).
Jesser, Moriz.
O'Flanagan, Johann.

Cadeten.

(Vacant).

Reg.-Arzt 1. Classe.

Fikl, Augustin, Dr.

Rechnungsführer.

Schönherr, Johann, Lieut.

18.

Böhmisches Feld-Jäger-Bataillon.

Stab, Reserve-Compagnie und Ergänzungs-Compagnie-Cadre: Prachatitz.

Ergänzt sich aus dem Bezirke des Infanterie-Regiments Nr. 11.

Errichtet 1849.

Major u. Bat.-Comdt. Häring, Franz, ÖFJO-R., MVK. (KD.)

Hauptleute 1. Classe.

Steinsky, Franz.
Hrubik, Anton.

Hauptleute 2. Classe.

Gayer, Hermann.
Gabeson, Ludwig (Res.-Comp.-Comdt.).
Riedl, Lorenz.
Winter, Ignaz, ○ 2.

Oberlieutenants.

Kottek, Kuno.
Hawelka, Alexander.
Nunn, Carl.
Helm, Franz Ritt. v.
Blaschka, Ludwig, ○ 2. (Prov.-Off.).
Pichel, Franz.
Pistecky, Rudolph.

Lieutenants.

Richter, Franz (Res.).
Schanzer, Ignaz (Res.).
Brandstätter, Christian (Res.).
Zenker, Carl (Res.).
Witek, Robert (ü. c.) im mil.-geogr. Inst.
Sidek, Victor (Res.).
Adam, Vincenz (Res.).
Vaněk, Alois (Bat.-Adj.).
Schwetz, Emanuel.
Werner, Carl (Res.).
Kautzner, Moriz.
Marxt, Johann (Res.).
Pokorny, Carl (Res.).
Nottes, Clemens.

Cadeten.

(Vacant.)

Reg.-Arzt 1. Classe.

Porias, Eduard, Dr.

Rechnungsführer.

Hofrichter, Jakob, Hptm. 1. Cl.

19.

Krain-küstenländisches Feld-Jäger-Bataillon.

Stab: Buna.

Reserve-Compagnie und Ergänzungs-Comp.-Cadre: *Laibach.*

Ergänzt sich aus dem Bezirke des Infanterie-Regiments Nr. 17.

Errichtet 1849.

Major u. Bat.-Comdt. Klobus, Hugo Edl. v., ÖEKO-R. 3. (KD.), MVK. (KD.).

Hauptleute 1. Classe.

Wohlstein, Julius.
Van der Hoop, Diego, MVK. (KD.).
Bretschneider, Alexander (Res.-Comp.-Comdt.).

Hauptleute 2. Classe.

Kropač, Narciss.
Schmidburg, Joseph Freih. v., MVK. (KD.).
Došen, Georg.

Oberlieutenants.

Pöll, Anton, MVK. (KD.).
Püchler, Anton.
Jacz, Coloman.
Guttmann, Johann.
Myrbach v. Rheinfeld, Felician Freih.
Tomić, Nikolaus (Prov.-Off.).
Szemán, Georg (Bat.-Adj.).

Lieutenants.

Derschatta v. Standhalt, Julius (Res.)
Nissl, Anton, Dr. (Res.)
Odelga, Adolph Freih. v. (Res.)
Fischer, Gebhard (Res.)
Kerer, Anton (Res.)
Schmid, Georg (Res.)
Perathoner, Wilhelm (Res.)
Bayer, Carl.
Frass, Anton (Res.).
Šufflay, Belisar.
Skala, Hugo.
Železinger, Franz (Res.).
Wretscher, Conrad.
Mathi, Maximilian.
Gaissbauer, Berthold.

Cadeten.

Ivković, Michael (Off.-Stellv.), (Res.).
Trostmann, Adolph.
Gibara, Hugo.
Smola, Albin (Res.).

Mil.-Aerzte.

Weber v. Wienheim, Franz Ritt., Dr., Reg.-Arzt 2. Cl.
Popović, Alexander, Oberwundarzt.

Rechnungsführer.

Seiwald, Richard, Obrlt.

20.

Steierisches Feld-Jäger-Bataillon.

Stab: Wiener-Neustadt.

Reserve-Compagnie und Ergänzungs-Compagnie-Cadre: *Cilli.*

Ergänzt sich aus dem Bezirke des Infanterie-Regiments Nr. 47.

Errichtet 1849.

Obstlt. u. Bat.-Comdt. Hentsch, Joseph.

Hauptleute 1. Classe.

Higersperger, Franz (Res.-Comp.-Comdt.).
Gariboldi, Ferdinand Ritt. v.
Hartnagl, Alois.

Hauptleute 2. Classe.

Üblagger, Julius Freih. v.
Cavallar, Julius.

Oberlieutenants.

Kutschera, Hugo Freih. v.
Rosen, Ferdinand.
Tresser, Alois.
Lützow, Hugo Freih. v.
Ranner, Franz (WG.).
Rukavina, Gregor.

Lieutenants.

Leippert, Friedrich Ritt. v. (Res.)
Eckhoff, Christian (Res.)
Heim, Franz (Res.)
Pramberger, Victor (Res.)
Protmann, Robert (Res.)
Ploberger, Carl (Res.)
Thonhauser, Matthäus (Bat.-Adj.).
Schleyer, Wilhelm.
Stepanek, Johann.
Klima, Anton (Res.).
Weiss, Carl.
Merhart v. Bernegg, Walter (Prov.-Off.).
Randl, Matthäus (Res.).
Fabiani, Alois (Res.).
Lendenfeld, Robert Ritt. v. (Res.).
Higersperger, Heinrich.

Cadet.

Mattek, Blasius (Res.).

Reg.-Arzt 1. Classe.

Jakob, Philipp, Dr., ÖFJO-R.

Rechnungsführer.

Ocasek, Johann, Hptm. 1. Cl.

21.

Niederösterreichisches Feld-Jäger-Bataillon.

Stab: Görz.

Reserve-Compagnie und Ergänzungs-Comp.-Cadre: *Herzogenburg*.

Ergänzt sich aus dem Bezirke des Infanterie-Regiments Nr. 4.

Errichtet 1849.

Obstlt. u. Bat.-Comdt. Suez, Raimund Edl. v.

Hauptleute 1. Classe.

Fürich v. Fürichshain, Joseph.
Görtz, Bruno Ritt. v., MVK.
Kurzwernhart, Anton (Res.-Comp.-Comdt.).
Sturm, Johann.

Hauptleute 2. Classe.

Schmid, Franz, ÖEKO-R. 3. (KD).
Höhenrieder, Albert.

Oberlieutenants.

Bachner, Anton, ○ 1.
Hildemann, Erich.
Giovannini, Ferd. (Bat.-Adj.).
Herold, Carl.
Prosche, Joseph.

Lieutenants.

Hentl, Friedr. Ritt. v. (Res.).
Fritsch, Ferdinand (Res.).
Kloiber, Victor (Res.).
Candussi, Candidus (Res.).
Aperger v. Friedheim, Theodor.
Hornberger, Gustav.
Exner, Adolph (WG.).
Steingraber, Gustav (Res.).
Oeppinger, Carl (Prov.-Off.).
Drda, Robert.
Fischer, Oskar.
Fruhwirth, Adolph (Res.).
Puschmann, Emil (Res.).
Fritsche, Gustav (Res.).
Dober, Franz (Res.).

Cadeten.

Zedtwitz v. Neuberg-Neuschloss, Hubert Gf. (Off.-Stellv.).
Scherpon v. Kronenstern, Oswald Freih. (Off.-Stellv.).
Mielli, Ernst (Off.-Stellv.).

Reg.-Arzt 1. Classe.

Ritter, Julius, Dr.

Rechnungsführer.

Went, Guido, SVK. m. Kr., Hptm. 2. Cl. (ü. c.) beim Gen.-Comdo. zu Serajevo.
Ledl, Anton, Lieut.

22.

Böhmisches Feld-Jäger-Bataillon.

Stab, Reserve-Compagnie und Ergänzungs-Compagnie-Cadre: Komotau.

Ergänzt sich aus dem Bezirke des Infanterie-Regiments Nr. 73.

Errichtet 1849.

Major u. Bat.-Comdt. Czermak, Ferdinand, ○ 1.

Hauptleute 1. Classe.

Göttlicher, Peter.
Grimm, Adolph.
Erhardt, Ferdinand (Res.-Comp.-Comdt.).

Hauptleute 2. Classe.

Rumpold, Friedrich.
Aichelburg, Bohuslav Gf. (ü. c.) zug. dem Hofstaate Seiner k. k. Hoheit des Erzherzogs Carl Ludwig.
Sandmann, Emil.

Oberlieutenants.

Waldheger, Adolph.
Teutsch Edl. v. Teutschenstamm, Hermann.
Köferle, Ludwig (Prov.-Off.).
Prenn, Leopold.
Fejér de Bück, Anton (Bat.-Adj.).
Hacker, Ferdinand.
Nagy, Eugen.

Lieutenants.

Sturmann, Carl (Res.).
Daut Franz (Res.).

Jetel, Carl.
Di Corte, Friedrich.
Auer, Franz (Res.).
Laub, Adrian.
Renner, Wilhelm (Res.).
Lassak, Carl (Res.).
Picha, Carl.
Pothorn, Franz (Res.).

Schmidl, Franz (Res.).
Loos, Moriz v.

Cadeten.

Schreitter v. Schwarzenfeld, Walter Ritt. (Off.-Stellv.).
Schäfer, Franz (Off.-Stellv.).
Ullsperger, Franz (Res.).

Reg.-Arzt 1. Cl.

Orgelmeister, Theodor, Dr.

Rechnungsführer.

Kalitovits, Franz, Hptm. 1. Cl.

23.

Ungarisches Feld-Jäger-Bataillon.

Stab: Hermannstadt.

Reserve-Compagnie und Ergänzungs-Compagnie-Cadre: *Mediasch.*

Ergänzt sich aus den Bezirken der Infanterie-Regimenter Nr. 2, 29, 51, 61, 62 und 63.

Errichtet 1848 als Siebenbürger Jäger-Bataillon; 1849 Feld-Jäger-Bataillon.

Major u. Bat.-Comdt. Grosschmid, Sigmund v.

Hauptleute 1. Classe.

Fazolo, Ludwig v.
Kühn, Eduard (Res.-Comp.-Comdt.).
Zerdahelyi de Nyitra-Zerdahely, Joseph.
Neustädter, Daniel, SVK., ○2.

Hauptmann 2. Classe.

Hennevogl Edl. v. Ebenburg, Heinrich.

Oberlieutenants.

Morawek, Wenzel (ü. c.) zug. dem Generalstabe.
Köhler, Eusignius.
Török de Telekes, Stephan (Bat.-Adj.).
Prinz, Carl (Prov.-Off.).
Schilder, Carl.
Csák, Franz (ü. z.) heurl.
Schochterus, Adolph.

Lieutenants.

Krasser, Hermann (Res.).
Haggi, Alexander (Res.).
Szöcs, Johann (Res.).
Munteanu, Jordan (Res.).
Hannenheim, Carl v. (Res.).
Hiemesch, Franz (Res.).
Heitz, Rudolph (Res.).
Kappel, Georg (Res.).
Hirth, Johann.
Neumann, Moriz.
Maurer, Martin.
Cziffra, Ladislaus.
Haupt v. Scheuerheim, Albert Ritt. (Res.).
Arz v. Straussenburg, Arthur.
Szabo de Gyula-Fehérvár, Eugen.

Cadet.

Vogl, Joseph (Off.-Stellv.).

Reg.-Arzt 1. Classe.

Singer, Marcus, Dr.

Rechnungsführer.

Stumpfl, Joseph, Hptm. 2. Cl.

24.

Böhmisches Feld-Jäger-Bataillon.

Stab: Wien.

Reserve-Compagnie und Ergänzungs-Compagnie-Cadre: *Moldauthein.*

Ergänzt sich aus dem Bezirke des Infanterie-Regiments Nr. 75.

Errichtet 1848 als Wiener Freiwilligen-Bataillon; 1849 Feld-Jäger-Bataillon.

Obstlt. u. Bat.-Comdt. Eynatten, Heinrich Freih. v., MVK. (KD).

Hauptleute 1. Classe.
Ehrenburg, Victor Freih. v., MVK. (KD.).
Pinelli, Gustav, MVK. (KD.).
Karner, Carl.
Pirner, Franz.

Hauptleute 2. Classe.
Oppel, Gustav. (Res.-Comp.-Comdt.).
Zahradnik, Vincenz.

Oberlieutenants.
Le Mari, Emanuel (Res.).
Rossnagel, Alois.
Sommer, Carl (Bat.-Adj.).
Uherek, Moriz (Prov.-Off.).
Joscht, Wenzel.
Szermanski, Richard.

Lieutenants.
Mayer, Gustav (Res.).
Heller, Carl.
Rasp, Joseph (Res.).
Holzknecht, Carl (Res.).
Fitz, Carl.
Mirčić, Peter.
Weinzierl, Robert v. (Res.).
Stenitzer, Moriz Ritt. v.
Waschak. Johann.

Cadeten.
Zoppetti, Joseph (Off.-Stellv.).
Diller, Carl.

Reg.-Arzt 1. Classe.
Franke, Georg, Dr., GVK. m. Kr.

Rechnungsführer.
Kundt, Heinrich, Hptm. 2. Cl.

25.

Mährisches Feld-Jäger-Bataillon.

Stab: Serajevo.

Reserve-Compagnie und Ergänzungs-Comp.-Cadre: *Brünn.*

Ergänzt sich aus den Bezirken der Infanterie-Regimenter Nr. 3 u. 8.

Errichtet 1849.

Obstlt. u. Bat.-Comdt. Rischanek, Anton, MVK. (KD.).

Hauptleute 1. Classe.
Desero, Angelo (WG.).
Obora, Heinrich.
Auffenberg, Alexand. Freih. v. (prov. Platz-Comdt. zu Franzensfeste.)
Schwab, Carl.

Hauptleute 2. Classe.
Rubesch, Joseph, ○ 1.
Bauer, Adolph (Res.-Comp.-Comdt.).
Proschinger, Joseph (ü. c.) zug. dem Generalstabe.
Plentzner v. Scharneck, Franz Ritt.
Gelinek, Hubert.

Oberlieutenants.
Enenkl, Benjamin, MVK. (KD.), (Bat.-Adj.).
Sixta, Adalbert.
Fritz, Hermann.
Přehnálek, Johann, MVK. (KD.).
Nový, Franz (Prov.-Off.).
Hunka, Joseph.

Moese Edl. v. Nollendorf, Arthur, MVK. (KD.).
Donner, Hugo, MVK. (KD.)
Demel, Hugo (Res.).

Lieutenants.

Jirku, Heinrich
Blaschke, Joseph
Pokorny, Adalbert
Zahradnik, Adolph
Oehler, Franz
Klier, Emil
Tumlirz, Carl
(Res.).

Knopp v. Kirchwald, Norbert.
Korger, Heinrich (Res.).
Malik, Vincenz.
Sprongl, Carl (Res.).
Tomasini, Otto Ritt. v.
Hampl, Richard.
Dočkal, Ferdinand.

Cadeten.

Ramisch, Heinrich (Off.-Stellv.).
Sedlnitzky v. Choltič, Johann Freih. (Off.-Stellv.).
Sedlnitzky v. Choltič, Guido Freih. (Off.-Stellv.).
Kuntschner, Franz (Res.).

Reg.-Arzt 1. Classe.

Storch, Johann, Dr., GVK. m. Kr.

Rechnungsführer.

Völk, Franz, Obrlt.
Pfandler, Aegydius, Lieut.

26.

Oberösterreichisches Feld-Jäger-Bataillon.

Stab, Reserve-Compagnie und Ergänzungs-Compagnie-Cadre: Linz.

Ergänzt sich aus den Bezirken der Infanterie-Regimenter Nr. 14 u. 59.

Errichtet 1859.

Obstlt. u. Bat.-Comdt. Schmidt, Moriz.

Hauptleute 1. Classe.

Luxardo, Eugen.
Blumauer, Alois, MVK. (KD.).
Mayor, Árpád v.
Pöschl, Joseph (Res.-Comp.-Comdt.).

Hauptmann 2. Classe.

Bastl, Ludwig, MVK. (KD.).

Oberlieutenants.

Ehrengruber, Joseph.
Nipp, Friedrich.
Passy, Armand.
Sahulle, Heinrich (Bat.-Adj.).
Fabello, Anton, O 1.
Günther, Ottokar.
Stockklausner, Christian (Prov.-Off.).

Lieutenants.

Pfretschner, Norbert (Res.).
Passler, Peter (Res.).
Stigelleithner, Joseph (Res.).
Tomasin, Franz (Res.).
Lipka, Carl.
Bihaly, Jakob.
Klebel, Adolph (Res.).
Motz, Leopold.
Wimmer, Julius (Res.).
Simo, Martin.

Cadeten.

Reittinger, Johann (Res.).
Hellenreiner, Julius (Off.-Stellv.).

Mil.-Aerzte.

Schmidt, Georg, Dr., Reg.-Arzt 1. Cl.
Schmidt, Christoph, Oberwundarzt.

Rechnungsführer.

Salter, Maximilian, Lieut.

27.

Steierisches Feld-Jäger-Bataillon.

Stab: Cilli.

Reserve-Compagnie: *Graz.*

Ergänzungs-Comp.-Cadre: *Graz.*

Ergänzt sich aus dem Bezirke des Infanterie-Regiments Nr. 27.

Errichtet 1859.

Obstlt. u. Bat.-Comdt. Van Aken Edl. v. Quesar, Hermann, MVK. (KD.).

Hauptleute 1. Classe.

Brasseur v. Kehldorf, Emil Ritt. MVK. (KD.).
Gröer, Hugo (WG.).
Weyher, Carl.
Schrök, Carl, O 1. (Res.-Comp.-Comdt.).

Hauptleute 2. Classe.

Westerholt, Alexander, MVK. (KD.).
Fischer, Carl Ritt. v.
Krawehl, August (ü. c.) im techn. u. adm. Mil.-Comité.
Fugger-Glött, Fidel Gf.

Oberlieutenants.

Weiss, Franz Ritt. v.
Estlinger, Maximilian, MVK. (KD.); (ü. c.) im mil.-geogr. Inst.
Buresch, Anton.
Hayek, Ferdinand (ü. c.) zug. dem Generalstabe.
Walter, Emil (Prov.-Off.).
Meschede, Otto (ü. c.) im mil.-geogr. Inst.
Schöberl, Ludwig, MVK. (KD.).
Rizzi, Franz (Res.).
Au, Joseph, MVK. (KD.).
Bunk, Heinrich.

Lieutenants.

Popelka, Albert (Res.)
Ettingshausen, Albert v., MVK. (KD.) (Res.)
Millanich-Lucchese, Arthur (Res.)
Poljanz, Victor (Res.)
Hellin, Adolph (Res.)
Wagner, Rudolph (Res.)
Weixler. Alexander.
Piringer, Leodegar (ü. c.) zug. der k. k. Gendarmerie.
Gunzy, Ernst, MVK. (KD.).
Galler, Franz, MVK. (KD.).
Nossek, Joseph.
Nouackh, Ignaz (Res.).
Stegmann, August.
Jaške, Johann.

Cadeten.

Nager, Albin (Res.).
Vetter von der Lilie, Gustav Gf. (Off.-Stellv.).
Preuschl, Friedrich.
Rödling, Franz.

Reg.-Aerzte 1. Classe.

Javurek, Norbert, Dr., GVK.
Urpani, Clemens, Dr.

Rechnungsführer.

Hoynigg, Maximilian, Hptm. 2. Cl.

28.

Ungarisches Feld-Jäger-Bataillon.

Stab: Székely-Udvarhely.

Reserve-Compagnie und Ergänzungs-Comp.-Cadre: *Carlsburg.*

Ergänzt sich aus den Bezirken der Infanterie-Regimenter Nr. 31, 33, 43, 50, 51 u. 64.

Errichtet 1859.

Obstlt. u. Bat.-Comdt. Dämisch, Johann.

Hauptleute 1. Classe.

West, Johann v.
Phaffenhuber, Eduard, MVK. (KD.).

Hauptleute 2. Classe.

Andrzejowski, Miecislaus, O 2.
Müller, Friedrich, MVK. (KD.), O 2.
Pull, Johann (ü. c.) im mil.-geogr. Inst.

Oberlieutenants.
Faltin, Eduard.
Setz, Carl (Bat.-Adj.).
Klein, Rudolph (ü. c.) zug. dem Generalstabe.
Tepser, Franz Edl. v.
Neugeboren, Eduard.
Masner, Carl (Prov.-Off.).

Lieutenants.
Mayer, Adolph (Res.).
Dietrich, Hermann, Dr. (Res.).
Fritsch, Carl (Res.).
Scholmaschi, August (Res.).
Schopf, Franz (Res.).
Popletsan, Johann.
Elger v. Elgenfeld, Alphons.
Kosztka, Paul.
Woroniecki, Joseph.
Szilvásy, Aladár v. (Res.).
Schmidt, Adolph.
Reissner, Hugo.
Szöcs, Nikolaus (Res.).
Ungar, Georg (Res.).
Kirtner, Gustav.
Bolesch, Heinrich (Res.).
Gergelyffy, Julius v. (Res.).

Cadeten.
Gottschling, Julius.
Zimmermann, Arthur.
Simon, Gustav.

Reg.-Arzt 1. Classe.
Wohlrath, Joseph, Dr.

Rechnungsführer.
Parsche, Joseph, Hptm. 2. Cl.

29.

Ungarisches Feld-Jäger-Bataillon.

Stab: Reichenberg.

Reserve-Compagnie und Ergänzungs-Compagnie-Cadre: *Neusohl.*

Ergänzt sich aus den Bezirken der Infanterie-Regimenter Nr. 25 u. 71.

Errichtet 1859.

Major u. Bat.-Comdt. Veith, Wilhelm.

Hauptleute 1. Classe.
Pokorny, Carl.
Mitterberger, Peter (Res.-Comp.-Comdt.).
Pessler, Clemens Ritt. v.
Czeschka, Hugo.

Hauptleute 2. Classe.
Kessler, Carl.
Wilde, Carl.

Oberlieutenants.
Raab, Victor (WG.).
Scharschmid Edl. Adlertreu, Hugo.
Braunkittel, Franz.

Lieutenants.
Staněk, Anton (Res.).
Maar, Wilhelm (Res.).
Jahnel, Carl (Res.)
Sattler, Robert v. (Res.).
Engelthaler, Leo.
Alber, Friedrich (Res.).
Kohout, Carl (Bat.-Adj.).
Jirotka, Wenzel (Prov.-Off.).
Biron, Odo.
Geissler, Ferdinand (Res.).
Häusler, Carl (Res.).
Herschel, Eduard (Res.).
Bělský, Stanislaus.
Michler, Felix.
Altmann, Gustav (Res.).
Munjas, Wolfgang.
Jakšić, Georg.
Steinbach, Adolph.

Cadeten.
Beckert, Franz (Res.).
Erben, Friedrich.
Bottenstein, Julius.
Haneschka, Heinrich.

Reg.-Arzt 2. Classe.
Šamánek, Wenzel, Dr.

Rechnungsführer.
Salamon, Alexander, Obrlt.

30.

Galizisches Feld-Jäger-Bataillon.

Stab: Stanislau.
Reserve-Compagnie und Ergänzungs-Comp.-Cadre: *Stanislau.*

Ergänzt sich aus den Bezirken der Infanterie-Regimenter Nr. 24, 41, 53 u. 58.

Errichtet 1859.

Obstlt. u. Bat.-Comdt. Theodorovich, Georg, ÖEKO-R. 3. (KD.), MVK. (KD.).

Hauptleute 1. Classe.

Berka, Johann.
Schima, Carl.
Fitz, Heinrich.
Merz, Adolph (Res.-Comp.-Comdt.).

Hauptleute 2. Classe.

Schmidt, Emil.
Pukl, Carl.

Oberlieutenants.

Bilecki, Eduard.
Karaczewski, Joseph.
Netuschill, Franz (ü. c.) Lehrer an der Mil.-Ober-Realschule.
Roth, Johann.
Beuck, Johann, ○ 2. (Bat.-Adj.).
Ansion, Victor (ü. c.) im mil.-geogr. Inst.
Redl, Ludwig.

Lieutenants.

Wagner, Alexander (Res.).
Oehl, Adolph (Res.).
Petelenz, Ignaz Ritt. v. (Res.).
Bayer, Eduard, Dr. (Res.).
Elsner, Gustav (Res.).
Jaegermann, Anton (Res.).
Wlk vulgo Berka, Anton (Prov.-Off.).
Nowak, Ferdinand.
Goldhaber, Emil (Res.).
Golda, Johann.
Klein, Ferdinand.
Marcyniuk, Basilius.
Hammer, Alexander (Res.).
Ostersetzer, Heinrich (Res.).
Ulrich, Leo (Res.).
Glässer, Heinrich.

Cadeten.

Golda, Michael (Off.-Stellv.).
Deblessem, Wilhelm (Off.-Stellv.).
Mykytiuk, Nikolaus (Off.-Stellv.).

Reg.-Arzt 2. Classe.

Glässer, Carl, Dr.

Rechnungsführer.

Strassberg, Leo, Obrlt.

31.

Ungarisches (croat.) Feld-Jäger-Bataillon.

Stab: Serajevo.
Reserve-Compagnie und Ergänzungs-Compagnie-Cadre: *Otočac.*

Ergänzt sich aus dem Bezirke des Infanterie-Regiments Nr. 79.

Errichtet 1859 als 1. Wiener Freiwilligen-Bataillon; 1859 Feld-Jäger-Bataillon.

Obstlt. u. Bat.-Comdt. Raslić, Mathias, ÖEKO-R. 3. (KD.), MVK. (KD.).

Hauptleute 1. Classe.

Haas, Theodor.
Kedačić, Mathias, MVK. (KD.).
Hultsch, Joseph (Res.-Comp.-Comdt.).
Schimitschek, Clemens, MVK. (KD.).

Hauptleute 2. Classe.

Gerić, Georg, MVK. (KD.).
Wimmer, Carl.

Oberlieutenants.

Hülgerth, Heribert, MVK. (KD.).
Starčević, Emil (Bat.-Adj.).
Řezač, Alexander.
Halla, Aurel.
Grivičić, Emil.
Kekić, Elias, MVK. (KD.).
Stoiković, Thomas (Prov.-Off.).

Vučetić, Stephan.
Merliček, Carl.
Divjak, Emanuel.
Terbuhović, Demeter.

Lieutenants.

Suflay, Daniel (Res.).
Bunjevac, Arthur v.
Herwelly, August (Res.).
Kasch, Ignaz (Res.).
Rogoz, Stephan.
Milanović, Emanuel.
Havliček, Joseph.
Wessely, Joseph.

Cadeten.

Urbanschütz, Carl.
Dubravčić, Franz.

Reg.-Arzt 2. Classe.

Stenzel, Carl, Dr.

Rechnungsführer.

Churawy, Carl, Oberlt.

32.

Ungarisches Feld-Jäger-Bataillon.

Stab: Neusohl.

Reserve-Compagnie und Ergänzungs-Comp.-Cadre: *Eperies.*

Ergänzt sich aus den Bezirken der Infanterie-Regimenter Nr. 66 u. 67.

Errichtet 1859 aus dem 2. und 3. Wiener Freiwilligen-Bataillon.

Major u. Bat.-Comdt. Hübsch, Johann.

Hauptleute 1. Classe.

Moczkovcsák, Victor.
Klopfstock, Joseph (ü. c.) im Kriegs-Archive.
Hochenadl, Heinrich.
Staněk, Johann (des Generalstabs-Corps).
Schlesinger, Franz.

Hauptleute 2. Classe.

Benda, Eduard (Res.-Comp.-Comdt.).
Shaniel, Heinrich.

Oberlieutenants.

Klyucharich, Arthur Ritt. v. (Res.).
Schiebel, Carl (Prov.-Off.).
Platenik, Franz (ü. c.) im mil.-geogr. Inst.
Kutschera, Oskar Freih. v., O 2. (ü. c.) zug. dem Generalstabe.
Sieczyński, Leopold (Bat.-Adj.).
Woitech, Ernst.
Justus, Johann. O 1.
Vonderheid, Alfred.

Lieutenants.

Desloges, Franz Ritt. v., O 2. (Res.).
Hatfaludy de Hatmansdorf, Alexander (Res.).
Korab, Camillo (Res.).
Mikulik, Joseph (Res.).
Lang, Matthäus.
Mass v. Wachenhusen, Anton.
Rosner, Heinrich Ritt. v. (Res.)
Hegedušić, Martin.
Berzeviczy, Albert v. (Res.).
Bitter, August (Res.).
Maurig v. Sarnfeld, Ferdinand Ritt. (Res.).
Föderl, Anton (Res.).
Mühlhofer, Emil.
Uhrl, Joseph.
Fischer, Alois (Res.).
Balugyanszky, Adalbert (Res.).
Mass v. Wachenhusen, Hellmuth.
Eble, Joseph.

Cadeten.

(Vacant.)

Reg.-Arzt 1. Classe.

Weszter, Ludwig, Dr.

Rechnungsführer.

Krokay, Carl, Hptm. 1. Cl.

33.
Kärnthner-krainerisches Feld-Jäger-Bataillon.

Stab: Mostar.

Reserve-Compagnie und Ergänzungs-Compagnie-Cadre: *Stockerau.*

Ergänzt sich aus den Bezirken der Infanterie-Regimenter Nr. 7 u. 17.

Errichtet 1866 aus den aufgelösten vier Wiener Freiwilligen-Bataillonen.

Major u. Bat.-Comdt. Grivičić, Daniel.

Hauptleute 1. Classe.

Dworžak v. Kulmburg, Rudolph, MVK. (KD.); (Res.-Comp.-Comdt.).
Speiser, Carl, MVK.
Bastendorff, Rudolph (ü. c.) im mil.-geogr. Inst.
Donhauser, Joseph, MVK.' (KD.).
Reisinger, Carl.

Hauptleute 2. Classe.

Hell, Anton.
Saller, Wenzel.

Oberlieutenants.

Salomon, Anton.
Trampusch, Carl (Prov.-Off.).
Storich, Peter (WG.).
Nahlik, Alois (ü. c.) im mil.-geogr. Inst.
Riedl, Robert, ○ 2.
Kasperl, Valentin, ○ 1.
Neuwirth, Edmund Ritt. v. Andes, Edgar, MVK. (KD.), (Res.).
Tauber, Georg (Bat.-Adj.).

Lieutenants.

Mayer, Otto v. (Res.).
Charlemont, Rudolph (ü. c.) im mil.-geogr. Inst.
Stanger, Heinrich.
Vouk, Franz (Res.).
Matiegka, August, MVK. (KD.).
Ott, Joseph (Res.).
Krüzner, Ferdinand (Res.).
Bergmann, Adolph (Res.).
Jaklitsch, Johann (Res.).
Kerekes, Ladislaus.
Stiotta, Alfred.
Beranek, Julius.
Wrchowsky, Cornelius (Res.).
Beitl, Carl.
Samide, Joseph (Res.).

Cadeten.

Rotta, Julius.
Kratky, Hugo.
Soupper, Ernst.

Reg.-Arzt 1. Classe.

Mátyás, Mathias, Dr.

Rechnungsführer.

Magdić, Joseph, Obrlt.
Várady, Ludwig v., Lieut.

Cavallerie.

Rangsliste
der Oberstlieutenants, Majore, Rittmeister, Oberlieutenants, Lieutenants und Cadeten sämmtlicher Cavallerie-Regimenter.

Oberstlieutenants.

Reg.

23. April 1866.

Husz. 9 Thurn und Taxis Egon Prinz v., Durchlaucht, JO-Ehrenritter (Res.).

9. Februar 1870.

Drag. 3 Dubsky v. Trzebomislitz, Adolph Gf., ✝ (Res.).

1. Mai 1875.

Uhl. 1 Grünne Rudolph Gf., ✝ (WG.).

1. Mai 1876.

Uhl. 4 Gramberg Adolph.
Drag. 4 Klenck Carl v., MVK. (KD.).
Husz. 3 Galgóczy de Galantha Theodor, ÖEKO-R. 3. (KD.), Reg.-Comdt.
Uhl. 1 Gagern Otto Freih. v., MVK. (KD.).
Husz. 15 Hügel Alexander Freih. v., MVK. (KD.), ✝.
Drag. 14 Schaumburg - Lippe Wilhelm Prinz zu, Durchlaucht, ÖEKO-R. 1., MVK. (KD.), erbliches Herrenhaus-Mitglied des Reichsrathes (Res.).
Husz. 9 Baccarcich Alexander Ritt. v., ÖEKO-R. 3. (KD.).
Drag. 6 Löhneysen Hilbert Freih. v., ÖEKO-R. 3. (KD.).

1. November 1876.

Husz. 11 Hertlein Michael, MVK. (KD.).
" 10 Beneš Franz.
" 5 Némethy August, MVK. (KD.).

Reg.

1. November 1876.

Drag. 9 Ferro Scipio Ritt. v. (WG.).
Husz. 2 Wense Ernst von der.
" 15 Schivetz Franz.
" 3 Prokop Julius.

1. Mai 1877.

Husz. 2 Schönfeld Maximilian Gf.
" 16 Szabó de Bárthfa Joseph.
" 9 Wallis Freih. auf Carighmain Franz Gf., ✝
Uhl. 13 Bothmer Adolph v.
" 2 Reiche v. Thuerecht Wilhelm.
Husz. 13 Szilley Alexander v.

1. November 1877.

Drag. 2 Hansa Friedrich.
Husz. 10 Wense August von der.
" 14 Gábor Anton.
Uhl. 8 Schmidt Anton.
Husz. 5 Hatfaludy de Hatmansdorf Coloman.
" 4 Gyömörey Anton v.
" 7 Thomka de Thomkaháza et Falkusfalva Wilhelm.
Drag. 1 Wersebe Gustav Freih. v., MVK. (KD.).

1. Mai 1878.

Drag. 12 Pach zu Hansenheim und Hohen-Eppan Felix Freih. v.
Uhl. 6 Gemmingen - Guttenberg Otto Freih. v., ÖEKO-R. 3., MVK. (KD.), (ü. c.) Comdt. des Mil.-Reitlehrer-Inst.

Reg.

1. Mai 1878.

Husz. 8 Földváry Stephan Freih. v., MVK. (KD.), ✠.
Drag. 11 Wimmer Gustav.
„ 13 Aull August Ritt. v.
Husz. 7 Czeke de Szt.-György Nikolaus.
„ 4 Georgevits de Apadia Georg, MVK.

Reg.

1. November 1878.

Uhl. 12 Pollet Franz.
„ 5 Walter Hippolyt, Dr. d. R., MVK. (KD.).
Drag. 2 Herman Othmar Freih. v.

Majore.

Reg.

23. April 1870.

Uhl. 1 Schenk v. Stauffenberg Philipp Gf., ✠ (Res.).

1. Mai 1872.

Husz. 6 Dembsher Emil (WG.).

1. November 1873.

Drag. 10 Bavier Johann v., MVK. (KD.), (WG.).

1. Mai 1874.

Drag. 1 Kilian Edmund (WG.).

1. Mai 1876.

Husz. 1 Máriássy de Markus et Batiszfalva Rudolph, ✠.
„ 6 Gázmán Carl.

1. November 1876.

Uhl. 5 Haywas Carl (WG.).
Husz. 16 Pflaume Albert.
„ 4 Stoits Peter.
Uhl. 2 Bohl Georg.
Drag. 13 Reif Carl.
Husz. 11 Zaitsek v. Egbell Carl, MVK. (KD.).
Uhl. 13 Coreth v. Coredo und Starkenberg Carl Gf., ✠ (ü. c.) als Erzieher zug. dem Hofstaate Sr. k. k. Hoheit des Erzherzogs Carl Ludwig.
Husz. 3 Balogh de Beöd Julius, MVK. (KD.).
Drag. 3 Bothmer Wilhelm v., MVK. (KD.).
Uhl. 7 Gero v. Gerssdorff Carl, Dr. d. R.
„ 1 Thurn und Taxis Friedrich Prinz v., Durchlaucht.
Uhl. 8 Prandstetter-Teimer Martin.

Reg.

1. November 1876.

Drag. 1 Reutter Carl v.
Uhl. 6 Schmerek Friedrich.
Husz. 14 Lamezan-Salins Hugo Gf.

1. Mai 1877.

Drag. 12 Gilsa Carl v., MVK. (KD.).
Husz. 13 Szerviczky de Nagy-Kanisa et Karis Stephan, MVK. (KD.).
Drag. 5 Boyneburgk Julius Freih. v.
Uhl. 12 Wachter Guido, MVK. (KD.).
Husz. 11 Hübner Alexander Freih. v., MVK. (KD.), (ü. c.); Flügel-Adj. Sr. Majestät des Kaisers und Königs.

1. November 1877.

Husz. 12 Kalliany v. Kallian Eugen Freih.
Drag. 7 Ungár Ferdinand.
Husz. 8 Mecséry de Tsóor Emerich Freih., MVK. (KD.), ✠.
Uhl. 6 Czerlien Marcus v.
Husz. 6 Kayser Julius, MVK.
Drag. 9 Powa Leopold, MVK.
Drag. 14 Mensshengen Ferdinand Freih. v., ✠ (ü. c.) Kammervorsteher Sr. k. k. Hoheit des Erzherzogs Johann Salvator.
Uhl. 4 Wersebe Hartwig Freih. v.
Drag. 10 Grassl v. Rechten Ludwig Ritt.
Uhl. 13 Zerner Adolph.
Drag. 6 Van Goethem de St. Agathe Albin.
Uhl. 2 Latscher Johann (ü. c.) zugetheilt dem Gen.-Cav.-Inspector.
„ 7 Kowalski Stanislaus Ritt. v., MVK. (KD.).
„ 12 Vahlkampf Bernhard Ritt. v.
Drag. 5 Rüdt v. Collenberg Friedr. Freih.
Uhl. 11 Zwehl Jakob v., MVK.
Drag. 3 Bordolo v. Boreo Johann Ritt.

Reg.

1. Mai 1878.

Uhl. 3 Reiss Alfred.
Husz. 1 Lichtenberg Sigmund Gf.
Drag. 14 Elgger v. Frohberg Emanuel.
Uhl. 6 Lippe-Weissenfeld Egmont Gf. zur, MVK. (KD.), (ü. c.) im Mil.-Reitlehrer-Inst.
Drag. 7 Rödiger Johann.
Drag. 9 Damm Julius v.
" 4 Eisenstein Richard Ritt. v., MVK. (KD.).
Drag. 8 Wolfram August.
Uhl. 3 Paar Alois Gf., ✠ (ü. c.) Flügel-Adj. Seiner k. k. Hoheit des General-Inspectors des Heeres, FM. Erzherzog Albrecht.
" 2 Mertens Carl Freih. v., MVK. (KD.), (ü. c.) Flügel-Adj. Sr. Majestät des Kaisers und Königs.
Husz. 7 Rohonczy Georg v. (ü. c.) Flügel-Adj. Sr. Majestät des Kaisers und Königs.

Reg.

15. September 1878.

Drag. 14 Bergauer Joseph.
Uhl. 11 Campione Adolph.
" 3 Leden Ignaz.
" 12 Czetsch v. Lindenwald Ludwig Ritt., MVK. (KD.), (ü.c.) Comdt. des Sicherheits-Corps für Bosnien.
" 5 Dillen - Spiering August Gf., ÖFJO-R., MVK. (KD.).
Husz. 6 Nassau, Wilhelm Erbprinz zu, Hoheit.

1. November 1878.

Husz. 12 Saffin Edl. v. Corpon Wilhelm.
Drag. 11 Pouchly Johann.
" 8 Mayer v. Eichrode Adolph, ÖFJO-R., MVK. (KD.).

Titular-Major.

Husz. 6 Sizzo-Noris Heinrich Gf., MVK. (KD.), (Res.).

Rittmeister.

Reg.

14. November 1858.

Uhl. 1 Triangi zu Latsch und Madernburg Anton Gf., ✠ (Res.).

1. Juli 1859.

Husz. 7 Bruneck Robert Freih. v. (Res.).

1. April 1862.

Husz. 5 Tartoll Martin.

1. Juni 1862.

Drag. 7 Jäger Heinrich.

30. December 1863.

Husz. 16 Rogulics Lazar v.

1. September 1864.

Uhl. 7 Wollinger Michael (ü. c.) beim R.-Kriegs-Mstm.

23. November 1864.

Husz. 4 Steinhuber Laurenz.

Reg.

1. März 1865.

Uhl. 11 Fünfkirchen Ferdinand Gf., ÖLO-R., ✠ (Res.).

1. Juni 1865.

Husz. 4 Hüttinger Joseph.

1. August 1865.

Husz. 16 Laffert Wilhelm v.

17. October 1865.

Husz. 9 Liechtenstein Alfred Prinz zu, Durchlaucht, JO-Ehrenritter (Res.).

11. November 1865.

Drag. 13 Ysenburg und Büdingen Adalbert Prinz zu, Durchlaucht (ü. c.) Legations-Secretär in Disponibilität.

1. Februar 1866.

Uhl. 8 Boyer Ferdinand.

Reg.

1. Mai 1866.

Drag. 1 Montenach Johann v., ✠ (ü. z.) beurl.

16. Juni 1866.

Uhl. 3 Wachtler Géza Ritt. v., ÖEKO-R.3., MVK. (KD.), (Res.).

1. Juli 1866.

Uhl. 1 Lamberg Heinrich Gf., ✠.
" 13 Dietrich Carl, MVK.

23. Juli 1866.

Husz. 6 Déreczy Peter (Res.).

1. August 1866.

Drag. 11 Lipowski v. Lipowiec Wladimir Ritt.

5. August 1866.

Husz. 4 Francke Ludwig.
Drag. 14 Wurmbrand-Stuppach Leo Gf.

Reg.

6. August 1866.

Drag. 3 Angelini Sebast. v.

26. August 1866.

Husz. 13 Hettyey de Makkos Hetye Franz.

22. April 1868.

Drag. 2 Kulmer Jos. Freih. v., MVK. (KD.).

1. Mai 1869.

Drag. 1 Rüpplin Theodor Freih. v.
„ 1 Ipold Adolph.
Uhl. 7 Leipold Ludwig.
„ 11 Saar Heinrich v. (ü. c.) Reitlehrer an der Mil.-Akad. zu Wr.-Neustadt.
Husz. 14 Ritter Wilhelm.
„ 12 Blahudt Jakob.
„ 5 Führer Ernst.
Uhl. 12 Fabianits de Misefa Alexius, MVK. (KD.).
„ 5 Nadvornik Edl. v. Nordwalden Georg, MVK. (KD.), (WG.).
Drag. 10 Normann August Freih. v.
Uhl. 6 Foresti Julius Ritt. v.
Drag. 10 Ergert Eugen v.

1. November 1869.

Drag. 4 Herzog Ludwig.
Husz. 3 Szerviczky de Nagy-Kanisa et Karis Julius, MVK. (KD.).
Drag. 13 Mittrowsky Anton Gf., ÖEKO-R. 3., ✠.
„ 10 Engel Erich Ritt. v. (ü. c.) im Mil.-Reitlehrer-Inst.
Husz. 7 Souvent Alfred Edl. v.
„ 2 Enenkl Joseph.
Uhl. 7 Mikocki Oskar v.
Husz. 8 Urtika Anton.
Uhl. 7 Zaleski Jos. Ritt. v., MVK. (KD.).

Reg.

1. November 1869.

Drag. 3 Hiefer Moriz.
„ 2 Rubner Emil.
Uhl. 1 Kunze Friedrich
Drag. 1 Michalkowski Eduard v.
Uhl. 4 Kotz v. Dobř Wenzel Freih., ✠.
Husz. 1 Mayer Carl, MVK. (KD.), (WG.)
„ 12 Lay Moriz.

7. Februar 1870.

Drag. 3 Hübsch Carl (Res.).

1. Mai 1870.

Husz. 2 Mihályi de Apsa Julius.
„ 10 Geldern Carl Gf. v., MVK. (KD.).
Drag. 4 May Ludwig.
Husz. 12 Eichenauer Gustav MVK. (KD.), (Res.).
Drag. 7 Buberl Anton.
„ 13 Reinhold Rudolph.
Husz. 7 Rabár Alexander
Drag. 5 Baumgartner Victor.
„ 7 Wit v. Dörring Felix.
„ 10 Boxberg Johann Freih. v.

17. Juli 1870.

Husz. 5 Zichy de Vasonykeő, Emerich Gf. (Res.).

1. November 1870.

Uhl. 11 Sizzo-Noris Eduard Gf. (Res.).
„ 13 Tileman Friedrich.
Husz. 9 Mannsfeld Hieronymus Gf. (Res.).
„ 11 Marka Anton, MVK. (KD.).
Uhl. 1 Berzeviczy de Berzevicze et Kakas-Lomnitz Adam, JO-Justizritter, ✠ (ü. c.) im Mil.-Reitlehrer-Inst.
Drag. 8 Friepes Adolph.

Reg.

1. Mai 1871.

Husz. 1 Scheidl v. Beneschau Ferdinand,
„ 9 Kőnczeöll Jos. v.
„ 14 Farkas de Felső-Eőr Alexander.
„ 7 Teinzmann Victor, MVK. (KD.).
Uhl. 8 Potocki Nicodemus Gf.
Drag. 4 Holzer Peter.
Husz. 5 Neustädter Carl Freih. v. (WG.).
„ 14 Tabódy de eadem et Fekésháza Alexander, ✠ (ü. z.) beurl.

1. November 1871.

Husz. 11 Illyés Nikolaus, ÖEKO-R. 3. (KD.).
Uhl. 11 Komers v. Lindenbach Hugo Freih.
Husz. 12 Károly Julius.
Uhl. 7 Mayhirt Constantin (ü. c.) zug. dem Hofstaate Sr. k. k. Hoheit des Erzherzogs Carl Salvator.
Husz. 13 Kovách Stephan v.
Drag. 8 Lackhner Ferdinand Ritt. v.
Husz. 2 Gárdik de Karda Paul.
„ 15 Harmos de Hihalom Coloman.
„ 5 Pokorny August Edl. v.
Uhl. 11 Polko Heinrich (ü. z.) beurl.
Drag. 7 Kodeš Johann.
„ 1 Nostitz-Rhinek Albert Gf., JO-Ehrenritter, ✠.

1. Mai 1872.

Drag. 8 Jäger Heinrich.
Husz. 10 Fogarassy de Fogaras Georg, ○ 2.
Uhl. 1 Wolkenstein-Trostburg Heinrich Gf.
Drag. 3 Nechwalsky Jos.

Reg.

1. Mai 1872.

Husz. 13 Gatterburg Guido Gf., ✝ (WG.).
Drag. 14 Bourgeois Ernst Freih. v.
" 13 Kraus Victor Edl. v.
Uhl. 13 Doležel Carl.
Husz. 15 Buol Alois Freih. v.
Drag. 6 Ségur-Cabanac August Gf.

28. Juni 1872.

Uhl. 2 Schwarz Anton (Res.).

1. November 1872.

Drag. 13 Kinsky zu Wchinitz und Tettau Franz Gf., ✝ (Res.).
" 4 Prager Mathias.
Husz. 9 Girowitz Eduard.
Drag. 4 Mitterbacher Ernst.
" 14 Chorinsky Maximilian Gf. (Res.).
Husz. 4 Bakó Alexander v. (ü. c.) zug. dem Generalstabe.
" 6 Oellacher Gustav.
Drag. 12 Smaschil Franz.
" 10 Schramm Ferdin.
" 7 Weiss Ferdinand.
Husz. 15 Zalay de Hagyáros Thomas.
" 14 Benkeö de Kezdi-Sárfalva Joseph.
Drag. 4 Kress v. Kressenstein Friedrich Freih., ✝.
Husz. 6 Tschuschner Anton Edl. v. (ü. c.) zug. dem Mil. - Fuhrw.-Corps.
Uhl. 6 Strosse Joseph.
Husz. 8 Lenk v. Treuenfeld Albert (ü. c.) beim R.-Kriegs-Mstm.
Uhl. 11 Muszczyński Albert.
Husz. 12 Chorin Friedrich, MVK. (KD.).
" 13 Szakonyi Gustav v.
Uhl. 3 Barcsay de Nagy-Barcsa Joseph, ✝.

Reg.

1. Mai 1873.

Husz. 1 Kovács de Kovászna Béla, MVK. (KD.).
Drag. 13 Dobner Thomas Edl. v.
Uhl. 3 Malburg Ernst (Res.).
Husz. 12 Agoston de Kis-Joka Alexius (ü. c.) Personal-Adj. des FZM. Freih. v. Ringelsheim.
Uhl. 5 Hagen Adolph v.
" 7 Komorowski Carl Gf., ✝.
" 13 Möring Alfred, MVK. (KD.), (Res.).
" 13 Christalnigg von und zu Gillitzstein Adalbert Gf., ÖEKO-R. 3. (KD.), MVK. (KD.), ✝.
" 12 Schubert Robert.
Drag. 7 Malowetz v. Malowitz und Kosoř Anton, Freih., ✝.
" 14 Goebel Carl Edl. v.
Uhl. 8 Nachodsky v. Neudorf Christian Ritt.
" 2 Trenner Alexander (ü. c.) zug. dem Mil.-Fuhrw.-Corps.
" 6 Oehl Ferdinand.
" 12 Sánta de Kozmás Adolph, MVK. (KD.).
Drag. 3 Bayer v. Bayersburg Joseph.
" 5 Körber Philipp.
Uhl. 3 Thurn - Valsassina Leopold Gf., ✝.
Husz. 9 Maxon de Rövid Ludwig, MVK. (KD.).

1. November 1873.

Uhl. 8 Szolayski Timotheus Ritt. v.
Drag. 5 Polak Prokop.
Husz. 2 Ballács Vincenz.

Reg.

1. November 1873.

Uhl. 5 Mareš Wenzel (WG.).
Drag. 12 Fiedler Heinrich.
" 2 Cordes Edmund (WG.).
Uhl. 5 Linhard Joseph.
" 4 Polko Wilhelm.
" 11 Holzinger Carl.
Drag. 12 Strobl Ferdinand.
" 8 Kindl Edl. v. Rittfeld Wenzel.
Husz. 16 Heinrich Wilhelm.
Drag. 10 Begg v. Albensberg Heinrich.
Husz. 12 Pesta Carl (WG.).
Uhl. 7 Salm - Hoogstraeten Hermann Gf.
Drag. 2 Wurmbrand-Stuppach, Ehrenreich Gf., ✝.
Leibgarde-Reiter-Escadron.
Klastersky Ferdinand.

1. Mai 1874.

Drag. 11 Pauer Heinrich.
Husz. 8 Jankovics de Csalma Coloman.
Uhl. 2 Dobusch Wenzel.
Drag. 6 Auersperg Carl Gf.
Husz. 12 Pitroff Theodor v.
" 1 Graf Carl.
Uhl. 2 Meixner Joseph.
Husz. 10 Lederer Arthur Freih. v. (ü. c.) in der Mil. - Kanzlei Seiner Majestät des Kaisers und Königs.
Uhl. 3 Weigelsperg Friedrich Freih. v. (ü. c.) zug. dem Hofstaate Seiner k. k. Hoheit des Erzherzogs Albrecht.
Drag. 9 Haas Johann.
Husz. 5 Spaur - Burgstall Johann Gf., ✝.
Drag. 13 Walterskirchen Maximilian Freih. v., ÖLO-R., ✝ (ü. z.) beurl.

Reg.

1. November 1874.

Uhl. 5 Scherenberg Moriz (ü. c.) Reitlehrer an der Kriegsschule.
Husz. 1 Nagy Franz, MVK. (KD.), ○ 1. (WG.).
„ 14 Matulay Adolph v., ○ 1.
Drag. 12 Schmelzer Carl.
„ 8 Janatta Oswald.
Husz. 3 Obst Alfred.
„ 7 Paczona Stephan v.
„ 7 Kerekes de Moha Coloman.
„ 9 Farkas Adalbert.
„ 8 Schaffranek Mich.

1. Mai 1875.

Husz. 3 Sykan Bernhard.
Drag. 5 Kabelik Wenzel.
„ 11 Frankiewicz Anton.
Husz. 15 Bessenyey de Galantha Franz.
Drag. 6 Schottendorf von der Rose Sigmund Freih.
„ 11 Nossek Adalbert (WG.).
Uhl. 4 Trigler Anton.
Drag. 6 Morawetz Carl.
Husz. 16 Nachodsky v. Neudorf Emanuel Ritt.
Drag. 2 Hurtig Anton (ü. c.) zug. dem Mil.-Fuhrw.-Corps.
„ 2 Fuchs Rudolph.
Husz. 3 Balogh Ludwig v.
„ 3 Krauchenberg Ludwig.
„ 11 Cary Heinrich, MVK. (KD.).
„ 1 Gussich Napoleon Freih. v.
„ 10 Fliesser Carl Freih. v.
Uhl. 13 Chorinsky Carl Gf., ✠.
Husz. 9 Anderle v. Sylor Robert.
„ 16 Meyer Eduard.
Drag. 10 Bannherr Johann.

Reg.

1. Mai 1875.

Uhl. 12 Schediwý Edmund (ü. c.) Personal-Adj. des FZM. Freih. v. Mollinary.
„ 6 Weiss Carl.

1. November 1875.

Uhl. 5 Lux Edl. v. Kühnersheim Alexander.
„ 3 Krauss Edmund Edl. v.
Drag. 8 Reiniz Moriz Edl. v.
Husz. 14 Zaluski v. Junosza Carl Ritt.
„ 4 Berchthold Freih. v. Ungerschütz Ottokar Gf.
Uhl. 11 Lehmann Anton (WG.).
Drag. 14 Thüngen Ernst Freih. v.
Uhl. 6 Rezniček Johann (ü. c.) zug. dem Mil.-Fuhrw.-Corps.
„ 4 Brzezany Eduard Ritt. v.

1. Mai 1876.

Husz. 10 Persa Edl. v. Liebenwald Franz (Res.).
Uhl. 5 Schönhaber Philipp.
Drag. 11 Aulich Emil Ritt. v.
„ 4 Helff Anton, MVK. (KD.).
Uhl. 2 Bayer Joseph.
Drag. 9 Maschin Joseph.
Husz. 11 Szmrecsányi de Szmrecsány Steph., ✠.
Drag. 3 Wedl Ludwig.
„ 5 Prandstetter-Teimer Rudolph.
„ 5 Steinbrecher Albin.
Uhl. 13 Praschill Adolph.
Husz. 4 Elmer Johann.
Drag. 9 Clausnitz August.
Husz. 16 Schön Johann.
„ 12 Bloch Georg.

Reg.

1. Mai 1876.

Uhl. 7 Bastler Otto.
Husz. 9 Pejacsevich v. Verőcze Arthur Gf.

1. November 1876.

Drag. 12 Seyd Albrecht.
Uhl. 11 Brezanij Arthur Ritt. v.
Husz. 2 Paterny Wenzel.
„ 15 Gerhardt Augustin.
Drag. 12 Edenberger Jos.
„ 11 Soist Franz v.
Uhl. 1 Scapinelli Scipio Conte (ü. c.) zug. dem Hofstaate Sr. k. k. Hoheit des Erzherzogs Carl Salvator.
Husz. 11 Buchwaldt Friedrich v.
Husz. 2 Kaunz Johann.
Drag. 1 Schmid Carl.
Husz. 7 Skubitz Gustav.
Uhl. 3 Gussich Leopold Freih. v.
„ 2 Neuhaus Franz.
„ 11 Procházka Heinrich Freih. v.
„ 1 Vacano Camillo Ritt. v. (ü. z.) beurl.
„ 12 Freund Joseph.
Drag. 5 Schwarz Theodor.
Husz. 6 Gall Albert.
Drag. 13 Pflügl Richard Edl. v.
„ 7 Orsini und Rosenberg Max. Gf., ○ 2., ✠.
Uhl. 8 Wittmann-Denglaz Hugo Ritt. v.
„ 8 Czeika Franz.
Uhl. 5 Kálnoky de Köröspatak Hugo Gf., ✠.
„ 1 Wożniak Valentin.

1. Mai 1877.

Drag. 1 Steinsdorfer Raphael.
Uhl. 4 Rieger Emil.

Reg.	
	1. Mai 1877.
Drag.	9 Bayer v. Bayersburg Franz.
Husz.	6 Dvořáček Joseph, MVK. (KD.).
Drag.	13 Harnreich Alois.
Uhl.	4 Maillot de la Treille Georg Freih., ✠.
„	2 Dlauhowesky v. Langendorf Carl Freih., ✠ (ü. c.) zug. dem Hofstaate Sr. k. k. Hoheit des Erzherzogs Carl Ludwig.
„	6 Boineburg-Lengsfeld Moriz Freih. v.
Husz.	10 Baumgartner v. Baumgarten Paul Freih.
„	6 Almássy de Zsadány et Török-Szt.-Miklós Béla, MVK. (KD.)
„	6 Turkovits Edmund.
Uhl.	11 Wiedemann Edl. v. Warnhelm Carl.
Drag.	3 Preuschen - Liebenstein Clemens Freih. v.
Husz.	15 Agricola Alois.
Drag.	6 Schreder Friedrich (WG.).
„	6 Kutschka Johann.
„	8 Remiz Alfred Edl. v.
„	10 Schlögl Edl. v. Ehrenkreutz Jos. (ü. c.) zug. dem Generalstabe.
Uhl.	2 Stolberg zu Stolberg Günther Gf. MVK. (KD.), ✠.
Drag.	12 Globig Werner Freih. v.; ✠, (ü. c.) Dienstkämmerer Sr. k. k. Hoheit des Erzherzogs Rainer.
„	8 Nostitz - Rieneck Johann Gf., ✠ (ü. c.) zug. dem Hofstaate Sr. k. k. Hoheit des Erzherzogs Carl Ludwig.

Reg.	
	1. Mai 1877.
Drag.	8 Stenglin Ernst Freih. v., MVK. (KD.).
„	9 Theer Carl.
Husz.	14 Welzl Hugo.
Uhl.	8 Egloffstein Hermann Freih. von und zu.
Drag.	1 Castell-Rüdenhausen Friedrich Gf. zu.
	1. November 1877.
Husz.	3 Tóth Carl v., MVK. (KD.).
„	6 Bossi - Fedrigotti Ludwig Gf., ✠.
Uhl.	3 Jellačić de Bužim Georg Gf., ✠., (WG.)
Husz.	11 Semsch Conrad.
„	5 Ziętkiewicz Alfred.
„	4 Ruttkay de Nedetz Johann, MVK. (KD.).
Drag.	6 Roth Robert.
„	4 Scholz Oskar.
„	9 Hagen Ernst Freih. v.
„	8 Nachodsky v. Neudorf Stephan Ritt.
„	2 Hoditz und Wolframitz Maximilian Gf., ✠.
„	10 Mouillard Victor.
„	6 Ceipek August (ü. c.) beim R.-Kriegs-Mstm.
„	3 Korper v. Marienwert Alfred.
Husz.	8 Popp Ferd. (WG.).
„	10 Hauska Eduard.
„	13 Graf Mathias.
Uhl.	1 Smolák Silvius.
Husz.	16 Suvich v. Bribir Theodor.
Drag.	12 Blasius Carl.
Husz.	10 Chorinsky Freih. v. Ledske Nikol. Gf., JO-Justizritter, ✠.
„	8 Mihailovits Adolph.
„	10 Mocker Hermann, ○ 1. (WG.).
„	13 Görgey de Görgö et Topporcz Jos.
„	8 Klingner Adalbert.
„	5 Pongrácz Béla Gf., ✠ (Res.).

Reg.	
	1. November 1877.
Uhl.	2 Brudermann Rud. Ritt. v. (Res.).
	1. Mai 1878.
Uhl.	7 Longard Julius.
Drag.	8 Jetter Franz.
„	2 Liel Franz.
Uhl.	2 Janeczek Robert.
„	12 Sonnabend Emanuel.
Husz.	1 Wokurka Carl.
Uhl.	5 Söllinger Rudolph.
Drag.	9 Horny Wilhelm.
Husz.	7 Soyka Emil v.
Uhl.	12 Seidel Camillo.
„	5 Haniewski Constantin.
Husz.	12 Bohus Edmund.
„	5 Stesser Georg.
Drag.	11 Levelzov Carl Freih. v.
Uhl.	7 Eifler Joseph.
Husz.	8 Dolleschall Nikolaus.
Drag.	13 Stubenrauch Eduard Ritt. v.
„	14 Stein zu Lausnitz Roderich Freih. v.
„	14 Kiwisch v. Rotterau Ottokar Ritt.
„	12 Enzberg-Mühlheim Bruno Freih. v.
Uhl.	11 Poten Ernst.
„	7 Renvers Wilhelm (ü. c.) Flügel-Adj. des Reichs-Kriegs-Ministers.
Husz.	5 Arz - Vasegg v. Neuhaus Roderich Gf., ✠.
„	1 Erben Robert.
Uhl.	1 Goumoëns Gustav Freih. v., ✠.
Husz.	15 Löffler Eduard.
Uhl.	6 Brunner Heinrich.
„	3 Hauke Carl.
Husz.	7 Hrabovszky de Hrabova Joseph.
„	16 Lux Johann.
Drag.	2 Loos Michael.
„	1 Wožinsky Alois.
Uhl.	4 Jaworski Victor Ritt. v.

Reg.

1. Mai 1878.

Drag. 10 Bukuwky Jaromir Gf., JO-Ehrenritter, ✝. (Res.).

15. September 1878.

Husz. 8 Malburg Adolph, MVK. (KD.), (Res.).

„ 7 Wallis Freih. auf Carighmain Rudolph Gf. (Res.).

„ 13 Jakubovich Alexander

Uhl. 4 Hanau Philipp Prinz, Durchlaucht (Res.).

„ 11 Sultner Richard Freih. v. (Res.).

Husz. 1 Tatarczy Johann, MVK. (KD.).

Drag. 11 Zenone di Castel Ceriolo Cäsar Conte.

Husz. 14 D'Orsay-Grimaud Olivier Gf.

„ 2 Sényi de Nagy-Unyom Alexander.

Reg.

15. September 1878.

Uhl. 13 Huber v. Nordenstern Leopold.

Uhl. 6 Van Valmisberg Georg.

Husz. 10 Jagodics de Kernyecsa Alexander.

„ 13 Herczegh Julius.

„ 2 Albrechtovich Anton v.

„ 13 Bartakovics Aug. v., MVK. (KD.).

„ 11 Boemelburg v. Meigadessen Joseph Freih.

Uhl. 1 Reiche v. Thuerecht Carl (ü. c.) in der Mil.-Akad. zu Wr.-Neustadt.

Drag. 5 Krenn Joseph.

Uhl. 1 Karpiński Ladislaus.

1. November 1878.

Uhl. 12 Ivkow Edl. v. Brückentreu Emil.

Reg.

1. November 1878.

Husz. 4 Türkheim-Geisslern Joachim Freih. v., ✝.

„ 4 Samek Franz.

„ 3 Schénály Johann.

„ 12 Sailer Joseph v.

„ 6 Lodron-Laterano Albert Gf., ✝.

Uhl. 5 Stóos Sigmund.

Husz. 5 Scharnhorst Emil.

„ 16 Sturz Anton.

„ 10 Rotermel Michael.

Uhl. 1 Chołoniewski Eduard Gf., ✝ (ü. c.) zug. dem Hofstaate Sr. k. k. Hoheit des Erzherzogs Ludwig Victor.

„ 3 Szameit Ladislaus Ritt. v.

(Rang seinerzeit.)

Uhl. 6 Caimo Levin Gf. (Res.).

Oberlieutenants.

Reg.

Uhl. 11. **Seine kais. Hoheit Paul Alexandrowitsch, Grossfürst v. Russland.**

17. Mai 1854.

Drag. 11 Steinkühl Maximilian v. (Res.).

31. December 1861.

Uhl. 8 Somssich de Sáard Joseph Gf. (Res.).

1. Juni 1862.

Drag. 9 Schnirch Moriz (Res.).

3. Jänner 1864.

Uhl. 8 Plank v. Plankenburg Hermann (Res.).

1. September 1864.

Drag. 7 Papaček Julius (Res.).

Reg.

1. April 1865.

Husz. 14 Haupt Carl (Res.).

1. October 1865.

Uhl. 4 Bubna Franz Gf., MVK. (KD.), (Res.).

8. October 1865.

Uhl. 4 Fürstenberg Eduard Landgraf, ✝ (Res.).

1. Mai 1866.

Drag. 10 Lamberg Carl Gf. (Res.).

„ 14 Ségur-Cabanac Alfred Gf. (Res.).

12. Juni 1866.

Uhl. 4 Hempel Johann Ritt. v. (Res.).

28. Juni 1866.

Uhl. 8 Metternich-Wolff zu Vinsebek Gisbert Gf. (Res.).

Reg.

1. Juli 1866.

Uhl. 2 Degenfeld-Schonburg Eberhard Gf. (Res.).

4. Juli 1866.

Husz. 1 Oberländer Albert Freih. v. (Res.).

1. November 1868.

Uhl. 8 Metternich-Wolff zu Vinsebek Friedrich Gf. (Res.).

„ 2 Breza Eduard Gf. (Res.).

„ 11 Westphalen Rud. Gf. (Res.).

Husz. 4 Titz v. Titzenhofer Alfred Freih. (Res.).

Uhl. 6 Kessner Carl, MVK. (KD.), (Res.).

Husz. 14 Bauer Alois, MVK. (KD.), (Res.).

Reg.

1. Mai 1869.

Husz. 11 Tschebulz Edl. v. Tsebuly Leopold.
Uhl. 12 Liebler v. Asselt Theodor.
Husz. 11 Gombos de Hadháza Gregor (Res.).
„ 14 Thuránszky de Thurik Carl (Res.).
Drag. 13 Hess-Diller Fried. Freih. v. (Res.).
Uhl. 1 Schmidt Günther.
„ 5 Winzor Anton (ü. c.) zug. dem Generalstabe
Husz. 6 Angerholzer Julius.
„ 3 Knezevich de St. Helena Victor Freih.
Drag. 7 Künzel Christoph.
Husz. 2 Birkel Joseph.
Uhl. 8 Möller Alexander.
Husz. 14 Janik Franz.
„ 13 Dienesch Samuel.
„ 8 Spoler Georg.
Uhl. 3 Skalka Carl.

19. Mai 1869.

Husz. 14 Gibara Friedrich (Res.).

1. November 1869.

Uhl. 6 Padowetz Conrad.
Drag. 3 Artaria Julius.
„ 11 Benischko v. Dobroslaw Otto Ritt.
Uhl. 5 Dorsner v. Dornimthal Wladimir.
„ 2 Lang Ludwig.
Drag. 1 Lehmann Eduard Edl. v.
„ 3 Klammerth Rud.
„ 6 Neumann Oskar (Res.).
Uhl. 2 Montecuccoli-Polinago Alphons Gf.
Drag. 1 Heldreich Wolf v. (WG.).
„ 7 Pfrogner Valentin.
„ 12 Vogl Ludwig.
„ 12 Klein Franz, ○ 1.
Husz. 1 Wachsmann Jos.
Drag. 2 Müller Ferdinand.
„ 2 Eisner Alois.
Husz. 16 Schille Carl.

Reg.

1. November 1869.

Husz. 12 Wagner Franz (ü. c.) zug. dem Mil.-Fuhrw.-Corps.
Husz. 6 Tschurl Franz.
Uhl. 8 Fuchsig Anton.
Husz. 10 Breda Ludwig Gf.
„ 13 Kaffka Ignaz.
Drag. 6 Dotzauer Eduard.
Husz. 7 Litke August.

1. Mai 1870.

Drag. 12 Magdeburg Victor Freih. v. (WG.).
Husz. 12 Bretterbauer Ladislaus.
Drag. 12 Rotter Alois.
Uhl. 2 Windirsch Florian.
Husz. 15 Stadler Ferdinand.
„ 5 Wirth von der Westburg Robert.
„ 9 Hegedüs de Tiszavölgy Victor.
Drag. 6 Ogris Carl.
Husz. 13 Beranek Franz.
„ 13 Bach Carl.
Drag. 2 Buchler Leonhard.
Husz. 15 Frossard Johann Edl. v. (ü. c.) zug. dem Generalstabe.
Uhl. 7 Stankiewicz de Mogiła Arthur Ritt.
Drag. 9 Wolfram Aurel.
Husz. 1 Nagy de Mesterház Vincenz.
„ 14 Stieber Franz.
„ 15 Maschauer Friedr.
„ 15 Nagy de Maros Carl.
„ 13 Novaczek Mathias.
„ 1 Krainz Franz.
„ 15 Ditfurth Bernhard Freih. v.
Uhl. 4 Müller Anton.
Drag. 10 Moschitz Carl.
Uhl. 13 Petzival Friedrich.

1. November 1870.

Drag. 11 Tettenborn Carl v.
Husz. 4 Battha de Wattha Béla.
„ 6 Schrenk auf Notzing Ernst Freih. v., JO-Justizritter, ✠.

Reg.

1. November 1870.

Uhl. 6 Handler Otto.
Drag. 10 Reichetzer Eugen Freih. v.
„ Schramek Carl.
Husz. 3 Gradel Carl.
Uhl. 2 Bresnitzer Otto.
Husz. 4 Jovanović Georg.
Uhl. 7 Rada Johann.
Husz. 11 Nechwalsky Leopold.
„ 11 Heim Joseph.
Uhl. 2 Damjanow Živan.
Drag. 1 Schwartz Albert.
„ 1 Scheufler Robert (ü. c.) zug. dem Mil.-Fuhrw.-Corps.
Husz. 8 Schmidt Johann.
„ 10 Schmidkunz Adalbert.
„ 3 Faragó Gabriel.
Uhl. 8 Eypert Alois.
Husz. 8 Stupka Theodor.
Uhl. 5 Gerba Demeter.
Drag. 5 Boeck Julius.
„ 5 Hann Hermann.

1. Mai 1871.

Uhl. 6 Gibarra Anton (Res.).
Husz. 11 Piller Marcell.
„ 9 Waldstein-Wartenberg Ernst Gf. JO-Ehrenritter, ✠ (Res.).
Uhl. 4 Scheid Peter.
Drag. 5 Schmidt v. Ehrenberg Ferdinand.
Uhl. 2 Zwuckh v. Holzhausen Franz Ritt.
Husz. 8 Kunerle Friedrich (Res.).
Uhl. 4 Erbes Felix.
Drag. 1 Platen zu Hallermund Magnus Gf. v.
Husz. 16 Nechansky Rud.
Uhl. 4 Japp Carl.
Husz. 12 Zichy Sigm. Gf., ✠.
Drag. 13 Lindner Carl Ritt. v.
Husz. 3 Nagy de Radnotfay Gabriel.

1. Mai 1871.

Reg.		
Husz.	14	Janković Constantin.
„	3	Antosch Eduard.
„	15	Brandl Edl. v. Traubenbach Augustin.
„	6.	Eszterházy Georg Gf., ✠.
Uhl.	11	Herb Edl. v. Hublon Franz.
Husz.	12	Palocsay Alex.
Uhl.	3	Prugberger Johann.
Drag.	6	Schmitzhausen Paul.
Uhl.	8	Kaiser Anton.

1. November 1871.

Reg.		
Drag.	3	Mandelsloh Hans v.
Husz.	15	Mattachich Ludw. v.
Drag.	13	Ludolf Oskar Gf.
Husz.	14	Mihanović Basil.
Uhl.	8	Filippi Aliprandus.
Drag.	1	Forstner v. Dambenois Ernst Freih.
„	11	Sajatović Daniel.
„	1	Colloredo-Mannsfeld Franz Gf. (Res.).
Uhl.	2	Nowotný Johann.
Drag.	1	Perpić Dominik.
„	2	Mully Johann.
„	6	Pütz Ludwig v.
„	12	Schiega Otto.
Uhl.	11	Khevenhüller-Metsch Rudolph Gf., ÖEKO-R. 3., JO-C., ✠ (Res.).
„	6	Heininger d'Eriswyl Eduard Gf. (Res.)
Drag.	1	Chotek Ernst Gf., JO-Ehrenritter, ✠.
Husz.	5	Glentworth de Vaudrie Horatius (WG.).
Drag.	12	Hranač Alois, MVK. (KD.), (ü. c.) Lehrer an der Mil.-Ober-Realschule.
Husz.	6	Buttlar Adolph Freih. v. (Res.).
„	5	Löw Carl.
Uhl.	2	Dahedl Joseph.
Husz.	12	Fechtig v. Fechtenberg Emerich Freih. (Res.).
Drag.	4	Rechtsteiner Rud.
Uhl.	11	Červinka Anton, MVK. (KD.).
Drag.	7	Hanuš Carl.
Uhl.	4	Turković Johann.
Drag.	11	Furiakovics Julius.
Husz.	5	Bartl Carl.
„	10	Rocholl Adolph.
„	15	Köhler Franz v., ○ 1.
„	10	Nopcsa Alexius Freih. v., ✠ (Res.).
Uhl.	1	Flanderka Franz.
Husz.	6	Hahn Samuel.
Uhl.	7	Magdeburg Emil Freih. v.

1. Mai 1872.

Reg.		
Uhl.	12	Creutzer Joseph.
„	2	Brunnhofer Joseph.
Husz.	10	Braun Wenzel.
„	10	Knobloch Eugen (ü. c.) zug. dem Mil.-Fuhrw.-Corps.
„	10	Baillou Joseph Freih. v. (Res.).
Uhl.	3	Westphalen Rhaban Gf. (Res.).
Drag.	3	Böhmer Ignaz.
Husz.	16	Negrelli v. Moldelbe Joseph Ritt. (Res.).
Drag.	10	Weiss v. Weissenfeld Artemont.
„	4	Beckers v. Westerstetten Heinrich Gf., ✠.
„	12	Podstatzky-Thonsern Freih. v. Prusinowitz, Theodor (Res.).
„	12	Possnig Johann.
Husz.	7	Nagy Valerian v., MVK. (KD.).
„	1	Quirini Adolph.
„	2	Thien Johann v.
„	10	Grotowski-Rawicz Sigmund Ritt. v., ✠.
Drag.	3	Kinzinger Theodor.
„	4	Gauff Wilhelm, MVK. (KD.).
Uhl.	1	Heller v. Hellwald Fried. (Res.).
Husz.	9	Malovànyi Martin, ⊙.
Drag.	11	Lang Moriz.
„	2	Kurz August.
Uhl.	4	Zagajewski Bronislaus.
Drag.	4	Liechtenstern Ferdinand Freih. v.
Husz.	1	Zsombory Carl.
Uhl.	1	Holmes Arthur.

1. November 1872.

Reg.		
Husz.	5	Russo v. Aspernbrand Alexander Ritt.
„	11	Pfleger Georg, MVK. (KD.).
Drag.	11	Selliers de Moranville Friedrich Chev.
„	7	Schmerling Carl Ritt. v. (ü. c.) zug. dem Generalstabe.
Husz.	2	Lyro Emil.
Drag.	1	Thielau Fried. v.
„	1	Lusar Johann.
Uhl.	8	Lenk Victor.
Husz.	5	Rumpf Friedrich.
„	4	Taxis de Bordogna et Valnigra Joseph Freih. (Res.).
Drag.	7	Intichar Johann.
„	13	D'Abluing v. Giessenburg Daniel Freih.
Uhl.	13	Gdyra Vincenz, ○ 1.
Husz.	6	Becker Conrad.
Drag.	11	Hage Carl, ○ 2.
Husz.	6	Czoppelt Ernst.
Drag.	6	Riedel August.
Husz.	12	Fischer Alois, ○ 1.
Drag.	5	De Montet Albert (Res.).
Husz.	7	Mayer Alphons.
„	16	Horwat Ludwig.
Drag.	4	Vagd Adolph.
„	10	Barber Bernhard.
Husz.	7	Lichtenstern Joseph.
„	9	Novak Johann.

Reg.

1. November 1872.

Drag. 6 Kadrmann Jakob.
„ 9 Wolff Joseph, ○ 1.
„ 14 Wiesenecker Raimund.
„ 9 Hudez Johann.
Uhl. 5 Constantinović Simon, ÖEKO-R. 3. (KD.), ○ 2.
Husz. 13 Zgorsky Alexander.
Drag. 6 Dujmović Alexander.
Husz. 4 Hager Stephan.
Drag. 10 Lackenbacher Bernard v.
Uhl. 12 Labas v. Blaškovec Alexander.
Husz. 4 Grünberger Gust.
Uhl. 8 Kaan Edl. v. Albest Hans.
„ 6 Welzl v. Wellenheim Guido.

1. Mai 1873.

Husz. 7 Mariani Maximilian, MVK. (KD.).
Uhl. 1 Kathrein v. Andersill Jos. Ritt.
„ 1 Scheidlin Rudolph v.
Husz. 7 Decleva Adalbert, ÖEKO-R. 3. (KD.).
„ 8 Ballassa Georg.
Uhl. 11 Obenaus de Felsőház Oskar Freih.
Drag. 8 Cramer Gustav (Res.).
Uhl. 13 Ulm Emil v.
Husz. 2 Eger Alois, ○ 2.
„ 15 Tessényi Alexander v.
„ 7 Henze Victor.
Uhl. 3 Wolański Andreas.
Husz. 8 Karasek Alois.
„ 2 Conrad Franz.
Uhl. 12 Radaković Obrad (Res.).
Husz. 3 Surányi Franz.
Drag. 14 Gehring Hellmuth Freih. v.
Uhl. 7 Janowski Friedrich.

Reg.

1. Mai 1873.

Uhl. 1 Fischer Heinrich (ü. c.) zug. dem Mil.-Fuhrw.-Corps.
Husz. 9 Koreska Anton v. (ü. c.) zug. dem Generalstabe.
„ 9 Deseő de Szt.Viszló Ludwig (Res.).
Uhl. 7 Szwedzicki Constantin.
Drag. 14 Anthoine Gustav Edl. v.
Husz. 4 Forster Béla v. (ü. c.) Personal - Adj. des GdC. Freih. v. Edelsheim-Gyulai.
„ 9 Jezerniczky de Jezernicze et Bábony Emerich.
„ 1 Gerbić Nikolaus.
Drag. 8 Laube Joseph.
Husz. 11 Paldt Alexander.
Uhl. 6 Bernt Felix.
Drag. 3 Gradl Albert.
„ 4 Knaus Johann.
Husz. 11 Jékey Albert v. (ü. z.) beurl.
Uhl. 8 Kux Johann.
„ 4 Swaty Franz.
Drag. 5 Goëss Zeno Gf., ✠ (Res.).
„ 6 Hacker Stephan, ○ 2.
Husz. 13 Weiss Ernst.
Uhl. 12 Matić v. Dravodol Joseph.
Drag. 12 Foregger Egmont, ○ 1.
Husz. 7 Solms-Wildenfels Heinrich Gf. zu.
„ 12 Offerman Johann Freih. v. (Res.).
„ 14 Bobóczky August v.
Drag. 7 Bachmann Franz, MVK. (KD.).

1. November 1873.

Uhl. 3 Pöck Arthur Freih. v.
Husz. 16 Medveczky de Medvecze et Kis-Beszterecz Emil.

Reg.

1. November 1873.

Uhl. 4 Debelski Leo.
Husz. 15 Brandis Ferdinand Gf., ✠ (Res.).
„ 6 Eschwig Otto.
„ 14 Popiel Vincenz Ritt. v.
„ 9 Liechtenstein Alois Prinz zu, Durchlaucht (Res.).
Drag. 7 Lenz Franz.
„ 13 Hacklaender Wilhelm Ritt. v.
Uhl. 4 Fleischmann v. Theissruck Joseph.
Husz. 10 Drašković v. Trakostjan Joseph Gf., ✠ (Res.).
„ 12 Jámborffy Coloman.
„ 16 Hanke Coloman.
Uhl. 13 Krczmarsch Anton.
Husz. 9 Uzelač Simon.
Drag. 4 Zimburg Edl. v. Reinerz Wilh. (ü. c.) im mil.-geogr. Inst.
Husz. 9 Nagy de Radnotfay Julius.
„ 1 Leonhardy Carl Freih. v.
„ 6 Belnay Johann v.
„ 15 Reinle Gabriel.
Uhl. 12 Heitzmann Eduard (WG.).
Drag. 8 Ritter Ferdinand. (ü. c.) zug. dem Generalstabe.
„ 4 Treibal Franz.
„ 9 Peter v. Krosheim Victor Ritt.
„ 11 Pollo Bronislaus.
Husz. 15 Kussenitz v. Ibenics Oskar Ritt.
Uhl. 2 Billig Johann.
Husz. 14 Kremzow Cäsar (WG.).
Drag. 1 Muschka-Bellmann Arthur (Res.).
„ 11 Labrès Hermann.
Uhl. 6 Ströhr Adolph (ü. c.) zug. dem Generalstabe.

Reg.

1. November 1873.

Drag. 13 Gassebner Hermann.
„ 14 Gruber Anton.
Husz. 8 Wáczek Franz.
Uhl. 3 Balthasar Hugo.
„ 2 Gryziecki Johann.
Drag. 2 Janoch Hugo.
Husz. 2 Jungnikl Franz.
„ 2 Kruhl Napoleon.

1. Mai 1874.

Husz. 10 Nechwalsky Otto.
Uhl. 11 Poten Otto.
Husz. 6 Negrelli v. Moldelbe Ferd. Ritt.
Drag. 14 Müller Victor.
Husz. 1 Ederer Ferdinand (Res.).
Drag. 8 Hofmann Constantin (Res.).
„ 10 Häussler Joseph.
Husz. 6 Wandrusch Julius.
Uhl. 7 Petrini Gustav.
„ 4 Götz Rudolph.
Husz. 4 Vinkovics Michael.
Uhl. 6 Schinnern Anton Ritt. v.
Drag. 3 Alberti de Poja Friedrich Gf.
„ 13 Bigot de St. Quentin Anatol Gf.
Husz. 9 Lónyay de Nagy-Lónya et Vásáros-Námény Albert (ü. z.) beurl.
Uhl. 1 Mattl v. Löwenkreuz Eugen Freih.
Drag. 7 Adler Alexander.
Husz. 11 Jékey Alois v.
Uhl. 5 Schokitza Wladimir.
Husz. 13 Gregor Ferdinand.
Uhl. 5 Pallaich Joseph.
Husz. 6 Gangl Rudolph.
Drag. 4 Krauss Ernst.
Uhl. 6 Pollack v. Klumberg Leo Ritt.
Drag. 12 Seifert Edl. v. Eichenstark Heinrich.
Uhl. 8 Bittner Carl.

Reg.

1. Mai 1874.

Drag. 14 Liechtenstern Friedrich Freih. v.
Husz. 14 Lyábu Michael.
„ 15 Zdražilek Joseph.
Uhl. 2 Sieber Heinrich.
Drag. 10 Delena Robert.
„ 8 Tomaschek Eduard Freih. v.
„ 2 Woldan Franz.
„ 13 Matzenauer Carl.
„ 2 Pizzighelli Ottokar.

1. November 1874.

Husz. 10 Felzmann Adolph.
Uhl. 5 Meduna v. Riedburg Johann Ritt.
Husz. 13 Rohonczy Edmund v.
Drag. 8 Trauttenberg Hein. Freih. v. (WG.).
Husz. 13 Menzlik Carl.
Uhl. 12 Fischer Georg.
„ 12 Schaffgotsch Victor Gf.
Husz. 12 Puskás Franz v. (ü. z.) beurl.
Uhl. 13 Suchan Gottfried.
Husz. 16 Petrić Johann.
Drag. 5 Sagburg Walter v.
Husz. 5 Vogl Carl.
Uhl. 8 Stanković Johann.
Husz. 16 Bacsák Sigmund v.
Uhl. 6 Czerný Adolph.
„ 2 Müller Carl.
„ 1 Horwáth de Gementh Franz
Drag. 13 Edelmann Vincenz, ○ 2.
Uhl. 7 Longchamps de Berier Vincenz.
Husz. 9 Somogyi Edm. v.
Uhl. 8 Doxat Johann.
Drag. 11 Dedekind Franz.

1. Mai 1875.

Uhl. 1 Igálffy v. Igály Gustav.
Husz. 9 Pejacsevich v. Veröcze Johann Gf. (Res.).

Reg.

1. Mai 1875.

Husz. 12 Kecskéssy Eduard v.
Drag. 12 Prziza Franz (ü. c.) beim R.-Kriegs-Mstm.
„ 13 Glotz Ludwig Edl. v. (ü. c.) zug. dem Generalstabe.
„ 12 Hartelmüller Erwin Freih. v.
„ 12 Mertelmeyer Rud.
„ 7 Lauffer Eduard.
„ 8 Falkenstein Maximilian Freih. v.
Husz. 2 Bach v. Klarenbach Georg.
„ 3 Wernhardt Paul Freih. v.
Drag. 3 Grossmann Johann.
Uhl. 3 Sachse v. Rothenberg Friedrich.
Drag. 6 Kundmann Friedrich.
Uhl. 13 Bayer v. Bayersburg Heinrich.
„ 13 Ośniałowski Stanislaus Ritt. v.
Drag. 2 Huyn Ludwig Gf.
„ 1 Hron v. Leuchtenberg Eduard.
Uhl. 4 Mayr Theodor.
„ 6 Weiss v. Starkenfels Franz Freih. (Res.).
„ 13 Lots Georg.
„ 12 Sretkow Constantin (ü. c.) zug. dem Generalstabe.
„ 11 Červinka Wenzel.
Husz. 15 Kranzbauer Rudolph.
Uhl. 11 Bibus Robert.
Husz. 16 Stengel Adolph.
„ 6 Reimer Wilhelm.
Drag. 1 Werner Anton.
Husz. 8 Baltress Peter.
Drag. 10 Hoppe Alois.
Husz. 10 Karanović Johann.
„ 11 Luksándor Joseph.
„ 11 Szöts v. Iutsel Andreas, ○ 1.

Reg.		
		1. Mai 1875.
Uhl.	12	Ludwig Vincenz.
„	8	Bohač Franz.
Husz.	4	Henriquez Gustav Ritt. v.
Uhl.	5	Müller Julius. (Res.).
Drag.	7	Barth Franz (ü. c.) zug. dem Generalstabe.
„	3	Schwarz Heinrich Ritt. v.
„	9	Niewiarowski Ladislaus.
Husz.	2	Sugár Nikolaus.
Drag.	11	Ogris Julius.
„	11	Davidov Svetozar (ü. c.) Comdt. der Feld-Gendarmerie-Abth. bei der XVIII. Inf.-Trup.-Div.
„	6	Schmid v. Schmidsfelden Franz (ü. c.) Personal-Adj. des FZM. Franz Freih. v. Philippović.
„	1	Herrmann Carl.
„	2	Gratza Eduard.
Husz.	8	Lázár Friedrich.
„	7	Bielz Gustav, ○ 1. (WG.).
„	7	Mariáncsik Arminius.
Uhl.	5	Gunkel Eugen, MVK. (KD.).
		1. November 1875.
Drag.	7	Hubatius v. Kottnov Jakob Ritt.
Husz.	5	Gottesmann Eugen (Res.).
Uhl.	6.	Hörler Albin.
Drag.	2	Clausnitz Camillo.
„	8	Voigt Alfred.
„	4	Ritter Emil.
Uhl.	8	Carmine Emanuel.
Husz.	2	Swaty Franz (ü. c.) in der Mil.-Unter-Realschule zu St. Pölten.
Drag.	3	Griebler Heinrich.
„	7	Hirsch Maximilian.

Reg.		
		1. November 1875.
Drag.	13	Albrecht Emil, ○ 1.
Husz.	7	Schöndruck Ottokar.
Drag.	13	Zedtwitz Curt Gf. (Res.).
„	13	Kritzner Franz (ü. c.) zug. dem Mil-Fuhrw.-Corps.
„	10	Ries Gustav.
„	2	Schönauer Adolph.
„	12	Görtz Maximilian Ritt. v.
„	11	Nahlik Carl.
Husz.	16	Tilemann gen. Schenk Julius v.
Uhl.	6	Traxlmeyr Michael (WG.).
Husz.	6	Welkow Joseph.
Drag.	8	Fontaine v. Felsenbrunn Heinrich (ü. c.) zug. dem Generalstabe.
Husz.	13	Rosenthal Carl.
Uhl.	7	Redlich Eugen (ü. c.) bei der Feld-Gendarmerie.
Husz.	14	Freyberger Carl.
Drag.	2	Rücker Zephirin (ü. c.) zug. dem Mil. Fuhrw.-Corps.
„	12	Slocovich Franz.
Husz.	11	Csenkey v Csönke Ladislaus.
„	3	Körner Heinrich (Res.)
„	10	De la Fontaine Ludwig.
		1. Mai 1876.
Drag.	7	Pavel-Rammingen Albert Freih. v.
Uhl.	1	Gelan Arthur v.
Husz.	9	Inkey de Pallin Anton.
„	6	Simon de Kézdi-Polyan Alexius.
Drag.	9	Hinterwaldner Joseph.
Uhl.	8	Stögl Adalbert.
„	1	Kocábek Wenzel.

Reg.		
		1. Mai 1876.
Husz.	4	Kubass Michael, ○ 2. (Res.).
Uhl.	12	Živković Marcus.
„	13	Jarosch Alexander.
Husz.	15	Pohl Heinrich, ○ 2.
Drag.	2	Glässer Hermann (ü. c.) zug. dem Mil.-Fuhrw.-Corps.
Uhl.	3	Mayer Joseph.
„	4	Spitschka Alexander.
Drag.	9	Hrehorowicz Ignaz.
„	3	Pechmann v. Massen Carl Ritt.
Uhl.	3	Weeber Albert (ü. c.) zug. dem Generalstabe.
„	1	Feigl Eduard.
Drag.	7	Adžia Nikolaus.
Husz.	15	Schenek Alfred.
Uhl.	1	Haufler Gustav.
Drag.	13	Ehrler v. Ehrlenburg Guido (ü. c.) zug. dem Generalstabe.
Husz.	2	Vogler Alois.
„	5	Egger Rudolph.
Uhl.	2	Maciąga August.
Drag.	3	Allram Raul Ritt. v.
„	4	Gayer v. Gayersfeld Alois.
„	2	Unterrichter v. Rechtenthal Lothar Freih.
Husz.	3	Gyulai de Nagy-Várad Richard.
Drag.	7	Audritzky Rudolph Freih. v.
Husz.	6	Orczy Cherubin Freih. v.
Uhl.	4	Breisky Arthur.
Drag.	6	Büchler Carl.
Uhl.	12	Peraković Edl. v. Slavoljub Michael.
Drag.	5	Berghofer Emil.
„	5	Plessing zu Plesse Heinrich Ritt. (Res.).
Husz.	7	Micsinyei Emerich.
Drag.	12	Kunz Carl.
Uhl.	12	Matić v. Dravodol Heinrich.

Reg.

1. Mai 1876.

Drag. 2 Clausnitz Richard.
„ 5 Buckl Richard.
Uhl. 1 Flesch Albin.
Drag. 13 Baić Peter.

22. Mai 1876.

Drag. 3 Grosse Friedrich (Res.).

1. November 1876.

Uhl. 13 Bilwin Boleslav.
Husz. 4 Kunzl Liborius.
Uhl. 13 Burckhardt von der Klee Franz Freih.
Drag. 11 Pollo Joseph.
„ 12 Stöckner Edl. v. Sturmau Alois.
Uhl. 2 Walleczek Franz.
„ 5 Skrinjar Mathias.
„ 2 Spiegel zum Diesenberg Curt Gf. (Res.).
Drag. 5 Thomas Victor.
Husz. 2 Thomae Adolph.
Drag. 8 Witanovsky Philipp.
Uhl. 3 Pokorny Carl.
Husz. 16 Sprecher v. Bernegg Arthur.
Uhl. 13 Czechowicz Johann Freih. v.
Husz. 14 Sołtész Bartholomäus.
„ 11 Heilingötter Otto (ü. c.) in der Mil.-Akad. zu Wr.-Neustadt.
„ 2 Hroch Anton.
Drag. 14 Wegr recte Weyr Eduard.
Uhl. 13 Nowak Franz.
Husz. 11 Schmidt Coloman.
„ 1 Antal Lorenz, ○1.
Leibgarde-Reiter-Escadron. Rohan Alain Prinz, Durchlaucht.
Drag. 10 Jabłoński Hippolyt.
Husz. 3 Toth Géza v.
Drag. 11 Pokorny Zdenko.
„ 3 Heiss Carl.
Husz. 16 Kandó de Egerfarmos Edmund.

Reg.

1. November 1876.

Uhl. 6 Boulles-Russig Joseph Freih. v.
Husz. 4 Radnitzký Eduard.
Drag. 9 Opačić Peter.
Husz. 14 Olleschnitzky Ludwig, ○ 2.
Uhl. 5 Gajšek Anton.
Husz. 16 Fekete Franz Freih. v.
„ 2 Gräser Joseph.
Uhl. 7 Kohsz Franz.
Husz. 7 Wiesspeiner Eug., MVK. (KD.).
Drag. 9 Zgórski Ladislaus.
Uhl. 7 Richter Anton.
Drag. 14 Rychnovsky Carl.
Husz. 8 Tesléry Johann.
„ 1 Leitgeb Johann.
Drag. 4 Polzer Maximilian.
Husz. 1 Desseö de Szt. Viszló Carl.
„ 10 Görgey de Görgö et Topporcz Aristides.
„ 12 Lessmann Franz.
Uhl. 5 Kotzian Heinrich, MVK. (KD).

1. Mai 1877.

Husz. 8 Jäger Emil.
Uhl. 5 Jovičić Alexander.
Husz. 8 Dębicki Michael.
„ 12 Schuster Hugo.
Uhl. 6 Forgatsch v. Forgatsch Michael Freih. (ü. z.) beurl.
Drag. 8 Prevóst Ferdinand.
„ 6 Oxenbauer Adolph.
Uhl. 11 Kościcki de Kościerze, Alexander Ritt.
Drag. 5 Hohenwarth zu Gerlachstein Hugo Gf.
Uhl. 3 Kunkel Johann.
Husz. 4 Kummer Heinrich (ü. c.) zug. dem Generalstabe.
„ 1 Máriássy de Markus et Batiszfalva Ladislaus.

Reg.

1. Mai 1877.

Drag. 2 Unterrichter v. Rechtenthal Ernst Freih.
„ 5 Marno Ludwig (Res.).
„ 4 Pechmann v. Massen Anton Ritt.
Husz. 14 Szilassy de Szilas et Pilis Otto.
Drag. 9 Iskierski Julius.
Uhl. 12 Jovanović Johann.
Husz. 11 Krill Franz.
„ 5 Hauschka v. Treuenfels Julius, ÖFJO-R.
Drag. 13 Voitl Leopold.
Husz. 5 Szilvinyi Géza v.
Drag. 14 Khevenhüller-Metsch Alfred Gf.
Husz. 13 Rupprecht v. Virtsolog Heinrich.
„ 8 Karger Wilhelm.
„ 11 Hauer Leopold Freih. v., ✝ (ü. c.) zug. dem Hofstaate Ihrer k. k. Hoheit der Erzherzogin Elisabeth.
Drag. 10 Ambrosi Friedrich (WG.).
Husz. 12 Uher Rudolph.
Drag. 7 Otto v. Ottenfeld Arthur Ritt.
Uhl. 5 Fleischer v. Kämpfimfeld Alois.
„ 7 Dolležil Otto.
Husz. 3 Henriquez Carl Ritt. v.
Drag. 9 Metzler Ludwig.
Uhl. 8 Schumann Anton.
Husz. 11 Slawik Joseph.
Uhl. 12 Berleković Johann.
Drag. 6 Belrupt-Tissac August Gf.
„ 1 Fritsch Alois.
„ 9 Kohoutek Wenzel.
Husz. 10 Némai Franz.
Uhl. 6 Daněk Stanislaus.
Drag. 3 Alberti de Poja Felix Gf.
„ 14 Thun-Hohenstein Franz Gf., ✝ (Res.).

(Gedruckt am 22. December 1878.)

Reg.

1. Mai 1877.

Husz. 6 Koch Ludwig.
Drag. 4 Schneider Ferdinand (ü. c.) zug. dem Generalstabe.
Husz. 8 Hottowetz Joseph.
Uhl. 8 Graff Vincenz Freih. v.
Drag. 9 Rotter Anton.
Uhl. 3 Froschmair v. Scheibenhof Carl Ritt.
Drag. 11 Mikolaschek Julius.
„ 14 Bragança, Dom Miguel Prinz de, königl. Hoheit.

3. October 1877.

Drag. 5 Brandenburger Friedrich.

1. November 1877.

Uhl. 6 Fuchs Clemens (Res.).
Husz. 8 Barcsay de Nagy Barcsa Victor.
„ 1 Rauscher Alexander.
Drag. 7 Fuchs Alois.
Husz. 5 Rottée de Romaroli Eduard.
Uhl. 2 Gadolla Clemens Ritt. v.
Drag. 5 Radetzky v. Radetz Theodor Gf.
Uhl. 11 Mayer v. Monte arabico Alfred Ritt.
Husz. 16 Enenkl Johann.
Drag. 1 Hennig Victor.
Husz. 10 Simonyi de Simony et Varsányi Dionysius.
Drag. 14 Jacob Ferdinand.
Husz. 2 Heydenreich Hermann.
„ 3 Gutt Wilhelm.
„ 3 Koch Wilhelm.
Drag. 6 Swoboda Emil (ü. c.) Personal-Adj. des FML. Gf. Thun-Hohenstein.
Husz. 3 Lorenz Robert.

Reg.

1. November 1877.

Drag. 8 Görtz Wilhelm Ritt. v.
„ 2 Botschan Franz.
Uhl. 3 Foser Adolph.
Drag. 1 Weinmann Emil.
„ 1 Bianchi Duca di Casa Lanza Felix Freih. v.
Husz. 12 Mylius Heinrich Freih. v.
Drag. 10 Mieling Ludwig.
„ 11 Wallisch Eduard Freih. v.
„ 12 Nalepa Friedrich Ritt. v.
„ 13 Czerny Erwin Ritt. v.
Uhl. 3 Chłędowski Casimir Ritt. v.
„ 4 Horodyński Zbygniew Ritt. v.
„ 1 Kulmer Heinrich Freih. v.
Husz. 4 Rohan Joseph Prinz, Durchlaucht.
Drag. 14 Lobkowitz Ferdinand Prinz v., Durchlaucht (Res.).
Uhl. 12 Zastavniković Leopold Ritt. v. (ü. c.) Personal-Adj. des FZM. Joseph Freih. v. Philippović.
„ 7 Souczek Joseph.
Drag. 10 Kleeberg Aemilian.
Uhl. 6 Düll Stephan.
Husz. 3 Walther Eduard.
„ 7 Seyff Franz.
Uhl. 6 Preu Carl Ritt. v.
Husz. 4 Horváth Julius v.
Drag. 13 Buzzi August.

1. Mai 1878.

Uhl. 12 Paragn Lucas.
„ 6 Fritz Victor.
Husz. 13 Heinrich Georg.
„ 12 Schäuer Alois.
„ 8 Manger v. Kirchsberg Friedrich.
„ 9 Nagy Ludwig v. (Res.).

Reg.

1. Mai 1878.

Uhl. 2 Klug Alfred.
Drag. 5 Wittmann Oskar.
„ 1 Dietl Anton.
„ 4 Gayer v. Ehrenberg Adolph Freih.
„ 6 Moser Julius.
„ 12 Arnold Peter (ü. c.) zug. dem Generalstabe.
Uhl. 2 Schmatzer Ferd.
Drag. 4 Dondorf Ferdinand Ritt. v.
Husz. 13 Ambró de Adamócz Géza.
„ 13 Kopal Wilhelm.
Uhl. 11 Wilczyński Wladimir Ritt. v.
Husz. 5 Wukellić Edl. v. Wukovgrad Theodor.
Drag. 8 Rauscher Martin.
Uhl. 11 Manasterski Anton Ritt. v.
„ 11 Ruebenbauer Albin.
Husz. 12 Vevér Carl Freih. v.
„ 10 Ivánka de Draskócz et Jordánföld Ladislaus (Res.).
Drag. 14 Holbach Emil v.
Husz. 12 Kubinyi de Felső-Kubiny Theodor.
Drag. 10 Brhel Johann.
Uhl. 13 Geringer v. Oedenberg Anton.
Drag. 9 Morgenstern Roman.
„ 11 Parizek Ernst.
„ 11 Görtz Franz Ritt. v.
Uhl. 2 Ambros Edl. v. Rechtenberg Alfred.
Drag. 6 Moese Edl. v. Nollendorf u. Jenstein Oskar Ritt.
Husz. 9 Szluka Friedrich.
„ 9 Pachner Oskar.
Drag. 14 Urban Franz.
Husz. 16 Siebenfreud Arthur.
„ 8 Szalay Edmund v.
Uhl. 3 Brzozowski Hippolyt Ritt. v.

Reg.

7. September 1878.

Uhl. 3 Eberle Otto.

15. September 1878.

Husz. 7 Mauthner Gustav
„ 7 Szathmáry-Király Paul
Drag. 11 Berks Lothar Ritt. v.
„ 1 Schuster Alfred Freih. v.
Uhl. 7 Stephanie Wilhelm
Husz. 7 Wehler Stephan, MVK. (KD.)
„ 14 Jankovich Julius v.
(Res.)
Drag. 7 Palitschek Edl. v. Palmforst Rudolph.
Uhl. 5 Fischer Anton.
Drag. 3 Herbert Eduard.
Uhl. 13 Graff Adolph.
Husz. 4 Brauneder Wilhelm.
„ 16 Horváth Béla v.
„ 6 Wenckheim Joseph Freih. v.
„ 4 Redlich Oskar.
„ 7 Joris Ludwig.
Uhl. 3 Hanl Edl. v. Kirchtreu Carl.
Leibgarde-Reiter-Escadron. Dürkheim-Montmartin Wolfgang Gf.
Husz. 9 Pallavicini Anton Markgraf.
„ 11 Török de Erdöd Alexander.
Uhl. 6 Wogkowsky v. Wogkow Carl Freih.
„ 5 Kurboss Georg.
„ 5 Druskovich Arthur (ü. c.) bei der Feld-Gendarmerie-Abth. der VII. Inf.-Trup.-Div.
„ 1 Mayr Victor.
Drag. 10 Baldini Carl.
Husz. 7 Tallián de Vizek Wilh., MVK. (KD.).
„ 3 Gentschik v. Gezova Eugen Ritt.

Reg.

15. September 1878.

Husz. 3 Bolza Béla Gf.
Drag. 7 Orsini und Rosenberg Eugen Gf.
Husz. 5 Bene Franz v.
Uhl. 11 Vetter Ludwig.
Husz. 13 Bombelles Alois Gf.
Drag. 9 Beyer Rudolph.
Husz. 2 Steinner-Göltl Adalbert.
Drag. 12 Cavriani Ladislaus Gf., ✠ (ü. c.) zug. dem Hofstaate Sr. k. k. Hoheit des Erzherzogs Friedrich.
Husz. 14 Zedtwitz Kuno Gf.
Drag. 5 Walther Carl.
Uhl. 2 Maya Robert (Res.).
Drag. 14 Fürstenberg Vincenz Landgraf.
„ 3 Taulow v. Rosenthal Emil Ritt.
Husz. 6 Sulkowski Ludwig Fürst.
„ 9 Worafka Theodor Ritt. v.
„ 1 Brezovay Andreas v.

1. November 1878.

Husz. 12 Liechtenstein Heinrich Prinz zu, Durchlaucht, JO-Justizritter (Res.).
„ 11 Papp Stephan.
Drag. 14 Cavriani Franz Gf.
Uhl. 11 Völckers Oskar.
Drag. 9 Wiszniewski Sigmund v.
Husz. 10 Szilvásy Martin v.
Drag. 4 Hornbostel Maximilian Ritt. v.
„ 4 St. Julien-Wallsee Arthur Gf.
Uhl. 2 Kallina Ernst
Drag. 3 Gerl Heinrich
Husz. 13 Melha Coloman
Uhl. 6 Kuenburg Walter Gf.
„ 5 Hora Joseph
(Res.)
„ 12 Miączyński Ladisl.
Drag. 14 Chalupa Joseph.

Reg.

1. November 1878.

Husz. 6 Zuna Edgar.
Uhl. 3 Quirini Adalbert.
„ 4 Hüller Carl.
Drag. 1 Paroubek Franz.
Husz. 3 Bethlen Ladislaus Gf.
Uhl. 5 Seeling v. Saulenfels Raim. Ritt.
Drag. 10 Kamptz v. Dratow Alfred.
Uhl. 4 Smolik Heinrich.
Husz. 10 Brandis Leopold Gf. von und zu.
Uhl. 8 Ennis v. Atter und Iveaghe Carl Freih.
Husz. 3 Fleischmann v. Theissruck Moriz.
„ 5 Gerstenberger Johann.
Uhl. 12 Ponz v. Engelshofen Theodor Ritt.
Husz. 7 Hellmer Edl. v. Kühnwestburg Ludwig.
Drag. 9 Kozurik Carl.
Uhl. 5 Mahr Ferdinand.
„ 13 Swogetinsky Carl Edl. v.
Husz. 16 Tajthy Stephan v.
Uhl. 13 Chwalibogowski Alexander Ritt. v.
Drag. 6 Wurmbrand-Stuppach Paul Gf.
„ 6 Welden-Grosslaupheim Wilhelm Freih. v.
Husz. 7 Schellerer Maximilian Freih. v.
Uhl. 2 Zwackh v. Holzhausen Otto Ritt.
Husz. 12 Josika v. Branyeska Gabriel Freih.
Drag. 10 Hellenbach-Paczolay Dionysius Freih. v.

1. December 1878.

Husz. 1 Gantzstuck v. Hammersberg Desiderius.

Lieutenants.

Reg.

5. April 1859 *).

Uhl. 12 Zobel zu Giebelstadt und Darstadt Ludwig Freih., ☩.

1. September 1861 *).

Husz. 5 Eltz Ludw. v.

10. Juni 1866 *).

Drag. 7 Aigner Paul.

13. Juni 1866 *.)

Husz. 6 Wurmbrand-Stuppach Joseph Gf.

15. August 1866 *).

Drag. 5 Orsini und Rosenberg Heinr. Fürst, Durchlaucht, ☩, erbliches Herrenhaus-Mitglied des Reichsrathes.

19. December 1869 *).

Uhl. 7 Bülow Alban Freih. v.

1. Jänner 1870 *).

Uhl. 3 Zhorski v. Zborže Wladimir Ritt.
Husz. 14 Bölöni Alexander.
„ 5 Toth de Börgöcz Emerich.
„ 3 Metall Otto.
„ 6 Dokus de Cabacsüd Julius.
„ 3 Milner Johann.
Drag. 3 Clement Emil.
„ 13 Schindler Alexand.

1. November 1870*).

Uhl. 8 Zedtwitz Utz Gf.

Reg.

1. Jänner 1871 *).

Drag. 13 Kottulinsky Adalbert Gf., ☩.
Uhl. 7 Derlik Gustav.
Husz. 4 Vietoris de Kiskowalótz Nikolaus.
Uhl. 7 Canal Gilbert Edl. v.
„ 4 Török Joseph Gf.
„ 4 Udrycki Alexander Ritt. v.

1. November 1871 *).

Husz. 11 Wetschl Casimir.
Drag. 13 Nostiz-Rhinek Erwin Gf.
„ 13 Tomssa Sylvester.
Husz. 16 Farkas Sigmund.
„ 7 Szábo Friedrich.
Drag. 5 Conrad Sigmund Freih. v., Dr.
Uhl. 7 Forner Eugen.
„ 11 Biringer Arthur.
Husz. 4 Jakabffy Emerich v.
Uhl. 6 Stillfried-Ratenicz Rudolph Freih. v.
Husz. 14 Brandis Clemens Gf.
Uhl. 7 Feyrer Johann v.
„ 7 Pernhofer Anton.
„ 4 Lanckoroński Zbygniew Gf.

1. November 1872 *).

Husz. 9 Grovestins Eduard Freih. v.
„ 10 Vay Abraham Gf.
„ 6 Láczay Julius v.
„ 3 Winter Johann.
„ 4 Granner Edmund.
Uhl. 1 Lützow Heinrich Gf.
Drag. 5 Mels - Colloredo Lisbordo Gf.
Uhl. 11 Kieszkowski Hyacinth Ritt. v.
Husz. 14 Markovics de Kis-Terpend Coloman.

Reg.

1. November 1872 *).

Husz. 6 Rugályi de Kis-Csoltó et Pelsőcz Béla.
„ 10 Miklos Ladislaus v.
„ 3 Stepanek Carl.
„ 2 Jvánka de Draskócz et Jordánföld Oskar.
Drag. 4 Westel Eduard.
Husz. 9 Beniczky Coloman v.
Drag. 10 Gesselbauer Otto, Dr.
Drag. 4 Ullrich Carl, Dr.
„ 13 Straubinger Peter.
„ 3 Fränzl v. Vestenek Otto Ritt.
Husz. 13 Brodszky Adalbert.
Drag. 9 Jezierski Stanislaus v.
„ 6 Herring Victor Freih. v.
Husz. 14 Paksy Joseph.
Uhl. 13 Rojewski Casimir.
Drag. 3 Wagner Ludwig v.
„ 5 Druschkovich Rudolph.
„ 4 Eiserle Gustav.
Uhl. 3 Ratzesberg Edl. v. Wartenburg Carl.
„ 1 Ratzesberg Edl. v. Wartenburg Ludw.
Husz. 2 Béldi v. Uzom Coloman Gf.
Uhl. 8 Halasz Theodor v.

1. Mai 1873 *).

Uhl. 4 Radba Ladislaus.
Husz. 14 Prónay Adrian Freih. v.
„ 16 Fabiny Franz v.

1. September 1873.

Husz. 2 Czetz Victor (WG.).

1. November 1873 *).

Husz. 10 Thomas Ernst.
„ 5 Vasquez-Pinos Alfred Gf.

---

*) Lieutenants in der Reserve.

Reg.

1. November 1873 *).

Drag. 8 Sunkel Otto.
" 14 Mayer Ernst.
" 7 Hersan Adalbert.
Husz. 15 Daublebsky v. Sterneck zu Ehrenstein Richard Freih.
Drag. 5 Fraydenegg-Monzello Otto Ritt. v., MVK. (KD.).
" 3 Springer Otto Freih. v.
" 5 Hauser Alfred.
Husz. 3 Tischler Dominik.
Uhl. 7 Radziwill Sergius Fürst.
Drag. 5 Hammer-Purgstall Heinrich Freih. v.
Husz. 6 Szávost Emil.
" 4 Freistädtler Wilhelm.
" 15 Berg Carl Freih. v.
" 7 Jarmulski Richard.
" 7 Schönwetter Victor.
" 2 Báthor v. Felsö-Bár Elemér.
" 1 Ronay de Kis-Zombor Béla.
Uhl. 11 Haller v. Hallenburg Joseph.
Husz. 13 Fischhof Eugen.
" 3 Bányay Eugen.
Uhl. 13 Rejski Czeslav Freih. v.
Husz. 13 Eiserle Maximilian.
Drag. 13 Ehrlich Adalbert.
Uhl. 1 Dibowski Wilhelm.
Drag. 4 Brandeis - Weikersheim Hermann.

1. Mai 1874 *).

Drag. 4 Zaunegger Joseph.
Uhl. 1 Stoiński Stanislaus Ritt. v.
Husz. 10 Hertelendy de Hertelend Emerich.
Husz. 16 Horodyński Stanislaus Ritt. v.

Reg.

1. September 1874.

Drag. 3 Dankl Victor.
" 2 Samz Eduard.
Husz. 2 Wanka Ludwig.
" 4 Csatth de Kozmatelke Ludwig.
" 12 Pokorny Edl. v. Fürstenschild Alois.
Uhl. 6 Hoffmann Friedrich.
" 7 Gärtler v. Blumenfeld Carl.
" 1 Brudermann Adolph Ritt. v.
Husz. 15 Udvarnoky de Kis-Jóka Alexander.
Drag. 9 Tarangul Demeter.
Husz. 11 Hauer Wilhelm Freih. v.
Drag. 13 Fischer Eduard.
Husz. 16 Orosz de Csicser Béla.
Drag. 4 Wiesauer Ferdinand.
Husz. 9 Rachoy Georg.

1. November 1874.

Uhl. 13 Poniński Leander Fürst.
Drag. 1 Prokopowicz Basilius.
Husz. 1 Rainer v. Lindenbüchl Jul. Ritt.
Uhl. 7 Jäkel Ladislaus.
Drag. 3 Henke Alexander.
" 5 Podjed Franz.
Uhl. 7 Haas Ferdinand.
Drag. 14 Urban Gustav.
Uhl. 12 Abele Vincenz Freih. v.
Husz. 15 Bassler Rudolph.
Uhl. 12 Selczy-Berski Georg v.
Drag. 6 Wagner Alois.
Husz. 13 Rohan Victor Prinz, Durchlaucht, ✠ (ü. c.) zug. dem Hofstaate Seiner k. k. Hoheit des Erzherzogs Ludwig Victor.
Uhl. 7 Eybner Adolph.

Reg.

1. November 1874.

Husz. 3 Schemel Edl. v. Kühnritt Géza.
Drag. 7 Orsini und Rosenberg Lothar Gf. (Res.).
" 7 Schröckinger-Neudenberg Erich Freih. v.
" 8 Nostitz-Rieneck Franz Gf.
Husz. 10 Orczy Seraphin Freih. v.
" 6 Boroviczényi Julius v.
Uhl. 7 Heussenstamm Anton Gf.
Husz. 16 Sebetić Raimund.

1. November 1874 *).

Drag. 12 Wiener v. Welten Alfred Ritt.
Husz. 2 Weber Gilbert.
Husz. 12 Kleibel Anton.
" 3 Pirkner Johann v.
" 8 Feige Theodor.
" 11 Popper Edl. v. Podhragy Alex.
" 11 Klimpl Emil, Dr.
Uhl. 2 Bees-Chrostin Johann Freih. v.
Drag. 7 Bondi Seraphin.
Husz. 16 Sváiczer Aladár v.
" 1 Sonnenberg Alfred v.
Drag. 2 Holenia Edmund.
Husz. 1 Ronay de Kis-Zombor Ernst.
Drag. 1 Latzel Emil.
Uhl. 13 Clary Manfred Gf.
Husz. 15 Hertelendy Joseph v.
Drag. 2 Zbořil Edmund.
Husz. 15 Preschern v. Heldenfeldt Robert Ritt.
Uhl. 12 Halper v. Szigeth Wladimir.
" 2 Sapieha Ladislaus Fürst.

---

*) Lieutenants in der Reserve.

Reg.

1. Mai 1875.

Drag. 1 Bukowky Michael Gf.
„ 5 Jokisch-Scheuereck Carl (WG.).
Husz. 12 Artois Johann (ü. z.) beurl.
Uhl. 6 Biber Carl.
„ 11 Delinowski Joseph.
Drag. 14 Parsch Carl.
Husz. 13 Dengler Joseph.
Drag. 14 Folliot de Crenneville Franz Gf.
Uhl. 8 Merz Franz.
Husz. 5 Mach Edl. v. Felsenhorst Ludwig.
„ 13 Leidenkummer Joseph.
„ 13 Rappel Eugen.
Drag. 9 Peters Anton.
„ 11 Dobrzański de Dobra Casimir Ritt.
Uhl. 5 Seewaldt Friedrich.
Drag. 13 Spallek Anton.
Husz. 14 Gorup v. Besanecz Oskar Freih.
Uhl. 13 Bernašek Joseph.
Husz. 5 Pászthory Edl. v. Pásztori Dionysius.
Uhl. 8 Enis v Atter und Iveaghe Franz Freih.
Drag. 1 Skala Carl.
Uhl. 5 Nagy de Kiſlegh Peter.
Husz. 9 Dolnay Ignaz.
Drag. 8 Roth Carl v.
Husz. 10 Bethlen Paul Gf. (Res.)
„ 9 Bardach Wolf, ⊙.
Drag. 12 Stummvoll Leop.
Uhl. 7 Chomicki Ferd.
Husz. 7 Lösch Joseph.
Uhl. 13 Krzyżanowski Edmund
Drag. 2 Jelinek Joseph.
Husz. 1 Deschan v. Hannzen Arthur Ritt. (ü. c.) zug. der Gestüts-Branche.
Uhl. 7 Hoffmann Valerian.
„ 5 Berković Carl v.

Reg.

1. Mai 1875.

Husz. 14 Kolouch Joseph.
„ 5 Pfeiffer Julius.
„ 16 Kahler Johann.
Uhl. 3 Löffler Friedrich.
Drag. 13 Palm Ernst Freih. v.
Uhl. 12 Iskra Stephan (ü. c.) zug. der Gestüts-Branche.
Drag. 10 Matzner Carl.
Uhl. 11 Luy Eduard.
Husz. 16 Zlatko Georg (WG.).
„ 12 Weber Eugen.
„ 5 Treitz Wenzel.
„ 10 Waldegg Hermann Freih. v.
„ 8 Miticzky Coloman v.
„ 3 Bágya Franz v.
„ 6 Dadányi de Gyülvész Ludwig.
Drag. 3 Haydn von und zu Dorff Sigm. Ritt.
Uhl. 6 Odkolek v. Augezd Adolph Freih.
Husz. 6 Podmaniczky Béla Freih. v.
Uhl. 12 Kulmer Ludwig Gf. (Res.).

1. September 1875.

Uhl. 8 Hubrich Alexander.
„ 8 Carina Alexander v.
Drag. 3 Fromm Ferdinand Freih. v.
Husz. 7 Mach Friedrich.
Drag. 4 Böhm Eduard.
„ 1 Pflanzer Carl.
„ 4 Weber v. Ebenhof Oskar Ritt.
Husz. 16 Csicsery Géza v.
Uhl. 7 Koppens Julius v.
Husz. 16 Fényes Julius.
„ 2 Kornitz Ferdinand.
„ 13 Suhay Erwin v.
Drag. 7 Král Carl.
„ 6 Weber Maximilian Freih. v.
Husz. 12 Riegler Joseph v.
Drag. 13 Milner Friedrich.
„ 12 Prager Leopold.

Reg.

1. September 1875.

Drag. 2 Giesl v. Gieslingen Arthur Ritt.
Husz. 5 Szontágh Arthur.
Drag. 6 Lehmann Georg.
„ 3 Lilien Maximilian Freih. v.
„ 13 Schnehen Wilhelm Freih. v.
Husz. 14 Tarjányi Achatius v.
Drag. 8 Kühne Anton.
„ 5 Kirchbach Carl Freih. v.
Husz. 4 Cappy Albert Gf.
Drag. 2 Ganahl August Ritt. v.
Husz. 3 Henriquez Heinrich Ritt. v.
Uhl. 5 Gyurits v. Vitesz-Sokolgrada Belisar.
„ 7 Schudawa Carl.
„ 5 Dvořák Victor.
Husz. 4 Vécsey de Hainácskő Béla Freih.
Uhl. 4 Spindler Adolph.
„ 13 Woitischek Carl.
Husz. 12 Breymann Edl. v. Schwertenberg Gustav.
Husz. 15 Knopp v. Kirchwald Franz.
Uhl. 3 Eigl Franz.
Husz. 15 Hoyer Matthäus.
Uhl. 2 Heimbach Alexander.
„ 13 Swogetinsky Wilhelm Edl. v.
Uhl. 11 Klemensiewicz Ignaz.
Drag. 12. Mederer v. Mederer und Wuthwehr Conrad.

1. November 1875.

Drag. 8 Nowotny Maximilian
Uhl. 2 Cetnerski Constantin Ritt. v.
Husz. 11 Wallis Freih. auf Carighmain Georg Gf.

Reg.

1. November 1875.

Drag. 10 Allram Lothar Ritt. v.
Husz. 14 Engel v. Mainfelden Friedrich Ritt. (Res.).
„ 14 Breda Victor Gf.
Uhl. 11 Brykczyński Joseph Ritt. v. (ü. z.) beurl.
„ 12 Lachowicz Alexand.
Drag. 13 Weber v. Ebenhof Alfred Freih.
Drag. 8 Marschall Maxim. Gf.
Uhl. 11 Matczyński Casimir Ritt. v.
Drag. 6 Bamberg Joseph Freih. v.

1. November 1875 *).

Drag. 3 Beck Maximilian.
„ 13 Regner v. Bleileben Edmund Ritt.
Drag. 10 Neuberth Eduard.
Uhl. 12 Szitanyi Edmund v.
Husz. 12 Vidovich Anton v.
„ 9 Bánfay Joseph.
Uhl. 1 Brunner v. Wattenwyl Carl.
Drag. 9 Woracziczky Heinrich Gf.
Uhl. 12 Appl Johann
Husz. 15 Stephan Friedrich.
Drag. 8 Schönborn Adalbert Gf.
Uhl. 5 Keil Julius.
„ 12 Coudenhove Carl Gf.
Husz. 16 Rickl Julius.
Uhl. 5 Neumann Carl.
„ 12 Böck Eugen.
Husz. 8 Coppini Franz. Ritt. v.
„ 9 Ulm Franz Freih. v.
Uhl. 11 Poniński Alexander Fürst.
„ 7 Traszewski Casimir Ritt. v.
Husz. 12 Spannraft Franz.
Uhl. 4 Markiewicz Eugen.
Drag. 11 Ludwigstorff Rudolph Freih. v.
Uhl. 13 Borkowski Adalb.

Reg.

1. Mai 1876.

Husz. 7 Kovanda Franz.
Drag. 8 Landsteiner Hermann.
„ 13 Nostiz-Rhineck. Heinrich Gf.
Uhl. 13 Stojowski Johann Ritt. v.
Drag. 5 Boteler Eduard.
„ 11 Hessler Wilhelm.
Husz. 10 Rónay de Zombor Ludwig (ü. z.) beurl.
Drag. 10 Ussar Ludwig.
Uhl. 1 Larisch Georg Gf. (Res.).
Leibgarde-Reiter-Escadron. Solms-Braunfels Alexander Prinz, Durchlaucht.
Husz. 8 Scheff Carl.
Uhl. 6 Steiger - Münsingen Albert Freih. v.
„ 6 Dora Georg.
„ 5 Mieroszowski v. Mieroszowice Joh. Gf.
Husz. 5 Máriássy de Markus et Batiszfalva Attila.
Drag. 4 Drexler Joseph, Dr. d. R.
„ 5 Schranzhofer Adolph.
Husz. 15 Széchényi de Sárvár-Felsővidék Carl Gf.
„ 13 Kopal Carl.
Drag. 9 Balianu Elias.
„ 7 Slaby Richard.
Uhl. 4 Thymann Gustav.
Drag. 13 Gemmingen Hermann Freih. v.
Husz. 4 Bolza Géza Gf.
Uhl. 1 Coudenhove Franz Gf.
Husz. 9 Müller Alexander.
„ 4 Niebauer Wilhelm.
„ 14 Adler Julius.
„ 1 Radossevich v. Rados Ludwig Freih.

Reg.

1. Mai 1876.

Uhl. 8 Hofmann Adolph.
Drag. 10 Planner Julius.
Uhl. 4 Swoboda Heinrich.
„ 5 Vučković Avelino.
Drag. 8 Korber Heinrich.
„ 9 Neronowicz - Baworowski Valerian (ü. z.) beurl.
„ 1 Risch Heinrich v.
Husz. 12 Goëss Anton Gf. (ü. c.) zug. der Leibgarde-Reiter-Escadron.
Drag. 14 Goebel Alfred Edl. v.
Husz. 11 Woracziczky Johann Gf.
Uhl. 4 Lebert Johann.
„ 13 Bayer v. Bayersburg Robert.
„ 12 Schreiner Emanuel.
Husz. 9 Hunkár Dionysius v. (Res.).
„ 1 Dadányi de Gyülvész Alexander.
Uhl. 6 Görig Joseph.
Drag. 13 Buquoy Carl Gf. (Res.).

1. September 1876.

Uhl. 3 Rohr Franz.
Drag. 6 Krzisch Coloman Ritt. v.
„ 11 Henike Richard.
Husz. 10 Kolossváry de Kolosvár Desiderius.
„ 1 Povolny Adolph.
„ 3 Bartuska v. Bartavár Maximilian.
Uhl. 4 Skarzynski Fortunat Ritt. v.
Drag. 9 Szaszkiewicz Theodor.
Husz. 7 Ettingshausen Sigmund v.
Drag. 5 Woinovich August v.
Uhl. 8 Acht Emil.
„ 13 Zaremba Edmund Ritt. v.

*) Lieutenants in der Reserve.

Reg.

1. September 1876.

Uhl. 12 Huschek Alexander.
„ 11 Klemensiewicz Johann.
Husz. 4 Peteani v. Steinberg Arthur Ritt.

1. November 1876.

Drag. 13 Hanel Carl.
Uhl. 12 Zastavniković Alexander Ritt. v.
Husz. 15 Baselli v. Süssenberg Adolph Freih.
Drag. 10 Köhler Edl. v. Dammwehr Adolph.
„ 14 Schwarz Carl.
Uhl. 11 Zagórski Severin Ritt. v.
Drag. 14 Hertrich Friedrich.
Husz. 9 Hodászy Nikolaus v.
„ 10 Albrecht Ernst.
Drag. 13 Geusau Carl Freih. v.
„ 4 Halbaerth Adolph.
„ 5 Schrey v. Redlwerth Victor.
Husz. 8 Wallaschek Ernst.
Uhl. 3 Plater Constant. Gf.
Husz. 15 Zedtwitz Hugo Gf., ✝
Drag. 12 Anisch Wenzel.
„ 1 Panigai Jakob Conte de (Res.).
Husz. 3 Toldalagi Tibor Gf.
Drag. 4 Groterjahn August.
Uhl. 13 Konarski Heinrich Gf. (Res.).
Drag. 4 Korber Eugen.
„ 3 Vogelsang Christian Freih. v.
Uhl. 11 Krechowiecki Stanislaus Ritt. v. (WG.)
Drag. 3 Teufel Jakob.
Husz. 11 Rummerskirch Zdenko Gf.
Drag. 7 Orczy Joh. Freih. v.
Husz. 4 Szabadhegyi de Csallóköz - Megyerts Zoltán.
Drag. 7 Orsini und Rosenberg Arthur Gf.

Reg.

1. November 1876.

Drag. 5 Hoffinger Carl Ritt. v.
Husz. 6 Sulkowski Alexander Fürst.
Drag. 8 Lamberg Hugo Gf.
Husz. 12 Wass Olivier Gf.
Drag. 10 Baselli v. Süssenberg Wilh. Freih.
„ 12 Belnay Arthur v.
Husz. 6 Goldschmiedt Richard.
Uhl. 2 Pisulinski Johann.

1. November 1876 *).

Husz. 9 Montenuovo Alfred Fürst v.
Uhl. 3 Franckel Oskar.
Drag. 13 Kallina Ludwig.
Uhl. 11 Junosza-Jankowski Jakob Ritt. v.
Husz. 12 Wysocki Stanislaus.
Uhl. 3 Pachta Felix Gf.
Drag. 1 Clam-Gallas Franz Gf.
Husz. 11 Docteur Prosper Freih. v.
„ 12 Huber Friedrich.
„ 12 Werthner Rudolph.
Drag. 12 Gudenus Gabriel Freih. v.
„ 1 Priebsch Richard.
Uhl. 1 Vetter von der Lilie Moriz Gf.
Drag. 13 Kolowrat Leop. Gf.
Uhl. 1 Freyberg v. Haldenwang Maximil. Freih.
Drag. 5 Fellner v. Feldegg Robert Freih.
„ 2 Huyn Rudolph Gf.
„ 5 Müller Eugen.
„ 14 Kodolitsch Oswald Edl. v.
Uhl. 6 Hamm Paul Ritt. v.
Drag. 6 Pražak Jaroslav.
„ 5 Fischer v. Aukern Wilhelm.
Uhl. 11 Skarbek-Kruszewski Vincenz Ritt. v.

Reg.

1. November 1876 *).

Drag. 8 Keil Eduard.
Uhl. 3 Wolski Marian Ritt. v.
Husz. 14 Csóka Joseph.
Uhl. 6 Altmann Joseph.
„ 6 Kinsky zu Wchinitz u. Tettau Rudolph Gf.
Drag. 2 Miklosich Franz Ritt. v.
„ 14 Seilern-Aspang Carl Gf.
„ 12 Auersperg Leop. Gf.
Uhl. 1 Schaffgotsche Levin Gf.
Husz. 6 Pilz Carl.
„ 5 Latinovits Ernst v.
Uhl. 3 Micewski Alexander Ritt. v.
„ 11 Lewicki Peter.
Drag. 2 Pinschof Carl.

1. Mai 1877.

Husz. 8 Schreitter v. Schwarzenfeld Adolph Ritt. (ü. z.) beurl.
Uhl. 11 Anthony v. Siegenfeld Alfred Ritt.
Uhl. 11 Veith Joseph
„ 12 Milaković Paul.
„ 12 Thomann Julius.
„ 6 Muschke Rudolph.
„ 8 Trenkle Adolph.
Husz. 4 Hegeler Gustav.
Drag. 2 Schulz-Leitershofen Chlotar.
Uhl. 1 Popowski Joseph.
Drag. 12 Barisch Joseph.
Husz. 1 Obermüller Hugo.
„ 8 Apór de Al-Tórja Samuel Freih.
„ 10 Bartal de Belebáza Béla.
Drag. 5 Hohenbühl Hans Freih. v.
„ 8 Konečny Johann.
„ 10 Czaderski Carl Ritt. v.

---

*) Lieutenants in der Reserve.

Reg.

1. Mai 1877.

Drag. 6 Petschig Alexander.
Uhl. 6 Pačanda Wenzel.
Drag. 9 Frey Johann.
„ 10 Załęski Ladislaus Edl. v.
Husz. 11 Kematmüllner Heinrich (ü. c.) zug. dem Mil. - Fuhrw. Corps.
Uhl. 8 Komarnicki Boleslav.
Drag. 12 Skrbensky v. Hrzischye Maximilian Freih. v.
„ 9 Werner Johann.
Uhl. 8 Gross Victor.
Husz. 5 Schlauch Curt.
Uhl. 5 Ruiz de Roxas Eugen Chev.
„ 5 Kovačić Nikolaus, MVK. (KD.).
Drag. 13 Arenstorff Bruno Ritt. v.
„ 13 Mendelein Wilhelm.
Husz. 9 Elek Ludwig.
„ 14 Miováczy Michael (ü. e.) zug. dem Mil.-Fuhrw.-Corps.
Drag. 4 Dischendorfer August.
Husz. 5 Vajda de Rába-Bogyoszló et Zala-Kopány Alexius.
Uhl. 6 Oberländer Hermann Freih. v.
Drag. 3 Thurn-Valsassina Ludwig Gf.
Husz. 13 Gaisin Georg.
„ 7 Claisen Franz.
Drag. 11 Wallisch Cornelius Freih. v.
„ 6 Schönfeld Friedr. Freih. v.
Husz. 14 Beckers zu Westerstetten Friedr. Gf.
Drag. 10 Goldegg und Lindenburg Conrad von und zu.
Uhl. 12 Fritsche Victor.
Husz. 2 Visegrády Adalb.

Reg.

1. Mai 1877.

Uhl. 3 Harnoncour-Unverzagt Felix Gf., JO - Justizritter (WG.).
Husz. 6 Fischer de Nagy-Szalatnya Ludwig Freih.
„ 7 Baar Nikolaus.
Uhl. 11 Ziemblice-Bogusz Anton Ritt. v.
Drag. 2 Bäck Friedrich.
„ 9 Eckardt Leopold.
Husz. 4 Thurn-Valsassina Franz Gf.
Drag. 9 Innerhofer v. Innhof Franz.
Uhl. 13 Löfler Carl.
„ 4 Tokarski Adalbert.
„ 7 Łącziński Cas. Ritt. v.
„ 1 Rodt Gottfried v.
„ 8 Fröhlich v. Salionze Hugo Freih.
„ 1 Zwilling Adolph.
„ 3 Heidmann Arthur.
„ 6 Pivnitzka Wilhelm.
„ 12 Falkner Ludwig.
Husz. 8 Molnár Arthur v.
Drag. 1 Dabsch Heinrich (ü. c.) zug. dem Mil.-Fuhrw.-Corps.
Uhl. 4 Kowarz Joseph (ü. c.) zug. dem Mil.-Fuhrw.-Corps.
Husz. 15 Füg Stephan.
„ 2 Römer v. Ravenstein Carl.
Drag. 8 Schima Carl (Res.).

1. Juli 1877 *).

Drag. 1 Wrany Hugo.
Uhl. 4 Kürthy Ludwig v.
Husz. 2 Mittelmann Felix.
„ 11 Wallis Freih. auf Carighmain Jos. Gf.
Drag. 6 Finger Victor.
„ 4 Fritsch Justin.
Husz. 7 Heintschel Felix.
„ 10 Brüll Wilhelm.
Uhl. 8 Kapiszewski Julian.

Reg.

1. Juli 1877 *).

Drag. 12 Welzel Julius.
Husz. 10 Fribeisz Nikolaus.
Drag. 12 Driancourt Stanislaus.
„ 14 Lexa v. Aehrenthal Felix Freih.
Husz. 7 Eszterházy Nikolaus Prinz, Durchlaucht, MVK. (KD.).
„ 16 Szunyogh Peter v.
Uhl. 4 Herberstein Jos. Gf.
„ 14 Szunyogh Lorenz v.
Drag. 7 Kordik Franz.
„ 6 Grimm Ludwig.
„ 2 Czernin v. Chudenitz Eugen Gf.

1. September 1877.

Drag. 8 Tersztyanszky v. Nadass, Carl.
„ 2 Augustowski Julian.
„ 1 Froreich Ernst.
„ 4 Korda Ignaz Edl. v.
„ 3 Smutny Rudolph.
„ 13 Dahlen v. Orlaburg Franz Freih.
„ 5 Hausner Achilles.
Uhl. 2 Krauszler Rudolph.
Husz. 15 Medvey Arthur v.
Uhl. 3 Neusser Ladislaus.
„ 7 Lubich Victor.
„ 6 Istler Gustav Edl. v.
Husz. 11 Marklowsky v. Pernstein Johann.
Uhl. 8 Brückner Franz.
Husz. 10 Baumayer Alois.
Drag. 12 Hilvety Arthur.
„ 5 Lebzeltern Heinrich Freih. v.
Husz. 4 Bekeffy v. Salóvölgy Franz.
Drag. 7 Abele Alphons Freih. v.
Husz. 1 Kokanović Franz.

3. September 1877.

Drag. 8 Koller August Freih. v.

*) Lieutenants in der Reserve.

Reg.

1. November 1877.

Drag. 9 Fleischer Franz.
Uhl. 11 Hugl Carl.
" 12 Schönett Franz.
Husz. 1 Reményik Steph. v.
Drag. 11 Joffe Martin.
Husz. 4 Szegedy-Ensch Alexander Freih. v.
Drag. 4 Loimann Victor.
Husz. 1 Bissingen-Nippenburg Ferdinand Gf.
Drag. 3 Conrad v. Eybesfeld Friedr. Freih.
" 14 Coudenhove Conrad Gf.
Husz. 6 Schell v. Bauschlott Alexander Freih.
" 2 Ebersberg Alfred.
Drag. 8 Hoditz u. Wolframitz Ludwig Gf.
Husz. 12 Ramming v. Katzinger August (WG.).
Uhl. 1 Brzozowski Arthur Edl. v.
Husz. 12 Pronay Stephan v.
" 14 Pulz Victor.
" 2 Bornemisza Gabriel Freih. v.
" 6 Bissingen-Nippenburg Rudolph Gf.
Uhl. 6 Mihanovich Joseph.
Drag. 2 Tränkel Arthur.
" 10 Ofenheim v. Ponteuxin Carl Ritt.
Husz. 15 Scarpa Paul Ritt. v.
Drag. 12 Przyborski Ludwig.
" 10 Zakrzewski Ignaz.
Husz. 1 Beniczky Attila v.
Drag. 7 Przyborski Georg.
Uhl. 12 König Eduard.
" 3 Melisch Anton.

1. November 1877 *).

Drag. 6 Maroičić di Madonna del Monte Ambros Freih.
Husz. 10 Széky Peter v.
Drag. 2 Theuer Julius.

Reg.

1. November 1877 *).

Drag. 5 Kuhn v. Kuhnenfeld Otto Freih.
" 5 Langer v. Podgoro Franz Ritt.
" 10 Fiedler Richard.
" 11 Eichinger Franz.
Husz. 13 Seitz Eduard.
Drag. 10 Moll Victor.
Uhl. 6 Messey de Bielle Carl Gf.
Drag. 14 Eberle Edgar.
Husz. 6 Hammerstein-Gesmold Arnold Freih. v.
" 1 Kazy Joseph v.
" 10 Bartal de Beleháza Aurel.
" 13 Hajós Joseph v.
Drag. 1 Loimann Alfred.
Husz. 6 Andrássy v. Csik-Szent-Király und Kraszna-Horka Theodor Gf.
Drag. 3 Gstirner Adolph.
Husz. 2 Pap Wolfgang v.
" 2 Stefanović Constantin.
Drag. 1 Auersperg Franz Prinz, Durchlaucht.
" 14 Gerblich Johann.
" 7 Latzl Richard.
Husz. 15 Batthyány Sigmund Gf.
Uhl. 2 Breyer Otto.
Husz. 4 Pescha Alexander.
Uhl. 3 Höfken Heinrich v.
" 4 Lipski Carl Ritt. v.
Drag. 9 Pöck Rudolph.
Husz. 11 Hubatka Ludwig.
Drag. 9 Stöhr Carl.
" 14 Theuer Carl.
" 8 Faber Felix Ritt. v.
Uhl. 6 Poduschka Carl.
Drag. 2 Lang Heinrich.
Husz. 5 Andrássy v. Czik-Szent-Király und Kraszna-Horka Géza Gf.
" 16 Zielinski Ladislaus Ritt. v.

Reg.

1. November 1877 *).

Drag. 8 Werndl Joseph.
Uhl. 3 Sizzo-Noris Christoph Gf.
" 4 Stadnicki Eduard Gf.
" 1 Krzyżanowski Ladislaus.
" 5 Hiller Wilhelm.
" 2 Logothetty Alfred Gf.
Drag. 4 Brandeis Ludwig.
Uhl. 2 Sigl Gustav.
Drag. 12 Hohenwart zu Gerlachstein Lothar Gf.
Husz. 6 Eidlitz Otto.
Uhl. 8 Ostrożyński Ladislaus.
Drag. 1 Budinsky Joseph.
Husz. 5 Huszár Paul.
" 6 Rogendorf Andreas Gf.
Drag. 12 Blaschka Ludwig.
" 7 Knaf Adolph.
Husz. 11 Wolkenstein-Trostburg Engelhardt Gf.
" 12 Latinovits Paul v.
Drag. 9 Del Cott Carl.
" 12 Dobrzensky v. Dobrzenitz Anton Freih.
" 8 Lilgenau Carl Freih. v.
" 4 Suttner Rudolph Freih. v.
Husz. 7 Förster Aurel.
" 1 Schaller Joseph.
Uhl. 13 Sozański Alexander Ritt. v.
" 13 Jakubowski Franz.
" 1 Stojałowski v. Sternberg Stanislaus Ritt.
" 5 Mladek Ottokar.
Drag. 1 Schwarz Richard.
Husz. 7 Förster Otto.
" 15 Schweighofer Philipp.
" 8 Tax Franz.

---

*) Lieutenants in der Reserve.

Reg.		
		1. November 1877 *).
Drag.	10	Baselli v. Süssenberg Carl Freih.
Uhl.	2	Jarosz Thaddäus.
Drag.	11	Gellinek Gustav.
Husz.	1	Bánhidy Anton Freih. v.
"	3	Hubaček Joseph.
"	10	Windisch-Graetz Hugo Prinz zu, Durchlaucht.
Drag.	11	Noltsch Franz.
"	11	Wimmer Alfred Freih. v.
		1. Mai 1878.
Drag.	5	Wydenbruck Christoph Gf.
Uhl.	3	Stahl Carl Ritt. v.
"	11	Abrahamowicz Christoph Ritt. v.
Drag.	1	Wenke Ernst.
Husz.	13	Cordier v. Löwenhaupt Franz.
Uhl.	6	Thierrý Joseph v.
Husz.	14	Dorsan Alexander.
Drag.	14	Zedtwitz Alfred Gf.
"	7	Zbořil Ludwig.
Husz.	12	Sponer Alexander v.
Husz.	16	Schweikofsky Gustav.
Uhl.	7	Schlögel Joseph.
Husz.	7	Jurenak Albert.
Drag.	9	Horny Alois.
"	14	Schönfeld Heinrich Gf.
"	2	Babo Theodor.
"	5	Mathis Joseph.
Husz.	4	Stocklassa Ludwig.
"	13	Gruber Ludwig.
"	8	Goldegg u. Lindenburg Paul von und zu.
Drag.	12	Kučera Alois.
Uhl.	11	Baczyński v. Leskowicz Raimund Ritt.
Husz.	15	Schwarz Eduard.
Uhl.	11	Fischer Julian.
Drag.	11	Lux Johann.
Husz.	2	Bartheldy Ludw. v.

Reg.		
		1. Mai 1878.
Uhl.	5	Durmann Adam.
Drag.	12	Beinhauer Johann.
"	8	Hruby Joseph.
Husz.	14	Schönberger Bruno Freih. v.
Drag.	12	Swoboda Franz.
Husz.	8	Ziegler Franz.
"	9	Keller Anton.
Drag.	12	Beneš Wenzel.
Husz.	10	Tóth-Csáfordy Elemér.
Drag.	1	Wondráczek Conrad.
Husz.	1	Krzyzanowski Alphons.
Drag.	6	Matějka Franz (ü. c.) zug. dem Mil.-Fuhrw.-Corps.
"	13	Regner v. Bleileben Johann Ritt.
Uhl.	1	Hahnenkam Ernst.
Drag.	4	Marschall Julius Freih. v.
Uhl.	1	Coudenhove Carl Gf.
"	1	Vetter von der Lille Ferdinand Gf.
Drag.	14	Schönburg-Hartenstein Alois Prinz, Durchlaucht.
"	14	Auersperg Engelbert Prinz, Durchlaucht.
"	8	Baumann Victor.
Uhl.	2	Felner von der Arl Egon.
"	4	Past Victor Ritt. v.
Drag.	9	Papp-Árpássy de Alsó-Árpáss Wladimir.
Uhl.	4	Past Felix Ritt. v.
Drag.	8	Leonhardi Theodor Freih. v.
Uhl.	4	Schadlbauer Adolph.
Drag.	2	Kronenberg Robert Freih. v.
Uhl.	3	Lesonitzky Richard.
Husz.	5	Krascsenits Edl. v. Töbör-Ete Árpád.

Reg.		
		1. Mai 1878.
Uhl.	1	Raczyński Boleslaus v.
Husz.	2	Knoreck Hannibal Edl. v.
"	2	Gablenz-Eskeles Heinrich Freih. v.
Uhl.	3	Thurn-Valsassina Adolph Gf.
Husz.	13	Podmaniczky Julius Freih. v.
Drag.	13	Fleissner Freih. v. Wostrowitz Ernst.
"	3	Bylandt-Rheidt Anton Gf.
Husz.	11	Rieger Wilhelm.
Uhl.	5	Ruiz de Roxas Ernst Chev.
Drag.	1	Lobkowitz Zdenko Prinz v., Durchlaucht.
Husz.	9	Flesch Rudolph.
"	9	Lónyay de Nagy-Lónya et Vásáros-Námény Alexander.
"	12	Boxberg Victor Freih. v.
Drag.	6	Falkenhayn Moriz Gf.
Uhl.	12	Gibara Georg.
		1. September 1878.
Husz.	13	Kaffka Joseph.
Drag.	5	Appl Alois (ü. c.) zug. dem Mil.-Fuhrw.-Corps.
"	6	Jenko Oskar.
"	4	Pöck Joseph.
Uhl.	8	Rohr Carl.
Husz.	14	Appel Eugen Freih. v.
Drag.	11	Hanikýř Emanuel.
"	10	Müller Arthur.
"	1	Koller Victor.
"	7	Flick Moriz Ritt. v.
"	5	Welschan Gustav.
Uhl.	11	Sidorowicz Michael.
"	4	Dutkiewicz Anton.
Husz.	11	Krautil Ljubomir.
Uhl.	7	Roller Johann.
Drag.	6	Ostermuth Johann.
Husz.	13	Nagy Alexius.

*) Lieutenants in der Reserve.

Reg.

1. September 1878.

Uhl. 1 Schilling Johann.
Drag. 8 Smutny Carl.
Husz. 1 Máriássy de Markus et Batiszfalva Béla.
Uhl. 3 Wiederwald Emil v.

7. September 1878.

Husz. 4 Bethlen Aladár Gf.

15. September 1878.

Uhl. 12 Sturm Johann.
Drag. 8 Jaksch Wilhelm.
Husz. 12 Blaskovits Wilhelm.
Uhl. 6 Pankratz Carl.
„ 2 Brosig Franz.
„ 2 Romer de Chyzów Stephan Ritt.
Drag. 13 Thun-Hohenstein Felix Gf.
Drag. 3 Ramsch Adolph.
Uhl. 5 Mervoš Georg, ○1., ○2.
„ 6 Maczak v. Ottenburg Carl.
Drag. 11 Dydiński Edl. v. Martýnowicz Constantin.
„ 13 Diesbach Georg Gf.
Uhl. 4 Pruszyński Stanislaus Ritt. v.
„ 2 Ehrenburg Friedr. Freih. v.

Reg.

15. September 1878.

Husz. 3 Szilágyi Johann.
Uhl. 7 Mićewski Sigmund.
Husz. 11 Wenckheim Franz Gf.
„ 15 Pallavicini Béla Markgraf.
„ 8 Schwer Otto.
„ 11 Huszár-Kövesd Carl Freih. v.
„ 8 Sedlák Ottokar, ○2.
„ 11 Washington Georg Freih. v.
„ 4 Eszterházy Franz Gf.
Drag. 14 Thun-Hohenstein Maximilian Gf.
Husz. 6 Pereira-Arnstein Adolph Freih. v. (Res.).

1. November 1878.

Drag. 10 Lindinger Adolph.
Husz. 12 Házay Julius.
Drag. 7 Knobling Peter.
Husz. 12 Jamborffy Adalbert.
Drag. 6 Baumann Adalbert.
Uhl. 13 Zubrzycki Joseph Ritt v.
Husz. 10 Kutra Joseph.
„ 2 Merhal Ernst.
„ 9 Jaderny Otto.
„ 10 Pekáry v. Zebegnyö Emerich.

Reg.

1. November 1878.

Drag. 12 Kamptz v. Dratow Hermann Ritt.
„ 5 Loserth Gustav.
Uhl. 7 Kuhn Gustav.
Drag. 5 Weichs an der Glon Heinrich Freih. v.
Uhl. 13 Bülow Heinrich.
Drag. 2 Fortner Joseph.
Uhl. 5 Bothmer Adalbert Freih. v.
Husz. 5 Otschinek v. Karlsheim Carl.
„ 5 Schiller Alexander.
„ 9 Oswald Richard.
„ 14 Villani de Castello Pillonico Joseph Freih.
„ 10 Püspöky v. Legyes-Benye Gratian.
Uhl. 1 Kaiser Albert.
„ 3 Heussenstamm Heinrich Gf.
Drag. 6 Maurig v. Sarnfeld Richard Ritt.
Husz. 9 Mollnár Johann v.

1. December 1878.

Husz. 9 Bendik Stephan.
„ 14 Képes Joseph.
„ 12 Steinbach de Hidegkút Aurel.

Cadeten.

Reg.

12. April 1869.

Drag. 4 Hacke Rudolph Freih. v. (Res.).

1. November 1871.

Drag. 14 Knapp Rich. (Res.).

1. November 1872.

Drag. 3 Schwentner Joseph (Res.).

1. November 1873.

Husz. 10 Dvorzak Vict. (Res.).

Reg.

1. November 1873.

Husz. 11 Zichy Franz Gf. (Res.).

1. November 1874.

Drag. 8 Mels-Colloredo Joseph Gf. (Res.)

1. November 1875.

Uhl. 5 Glatter Emil (Res.).

1. November 1876.

Husz. 14 Popiel Michael Ritt. v. (Res.).

Reg.

1. November 1876.

Uhl. 8 Godlewski Stanislaus (Res.).
Husz. 10 Siegl Alfred (Res.).

1. November 1877.

Drag. 1 Mayerhoffer Norbert.
„ 10 Mederer v. Mederer und Wuthwehr Victor.
Uhl. 2 Leiter Franz.

Reg.

9. Juni 1878.

Drag. 3 Friesz Adolph.

1. September 1878.

Husz. 1 Schwarzer v. Heldenstamm Emil Ritt.
Drag. 8 Ruffay Alfred Ritt. v.
„ 4 Nock Joseph.
„ 2 Fuchs Hugo.
„ 7 Egelmayer Joseph.
„ 13 Reinlein v. Marienburg Maximilian Freih.
Husz. 15 Frühwirth Johann.
Uhl. 12 Schönwetter Johann.
„ 4 Vucelić Edl. v. Raduboj Theodor.
Drag. 9 Löwy Ludwig.
„ 4 Istler Hugo Edl. v.
Uhl. 6 Schubert Anton.
Drag. 8 Dachenhausen Alfred v.
Husz. 16 Jármy Georg.
„ 10 Perczel de Bonyhád Dionys.
Drag. 14 Drašković v. Trakostjan Georg Gf.
Uhl. 1 Steciuk Johann.
Drag. 10 Schmiedell Friedrich.
Uhl. 11 Grabowski Vinzenz v.
„ 3 Novotny Wilhelm.
Drag. 9 Königsdörfer Johann.
„ 13 Schaffgotsch von und zu Kynast Freih. zu Trachenberg Herbert Gf.

Reg.

1. September 1878.

Drag. 14 Kutschenbach Alexander Ritt. v.
„ 3 Schlik v. Bassano und Weisskirchen Franz Gf.
„ 1 Girtler v. Kleeborn Arthur Ritt.
Husz. 6 Tschurl Friedrich.
„ 7 Adamovics de Csepin Johann.
„ 7 Tallián de Vizek Andreas.
„ 3 Fejérváry Géza v.
Drag. 3 Attems v. Heiligenkreuz Emil Gf.
Uhl. 3 Gugl Carl.
Drag. 7 Lankisch v. Hornitz Arthur Ritt.
„ 1 Huyn Otto Gf.
„ 1 Poysel Carl.
„ 3 Baltazzi Heinrich.
„ 2 Pacher v. Theinburg Gustav.
Uhl. 11 Millet Sylvester.
Drag. 2 Jenček Joseph.
Uhl. 13 Grocholski Zdislaus.
Drag. 12 Euen Arthur v.
„ 8 Wšetička Johann.
„ 10 Srnka Leopold.
„ 5 Herber Paul.
„ 14 Wenckheim Heinrich Gf.
Husz. 1 Pronay Johann v.
„ 7 Szápáry Stephan.
Drag. 9 Palm Hans Freih. v.
Husz. 3 Schmidt Simon.
Uhl. 1 Englicht Friedrich.
„ 5 Zischka Adolph.

Reg.

1. September 1878.

Husz. 9 Puskás Albert v.
Drag. 7 Gyra Constantin Ritt. v.
„ 11 Röszner Emerich.
Husz. 1 Péczely Franz.
„ 16 Udvarnoky v. Kis-Jóka Zoltán.

3. September 1878.

Husz. 5 Kluge Julius.

4. September 1878.

Husz. 6 Lersch Camillo.
„ 12 Klimscha Georg.

12. September 1878.

Drag. 12 Serényi de Kiss-Serény Géza Gf.

1. October 1878.

Husz. 6 Orczy Emil Freih. v.

(Rang seinerzeit.) *)

Drag. 14 Jahn Gustav.
„ 14 Hoyos - Sprinzenstein Ernst Gf.
„ 14 Prochaska Franz.
„ 14 Meszleny Paul v.
Husz. 8 Josipovich Géza v.
„ 8 Kacskovics Zoltán v.
„ 8 Lipthay Guido v.
„ 8 Holl v. Stahlberg Arthur Ritt.

*) Cadeten im Reservestande.

Dragoner-Regimenter.

1.

Böhmisches Dragoner-Regiment.

Regiments-Stab: Theresienstadt.

Ergänzungs-Cadre: *Königgrätz.*

Ergänzt sich aus den Bezirken der Infanterie-Regimenter Nr. 18 u. 74.

1768 als zweites Carabinier-Regiment errichtet, Althann, Michael Anton Gf., GdC.; 1774 Franz Joseph von Toscana, Erzherzog; 1790 Kronprinz Franz; 1792 König Franz; dann Kaiser Franz; 1798 Kürassier-Regiment; 1835 Kaiser Ferdinand (1867 Dragoner-Regiment).

(Zweite Inhaber waren: von 1774—1801 Lacy, Moriz Gf., FM.; von 1801—1803 Zeschwitz, Wolfgang Freih., FML.; von 1803—1812 Lothringen, Joseph Prinz, FML.; von 1812—1831 Bersina v. Siegenthal, Heinrich Freih., GdC.; von 1832—1835 Windisch-Graetz, Alfred Fürst zu, FML.; von 1835—1867 Wratislaw v. Mittrowitz-Nettolitzky, Eugen Gf., FM.; von 1867—1876 Thurn und Taxis, Emerich Prinz v., GdC.).

1848 Kaiser Franz Joseph.

Oberst u. Reg.-Comdt. Neumann v. Spallart, Julius Ritt., MVK. (KD.).

Oberstlieutenant.

Wersebe, Gustav Freih. v., MVK. (KD.).

Major.

Reutter, Carl v.

Rittmeister 1. Classe.

Montenach, Johann v., ✝ (ü. z.) beurl.
Röpplin, Theodor Freih. v.
Ipold, Adolph (Erg.-Cadre-Comdt.).
Michalkowski, Eduard v.
Nostitz-Rhinek, Albert Gf., JO-Ehrenritter, ✝.
Schmid, Carl.
Steinsdorfer, Raphael.
Castell-Rüdenhausen, Friedrich Gf. zu.
Wožinsky, Alois.

Oberlieutenants.

Lehmann, Eduard Edl. v.
Heldreich, Wolf v. (WG.).
Schwartz, Albert.
Scheufler, Robert (ü. c.) zug. dem Mil.-Fuhrw.-Corps.
Platen zu Hallermund, Magnus Gf. v.
Forstner v. Dambenois, Ernst Freih.
Colloredo-Mannsfeld, Franz Gf. (Res.).
Perpić, Dominik.
Chotek, Ernst Gf., JO-Ehrenritter, ✝.
Thielau, Friedrich v.
Lusar, Johann (Prov.-Off.).
Maschka-Bellmann, Arthur (Res.).
Hron v. Leuchtenberg, Eduard (Reg.-Adj.).
Werner, Anton.
Herrmann, Carl.
Fritsch, Alois.
Hennig, Victor.
Weinmann, Emil.
Bianchi Duca di Casa Lanza, Felix Freih. v.
Dietl, Anton.
Schuster, Alfred Freih. v. (Res.).
Paroubek, Franz.

Lieutenants.

Prokopowicz, Basilius.
Latzel, Emil (Res.).
Bukuwky, Michael Gf.
Skala, Carl.
Pflanzer, Carl.
Risch, Heinrich v.
Panigai, Jakob Conte de (Res.).
Clam-Gallas, Franz Gf. (Res.).
Priebsch, Richard (Res.).

Dabsch, Heinrich (ü. c.) zug. dem Mil.-Fuhrw.-Corps.
Wrany, Hugo (Res.).
Froreich, Ernst.
Loimann, Alfred (Res.).
Auersperg, Franz Prinz, Durchlaucht (Res).
Budinsky, Joseph (Res.).
Schwarz, Richard (Res.).
Wenke, Ernst.
Wondráczek, Conrad.
Lobkowitz, Zdenko, Prinz v., Durchlaucht.
Koller, Victor.

Cadeten.

Mayerhoffer, Norbert.
Girtler v. Kleeborn, Arthur Ritt.
Huyn, Otto Gf.
Poysel, Carl.

Mil.-Aerzte.

Gradl, Adam, Dr., Reg.-Arzt 1. Cl.
Kanik, Carl, Dr., Reg.-Arzt 2. Cl.
Heling, Ferdinand, Oberwundarzt.

Rechnungsführer.

Stúlik, Johann, Hptm. 1. Cl.

Ober-Thierarzt 1. Cl.

Koholausch, Anton.

Egalisirung dunkelroth (wie Nr. 3), Knöpfe weiss.

Adjustirung der Dragoner-Regimenter.

Helm, lichtblauer Waffenrock mit glatten Knöpfen, krapprothe Stiefelhose, Mantel dunkelbraun.

Die Farbe der Egalisirung und der Knöpfe ist bei jedem Regimente angegeben.

2.
Böhmisches Dragoner-Regiment.

Regiments-Stab: Oedenburg.

Ergänzungs-Cadre: *Neuhaus.*

Ergänzt sich aus den Bezirken der Infanterie-Regimenter Nr. 21 u. 75.

1672 als Kürassier-Regiment errichtet, Caraffa, Anton Gf., FM.; 1693 Schrottenbach, Franz Christian Gf. v., Oberst; 1693 Braunschweig-Lüneburg-Hannover, Maximilian Wilhelm Prinz, FM.; 1726 Offeln (Uffeln), Georg, Ludwig Freih., FML.; 1733 Braunschweig-Lüneburg-Bevern-Wolfenbüttel, Carl Herzog, GM.; 1736 Lubomirski, Theodor Fürst, FM.; 1745 Bretlach, Ludwig Carl Freih., GdC.; 1767 Caramelli, Carl Gf., GdC.; 1789 Franz Joseph von Este, Erzherzog, Herzog von Modena, GdC.; 1846 Sunstenau v. Schützenthal, Heinrich Freih., FML.; 1850 Maximilian Joseph II., König von Bayern; 1864 Wrangel Friedrich Gf., königl. preuss. FM. (1867 Dragoner-Regiment).

(Zweite Inhaber waren: von 1789—1811 Harnoncourt, Joseph Gf., GdC.; von 1814—1840 Folliot de Crenneville, Ludwig Carl Gf., GdC.; von 1840—1843 Villata v. Villatbury, Franz Ritt., FML.; von 1843—1845 Droste zu Vischering, Joseph Freih. v., FML.; von 1845—1846 Sunstenau v. Schützenthal, Heinrich Freih., FML.; von 1850—1865 Sunstenau v. Schützenthal, Heinrich Freih. v., FML.; von 1865—1877 Festetics de Tolna, Tassilo Gf., FML.)

1877 Festetics de Tolna, Tassilo Gf., FML.

Oberst u. Reg.-Comdt. Festetics de Tolna, Wenzel Gf., ÖLO-R., ♇.

Oberstlieutenants.

Hansa, Friedrich.
Herman, Othmar Freih. v.

Major.

(Vacat.).

Rittmeister 1. Classe.

Kulmer, Joseph Freih. v., MVK. (KD.).
Rubner, Emil.
Cordes, Edmund (WG.).
Wurmbrand-Stuppach, Ehrenreich Gf., ♇.
Hurtig, Anton (ü. c.) zug. dem Mil.-Fuhrw.-Corps.
Fuchs, Rudolph.
Hoditz und Wolframitz, Maximilian Gf., ♇.
Liel, Franz.
Loos, Michael (Erg.-Cadre-Comdt.).

Oberlieutenants.

Müller, Ferdinand.
Eisner, Alois.
Buchler, Leonhard.
Mally, Johann.
Kurz, August.
Janoch, Hugo (Reg.-Adj.).
Woldan, Franz (Prov.-Off.).
Pizzighelli, Ottokar.
Huyn, Ludwig Gf.
Gratza, Eduard.
Clausnitz, Camillo.
Schönauer, Adolph.
Rücker, Zephirin (ü. c.) zug. dem Mil.-Fuhrw.-Corps.
Glässer, Hermann (ü. c.) zug. dem Mil.-Fuhrw.-Corps.
Unterrichter v. Rechtenthal, Lothar Freih.
Clausnitz, Richard.
Unterrichter v. Rechtenthal, Ernst Freih.
Botschan, Franz.

Lieutenants.

Samz, Eduard.
Bolenia, Edmund (Res.).
Zbořil, Edmund (Res.).
Jelinek, Joseph.
Giesl v. Gieslingen, Arthur Ritt.
Ganahl, August Ritt. v.
Huyn, Rudolph Gf. (Res.).
Miklosich, Franz Ritt. v. (Res.).
Pinschof, Carl (Res.).
Schulz-Leitershofen, Chlotar.
Bäck, Friedrich.
Czernin v. Chudenitz, Eugen Gf. (Res.).
Augustowski, Julian.
Tränkel, Arthur.
Theuer, Julius (Res.).
Lang, Heinrich (Res.).
Babo, Theodor.
Kronenberg, Robert Freih. v.
Fortner, Joseph.

Cadeten.

Fuchs, Hugo.
Pacher v. Theinburg, Gustav.
Jenček, Joseph.

Mil.-Aerzte.

Muhr, Joseph, Dr., Reg.-Arzt 2. Cl.
Fischer, Leopold, Dr., Reg.-Arzt 2. Cl.
Heidrich, Johann, Dr., Oberarzt.

Rechnungsführer.

Bernitt, Anton, Obrlt.

Thierarzt.

Schaffer, Franz.

Egalisirung schwarz (wie Nr. 6), Knöpfe weiss.

3.
Niederösterreichisches Dragoner-Regiment.

Regiments-Stab : Enns.
Ergänzungs-Cadre: *Wien*.
Ergänzt sich aus den Bezirken der Infanterie-Regimenter Nr. 4 u. 49.

1768 als erstes Carabinier-Regiment errichtet, Herzog Albert zu Sachsen-Teschen, FM.; 1798 Kürassier-Regiment; 1822 Friedrich August Albert, königl. Prinz und Mitregent von Sachsen; 1836 Friedrich August, König von Sachsen; 1856 Johann, König von Sachsen (1867 Dragoner-Regiment).
(Zweite Inhaber waren: von 1822—1838 Kroyher v. Helmfels, Carl Freih., GdC ; von 1839—1858 Gorzkowski v. Gorzkow, Carl Ritt., GdC.).

* 1873 Albert, König von Sachsen.

Zweiter Inhaber.
Nagy de Somlyó, Ludwig, FML. (1858).

Oberste.
Krieghammer, Edmund Edl. v., MVK. (KD.), Reg.-Comdt.
Ambrozy, Heinrich Ritt. v., ÖEKO-R. 3. (KD.), MVK. (KD.), (ü. c.); Vorstand der 3. Abth. beim R.-Kriegs-Mstm.

Oberstlieutenant.
Dubsky v. Trzebomislitz, Adolph Gf., ♱ (Res.).

Majore.
Bothmer, Wilhelm v., MVK. (KD.).
Bordolo v. Boreo, Johann Ritt.

Rittmeister 1. Classe.
Angelini, Sebastian v.
Hiefer, Moriz (Erg.-Cadre-Comdt.).
Nechwalsky, Joseph.
Bayer v. Bayersburg, Joseph.
Wedl, Ludwig.
Preuschen-Liebenstein, Clemens Freih. v.
Korper v. Marienwert, Alfred.

Rittmeister 2. Classe.
Hübsch, Carl (Res.).

Oberlieutenants.
Artaria, Julius.
Klammerth, Rudolph.
Mandelsloh, Hans v.
Böhmer, Ignaz.
Kinzinger, Theod. (Prov.-Off.).
Gradl, Albert.
Alberti de Poja, Friedrich Gf.
Grossmann, Johann.
Schwarz, Heinrich Ritt. v.
Griebler, Heinrich.
Pechmann v. Massen, Carl Ritt.
Allram, Raul Ritt. v.
Grosse, Friedrich (Res.).
Heiss, Carl.
Alberti de Poja, Felix Gf.
Herbert, Eduard.
Taulow v. Rosenthal, Emil Ritt.
Gerl, Heinrich (Res.).

Lieutenants.
Clement, Emil (Res.)
Fränzl v. Vesteneck, Otto Ritt. (Res.)
Wagner, Ludwig v. (Res.)
Springer, Otto Freih. v. (Res.)
Dankl, Victor.
Henke, Alexand. (Reg.-Adj.).
Haydn von und zu Dorff, Sigmund Ritt.
Fromm, Ferdinand Freih. v.
Lilien, Maximilian Freih. v.
Beck, Maximilian (Res.).
Vogelsang, Christian Freih. v.
Teufel, Jakob.
Thurn-Valsassina, Ludwig Gf.
Smutny, Rudolph.
Conrad v. Eybesfeld, Friedrich Freih.
Gstirner, Adolph (Res.).
Bylandt-Rheidt, Anton Gf.
Ramsch, Adolph.

Cadeten.
Schwentner, Joseph (Off.-Stellv.), (Res.).
Friesz, Adolph.
Schlik v. Bassano und Weisskirchen, Franz Gf. (Off.-Stellv.).
Attems v. Heiligenkreuz, Emil, Gf.
Baltazzi, Heinr. (Off.-Stellv.).

Mil.-Aerzte.
Mautendorfer, Friedrich, Dr., Reg.-Arzt 1. Cl.
Führer, Johann, Dr., Reg.-Arzt 2. Cl.

Rechnungsführer.
Janotta, Franz, Hptm. 2. Cl.

Mil.-Thierärzte.
Körbl, Franz, Ober-Thierarzt 1. Cl.
Haller, Roman, Unter-Thierarzt.

Egalisirung dunkelroth (wie Nr. 1), Knöpfe gelb.

4.

Salzburg-oberösterreichisches Dragoner-Regiment.

Regiments-Stab und Ergänzungs-Cadre: Wels.

Ergänzt sich aus den Bezirken der Infanterie-Regimenter Nr. 14 u. 59.

1672 als Kürassier-Regiment errichtet, Harant, Christoph Wilhelm Freih. v., FML.; 1682 Piccolomini Graf D'Aragona, Aeneas Sylvius, FML.; 1690 Hofkirchen, Laurenz Gf., FML.; 1693 Herberstein Johann Anton Gf., GM.; 1700 Uhlefeld, Leo Gf. v., FM.; 1716 Goudrecourt, Adam Comte de, FML.; 1723 Modena d'Este, Johann Friedrich Prinz, Oberst; 1727 Seherr v. Thoss, Johann Christoph Freih., FM.; 1743 St. Ignon, Franz v., FML.; 1745 Serbelloni, Johann Baptist Gf., FM.; 1778 Mecklenburg-Strelitz, Georg August Prinz zu, GM.; 1786 Kavanagh, Moriz Gf., FML.; 1801 Kronprinz Ferdinand, FM.; 1835 Spiegel, Raban Freih v., FML.; 1836 Mengen, Carl Freih., FML.; 1848 Kaiser Ferdinand. (1867 Dragoner-Regiment.)

(Zweite Inhaber waren: von 1801—1808 Karaiczay, Andreas Gf., FML.; 1809 Radetzky, Joseph Gf., FML.; von 1809—1831 Fresnel und Curel, Hennequin Peter Ferdinand Gf., GdC.; von 1831—1835 Spiegel, Raban Freih. v., FML.; von 1848—1851 Mengen, Carl Freih., FML.; 1852—1875 Lobkowitz, Joseph Fürst und Herzog zu Raudnitz, GdC.)

(Das früher unter dieser Nummer bestandene Dragoner-Regiment wurde im Jahre 1733 errichtet und mit 1. März 1860 aufgelöst.)

(Inhaber waren: 1733 D'Ollone, Alexander Gf., FML.; 1746 Hessen-Darmstadt, Ludwig, Landgraf, FM.; 1768 Hessen-Darmstadt, Georg Wilhelm Prinz, GdC.; (1773 Chevaux-legers-Regiment): 1788 Levenehr, Franz Freih. v., FML.; (1798 wieder Dragoner-Regiment); 1813 Leopold, Erbgrossherzog von Würzburg, Erzherzog, Oberst; 1814 Leopold, Erbgrossherzog von Toscana, Erzherzog, GM.; 1824 Leopold II., Grossherzog von Toscana, GdC.; 1848 Boyneburg-Lengsfeld, Moriz Freih. v., FML.; 1849 bis 1860 Leopold II., Grossherzog von Toscana, GdC.)

(Zweite Inhaber waren: 1813—1825 Bubna v. Littitz, Ferdinand Gf., FML.; 1825—1839 Rothkirch und Panthen, Leopold Gf., FML.; 1839—1840 Bretfeld zu Cronenburg Emanuel Freih. v., FML.; 1840—1846 Narboni, Johann Maria v., FML.; 1846—1848, dann 1849—1867 Boyneburg-Lengsfeld, Moriz Freih. v., GdC.)

1875 Albrecht, Erzherzog, FM.

Oberst u. Reg.-Comdt. Paar, Eduard Gf., ✠.

Oberstlieutenant.

Klenck, Carl v., MVK. (KD.).

Major.

Eisenstein, Richard Ritt. v., MVK. (KD.).

Rittmeister 1. Classe.

Herzog, Ludwig.
May, Ludwig.
Holzer, Peter.
Prager, Mathias (Erg.-Cadre-Comdt.).
Mitterbacher, Ernst.
Kress v. Kressenstein, Friedrich Freih., ✠.
Helff, Anton, MVK. (KD.).
Scholz, Oskar.

Oberlieutenants.

Rechtsteiner, Rudolph.
Beckers zu Westerstetten, Heinrich Gf. ✠.
Gauff, Wilhelm, MVK. (KD.).
Liechtenstern, Ferdinand Freih. v.
Vagd, Adolph.
Knaus, Johann.
Zimburg Edl. v. Reinerz, Wilhelm (ü. c.) im mil.-geogr. Inst.
Treibal, Franz (Prov.-Off.).
Krauss, Ernst.
Ritter, Emil (Reg.-Adj.).
Gayer v. Gayersfeld, Alois.
Polzer, Maximilian.
Pechmann v. Massen, Anton Ritt.
Schneider, Ferdinand (ü. c.) zug. dem Generalstabe.
Gayer v. Ehrenberg, Adolph Freih.
Dondorf, Ferd. Ritt. v.
Hornbostel, Max. Ritt. v. (Res.).
St. Julien-Wallsee, Arthur Gf. (Res.).

Lieutenants.

Westel, Eduard (Res.).
Ullrich, Carl, Dr. (Res.)
Eiserle, Gustav (Res.).

Brandeis-Weikersheim, Hermann (Res.).
Zaunegger, Joseph (Res.).
Wiesauer, Ferdinand.
Böhm, Eduard.
Weber v. Ebenhof, Oskar Ritt.
Drexler, Joseph, Dr. d. R.
Halbaerth, Adolph.
Groterjahn, August.
Korber, Eugen.
Dischendorfer, August.
Fritsch, Justin (Res.).
Korda, Ignaz Edl. v.
Loimann, Victor.
Brandeis, Ludwig (Res.).
Suttner, Rudolph Freih. v. (Res.).
Marschall, Julius Freih. v.
Pöck, Joseph.

Cadeten.

Hacke, Rudolph Freih. v. (Off.-Stellv.), (Res.).
Nock, Joseph (Off.-Stellv.).
Istler, Hugo Edl. v.

Mil.-Aerzte.

Pawlikowský, Franz, Dr., SVK. m. Kr., Reg.-Arzt 1. Cl.
Knörlein, Friedrich, Dr., Oberarzt.

Rechnungsführer.

Grohmann, Anton, Obrlt.

Thierarzt.

Schneider, Hermann.

Egalisirung grasgrün (wie Nr. 9), Knöpfe weiss.

5.

Steierisch-kärnthner-krainerisches Dragoner-Regiment.

Regiments-Stab: Klagenfurt.

Ergänzungs-Cadre: ***Marburg.***

Ergänzt sich aus den Bezirken der Infanterie-Regimenter Nr. 7, 17, 27 u. 47.

1721 als Kürassier-Regiment errichtet, Mendoza, Conde de Galbes, Emanuel Sylva, GdC.; 1726 Cordova, Caspar Gf., FM.; 1756 O'Donel, Carl Claudius Gf., GdC.; 1773 Brockhausen, Jakob Freih. v., FML.; 1779 Haag, Nikolaus Freih. v., GM.; 1781 Nassau-Usingen, Friedrich Prinz, FM.; 1806 Sommariva, Hannibal Marq., GdC.; 1829 Auersperg, Maximilian Gf., GdC. (1867 Dragoner-Regiment.)

(Zweite Inhaber waren: von 1849—1850 Auersperg, Maximilian Gf., GdC.; von 1850—1855 Schaaffgotsche, Franz Gf., FML.).

1849 Nikolaus I., Kaiser von Russland.

(† zu Petersburg, den 2. März 1855.)

(Das Regiment hat diesen Namen auf immerwährende Zeiten zu behalten.)

Seitdem waren Inhaber: 1855 Schaaffgotsche, Franz Gf., GdC.; 1866—1875 Koller, Alexander Freih. v., GdC.

Oberst u. Reg.-Comdt. Dückher, Gustav Freih. v., ○ 2.

Oberstlieutenant.

(Vacat.)

Majore.

Boyneburgk, Julius Freih. v.
Rüdt v. Collenberg, Friedrich Freih.

Rittmeister 1. Classe.

Baumgartner, Victor (Erg.-Cadre-Comdt.).
Körber, Philipp.
Polak, Prokop.
Kabelik, Wenzel.
Prandstetter-Teimer, Rudolph.
Steinbrecher, Albin.
Schwarz, Theodor.
Krenn, Joseph.

Oberlieutenants.

Boeck, Julius.
Hann, Hermann.
Schmidt v. Ehrenberg, Ferd.
De Montet, Albert (Res.).
Goëss, Zeno Gf., ✠ (Res.).
Sagburg, Walter v.
Berghofer, Emil.
Plessing zu Plesse, Heinr. Ritt. (Res.).
Buckl, Richard (Prov.-Off.).
Thomas, Victor.
Hohenwart zu Gerlachstein, Hugo Gf.
Marno, Ludwig (Res.).
Brandenburger, Friedrich (zug. dem R.-Kriegs-Mstm.).
Radetzky v. Radetz, Theod. Gf.
Wittmann, Oskar.
Walther Carl (Reg.-Adj.).

Lieutenants.

Orsini und Rosenberg, Heinrich Fürst, Durchlaucht, ✠, erbliches Herrenhaus-Mitglied des Reichsrathes
Conrad, Sigmund Freih. v., Dr.
Mels-Colloredo, Liabordo Gf.
Druschkovich, Rudolph
} (Res.).

Fraydenegg-Moncello, Otto Ritt. v., MVK. (KD.), (Res.).
Bauser, Alfred (Res.).
Hammer-Purgstall, Heinrich Freih. v. (Res.).
Podjed, Franz
Jokisch-Scheuereck, Carl (WG.).
Kirchbach, Carl Freih. v.
Boteler, Eduard.
Schranzhofer, Adolph.
Woinovich, August v.
Schrey v. Redlwerth, Victor.
Hoffinger, Carl Ritt. v.
Fellner v. Feldegg, Robert Freih. (Res.).
Müller, Eugen (Res.).
Fischer v. Ankern, Wilhelm (Res.).
Hohenbühl, Hans Freih. v.
Hausner, Achilles.
Lebzeltern, Heinrich Freih. v.
Kuhn v. Kuhnenfeld, Otto Freih. (Res.).
Langer v. Podgoro, Franz Ritt. (Res.).
Wydenbruck, Christoph Gf.
Mathis, Joseph.
Appl, Alois (ü. c.) zug. dem Mil.-Fuhrw.-Corps.
Welschan, Gustav.
Loserth, Gustav.
Weichs an der Glon, Heinrich Freih. v.

Cadet.

Herber, Paul.

Mil.-Aerzte.

Luschin, Albin, Dr., Reg.-Arzt 1. Cl.
Wallnböck, Leopold, Dr., Oberarzt.
Matoschofsky, Johann, Oberwundarzt.

Rechnungsführer.

Kaube, Ludwig, Hptm. 1. Cl.

Thierarzt.

Quatter, Joseph.

Egalisirung kaisergelb (wie Nr. 12), Knöpfe weiss.

6.
Mährisches Dragoner-Regiment.

Regiments-Stab : Stockerau.

Ergänzungs-Cadre: *Brünn.*

Ergänzt sich aus den Bezirken der Infanterie-Regimenter Nr. 8 u. 54.

1701 als Kürassier-Regiment errichtet, Hessen-Darmstadt, Philipp Prinz zu, FM.; 1737 Miglio, Franz Gf., FML.; 1745 Schmerzing, Hannibal Freih. v., GdC.; 1762 D'Ayasasa, Joseph Gf., GdC.; 1779 Schackmin (Jacquemin). Heinrich Freih. v., GdC.; 1793 Mack, Freih. v. Leiberich, Carl, FML.; 1808 Gottesheim, Friedrich Freih., FML.; 1809 Liechtenstein, Moriz Fürst, FML.; 1819 Wallmoden-Gimborn, Ludwig Gf., GdC. (1867 Dragoner-Regiment.)

1862 Alexander Prinz von Hessen und bei Rhein, GdC.

Oberst u. Reg.-Comdt. Fricke, Georg, MVK. (KD).

Oberstlieutenant.

Löhneysen, Hilbert Freih. v., ÖEKO-R. 3. (KD.).

Major.

Van Goethem de St. Agathe, Albin.

Rittmeister 1. Classe.

Ségur-Cabanac, August Gf.
Auersperg, Carl Gf.
Sebottendorf von der Rose, Sigmund Freih.
Morawetz, Carl.
Schreder, Friedrich (WG.).
Kutschka, Johann (Erg.-Cadre-Comdt.).
Roth, Robert.
Ceipek, August (ü. c.) beim R.-Kriegs-Mstm.

Oberlieutenants.

Neumann, Oskar (Res.).
Dotzauer, Eduard.
Ogris, Carl.
Schmitzhausen, Paul.
Pütz, Ludwig v. (Reg.-Adj.).
Riedel, August.
Kadrmann, Jakob.
Dujmović, Alexander.
Hacker, Stephan, O2. (Prov.-Off.)
Kundmann, Friedrich.
Schmid v. Schmidsfelden, Franz (ü.c.) Personal-Adj. des FZM. Franz Freih. v. Philippović.
Büchler, Carl.
Oxenbauer, Adolph.
Belrupt-Tissac, August Gf.
Swoboda, Emil (ü. c.) Personal-Adj. des FML. Gf. Thun-Hohenstein.
Moser, Julius.
Moese Edl. v. Nollendorf u. Jenstein, Oskar Ritt.
Wurmbrand-Stuppach, Paul Gf.
Welden-Grosslaupheim, Wilhelm Freih. v.

Lieutenants.

Herring, Vict. Freih. v. (Res.).
Wagner, Alois.
Weber, Maximilian Freih. v.
Lehmann, Georg.
Bamberg, Joseph Freih. v.
Krzisch, Coloman Ritt. v.
Pražak, Jaroslav (Res.).
Petschig, Alexander.
Schönfeld, Friedrich Freih. v.
Finger, Victor (Res.).
Grimm, Ludwig (Res.).
Maroičić di Madonna del Monte Ambros Freih. (Res.).
Matějka, Franz (ü. c.) zug. dem Mil.-Fuhrw.-Corps.
Falkenhayn, Moriz Gf.
Jenko, Oskar.
Ostermuth, Johann.
Baumann, Adalbert.
Maurig von Sarnfeld, Richard Ritt.

Cadeten.

(Vacant.)

Mil.-Aerzte.

Zucker, Carl, Dr., Reg.-Arzt 1. Cl.
Springer, Anton, Dr., Oberarzt.
Golek, Franz, Dr., Oberarzt.

Rechnungsführer.

Kraus, Eduard, Lieut.

Unter-Thierarzt.

Andel, Innocenz.

Egalisirung schwarz (wie Nr. 2), Knöpfe gelb.

7.

Böhmisches Dragoner-Regiment.

Regiments-Stab und Ergänzungs-Cadre: Klattau.

Ergänzt sich aus den Bezirken der Infanterie-Regimenter Nr. 35 u. 73.

1655 als Kürassier-Regiment errichtet, Garnier, Johann Adam Freih. v., GM.; 1664 Nostitz, Johann Nikolaus Gf. v Oberst; 1670 Dünnewald, Johann Heinrich Gf., FM.; 1691 Truchsess v. Wetzhausen, Veith Heinrich, FML.; 1697 Braunschweig-Lüneburg und Hannover, Christian Prinz, GM.; 1703 La Tour (Thurn) und Taxis, Lamarold Gf. v., GdC.; 1711 Viard, Peter Joseph de, FML.; 1718 Hamilton, Andreas Gf., GdC.; 1738 Bernes, Joseph Conte de, GdC.; 1751 Trauttmansdorff, Carl Gf., FML.; 1786 Harrach, Ferdinand Gf., FML.: 1790 Wallisch, Christoph Freih., FML.; 1794 Lothringen, Carl Eugen Prinz, GdC.; 1826 Hardegg, Heinrich Gf., GdC. (1867 Dragoner-Regiment.)

(Zweite Inhaber waren: von 1854—1858 Parrot, Jakob v., FML.; von 1858—1877 Blomberg, Friedrich Freih. v., FML.)

1854 Wilhelm, Herzog von Braunschweig.

Oberst u. Reg.-Comdt. Fischer v. Wellenborn, Carl.

Oberstlieutenant.

(Vacat.)

Majore.

Ungár, Ferdinand.
Rödiger, Johann.

Rittmeister 1. Classe.

Jäger, Heinrich (Erg.-Cadre-Comdt.).
Buberl, Anton.
Wit v. Dörring, Felix.
Kodeš, Johann.
Weiss, Ferdinand.
Malowetz v. Malowitz und Kosoř, Anton Freih., ✠.
Orsini und Rosenberg, Maximilian Gf., ○ 2, ✠.

Oberlieutenants.

Papaček, Julius (Res.).
Künzel, Christoph.
Pfrogner, Valentin.
Hanuš, Carl (Prov.-Off.).
Schmerling, Carl Ritt. v. (ü. c.) zug. dem Generalstabe.
Intichar, Johann.
Bachmann, Franz, MVK. (KD.).
Lenz, Franz.
Adler, Alexander.
Lauffer, Eduard.
Barth, Franz (ü. c.) zug. dem Generalstabe.
Hubatius v. Kottnov, Jakob Ritt. (Reg.-Adj.).
Hirsch, Maximilian.
Pavel-Rammingen, Albert Freih. v.
Adžia, Nikolaus.
Audritzky, Rudolph Freih. v.
Otto v. Ottenfeld, Arthur Ritt.
Fuchs, Alois.
Palitschek Edl. v. Palmforst, Rudolph.
Orsini und Rosenberg, Eugen Gf.

Lieutenants.

Aigner, Paul (Res.).
Hersan, Adalbert (Res.).
Orsini und Rosenberg, Lothar Gf. (Res.).
Schröckinger - Neudenberg, Erich Freih. v.
Bondi, Seraphin (Res.).
Král, Carl.
Slaby, Richard.
Orczy, Johann Freih. v.
Orsini und Rosenberg, Arthur Gf.
Kordik, Franz (Res.).
Abele, Alphons Freih. v.
Przyborski, Georg.
Latzl, Richard (Res.).
Knaf, Adolph (Res.).
Zborži], Ludwig.
Flick, Moriz Ritt. v.
Knobling, Peter.

Cadeten.

Egelmayer, Joseph.
Lankisch v. Hornitz, Arthur Ritt.
Gyra, Constantin Ritt. v.

Mil.-Aerzte.

Magny, Maximilian, Dr., GVK., Reg.-Arzt 1. Cl.
Bloch, Dominik, Dr., Reg.-Arzt 2. Cl.
Mayer, Carl, Dr., Reg.-Arzt 2. Cl.

Rechnungsführer.

Schönhammer, Alois, Hptm. 2. Cl.

Thierarzt.

Jurzena, Adolph.

Egalisirung schwefelgelb (wie Nr. 10), Knöpfe weiss.

8.

Böhmisches Dragoner-Regiment.

Regiments-Stab: St. Georgen.

Ergänzungs-Cadre: *Prag.*

Ergänzt sich aus den Bezirken der Infanterie-Regimenter Nr. 28 u. 42.

1619 als Kürassier-Regiment errichtet, Duval v. Dampier, Heinrich Gf.; 1631 St. Hilaire; 1648 Werth; 1652 Herberstein; 1674 Bournonville; 1680 Lothringen; 1683 Coneberg et Dupigny, Bernhard Freih., Oberst; 1683 Chauviray, Johann Franz Freih., Oberst; 1683 St. Croix, Adam Bernhard Freih., FML.; 1698 Lothringen und Bar, Joseph Herzog von, GM.; 1705 Breuner, Ferdinand Gf., GM.; 1710 Savoyen, Thomas Emanuel Prinz, FML.; 1730 Savoyen, Eugen Joannes Prinz, GM.; 1735 Hohen-Ems, Franz Rudolph Gf., FM.; 1756 Ferdinand, Erzherzog, Oberst; 1761 Maximilian, Erzherzog, FM.; 1780 Hohenzollern-Hechingen, Friedrich Anton Fürst, GdC.; 1813 Constantin, Czesarewitsch und Grossfürst von Russland: 1831 Hardegg, Ignaz Gf., GdC. 1848 Auersperg, Carl Gf., FML (1867 Dragoner-Regiment.)

(Zweite Inhaber waren: von 1767—1778 Lassgallner, Johann Carl Freih., FML.; 1778 Rothschütz, Georg Heinrich Freih., GM.; von 1778—1780 Hohenzollern-Hechingen, Friedrich Anton Prinz, GdC.; von 1813—1831 Hardegg Ignaz Gf., FML.; von 1848—1859 Auersperg. Carl Gf.. FML.)

(Dieses Regiment hat von weiland Seiner Majestät dem Kaiser Ferdinand II., für im Jahre 1619 bewiesene besondere Treue und Tapferkeit, nachstehende Privilegien erhalten, welche von weiland Seiner Majestät dem Kaiser Franz I. bei Gelegenheit der im Jahre 1819 stattgehabten Säcular-Feier allergnädigst bestätiget wurden:

Das Regiment darf in Dienstesfällen unter Trompetenschall und mit fliegenden Estandarten durch die k. k. Hofburg und die Reichs-Haupt- und Residenz-Stadt Wien marschiren, auch auf dem kaiserlichen Hofburgplatze (Franzensplatze) sich aufstellen und durch drei Tage allda für die freie Werbung den Werbtisch aufschlagen. Von dem Regimente wird dann vor der dem Regiments-Commandanten in der Hofburg pro forma einzuräumenden Wohnung, wohin die Regiments-Estandarten zu bringen sind, die Wache bezogen, und dem jeweiligen Regiments-Commandanten ist bei solcher Gelegenheit gestattet, unangemeldet in voller Rüstung vor Seiner Majestät dem Kaiser zu erscheinen.

Das Regiment hat auch die Versicherung, niemals reducirt oder aufgelöst zu werden, und endlich die Auszeichnung, dass kein Mann des Regiments wegen Verbrechen, worauf die Todesstrafe gesetzt ist, in demselben hingerichtet, sondern in solchen Fällen der Schuldige zur Vollziehung solcher Strafe jederzeit zu einem anderen Regimente abgegeben werde.)

(Das früher unter dieser Nummer bestandene Dragoner-Regiment wurde im Jahre 1854 zu einem Dritttheile aus dem vormaligen Dragoner-Regimente Nr. 7 errichtet und mit 1. März 1860 aufgelöst.)

(Inhaber waren: 1854 Ferdinand Salvator, Erzherzog, Erbgrossherzog von Toscana, Oberst; 1859—1860 Ferdinand IV. [Salvator], Grossherzog von Toscana, Oberst.)

(Zweite Inhaber waren: 1854—1860 Windisch-Graetz, Alfred Fürst zu, FM.)

1848 Carl, Prinz von Preussen.

Zweiter Inhaber.

Sternberg, Leopold Gf. v., GdC. (1859).

Oberste.
- Croy, Leopold Prinz, Durchlaucht, ÖEKO-R. 3., (ü. c.) Comdt. der 2. Cav.-Brig. zu Linz.
- Wonnesch, Maximilian, Reg.-Comdt.

Oberstlieutenant.

(Vacat.)

Majore.

Wolfram, August.
Mayer v. Eichrode, Adolph, ÖFJO-R., MVK. (KD.).

Rittmeister 1. Classe.

Friepes, Adolph.
Lackhner, Ferdinand Ritt. v. (zug. dem R.-Kriegs-Mstm.).
Jäger, Heinrich.
Kindl Edl v. Rittfeld, Wenzel (Erg.-Cadre-Comdt.).
Jannatta, Oswald.
Remiz, Moriz Edl. v.
Remiz, Alfred Edl. v.
Nostitz-Rieneck, Johann Gf., ✠ (ü. c.) zug. dem Hofstaate Seiner k. k. Hoheit des Erzherzogs Carl Ludwig.
Stenglin, Ernst Freih. v., MVK. (KD.).
Nachodsky v. Neudorf, Stephan Ritt.
Jetter, Franz.

Oberlieutenants.

Cramer, Gustav (Res.).
Laube, Joseph.
Ritter, Ferdinand (ü. c.) zug. dem Generalstabe.
Hofmann, Constantin (Res.).
Tomaschek, Eduard Freih. v. (Reg.-Adj.).
Trauttenberg, Heinr. Freih. v. (WG.).
Falkenstein, Maxim. Freih. v.
Voigt, Alfred.
Fontaine v. Felsenbrunn, Heinrich (ü. c.) zug. dem Generalstabe.
Witasovsky, Philipp.
Prevóst, Ferdinand.
Görtz, Wilhelm Ritt. v. (Prov.-Off.).
Rauscher, Martin.

Lieutenants.

Sunkel, Otto (Res.).
Nostitz-Rieneck, Franz Gf.
Roth, Carl v.
Kühne, Anton.
Nowotny, Maximilian.
Marschall, Maximilian Gf.
Schönborn, Adalb. Gf. (Res.).
Landsteiner, Hermann.
Korber, Heinrich.
Lamberg, Hugo Gf.
Keil, Eduard (Res.).
Konečny, Johann.
Schima, Carl (Res.).
Tersztyanszky v. Nadass, Carl.
Koller, August Freih. v.
Hoditz und Wolframitz, Ludwig Gf.
Faber, Felix Ritt. v. (Res.).
Werndl, Joseph (Res.).
Lilgenau, Carl Freih. v. (Res.).
Hruby, Joseph.
Baumann, Victor.
Leonhardi, Theodor Freih. v.
Smutny, Carl.
Jaksch, Wilhelm.

Cadeten.

Mels-Colloredo, Joseph Gf. (Off.-Stellv.), (Res.).
Raffay, Alfred Ritt. v.
Dachenhausen, Alfred v.
Wšetička, Johann.

Mil.-Aerzte.

Ehnl, Ludwig, Dr., Reg.-Arzt 1. Cl.
Zdráhal, Wenzel, Dr., Oberarzt.
Procházka, Udalrich, Dr., Oberarzt.
Blank, Emanuel, Unterarzt.

Rechnungsführer.

Hajek, Ignaz, Hptm. 2. Cl.

Thierarzt.

Strobl, Anton.

Egalisirung scharlachroth (wie Nr. 11), Knöpfe gelb.

9.

Bukowina'sches Dragoner-Regiment.

Regiments-Stab: Tarnopol.

Ergänzungs-Cadre: *Czernowitz.*

Ergänzt sich aus den Bezirken der Infanterie-Regimenter Nr. 24 u. 41.

1682 als Kürassier-Regiment errichtet, Sachsen-Lauenburg, Julius Franz Herzog, FM.: 1689 Doria, Johann Baptist Marchese, Oberst; 1692 Gronsfeld, Franz Gf., FM.; 1719 Portugal, Dom Emanuel Infant von, FM.; 1766 Berlichingen, Eberhard Carl Max Freih., GdC.; 1779 Dragoner-Regiment; 1785 Joseph (Anton) von Toscana, Erzherzog, Oberst; 1795 Johann Baptist, Erzherzog, FM.; 1859 Stadion zu Thanhausen und Warthausen, Philipp Gf., GdC.; 1860 wieder Kürassier-Regiment, 1867 Dragoner-Regiment; 1868 Solms-Braunfels, Carl Prinz zu, FML.

(Zweite Inhaber waren: von 1785—1810 Lilien, Carl Freih., GdC.; von 1810—1827 Schustekh v. Herve, Emanuel Freih., FML.; von 1827—1855 Piccard v. Grünthal, Johann Ritt., FML.; von 1855—1859 Stadion zu Thanhausen und Warthausen, Philipp Gf., FML.)

1875 Piret de Bihain, Eugen Freih., GdC.

Oberst u. Reg.-Comdt. Pelikan, Ottomar.

Oberstlieutenant.

(Vacat.)

Majore.

Powa, Leopold, MVK.
Damm, Julius v.

Rittmeister 1. Classe.

Haas, Johann.
Maschin, Joseph.
Clausnitz, August.
Bayer v. Bayersburg, Franz.
Theer, Carl (Erg.-Cadre-Comdt.).
Hagen, Ernst Freih. v.
Horny, Wilhelm.

Oberlieutenants.

Schnirch, Moriz (Res.).
Wolfram, Aurel.
Wolff, Joseph, ○ 1.
Hudez, Johann (Reg.-Adj.).
Peter v. Krosheim, Victor Ritt.
Niewiarowski, Ladislaus.
Hinterwaldner, Joseph.
Hrehorowicz, Ignaz.
Opačić, Peter.
Zgórski, Ladislaus.
Iskierski, Julius.
Metzler, Ludwig (Prov.-Off.).
Kohoutek, Wenzel.
Rotter, Anton.
Morgenstern, Roman.
Beyer, Rudolph.
Wiszniewski, Sigmund v.
Kozurik, Carl.

Lieutenants.

Jezierski, Stanislaus v. (Res.)
Tarangul, Demeter.
Peters, Anton.
Woraczirzky, Heinrich Gf. (Res.).
Balianu, Elias.
Neronowicz-Baworowski, Valerian (ü. z.) beurl.
Szaszkiewicz, Theodor.
Frey, Johann.
Werner, Johann.
Eckardt, Leopold.
Innerhofer v. Innhof, Franz.
Fleischer, Franz.
Pöck, Rudolph (Res.).
Stöhr, Carl (Res.).
Del Cott, Carl (Res.).
Horny, Alois.
Papp-Arpassy de Alsó-Arpás, Wladimir.

Cadeten.

Löwy, Ludwig.
Königsdörfer, Johann.
Palm, Hans Freih. v.

Mil.-Aerzte.

Ruzička, Wenzel, Dr., Reg.-Arzt 2. Cl.
Illichmann, Emil, Dr., Reg.-Arzt 2. Cl.
Koller, Boleslaus, Dr., Oberarzt.
Tattelbaum, Bernhard, Dr., Oberarzt.

Rechnungsführer.

Hayder, Robert, Obrlt.

Mil.-Thierärzte.

Pangerl, Johann, Ober-Thierarzt 1. Cl.
Hanauer, Franz, Unter-Thierarzt.

Egalisirung grasgrün (wie Nr. 4), Knöpfe gelb.

10.

Galizisches Dragoner-Regiment.

Regiments-Stab: Stuhlweissenburg.

Ergänzungs-Cadre: *Tarnopol.*

Ergänzt sich aus dem Bezirke des Infanterie-Regiments Nr. 15.

1640 als Dragoner-Regiment errichtet, De la Corona (Von der Cron), Johann Freih., GM.; 1653 Buschiere, Peter v., Oberst; 1661 Gerhard, Jakob Freih., GM.; 1676 Schultz, Johann Valentin Gf., GdC.; 1686 Kissl, Johann Jakob Gf., Oberst; 1689 Rabutin Gf. v. Bussy, Johann Ludwig, FM.; 1716 Rabutin Gf. v. Bussy, Amadé, GM.; 1727 Waderborn, Joseph v., GM.; 1731 Batthyáni, Carl Joseph Fürst, FM.; 1773 Kinsky, Joseph Gf., FM.; 1802 Chevauxlegers-Regiment; 1804 Klenau Freih. v. Janovitz, Johann Gf., GdC.; 1822 Schneller, Andreas v., GdC.; 1840 Liechtenstein, Carl Fürst, GdC.; 1851 Uhlanen-Regiment; 1863 Dietrichstein, Fürst, Gf. v. Mensdorff-Pouilly, Alexander, GdC. (1873 Dragoner-Regiment.)

1871 Montenuovo, Wilhelm Fürst v., GdC.

Oberste.
- Holbein v. Holbeinsberg, Franz (ü. c.); Präses der Remonten-Assent-Commission Nr. 1 zu Budapest.
- Ehnl, Daniel, Reg.-Comdt.
- Wasmer, Johann v., MVK. (KD.).

Oberstlieutenant.

(Vacat).

Major.

Grassl v. Rechten, Ludwig Ritt.

Rittmeister 1. Classe.

Normann, August Freih. v. (Erg.-Cadre-Comdt.).
Ergert, Eugen v.
Engel, Erich Ritt. v. (ü. c.) Lehrer am Mil.-Reitlehrer-Inst.
Boxberg, Johann Freih. v.
Schramm, Ferdinand.
Begg v. Albensberg, Heinrich.
Bannherr, Johann.
Schlögl Edl. v. Ehrenkreutz, Joseph (ü. c.) zug. dem Generalstabe.
Mouillard, Victor.
Bukuwky, Jaromir Gf., JO-Ehrenritter, ✠ (Res.).

Oberlieutenants.

Lamberg, Carl Gf. (Res.).
Moschitz, Carl.
Reichetzer, Eugen Freih. v.
Weiss v. Weissenfeld, Artemont.
Barber, Bernhard.
Lackenbacher, Bernard v.
Häussler, Joseph (Reg.-Adj.).
Delena, Robert.
Hoppe, Alois.
Ries, Gustav (Prov.-Off.).
Jabłoński, Hippolyt.
Ambrosi, Friedrich (WG.)
Mieling, Ludwig.
Kleeberg, Aemilian.
Brhel, Johann.
Baldini, Carl.
Kamptz v. Dratow, Alfred.
Hellenbach-Paczolay, Dionys Freih. v.

Lieutenants.

Gesselbauer, Otto, Dr. (Res.).
Matzner, Carl.
Allram, Lothar Ritt. v.
Neuberth, Eduard (Res.).
Ussar, Ludwig.
Planner, Julius.
Köhler Edl. v. Dammwehr, Adolph.
Baselli v. Süssenberg, Wilh. Freih.
Czaderski, Carl Ritt. v.
Załęski, Ladislaus Edl. v.
Goldegg und Lindenburg, Conrad von und zu.
Ofenheim v. Ponteuxin, Carl Ritt.
Zakrzewski, Ignaz.
Fiedler, Richard (Res.).
Moll, Victor (Res.).
Baselli v. Süssenberg, Carl Freih. (Res.).
Müller, Arthur.
Lindinger, Adolph.

Cadeten.

Mederer v. Mederer und Wuthwehr, Victor.
Schmiedell, Friedrich.
Srnka, Leopold.

Mil.-Aerzte.

Wibiral, Johann, Dr., Reg.-Arzt 1. Cl.
Zucker, Joseph, Dr., Reg.-Arzt 2. Cl.
Bauer, Joseph, Dr., Reg.-Arzt 2 Cl.

Rechnungsführer.

Egerer, Johann, Obrlt.

Thierarzt.

Fürböck, Florian.

Egalisirung schwefelgelb (wie Nr. 7), Knöpfe gelb.

11.
Galizisches Dragoner-Regiment.

Regiments-Stab: Czegléd.

Ergänzungs-Cadre: *Sambor*.

Ergänzt sich aus den Bezirken der Infanterie-Regimenter Nr. 9 u. 80.

1688 als Dragoner-Regiment errichtet, Heissler v. Heitersheimb, Donatus Gf., GdC.; 1692 von der Porten (La Porte), Philipp Jakob, Oberst; 1693 Sereni (Serényi) Franz Joseph Gf., FML.; 1705 Fels, Carl Colonna Gf. zu, GdC.; 1713 Württemberg, Eberhard Ludwig Herzog, FM.; 1734 Württemberg, Carl Alexander Herzog, FM.; 1737 Württemberg-Neustadt, Carl Rudolph Herzog, FM; 1740 Württemberg, Carl Eugen Landprinz (seit 1744 reg. Herzog), Oberst; 1793 Württemberg, Ludwig Eugen Herzog, Oberst; 1795 Württemberg, Friedrich Wilhelm Carl, Erbprinz (seit 1797 reg. Herzog, 1803 Churfürst, 1806 König); 1809 Knesevich v. St. Helena, Vincenz Freih., GdC.; 1832 Minutillo, Friedrich Freih., FML.; 1843 Franz Joseph, Erzherzog, Oberst; (1860 Kürassier-Regiment, 1867 Dragoner-Regiment).

(Zweite Inhaber waren: von 1843—1854 Bigot de St. Quentin, Franz Ludwig Gf., FML.; von 1855—1870 Cavriani, Carl Gf., FML.)

1848 Kaiser Franz Joseph.

Oberste.
- Bertrand d'Omballe, Emil Freih., Reg.-Comdt.
- Busch, August (ü. c.); Präses der Remonten-Assent-Commission Nr. 2 zu Grosswardein.

Oberstlieutenant.

Wimmer, Gustav.

Major.

Pouchly, Johann.

Rittmeister 1. Classe.

Lipowski v. Lipowiec, Wladimir Ritt. (Erg.-Cadre-Comdt.).
Pauer, Heinrich.
Frankiewicz, Anton.
Nossek, Adalbert (WG.).
Aulich, Emil Ritt. v.
Soist, Franz v.
Levetzov, Carl Freih. v.
Zenone di Castel Ceriolo, Cäsar Conte.

Oberlieutenants.

Steinkühl, Maxim. v (Res.).
Benischko v. Dobroslaw, Otto Ritt.
Tettenborn, Carl v. (Reg.-Adj.).
Schramek, Carl.
Sajatović, Daniel.
Furiakovics, Julius.
Lang, Moriz (Prov.-Off.).
Selliers de Moranville, Friedr. Chev.
Hage, Carl, ○ 2.
Pollo, Bronislaus.
Labrès, Hermann.
Dedekind, Franz.
Ogris, Julius.
Davidov, Svetozar (ü. c.) Comdt. der Feld-Gendarmerie-Abth. bei der XVIII. Inf.-Trup.-Div.
Nahlik, Carl.
Pollo, Joseph.
Pokorny, Zdenko.
Mikolaschek, Julius.
Wallisch, Eduard Freih. v.
Parizek, Ernst.
Görtz, Franz Ritt. v.
Berks, Lothar Ritt. v. (Res.).

Lieutenants.

Dobrzański de Dobra, Casimir Ritt.
Ludwigstorff, Rudolph Freih. v. (Res.).
Hessler, Wilhelm.
Henike, Richard.
Wallisch, Cornelius Freih. v.
Joffe, Martin.
Eichinger, Franz (Res.).
Gellinek, Gustav (Res.).
Noltsch, Franz (Res.).
Wimmer, Alfred Freih. v. (Res.).
Lux, Johann.
Hanikýř, Emanuel.
Dydiński Edl. v. Martýnowicz, Constantin.

Cadet.

Rössner, Emerich.

Mil.-Aerzte.

Görlich, Alois, Dr., Reg.-Arzt 1. Cl.
Keusch, Eduard, Dr., Reg.-Arzt 2. Cl.
Ungar, Dagobert, Dr., Oberarzt.
Peller, Heinrich, Oberwundarzt.

Rechnungsführer.

Engel, Wilhelm, Hptm. 1. Cl.

Thierarzt.

Mayer, Johann.

Egalisirung scharlachroth (wie Nr. 8), Knöpfe weiss.

12.

Mährisch-schlesisches Dragoner-Regiment.

Regiments-Stab: Prossnitz.

Ergänzungs-Cadre: *Kremsier.*

Ergänzt sich aus den Bezirken der Infanterie-Regimenter Nr. 1 u. 3.

1798 errichtet als 12. Kürassier-Regiment, im selben Jahre 6. Kürassier-Regiment; 1799 Melas, Michael Ritt., GdC.; 1802 Dragoner-Regiment; 1806 Riesch, Johann Gf., GdC.; 1822 Kinsky, Carl Gf., FML.; 1831 Ficquelmont. Carl Ludwig Gf., GdC.; 1857 Horváth-Tholdy, Johann Gf., FML.; 1860 wieder 12. Kürassier-Regiment. (1867 Dragoner-Regiment.)

1865 Neipperg, Erwin Gf. v., GdC.

Oberst u. Reg.-Comdt. Körber, Hermann.

Oberstlieutenant.

Pach zu Hansenheim und Hohen-Eppan, Felix Freih. v.

Major.

Gilsa, Carl v., MVK. (KD.).

Rittmeister 1. Classe.

Smaschil, Franz.
Fiedler, Heinrich.
Strobl, Ferdinand.
Schmelzer, Carl (Erg.-Cadre-Comdt.).
Seyd, Albrecht.
Edenberger, Joseph.
Globig, Werner Freih v., ⚷ (ü. c.) Dienstkämmerer Seiner k. k. Hoheit des Erzherzogs Rainer.
Blasius, Carl.
Enzberg - Mühlheim, Bruno Freih. v.

Oberlieutenants.

Vogl, Ludwig.
Klein, Franz, ○ 1.
Magdeburg, Victor Freih. v. (WG.).
Rotter, Alois.
Schiega, Otto.
Hranač, Alois, MVK. (KD.), (ü. c.) Lehrer an der Mil.-Ober-Realschule.
Podstatzky-Thonsern Freih. v. Prusinowitz, Theo. (Res.).
Possnig, Johann.
Foregger, Egmont, ○ 1.
Seifert Edl. v. Eichenstark, Heinrich.
Prziza, Franz (ü. c.) beim R.-Kriegs Mstm.
Hartelmüller, Erwin Freih. v.
Mertelmeyer, Rudolph.
Görtz, Maximilian Ritt. v.
Slocovich, Franz (Reg.-Adj.).
Kunz, Carl.
Stöckner Edl. v. Sturmau, Alois.
Nalepa, Friedrich Ritt. v.
Arnold, Peter (ü.c.) zug. dem Generalstabe.
Cavriani, Ladisl. Gf., ⚷ (ü.c.) zug. dem Hofstaate Seiner k. k. Hoheit des Erzherzogs Friedrich.

Lieutenants.

Wiener v. Welten, Alfred Ritt. (Res.).
Stummvoll, Leopold.
Prager, Leopold.
Mederer v. Mederer und Wuthwehr, Conrad.
Anisch, Wenzel.
Belnay, Arthur v.
Gudenus, Gabriel Freih. v. (Res.).
Auersperg, Leopold Gf. (Res.).
Barisch, Joseph (Prov.-Off.).
Skrbensky v. Hrzischye, Maximilian Freih.
Welzel, Julius (Res.).
Driancourt, Stanislaus (Res.).
Hilvety, Arthur.
Przyborski, Ludwig.
Hohenwart zu Gerlachstein, Lothar Gf. (Res.).
Blaschka, Ludwig (Res.).
Dobrzensky v. Dobrzenitz, Anton Freih. (Res.).
Kučera, Alois.
Beinhauer, Johann.
Swoboda, Franz.
Beneš, Wenzel.
Kamptz v. Dratow, Hermann Ritt.

Cadeten.

Euen, Arthur v.
Serényi de Kiss-Serény, Géza Gf.

Mil.-Aerzte.

Hehle, Jos., Dr., Reg.-Arzt 1. Cl.
Komarek, Wilhelm, Dr., Reg.-Arzt 2. Cl.
Schneider, Severin, Dr., Reg.-Arzt 2. Cl.
Schäffler, Eduard, Oberwundarzt.

Rechnungsführer.

Straić, Živko, Hptm. 1. Cl.

Ober-Thierarzt 2. Cl.

Rumler, Johann.

Egalisirung kaisergelb (wie Nr. 5), Knöpfe gelb.

13.

Böhmisches Dragoner-Regiment.

Regiments-Stab: Brandeis.

Ergänzungs-Cadre: *Altbunzlau.*

Ergänzt sich aus den Bezirken der Infanterie-Regimenter Nr. 36 u. 74.

1682 errichtet, Kuefstein, Johann Heinrich Gf. zu, Oberst.

1683 Savoyen, Eugen Franz Prinz von, Graf von Soissons, GL.

(† in Wien den 21. April 1736.)

(Hat seitdem diesen Namen beibehalten.)

Inhaber waren: von 1737—1772 Aspremont-Linden, Ferdinand Carl Gf., FM.; von 1773—1781 Riebecourt und Ney, Carl Gf., FML.; von 1781—1811 Tige, Ferdinand Gf., GdC.; von 1815—1847 Mohr, Johann Friedrich Freih. v., GdC.; von 1847—1849 Schlik zu Bassano und Weisskirchen, Franz Gf., GdC.; von 1849—1866 Fürstenberg, Friedrich Landgraf, GdC.; 1866—1873 Dobrzensky v. Dobrzenitz, Prokop Freih., FML.

Oberste.
- Cappy, Heinrich Gf., ÖLO-R. (KD.), MVK. (KD.), ✠ (ü. c.); Dienstkämmerer Sr. k. k. Hoheit des Erzherzogs Albrecht.
- Berres Edl. v. Perez, Alfred, Reg.-Comdt.

Oberstlieutenant.

Aull, August Ritt. v.

Major.

Reif, Carl.

Rittmeister 1. Classe.

Ysenburg und Büdingen, Adalbert Prinz zu, Durchlaucht (ü. c.) Legations-Secretär in Disponibilität.
Mittrowsky, Anton Gf., ÖEKO-R. 3., ✠.
Reinhold, Rudolph.
Kraus, Victor Edl. v.
Kinsky zu Wchinitz und Tettau, Franz Gf., ✠ (Res.).
Dobner, Thomas Edl. v. (Erg.-Cadre-Comdt.).
Walterskirchen, Maximilian Freih. v., ÖLO-R., ✠ (ü. z.) beurl.
Pflügl, Richard Edl. v.
Harnreich, Alois.
Stubenrauch, Eduard Ritt. v.

Oberlieutenants.

Hess-Diller, Friedr. Freih. v. (Res.).
Lindner, Carl Ritt. v.
Ludolf, Oskar Gf.
D'Ablaing v. Giessenburg, Daniel Freih.
Hacklaender, Wilhelm Ritt. v.
Gassebner, Hermann. (Reg.-Adj.).
Bigot de St. Quentin, Anatol Gf.
Matzenauer, Carl (Prov.-Off.)
Edelmann, Vincenz, ◯ 2.
Glotz, Ludwig Edl. v. (ü. c.) zug. dem Generalstabe.
Albrecht, Emil, ◯ 1.
Zedtwitz, Curt Gf. (Res.).
Kritzner, Franz (ü. c.) zug. dem Mil.-Fuhrw.-Corps.
Ehrler v. Ehrlenburg, Guido (ü. c.) zug. dem Generalstabe.
Baić, Peter.
Voitl, Leopold.
Czerny, Erwin Ritt. v.
Buzzi, August.

Lieutenants.

Schindler, Alexander (Res.).
Kottulinsky, Adalbert Gf., ✠ (Res.).
Nostitz-Rhinek, Erwin Gf. (Res.).
Tomssa, Sylvester (Res.).
Straubinger, Peter (Res.).
Ehrlich, Adalbert (Res.).
Fischer, Eduard.
Spallek, Anton.
Palm, Ernst Freih. v.
Milner, Friedrich.
Schnehen, Wilhelm Freih. v.
Weber v. Ebenhof, Alfred Freih.
Regner v. Bleileben, Edmund Ritt. (Res.).
Nostitz-Rhinek, Heinrich Gf.
Gemmingen, Hermann Freih. v.
Buquoy, Carl Gf. (Res.).
Hanel, Carl.

Geusau, Carl Freih. v.
Kallina, Ludwig (Res.).
Kolowrat, Leopold Gf. (Res.).
Arenstorff, Bruno Ritt. v.
Mendelein, Wilhelm.
Dahlen v. Orlaburg, Franz Freih.
Regner v. Bleileben, Johann Ritt.
Fleissner Freih. v. Wostrowitz, Ernst.
Thun-Hohenstein, Felix Gf.
Diesbach, Georg Gf.

Cadeten.

Reinlein v. Marienburg, Maximilian Freih.
Schaffgotsch von und zu Kynast, Freih. zu Trachenberg, Herbert Gf.

Mil.-Aerzte.

Glossauer, Johann, Dr., Reg.-Arzt 1. Cl.
Čmuchal, Ambrosius, Dr., GVK., Reg.-Arzt 2. Cl.

Rechnungsführer.

Deicher, Carl, Obrlt.

Ober-Thierarzt 1. Cl.

Neudert, Franz.

Egalisirung krapproth (wie Nr. 14), Knöpfe weiss.

14.
Böhmisches Dragoner-Regiment.

Regiments-Stab: Güns.

Ergänzungs-Cadre: *Pisek.*

Ergänzt sich aus den Bezirken der Infanterie-Regimenter Nr. 11 u. 75.

1725 als Dragoner-Regiment errichtet, Westerloo, Johann Philipp Marq., FM.; 1732 De Ligne, Ferdinand Prinz, FM.; 1757 Daun, Benedict Gf., FML.; 1758 Löwenstein-Wertheim, Christian Philipp Fürst, GdC.; 1759 St. Ignon, Joseph Gf., FML.; 1760 Chevaux-legers-, 1765 wieder Dragoner-Regiment; 1779 D'Arberg, Nikolaus Gf., FML; 1789 D'Ursel, Wilhelm Herzog, GM.; 1790 Baillet de Latour, Maximilian Gf., GdC.; 1791 Chevaux-legers-, 1798 Dragoner- und 1802 wieder Chevaux-legers-Regiment; 1806 Vincent, Carl Freih., GdC. *(vom Jahre 1826 an hat jedoch wegen dessen Abwesenheit im Auslande der FM. Heinrich Gf. v. Bellegarde die Regiments-Inhabers-Rechte ausgeübt);* 1851 wieder Dragoner-Regiment, mit Beibehaltung des Standes von vier Divisionen; 1854 die vierte Division zum Cadre des neu errichteten 8. Dragoner-Regiments bestimmt.

(Seit dem Jahre 1757 wurde im Regimente, zum Andenken an die ausgezeichnete Tapferkeit, welche es in der Schlacht bei Kollin mit seiner damals eben neu geworbenen noch ganz jungen unbärtigen Mannschaft, trotz des, unter Hinweisung auf diesen Umstand, ausgesprochenen Zweifels des commandirenden Generals, bewiesen hatte, vom Obersten bis zum Gemeinen kein Schnurrbart getragen. — Das Fortbestehen dieser auszeichnenden Erinnerung wurde von Seiner kaiserlich-königlichen Apostolischen Majestät Franz Joseph I. unterm 5. October 1850 allergnädigst genehmigt. Anlässig der im Jahre 1869 dem gesammten k. k. Heere gewährten Bartfreiheit wurde jedoch mit der Allerhöchsten Entschliessung vom 7. December 1869 die Form der vorerwähnten Auszeichnung abgeändert, und dem Regimente das Recht ertheilt, seiner demselben ausnahmsweise belassenen Estandarte ein besonderes Band mit dem als Devise eingestickten Stadt-Namen „Kollin" beifügen zu dürfen; — neuerlich geruhten Seine k. und k. Apostolische Majestät Franz Joseph I., mit Allerhöchstem Handschreiben vom 26. August 1875 allergnädigst zu bewilligen, dass das Regiment von seinem früheren, ihm vom Jahre 1757 bis zum Jahre 1869 zugestandenen Privilegium, keinen Schnurrbart zu tragen, wieder Gebrauch machen dürfe.

Seit dem Jahre 1791 besitzt das Regiment eine grosse goldene Ehren-Medaille mit Oehr und Band an der Estandarte, mit dem Brustbilde weiland Seiner Majestät des Kaisers Leopold II., und mit der Aufschrift: À la fidélité et valeur signalée du régiment de Latour Dragons, reconnue par l'Empereur et Roy.)

1835 Windisch-Graetz, Alfred Fürst zu, FM.

(† in Wien, den 21. März 1862.)

(Das Regiment hat diesen Namen auf immerwährende Zeiten zu behalten.)

(Seitdem war Inhaber: 1862—1868 Coudenhove, Carl Gf., FML.)

Oberst u. Reg.-Comdt. Üxküll-Gyllenband, Alexander Gf., ♇.

Oberstlieutenant.

Schaumburg-Lippe, Wilhelm Prinz zu, Durchlaucht, ÖEKO-R. 1., MVK. (KD.), erbliches Herrenhaus-Mitglied des Reichsrathes (Res.).

Majore.

Mensshengen, Ferdinand Freih. v., ♇ (ü. c.) Kammervorsteher Sr. k. k. Hoheit des Erzherzogs Johann Salvator.

Elgger v. Frohberg, Emanuel.

Bergauer, Joseph.

Rittmeister 1. Classe.

Wurmbrand-Stuppach, Leo Gf.

Bourgeois, Ernst Freih. v.

Goebel, Carl Edl. v.
Thüngen, Ernst Freih. v.
Stein zu Lausnitz, Roderich Freih. v.
Kiwisch v. Rotterau, Ottokar Ritt. (Erg.-Cadre-Comdt.).

Rittmeister 2. Classe.

Chorinsky, Maximilian Gf. (Res.).

Oberlieutenants.

Ségur-Cabanac, Alfred Gf., ✠ (Res.).
Wiesenecker, Raimund (Reg.-Adj.).
Gehring, Hellmuth Freih. v.
Anthoine, Gustav Edl. v.
Gruber, Anton.
Müller, Victor.
Liechtenstern, Friedrich Freih. v.
Wegr recte Weyr, Eduard.
Rychnovsky, Carl.
Khevenhüller-Metsch, Alfred Gf.
Thun-Hohenstein, Franz Gf., ✠ (Res.).
Bragança, Dom Miguel Prinz de, königl. Hoheit.
Jacob, Ferdinand.
Lobkowitz, Ferdinand Prinz v., Durchlaucht (Res.).
Holbach, Emil v.
Urban, Franz.
Fürstenberg, Vincenz Landgraf.
Cavriani, Franz Gf.
Chalupa, Joseph (Prov.-Off.).

Lieutenants.

Mayer, Ernst (Res.).
Urban, Gustav.
Parsch, Carl.
Folliot de Crenneville, Franz Gf.
Goebel, Alfred Edl. v.
Schwarz, Carl.
Hertrich, Friedrich.
Kodolitsch, Oswald Edl. v. (Res.).
Seilern-Aspang, Carl Gf. (Res.).
Lexa v. Aehrenthal, Felix Freih. (Res.).
Coudenhove, Conrad Gf.
Eberle, Edgar (Res.).
Gerblich, Johann (Res.).
Theuer, Carl (Res.).
Zedtwitz, Alfred Gf.
Schönfeld, Heinrich Gf.
Schönburg-Hartenstein, Alois Prinz, Durchlaucht.
Auersperg, Engelbert Prinz, Durchlaucht.
Thun-Hohenstein, Maximilian Gf.

Cadeten.

Knapp, Richard (Res.).
Drašković v. Trakostjan, Georg Gf.
Kutschenbach, Alexander Ritt. v.
Wenckheim, Heinrich Gf.
Jahn, Gustav (Res.).
Hoyos-Sprinzenstein, Ernst Gf. (Res.).
Prochaska, Franz (Res.).
Meszleny, Paul v. (Res.).

Mil.-Aerzte.

Philipp, Georg, Dr., Reg.-Arzt 1. Cl.
Fuhrmann, Franz, Dr., GVK. m. Kr., Reg.-Arzt 2. Cl.
Schlegel, Ferdinand, Dr., Reg.-Arzt 2. Cl.
Queiss, Edmund, Dr., Reg.-Arzt 2. Cl.

Rechnungsführer.

Kozell, Franz, Obrlt.

Mil.-Thierärzte.

Pisko, Ludwig, Thierarzt.
Mlaker, Ferdinand, Unter-Thierarzt.

Egalisirung krapproth (wie Nr. 13), Knöpfe gelb.

Ungarische

Huszaren-Regimenter.

1.

Huszaren-Regiment.

Regiments-Stab: Weisskirchen in Ungarn.

Ergänzungs-Cadre: *Szolnok.*

Ergänzt sich aus dem Bezirke des Infanterie-Regiments Nr. 68.

1756 errichtet, Franz I., römischer Kaiser; 1765 Kaiser Joseph II.; 1790 Kaiser Leopold II.; 1792 Kaiser Franz II.; 1806 Kaiser Franz; 1835 Kaiser Ferdinand.

(Zweite Inhaber waren: von 1767—1804 Almásy, Ignaz Gf., GdC.; von 1804—1808 Esterházy, Paul Gf., GM.; von 1808—1823 Szent-Kereszty de Zagon, Sigmund Freih., GdC.; von 1825—1852 Mensdorff-Pouilly, Emanuel Gf., GdC.; von 1852—1869 Ottinger, Franz Freih. v, GdC.)

1848 Kaiser Franz Joseph.

Oberst u. Reg.-Comdt. Dreihann v. Sulzberg am Steinhof, August Freih.

Oberstlieutenant.

(Vacat.)

Majore.

Máriássy de Markus et Batiszfalva, Rudolph, ♱.
Lichtenberg, Sigmund Gf.

Rittmeister 1. Classe.

Mayer, Carl, MVK. (KD.), (WG.).
Scheidl v. Beneschau, Ferdinand (Erg.-Cadre-Comdt.).
Kovács de Kovászna, Béla, MVK. (KD.).
Graf, Carl.
Nagy, Franz, MVK. (KD.), ○ 1. (WG.).
Gussich, Napoleon Freih v.
Barkassy, Béla v. (des Generalstabs-Corps).
Wokurka, Carl.
Erben, Robert.
Tataczy, Johann, MVK. (KD.).

Oberlieutenants.

Oberländer, Albert Freih. v. (Res.).
Wachsmann, Joseph.
Nagy de Mesterház, Vincenz.
Krainz, Franz.
Quirini, Adolph.
Zsombory, Carl.
Gerbić, Nikolaus (Prov.-Off.).
Leonhardy, Carl Freih. v.
Ederer, Ferdinand (Res.).
Antal, Lorenz, ○ 1.
Leitgeb, Johann.
Deseő de Szt. Viszló, Carl (Reg.-Adj.).
Máriássy de Markus et Batiszfalva, Ladislaus.
Rauscher, Alexander.
Brezovay, Andreas v.
Gantzstuck v. Hammersberg, Desiderius.

Lieutenants.

Ronay de Kis-Zombor, Béla (Res.).
Rainer v. Lindenbüchl, Julius Ritt.
Sonnenberg, Alfred v. (Res.).
Ronay de Kis-Zombor, Ernst (Res.).
Deschan v. Hannzen, Arthur Ritt. (ü. c.) zug. der Gestüts-Branche.

Radossevich v. Rados, Ludwig Freih.
Dadányi de Gyülvész, Alexander.
Povolny, Adolph.
Obermüller, Hugo.
Kokanović, Franz.
Reményik, Stephan v.
Bissingen-Nippenburg, Ferdinand Gf.
Beniczky, Attila v.
Kazy, Joseph v. (Res.).
Schaller, Joseph (Res.).
Bánhidy, Anton Freih. v. (Res.).
Krzyzanowski, Alphons.
Máriássy de Markus et Batiszfalva, Béla.

Cadeten.

Schwarzer v. Heldenstamm, Emil Ritt. (Off.-Stellv.).
Pronay, Johann v.
Péczely, Franz.

Mil.-Aerzte.

Kahler, Eduard, Dr., Reg.Arzt 2. Cl.
Tschudi, Arthur, Dr., GVK. m. Kr., Reg.-Arzt 2. Cl.
Plail, Johann, Oberwundarzt.

Rechnungsführer.

Nolli, Vincenz, Obrlt.

Ober-Thierarzt. 2. Cl.

Müllender, Franz.

Dunkelblauer Czako mit Rosshaarbusch (wie Nr. 13), dunkelblauer Attila mit gelben Oliven, krapprothe beschnürte Stiefelhose, Mantel dunkelbraun.

2.
Huszaren-Regiment.

Regiments-Stab: Kronstadt.
Ergänzungs-Cadre: *Klausenburg.*

Ergänzt sich aus den Bezirken der Infanterie-Regimenter Nr. 2, 5, 31, 39, 50, 51, 62, 63 und 64.

1743 errichtet; 1749 Kálnoky, Anton Gf., GdC.; 1784 Leopold Alexander, Erzherzog, Palatin von Ungarn, Oberst; 1795 Joseph Anton, Erzherzog, Palatin von Ungarn, FM.; 1847 Ernst August, König von Hannover, GdC.;

(Zweite Inhaber waren: von 1784—1809 Splényi v. Miháldy, Michael Freih., FML.; von 1809—1823 Mecséry, Daniel Freih., FML.; von 1825—1840 Splényi v. Miháldy, Ignaz Freih., GdC.; von 1840—1848 Zichy, Ferdinand Gf., FML.; von 1849—1866 Legeditsch, Ignaz Ritt. v., GdC.)

1852 Nikolaus Nikolajewitsch, Grossfürst von Russland.

Zweiter Inhaber.

Jósika v. Branyicska, Johann Freih., FML. (1866).

Oberste.
Gaffron v. Oberstradam, Rudolph Freih. MVK. (KD.), ○ 1., Reg.-Comdt.
Dubsky v. Trzebomyslitz, Victor Gf., ÖEKO-R. 3., JO-Ehrenritter, ✠ (ü. c.) a. o. Gesandter u. bevollmächtigter Minister am königl. griechischen Hofe.

Oberstlieutenants.
Wense, Ernst von der.
Schönfeld, Maximilian Gf.

Major.
(Vacat.)

Rittmeister 1. Classe.
Enenkl, Joseph.
Mihályi de Apsa, Julius.
Gárdik de Karda, Paul (Erg.-Cadre-Comdt.).
Balláts, Vincenz.
Paterny, Wenzel.
Kaunz, Johann.
Sényi de Nagy-Unyom, Alexander.
Albrechtovich, Anton v.

Oberlieutenants.
Birkel, Joseph.
Thien, Johann v.
Lyro, Emil.
Eger, Alois, ○ 2.
Conrad, Franz.
Jungnikl, Franz.
Krahl, Napoleon.
Bach v. Klarenbach, Georg.
Sugár, Nikolaus.
Swaty, Franz (ü. c.) Lehrer an der Mil.-Unter-Realschule zu St. Pölten.
Vogler, Alois (Reg.-Adj.).
Thomae, Adolph.
Hroch, Anton.
Gräser, Joseph.
Heydenreich, Hermann.
Steinner-Göltl, Adalbert (Prov.-Off.).

Lieutenants.
Ivánka de Draskócz et Jordánföld, Oskar (Res.).
Béldi v. Uzom, Colom. Gf. (Res.).
Czetz, Victor (WG.).
Báthor v. Felső-Bár, Elemér (Res.).
Wanka, Ludwig.
Weber, Gilbert (Res.).
Kornitz, Ferdinand.
Visegrády, Adalbert.
Römer v. Ravenstein, Carl.
Mittelmann, Felix (Res.).
Ebersberg, Alfred.
Bornemisza, Gabriel Freih. v.
Pap, Wolfgang v. (Res.).
Stefanović, Constantin (Res.).
Bartheldy, Ludwig v.
Knoreck, Hannibal Edl. v.
Gablenz-Eskeles, Heinrich Freih. v.
Merhal, Ernst.

Cadeten.
(Vacant).

Mil.-Aerzte.
Hahn, Jonathan, Dr., Reg.-Arzt 1. Cl.
Ebert, Franz, Dr., Reg.-Arzt 2. Cl.
Gooss, Friedrich, Dr., Reg.-Arzt 2. Cl.
Žilak, Heinrich, Unterarzt.

Rechnungsführer.
Schneider, Johann, Obrlt.

Mil.-Thierärzte.
Schmidt, Adalbert, Ober-Thierarzt 1. Cl.
Straberger, Johann, Unter-Thierarzt.

—

Weisser Czako mit Rosshaarbusch (wie Nr. 3, 9 u. 12), lichtblauer Attila mit gelben Oliven, krapprothe beschnürte Stiefelhose, Mantel dunkelbraun.

3.

Huszaren-Regiment.

Regiments-Stab: Hermannstadt.

Ergänzungs-Cadre: Festung *Arad.*

Ergänzt sich aus den Bezirken der Infanterie-Regimenter Nr. 29, 33 u. 46.

1702 errichtet, Forgách de Ghymes, Simon Gf., GM.; 1704 Lehoczky, Martin v., GM.: 1712 Babocsay, Paul Freih. v., GM.; 1727 Dessewffy, Stephan Freih., FML.; 1742 Festetics de Tolna, Joseph Freih.. GdC.; 1757 Széchényi, Anton Gf., FML.; 1767 Ujházy, Ferdinand Franz v., GM.: 1768 Eszterházy, Emerich Gf., GdC.; 1793 Ferdinand Carl d'Este, Erzherzog, FM.; 1830 Carl Prinz von Bayern; 1866 Folliot de Crenneville, Ludwig Gf., GdC.

(Zweite Inhaber waren: von 1794—1811 Otto. Rudolph Ritt. v., GdC.; von 1814—1829 Neipperg, Adam Albert Gf., FML.; von 1829—1857 Vécsey v. Hainácskeö, August Gf., GdC.; von 1857—1861 Barcó, Joseph Freih. v., FML.; 1861—1866 Folliot de Crenneville, Ludwig Gf., FML.)

1876 Thurn und Taxis, Emerich Prinz v., GdC.

Oberst. Liechtenberg-Mordaxt-Schneeberg, Arthur Gf., (ü. c.) Comdt. der 17. Cav.-Brig. zu Güns.

Oberstlieutenants.

Galgóczy de Galantha, Theodor, ÖEKO-R. 3. (KD.). Reg.-Comdt.
Prokop, Julius.

Major.

Balogh de Beöd, Julius, MVK. (KD.).

Rittmeister 1. Classe.

Szerviczky de Nagy-Kanisa et Karis, Julius, MVK. (KD.).
Obst, Alfred.
Sykan, Bernhard.
Balogh, Ludwig v. (Erg.-Cadre-Comdt.).
Krauchenberg, Ludwig.
Tóth, Carl v., MVK. (KD.).
Schénály, Johann.

Oberlieutenants.

Knezevich de St. Helena, Victor Freih.
Gradel, Carl.
Faragó, Gabriel.
Nagy de Radnotfay, Gabriel.
Antosch, Eduard.
Surányi, Franz.
Wernhardt, Paul Freih. v.
Körner, Heinrich (Res.).
Gyulai de Nagy-Várad, Richard.
Toth, Géza v.
Henriquez, Carl Ritt. v.
Gutt, Wilhelm (Prov.-Off.).
Koch, Wilhelm.
Lorenz, Robert.
Walther, Eduard (Reg.-Adj.).
Gentschik v. Gezova, Eugen Ritt.
Bolza, Béla Gf.
Bethlen, Ladislaus Gf.
Fleischmann v. Theissruck, Moriz.

Lieutenants.

Metall, Otto (Res.).
Milner, Johann (Res.).
Winter, Johann (Res.).
Stepanek, Carl (Res.).
Tischler, Dominik (Res.).
Bányay, Eugen (Res.).
Schemel Edl. v. Kühnritt, Géza.
Pirkner, Johann v. (Res.).
Bágya, Franz v.
Henriquez, Heinrich Ritt. v.
Bartuska v. Bartavár, Maximilian.
Toldalagi, Tibor Gf.
Hubaček, Joseph (Res).
Szilágyi, Johann.

Cadeten.

Fejérváry, Géza v.
Schmidt, Simon.

Mil.-Aerzte.

Pildner v. Steinburg, Julius, Dr., Reg.-Arzt 1. Cl.
Koubik, Joseph, Dr., Reg.-Arzt 2. Cl.
Malitzky, Ludwig, Oberwundarzt.

Rechnungsführer.

Čuič, Theodor, Obrlt.

Unter-Thierarzt.

Brandl, Thomas.

Weisser Czako mit Rosshaarbusch (wie Nr. 2, 9 u. 12), dunkelblauer Attila mit gelben Oliven, krapprothe beschnürte Stiefelhose, Mantel dunkelbraun.

4.
Huszaren - Regiment.

Regiments-Stab: Agram.

Ergänzungs-Cadre: *Maria-Theresiopel.*

Ergänzt sich aus den Bezirken der Infanterie-Regimenter Nr. 6 u. 23.

1734 errichtet. Hávor, Johann Nikolaus Gf., FML.; 1744 Dessewffy, Joseph Freih., FML.; 1765 Ujházy, Ferdinand Gf., GM.; 1772 Graeven, Martin Freih. v., FML.; 1791 Vécsey v. Hainácskeö, Sigbert Freih., FML.; 1803 Hessen-Homburg, Friedrich Joseph Ludwig, Erbprinz (1820 Landgraf), GdC.; 1829 Geramb, Leopold Freih., FML.; 1839 Alexander Czesarewitsch, Grossfürst und Thronfolger von Russland; 1849 Schlik zu Bassano und Weisskirchen, Franz Gf., GdC.; 1862 Cseh v. Szent-Kátolna, Victor, FML.

(Zweite Inhaber waren: von 1839—1845 Geramb, Leopold Freih., GdC.; von 1845—1848 Lamberg, Franz Philipp Gf., FML.)

1867 Edelsheim-Gyulai, Leopold Freih. v., GdC.

Oberste. Krenosz, Carl, MVK. (KD.), (ü. c.) Comdt. der 21. Cav.-Brig. zu Brzezan.
Benesovszky, Wenzel, MVK. (KD.), Reg.-Comdt.

Oberstlieutenants.

Gyömörey, Anton v.
Georgevits de Apadia, Georg, MVK.

Major.

Stoits, Peter.

Rittmeister 1. Classe.

Steinhuber, Laurenz.
Hüttinger, Joseph.
Francke, Ludwig.
Bakó, Alexander v. (ü. c.) zug. dem Generalstabe.
Berchthold Freih. v. Ungerschütz, Ottokar Gf.
Elmer, Johann (Erg.-Cadre-Comdt.).
Ruttkay de Nedecz, Johann, MVK. (KD.).
Türkheim-Geisslern, Joachim Freih. v., ✠.
Samek, Franz.

Oberlieutenants.

Titz v. Titzenhofer, Alfred Freih. (Res.).
Battha de Wattha, Béla.
Jovanović, Georg.
Taxis de Bordogna et Valnigra, Joseph Freih. (Res.).
Hager, Stephan.
Grünberger, Gustav.
Forster, Béla v. (ü. c.) Personal-Adj. des GdC. Freih. v. Edelsheim-Gyulai.
Vinkovics, Michael.
Henriquez, Gustav Ritt. v.
Kubass, Michael, ○ 2. (Res.).
Kunzl, Liborius.
Radnitzký, Eduard.
Kummer, Heinrich (ü. c.) zug. dem Generalstabe.
Rohan, Joseph Prinz, Durchlaucht.
Horváth, Julius v.
Brauneder, Wilh. (Prov.-Off.).
Redlich, Oskar.

Lieutenants.

Vietoris de Kiskowalótz, Nikolaus (Res.).
Jakabffy, Emerich v. (Res.).
Graner, Edmund (Res.).
Freistädtler, Wilhelm (Res.).
Csatth de Kozmatelke, Ludw.
Cappy, Albert Gf.
Vécsey de Hainácskö, Béla Freih.
Bolza, Géza Gf.
Niebauer, Wilhelm (Reg.-Adj.).
Peteani v. Steinberg, Arthur Ritt.
Szabadhegyi de Csallóköz-Megyerts, Zoltán.
Hegeler, Gustav.
Thurn-Valsassina, Franz Gf.
Bekeffy v. Salóvölgy, Franz.
Szegedy-Ensch, Alexander Freih. v.
Pescha, Alexander (Res.).
Bethlen, Aladár Gf.
Stocklassa, Ludwig.
Eszterházy, Franz Gf.

Cadeten.

(Vacant.)

Mil.-Aerzte.

Söltz, Albert v., Dr., Reg.-Arzt 1. Cl.
Fischer, Gottlieb, Dr., Oberarzt.
Kirchner, Anton, Dr, Oberarzt.
Schmidt, Joseph, GVK., SVK. m. Kr., Oberwundarzt.

Rechnungsführer.

Wolf, Anton, Hptm. 2. Cl.

Mil.-Thierärzte.

Jancsik, August, Thierarzt.
Gessel, Hermann, Unter-Thierarzt.

Krapprother Czako mit Rosshaarbusch (wie Nr. 5, 8 u. 14), lichtblauer Attila mit weissen Oliven, krapprothe beschnürte Stiefelhose, Mantel dunkelbraun.

5.
Huszaren-Regiment.

Regiments-Stab: Pardubitz.

Ergänzungs-Cadre: *Oedenburg.*

Ergänzt sich aus den Bezirken der Infanterie-Regimenter Nr. 48 u 76.

1798 errichtet; 1801 Ott, Carl Freih., FML.: 1809 Radetzky v. Radetz, Joseph Gf., FML.: 1814 Georg, Prinz-Regent von England, FM.: 1820 Georg IV., König von England, FM.: 1830 Radetzky v. Radetz, Joseph Gf., GdC.: 1831 Carl Albert König von Sardinien.
(Zweiter Inhaber war: von 1814—1830 und von 1831—1848 Radetzky v. Radetz, Joseph Gf.. FM.)

1848 Radetzky v. Radetz, Joseph Gf., FM.

(† in der Villa reale zu Mailand den 5. Jänner 1858.)

(Das Regiment hat diesen Namen auf immerwährende Zeiten zu behalten.)

Seitdem war Inhaber von 1858—1871: Montenuovo, Wilhelm Fürst v., GdC.

Oberst u. Reg.-Comdt. Merolt, Heinrich.

Oberstlieutenants.

Némethy, August, MVK. (KD.).
Hatfaludy de Halmansdorf, Coloman.

Major.

(Vacat.)

Rittmeister 1. Classe.

Tartoll, Martin (Erg.-Cadre-Comdt.).
Führer, Ernst.
Zichy de Vasonykeő, Emerich Gf. (Res.).
Neustädter, Carl Freih. v. (WG.).
Pokorny, August Edl. v.
Spaur-Burgstall, Joh. Gf., ✝.
Ziętkiewicz, Alfred.
Pongrácz, Béla Gf., ✝ (Res.).
Stesser, Georg.
Arz-Vasegg v. Neuhaus, Roderich Gf., ✝.
Scharnhorst, Emil.

Oberlieutenants.

Wirth von der Westburg, Robert.
Glentworth de Vaudrie, Horatius (WG.).
Löw, Carl.
Bartl, Carl (Prov.-Off.).
Russo v. Aspernbrand, Alexander Ritt.
Rumpf, Friedrich.
Vogl, Carl.
Gottesmann, Eugen (Res.).
Egger, Rudolph.
Hauschka v. Treuenfels, Julius, ÖFJO-R. (Reg.-Adj.).
Szilvinyi, Géza v.
Rottée de Romaroli, Eduard.
Wukellić Edl. v. Wukovgrad, Theodor.
Bene, Franz v.
Gerstenberger, Johann.

Lieutenants.

Eltz, Ludwig v. (Res.).
Toth de Börgöcz, Emerich (Res.).
Vasquez-Pinos, Alfred Gf. (Res.).
Mach Edl. v. Felsenhorst, Ludwig.
Pászthory Edl. v. Pásztori, Dionysius.
Pfeiffer, Julius.
Treitz, Wenzel.
Szontágh, Arthur.
Máriássy de Markus et Batiszfalva, Attila.
Latinovits, Ernst v. (Res.).
Schlauch, Curt.
Vajda de Rába-Bogyoszló et Zala-Kopány, Alexius.
Andrássy v. Csik-Szent-Király und Kraszna-Horka, Géza Gf. (Res.).
Huszár, Paul (Res.).
Krascsenits Edl. v. Töbör-Ete, Árpád.
Otschinek v. Karlsheim, Carl.
Schiller, Alexander.

Cadet.

Kluge, Julius.

Mil.-Aerzte.

Gencsi, Andreas, Dr., GVK. m. Kr, Reg.-Arzt 1. Cl.
Ljubić, Franz, Dr., Reg.-Arzt 2. Cl.
Nedošinský, Georg, Dr., Reg.-Arzt 2. Cl.
Sorm, Johann, Oberwundarzt.

Rechnungsführer.

Wolf, Carl, Hptm. 2. Cl.

Thierarzt.

Albl, Martin.

Krapprother Czako mit Rosshaarbusch (wie Nr. 4, 8 u. 14), dunkelblauer Attila mit weissen Oliven, krapprothe beschnürte Stiefelhose, Mantel dunkelbraun.

6.
Huszaren-Regiment.

Regiments-Stab: Wien.

Ergänzungs-Cadre: *Kaschau.*

Ergänzt sich aus den Bezirken der Infanterie-Regimenter Nr. 25, 34 u. 67.

1734 errichtet, Károlyi de Nagy-Károly, Alexander Gf., GdC.; 1738 Károlyi de Nagy-Károly, Franz Gf., GdC.; 1759 Pálffy, Rudolph Gf., FML.; 1768 Hadik v. Futak, Andreas Gf., FM.; 1791 Blankenstein, Ernst Gf., GdC.; 1814 Kronprinz Wilhelm v. Württemberg; 1817 Wilhelm I., König von Württemberg.

(Zweite Inhaber waren: von 1814—1816 Blankenstein, Ernst Gf., GdC.; von 1819—1840 Hadik v. Futak, Andreas Gf., GdC.; von 1840—1858 Serbelloni-Sfondrati, Ferdinand Gf., Duca di S. Gabrio, GdC.)

1864 Carl I., König von Württemberg.

Zweiter Inhaber.

Bersina v. Siegenthal, Eduard Freih., FML. (1858).

Oberste.
- Pálffy ab Erdöd, Andreas Gf., St.O-R., ÖLO-R., ✝ (ü c.); Erster Stallmeister Seiner Majestät des Kaisers und Königs.
- Kodolitsch, Alphons v., ÖEKO-R. 3. (KD.), MVK. (KD.), Reg.-Comdt.
- Wrede, Nikolaus Fürst, ÖLO-R., ÖEKO-R. 3. (ü. c.); diplomatischer Agent und General-Consul zu Belgrad.

Oberstlieutenant.
(Vacat.)

Majore.
Gázmán, Carl.
Kayser, Julius, MVK.
Nassau, Wilhelm Erbprinz zu, Hoheit.

Titular-Major.
Sizzo-Noris, Heinrich Gf., MVK. (KD.), (Res.).

Rittmeister 1. Classe.
Déreży, Peter (Res.).
Oellacher, Gustav (Erg.-Cadre-Comdt.).
Tschuschner, Anton Edl. v. (ü. c.) zug. dem Mil.-Fuhrw.-Corps.
Gall, Albert.
Dvořáček, Joseph, MVK. (KD.).
Almássy de Zsadány et Török Szt. Miklós, Béla, MVK. (KD.).
Turkovits, Edmund.
Bossi-Fedrigotti, Ludwig Gf., ✝.
Lodron-Laterano, Albert Gf., ✝.

Oberlieutenants.
Angerholzer, Julius.
Tschurl, Franz.
Schrenk auf Notzing, Ernst Freih. v., JO-Justizritter, ✝.
Eszterházy, Georg Gf., ✝.
Buttlar, Adolph Freih. v. (Res.).
Hahn, Samuel (Prov.-Off.).
Becker, Conrad (Reg.-Adj.).
Czoppelt, Ernst.
Eschwig, Otto.
Belnay, Johann v.
Negrelli v. Moldelbe, Ferdinand Ritt.
Wandrusch, Julius.
Gangl, Rudolph.
Reimer, Wilhelm
Welkow, Joseph.
Simon de Kézdi-Polyan, Alexius.
Oreczy, Cherubin Freih. v.

Koch, Ludwig.
Wenckheim, Joseph Freih. v.
Sulkowski, Ludwig Fürst.
Zuna, Edgar.

Lieutenants.

Wurmbrand-Stuppach, Joseph Gf. (Res.)
Dokus de Csabacsüd, Julius (Res.)
Láczay, Julius v. (Res.)
Ragályi de Kis-Csoltó et Pelsöcz, Béla (Res.)
Szávost, Emil (Res.)
Boroviczényi, Julius v.
Dadányi de Gyülvész, Ludwig.
Podmaniczky, Béla Freih. v.
Sulkowski, Alexander Fürst.
Goldschmiedt, Richard.
Pilz, Carl (Res.).
Fischer de Nagy-Szalatnya, Ludwig Freih.
Schell v. Bauschlott, Alexander Freih.
Bissingen - Nippenburg, Rudolph Gf.
Hammerstein-Gesmold, Arnold Freih. v. (Res.)
Andrássy v. Csik-Szent-Király und Krászna-Horka, Theodor Gf. (Res.)
Eidlitz, Otto (Res.)
Rogendorf, Andreas Gf. (Res.)
Pereira-Arnstein, Adolph Freih v. (Res.)

Cadeten.

Tschurl, Friedrich.
Lersch, Camillo.
Orczy, Emil Freih. v.

Mil.-Aerzte.

Ljubić, Joseph, Dr., Reg.-Arzt 2. Cl.
Křestan, Wenzel, Dr., Oberarzt.
Kraus, Leopold, GVK., Oberwundarzt.

Rechnungsführer.

Nikolić, Andreas, Hptm. 2. Cl.

Thierarzt.

Haudek, Ignaz.

Aschgrauer Czako mit Rosshaarbusch (wie Nr. 11, 15 u. 16), lichtblauer Attila mit gelben Oliven, krapprothe beschnürte Stiefelhose, Mantel dunkelbraun.

7.
Huszaren-Regiment.

Regiments Stab: Marburg.

Ergänzungs-Cadre: *Fünfkirchen.*

Ergänzt sich aus den Bezirken der Infanterie-Regimenter Nr. 44 u. 52.

1798 errichtet; 1801 Liechtenstein, Johann Fürst, FM.; 1836 Fürst Reuss-Köstritz, Heinrich LXIV., GdC.; 1857 Simbschen, Carl Freih. v., FML.

(*Zweiter Inhaber war: von 1864—1870 Simbschen, Carl Freih. v., FML.*)

1864 Friedrich Carl, Prinz von Preussen.

Oberst u. Reg.-Comdt. Mecséry de Tsóor, Carl Freih.. MVK. (KD.), ✠.

Oberstlieutenants.

Thomka de Thomkaháza et Falkusfalva, Wilhelm.
Czeke de Szt.-György, Nikolaus.

Major.

Rohonczy, Georg v. (ü. c.); Flügel-Adj Seiner Majestät des Kaisers und Königs.

Rittmeister 1. Classe.

Bruneck, Rob. Freih. v.(Res.).
Souvent, Alfred Edl. v.
Rabár, Alexander.
Teinzmann, Victor, MVK. (KD.), (Erg. - Cadre-Comdt.).
Paczona, Stephan v.
Kerekes de Moha, Coloman.
Skubitz, Gustav.
Soyka, Emil v.
Hrabovszky v. Hrabova, Joseph.
Wallis Freih. auf Carighmain, Rudolph Gf. (Res.).

Oberlieutenants.

Litke, August.
Nagy, Valerian v., MVK. (KD.).
Mayer, Alphons.
Lichtenstern, Joseph.
Mariani, Maximilian, MVK. (KD.).
Decleva, Adalbert, ÖEKO-R. 3. (KD.).
Henze, Victor.
Solms-Wildenfels, Heinrich Gf. zu.
Bielz, Gustav, ○ 1. (WG.).
Mariancsik, Armin.
Schöndruck, Ottokar (Prov.-Off.).
Micsinyei, Emerich (Reg.-Adj.).
Wiesspeiner, Eugen, MVK. (KD.).
Seyff, Franz.
Mauthner, Gustav (Res.).
Szathmáry-Király, Paul(Res.).
Wehler, Stephan, MVK.(KD.), (Res.).
Joris. Ludwig.
Tallián de Vizek, Wilhelm, MVK. (KD.).
Hellmer Edl. v. Kühnwestburg, Ludwig.
Schellerer, Maximilian Freih. v.

Lieutenants.

Szábo, Friedrich (Res.).
Jarmulski, Richard (Res.).
Schönwetter, Victor (Res.).
Lösch, Joseph.
Mach, Friedrich.
Kovanda, Franz.
Ettingshausen, Sigmund v.
Claisen, Franz.
Baar, Nikolaus.
Heintschel, Felix (Res.).
Eszterházy, Nikolaus Prinz, Durchlaucht, MVK. (KD.), (Res.).
Förster, Aurel (Res.).
Förster, Otto (Res.)
Jurenák, Albert.

Cadeten.

Adamovics de Csepin, Johann.
Tallián de Vizek, Andreas.
Szápáry, Stephan Gf.

Mil.-Aerzte.

Mayer, Anton, Dr., Reg.-Arzt 2. Cl.
Dietz, Christoph, Dr., ÖFJO-R., GVK., Reg.-Arzt 2. Cl.
Schleicher, Julius, Dr., Oberarzt.
Kübel, Jakob, Dr., Oberarzt.

Rechnungsführer.

Lubieniecki, Leo, Hptm. 2. Cl.

Thierarzt.

Kagerer, Martin.

Lichtblauer Czako mit Rosshaarbusch (wie Nr. 10), lichtblauer Attila mit weissen Oliven, krapprothe beschnürte Stiefelhose, Mantel dunkelbraun.

8.
Huszaren-Regiment.

Regiments-Stab: Ruma.

Ergänzungs-Cadre: *Kecskemét.*

Ergänzt sich aus dem Bezirke des Infanterie-Regiments Nr. 38.

1696 errichtet, Deák, Paul v., GM.; 1706 Viszlay, Andreas v., Oberst; 1706 Splényi de Mihäldy, Johann Ladislaus Freih, FML.: 1730 Czungenberg, Franz Freih., FML.; 1733 Dessewffy, Emerich Freih., GM.: 1739 Baranyay v. Bodorfalva, Johann Freih., GdC.; 1766 Nauendorf, Carl Freih., FML.; 1773 Wurmser, Dagobert Sigmund Gf., FM.; 1798 Nauendorf, Friedrich August Gr., FML.: 1802 Kienmayer, Michael Freih., GdC.; 1828 Sachsen-Coburg-Gotha, Ferdinand Herzog, GdC.: 1851 Friedrich Wilhelm I., Churfürst von Hessen-Cassel.

(Zweiter Inhaber war: von 1852—1871 Liechtenberg-Schneeberg, Nikolaus Gf., GdC.)

1875 Koller, Alexander Freih. v., GdC.

Oberst u. Reg.-Comdt. Vidos de Kolta, Alexius.

Oberstlieutenant.

Földváry, Steph. Freih. v., MVK. (KD.), ✠.

Major.

Mecséry de Tsóor, Emerich Freih., MVK. (KD.), ✠.

Rittmeister 1. Classe.

Urtika, Anton.
Lenk v. Treuenfeld, Albert (ü. c.) beim R.-Kriegs-Mstm.
Jankovics de Csalma, Coloman.
Schaffranek, Michael.
Popp, Ferdinand (WG.).
Mihailovits, Adolph.
Klingner, Adalbert.
Dolleschall, Nikolaus (Erg.-Cadre-Comdt.).
Malburg, Adolph, MVK. (KD.), (Res.).

Oberlieutenants.

Spoler, Georg.
Schmidt, Johann.
Stupka, Theodor.
Kunerle, Friedrich (Res.).
Ballassa, Georg.
Karasek, Alois.
Wácrek, Franz.
Baltress, Peter.
Lázár, Friedrich.
Tesléry, Johann (Prov.-Off.).
Jäger, Emil.
Dębicki, Michael.
Karger, Wilhelm.
Hottowetz, Joseph (Reg.-Adj.).
Barcsay de Nagy-Barcsa, Vict.
Manger v. Kirchsberg, Friedr.
Szalay, Edmund v.

Lieutenants.

Feige, Theodor (Res.).
Miticzky, Coloman v.
Coppini, Franz Ritt. v. (Res.).
Scheff, Carl.
Wallaschek, Ernst.
Schreitter v. Schwarzenfeld, Adolph Ritt. (ü. z.) beurl.
Apór de Al-Tórja, Samuel Freih.
Molnár, Arthur v.
Tax, Franz (Res.).
Goldegg und Lindenburg, Paul von und zu.
Ziegler, Franz.
Schwer, Otto.
Sedlák, Ottokar, ○ 2.

Cadeten.

Josipovich, Géza v. (Res.)
Kacskovics, Zoltán v. (Res.)
Lipthay, Guido v. (Res.)
Holl v. Stahlberg, Arthur Ritt. (Res.)

Mil.-Aerzte.

Gabel, Joseph, Dr., Reg.-Arzt 1. Cl.
Millner, Emerich, Dr., Reg.-Arzt 2. Cl.
Feymann, Stephan, Dr., Oberarzt.

Rechnungsführer.

Frühbeck, Vincenz, Obrlt.

Mil.-Thierärzte.

Felmayer, Joseph, Ober-Thierarzt 2. Cl.
Zwerger, Johann, Unter-Thierarzt.

Krapprother Czako mit Rosshaarbusch (wie Nr. 4, 5 u. 14), dunkelblauer Attila mit gelben Oliven, krapprothe beschnürte Stiefelhose, Mantel dunkelbraun.

9.

Huszaren-Regiment.

Regiments-Stab: Fünfkirchen.

Ergänzungs-Cadre: *Komorn.*

Ergänzt sich aus den Bezirken der Infanterie-Regimenter Nr. 12 u. 19.

1688 errichtet, Czobor, Adam Gf., GM.; 1688 Pálffy v. Erdöd, Johann Gf., FML.; 1700 Ebergényi, Ladislaus Freih. v., FM.; 1724 Csáky de Keresztszegh, Georg Emerich Gf., FM.; 1741 Nádasdy auf Fogaras, Franz Gf., FM.; 1783 Erdödy de Monyorókerék, Johann Nepomuk Gf., GdC.; 1806 Frimont v. Palota, Johann Gf., Fürst v. Antrodocco, GdC.; 1832 Wieland. Georg Freih., FML.; 1833 Nikolaus I., Kaiser von Russland.

(Zweiter Inhaber war: von 1833—1849 Wieland, Georg Freih., FML.)

1849 Liechtenstein, Franz Prinz zu, GdC.

Oberst u. Reg.-Comdt. Czveits de Potissje, Alexander Ritt., ÖEKO-R. 3. (KD.), MVK. (KD.).

Oberstlieutenants.

Thurn und Taxis, Egon Prinz v., Durchlaucht, JO-Ehrenritter (Res.).
Baccarcich, Alexander Ritt. v., ÖEKO-R. 3. (KD.).
Wallis Freih. auf Carighmain, Franz Gf., ♰.

Major.

(Vacat.)

Rittmeister 1. Classe.

Liechtenstein, Alfred Prinz zu, Durchlaucht, JO-Ehrenritter (Res.).
Keönczeöll, Joseph v. (Erg.-Cadre-Comdt.).
Girowitz, Eduard.
Maxon de Rövid, Ludwig, MVK. (KD.).
Farkas, Adalbert.
Anderle v. Sylor, Robert.
Pejacsevich v. Veröcze, Arthur Gf.

Rittmeister 2. Classe.

Mannsfeld, Hieronymus Gf. (Res.).

Oberlieutenants.

Hegedüs de Tiszavölgy, Victor.
Waldstein - Wartenberg, Ernst Gf., JO-Ehrenritter, ♰ (Res.).
Maloványi, Martin, ⊙, (Prov.-Off.).
Novak, Johann.
Koreska, Anton v. (ü. c.) zug. dem Generalstabe.
Deseö de Szt. Viszló, Ludwig (Res.).
Jezerniczky de Jezernicze et Báhony, Emerich.
Liechtenstein, Alois Prinz zu Durchlaucht (Res.).
Uzelač, Simon.
Nagy de Radnotfay, Julius.
Lónyay de Nagy-Lónya et Vásáros - Námény, Albert (ü. z.) beurl.
Somogyi, Edmund v.
Pejacsevich v. Veröcze, Johann Gf. (Res.).
Inkey de Pallin, Anton.
Nagy, Ludwig v. (Res.).
Szluka, Friedrich.
Pachner, Oskar.
Pallavicini, Anton Markgraf.
Worafka, Theodor Ritt. v.

Lieutenants.

Grovestins, Eduard Freih. v. (Res.).
Beniczky, Coloman v. (Res.).
Rachoy, Georg.
Dolnay, Ignaz.
Bardach, Wolf, ⊙, (Reg.-Adj.).

Bánfay, Joseph (Res.).
Ulm, Franz Freih. v. (Res.).
Müller, Alexander.
Hunkár, Dionysius v. (Res.).
Hodássy, Nikolaus v.
Montenuovo, Alfred Fürst v. (Res.).
Elek, Ludwig.
Keller, Anton.
Flesch, Rudolph.
Lónyay de Nagy-Lónya et Vásáros-Námény, Alexander.
Jaderny, Otto.
Oswald, Richard.
Mollnár, Johann v.
Bendik, Stephan.

Cadet.

Puskás, Albert v.

Mil.-Aerzte.

Caesar, Julius v., Dr., Reg.-Arzt 1. Cl.
Boček, Matthäus, Dr., Oberarzt.
Della Torre, Emil, Dr., Oberarzt.
Komarek, Wenzel, Dr., Oberarzt.

Rechnungsführer.

Möder, Hugo, Obrlt.

Unter-Thierarzt.

Schmidt, Franz.

Weisser Czako mit Rosshaarbusch (wie Nr. 2, 3 u. 12), dunkelblauer Attila mit weissen Oliven, krapprothe beschnürte Stiefelhose, Mantel dunkelbraun.

10.
Huszaren-Regiment.

Regiments-Stab: Maria-Theresiopel.

Ergänzungs-Cadre: *Stuhlweissenburg.*

Ergänzt sich aus dem Bezirke des Infanterie-Regiments Nr. 69.

1741 errichtet, Beleznay, Johann v., FML.; 1754 Morocz, Emerich Freih., FML.; 1759 Bethlen, Joseph Gf., GM.; 1778 Barcó, Vincenz Freih., GdC.; 1797 Mészáros, Johann Freih., FML.; 1802 Stipsicz v. Ternova, Joseph Freih., GdC.

(Zweite Inhaber waren: von 1814—1831 Stipsicz v. Ternova, Joseph Freih., GdC.; von 1831—1846 Bretschneider, Friedrich Freih., FML.)

1814 Friedrich Wilhelm III., König von Preussen.

(† zu Berlin den 7. Juni 1840.)

(Das Regiment hat diesen Namen auf immerwährende Zeiten zu behalten.)

Seitdem waren Inhaber: 1840 Friedrich Wilhelm IV., König von Preussen; 1861—1868 Lederer, Carl Freih. v., FML.

(Zweite Inhaber waren: von 1846—1848 Auersperg, Carl Gf., FML.; 1848—1854 Appel, Christian Freih., GdC.; 1854—1861 Lederer, Carl Freih. v., FML.)

Inhaber.

1873 Wilhelm I., deutscher Kaiser und König von Preussen.

Oberst u. Reg.-Comdt. Gabriányi, Joseph.

Oberstlieutenants.

Beneš, Franz.
Wense, August von der.

Major.

(Vacat.)

Rittmeister 1. Classe.

Geldern, Carl Gf. v., MVK. (KD.).
Fogarassy de Fogaras, Georg, ○ 2.
Lederer, Arth. Freih. v. (ü.c.) in der Mil.-Kanzlei Seiner Majestät des Kaisers und Königs.
Fliesser, Carl Freih. v.
Persa Edl. v. Liebenwald, Franz (Res.).
Baumgartner v. Baumgarten, Paul Freih.
Hauska, Eduard (Erg.-Cadre-Comdt.).
Chorinsky Freih. v. Ledske, Nikolaus Gf., JO-Justizritter, ✠.
Mocker, Hermann, ○ 1. (WG.).
Jagodics de Kernyecsa, Alexander.
Rotermel, Michael.

Oberlieutenants.

Breda, Ludwig Gf.
Schmidkunz, Adalbert (Reg.-Adj.).
Rocholl, Adolph.
Nopcsa, Alexius Freih. v., ✠ (Res.).
Braun, Wenzel.
Knobloch, Eugen (ü. c.) zug. dem Mil.-Fuhrw.-Corps.
Baillou, Joseph Freih. v. (Res.).
Grotowski-Rawicz, Sigmund Ritt. v., ✠.
Drašković v. Trakostjan, Joseph Gf., ✠ (Res.).
Nechwalsky, Otto (Prov.-Off.).
Felzmann, Adolph.
Karanović, Johann.
De la Fontaine, Ludwig.
Görgey de Görgö et Topporcz, Aristides.
Némai, Franz.
Simonyi de Simony et Varsány, Dionysius.
Ivánka de Draskócz et Jordánföld, Ladislaus (Res.).
Szilvásy, Martin v. (Res.).
Brandis, Leopold Gf. von und zu.

Lieutenants.

Vay, Abraham Gf. (Res.).
Miklos, Ladislaus v. (Res.).
Thomas, Ernst (Res.).
Hertelendy de Hertelend, Emerich (Res.).
Orczy, Seraphin Freih. v.
Bethlen, Paul Gf. (Res.).
Waldegg, Hermann Freih. v.
Rónay de Zombor, Ludwig (ü. z.) beurl.
Kolossváry de Kolosvár, Desiderius.
Albrecht, Ernst.
Bartal de Beleháza, Béla.
Brüll, Wilhelm (Res.).
Fribeisz, Nikolaus (Res.).
Baumayer, Alois.
Széky, Peter v. (Res.).
Bartal de Beleháza, Aurel (Res.).
Windisch-Graetz, Hugo Prinz zu, Durchlaucht (Res.).
Tóth-Csáfordy, Elemér.
Kurra, Joseph.
Pekáry v. Zebegnyö, Emerich.
Püspöky v. Legyes - Benye, Gratian.

Cadeten.

Dvorzak, Victor (Res.).
Siegl, Alfred (Res.).
Perczel de Bonyhád, Dionys.

Mil.-Aerzte.

Fischer, Hermin, Dr., GVK. m. Kr., Reg.-Arzt 1. Cl.
Dittrich, Johann, Dr., Reg.-Arzt 2. Cl.
Palkovics, Julius, Dr., Oberarzt.
Rauchenwald, Johann, Oberwundarzt.

Rechnungsführer.

Sontag, Ignaz, Hptm. 2. Cl.

Thierarzt.

Zimmermann, Michael.

Lichtblauer Czako mit Rosshaarbusch (wie Nr. 7), lichtblauer Attila mit gelben Oliven, krapprothe beschnürte Stiefelhose, Mantel dunkelbraun.

11. Huszaren-Regiment.

Regiments-Stab: Raab.

Ergänzungs-Cadre: *Budapest.*

Ergänzt sich aus den Bezirken der Infanterie-Regimenter Nr. 25 u. 26.

1762 errichtet als Szekler-Grenz-Huszaren-Regiment; 1850 Linien-Regiment.

1850 Alexander, Herzog von Württemberg, GdC.

Oberst u. Reg.-Comdt. Capdebo de Baraczház, Géza, ÖEKO-R. 3. (KD.), MVK. (KD.).

Oberstlieutenant.

Hertlein, Michael, MVK. (KD.).

Majore.

Zaitsek v. Egbell, Carl, MVK. (KD.).
Hübner, Alexander Freih. v., MVK. (KD.), (ü. c.) Flügel-Adj. Seiner Majestät des Kaisers und Königs.

Rittmeister 1. Classe.

Marka, Anton, MVK. (KD.).
Illyés, Nikolaus, ÖEKO-R. 3. (KD.).
Cary, Heinrich, MVK. (KD.).
Szmrecsányi de Szmrecsány, Stephan, ♇.
Buchwaldt, Friedrich v. (Erg.-Cadre-Comdt.).
Semsch, Conrad.
Boemelburg v. Maigadessen, Joseph Freih.

Oberlieutenants.

Tschebulz Edl. v. Tsebuly, Leopold.
Gombos de Hadháza, Gregor (Res.).
Nechwalsky, Leopold.
Heim, Joseph.
Piller, Marcell.
Pfleger, Georg, MVK. (KD.).
Paldt, Alexander.
Jékey, Albert v. (ü.z.) beurl.
Jékey, Alois v.
Luksándor, Joseph.
Szöts v. Intsel, Andreas, ◯ 1.
Csenkey v. Csönke, Ladislaus.
Heilingötter, Otto (ü. c.), Lehrer an der Mil.-Akad. zu Wr.-Neustadt.
Schmidt, Coloman.
Krill, Franz (Reg.-Adj.).
Hauer, Leopold Freih. v., ♇ (ü. c.); zug. dem Hofstaate Ihrer k. k. Hoheit der Erzherzogin Elisabeth.
Slawik, Joseph (Prov.-Off.).
Török de Erdöd, Alexander.
Papp, Stephan.

Lieutenants.

Wetschl, Casimir (Res.).
Hauer, Wilhelm Freih v.
Popper Edl. v. Podhragy, Alexander (Res.).
Klimpl, Emil, Dr. (Res.).
Wallis Freih. auf Carighmain, Georg Gf.
Woracziczky, Johann Gf.
Rummerskirch, Zdenko Gf.
Docteur, Prosper Freih. v. (Res.).
Kematmüllner, Heinrich (ü.c.) zug. dem Mil.-Fuhrw.-Corps.
Wallis Freih. auf Carighmain, Joseph Gf. (Res.).
Marklowsky v. Pernstein, Johann.
Hubatka, Ludwig (Res.).
Wolkenstein-Trostburg, Engelhardt Gf. (Res.).
Rieger, Wilhelm.
Krautil, Ljubomir.
Wenckheim, Franz Gf.
Huszár-Kövesd, Carl Freih. v.
Washington, Georg Freih. v.

Cadet.

Zichy, Franz Gf. (Off.-Stellv.), (Res.)

Mil.-Aerzte.

Novák, Wenzel, Dr., Reg.-Arzt 1. Cl.
Ullmann, Ignaz, Dr., Reg.-Arzt 2. Cl.
Koupal, Thomas, Dr., Oberarzt.
Schuller, Wenzel, Dr., Oberarzt.

Rechnungsführer.

Reska, Joseph, Obrlt.

Ober-Thierarzt 2. Cl.

Jelen, Alois.

Aschgrauer Czako mit Rosshaarbusch (wie Nr. 6, 15 u. 16), dunkelblauer Attila mit weissen Oliven, krapprothe beschnürte Stiefelhose, Mantel dunkelbraun.

12. Huszaren-Regiment.

Regiments-Stab und Ergänzungs-Cadre: Gyöngyös.

Ergänzt sich aus dem Bezirke des Infanterie-Regiments Nr. 60.

1800 errichtet als Palatinal-Huszaren-Regiment, Joseph Anton, Erzherzog, Palatin von Ungarn, FM.; 1847 Stephan, Erzherzog, Palatin, FML.; seit 1850 führt das Regiment den Namen des Inhabers: 1850 Haller v. Hallerkeö, Franz Gf., GdC.

1875 Fratricsevics, Ignaz v., FML.

Oberst u. Reg.-Comdt. Duka v. Dukafalú, Constantin.

Oberstlieutenant.

(Vacat.)

Majore.

Kalliany v. Kallian, Eugen Freih.
Saffin Edl. v. Corpon, Wilhelm.

Rittmeister 1. Classe.

Blahudt, Jakob (Erg.-Cadre-Comdt.).
Lay, Moriz.
Károly, Julius.
Chorin, Friedr., MVK. (KD.).
Agoston de Kis-Joka, Alexius (ü. c.) Personal-Adj. des FZM. Freih. v. Ringelsheim.
Pesta, Carl (WG.).
Pitroff, Theodor v.
Bloch, Georg.
Bohus, Edmund.
Sailer, Joseph v.

Rittmeister 2. Classe.

Eichenauer, Gustav, MVK. (KD.), (Res.).

Oberlieutenants.

Wagner, Franz (ü c.) zug. dem Mil.-Fuhrw.-Corps.
Bretterbauer, Ladislaus.
Zichy, Sigmund Gf., ♃.
Palocsay, Alexander v.
Fechtig v. Fechtenberg, Emerich Freih. (Res.).
Fischer, Alois, ◯ 1.
Offermann, Johann Freih. v. (Res.).
Jámborffy, Coloman.
Puskás, Franz v. (ü. z.) beurl.
Kecskéssy, Eduard v.
Lessmann, Franz (Prov.-Off.).
Schuster, Hugo.
Uher, Rudolph (Reg.-Adj.).
Mylius, Heinrich Freih. v.
Schäuer, Alois.
Vevér, Carl Freih. v.
Kubinyi de Felsö-Kubiny, Theodor.
Liechtenstein, Heinrich Prinz zu, Durchlaucht, JO-Justizritter (Res.).
Josika v. Branyeska, Gabriel Freih.

Lieutenants.

Pokorny Edl. v. Fürstenschild, Alois.
Kleibel, Anton (Res.).
Artois, Johann (ü. z.) beurl.
Weber, Eugen.
Riegler, Joseph v.
Breymann Edl. v. Schwertenberg, Gustav.
Vidovich, Anton v. (Res.).
Spannraft, Franz (Res.).
Goëss, Anton Gf. (ü. c.) zug. der Leibgarde-Reiter-Escadron.
Wass, Olivier Gf.
Wysocki, Stanislaus (Res.).
Huber, Friedrich (Res.)
Werthner, Rudolph (Res.).
Ramming v. Katzinger, August (WG.).
Pronay, Stephan v.
Latinovits de Bersod et Katymár, Paul.
Sponer, Alexander v.
Boxberg, Victor Freih. v.
Blaskovits, Wilhelm.
Hazay, Julius.
Jamborffy, Adalbert.
Steinbach de Hidegkút, Aurel.

Cadet.

Klimscha, Georg.

Mil.-Aerzte.

Lutter, Carl, Dr., Reg.-Arzt 1. Cl.
Stenzl, Franz, Dr., Reg.-Arzt 2. Cl.

Rechnungsführer.

Priviczer, Georg, Oblt.

Thierarzt.

Stockmayer, Joseph.

Weisser Czako mit Rosshaarbusch (wie Nr. 2, 3 u. 9), lichtblauer Attila mit weissen Oliven, krapprothe beschnürte Stiefelhose, Mantel dunkelbraun.

13. Huszaren-Regiment*).

Regiments-Stab: Temesvár.

Ergänzungs-Cadre: *Budapest.*

Ergänzt sich aus den Bezirken der Infanterie-Regimenter Nr. 32 u. 38.

1859 aus dem Jazygier und Kumanier Freiwilligen-Huszaren-Regimente, dann aus der Kecskeméter und Arader Freiwilligen-Huszaren-Division errichtet, und führte vom 10. September 1839 bis 16. Jänner 1860, unter der Benennung: „Jazygier und Kumanier Freiwilligen-Huszaren-Regiment" die Nummer 13; — vom 17. Jänner 1860 bis 28. October 1861 dieselbe Benennung und die Nummer 1; — vom 29. October 1861 bis 6. Juli 1862 nebst dieser Benennung und Nummer auch den Namen des Inhabers; — vom 7. Juli 1862 an: Jazygier und Kumanier Huszaren-Regiment Nr. 13.

1862 Jazygier und Kumanier Huszaren-Regiment.

Inhaber.

1861 Liechtenstein, Friedrich Prinz zu, GdC.

Oberst u. Reg.-Comdt. Szivó de Bunya, Johann, ÖEKO-R. 3. (KD.), MVK-(KD.).

Oberstlieutenant.

Szilley, Alexander v.

Major.

Szerviczky de Nagy-Kanisa et Karis, Stephan, MVK. (KD.).

Rittmeister 1. Classe.

Hettyey de Makkos Hetye, Franz.
Kovách, Stephan v.
Gatterburg, Guido Gf., ♰ (WG.).
Szakonyi, Gustav v.
Graf, Mathias.
Görgey de Görgö et Topporcz, Joseph.
Jakubovich, Alexander (Erg.-Cadre-Comdt.).
Herczegh, Julius.
Bartakovics, August v., MVK. (KD.).

Oberlieutenants.

Dienesch, Samuel.
Kaffka, Ignaz.
Beranek, Franz.
Bach, Carl.
Novaczek, Math. (Prov.-Off.).
Zgorsky, Alexander.
Weiss, Ernst (Reg.-Adj.).
Gregor, Ferdinand.
Rohonczy, Edmund v.
Menzlik, Carl.
Rosenthal, Carl.
Rupprecht v. Virtsolog, Heinrich.
Heinrich, Georg.
Ambró de Adamócz, Géza.
Kopal, Wilhelm.
Bombelles, Alois Gf.
Melha, Coloman (Res.).

Lieutenants.

Brodszky, Adalbert (Res.).
Fischhof, Eugen (Res.).
Eiserle, Maximilian (Res.).
Rohan, Victor Prinz, Durchlaucht, ♰ (ü.c.); zug. dem Hofstaate Seiner k. k. Hoheit des Erzherzogs Ludwig Victor.
Dengler, Joseph.
Leidenkummer, Joseph.
Rappel, Eugen.
Suhay, Erwin v.
Kopal, Carl.
Gaisin, Georg
Seitz, Eduard (Res.).
Hajós, Joseph v. (Res.).
Cordier v. Löwenhaupt, Franz.
Gruber, Ludwig.
Podmaniczky, Julius Freih. v.
Kaffka, Joseph.
Nagy, Alexius.

Cadeten.

(Vacant.)

Mil.-Aerzte.

Ludl, Liborius, Dr., Reg.-Arzt 2. Cl.
Sacher, Franz, Dr., Reg.-Arzt 2. Cl.
Simbriger, Friedrich, Dr., Oberarzt.
Muhr, Joseph, Dr., Oberarzt.

Rechnungsführer.

Spaček, Franz, Hptm. 1. Cl.

Ober-Thierarzt 2. Cl.

Petričević, Marian.

Dunkelblauer Czako mit Rosshaarbusch (wie Nr. 1), dunkelblauer Attila mit weissen Oliven, krapprothe beschnürte Stiefelhose, Mantel dunkelbraun.

---

*) Das früher unter der Nummer 13 bestandene (im Jahre 1848 errichtete) Banderial-Huszaren-Regiment wurde im Jahre 1851 in das Uhlanen-Regiment Nr. 5 umgestaltet.

14.

Huszaren-Regiment.

Regiments-Stab: Alt-Arad.

Ergänzungs-Cadre: *Gyöngyös.*

Ergänzt sich aus dem Bezirke des Infanterie-Regiments Nr. 60.

1859 aus der 1. und 2. Debrecziner und Hajduken-, dann aus der 1. und 2. Zala-Egerszeger Freiwilligen-Huszaren-Division errichtet, und führte vom 10. September 1859 bis 16. Jänner 1860 unter der Benennung: „Freiwilligen-Huszaren-Regiment“, die Nummer 14; — vom 17. Jänner 1860 bis 6. Juli 1862: Freiwilligen-Huszaren-Regiment Nr. 2; — vom 7. Juli 1862: Huszaren-Regiment Nr. 14; 1861—1872 Pálffy ab Erdöd, Moriz Gf., FML.

1872 Wladimir, Grossfürst von Russland.

Oberst u. Reg.-Comdt. Varga, Emil v., MVK. (KD.).

Oberstlieutenant.

Gábor, Anton.

Major.

Lamezan-Salins, Hugo Gf.

Rittmeister 1. Classe.

Ritter, Wilhelm.
Farkas de Felsö-Eör, Alexander.
Tabódy de eadem et Fekésháza, Alexander, ✝ (ü. z.) beurl.
Benkeö de Kezdi-Sárfalva, Joseph.
Matulay, Adolph v., ○ 1. (Erg.-Cadre-Comdt.).
Zaluski v. Junosza, Carl Ritt.
Welzl, Hugo.
D'Orsay-Grimaud, Olivier Gf.

Oberlieutenants.

Haupt, Carl (Res.).
Bauer, Alois, MVK. (KD.), (Res.).
Thuránszky de Thurik, Carl (Res.).
Janik, Franz.
Gibara, Friedrich (Res.).
Stieber, Franz.
Janković, Constantin.
Mihanović, Basil.
Bobóczky, August v.
Popiel, Vincenz Ritt. v.
Kremzow, Cäsar (WG.).
Lyábu, Michael.
Freyberger, Carl.
Soltész, Bartholomäus (Prov.-Off.).
Olleschnitzky, Ludwig, ○ 2.
Szilassy de Szilas et Pilis, Otto.
Jankovich, Julius v. (Res.).
Zedtwitz, Kuno Gf.

Lieutenants.

Bölöni, Alexander (Res.)
Brandis, Clemens Gf. (Res.)
Markovics de Kis-Terpend, Coloman (Res.)
Paksy, Joseph (Res.)
Prónay, Adrian Freih. v. (Res.)
Gorup v. Besanecz, Oskar Freih.
Kolouch, Joseph.
Tarjányi, Achatius v. (Reg.-Adj.).
Engel v. Mainfelden, Friedrich Ritt. (Res.).
Breda, Victor Gf.
Adler, Julius.
Csóka, Joseph (Res.).
Miováczy, Michael (ü. c.) zug. dem Mil.-Fuhrw.-Corps.
Beckers zu Westerstetten, Friedrich Gf.
Szunyogh, Lorenz v. (Res.).
Pulz, Victor.
Dorsan, Alexander.
Schönberger, Bruno Freih. v.
Appel, Eugen Freih. v.
Villani de Castello Pillonico, Joseph Freih.
Képes, Joseph.

Cadet.

Popiel, Michael Ritt. v. (Res.).

Mil.-Aerzte.

Durst, Albert, Dr., Reg.-Arzt 2. Cl.
Švéhla, Coloman, Dr., Reg.-Arzt 2. Cl.
Stauch, Ferdinand, Dr., Oberarzt.
Gugg, Joseph, Oberwundarzt.

Rechnungsführer.

Delić, Gedeon, Obrlt.

Ober-Thierarzt 2. Cl.

Busch, Anton.

Krapprother Czako mit Rosshaarbusch (wie Nr. 4, 5 u. 8), lichtblauer Attila mit gelben Oliven, krapprothe beschnürte Stiefelhose, Mantel dunkelbraun.

15.
Huszaren-Regiment.

Regiments-Stab: Keszthely.

Ergänzungs-Cadre: *Nyiregyháza.*

Ergänzt sich aus den Bezirken der Infanterie-Regimenter Nr. 65 u. 66.

1701 als Dragoner-Regiment errichtet, Bayreuth, Christian Ernest Markgraf, FM.; 1712 Bayreuth, Georg Wilhelm Markgraf, FM.; 1727 Philippi, Victor Gf., GdC.; 1740 Balayra, Ludwig Gf., GdC.; 1753 Porporatti, August Gf., FML.; 1757 Zweibrücken, Carl Friedrich Pfalzgraf, FM.; 1760 Chevaux-legers-, 1768 wieder Dragoner-Regiment; 1767 Zweibrücken, Carl August Christian Pfalzgraf, Oberst; 1781 Waldeck, Christian Fürst zu, GdC. und königl. portugiesischer FM.; 1801 Hohenlohe-Ingelfingen, Friedrich Fürst zu, FML.; 1814 Maximilian Joseph I., König von Bayern, Oberst; 1817 Carl Ludwig August, Kronprinz von Bayern; 1825 Ludwig I., König von Bayern; 1860 Kürassier-, 1867 Dragoner-Regiment; 1868 Schwarzenberg, Edmund Fürst zu, FM.; 1873 Huszaren-Regiment.

(Zweite Inhaber waren: von 1814—1815 Hohenlohe-Ingelfingen, Friedrich Fürst zu, FML.: von 1815—1849 Lederer, Ignaz Freih., FM.; 1849—1868 Schwarzenberg, Edmund Fürst zu, FM.)

1873 Pálffy ab Erdőd, Moriz Gf., FML.

Oberst u. Reg.-Comdt. Pokorny, Alois.

Oberstlieutenants.

Hügel, Alexander Freih. v., MVK. (KD.), ♱.
Schivetz, Franz.
Hegedüs de Tiszavölgy, Ludwig (des Generalstabs-Corps).

Major.

(Vacat.)

Rittmeister 1. Classe.

Harmos de Hihalom, Coloman.
Buol, Alois Freih. v.
Zalay de Hagyáros. Thomas.
Bessenyey de Galantha, Franz.
Gerhardt, Augustin.
Agricola, Alois (Erg.-Cadre-Comdt.).
Löffler, Eduard.

Oberlieutenants.

Stadler, Ferdinand.
Frossard, Joh. Edl. v. (ü. c.) zug. dem Generalstabe.
Maschauer, Friedrich.
Nagy de Maros, Carl.
Ditfurth, Bernhard Freih. v.
Brandl Edl. v. Traubenbach, Augustin.
Mattachich, Ludwig v.
Köhler, Franz v., ○ 1 (Prov.-Off.).
Tessényi, Alexander v.
Brandis, Ferd. Gf., ♱ (Res.).
Reinle, Gabriel (Reg.-Adj.).
Kussenitz v. Ibenics, Oskar Ritt.
Zdražilek, Joseph.
Kranzbauer, Rudolph.
Pohl, Heinrich, ○ 2.
Schenek, Alfred.

Lieutenants.

Daublebsky v. Sterneck zu Ehrenstein, Richard Freih. (Res.).
Berg, Carl Freih. v. (Res.).
Udvarnoky de Kis-Jóka, Alexander.
Bassler, Rudolph.
Hertelendy, Joseph v. (Res.).
Preschern v. Heldenfeldt, Robert Ritt. (Res.).
Knopp v. Kirchwald, Franz.
Hoyer, Matthäus.
Stephan, Friedrich (Res.).
Széchényi de Sárvár-Felsövidék, Carl Gf.
Baselli v. Süssenberg, Adolph Freih.
Zedtwitz, Hugo Gf., ♱.
Füg, Stephan.
Medvey, Arthur v.
Scarpa, Paul Ritt. v.
Batthyány, Sigmund Gf. (Res.).
Schweighofer, Philipp (Res.).
Schwarz, Eduard.
Pallavicini, Béla Markgraf.

Cadet.

Frühwirth, Johann.

Mil.-Aerzte.

Pucher, Franz, Dr., Reg.-Arzt 2. Cl.
Petershofer, Andreas, Dr., Reg.-Arzt 2. Cl.
Würth, Heinrich, Dr., Reg.-Arzt 2. Cl.

Rechnungsführer.

Feichtinger, Joseph, Obrlt
Veress, Johann, Obrlt.
Bardach, Ludwig, Lieut.

Thierarzt.

Sommer, Jakob.

Aschgrauer Czako mit Rosshaarbusch (wie Nr. 6, 11 u. 16), dunkelblauer Attila mit gelben Oliven, krapprothe beschnürte Stiefelhose, Mantel dunkelbraun.

16. Huszaren-Regiment.

Regiments-Stab : Debreczin.
Ergänzungs-Cadre: *Nyiregyháza.*

Ergänzt sich aus den Bezirken der Infanterie-Regimenter Nr. 37, 39 u. 68.

1798 als 13. Dragoner-Regiment errichtet; 1801 Rosenberg-Orsini, Franz Fürst, GdC.; 1802 Chevaux-legers-Regiment; 1832 Fitzgerald, Simon Chev., FML.; 1845 Wrbna und Freudenthal, Ladislaus Gf., FML. (1851 Uhlanen-, 1873 Huszaren-Regiment.)

1850 Clam-Gallas, Eduard Gf., GdC.

Oberst u. Reg.-Comdt. Klein, Otto, MVK. (KD.).

Oberstlieutenant.

Szabó de Bárthfa, Joseph.

Major.

Pflaume, Albert.

Rittmeister 1. Classe.

Rogulics, Lazar v. (Erg.-Cadre-Comdt.).
Laffert, Wilhelm v.
Heinrich, Wilhelm.
Nachodsky v. Neudorf, Emanuel Ritt.
Meyer, Eduard.
Schön, Johann.
Suvich v. Bribir, Theodor.
Lux, Johann.
Sturm, Anton.

Oberlieutenants.

Schille, Carl.
Nechansky, Rudolph.
Negrelli v. Moldelbe, Joseph Ritt. (Res.).
Horwat, Ludwig.
Medveczky deMedvecze et Kis-Beszterecz, Emil.
Hauke, Coloman v. (Reg.-Adj.).
Petrić, Johann.
Bacsák, Sigmund v.
Stengel, Adolph.
Tilemann, genannt Schenk, Julius v.
Sprecher v. Bernegg, Arthur.
Kandó de Egerfarmos, Edmund.
Fekete, Franz Freih. v.
Enenkl, Johann.
Siebenfreud, Arthur.
Horváth, Béla v.
Tajthy, Stephan v.

Lieutenants.

Farkas, Sigmund (Res.).
Fabiny, Franz v. (Res.).
Horodyński, Stanislaus Ritt. v. (Res.).
Orosz de Csicser, Béla.
Sebetić, Raimund.
Sváiczer, Aladár v. (Res.).
Kahler, Johann.
Zlatko, Georg (WG.).
Csicsery, Géza v.
Fényes, Julius v. (Prov.-Off.).
Rickl, Julius (Res.).
Szunyogh, Peter v. (Res.).
Zielinski, Ladislaus Ritt. v. (Res.).
Schweikofsky, Gustav.

Cadeten.

Jármy, Georg.
Udvarnoky de Kis-Jóka, Zoltán.

Mil.-Aerzte.

Zgórski, Ladislaus, Dr., Reg.-Arzt 2. Cl.
Tschepper, Carl, Dr., Reg.-Arzt 2. Cl.
Reinel, Wilh., Dr., Oberarzt.
Balogh, Sigmund, Oberwundarzt.
John, Joseph, Oberwundarzt.

Rechnungsführer.

Weixelberger, Franz, Hptm. 2. Cl.

Thierarzt.

Wunsam, Joseph.

Aschgrauer Czako mit Rosshaarbusch (wie Nr. 6, 11 u. 15), lichtblauer Attila mit weissen Oliven, krapprothe beschnürte Stiefelhose, Mantel dunkelbraun.

Uhlanen-Regimenter.

1.

Galizisches Uhlanen-Regiment.

Regiments-Stab: Tarnów.

Ergänzungs-Cadre: *Krakau.*

Ergänzt sich aus den Bezirken der Infanterie-Regimenter Nr. 13 u. 56.

1791 aus den Uhlanen-Divisionen der Chevaux-legers-Regimenter errichtet; 1792 Mészáros, Johann v., FML.; 1797 Merveldt, Maximilian Gf., GdC.; 1815 Sachsen-Coburg-Saalfeld (seit 1826 Sachsen-Coburg und Gotha), Ernst Herzog, GdC.; 1844 Civalart, Carl Gf., GdC. (von 1851 an übte auf Allerhöchste Anordnung FML. Carl Gf. Grünne die Inhabersrechte aus).

(Zweiter Inhaber war: von 1815—1844 Civalart, Carl Gf., GdC.)

1865 Grünne, Carl Gf., GdC.

Oberst u. Reg.-Comdt. Kunz, Franz.

Oberstlieutenant.

Gagern, Otto Freih v., MVK. (KD.).

Majore.

Schenk v. Stauffenberg, Philipp Gf., ✠ (Res.).
Thurn und Taxis, Friedrich Prinz v., Durchlaucht.

Rittmeister 1. Classe.

Lamberg, Heinrich, Gf., ✠.
Kunze, Friedrich.
Berzeviczy de Berzevicze et Kakas - Lomnitz, Adam, JO-Justizritter, ✠ (ü. c.) Lehrer am Mil.-Reitlehrer Inst.
Wolkenstein-Trostburg, Heinrich Gf.
Scapinelli, Scipio Conte (ü.c.) zug. dem Hofstaate Sr. k. k. Hoheit des Erzherzogs Carl Salvator.
Vacano, Camillo Ritt. v. (ü. z.) beurl.
Woźniak, Valentin.
Smolák, Silvius (Erg.-Cadre-Comdt.).
Goumoëns, Gustav Freih. v., ✠.
Reiche v. Thuerecht, Carl (ü. c.) Lehrer an der Mil.-Akad. zu Wr.-Neustadt.
Karpiński, Ladislaus.
Chołoniewski, Eduard Gf., ✠ (ü. c.) zug. dem Hofstaate Sr. k. k. Hoheit des Erzherzogs Ludwig Victor.

Rittmeister 2. Classe.

Triangi zu Latsch und Madernburg, Anton Gf., ✠ (Res.).

Oberlieutenants.

Schmidt, Günther.
Flanderka, Franz.
Heller v. Hellwald, Friedrich (Res.).
Holmes, Arthur.
Kathrein v. Andersill, Joseph Ritt.
Scheidlin, Rudolph v.
Fischer, Heinrich (ü. c.) zug. dem Mil.-Fuhrw.-Corps.
Mattl v. Löwenkreuz, Eugen Freih. (Reg.-Adj.).
Horwáth de Gementh, Franz.
Igálffy v. Igály, Gustav.
Gelan, Arthur v.
Kocábek, Wenzel.
Feigl, Eduard.
Haufler, Gustav (Prov.-Off.).
Flesch, Albin.
Kulmer, Heinrich Freih. v.
Mayr, Victor.

Lieutenants.

Lützow, Heinrich Gf. (Res.).
Ratzesberg Edl. v. Wartenburg, Ludwig (Res.).
Dibowski, Wilhelm (Res.).
Stoiński, Stanislaus Ritt. v. (Res.).
Brudermann, Adolph Ritt. v.
Brunner v. Wattenwyl, Carl (Res.).
Larisch, Georg Gf. (Res.).
Coudenhove, Franz Gf.
Vetter von der Lilie, Moriz Gf. (Res.).
Freyberg v. Haidenwang, Maximilan Freih. (Res.).
Schaffgotsche, Levin Gf. (Res.).
Popowski, Joseph.
Rodt, Gottfried v.
Zwilling, Adolph.
Brzozowski, Arthur Edl. v.
Krzyżanowski, Ladislaus (Res.).
Stojałowski v. Sternberg, Stanislaus Ritt. (Res.).
Hahnenkam, Ernst.
Coudenhove, Carl Gf.
Vetter von der Lilie, Ferdinand Gf.
Raczyński, Boleslaus v.
Schilling, Johann.
Kaiser, Albert.

Cadeten.

Steciuk, Johann.
Englicht, Friedrich.

Mil.-Aerzte.

Schulhof, Anton, Dr., Reg.-Arzt 2. Cl.
Blachowski, Constantin, Dr., Oberarzt.
Antoniewicz, Eustach, Dr., Oberarzt.
Warthak, Mathias, Oberwundarzt.

Rechnungsführer.

Baar, Rudolph, Obrlt.

Unter-Thierarzt.

Rebiček, Franz.

Kaisergelbe Czapka mit Rosshaarbusch (wie Nr. 6), lichtblaue Uhlanka mit krapprother Egalisirung und gelben Knöpfen, krapprothe Stiefelhose, Mantel dunkelbraun.

2.

Galizisches Uhlanen-Regiment.

Regiments-Stab: Brünn.

Ergänzungs-Cadre: *Tarnów.*

Ergänzt sich aus den Bezirken der Infanterie-Regimenter Nr. 40 u. 57.

1790 errichtet, Uhlanen-Frei-Corps: Degelmann, Bernhard Freih. Major; 1793 Schwarzenberg, Carl Fürst, Obstlt.; 1794 Keglevich, Johann Gf., Obstlt.; 1796 Vogl, Anton, Obstlt.; 1797 Motschlitz, Joseph Freih., Obstlt.; 1798 Uhlanen-Regiment.

1800 Schwarzenberg, Carl Philipp Fürst zu, FM.

(† zu Leipzig den 15. October 1820.)

(Das Regiment hat diesen Namen auf immerwährende Zeiten zu behalten.)

Inhaber waren: von 1822—1828 Sachsen-Coburg-Saalfeld (seit 1826 Sachsen-Coburg und Gotha), Ferdinand Herzog, FML.; von 1828—1840 Vlasits, Franz Freih. v., FML.; von 1840—1861 Hammerstein-Ecquord, Wilhelm Freih. v., GdC; von 1861—1866 Ritter von Wallyemare, Franz, FML.

Inhaber.

1866 Zaitsek v. Egbell, Carl, FML.

Oberst u. Reg.-Comdt. Łaszowski v. Kraszkowicze, Miecislaus Ritt.

Oberstlieutenant.

Reiche v. Thuerecht, Wilhelm.

Majore.

Bohl, Georg.

Latscher, Johann (ü. c.) zug. dem Gen.-Cav.-Inspector.

Mertens, Carl Freih. v., MVK. (KD.), (ü c.) Flügel-Adj. Seiner Majestät des Kaisers und Königs.

Rittmeister 1. Classe.

Trenner, Alexander (ü. c.) zug. dem Mil.-Fuhrw.-Corps.

Dobusch, Wenzel (Erg.-Cadre-Comdt.).

Meixner, Joseph.

Bayer, Joseph.

Neuhaus, Franz.

Dlauhowesky v. Langendorf, Carl Freih., ♰ (ü. c.) zug. dem Hofstaate Seiner k. k. Hoheit des Erzherzogs Carl Ludwig.

Stolberg zu Stolberg, Günther Gf., MVK. (KD.), ♰.

Brudermann, Rudolph Ritt. v. (Res.).

Janeczek, Robert.

Rittmeister 2. Classe.

Schwarz, Anton (Res.).

Oberlieutenants.

Degenfeld-Schonburg, Eberhard Gf. (Res.).

Breza, Eduard Gf. (Res.).[1]

Lang, Ludwig (Reg.-Adj.).

Montecuccoli - Polinago, Alphons Gf.

Windirsch, Florian (Prov.-Off.).

Bresnitzer, Otto.

Damjanow, Živan.

Zwackh v. Holzhausen, Franz Ritt.

Nowotný, Johann.

Dahedl, Joseph.

Brunnhofer, Joseph.

Billig, Johann.

Gryziecki, Johann.

Sieber, Heinrich.

Müller, Carl.
Maciąga, August.
Walleczek, Franz.
Spiegel zum Diesenberg, Curt Gf. (Res.).
Gadolla, Clemens Ritt. v.
Klug, Alfred.
Schmatzer, Ferdinand.
Ambros Edl. v. Rechtenberg, Alfred.
Maya, Robert (Res.).
Kallina, Ernst (Res.).
Zwackh v. Holzhausen, Otto Ritt.

Lieutenants.

Bees-Chrostin, Johann Freih. v. (Res.).
Sapieha, Ladisl. Fürst (Res.).
Heimbach, Alexander.
Cetnerski, Constantin Ritt. v.
Pisulinski, Johann.
Krauszler, Rudolph.
Breyer, Otto (Res.).
Logothetty, Alfred Gf. (Res.).
Sigl, Gustav (Res.).
Jarosz, Thaddäus (Res.).
Felner von der Arl, Egon.
Brosig, Franz.
Romer de Chyzów, Stephan Ritt.
Ehrenburg, Friedrich Freih. v
Bylandt-Rheidt, Arthur Gf. (Res.).

Cadet.

Leiter, Franz.

Mil.-Aerzte.

Grill, Ferdinand, Dr., Reg.-Arzt 2. Cl.
Kranz, Franz, Dr., Reg.-Arzt 2. Cl.
Witek, Franz, Dr., Reg.-Arzt 2. Cl.
Šebesta, Wenzel, Dr., Oberarzt.
Schmidt, Friedrich, Oberwundarzt.

Rechnungsführer.

Hörler, Rudolph, Obrlt.

Thierarzt.

Arnold, Joseph.

Dunkelgrüne Czapka mit Rosshaarbusch (wie Nr. 7), lichtblaue Uhlanka mit krapprother Egalisirung und gelben Knöpfen, krapprothe Stiefelhose, Mantel dunkelbraun.

3.

Galizisches Uhlanen-Regiment.

Regiments-Stab: Wien.

Ergänzungs-Cadre: *Przemysl.*

Ergänzt sich aus den Bezirken der Infanterie-Regimenter Nr. 30 u. 77.

1801 errichtet.

1802 Carl, Erzherzog, FM.

(† in Wien, den 30. April 1847.)

(Das Regiment hat diesen Namen auf immerwährende Zeiten zu behalten.)

(Zweiter Inhaber war: von 1806—1847 Grünne, Philipp Gf., GdC.)

Inhaber: 1847—1854 Grünne, Philipp Gf., GdC.; 1854—1861 Liechtenstein, Friedrich Fürst zu, GdC; 1861—1877 Minutillo, Vincenz Freih. v., FML.

Oberst u. Reg.-Comdt. De Vaux, Ludwig Freih., ÖEKO-R. 3. (KD.), ✠.

Oberstlieutenant.

(Vacat.)

Majore.

Reiss, Alfred.
Paar, Alois, Gf., ✠, (ü. c.); Flügel-Adj. Seiner k. k. Hoheit des General-Inspectors des Heeres, FM. Erzherzog Albrecht.
Leden, Ignaz.

Rittmeister 1. Classe.

Wachtler, Géza Ritt. v., ÖEKO-R. 3., MVK. (KD.), (Res.).
Barcsay de Nagy-Barcsa, Joseph, ✠.
Thurn-Valsassina, Leopold Gf., ✠.
Weigelsperg, Fried. Freih. v. (ü. c.) zug. dem Hofstaate Seiner k. k. Hoheit des Erzherzogs Albrecht.
Krauss, Edmund Edl. v.
Gussich, Leopold Freih. v.
Jellačić de Bužim, Georg Gf., ✠, (WG.)
Hauke, Carl.
Szameit, Ladislaus Ritt. v.

Rittmeister 2. Classe.

Malburg, Ernst (Res.).

Oberlieutenants.

Skalka, Carl.
Prugberger, Joh. (Prov.-Off.).
Westphalen, Rhaban Gf. (Res.).
Wolański, Andreas.
Pöck, Arthur Freih. v.
Balthasar, Hugo.
Sachse v. Rothenberg, Friedr.
Mayer, Joseph.
Weeber, Albert (ü. c.) zug. dem Generalstabe.
Pokorny, Carl.
Kunkel, Johann.
Froschmair v. Scheibenhof, Carl Ritt.
Foser, Adolph.
Chlędowski, Casimir Ritt. v.
Brzozowski, Hippolyt Ritt. v.
Eberle, Otto.
Hanl Edl. v. Kirchtreu, Carl.
Quirini, Adalbert.

Lieutenants.

Zhorski v. Zhorže, Wladimir Ritt. (Res.).
RatzesbergEdl. v. Wartenburg Carl (Res.).
Löffler, Friedrich.
Eigl, Franz.
Rohr, Franz (Reg.-Adj.).
Plater, Constantin Gf.
Franckel, Oskar (Res.).
Pachta, Felix Gf. (Res.).
Wolski, Marian Ritt. v. (Res.).
Micewski, Alexander Ritt. v. (Res.).
Harnoncour-Unverzagt, Felix Gf., JO-Justizritter (WG.).
Heidmann, Arthur.
Neusser, Ladislaus.
Melisch, Anton.
Höfken, Heinrich v. (Res.).
Sizzo-Noris, Christoph Gf. (Res.).
Stahl, Carl Ritt. v.
Lesonitzky, Richard.
Thurn-Valsassina, Adolph Gf.
Wiederwald, Emil v.
Heussenstamm, Heinrich Gf.

Cadeten.

Novotny, Wilhelm.
Gugl, Carl.

Mil.-Aerzte.

Helm, Theodor, Dr., Reg.-Arzt 1. Cl.
Bubeniczek, Franz, Dr., Reg.-Arzt 2. Cl.
Kugel, Joseph, Oberwundarzt.

Rechnungsführer.

Hess, Johann, Hptm. 1. Cl.

Ober-Thierarzt 1. Cl.

Selzer, Alois.

Krapprothe Czapka mit Rosshaarbusch (wie Nr. 8), lichtblaue Uhlanka mit krapprother Egalisirung und gelben Knöpfen, krapprothe Stiefelhose, Mantel dunkelbraun.

4.
Galizisches Uhlanen-Regiment.

Regiments-Stab: Nagy-Mihály.

Ergänzungs-Cadre: *Lemberg.*

Ergänzt sich aus dem Bezirke des Infanterie-Regiments Nr. 80.

1813 errichtet, Kaiser Franz: 1835 Kaiser Ferdinand

(Zweite Inhaber waren: von 1818—1841 Klebelsberg, Freih. zu Thumburg, Johann Gf., GdC.; von 1841—1857 Woyna, Felix Gf. v., FML.)

1848 Kaiser Franz Joseph.

Zweiter Inhaber.

Paar, Alfred Gf., FML. (1857).

Oberste.
Bechtolsheim, Ant. Freih. v., ✠, St. O-R., ÖLO-R., ÖEKO-R. 3. (KD.), DO-C., ✠ (ü. c.); Flügel-Adj. Sr. Majestät des Kaisers und Königs, Mil.-Bevollmächtigter bei der k. u. k. Botschaft zu St. Petersburg.
Nauendorff, Heinrich v., Reg.-Comdt.

Oberstlieutenant.

Gramberg, Adolph.

Major.

Wersebe, Hartwig Freih. v.

Rittmeister 1. Classe.

Kotz v. Dobř, Wenz. Freih., ✠.
Polko, Wilhelm.
Trigler, Anton (Erg.-Cadre-Comdt.).
Brzezany, Eduard Ritt. v.
Rieger, Emil.
Maillot de la Treille, Georg Freih., ✠.
Jaworski, Victor Ritt. v.
Hanau, Philipp Prinz, Durchlaucht (Res.).

Oberlieutenants.

Bubna, Franz Gf., MVK. (KD.), (Res.).
Fürstenberg, Eduard Landgraf ✠ (Res.).
Hempel, Johann Ritt. v. (Res.).
Müller, Anton.
Scheid, Peter (Reg.-Adj.).
Erbes, Felix.
Japp, Carl.
Turković, Johann.
Zagajewski, Bronislaus.
Swaty, Franz.
Debelski, Leo (Prov.-Off.).
Fleischmann v. Theissruck, Joseph.
Götz, Rudolph.
Maya, Theodor.
Spitschka, Alexander.
Breisky, Arthur.
Horodyński, Zbygniew Ritt. v.
Hüller, Carl.
Smolik, Heinrich.

Lieutenants.

Török, Joseph Gf. (Res.).
Udrycki, Alexander Ritt. v. (Res.).
Lanckoroński, Zbygniew Gf. (Res.).
Radba, Ladislaus (Res.).
Spindler, Adolph.
Markiewicz, Eugen (Res.).
Thymann, Gustav.
Swoboda, Heinrich.
Lebert, Johann.
Skarzynski, Fortunat Ritt. v.
Tokarski, Adalbert.
Kowarz, Joseph (ü. c.) zug. dem Mil.-Fuhrw.-Corps.
Kürthy, Ludwig v. (Res.).
Herberstein, Joseph Gf. (Res.).
Lipski, Carl Ritt. v. (Res.).
Stadnicki, Eduard Gf. (Res.).
Past, Victor Ritt. v.
Past, Felix Ritt. v.
Schadlbauer, Adolph.
Dutkiewicz, Anton.
Pruszyński, Stanislaus Ritt. v.

Cadet.

Vucelić Edl. v. Raduboj, Theodor.

Mil.-Aerzte.

Hasper, Franz, Dr., Reg.-Arzt 2. Cl.
Spiegel, Adolph, Dr., Reg.-Arzt 2. Cl.
Tschauner, Franz, Dr., Oberarzt.

Rechnungsführer.

Fischer, Alexander, Obrlt.

Mil.-Thierärzte.

Pawlikowski, Titus, Thierarzt.
Fussl, Joseph, Unter-Thierarzt.

Weisse Czapka mit Rosshaarbusch, lichtblaue Uhlanka mit krapprother Egalisirung und gelben Knöpfen, krapprothe Stiefelhose, Mantel dunkelbraun.

5.
Ungarisches (croatisch-slavonisches) Uhlanen-Regiment.

Regiments-Stab : Travnik.

Ergänzungs-Cadre : *Essegg.*

Ergänzt sich aus den Bezirken der Infanterie-Regimenter Nr. 16, 70 u. 78.

1848 als Banderial-Huszaren-Regiment errichtet; 1851 Uhlanen-Regiment.

1851 Wallmoden-Gimborn, Carl Gf., GdC.

Oberst u. Reg.-Comdt. Ther, Peter Edl. v., MVK. (KD.).

Oberstlieutenant.

Walter, Hippolyt, Dr. d. R., MVK. (KD.).

Major.

Dillen-Spiering, August Gf., ÖFJO-R., MVK. (KD.).

Rittmeister 1. Classe.

Nadvornik Edl. v. Nordwalden, Georg, MVK. (KD.), (WG.).
Hagen, Adolph v.
Mareš, Wenzel (WG.).
Linhard, Joseph.
Scherenberg, Moriz (ü. c.) Reitlehrer an der Kriegsschule.
Lux Edl. v. Kühnersheim, Alexander.
Schönhaber, Philipp (Erg.-Cadre-Comdt.).
Kálnoky de Köröspatak, Hugo Gf., ☩.
Söllinger, Rudolph.
Haniewski, Constantin.
Stóos, Sigmund.

Oberlieutenants.

Winzor, Anton (ü. c.) zug. dem Generalstabe.
Dorsner v. Dornimthal, Wladimir.
Gerba, Demeter.
Constantinović, Simon, ÖEKO-R. 3. (KD.), ○ 2.
Schokitza, Wladimir.
Pallsich, Joseph.
Meduna v. Riedburg, Johann Ritt.
Müller, Julius (Res.).
Gunkel, Eugen, MVK. (KD.).
Skrinjar, Math. (Reg.-Adj.).
Gaješek, Anton (Prov.-Off.).
Kotzian, Heinr., MVK. (KD.).
Jovičić, Alexander.
Fleischer v. Kämpfimfeld, Alois.
Fischer, Anton.
Kurboss, Georg.
Bruschkovich, Arthur (ü. c.) bei der Feld-Gendarmerie-Abth. der VII. Inf.-Trup.-Div.
Hora, Joseph (Res.).
Seeling v. Saulenfels, Raimund Ritt.
Mahr, Ferdinand.

Lieutenants.

Seewaldt, Friedrich.
Nagy de Kišlegh, Peter.
Berković, Carl v.
Gyurits v. Vitesz-Sokolgrada, Belisar.
Dvořak, Victor.
Keil, Julius (Res.).
Neumann, Carl (Res.).
Mieroszowski v. Mieroszowice, Johann Gf.
Vučković, Avelino.
Ruiz de Roxas, Eugen Chev.
Kovačić, Nikol., MVK. (KD.).
Hiller, Wilhelm (Res.).
Mladek, Ottokar (Res.).
Durmann, Adam.
Ruiz de Roxas, Ernst Chev.
Mervoš, Georg, ○ 1., ○ 2.
Bothmer, Adalbert Freih. v.

Cadeten.

Glatter, Emil (Res.).
Zischka, Adolph.

Mil.-Aerzte.

Schrottmann, Robert, Dr., Reg-Arzt 2. Cl.
Heinz, Franz, Dr., GVK. m. Kr., Reg.-Arzt 2. Cl.
Martinovsky, Johann, Dr., GVK., Oberarzt.

Rechnungsführer.

Rupp, Georg, Hptm. 2. Cl.
Haraus, Wilhelm, Lieut.

Unter-Thierarzt.

Günther, Wilhelm.

Lichtblaue Czapka mit Rosshaarbusch, lichtblaue Uhlanka mit krapprother Egalisirung und gelben Knöpfen, krapprothe Stiefelhose, Mantel dunkelbraun.

6.

Galizisches Uhlanen-Regiment.

Regiments-Stab: Neuhäusel.

Ergänzungs-Cadre: *Bochnia.*

Ergänzt sich aus den Bezirken der Infanterie-Regimenter Nr. 13 u. 20.

1688 als Dragoner-Regiment errichtet, Löwenschild, Hannibal Gf., Oberst; 1690 Schlik, Leop. Gf., GdC.; 1705 Althann, Gundaker Gf., FM.; 1748 Joseph, Erzherzog, Oberst; 1764 Joseph, römischer König, Oberst; 1765 Kaiser Joseph II.; 1765 Chevaux-legers-Regiment; 1790 Kaiser Leopold II.; 1792 Kaiser Franz II.; 1798 Dragoner-, 1802 wieder Chevaux-legers-Regiment; 1806 Kaiser Franz; 1835 Kaiser Ferdinand. (1851 Uhlanen-Regiment.)

(Zweite Inhaber waren: von 1767—1789 Liechtenstein, Carl Fürst, FM.; von 1790 bis 1796 Harrach, Ferdinand Gf., FML.; von 1797—1845 Bellegarde, Heinrich Gf., FM.; von 1845—1856 Böhm, Philipp Joseph Freih., GdC.; von 1857—1863 Veigel von Kriegeslohn, Valentin, FML., 1863—1874 Gablenz, Ludwig, Freih. v., GdC.)

1848 Kaiser Franz Joseph.

Oberst u. Reg.-Comdt. Traxler v. Schrollheim, Joseph.

Oberstlieutenant.

Gemmingen-Guttenberg, Otto Freih. v., ÖEKO-R. 3., MVK. (KD.), (ü. c.); Comdt. des Mil.-Reitlehrer-Inst.

Majore.

Schmerek, Friedrich.
Czerlien, Marcus v.
Lippe-Weissenfeld, Egmont Gf. zur, MVK. (KD.), (ü. c.); Lehrer am Mil.-Reitlehrer-Inst.

Rittmeister 1. Classe.

Foresti, Julius Ritt. v.
Strosse, Joseph (Erg.-Cadre-Comdt.).
Oehl, Ferdinand.
Weiss, Carl.
Rezníček, Johann (ü. c.) zug. dem Mil.-Fuhrw.-Corps.
Boineburg-Lengsfeld, Moriz Freih. v.
Brunner, Heinrich.
Van Valmisberg, Georg.

Rittmeister 2. Classe.

Caimo, Levin Gf. (Res.).

Oberlieutenants.

Kessner, Carl, MVK. (KD.), (Res.).
Padowetz, Conrad.
Handler, Otto.
Gibarra, Anton (Res.).
Heininger d' Eriswyl, Eduard Gf. (Res.).
Welzl v. Wellenheim, Guido.
Bernt, Felix.
Ströhr, Adolph (ü. c.) zug. dem Generalstabe.
Schinnern, Anton Ritt. v.
Pollack v. Klumberg, Leo Ritt. (Reg.-Adj.).
Czerný, Adolph.
Weiss v. Starkenfels, Franz Freih. (Res.).
Hörler, Albin.
Traxlmayr, Michael (WG.).
Boulles-Russig, Jos. Freih. v.
Forgatsch v. Forgatsch, Michael Freih. (ü. z.) beurl.
Daněk, Stanislaus.
Fuchs, Clemens (Res.).
Düll, Stephan.
Preu, Carl Ritt. v.
Fritz, Victor.
Wogkowsky v. Wogkow, Carl Freih.
Kuenburg, Walter Gf. (Res.).

Lieutenants.

Stillfried-Ratenicz, Rudolph Freih. v. (Res.).
Hoffmann, Friedrich.
Biber, Carl.
Odkolek v. Augezd, Adolph Freih.
Steiger-Münsingen, Albert Freih. v.
Dorn, Georg.
Görig, Joseph (Prov.-Off.).
Hamm, Paul Ritt. v. (Res.).
Altmann, Joseph (Res.).
Kinsky zu Wchinitz u. Tettau, Rudolph Gf. (Res.).
Maschke, Rudolph.
Pačanda, Wenzel.
Oberländer, Hermann Freih. v.
Pivnitzka, Wilhelm.
Istler, Gustav Edl. v.
Mihanovich, Joseph.
Messey de Bielle, Carl Gf. (Res.).
Poduschka, Carl (Res.).
Thierrý, Joseph v.
Pankratz, Carl.
Maczak v. Ottenburg, Carl.

Cadet.

Schubert, Anton.

Mil.-Aerzte.

Hendl, Joseph, Dr., Reg.-Arzt 1. Cl.
Schulbaum, Julius, Dr., Reg. Arzt 2. Cl.
Mihočinović, Johann, Dr., Oberarzt.
Kaiser, Anton, Dr., Oberarzt.

Rechnungsführer.

Toscani, Joseph, Obrlt.
Jemrić, Marcus, Lieut.

Thierarzt.

Böhm, Joseph.

Kaisergelbe Czapka mit Rosshaarbusch (wie Nr. 1), lichtblaue Uhlanka mit krapprother Egalisirung und weissen Knöpfen, krapprothe Stiefelhose, Mantel dunkelbraun.

7.

Galizisches Uhlanen-Regiment.

Regiments-Stab und Ergänzungs-Cadre: Brzezan.

Ergänzt sich aus dem Bezirke des Infanterie-Regiments Nr. 55.

1758 als besonderer Bestandtheil des Dragoner-Regiments Löwenstein (jetzt Dragoner-Regiment Nr. 14) errichtet; 1759 als selbstständiges Chevaux-legers- (leichtes Dragoner-) Regiment formirt, Löwenstein, Christian Philipp Fürst v., GdC.; 1781 Richecourt, Carl Gf. v., GdC.; 1789 Karaiczay, Andreas Freih. v., FML.; 1798 Dragoner-, 1802 wieder Chevaux-legers-Regiment; 1801 Hohenzollern-Hechingen, Friedrich Xaver Prinz, FM.; 1844 Hohenzollern-Hechingen, Friedrich Anton Prinz, FML. (1851 Uhlanen-Regiment).

(Zweite Inhaber waren: von 1848—1867 Spannocchi, Peter Leopold Gf., GdC.; von 1867—1876 Wussin, Ferdinand Freih. v., FML.)

1848 Carl Ludwig, Erzherzog, FML.

Oberste.
- Oeynhausen, Heino Freih. v. (ü. c.); Präses der Remonten-Assent-Commission Nr. 3 zu Lemberg.
- Gradl, Wilhelm, MVK. (KD.), Reg.-Comdt.

Oberstlieutenant.

(Vacat).

Majore.

Gero v. Gerssdorff, Carl, Dr. d. R.
Kowalski, Stanislaus Ritt. v., MVK. (KD.).

Rittmeister 1. Classe.

Wollinger, Michael (ü. c.) beim R.-Kriegs-Mstm.
Leipold, Ludwig.
Mikocki, Oskar v. (Erg.-Cadre-Comdt.).
Zaleski, Joseph Ritt. v., MVK. (KD.).
Mayhirt, Constantin (ü. c.) zug. dem Hofstaate Sr. k. k. Hoheit des Erzherzogs Carl Salvator.
Komorowski, Carl Gf., ♁.
Salm-Hoogstraeten, Hermann Gf.
Bastler, Otto.
Longard, Julius.
Eifler, Joseph.
Renvers, Wilhelm (ü. c.) Flügel-Adj. des Reichs-Kriegs-Ministers.

Oberlieutenants.

Stankiewicz de Mogiła, Arthur Ritt.
Rada, Johann.
Magdeburg, Emil Freih. v.
Janowski, Friedrich.
Szwedzicki, Constantin.
Petrini, Gustav.
Longchamps de Berier, Vinc.
Redlich, Eugen (ü. c.) bei der Feld-Gendarmerie.
Kohsz, Franz.
Richter, Anton.
Dolležil, Otto.
Souczek, Joseph.
Stephanie, Wilhelm (Res.).

Lieutenants.

Bülow, Alban Freih. v. (Res.).
Derlik, Gustav (Res.).
Canal, Gilbert Edl. v. (Res.).
Forner, Eugen (Res.).
Feyrer, Johann v. (Res.).
Pernhofer, Anton (Res.).
Radziwill, Sergius Fürst (Res.).
Gärtler v. Blumenfeld, Carl.
Jäkel, Ladislaus (Prov.-Off.).
Haas, Ferdinand (Reg.-Adj.).
Eybner, Adolph.
Heussenstamm, Anton Gf.
Chomicki, Ferdinand.
Hoffmann, Valerian.
Koppens, Julius.
Schudawa, Carl.
Traszewski, Casimir Ritt. v. (Res.).
Łęczynski, Casimir Ritt. v.
Lubich, Victor.
Schlögel, Joseph.
Roller, Johann.
Mičewski, Sigmund.
Kuhn, Gustav.

Cadeten.

(Vacant).

Mil.-Aerzte.

Matschnig, Eduard, Dr., Reg.-Arzt 2. Cl.
Goldhaber, Jakob, Dr., Oberarzt.
Barta, Anton, Dr., Oberarzt.

Rechnungsführer.

Rohr, Joseph, Hptm. 2. Cl.

Thierarzt.

Dohnal, August.

Dunkelgrüne Czapka mit Rosshaarbusch (wie Nr. 2), lichtblaue Uhlanka mit krapprother Egalisirung und weissen Knöpfen, krapprothe Stiefelhose, Mantel dunkelbraun.

8.

Galizisches Uhlanen-Regiment.

Regiments-Stab: Grodek.

Ergänzungs-Cadre: *Stanislau.*

Ergänzt sich aus den Bezirken der Infanterie-Regimenter Nr. 24 u. 58.

1718 als Dragoner errichtet, Brandenburg-Onolzbach, Wilhelm Friedrich Markgraf zu, FM.; 1723 Brandenburg-Onolzbach, Carl Wilhelm Friedrich Markgraf, Oberst; 1726 Sachsen-Gotha, Johann August Herzog, FM.; 1767 Bettoni, Johann Gf., FML.; 1773 Lobkowitz, Joseph Fürst, FM.; 1779 Chevaux-legers-, 1798 Dragoner-, 1802 wieder Chevaux-legers-Regiment; 1808 O'Reilly, Andreas Gf., GdC.; 1832 Alberti de Poya, Bartholomäus Gf., FML.; 1836 Wernhardt, Paul Freih., GdC.; 1846 Ferdinand Maximilian, Erzherzog, Vice-Admiral, (FML.); 1851 Uhlanen-Regiment; 1864 Maximilian I., Kaiser von Mexico.

(Zweite Inhaber waren: von 1846—1862 Bechtold, Philipp Freih. v., FML., von 1862—1868 Bigot de St. Quentin, Carl Gf., FML.)

1868 Bigot de St. Quentin, Carl Gf., GdC.

Oberst u. Reg.-Comdt. Rott, Joseph, MVK. (KD.).

Oberstlieutenant.

Schmidt, Anton.

Major.

Prandstetter-Teimer Martin.

Rittmeister 1. Classe.

Boyer, Ferdinand (Erg.-Cadre-Comdt.).
Potocki, Nicodemus Gf.
Nachodsky v. Neudorf, Christian Ritt.
Szolayski, Timotheus Ritt. v.
Wittmann-Denglaz, Hugo Ritt. v.
Czeika, Franz.
Egloffstein, Hermann Freih. von und zu.

Oberlieutenants.

Somssich de Sáard, Joseph Gf. (Res.)
Plank v. Plankenburg, Hermann (Res.)
Metternich-Wolff zu Vinsebek, Gisbert Gf. (Res.)
Metternich-Wolff zu Vinsebek, Friedrich Gf. (Res.)
Möller, Alexander.
Fuchsig, Anton.
Eypert, Alois.
Kaiser, Anton.
Filippi, Aliprandus.
Lenk, Victor.
Kaan Edl. v. Albest, Hans.
Kux, Johann (Reg.-Adj.).
Bittner, Carl (Prov.-Off.).
Stanković, Johann.
Doxat, Johann.
Bohać, Franz.
Carmine, Emanuel.
Stögl, Adalbert.
Schumann, Anton.
Graff, Vinc. Freih. v.
Enis v. Atter und Iveaghe, Carl Freih.

Lieutenants.

Zedtwitz, Utz Gf. (Res.).
Halasz, Theodor v. (Res.).
Merz, Franz.
Enis v. Atter und Iveaghe, Franz Freih.
Hubrich, Alexander.
Carina, Alexander v.
Hofmann, Adolph.
Acht, Emil.
Trenkle, Adolph.
Komarnicki, Boleslav.
Gross, Victor.
Fröhlich v. Salionze, Hugo Freih.
Kapiszewski, Julian (Res.).
Brückner, Franz.
Ostrożyński, Ladislaus (Res.).
Rohr, Carl.

Cadet.

Godlewski, Stanislaus (Off.-Stellv.), (Res.).

Mil.-Aerzte.

Hacker, Eugen, Dr., Reg.-Arzt 1. Cl.
Kompass, Eduard, Dr., Oberarzt.
Pečenka, Anton, Dr., Oberarzt.
Krall, Hermann, GVK., Oberwundarzt.

Rechnungsführer.

Kuhn, Adolph, Obrlt.

Thierarzt.

Stephelbauer, Anton.

Krapprothe Czapka mit Rosshaarbusch (wie Nr. 3), lichtblaue Uhlanka mit krapprother Egalisirung und weissen Knöpfen, krapprothe Stiefelhose, Mantel dunkelbraun.

9.
Uhlanen-Regiment.

(Wurde 1873 in das Dragoner-Regiment Nr. 10 umgewandelt.)

10.
Uhlanen-Regiment.

(Wurde 1873 in das Huszaren-Regiment Nr. 16 umgewandelt.)

11.
Galizisches Uhlanen-Regiment.

Regiments-Stab: Żołkiew.

Ergänzungs-Cadre: *Stryj.*

Ergänzt sich aus den Bezirken der Infanterie-Regimenter Nr. 15 u. 58.

1814 als Chevaux-legers-Regiment Nr. 7 errichtet; 1815 Nostitz-Rinek, Johann Gf., FML.; 1840 Kress v. Kressenstein, Carl Freih., FML; 1849 Alexander Czesarewitsch, Grossfürst und Thronfolger von Russland; 1851 Uhlanen-Regiment.

(Zweite Inhaber waren: von 1849—1856 Kress v. Kressenstein, Carl Freih., GdC.; von 1856—1860 Eynatten, August Freih. v., FML.)

1855 Alexander II., Kaiser von Russland.

Zweiter Inhaber.

Schönberger, Adolph Freih. v., GdC. (1860).

Oberst u. Reg.-Comdt. Schwarz, Albert.

Oberstlieutenant.

(Vacat.)

Majore.

Zwehl, Jakob v., MVK.
Campione, Adolph.

Rittmeister 1. Classe.

Fünfkirchen, Ferdinand Gf., ÖLO-R., ♰ (Res.).
Saar, Heinrich v. (ü. c.) Reitlehrer an der Mil.-Akad. zu Wr.-Neustadt.
Komers v. Lindenbach, Hugo Freih.
Polko, Heinrich (ü. z.) beurl.
Muszczyński, Albert.
Holzinger, Carl.
Lehmann, Anton (WG.).
Brezanij, Arthur Ritt. v. (Erg.-Cadre-Comdt.).
Procházka, Heinrich Freih. v.
Wiedemann Edl. v. Warnhelm, Carl.
Poten, Ernst.
Suttner, Richard Freih. v. (Res.).

Rittmeister 2. Classe.

Sizzo-Noris, Eduard Gf. (Res.).

Oberlieutenants.

Seine kais. Hoheit Paul Alexandrowitsch, Grossfürst von Russland.
Westphalen, Rudolph Gf. (Res.).
Herb Edl. v. Hublon Franz.
Khevenhüller - Metsch, Rudolph Gf., ÖEKO-R. 3., JO-C., ♰ (Res.).
Červinka, Anton, MVK. (KD.).
Obenaus de Felsö-ház, Oskar Freih. (Reg.-Adj.).
Poten, Otto.
Červinka, Wenzel.
Bibus, Robert.
Kościcki de Kościerze, Alexander Ritt. (Prov.-Off.).
Mayer v. Monte arabico, Alfred Ritt.
Wilczyński, Wladimir Ritt. v.
Manasterski, Anton Ritt. v.
Ruebenbauer, Albin.
Vetter, Ludwig.
Völckers, Oskar.

Lieutenants.

Biringer, Arthur (Res.).
Kieszkowski, Hyacinth Ritt. v. (Res.).
Haller v. Hallenburg, Joseph (Res.).
Delinowski, Joseph.
Luy, Eduard.
Klemensiewicz, Ignaz.
Brykczyński, Joseph Ritt. v. (ü. z.) beurl.
Matczyński, Casimir Ritt. v.
Poniński, Alexander Fürst (Res.).
Klemensiewicz, Johann.
Zagórski, Severin Ritt. v.
Krechowiecki, Stanislaus Ritt. v. (WG.).
Junosza-Jankowski, Jakob Ritt. v. (Res.).
Skarbek-Kruszewski, Vincenz Ritt. v. (Res.).
Lewicki, Peter (Res.).
Anthony v. Siegenfeld, Alfred Ritt.
Veith, Joseph.
Ziemblice Bogusz, Anton Ritt. v.
Hugl, Carl.
Abrahamowicz, Christoph Ritt. v.
Baczyński v. Leszkowicz, Raimund Ritt.
Fischer, Julian.
Sidorowicz, Michael.

Cadeten.

Grabowski, Vincenz.
Millet, Sylvester.

Mil.-Aerzte.

Mládek, Wenzel, Dr., ÖFJO-R. Reg.-Arzt 1. Cl.
Kalach, Felix, Dr., Oberarzt.
Büsch v. Tessenborn, Robert, Dr., Oberarzt.
Rosenbaum, Philipp, Oberwundarzt.

Rechnungsführer.

Faltin, Franz, SVK., Obrlt.

Ober-Thierarzt 2. Cl.

Lang, Franz.

Kirschrothe Czapka mit Rosshaarbusch, lichtblaue Uhlanka mit krapprother Egalisirung und weissen Knöpfen, krapprothe Stiefelhose, Mantel dunkelbraun.

12.

Ungarisches (croatisch-slavonisches) Uhlanen-Regiment.

Regiments-Stab: Požega.

Ergänzungs-Cadre: *Agram.*

Ergänzt sich aus dem Bezirke des Infanterie-Regiments Nr. 53.

1854 errichtet, Ferdinand II., König beider Sicilien.

1859 Franz II., König beider Sicilien.

Zweiter Inhaber.

Lederer, August Freih. v., GdC. (1854).

Oberst u. Reg.-Comdt. Zwakon, Sebastian.

Oberstlieutenant.

Pollet, Franz.

Majore.

Wachter, Guido, MVK. (KD.).
Vahlkampf, Bernhard Ritt. v.
Czetsch v. Lindenwald, Ludwig Ritt., MVK.(KD.), (ü. c.) Comdt. des Sicherheits-Corps für Bosnien.

Rittmeister 1. Classe.

Fabianits de Misefa, Alexius, MVK. (KD.).
Schubert, Robert.
Sánta de Kozmás, Adolph, MVK. (KD.), (Erg.-Cadre-Comdt.).
Schediwý, Edmund (ü. c.), Personal-Adj. des FZM. Freih. v. Mollinary.
Freund, Joseph.
Sonnabend, Emanuel.
Seidel, Camillo.
Ivkow Edl. v. Brückentreu, Emil.

Oberlieutenants.

Liebler v. Asselt, Theodor.
Creutzer, Joseph (Reg.-Adj.).
Labas v. Blaškovec, Alexand.
Radaković, Obrad (Res.).
Matić v. Dravodol, Joseph.
Heitzmann, Eduard (WG.).
Fischer, Georg (Prov.-Off.).
Schaffgotsch, Victor Gf.
Sretkow, Constantin (ü. c.) zug. dem Generalstabe.
Ludwig, Vincenz.
Živković, Marcus.
Peraković Edl. v. Slavoljub, Michael.
Matić v. Dravodol, Heinrich.
Jovanović, Johann.
Berleković, Johann.
Zastavniković, Leop. Ritt. v. (ü. c.) Personal-Adj. des FZM. Joseph Freih. v. Philippović.
Paraga, Lucas.
Miączyński, Ladislaus.
Ponz v. Engelshofen, Theodor Ritt.

Lieutenants.

Zobel zu Giebelstadt und Darstadt, Ludwig Freih., ✠ (Res.).
Abele, Vincenz Freih. v.
Seleczy-Berski, Georg v.
Halper v. Szigeth, Wladimir (Res.).
Iskra, Stephan (ü. c.) zug. der Gestüts-Branche.
Kulmer, Ludwig Gf. (Res.).
Lachowicz, Alexander.
Szitanyi, Edmund v. (Res.).
Appl, Johann (Res.).
Coudenhove, Carl Gf. (Res.).
Böck, Eugen (Res.).

Schreiner, Emanuel.
Huschek, Alexander.
Zastavniković, Alexand. Ritt. v.
Milaković, Paul.
Thomann, Julius.
Fritsche, Victor.
Falkner, Ludwig.
Schönett, Franz.
König, Eduard.
Gibara, Georg.
Sturm, Johann.

Cadet.

Schönwetter, Johann.

Mil.-Aerzte.

Kraska, Hermann, Dr., Reg.-Arzt 2. Cl.

Ginner, Bruno, Dr., GVK. m. Kr., Reg.-Arzt 2. Cl.

Kiesewetter, Hermann, Unterarzt.

Rechnungsführer.

Berkopatz, Michael, O 2., Obrlt.

Thierarzt.

Stentzky, Joseph.

Dunkelblaue Czapka mit Rosshaarbusch (wie Nr. 13), lichtblaue Uhlanka mit krapprother Egalisirung und gelben Knöpfen, krapprothe Stiefelhose, Mantel dunkelbraun.

13.

Galizisches Uhlanen-Regiment.

Regiments-Stab: Łańcut.

Ergänzungs-Cadre: *Rzeszów.*

Ergänzt sich aus den Bezirken der Infanterie-Regimenter Nr. 10 u. 30.

Errichtet 1860 als Freiwilligen-Uhlanen-Regiment (1862 Uhlanen-Regiment Nr. 13).

1861 Ludwig Graf von Trani, Prinz beider Sicilien.

Zweiter Inhaber.

Nostitz-Rinek, Hermann Gf., FML. (1861).

Oberst u. Reg.-Comdt. Gniewosz v. Olexow, Sigmund Ritt., ✠.

Oberstlieutenant.

Bothmer, Adolph v.

Majore.

Coreth v. Coredo und Starkenberg, Carl Gf., ✠(ü.c.) als Erzieher zug. dem Hofstaate Sr. k. k. Hoheit des Erzherzogs Carl Ludwig.
Zerner, Adolph.

Rittmeister 1. Classe.

Dietrich, Carl, MVK.
Tilemann, Friedrich.
Doležel, Carl.
Möring, Alfred, MVK. (KD.), (Res.).
Christalnigg von und zu Gillitzstein, Adalbert Gf., ÖEKO-R. 3. (KD.), MVK. (KD.), ✠.
Chorinsky, Carl Gf., ✠.
Praschill, Adolph (Erg.-Cadre-Comdt.).
Huber v. Nordenstern, Leop.

Oberlieutenants.

Petziwal, Friedrich.
Gdyra, Vincenz, ○ 1.
Ulm, Emil v.
Krczmarsch, Anton.
Suchan, Gottfried.
Bayer v. Bayersburg, Heinrich.
Ośniałowski, Stanislaus Ritt. v.
Lots, Georg.
Jarosch, Alexander.
Bilwin, Boleslav.
Burkhardt von der Klee, Franz Freih. (Reg.-Adj.).
Czechowicz, Johann Freih. v.
Nowak, Franz.
Geringer v. Oedenberg, Ant.
Graff, Adolph.
Swogetinsky, Carl Edl. v.
Chwalibogowski, Alexander Ritt. v.

Lieutenants.

Rojewski, Casimir (Res.).
Rejski, Czeslav Freih. v. (Res.).
Poniński, Leander Fürst.
Clary, Manfred Gf. (Res.).
Bernašek, Joseph (Prov.-Off.).
Krzyżanowski, Edmund.
Woitischek, Carl.
Swogetinsky, Wilhelm Edl. v.
Borkowski, Adalbert (Res.).
Stojowski, Johann Ritt. v.
Bayer v. Bayersburg, Robert.
Zaremba, Edmund Ritt. v.
Konarski, Heinrich Gf. (Res.).
Löfler, Carl.
Sozański, Alexander Ritt. v., (Res.)
Jakubowski, Franz (Res.).
Zubrzycki, Joseph Ritt. v.
Bülow, Heinrich.

Cadet.

Grocholski, Zdislaus.

Mil.-Aerzte.

Leibnitz, Eugen, Dr., Reg.-Arzt 2. Cl.
Svoboda, Vincenz, Dr., GVK. m. Kr., Reg.-Arzt 2. Cl.
Tauber, Michael, Dr., Reg.-Arzt 2. Cl.
Herzum, Joseph, GVK. m. Kr., Oberwundarzt.

Rechnungsführer.

Doerfler, Stanislaus, Obrlt.

Thierarzt.

Scherübel, Michael.

Dunkelblaue Czapka mit Rosshaarbusch (wie Nr. 12), lichtblaue Uhlanka mit krapprother Egalisirung und weissen Knöpfen, krapprothe Stiefelhose, Mantel dunkelbraun.

Artillerie-Waffe.

General-Artillerie-Inspector.

Seine kaiserl. königl. Hoheit Erzherzog Wilhelm, Hoch- und Grossmeister des Hoch- und Deutschmeisterthums des deutschen Ritter-Ordens im Kaiserthume Oesterreich, ÖLO-GK. (KD.), MVK. (KD.), Inhaber der IR. Nr. 4 und Nr. 12, dann des Feld-Art.-Reg. Nr. 6, Chef der kaiserl. russischen Batterie Nr. 1 von der 7. reitenden Artillerie-Brigade, und Chef des königl. preussischen ostpreussischen Feld-Art.-Reg. Nr. 1, etc. etc., FZM.

Rangsliste

der Generale, Oberste, Oberstlieutenants, Majore, Hauptleute, Oberlieutenants, Lieutenants und Cadeten der Artillerie-Waffe.

Feldmarschall-Lieutenants.

Hofmann v. Donnersberg, Leopold, ÖEKO-R. 2., ÖLO-R. (KD.), MVK. (KD.), Inhaber des Feld-Art.-Reg. Nr. 12, Art.-Director beim Gen.-Comdo. zu Budapest.

Tiller v. Turnfort, Carl Freih., ÖLO-C., ÖEKO-R. 2., MVK. (KD.), Art.-Arsenal-Director in Wien.

General-Majore.

Hartlieb Otto Ritt. v., ÖLO-R., ÖEKO-R. 3. (KD.), MVK. (KD.), Comdt. der techn. Mil.-Akad.

Uchatius Franz Freih. v., St. O.-C., ÖEKO-R. 2., GHR., Comdt. der Art.-Zeugs-Fabrik im Art.-Arsenale in Wien.

Müller Joseph, ÖLO-R. (KD.), ÖEKO-R. 3. (KD.), Art.-Director beim Gen.-Comdo. in Wien.

Pilsak Edl. v. Wellenau Eduard, MVK. (KD.), Art.-Director beim Gen.-Comdo. zu Brünn.

Christl Franz, ÖEKO-R. 3., Art.-Director beim Gen.-Comdo. zu Lemberg.

Vetter Anton Edl. v., MVK. (KD.), Art.-Director beim Gen.-Comdo. zu Graz.

Schmarda Carl, ÖLO-R., ÖFJO-R., MVK. (KD.), Chef der I. Section im techn. u. adm. Mil.-Comité.

Bergler Eduard, Art.-Director beim Gen.-Comdo. zu Prag.

Kreutz Friedrich, ÖLO-R., ÖEKO-R. 3., MVK., Oberfeuerwerksmeister, Vorstand der 1. Abth. der I. Section im techn. u. adm. Mil.-Comité.

Gerlich Edl. v. Gerlichsburg Rudolph, ÖEKO-R. 3. (KD.), ○, Art.-Chef beim Mil.-Comdo. zu Hermannstadt.

Oberste.

Stab. Nieke Carl, MVK. (KD.), Art.-Chef beim Gen.-Comdo. zu Agram.

„ Müller Friedr. Ritt. v., ÖLO-R., ÖEKO-R. 3., MVK. (KD); Vorstand der 7. Abth. des R.-Kriegs-Mstms.

Stab. Joch Franz, Art.-Chef beim VIII. Inf.-Trup.-Div.- u. Mil.-Comdo. zu Innsbruck.

„ Lenk v. Wolfsberg Rudolph Freih., ÖEKO-R. 3. (KD.), MVK. (KD.), Art.-Chef beim Mil.-Comdo. zu Zara.

Stab. Frank Eduard, ÖLO-R. (KD.), MVK. (KD.), Art.-Director beim Gen.-Comdo. zu Serajevo.
1. Reg. Modřický Eduard, ÖEKO-R. 3., MVK. (KD.), Reg.-Comdt.
2. „ Kubin Johann Ritt. v., ÖEKO-R. 3. (KD.), Reg.-Comdt.
T. A. Ráak Carl, MVK., Comdt. des Art.-Zeugs-Depots zu Graz.
9. Reg. Kindermann Anton, ÖEKO-R. 3. (KD.), Reg.-Comdt.
10. „ Wagner Wilhelm Ritt. v., ÖEKO-R. 3. (KD.), Reg.-Comdt.
Stab. Smekal Carl v., Fest.-Art.-Dir. zu Komorn.
5. Reg. Lobkowitz Rudolph Prinz v., Durchlaucht, ÖEKO-R. 3. (KD.), MVK. (KD.), ✠, Reg.-Comdt.
Stab. Schwihlik Franz, MVK., Fest.-Art.-Dir. zu Pola.
6. Reg. Cziharz Alois, Reg.-Comdt.
8. Reg. Weigl August, Reg.-Comdt.
11. „ Jesser Moriz, ÖFJO-R., ⊙, Reg.-Comdt.
3. „ Fischer Carl, Reg.-Comdt.
7. „ Steinböck Ludwig, Reg.-Comdt.
T. A. Lauffer Gustav, ○ 1., Comdt. des Art.-Zeugs-Depots zu Prag.
Stab. Nepasizky Wenzel, MVK. (KD.), Fest.-Art.-Dir. zu Peterwardein.
13. Reg. Zipperer Edl. v. Engenthal Peter, MVK. (KD.), Reg.-Comdt.
Stab. Ettel Joseph, Fest.-Art.-Dir. zu Essegg.
„ Paul Carl, Fest.-Art.-Dir. zu Olmütz.
„ Sponner Albert, zug. dem Gen.-Art.-Inspector.
4. Reg. Kollarz Adolph, ○ 1., Reg.-Comdt.

Oberstlieutenants.

1. Mai 1875.

Stab. Gyurkovics Carl, ○ 2. (ü. z.).

1. November 1875.

T. A. Schwab Joseph, Comdt. des Art.-Zeugs-Depots zu Komorn.
Stab. Kremmer Clemens, MVK. (KD.), ○ 2., Fest.-Art.-Dir. zu Krakau.
12. Reg. Michalik Michael, MVK. (KD.), ○ 1., ○ 2.

1. Mai 1876.

6. Reg. Koch Martin Ritt. v., ÖLO-R. (KD.), MVK. (KD.).
8. „ Schwarz Johann, ÖEKO-R. 3. (KD.).
5. „ Voigt Joseph.
13. „ Benischke Franz, MVK. (KD.).

1. November 1876.

T. A. Störmer Eduard Ritt. v., ÖEKO-R. 3., Comdt. des Art.-Zeugs-Depots zu Olmütz.
„ Rohm Anton, beim Art.-Zeugs-Depot zu Krakau (WG.)
„ Harwich Vincenz, Comdt. des Art.-Zeugs-Depots zu Carlsburg.

1. November 1876.

11. FAB. Baer Emanuel, Bat.-Comdt.
7. Reg. Holmberg Joseph.
5. „ Burger Joseph, MVK. (KD.).

1. Mai 1877.

T. A. Harassin Johann, ÖEKO-R. 3., Comdt. des Art.-Zeugs-Depots nächst Wr.-Neustadt.
3. Reg. Zach Ludwig, MVK. (KD.).
T. A. Oreschitz Joseph, Comdt. des Art.-Zeugs-Depots zu Innsbruck.
„ Streit Severin, ÖEKO-R. 3., Comdt. des Art.-Zeugs-Depots im Art.-Arsenale in Wien.
10. Reg. Lucan Franz, ○ 1.

1. November 1877.

T. A. Bartonitzek Paul, Comdt. des Art.-Zeugs-Depots zu Pola.
4. Reg. Ritschl Hugo Ritt. v., ÖEKO-R. 3. (KD.). MVK. (KD.).
9. „ David Edl. v. Rhonfeld Franz, MVK. (KD.).
8. FAB. Streeruwitz Johann Ritt. v., Bat.-Comdt. (zugleich betraut mit den Functionen des Fest.-Art. Dir. zu Josephstadt).

1. Mai 1878.

T. A. Wartalot, Anton, Comdt. des Art.-Zeugs-Depots zu Krakau.
12. Reg. Richter Johann, MVK. (KD.).
11. „ Glaubrecht Julius, MVK. (KD.).

15. September 1878.

1. Reg. Bruna Franz.
2. „ Filz Friedrich, MVK. (KD.), O1.

1. November 1878.

3. Reg. Grigkar Joseph. MVK. (KD.).
2. „ Köchert Heinrich.

Majore.

1. Mai 1874.

13. Reg. Pawelka Franz.

1. November 1874.

T. A. Lettany Friedrich, ÖFJO-R., Präses der Uebernahms-Commission im Art.-Arsenale in Wien.
1. Reg. Puteani Coloman Freih. v., MVK. (KD.), ✝ (WG.).
1. „ Wildmann Anton.
3. „ Soboll Edl. v. Sonnenklar, Franz.
6. „ Pecher Carl.

1. Mai 1875.

Stab. Šrutek Ernst, Fest.-Art.-Dir. zu Theresienstadt.
4. FAB. Rutzky Andreas, Bat.-Comdt.
Stab. Schumbera Franz. Fest.-Art.-Dir. zu Cattaro.
„ Hofer Ludwig (WG.).
2. Reg. Muck Eduard.
7. „ Hajek Franz, ÖEKO-R. 3. (KD.), MVK. (KD.).
12. „ Wilsdorf Anton Freih. v.
5. „ Glasl Andreas, ÖLO-R. (KD.), (WG.).
10. „ Wařeka Wenzel.
4. „ Schmidt Carl, ÖLO-R. (KD.).
5. „ Klement Johann, MVK.
10. „ Stingl Johann.
10. „ Straka v. Hohenwald Robert Ritt., ÖEKO-R. 3. (KD.).
8. „ Seyff Franz.

1. November 1875.

1. Reg. Hassak Joseph, MVK. (KD.).
Stab. Ludwig Alois, MVK. (KD.), (ü. c.) Lehrer am Mil. - Reitlehrer-Inst.
5. FAB. Slaup Julius, Bat.-Comdt.

1. November 1875.

Stab. Czadek Carl Ritt. v., ÖEKO-R. 3., ÖFJO-R., MVK., Vorstand der 3. Abth. der I. Section im techn. u. adm. Mil.-Comité.
4. Reg. Bien Anton.
12. „ Sokoll Ludwig, ÖEKO-R, 3. (KD.).
Stab. Huffzky Heinrich, Vorstand der 2. Abth. der I. Section im techn. u. adm. Mil.-Comité.
11. Reg. Dumoulin Carl Freih. v.
T. A. Trawniczek Joseph, ÖFJO-R., MVK., Betriebs-Inspector in der Art.-Zeugs-Fabrik im Art.-Arsenale in Wien.

1. Mai 1876.

7. FAB. Hauke Stephan, Bat.-Comdt.
T. A. Herzog Joseph, ÖFJO-R., Betriebs-Inspector in der Art.-Zeugs-Fabrik im Art.-Arsenale in Wien.
6. Reg. Broschek Wenzel Edl. v., ÖEKO-R. 3. (KD.).
1. FAB. Gabriel Vincenz, Bat.-Comdt.

1. November 1876.

T. A. Bardon Franz, beim Art.-Zeugs-Depot nächst Wr.-Neustadt.
Stab. Skladny Carl, im techn. u. adm. Mil.-Comité.
7. Reg. Jahn Johann.
4. „ Kropatschek Alfred Ritt. v., ÖEKO-R. 3.
T. A. Sperling Rudolph, Comdt. des Art.-Zeugs-Depots zu Budapest.
3. FAB. Zarda Johann, Bat.-Comdt..
2. Reg. Schönhaber Leopold.
1. „ Peterlak Johann.
Stab. Hermann Joseph, ÖFJO-R., MVK. (KD.), beim R.-Kriegs-Mstm.

1. Mai 1877.

10. FAB. Post Johann, ÖFJO-R., Bat.-Comdt.
T. A. Seiche v. Nordland August, beim Art.-Zeugs-Depot im Art.-Arsenale in Wien.
9. Reg. Schwalb Johann.
7. „ Adam Franz.
8. „ Murko Johann.
12. FAB. Kuschel Emanuel, Bat.-Comdt.
T. A. Fischer Eduard, ÖFJO-R., Betriebs-Inspector in der Art.-Zeugs-Fabrik im Art.-Arsenale in Wien.
„ Holeček Wenzel, ÖFJO-R., Comdt. der Pulver-Fabrik zu Stein.
2. Reg. Eschenbacher Joseph Ritt. v., ÖFJO-R., MVK. (ü. c.), Flügel-Adj. Seiner Majestät des Kaisers u. Königs, zur Dienstleistung zug. Sr. k. k. Hoheit dem Kronprinzen Erzherzog Rudolph.

1. November 1877.

6. FAB. Lippert Carl, Bat.-Comdt.
13. Reg. Walter Julius.
5. „ Hevin de Navarre Christian, ÖEKO-R. 3. (KD.).
Stab. Babouczek Eduard, MVK., im techn. u. adm. Mil.-Comité.
„ Jelinek Anton, Fest.-Art.-Dir. zu Ragusa.

1. November 1877.

1. Reg. Hauke Wilhelm.
7. „ Lauffer Emil, MVK. (ü. c.) Lehrer an der techn. Mil.-Akad.
12. „ Korn Andreas, ÖEKO-R. 3. (KD.).

1. Mai 1878.

Stab. Ritschl Joseph, Vorstand der 4. Abth. der I. Section im techn. u. adm. Mil.-Comité.
9. Reg. Köchel Gustav.
2. FAB. Jüptner v. Jonstorff Anton Freih., ÖFJO-R., Bat.-Comdt.
9. „ Zips Peter, Bat.-Comdt.
13. Reg. Eysert Raimund, MVK. (KD.).
4. „ Gössl Franz.

15. September 1878.

6. Reg. Braun Joseph, MVK. (KD.).
5. „ Gerstner Otto.
11. „ Buben Hilarius.
9. „ Haberl Carl.
3. „ Pečirka Ferdinand.

1. November 1878.

5. Reg. Laizner Moriz, MVK. (KD.).
11. „ Hudetz Emanuel.
11. „ Strauss Edmund (ü. c.) zug. dem Art.-Dir. beim Gen.-Comdo. zu Serajevo.
1. „ Pitsch Joseph.

Hauptleute.

21. Juni 1859.

4. Reg. Ullrich Johann, ○1. (Res.).

21. Juli 1863.

11. FAB. Röhn Joseph.

30. Jänner 1864.

7. FAB. Schlösser Johann.
T. A. Koranczuk Ludwig, zu Wr.-Neustadt.

1. Mai 1866.

4. Reg. Kollaržik Jakob, ÖEKO-R. 3. (KD.), MVK.
11. „ Ternes Carl (ü. c.) im Kriegs-Archive.

1. Mai 1866.

12. Reg. Schellenbacher Joseph.

16. Mai 1866.

T. A. Kowarž Carl, zu Krakau.
10. Reg. Güttler Franz.

1. Juli 1866.

3. Reg. Smekal Adalbert.
7. „ Forster Leopold, MVK. (KD.).

4. Juli 1866.

7. Reg. Melion Anton, MVK. (KD.).
5. „ Plott Conrad.

4. Juli 1866.

9. FAB. Thallner Carl.
T. A. Hermann Mathias, in Wien.
„ Schaumann Joh., in Wien.

21. Juli 1866.

10. Reg. Eisler Thomas, ÖFJO-R., MVK. (KD.). ○.
Stab. Seyschab Friedr., ÖFJO-R., MVK. (KD.); beim R.-Kriegs-Mstm.
2. Reg. Löw Johann.
3. „ Haussner Eduard.

16. April 1868.

8. FAB. Tomek Gustav.
11. Reg. Schwarz Mathias, MVK. (KD.), ○ 2.
9. „ Halla Anton.
12. „ Rauch Joseph.

1. Mai 1868.

12. Reg. Halkiewicz Joseph, MVK. (KD.).

1. November 1868.

4. Reg. Emersberger Joh.
8. „ Trebar Joseph.

1. Mai 1869.

T. A. Gräf Friedrich, zu Lemberg.
13. Reg. Pfeiffer Franz.
8. „ Czermak Theodor.

1. November 1869.

9. FAB. Kirnig Joseph.

1. Mai 1870.

9. Reg. Niessler Ferdinand.
13. „ Huss Anton.
T. A. Staudinger Friedrich, zu Innsbruck.

1. November 1870.

T. A. Buresch Joseph, in Wien.
„ Kernreich Ignaz, zu Josephstadt.
Stab. Wagner Ernst (ü.c.) Lehrer an der Mil.-Akad. zu Wr.-Neustadt.
3. FAB. Paul Carl.

1. Mai 1871.

4. FAB. Kadisch Joseph.
4. Reg. Gegenbauer Joh., MVK. (KD.).
13. „ Maucher Anton, ÖEKO-R. 3. (KD.).
13. „ Baumann Ignaz (WG.).
Stab. Schmidt Franz, Feuerwerksmeister zu Lemberg.

1. November 1871.

T. A. Hanke Wilhelm, zu Peterwardein.
Stab. Ester Bartholomäus, ÖFJO-R., MVK. (KD.), Feuerwerksmeister in Wien.
6. Reg. Puttnik Maurus.
12. „ Du Fresne Leopold, MVK. (KD.).
10. „ Kunert Edl. v. Kunertsfeld Carl.
3. „ Báduška Ignaz.
8. „ Weis Eduard.
Stab. Sendler Carl, zug. dem Art.-Zeugs-Depot zu Komorn.

1. Mai 1872.

10. Reg. Beer Adolph.
T. A. Kreil Thom., zu Linz.
„ Steiner Mathias, zu Temesvár.
„ Petschnig Georg, MVK., in Wien.
„ Gessl Carl, zu Wr.-Neustadt.
„ Zaschel Florian, zu Wr.-Neustadt.
„ Trojak Wenzel, zu Olmütz.
1. Reg. Limbeck Gustav, ÖEKO-R. 3. (KD.).
Stab. Friedrich Joseph, ÖFJO-R., im techn. u. adm. Mil.-Comité.
5. Reg. Novotny Carl, MVK. (KD.).
10. „ Cuny v. Pieron Heinr. Ritt., ÖEKO-R. 3. (KD.).
1. „ Peter Jakob MVK (KD.).
5. „ Blumentritt Wenz.
8. „ Pfleger Emanuel.
11. „ Pulletz Jos. (WG.).
4. „ Rom Joseph.
4. „ Uher Gustav.
1. „ Schwenk Edl v. Rheindorf Carl.
5. FAB. Thuy Johann (WG.).
11. Reg. Raab Carl.
Stab. Geyer Franz, ÖFJO-R., Feuerwerksmeister zu Wr.-Neustadt.

1. Mai 1872.

11. Reg. Payer Carl.
12. „ Groschumer Wenz.
8. „ Jenewein Leopold.
2. „ Drobny Carl.
Stab. Allizar Joseph, ÖFJO-R., beim Arsenal-Director in Wien.
T. A. Neuwirth Mathias, zu Triest.
6. Reg. Fekonia Joseph, MVK. (KD.).
T. A. Klinger Franz, zu Essegg.
10. Reg. Mostler Moriz.
1. „ Volkmer Ottomar, ÖFJO-R., MVK. (KD.), (ü. c.) im mil.-geogr. Inst.
9. „ Piotrowski Rudolph v.
2. „ Koblitz Julius, MVK. (KD.).
2. „ Kühnel Emanuel.
1. „ Konrad Traugott.
11. „ Strommer Michael, ÖEKO-R. 3. (KD.), ÖFJO-R.
11. FAB. Kropatsch Carl.
7. Reg. Wika Rudolph.
6. „ Kahler Joseph.
2. „ Gleissner Johann, MVK. (KD.).

1. November 1872.

4. Reg. Husička Franz.
3. „ Horváth Johann.
1. „ Sedlaczek Leopold.
3. FAB. Grimm Eduard.
Stab. Mollik Heinrich, im techn. u. adm. Mil.-Comité.
4. Reg. Mazanec Jakob.
5. „ Sponner Alois.

1. Mai 1873.

3. FAB. Haynisch Johann (WG.).
11. Reg. Taufar Rudolph.
3. FAB. Czech Carl.
3. Reg. Hessel Joseph.
2. „ Hatzl Adolph.
3. FAB. Wenz Alois.
7. Reg. Klein Wenzel, ÖEKO-R. 3. (KD.).

1. Mai 1873.

2. Reg. Maytner Joseph (ü. c.) Lehrer an der techn. Mil.-Akad.
10. FAB. Waurisch Anton.
T. A. Masopust Raimund, in Wien.
11. Reg. Kellner v. Treuenkron Ferdinand Ritt., ÖEKO-R. 3., MVK. (KD.).
4. „ Franz Alois (WG.).
T. A. Murschenhofer Joseph, in Wien.
11. Reg. Ghyczy de eadem et Assa-Ablánczkürth, Livius, †.
6. „ Reichhold Moriz.
Stab. Semrad Gustav, beim R.-Kriegs-Mstm.
9. FAB. Partisch Friedrich, MVK.
1. Reg. Schlumps Adolph (WG.).
1. „ Wolf Anton, MVK.
3. FAB. Bayer Franz.
13. Reg. Petz Joseph.

1. November 1873.

10. Reg. Rech Moriz.
1. „ Wolf Wilhelm, MVK. (KD.).
3. „ Heger Heinrich.
12. FAB. Spitzer Franz.
13. Reg. Pieniążek v. Odrowaz Stephan Ritt., MVK. (KD.), †.
5. „ Eberl Joseph, MVK. (KD.).
2. „ Kržesadlo Moriz.
2. „ Maresch Otto, ÖFJO-R.
2. „ Zipser Carl.

1. Mai 1874.

10. FAB. Anderlik Ignaz.
5. Reg. Plitzner Alfred.
5. „ Kotrtsch Julius, MVK.
13. „ Löw Vincenz.
11. „ Oschkrkaný Joseph.
Stab. Jashetz Anton, beim R.-Kriegs-Mstm.
T. A. Pisinger Adolph, in Wien.
Stab. Obermayer Albert, Edl. v. (ü. c.), Lehrer an der techn. Mil.-Akad.
3. FAB. Puchinger Paul.
5. Reg. Schneider Eduard.
13. „ Kischa Georg.
Stab. Bělohláwek Adalbert, im techn. u. adm. Mil.-Comité.
12. Reg. Biehler Eduard.
5. „ Grasser Franz.
Stab. Chmelik Joseph, MVK., beim R.-Kriegs-Mstm.
5. FAB. Ressel Heinrich.
4. „ Schirnböck Joseph.
7. „ Grünthal Jakob (WG.).
6. „ Klinger Wenzel.
5. Reg. Alexin Edmund.
9. „ Schmidt Carl.
6. FAB. Prüschenk Otto v.

1. November 1874.

12. FAB. Eckert Otto.
1. Reg. Churfürst Wenzel.
5. „ Morawek Wenzel, MVK. (KD.), (WG.).
3. Reg. Brandstätter Edl. v. Brandenau Hermann, ÖFJO-R.
2. „ Haarmann Wilhelm.
7. „ Plöbst v. Flammenburg Julius Ritt., ÖEKO-R. 3. (KD.).
5. FAB. John Ferdinand.
7. Reg. Swoboda Bernard.
4. FAB. Zimmermann Ant.
11. Reg. Schneider Adolph Edl. v.
2. FAB. Hiebel Anton.
3. Reg. Steinlechner Adolph, MVK. (KD.).
9. „ Lerch Alexander.
8. „ Kallusch Johann.
12. „ Küper Carl, ÖEKO-R. 3. (KD.).
7. „ Beckerhinn Carl.
10. „ Lerch Ludwig.
6. Bernsee Joseph.
T. A. Kotwa Georg, zu Stein.
3. FAB. Landwehr Georg.
12. Reg. Beinstingel Alois.
9. „ Hampl Carl.
2. FAB Wiesner Franz.
4. Reg. Herget Odilo.
6. „ Weixler Carl.
11. „ Sužnević Carl.
2. „ Peinthor Anton.
5. FAB. Brauner Anton.
6. Reg. Seydler Joseph.
9. „ Wiltczek Franz.

1. Mai 1875.

1. Reg. Thiele Friedrich, ÖFJO-R. (ü. c.) Lehrer an der techn. Mil.-Akad.
7. FAB. Klinger Simon.
5. „ Lueger Joseph.
2. Reg. Gstöttner Wilhelm (WG.).
6. „ Glasser Ferdinand.
9. „ Bulluschek Franz.
11. „ Zawodsky Othmar, ÖFJO-R.
10. FAB. Bohunek Ferdin.
7. Reg. Schmid Joseph.
7. „ Kellner Joseph, MVK. (KD.).
6. „ Ulrich Wilhelm.
2. FAB. Wojatschek Swatopluk.
10. Reg. Bux Johann.
8. „ Zechu Adolph.
T. A. Girkovský Franz, zu Cattaro.
„ Kaspar Raimund, zu Essegg (WG.).
„ Wunder Joseph, zu Olmütz.
2. Reg. Holl Johann (ü. z.) beurl.
T. A. Schlösser Joseph, zu Wr.-Neustadt.
Stab. Trevisan Sylvester, Feuerwerksmeister bei der Feld-Zeugs-Comp. Nr. 1.
T. A. Gebauer Friedrich, zu Theresienstadt.

1. Mai 1875.

12. FAB. Skarnitz Johann, MVK. (KD.).
1. „ Paul Friedrich.
1. Reg. Roczek Albrecht.

1. November 1875.

4. FAB. Mayer Alexander.
T. A. Hübner Anton, zu Ragusa.
„ Schramek Anton, zu Prag.
3. FAB. Thür Johann.
Stab. Hoffmann Carl, Feuerwerksmeister zu Pola.
10. FAB. Felkel Joseph.
T. A. Friedrich Johann, O 1., in Wien.
„ Thiem Stephan (ü. c.) zu Krakau.
9 FAB. Fischer Joh., O2.
11. „ Mayer Johann, MVK. (KD.).
8. Reg. Zeitler Rudolph.
5. FAB. Hufnagel Franz, ÖFJO-R.
2. „ Richter Joseph.
11. „ Janausch Cölestin.
12. Reg. Totzauer Carl.
9. „ Seidl Richard.
2. FAB. Pechmann Johann.
2. Reg. Kramer Moriz, MVK. (KD.).
T. A. Clarici Joh., zu Pola.
Stab. Zotter Carl (ü. c.) Lehrer an der Mil.-Ober-Realschule.

1. Mai 1876.

T. A. Lauterböck Rupert, zu Krakau.
12. FAB. Wolf Johann.
2. „ Köhler Michael.
3. „ Reischl Jos. (WG.).
9. „ Winkler Carl.
6. Reg. Weissenbäck Joh.
9. FAB. Čuden Jakob.
3. Reg. Hummer Johann.
1. FAB. Waněk Adolph.
5. Reg. Heberle Carl (Feuerwerksmeister zu Budapest).
8. FAB. Krulz Franz.

1. Mai 1876.

9. Reg. Spinka Eduard.
6. „ Kefer Hugo.
12. FAB. Jansky Emanuel.
T. A. Leckel Jos, zu Triest.
8. Reg. Plewa Joseph.
10. FAB. Müller Joseph, O2.
5. Reg. Kolbl Michael, MVK. (KD.).
12. „ Güttl Franz, ÖEKO-R. 3. (KD.).
3. FAB. Layée Timotheus.
10. „ Schaffer Mathias, MVK. (KD.).
7. Reg. Osswald Anton.
1. „ Auer Franz.
T. A. Domek Richard, in Wien.
„ Radda Pet., in Wien.
„ Wallik Dominik, zu Zara.
„ Godetz Anton, zu Komorn.
„ Hess Gottfried, O 2., in Wien.
9. Reg. Arbter Arthur Ritt. v. (ü. c.) beim R.-Kriegs-Mstm.
Stab. Zeidner Franz, MVK., im techn. u. adm. Mil.-Comité.
„ Cenna Ladislaus, beim Gen.-Art.-Inspector.
10. Reg. Kanyaurek Ferdin., MVK.
6. „ Heissig Hermann, ÖFJO-R., MVK. (KD.).
10. FAB. Böllmann Ernst, MVK. (KD.).

1. November 1876.

1. Reg. Benesch Gottfried.
T. A. Ungermann Adalb., zu Wr.-Neustadt (ü. c.) Comdt. des Art.-Zeugs-Detachements zu Serajevo.
„ Jurke Mathias, in Wien.
12. FAB. Lupač Emanuel (Feuerwerksmeister zu Peterwardein).

1. November 1876.

T. A. Gattinger Eduard, zu Olmütz.
1. FAB. Piskorsch Rudolph.
8. „ Weikert Joseph.
12. Reg. Walenta Wenzel.
7. „ Schiess Felix, MVK. (KD.).
11. „ Nowotny Alois (ü. c.) Lehrer an der techn. Mil.-Akad.
13. „ Cenna Demeter.
Stab. Kottek Carl, beim R.-Kriegs-Mstm.
„ Gottstein Ant., beim R.-Kriegs-Mstm.
„ Zieglmayer Carl, im techn. u. adm. Mil.-Comité.
10. Reg. Trösch Edl. v. Sowille Heinrich.
11. „ Thomann Friedr., MVK. (KD.).
8. FAB. Gogl Johann.
12. Reg. Nussbaumer Jakob.
T. A. Gebauer Vincenz, zu Carlsburg.
6. FAB. Thien Wilhelm.
4. Reg. Schäffer Johann.
T. A. Stanke Valentin, in Wien.
9. Reg. Hofbauer Michael.
7. FAB. Herberth Johann.
T. A. Röschel Anton, zu Temesvár.
5. Reg. Merkl Ludwig, ÖEKO-R. 3. (KD.).
8. „ Wagner v. Wetterstädt Carl (ü. z.) beurl.
7. „ Obermüller Carl (ü. c.) beim R.-Kriegs-Mstm.
Stab. Lensch Rudolph (ü. c.) beim R.-Kriegs-Mstm.
T. A. Götzl Moses, zu Peterwardein.
„ Rotter Jos., in Wien.
„ Sturm Eduard, zu Ragusa.
10. FAB. Tunkl v. Asprung u. Hohenstadt Wilhelm Freih.

1. November 1876.

3. FAB. Pawlowsky Eduard, MVK. (KD.).
8. Reg. Krolopp Joseph.
11. FAB. Sommer Franz.
T. A. Pomeisl Joseph, MVK. (KD.), zu Ragusa.
Stab. Wuich Nikolaus, im techn. u. adm. Mil.-Comité.
„ Zehner v. Riesenwald Ernst, ÖFOJ-R., im techn. u. adm. Mil.-Comité.

1. Mai 1877.

4. FAB. Schenk Anton.
T. A. Herbst Johann, zu Budapest.
9. FAB. Marklot Heinrich.
3. Reg. Pap Alexander v.
T. A. Knab Anton, zu Innsbruck.
6. Reg. Pothorn Joseph.
12. FAB. Pick Carl (WG.).
8. Reg. Reinisch Andreas.
3. „ Mück Anton.
T. A. Knaus Joseph, in Wien (ü. c.) beim Art.-Zeugs-Detachement zu Serajevo.
„ Swoboda Joseph, zu Budapest.
11. FAB. Czech Franz.
1. „ Blaha Jakob.
12. Reg. Kaiser Samuel.
T. A. Güntner Johann, zu Cattaro.
7. FAB. Osolsobie Ferdinand.
11. Reg. Nowotný Joseph.
10. „ Herzog Martin.
T. A. Czernik Carl, zu Olmütz.
8. FAB. Ressel Franz.
11. „ Kovarž Franz.
T. A. Wollner Christian (ü. c.) zu Stein.
4. Reg. Pacholik Anton.
12. „ Czapp Joseph, ÖEKO-R. 3. (KD.), ○ 1.
6. FAB. Piasecki Sigmund.

1. Mai 1877.

8. FAB. Amler Benedict.
13. Reg. Mark Alexander.
9. „ Schuppler, Reinhard Edl. v.
3. „ Kostial, Joseph, ÖFJO-R.
5. „ Magrinelli, Alois.
Stab. Křiwanek, Carl, im techn. u. adm. Mil.-Comité.

1. November 1877.

T. A. Gersowan Joseph, zu Prag.
12. FAB. Jüstel Friedrich.
1. Reg. Rosenauer Joseph.
T. A. Rutzky Edmund, MVK., in Wien.
7. FAB. Hampel Adolph.
6. „ Helm Simon.
T. A. Laule Franz, zu Budapest.
9. Reg. Maxner Wenzel.
6. „ Biedermann Joh., MVK. (KD.).
2. „ Prohaska Carl.
11. „ Walteck Franz.
7. „ Skalla Johann, MVK. (KD.).
4. „ Fritsche Joseph, MVK. (KD.).
13. „ Wankel v. Seeberg, Carl.
1. FAB. Hünel Anton, MVK. (KD.)
8. Reg. Klemm Franz.
3. „ Steger Eduard.
1. „ Kunte Stephan.
4. FAB. Lachnit Leonhard.
T. A. Dofek Joseph, ○ 2., zu Josephstadt.
T. A. Weimar Joseph, zu Graz.
11. FAB. Hann Joseph.
T. A. Rieger Anton, zu Carlstadt.
13. Reg. Weisser Julius.
10. „ Donadelli Adam.
3. „ Schneller Arnold.
Stab. Beschi Eduard, MVK. im techn. u. adm. Mil.-Comité.

1. Mai 1878.

12. Reg. Panusch Adalbert, MVK. (KD.).
1. „ Zechmeister Edl. v. Waagau Eduard.
7. „ Zukal Vincenz.
9. „ Pokorny Gustav.
5. „ Wittas Joh., ÖEKO-R. 3. (KD.).
Stab. Nigris Alois, beim R.-Kriegs-Mstm.
8. Reg. Ochs Alexander.
8. „ Mayerhoffer Steph.
13. „ Postel Eduard.
13. „ Petzer Georg.
11. „ Schramek Camillo (ü. c.) beim R.-Kriegs-Mstm.
7. FAB. Rátz Alexander.
Stab. Augustin August Freih. v., Feuerwerksmeister zu Prag.
„ Wittmann Julius, im techn. u. adm. Mil.-Comité.

15. September 1878.

4. Reg. Brudna Franz.
6. FAB. Arsenschegg Franz.
12. „ Fieker Carl.
Stab. Mařik Leop., ÖFJO-R., Feuerwerksmeister zu Krakau.
10. Reg. Salner Johann.
10. „ Schwaab Hugo.
7. „ Schuster Carl.
Stab. Sterbenz Johann, MVK., im techn. u. adm. Mil.-Comité.
12. Reg. Turkayl Nikolaus.
9. FAB. Tullinger Gustav.
5. Reg. Semek Carl, ○ 2.
8. „ Michel Johann.

1. November 1878.

T. A. Hopels Leopold, zu Graz.
3. Reg. Pfrim Anton (ü. c.) zug. dem Generalstabe.
1. „ Seeland Jos., ○ 2. (ü. c.) beim R.-Kriegs-Mstm.

1. November 1878.

9. FAB. Riedl Edl. v. Leuenstern Victor.
2. „ Rauer Johann.
11. Reg. Beckerhinn Ferd.
4. „ Kilian Carl.
Stab. Grossmann Carl, im techn. u. adm. Mil.-Comité.
4. FAB. Janauschek Jos.
3. Reg. Kotzurek Anton.
11. „ Meduna v. Riedburg Julius Ritt. (ü. c.) Lehrer an der Mil. - Ober - Realschule.

1. November 1878.

2. Reg. Richter Arnold.
9. „ Kunert Edl. v. Kunertsfeld Oskar.
12. „ Petričić Adam, MVK. (KD.).
Stab. Kaiser Laurenz, MVK., im tech. u. adm. Mil.-Comité.
7. Reg. Servin Joseph.
2. „ Walluschek v. Wallfeld Alexander.
2. „ Waagner Edl. v. Waagstroem Gustav.

1. November 1878.

Stab. Glaser Wilhelm (ü. c.) Lehrer an der Mil. - Ober - Realschule.
10. Reg. Mindl Anton Edl. v.
6. „ Schiega Heinrich.
1. FAB. Heim Otto.
5. Reg. Liebenwein Carl, MVK. (KD.), ⊙.
Stab. Schwab Johann, im techn. u. adm. Mil.-Comité.
1. Reg. Pietsch Edl. v. Sidonienburg Theodor.

Oberlieutenants.

16. Mai 1866.

6. FAB. Geissler Benedict.
1. Reg. Kieslich Jul. (Res.).
13. „ Pervulesko Lazar (Res.).

16. Juni 1866.

9. Reg. Jahn v. Vonau Joh. (Res.).

1. November 1869.

5. FAB. Beranek Joseph.

1. November 1870.

12. FAB. Ostoić Elias.

1. Mai 1871.

8. Reg. Wilsdorf Carl Freih. v.
12. „ Meduna v. Riedburg Edmund Ritt., MVK. (KD.).
1. „ Lots Laurenz, ○ 1.
6. „ Pistauer Vincenz.
1. „ Pawlas Joseph.
Stab. Masurka Joh., Adj. des Art.-Chefs zu Agram.
2. Reg. Sauer Wenzel.
T. A. Göbel Paul, zu Stein.
„ Pohl Joh., zu Zara.
13. Reg. Scherzl Leopold.
7. FAB. Nemanić Wilhelm.
12. Reg. Langmayer Ferdinand.

1. Mai 1871.

4. Reg. Doms Ludwig.
10. „ Mayer Anton.
11. FAB. Mandić Paul.
10. „ Keppelmüller Jos.
9. Reg. Alt Franz.
4. „ Wojaczek Bruno (ü. z.) beurl.
12. „ Lonek Eduard.
10. „ Wohlgemuth Ludwig Edl. v. (ü. c.) Lehrer an der techn. Mil.-Akad.

1. November 1871.

T. A. Zerha Friedrich, zu Wr.-Neustadt.
4. FAB. Sandner Adolph, MVK. (KD.).
6. „ Nowak Joseph.
11. Reg. Baumann Joseph.
12. „ Stanković Anton.
Stab. Vischner Anton (ü. c.) Lehrer an der Mil. - Unter - Realschule zu St. Pölten.
12. Reg. Noll Emil.
5. „ Kempel Stephan, MVK. (KD.).
10. „ Mindl Franz Edl. v.
Stab. Scheurer Joseph, im techn. und adm. Mil.-Comité.
13. Reg. Oberweger Joseph.

1. Mai 1872.

11. FAB. Schumpe Isidor (Res.).
5. „ Malarz Franz.
5. Reg. Hofmann Carl, MVK. (KD.).
Stab. Schwiblik Carl, Adj. des Art.-Dir. zu Budapest.
T. A. Müller Johann in Wien.
„ Ghelleri Ferdinand, in Wien.
8. Reg. Kreitschy Franz.
6. FAB. Reiter Joseph.
10. Reg. Mayer Raimund.
T. A. Böhm Carl, zu Wr.-Neustadt.
6. Reg. Paumgartten Eduard Ritt. v.
3. FAB. Weber Robert.
3. Reg. Seinković Anton.
Stab. Pfaundler Ignaz, beim Arsenal-Dir.
1. Reg. Rodler Wilh., MVK. (KD.).
7. „ Bauer Adolph.
2. „ Becher Joseph.
T. A. Kraelitz Johann, in Wien.
4. FAB. Rieder Rudolph.
1. Reg. Spiess Franz.
13. „ Hübl Anton.
12. „ Mack Joseph.

1. Mai 1872.

8. Reg. Purkhart Eduard.
13. „ Karasz Eugen.
Stab. Swietelsky Ferdinand, Adj. des Art.-Chefs zu Zara.
4. Reg. Sklenka Adolph.
6. „ Blaschek Anton.
8. „ Raspoltnigg Franz (Res.).
Stab. Hensel Joseph (ü.c.) Lehrer an der Mil.-Ober-Realschule.
7. Reg. Gassner Alexander, MVK. (KD.)
11. „ Pokorný Adalbert.
2. „ Olleschik Carl.
4. „ Langer Wilhelm.
8. „ Wankel v. Seeberg Moriz.
9. FAB. Wurm Alexander.
10. Reg. Drexl Meliton.
Stab. Kohlruss Carl, im techn. u. adm. Mil.-Comité.
7. Reg. Winkler August.
11. „ Hitzelberger Adolph.
10. „ Tereba August.
10. „ Höger Raimund.
4. „ Bechert Simon.
10. „ Bodoný Joseph.
11. „ Watterich Vincenz.
T. A. Kmoch Johann, zu Cattaro.
Stab. Porias Carl, Feuerwerksmeister zu Temesvár.
1. FAB. Profitsch Ludwig.
2. Reg. Auer Carl.
Stab. Pelikan Emanuel, im techn. u. adm. Mil.-Comité.
9. Reg. Maresch Rudolph.
2. „ Ranciglio Wilhelm.
11. „ Zmölnig Stephan.
3. „ Comensoli Hermann.
T. A. Wyskočil Joh., MVK. in Wien (ü. c.) beim Art.-Zeugs-Detachement zu Serajevo.
3. Reg. Hauk Raimund.
10. „ Wodniansky Jos.

1. Mai 1872.

Stab. Rossek Joseph Edl. v., Adj. des Art.-Dir. in Wien.
„ Schwingshandl Alois, im techn. u. adm. Mil.-Comité.
4. Reg. Reisenauer Gustav.
T. A. Reithmayr Jakob, in Wien.
4. Reg. Schweighofer Jos.
T. A. Hofstätter Rudolph, zu Carlstadt.
2. FAB. Hněwkowský Wenzel.
8. Reg. Bellmond Julius.
11. „ Kramm Anton.
4. „ Bittnar Wilhelm.
9. „ Wlatschiha Eduard.
1. „ Fischer Georg, O 2.
Stab. Pabst Oskar (ü. c.) Lehrer an der Mil.-Ober-Realschule.
10. FAB. Böllmann Carl.
1. Reg. Zejbek Franz.
7. FAB. Zeller v. Zellhain, Alois Ritt. (ü.c.) zug. dem Generalstabe.
Stab. Locker Anton, Feuerwerksmeister zu Graz.
1. Reg. Welz Anton.
11. „ Kuczera Vincenz.

1. November 1872.

5. Reg. Stipsics Joseph Freih. v.
6. „ Jung Franz.
7. „ Waitz Joseph (ü. c.), im mil.-geogr. Inst.
5. „ Harnisch Gustav (Res.).
1. FAB. Dalmata v. Hideghét Ottokar, MVK. (KD.).
5. „ Czakowsky Anton.
10. „ Walter v. Waltenau Julius Ritt.
12. Reg. Rigele Otto, MVK. (KD.).
5. „ Küsswetter Albert.
7. „ Scholley Alexander Freih. v.

1. November 1872.

6. Reg. Lengauer Franz.
1. „ Köhler Edl. v. Dammwehr Wenzel.
T. A. Menzl Joseph, zu Komorn.
12. Reg. Petričić Paul.
12. „ Wolfartstädten Friedrich.
7. „ Goldschmidt Heinrich.
5. „ Wuchty Lambert.
4. „ Rilke Hugo.
11. „ Janda Ferdinand.
11. FAB. Rieder Gustav.

1. Mai 1873.

12. FAB. Beckh v. Widmannstätten Emil.
6. Reg. Milius Daniel.
13. „ Kremer Rud. Edl. v.
12. „ Eichler Ernst.
1. „ Melichar Vincenz.
T. A. Scholz Johann, in Wien.
11. Reg. Kopsch Rudolph.
T. A. Winzenz Cosmas, in Wien.
5. Reg. Steinmann Joseph.
3. „ Hugyetz Ernst.
7. „ Lemešić Joseph.
T. A. Linhart Thomas, MVK., zu Carlsburg.
3. Reg. Wessely Franz.
Stab. Vanino Anton, Feuerwerksmeister zu Komorn.
T. A. Swoboda Vincenz, zu Peterwardein.
1. FAB. Klein Dominik, ÖEKO-R. 3. (KD.), O 2.
T. A. Geitner Moriz, zu Pola.
4. FAB. Gollner Albert.

29. October 1873.

6. FAB. Krobatin Alexander (ü. c.) Lehrer an der techn. Mil.-Akad.

1. November 1873.

13. Reg. Rékássy Alois.
8. „ Krobatin Friedrich.
8. FAB. Schöffl Johann.

1. November 1873.

12. FAB. Teichert Wenzel.
3. „ Biedermann Carl.
7. Reg. Spendou Raimund, MVK. (KD.).
T. A. Frankowski Ferdinand, zu Lemberg.
9. FAB. Berun Hugo.
9. „ Weiss August.
7. „ Stuchlý Johann.
T. A. Lechle Georg, in Wien.
3. Reg. Rotzmann Franz.
11. FAB. Held Carl.
T. A. Thiel, recte Jülke Adolph, zu Innsbruck.
10. Reg. Ledel Albert.
Stab. Laun Anton, Adj. des Art.-Dir. zu Prag.
T. A. Thuma Wenzel, in Wien.
1. FAB. Guth Anton, MVK. (KD.).
7. Reg. Hübel Franz.
11. „ Obermüller Heinr.
T. A. Stipschitsch Franz, zu Triest.
3. FAB. Czerwenka Johann.
8. Reg. Eisenkolb Joseph.
T. A. Jonasch Ant. zu Prag
13. Reg. Pruker Franz.
5. „ Seegin Joseph.

1. Mai 1874.

4. FAB. Dwořak Franz, MVK. (KD.).
12. Reg. Wass de Alsó-Árpássy Nikolaus.
T. A. Zenzmayer Anton, zu Graz.
„ Gauser Ign., zu Graz.
8. Reg. Glas Anton.
1. „ Seelig Alois.
2. FAB. Schauscha Julius.
11. Reg. Kletler Bruno.
10. FAB. Sersawý Ferdinand.
T. A. Crass Albr. in Wien (ü. c.) Comdt. der Feld - Zeugs - Abth. der IV. Inf.-Trup.-Div.
„ Holy Wenzel, zu Innsbruck.
10. Reg. Nitsch Joseph.
2. „ Albrecht Berthold.
9. „ Hrbek Johann.

1. Mai 1874.

Stab. Demel Carl, im techn. u. adm. Mil.-Comité.
11. FAB. Vukmanović Daniel.
11. Reg. Tsân Franz, MVK. (KD.), (Res).
12. „ Ljustina Isaak.
2. „ Gratz Edmund.
T. A. Sänger Ant. in Wien.
„ Nunn Eugen, zu Olmütz.
Stab. Frank Johann, Feuerwerksmeister zu Ragusa.
„ Rastić Martin, Adj. des Art.-Chefs bei der XVIII. Inf.-Trup. Div.
8. FAB. Zimmermann Carl.
T. A. Seifert Eduard, zu Komorn.

19. October 1874.

7. Reg. Jahn v. Jahnau Justus (ü. c.) Lehrer an der Mil.-Akad. zu Wr.-Neustadt.
11. „ Verrette Herm. de.
7. „ Dolliak Oskar.

1. November 1874.

T. A. Ziegler Alois, zu Krakau.
„ Salzer Wilh., ○ 2., zu Zara.
„ Hašek Joseph, zu Komorn.
„ Prokop Franz, in Wien.
„ Springinsfeld Joh., in Wien.
5. Reg. Olleschik August.
9. „ Semmelrock Wolfgang.
Stab. Tucha Anselm, ○ 2., Feuerwerksmeister in Wien.
4. FAB. Ehrenhöfer Wilh. (ü. c.) im mil.-geogr. Inst.
12. Reg. Kern Edmund, ○ 2.
2. „ Langer Wilhelm.
9. FAB. Springer Angelo.
2. „ Kohlert Gustav.
T. A. Studniczka Carl, zu Cattaro.

1. November 1874.

1. Reg. Rustler Julius.
6. „ Vorner Michael.
12. „ Michely Wilhelm.
5. „ Holeczy Joh., ○.
12. FAB. Teindl Franz.
3. Reg. Swatek Georg.
7. FAB. Enders Carl.
10. Reg. Plaschke Carl.
3. „ Heinrich Julius.
1. „ Lenz Felix, ○ 2.
8. „ Gerstl Julius, ○ 1.
3. „ Pollak Johann.
T. A. Sedenig Anton, zu Temesvár.
2. Reg. Rauch Anton.
Stab. Felkel Carl, Adj. des Art. - Dir. zu Lemberg.
„ Sternegg Johann, Adj. des Art.-Dir. zu Graz.
11. Reg. Wagner Carl, ○ 2.
8. „ Bihoy Wasil.

1. Mai 1875.

T. A. Aigner Johann, zu Krakau.
1. Reg. Pabst Alph. (Res.).
12. „ Gasteiger Edl. v. Rubenstein u. Kobach Richard., MVK. (KD.).
Stab. Konrad Ferdinand, zug. dem Art.-Zeugs-Depot nächst Wr.-Neustadt.
3. FAB. Mertens Ant. Ritt. v.
7. „ Krause Friedrich.
9. Reg. Młynarski Wilhelm.
2. „ Kolosváry Franz (ü. c.) Lehrer an der Mil.-Ober-Realschule.
6. „ Schöberl Alexand.
1. „ Stalleger Joseph.
13. „ Waller August.
10. „ Bux Leopold.
8. „ Kobath Jos., ○ 1.
8. FAB. Lang Wenzel, ○ 2.
13. Reg. Mallitzky Moriz.
T. A. Duchaček Carl, zu Linz.
„ Schunn Simon, zu Carlsburg.

1. Mai 1875.

10. Reg. Boltek Jos. (ü. c.) im mil.-geogr. Inst.
13. „ Held Alois.
T. A. Dancsa Paul, zu Komorn.
1. Reg. Pstross Heinrich.
T. A. Kominik Joseph, zu Ragusa (WG.).
1. Reg. Hussa Carl.
12. „ Linhardt Emil.
9. „ Höger Paul (ü c.) Lehrer an der Mil.-Ober-Realschule.
Stab. Kubin Guido, Feuerwerksmeister zu Josephstadt.
5. FAB. Kovács Joseph.
10. Reg. Stranský v. Greiffenfels Felix Ritt.
9. „ Schauenstein Arth.
4. FAB. Franek Eugen.
3. „ Wildmoser Fried. Ritt. v.
9. Reg. Durski-Trzasko Carl Ritt. v.
7. FAB. Konvalina Ernst.
6. „ Lunda Eduard.
9. Reg. Harassin Eduard.
7. „ Lenk v. Lenkenfels Camillo.
1. „ Stockar v. Bernkopf Carl.
9. FAB. Lux Anton (ü. c.) Lehrer an der Mil.-Unter-Realschule zu Güns.
6. Reg. Czeschka Edl. v. Mährenthal Carl.

1. November 1875.

10. FAB. Teufel Victor.
10. Reg. Schleiss Joseph.
5. „ Salm-Hoogstraeten Otto Gf., ✝.
12. FAB. Künstler Alois, MVK. (KD.).
9. Reg. Gröber Carl, MVK. (KD.), (ü.c.) Adj. des Art.-Chef der VII. Inf.-Trup.-Div.
3. FAB. Schneider Joseph.
3. Reg. Ehrenbrandner Andreas.
4. „ Indra Alois.
Stab. Friedl Joseph, ⊙, ○ 2., Adj. des Art.-Dir. zu Brünn.
10. FAB. Rakičić Sabbas.
4. „ Erle Casimir.
12. Reg. Baumann Anton.
11. FAB. Kristen Vincenz.
11. Reg. Miksch Alfred (ü.c.) zug. dem Generalstabe.
9. „ Kutschera Jos. (ü.c.) im mil.-geogr. Inst.
T. A. Mettlik Johann, zu Peterwardein.
3. Reg. Schemerka Christoph (ü. c.) zug. dem Generalstabe.
13. Reg. Duchek Johann.
3. „ Mirković Basilius.
8. „ Sedlaczek Max.
2. „ Tarbuk Emil.
3. FAB. Lauffer Gustav, MVK. (KD.).
7. Reg. Demski Philipp.
T. A. Steinebach Michael, zu Wr.-Neustadt.
1. FAB. Rollinger Leopold.
10. „ Janković Joseph.
7. Reg. Gebhardt Heinrich.
6. „ Selinger Conrad.

1. Mai 1876.

6. Reg. Brandl Franz.
4. FAB. Wukellić Lazar. ÖEKO-R. 3. (KD.)
11. Reg. Čuić Georg.
1. „ Zhaniel Ferd. (Res.).
12. „ Laval Ferdinand.
12. „ Milenković Alexander, MVK. (KD), (ü. c.) zug. dem Generalstabe.
13. „ Lapaczek Joh. ○ 2.
12. „ Jenisch Gustav (ü. c.) zug. dem Generalstabe.
8. „ Feiler Hermann.
11. „ Plasche Carl.
T. A. Reis Leop., in Wien.
10. Reg. Fiala Emil.
7. „ Jandroković Franz.
11. „ Kopczak Joseph.
2. „ Malischek Eduard.
2. „ Noindl Joseph.

1. Mai 1876.

3. Reg. Leitl Joseph.
T. A. Riess Anton, zu Innsbruck.
10. FAB. Monsé Ferdinand Edl. v.
2. Reg. Brandstätter Vincenz.
T. A. Hřebiczek Franz, in Wien.
Stab. Radaus Franz, Feuerwerksmeister zu Olmütz.
2. Reg. Fritz Joseph.
T. A. Nickel Anton, zu Budapest.
10. Reg. Hofmann Theodor.
6. „ Bohatsch Franz.
11. „ Schmidt Theodor. ○ 2.
4. „ Pichler Albert.
11. FAB. Bandý Blasius, ÖEKO-R. 3. (KD.).
10. Reg. Grünkranz Carl.
3. „ Matoušek Franz.
1. FAB. Pfaffinger Vincenz (ü. c.) zug. dem Generalstabe.
Stab. Zimmermann Carl, Adj. des Art.-Dir. zu Serajevo.
9. Reg. Fiderkiewicz Ludwig (ü c.) zug. dem Generalstabe.

1. October 1876.

2. Reg. Soldan Ernst (ü. c.) zug. dem Generalstabe.
7. „ Linpokh Carl Ritt. v., MVK. (KD.), (ü. c.) zug. dem Generalstabe.

1. November 1876.

12. FAB. Millivojević Peter, MVK. (KD.).
12. „ Grančich Franz.
13. Reg. Horváth Ladislaus Edl. v.
10. FAB. Seifert Ferdinand.
13. Reg. Vučetić Johann.
13. „ Fiala Anton (ü. c.) zug. dem Generalstabe.
1. „ Kramer Wilhelm.
12. „ Oppitz Ferdinand.

1. November 1876.

3. Reg. Brunner Carl.
8. „ Kotz v. Dobř Alexander Freih.
3. FAB. Zimmermann Vict., MVK. (KD.).
8. Reg. Hummel Joseph.
6. FAB. Życieński Joseph v. (Res.).
4. Reg. Haynau Ernst Freih. v.
9. FAB. Zehner v. Riesenwald Johann.
Stab. Csala Ludwig v., Adj. des Art.-Chefs zu Hermannstadt.
12. FAB. Janitsch Adolph.
Stab. Günther Wilhelm, Feuerwerksmeister zu Theresienstadt.
6. Reg. Wanka Victor.
6. „ Haynau Gust. Freih. v.
5. „ Partsch Anton.
8. „ Glanchee Franz.
7. „ Graulik Johann.
4. „ Král Johann.
5. FAB. Legat Bartholomäus, MVK. (KD.).
2. Reg. Thun-Hohenstein Leo Gf.
12. FAB. Žiwotek Franz.
9. „ Schöffler Benedict.
8. Reg. Czernecki Alexand.
8. „ Heran Anton.
12. „ Prochaska Joseph.
T. A. Richter Ambrosius, ○ 2, in Wien.
2. Reg. Ružek Emanuel (ü. c.) Lehrer an der Mil. - Unter - Realschule zu Güns.
5. „ Unger Ernst.
7. FAB. Diblik Anton.
12. Reg. Migotti Franz.

1. Mai 1877.

6. Reg. Čanak Nikolaus.
7. „ Walter Franz.
10. „ Kaltenmark Carl.
5. FAB. Misera Edmund.
11. „ Schamall Carl.
3. Reg. Tlusty Carl.
6. „ Kunz Carl.
9. FAB. Božičević Thomas.

1. Mai 1877.

2. FAB. Tieber Joseph.
1. Reg. Huša Eduard.
3. „ Kaiganić Milutin.
Stab. Stauber Julius, Feuerwerksmeister zu Essegg.
8. Reg. Mui v. Klingen Hugo, ○ 2.
6. „ Haysen Johann.
12. FAB. Počta Albrecht.
3. Reg. Polak Eduard, MVK. (KD.).
3. „ Bilek Wenzel.
4. FAB. Smolarz Ernst.
1. Reg. Neswarba Johann.
3. „ Konrad Alfred.
7. „ Koppe Johann.
7. „ Porges Heinrich (ü. c.) zug. dem Generalstabe.
1. „ Fanta Carl (ü.c.) zug. dem Generalstabe.
2. „ Juritzky Alfred.
12. „ Eschler Emil.
2. FAB. Krauss Gustav.
6. Reg. Moltini Pompejus.
8. „ Lokmer Joseph.
11. „ Benković Eugen.
2. „ Jungwirth Ludwig.
11. „ Liebhart Mathias (ü. c.) im mil.-geogr. Inst.
1. FAB. Lončarsky Georg.
9. Reg. Dormus Georg Ritt. v.
9. „ Dolleczek Anton.
7. „ Schrinner Julius.
Stab. Mikolasch Eugen, Adj. des Art.-Chefs zu Innsbruck.
4. Reg. Kupeczek Franz.
7. „ Jihn Friedrich (ü.c.) zug. dem Generalstabe.
9. FAB. Křiwanek Moriz.
9. Reg. Schmid Johann.
10. „ Jaksch Wilhelm.
1. FAB. Bussetti Camillo.
1. Reg. Schreiber Victor (ü. c.) zug. dem Generalstabe.
13. „ Pospišil Johann.
2. FAB. Billig Carl.
6. Reg. Paulier Franz.

1. Mai 1877.

9. FAB. Wutti Anton.
8. „ Vischner August.
6. „ Daniel Willibald.
4. Reg. Schikofsky Carl (ü. c.) zug. dem Generalstabe.
11. „ Neisser Ernst.
6. FAB. Kociuba Gabriel.
5. Reg. Piskur Michael.
4. „ Hendl Ludwig.
5. „ Lallič Nikolaus.
2. „ Joachimsthaler Emanuel.
8. „ Bennesch Dominik.
3. FAB Mück Adolph.
1. Reg. Jahn Rudolph.
5. „ Kašťák Anton.
7. „ Ebenhöh Adalbert, ○ 2.
9. „ Gall Paul.
4. „ Kallinić Samuel.
13. „ Valentić Andreas.
10. FAB. Rubesch Joseph, MVK. (KD.).
5. Reg. Jessenko August.

1. November 1877.

6. Reg. Fetter Emil.
2. „ Fibsinger Gustav.
8. „ Pscherer Ludwig.
1. „ Kramer August.
8. FAB. Wuesthoff Friedrich Freih. v.
6. Reg. Süss Maximilian.
5. „ Sertić Thomas.
9. „ Letoschek Emil.
9 „ Krzepela Leopold.
8. FAB. Czerwený Emil.
4. Reg. Pelz Johann.
12. FAB. Ostoić Daniel.
3. Reg. Pfaffstätter Georg.
4. „ Wottawa Rudolph.
5. FAB. Simenetz Joseph.
11. Reg. Sobotka Stephan.
12. „ Strunk Martin.
3. „ Roknić Johann.
T. A. Zellner Wenzel, zu Wr.-Neustadt.
8. Reg. Čeranić Lucas.
9. „ Lang Wilhelm.
1. FAB. Noak de Hunyád Otto.
9. Reg. Widmar Alois.
4. „ Stangl Edmund.

1. November 1877.

3. FAB. Lukaschek Theod.
10. „ Wilms Joseph.
5. Reg. Serdanović Johann.
3. FAB. Schöndruck Joseph.
11. Reg. Marsch Anton (ü. c.) zug. d. Generalstabe.
7. „ Tengler Theodor.
7. „ Sabljak Philipp (ü. c.) zug. dem Generalstabe.
2. FAB. Pokorny Alois.
5. Reg. Witsch Johann.
5. FAB. Besel Guido.
11. Reg. Jahl Gustav (ü. c.) zug. dem Generalstabe.
13. „ Krocović Friedrich.
12. „ Materna Arthur, MVK. (KD.).
1. FAB. Hübl Arthur Freih. v.
5. „ Brüda Carl.
12. Reg. Flesch August.
2. „ Guzek Ludwig (ü. c.) zug. dem Generalstabe.

1. Mai 1878.

9. FAB. Borota v. Budabran Simon Ritt.
1. Reg. Krall v. Krallsburg Gustav.
2. FAB. Sagors Carl.
7. „ Kroneiser Anton.
11. „ Mazúth Johann.
12. „ Hurtz Wilhelm.
3. Reg. Eckensberger Ferdinand.
4. FAB. Palik Oskar.
5. „ Cerri Julius, MVK. (KD.).
1. „ Mirković Emil.
5. „ Woda Adolph.
5. „ Dengler Ignaz.
11. „ Poppy Albert.
11. „ Susan Friedrich.
1. „ Dillmann v. Dillmont Oskar.
13. Reg. Budik Adalbert (ü. c.) im mil.-geogr. Inst.
4. „ Picha Adalbert.
1. „ Zednik Victor.
10. FAB. Kamler Ernst.
11. „ Machnig Friedrich.

15. September 1878.

3. FAB. Kohn, David (Res.).
10. Reg. Schewitz Friedrich Edl. v.
2. „ Wessely Carl Ritt. v.
3. FAB. Wittenbach Friedr. Freih. v.
1. Reg. Hantich Sylvester.
13. „ Lininger Joseph.
12. FAB. Kühnelt Franz. MVK. (KD.).
9. Reg. Melzer Oskar (ü. c.) zug. dem Generalstabe.
1. FAB. Penza Elias.
3. Reg. Berghammer Ludwig.
13. „ Vukadinović Raphael.
12. „ Paić Georg, MVK. (KD.).
7. „ Žubrinić Franz.
10. „ Grubnić Jakob.
2. „ Brezka Anton.
1. „ Konhäuser Johann.
1. FAB. Brodarić Mathias.
1. „ Horváth Johann v.
10. „ Bojanc Franz.
11. Reg. Wolf Michael.
Stab. Dworžak Johann, Feuerwerksmeister zu Cattaro.

31. October 1878.

7. Reg. Terkulja Johann (ü. c.) zug. dem Generalstabe.
12. „ Kuczera Eduard.
11. „ Grobois Edl. v. Brückenau Hugo (ü. c.) zug. dem Generalstabe.
1. „ Janda Carl.

1. November 1878.

9. Reg. Marszałkowicz, Stanislaus.
9. „ Adel Julius.
6. „ Manifico Emanuel.
2. „ Borek Joseph.
3. „ Löbl Carl.
12. „ Bollek Alexander.

1. November 1878.

T. A. Liemert Alexander, zu Graz (ü. c.) bei der Feld-Zeugs-Abth. der I. Inf.-Trup.-Div.
2. FAB. Zepke Anton.
1. Reg. Scheure Adolph v. (Res.).
12. FAB. Pfeiffer Leopold.
9. Reg. Commersi Johann.
6. „ Knapp Adolph.
T. A. Neumeister Gustav, zu Bergstadtl.
Stab. Burger Christian, Feuerwerksmeister zu Carlsburg.
T. A. Ebenhöh Joseph, zu Olmütz.
9. Reg. Wittlin Joseph.
12. „ Skorić Isaak (ü. c.) bei der Feld-Zeugs-Abth. der VII. Inf.-Trup.-Div.
12. „ Křiž Joseph.
3. „ Wieser Alexander.
T. A. Mühlberger Johann in Wien (Res.).
1. Reg. Knabe Eduard.
9. „ Paczynkowski Alexander.
13. „ Gross Ludwig.
10. „ Rössler Johann
6. „ Baumruck Augustin.
4. FAB. Reumund Joseph.
9. Reg. De Lattre Alexander.
8. „ Tilschkert Benjamin.
10. FAB. Wucherer v. Huldenfeld Edm. Freih.
T. A. Steingassner Johann, zu Pola.
8. Reg. Beer Heinrich.
T. A. Kuttek Alois, zu Essegg.
5. FAB. Sallmann Ludwig.
5. Reg. Fröhlich Isidor (Res.)
5. „ Schmidt Ludw. (Res.)
4. FAB. Löschnigg Carl (Res.)
5. Reg. Neupauer Julius (Res.)
12. „ Schneider Rudolph (Res.)
5. „ Fabricius Béla v. (Res.)
5. „ Glückmann Carl.

Lieutenants.

1. Jänner 1870 *).

2. FAB. Herzer Johann.
9. Reg. Dobietzky Alexander.

1. Jänner 1871 *).

3. Reg. Maluschka Alois.
4. „ Höhl August.
9. „ Springer Franz.
7. „ Fröhlich Armand.

1. November 1871 *).

3. FAB. Frankenstein Wilhelm.
9. Reg. Fillunger Matthäus.
11. „ Strzizek Franz.
11. „ Lederer Oskar Freih. v.
3. FAB. Černy Franz.
11. Reg. Jüptner v. Jonstorff Johann Freih.
2. „ Ambros Friedrich.
9. „ Nowak Emil.
11. „ Zuffer Joseph.
4. „ Fichna Alfred.
9. „ Lutz Moriz.
9. „ Pollak Julius.
4. „ Riedl Wilhelm.
3. „ Weiss Eugen.
6. „ Teischinger Emil.
4. FAB. Mallovič Rudolph.
6. Reg. Marx Johann.
7. „ Schiffer Victor.

1. November 1872.

1. Reg. Richter Johann (WG.).
2. „ Pribily Franz.
11. FAB Mandić Gedeon (WG.).
9. Reg. Schedy Joh. (Res.).
6. FAB. Rozdol Adolph.

1. November 1872 *).

3. FAB. Buta Wilhelm.
7. Reg. Foullon v. Norbeeck Heinrich Freih.
11. Reg. Schwaiger Norbert.
4. FAB. Linnemann Alexander.
3. Reg. Brielmayer Alfred.
7. „ Jarosch Johann.
13. „ Sztarill Franz.
10. FAB. Unden Franz.
11. Reg. Binder Joseph.
13. „ Zsigmondy Géza.
7. „ König Friedrich.
11. „ Pröll Otto.
8. „ Wagner Edmund.
12. „ Friedrich Lambert.
8. „ Frömmel Emil.
1. „ Fleissig Franz.
6. „ Teischinger Johann.
7. „ Niedetzky Robert.
2. „ Schüller Carl.
13. „ Röck Stephan.
1. „ La Roche Ferdinand.
6. „ Andrieu Friedrich.
10. „ Dobihal Norbert.
6. „ Toncourt Guido Edl. v.
8. „ Batta Bartholomäus.
7. „ Haupt recte Haub Joseph.
2. „ Klobouček Cyrill.
10. „ Böhringer Alfred.
11. „ Werthner August.
12. „ Poznik Franz.
6. „ Haller Rudolph.
6. „ Pirner Victor.

1. Mai 1873.

10. FAB. Spáčil Joh. (Res.).

1. August 1873.

11. Reg. Apór de Al-Tórja Gabr. Freih. (Res.).

1. September 1873.

1. Reg. Venus Anton.
8. FAB. Kozák Joseph.
3. „ Dragaš Stephan (ü. c.) zug. dem Generalstabe.

1. September 1873.

11. Reg. Weigl Jos. Freih. v. (ü. c.) zug. dem Generalstabe.
10. „ Brilli Heinrich.
4. FAB. Holzner Franz.
11. Reg. Perlizh Joseph.
8. „ Hoffmann Hugo (ü. c.) zug. dem Generalstabe.
5. FAB. Schiffer Ludwig.
8. „ Preiss Joseph.
10. Reg. Strobl Stanislaus.
6. „ Boxberg Friedrich Freih. v.
4. „ Müller Arthur.
10. FAB. Strasser Edl. v. Obenheimer Franz.
10. „ Sartori Eugen.
7. Reg. Schramek Anton.
5. FAB Okolicsányi de Okolicsna Carl.
2. Reg. Czerny Wilhelm.
3. FAB. Stetten Norb. Freih. v.
T. A. Hausner Johann, zu Budapest.
4. FAB. Röhrich Florian.
1. „ Steyskal Franz.
1. „ Kamptz v. Dratov Ludwig.
8. „ Reitz Anton
8. Reg. Zillinger Johann.
12. „ Riedl Leopold.
12. FAB. Hentke Theodor.
4. „ Milosević Emil.
4. Reg. Pill Franz.

1. November 1873.

7. Reg. Towarek Heinrich.
2. FAB. Minihold Franz.
5. Reg. Sprang Georg.
10. „ Kircheisel Alfred.
8. „ Herget Joseph.
6. FAB. Strnad Emil (ü. c.) Lehrer an der Mil.-Unter-Realschule zu Güns.
5. Reg. Bisza Johann.
8. FAB. Kuczera Ernst.
8. „ Noltsch Wenzel.

*) Lieutenants im Reservestande.

1. November 1873.

10. Reg. Schubert Anton.
Stab. Thomas Franz, Feuerwerksmeister zu Triest.
12. Reg. Novak Joseph.
6. „ Mandl August.
3. „ Zednik Hermann.
4. „ Bamberg Johann.
T. A. Zelinka Joseph, zu Josephstadt (WG.).
13. Reg. Heigel Joseph.
4. FAB. Maletz Georg.
T. A. Leutner Johann, zu Graz.
8. Reg. Szabo Wilhelm.
T. A. Medeotti Eduard, zu Triest.
3. Reg. Hartmann Joseph.
6. „ Sagl Carl.
7. FAB. Wlasak Carl.
11. Reg. Altenburger Friedr.
10. FAB. Locher v. Lindenheim Cäsar.
1. „ Lacheta Adolph.
4. Reg. Spinnler Johann.
13. „ Cerri Franz.
1. FAB. Konarowsky Ferd.
13. Reg. Korparić Anton (ü. c.) in der Probepraxis für den Truppen-Rechnungsdienst.
6. „ Dworschak Franz.
1. „ Hartmann Hermann.
13. „ Rudisch Franz.
T. A. Dvořáček Johann, zu Krakau.
7. FAB. Leinner Guido.
12. „ Bielič Paul.

1. November 1873 *).

2. Reg. Navratil Leopold.
5. „ Förster Ludwig.
8. „ Nendtvich Gustav.
2. „ Hoffmann Julius.
12. „ Mulley August.
5. „ Jambor Eugen.
7. „ Hölzel Adolph.
8. FAB. Schertler Johann.
10. Reg. Ehrenberger Friedrich.
8. „ Braunecker Lamoral Freih. v.

1. November 1873 *).

10. FAB. Weinberger Roman.
8. Reg. Lenk Ludwig.
13. „ Pacsariz Johann.
10. „ Pfeifer Max.
10. „ Brunar Avelin.
2. „ Hoffmann Carl.

1. Mai 1874.

T. A. Čermák Johann, zu Essegg.
5. Reg. Konhäuser Lorenz.
2. „ Weiss Wenzel.
9. „ Dallmann Carl.
11. „ Roebbelen Bodo.
9. FAB. Kappaun Anton.
13. Reg. Patko Rudolph.
T. A. Pokorný Ottomar, zu Cattaro.
9. FAB. Herzog Franz.
2. Reg. Patzke Adolph.
10. „ Rendulić Lucas.
2. FAB. Reisel Joseph.
6. „ Heyer Franz.
Stab. Bittner Franz, Feuerwerksmeister zu Franzensfeste.
8. FAB. Borota Miroslav.
9. Reg. Hepe Friedrich.
12. FAB. Majerian Dionysius.

1. September 1874.

12. Reg. Pater Árpád.
10. FAB. Maudry Julius.
11. Reg. Stadler Victor.
8. „ Seefranz Anton.
7. „ Benda Adalbert.
7. „ Kuchinka Ludwig.
13. „ Maschek-Passler Johann.
3. „ Csányi Carl.
12. „ Juhász Heinrich.
1. „ Langer Rudolph.
10. FAB. Laube Carl.
9. Reg. Kronholz Anton.
9. „ Herzog Anton.
5. „ Przistaupinsky Alois.
3. „ Neumann Franz.
2. „ Lehmann Carl.
8. „ Jonaschko Demeter.
1. „ Mirković Sabbas.

1. September 1874.

2. Reg. Nowak Gustav.
4. „ Rieger Johann.
2. „ Kohout Emanuel.
10. „ Končar Johann.
11. „ Sattler Ferdinand.
6. „ Kitzberger Leopold.
13. „ Idranyi Gabriel.
6. „ Tučkorić Franz.
7. „ Eher Simon.
4. „ Spengler Carl.
2. „ Pillmayer Vincenz.
6. „ Lenk Julius.
9. „ Rehm Paul.
3. „ Sedlaczek Johann.
6. „ Drahorad Carl.
11. „ Pruggmayer Anton.
5. „ Lippe-Weissenfeld Eberhard Gf. zur.
3. „ Gattermeier Joseph.
10. „ Bussetti Ferdinand.
1. „ Mach Victor.
13. „ Obergmeiner Alexander.

1. November 1874.

11. Reg. Puchta Julius.
6. „ Gaiswinkler Vincenz.
2. „ Frank Franz.
7. „ Formanek Wenzel.
4. „ Jellinek Wenzel (ü. c.) zug. der k. k. Gendarmerie.
10. „ Castelnau Alphons Gf.
4. „ Čermák Friedrich.
1. „ Patzolt Maximilian.
5. „ Merkl Heinrich.
1. „ Staněk Joseph.
T. A. Jarosch Joseph, in Wien.
3. FAB. Eghart Willibald.
3. Reg. Stindl Carl, O 2.
2. FAB. Schatra Joseph.
7. Reg. Widerwitz Joseph.
4. „ Graf Friedrich.
13. „ Van der Venne Arnold Ritt. v.
3. „ Ružička Ignaz.
12. FAB. Göhl Vincenz.

---

*) Lieutenants im Reservestande.

1. November 1874.

12. Reg. Stoisavljević Mladen.
1. FAB. Wlassak Carl.
1. „ Luttenberg Johann.
7. Reg. Hutter Adalbert.
2. „ Kallausch Gustav.
7. „ Mannich Heinrich.
8. „ Bayer Herand.
9. „ Podczaszyński Erasmus v.
10. „ Pradl Theodor.
9. FAB. Spitzl Wenzel.
11. Reg. Kutschera Joseph.
4. FAB. Dworaczek Conrad.
T. A. Schallinger Carl, zu Innsbruck
„ Kolić Alexander, zu Krakau.
12. FAB. Trblik Wenzel.
12. Reg. Ballek Franz.
7. FAB. Platzer Franz.
7. Reg. Lunaček Eduard.
T. A. Rotter Johann, zu Temesvár (ü. c.) bei der Feld-Zeugs-Abth. der XXXVI. Inf.-Trup.-Div.
„ Burian Wenzel, zu Theresienstadt.
7. FAB. Krotkowsky Mart.
T. A. Mlikovsky v. Lhotta Carl Ritt., zu Graz.
11. Reg. Halm Hugo.
11. FAB. Lauffer Alexander.
T. A. Jindra Wenzel, zu Josephstadt.
„ Hübsch Felix, zu Temesvár
12. Reg. Kastl Carl.
13. „ Pléva Carl
9. FAB. Prohaska Franz.
9. Reg. Pędrys Adalbert.
3. FAB. Siemang Stephan.

1. November 1874 *).

9. Reg. Prągłowski Alexander.
4. „ Gross Gustav.
1. „ Schweizer Carl.
3. „ Rombauer Emil
13. „ Holzer Carl.
1. Reg. Krüzner Victor.

1. November 1874. *)

3. FAB. Schwarzhuber Leopold.
3. Reg. Schmidthauer Ant.
2. FAB. Seifert Ferdinand.
2. Reg. Schwab Eduard.
3. „ Schiffel Adalbert.
12. „ Perko Ludwig.
3. „ Redl Franz.
9. „ Filous Emil.
4. „ Rechen Friedrich.
2. „ Roleder Heinrich.
7. FAB. Bayer Felix.
2. Reg. Dostal Franz.
10. FAB. Szombathy Joseph.
5. Reg. Rajzinger Anton.
9. „ Lempicki Johann.
1. „ Jirusch Carl.
1. „ Nadherny Arthur.
13. „ Rochel Titus.
9. „ Dębno-Krzyzanowski Nikolaus de.
2. „ Schrötter Carl.
7. FAB. Wihnanek Rudolph.

1. Mai 1875.

6. Reg. Hofzinser Eduard.
11. FAB. Sekulić Johann, MVK. (KD.).
T. A. Innfeld Arthur Ritt. v., zu Olmütz.
„ Raschbach Johann, in Wien.
12. FAB. Komrska Joseph.
5. Reg. Kellermann Carl.
T. A. Swoboda Gotthard, zu Bergstadtl (WG.).
12. FAB. Strak Johann.
13. Reg. Schmidt Joseph.
4. FAB. Putz Ludwig.
T. A. Pohl Franz, zu Olmütz.

1. September 1875.

6. Reg. Dunkel Jakob.
9. „ Schubert Joseph.
6. „ Mayer Gustav.
1. „ Winkler Franz.
9. „ Glückmann Adalb.
5. „ Malik Joseph.
4. „ Wikullil Franz.
6. „ Schäringer Julius.
2. „ Fischer Adolph.

1. September 1875.

7. Reg. Pucherna Wilhelm.
10. „ Unger Franz.
2. FAB. Schmid Joseph.
4. Reg. Marschner Eduard.
10. „ Wartalot August.
11. „ Schlesinger v. Benfeld Eugen Ritt.
8. „ Schindler Adalbert.
12. „ Reinisch Eugen.
12. „ Goglia Ferdinand.
8. „ Landa Géza.
3. „ Sima Johann.
3. „ Halkovich Alphons.
8. „ Marin Joseph.
2. „ Rambausek Adolph.
5. „ Hagen v. Hagenburg Friedrich (ü.c.) Adj. des Art.-Chefs der IV. Inf.-Trup.-Div.
6. „ Kalteis Alois.
1. „ Faimann Wenzel.
11. „ Hauschka v. Carpenzago Ernst Ritt.
13. „ Wallenta Anton.
2. „ Dwořak Ignaz.
3. „ Lühe Günther von der.
13. „ Moys Edl. v. Ludrova Desiderius.
5. „ Adamczik Franz.

1. November 1875.

6. Reg. Klemenčič Ignaz (Res.).
T. A. Ackermann Carl, zu Olmütz.
4. FAB. Pfeifer Carl (Res.).
13. Reg. Majunko Gedeon (Res.).
1. „ Schirmbeck Joh.
11. FAB. Smetanka Anton.
7. Reg. Schery Eduard.
11. „ Horetzky Johann.
2. „ Kern Friedrich.
6. „ Cinibulk Anton, O 1.
7. FAB. Oth Anton.
10. „ Reitermann Alois.
10. Reg. Entremont Arthur.
1. FAB. Violin Angelo.
1. „ Pilz Gustav.

---

*) Lieutenants im Reservestande.

1. November 1875.

2. Reg. Pfeiffer Alois.
1. „ Müller Carl.
4. „ Himmer Carl.
8. FAB. Starčević Johann.
8. Reg. Jersche Theodor.
5. FAB. Pušnik Franz.
4. Reg. Janko Friedrich.
11. „ Fruwirth Theodor.
2. FAB. Roček Carl.
9. Reg. Kobl Carl.
9. FAB. Steffan Eduard.
6. „ Spanner Michael.
10. Reg. Weber v. Webersfeld Joseph.
4. FAB. Bělohlawek Norb.
5. Reg. Schaurek Alois.
3. FAB. Minatti Franz.
1. Reg. Samohrd Heinrich.
1. „ Stand Joseph.
8. FAB. Schrámm Julius.
3. Reg. Jelenčić Wilhelm.
8. FAB. Schuster Eduard.
6. „ Pangher Joseph.
10. „ Niederberger Franz.
2. Reg. Weigl Joseph.
9. „ Szymonowicz Marian.
8. „ Lughofer Emil.
9. „ Kořinek Jaromir.
11. FAB. Hauke Adolph.
5. Reg. Lustig Gustav, MVK. (KD.).
11. „ Sokoll Edl. v. Reno Joseph.
13. Reg. Masić Carl.
13. „ Petraschko Johann.
10. „ Walla Eduard.
12. FAB. Dragoević Trifun.
T. A. Wagner Franz, zu Graz.
2. FAB. Herold Richard.
8. Reg. Wahl Carl.
6. FAB. Theodorowicz v. Kamienieczanul Adolph Ritt.
4. „ Worel Edmund.
7. „ Pokorny Carl.
3. Reg. Follenhals Gustav.

1. November 1875 *).

5. Reg. Heller Joseph.
5. FAB. Strysower Leo.
1. Reg. Smetana Johann.
9. „ Piwocki Georg Ritt. v.
12. „ Pelikan Wilhelm.
5. „ Gruber Florian.
7. „ Nussbaumer Heinr.
11. „ Jenny Carl.
10. „ Marenzeller Edmund Edl. v.
10. „ Seligmann Rudolph.
13. „ Sziklay Alphons.
5. „ Grill Richard.
4. „ Canaval Richard.
4. „ Koráb Joseph.
1. FAB. Walla Franz
9. „ Eckl Wilhelm.
8. Reg. Janda Emil.
5. „ Szerb Edl. v. Kuvin Georg
4. „ Odelga August Freih. v.
4. „ Hartlieb v. Walthor Carl Freih.
12. FAB. Hoffmann Gustav.
9. Reg. Weisser Adolph.
1. FAB. Próbald Carl.
10. Reg. Falk Carl.
2. „ Janotta Heinrich.
11. FAB. Kretschmer Ottomar.
10. Reg. Girtler v. Kleeborn Adolph Ritt.
3. „ Eltz Richard.
9. FAB. Petzold Julius.
11. „ Pfeiffer Eduard.
3. Reg. Orley Ladislaus.
13. „ Reichenberg Ferdinand Edl. v.
12. „ Mikusch Adolph
12. FAB. Turković Peter.
8. Reg. Wächter Friedrich.
12. „ Ekl Carl.
1. „ Mayer Joseph.
8. „ Makray Alexander.
1. „ Přichistal Carl.

1. Mai 1876.

12. Reg. Obermüller Carl, MVK. (KD.).
7. „ Jenny Albert Ritt. v.
7. „ Schneid Ludwig v.
11. FAB. Sokol Franz.
9. „ Binder Joseph.

1. Mai 1876.

2. Reg. Hoffmann Gustav.
3. FAB. Lauffer Julius.
8. Reg. Tintor Adam (WG.).
8. FAB. Tonhaiser Franz.
T. A. König recte Geiger Abraham, zu Lemberg.
9. Reg. Barbaro Michael Edl. v.
11. FAB. Mingazy Adalbert.
T. A. Hollinger Leopold, zu Carlsburg.
8. Reg. Beskochka Alois.

1. September 1876.

7. Reg. Frank Otto.
11. „ Sagasser Eugen.
13. „ Heyszl Engelbert.
1. „ Sartori Heinrich.
12. „ Vojnović Gabriel.
7. FAB. Macalik Joseph.
7. Reg. Landa Johann.
9. „ Horbaczewski Ludwig.
2. „ Maudry Johann.
3. „ Mayr Johann.
4. FAB. Klaus Rudolph.
1. Reg. Bílek Carl.
11. „ Schmidt Alfred.
10. Reg. Walter Franz.
3. „ Weiss Emil.
3. FAB. Textoris Julius.
12. Reg. Gerstenberger Carl.
8. „ Aigner Johann.
Stab. Tkallacz Anton, Adj. des Art.-Chefs bei der XXXVI. Inf.-Trup.-Div.
5. Reg. Hlavaczek Vincenz.
5. „ Vitas Johann (ü. c.) Adj. des Art.-Chefs der XIII. Inf.-Trup.-Div.
4. FAB. Stary Wilhelm.
8. Reg. Schöffl Carl.
2. „ Wallisch Franz.

1. November 1876.

10. Reg. Sachs Gustav (Res.).
9. „ Pacowski Emil.

---

*) Lieutenants im Reservestande.

1. November 1876.

12. Reg. Tomše Joseph.
4. „ Kadaník Heinrich.
7. „ Kolonits Joseph.
1. „ Urbanek Alois.
T. A. Kobos Johann, in Wien.
7. Reg. Cserny Eduard.
4. FAB. Kindl Rudolph.
11. Reg. Hoberstorfer Alfred.
3. „ Fischer Wilhelm.
9. FAB. Palm Andreas.
9. „ Fendrich Rudolph.
9. „ Watzek Carl.
9. „ Schön Alois.
2. Reg. Strohal Theodor.
T. A. Seyringer Adolph, zu Komorn.
12. FAB. Popa Basil, MVK. (KD.).
9. Reg. Pregler Georg.
T. A. Peter Jakob, zu Graz.
7. FAB. Hirsch Johann.
T. A. Schneider Alexander, zu Budapest.
11. FAB. Gollob Carl.
T. A. Bednář Johann, zu Prag.
6. Reg. Haumeder Guido v.
T. A. Klein Carl, zu Josephstadt.
„ Köstler Gustav, zu Triest.

1. November 1876 *).

10. FAB. Sachs Eduard.
3. Reg. Balkay Adolph.
4. FAB. Rank Georg.
12. Reg. Podboj Alfred.
6. „ Miglitsch Ludwig.
8. „ Leicht Johann,
5. „ Göth Julius.
1. FAB. Fehérpataky v. Kellecsény Ladislaus.
4. Reg. Borges Emanuel.
2. „ SchusterFerdinand.
7. „ Lenarčič Anton.
1. „ Laube Rudolph.
6. „ Czermak Wilhelm.
1. „ Cysarž Gustav.

1. November 1876 *).

1. Reg. Jelinek Joseph.
1. FAB. Königsberger Jul.
5. Reg. Magyar Anton.
2. „ Rodler Franz.
13. „ Dobrovics Victor.
4. FAB. Zimmermann-Göllheim Carl Ritt. v.
3. „ Zotter Eduard.
11. „ Suschnig - Purkardhofer Gustav.
8. Reg. Fabritius Friedrich.
8. „ KirchgatterGustav.
3. „ Zinnauer Hermann.
13. „ Kereszty Adalbert.
7. „ Schiestl Wilhelm.
11. FAB. Brunner Eugen.
2. Reg. Wiktorin Franz.
9. „ Kéler Emerich.
3. „ Černe Victor.
3. „ Feige Leopold.
1. FAB. Rácz de Kövesd Adalbert.
12. „ Kugy Paul.
7. Reg. Hauffen Joseph.
6. „ Knall Adolph.
13. „ Linhard Carl.
6. „ Scherach Carl.
11. „ Wiedorn Robert.
7. „ Bender Rudolph.
12. „ Jerič Vincenz.
12. „ Ambrož Reinhold.
3. „ Vollgruber Alois
10. „ Jaussner Hermann.
1. „ Heinz Rudolph.
12. FAB. Ralli Simon Freih. v.
10. Reg. Fleischhacker Robert v.
8. „ Puscariu Julius Ritt. v.
10. „ Myrbach v. Rheinfeld Carl Freih.
13. „ Badl Anton.
9. „ Bilwin Stanislaus.
12. „ Ločniker Ernst.
7. „ Bender Carl.
10. „ Bradaczek Joseph.
12. FAB. Cozzi Carl.
12. Reg. Lichtenberg Leop. Freih. v.
10. „ Kundt Liboslav.
10. FAB. Bayer Vincenz.

1. November 1876 *).

4. Reg. Bauder Ernst.
2. „ Wisloužil Franz.

1. Mai 1877.

8. Reg. Barišić Ottomar.
6. FAB. Hilewicz Nikolaus.
3. „ Petschnig Johann.
1. „ Dimitrievic Basil, MVK. (KD.).
8. Reg. Borotha Peter.
6. FAB. L'Estocq Erwin Freih. v.
9. Reg. Radosta Wilhelm.
9. „ Pöck Carl Freih. v.
13. „ Puhallo Isaak.
9. „ Miljenović Philipp.
4. „ Günther Victor.
12. „ Kostelač Vitus.
3. „ Pumpp Paul.
11. „ Brantner Anton.
T. A. Mandl Joseph, zu Lemberg.
10. Reg. David Gustav.
13. „ Paulgerg Heinrich.
8. FAB. Kuffner Joseph.
5. „ Rudrich Adolph.
2. „ Lederer Heinrich.
9. „ Fuchs Franz.
11. „ Gegenbauer Carl.
6. „ Kloss Johann.
3. Reg. Moravcsik Cyrill.
5. FAB. Feley Emerich.
2. Reg Beneš Carl.
5. „ Adler Carl.
12. FAB. Waberer Edl. v. Dreischwert Georg.
12. „ Röhn Joseph, ÖEKO-R. 3. (KD.).
4. Reg. Küchler Anton.
1. FAB. Kádár Stephan.
11. Reg. Heyer Johann.
3. FAB. Köller Carl, MVK. (KD.).
8. Reg. Beu Michael.
7. „ Huber v. Penig Franz.
6. „ Dienersberg Ferdinand Freih. v.
T. A. Galler Jakob zu Temesvár.
8. Reg. Garger Carl.
2. „ Müller Vincenz.

*) Lieutenants im Reservestande.

1. Mai 1877.

6. Reg. Belrupt-Tissac Ferdinand Gf.
8. „ Ludvig Franz.
6. „ Horchler Heinrich.
4. FAB. Kutalek Ludwig (Res.).
6. „ Steininger Heinrich (Res.).

1. Juli 1877 *).

9. Reg. Kottas Paul.
4. „ Czermak Friedrich.
1. FAB. Alexy Hugo.
12. Reg. Jarmay Adalbert.
6. „ Englhofer Johann.
10. „ Siebenrock Edl v. Wallheim Robert.
9. „ Gayer v. Ehrenberg Eduard Freih.
12. „ Bayr Carl.
6. FAB. Queiss Wilhelm.
8. Reg. Göbel Edmund.
8. „ Läufer August.
1. FAB. Bitterlich Johann.
12. Reg. Rechbach Friedrich Freih. v.

1. September 1877.

5. Reg. Magyar Julius
11. „ Hofbauer Hugo.
7. „ Hössig Rudolph.
11. „ Puhalo Paul.
2 „ Spurny Ignaz.
12. „ Zigall Julius.
3. „ Bartheldy Steph. v.
11. „ Kramer Carl.
7. „ Hlass Heinrich.
10. „ Hübl Erwin Freih. v.
8. „ Dobler v. Friedburg Constantin.
6. „ Ljubičić Stephan.
3. „ Fischer Alexander.
13. „ Kracher Johann.
2. „ Heller Julius.
2. „ Beran Vincenz.
6. „ Rischaneck Franz.
9. „ Montag Joseph.
13. „ Albert Carl.
9. „ Kosterkiewicz Ladislaus.
4. „ Buschek Johann.
12. „ Seyferth Carl.
4. FAB. Samt Joseph (ü. c.) Adj. des Art.-Chefs der 1. Inf.-Trup.-Div.
4. Reg. Hojer Wendelin.
6. „ Soppe Wilhelm.
7. „ Kreutzer Oskar.
5. „ Zarran Milan.
10. FAB. Stopon Paul.
12. Reg. Homperth Ferdin.
10. „ Eckhardt Friedr.
9. „ Schlögl Franz.
5 „ Paulić Michael.
1. „ Herzlik Franz.
9. „ Manowarda de Jana Johann.
13. „ Nagy Gervasius
3. FAB. Lupersböck Gustav.
6. Reg. Marjanović Georg.
10. „ Kutschera Leopold.
1. „ Scholz Ferdinand.

1. November 1877.

7. Reg. Wang Nikolaus.
5. „ Kosztolany Carl v.
7. FAB. Steuer Joseph.
6. „ Heinrich Constant.
4. Reg. Milaczek Wilhelm.
T. A. Kotzmann Franz, zu Ragusa.
11. FAB. Tabouré Joseph.
4. Reg. Balcar Ottokar.
6. „ Helle Anton (Res.).
4. „ Förster Bernhard.
7. „ Wendler Alois.
5. „ Krupec Wilhelm.
10. FAB. Schanda Anton.
4. „ Schrutek Edmund.
3. Reg. Bauhofer Jakob.
1. „ Pfrogner Johann.
1. „ Schandrovich v. Kriegstreu Isidor.
T. A. Kříťka Otto, zu Pola.
11. Reg. Halmel Wenzel
6. „ Weber Franz.
7. FAB. Aberle Anton.
2. Reg. Koschak Philipp.
5. „ Schier Franz.
6. FAB. Sentner Alois.
8. Reg. Scheiblberger Carl
9. „ Breith Rudolph.
6. FAB. Emes Carl.
11. Reg. Nikolitsch Arthur.
12. „ Doppelmayer Aug.
7. „ Kříž Carl.
9. „ Wenig Martin.
8. FAB. Waha Stephan.
T. A. Weiss Eduard, zu Prag.
11. Reg. Weigner Adolph.

1. November 1877 *).

1. FAB. Velics v. Lászlófalva Ludwig.
1. „ Nachod Carl.
13. Reg. Pecher Joseph.
5. FAB. Tilless Béla.
11. Reg. Kreuzinger Dominik.
8. „ Bologa Valerius.
9. „ Schenk Joseph Edl. v.
12. „ Busić Florian.
8. „ Jucho Johann.
2. „ Adam Heinrich.
7. FAB. Schönauer Franz.
5. Reg. Uhl Alexander.
1. „ Chmelik Franz.
9. „ Müller Adolph.
10. „ Michler Franz.
1. „ Simbürger Wenzel.
2. „ Čechač Friedrich.
3. „ Hechtl Eugen.
11. „ Oehn Hermann.
5. „ Kliegl Joseph v.
2. „ Viktorin Gustav.
4. „ Breuer Adalbert
1. FAB Mátray Joseph.
4. „ Anger Tobias.
2. Reg. Grohmann Emil.
5. „ Ledényi Franz.
4. „ Kürschner Ernst.
11. FAB. Pincherle Emil.
12. Reg. Tambornino Carl.
3. „ Leicht Alexander.
11. FAB. Tolloy Carl
7. Reg. Libotzky Erwin.
7. „ Alscher Alois.
3. „ Jenny Wilhelm.
11. „ Mautner Sigmund.
6. „ Höflinger Eduard.

*) Lieutenants im Reservestande.

1. November 1877 *).

5. Reg. Čermák Jaroslaus.
10. „ Paumgarten August Ritt. v.
4. „ Walzel Richard.
7. „ Schwarz Julius.
2. „ Oštadal Sylvester.
11. „ Unger Leopold.
8. „ Kleibel August.
9. „ Malsburg Carl v.
6. „ Hahn Johann.
9. „ Kuczynski Ludwig Ritt. v.
7. „ Beutl Julius.
2. „ Grohmann Adolph.
12. „ Repić Andreas.
10. „ Schlenk Carl.
3. „ Stitz Johann.
2. „ Zimmer Johann.
3. „ Sluka Franz.
2. FAB. Mager Anton.
11. „ Pascutti Alois.
4. Reg. Püchl Anton.
6. „ Schatzl v. Mühlfort Gustav.
3. „ Katser Heinrich.
3. FAB. Büttner Hermann.
12. Reg. Gozani de Saint-Georges Arthur Marq., ÖEKO-R. 3. (KD.).
7. „ Fitz Johann.
12. „ Kotnik Ignaz.
4. „ Renger Carl.
4. „ Friedrich Victor.
12. „ Mulley Carl.
1. „ Eis Alexander.
13. „ Babochay Sigmund.
7. FAB. Benisch Adalbert.
12. „ Dimmer Joseph.
5. Reg. Károlyi Georg.
4. „ Karouschek Carl.
5. „ Horváth v. Pálócz Stephan.
3. „ Wenzel Gottfried.
6. „ Angeli Franz.
8. „ Wittchen Julius.
6. „ Supanchich v. Haberkorn Johann.
3. „ Kaczander Sigm.
7. „ Kolbe Joseph.
4. „ Walzel Maximilian.
8. FAB. Greil Alfred.

1. November 1877 *).

6. Reg. Lenarčić Joseph.
6. „ Hofmann Anton.
12. „ Pfefferer Richard.
3. „ Adamowits Theodor.
2. „ Aresin Victor.
7. „ Eckl Georg.
10. „ Engel Johann.
8. FAB. Friedjung Arnold.
7. „ Rother Ernst.
9. „ Karg Johann.
13. Reg. Eder Robert.
7. FAB. Mollik Johann.
5. „ Klein Julius.
11. Reg. Vrtěl Franz.
13. „ Árvay Stephan.
1. „ Sommer Johann.
6. FAB. Skrzyszowski Thaddäus.
10. Reg. Hintermayer Joh.
12. FAB. Conighi Carl.
13. Reg. Endlicher Paul.
10. „ Engel Cornelius.
13. „ Possanner Edl. v. Ehrenthal Benjamin.
5. FAB. Jäger Alexander.
13. Reg. Hoffer Ludwig.
13. „ Raiss v. Lublovár Ernst.
6. FAB. Bitner Julian.
5. „ Mladek Ferdinand.
2. „ Bischof Adolph.
9. „ Tott Franz.
9. Reg. Meese Adolph.
1. „ Proschko Johann.
9. FAB. Fabian Jonas.
11. Reg. Spaun Maximilian Ritt. v.
1. „ Schubert Anton.
5. „ Lang Johann.

1. Mai 1878.

2. Reg. Christof Ignaz.
5. „ Sauter Caspar.
8. „ Wagner Franz.
1. FAB. Hellmann Carl.
1. Reg. Kudrnatsch August.
10. FAB. Schatz Franz, MVK. (KD.).
10. Reg. Wagner Heinrich.
1. „ Rupprecht Franz.
12. „ Jerko Julius.

1. Mai 1878.

9. Reg. Madejsky v. Poraj Ignaz Ritt.
12. FAB. Smolčić Franz.
10. „ Hausmann August.
4. Reg. Matuschka Edl. v. Wendenkron Carl.
9. FAB. Ulbricht Franz.
8. „ Szeiff Otto.
4. Reg. Holubiec Basil.
9. „ Adamek Wilhelm.
6. FAB. Cięciwa Johann.
13. Reg. Swircsev Simon.
3. „ Beinrücker Carl.
4. FAB. Köhler Edl. v. Dammwehr Ignaz.
12. Reg. Vranovics Emanuel.
13. „ Zilsner Joseph.
2. FAB. Wocelka Alexander.
12. Reg. Perfler Richard.
T. A. Karmann Ladislaus, zu Bergstadtl.
13. Reg. Wiedemann Emil.
7. FAB. Mayer Joseph.
8. Reg. Schöps Hermann.
12. „ May Joseph.
6. FAB. Chrobak Franz.
6. Reg. Janschekovitsch Anton.
6. „ Jauernik Carl.
12. „ Dragmann August.
12. „ Mirković Peter v.
8. „ Binowetz Joseph.
11. „ Sablyak Alexander.
7. „ Mayhirt Franz.
3. „ Szabo Stephan v.
2. „ Benigni in Mühldenberg Theodor Ritt. v.
T. A. Ludwig Carl, zu Wr.-Neustadt.
5. FAB. Poschmaurny Carl.
5. „ Grüner Hugo.
1. „ Vetter Carl.
7. Reg. Koregtko Eugen.
8. „ Loschan Maximilian.
10. „ Hellmann Emil.
13. „ Flanjak Camillo.
6. „ Lorenz Bernhard.
4. „ Moser Eduard.
7. „ Eliatscheck v. Siebenburg Rudolph Freih.

*) Lieutenants im Reservestande.

1. Mai 1878.

11. FAB. Terboglaw Ernst, MVK. (KD.).
5. Reg. Fuchsik Vincenz.
T. A. Bacher Michael, in Wien (ü. c.) bei der Feld - Zeugs - Ab'th. der XIII. Inf.-Trup.-Div.
" Riemer Jonas, zu Carlstadt.
8. Reg. Butyka Ludwig.
2. FAB. Schaurek Franz.
4. Reg. Kutschera Emanuel.
9. " Wassilowicz Nikol.
1. " Kessler Johann.
9. FAB. Hoffmann Paul v.
T. A. Strauss Gotthard, zu Olmütz.
9. Reg. Olcha Johann.
9. FAB. Schneeberger Carl.
3. Reg. Weszelovsky Jos.
10. FAB. Szerszeniewicz Johann.
8. Reg. Rosthorn Alphons v. (Res.).

1. September 1878.

5. FAB. Prinzhofer Wilh.
5. Reg. Hrabovszky v. Hrabova Joseph.
7. " Göttlicher Othmar.
4. FAB. Reischel Alois.
9. Reg. Tebinka Alphons.
11. " Weiss August.
10. FAB. Gemeiner Arthur.
11. Reg. Umlauf Joseph.
13. " Nieczyglemski Maximilian.
T. A. Fadanelli Hamilkar, in Wien.
3. Reg. Szender Gustav.
2. FAB. Obermann Martin.
12. Reg. Hermann Ottokar.
4. FAB. Hammer Anton.
3. " Bogdanović Steph.
1. Reg. Turek Franz.
12. " Bscheiden Gottfried.

1. September 1878.

4. Reg. Jedliczka Anton.
7. " Wrana Johann.
8. " Krawiecki Ladisl.
10. " Hosp Ludwig.
13. " Čudić Stephan.
T. A. Sagner Anton, in Wien.
10. Reg. Pauer Johann.
3. " Wyrobisz Valerian.
5. " Wikullil Anton.

15. September 1878.

12. Reg. Srp Franz.
6. " Weier Heinrich.
5. FAB. Horak Hugo.
11. " Hnidy Arthur.
4. Reg. Weichberger Jos.
12. " Neugebauer Franz, ○ 2.
11. " Skutetzky Salomon (Res.).
9. " Bernstein Heinrich (Res.).
11. " Osostowicz Ludwig.
13. " Julius Emanuel.
5. " Ditl Hugo.
4. " Král Adolph.
2. " Czernopyski Franz.
1. " Gaube Rudolph.
2. " Drescher Ferdinand.
1. FAB. Fleischer Peter.
3. Reg. Marx Alois.
4. " Khulank Joseph.

4. October 1878.

4. Reg. Regnier Johann.

1. November 1878.

13. Reg. Malata Hugo.
4. " Jenschke Franz (Res.).
11. " Weiss Maximilian.
8. FAB. Patzak Vincenz (Res.).
8. Reg. Komma Oswald.
1. " Kolb Anton.
9. " Krynicki Joseph Ritt. v.
7. FAB. Fröhlich Rudolph.
4. " Hinke Carl.
10. Reg. Lebel Johann.
5. " Wadas Joseph.
3. " Fabian Julius.
1. " Egelmayer Edmund.
10. FAB. Primavesi Anton.
7. Reg. Gloss Johann.
13. " Bauzher Adolph.
4. FAB. Wlaschütz Carl.
8. " Kotzourek Johann.
12. " Peschka Isidor.
5. Reg. Hausser Franz.
3. FAB. Peil v. Hartenfeld Richard Ritt.
9. Reg. Lenk Franz.
11. FAB. Křivanek Gustav.
13. Reg. Kramář Julius.
8. " Lotocki Johann.
7. " Wunsch Julius.
9. FAB. Endler Ferdinand.
10. Reg. Mayer Joseph.
11. " Geitler Leopold.
8. " Mihalótzy Alex. v.
5. FAB. Vretscher Joseph.
11. Reg. Taglang Edmund.
4. " Fodermayer Franz.
4. FAB. Deubler Franz.
3. " Haibl Johann.
12. Reg. Peterka Anton.
10. " Beneš Carl.
11. " Wanka Hugo
9. " Osuchowski Leop.
4. " Kubin Rudolph Ritt. v.
5. " Parlagi Coloman.
7. " Jennisch Carl.
4. " Werner Carl.
6. " Gressel Friedrich.
2. FAB. Nicht Joseph.
8. Reg. Elmayer Rudolph.
3. " Török de Telekes Alexander.
12. " Šuput Michael.
12. " Tacco Carl Freih. v.

(Rang seinerzeit).

11. Reg. Haubner Eduard.

Cadeten.

9. Juli 1871.

4. FAB. Quintus Carl Ritt. v.

1. November 1872 *).

12. Reg. Kozlik Emanuel.
11. „ Figar Franz.
12. „ Kaiser Oswald.

1. November 1873 *).

2. FAB. Brzák Franz.
6. Reg. Nemanič August.

1. November 1874 *).

7. Reg. Mayer Hermann.
6 „ Probst Anton.
8. FAB. Müller Rudolph.

1. November 1875 *).

11. Reg. Weinreb Theodor.

1. November 1876.

9. Reg. Kirschinger Alfred.
12. „ Sándorov Johann.
6. FAB. Eckstein Marcus (Res.).
13. Reg. Fialka Zdislav v. (Res.).

1. November 1877.

6. Reg. Steinprinz Alois.
6. FAB. Szeliga Sigmund.
10. „ Jesser Carl.
2. „ Tauber Joseph.

1. November 1877 *).

7. Reg. Schlögl Johann.
11. „ Willinger Felix.
10. FAB. Mayer Johann.

1. November 1877 *).

6. Reg. Kämpf Johann.
5. „ Tomsche Johann.

1. Mai 1878.

8. Reg. Steiner v. Eltenberg Edgar.

1. September 1878.

7. FAB. Rotter Engelbert.
10. Reg. Friedrich Johann.
5. FAB. Haage Robert.
8. Reg. Pohl Albert.
5. „ Pospischil Anton.
2. FAB. Navratil Camillo.
2. Reg. Kauer Gustav.
10. FAB. Gruber Joseph.
8. „ Skorkovsky Augustin.
6. „ Kuczera Johann.
7. Reg. Rischer Mathias.
13. „ Zemek Victor.
4. „ Berghammer Friedrich.
5. „ Uherek Rudolph.
11. FAB. Marschik Johann.
12. „ Rübenstein Alfred.
10. „ Topláк Jakob.
3. Reg. Weissenbacher Otto.
5. FAB. Gross Franz.
13. Reg. Baričević Johann.
12. „ Schley Carl.
6. „ Kramer Heinrich.
10. „ Zajiček Eduard.
9. FAB. Mohr Carl.
13. Reg. Windisch Ludwig.
14. „ Mally Julius.
3. „ Thomich Emanuel

1. September 1878.

6. Reg. Jordis v. Lohausen Heinrich Freih.
3. „ Friedrich Carl.
6. FAB. Guzek Sigmund.
1. Reg. Wiedersperger v. Wiedersperg Ferdinand Freih.
10. „ Seidling Johann.
10. FAB. Hartwik Heinrich.
2. „ Jambor Franz
8. „ Hocher Anton.
5. Reg. Brosch Victor.
3. FAB. Zeidler Alfred.
5. „ Königsberger Jos.

1. October 1878.

8. Reg. Bengez Martin.

1. November 1878.

11. FAB. Frizzi Ludwig.
3. Reg. Piszczula Joseph.
11. „ Plasche Friedrich.

(Rang seinerzeit) *)

2. Reg. Poppa Alois.
5. „ Borovánszky Jul.
5. „ Lauffer Julius.
5. „ Pillitz Anton.
12. „ Wehr Johann.
12. „ Lenarčić Andreas.
12. „ Holzer Ernst.
12. „ Sustersić Johann.
12. „ Jerman Maximilian.
12. „ Posch Ferdinand.
12. „ Jeras Anton.

Adjustirung der Officiere des Artillerie-Stabes.

Czako mit Rosshaarbusch, dunkelbrauner Waffenrock mit scharlachrother Egalisirung und gelben glatten Knöpfen, lichtblaue Stiefelhose, Mantel blaugrau.

---

*) Cadeten im Reservestande.

Feld-Artillerie-Regimenter.

1.

Böhmisches Feld-Artillerie-Regiment.

Stab: Prag.

Ergänzt sich aus den Bezirken der Infanterie-Regimenter Nr. 28 u. 42.

1772 errichtet, Callot Carl v., FML.; 1779 Penzenstein, Johann v., GM.; 1804 Schuhay, Franz Freih. v., FML.; 1822 Künigl, Hermann Gf., FZM.; 1849 Kaiser Franz Joseph; 1854 aus demselben die gegenwärtigen Artillerie-Regimenter Nr. 1, 2 und 3 errichtet.

1854 neu organisirt aus den bestandenen Artillerie-Regimentern Nr. 1 und 2.

(Zweite Inhaber waren: von 1849—1853 Künigl, Hermann Gf., FZM.; von 1854—1865 de Brucq, Johann, GM.; von 1865—1871 Lenk v. Wolfsberg, Wilhelm Freih., FML.)

1854 Kaiser Franz Joseph.

Oberst u. Reg.-Comdt. Modřický, Eduard, ÖEKO-R. 3., MVK. (KD.).

Oberstlieutenant.

Bruna, Franz.

Majore.

Wildmann, Anton (Art.-Chef bei der I. Inf.-Trup.-Div.).
Hassak, Joseph, MVK. (KD.).
Peterlak, Johann.
Hauke, Wilhelm.
Pitsch, Joseph.

Hauptleute 1. Classe.

Limbeck, Gustav, ÖEKO-R. 3. (KD.).
Peter, Jakob, MVK. (KD.).
Schwenk Edl. v. Rheindorf, Carl.
Volkmer, Ottomar, ÖFJO-R., MVK (KD.), (ü. c.) im mil.-geogr. Inst.
Konrad, Traugott.
Sedlaczek, Leopold.
Schlumps, Adolph (WG.).
Wolf, Anton, MVK.
Wolf, Wilhelm, MVK. (KD.).
Churfürst, Wenzel.
Thiele, Friedrich, ÖFJO-R. (ü. c.) Lehrer an der techn. Mil.-Akad.
Roczek, Albrecht.
Auer, Franz.
Benesch, Gottfried.

Hauptleute 2. Classe.

Rosenauer, Joseph.
Kunte, Stephan (zug. dem Art.-Zeugs-Depot zu Theresienstadt).
Zechmeister Edl. v. Waagau, Eduard.
Seeland, Joseph, ○ 2. (ü. c.) beim R.-Kriegs-Mstm.
Pietsch Edl. v. Sidonienburg, Theodor.

Oberlieutenants.

Kieslich, Julius (Res.).
Lots, Laurenz, ○ 1.
Pawlas, Joseph (zug. dem techn. u. adm. Mil.-Comité).
Rodler, Wilhelm, MVK. (KD.).
Spiess, Franz.
Fischer, Georg, ○ 2.
Zejbek, Franz.
Welz, Anton.
Köhler Edl. v. Dammwehr, Wenzel.
Melichar, Vincenz.
Seelig, Alois.
Rustler, Julius.
Lenz, Felix, ○ 2.
Pabst, Alphons (Res.).
Stalleger, Joseph.
Patross, Heinrich.
Hussa, Carl.
Stockar v. Bernkopf, Carl.
Zhaniel, Ferdinand (Res.).
Kramer, Wilhelm.
Huša, Eduard.

Neswarba, Johann (Reg.-Adj.).
Fanta, Carl (ü. c.) zug. dem Generalstabe.
Schreiber, Victor (ü. c.) zug. dem Generalstabe.
Jahn, Rudolph.
Kramer, August.
Krall v. Krallsburg, Gustav.
Zednik, Victor (Battr.-Div.-Adj.).
Hantich, Sylvester.
Konhäuser, Johann.
Janda, Carl (Battr.-Div.-Adj.).
Scheure, Adolph v. (Res.).
Knabe, Eduard.

Lieutenants.

Richter, Johann (WG.).
Fleissig, Franz (Res.).
La Roche, Ferdinand (Res.).
Venus, Anton.
Hartmann, Hermann.
Langer, Rudolph.
Mirković, Sabbas.
Mach, Victor.
Patzolt, Maximilian.
Staněk, Joseph.
Schweizer, Carl (Res.).
Krüzner, Victor (Res.).
Jirusch, Carl (Res.).
Nadherny, Arthur (Res.)
Winkler, Franz (Battr.-Div.-Adj.).
Faimann, Wenzel.
Schirmbeck, Johann (Battr.-Div.-Adj.).
Müller, Carl.
Samohrd, Heinrich.
Stand, Joseph.
Smetana, Johann (Res.).
Mayer, Joseph (Res.).
Přichistal, Carl (Res.).
Sartori, Heinrich.
Bílek, Carl.
Urbanek, Alois.
Laube, Rudolph (Res.).
Cysarž, Gustav (Res.).
Jelinek, Joseph (Res.).
Heinz, Rudolph (Res.).
Herzlik, Franz.
Scholz, Ferdinand.
Pfrogner, Johann.
Schandrovich v. Kriegstreu, Isidor.
Chmelik, Franz (Res.).
Simbürger, Wenzel (Res.).
Eis, Alexander (Res.).
Sommer, Johann (Res.).
Proschko, Johann (Res.).
Schubert, Anton (Res.).
Kudrnatsch, August.
Rupprecht, Franz.
Kessler, Johann.
Turek, Franz.
Gaube, Rudolph.
Kolb, Anton.
Egelmayer, Edmund.

Cadet.

Wiederspergerv. Wiedersperg, Ferdinand Freih.

Mil.-Aerzte.

Hackenberg, Franz, Dr., Reg.-Arzt 1. Cl.
Wodak, Mathias, Oberwundarzt.

Rechnungsführer.

Vuičić, Nikolaus, Hptm. 1. Cl.
Strnad, Joseph, Hptm. 2. Cl.
Neumann, Franz, Obrlt.
Spittal, Leonhard, Lieut.
Schinnerer, Rudolph, Lieut.

Ober-Thierarzt 2. Cl.

Nowotny, Adalbert.

Adjustirung der Officiere der Feld-Artillerie-Regimenter.

Czako mit Rosshaarbusch, dunkelbrauner Waffenrock mit scharlachrother Egalisirung und gelben Knöpfen mit der Regiments-Nummer, lichtblaue Stiefelhose, Mantel blaugrau.

2.
Mährisches Feld-Artillerie-Regiment.

Stab: Olmütz.

Ergänzt sich aus den Bezirken der Infanterie-Regimenter Nr. 1 u. 54.

1772 errichtet, Rouvroy, Theodor Freih., FZM.; 1790 Thurn, Franz Gf., GM.; 1792 Kolowrat-Krakowsky, Johann Gf., FML.; 1804 Schwarzinger, Johann Freih., GM.; 1807 Maximilian Joseph v. Este, Erzherzog, FZM.; 1835 Marschall v. Biberstein, Franz, GM.; 1835 Mandl, Franz v., FML.; 1844 Sontag v. Sonnenstein, Wenzel, FZM.; 1852 Hauslab, Franz Ritt. v. FML.; 1854 aus demselben die gegenwärtigen Artillerie-Regimenter Nr. 1, Nr. 8 und Nr. 9 formirt.
1854 neu organisirt aus dem bestandenen Artillerie-Regiment Nr. 1; Ludwig, Erzherzog, FZM.

(Zweite Inhaber waren: von 1854—1862 Niemetz v. Elbenstein, GM.; von 1862—1872 Fabisch, Joseph, GM.)

1865 Kronprinz Erzherzog Rudolph, Oberst.

Oberst u. Reg.-Comdt. Kubin, Johann Ritt. v., ÖEKO-R. 3. (KD.).

Oberstlieutenants.

Filz, Friedrich, MVK. (KD.), O 1.
Köchert, Heinrich.

Majore.

Muck, Eduard.
Schönbaber, Leopold.
Eschenbacher, Joseph Ritt. v., ÖFJO-R., MVK., (ü.c.) Flügel-Adj. Seiner Majestät des Kaisers und Königs, zur Dienstleistung zug. Seiner k. k. Hoheit dem Kronprinzen Erzherzog Rudolph.

Hauptleute 1. Classe.

Löw, Johann.
Drobny, Carl.
Koblitz, Julius, MVK. (KD.).
Kühnel, Emanuel.
Gleissner, Johann, MVK. (KD.).
Hatzl, Adolph.
Maytner, Joseph (ü. c.) Lehrer an der techn. Mil.-Akad.
Kržesadlo, Moriz.
Maresch, Otto, ÖFJO-R.
Zipser, Carl.
Haarmann, Wilhelm.
Peinthor, Anton.
Ostöttner, Wilhelm (WG.).
Holl, Johann (ü. z.) beurl.
Kramer, Moriz, MVK. (KD.).

Hauptleute 2. Classe.

Prohaska, Carl.
Richter, Arnold.
Walluschek v. Wallfeld, Alexander.
Waagner Edl. v. Waagstroem, Gustav.

Oberlieutenants.

Sauer, Wenzel.
Becher, Joseph.
Olleschik, Carl (Reg.-Adj.).
Auer, Carl.
Ranciglio, Wilhelm.
Albrecht, Berthold.
Gratz, Edmund.
Lauger, Wilhelm.
Rauch, Anton.
Kolosvary, Franz (ü.c.) Lehrer an der Mil.-Ober-Realschule.
Tarbuk, Emil.
Malischek, Eduard.
Noindl, Joseph.
Brandstätter, Vincenz.
Fritz, Joseph.
Soldan, Ernst (ü. c.) zug. dem Generalstabe.
Thun-Hohenstein, Leo Gf.
Ružek, Emanuel (ü. c.) Lehrer an der Mil.-Unter-Realschule zu Güns.
Juritzky, Alfred (zug. dem techn. u. adm. Mil.-Comité).
Jungwirth, Ludwig.
Joachimsthaler, Emanuel.
Fihsinger, Gustav.
Guzek, Ludwig (ü. c.) zug. dem Generalstabe.
Wessely, Carl Ritt. v.
Brezka, Anton.
Borek, Joseph.

Lieutenants.

Ambros, Friedrich (Res.).
Pribily, Franz.
Schüller, Carl (Res.).
Klobouček, Cyrill (Res.).
Czerny, Wilhelm.
Navratil, Leopold (Res.).
Hoffmann, Julius (Res.).
Hoffmann, Carl (Res.).
Weiss, Wenzel (Battr.-Div.-Adj.).
Patzke, Adolph.
Lehmann, Carl.
Nowak, Gustav.
Kohout, Emanuel.

Pillmayer, Vincenz.
Frank, Franz.
Kallausch, Gustav (Battr.-Div.-Adj.).
Schwab, Eduard (Res.).
Roleder, Heinrich (Res.).
Dostal, Franz (Res.).
Schrötter, Carl (Res.).
Fischer, Adolph.
Rambausek, Adolph.
Dwořak, Ignaz.
Kern, Friedrich.
Pfeiffer, Alois (Battr.-Div.-Adj.).
Weigl, Joseph.
Janotta, Heinrich (Res.).
Hoffmann, Gustav.
Maudry, Johann.
Wallisch, Franz.
Strohal, Theodor.
Schuster, Ferdinand (Res.).
Rodler, Franz (Res.).

Wiktorin, Franz (Res.).
Wisloužil, Franz (Res.).
Beneš, Carl.
Müller, Vincenz (Battr.-Div.-Adj.).
Spurny, Ignaz.
Heller, Julius.
Beran, Vincenz.
Koschak, Philipp.
Adam, Heinrich (Res.).
Čechač, Friedrich (Res.).
Viktorin, Gustav (Res.).
Grohmann, Emil (Res.).
Oštadal, Sylvester (Res.).
Grohmann, Adolph (Res.).
Zimmer, Johann (Res.).
Aresin, Victor (Res.).
Christof, Ignaz.
Benigni in Müldenberg, Theodor Ritt. v. (zug. dem Art.-Zeugs-Depot zu Olmütz).

Czernopyski, Franz.
Drescher, Ferdinand.

Cadeten.

Kauer, Gustav (Off.-Stellv.).
Poppa, Alois (Res.).

Mil.-Aerzte.

Chlubna, Ludwig, Dr., Reg.-Arzt 1. Cl.
Frank, Franz, Dr., Oberarzt.

Rechnungsführer.

Staffel, Johann, Hptm 1. Cl.
Kračmar, Franz, Hptm. 2. Cl.
Reicher, Friedrich, Obrlt.
Herth, Andreas, Lieut.

Thierarzt.

Göth, Alois.

3.

Ungarisches Feld-Artillerie-Regiment.

Stab: Komorn.

Ergänzt sich aus den Bezirken der Infanterie-Regimenter Nr. 12, 19, 25 u. 26.

1772 errichtet; Bärnkopp, Wenzel Freih., FZM.; 1792 Van der Stappen, Peter Joseph, GM.; 1804 Rouvroy, Carl Freih., FML.; 1818 Reisner, Anton Freih., FML.; 1825 Baillet de Latour, Theodor Gf., FML.; 1833 Mager, Anton, FML.; 1835 Augustin, Vincenz Freih. v. FZM.; 1854 aus demselben die gegenwärtigen Artillerie-Regimenter Nr. 4 und Nr. 11 formirt.
1854 neu organisirt aus dem bestandenen Artillerie-Regiment Nr. 1; Augustin, Vincenz Freih. v., FZM.

1860 Pichler, Alois, GM.

Oberst u. Reg.-Comdt. Fischer, Carl.

Oberstlieutenants.

Zach, Ludwig, MVK. (KD.).
Grigkar, Jos, MVK. (KD.).

Majore.

Soboll Edl. v. Sonnenklar, Franz.
Pečirka, Ferdinand.

Hauptleute 1. Classe.

Smekal, Adalbert.
Haussner, Eduard.
Bábuška, Ignaz (Art.-Chef bei der XII. Inf.-Trup.-Div.).
Horváth, Johann.
Hessel, Joseph.
Heger, Heinrich.
Brandstätter Edl. v. Brandenau, Hermann, ÖFJO-R.
Steinlechner, Adolph, MVK. (KD.).
Hummer, Johann.

Hauptleute 2. Classe.

Pap, Alexander v.
Mück, Anton.
Kostial, Joseph, ÖFJO-R.
Steger, Eduard.
Schneller, Arnold.
Pfrim, Anton (ü. c.) zug. dem Generalstabe.
Kotzurek, Anton.

Oberlieutenants.

Seinković, Anton.
Comensoli, Hermann.
Hauk, Raimund.
Hugyetz, Ernst.
Wessely, Franz.
Rotzmann, Franz.
Swatek, Georg.
Heinrich, Julius.
Pollak, Johann (Reg.-Adj.).
Ehrenbrandner, Andreas.
Schemerka, Christoph (ü. c.) zug. dem Generalstabe.
Mirković, Basilius.
Leitl, Joseph.
Matoušek, Franz (zug. dem techn. u. adm. Mil.-Comité).
Brunner, Carl.
Tlusty, Carl.
Kaiganić, Milutin.
Polak, Eduard, MVK. (KD.).
Bilek, Wenzel.
Konrad, Alfred.
Pfaffstätter, Georg.
Roknić, Johann.
Eckensberger, Ferdinand.
Berghammer, Ludwig (Battr.-Div.-Adj.).
Löbl, Carl.
Wieser, Alexander.

Lieutenants.

Maluschka, Alois (Res.).
Weiss, Eugen (Res.).
Brielmayer, Alfred (Res.).
Zednik, Hermann.
Hartmann, Joseph.
Csányi, Carl.
Neumann, Franz.
Sedlaczek, Johann.
Gattermeier, Joseph.
Stindl, Carl, ○ 2.
Ružička, Ignaz (Battr.-Div.-Adj.).
Rombauer, Emil (Res.).
Schmidthauer, Anton (Res.).
Schiffel, Adalbert (Res.).
Redl, Franz (Res.).
Sima, Johann.
Halkovich, Alphons (Battr.-Div.-Adj.).

Lühe, Günther von der.
Jelenčić, Wilhelm.
Follenhals, Gustav (zug. dem Art.-Zeugs-Depot zu Komorn).
Eltz, Richard (Res.).
Orley, Ladislaus (Res.).
Mayr, Johann.
Weiss, Emil.
Fischer, Wilhelm.
Balkay, Adolph (Res.).
Zinnauer, Hermann (Res.).
Černe, Victor (Res.).
Feige, Leopold (Res.).
Vollgruber, Alois (Res.).
Pumpp, Paul.
Moravcsik, Cyrill.
Bartheldy, Stephan v.
Fischer, Alexander.
Bauhofer, Jakob.
Hechtl, Eugen (Res.).
Leicht, Alexander (Res.).
Jenny, Wilhelm (Res.).
Stitz, Johann (Res.).
Sluka, Franz (Res.).
Katser, Heinrich (Res.).
Wenzel, Gottfried. (Res.).
Kaczander, Sigmund (Res.).
Adamowits, Theodor (Res.).
Beinrücker, Carl.
Szabo, Stephan v.
Weszelovsky, Joseph.
Szender, Gustav.
Wyrobisz, Valerian.
Marx, Alois.
Fabian, Julius.
Török de Telekes, Alexander.

Cadeten.

Weissenbacher, Otto (Off.-Stellv.).
Thomich, Emanuel (Off.-Stellv.).
Friedrich, Carl (Off.-Stellv.).
Piszezula, Joseph.

Mil.-Aerzte.

Naywar, Carl, Dr., Reg.-Arzt 1. Cl.
Egermann, Victor, Dr., Reg.-Arzt 1. Cl.
Konez, Carl, Dr., Reg.-Arzt 2. Cl.

Rechnungsführer.

Hofmann, Julius, Hptm. 1. Cl.
Smoiver, Gregor, Hptm 1. Cl.
Bondi, Joseph, Obrlt.
Gullan, Paul, Obrlt.
Sobota, Jakob, Lieut.
Paragjiković, Nikolaus, Lieut.

Mil.-Thierärzte.

Ustrnul, Thomas, Thierarzt.
Friedl, Joseph, Unter-Thierarzt.

4.

Böhmisches Feld-Artillerie-Regiment.

Stab: Josephstadt.

Ergänzt sich aus den Bezirken der Infanterie-Regimenter Nr. 21 u. 36.

1802 errichtet; 1804 Unterberger, Leopold Freih. v., FZM.; 1822 Fasching, Carl Freih. v., GM.; 1827 Stein, Emerich Freih., FML.; 1835 Simm, Joseph, FZM.; 1850 Stwrtnik, August Freih. v., FML.; 1854 aus demselben die gegenwärtigen Artillerie-Regimenter Nr. 5, Nr. 6 und Nr. 7 formirt.

1854 neu organisirt aus dem bestandenen Artillerie-Regiment Nr. 3.

1854 Hauslab, Franz Ritt. v., FZM.

Oberst u. Reg.-Comdt. Kollarz, Adolph, O 1.

Oberstlieutenant.

Ritschl, Hugo Ritt. v., ÖEKO-R. 3. (KD.), MVK. (KD.).

Majore.

Schmidt, Carl, ÖLO-R. (KD.).
Bien, Anton.
Kropatschek, Alfred Ritt. v., ÖEKO-R. 3.
Gössl, Franz.

Hauptleute 1. Classe.

Ullrich, Johann, O 1. (Res.).
Kollaržik, Jakob, ÖEKO-R. 3. (KD.), MVK.
Emersberger, Johann.
Gegenbauer, Johann, MVK. (KD.).
Rom, Joseph.
Uher, Gustav.
Husička, Franz.
Mazanec, Jakob.
Franz, Alois (WG.).
Herget, Odilo.

Hauptleute 2. Classe.

Schäffer, Johann.
Pacholik, Anton.
Fritsche, Joseph, MVK. (KD.).
Brudna, Franz.
Kilian, Carl.

Oberlieutenants.

Doms, Ludwig.
Wojaczek, Bruno (ü. z.) beurl.
Sklenka, Adolph.
Langer, Wilhelm.
Bechert, Simon.
Reisenauer, Gustav (Reg.-Adj.).
Schweighofer, Joseph.
Bittner, Wilhelm.
Rilke, Hugo.
Indra, Alois.
Pichler, Albert.
Haynau, Ernst Freih. v.
Král, Johann.
Kupeczek, Franz.
Schikofsky, Carl (ü. c.) zug. dem Generalstabe.
Hendl, Ludwig.
Kallinić, Samuel.
Pelz, Johann.
Wottawa, Rudolph.
Stangl, Edmund.
Picha, Joseph.

Lieutenants.

Höhl, August (Res.).
Fichna, Alfred (Res.).
Riedl, Wilhelm (Res.).
Müller, Arthur.
Pill, Franz.
Bamberg, Johann.
Spinnler, Johann (Battr.-Div.-Adj.).
Rieger, Johann.
Spengler, Carl (Battr.-Div.-Adj.).
Jellinek, Wenzel (ü. c.) zug. der k. k. Gendarmerie.
Čermák, Friedrich.
Graf, Friedrich.
Gross, Gustav (Res.).
Rechen, Friedrich (Res.).
Wikullil, Franz.
Marschner, Eduard.
Himmer, Carl.
Janko, Friedrich (Battr.-Div.-Adj.)
Canaval, Richard (Res.).
Koráb, Joseph (Res.).
Odelga, August Freih. v. (Res.).

Hartlieb v. Walthor, Carl Freih. (Res.).
Kadaník, Heinrich.
Borges, Emanuel (Res.).
Baader, Ernst (Res.).
Günther, Victor.
Küchler, Anton.
Czermak, Friedrich (Res.).
Buschek, Johann.
Hojer, Wendelin (Battr.-Div.-Adj.).
Milaczek, Wilhelm.
Balcar, Ottokar.
Förster, Bernhard.
Breuer, Adalbert (Res.)
Kürschner, Ernst (Res.)
Walzel, Richard (Res.)
Püchl, Anton (Res.)
Renger, Carl (Res.)
Friedrich, Victor (Res.)

Karouschek, Carl (Res.).
Walzel, Maximilian (Res.).
Matuschka Edl. v. Wendenkron, Carl.
Holubiec, Basil.
Moser, Eduard.
Kutschera, Emanuel.
Jedliczka, Anton.
Weichberger, Joseph.
Král, Adolph.
Khulank, Joseph.
Regnier, Johann.
Jenschke, Franz (Res.).
Fodermayer, Franz.
Kubin, Rudolph Ritt. v.
Werner, Carl.

Cadet.

Berghammer, Friedrich (Off.-Stellv.).

Mil.-Aerzte.

Franz, Eduard, Dr., Reg.-Arzt 1. Cl.
Sykora, Joseph, Dr., Reg.-Arzt 2. Cl.

Rechnungsführer.

Niedermayer, Mathias, ○ 1., Obrlt.
Willvonseder, Johann, Obrlt.
Ballek, Wilhelm, Lieut.
Salfemoser, Carl, Lieut.
Jezević, Joseph, Lieut.

Ober-Thierarzt 2. Cl.

Lexa, Ludwig.

5.

Böhmisches Feld-Artillerie-Regiment.

Stab: Budapest.

Ergänzt sich aus den Bezirken der Infanterie-Regimenter Nr. 18 u. 74.

1816 errichtet; 1822 Russo v. Aspernbrand, Joseph Freih. v., FZM.; 1840 Bervaldo-Bianchini, Natalis v., FML., 1834 aus demselben die gegenwärtigen Artillerie-Regimenter Nr. 10 und Nr. 12 formirt. 1854 neu organisirt aus dem bestandenen Artillerie-Regimente Nr. 4; 1834 Stwrtnik, August Freih. v., FML.

1871 Lenk v. Wolfsberg, Wilhelm Freih., FZM.

Oberst u. Reg.-Comdt. Lobkowitz, Rudolph Prinz v., Durchlaucht, ÖEKO-R. 3. (KD.), MVK. (KD.), ✝.

Oberstlieutenants.

Voigt, Joseph.
Burger, Joseph, MVK. (KD.).

Majore.

Klement, Johann, MVK.
Hevin de Navarre, Christian, ÖEKO-R. 3. (KD.).
Gerstner, Otto (Art.-Chef bei der IV. Inf.-Trup.-Div.).
Laizner, Moriz, MVK. (KD.).

Hauptleute 1. Classe.

Plott, Conrad.
Novotny, Carl, MVK. (KD.).
Blumentritt, Wenzel.
Sponner, Alois.
Eberl, Joseph, MVK. (KD.).
Plitzner, Alfred.
Kotrtsch, Julius, MVK.
Schneider, Eduard.
Grasser, Franz.
Alexin, Edmund.
Morawek, Wenzel, MVK. (KD.), (WG.).
Heberle, Carl (Feuerwerksmeister zu Budapest).
Kolbl, Michael, MVK. (KD.).

Hauptleute 2. Classe.

Merkl, Ludwig, ÖEKO-R. 3. (KD.).
Magrinelli, Alois (zug. dem techn. u. adm. Mil.-Comité).
Wittas, Johann, ÖEKO-R. 3. (KD.).
Semek, Carl, ⊙ 2.
Liebenwein, Carl, MVK. (KD.), ⊙.

Oberlieutenants.

Kempel, Stephan, MVK. (KD.)
Hofmann, Carl, MVK. (KD.).
Stipsics, Joseph Freih. v.
Harnisch, Gustav (Res.).
Küsswetter, Albert (zug. dem techn. u. adm. Mil.-Comité).
Wuchty, Lambert.
Steinmann, Joseph.
Seegin, Joseph.
Olleschik, August.
Holeczy, Johann, ⊙.
Salm-Hoogstraeten, Otto Gf., ✝.
Partsch, Anton.
Unger, Ernst.
Piskur, Michael.
Lallić, Nikolaus.
Kaštak, Anton (Reg.-Adj.).
Jessenko, August.
Sertić, Thomas.
Serdanović, Johann.
Witsch, Johann (zug. dem techn. u adm. Mil.-Comité).
Fröhlich, Isidor (Res.).
Schmidt, Ludwig (Res.).
Neupauer, Julius (Res.).
Fabricius, Béla v. (Res.).
Glückmann, Carl.

Lieutenants.

Sprang, Georg.
Biesa, Johann.
Förster, Ludwig (Res.).
Jambor, Eugen (Res.).
Konhäuser, Lorenz (Battr.-Div.-Adj.).
Przistaupinsky, Alois.
Lippe-Weissenfeld, Eberhard Gf. zur.
Merkl, Heinrich.
Rajzinger, Anton (Res.).
Kellermann, Carl.
Malik, Joseph.
Hagen v. Hagenburg, Friedrich (ü. c.) Adj. des Art.-Chefs der IV. Inf.-Trup.-Div.
Adamczik, Franz.
Schaurek, Alois.
Lustig, Gustav, MVK. (KD.).
Heller, Joseph (Res.).
Gruber, Florian (Res.).
Grill, Richard (Res.).
Szerb Edl. v. Kuvin, Georg (Res.).

Hlavaczek, Vincenz.
Vitas, Johann (ü. c.) Adj. des Art.-Chefs der XIII. Inf.-Trup.-Div.
Göth, Julius (Res.).
Magyar, Anton (Res.).
Adler, Carl.
Magyar, Julius.
Zarran, Milan (Battr.-Div.-Adj.).
Paulić, Michael (Battr.-Div.-Adj.).
Kosztolany, Carl v.
Krupec, Wilhelm (Battr.-Div.-Adj.).
Schier, Franz.
Uhl, Alexander (Res.).
Kliegl, Joseph v. (Res.).
Ledényi, Franz (Res.).
Čermák, Jaroslaus (Res.).
Károlyi, Georg (Res.).
Horváth v. Pálócz, Stephan (Res.).
Lang, Johann (Res.).
Sauter, Caspar.
Fuchsik, Vincenz.
Hrabovszky v. Hrabova, Joseph.
Wikullil, Anton.
Dittl, Hugo.
Wadas, Joseph.
Hausser, Franz.
Parlagi, Coloman (zug. dem Art.-Zeugs-Depot zu Budapest).

Cadeten.

Tomsche, Johann (Res.).
Pospischil, Anton.
Uherek, Rudolph.
Brosch, Victor.
Borovánszky, Julius (Res.).
Lauffer, Julius (Res.)
Pillitz, Anton (Res.).

Mil.-Aerzte.

Baumgartner, Carl, Dr., Reg.-Arzt 1. Cl.
Hollerung, Edwin, Dr., Reg.-Arzt 2. Cl.
Böhm, Ferdinand, Dr., Oberarzt.
Kustar, Ludwig, Oberwundarzt.

Rechnungsführer.

Bischitzky, Theodor, Hptm. 1. Cl.
Jagar, Michael, Hptm. 2. Cl.
Chocholausch, Johann, Obrlt.
Chyle, Franz, Obrlt.
Bajatz, Novak, Lieut.

Ober-Thierarzt 1. Cl.

Meyer, Franz.

6.

Steierisches Feld-Artillerie-Regiment.

Stab: Graz.

Ergänzt sich aus den Bezirken der Infanterie-Regimenter Nr. 17, 27 u. 47.

1854 errichtet.

1854 Wilhelm, Erzherzog, FZM.

Oberst u. Reg.-Comdt. Cziharz, Alois.

Oberstlieutenant.

Koch, Martin Ritt.v., ÖLO-R. (KD.), MVK. (KD.).

Majore.

Pecher, Carl.
Broschek, Wenzel Edl. v., ÖEKO-R. 3. (KD.), (Art.-Chef bei der VII. Inf.-Trup.-Div.).
Braun, Joseph, MVK. (KD.).

Hauptleute 1. Classe.

Puttnik, Maurus.
Fekonia, Joseph, MVK. (KD.).
Kahler, Joseph.
Reichhold, Moriz.
Bernsee, Joseph.
Weixler, Carl.
Seydler, Joseph.
Glasser, Ferdinand.
Ulrich, Wilhelm.
Weissenbäck, Johann.
Kefer, Hugo.
Heissig, Hermann, ÖFJO-R., MVK. (KD.).

Hauptleute 2. Classe.

Pothorn, Joseph.
Biedermann, Johann, MVK. (KD.).
Sch'ega, Heinrich.

Oberlieutenants.

Pistauer, Vincenz.
Paumgartten, Eduard Ritt. v.
Blaschek, Anton.
Jung, Franz (Reg.-Adj.).
Lengauer, Franz.
Milius, Daniel.
Vorner, Michael.
Schöberl, Alexander.
Czeschka Edl. v. Mährenthal, Carl.
Selinger, Conrad.
Brandl, Franz.
Bohatsch, Franz.
Wanka, Victor.
Haynau, Gustav Freih. v.
Čanak, Nikolaus (zug. dem Art.-Zeugs-Depot zu Graz).
Kunz, Carl.
Haysen, Johann.
Moltini, Pompejus.
Paulier, Franz.
Fetter, Emil.
Süss, Maximilian.
Manifico, Emanuel.
Knapp, Adolph.
Baumruck, Augustin.

Lieutenants.

Teischinger, Emil (Res.).
Marx, Johann (Res.).
Teischinger, Johann (Res.).
Andrieu, Friedrich (Res.).
Toncourt, Guido Edl. v. (Res.).
Haller, Rudolph (Res.).
Pirner, Victor (Res.).
Boxberg, Friedrich Freih. v.
Mandl, August.
Sagl, Carl (Battr.-Div.-Adj.).
Dworschak, Franz.
Kitzberger, Leopold.
Tuškorić, Franz.
Lenk, Julius.
Drahorad, Carl.
Gaiswinkler, Vincenz.
Hofzinser, Eduard.
Dunkel, Jakob.
Mayer, Gustav.
Schäringer, Julius.
Kalteis, Alois (Battr.-Div.-Adj.).
Klemenčič, Ignaz (Res.).
Cinibulk, Anton, ○1.
Haumeder, Guido v.
Miglitsch, Ludwig (Res.).
Czermak, Wilhelm (Res.).
Knall, Adolph (Res.).
Scherach, Carl (Res.).
Dienersberg, Ferdinand Freih. v. (Battr.-Div.-Adj.).
Belrupt-Tissac, Ferdinand Gf.
Horchler, Heinrich (Battr.-Div.-Adj.).
Englhofer, Johann (Res.).
Ljubičić, Stephan.

Rischaneck, Franz.
Soppe, Wilhelm.
Marjanović, Georg.
Helle, Anton (Res.).
Weber, Franz.
Höflinger, Eduard
Hahn, Johann
Schatzl v. Mühlfort, Gustav
Angeli, Franz
Supanchich v. Haberkorn, Johann
Lenarčić, Joseph
Hofmann, Anton
(Res.)
Jauschekovitsch, Anton.
Jauernik, Carl.
Lorenz, Bernhard.
Weier, Heinrich.
Gressel, Friedrich.

Cadeten.

Nemanič, August (Res.).
Probst, Anton (Res.).
Steinprinz, Alois.
Kämpf, Johann (Res.).
Kramer, Heinrich.
Jordis v. Lohausen, Heinrich Freih.

Mil.-Aerzte.

Wimmer, Anton, Dr., Reg.-Arzt 1. Cl.
Kořistka, Emanuel, Dr., Reg.-Arzt 2. Cl.
Kalán, Thomas, Oberwundarzt.
Žabokrtský, Johann, Oberwundarzt.

Rechnungsführer.

Knapp, Eduard, Hptm. 1 Cl.
Jersche, Johann, Obrlt.
Guldan, Stanislaus, ○ 2, Obrlt.
Mössenbichler, Joseph, Lieut.
Biebl, Vincenz, Lieut.

Ober-Thierarzt 2. Cl.

Chraust, Wenzel.

7.

Mährisches Feld-Artillerie-Regiment.

Stab: Wien.

Ergänzt sich aus den Bezirken der Infanterie-Regimenter Nr. 3 u. 8.

1854 errichtet.

(Zweite Inhaber waren: von 1854—1855 Fink, Anton, GM., von 1860—1869 Mayer v. Sonnenberg, Johann, GM.)

1854 Luitpold, Prinz von Bayern.

Oberst u. Reg.-Comdt. Steinböck, Ludwig.

Oberstlieutenant.

Holmberg, Joseph.

Majore.

Hajek, Franz, ÖEKO-R. 3. (KD.), MVK. (KD.).
Jahn, Johann.
Adam, Franz.
Lauffer, Emil, MVK.; (ü. c.) Lehrer an der techn. Mil.-Akad.

Hauptleute 1. Classe.

Forster, Leopold, MVK. (KD.).
Melion, Anton, MVK. (KD.).
Wika, Rudolph.
Klein, Wenzel, ÖEKO-R. 3. (KD.).
Plöbst v. Flammenburg, Julius Ritt., ÖEKO-R. 3. (KD.).
Swoboda, Bernard.
Beckerhinn, Carl.
Schmid, Joseph.
Kellner, Joseph, MVK. (KD.).
Osswald, Anton.
Schiess, Felix, MVK. (KD.).

Hauptleute 2. Classe.

Obermüller, Carl (ü. c.) beim R.-Kriegs-Mstm.
Skalla, Johann, MVK. (KD.).
Zukal, Vincenz.
Schuster, Carl.
Servin, Joseph.

Oberlieutenants.

Bauer, Adolph.
Gassner, Alexander, MVK. (KD.).
Winkler, August.
Waitz, Joseph (ü. c.) im mil.-geogr. Inst.
Scholley, Alexander Freih. v.
Goldschmidt, Heinrich.
Lemešić, Joseph.
Spendou, Raimund, MVK. (KD.).
Hübel, Franz.
Jahn v. Jahnau, Justus (ü c.) Lehrer an der Mil.-Akad zu Wr. Neustadt.
Dolliak, Oskar (zug. dem techn. u. adm Mil.-Comité).
Lenk v. Leukenfels, Camillo.
Demski, Philipp.
Gebhardt, Heinr. (Reg.-Adj.).
Jandroković, Franz.
Linpökh, Carl Ritt. v., MVK. (KD), (ü. c.) zug. dem Generalstabe.
Graulik, Johann.
Walter, Franz.
Koppe, Johann (zug. dem techn. u. adm. Mil.-Comité).
Porges, Heinrich (ü. c.) zug. dem Generalstabe.
Schrinner, Julius.
Jihn, Friedrich (ü. c.) zug. dem Generalstabe.
Ebenhöh, Adalbert, ◯ 2.
Tengler, Theodor (zug. dem techn. u. adm. Mil.-Comité).
Sabljak, Philipp (ü. c.) zug. dem Generalstabe.
Žubrinić, Franz.
Terkulja, Johann (ü. c.) zug. dem Generalstabe.

Lieutenants.

Fröhlich, Armand (Res.).
Schiffer, Victor (Res.).
Foullon v. Norbeeck, Heinrich Freih. (Res.).
Jarosch, Johann (Res.).
König, Friedrich (Res.).
Niedetsky, Robert (Res.).
Haupt recte Haub, Joseph
Schramek, Anton.
Towarek, Heinrich.
Hölzel, Adolph (Res.).
Benda, Adalbert.
Kuchiuka, Ludwig.

Eher, Simon.
Formanek, Wenzel.
Widerwitz, Joseph (Battr.-Div.-Adj.).
Hutter, Adalbert (Battr.-Div.-Adj.).
Mannich, Heinrich.
Lunaček, Eduard.
Pucherna, Wilhelm.
Schery, Eduard.
Nussbaumer, Heinrich (Res.).
Jenny, Albert Ritt. v.
Schneid, Ludwig v.
Frank, Otto.
Landa, Johann (Battr.-Div.-Adj.).
Kolonits, Joseph.
Cserny, Eduard.
Lenarčič, Anton (Res.).
Schiestl, Wilhelm (Res.).
Hauffen, Joseph (Res.).
Bender, Rudolph (Res.).
Bender, Carl (Res.).
Huber v. Penig, Franz.
Hössig, Rudolph.
Hlass, Heinrich (Battr.-Div.-Adj.).
Kreutzer, Oskar.
Waug, Nikolaus.
Wendler, Alois.
Kříž, Carl.
Lihotzky, Erwin (Res.).
Alscher, Alois (Res.).
Schwarz, Julius (Res.).
Beutl, Julius (Res.).
Fitz, Johann (Res.).
Kolbe, Joseph (Res.).
Eckl, Georg (Res.).
Mayhirt, Franz.
Koregtko, Eugen.
Eliatscheck v. Siebenburg, Rudolph Freih.
Göttlicher, Othmar.
Wrana, Johann.
Gloss, Johann.
Wunsch, Julius.
Jennisch, Carl.

Cadeten.

Mayer, Hermann (Off.-Stellv.), (Res.).
Schlögl, Johann (Res.).
Rischer, Mathias.

Mil.-Aerzte.

Wözl, Alois, Dr., Reg.-Arzt 1. Cl.
Stavianiček, Franz, Dr., Reg.-arzt 2. Cl.
Haas, Franz, Dr., Oberarzt.
Höny, Friedrich, Oberwundarzt (zug. dem R.-Kriegs-Mstm.).

Rechnungsführer.

Miekota, Ludwig, Hptm. 2. Cl.
Goldenthal, Maximil., Obrlt.
Schneider, Franz, Obrlt.
Lacher, Franz, Obrlt.
Smetak, Wenzel, Lieut.

Ober-Thierarzt 1. Cl.

Kantner, Johann.

8.

Ungarisches Feld-Artillerie-Regiment.

Stab: Hermannstadt.

Ergänzt sich aus den Bezirken der Infanterie-Regimenter Nr. 2, 31, 32, 34, 60 u. 67.

1854 errichtet, Smola, Joseph Freih. v., GM.; 1857 Brantten, Joseph v., GM.; 1861 Wilsdorf, Franz Freih. v., GM.;

1875 Hofmann v. Donnersberg, Carl Freih., FML.

Oberst u. Reg.-Comdt. Weigl, August.

Oberstlieutenant.

Schwarz, Johann, ÖEKO-R. 3. (KD.).

Majore.

Seyff, Franz.
Murko, Johann.

Hauptleute 1. Classe.

Trebar, Joseph.
Czermak, Theodor.
Weis, Eduard.
Pfleger, Emanuel (zug. dem Art.-Zeugs-Depot zuPrag).
Jenewein, Leopold.
Kallusch, Johann.
Zecha, Adolph.
Zeitler, Rudolph.
Plewa, Joseph.

Hauptleute 2. Classe.

Wagner v. Wetterstädt, Carl (ü. z.) beurl.
Krolopp, Joseph.
Reinisch, Andreas.
Klemm, Franz.
Ochs, Alexander.
Majerhoffer, Stephan.
Michel, Johann.

Oberlieutenants.

Wilsdorf, Carl Freih. v.
Kreitschy, Franz (zug. dem Art.-Zeugs-Depot nächst Wr.-Neustadt).
Purkhart, Eduard (zug. dem Art.-Zeugs-Depot nächst Wr.-Neustadt).
Raspottnigg, Franz (Res.).
Wankel v. Seeberg, Moriz.
Bellmond, Julius.
Krobatin, Friedrich.
Eisenkolb, Joseph.
Glas, Anton.
Gerstl, Julius, ○ 1.
Bihoy, Wasil.
Kobath, Joseph, ○ 1.
Sedlaczek, Maximilian.
Feiler, Hermann (Reg.-Adj.).
Kotz v. Dobř, Alexander Freih.
Hummel, Joseph.
Glanchee, Franz
Czernecki, Alexander.
Heran, Anton.
Mai v. Klingen, Hugo, ○ 2
Lokmer, Joseph (zug. dem techn u.adm.Mil.-Comité).
Benuesch, Dominik.
Pscherer, Ludwig.
Ceranić, Lucas.
Tilschkert, Benjamin.
Beer, Heinrich.

Lieutenants.

Wagner, Edmund (Res.).
Frömmel, Emil (Res.).
Batta, Bartholomäus (Res.).
Hoffmann, Hugo (ü. c.) zug. dem Generalstabe.
Zillinger, Johann.
Herget, Joseph.
Szabo, Wilhelm.
Nendtvich, Gustav (Res.).
Braunecker, Lamoral Freih. v. (Res.).
Lenk, Ludwig (Res.).
Seefranz, Anton.
Jonaschko, Demeter.
Bayer, Herand.
Schindler, Adalbert.
Landa, Géza.
Marin, Joseph.
Jersche, Theodor (Battr.-Div.-Adj.).
Lughofer, Emil.
Wahl, Carl (Battr.-Div.-Adj.).
Janda, Emil (Res.).
Wächter, Friedrich (Res.).
Makray, Alexander (Res.).
Tintor, Adam (WG.).
Beskochka, Alois.
Aigner, Johann (Battr.-Div.-Adj.).
Schöffl, Carl (Battr.-Div.-Adj.).
Leicht, Johann (Res.).
Fabritius, Friedrich (Res.).
Kirchgatter, Gustav (Res.).

Puscariu, Julius Ritt. v. (Res.).
Barišić, Ottomar.
Borotha, Peter.
Beu, Michael.
Garger, Carl (zug. dem Art.-Zeugs-Depot zu Essegg).
Ludvig, Franz.
Göbel, Edmund (Res.)
Läufer, August (Res.).
Dobler v. Friedburg, Constant.
Scheiblberger, Carl.
Bologa, Valerius } (Res.).
Jucho, Johann } (Res.).
Kleibel, August } (Res.).
Wittchen, Julius } (Res.).
Wagner, Franz.
Schöps, Hermann.
Binowetz, Joseph.
Loschan, Maximilian.
Butyka, Ludwig.
Rosthorn, Alphons v. (Res.).
Krawiecki, Ladislaus.
Komma, Oswald.
Lotocki, Johann.
Mihalótzy, Alexander v.
Elmayer, Rudolph.

Cadeten.

Steiner v. Eltenberg, Edgar.
Pohl, Albert (Off.-Stellv.).
Bengez, Martin (Off.-Stellv.).

Reg.-Aerzte.

Waber, Moriz, Dr., GVK., Reg.-Arzt 1. Cl.
Vogl, Nikolaus, Dr., Reg.-Arzt 2. Cl.

Rechnungsführer.

Topolković, Michael, Hptm. 1. Cl.
Marcinković, Johann, Obrlt.
Petrović, Franz, Obrlt.
Nagy, Joseph, Lieut.
Güttner, Wolfgang, Lieut.

Thierarzt.

Treyhal, Franz.

9.

Galizisches Feld-Artillerie-Regiment.

Stab: Lemberg.

Ergänzt sich aus den Bezirken der Infanterie-Regimenter Nr. 1, 9, 10, 15, 24, 30, 41, 45, 55, 58, 77 u. 80.

1854 errichtet; Pittinger, Johann Ritt. v., GM.; 1864 Schmidt, August Ritt. v., FML.; 1868 Herle, Johann Ritt. v., GM.;

1870 Bylandt-Rheidt, Arthur Gf., FML.

Oberst u. Reg.-Comdt. Kindermann, Anton, ÖEKO-R. 3. (KD.).

Oberstlieutenant.

David Edl. v. Rhonfeld, Franz, MVK. (KD.).

Majore.

Schwalb, Johann.
Köchel, Gustav.
Haberl, Carl.

Hauptleute 1. Classe.

Halla, Anton.
Niessler, Ferdinand.
Piotrowski, Rudolph v.
Schmidt, Carl.
Lerch, Alexander.
Hampl, Carl.
Wiltczek, Franz.
Bulluschek, Franz.
Seidl, Richard.
Spinka, Eduard.
Arbter, Arthur Ritt. v. (ü. c.) beim R.-Kriegs-Mstm.

Hauptleute 2. Classe.

Hofbauer, Michael.
Schuppler, Reinhard Edl. v.
Maxner, Wenzel.
Pokorny, Gustav.
Kunert Edl. v. Kunertsfeld, Oskar.

Oberlieutenants.

Jahn v. Vonau, Johann (Res.).
Alt, Franz.
Maresch, Rudolph.
Wlatschiha, Eduard.
Hrbek, Johann.
Semmelrock, Wolfgang.
Młynarski, Wilhelm.
Höger, Paul (ü. c.) Lehrer an der Mil.-Ober-Realschule.
Schauenstein, Arthur.
Durski-Trzasko, Carl Ritt. v.
Harassin, Eduard (Reg.-Adj.).
Gröber, Carl, MVK. (KD.), (ü. c.) Adj. des Art.-Chefs der VII. Inf.-Trup.-Div.
Kutschera, Joseph (ü. c.) im mil.-geogr. Inst.
Fiderkiewicz, Ludwig (ü. c.) zug. dem Generalstabe.
Dormus, Georg Ritt. v.
Dolleczek, Anton.
Schmid, Johann.
Gall, Paul.
Letoschek, Emil.
Krzepela, Leopold.
Lang, Wilhelm.
Widmar, Alois.
Melzer, Oskar (ü. c.) zug. dem Generalstabe.
Marszałkowicz, Stanislaus.
Adel, Julius.
Commersi, Johann.
Wittlin, Joseph.
Paczynkowski, Alexander.
De Lattre, Alexander.

Lieutenants.

Dobietzky, Alexander (Res.).
Springer, Franz (Res.).
Fillunger, Matthäus (Res.).
Nowak, Emil (Res.).
Lutz, Moriz (Res.).
Pollak, Julius (Res.).
Schedy, Johann (Res.).
Dallmann, Carl.
Hepe, Friedrich.
Kronholz, Anton.
Herzog, Anton.
Rehm, Paul.
Podczaszyński, Erasmus v.
Pędrys, Adalbert.
Pragłowski, Alexander (Res.).
Filous, Emil (Res.).
Lempicki, Johann (Res.).
Dębno-Krzyzanowski, Nikolaus de (Res.).
Schubert, Joseph.
Glückmann, Adalbert.

Kohl, Carl (Battr.-Div.-Adj.).
Szymonowicz, Marian.
Kořinek, Jaromir.
Piwocki, Georg Ritt. v. (Res.)
Weisser, Adolph (Res.).
Barbaro, Mich. Edl. v.
Horbaczewski, Ludwig.
Pacowski, Emil.
Pregler, Georg.
Kéler, Emerich v. (Res.)
Bilwin, Stanislaus (Res.).
Radosta, Wilhelm.
Pöck, Carl Freih. v.
Miljenović, Philipp (Battr.-Div.-Adj.).
Kottas, Paul (Res.).
Gayer v. Ehrenberg, Eduard Freih. (Res.).
Montag, Joseph.
Kosterkiewicz, Ladislaus (Battr.-Div.-Adj.).

Schlögl, Franz.
Manowarda de Jana, Johann (Battr.-Div.-Adj.).
Breith, Rudolph.
Wenig, Martin.
Schenk, Joseph Edl. v. (Res.)
Müller, Adolph (Res.)
Malsburg, Carl v. (Res.)
Kuczynski, Ludwig Ritt. v. (Res.)
Meese, Adolph (Res.)
Madejsky v. Poraj, Ignaz Ritt.
Adamek, Wilhelm.
Wassilowicz, Nikolaus.
Olcha, Johann (zug. dem Art.-Zeugs-Depot zu Carlsburg).
Tebinka, Alphons.
Bernstein, Heinrich (Res.).
Krynicki, Joseph Ritt. v.
Lenk, Franz.
Osuchowski, Leopold.

Cadet.

Kirschinger, Alfred (Off.-Stellv.).

Mil.-Aerzte.

Taschmann, Albert, Dr., Reg.-Arzt 1. Cl.
Voita, Franz, Dr, Reg.-Arzt 2. Cl.

Rechnungsführer.

Röhmer, Alphons, Obrlt.
Stütz, Joseph, Obrlt.
Kopa, Franz, Lieut.
Berger, Johann, Lieut.
Ferschmann, Vincenz, Lieut.

Thierarzt.

Liehmann, Friedrich.

10.

Niederösterreichisches Feld-Artillerie-Regiment.

Stab: Wiener-Neustadt.

Ergänzt sich aus den Bezirken der Infanterie-Regimenter Nr. 4 u. 49.

1854 errichtet, Bervaldo-Bianchini, Natalis v., FML.; 1855 Maximilian Joseph d'Este, Erzherzog, FZM.:

1864 Hutschenreiter v. Glinzendorf, Joseph, GM.

Oberst u. Reg.-Comdt. Wagner, Wilhelm Ritt. v., ÖEKO-R. 3. (KD.).

Oberstlieutenant.

Lucan, Franz, ○ 1.

Majore.

Wařeka, Wenzel.
Stingl, Johann.
Straka v. Hohenwald, Robert Ritt., ÖEKO-R. 3. (KD.).

Hauptleute 1. Classe.

Güttler, Franz.
Eisler, Thomas, ÖFJO-R., MVK. (KD.), ⊙.
Kunert Edl. v. Kunertsfeld, Carl (Art-Chef bei der XXXVI. Inf.-Trup.-Div.).
Beer, Adolph.
Cuny v. Pieron, Heinrich Ritt., ÖEKO-R. 3. (KD.).
Mostler, Moriz.
Rech, Moriz.
Lerch, Ludwig.
Bux, Johann.
Kanyaurek, Ferdinand, MVK.

Hauptleute 2. Classe.

Trösch Edl. v. Sowille, Heinrich.
Herzog, Martin.
Donadelli, Adam.
Salner, Johann.
Schwaab, Hugo.
Mindl, Anton Edl. v.

Oberlieutenants.

Mayer, Anton.
Wohlgemuth, Ludwig Edl. v. (ü. c.) Lehrer an der techn. Mil.-Akad.
Mindl, Franz Edl. v.
Mayer, Raimund.
Drexl, Meliton.
Tereba, August.
Höger, Raimund.
Bodoný, Joseph.
Wodniansky, Joseph.
Ledel, Albert.
Nitsch, Joseph.
Plaschke, Carl.
Bux, Leopold (Reg.-Adj.).
Boltek, Joseph (ü. c.) im mil.-geogr. Inst.
Stranský v. Greiffenfels, Felix Ritt. (zug. dem techn. u. adm. Mil.-Comité).
Schleiss, Joseph.
Fiala, Emil.
Hofmann, Theodor.
Grünkranz, Carl.
Kaltenmark, Carl.
Jaksch, Wilhelm.
Sobotka, Stephan.
Schewitz, Friedrich Edl. v.
Grubnić, Jakob.
Rössler, Johann.

Lieutenants.

Dobihal, Norbert (Res.).
Böhringer, Alfred (Res.).
Brilli, Heinrich.
Strobl, Stanislaus.
Kircheisel, Alfred.
Schubert, Anton.
Ehrenberger, Friedrich (Res.).
Pfeifer, Max (Res.).
Brunar, Avelin (Res.).
Rendulić, Lucas (zug. dem Art.-Zeugs-Depot nächst Wr.-Neustadt).
Končar, Johann.
Bussetti, Ferdinand (Battr.-Div.-Adj.).

Castelnau, Alphons Gf.
Pradl, Theodor (Battr.-Div.-Adj.).
Unger, Franz (zug. dem Art.-Zeugs-Depot zu Josephstadt).
Wartalot, August (Battr.-Div.-Adj.).
Entremont, Arthur.
Weber v. Webersfeld, Joseph.
Walla, Eduard (Battr.-Div.-Adj.).
Marenzeller, Edmund Edl. v. (Res.).
Seligmann, Rudolph (Res.).
Falk, Carl (Res.).
Girtler, v. Kleeborn, Adolph Ritt. (Res.).
Walter, Franz.
Sachs, Gustav (Res.).
Jaussner, Hermann (Res.).
Fleischhacker, Robert v. (Res.).
Myrbach v. Rheinfeld, Carl Freih. (Res.)
Bradaczek, Joseph (Res.).
Kundt, Liboslav (Res.).
David, Gustav.
Siebenrock Edl. v. Wallheim, Robert (Res.)
Hübl, Erwin Freih. v.
Eckhardt, Friedrich.
Kutschera, Leopold.
Michler, Franz (Res.).
Paumgarten, August Ritt. v. (Res.).
Schlenk, Carl (Res.).
Engel, Johann (Res.).
Hintermayer, Johann (Res.).
Engel, Cornelius (Res.).
Wagner, Heinrich.
Hellmann, Emil (zug. dem Art.-Zeugs-Depot zu Ragusa).
Hosp, Ludwig.
Pauer, Johann.
Lebel, Johann.
Mayer, Joseph.
Beneš, Carl.

Cadeten.

Friedrich, Johann.
Zajíček, Eduard.
Seidling. Johann.

Mil.-Aerzte.

Leyrer, Anton, Dr., Reg.-Arzt 1. Cl.
Simon, Joseph, Dr., Oberarzt.

Rechnungsführer.

Heger, Gust., ○2., Hptm. 2. Cl.
Nemeczek, Wenzel, Obrlt.
Muthsam, Franz, Obrlt.
Wessely, Joseph, Lieut.

Thierarzt.

Langenbacher, Johann.

(Gedruckt am 22. December 1878.)

11. Ober- und niederösterreichisches Feld-Artillerie-Regiment.

Stab: Wien.

Ergänzt sich aus den Bezirken der Infanterie-Regimenter Nr. 3, 8, 14 u. 59.

1854 [illegible] Ritt. v., FML.; 1863 Jüptner v. Jonstorff, Anton Freih., FML.

1877 Johann Salvator, Erzherzog, GM.

Oberst u. Reg.-Comdt. Jesser, Moriz, ÖFJO-R., ⊙.

Oberstlieutenant.

Glaubrecht, Julius MVK. (KD.).

Majore.

Dumoulin, Carl Freih. v.
Buben, Hilarius.
Hudetz, Emanuel.
Strauss, Edmund (ü. c.) zug. dem Art.-Dir. beim Gen.-Comdo. zu Serajevo.

Hauptleute 1. Classe.

Ternes, Carl (ü. c.) im Kriegs-Archive.
Schwarz, Mathias, MVK. (KD.), ○ 2.
Pulletz, Joseph (WG.).
Raab, Carl.
Payer, Carl.
Strommer, Mich., ÖEKO-R. 3. (KD.), ÖFJO-R.
Taufar, Rudolph.
Kellner v. Treuenkron, Ferdinand Ritt., ÖEKO-R. 3., MVK. (KD.).
Ghyczy de eadem et Assa-Abláncz-Kürth, Livius, ♱.
Oschkrkaný, Joseph.
Schneider, Adolph Edl. v.
Sužnević, Carl.
Zawodsky, Othmar, ÖFJO-R.
Nowotny, Alois (ü. c.) Lehrer an der techn. Mil.-Akad.

Hauptleute 2. Classe.

Thomann, Friedrich, MVK. (KD.).
Nowotný, Joseph.
Watteck, Franz.
Schramek, Camillo (ü. c.) beim R.-Kriegs-Mstm.
Beckerhinn, Ferdinand.
Meduna v. Riedburg, Julius Ritt. (ü. c.) Lehrer an der Mil.-Ober-Realschule.

Oberlieutenants.

Baumann, Joseph.
Pokorný, Adalbert.
Hitzelberger, Adolph.
Watterich, Vincenz.
Zmölnig, Stephan.
Kramm, Anton.
Kuczera, Vincenz.
Janda, Ferdinand.
Kopsch, Rudolph.
Obermüller, Heinrich.
Kietler, Bruno (zug. dem techn. u. adm. Mil.-Comité).
Tsân, Franz, MVK. (KD.), (Res.).
Verrette, Hermann de (zug. der Uebernahms-Commission in Wien).
Wagner, Carl, ○ 2.
Miksch, Alfred (ü. c.) zug. dem Generalstabe.
Čuić, Georg (zug. dem techn. u. adm. Mil.-Comité).
Plasche, Carl (Reg.-Adj.).
Kopczak, Joseph.
Schmidt, Theodor, ○ 2.
Benković, Eugen.
Liebhart, Math. (ü.c.) im mil.-geogr. Inst.
Neisser, Ernst.
Marsch, Anton (ü. c.) zug. dem Generalstabe.
Jahl, Gustav (ü. c.) zug. dem Generalstabe.
Wolf, Michael.
Grobois Edl. v. Brückenau, Hugo (ü. c.) zug. dem Generalstabe.

Lieutenants.

Strzizek, Franz (Res.)
Lederer, Oskar Freih. v. (Res.)
Jüptner v. Jonstorff, Johann Freih. (Res.)
Zuffer, Joseph (Res.)
Schwaiger, Norbert (Res.)
Binder, Joseph (Res.)
Pröll, Otto (Res.)
Werthner, August (Res.)
Apór de Al-Tórja, Gabriel Freih. (Res.)

Weigl, Joseph Freih. v. (ü. c.) zug. dem Generalstabe.
Perlizh, Joseph.
Altenburger, Friedrich.
Roebbelen, Bodo.
Stadler, Victor.
Sattler, Ferdinand (Battr.-Div.-Adj.).
Pruggmayer, Anton.
Puchta, Julius.
Kutschera, Joseph.
Halm, Hugo.
Schlesinger v. Ben[illegible], Ritt. (Battr.-Div.-Adj.).
Hauschka v. Carpenzago, Ernst Ritt.
Horetzky, Johann.
Fruwirth, Theodor.
Sokoll Edl. v. Reno, Joseph.
Jenny, Carl (Res.).
Sagasser, Eugen (Battr.-Div.-Adj.).
Schmidt, Alfred.
Hoberstorfer, Alfred.
Wiedorn, Robert (Res.).
Brantner, Anton (Battr.-Div.-Adj.).
Heyer, Johann.

Hofbauer, Hugo.
Puhalo, Paul.
Kramer, Carl.
Halmel, Wenzel.
Nikolitsch, Arthur.
Weigner, Adolph.
Kreuzinger, Dominik (Res.).
Oehn, Hermann (Res.).
Mautner, Sigmund (Res.).
Unger, Leopold (Res.).
Vrtěl, Franz (Res.).
Spaun, Maxim., Ritt. v. (Res.).
[illegible]
Weiss, August.
Umlauf, Joseph.
Skutetzky, Salomon (Res.).
Osostowicz, Ludwig.
Weiss, Maximilian (zug. dem Art.-Zeugs-Depot zu Innsbruck).
Geitler, Leopold.
[illegible]
Wanka, Hugo.
Haubner, Eduard.

Cadeten.

Figar, Franz (Res.).
Weinreb, Theodor (Res.).

Willinger, Felix (Res.).
Mally, Julius (Off.-Stellv.).
Plasche, Friedrich (Off.-Stellv.).

Mil.-Aerzte.

Stangl, Franz, Dr., GVK. m. Kr., Reg.-Arzt 1. Cl.
Bendl, Joseph, Dr., GVK., Reg.-Arzt 2. Cl.
Beck, Ignaz, Dr., Oberarzt.
[illegible], Oberwundarzt (zug. dem R.-Kriegs-Mstm.).

Rechnungsführer.

Preisler, Adolph, Hptm. 1. Cl.
Fischer, Jakob, Hptm. 2. Cl.
Schöhr, Abraham, Hptm. 2. Cl.
[illegible], Obrlt.
Stenzl, Joseph, Lieut.

Mil.-Thierärzte.

Neidhart, Benedict, Ober-Thierarzt 2. Cl.
Musil, Carl, Unter-Thierarzt.

12.

Ungarisches Feld-Artillerie-Regiment.

Stab: Laibach.

Ergänzt sich aus den Bezirken der Infanterie-Regimenter Nr. 48, 52, 53, 69, 72, 76 u. 79.

1854 errichtet, Vernier de Rougemont et Orchamp, Johann Freih. v., FML.

1875 Hofmann v. Donnersberg, Leopold, FML.

Oberst u. Reg.-Comdt. (Vacat.)

Oberstlieutenants.

Michalik, Michael, MVK. (KD.), ○ 1, ○ 2.
Richter, Johann, MVK. (KD.).

Majore.

Wilsdorf, Anton Freih. v.
Sokoll, Ludwig, ÖEKO-R. 3. (KD.).
Korn, Andreas, ÖEKO-R. 3. (KD.), (Art.-Chef bei der XVIII. Inf.-Trup.-Div.).

Hauptleute 1. Classe.

Schellenbacher, Joseph.
Rauch, Joseph.
Halkiewicz, Joseph, MVK. (KD.).
Du Fresne, Leopold, MVK. (KD.).
Groschumer, Wenzel.
Biehler, Eduard.
Küper, Carl, ÖEKO-R. 3. (KD.).
Beinstingel, Alois.
Totzauer, Carl.
Güttl, Franz, ÖEKO-R. 3. (KD.).
Walenta, Wenzel.

Hauptleute 2. Classe.

Nussbaumer, Jakob.
Kaiser, Samuel.
Czapp, Joseph, ÖEKO-R. 3. (KD.), ○ 1.
Panusch, Adalbert, MVK. (KD.).
Turkayl. Nikolaus.
Petričić, Adam, MVK. (KD.).

Oberlieutenants.

Meduna v. Riedburg, Edmund Ritt., MVK. (KD.).
Langmayer, Ferdinand.
Lonek, Eduard.
Stanković, Anton.
Noll, Emil.
Mack, Joseph.
Rigele, Otto, MVK. (KD.).
Petričić, Paul.
Wohlfartstädten, Friedrich.
Eichler, Ernst.
Wass de Alsó-Árpássy, Nikol. (Reg.-Adj.).
Ljustina, Isaak.
Kern, Edmund, ○ 2.
Michely, Wilhelm.
Gasteiger Edl. v. Rabenstein und Kobach, Richard, MVK. (KD.).
Linhardt, Emil, (zug. dem Art.-Zeugs-Depot nächst Wr.-Neustadt).
Baumann, Anton.
Laval, Ferdinand.
Milenković, Alexander, MVK. (KD.), (ü. c.) zug. dem Generalstabe.
Jenisch, Gustav (ü. c.) zug. dem Generalstabe.
Oppitz, Ferdinand.
Prochaska, Joseph.
Migotti, Franz.
Eschler, Emil.
Strunk, Martin.
Materna, Arthur, MVK. (KD.).
Flesch, August.
Paić, Georg, MVK. (KD.).
Kuczera, Eduard.
Bollek, Alexander.
Skorić, Isaak (ü. c.) bei der Feld-Zeugs-Abth. der VII. Inf.-Trup.-Div.

Křiž, Joseph.
Schneider, Rudolph (Res.).

Lieutenants.

Friedrich, Lambert (Res.).
Poznik, Franz (Res.).
Riedl, Leopold (Battr.-Div.-Adj.).
Novák, Joseph (Battr.-Div.-Adj.).
Mulley, August (Res.).
Pater, Árpád.
Juhász, Heinrich.
Stoisavljević, Mladen.
Ballek, Franz.
Kastl, Carl.
Perko, Ludwig (Res.).
Reinisch, Eugen (Battr.-Div.-Adj.).
Goglia, Ferdinand.
Pelikan, Wilhelm (Res.).
Mikusch, Adolph (Res.).
Ekl, Carl (Res.).
Obermüller, Carl, MVK. (KD.).
Vojnović, Gabriel.
Gerstenberger, Carl.
Tomše, Joseph, (Battr.-Div.-Adj.).
Podboj, Alfred (Res.).
Jerič, Vincenz (Res.).
Ambrož, Reinhold (Res.).
Ločniker, Ernst (Res.).
Lichtenberg, Leopold Freih. v. (Res.).
Kostelač, Vitus.
Jarmay, Adalbert (Res.).
Bayr, Carl (Res.).
Hechbach, Friedrich Freih. v. (Res.).
Zigall, Julius.
Seyferth, Carl.
Homberth, Ferdinand.
Doppelmayer, August.
Busič, Florian (Res.).
Tambornino, Carl (Res.).
Repić, Andreas (Res.).
Gozany de Saint-Georges, Arthur Marq. ÖEKO-R. 3. KD.). (Res.).
Kotnik, Ignaz (Res.).
Mulley, Carl (Res.).
Pfefferer, Richard (Res.).
Jerko, Julius.
Vranovics, Emanuel.
Perfler, Richard.
May, Joseph.
Dragmann, August.
Mirković, Peter v.
Hermann, Ottokar.
Bscheiden, Gottfried.
Srp, Franz.
Neugebauer, Franz, ○ 2.
Peterka, Anton.
Šuput, Michael.
Tacco, Carl Freih. v.

Cadeten.

Kozlik, Emanuel (Off.-Stellv.), (Res.)
Kaiser, Oswald (Off.-Stellv.) (Res.).
Sándorov, Johann.
Schley, Carl.
Wehr, Johann (Res.).
Lenarčič, Andreas (Res.).
Holzer, Ernst (Res.).
Sustersič, Johann (Res.).
Jerman, Maximilian (Res.).
Posch, Ferdinand (Res.).
Jeras, Anton (Res.).

Mil.-Aerzte.

Sock, Joseph, Dr. (Operateur), Reg.-Arzt 1. Cl.
Duschek, Franz, Dr., Reg.-Arzt 2. Cl.
Drasch, Johann, Dr., Oberarzt.
Wessely, Anton, GVK., Unterarzt.

Rechnungsführer.

Böhm, Wenzel, Hptm. 1. Cl.
Korittnig, Maximilian, Obrlt.
Maurer, Alois, Lieut.
Stadler, Joseph, Lieut.
Liebhart, Joseph, Lieut.
Spira, Isidor, Lieut.

Mil.-Thierärzte.

Kronawetter, Franz, Ober-Thierarzt 1. Cl.
Rücker, Theodorich, Unter-Thierarzt.

13.

Ungarisches Feld-Artillerie-Regiment.

Stab: Temesvár.

Ergänzt sich aus den Bezirken der Infanterie-Regimenter Nr. 6, 29, 29, 43 u. 61.

Errichtet 1872.

1872 Leopold, Prinz von Bayern.

Oberst u. Reg.-Comdt. Zipperer Edl. v. Enggenthal, Peter, MVK. (KD.).

Oberstlieutenant.

Benischke, Franz, MVK. (KD.).

Majore.

Pawelka, Franz.
Walter, Julius.
Eysert, Raimund, MVK. (KD.).

Hauptleute 1. Classe.

Pfeiffer, Franz.
Huss, Anton.
Mucher, Anton, ÖEKO-R. 3. (KD.).
Baumann, Ignaz (WG.).
Petz, Joseph.
Pieniążek v. Odrowaz, Stephan Ritt., MVK. (KD.), ♆.
Löw, Vincenz.
Kischa, Georg.
Cenna, Demeter.

Hauptleute 2. Classe.

Mark, Alexander.
Wankel v. Seeberg, Carl.
Weisser, Julius.
Postel, Eduard.
Petzer, Georg.

Oberlieutenants.

Pervulesko, Lazar (Res.).
Scherzl, Leopold (Reg.-Adj.)
Oberweger, Joseph.
Hübl, Anton.
Karasz, Eugen.
Kremer, Rudolph Edl. v.
Rékássy, Alois.
Pruker, Franz.
Waller, August.
Mallitzky, Moriz.
Held, Alois.
Duchek, Johann (zug. dem techn. u. adm. Mil.-Comité).
Lapaczek, Johann, ○ 2.
Horváth, Ladislaus Edl. v.
Vučetić, Johann.
Fink, Anton (ü. c.) zug. dem Generalstabe.
Pospišil, Johann.
Valentić, Andreas.
Krocović, Friedrich.
Budik, Adalbert (ü. c.) im mil.-geogr. Inst.
Lininger, Joseph.
Vukadinović, Raphael.
Gross, Ludwig.

Lieutenants.

Sztarill, Franz (Res.).
Zsigmondy, Géza (Res.).
Röck, Stephan (Res.).
Heigel, Joseph.
Cerri, Franz.
Korparić, Anton (ü. c.) in der Probepraxis für den Truppen-Rechnungsdienst.
Rudisch, Franz.
Pacsariz, Johann (Res.).
Patko, Rudolph.
Maschek-Passler, Johann.
Idrahyi, Gabriel.
Obergmeiner, Alexander.
Van der Venne, Arnold Ritt. v.
Plevh, Carl.
Holzer, Carl (Res.).
Rochel, Titus (Res.).
Schmidt, Joseph.
Wallenta, Anton (Battr.-Div.-Adj.).
Moys Edl. v. Lindrova, Desiderius.
Majunko, Gedeon (Res.).
Masić, Carl.
Petraschko, Johann.
Sziklay, Alphons (Res.).
Reichenberg, Ferdinand Edl. v. (Res.).
Heyszl, Engelbert (Battr.-Div.-Adj.).
Dobrovics, Victor (Res.).
Keresztỳ, Adalbert (Res.).
Linhard, Carl (Res.).
Badl, Anton (Res.).
Puhallo, Isaak.
Paulgerg, Heinrich.
Kracher, Johann.
Albert, Carl.
Nagy, Gervasius.
Pecher, Joseph (Res.).
Babochay, Sigmund (Res.).
Eder, Robert (Res.).
Árvay, Stephan (Res.).
Endlicher, Paul (Res.).
Possanner Edl. v. Ehrenthal, Benjamin (Res.).

Hoffer, Ludwig (Res.).
Raiss v. Lublovár, Ernst (Res.).
Swircsev, Simon (zug. dem Art.-Zeugs-Depot Ragusa).
Zilsner, Joseph (Battr.-Div.-Adj.).
Wiedemann, Emil.
Flanjak, Camillo.
Nieczyglemsky, Maximilian (Battr.-Div.-Adj.).
Čudić, Stephan.
Julius, Emanuel.

Malata, Hugo.
Bauzher, Adolph.
Kramař, Julius.

Cadeten.

Fialka, Zdislav v. (Res.).
Zemek, Victor.
Baričević, Johann.
Windisch, Ludwig.

Brunner, Alois, Dr. (Operateur), Reg.-Arzt 1. Cl.

Lorenz, Hermann, Dr., Reg.-Arzt 1. Cl.
Dornhelm, Leo, Dr., Oberarzt.

Rechnungsführer.

Wulisić, Basilius, Obrlt.
Maister, Vincenz, Obrlt.
Gerhart, Rudolph, Obrlt.
Jokić, Bogdan, Lieut.
Gyukics, Nikolaus, Lieut.

Ober-Thierarzt 2. Cl.

Kohoutek, Franz.

Festungs-Artillerie-Bataillone.

1.
Ungarisches Festungs-Artillerie-Bataillon.

Stab: Budapest.

Ergänzt sich aus den Bezirken der Infanterie-Regimenter Nr. 19, 25, 26, 32, 34, 67, 71 u. 72.

1867 errichtet.

Major u. Bat.-Comdt. Gabriel, Vincenz.

Hauptleute 1. Classe.

Paul, Friedrich.
Waněk, Adolph.
Piskorsch, Rudolph.

Hauptleute 2. Classe.

Blaha, Jakob.
Hünel, Anton, MVK. (KD.).
Heim Otto.

Oberlieutenants.

Profitsch, Ludwig.
Dalmata v. Hideghét, Ottokar, MVK. (KD.).
Klein, Dominik, ÖEKO-R. 3. (KD.), ◯ 2.
Guth, Anton, MVK. (KD.).
Rollinger, Leopold.
Pfaffinger, Vincenz (ü e.) zug. dem Generalstabe.
Lončarsky, Georg (Bat.-Adj.).
Bussetti, Camillo.
Noak de Hunyád, Otto.
Hübl, Arthur Freih. v.
Mirković, Emil.
Dillmann v. Dillmont, Oskar.
Penza, Elias.
Brodarić, Mathias.
Horváth, Johann v.

Lieutenants.

Steyskal, Franz.
Kamptz v. Dratov, Ludwig.
Lacheta, Adolph.
Konarowsky, Ferdinand.
Wlassak, Carl.
Luttenberg, Johann.
Violin, Angelo.
Pilz, Gustav.
Walla, Franz (Res.).
Próbald, Carl (Res.).
Fehérpataky v. Kellecsény, Ladislaus (Res.).
Königsberger, Julius (Res.).
Rácz de Kövesd, Adalbert (Res.).
Dimitrievič, Basil, MVK. (KD.).
Kádár, Stephan.
Alexy, Hugo (Res.).
Bitterlich, Johann (Res.).
Velics v. Lászlófálva, Ludwig (Res.).
Nachod, Carl (Res.).
Mátray, Joseph (Res.).
Hellmann, Carl.
Vetter, Carl.
Fleischer, Peter.

Cadeten.

(Vacant.)

Reg.-Arzt 1. Cl.

Pertschy, Franz, Dr.

Rechnungsführer.

Patrčka, Johann, Hptm. 2. Cl.

Adjustirung der Officiere der Festungs-Artillerie-Bataillone.

Czako mit Rosshaarbusch, dunkelbrauner Waffenrock mit scharlachrother Egalisirung und gelben Knöpfen mit der Bataillons-Nummer, lichtblaue Stiefelhose, Mantel blaugrau.

2.

Böhmisches Festungs-Artillerie-Bataillon.

Stab: Theresienstadt.

Ergänzt sich aus den Bezirken der Infanterie-Regimenter Nr. 42 u. 73.

1867 errichtet.

Major u. Bat.-Comdt. Jüptner v. Jonstorff, Anton Freih., ÖFJO.-R.

Hauptleute 1. Classe.

Hiebel, Anton.
Wiesner, Franz.
Wojatschek, Swatopluk.
Richter, Joseph.
Pechmann, Johann.
Köhler, Michael.

Hauptmann 2. Classe.

Rauer, Johann.

Oberlieutenants.

Hněwkowský, Wenzel (zug. dem techn. u. adm. Mil.-Comité).
Schauscha, Julius.
Kohlert, Gustav.
Tieber, Joseph.
Krauss, Gustav.
Billig, Carl.
Pokorny, Alois.
Sagors, Carl.
Zepke, Anton (Bat.-Adj.).

Lieutenants.

Herzer, Johann (Res.).
Minihold, Franz.
Reisel, Joseph.
Schatra, Joseph.
Seifert, Ferdinand (Res.).
Schmid, Joseph.
Roček, Carl.
Herold, Richard.
Lederer, Heinrich.
Mager, Anton (Res.).
Bischof, Adolph (Res.).
Wocelka, Alexander.
Schaurek, Franz.
Obermann, Martin.
Nicht, Joseph (zug. dem Art.-Zeugs-Depot zu Olmütz).

Cadeten.

Brzák. Franz (Off.-Stellv.), (Res.).
Tauber, Joseph (Off.-Stellv.).
Navratil, Camillo (Off.-Stellv.).
Jambor, Franz (Off.-Stellv.).

Reg.-Arzt 1. Cl.

Kaiser, Ignaz, Dr.

Rechnungsführer.

Kangerga, Demeter, Lieut.

3.

Ober- und niederösterreichisches Festungs-Artillerie-Bataillon.

Stab: Wien.

Ergänzt sich aus den Bezirken der Infanterie-Regimenter Nr. 14 u. 59.

1867 errichtet.

Major u. Bat.-Comdt. Zarda, Johann.

Hauptleute 1. Classe.

Paul, Carl.
Grimm, Eduard.
Haynisch, Johann (WG.).
Cžech, Carl.
Wenz, Alois.
Bayer, Franz.
Puchinger, Paul.
Landwehr, Georg.
Thür, Johann.
Layée, Timotheus.

Hauptleute 2. Classe.

Reischl, Joseph (WG.).
Pawlowsky, Eduard, MVK. (KD.).

Oberlieutenants.

Weber, Robert.
Biedermann, Carl.
Czerwenka, Johann (Bat.-Adj.).
Mertens, Anton Ritt. v.
Wildmoser, Friedrich Ritt. v.
Schneider, Joseph.

Lauffer, Gustav, MVK. (KD.).
Zimmermann, Victor, MVK. (KD.).
Mück, Adolph.
Lukaschek, Theodor.
Schöndruck, Joseph.
Kohn, David (Res.).
Wittenbach, Friedrich Freih. v.

Lieutenants.

Frankenstein, Wilhelm (Res.).
Černy, Franz (Res.).
Buta, Wilhelm (Res.).

Dragaš, Stephan (ü. c.) zug. dem Generalstabe.
Stetten, Norbert Freih. v.
Eghart, Willibald.
Sichlang, Stephan.
Schwarzhuber, Leopold (Res.).
Minatti, Franz.
Lauffer, Julius.
Textoris, Julius.
Zotter, Eduard (Res.).
Petschnig, Johann.
Köller, Carl, MVK. (KD.).
Lupersböck, Gustav.
Büttner, Hermann (Res.).

Bogdanović, Stephan.
Peil von Hartenfeld, Richard Ritt.
Haibl, Johann.

Cadet.

Zeidler Alfred.

Reg.-Arzt 1. Cl.

Abele, Ignaz, Dr.

Rechnungsführer.

Schreinzer, Joh., Hptm. 1. Cl.

4.

Niederösterreichisches Festungs-Artillerie-Bataillon.

Stab: Wien.

Ergänzt sich aus den Bezirken der Infanterie-Regimenter Nr. 4, 14 u. 49.

1867 errichtet.

Major u. Bat.-Comdt. Rutzky, Andreas.

Hauptleute 1. Classe.

Kadisch, Joseph.
Schirnböck, Joseph.
Zimmermann, Anton.
Mayer, Alexander.

Hauptleute 2. Classe.

Schenk, Anton.
Lachnit, Leonhard (zug. dem Art.-Zeugs-Depot zu Linz).
Janauschek, Joseph.

Oberlieutenants.

Sandner, Adolph, MVK. (KD.).
Rieder, Rudolph (zug. dem Art.-Zeugs-Depot in Wien).
Gollner, Albert.
Dwořak, Franz, MVK. (KD.).
Ehrenhöfer, Wilhelm (ü. c.) im mil.-geogr. Institute.
Franek, Eugen.
Wukellić, Lazar, ÖEKO-R. 3. (KD.).
Erle, Casimir.
Smolarz, Ernst.

Palik, Oskar.
Reumund, Joseph.
Löschnigg, Carl (Res.).

Lieutenants.

Mallovič, Rudolph (Res.).
Linnemann, Alexander (Res.).
Holzner, Franz (zug. dem techn. u. adm. Mil.-Comité).
Röhrich, Florian.
Milosević, Emil.
Maletz, Georg.
Dworaczek, Conrad (Bat.-Adj.).
Putz, Ludwig.
Pfeifer, Carl (Res.).
Bělohlawek, Norbert.
Worel, Edmund.
Klaus, Rudolph.
Stary, Wilhelm.
Kindl, Rudolph.
Rank, Georg (Res.).
Zimmermann-Göllheim, Carl Ritt. v. (Res.).

Kutalek, Ludwig (Res.).
Samt, Joseph (ü. c.) Adj. des Art.-Chefs der I. Inf.-Trup.-Div.
Schrutek, Edmund.
Anger, Tobias (Res.).
Köhler Edl. v. Dammwehr, Ignaz.
Frischel, Alois.
Hammer, Anton.
Hinke, Carl.
Wlaschütz, Carl.
Deubler, Franz.

Cadet.

Quintus, Carl Ritt. v. (Off.-Stellv.).

Reg.-Arzt 1. Cl.

Fiedler, Joseph, Dr.

Rechnungsführer.

Tomanek, Wilhelm, Hptm. 1. Cl.

5.

Ungarisches Festungs-Artillerie-Bataillon.

Stab: Komorn.

Ergänzt sich aus den Bezirken der Infanterie-Regimenter Nr. 12, 33, 39, 46, 61, 68 u. 76.

1867 errichtet.

Major u. Bat.-Comdt. Slaup, Julius.

Hauptleute 1. Classe.

Thuy, Johann (MVK).
Ressel, Heinrich.
John, Ferdinand.
Brauner, Anton.
Lueger, Joseph.
Hufnagel, Franz, ÖFJO-R.

Hauptleute 2. Classe.

(Vacant.)

Oberlieutenants.

Beranek, Joseph.
Malarz, Franz.
Czakowsky, Anton.
Kovács, Joseph.
Legat, Bartholomäus, MVK. (KD).
Misera, Edmund.
Simenetz, Joseph.
Besel, Guido.
Brüda, Carl.
Cerri, Julius, MVK. (KD).
Woda, Adolph.
Dengler, Ignaz.
Sallmann, Ludwig.

Lieutenants.

Schiffer, Ludwig.
Okolicsányi de Okolicsna, Carl, (Bat.-Adj.).
Pašnik, Franz.
Strysower, Leo (Res.).
Rudrich, Adolph.
Feley, Emerich.
Tilles, Béla (Res.).
Klein, Julius (Res.).
Jäger, Alexander (Res.).
Mladek, Ferdinand (Res.).
Poschmaurer, Carl.
Grüner, Hugo.
Prinzhofer, Wilhelm.
Horak, Hugo.
Vretscher, Joseph.

Cadeten.

Haage, Robert.
Gross, Franz.
Königsberger, Joseph.

Reg.-Arzt 1. Cl.

Sauerbrunn, Adolph, Dr., GVK.

Rechnungsführer.

Darszon, Johann, Hptm. 1. Cl.

6.

Mährisch-galizisches Festungs-Artillerie-Bataillon.

Stab: Krakau.

Ergänzt sich aus den Bezirken der Infanterie-Regimenter Nr. 3, 13, 20, 40, 56 u. 57.

1867 errichtet.

Major u. Bat.-Comdt. Lippert, Carl.

Hauptleute 1. Classe.

Klinger, Wenzel.
Prüschenk, Otto v.

Hauptleute 2. Classe.

Thiem, Wilhelm.
Piasecki, Sigmund.
Helm, Simon (zug. dem Art.-Zeugs-Depot in Krakau).
[illegible], Franz.

Oberlieutenants.

Geissler, Benedict.
Nowak, Joseph.
Reiter, Joseph.
Krobatin, Alexander (ü. c.) Lehrer an der techn. Mil.-Akad.
Lunda, Eduard.
Życieński, Joseph v. (Res.).
Daniel, Willibald.
Kociuba, Gabriel.

Lieutenants.

Strnad, Emil (ü. c.), Lehrer an der Mil.-Unter-Realschule zu Güns.
Heyer, Franz.
Spanner, Michael.
Paugger, Joseph.
Theodorowicz v. Kamienieczanul, Adolph Ritt.
Hilewicz, Nikolaus (zug. dem Art.-Zeugs-Depot in Wien).
L'Estocq, Erwin Freih. v. (Bat.-Adj.).
Kloss, Johann.
Steininger, Heinrich (Res.).
Queiss, Wilhelm (Res.).
Heinrich, Constantin.
Sentner, Alois.
Ehmes, Carl.
Skrzyszowski, Thaddäus (Res.).
Bitner, Julian (Res.).
Cięciwa, Johann.
Chrobak, Franz.

Cadeten.

Eckstein, Marcus (Res.).
Szeliga, Sigmund.
Kuczera, Johann.
Guzek, Sigmund.

Reg.-Arzt 1. Cl.

Herzka, Adolph, Dr.

Rechnungsführer.

Frank, Joseph, Obrlt.

7.

Mährisches Festungs-Artillerie-Bataillon.

Stab: Olmütz.

Ergänzt sich aus den Bezirken der Infanterie-Regimenter Nr. 1 u. 54.

1867 errichtet.

Major u. Bat.-Comdt. Hauke, Stephan.

Hauptleute 1. Classe.

Schlösser, Johann.
Grünthal, Jakob (WG.).
Klinger, Simon.

Hauptleute 2. Classe.

Herberth, Johann.
Osolsobie, Ferdinand.
Hampel, Adolph.
Rátz, Alexander.

Oberlieutenants.

Nemanić, Wilhelm.
Zeller v. Zellhain, Alois Ritt. (ü. c.) zug. dem Generalstabe.
Stuchlý, Johann (Bat-Adj.).
Enders, Carl.
Krause, Friedrich.
Konvalina, Ernst.
Diblik, Anton.
Kroneiser, Anton.

Lieutenants.

Wlasak, Carl.
Leinner, Guido.
Platzer, Franz.
Krotkowsky, Martin.
Bayer, Felix (Res.).
Wihnanek, Rudolph (Res.).
Oth, Anton.
Pokorny, Carl.
Macalik, Joseph.
Hirsch, Johann.
Steuer, Joseph.
Aberle, Anton.
Schönauer, Franz (Res.).
Benisch, Adalbert (Res.).
Rother, Ernst (Res.).
Mollik, Johann (Res.).
Mayer, Joseph.
Fröhlich, Rudolph.

Cadet.

Rotter, Engelb. (Off.-Stellv.).

Reg.-Arzt 1. Cl.

Hassler, Georg, Dr., GVK. m. Kr.

Rechnungsführer.

Fuchsberger, Franz, Obrlt.

8.

Böhmisches Festungs-Artillerie-Bataillon.

Stab: Josephstadt.

Ergänzt sich aus den Bezirken der Infanterie-Regimenter Nr. 21 u. 74.

1867 errichtet.

Obstlt. u. Bat.-Comdt. Streeruwitz, Johann Ritt. v. (zugleich betraut mit den Functionen des Fest.-Art.-Dir. zu Josephstadt).

Hauptleute 1. Classe.

Tomek, Gustav.
Kruls, Franz.
Weikert, Joseph.

Hauptleute 2. Classe.

Gogl, Johann.
Ressel, Franz.
Amler, Benedict.

Oberlieutenants.

Schöffl, Johann (zug. dem techn. u. adm. Mil.-Comité).
Zimmermann, Carl.
Lang, Wenzel, ○ 2.
Vischner, August.
Wuesthoff, Friedrich Freih. v.
Czerwený, Emil.

Lieutenants.

Kozák, Joseph.
Preiss, Joseph (Bat.-Adj.).
Reitz, Anton.
Kuczera, Ernst.
Noltsch, Wenzel.
Schertler, Johann (Res.).
Borota, Miroslav.
Starčević, Johann.
Schramm, Julius.
Schuster, Eduard.
Tonhaiser, Franz.
Kuffner, Joseph (zug. dem Art.-Zeugs-Depot in Wien).
Waha, Stephan.
Greil, Alfred (Res.).
Friedjung, Arnold (Res.).
Szeiff, Otto.
Patzak, Vincenz (Res.).
Kotzourek, Johann.

Cadeten.

Müller, Rudolph (Res.).
Skorkovsky, Augustin (zug. dem Art.-Zeugs-Depot zu Prag).
Hocher, Anton.

Reg.-Arzt 1. Cl.

Rambousek, Eduard, Dr.

Rechnungsführer.

Hocher, Franz, Hptm. 1. Cl.

9.

Böhmisches Festungs-Artillerie-Bataillon.

Stab: Innsbruck.

Ergänzt sich aus den Bezirken der Infanterie-Regimenter Nr. 35 u. 73.
1867 errichtet.

Major u. Bat.-Comdt. Zips, Peter.

Hauptleute 1. Classe.
Thallner, Carl.
Kirnig, Joseph.
Partisch, Friedrich, MVK.
Fischer, Johann, ○ 2.
Winkler, Carl.
Čuden, Jakob.

Hauptleute 2. Classe.
Marklot, Heinrich.
Tullinger, Gustav.
Riedl, Edl. v. Leuenstern, Victor.

Oberlieutenants.
Wurm, Alexander.
Beran, Hugo.
Weiss, August.
Springer, Angelo (Bat.-Adj.).
Lux, Anton (ü. c.) Lehrer an der Mil.-Unter-Realschule zu Güns.
Zehner v. Riesenwald, Joh.
Schöffler, Benedict.
Božičević, Thomas.
Křiwanek, Moriz.
Wutti, Anton.
Borota v. Budabran, Simon Ritt.

Lieutenants.
Kappaun, Anton.
Herzog, Franz.
Spitzl, Wenzel.
Prohaska, Franz.
Steffan, Eduard.
Eckl, Wilhelm (Res.).
Petzold, Julius (Res.).
Binder, Joseph.
Palm, Andreas.
Fendrich, Rudolph.
Watzek, Carl.
Schön, Alois.
Fuchs, Franz.
Karg, Johann (Res.).
Tott, Franz (Res.).
Fabian, Jonas (Res.).
Ulbricht, Franz.
Hoffmann, Paul v.
Schneeberger, Carl.
Endler, Ferdinand.

Cadet.
Mohr, Carl (Off.-Stellv.).

Reg.-Arzt 1. Cl.
Hofer, Augustin, Dr.

Rechnungsführer.
Klieber, Anton, Obrlt.

10.

Böhmisches Festungs-Artillerie-Bataillon.

Stab: Wien.

Ergänzt sich aus den Bezirken der Infanterie-Regimenter Nr. 11 u. 75.
1868 errichtet.

Major u. Bat.-Comdt. Post, Johann, ÖFJO-R.

Hauptleute 1. Classe.
Waurisch, Anton.
Anderlik, Ignaz.
Bohunek, Ferdinand.
Felkel, Joseph.
Müller, Joseph, ○ 2.
Schaffer, Mathias, MVK. (KD.).
Böllmann, Ernst, MVK. (KD.).

Hauptmann 2. Classe.
Tunkl v. Asprung und Hohenstadt, Wilhelm Freih.

Oberlieutenants.
Keppelmüller, Joseph.
Böllmann, Carl.
Walter v. Waltenau, Julius Ritt.
Sersawý, Ferd. (Bat.-Adj.).
Teufel, Victor.
Rakičić, Sabbas.
Janković, Joseph.
Mousé, Ferdinand Edl. v.
Seifert, Ferdinand.
Rubesch, Joseph MVK. (KD.).
Wilms, Joseph.

Kamler, Ernst.
Bojanc, Franz.
Wucherer v. Huldenfeld, Edmund Freih.

Lieutenants.

Unden, Franz (Res.).
Spáčil, Johann (Res.).
Strasser Edl. v. Obenheimer, Franz.
Sartori, Eugen.
Locher v. Lindenheim, Cäsar.
Weinberger, Roman (Res.).

Maudry, Julius.
Laube, Carl.
Szombathy, Joseph (Res.).
Reitermann, Alois.
Niederberger, Franz.
Sachs, Eduard (Res.).
Bayer, Vincenz (Res.).
Stopon, Paul.
Schanda, Anton.
Schatz, Franz, MVK. (KD.).
Hausmann, August.
Szerszeniewicz, Johann.
Gemeiner, Arthur.
Primavesi, Anton.

Cadeten.

Jesser, Carl.
Mayer Johann (Res.).
Gruber, Joseph.
Toplak, Jakob.
Hartwik, Heinrich.

Reg.-Arzt 1. Cl.

Schmidt, Nikolaus, Dr.

Rechnungsführer.

Preisinger, Franz. Hptm. 1. Cl.

11.

Steierisches Festungs-Artillerie-Bataillon.

Stab: Pola.

Ergänzt sich aus den Bezirken der Infanterie-Regimenter Nr. 7, 27 u. 47.

1868 errichtet.

Obstlt. u. Bat.-Comdt. Baer, Emanuel.

Hauptleute 1. Classe.

Röhn, Joseph.
Kropatsch, Carl.
Mayer, Johann, MVK. (KD.).
Janausch, Cölestin.

Hauptleute 2. Classe.

Sommer, Franz.
Czech, Franz.
Kovarž, Franz.
Hann, Joseph (zug. dem Art.-Zeugs-Depot zu Pola.)

Oberlieutenants.

Mandić, Paul.
Schumpe, Isidor (Res.).
Rieder, Gustav.
Held, Carl.
Vukmanović, Daniel.
Kristen, Vincenz.
Bandý, Blasius, OEKO-R. 3. (KD.).
Schamall, Carl.

Mazúth, Johann.
Poppy, Albert.
Susan, Friedrich (Bat.-Adj.).
Machnig, Friedrich.

Lieutenants.

Mandić, Gedeon (WG.).
Laufer, Alexander.
Sekulić, Johann, MVK. (KD.).
Smetanka, Anton.
Hauke, Adolph.
Kretschmer, Ottomar (Res.).
Pfeifer, Eduard (Res.).
Sokol, Franz.
Mingazy, Adalbert.
Gollob, Carl.
Suschnig-Burkardhofer, Gustav (Res.).
Brunner, Eugen (Res.).
Gegenbauer, Carl (zug. dem Art.-Zeugs-Depot zu Cattaro.
Tabouré, Joseph.

Pincherle, Emil (Res.).
Tolloy, Carl (Res.).
Pascutti, Alois (Res.).
Terboglaw, Ernst, MVK. (KD.).
Hnidy, Arthur.
Křivanek, Gustav.

Cadeten.

[illegible]
Frizzi, Ludwig.

Mil.-Aerzte.

Wack, Hermann, Dr., Reg.-Arzt 1. Cl.
Swoboda, Johann, Oberwundarzt.

Rechnungsführer.

Kuplanek, Conrad, Hptm. 1. Cl.

12.

Ungarisches Festungs-Artillerie-Bataillon.

Stab: Carlsburg.

Ergänzt sich aus den Bezirken der Infanterie-Regimenter Nr. 6, 23, 29, 43, 44, 48, 52, 38, 69 u. 79.

1868 errichtet.

Major u. Bat.-Comdt. Kuschel, Emanuel.

Hauptleute 1. Classe.

Spitzer, Franz.
Eckert, Otto.
Skarnitz. Johann MVK. (KD.)
Wolf, [illegible]
Jansky, Emanuel.
Lupač, Emanuel (Feuerwerksmeister zu Peterwardein).

Hauptleute 2. Classe.

Pick, Carl (WG.).
Jüstel, Friedrich.
Fieker, Carl.

Oberlieutenants.

Ostoić, Elias.
Beckh v. Widmannstätten, Emil.
Teichert, Wenzel.
Teindl, Franz (Bat.-Adj.).
Künstler, Alois, MVK. (KD.).
Millivojević, Peter, MVK. (KD.).
Grančich, Franz.
Janitsch, Adolph.
Životek, Franz.
Počta, Albrecht.
Ostoić, Daniel.
Hurtz, Wilhelm.
Kühnelt, Franz, MVK. (KD.).
Pfeiffer, Leopold.

Lieutenants.

Hentke, Theodor.
Bielič, Paul.
[illegible]
Göhl, Vincenz.
Trhlik, Wenzel.
Komrska, Joseph.
Strak, Johann.
Dragoević, [illegible]
Hoffmann, Gustav (Res.).
Turković, Peter (Res.).
Popa, Basil, MVK. (KD.).
Kugy, Paul (Res.).
Ralli, Simon Freih. v. (Res.).
Cozzi, Carl (Res.).
Waberer, Edl. v. Dreiachwert, Georg.
Röhn, Joseph, OEKO.-R. 3. (KD.).
Dimmer, Joseph (Res.).
Conighi, Carl (Res.).
Smolčić, Franz.
Peschka, Isidor.

Cadet.

Rübenstein, Alfred.

Reg.-Arzt 1. Cl.

Matković, Johann, Dr.

Rechnungsführer.

Cvitaš, Johann, Hptm. 1. Cl.

Technische Artillerie.

Ergänzt sich aus der Artillerie-Truppe.

Anstalten des Artillerie-Zeugswesens.

Im Artillerie-Arsenale in Wien.

a) Artillerie-Zeugs-Fabrik.

GM. u. Comdt. Uchatius, Franz Freih. v., St.O-C., ÖEKO-R. 2., GHR.

Majore. Trawniczek, Joseph, ÖFJO-R., MVK.; Herzog, Joseph, ÖFJO-R.; Fischer, Eduard, ÖFJO-R. — Betriebs-Inspectoren.

Hauptleute 1. Classe.	Oberlieutenants.	Rechnungsführer.
Pisinger, Adolph.	Müller, Johann.	Glossner, Joseph, Obrlt.
Jurke, Mathias.	Hřebiczek, Franz.	Richter, Carl, Obrlt.
	Lieutenant.	Pater, Carl, Lieut.
	Sagner, Anton.	

Ober-Werkführer.	Werkführer 2. Classe.	Werkführer-Assistenten.
Goller, Gustav, ÖFJO-R., GVK. m. Kr.	Lang, Joseph.	Franz, Carl.
Wacha, Thomas, ÖFJO-R.	Borowka, Adalbert.	Němetz, Johann, GVK.
Purtscher, Joseph (Tit.).	Forster, Adalbert, GVK.	Moratsch, Carl.
Werkführer 1. Classe.	Wallner, Franz.	Belschan, Joseph.
Kupetz, Rudolph, GVK.	Hamtak, Johann.	Winklař, Johann.
Drexler, Eduard, GVK. m. Kr.		

b) Artillerie-Zeugs-Depot.

Obstlt. u. Comdt. Streit, Severin, ÖEKO-R. 3.
Major. Seiche v. Nordland, August.

Hauptleute 1. Classe.	Hauptleute 2. Classe.	
Hermann, Mathias.	Stanke, Valentin.	Thuma, Wenzel.
Schaumann, Johann.	Rotter, Joseph.	Sänger, Anton.
Petschnig, Georg, MVK.	Knaus, Joseph (ü. c.) beim Art.-Zeugs-Detachement zu Serajevo.	**Lieutenants.**
Murschenhofer, Joseph.	**Oberlieutenants.**	Kobos, Johann.
Friedrich, Johann, ○ 1.	Ghelleri, Ferdinand.	Fadanelli, Hamilkar.
Domek, Richard.	Reithmayr, Jakob.	**Rechnungsführer.**
Radda, Peter.	Winzenz, Cosmas.	Jerg, Heinrich, Hptm. 1. Cl.
		Laubal, Joseph, Lieut.
		Fürböck, Cajetan, Lieut.

c) Uebernahms-Commission.

Major u. Präses. Lettany, Friedrich, ÖFJO-R.

Hauptmann 1. Classe.
Masopust, Raimund.

Hauptmann 2. Classe.
Rutzky, Edmund, MVK.

Oberlieutenants.
Kraelitz, Johann.
Wyskočil, Johann. MVK. (ü. c.) beim Art.-Zeugs-Detachement zu Serajevo.
Scholz, Johann.
Reis, Leopold.
Richter, Ambrosius. O 2.

---

d) Artillerie-Zeugs-Compagnie.

Hptm. 1. Cl. u. Comdt. Buresch, Joseph.

Hauptmann 1. Classe.
Hess, Gottfried, O 2.

Oberlieutenants.
Lechle, Georg.
Crass, Albrecht (ü. c.) Comdt. der Feld-Zeugs-Abth. der IV. Inf.-Trup.-Div.
Prokop, Franz.
Springinsfeld, Johann.
Mühlberger, Johann (Res.).

Lieutenants.
Jarosch, Joseph.
Raschbach, Johann.
Bacher, Michael (ü. c.) bei der Feld-Zeugs-Abth. der XIII. Inf.-Trup.-Div.

Mil.-Aerzte.
Spitzer, Eduard, Dr., Reg.-Arzt 1. Cl.
Wanitzky, Ferdinand, Oberwundarzt.

Rechnungsführer.
Gerke, Carl, Hptm. 1. Cl.

Artillerie-Zeugs-Depot nächst Wr.-Neustadt.

Obstlt. u. Comdt. Harassin, Johann, ÖEKO-R. 3.
Major. Bardon, Franz.

Hauptleute 1. Classe.
Koranczuk, Ludwig.
Gessl, Carl.
Zaschel, Florian.
Schlösser, Joseph.
Ungermann, Adalbert (ü. c.) Comdt. des Art.-Zeugs-Detachements zu Serajevo.

Oberlieutenants.
Zerha, Friedrich.
Böhm, Carl.
Steinebach, Michael.
Zellner, Wenzel.

Lieutenant.
Ludwig, Carl.

Mil.-Aerzte.
Werdeu, Franz, Dr., Reg.-Arzt 1. Cl.
Skrabal, Johann, GVK., Oberwundarzt.

Rechnungsführer.
König, Carl, Obrlt.

Tit.-Ober-Werkführer.
Wilburger, Martin, ÖFJO-R.

Artillerie-Zeugs-Depot zu Linz
mit dem **Pulver-Posten zu Salzburg.**

Hptm. 1. Cl. u. Comdt. Kreil, Thomas.

Oberlieutenant.
Duchaček, Carl.

Artillerie-Zeugs-Depot zu Olmütz

mit den Pulver-Posten zu Brünn und Troppau.

Obstlt. u. Comdt. Störmer, Eduard Ritt. v., ÖEKO-R. 3.

Hauptleute 1. Classe.
Trojak, Wenzel.
Wunder, Joseph.
Gattinger, Eduard.

Hauptmann 2. Classe.
Czernik, Carl.

Oberlieutenants.
Nunn, Eugen.
Ebenhöh, Joseph.

Lieutenants.
Innfeld, Arthur Ritt. v.
Pohl, Franz.
Ackermann, Carl.
Strauss, Gotthard.

Rechnungsführer.
Gamauf, Carl, Oberlt.

Pulver-Fabrik zu Stein.

Major u. Comdt. Holeček, Wenzel, ÖFJO-R.

Hauptmann 1. Classe.
Kotwa, Georg.

Hauptmann 2. Classe.
Wollner, Christian (ü. c.)

Oberlieutenant.
Göbel, Paul.

Oberwundarzt.
Demel, Joseph.

Rechnungsführer.
(Vacat.)

Werkführer-Assistent.
Bauer, Martin.

Artillerie-Zeugs-Depot zu Graz

mit dem Filiale zu Laibach und dem Pulver-Posten zu St. Veit in Kärnthen.

Oberst u. Comdt. Ráak, Carl, MVK.

Hauptleute 2. Classe.
Weimar, Joseph.
Hopels, Leopold.

Oberlieutenants.
Zenzmayer, Anton.
Gauser, Ignaz.
Liemert, Alexander (ü. c.) bei der Feld-Zeugs-Abth. der I. Inf.-Trup.-Div.

Lieutenants.
Leutner, Johann.
Mlikovsky v. Lhotta, Carl Ritt.
Wagner, Franz.
Peter, Jakob.

Rechnungsführer.
Zwanziger, Ludwig, Hptm. 1. Cl.

Artillerie-Zeugs-Depot zu Pola.

Obstlt. u. Comdt. Bartonitzek, Paul.

Hauptmann 1. Classe.
Clarici, Johann.

Oberlieutenants.
Geitner, Moriz.
Steingassner, Johann.

Lieutenant.
Křifka, Otto.

Artillerie-Zeugs-Depot zu Triest.

Hptm. 1. Cl. u. Comdt. Neuwirth, Mathias.

Hauptmann 1. Classe.
Leckel, Joseph.

Oberlieutenant.
Stipschitsch, Franz.

Lieutenants.
Medeotti, Eduard.
Köstler, Gustav.

Rechnungsführer.
Nowáczek, Mathias, Hptm. 2. Cl.

Artillerie-Zeugs-Depot zu Innsbruck
mit den **Filialen** zu **Trient, Franzensfeste** und **Kufstein** und dem **Pulver-Posten** zu **Botzen.**

Obstlt. u. Comdt. Oreschitz, Joseph.

Hauptmann 1. Classe.	Oberlieutenants.	Lieutenant.
Staudinger, Friedrich.	Thiel recte Jülke, Adolph.	Schallinger, Carl.
Hauptmann 2. Classe.	Holy, Wenzel.	
Knab, Anton.	Riess, Anton.	

Artillerie-Zeugs-Depot zu Prag.

Oberst u. Comdt. Lauffer, Gustav, ○ 1.

Hauptmann 1. Classe.	Hauptmann 2. Classe.	Lieutenants.
Schramek, Anton (zug. dem Art.-Zeugs-Depot zu Bergstadtl).	Gersowan, Joseph	Bednář, Johann.
	Oberlieutenant.	Weiss, Eduard.
	Jonasch, Anton.	*Rechnungsführer.*
		Richter, Michael, Hptm. 1. Cl.

Artillerie-Zeugs-Depot zu Bergstadtl.

Hptm. 1. Cl. u. prov. Comdt. Schramek, Anton (des Art.-Zeugs-Depot zu Prag).

Oberlieutenant.	Lieutenants.
Neumeister, Gustav.	Swoboda, Gotthard (WG.).
	Karmann, Ladislaus.

Artillerie-Zeugs-Depot zu Josephstadt
mit dem **Filiale** zu **Königgrätz.**

Hptm. 1. Cl. u. Comdt. Kernreich, Ignaz.

Hauptmann 2. Classe.	Lieutenants.
Dofek, Joseph, ○ 2.	Zelinka, Joseph (WG.).
	Jindra, Wenzel.
	Klein, Carl.

Artillerie-Zeugs-Depot zu Theresienstadt.

Hptm. 1. Cl. u. Comdt. Gebauer, Friedrich.

Lieutenant.

Burian, Wenzel.

Artillerie-Zeugs-Depot zu Lemberg.

Hptm. I. Cl. u. Comdt. Gräf, Friedrich.

Oberlieutenant.	Lieutenants.
Frankowski, Ferdinand.	König recte Geiger, Abraham. Mandl, Joseph.

Artillerie-Zeugs-Depot zu Krakau.

Obstlt. u. Comdt. Wartalot, Anton.

Hauptleute 1. Classe.	Oberlieutenants.	Lieutenants.
Kowarž, Carl. Thiem, Stephan (ü. c.). Lauterböck, Rupert.	Ziegler, Alois. Aigner, Johann.	Dwořáček, Johann. Kolić, Alexander. *Rechnungsführer.* (Vacat.)

Artillerie-Zeugs-Depot zu Zara
mit den Filialen zu Knin und Spalato.

Hptm. I. Cl. u. Comdt. Wallik, Dominik.

Oberlieutenants.

Pohl, Johann.	Salzer, Wilhelm, ○ 2.

Artillerie-Zeugs-Depot zu Ragusa.

Hptm. I. Cl. u. Comdt. Hübner, Anton.

Hauptleute 2. Classe.	Oberlieutenant.	Lieutenant.
Sturm, Eduard. Pomeisl, Joseph, MVK. (KD.).	Kominik, Joseph (WG.).	Kotzmann, Franz.

Artillerie-Zeugs-Depot zu Cattaro
mit dem Filiale zu Castelnuovo.

Hptm. I. Cl. u. Comdt. Girkovský, Franz.

Hauptmann 2. Classe.	Oberlieutenants.	Lieutenant.
Güntner, Johann.	Kmoch, Johann. Studniczka, Carl.	Pokorný, Ottomar.

Artillerie-Zeugs-Depot zu Budapest
mit dem Filiale zu Kaschau.

Major u. Comdt. Sperling, Rudolph.

Hauptleute 2. Classe.	Oberlieutenant.	Lieutenants.
Herbst, Johann. Swoboda, Joseph. Laule, Franz.	Nickel, Anton.	Hausner, Johann. Schneider, Alexander. *Rechnungsführer.* Bachler, Franz, Hptm. 1. Cl.

Artillerie-Zeugs-Depot zu Temesvár
mit dem Filiale zu Arad.

Hptm. 1. Cl. u. Comdt. Steiner, Mathias.

Hauptmann 2. Classe.	Lieutenants.	
Röschel, Anton. **Oberlieutenant.** Sedenig, Anton.	Rotter, Johann (ü. c.) bei der Feld-Zeugs-Abth. der XXXVI. Inf.-Trup -Div.	Hübsch, Felix. Galler, Jakob.

Artillerie-Zeugs-Depot zu Komorn
mit den Pulver-Posten zu Neusohl und Pressburg.

Obstlt. u. Comdt. Schwab, Joseph.

Hauptmann 1. Classe.	Oberlieutenants.	Lieutenant.
Godetz, Anton.	Menzl, Joseph. Seifert, Eduard. Hašek, Joseph. Dancsa, Paul.	Seyringer, Adolph. *Rechnungsführer.* Lamina, Franz, Oblt.

Artillerie-Zeugs-Depot zu Carlsburg
mit dem Filiale zu Hermannstadt.

Obstlt. u. Comdt. Harwich, Vincenz.

Hauptmann 2. Classe.	Oberlieutenants.	Lieutenant.
Gebauer, Vincenz.	Linhart, Thomas, MVK. Schunn, Simon.	Hollinger, Leopold.

Artillerie-Zeugs-Depot zu Essegg
mit dem Filiale zu Brood.

Hptm. 1. Cl. u. Comdt. Klinger, Franz.

Hauptmann 1. Classe.	Oberlieutenant.	Lieutenant.
Kaspar, Raimund (WG.).	Kuttek, Alois.	Čermák, Johann.

Artillerie-Zeugs-Depot zu Carlstadt
mit dem Filiale zu Alt-Gradisca.

Hptm. 2. Cl. u. Comdt. Rieger, Anton.

Oberlieutenant.	Lieutenant.
Hofstätter, Rudolph.	Riemer, Jonas.

Artillerie-Zeugs-Depot zu Peterwardein.

Hptm. 1. Cl. u. Comdt. Hanke, Wilhelm.

Hauptmann 2. Classe.	Oberlieutenants.
Götzl, Moses.	Swoboda, Vincenz. Mettlik, Johann.

Adjustirung der Officiere der technischen Artillerie.

Czako mit Rosshaarbusch, dunkelbrauner Waffenrock mit scharlachrother Egalisirung und gelben glatten Knöpfen, blaugraue Pantalon mit scharlachrothem Passepoil, Mantel blaugrau.

Genie-Waffe.

General-Genie-Inspector.

Seine kaiserl. königl. Hoheit Erzherzog Leopold, GVO-R., St.O-GK., Inhaber des IR. Nr. 53 und des Genie-Reg. Nr. 2, Chef des kaiserl. russischen kasan'schen Drag.-Reg. Nr. 9 und des königlich preussischen 1. westpreussischen Grenadier-Reg. Nr. 6 etc. etc., GdC.

Rangsliste

der Generale, Oberste, Oberstlieutenants, Majore, Hauptleute, Oberlieutenants, Lieutenants und Cadeten der Genie-Waffe.

General-Majore.

Salis-Soglio Daniel Freih. v., ÖEKO-R. 3. (KD.), MVK. (KD.), ♇, Präsident des techn. u. adm. Mil.-Comité.

Gemmingen Otto Freih. v., Genie-Chef beim Gen.-Comdo. zu Prag.

Becher v. Rüdenhof Alfred Ritt., ÖEKO-R. 3., Vorstand der 8. Abth. des R.-Kriegs-Mstms.

Herman Gustav Edl. v., ÖEKO-R. 3., MVK. (KD.), Genie-Chef beim Gen.-Comdo. zu Graz.

Fastenberger v. Wallau Michael Ritt., ÖEKO-R. 3. (KD.), MVK. (KD.), Genie-Chef beim Gen.-Comdo. zu Budapest.

Hurter-Ammann Franz v., ÖEKO-R. 3., Genie-Chef beim Gen.-Comdo. in Wien.

Mossig Carl Ritt. v., ÖEKO-R. 3. (KD.), MVK. (KD.), Genie-Chef beim Gen.-Comdo. zu Brünn.

Stabs- und Oberofficiere des Genie-Stabes und der beiden Genie-Regimenter.

Oberste.

Stab. Ebner Rudolph Ritt. v., Genie-Chef beim Gen.-Comdo. zu Agram.

„ Keil Heinrich Ritt. v., ÖEKO-R. 3. (KD.), MVK., Genie-Chef beim VIII. Inf.-Trup.-Div.- u. Mil.-Comdo zu Innsbruck.

„ Werner Anton, ÖLO-R., ÖEKO-R. 3., MVK., Genie-Chef beim Gen.-Comdo. zu Lemberg.

„ Romano, Albert, Mil.-Bau-Director zu Budapest.

Stab. Turnau Edl. v. Dobczyc Joseph, Mil.-Bau-Director in Wien.

„ Wolter Edl. v. Eckwehr Adolph, Genie-Chef beim Mil.-Comdo. zu Hermannstadt.

„ Fössl Friedrich, ÖLO-R., Genie-Director zu Krakau.

„ Komadina Miloš, Genie-Chef beim Gen.-Comdo. zu Serajevo.

„ Mossig Theobald Ritt. v., MVK. (KD.), Genie-Director zu Theresienstadt.

Stab. Schmidt Carl (ü. c.) Vorstand der 5. Abth. in der Marine-Section des R.-Kriegs-Mstms.
2. Reg. Pollini Friedrich Ritt. v., Reg.-Comdt.
Stab. Chiolich v. Löwensberg Hermann, ÖEKO-R. 3., Genie-Director zu Komorn.
„ Hoevel Hermann v., Genie-Director zu Pola.
„ Markl Carl, Genie-Chef beim Mil.-Comdo. zu Zara.
1. Reg. Kocziczka Edl. v. Freibergswall Carl, ÖFJO-R., Reg.-Comdt.
Stab. Mully Joseph, Mil.-Bau-Director zu Zara.
„ Kirschner Paul, Mil.-Bau-Director zu Lemberg.
„ Bingler Julius, Chef der II. Section im techn. u. adm. Mil.-Comité.
„ Oesterreich Franz, Studien-Inspector im techn. u. adm. Mil.-Comité.
„ Miskich Franz v., Mil.-Bau-Director zu Prag.
„ Roszkowski Julian v., MVK. (KD.), Genie-Director zu Serajevo.

Oberstlieutenants.

5. November 1870.

1. Reg. Stenitzer Moriz Ritt. v., ÖEKO-R. 3. (KD.), MVK. (KD.) (Res.).

1. Mai 1873.

Stab. Meiss v. Teufen Oskar, Mil.-Bau-Director zu Linz.

1. November 1873.

Stab. Hilbert Eduard, Genie-Director zu Josephstadt.

1. November 1876.

2. Reg. Nemetschek Heinrich.
Stab. Kostersitz Jos., ÖFJO-R., Chef der IV. Section im techn. u. adm. Mil.-Comité.
„ Vogl Julius, Vorstand der 3. Abth. der II. Section im techn. u. adm. Mil.-Comité.
1. Reg. Cramer Wilhelm.
Stab. Le Beau August, Genie-Director zu Arad.

1. November 1876.

2. Reg. Geissner Carl.
Stab. Mihálik v. Madunyitz Gustav, ÖFJO-R., zug. dem Genie-Chef beim Gen.-Comdo. zu Budapest.

1. Mai 1877.

Stab. Killiches Victor, Genie-Director zu Olmütz.
„ Dall' Agata Justus, Mil.-Bau-Director zu Pressburg.
„ Weeger Leopold, MVK., zug. dem Gen.-Genie-Inspector.
„ Hackenberg Gustav, Genie-Director zu Peterwardein.
„ Rittner Heinrich, zug. dem Genie-Chef beim Gen.-Comdo. zu Lemberg.
1. Reg. Hermann Gustav.
Stab. Pessiak Eduard, ÖFJO-R., MVK. (KD.), Vorstand der 1. Abth. der II. Section im techn. u. adm. Mil.-Comité.
„ Knoll Julius, Genie-Director zu Cattaro.

1. November 1877.

Stab. Wahlberg Carl, im techn. u. adm. Mil.-Comité.

15. September 1878.

Stab. Weithner August, Mil.-Bau-Director zu Innsbruck.
„ Schäffer Ferdinand, Genie-Director zu Temesvár.

Majore.

1. November 1872.

Stab. Unger Ludwig, bei der Genie-Dir. zu Pola (WG.).

1. Mai 1874.

1. Reg. Müller August.

1. November 1876.

Stab. Hueber Emil v. (ü. c.) Lehrer an der techn. Mil.-Akad.
„ Rylski v. Gross-Scibor Cornelius Ritt., MVK. (KD.), Mil.-Bau-Director zu Brünn.

1. November 1876.

Stab Pasetti v. Friedenburg Johann Freih., Mil.-Bau-Director zu Kaschau.

„ Schrimpf Ludwig, bei der Genie-Dir zu Komorn.

„ Tlaskal Ludwig (ü. c.), Lehrer an der techn. Mil.-Akad.

2. Reg. Herrenschwand Fried. v., ÖEKO-R. 3. (KD.), MVK.

Stab. De Vaux Carl Freih., ✝ (ü. c.) zur Dienstleistung zug. Sr. k. k. Hoheit dem Erzherzoge Leopold.

„ Hartmann Hugo, MVK., Genie-Director zu Brood.

1. Reg. Fürer Eduard.

Stab. Peche Carl Ritt. v., ÖFJO-R., MVK. (KD.), Genie-Director zu Carlsburg.

2. Reg. Ambrozy Emil.

„ Mitterwallner Nikolaus.

Stab. Beck Edl. v. Nordenau Otto, bei der Genie-Dir. zu Krakau.

„ Geldern-Egmond zu Arçen Gustav Gf. v., ÖEKO-R., 3., ✝, im techn. u. adm. Mil.-Comité.

1. Mai 1877.

Stab. Tilzer Carl, MVK., bei der Genie-Dir. zu Alt-Gradisca.

1. Reg. Gyurits v. Vitesz - Sokolgrada Michael, MVK. (KD.), betraut mit der Leitung der Genie-Dir. zu Banjaluka.

1. Mai 1877.

Stab. Schmidt Joseph, MVK., Genie-Director zu Trient.

„ Szeth Franz Ritt. v., ÖFJO-R., MVK. (KD.), betraut mit der Leitung der Genie-Dir. zu Travnik.

„ Ebhardt Wilhelm, beim R.-Kriegs-Mstm.

„ Hoffmann Alexander, Genie-Director zu Essegg.

1. Mai 1878.

Stab. Maloier Joseph, bei der Mil.-Bau-Dir. zu Agram.

„ Schüssl Anton, bei der Genie-Dir. zu Pola.

„ Costa-Rossetti Edl. v. Rossanegg, Anton, zug. dem Genie-Chef beim Gen.-Comdo. zu Brünn.

15. September 1878.

1. Reg. Schenek Franz.

Stab. Merkl Boguslav Ritt v., bei der Mil.-Bau-Dir. in Wien.

2. Reg. Hirsch Albert Edl. v.

1. November 1878.

Stab. Zaręba Alexander v., Genie-Director zu Ragusa.

„ De Bén-Wolsheimb Joseph Freih., zug. dem Genie-Chef beim Gen.-Comdo. in Wien.

„ Hirsch Wolfgang, MVK. (KD.), betraut mit der Leitung der Genie-Dir. zu Dolnj Tuzla.

Hauptleute 1. Classe.

4. Juli 1859.

1. Reg. Naredi-Rainer v. Harbach Anton Ritt. (Res.).

3. Februar 1863.

1. Reg. Ruef August (Res.).

1. August 1863.

1. Reg. Themer Joseph (Res.).

2. „ Andres Florian.

1. Jänner 1865.

2. Reg. Grünebaum Franz, ÖFJO-R. (Res.).

1. Mai 1866.

Stab. Turetschek Gustav, Vorstand der 2. Abth. der II. Section im techn. u. adm. Mil.-Comité.

1. Mai 1866.

1. Reg. Schaller Carl Freih. v., MVK.

Stab. Hanseli Carl, zug. dem Genie-Chef beim Gen.-Comdo. zu Serajevo.

„ Gatter Johann, MVK. (KD.), betraut mit der Leitung der Genie-Dir. zu Mostar.

2. Reg. Kreuzhuber Johann.

16. Mai 1866.

Stab. Lehmayer Johann, bei der Genie-Dir. zu Temesvár.

28. Mai 1866.

2. Reg. Bauer v. Adelsbach Carl.

16. Juni 1866.

Stab. Hillmayer Ignaz Ritt. v., bei der Genie-Dir. zu Carlsburg.

1. Reg. Finck Joseph.

25. Juni 1866.

2. Reg. Hoiný Johann.

11. Juli 1866.

Stab. Woat Maximilian, im Eisenbahn-Bureau des Generalstabes.

20. Juli 1866.

Stab. Glanz v. Eicha Emil Freih., MVK., bei der Genie-Dir. zu Cattaro.

1. Reg. Feith Carl Ritt. v., ÖEKO-R. 3.

1. November 1868.

1. Reg. Reimer Hermann.
2. „ Otto v. Ottenfeld Anton Ritt. (ü. c.) im techn. u. adm. Mil.-Comité.
Stab. Primavesi Ferdinand Ritt. v., zu Višegrad.

1. November 1869.

Stab. Pickel Friedrich, ÖFJO-R., MVK., im techn. u. adm. Mil.-Comité.
„ Lauer Johann, MVK., zu Livno.

1. Mai 1870.

Stab. Cerva Matthäus v., zu Zwornik.
„ Blasek Heinrich, ÖFJO-R., beim R.-Kriegs-Mstm.

1. November 1870.

Stab. Riedl Ignaz, MVK., zug. dem Genie-Chef beim Mil.-Comdo. zu Zara.
„ Zamboni v. Lorberfeld Emil, beim R.-Kriegs-Mstm.
2. Reg. Wittchen Alfred.
1. „ Nowotný Carl.
Stab. Hackenberg Richard, ÖFJO-R, bei der Mil.-Bau-Dir. zu Graz.

1. Mai 1871.

Stab. Ettmayer v. Adelsburg Friedrich Ritt., im techn. u. adm. Mil.-Comité.
„ Trappel Carl, zu Bihać.
2. Reg. Hanke Heinrich.
2. „ Saraca Stanislaus nobile de.
1. „ Hlawaczek Constantin.
1. „ Mainardis Anton (Res.)
Stab. Brunner Moriz Ritt. v., ÖEKO-R. 3. (ü. c.) Lehrer an der techn. Mil.-Akad.

1. Mai 1871.

Stab. Märkel Carl, MVK., bei der Genie-Dir. zu Krakau.
„ Reis Johann, bei der Genie-Dir. zu Olmütz (zug. dem R.-Kriegs-Mstm.).
„ Montigny Ernst Freih. v., bei der Genie-Dir. zu Olmütz.
„ Likoser Joseph, bei der Mil.-Bau-Dir. zu Budapest.
2. Reg. Merklein Anton.
2. „ La Croix v. Langenheim Alois.

1. November 1871.

2. Reg. Seidl Adolph.
1. „ Allesina v. Schweizer Friedrich, ÖFJO-R.
Stab. Bakalarz Carl, MVK. (KD.), zu Gorazda.
„ Thrumics Emil, zu Travnik.
„ Solnitzky Johann, bei Mil.-Bau-Dir. zu Budapest.
„ Noé August Ritt. v., im techn. u. adm. Mil.-Comité.

1. Mai 1872.

1. Reg. Bujet Johann.
Stab. Albach Julius, im techn. u. adm. Mil.-Comité.
„ Gürtler Eduard, beim R.-Kriegs-Mstm.
„ L'Estocq Rudolph Freih. v., zug. dem Gen.-Genie-Inspector.
2. Reg. Klar Christoph (ü. c.) Lehrer an der Mil.-Akad. zu Wr.-Neustadt.
Stab. Komark Alfred, zu Ključ.
2. Reg. Pacher v. Linienstreit Gustav, MVK. (KD.).

1. November 1872.

Stab. Hess Philipp, MVK., im techn. u. adm. Mil.-Comité.
„ Täuber Heinrich, bei der Genie-Dir. zu Essegg (WG.).
„ Mager Rudolph, zug. dem Genie-Chef beim Gen.-Comdo. zu Agram.
„ Michna Ludwig, beim R.-Kriegs-Mstm.
„ Brason Edmund (ü. c.) Lehrer an der Mil.-Akad. zu Wr.-Neustadt.
2. Reg. Berković-Borota Michael.
Stab. Ceipek Joseph, im techn. u. adm. Mil.-Comité.
Stab. Schlossarek Alfred, zug. dem Genie-Chef beim Mil.-Comdo. zu Hermannstadt.
2. Reg. Rehberger Emanuel (ü. c.) Lehrer an der techn. Mil.-Akad.
1. „ Krajnc Victor.

1. Mai 1873.

Stab. Kropsch Albin, im techn. u. adm. Mil.-Comité.
„ Pap Adalbert, im techn. u. adm. Mil.-Comité.
„ Rosner Friedrich Ritt. v., bei der Mil.-Bau-Dir. in Wien.
2. Reg. Prokopp Michael.
1. „ Martinek Franz.

1. November 1873.

Stab. Charriere Gustav, bei der Genie-Dir zu Arad.
1. Reg. Plsak Franz.
1. „ Wittich Gustav.
2. „ Hiessmanseder Rudolph.
1. „ Wissneker Franz.
2. „ Forstner Carl, MVK. (KD.).
1. „ Machaczek Carl.

1. November 1873.

Stab. Schieberl Joseph, bei der Mil.-Bau-Dir. zu Agram.
2. Reg. Groh Oswald v.
Stab. Arlt Joseph, bei der Genie-Dir. zu Pola.
„ Wawra Emanuel, im techn. u. adm. Mil.-Comité.
2. Reg. Giffinger Emerich.
Stab. Mayer Alfred, im techn. u. adm. Mil.-Comité.
„ Erhart Anton, bei der Genie-Dir. zu Brood.
„ Schaschetzy Julius, bei der Genie-Dir. zu Arad.
2. Reg. Tomanóczy Joseph.

1. Mai 1874.

1. Reg. Ludkiewicz Victor.
Stab. Wlassics Johann, bei der Mil.-Bau-Dir. in Wien.
2. Reg. Staindl Rudolph.
Stab. Richling Wilhelm, im tech. u. adm. Mil.-Comité.
1. Reg. Treydl Eduard.
2. „ Nitsche Victor (ü. c.) beim R.-Kriegs-Mstm.
1. „ Popp Richard.
1. „ Krejči Johann.
Stab. Lucki v. Sas Leo Ritt., bei der Genie-Dir. zu Arad.

1. November 1874.

2. Reg. Zástěra Carl.
2. „ Sperber Peter.

1. Mai 1875.

1. Reg. Horak Franz.
1. „ Kernić Gabriel.
2. „ Khittel Rudolph, MVK. (KD.).
1. „ Czech Ferdinand.

1. November 1876.

1. Reg. Lichtblau Joseph.
Stab. Szalyovich Joseph, beim R.-Kriegs-Mstm.
„ Schivanovits Theodor, bei der Genie-Dir. zu Theresienstadt.
„ Kunka Jos., bei der Mil.-Bau-Dir. in Wien.

Hauptleute 2. Classe.

1. Mai 1869.

1. Reg. Bellot Alfred (WG.).

1. November 1873.

2. „ Tóth Victor (Res.).

1. November 1876.

Stab. Tilschkert Victor, zu Banjaluka.
„ Elsner Franz, bei der Genie-Dir. zu Ragusa.
2. Reg. Levnaić Nikolaus.
2. „ Dörfler Willibald (WG.).
Stab. Juda Albin, MVK., zug. dem Gen.-Comdo. zu Serajevo.
1. Reg. Benigni in Müldenberg Carl Ritt. v.

1. Mai 1877.

Stab. Keczer de Lipócz Michael, bei der Genie-Dir. zu Ragusa.
„ Chizzola Alfred v., bei der Genie-Dir. zu Alt-Gradisca.
2. Reg. Tunkler v. Treuimfeld Alfred Ritt. (Res.).

1. Mai 1877.

Stab. Guzek Leo, bei der Genie-Dir. zu Cattaro.
„ Guttenberg Justus Ritt. v., zu Trebinje.
1. Reg. Barleon Alfred.
Stab. Divjak Elias, bei der Genie-Dir. zu Trient.
„ Schlögl Johann, bei der Mil.-Bau-Dir. zu Graz.
„ Klotzmann Franz, bei der Mil.-Bau-Dir. zu Budapest.
„ Gall Rudolph, bei der Mil.-Bau-Dir. in Wien.
„ Gyurich Johann, zu Mostar.
„ Lobinger August, bei der Genie-Dir. zu Peterwardein.
„ Gaál August v., zu Serajevo.
2. Reg. Pizzighelli Joseph (ü. c.) im techn. u. adm. Mil.-Comité.

1. Mai 1877.

Stab. Hofmann v. Baltenau Albert Ritt., bei der Mil.-Bau-Dir. zu Budapest.
2. Reg. Wolff v. Wolffenberg Michael (ü. c.) Lehrer an der Mil.-Ober-Realschule.
1. „ Winter v. Lorschheim Carl.
1. „ Müller v. Hörnstein Heinrich Freih., MVK.
Stab. Rieger Franz, bei der Mil.-Bau-Dir. zu Budapest.
„ Bohretzky Carl, beim R.-Kriegs-Mstm.

1. November 1877.

2. Reg. Gayer v. Gayersfeld Albert.
2. „ Makowiczka Alphons (ü. c.) zug. dem Generalstabe.
1. „ Sobotka Johann

1. November 1877.

Stab. Putz Ferdinand, bei der Mil.-Bau-Dir. in Wien.
1. Reg. Glossauer Julius.
1. „ Marian Radislaus.
2. „ Alexich Carl.

1. Mai 1878.

2. Reg. Lederle Leo (ü. c.) zug. dem Generalstabe.
1. „ ElmayerLudw.,MVK.
2 „ Vessel Heinrich, ÖEKO-R. 3. (KD.).
1. „ Ressel Carl.

1. Mai 1878.

2 Reg. Chiolich v. Löwensberg Carl.
2. „ Lendl v. Murgthal Wilhelm Ritt.
2. „ Urban Eduard.

15. September 1878.

2. Reg. Gawłowski Marian.
1. „ Bettali Oswald, MVK. (KD.), (ü. c.) Lehrer an der Mil.-Ober-Realschule.
2. „ Bolhár Ferdinand
2. „ Łępkowski Friedrich Ritt. v., MVK. (KD.).

15. September 1878.

2. Reg. Schwabe Emil, MVK. (KD.).
2. „ Böhm v. Bawerk Adolph Ritt.
1. „ Krebs v. Sturmwall Ferdinand.
2. „ Pöltl Joseph.

1. November 1878.

2. Reg. Wohlleben Adolph v.
1. „ Ostoich Constantin v.
1. „ Hanak Moriz.
1. „ Schestauber Eduard.
2. „ Hentschl Wilhelm.
2. „ Fähndrich Philipp.
1. „ Jeřábek Andreas.

Oberlieutenants.

1. November 1871.

2. Reg. Foglár Heinrich (Res.).

1. Mai 1873.

2. Reg. Pokorný Joseph
1. „ Borowský Victor.
1. „ Brandhuber Franz.
2. „ Potiorek Oskar (ü. c.) zug. dem Generalstabe.
1. „ Hagen v. Hagenburg Wilh. (ü. c.) zug. der Genie-Dir. zu Trient.
2. „ Horbaczewski Edmund (ü. c.) zug. der Genie-Dir. zu Olmütz.
2. „ Leeb Carl (ü c.) zug. der Genie-Dir. zu Carlsburg.
2. „ Pidoll v. Quintenbach Franz Freih. (ü. c.) zug. der Genie-Dir. zu Ragusa.

1. November 1873.

2. Reg. Szmrecsányi Carl v.
1. „ Bussjäger Julius (ü. c.) zug. der Genie-Dir. zu Pola
1. „ Sluka Ferdinand (ü. c.) zug. dem Generalstabe.

1. November 1873.

1 Reg. Fiebich Victor (ü. c.) zug. der Genie-Dir. zu Trient.
1. „ Rowensky Joseph.
2. „ Leithner Ernst Freih. v. (ü. z.) beurl.
1. „ Hübner Eduard Ritt. v. (WG.).
1. „ Knopp v. Kirchwald Carl.
1. „ Grobois Ernst.
1. „ Steinwender Johann
1. „ Rucker Ferdinand.
1. „ Romanić Bogdan.
1. „ Temmel Joseph.
2. „ Feigl Tobias.
2. „ Katona Julius.
1. „ Ribitsch Simon.
2. „ Schiebel Johann (ü. c.) zug dem Generalstabe.

1. Mai 1874.

2. Reg. Dietl Franz (ü. c.) zug. der Genie-Dir. zu Temesvár.
1. „ Schlögelhofer Franz (ü. c.) zug. der Genie-Dir. zu Brood.
1. „ Otschenaschek Eduard (ü. c.) zug. der Mil.-Bau-Dir. zu Lemberg.

1. Mai 1874.

1. Reg. Schaffer Clement (ü. c.) zug. der Genie-Dir. zu Olmütz.
2. „ Müller v. Elblein Eduard Ritt. (ü. c.) zug. der Mil.-Bau-Dir. zu Innsbruck.
2. „ Sterlini Edl. v. Sterling Arthur, MVK. (KD.), (ü. c.) zug. dem Generalstabe.
1. „ Bock Moriz (ü. c.) zu Serajevo.
1. „ Pleskott Rudolph (ü. c.) zug. der Genie-Dir. zu Komorn.

1. Mai 1875.

2. Reg. Stipanović Jaroslav.
2. „ Grünzweig v. Eichensieg Albert (ü. c.) zug der Genie-Dir. zu Cattaro.
1. „ Franz Johann.
2. „ Köves v. Kövessháza Hermann (ü. c.) zug. dem Generalstabe.
1. „ Weissenberger Aug.
2. „ Wolter Edl. v. Eckwehr Ernst (ü. c.) zug. der Genie-Dir. zu Krakau.
1. „ Krepper Aurel.

1. November 1875.

2. Reg. Wenko Leopold.
2. „ Rastović Constantin.
2. „ Albrecht Alphons.
2. „ Fodor Theodor.
2. „ Resch Carl.
2. „ Stradal Carl (ü. c.) zug. dem Generalstabe.
1. „ Hüttl Joseph.

1. Mai 1876.

2. Reg. Heyss Maximilian.
2. „ Bitterl v. Tessenberg Maximilian Ritt.
1. „ Lutz Ignaz.
1. „ Seichter Julius (ü. c.) beim R.-Kriegs-Mstm.
1. „ Moschner Joh. (ü. c.) zug. der Genie-Dir. zu Essegg.

1. November 1876.

2. Reg. Streichert Othmar (ü. c.) zug. der Genie-Dir. zu Essegg.
1. „ Witzigmann Paul.
2. „ Csongvay de Csegez Carl (ü. c.) zug. der Mil.-Bau-Dir. zu Lemberg.
2. „ Widerwitz Ferdinand.
1. „ Gabriel Alphons.
2. „ Berger Ernst (ü. c.) zu Banjaluka.

1. Mai 1877.

1. Reg. Portner und Höflein Rudolph Freih. v.
1. „ Hrabar Johann.
1. „ Schild Ludwig.
2. „ Grasern Theodor Edl. v.
1. „ Benigni in Müldenberg Sigmund Ritt. v.
1. „ Czikan Alfred.

1. Mai 1877.

2. Reg. Dreihann v. Sulzberg am Steinhof Ferdinand Ritt. (ü. c.) zug. der Mil.-Bau-Dir. zu Kaschau.
2. „ Kroneiser Adolph.
2. „ Župan Ernst (ü. c.) zu Dolnj Tuzla.
1. „ Beranek Victorin.
2. „ Frassl Franz.
2. „ Wenko Robert.
2. „ Bolgár Franz v. (ü. c.) zug. der Mil.-Bau-Dir. zu Budapest.
1. „ Rechbach Philipp Freih. v. (ü. c.) zug. der Mil.-Bau-Dir. zu Brünn.
1. „ Kollowitz Edl. v. Kortschak Gustav.
1. „ Janowský Julius Edl. v. (ü. c.) zug. der Genie-Dir. zu Krakau.
1. „ Hruschka Eduard.
2. „ Hauser Ernst.
2. „ Benárd v. Szilvágy August.
1. „ Romano v. Ringe Eduard Ritt.
2. „ Diemer Carl.

1. November 1877.

1. Reg. Wodiczka Gustav.
1. „ Onheiser Carl.
1. „ Walter Joseph.
2. „ Tarbuk Johann, MVK. (KD.).
1. „ Hollan Joseph.
2. „ Philippović v. Philippsberg Maximilian.
2. „ Udvarnoky de Kis-Jóka Julius, MVK. (KD.).
1. „ Franz Joseph.
2. „ Friedel Johann.
2. „ Łępkowski Emil Ritt. v.
2. „ Müller v. Sturmthal Carl Ritt.

1. Mai 1878.

1. Reg. Neuerer Carl.
2. „ Paur Joseph.
2. „ Meangya Stephan.
1. „ Hanzeković Thomas.
2. „ Minarelli de Fitz-Gerald Alexander Chev.
1. „ Rukavina Rudolph.
2. „ Budisavljević Emanuel v.
2. „ Nagy Victor.
1. „ Fanta Julius.
1. „ Gläser Robert.
2. „ Balás Georg.
1. „ Fornasari Edl. v. Verce Joseph.
1. „ Kuderna Joseph.
1. „ Singer Vincenz.
2. „ Zorics Paul.
1. „ Rieger Erwin.
2. „ Lóskay Gabriel.
2. „ Weber Joseph Freih. v.
2. „ Kuso Victor.
1. „ Nowak Adolph.
1. „ Wellenreiter Julius.
1. „ Meduna v. Riedburg Franz Ritt.
2. „ Ziembicki Alexander.
2. „ Larisch v. Nimsdorf Otto.
1. „ Acham Paul.
2. „ Fidler v. Isarborn Ferdinand.

15. September 1878 *).

2. Reg. Ringhoffer Franz Freih. v.
2. „ Krippner Joseph.
2. „ Mayr Joseph.
2. „ Ótocska Adalbert v.
1. „ Daubek Franz.
2. „ Sykora Carl.
2. „ Gigl Franz.
2. „ Klomser Franz.
2. „ Kapaun Franz.
2. „ Zsembery Theodor.
2. „ Holl Eugen.
2. „ Kriegs-Au Ferdinand Ritt. v.
1. „ Sedlak Emanuel.

*) Oberlieutenants in der Reserve.

15. September 1878 *).

2. Reg. Krickl Ernst.
2. „ Munzberger Franz.
2. „ Tapla Theodor.
2. „ Brückl Georg.
2. „ Steiner Joachim.
2. „ Nawratil Friedrich.
1. „ Zezula Friedrich.
2. „ Koderle Emil.
2. „ Pollak Franz.
2. „ Pellion Adalbert.

15. September 1878.

1. Reg. Zimmermann Friedrich.

1. November 1878 *).

2. Reg. Zelinka Hugo.
2. „ Weisser Adolph.
1. „ Schärf Adolph.
2. „ Schannen Ernst.
2. „ Kolischer Emil.
2. „ Götze Carl.

1. November 1878.

2. Reg. Porges Carl, MVK. (KD.).
1. „ Wagner Ludwig.
2. „ Kuk Carl.
2. „ Gászner v. Borsmonostor Hugo.
2. „ Rigele Rudolph.
1. „ Csaklós Joseph.
1. „ BaumgartnerAdolph.
2. „ Schneller Edl. v. Mohrthal Friedrich.

Lieutenants.

1. Jänner 1870 *).

1. Reg. Laske Johann.
1. „ Titlbach Berthold.

1. Jänner 1871 *).

2. Reg. Schwarczel Alexander.
2. „ Steiner Friedrich.
1. „ Sychrovský Emanuel.
1. „ Nehasil Franz.
1. „ Pikolon Carl.
1. „ Falta Joseph.
1. „ Geřábek Ignaz.
2. „ Buhl Constantin.
1. „ Beutl Franz
2. „ Barthmann Franz.

1. Mai 1871 *).

1. Reg. Schenk Franz.

1. November 1871 *).

2. Reg. Herzmansky Theodor.
2. „ Sárkány Maximilian.
1. „ Straka Franz.
2. „ Heincz Albert v.
1. „ Rezniček Johann.
2. „ Uhl Erwin.
2. „ Essenther Eugen.
1. „ Pokorny Franz.
1. „ Prävener Wilhelm.
2. „ Keissler Miroslav Ritt. v.
2. „ Fuchs v. Braunthal Leo.
1. „ Schremer Wilhelm.

1. November 1871 *).

1. Reg. Nowak Franz.
2. „ Busek Johann.
2. Höke Coloman.
2. Galle Anton.
2. Stiegler Ludwig.
2. Kalus Ferdinand.
1. „ Škorkowski Stanislaus v.
2. „ Feszl Ladislaus.
2. „ Löw Wilhelm Edl. v.

1. November 1872 *).

1. Reg. Ring Gustav.
2. „ Véninger Franz.
1. „ Mikolaschek Carl.
2. „ Wintergerst Franz.
2. „ Pisetzky Joachim.
2. „ Szikla Géza.
1. „ Liebscher Carl.
2. „ Schlick Adalbert.
1. „ Klose Joseph.
2. „ Hauser Rudolph.
2. „ Neuman Victor v.
2. „ Stürz Wilhelm.
2. „ Canal Albert.
2. „ Honheiser Alexander.
2. „ Stražnicky Johann.
1. „ Kaupa Johann.
2. „ Decker Alfred.
2. „ Plavetzky Aurel.
2. „ Winter Adolph.
2. „ Nuber Carl.
2. „ Nagy Alexander.
2. „ Karafiáth Theodor.
2. „ Speidl Felix.

1. November 1872 *).

2. Reg. Staněk Gottlieb.
1. „ Felkel Franz.
1. Reeger Heinrich.
2. Danner Hermann.
2. Bandel Wilhelm.
2. Erb Moriz.
1. Mik Franz.
2. „ Deininger Johann.

1. September 1873.

2. Reg Radossevich v. Rados Theodor Freih.

1. November 1873 *).

1. Reg. Šebesta Johann
2. „ Bendo Attila v.
1. „ Czyzewski Joseph.
2. „ Széher Zoltán Ritt. v.
2. „ Kropf Ludwig.
2. „ Basch Eduard.
1. „ Weis Gustav.
1. „ Hoeger Julius.
1. „ Rolf Wilhelm.
2. „ Deininger Julius.
2. „ Czigler Julius.
2. „ Wolfsgruber Stephan.
1. „ Glattmann Felix.
2. „ Beszedits Alfred.
1. „ Pilecki Julian.
1. „ Brabetz Johann.
1. „ Porak Victor.
2. „ Richter Eduard.

1. Mai 1874 *).

1. Reg. Marchetti Raimund

---

*) Oberlieutenants und Lieutenants in der Reserve.

1. November 1874 *).

2. Reg. Wagner Emil.
2 „ Ybl Ludwig.
1. „ Marcoin Thaddäus.
2. „ Hinsenkamp Bernh.
2. „ Csapek Joseph.
1. „ Ingarden Roman
2. „ Hochbaum Ladislaus.
1. „ Schurda Anton Ritt. v.
1. „ Domin Carl.
2. „ Baócz v. Tarna Adolph.
2. „ Lövészy Carl.
2. „ Balássy Nikolaus.
2. „ Szojka Paul.
2. „ Mihók Joseph.
1. „ Zeidler Alexander.
2. „ Hoitsy Paul v.
1. „ Hetper Carl.
2. „ Csizmazia Géza.
1. „ Walprecht Adolph.

1. November 1875 *).

1. Reg. Horaček Ignaz.
1. „ Knesche Friedrich.
1. „ Blaha Emil.
1. „ Dörfel Rudolph.
1. „ Kolbenheyer Erich.
2. „ Herbász Anton.
1. „ Strassner Theodor.
2. „ Wang Ferdinand.
1. „ Haluschka Hugo.
2. „ Czarnomski Alfred.
2. „ Biró Alexander.
1. „ Felkel Julian.
1. „ Adamczyk Ladislaus.
1. „ Leszczynski Zdislav Ritt. v.
2. „ Seipka Adolph.
1. „ Jirsik Johann.
2. „ Bolla Michael.
1. „ Urban Wilhelm.
1. „ Kohout Joseph.

1. Mai 1876 *).

1. Reg. Storch Johann.

1. September 1876.

1. Reg. Krismanić Erwin Ritt. v.
1. „ Tupaj Joseph.
1. „ Zemanek Rudolph.

1. November 1876 *).

2. Reg. Jármay Eugen v.
2. „ Hocke Carl.
1. „ Heller Joseph.
1. „ Nettel Sigmund.
1. „ Friedrich Wilhelm.
1. „ Strzechowski Carl.
1. „ Mayer Carl.
1. „ Heidler Johann.
1. „ Daute Franz.
2. „ Bodnár Julius.
2. „ Pfeiffer Julius.
1. „ Dieterich Jakob.
2. „ Pischof Alfred Ritt. v.
2. „ Bende Oskar v.
1. „ Masłowski Theophil.
1. „ Horčička Georg.
1. „ Schimek Richard.
2. „ Pompéry Elemer v.
2. „ Luksch Franz.
2. „ Szametz Ludwig.
1. „ Svěceny Johann.
2. „ Fischer Arthur.

1. Mai 1877.

2. Reg. Wenzlik Jaroslav.
2. „ Leischner Johann.
2. „ Brumowsky Albin.
2. „ Latocha Ludwig.
1. „ Krupička Hugo.
2. „ Michalek Adolph.
1. „ Sosna Franz (Res.).
1. „ Říha Hugo (Res.).

1. September 1877.

1. Reg. Bockenheimer v. Bockenheim Franz Ritt.
2. „ Lorenz Carl.
2. „ Martinek Joseph.
1. „ Gabriel Alois.
2. „ Jennerwein Joseph.
2. „ Brandtner Carl.
1. „ Lodwinski Stanislaus.
1. „ Gläser Eugen.
1. „ Hrdlička Gustav.
2. „ Exler Carl.
2. „ Schneller Edl. v. Mohrthal August.
2. „ Dorontić Stephan.
2. „ List Emil.
2. „ Vevér Johann Freih. v.
1. „ Weber Carl

1. September 1877.

1. Reg. Kottowitz Edl. v. Kortschak Victor.
1. „ Hofhans Paul.
2. „ Scholz Franz.
2. „ Muszynski Oskar.
2. „ Burian Alexander.
2. „ Potuczek Franz.
1. „ Masner Ernst.
1. „ Székely de Doba Alexander.

1. November 1877.

2. Reg. Csernik Johann (Res.).
1. „ Sheybal Johann.

1. November 1877 *).

2. Reg. Rozinay Stephan.
1. „ Roubiček Emil.
1. Hoppner Franz.
1. Lexa Johann.
1. Elzer Johann.
1. Wittenbauer Ferd.
2. Mirkovszky Géza.
1. „ Oesterreicher Sigmund.
2. „ Zobel Ludwig.
1. „ Šebesta Johann Wilhelm.
2. „ Czóka Árpád v.
2. „ Erleszbeck Franz.
1. „ Schreitter v. Schwarzenfeld Franz Ritt.
1. „ Spitzer Carl

1. Mai 1878.

1. Reg. Cunz v. Kronhelm Ludwig Ritt.
2. „ Netuschil Emanuel.
1. „ Streck Florian.
2. „ Ströher Ignaz.
1. „ Bücheler Heinrich.
1. „ Popkiewicz Ignaz.
1. „ Reinitzer Benjamin (Res.).

1. September 1878.

2. Reg. Prodanović Stephan v.
1. „ Ortmann Georg.
2. „ Förster Carl.

*) Lieutenants in der Reserve.

Genie-Regimenter.

1716 als Mineur-Corps und Bestandtheil der Artillerie errichtet; 1772 mit dem Ingenieur- und Sappeur-Corps vereinigt; 1851 Zweites Genie-Regiment; 1855 aus diesem: das 1., 5., 6., 7, 8. und 9. Genie-Bataillon formirt.

1760 als Sappeur-Corps errichtet; 1851 Erstes Genie-Regiment; 1855 aus diesem: das 2., 3., 4., 10., 11. und 12. Genie-Bataillon formirt.

1860 (1. Juni) wurden die dermaligen Genie-Regimenter, und zwar das erste aus dem bestandenen 1., 2., 4. und 9., das zweite aber aus dem 3., 5., 7. und 8. Genie-Bataillon wieder hergestellt, während das 6., 10., 11. und 12. Genie-Bataillon aufgelöst wurden.

1. Genie-Regiment.

Regiments-Stab: Olmütz.

1. Bat.-Stab: Olmütz. 2. Han Kosna. 3. Olmütz. 4. Brood. 5. Blazuj. 1. und 2. Res.-Comp. zu Olmütz. 3. und 4. Res.-Comp. zu Krakau. 5. und 6. Res.-Comp. zu Theresienstadt. 7. und 8. Res.-Comp. zu Prag.

1862 Kaiser Franz Joseph.

Oberst u. Reg.-Comdt. Koeziczka Edl. v. Freibergswall, Carl, ÖFJO-R.

Oberstlieutenants.

Stenitzer, Moriz Ritt. v., ÖEKO-R. 3. (KD.), MVK. (KD.) (Res.).
Cramer, Wilhelm.
Hermann, Gustav.

Majore.

Müller, August.
Fürer, Eduard.
Gyurits v. Vitesz-Sokolgrada, Michael, MVK. (KD.), (betraut mit der Leitung der Genie-Dir. zu Banjaluka).
Schenek, Franz.

Hauptleute 1. Classe.

Naredi-Rainer v. Harbach, Anton Ritt. (Res.).
Ruef, August (Res.).
Themer, Joseph (Res.).
Schaller, Carl Freih. v., MVK.
Finck, Joseph.
Feith, Carl Ritt. v., ÖEKO-R. 3.
Reimer, Hermann.
Nowotný, Carl.
Hlawaczek, Constantin.
Mainardis, Anton (Res.).
Allesina v. Schweitzer, Friedrich, ÖFJO-R.
Bujet, Johann.
Krajnc, Victor.
Martinek, Franz.
Plsak, Franz.
Wittich, Gustav.
Wissneker, Franz.
Machaczek, Carl.
Ludkiewicz, Victor.
Treydl, Eduard.
Popp, Richard.
Krejči, Johann.
Horak, Franz.
Kernić, Gabriel.
Czech, Ferdinand.
Lichtblau, Joseph.

Hauptleute 2. Classe.

Bellot, Alfred (WG.).
Benigni in Müldenberg, Carl Ritt. v.
Barleon, Alfred.
Winter v. Lorschheim, Carl.
Müller v. Hörnstein, Heinrich Freih., MVK.
Sobotka, Johann.
Glossauer, Julius.
Marian, Radislaus.
Elmayer, Ludwig, MVK.
Ressel, Carl.
Bettali, Oswald, MVK. (KD.), (ü. c.) Lehrer an der Mil.-Ober-Realschule.
Krebs v. Sturmwall, Ferdinand.
Ostoich, Constantin v.
Hanak, Moriz.
Schestauber, Eduard.
Jeřábek, Andreas.

Oberlieutenants.

Borowský, Victor.
Brandhuber, Franz.
Hagen v. Hagenburg, Wilhelm (ü. c.) zug. der Genie-Dir. zu Trient.
Bussjäger, Julius (ü. c.) zug. der Genie-Dir. zu Pola.
Sluka, Ferdinand (ü. c.) zug. dem Generalstabe.
Fiebich, Victor (ü. c.) zug. der Genie-Dir. zu Trient.
Rowensky, Joseph.
Hübner, Eduard Ritt. v. (WG.).
Knopp v. Kirchwald, Carl.
Grobois, Ernst.
Steinwender, Johann.
Rucker, Ferdinand.
Romanić, Bogdan.
Temmel, Joseph (Reg.-Adj.).
Ribitsch, Simon.
Schlögelhofer, Franz (ü. c.) zug. der Genie-Dir. zu Brood.
Otschenaschek, Eduard (ü. c.) zug. der Mil.-Bau-Dir. zu Lemberg.

Schaffer, Clement (ü. c.) zug. der Genie-Dir. zu Olmütz.
Bock, Moriz (ü. c.) zu Serajevo.
Pleskott, Rudolph (ü. c.) zug. der Genie-Dir. zu Komorn.
Franz, Johann.
Weissenberger, August.
Krepper, Aurel.
Hüttl, Joseph.
Lutz, Ignaz.
Seichter, Julius (ü. c.) beim R.-Kriegs-Mstm.
Moschner, Johann (ü. c.) zug. der Genie-Dir. zu Essegg.
Witzigmann, Paul (zug. der Genie-Dir. zu Krakau).
Gabriel, Alphons.
Portner und Höflein, Rudolph Freih. v.
Hrabar, Johann.
Schild, Ludwig.
Benigni in Müldenberg, Sigmund Ritt. v.
Czikan, Alfred.
Beranek, Victorin.
Rechbach, Philipp Freih. v. (ü. c.) zug. der Mil.-Bau-Dir. zu Brünn.
Kottowitz Edl. v. Kortschak, Gustav (Bat.-Adj.).
Janowský, Julius Edl. v. (ü. c.) zug. der Genie-Dir. zu Krakau.
Hruschka, Eduard (Bat.-Adj.).
Romano v. Ringe, Eduard Ritt.
Wodiczka, Gustav.
Onheiser, Carl.
Walter, Joseph.
Hollan, Joseph.
Franz, Joseph.
Neuerer, Carl.
Hanzeković, Thomas.
Rukavina, Rudolph.
Fanta, Julius.
Gläser, Robert.
Fornasari Edl. v. Verce, Joseph.
Kuderna, Joseph.
Singer, Vincenz.
Rieger, Erwin.
Nowak, Adolph.
Wellenreiter, Julius (Bat.-Adj.).
Meduna v. Riedburg, Franz Ritt.
Acham, Paul (Bat.-Adj.).
Daubek, Franz (Res.).
Sedlak, Emanuel (Res.).
Zezula, Friedrich (Res.).
Zimmermann, Friedrich.
Schärf, Adolph (Res.).
Wagner, Ludwig.
Csaklós, Joseph (Bat.-Adj.).
Baumgartner, Adolph.

Lieutenants.

Laske, Johann. (Res.)
Titlbach, Berthold (Res.)
Sychrovský, Emanuel (Res.)
Nehasil, Franz (Res.)
Pikolon, Carl (Res.)
Falta, Joseph (Res.)
Geřábek, Ignaz (Res.)
Beutl, Franz (Res.)
Schenk, Franz (Res.)
Straka, Franz (Res.)
Řezníček, Johann (Res.)
Pokorny, Franz (Res.)
Prävener, Wilhelm (Res.)
Schremer, Wilhelm (Res.)
Nowak, Franz (Res.)
Škorkowski, Stanislaus v. (Res.)
Ring, Gustav (Res.)
Mikolaschek, Carl (Res.)
Liebscher, Carl (Res.)
Klose, Joseph (Res.)
Kaupa, Johann (Res.)
Staněk, Gottlieb (Res.)
Reeger, Heinrich (Res.)
Mik, Franz (Res.)
Šebesta, Johann (Res.)
Czyzewski, Joseph (Res.)
Weis, Gustav (Res.)
Heeger, Julius (Res.)
Rulf, Wilhelm (Res.)
Glattmann, Felix (Res.)
Pilecki, Julian (Res.)
Brabetz, Johann (Res.)
Porak, Victor (Res.)
Marchetti, Raimund (Res.)
Marcoin, Thaddäus (Res.)
Ingarden, Roman (Res.)
Schurda, Anton Ritt. v. (Res.)
Domin, Carl (Res.)
Zeidler, Alexander (Res.)
Hetper, Carl (Res.)
Walprecht, Adolph (Res.)
Horaček, Ignaz (Res.)
Knesche, Friedrich (Res.)
Blaha, Emil (Res.)
Dörfel, Rudolph (Res.)
Kolbenheyer, Erich (Res.)
Strassner, Theodor (Res.)
Haluschka, Hugo (Res.)
Felkel, Julian (Res.)
Adamczyk, Ladislaus (Res.)
Leszczynski, Zdislav Ritt. v. (Res.)
Jirsik, Johann (Res.)
Urban, Wilhelm (Res.)
Kohout, Joseph (Res.)
Storch, Johann (Res.)
Krismanić, Erwin Ritt. v.
Tupaj, Joseph.
Zemanek, Rudolph (Res.)
Heller, Joseph (Res.)
Nettel, Sigmund (Res.)
Friedrich, Wilhelm (Res.)
Strzechowski, Carl (Res.)
Mayer, Carl (Res.)
Heidler, Johann (Res.)
Daute, Franz (Res.)
Dieterich, Jakob (Res.)
Masłowski, Theophil (Res.)
Horčička, Georg (Res.)
Schimek, Richard (Res.)
Svěceny, Johann (Res.)
Krupička, Hugo.
Sosna, Franz (Res.).
Říha, Hugo (Res.).
Bockenheimer v. Bockenheim, Franz Ritt.
Gabriel, Alois.
Lodwinski, Stanislaus.
Gläser, Eugen.
Hrdlička, Gustav (Prov.-Off.).
Weber, Carl.
Kottowitz Edl. v. Kortschak, Victor.
Hofhans, Paul.
Masner, Ernst.
Székely de Doba, Alexander.
Sheybal, Johann.
Roubiček, Emil (Res.)
Hoppner, Franz (Res.)
Lexa, Johann (Res.)
Elzer, Johann (Res.)
Wittenbauer, Ferdinand (Res.)
Oesterreicher, Sigmund (Res.)

Šebesta, Johann Wilhelm (Res.).
Schreitter v. Schwarzenfeld, Franz Ritt. (Res.).
Spitzer, Carl. (Res.).
Cunz v. Kronhelm, Ludwig Ritt.
Streck, Florian.
Bücheler, Heinrich.
Popkiewicz, Ignaz.
Reinitzer, Benjamin (Res.).
Ortmann, Georg.
Seifert, Adolph.
Englisch, Oskar.
Wantzl, Arthur Edl. v.
Bernath, Aurel.
Lippert, Hermann.
Wiktor, Miecislaus Ritt. v.
Leganowicz, Bronislaus.
Granath, Joseph.

Cadeten.

Blažek, Johann (Res.).
Stejnar, Franz (Res.).
Swierczynski, Stanisl. (Res.).
Pilz, Emil (Res.).
Sandig, Leo (Off.-Stellv.).
Rosam, Arthur (Off.-Stellv.).
Scheuring, Edmund (Off.-Stellv.).
Kosak, Ferdinand (Res.).
Auner, Carl (Res.).
Schramm, Roman (Res.).

Mil.-Aerzte.

Polnitzky, Vincenz, Dr., Reg.-Arzt 1. Cl.
Wyt, Wenzel, Dr., Reg.-Arzt 1. Cl.
Kopřiva, Ignaz, Dr., Reg.-Arzt 2. Cl.
Löhnert, Florian, Dr., Reg.-Arzt 2. Cl.
Fetter, Johann, Oberwundarzt.
Urbanetz, Adolph, Oberwundarzt.

Rechnungsführer.

Frind, Carl, Hptm. 2. Cl.
Berg, Franz, Oblt.
Michel, Joseph, Lieut.
Knobel, Bernhard, Lieut.
Stifter, Joseph, Lieut.

Adjustirung der Officiere beider Genie-Regimenter.

Czako, sonst wie die Officiere des Genie-Stabes, die Knöpfe jedoch mit der Regiments-Nummer.

2.
Genie-Regiment.

Regiments-Stab: Krems.

1. Bat.-Stab: Krems. 2. Wien. 3. Sèrajevo. 4. Budapest. 5. Krems. 1. und 2. Res.-Comp. zu Graz. 3. und 4. Res.-Comp. in Wien. 5. und 6. Res.-Comp. zu Linz. 7. und 8. Res.-Comp. zu Budapest.

1862 Leopold, Erzherzog, GdC.

Oberst u. Reg.-Comdt. Pollini, Friedrich Ritt v.

Oberstlieutenants.

Nemetschek, Heinrich.
Geissner, Carl.

Majore.

Herrenschwand, Friedrich v., ÖEKO-R. 3, (KD.), MVK.
Ambrozy, Emil.
Mitterwallner, Nikolaus.
Hirsch, Albert Edl. v.

Hauptleute 1. Classe.

Andres, Florian.
Grünebaum, Franz, ÖFJO-R. (Res.).
Kreuzhuber, Johann.
Bauer v. Adelsbach, Carl.
Hoiný, Johann.
Otto v. Ottenfeld, Anton Ritt. (ü. c.) im techn. u. adm. Mil.-Comité.
Wittchen, Alfred.
Hanke, Heinrich.
Saraca, Stanislaus nobile de.
Merklein, Anton.
LaCroix v. Langenheim, Alois.
Seidl, Adolph.
Klar, Christoph (ü. c.) Lehrer an der Mil.-Akad. zu Wr.-Neustadt.
Pacher v. Linienstreit, Gustav, MVK. (KD.)
Berković-Borota, Michael.
Rebberger, Emanuel (ü. c.) Lehrer an der techn. Mil.-Akad.
Prokopp, Michael.
Hiessmanseder, Rudolph.
Forstner, Carl, MVK. (KD.).
Groh, Oswald v.
Giffinger, Emerich.
Tomanóczy, Joseph.
Staindl, Rudolph.
Nitsche, Victor (ü. c.) beim R.-Kriegs-Mstm.
Zástěra, Carl.
Sperber, Peter.
Khittel, Rudolph, MVK. (KD.).

Hauptleute 2. Classe.

Tóth, Victor (Res.).
Levnaić, Nikolaus.
Dörfler, Willibald (WG.).
Tuskler v. Treuimfeld, Alfred Ritt. (Res.).
Pizzighelli, Joseph (ü. c.) im techn. u. adm. Mil.-Comité.
Wolff v. Wolfenberg, Michael (ü. c.) Lehrer an der Mil.-Ober-Realschule.
Gayer v. Gayersfeld, Albert.
Makowiczka, Alphons (ü. c.) zug. dem Generalstabe.
Alexich, Carl.
Lederle, Leo (ü. c.) zug. dem Generalstabe.
Vessel, Heinrich, ÖEKO-R. 3. (KD.).
Chiolich v. Löwensberg, Carl.
Lendl v. Murgthal, Wilhelm Ritt.
Urban, Eduard.
Gawłowski, Marian (zug. dem techn. u. adm. Mil.-Comité).
Bolhár, Ferdinand.
Łepkowski, Friedrich Ritt. v., MVK. (KD.).
Schwabe, Emil, MVK. (KD.).
Böhm v. Bawerk, Adolph Ritt.
Pöltl, Joseph.
Wohlleben, Adolph v.
Hentschl, Wilhelm.
Fähndrich, Philipp.

Oberlieutenants.

Foglár, Heinrich (Res.).
Pokorný, Joseph.
Potiorek, Oskar (ü. c.) zug. dem Generalstabe.
Horbaczewski, Edmund (ü. c.) zug. der Genie-Dir. zu Olmütz.
Leeb, Carl (ü. c.) zug. der Genie-Dir. zu Carlsburg.
Pidoll v. Quintenbach, Franz Freih. (ü. c.) zug. der Genie-Dir. zu Ragusa.
Szmrecsányi, Carl v.
Leithner, Ernst Freih. v. (ü. z.) beurl.
Feigl, Tobias.
Katona, Julius.
Schiebel, Johann (ü. c.) zug. dem Generalstabe.
Dietl, Franz (ü. c.) zug. der Genie-Dir. zu Temesvár.
Müller v. Elblein, Eduard Ritt. (ü. c.) zug. der Mil.-Bau-Dir. zu Innsbruck.
Sterlini Edl. v. Sterling, Arthur, MVK. (KD.) (ü. c.) zug. dem Generalstabe.

Stipanović, Jaroslav.
Grünzweig v. Eichensieg, Albert (ü. c.) zug. der Genie-Dir. zu Cattaro.
Kővess v. Kővessháza, Hermann (ü. c.) zug. dem Generalstabe.
Wolter Edl. v. Eckwehr, Ernst (ü. c.) zug. der Genie-Dir. zu Krakau.
Wenko, Leopold.
Rastović, Constantin.
Albrecht, Alphons.
Fodor, Theodor.
Resch, Carl.
Stradal, Carl (ü. c.) zug. dem Generalstabe.
Heyss, Maximilian.
Bitterl v. Tessenberg, Maximilian Ritt.
Streichert, Othmar (ü. c.) zug. der Genie-Dir. zu Essegg.
Csongvay de Csegez, Carl (ü. c.) zug. der Mil.-Bau-Dir. zu Lemberg.
Widerwitz, Ferdinand.
Berger, Ernst (ü. c.) zu Banjaluka.
Grasern, Theodor Edl. v.
Dreihann v. Sulzberg am Steinhof, Ferdinand Ritt. (ü. c.) zug. der Mil.-Bau-Dir. zu Kaschau.
Kroneiser, Adolph (Bat.-Adj.).
Župan, Ernst (ü. c.) zu Dolnj Tuzla.
Frassl, Franz.
Wenko, Robert.
Bolgár, Franz v. (ü. c.) zug. der Mil.-Bau-Dir. zu Budapest.
Hauser, Ernst.
Benárd v. Szilvágy, August.
Diemer, Carl.
Tarbuk, Johann, MVK. (KD.).
Philippović v. Philippsberg, Maximilian.
Udvarnoky de Kis-Jóka, Julius, MVK. (KD.).
Friedel, Johann.
Łepkowski, Emil Ritt. v.
Müller v. Sturmthal, Carl Ritt.
Paur, Joseph.

Meangya, Stephan (Reg.-Adj.).
Minarelli de Fitz-Gerald, Alexander Chev.
Budisavljević, Emanuel v.
Nagy, Victor.
Balás, Georg (Bat.-Adj.).
Zorics, Paul.
Lóskay, Gabriel
Weber, Joseph Freih. v.
Kuso, Victor.
Ziembicki, Alexander.
Larisch v. Nimsdorf, Otto.
Fidler v. Isarborn, Ferdinand.

Ringhoffer, Franz Freih. v.
Krippner, Joseph
Mayr, Joseph
Ótocska, Adalbert v.
Sykora, Carl
Gigl, Franz
Klomser, Franz
Kapaun, Franz
Zsembery, Theodor
Holl, Eugen
Kriegs-Au, Ferdinand Ritt. v.
Krickl, Ernst
Münzberger, Franz
Tapla, Theodor
Brückl, Georg
Steiner, Joachim
Nawratil, Friedrich
Koderle, Emil
Pollak, Franz
Pellion, Adalbert
Zelinka, Hugo
Weisser, Adolph
Schannen, Ernst
Kolischer, Emil
Götze, Carl
(Res.).

Porges, Carl, MVK. (KD.).
Kuk, Carl.
Gászner v. Borsmonostor, Hugo
Rigele, Rudolph (Bat.-Adj.).
Schneller Edl. v. Mohrthal, Friedrich (Bat.-Adj.).

Lieutenants.

Schwarczel, Alexander
Steiner, Friedrich
Buhl, Constantin
Barthmann, Franz
Herzmansky, Theodor
(Res.).

Sárkány, Maximilian
Heincz, Albert v.
Uhl, Erwin
Essenther, Eugen
Keissler, Miroslav Ritt. v.
Fuchs v. Braunthal, Leo
Busek, Johann
Höke, Coloman
Galle, Anton
Stiegler, Ludwig
Kalus, Ferdinand
Feszl, Ladislaus
Löw, Wilhelm Edl. v.
Véninger, Franz
Wintergerst, Franz
Pisetzky, Joachim
Szikla, Géza
Schlick, Adalbert
Hauser, Rudolph
Neuman, Victor v.
Stärz, Wilhelm
Canal, Albert
Houbeiser, Alexander
Stražnicky, Johann
Decker, Alfred
Plavetzky, Aurel
Winter, Adolph
Nuber, Carl
Nagy, Alexander
Karafiáth, Theodor
Speidl, Felix
Felkel, Franz
Danner, Hermann
Bandel, Wilhelm
Erb, Moriz
Deininger, Johann
(Res.).

Radossevich v. Rados, Theodor Freih.

Bende, Attila v.
Széher, Zoltán Ritt. v.
Kropf, Ludwig
Basch, Eduard
Deininger, Julius
Czigler, Julius
Wolfsgruber, Stephan
Beszedits, Alfred
Richter, Eduard
Wagner, Emil
Ybl, Ludwig
Hinsenkamp, Bernhard
Csapek, Joseph
Hochbaum, Ladislaus
Buócz v. Tarna, Adolph
Lővészy, Carl
(Res.).

Balássy, Nikolaus
Szojka, Paul
Mihók, Joseph
Hoitsy, Paul v.
Csizmazia, Géza
Herbász, Anton
Wang, Ferdinand
Czarnomski, Alfred
Biró, Alexander
Seipka, Adolph
Bolla, Michael
Jármay, Eugen v.
Hocke, Carl
Bodnár, Julius
Pfeiffer, Julius
Pischof, Alfred Ritt. v.
Bende, Oskar v.
Pompéry, Elemér v.
Luksch, Franz
Szametz, Ludwig
Fischer, Arthur
(Res.).
Wenzlik, Jaroslav (Prov.-Off.).
Leischner, Johann.
Brumowsky, Albin.
Latocha, Ludwig.
Michalek, Adolph.
Lorenz, Carl.
Martinek, Joseph.
Jennerwein, Jos. (Bat.-Adj.).
Brandtner, Carl.
Exler, Carl.
Schneller Edl. v. Mohrthal, August.
Dorontić, Stephan.
List, Emil.
Vevér, Johann Freih. v.
Scholz, Franz.
Muszynski, Oskar.
Burian, Alexander.
Potuczek, Franz
Csernik, Johann
Roziunay, Stephan
Mirkovszky, Géza
Zobel, Ludwig
Czóka, Árpád v.
Erleszbeck, Franz
(Res.).
Netuschil, Emanuel.
Ströher, Ignaz.
Prodanović, Stephan v.
Förster, Carl.
Ubaldini, Hugo.
Springer, Alfred.
Jurewicz, Aurel.
Rohm v. Hermannstätten, Adolph Ritt.
Kirchner v. Neukirchen, Heinrich.
Dietrich, Albert.
Petri, Carl.
Meltzer, Alfred.
Junk, Wilhelm.

Cadeten.

Zuławski, Adolph Ritt. v. (Res.).
Steingraber, Robert (Res.).
Höllerer, Franz (Res.).
Mrňák, Joseph.
Göczel, Stephan.
Meskolitsch, Mathias.
Meissl, Georg
Sóos, Eugen
Csonka, Paul
Szeykora, Robert
Udransky, Joseph
(Res.).

Mil.-Aerzte.

Podhajský, Vincenz, Dr., Reg.-Arzt 1. Cl.
Löbenstein v. Aigenhorst, Alfred Ritt., Dr., Reg.-Arzt 2 Cl.
Kalčić, Johann, Dr., Reg.-Arzt 2. Cl.
Niessner, Bohuslav, Dr., Reg.-Arzt 2. Cl.

Rechnungsführer.

Staszkiewicz, Alexander, Hptm. 2. Cl.
Pichler, Alois, Obrlt.
Muthsam, Joseph, Obrlt.

Pionnier-Regiment.

Regiments-Stab: Klosterneuburg.

1. Bat.-Stab: Alt-Gradisca. 2. Linz. 3. Prag. 4. Klosterneuburg. 5. Serajevo. Zeugs-Depot zu Klosterneuburg.

Von 1758—1801 waren die Pionniere nur auf Kriegsdauer aufgestellt; 1805 als Pionnier-Corps errichtet mit 3 Bataillonen; 1806 aufgelöst und im selben Jahre in der Stärke einer Division wieder errichtet; seither mit wechselndem Stande dauernd aufgestellt geblieben; 1843 das im Jahre 1767 errichtete Pontonier-Bataillon mit dem Pionnier-Corps verschmolzen; seit 1. Februar 1867 Pionnier-Regiment.

Oberst.

Bolzano Edl. v. Kronstätt, Friedrich, MVK. (KD.), Reg.-Comdt.

Oberstlieutenants.

Hron v. Leuchtenberg, Rudolph, MVK. (KD.), Comdt. des 3. Bat. (Rang 1. Nov. 1876).
Hillmayr, Wilhelm Ritt. v. (ü. c.) Lager-Platz-Comdt. zu Bruck an der Leitha (Rang 1. Nov. 1878).

Majore.

Zinner, Emerich, MVK. (KD.), Comdt. des 1. Bat. (Rang 1. Mai 1877).
Jelussig, Othmar, ÖEKO-R. 3. (KD.), MVK. (KD.), Comdt. des 5. Bat. (Rang 1. Nov. 1877).
Kerchnawe, Hugo, MVK., Comdt. des 2. Bat. (Rang 1. Mai 1878).
Teltscher, Bernhard, MVK. (KD.), Comdt. des 4. Bat. (beim Eisenbahnbaue). (Rang 15. Sept. 1878).
Tomaschek. Johann, MVK. (KD.), beim Eiseubahnbaue (Rang 15. Sept. 1878).
Perin v. Wogenburg, Emil Ritt., MVK. (KD.), beim Reg.-Stabe (Rang 1. Nov. 1878).

Hauptleute 1. Classe.

		Rang
		1867
Stab.	Wukmirowić, Johann (WG.)	13. April
		1869
3. B.*)	Schwarz, Joseph	1. Mai
2. „	Hackenschmidt, Leo	1. „
4. „	Jacquemot, Ludwig, ÖFJO-R.	1. „
5. „	Laferl, Joseph, MVK. (KD.)	1. „
1. „	Brinner, Wilhelm, MVK. (KD.)	1. „
2. „	Preiss, Franz	1. „
Stab.	Müller, Ladislaus, MVK. (ü.c.); Comdt. der Pion.-Cadetenschule	1. Nov.

		Rang
		1870
4. B.	Schuch, Carl	1. Mai
—	Vaymár, Ludwig v. (ü. c.) zug. dem Generalstabe	1. Nov.
3. B.	Bara, Carl	1. „
		1871
5. „	Bernard, Carl	1. Nov.
		1872
1. „	Payer, Eduard, MVK. (KD.)	1. Mai
Stab.	Mayer von der Winterhalde, Oskar Ritt. (Reg.-Adj.)	1. „
3. B.	Kaas, Joseph	1. Nov.
4. „	Rupert, Victor, MVK. (KD.)	1. „
1. „	Stärz, Joseph	1. „
3. „	Winkler, Alois	1. „

*) B. bedeutet hier Bataillon, Z. Dp. Zeugs-Depot.

		Rang 1873
1. B.	Winkler, Franz, MVK.(KD.)	1. Mai
4. „	Kwětt, Joseph	1. „
2. „	Hoser, Julius	1. „
—	Hütter, Julius, MVK. (KD.), (ü.c.); zug. dem Generalstabe	1. „
1. B.	Apath, Johann	1. „
—	Horak v. Plankenstein, Alois (ü. c.) beim Lager-Platz-Comdo. zu Bruck an der Leitha	1. „
Stab.	Bumbala, Emil (Reg.-Adj.)	1. „
5. B.	Edelmüller, Friedrich MVK. (KD.)	1. Nov.

		Rang 1874
2. B.	Blondein, Gustav, ÖFJO-R.	1. Nov.
3. „	Suchomel, August	1. „
5. „	Eisenstädter, Anton	1. „
5. „	Krzisch, Carl	1. „
Z. Dp.	Glass, Jakob, MVK. (KD.)	1. „
		1876
5. B.	Zeiringer, Carl	1. Nov.
2. „	Kattner, Franz	1. „
—	Pukl, Adolph (ü.c.) Lehrer an der techn. Mil.-Akad.	1. „
1. B.	Magdeburg, Albert Freih. v.	1

Hauptleute 2. Classe.

		Rang 1877
—	Schaffarž, Joseph (ü. c.) zug. dem Generalstabe	1. Mai
3. B.	Peyerle, Wilhelm	1. „
5. „	Mrázek, Victor	1. „
2. „	Oesterreicher, Joseph	1. „
4. „	Stöhr, Adolph	1. Nov.
4. „	Renvers, Wilhelm	1. „
2. „	Brinning, Franz	1. „
2. „	Turba Edl. v. Dravenau, Eduard	1. „
		1878
1. B.	Koneczny, Carl Ritt. v.	15. Sept.
5. „	Danko, Joseph, MVK. (KD.)	15. „

		Rang 1878
Stab.	Ehrlich, Julius (ü.c.) Lehrer an der Pion.-Cadeten-Schule	15. Sept.
4. B.	Szakatsits, Carl	15. „
2. „	Mannert, Johann	15. „
4. „	Ther, Otto	1. Nov.
5. „	Kemenović, Felix	1. „
3. „	Scheibler, Friedrich	1. „
5. „	Szlavik, Gustav	1. „
1. „	Medaković, Adam, ÖFJO-R., MVK.	1
—	Teuchmann, Heinr. (ü.c.) im mil.-geogr. Inst.	1. „

Oberlieutenants.

		Rang 1872
3. B.	Oliva, Ferdinand	1. Nov.
Stab.	Kossanović, Emil (ü. c.) Lehrer an der Pion.-Cadeten-Schule	1. „
1. B.	Galliena, Alois	1. „
Z. Dp.	Tischler, Mathias	1. „
		1873
4. B.	Kirku, Emil	1. Mai
4. „	Liebhart, Joseph	1. „
5. „	Schnerch, Carl	1. „
5. „	Wenig, Wilhelm	1. „
1. „	Sandner, Carl	1. „
3. „	Willner, Heinrich	1. „
5. „	Reitz, Victor, MVK. (KD.)	1. „
2. „	Schinnell, Ignaz	1. „
1. „	Delić, Michael, MVK.	1. „

		Rang 1873
Stab.	Dobner, Anton (ü.c.) Lehrer an der Pion.-Cadeten-Schule	1. Mai
3. B.	Kropaček, Johann	1. Nov.
		1874
—	Guzek, Ladislaus (ü. c.) im mil.-geogr. Inst.	1. Mai
3. B.	Matić, Lucas	1. Nov.
1. „	Veszely, Johann (Bat.-Adj.)	1. „
Stab.	Stoeckl, Alphons (ü. c.) Lehrer an der Pion.-Cadeten-Schule	
„	Hippmann, Carl (Reg.-Adj.)	1
5. B.	Kiepach v. Haselburg, Emil, MVK.	1

		Rang
		1875
2. B.	Hirst Edl. v. Neckarsthal, Hermann (Bat.-Adj.)	1. Mai
5. „	Pfaffenbüchler, Joseph	1. Nov.
		1876
1. „	Puxbaumer, Alois	1. Mai
1. „	Scheibert, Julius	1. Nov.
2. „	Trojan, Heinrich	1. „
Stab.	Walter, Albert (ü. c.) Lehrer an der Pion.-Cadeten-Schule	1. „
3. B.	Rigele, Hermann	1. „
4. „	Gruber, Carl	1. „
		1877
2. „	Kurz, Carl	1. Mai
4. „	Reuss, Augustin	1. „
5. „	Fitzner, Johann	1. „
2. „	Weigl, Rudolph	1. „
5. „	Drozdowski, Peter	1. „
4. „	Koneczny, Anton Ritt. v.	1. Nov.
—	Kuess, Carl (ü. c.) im mil.-geogr. Inst.	1. „
—	Esch, Carl (ü. c.) zug. dem Generalstabe	1. „
1. B.	Reitz, Ludwig	1. „

		Rang
		1877
5. B.	Mislenszky, Andreas	1. Nov.
5. „	Szibenliszt, Adalbert	1. „
5. „	Szaszkiewicz, Alexander	1. „
		1878
Z. Dp.	Holzbecher v. Adels-Ehr, Ferdinand	15. Sept.
4. B.	Poquet, Theodor	15. „
2. „	Formanek, Joseph	15. „
Stab.	Jahnel, Eduard (ü. c.) Lehrer an der Pion.-Cadeten-Schule	1. Nov.
4. B.	Hayd, Franz	1. „
1. „	Kämpfler, Ferdinand	1. „
1. „	Lagler, Franz	1. „
Stab.	Koncz de Nagy-Solymos, Friedrich (ü. c.) Adj. bei der Eisenbahn-Bauleitung	1. „
5. B.	Modiz, Mathias	1. „
5. „	Wlczek, Franz (Bat.-Adj.)	1. „
3. „	Pötzl, Johann	1. „
5. „	Reitinger, Franz	1. „
1. „	Packenj v. Kilstädten, Friedrich Freih. (Res.)	1. „
4. „	Reisch auch Reusch, Ludwig (Res.)	1

Lieutenants.

			Rang
			1871
3. B.	Hering, Carl	(Res.)	1. Nov.
5. „	Mayer, Franz	(Res.)	1. „
5. „	Winterhalter, Ernst	(Res.)	1. „
2. „	Krüzner, Zdenko	(Res.)	1. „
2. „	Kapaun, Julius	(Res.)	1. „
			1872
4. „	Weigert, Leopold	(Res.)	1. Nov.
3. „	Huber, Carl	(Res.)	1. „
Z. Dp.	Honzik, Rudolph	(Res.)	1. „
4. B.	Prochaska, Anton	(Res.)	1. „
2. „	Gerbert Edl. v. Hornau, August	(Res.)	1. „
			1873
4. „	Swoboda, Victor		1. Nov.
5. „	Forcher v. Ainbach, Franz (Res.)		1. „
3. „	Richter, Heinrich (Res.)		1. „
			1874
4. „	Thalhofer, Alois, Dr. (Res.)		1. Mai
			1875
2. „	Mathes, Carl (Res.)		1. Nov.
5. „	Altmann, Adolph (Res.)		1. „

			Rang
			1876
Stab.	Schipek, Julius (ü. c.) Lehrer an der Pion.-Cadeten-Schule		1. Mai
3. B.	Brukatsch, Gustav		1. „
Z. Dp.	Ringbauer, Carl		1. „
1. B.	Trnka, Joseph (Res.)		1. „
3. „	Nagy, Moriz (WG.)		1. Sept.
4. „	Kapfinger, Joseph (Bat.-Adj.)		1. Nov.
4. „	Fabritius, Victor		1. „
2. „	Krichbaumer, Franz		1. „
3. „	Stritzl, Johann		1. „
5. „	Kermenić, Joseph		1. „
4. „	Thanheiser, Franz		1. „
1. „	Gyertyanffy v. Bobda, Valentin		1 „
3. „	Pokorny, Ferdinand	(Res.)	1. „
3. „	Steřba, Bohumil	(Res.)	1. „
1. „	Pálffy ab Erdöd, Joseph Gf.	(Res.)	1. „
2. „	Hofer, Leopold	(Res.)	1. „
1. „	Grünenwald, Alexander	(Res.)	

			Rang 1876
4. B.	Schmid, Heinrich		1. Nov.
1. „	Cottely Edl. v. Fahnenfeld, Edmund		1. „
2. „	Mayer, Rudolph	(Res.)	1. „
1. „	Csillag, Maximilian		1. „
3. „	Schreiter, Carl		1. „
2. „	Wentzel, Heinrich		1. „
			1877
1. B.	Jonas, Carl		1. Mai
3. „	Regele, Albin (Bat.-Adj.)		1. „
5. „	Baumgartner, Franz		1. „
4. „	Gaj, Johann		1. „
5. „	Schiffner, Franz (Res.)		1. Juli
2. „	Herbert, Franz		1. Nov.
4. „	Deutsch, Julius		1. „
3. „	Dlabač, Anton		1. „
1. „	Schlachta, Coloman v.		1. „
1. „	Götz, Ferdinand		1. „
1. „	Röhrich, Carl		1. „
4. „	Babo, August v.	(Res.)	1. „
1. „	Rumpelmayer, Friedrich		1. „
5. „	Hardtmuth, Friedr.		1. „
2. „	Hafferl, Franz		1. „
5. „	Weiss, Moriz		1. „

		Rang 1878
3. B.	Rauch, Peter	1. Mai
3. „	Leitenberger, Willibald	1. „
2. „	Geldern, Egmond v.	1. „
3. „	Piskaček, Ottokar	1. „
2. „	Wondraczek, Johann	1. „
5. „	Sokal, Rudolph (Res.)	15. Sept.
4. „	Helmar, Anton	15. „
2. „	Bauer, Ferdinand	15. „
3. „	Scheuchenstuel, Victor v.	1. Nov.
3. „	Walenta, Johann	1. „
2. „	Garhofer, Franz	1. „
1. „	Szvetits, Johann	1. „
4. „	Padewit, Albert	1. „
4. „	Lutz, Ludwig	1. „
5. „	Pramesberger, Franz	1. „
4. „	Kalliwoda, Arthur	1. „
1. „	Jung, Franz	1. „
1. „	Mitsko, Franz	1. „
5. „	Thomić, Stephan	1. „
3. „	Bekić, Theodor	1. „
1. „	Lany-Jacobi, Leodegar v.	1. „
5. „	Hübsch, Carl	1. „
2. „	Lindner, Adolph	1. „

Cadeten.

		Rang 1876
2. B.	Löw, Georg (Res.)	1. Nov.
		1877
2. „	Gallois, Ludwig v. (Res.)	1. Nov.
4. „	Kajaba, Julius (Off.-Stellv.), (Res.)	—
4. „	Kanczucki, Sigmund (Off.-Stellv.), (Res.)	—

		Rang
1. B.	Gurlich, Ant. (Off.-Stellv.), (Res.)	-
1. „	Pichler, Joh. (Off.-Stellv.), (Res.)	-
1. „	Epstein, Ladislaus (Off.-Stellv.), (Res.)	

Mil.-Aerzte.

2. B. Wolf, Franz, Dr., Reg.-Arzt 1. Cl.
1. „ Alter, Hermann, Dr., Reg.-Arzt 1. Cl.
3. „ Schwarz, Sigm., Dr., Reg.-Arzt 1. Cl.
5. B. Hantschk, Anton, Dr., GVK., Reg.-Arzt 2. Cl.
4. „ Watzke, Joseph, Dr., GVK. m. Kr., Reg.-Arzt 2. Cl.
5. „ Waldbrunn, Carl, Oberwundarzt.

Rechnungsführer.

3. B. Eberle, Ludwig, Hptm. 1. Cl.
Stab. Müller, Eduard, Hptm. 1. Cl.
5. B. Kuzminović, Mathias, Hptm. 1. Cl.
1. B. Wazal, Wilhelm, Obrlt.
2. „ Stigler, Joseph, Lieut.
4. „ Babić, Mathias, Lieut.

Adjustirung der Officiere.

Czako, hechtgrauer Waffenrock mit stahlgrüner Egalisirung und weissen glatten Knöpfen, hechtgraue Pantalon mit stahlgrünen Lampassen, Mantel blaugrau.

Sanitäts-Truppe.

Errichtet 1849, neu formirt 1870.

Sanitäts-Truppen-Commando in Wien.

Sanitäts-Abtheilungen.

1. Abth. im GSp. Nr. 1 in *Wien*.	13. Abth. im GSp. Nr. 13 zu *Theresienstadt*.
2. - - - - 2 in *Wien*.	14. - - - - 14 zu *Lemberg*.
3. - - - - 3 zu *Baden*.	15. - - - - 15 zu *Krakau*.
4. - - - - 4 zu *Linz*.	16. - - - - 16 zu *Budapest*.
5. - - - - 5 zu *Brünn*.	17. - - - - 17 zu *Budapest*.
6. - - - - 6 zu *Olmütz*.	18. - - - - 18 zu *Komorn*.
7. - - - - 7 zu *Graz*.	19. - - - - 19 zu *Pressburg*.
8. - - - - 8 zu *Laibach*.	20. - - - - 20 zu *Kaschau*.
9. - - - - 9 zu *Triest*.	21. - - - - 21 zu *Temesvár*.
10. - - - - 10 zu *Innsbruck*.	22. - - - - 22 zu *Hermannstadt*.
11. - - - - 11 zu *Prag*.	23. - - - - 23 zu *Agram*.
12. - - - - 12 zu *Josephstadt*.	

Rangs- und Eintheilungs-Liste.

Oberst und Sanitäts-Truppen-Commandant.

Leidl, Carl Ritt. v., ÖEKO-R. 3. (KD.), MVK. (KD.).

Adjutant: Brutscher, Carl, Hptm. 1. Cl.

Oberstlieutenant.

1. Abth. Strodler Franz, Comdt. (Rang 1. Mai 1875.)

Majore.

3. Abth. Venturini Alexander, Comdt. (Rang 1. Nov. 1875.)

16. Abth. Eisner Rudolph, ○ 2., Comdt. (Rang 1. Mai 1876.)

Hauptleute 1. Classe.

Abth.		Rang
7	Stöver Gustav, MVK. (KD.), Comdt.	11. Jän. 1855.
23	Uzelac Simon	26. April 1859.
17	Haimann Joh., MVK. (KD.), Comdt.	1. Mai 1866.
6	Kunert Ferdinand, Comdt.	29. Juni „
20	Ingerl Alois, Comdt.	29. „ „
2	Thaler Georg, Comdt.	3. Juli „
14	Dotzauer Emanuel, Comdt.	1. Aug. „
15	Adamowicz Johann, Comdt.	1. Nov. 1868.
19	Schuster August, Comdt.	1. Mai 1871.
8	Öhme Franz, ÖEKO-R. 3. (KD.), MVK. (KD.), Comdt.	1. Nov. 1872.
13	Quoika Johann, Comdt.	1. Mai 1873.
12	Sparrer Johann, Comdt.	1. „ „
—	Brutscher Carl, Adj. des San.-Trup.-Comdo.	1. Nov. 1874
10	Nossek Anton, Comdt.	1. Nov. 1874.
4	Brandenberg Gottlieb, MVK. (KD.), Comdt.	1. Mai 1875.
21	Kohn Joseph, MVK. (KD.), Comdt.	1. „ „
11	Zappe Franz, Comdt.	1. Nov. „
22	Hannibal Ignaz, Comdt.	1. „ „

Hauptleute 2. Classe.

Abth.		Rang
5	Weis Joseph, Comdt.	1. Mai 1876.
2	May Eduard	1. „ „
23	Schott Johann, Comdt.	1. „ „
18	Herma Paul, ○ 2., Comdt.	1. „ „
9	Wrba Adolph, MVK. (KD.), Comdt.	1. Nov. „
1	Jeitner Conrad	1. „ 1877.

Oberlieutenants.

Abth.		Rang
16	Aldorfer Mich., SVK. m. Kr.	1. Mai 1872.
18	Dumičić-Viehmann Peter (Res.)	1. Nov. „
1	Kössler Anton	1. Mai 1873.
9	Schneider Paul, MVK. (KD.)	1. „ „
5	Koloschek Stephan	1. „ „
8	Neus Georg, MVK. (KD.)	1. „ „
11	Matouschek Franz	1. „ „
2	Stoschek Joseph	1. Nov. „
17	Kohlbek Joseph	1. Mai 1874.

Abth.			Rang
7	Wendler Theodor		1. Nov. 1874.
22	Schuster Anton, ○2. (Res.)		1. „ „
19	Leidl Ferdinand		1. Mai 1875.
14	Freyschuss Ferdinand		1. „ „
9	Vouk Johann (Res.)		1. „ „
3	Rebhann Johann		1. „ „
6	Tendler Joseph		1. Nov. „
5	Jacob Joseph		1. „ „
9	Bielecki, Leopold		1. „ „
4	Hofmann Vincenz		1. Mai 1876.
22	Libano Norbert		1. „ „
23	Kasimor Johann		1. „ „
13	Reisinger Ludwig		1. „ „
21	Hofmann Moriz		1. „ „
11	Schuster Franz, ○ 2.		1. „ „
16	Vogl Franz		15. Sept. 1878.

Lieutenants.

Abth.			Rang
20	Derei Moriz (Res.)		1. Nov. 1872.
17	Marek Matthäus		1. „ 1873.
15	Voitl Johann		1. „ „
3	Tomaschek Alois		1. Mai 1874.
18	Gartenzaun Carl		1. Nov. „
17	Gabler Franz		1. „ „
21	Leo Emil		1. „ „
21	Bobies Carl		1. „ „
17	Petrich Carl		1. „ „
7	Ertl Johann		1. „ „
23	Paulin Alphons	(Res.)	1. „ „
5	Olbert Hubert		1. „ „
19	Allerhand Abraham		1. „ „
16	Wlaczil Maximilian		1. „ „
6	Niemetz Franz		1. „ „
12	Berger Philipp		1. Mai 1875.
23	Korasić Peter		1. „ „
9	Stenzl Ludwig		1. „ „
21	Seemüller Joseph (Res.)		1. Nov. „
21	Fein Ernst (Res.)		1. „ „
3	Hawelka Carl (Res.)		1. „ „
5	Lury Ludwig (Res.)		1. „ „
15	Krzyściak Johann (Res.)		1. „ „
23	Jahn Carl		1. Mai 1876.
17	Sommer Hersch (Res.)		1. „ „
14	Lang Johann (Res.)		1. „ „
2	Cisařowsky Wenzel		1. „ „
14	Swirniuk Thomas		1. „ „
16	Winkelmayer Wilhelm		1. „ „
7	Smrekar Ignaz		1. „ „
23	Rozniatowski Heinrich		1. Nov. „
11	Janatka Joseph (Res.).		1. Nov. 1876.
11	Klika Wenzel (Res.).		1. „ „
16	Teiber Heinrich (Res.).		1. „ „
22	Abraham Heinrich (Res.)		1. „ „
8	Grimm Franz		1. Mai 1877.
20	Wagner Samuel		1. „ „
1	Bradács Andreas		1. „ „
5	Pflaum Wenzel		1. „ „
11	Bobek Carl		1. „
12	Rixy Johann		1. Nov. „
6	Riedl Franz		1. „ „
10	Gnändiger Johann		1. „ „
8	Ehrenzweig Salomon		1. „ „
23	Vrbanić Joseph		1. „ „
13	Kadanik Joseph	(Res.)	1. „ „
11	Patera Adolph		1. „ „
11	Sykora Johann		1. „ „
12	Soukup Georg		1. „ „
13	Přibik Jaromir		1. „ „
22	Lubaczewski Franz		1. „ „
15	Figwer August		1. „ „
17	Frueth Carl		1. „ „
16	Fleischer Samuel		1. „ „
6	Horsky Eduard		1. Mai 1878.
18	Steyrer Otto		15. Sept. „
15	Beckmann Joseph		15. „ „

Cadeten.

Abth.		Rang
6	Frenzel Robert (Res.)	1. Nov. 1874.
5	Bielig Jos. (Off.-Stellv.) (Res.)	1. „ 1875.
22	Czipin Alois (Res.)	1. „ „
10	Lorenzi Pius (Res.)	1. „ „
3	Pfleghart Anton (Res.)	1. „ 1876.
11	Schmeisser Wenzel (Res.)	1 „ 1877.
13	Habersberger Rudolph (Res.)	1. „ „
2	Singer Moriz (Off.-Stellv.)	1. Sept. 1878.
4	Kohlbek Joh. (Off.-Stellv.)	1. „ „
16	Hennrich Johann (Off.-Stellv.)	1. „
1	Krautscheider Roman	1. „ „
11	Soukup Franz (Off.-Stellv.)	1. „ „
21	Urbanovsky Victor	1. „ „
19	Stiebal Johann	1. „
22	Stiglbauer Anton (Off.-Stellv.)	1.

Adjustirung der Officiere.

Czako, dunkelgrüner Waffenrock mit krapprother Egalisirung und gelben glatten Knöpfen, blaugraue Pantalon mit krapprothem Passepoil, Mantel blaugrau.

Militär-Fuhrwesens-Corps.

Das Militär-Fuhrwesen wurde vormals nur für die Dauer der Feldzüge aufgestellt; 1772 mit systemisirtem Kriegs- und Friedensstande dauernd errichtet.

Landes-Fuhrwesens-Commanden: Nr. 1 in Wien; — Nr. 2 zu Graz; — Nr. 3 zu Prag; — Nr. 4 zu Budapest; — Nr. 5 zu Lemberg; — Nr. 6 zu Hermannstadt.
Fuhrwesens-Material-Depots: Nr. 1 zu Klosterneuburg (Filial-Depots zu Wien, Brünn, Olschan und Linz); — Nr. 2 zu Marein (Filial-Depots zu Graz und Triest; Fuhrwerks-Detachements zu Laibach, Innsbruck, Zara und Ragusa); Nr. 3 zu Prag (Filial-Depot zu Josephstadt; Fuhrwerks-Detachement zu Theresienstadt); — Nr. 4 zu Budapest (Filial-Depots zu Kaschau, Temesvár, Komorn und Agram; Fuhrwerks-Detachements zu Pressburg und Carlstadt); — Nr. 5 zu Lemberg (Filial-Depot zu Krakau); — Nr. 6 zu Carlsburg (Fuhrwerks-Detachement zu Hermannstadt).

General-Fuhrwesens-Inspector.

Hussarek v. Heinlein, Johann Ritt., ÖEKO-R. 3. (KD), MVK. (KD)., GM.

Zugetheilt. Mischek, Wenzel, Rittm. 1. Cl.

Rangsliste

der Oberste, Oberstlieutenants, Majore, Rittmeister, Oberlieutenants, Lieutenants und Cadeten des Militär-Fuhrwesens-Corps.

Oberst.

(Vacat.)

Oberstlieutenants.

Wieden Edl. v. Alpenbach Eduard, (WG.). (Rang 1. Mai 1878.)
Heytmanek Edl. v. Kronwart Joseph, Comdt. des Etapen-Fuhrw.-Comdo. Nr. 2. (Rang 15. Sept. 1878.)

Majore.

Kreysky Wenzel, Comdt. des LFC. Nr. 4 zu Budapest. (Rang 1. Mai 1876.)
Satzke v. Wanderer Ottokar Ritt., MVK., Comdt. des Etapen-Fuhrw.-Comdo. Nr. 3. (Rang 1. Mai 1878.)
Nosek Robert, Comdt. des LFC. Nr. 5 zu Lemberg. (Rang 1. Mai 1878.)
Ellison v. Nidlef Friedrich Ritt., MVK. (KD.), zug. dem Gen.-Comdo. zu Serajevo. (Rang 15. Sept. 1878.)
Janka Carl, ○ 2. Comdt. des LFC. Nr. 2 zu Graz. (Rang 15. Sept. 1878.)
Mayer Franz, ÖFJO-R., ad latus des Comdt. des LFC. Nr. 1 in Wien. (Rang 1. Nov. 1878.)
Fekonia Franz, zug. der Etapen-Dir. zu Brood. (Rang 1. Nov. 1878.)

Rittmeister 1. Classe.

		Rang
		1866
LFC. 5.	Moser Mathias	1. Mai.
„ 1.	Hertl Carl	1. „
„ 3.	Ebner Ludwig (ü. c.) Stellvertreter des Präses der Remonten-Assent-Commission Nr. 1 zu Budapest	1. „
„ 1.	Neumann Joseph	1. „
„ 2.	Skaha Johann, MVK (KD.)	1. „
		1869
„ 2.	Kienberger Johann, MVK. (KD.)	1. Nov.
		1870
„ 6.	Werner Johann	1. Mai
		1872
„ 3.	Andres Anton	1. Mai
„ 4.	Schmitt Anton.	1. „
„ 5.	Januszewski Andreas	1. „
„ 1.	Holzinger Paul	1. „
„ 5.	Ammer Friedrich	1. Nov.
„ 2.	Rössler Johann	1. „
„ 6.	Gradwohl Wilhelm	1. „
„ 2.	Österreicher Hermann	1. „
„ 1.	Seiberl Vincenz	1. „
„ 3.	Straub Martin	1. „

		Rang
		1873
LFC. 5.	Lehner Edl. v. Lehnwalden Michael	1. Mai
		1874
„ 1.	Haller Carl	1. Mai
„ 1.	Beraun Johann	1. Nov.
—	Mischek Wenzel, zug. dem Gen.-Fuhrw.-Inspector	1. „
LFC. 4.	Cypra Franz, MVK.	1. „
„ 2.	Plečko Franz	1. „
		1875
„ 4.	Hottowetz Johann	1. Nov.
„ 1.	Herrmann Franz	1. „
„ 2.	Passini Alois	1. „
„ 1.	Melchart Mathäus (ü. c.) beim R.-Kriegs-Mstm.	1. „
„ 5.	Fialka Adam	1. „
		1876
„ 3.	Pröll Alois	1. Mai
„ 2.	Markut Franz	1. „
„ 4.	Chocholouš Mathias	1. „
„ 4.	Mauerböck Johann	1. „
„ 1.	Thielen Otto Ritt. v.	1. Nov.
„ 4.	Nittner Joseph	1. „
„ 1.	Finsterschott Leopold	1. „

Rittmeister 2. Classe.

		Rang
		1877
LFC. 4.	Podzimek Alois	1. Mai
„ 1.	Tuschka Andreas	1. „
„ 2.	Hodek Johann	1. Nov.
„ 1.	Urwalek Johann, ○ 1.	1. „
„ 1.	Skabek Joseph	1. „
„ 4.	Kozakiewicz Cajetan	1. „
„ 2.	Harwig Hubert	1. „
„ 1.	Zoitl Carl (ü. c.) beim R.-Kriegs-Mstm.	1. „

		Rang
		1878
LFC. 6.	Hauptfleisch Alois	1. Mai
„ 3.	Raschka Franz	1. „
„ 4.	Löw Martin	1. „
„ 4.	Weinzörl Franz	1. „
„ 3.	Jandl Johann	15. Sept.
„ 1.	Leschka Franz	15. „
„ 2.	Niederstadt Heinrich	1. Nov.
„ 1.	Van der Nüll Rudolph	1. „

Oberlieutenants.

		Rang
		1870
LFC. 2.	Kornhoffer Albert	1. Mai
		1872
„ 6.	Schrittwisser Julius	1. Nov.
		1873
„ 4.	Paulik Wenzel	1. Mai

		Rang
		1873
LFC. 3.	Haida Johann	1. Mai
„ 1.	Sperwald Franz (Res.)	1. „
„ 1.	Skibniewski Apollinar (ü. c.) beim R.-Kriegs-Mstm.	1. „
„ 4.	Baraniecki Franz v.	1. „
„ 4.	Stiebitz Bernhard	1. „
„ 1.	Brosch Heinrich	1. „

			Rang
			1873
LFC.	1.	Wachtl Jakob	1. Mai
			1874
	4.	Hartmann Alexander	1. Mai
	4.	Wolanek Wilhelm	1. „
	4.	Hieke Franz	1. „
	4.	Meditsch Heinrich	1. Nov.
	4.	Pechar Carl	1. „
	4.	Huschek Franz	1. „
	4.	Pelouschek Andreas	1. „
„	2.	Metall Friedrich	1. „
			1875
„	5.	Sarić Wasa	1. Nov.
			1876
„	4.	Simmet Andreas	1. Mai
„	4.	Böhm Alois	1. „
„	5.	Buschek Wenzel	1. „
„	2.	Hofbauer Adalbert	1. „
„	6.	Hofbauer Ludwig	1. „
„	6.	Ljubišić Alexander	1. „
„	4.	Panajott Alexander	1. Nov.
„	4.	Petričević Andreas	1. „
„	5.	Tuna Johann	1. „
			1877
„	1.	Weil Simon	1. Mai
„	4.	Kheck Joseph	1. „
„	4.	Gottwald Ignaz	1. „
„	2.	Barrać Stanislaus	1. Nov.
„	4.	Mirilović Constantin (ü.c.) im mil.-geogr. Inst.	1. „

			Rang
			1877
LFC.	4.	Blaschka Joseph	1. Nov.
„	4.	Henning Julius	1. „
„	5.	Božić Emanuel	1. „
„	4.	Bulis Joseph	1. „
			1878
„	5.	Hawle Anton, SVK. m. Kr.	1. Mai
„	3.	Fialka Wenzel	1. „
„	3.	Spěšny Eduard	1. Nov.
„	2.	Hörnes Moriz	1. „
„	1.	Otto Heinrich	1. „
„	4.	Dwořák Joseph	1. „
„	6.	Heim Carl	1. „
„	6.	Gál de Hilib Dominik	1. „
„	2.	Dlouhý Franz	1. „
„	1.	Etmayer Victor	1. „
„	4.	Hahn Maximilian (Res.)	1. „
„	1.	Bielek Moriz	1. „
„	2.	Pokorny Edmund	1. „
„	4.	Mesko Ladislaus v.	1. „
„	3.	Anton Eduard	1. „
„	4.	Kaksch August	1. „
„	2.	Adamek Eduard	1. „
„	4.	Oberbauer Theodor	1. „
„	1.	Hechinger Sigmund	1. „
„	5.	Sarrić Anton (zug. dem Sicherheits-Corps für Bosnien und die Herzegovina)	1. „
„	4.	Klassinz Franz	1. „
„	6.	Wisiak Joseph	1. „
„	1.	Krippner Hugo	1. „

Lieutenants.

			Rang
			1870
LFC.	3.	Krátky Edl. v. Demeklin Johann (Res.)	1. Jän.
			1871
„	1.	Smrczka Albert	1. Jän.
„	1.	Alscher Raimund	1. „
„	1.	Fux Friedrich	1. Nov.
„	1.	Mayer Herm.	1. „
„	1.	Mayer Ferdinand	1. „
„	3.	Kessler Eduard (Res.)	1. „
„	1.	Mathes Carl	1. „
„	3.	Hansa Wenzel	1. „
„	1.	Topolansky Moriz	1. „
„	1.	Reinlein v. Marienburg Richard Freih.	1. „
			1872
„	1.	Hayr Adolph	1. Nov.

			Rang
			1872
LFC.	1.	Hofmansthal Silvio v.	1. Nov.
„	1.	Chabert-Ostland Constantin de	1. „
„	2.	Rettich Hanno Edl. v.	1. „
„	1.	Kugler Otto	1. „
„	3.	Benda Carl	1. „
„	1.	Panslingl Anton	1. „
„	3.	Lorenz Johann	1. „
„	1.	Reizner Johann (Res.)	1. „
„	6.	Czapka Leopold	1. „
„	1.	Bengler Adolph	1. „
„	1.	Pollak Friedrich	1. „
„	3.	Prochaska Franz	1. „
„	1.	Apfelbeck Carl	1. „
„	3.	Dräxler Franz	1. „
„	4.	Szivesdi Joseph, Dr.	1. „
„	4.	Pejakovits Lazarus	1. „

			Rang 1873
LFC.	3.	Rudolf Carl	1. Nov.
„	1.	Lejeune Adolph	1. „
„	3.	Scheiner August	1. „
„	1.	Ficker Gustav	1. „
„	3.	Kubik Ladislaus	1. „
„	2.	Adamu Carl	1. „
„	1.	Distl Victor	1. „
„	3.	Fiby Carl	1. „
„	4.	Dwořák Johann	1. „
„	2.	Büngener Leopold	1. „
„	1.	Kolář Joseph (Res.)	1. „
„	3.	Pinka Carl	1. „
„	3.	Pisecky v. Kranichfeld Wenzel Ritt.	1. „
„	1.	Kowář Wenzel	1. „
„	3.	Günther Wilhelm	1. „
„	4.	Blažek Joseph	1. „
„	2.	Spirek Vincenz	1. „
„	3.	Koch Johann	1. „
„	1.	Langer Gustav	1. „
„	2.	Jaff Julius	1. „
			1874
„	4.	Verkovits Victor	1. Nov.
„	1.	Strupi Joseph	1. „
„	1.	Fischer Franz	1. „
„	1.	Heilmann Joseph	1. „
„	2.	Jeczminovsky Carl	1. „
„	1.	Gassenheimer Carl	1. „
„	4.	Deutsch Wilhelm	1. „
„	1.	Hohlbaum Joseph	1. „
„	1.	Fassbender Eugen	1. „
„	1.	Korn Franz	1. „
„	4.	Pollak Rudolph	1. „
„	1.	Schefczik Johann	1. „
„	3.	Stiny Johann	1. „
„	3.	Buschmann Anton	1. „
„	1.	Zellner Carl	1. „
„	4.	Naszády Joseph	1. „
„	3.	Fitz Heinrich	1. „
„	2.	Maschl Gustav (Res.)	1. „
„	3.	Kratochwil Joseph	1. „
„	1.	Schilling v. Henrichau Moriz Ritt.	1. „
„	4.	Reszuha Johann	1. „
„	4.	Peyerl Heinrich	1. „
„	3.	Müller Johann	1. „
„	4.	Skokan Georg	1. „
„	1.	Schlierholz Alfred	1. „
„	3.	Bradáč Wenzel	1. „
„	4.	Černý Franz	1. „
„	4.	Srb Emil	1. „
„	3.	Worel Franz	1. „

			Rang 1874
LFC.	4.	Chlistovsky Wladimir	1. Nov.
„	4.	Cába Emanuel	1. „
„	2.	Szoyka Anton	1. „
„	4.	Stich Carl	1. „
„	4.	Söllner Anton	1. „
„	2.	Schwarz Leopold (Res.)	1. „
„	4.	Jeszenszky de Nagy- et Kis-Besenyő Alexander	1. „
„	2.	Richter Carl	1. „
„	3.	Lukaš Heinrich	1. „
			1875
„	1.	Blumer Carl	1. Mai
„	3.	Nemeček Joseph	1. „
„	3.	Dwořák Adalbert	1. „
„	3.	Müller Wenzel	1. „
„	4.	Hudeček Wenzel	1. „
„	3.	Wonasek Johann	1. Nov.
„	1.	Faustmann Vincenz	1. „
„	1.	Kleidorfer Gustav	1. „
„	2.	Lieder Otto	1. „
„	1.	Weidl Hugo, Dr.	1. „
„	2.	Engelbrecht Wilh.	1. „
„	4.	Hirmer Anton	1. „
„	6.	Grünberger Emil	1. „
„	1.	Helletzgruber Valentin (Res.)	1. „
„	1.	Maschl Adolph	1. „
„	1.	Blaimschein Carl	1. „
„	1.	Schmitz Rudolph	1. „
„	1.	Jagoszewski Casimir Ritt. v.	1. „
„	1.	Gruber Julius	1. „
„	2.	Zipser Otto	1. „
„	4.	Weselý Joseph	1. „
„	1.	Altmann Johann	1. „
„	3.	Hraský Johann	1. „
„	3.	Duffé Johann	1. „
„	3.	Burda Joseph	1. „
			1876
„	4.	Ružička Ignaz	1. Mai
„	4.	Mileusnić Elias	1. „
„	4.	Kropivšek Anton	1. „
„	3.	Treybal Franz (Res.)	1. „
„	3.	Schwager Johann (Res.)	1. „
„	3.	Krainc Georg	1. Nov.
„	3.	Suchowsky Ottokar	1. „
„	4.	Platzer Franz	1. „
„	1.	Pessler Arthur	1. „
„	4.	Weingraber Alois	1. „

				Rang
				1876
I.FC.	1.	Rollny Carl		1. Nov.
„	1.	Bauer Anton		1. „
„	1.	Friedrich Thomas		1. „
„	2.	Pleyl Joseph		1. „
„	2.	Rada Eduard		1. „
„	3.	Uhlíř Joseph		1. „
„	1.	Zellner Albin		1. „
„	1.	Bidtel Friedrich		1. „
„	3.	Heinitz Jaroslav		1. „
„	1.	Saffer August		1. „
„	4.	Steidl Anton		1. „
„	2.	Sturm Georg	(Res.)	1. „
„	4.	Stěpanek Emil		1. „
„	3.	Boháč Carl		1. „
„	4.	Krauss Alexander		1. „
„	1.	Tapper Joseph		1. „
„	3.	Barcal Carl		1. „
„	1.	Widmann Anton		1. „
„	3.	Herget Oswald v.		1. „
„	3.	Paul Joseph		1. „
„	3.	Roubiček Joseph		1. „
„	6.	Schaumann Leop.		1. „
„	3.	Hoschek Rudolph		1. „
				1877
„	4.	Pütz Hermann v.		1. Mai
„	4.	Kučtić Julius Edl. v.		1. „
„	2.	Praprotnik Adolar		1. „
„	2.	Hochmuth Johann		1. „
„	5.	Woraček Bartholomäus		1. „
„	1.	Hascha Franz		1. „
„	4.	Roshold Franz		1. „
„	3.	Karger Johann		1. „
„	3.	Holley Eduard (Res.)		1. „
„	1.	Brandstiller Johann (Res.)		1. „
„	4.	Milutinović Wasa		1. „
„	4.	Hawlik Franz (Res.)		1. Juli
„	1.	Katrnoška Carl (Res.)		1. „
„	3.	Baxant Carl (Res.)		1. „
„	4.	Swatosch Joseph (Res.)		1. „
„	6.	Grum Johann		1. Nov.
„	4.	Formanek Johann		1. „
„	5.	Ceglinski Georg		1. „
„	3.	Brunner Hermann		1. „
„	1.	Gall Ludwig		1. „
„	2.	Schober Alfred	(Res.)	1. „
„	3.	Skampa Ferdinand		1. „
„	3.	Wildner Emil		1. „
„	1.	Uhl Franz		1. „

				Rang
				1877
I.FC.	2.	Jakesch Carl		1. Nov.
„	1.	Neusser Ludwig		1. „
„	2.	Kahles Jaroslaw		1. „
„	3.	Doležal Johann		1. „
„	3.	Vojaček Heinrich		1. „
„	3.	Sterba Dominik		1. „
„	4.	Tadra Franz		1. „
„	1.	Bartak Otto		1. „
„	1.	Nehammer Johann		1. „
„	4.	Topolansky Alois		1. „
„	1.	Mayer Constantin		1. „
„	1.	Werbach Wilhelm		1. „
„	1.	Teiber Maximilian		1. „
„	2	Kaiser Carl		1. „
„	2.	Riha Johann		1. „
„	4	Weinmann Adolph		1. „
„	3.	Rennelt Eduard		1. „
„	3	Steinbach Friedrich	(Res.)	1. „
„	3.	Doležal Carl		1. „
„	4.	Skall Hugo		1. „
„	4.	Worel August		1. „
„	4.	Bendik Wenzel		1. „
„	1.	Miliczek Ferdinand		1. „
„	4.	Ehrenhaft Albert		1. „
„	6.	Scheinpflug Albert		1. „
„	2.	Varady Edl. v. Theinberg Victor		1. „
„	2.	Kunz Joseph		1. „
„	4.	Winkler v. Winkenau Emil		1. „
„	4.	Echsner Theodor		1. „
„	4.	Ullrich Joseph		1. „
„	6.	Schmaus Georg		1. „
„	3.	Kabátnik Alois		1. „
„	1.	Zajic Franz		1. „
				1878
„	1.	Bauer Anton		1. Mai
„	2.	Koštál Franz		1. „
„	4.	Lindner Ferdinand		1. „
„	4.	Piwonka Carl Ritt. v.		1. „
„	1.	Fiedler Franz		7. Sept.
„	4.	Zoulek Franz (Res.)		15. „
„	4.	Neufellner Carl (Res.)		15. „
„	4.	Posner Leopold (Res.)		15. „
„	1.	Elsholtz Arnold		15. „
„	3.	Popper Ernst (Res.)		1. Nov.
„	1.	Fettinger Anton		1. „
„	3.	Wünsche Leo		1. „

Cadeten.

			Rang
			1870
LFC.	1.	Eisenschütz Emil (Res.)	1. Jän.
			1871
„	1.	Hofstätter Joseph (Res.)	1. Nov.
			1872
„	3.	Ulsperger Franz (Res.)	1. Nov.
			1873
„	3.	Kotten Carl (Res.)	1. Nov.
„	3.	Karger Franz (Res.)	1. „
			1874
„	1.	Beranek Ernst (Res.)	1. Nov.
„	3.	Piskaček Joseph (Res.)	1. „
„	3.	Rzehaček Johann (Res.)	1. „
			1875
„	3.	Kaspr Joseph (Off.-Stellv.) (Res.)	1. Nov.
„	3.	Formanek Joseph (Res.).	1. „

			Rang
			1875
LFC.	1.	Portele Robert (Res.)	1. Nov.
„	4.	Sedlaczek Adolph (Res.)	1. „
„	3.	Wojtechowsky Carl (Res.)	1. „
„	3.	Lanz Alois (Res.)	1. „
			1876
„	3.	Midloch Adolph (Res.)	1. Nov.
„	3.	Ejem Joseph (Res.)	1. „
„	3.	Bauska Joseph (Res.)	1. „
			1877
„	1.	Kuhn Alexander (Res.)	1. Nov.
„	1.	Ferrari da Grado Carl Freih.	1. „
„	4.	Worliček Joseph (Res.)	1. „
„	3.	Krotky Wenzel (Res.)	1. „
„	3.	Sluničko Heinrich (Res.)	1. „
			1878
„	2.	Kettner Edl. v. Kettenau Wilhelm	1. Dec.

Adjustirung der Officiere.

Czako, dunkelbrauner Waffenrock mit lichtblauer Egalisirung und weissen glatten Knöpfen, krapprothe Stiefelhose, Mantel dunkelbraun.

Sereżaner-Corps

der croatisch-slavonischen Grenz-Landes-Gebiete.

(Errichtet im Jahre 1871.)

Stabs-Station: *Agram.* — Flügel-Stationen: *Petrinja, Otočac und Vinkovce;* — Zugs-Stationen: *Petrinja, Ogulin, Otočac, Gospić, Vinkovce, Mitrovic* und *Neu-Gradisca.*

Obstlt. u. Comdt. Bründl v. Kirchenau, Carl Ritt., ÖEKO-R. 3., MVK. (des IR. Nr. 70).

Adjutant. Bistrić, Franz, Obrlt. (des IR. Nr. 79).

Hauptleute 1. Classe.

Pavellić, Blasius (des IR. Nr. 70), Flügel-Comdt. zu Petrinja.

Rom, Carl (des IR. Nr. 78), Flügel- und Zugs-Comdt. zu Vinkovce.

Hauptmann 2. Classe.

Marjanović, Lucas, MVK. (des IR. Nr. 79), Flügel- und Zugs-Comdt. zu Otočac.

Oberlieutenants.

Marokini, Arnold v. (des IR. Nr. 53), Zugs-Comdt. zu Mitrovic.

Bistrić, Franz (des IR. Nr. 79), Adjutant.

Duić, Raimund (des IR. Nr. 79), Zugs-Comdt. zu Gospić.

Vuletić, Johann, SVK. (des IR. Nr. 79), Zugs-Comdt. zu Ogulin.

Golubović, Carl (des IR. Nr. 78), Zugs-Comdt. zu Petrinja.

Lieutenant.

Svilar, Constantin (des IR. Nr. 78), Zugs-Comdt. zu Neu-Gradisca.

Rechnungs-Official.

Šostarić, Johann.

Adjustirung. Hut mit schwarzem Federbusch, dunkelgrüner Waffenrock mit krapprother Egalisirung und gelben glatten Knöpfen, blaugraue Pantalon mit krapprothem Passepoil, Mantel blaugrau.

Militär-Polizei-Wach-Corps.

Hauptmann 1. Classe.

Nowak, Johann, Abth.-Comdt. zu Lemberg (Rang 1. Nov. 1868).

Hauptmann 2. Classe.

Schumak, Carl, Abth.-Comdt. zu Krakau (Rang 1. Mai 1878).

Oberlieutenants.

Koett, Thomas, zu Krakau (Rang 1. Nov. 1873).

Hassmann, Mathias, zu Lemberg (Rang 1. Nov. 1876).

Adjustirung. Czako, dunkelgrüner Waffenrock mit krapprother Egalisirung und gelben glatten Knöpfen, blaugraue Pantalon mit krapprothem Passepoil, Mantel blaugrau.

Militär-Wach-Corps

für die k. k. Civil-Gerichte in Wien.

(Errichtet am 1. Jänner 1870.)

Titular-Major und Commandant.

Gläser, Eduard, ÖFJO.-R. (Rang als Hptm. 1. März 1852).

Hauptmann 2. Classe.

Zimm, Franz, ÖFJO-R. (Rang 1. Nov. 1876).

Oberlieutenant.

Klinger, Franz, SVK. m. Kr. (Rang 1. Mai 1873).

1 Rechnungs-Feldwebel, 3 Feldwebel, 4 Führer, 17 Corporale, 16 Gefreite, 176 Wach-Soldaten, 3 Officiersdiener.

Adjustirung. Czako, dunkelgrüner Waffenrock mit violetter Egalisirung und gelben glatten Knöpfen, blaugraue Pantalon mit violettem Passepoil, Mantel blaugrau.

Gestüts-Branche.

A.

In den k. k. Staats-Hengsten-Depots.

Militär-Inspector.

Grävenitz, Victor Gf., zugleich fachmännischer Leiter des Pferdezucht-Departements im k. k. Ackerbau-Ministerium, und mit dem Dienste des Remontirungs-Inspectors betraut, GM. (in Wien).

Zugetheilt zur Führung der Kanzleigeschäfte.

Issl, Carl, Oberlieutenant des k. k. Staats-Hengsten-Depots zu Prag.

Rangsliste.

Oberste.

Lindenfels, Gustav Freih. v., Comdt. der Mil.-Abth. des k. k. Staats-Hengsten-Depots zu Klosterbruck.
Schwarzl, Ernst, Comdt. der Mil.-Abth. des k. k. Staats-Hengsten-Depots zu Prag.
Friedrich, Georg Ritt. v., ÖEKO-R. 3., MVK. (KD.), Comdt. der Mil.-Abth. des k. k. Staats-Hengsten-Depots zu Graz.

Oberstlieutenants.

Klasterský, Johann, Comdt. der Mil.-Abth. des k. k. Staats-Hengsten-Depots zu Drohowyže. (Rang 1. Nov. 1877.)
Decken, genannt Offen, Wilhelm von der, ✝, Comdt. der Mil.-Abth. des k. k. Staats-Hengsten Depots zu Stadl bei Lambach. (Rang 1. Nov. 1878.)

Rittmeister 1. Classe.

	Rang		Rang
Wagner v. Frommenhausen, Wilhelm, zu Graz.	1. Nov. 1869	Pösinger, Franz, zu Ober-Wikow.	1. Mai 1873.
Parzizek, Fabian, zu Hatschein.	1. Mai 1872.	Grimm, Alois, zu Troppau.	1. Nov. 1874.
Fischer, Franz, zu Prag.	1. „ 1873.	Hetz, Johann, zu Stadl.	1. „ 1875.
		Klasterský, Joseph, zu Nemoschitz.	1.

Rittmeister 2. Classe.

	Rang		Rang
Kumpf, Ignaz, zu Pisek.	1. Mai 1876.	Bittner, Johann, zu Olchowce.	1. Nov. 1876.
Wild, Johann, zu Sello.	1. Nov. „		

Oberlieutenants.

	Rang
Gabert, Ferdinand, zu Klosterbruck.	1. Nov. 1872.
Huschek, Franz, zu Pilsen.	1. Mai 1873.
Pluhař, Joseph, zu Drohowyże.	1. „ „
Schlegel, Ferdinand, zu Bzy.	1. Nov. „
Strasser, Michael, zu Stadl.	1. „ „
Issl, Carl (zug. dem Mil.-Inspectorate in Wien).	1. „ „
Schulz, Ferdinand, zu Alt-Bunzlau.	1. Mai 1874.
Tebinka, Adalbert, zu Drohowyże.	1. Nov. 1874.
Pillerstorff, Eugen Freih. v., zu Nemoschitz.	1. Mai 1875.
Slawik, Johann, zu Taus.	1. Nov. „
Pekarek Ludwig, zu Stadl	1. „ „
Karabetz v. Romansthal, Johann Ritt., zu Graz.	1. Mai 1876.
Melecki, Valentin, zu Prag.	1. Nov. „
Kallina, Alfred, zu Kloster-Hradisch.	

Lieutenants.

	Rang
Beutler Edl. v. Heldenstern, Johann, zu Prag.	1. Mai 1874.
Hanslik, Eduard, zu Graz.	1. „ „
Martinu, Hugo, zu Olchowce.	1. „ 1875.
Brazda, Heinrich, zu Sign.	1. „ „
Lindes, Ludwig, zu Drohowyże.	1 „ 1876
Ableitinger, Joseph, zu Stadl.	1. Nov. 1877.
Skreta, Friedrich, zu Drohowyże.	1. „
Wallisch, Leopold, zu Olchowce.	1. „ 1878.
Kral, Franz, zu Nemoschitz.	1. „ „

Adjustirung der Officiere.

Czako, dunkelbrauner Waffenrock mit lichtblauer Egalisirung und gelben glatten Knöpfen, krapprothe Stiefelhose, Mantel dunkelbraun.

Militär-Abtheilungen in den k. k. Staats-Hengsten-Depots.

Für Nieder- und Oberösterreich, Salzburg und Tirol, zu Stadl bei Lambach.

Obstlt. u. Comdt. Decken, genannt Offen, Wilhelm von der, ✠.

Rittmeister 1. Classe.

Hetz, Johann, Comdt. des Postens zu Stadl.

Oberlieutenants.

Strasser, Michael.
Pekarek, Ludwig.

Lieutenant.

Ableitinger, Joseph.

Rechnungsführer.

Poborsky, Joseph, Obrlt.

Mil.-Thierärzte.

Hannich, Johann, Ober-Thierarzt 1. Cl.
Woedl, Johann, Thierarzt.

Für Mähren und Schlesien, zu Klosterbruck.

Oberst u. Comdt. Lindenfels, Gustav Freih. v.

Rittmeister 1. Classe.

Parzizek, Fabian, Comdt. des Postens Nr. 2 zu Hatschein.
Grimm, Alois, Comdt. des Postens Nr. 3 zu Troppau.

Oberlieutenants.

Gabert, Ferdinand, Comdt. des Postens Nr 1 zu Klosterbruck.
Kallina, Alfred, beim Posten Nr. 2 zu Kloster-Hradisch.

Rechnungsführer.

Swerzina, Anton, Hptm. 2. Cl., zu Klosterbruck.

Mil.-Thierärzte.

Weiss, Joseph, Ober-Thierarzt 2. Cl., zu Klosterbruck.
Sing, Carl, Ober-Thierarzt 2. Cl., zu Hatschein.
Czmela, Wilhelm, Thierarzt, zu Troppau.

Für Steiermark, Kärnthen, Krain, das Küstenland und Dalmatien, zu Graz.

Oberst u. Comdt. Friedrich, Georg Ritt. v., ÖEKO-R. 3., MVK. (KD.).

Rittmeister 1. Classe.

Wagner v. Frommenhausen, Wilh., Comdt. des Haupt-Postens zu Graz.

Rittmeister 2. Classe.

Wild, Johann, Comdt. des Postens zu Sello.

Oberlieutenant.

Karabetz v. Romansthal, Johann Ritt. zu Graz.

Lieutenants.

Hanslik, Eduard, zu Graz.
Brazda, Heinrich, Comdt. der Abth. zu Sign.

Rechnungsführer.

Buda, Wilhelm, Hptm. 1. Cl.

Ober-Thierärzte 1. Classe.

Petermann, Franz, zu Sello.
Rakušan, Franz, zu Graz.

Für Böhmen, zu Prag (Strahow).

(Errichtet: 1789)

Oberst u. Comdt. Schwarzl, Ernst.

Rittmeister 1. Classe.

Fischer, Franz, Comdt. der Posten Nr. 6 und Nr. 8 zu Prag.
Klastersky, Joseph, Comdt. der Posten Nr. 1—4 zu Nemoschitz.

Rittmeister 2. Classe.

Kumpf, Ignaz, Comdt. des Postens Nr. 11 zu Pisek.

Oberlieutenants.

Huschek, Franz, Comdt. des Postens Nr. 10 zu Pilsen.
Schlegel, Ferdinand, Comdt. des Postens Nr. 9 zu Bzy.
Issl, Carl (zug. dem Mil.-Inspectorate in Wien).
Schulz, Ferdinand, Comdt. des Postens Nr. 5 zu Alt-Bunzlau.
Pillerstorff, Eugen Freih. v., zu Nemoschitz.
Slawik, Johann, Comdt. des Postens Nr. 7 zu Taus.
Melecki, Valentin, zu Prag.

Lieutenants.

Beutler Edl. v. Heldenstern, Johann (Adj.), zu Prag.
Kral, Franz, zu Nemoschitz.

Rechnungsführer.

Faltis, Franz, Obrlt., zu Prag (Strahow).

Mil.-Thierärzte.

Hofner, Joseph, Ober-Thierarzt 1. Cl., zu Prag.
Köhler, Ignaz, Thierarzt, zu Nemoschitz.
Meissinger, Anton, Thierarzt, zu Prag.

Für Galizien und die Bukowina, zu Drohowyże.

Obstlt. u. Comdt. Klasterský, Johann.

Rittmeister 1. Classe.

Pösinger, Franz, Comdt. des Postens Nr. 3 zu Ober-Wikow.

Rittmeister 2. Classe.

Bittner, Johann, Comdt. des Postens Nr. 2 zu Olchowce.

Oberlieutenants.

Pluhař, Joseph, Comdt. des Postens Nr. 1 zu Drohowyże.
Tebinka, Adalbert, zu Drohowyże.

Lieutenants.

Martinu, Hugo, zu Olchowce.
Lindes, Ludwig, zu Drohowyże.
Skreta, Friedrich (Adj.), zu Drohowyże.
Wallisch, Leopold, zu Olchowce.

Oberwundarzt.

Blech, Joseph, zu Drohowyże.

Rechnungsführer.

Böhm, Franz, Obrlt., zu Drohowyże.

Mil.-Thierärzte.

Ehler, Wenzel, GVK. m. Kr., Ober-Thierarzt 1. Cl., zu Drohowyże.
Matějka, Anton, Ober-Thierarzt 2. Cl., zu Olchowce.

B.

In den königl. ungarischen Pferdezucht-Anstalten

und dem k. croatisch-slavonischen Staats-Hengsten-Depot.

Militär-Inspector.

Horváth v. Zalabér, Johann, ÖEKO-R. 3., ✠, GM. (zu Budapest)

Zugetheilt zur Führung der Kanzlei-Geschäfte.

Tichý, Johann, Rittm. 1. Cl.

Rangsliste.

Oberst.

Soest, Otto v., ÖEKO-R. 3., Comdt. der Mil.-Abth. des k. ung. Staats-Gestütes zu Kisbér.

Oberstlieutenants.

Ehrnberger, Anton, Comdt. der Mil.-Abth des k. ung. Staats-Hengsten-Depots zu Sepsi Szent-György. (Rang 1. Mai 1874.)
Baumgarten, Anton, Comdt. der Mil.-Abth. des k. croatisch-slavon. Staats-Hengsten-Depots zu Warasdin. (Rang 1. Nov. 1876.)
Przihoda, Friedrich, ÖEKO-R. 3., Comdt. der Mil.-Abth. des k. ung. Staats-Gestütes zu Mezöhegyes. (Rang 1. Mai 1877).

Majore.

Haraszthy de eadem et Mokcsa, Georg, Comdt. der Mil.-Abth. des k. ung. Staats-Hengsten-Depots zu Debreczin. (Rang 1. Mai 1875.)
Rotsch, Carl, Comdt. der Mil.-Abth. des k. ung. Staats-Hengsten-Depots zu Nagy-Körös. (Rang 1. Mai 1876.)
Durmann, Anton, MVK. (KD.), Comdt. der Mil.-Abth. des k. ung. Staats-Hengsten-Depots zu Stuhlweissenburg (Rang 1. Nov. 1876.)
Pálffy ab Erdöd, Géza Gf., ♱, Comdt. der Mil.-Abth. des k. ung. Staats-Gestütes zu Fogaras. (Rang 15. October 1877.)
Flögl, Franz, ○ 2., Comdt. der Mil.-Abth. des k. ung. Staats-Gestüts-Filiale zu Bábolna. (Rang 1. Nov. 1878.)

Rittmeister 1. Classe.

	Rang
Korber, Moriz, zu Eperies.	1. Nov. 1869.
Jllgner, Ferdinand, zu Mezöhegyes.	1. „ „
Dubitzky, Johann, zu Budapest.	1. „ 1871.
Spiegler, Anton, zu Baja.	1. „ 1872.
Windsor, Wenzel. MVK. (KD.), zu Mezöhegyes.	1. Mai 1874.
Wondratschek, Carl, zu Homorod.	1. Nov. „
Fugger, Ignaz, zu Kisbér.	1. Nov. 1874.
Dobay de Kis-Doba, Julius, zu Stuhlweissenburg.	1. Mai 1875.
Tichý, Johann, zug. dem Mil.-Inspectorate.	1. „
Zeibig, Joseph, zu Bábolna.	1. „ „
Patzolt, Joseph, zu Werschetz.	1. Nov. „
Kandl, Simon, zu Debreczin.	„ 1876.

Rittmeister 2. Classe.

	Rang
Friedl, Joh., zu Mezöhegyes.	1. Nov. 1876.
Strauss, Anton, zu Bábolna.	1. „ „
Sichrowsky, Franz, zu Fogaras	1. „ 1877.
Sławik, Johann, zu Baja.	1. „ „
Komposcht, Alphons, ÖFJO-R., zu Nagy-Körös.	1. Nov. 1878.
Martinidess, Otto, zu Bajaa.	1. „ „

Oberlieutenants.

	Rang
Kolossváry, Eugen v., zu Kisbér.	1. Nov. 1868.
Hassmann, Theodor, zu Stuhlweissenburg (WG.).	1. Mai 1869.
Bardorfer, Anton, zu Warasdin.	1. Nov. 1871.
Fadlallah El Hedad, Mich., zu Ozora.	1. „ 1872.
Schott, Jos. v., zu Mezöhegyes.	1. „ „
Karda de Csik Jenöfalva, Gregor, zu Kisbér.	1. „ „
Feszl, Sigmund, zu Fogaras.	1. „ 1873.
Tichy, Joseph, zu Debreczin.	1. Mai 1874.
Kunst, Johann, zu Essegg.	1. „ „
Hannak, Carl, zu Mezöhegyes.	1. Nov. „
Liwehr, Joseph, zu Turia-Remete.	1. „ „
Hofbauer, Franz, zu Turia-Remete.	1. Mai 1875.
Bay de Ludany et Csoma, Stephan, ○ 2., zu Stuhlweissenburg.	1. Mai 1875.
Šmahel, Theodor, zu Sepsi-Szent-György.	1. Nov. „
Durny, Ferdinand, zu Sepsi-Szent-György.	1 „ 1876.
Fischer, Johann, zu Stuhlweissenburg.	1. „ „
Kuliczka, Ernst, zu Dées.	1. „ „
Bernovits, Ludwig, zu Ozora.	1. Mai 1877.
Kaszanitzky, Adalbert, zu Mezöhegyes.	1. Nov. „
Ollé v. Olletejed, Georg, zu Debreczin.	1 „ „
Udvarlaky, Géza, zu Nagy-Körös.	1 „ „
Somossy, Sigmund, zu Mezöhegyes.	1. Mai 1878.

Lieutenants.

	Rang		Rang
Schlosser, Friedrich, zu Mezöhegyes.	1. Nov. 1874.	Swoboda, Joseph, zu Fogaras.	1. Mai 1876.
Witzlinger, Alois, zu Bábolna.	1. Mai 1875.	Kunz, Ferdinand, zu Warasdin.	1. „ 1877.
Küffner, Ernst, zu Stuhlweissenburg (ü. z.) beurl.	1. Nov. 1875.	Held, Eduard, zu Stuhlweissenburg.	1 Nov. 1878.

Adjustirung der Officiere.

Krapprother Czako, dunkelbrauner Attila mit gelben Oliven, krapprothe beschnürte Stiefelhose, Mantel dunkelbraun.

Militär-Abtheilungen in den königlich ungarischen Staats-Gestüten zu:

Mezöhegyes.

Obstlt. u. Comdt. Przihoda, Friedrich, ÖEKO-R. 3.

Rittmeister 1. Classe.

Windsor, Wenzel, MVK. (KD.).

Rittmeister 2. Classe.

Friedl, Johann.

Oberlieutenants.

Schott, Joseph v.
Hannak, Carl.
Kaszanitzky, Adalbert.
Somossy, Sigmund (Adj.).

Lieutenant.

Schlosser, Friedrich.

Mil.-Curat 1. Classe.

Simon, Emerich.

Mil.-Aerzte.

Krauss, Alexander Edl. v., Dr., Reg.-Arzt 1. Cl.
Fritsch, David } Oberwundärzte.
Szabo, Joseph }

Rechnungsführer.

Schulhof, Johann, Hptm. 1. Cl.

Mil.-Thierärzte.

Neumann, Sebastian, GVK., Ober-Thierarzt 1. Cl.
Kellemen, Johann, Thierarzt.

Kisbér, mit dem Filiale zu Bábolna.

Oberst u. Comdt. Soest, Otto v., ÖEKO-R. 3.
Major. Flögl, Franz, ○ 2., Comdt. der Mil.-Abth. des Filiale zu Bábolna.

Rittmeister 1. Classe.

Fugger, Ignaz, zu Kisbér.
Zeibig, Joseph, zu Bábolna.

Oberlieutenants.

Kolossváry, Eugen v., zu Kisbér.
Karda de Csik Jenöfalva, Gregor, zu Kisbér.

Lieutenant.

Witzlinger, Alois, zu Bábolna.

Mil.-Curat 1. Classe.

Bujni, Michael, zu Bábolna.

Mil.-Aerzte.

Altdorffer, Carl, Dr., Reg.-Arzt 2. Cl., zu Kisbér.
Beer, Johann, Oberwundarzt, zu Bábolna.

Rechnungsführer.

Eisenhut, Vincenz, Hptm. 1. Cl., zu Kisbér.

Mil.-Thierärzte.

Flohr, Johann, Ober-Thierarzt 1. Cl., zu Kisbér.
Hartmann, Anton, Thierarzt, zu Bábolna.
Wünsch, Ferdinand, Thierarzt, zu Bábolna.
Lang, Ludwig, Thierarzt, zu Kisbér.

Fogaras.

Major u. Comdt. Pálffy ab Erdöd, Géza Gf., ✝.

Rittmeister 2. Classe.

Sichrowsky, Franz.

Oberlieutenant.

Feszl, Sigmund.

Lieutenant.

Swoboda, Joseph.

Oberwundarzt.

Pecka, Friedrich.

Rechnungsführer.

Vinzl, Joseph, Oblt.

Ober-Thierarzt 1. Classe.

Pistelka, Peter.

Militär-Abtheilungen in den königlich ungarischen Staats-Hengsten-Depots zu:

Stuhlweissenburg.

Major u. Comdt. Durmann, Anton, MVK. (KD.).

Rittmeister 1. Classe.

Dubitzky, Johann (commandirt beim Mil.-Inspectorate).
Dobay de Kiss Doba, Julius, Comdt. des Postens Nr. 1 zu Stuhlweissenburg.

Rittmeister 2. Classe.

Strauss, Anton, Comdt. des Postens Nr. 2 zu Bábolna.
Martinidess, Otto, Comdt. des Postens Nr. 3 zu Bajna.

Oberlieutenants.

Hassmann, Theodor (WG.).
Fadlallah El Hedad, Michael, Comdt. des Postens Nr. 4 zu Ozora.
Bay de Ludany et Csoma, Stephan, ○ 2., zu Stuhlweissenburg.
Fischer, Johann, zu Stuhlweissenburg.
Bernovits, Ludwig, zu Ozora.

Lieutenants.

Küffner, Ernst (ü. z.) beurl.
Held, Eduard (Adj.) zu Stuhlweissenburg.

Rechnungsführer.

Horváth, Andreas, Oblt., zu Stuhlweissenburg.

Mil.-Thierärzte.

Schwarz, Georg, Ober-Thierarzt 1. Cl., zu Stuhlweissenburg.
Hubka, Wenzel, Thierarzt, zu Ozora.
Pollak, Simon Unter-Thierarzt, zu Stuhlweissenburg.

Nagy-Körös.

Major u. Comdt. Rotsch, Carl, zu Nagy-Körös.

Rittmeister 1. Classe.

Jllgner, Ferdinand, Comdt. des Postens Nr. 3 zu Mezöhegyes.
Spiegler, Anton, zu Baja.
Patzolt, Joseph, Comdt. des Postens Nr. 2 zu Werschetz.

Rittmeister 2. Classe.

Slawik, Johann, Comdt. des Postens Nr. 4 zu Baja.
Komposcht, Alphons, ÖFJO-R., Comdt. des Postens Nr. 1 zu Nagy-Körös.

Oberlieutenant.

Udvarlaky, Géza (Adj.), zu Nagy-Körös.

Oberwundarzt.

Ullrich, Eduard, zu Nagy-Körös.

Rechnungsführer.

Mayer, Carl, Lieut. zu Nagy-Körös.

Mil.-Thierärzte.

Matinszoka, Joseph, Ober-Thierarzt 1. Cl., zu Nagy-Körös.
Gernya, Joseph, Thierarzt, zu Baja.
Jawurek, Roman, Thierarzt, zu Nagy-Körös.

Debreczin.

Major u. Comdt. Harasztby de eadem et Mokcsa, Georg.

Rittmeister 1. Classe.

Korber, Moriz, Comdt. des Postens Nr. 1 zu Eperies.
Kandl, Simon, Comdt. des Postens Nr. 2 zu Debreczin.

Oberlieutenants.

Tichy, Joseph (Adj.), zu Debreczin.
Liwehr, Joseph, Comdt. des Postens Nr. 3 zu Turia-Remete.
Hofbauer, Franz, zu Turia-Remete.
Ollé v. Olléťejed, Georg, zu Debreczin.

Rechnungsführer.

Heinz, Eduard, Hptm. 1. Cl., zu Debreczin (zug. dem Rechn.-Departement der k. ung. Pferdezucht-Anstalten zu Budapest).
Hirsch, Coloman, Lieut., zu Debreczin.

Thierärzte.

Menšik, Carl, zu Debreczin.
Wicher, Bartholomäus, zu Eperies.
Bibl, Johann, zu Turia-Remete.

Sepsi-Szent-György.

Obstlt. u. Comdt. Ehrnberger, Anton.

Rittmeister 1. Classe.

Wondratschek, Carl, Comdt. des Postens Nr. 1 zu Homoród.

Oberlieutenants.

Šmahel, Theodor, Comdt. des Postens Nr. 2, zu Sepsi-Szent-György.

Duray, Ferdinand (Adj.), zu Sepsi-Szent-György.

Kuliczka, Ernst, Comdt. des Postens Nr 3 zu Dées.

Rechnungsführer.

Seemann, Anton, Lieut., zu Sepsi-Szent-György.

Mil.-Thierärzte.

Czastka, Leopold, Ober-Thierarzt 1. Cl., zu Sepsi-Szent-György.

Filla, Thomas, Thierarzt, zu Homoród.

Militär-Abtheilung des k. croatisch-slavonischen Staats-Hengsten-Depots zu Warasdin.

Obstlt. u. Comdt. Baumgarten, Anton.

Oberlieutenants.

Bardorfer, Anton, Comdt. des Postens Nr. 1, zu Warasdin.

Kunst, Johann, Comdt. des Postens Nr. 2, zu Essegg.

Lieutenant.

Kunz, Ferdinand (Adj.), zu Warasdin.

Rechnungsführer.

Pagliaruzzi, Sigmund, Hptm. 2. Cl., zu Warasdin.

Thierarzt.

(Vacat.)

Stabs- und Oberofficiere des Armeestandes in besonderen Verwendungen und in Local-Anstellungen.

Oberste.

Friedel, Johann Ritt. v., ÖEKO-R. 3., MVK. (KD.), zug. dem Obersthofmeisteramte.
Brenneis, Johann Edl. v., Expedits-Director beim R.-Kriegs-Mstm.
Moise Edl. v. Murvell, Joseph, MVK. (KD.), Platz-Comdt. zu Graz.
Ganabl, Johann Ritt. v., ÖFJO-C., ÖEKO-3., MVK. (KD.), Triangulirungs-Dir. u. Abth.-Vorstand im mil.-geogr. Inst.
Hauschka v. Treuenfels, Franz, MVK. (KD.), Platz-Comdt. zu Prag.
Kálnoky de Köröspatak, Gustav Gf., ÖLO.-R., JO-Ehrenritter, ✠; k. u. k. ausserordentl. Gesandter u. bevollmächtigter Minister am kön. dänischen Hofe.
Steiner, Carl, MVK., Vorstand der 13. Abth. des R.-Kriegs-Mstms.
Maricki Edl. v. Sremoslav, Gregor, MVK. (KD.), Stadt-Comdt. zu Mostar.
Rothauscher, Carl, Vorstand des Schriften-Archives im Kriegs-Archive.
Schwerdtner, Julius, beim Gen.-Comdo. zu Budapest.
Maurer v. Mörtelau, Alois, MVK (KD.), Comdt. des Mil.-Invalidenhauses in Wien.
Bartels v. Bartberg, Gustav Ritt., ÖEKO-R. 3. (KD.), MVK. (KD.), Platz-Comdt. zu Olmütz.
Wimpffen, Franz Freih. v., GHR., ✠, Obersthofmeister Sr. k. k. Hoheit des Erzherzogs Ludwig Victor.
Linner, Gustav, ÖEKO-R. 3. (KD.), MVK. (KD.), Comdt. des Mil.-Invalidenhauses zu Prag.
Binder, Friedrich, MVK. (KD.), Platz-Comdt. zu Komorn.
Raestle, Joseph, MVK. (KD.), beim Platz-Comdo. zu Budapest.
Zezschwitz, Friedrich Freih. v., ÖFJO-R., MVK (KD.), Comdt. der Mil.-Ober-Realschule.
Madurowicz, Oskar Ritt. v., ÖEKO-R. 3. (KD.), MVK. (KD.), Fest.-Comdt. zu Alt-Gradisca.
Langer, Ferdinand, MVK., Platz-Comdt. zu Krakau.

Oberstlieutenants.

Wantzl, Georg Edl. v., beim Platz-Comdo. zu Alt-Gradisca (WG.). (Rang 9. Mai 1870).
Schwarzmann, Ludwig, ÖLO-R. (KD.), Stellvertreter des Comdt vom Mil.-Invalidenhause in Wien (Rang 1. Nov. 1871).
Kliment, Adolph v., prov. Director des Einreichungs-Protokolls beim R.-Kriegs-Mstm. (Rang 1. Mai 1872).
Grasern, Johann Edl. v., ÖEKO-R. 3. (KD.), MVK. (KD.), zug. dem Monturs-Depot Nr. 4 in Wien. (Rang 1. Nov. 1872).
Luschinsky, Rudolph, Platz-Comdt. zu Cattaro (Rang 1. Nov. 1872).
Stiller Edl. v. Stillburg, Joseph, MVK. (KD.), Comdt. des Mil.-Filial-Invalidenhauses zu Neu-Lerchenfeld (Rang 1. Nov. 1873).
Velten, Carl Edl. v., beim Platz-Comdo. in Wien (Rang 1. Nov. 1874).
Nachtmann, Anton, ÖEKO-R. 3. (KD.), beim Garn.-Transportshause in Wien (WG.). (Rang 1. Nov. 1875).
Wolffersdorff, Adolph Ritt. v., ÖEKO-R. 3. (KD.), MVK. (KD.), Comdt. des Mil.-Invalidenhauses zu Tyrnau (Rang 1. Nov. 1875).

Scholze, Hermann, MVK. (KD.), Platz-Comdt. zu Zara (Rang 1. Nov. 1876).
La Croix, Eduard, MVK., Comdt. des Mil.-Thier-Arznei-Inst. in Wien (Rang 1. Nov. 1876).
Dittrich, Joseph, ÖEKO-R. 3., MVK. (KD), beim R.-Kriegs-Mstm. (Rang 1. Nov. 1876).
Enis v. Atter und Iveaghe, Wenzel Freih., ÖEKO-R. 3. (KD.), Mil.-Badehaus-Comdt. zu Carlsbad (Rang 1. Nov. 1877).
Nosinich, Johann, im Kriegs-Archive (Rang 1. Nov. 1877).
Stupka, Joseph, MVK., Vorstand der 2. Abth. des R.-Kriegs-Mstms. (Rang 1. Nov. 1877).
Tige, Ernst, Gf., ✠, Dienstkämmerer Sr. k. k. Hoheit des Erzherzogs Sigmund (Rang 1. Mai 1878).
Silvatici, Joseph Freih. v., ÖEKO-R. 3., ÖFJO-R., ✠; in Dienstesverwendung bei Sr. k. k. Hoheit dem Erzherzoge Ferdinand IV., Grossherzog von Toscana (Rang 1. Mai 1878).
Eisenstein, Carl Ritt. von und zu, MVK. (KD.), Stellvertreter des Comdt. vom Mil.-Invalidenhause zu Tyrnau (Rang 1. Mai 1878).
Rechberger v. Rechkron, Joseph Ritt., ÖEKO-R. 3., im Kriegs-Archive (Rang 15. Sept. 1878).
Skallitzky, Wilhelm, beim R.-Kriegs-Mstm. (Rang 1. Nov. 1878).
Lubich Edl. v. Milovan, Adolph, Platz-Comdt. zu Lemberg (Rang 1. Nov. 1878).

Majore.

Reichel Edl. v. Wehrfels, Anton, MVK. (KD.), Platz-Comdt. zu Josephstadt (Rang 17. Dec. 1866).
Pöltinger v. Plauenbruck, Julius, im mil.-geogr. Inst. (WG.). (Rang 1. Nov. 1871).
Sedlaczek, Ernst, ÖFJO-R., im mil.-geogr. Inst. (Rang 1. Mai 1872).
Bulla, Eduard, MVK., im mil.-geogr. Inst. (Rang 1. Mai 1872).
Benesch, Friedrich Ritt. v., ÖEKO-R. 3. (KD.), MVK. (KD.), Kammervorsteher Sr. k. k. Hoheit des Erzherzogs Ernst (Rang 1. Mai 1873).
Strasser, Friedrich (comdt. beim Generalstabe), Vorstand der 1. Abth. der III. Section im techn. und adm. Mil.-Comité (Rang 1. Mai 1873).
Wagenbauer v. Kampfruf, Anton Ritt., ÖEKO.-R. 3. (KD.), beim R.-Kriegs-Mstm. (Rang 1. Nov. 1873).
Omchikus, Nikolaus, MVK., Vice-Consul zu Brčka in Bosnien (Rang 1. November 1873).
Kaspar, Emanuel, bei der Remonten-Assent-Commission Nr. 3 zu Lemberg (WG.). (Rang 1. Nov. 1873).
Klöckner, Gustav, MVK. (KD.), im mil.-geogr. Inst. (Rang 1. Mai 1874).
Grodzicki, Casimir v., MVK. (KD.), comdt. beim Generalstabe (Rang 1. Nov. 1874).
Penecke, Julius, Platz-Comdt. zu Triest (Rang 1. Nov. 1874).
Chambaud-Charrier, Ernst v., ÖEKO-R. 3. (KD.), MVK. (KD.), in Dienstleistung bei Sr. k. k. Hoheit dem Erzherzog Heinrich (Rang 1. Nov. 1874).
Eltz, Theodor v., ÖFJO-R., beim R.-Kriegs-Mstm. (Rang 1. Nov. 1874).
Stusche, Rudolph, Stellvertreter des Comdt. vom Mil.-Invalidenhause zu Prag (Rang 7. Febr. 1875).
Stojan, Anton, MVK. (KD.), Platz-Comdt. zu Brood (Rang 19. März 1875).
Sattler, Carl v., beim Platz-Comdo. in Wien (Rang 1. Mai 1875).
Tapavicza, Theodor v., Platz-Comdt. zu Agram (Rang 1. Mai 1875).
Schuppler, Joseph Edl. v., ÖEKO-R. 3. Comdt. der Mil.-Unter-Realschule zu St. Pölten (Rang 1. Mai 1875).
Dietschy, Ferdinand, beim R.-Kriegs-Mstm. (Rang 1. Mai 1875).
Ludwig, Philipp, MVK., beim R.-Kriegs-Mstm. (Rang 1. Mai 1875).
Matterna, Heinrich, Platz-Comdt. zu Temesvár (Rang 1. Nov. 1875).
Mendelein, Rudolph, Platz-Comdt. zu Brünn (Rang 1. Nov. 1875).
Pfisterer, Richard, Mil.-Badehaus-Comdt. zu Schönau bei Teplitz in Böhmen (Rang 1. Mai 1876).
Englisch, Robert, Lehrer an der Mil.-Akad. zu Wr.-Neustadt (Rang 1. Mai 1876).
Hoffmann, Anton Edl. v., MVK. (KD.), Platz-Comdt. zu Fiume (Rang 1. Nov. 1876).

Hassenmüller v. Ortenstein, Robert Ritt., Vorstand der Kriegs-Bibliothek im Kriegs-Archive (Rang 1. Nov. 1876).
Schrefel, Albin Ritt. v., ÖEKO-R. 3 (KD.), ○ 2., Platz-Comdt. zu Theresienstadt (Rang 1. Nov. 1876).
Leeder, Wilhelm, Lehrer an der Mil.-Akad. zu Wr.-Neustadt (Rang 1. Nov. 1876).
Mülldorfer, Gustav, beim Gen.-Comdo. in Wien (Rang 1. Nov. 1876).
Klenk, Eduard, Platz-Comdt. zu Hermannstadt (Rang 1. Mai 1877).
Eckher, Leopold, MVK. (KD.), beim Platz-Comdo. in Wien (Rang 1. Mai 1877).
Rodić, Gabriel, Platz-Comdt. zu Peterwardein (Rang 1. Mai 1877).
Majneri, Joseph nobile de, MVK. (KD.), ♰, Dienstkämmerer Sr. k. k. Hoheit des Erzherzogs Ferdinand IV., Grossherzog von Toscana (Rang 1. Mai 1877).
Czernoch, Franz, Platz-Comdt. zu Essegg (Rang 1. Nov. 1877).
Liebstöckl, Carl, Comdt. des Garn.-Transportshauses zu Budapest (Rang 1. Nov. 1877).
Ruff, Alexander, MVK., Comdt. des Garn.-Transportshauses in Wien (Rang 1. Nov. 1877).
Haradauer Edl. v. Heldendauer, Carl, MVK. (KD.), Vorstand des Karten-Archives im Kriegs-Archive (Rang 1. Nov. 1877).
Benesch, Michael, Comdt. des Mil.-Waisenhauses zu Fischau (Rang 1. Nov. 1877).
Milde, Anton, MVK., im mil.-geogr. Inst. (Rang 1. Nov. 1877).
Rechbach, Joseph Freih. v., Lehrer an der Mil.-Ober-Realschule (Rang 1. Nov. 1877).
Grundinger, Philipp, MVK. (KD.), im mil.-geogr. Inst. (Rang 1. Nov. 1877).
Polak, Friedrich, beim R.-Kriegs-Mstm. (Rang 1. Mai 1878).
Speyer, Julius, Lehrer am Mil.-Reitlehrer-Inst. (Rang 1. Mai 1878).
Hauer, Alois, ÖFJO-R., beim Platz-Comdo. in Wien (Rang 1. Mai 1878).
Pavek, Victor, Platz-Comdt. zu Arad (Rang 1. Mai 1878).
Weltzan, Stephan, MVK. (KD.), beim Platz-Comdo. zu Budapest (Rang 1. Mai 1878).
Walzel, Cäsar, zug. dem k. k. Obersthofmeisteramte (Rang 1. Mai 1878).
Seenuss v. Freudenberg, Theobald Freih., beim Platz-Comdo. zu Graz (Rang 15. Sept. 1878).
Stanislav, Theodor, Comdt. des Mil.-Invalidenhauses zu Lemberg (Rang 1. Nov. 1878).
Marek, Johann, Platz-Comdt. zu Pola (Rang 1. Nov. 1878).
Grüttner, Alois, Stellvertreter des Präses der Remonten-Assent-Commission Nr. 1 zu Budapest (Rang 1. Nov. 1878).
Auffenberg, Joseph, ○ 1., comdt. beim Generalstabe (Rang 1. Nov. 1878).
Haymerle, Carl Ritt. v., comdt. beim Generalstabe (Rang 1. Nov. 1878).
Kellner, Ludwig, beim R.-Kriegs-Mstm. (Rang 1. Nov. 1878).
Pusswald, Johann Ritt. v., beim R.-Kriegs-Mstm. (Rang 1. Nov. 1878).
Zatezalo v. Skorić, Raphael, MVK. (KD.), Comdt der Mil.-Straf-Anstalt zu Möllersdorf (Rang 1. Nov. 1878).
Zaffauk, Joseph, Lehrer an der techn. Mil.-Akad. (Rang 1. Nov. 1878).

Titular-Majore.

(Rang als Hauptmann.)

Angeli, Moriz Edl. v., im Kriegs-Archive (Rang 13. Mai 1859).
Orczy, Emil Freih. v., MVK. (KD.), zug. dem Oberst-Stallmeisteramte (Rang 18. Juni 1859).

Hauptleute (Rittmeister) 1. Classe.

	Rang 1845
Czaszny, Franz, beim Gen.-Comdo. zu Budapest	1. Aug.
	Rang 1848
Pechar, Carl, ÖFJO-R., beim R.-Kriegs-Mstm.	3. Oct.

(Gedruckt am 22. December 1877.)

Rang

1848

Herszényi de Herszény, Johann, MVK., beim Mil.-Comdo. zu Hermannstadt 20. Oct.
Privitzer, Alois v., comdt. beim Generalstabe 1. Dec.

1849

Bondziak, Michael, beim R.-Kriegs-Mstm. 1. April
Kardhordó, Franz v., beim Gen.-Comdo. zu Budapest 21. „
Gömöry v. Gömör, Gustav, im Kriegs-Archive 1. Sept.

1851

Vivat, Carl, beim R.-Kriegs-Mstm. 6. April

1852

Fries, Ludwig Ritt. v., comdt. beim Generalstabe 16. Mai

1853

Ingarden, Nikolaus, beim Mil.-Comdo. zu Kaschau 19. März
Strack, Friedrich, Comdt. des Garn.-Transportshauses zu Brünn 23. Sept.
Hempel, Carl, Oekon.-Officier im GSp. Nr. 2 in Wien 28. Dec.

1854

Lindenhoffer, Johann, Oekon.-Officier im GSp. Nr. 3 zu Baden 16. April
Rapp v. Frauenfels, Ludwig, beim Gen.-Comdo. zu Brünn 21. Mai
Peicsich, Joseph, Comdt. des Garn.-Transportshauses zu Lemberg 12. Juli

1857

Vogl, Heinrich Edl. v., MVK. (KD.), beim R.-Kriegs-Mstm. 24. Aug.

1858

Holub, Carl, beim Gen.-Comdo. in Wien 1. Jän.
Kölbl v. Löwengrimm, Anton Ritt., beim Mil.-Comdo. zu Hermannstadt 1. März
Herrmann, Johann, beim Gen.-Comdo. zu Budapest 1. Oct.
Hennig, Heinrich, im mil.-geogr. Inst. 29. Nov.

Rang

1859

Maurer v. Kronegg, Johann, comdt. beim Generalstabe 28. Febr.
Bunzini, Eduard, beim Gen.-Comdo. zu Prag 28. „
Lindenhoffer, Leopold, beim Gen.-Comdo. in Wien 5. April
Opačić, Eugen, comdt. beim Generalstabe 5.
Vornica, Johann, beim Gen.-Comdo. zu Budapest 5. „
Hirst, Gottlob, beim Gen.-Comdo. zu Brünn 6. „
Pfeifer, Mathias, beim Garn.-Transportshause in Wien 21. „
Bibra v. Gleicherwiesen, Heinr. Freih., Platz-Comdt. zu Salzburg 24. „
Schériczer, Attila, beim Mil.-Comdo. zu Pressburg 24. „
Salamon, Joseph, beim Mil.-Comdo. zu Zara 26. „
Jäger, Franz, ÖFJO-R., beim R.-Kriegs-Mstm. 1. Mai
Krebner, Franz, im Kriegs-Archive 1. „
Kochańczyk, Wenzel, Comdt. des Garn.-Transportshauses zu Krakau 12. „
Karpellus, Franz, ○ 1., Lehrer an der Mil.-Akad. zu Wr.-Neustadt 13. „
Korhammer, Friedrich, beim Gen.-Comdo. zu Budapest 13. „
Engst, Julius, Oekon.-Officier im GSp. Nr. 11 zu Prag 13. „
Herzka, Joseph, beim Mil.-Comdo. zu Kaschau 13. „
Hug v. Hugenstein, Hugo Ritt., beim R.-Kriegs-Mstm. 13. „
Sellner, Friedrich Edl. v., Comdt. des Garn.-Transportshauses zu Prag 13. „
Ebner, Franz, beim Gen.-Comdo. in Wien 13. „
Koch, Anton, Stellvertreter des Comdt. des Mil.-Thierarznei-Inst. 30. „
Nowak Edl. v. Berneksbruck, Otto, beim Gen.-Comdo. zu Graz 31. „
Bergmann, Maximilian Ritt. v., im Kriegs-Archive 5. Juni
Mayer, Carl, comdt. beim Generalstabe 8. „
Peche, Heinrich, ÖEKO-R. 3. (KD.), beim Gen.-Comdo. in Wien 21. „
Pirner, Peter, ÖFJO-R., beim Gen.-Comdo. zu Agram 24. „

Rang

1859

Howorka Edl. v. Zderas, Wenzel, MVK. (KD.), ○ 1., ○ 2., beim Platz-Comdo. zu Prag 1. Juli

1861

Kornitz, Alexander, Platz - Comdt. zu Knin 25. April

Schalk, Carl, MVK. (KD.), beim Gen.-Comdo. zu Brünn 1. Dec.

1862

Brunswik v. Korompa, Romeo, beim obersten Mil.-Justiz-Senate 6. Sept.

1863

Gayer, Franz, beim R.-Kriegs-Mstm. 19. Juli

Debelak, Julius, comdt. beim Generalstabe 1. Aug.

1864

Hruschka, Franz, beim Mil.-Comdo. zu Temesvár 3. Jän.

Hoffer, Anton, beim Platz-Comdo. zu Innsbruck (WG.) 11. Feb.

Gessner, Alois, Platz-Comdt. zu Kaschau 11. „

Scherenberg. Paul, beim R.-Kriegs-Mstm. 21. Sept.

Rummel v. Ruhmburg, Wilhelm, im Kriegs-Archive 1. Oct.

Kutschera, Carl, Platz-Comdt. zu Linz 16. „

1865

Wurzel, Rob., Lehrer an der techn. Mil.-Akad. 18. April

Zwatz, Victor, beim R. - Kriegs-Mstm. 21. Sept

Heise, Berthold, Platz - Comdt. zu Görz 1. Oct.

Danninger, Mathias, MVK. (KD.), beim Gen.-Comdo. in Wien 20. „

1866

Quélff, Eugen de, MVK. (KD.), beim Platz-Comdo. zu Agram 1. Mai

Ninković, Moses, ÖFJO-R., beim Gen.-Comdo. zu Serajevo 1. „

Posch, Joseph, Comdt. des Garn.-Transportshauses zu Olmütz 1. „

Szadbey, Anton, beim R.-Kriegs-Mstm. 1. „

Uher, Joseph, beim R.-Kriegs-Mstm. 18. „

Voith, Simon, beim R.-Kriegs-Mstm. 30. „

Miksch, Ignaz, beim R.-Kriegs-Mstm. 28. Juni

Rang

1866

Handl, Johann, im mil.-geogr. Inst. 2. Juli

Grosz, Ignaz, beim R.-Kriegs-Mstm. 4. „

Gsund, Theodor, im mil.-geog. Inst. 4. „

Grössl, Jakob, beim R.-Kriegs-Mstm. 4. „

Reinhart zu Thurnfels und Ferklehen, Hermann v., beim VIII. Inf.-Trup.-Div.- u. Mil.-Comdo. zu Innsbruck 22. „

1869

La Croix v. Langenheim, Franz, beim R.-Kriegs-Mstm. 1. Mai

Barbini, Alexander, beim Platz-Comdo. zu Temesvár 1.

Lichtenberg, Anton, beim R.-Kriegs-Mstm. 1.

Proschek, Joseph, beim R.-Kriegs-Mstm. 1.

Cronberg, Oswald v., MVK., beim Gen.-Comdo. in Wien 1.

Wutzel v. Wutzelburg, Marcellin, ÖEKO-R. 3., im mil.-geogr. Inst. 1. „

Lackner, Franz, beim R.-Kriegs-Mstm. 1. Nov.

Czesaný, Adolph Edl. v., Reitlehrer am Stabsofficiers-Curse 1.

Ludwig, Franz, beim Platz-Comdo. zu Prag 1. „

1870

Novakov, Georg, beim Gen.-Comdo. in Wien 1. Nov.

1871

Aich, Adalbert, beim Platz - Comdo. in Wien 1. Mai

Eckel, Wilhelm, beim Platz-Comdo. in Wien 1. „

Goldbrich, Anton, ○ 2., Lehrer an der techn. Mil.-Akad. 1. Nov.

1872

Mórar, Joseph, MVK. (KD.), beim Mil.-Comdo. zu Temesvár 1. Feb.

Proksch, Emil, MVK. (KD.), beim Gen.-Comdo. zu Lemberg 1. Nov.

Duncker, Carl, comdt. beim Generalstabe 1.

Geiger v. Klingenberg, Carl, MVK. (KD.), im mil.-geogr. Inst. 1. „

Boschina, Franz, Reitlehrer in der techn. Mil.-Akad. 1.

Daublebsky v. Sterneck, Robert, MVK., im mil.-geogr. Inst. 1. „

Hartl, Heinrich, MVK., im mil.-geogr. Inst. 1.

	Rang
	1873
Maurich, Victor, beim R.-Kriegs-Mstm.	1. Mai
Klepsch, Eduard, MVK., Mil.-Attaché bei der k. u. k. Botschaft zu St. Petersburg	1. „
Heppner, Julius, beim Platz-Comdo. zu Cattaro	1. „
Winkler, August, beim Platz-Comdo. zu Komorn	1. „
Bozzi, Angelo, Comdt. des Garn.-Transportshauses zu Triest	1. „
	1874
Kopać, Andreas, beim R.-Kriegs-Mstm.	1. Mai
Schruth, Alois, beim Platz-Comdo. zu Krakau	1. Nov.
Rochel, Hugo, Platz-Comdt. zu Laibach	1.
Hanzel, Ferdin., beim Mil.-Comdo. zu Krakau	1. „
Binder, Anton, Oekon.-Officier in der Mil.-Ober-Realschule	1. „
	1875
Stuchlik, Johann, beim R.-Kriegs-Mstm.	1. Mai
Dubensky, Ludwig, Adj. und Rechn.-Off. in der techn. Mil.-Akad.	1. Nov.
Ulm, Johann, Platz-Comdt. zu Königgrätz	1.

Hauptleute (Rittmeister) 2. Classe.

	Rang
	1874
Ruez, Franz, MVK. (KD.), beim R.-Kriegs-Mstm.	1. Nov.
	1876
Nemečić, Carl, Platz-Comdt. zu Kufstein	1. Mai
Nowotný, Florian, beim Platz-Comdo. zu Brünn	1. „
Randhartinger, Rudolph, im mil.-geogr. Inst.	1. „
Jäger, Albert, beim Gen.-Comdo. zu Budapest	1. „
Rokos, Leopold, beim Gen.-Comdo. zu Prag	1. Nov.
Mühlberger, Anton, Platz-Comdt. zu Carlsburg	1. „
Dickel, Robert, Platz-Comdt. zu Pressburg	1. „
Kermel, Franz, Oekon.-Off. beim GSp. Nr. 7 zu Graz	1. „
	1877
Mayern, Franz, beim R.-Kriegs-Mstm.	1. Mai
Gasperotti, Alexander, beim Platz-Comdo. zu Triest	1. „
Mergl, Leopold, beim Platz-Comdo. zu Olmütz	1. „
Schivoinov, Sabbas, beim Platz-Comdo. zu Budapest (zug. als Stations-Officier zu Semlin)	1. „
Hoffmann, Heinrich, beim R.-Kriegs-Mstm.	1. Mai
Brüch, Joseph, im mil.-geogr. Inst.	1. „
Kraus, Ferdinand, Oekon.-Off. beim GSp. Nr. 1 in Wien	1.
Joannović, Nikolaus, beim Platz-Comdo. zu Peterwardein	1. Nov.
Illenberger, Eduard, beim R.-Kriegs-Mstm.	1.
Schramme, Rudolph, beim R.-Kriegs-Mstm.	1.
Kuhn v. Kuhnenfeld, Franz, comdt. beim Generalstabe	1. „
	1878
Ladweński, Andreas, beim Platz-Comdo. in Wien	1. Mai
Demuth, Joseph, beim Platz-Comdo. zu Budapest (WG.)	1.
Radványi, Anton, prov. Platz-Comdt. zu Trient	1. „
Spigl, Friedrich, im Kriegs-Archive	1. „
Hruza, Ignaz, Adj. des Mil.-Invalidenhaus-Comdo. zu Prag	1. Nov.
Scheuer, Johann, Adj. des Mil.-Badehaus-Comdo. zu Carlsbad	1.
Friedl, Peter, beim Platz-Comdo. in Wien	1. „
Rogić, Michael, beim Platz-Comdo. zu Graz	1. „

Oberlieutenants.

	Rang
	1866
Anders, Franz, Adj. des Mil.-Invalidenhaus-Comdo. in Wien	1. Mai
Pellikan, Friedrich, Oekon.-Off. im GSp. Nr. 1 in Wien	1. „
Jeserschek, Jacob, beim Platz-Comdo. zu Prag	4. Juli
	1869
Oresković, Stephan, ○ 1., beim Platz-Comdo. zu Brood	1. Mai
Neuböck, Johann, beim Platz-Comdo. zu Triest	1. „
Kellek, Georg, beim Platz-Comdo. zu Alt-Gradisca	1. Nov.
Turner, Adolph, beim Platz-Comdo. zu Lemberg	1. „
	1870
Holý, Wenzel, beim Platz-Comdo. zu Josephstadt	1. Mai
	1871
Lohr, Richard, beim Platz-Comdo. in Wien	1. Nov.
	1872
Belobraidić, Anton, beim Platz-Comdo. zu Essegg	1. Mai
Tatra, Gustav, beim Platz-Comdo. in Wien	1. „
Erich v. Melambuch und Liechtenheim, Joseph Ritt., MVK. (KD.), beim R.-Kriegs-Mstm.	14. „
Kaiser, Friedrich, beim R.-Kriegs-Mstm.	1. Nov.
Miller, Anton, Oekon.-Off. im GSp. Nr. 16 zu Budapest	1. „
Frey, Franz, beim Platz-Comdo. in Wien	1. „
	1873
Tichy, Johann, beim Platz-Comdo. zu Lemberg	1. Mai
Droszt, Gabriel, beim Platz-Comdo. zu Budapest	1. „
Koryzna, Franz Ritt. v., beim Mil.-Comdo. zu Pressburg	1. „
Eichler, Johann, Adj. im Mil.-Reitlehrer-Inst.	1. „
Bozichevich, Moriz, beim Platz-Comdo. zu Budapest	1. Nov.
Wählt, Johann, beim Platz-Comdo. zu Olmütz.	1.
Tuifel, Rudolph, Adj. des Mil.-Invalidenhaus-Comdo. zu Tyrnau	1. „
	1874
Fleiszár, Alexander, beim Platz-Comdo. zu Brünn	1. Mai
Rubly, Gottlieb, beim Platz-Comdo. zu Komorn	1. Nov.
	1875
Brandt, Franz, Oekon.-Off. im GSp. Nr. 14 zu Lemberg	1. Mai
Gablenz, Joseph, beim Platz-Comdo. zu Ragusa	1.
Leuzendorf v. Campo di Santa Lucia, Robert Freih., beim Platz-Comdo. zu Graz	1. „
Tišma, Damian, Oekon.-Off. im GSp. Nr. 16 zu Budapest	1. Nov.
Witkowski, Adam, beim Platz-Comdo. zu Krakau	1.
Breitinger, Franz, ○ 2., beim Platz-Comdo. in Wien	1. „
	1876
Goldhammer, Franz, beim Platz-Comdo. zu Budapest	1. Jän.
Czernecki, Johann, beim Gen.-Comdo. zu Lemberg	1. Mai
Wuchty, Hugo, Lehrer an der Mil.-Ober-Realschule	1.
Herforth, Anton, beim Gen.-Comdo. zu Lemberg	1. „
Nicklas, Carl, im mil.-geogr. Inst.	1. „
Radler, Carl, im mil.-geogr. Inst.	1. „
Nowák, Alois, im Kriegs-Archive	1. Nov
Adam, Nikolaus, beim Platz-Comdo. zu Arad	1.
Haberson, Emil Edl. v., beim R.-Kriegs-Mstm.	1.
Albrecht, Bernhard, beim Platz-Comdo. zu Prag	1.
Hohn, Carl, bei der Mil.-Straf-Anstalt zu Möllersdorf.	1.
Peinović, Georg, beim Platz-Comdo. zu Castelnuovo	1.

	Rang		Rang
	1877		1877
Hayderer, Robert, Oekon.-Off. im GSp. Nr. 2 in Wien	1. Mai	Fischer, Johann, Oekon.-Off. im GSp. Nr. 6 zu Olmütz	1. Nov.
			1878
Effenberger, Eduard, beim Platz-Comdo. zu Budapest	1. „	Oehm, Hugo, beim Mil.-Commando zu Krakau	1. Mai
Heimbach, Joseph, im mil.-geogr. Inst.	1. „	Kuliński, Julian, beim Platz-Comdo. zu Theresienstadt	1. Nov.

Lieutenants.

	Rang		Rang
	1864		1873
Planckh, Ernst, beim Platz-Comdo. in Wien	15. Oct.	Nowiński, Severin, im mil.-geogr. Inst.	1. Sept.
	1866		1874
Doblitzky, Franz, beim Platz-Comdo. zu Hermannstadt	1. Mai	Deblessem, Joseph, Oekon.-Off. im GSp. Nr. 15 zu Krakau	1. Mai
Frass, Joseph, beim Platz-Comdo. in Wien	16. Juli		

Adjustirung. Hut mit schwarzem Federbusch, dunkelblauer Waffenrock mit scharlachrother Egalisirung und gelben glatten Knöpfen, blaugraue Pantalon mit krapprothem Passepoil, Mantel blaugrau.

Stabs- und Oberofficiere des bestandenen Militär-Bau-Verwaltungs-Officiers-Corps *).

Oberstlieutenants.

	Rang
Gerstenbrandt Jos., Mil.-Bau-Dir. zu Triest	26. April 1871.
Hirsch Anton Edl. v., Mil.-Bau-Dir. zu Agram	1. Mai 1873.
Kadarž Theodor, Mil.-Bau-Dir. zu Graz	1. Nov. 1876.

Majore.

	Rang
Bonczak Edl. v. Bontzida, Patricius zu Olmütz	1. Mai 1873.
Seemann Carl, ÖFJO-R., Mil.-Bau-Dir. zu Hermannstadt	1. Nov. „

Hauptleute 1. Classe.

	Rang
Richter Anton, zu Prag	1. Jän. 1855.
Atzinger Michael, in Wien	20. Juli „
Schleyer Carl, ⊙, zu Graz	1. Juni 1856.
Baumgartner Johann, zu Innsbruck	1. Juni 1857.
Spanitsch Anton, zu Pressburg	1. Dec. „
Friedrichsberg Jul. Edl v., zu Brünn	2. April 1859.
Jeřabek Gustav, in Wien	18. „ „
Klima Mathias, zu Hermannstadt	20. „ „
Ganshofen Ludwig, in Wien (WG.)	23. „ „
Koller Adolph, zu Zara.	25. „ „
Brechler v. Troskowitz, Albrecht Ritt., zu Lemberg (WG.)	6. Sept. 1862.
Janauschek, Carl, zu Agram	6. Sept. 1862.
Steinmann Ant., zu Lemberg	1. Febr. 1866.
Schönbeck v. Rothenau Jul. Ritt., zu Zara	1. April „
Procházka Ottokar Freih. v., zu Josephstadt	1. Mai „
Richter Carl, zu Lemberg	1. Nov. 1868.
Ferraris Marquard Gf., in Wien	1. Nov. 1870.
Pühringer Maximilian, zu Prag	1. Mai 1872.
Mayr Robert, zu Josephstadt	1. „ „
Tischler Wilhelm, zu Triest	1. Nov. „
Melkus Edmund, zu Linz	1. Mai 1875.
Maly, Franz, zu Agram	1. „ „
Stürmer Joseph, zu Komorn	1. Nov. „

Hauptmann 2. Classe.

	Rang
Bastendorff Anton, zu Hermannstadt	1. Mai 1878.

Oberlieutenants.

	Rang
Fenz Johann, zu Temesvár (WG.)	1. Mai 1866.
Löffler Gustav, zu Pressburg	1. Mai 1870.
Mitzka Anton, in Wien	1. „ 1871.
Steinke Joseph, zu Prag	1. „ 1872.
Kronfuss Joseph, zu Kaschau	1. „ „
Sorgo Blasius nobile de, zu Triest	1. „ 1873.

Adjustirung. Hut mit schwarzem Federbusch, lichtblauer Waffenrock mit Egalisirung von kirschrothem Sammt und weissen glatten Knöpfen, blaugraue Pantalon mit Passepoil von kirschrothem Sammt, Mantel blaugrau.

*) Sind dem Genie-Stabe theils dauernd, theils provisorisch zugetheilt, und sind auch in der Rangsliste der Genie-Waffe verzeichnet.

Heeres-Anstalten.

Bildungs-Anstalten.

A. Militär-Waisenhaus

zu Fischau (bei Wr.-Neustadt).

(Errichtet 1877.)

Commandant. Benesch, Michael, Major des Armeestandes.

Lehr- und Aufsichts-Personale.

Prchal, Cajetan, Mil.-Caplan 2. Cl. des Ruhestandes, Religionslehrer.
10 Lehrfeldwebel.

Aerztliches Personale.

Chef-Arzt. Müllern Gustav v., Dr., Oberarzt des Ruhestandes, lehrt Naturgeschichte.

Zöglinge: 126.

1 Feldwebel, 20 Hausdiener.

B. Militär-Bildungs-Anstalten.

I. Militär-Erziehungs- und Bildungs-Anstalten.

Militär-Unter-Realschule zu Güns.

(Mit 1. November 1874 errichtet aus dem bestandenen Mil.-Ober-Erziehungshause.)

Commandant. Iwański, Carl, ÖFJO-R., Obstlt. des IR. Nr. 13.
Adjutant und Oekonomie-Officier. Bardos, Andreas, Hptm. 2. Cl. des IR. Nr. 62.

Lehr- und Aufsichts-Personale.

Piers, Wilhelm, Hptm. 1. Cl. des IR. Nr. 15, (Comp.-Comdt.), lehrt Physik, Chemie, Dienstreglement und hält Vorträge über gesellschaftliches Verhalten.

Klein, Leopold, Hptm. 1. Cl. des IR. Nr. 52, (Comp.-Comdt.), lehrt ungarische Sprache, Dienstreglement, und hält Vorträge über gesellschaftliches Verhalten.

Schuppler, Heinrich Edl. v., Hptm. 2. Cl. des IR. Nr. 67, lehrt Mathematik, Turnen und Stockfechten.

Benesch, Ladislaus, MVK. (KD.), O 2., Hptm. 2. Cl. des IR. Nr. 17, lehrt Freihandzeichnen.

Krause, Wilhelm, Oblt. des IR. Nr. 14, lehrt deutsche Sprache.

Lux, Anton, Oblt. des FAB. Nr. 9, lehrt Geographie.

Geřabek, Johann, Oblt. des IR. Nr. 75, lehrt Mathematik und Geometralzeichnen.

Růžek, Emanuel, Oblt. des Art.-Reg. Nr. 2, lehrt französische Sprache.

Wild, Georg, Obrlt. des IR. Nr. 74, lehrt Weltgeschichte, Exerciren und Gewehrwesen.
Stárka, Eustach, Obrlt. des IR. Nr. 75, lehrt böhmische Sprache und Exerciren.
Lefner, Zdenko, Lieut. des Ruhestandes, lehrt Schönschreiben und Turnen.
Strnad, Emil, Lieut. des FAB. Nr. 6, lehrt Geometralzeichnen.
Keil, Jaromir, Piaristen - Ordenspriester, geistl. Professor 1. Cl., Seelsorger, lehrt Religion und deutsche Sprache.
Nykodem, Johann, vom Civilstande, Gesanglehrer.

Aerztliches Personale.

Chef-Arzt. Šafařović, Carl, Dr., Reg.-Arzt 1. Cl., lehrt Naturgeschichte.

Zöglinge: 200.

10 Feldwebel, 7 Führer und 35 Hausdiener.

Militär-Unter-Realschule zu St. Pölten.

(Mit 1. September 1875 aus dem bestandenen Militär-Collegium errichtet.)

Commandant. Schuppler, Joseph Edl. v., ÖEKO-R. 3., Major des Armeestandes.
Adjutant und Oekonomie-Officier. Baudisch, Gustav, Obrlt. des IR. Nr. 74.

Lehr- und Aufsichts-Personale.

Heinrich, Heinrich, Hptm. 1. Cl. des IR. Nr. 36, lehrt deutsche Sprache.
Hörmann, Theodor v., Hptm. 2. Cl. des IR. Nr. 5, lehrt Freihandzeichnen.
Schwarzleitner, Arthur, Hptm. 2. Cl. des IR. Nr. 39, lehrt Weltgeschichte.
Müller, Adalbert, Hptm. 2. Cl.des IR. Nr. 79, lehrt Mathematik.
Vischner, Anton, Obrlt. des Art.-Stabes, lehrt Geometralzeichnen.
Villani, Ottokar Freih. v., Obrlt. des IR. Nr. 1, lehrt französische Sprache
Bauer, Franz, Obrlt. des IR. Nr. 43, lehrt Mathematik, Physik und Chemie.
Fallsux, August, Obrlt. des IR. Nr. 65, lehrt Schönschreiben und Turnen.
Swaty, Franz, Obrlt. des Husz.-R. Nr. 2, lehrt ungarische Sprache.
Tracikiewicz, Carl, Obrlt. des IR. Nr. 9, lehrt Geographie und Schönschreiben.
Erlach, Franz v., Obrlt. des IR. Nr. 46, lehrt deutsche Sprache und Exerciren.
Dytrt, Joseph, Obrlt. des IR. Nr. 18, lehrt böhmische Sprache und Exerciren.
Mürle, Carl, ÖFJO-R., Piaristen-Ordenspriester, Tit.-Consistorial-Assessor der Diöcese Siebenbürgen, Tit. -Mil. - Pfarrer, Seelsorger, lehrt Religion und Naturgeschichte.
Grüber, Carl, vom Civilstande, Gesangslehrer.

Aerztliches Personale.

Chef-Arzt. Ferroni v. Eisenkron, Johann, Dr., Reg.-Arzt 1. Cl., lehrt Naturgeschichte.

Zöglinge: 200.

9 Feldwebel, 7 Führer, 1 Corporal, 32 Hausdiener.

(Das Cadeten-Institut zu Hainburg wurde mit 1. October 1868, jenes zu Marburg mit 1. October 1869, jenes zu Eisenstadt mit 1. October 1871 aufgelassen und jenes zu St. Pölten mit 1 October 1870 in das Mil.-Collegium umgestaltet, aus welchem 1875 die Mil.-Unter-Realschule errichtet wurde.)

Militär-Ober-Realschule zu Weisskirchen (in Mähren).

(Mit 1. September 1875 aus der bestandenen militär-technischen Schule errichtet.)

Commandant. Zezschwitz, Friedrich Freih. v., ÖFJO-R., MVK. (KD.), Oberst des Armeestandes.

Adjutant. Schimak, Alois, Obrlt. des Ruhestandes.

Lehr- und Aufsichts-Personale.

Rechbach, Joseph, Freih. v., Major des Armeestandes, lehrt Weltgeschichte.

Gallina, Friedrich, Hptm. 1. Cl. des IR. Nr. 49, lehrt Weltgeschichte.

Menzinger, Moriz, Hptm. 1. Cl. des IR. Nr. 36, lehrt Freihandzeichnen.

Gatti, Friedrich, Hptm. 1. Cl. des IR. Nr. 65 (Comp.-Comdt.), lehrt Weltgeschichte.

Binder, Anton, Hptm. 1. Cl. des Armeestandes, Oekon.-Off.

Zotter, Carl, Hptm. 1. Cl. des Art.-Stabes, lehrt Chemie.

Blangy, Heinrich Freih. v., Hptm. 1. Cl. des IR. Nr. 7, lehrt französische Sprache.

Schäfer, Wilhelm, Hptm. 2. Cl. des IR. Nr. 73, lehrt Situationszeichnen.

Traun, Jakob v., Hptm. 2. Cl. des IR. Nr. 32 (Comp.-Comdt.), lehrt Geographie.

Albrecht, Friedrich, Hptm. 2. Cl. des IR. Nr. 6 (Comp.-Comdt.), lehrt Geographie.

Michl, Arnold, Hptm. 2. Cl. des IR. Nr. 33, lehrt Mathematik.

Weyrich, Julius, Hptm. 2. Cl. des IR. Nr. 1, lehrt Freihandzeichnen, Kalligraphie und Inf.-Exerciren.

Wolff v. Wolffenberg, Michael, Hptm. 2. Cl. des Genie-Reg. Nr. 2, lehrt französische Sprache, Batteriebau und Pionnier-Dienst.

Jahn, Jaromir, Hptm. 2. Cl. des IR. Nr. 36, lehrt böhmische Sprache und Stenographie.

Bettali, Oswald, MVK. (KD.), Hptm. 2. Cl. des Genie-Reg. Nr. 1, lehrt Chemie und Pionnier-Dienst.

Meduna v. Riedburg, Julius Ritt., Hptm. 2. Cl. des Art.-Reg. Nr. 11, lehrt Mathematik und Geschützwesen.

Glaser, Wilhelm, Hptm. 2. Cl. des Art-Stabes, lehrt Geometralzeichnen; Administrations-Leiter über das Schulgebäude.

Hranač, Alois, MVK. (KD.), Obrlt. des Drag.-Reg. Nr. 12, lehrt Geographie.

Hensel, Joseph, Obrlt. des Art.-Stabes, lehrt Mathematik und Geschützwesen.

Pabst, Oskar, Obrlt. des Art.-Stabes, lehrt Physik.

Richter, Gustav, Obrlt. des IR. Nr. 34, lehrt Chemie.

Kolosvary, Franz, Obrlt. des Art.-Reg. Nr. 2, lehrt ungarische Sprache und Geschützwesen.

Höger, Paul, Obrlt. des Art.-Reg. Nr. 9, lehrt Mathematik.

Lindtner, Franz, Obrlt. des IR. Nr. 64, lehrt Inf.-Exerciren, Felddienst und Gewehrwesen.

Wuchty, Hugo, Obrlt. des Armeestandes, lehrt die Leibesübungen.

Netuschill, Franz, Obrlt. des FJB. Nr. 30, lehrt Geometralzeichnen.

Drtina, Johann, Obrlt. des IR. Nr. 42, lehrt Mathematik.

Baillou, Rudolph Freih. v., Obrlt. des Ruhestandes, lehrt Physik.

Rukavina v. Vidovgrad, Constantin Freih., Obrlt. des Ruhestandes, lehrt Mathematik.

Meixner, Ubald, Weltpriester der Erzdiöcese Olmütz, geistlicher Professor 1. Cl., Seelsorger der Anstalt, lehrt deutsche Sprache.

Fichna, Carl, Piaristen-Ordenspriester, geistlicher Professor 1. Cl., lehrt deutsche Sprache.

Strauss, Franz, Weltpriester der Erzdiöcese Wien, geistlicher Professor 1. Cl., lehrt deutsche Sprache.

Schurz, Alois, vom Civilstande, Tanzlehrer.

Syřenek, Albert, vom Civilstande, Gesang- und Musiklehrer.

Aerztliches Personale.

Reg. - Aerzte 2. Cl. { Urban, Jos., Dr., lehrt Naturgeschichte.
Černovicky, Alois, Dr., lehrt Naturgeschichte.

Zöglinge: 450.

22 Feldwebel, 1 Zugsführer, 3 Corporale, 1 Armeediener, 1 Büchsenmacher, 4 Spielleute und 71 Hausdiener.

Militär-Akademie zu Wiener-Neustadt.

(Für die Infanterie, Jäger und Cavallerie.)

(1752 als Cadetenhaus errichtet; 1769 Theresianische Militär-Akademie.)

Commandant. Zaremba, Laurenz Ritt. v., ÖEKO-R. 3. (KD.), GM.
Adjutant. Handschuh, Adolph, Obrlt. des IR. Nr. 17.

Lehr- und Aufsichts-Personale.

Dittrich, Gustav, MVK. (KD), Major des IR. Nr. 56, lehrt Taktik und ist Leiter sämmtlicher taktischen Uebungen.

Englisch, Robert, Major des Armeestandes, lehrt Mil.-Stylistik, Präses der Verwaltungs-Commission.

Leeder, Wilh., Major des Armeestandes, lehrt Geschichte; Leiter der musikalischen Uebungen.

Pflanzer, Wilhelm, Major-Auditor, lehrt privates und öffentliches Recht, dann Mil.-Strafgesetz, versieht die Akademie-Gerichtspflege; Bibliothekar.

Karpellus, Franz, ○ 1, Hptm. 1. Cl. des Armeestandes, lehrt Säbelfechten.

Maly, August Ritt. v., Hptm. 1. Cl. des IR. Nr. 73, lehrt Freihandzeichnen.

Saar, Heinrich v., Rittm. des Uhl.-Reg. Nr. 11, Reitlehrer, lehrt die Reglements für die Cavallerie; Comdt. des Reitschul-Detachements.

Wagner, Ernst, Hptm. 1. Cl. des Art.-Stabes, lehrt Waffenlehre und leitet das Artillerie-Exerciren.

Čenský, Ferdinand, Hptm. 1. Cl. des IR. Nr. 11, lehrt böhmische Sprache.

Dausch, Philipp, Hptm. 1. Cl. des IR. Nr. 9, Oekonomie-Inspector und Detachements-Comdt.

Reitz, Eduard, Hptm. 1. Cl. des Generalstabs-Corps, lehrt Taktik.

Klar, Christoph, Hptm. 1. Cl. des Genie-Reg. Nr. 2, lehrt Befestigungskunst und Pionnierdienst, und versieht die Haus-Administration.

Adam, Albrecht, Hptm. 1. Cl. des IR. Nr. 42 (Comp.-Comdt.), lehrt Exercir- und Dienst-Reglement.

Preu zu Corburg und Lussenegg, Anton v., Landmann von Tirol, Hptm. 1. Cl. des IR. Nr. 11, lehrt Geographie.

Brason, Edmund, Hptm. 1. Cl. des Genie-Stabes, lehrt Befestigungskunst und Pionnierdienst; technischer Beirath.

Eisenbauer, Carl Edl. v., Hptm. 1. Cl. des IR. Nr. 44, lehrt Terrainlehre und Terrain-Darstellung.

Brosch, August, Hptm. 1. Cl. des IR. Nr. 6 (Comp. - Comdt.), lehrt Exercir- und Dienst-Reglement.

Zaiączkowski de Zaręba, Casimir Ritt., Hptm. 1. Cl. des IR. Nr. 39, lehrt Mathematik.

Franze, Anton, Hptm. 1. Cl. des IR. Nr. 18, Magazins-Officier.

Oschtzadal Edl. v. Miraberg, Franz, Hptm. 2. Cl. des IR. Nr. 28 (Comp.-Comdt.), lehrt Exercir- und Dienst-Reglement.

Mayer, Wilhelm, Hptm. 2. Cl. des IR. Nr. 35, lehrt Terrainlehre und Terrain-Darstellung.

Szartory de Lipcse, Rudolph, Hptm. 2. Cl. des IR. Nr. 34 (Comp.-Comdt.), lehrt Exercir- und Dienst-Reglement.

Reiche v. Thuerecht, Carl, Rittm. 1. Cl. des Uhl.-Reg. Nr. 1, zweiter Reitlehrer und Instructions-Officier.

Laube, Alois. Hptm. 2. Cl. des IR. Nr. 40, lehrt Heeresorganisation; Instructions-Officier.

Beszedes, Friedrich, Obrlt. des IR. Nr. 71, lehrt ungarische Sprache.

Jahn v. Jahnau, Justus, Obrlt. des Art.-Reg. Nr. 7, lehrt Waffenlehre.

Wildburg, Alois Freih. v., Obrlt. des IR. Nr 30, Turnlehrer und Instructions-Officier.

Lux, Johann, Obrlt. des IR. Nr. 15, lehrt Mil.-Administration; Instructions-Officier.

Tappeiner, Joseph, Obrlt. des FJB. Nr. 11, lehrt Physik, Chemie und Technologie.

Heilingötter, Otto, Obrlt. des Husz.-Reg. Nr. 11, lehrt darstellende Geometrie und Rappierfechten.

Wois, Joseph, ÖFJO-R., Weltpriester der Erzdiöcese Wien, Ehren-Domherr des Cathedral-Capitels zu St. Pölten, Consistorial-Rath der Diöcese Szathmár, Tit.-Mil.-Pfarrer und Akademie-Pfarrer.

Marek, Johann, Professor, vom Civilstande, lehrt Mathematik und practische Messkunst.

Belling, Ferdinand Cavaliere, Professor, vom Civilstande, lehrt französische Sprache.

Aerztliches Personale.

Reg.-Arzt 2. Cl. Kappeller Edl. zu Oster- und Gatterfeld, Franz Dr., lehrt Gesundheitspflege und Sanitätsdienst.

Thierarzt. Feichtner, Anton, lehrt Pferdewesen.

Förster. Goldschwend, Joseph, zu Nasswald.

Zöglinge: 400.

---

13 Feldwebel, 15 Führer, 16 Armeediener (darunter 1 Gärtner, 1 Modell-Tischler, 1 Laborant, 1 Portier, 1 Kirchendiener), 4 Tambours, 4 Hornisten, 85 Hausdiener; dann zur Reitschule 2 Wachtmeister als Reitlehrer-Gehilfen, 1 Führer, 1 Corporal, 1 Sattlergeselle, 31 Pferdewärter. — 60 Reit-, 4 Zugpferde und 4 Ponny.

Technische Militär-Akademie (in Wien).

(Für die Artillerie- und Genie-Waffe und das Pionnier-Regiment.)

(Mit 1. October 1869 aus der bestandenen Artillerie- und Genie-Akademie errichtet.)

Commandant. Hartlieb, Otto Ritt. v., ÖLO-R., ÖEKO-R. 3. Cl. (KD.), MVK. (KD.), GM.

Adjutant. Dubensky, Ludwig, Hptm. 1. Cl. des Armeestandes (zugleich Rechnungs-Officier).

Lehr- und Aufsichts-Personale.

Schmedes, Ernst, Major des IR. Nr. 4, lehrt Taktik bei der Art.-Abth. und leitet die Ausbildung im Fuss-Truppen-Dienst.

Hueber, Emil v., Major des Genie-Stabes, lehrt Kriegsgeschichte.

Tlaskal, Ludw., Major des Genie-Stabes, lehrt Hochbau und Befestigungskunst.

Lauffer, Emil, MVK., Major des Art.-Reg. Nr. 7, lehrt Waffenlehre und leitet die Artillerie-Uebungen.

Zaffauk, Joseph, Major des Armeestandes, lehrt Terrainlehre und Terrain-Darstellung.

Wurzel, Robert, Hptm. 1. Cl. des Armeestandes, lehrt französische Sprache und leitet die musikalischen Uebungen.

Chevalier, August, Hptm. 1. Cl. des IR. Nr. 27, Oekonomie-Inspector.

Brunner, Moriz Ritt. v., ÖEKO.-3., Hptm. 1. Cl. des Genie-Stabes, lehrt Befestigungskunst.

Goldbrich, Anton, ○ 2., Hptm. 1. Cl. des Armeestandes (Comp.-Comdt.), Fechtlehrer.

Mayer v. Marnegg, Edmund Ritt., Hptm. 1. Cl. des Generalstabs-Corps, lehrt Taktik bei der Genie-Abth.

Boschina, Franz, Rittm. 1. Cl. des Armeestandes, Reitlehrer.

Rehberger, Emanuel, Hptm. 1. Cl. des Genie-Reg. Nr. 2, lehrt den technischen Unterricht für die Genie-Truppe.

Maytner, Joseph, Hptm. 1. Cl. des Art.-Reg. Nr. 2 (Comp.-Comdt.), lehrt Heeres-Organisation und Fahren.

Obermayer, Albert Edl. v., Hptm. 1. Cl. des Art.-Stabes, lehrt Physik.

Thiele, Friedrich, ÖFJO-R., Hptm. 1. Cl. des Art.-Reg. Nr. 1, lehrt höhere Mathematik.

Pukl, Adolph, Hptm. 1. Cl. des Pion.-Reg. (Comp.-Comdt.), lehrt technischen Unterricht für die Pionnier-Truppe und Mil.-Stylistik.

Nowotny, Alois, Hptm. 1. Cl. des Art.-Reg. Nr. 11, lehrt Artillerie-Unterricht und Waffenlehre.

Rieth, Rudolph, Hptm. 2. Cl. des IR. Nr. 42, lehrt Mil.-Administration.

Sanieque, Max. Freih. v., Hptm. 2. Cl. des FJB. Nr. 13 (Comp.-Comdt), lehrt Dienst-Reglement und Anstandslehre.

Kupsa, Victor, Hptm. 2. Cl. des IR. Nr. 38, lehrt böhmische Sprache und Mil.-Stylistik.

Wohlgemuth, Ludwig, Edl. v., Obrlt. des Art.-Reg. Nr. 10, lehrt Geographie.

Bobics, Joseph v., Obrlt. des IR. Nr. 12, lehrt ungarische Sprache, Terrainlehre und Terrain-Darstellung.

Krobatin, Alexander, Obrlt. des FAB. Nr. 6, lehrt Chemie und Technologie.

Neudeck, Ludwig, Obrlt. des IR. Nr. 36, lehrt Turnen und Schwimmen.

Marinelli, Ernst, ÖFJO-R., Ordenspriester des regulirten Chorherrn-Stiftes St. Florian, geistlicher Professor 1. Cl., Tit.-Akad.-Pfarrer.

Gierster, Joseph, ordentl. Professor, vom Civilstande, lehrt Physik.

Schmitt, Carl, ÖFJO-R., ordentl. Professor, vom Civilstande, lehrt höhere Mathematik.

Hubner, Alois, ÖFJO-R., ordentl. Professor, vom Civilstande, lehrt privates und öffentliches Recht und Mil.-Strafgesetz.

Chaura, Johann, ordentl. Professor, vom Civilstande, lehrt darstellende Geometrie.

Schell, Anton, Dr., ordentl. Professor, vom Civilstande, lehrt praktische Geometrie.

Hanner, Adolph, ordentl. Professor, vom Civilstande, lehrt Maschinenlehre.

Gruber, Franz, ordentl. Professor, vom Civilstande, lehrt Hochbau und Ornamentenzeichnen.

Aerztliches Personale.

Chef-Arzt. Christ, Franz, Dr., ÖFJO-R., Reg.-Arzt 1. Cl., lehrt Gesundheitspflege und Sanitätsdienst.

Reg.-Arzt 1. Cl. Janchen, Emil, Dr.

Ober-Thierarzt 2. Cl. Wawrečka, Franz, lehrt Pferdewesen.

Zöglinge: 280, hievon in der Artillerie-Abtheilung: 160, in der Genie-Abtheilung: 120.

---

11 Feuerwerker, 7 Führer, 2 Unter-Officiere als Schreiber, 4 Hornisten, 21 Armeediener (darunter 1 Laborant, 2 Mechaniker, 1 Modell-Tischler, 1 Kirchendiener, 2 Portiere), 57 Hausdiener; dann zur Reitschule: 2 Feuerwerker als Reitlehrer-Gehilfen, 3 Führer, 1 Sattlergeselle, 28 Pferdewärter. — 50 Reit- und 2 Zugpferde.

II. Fach-Bildungs-Anstalten.

1. Kriegsschule.

In Wien.

(Errichtet mit 1. November 1852.)

Commandant. Fischer, Friedrich v., ÖFJO-C., ÖLO-R. (KD.), ÖEKO-R. 3. (KD.), FML.

Adjutant. Schweyda, Johann, Hptm. 1. Cl. des IR. Nr. 9.

Lehr-Personale.

Butterweck, Julius, MVK. (KD.), Obstlt. des Generalstabs-Corps, lehrt Taktik.

Thyr, Maximil., MVK. (KD.), Obstlt. des Generalstabs-Corps, lehrt Taktik.

Adrowski, Heinr., Obstlt. des Generalstabs-Corps, lehrt Terrain-Darstellung und Mil.-Aufnahme.

Fiedler, Ferdinand, MVK. (KD.), Obstlt. des Generalstabs-Corps, lehrt Mil.-Geographie.

Gold, Carl Ritt. v., Obstlt. des Generalstabs-Corps, lehrt Strategie.

Kleinschmidt Edl. v. Wilhelmsthal, Franz, MVK., Major des Generalstabs-Corps, lehrt den operativen Generalstabs-Dienst.

Schlayer, Hugo v., Major des Generalstabs-Corps, lehrt Heerwesen.

Wetzer, Leander, ÖFJO.-R., MVK. (KD.), Hptm. 1. Cl. des Generalstabs-Corps, lehrt den administrativen Generalstabs-Dienst.

Hess, Philipp, MVK., Hptm. 1. Cl. des Genie-Stabes, vom Stande des techn. u. adm. Mil.-Comité, lehrt Natur-Wissenschaften.

Pap, Adalbert, Hptm. 1. Cl. des Genie-Stabes, vom Stande des techn. u. adm. Mil.-Comité, lehrt Fortification.

Scherenberg, Moriz, Rittm. 1. Cl. des Uhl.-Reg. Nr. 5, Reitlehrer.

Wuich, Nikolaus, Hptm. 2. Cl. des Art.-Stabes, vom Stande des techn. u. adm. Mil.-Comité, lehrt Waffenkunde.

Weil v. Weilen, Joseph Ritt., ÖEKO-R. 3., ÖFJO-R., ordentl. Professor der Kriegsschule, lehrt deutsche Literatur.

Richter, Heinrich, Dr., Professor an der Handels-Akademie, Mitglied der k. k. Staats-Prüfungs-Commission, ordentl. Professor der Culturgeschichte.

Blodig, Hermann, Dr., Professor an der technischen Hochschule in Wien, hält Vorträge über Volkswirthschaftslehre.

Lentner, Ferdinand, k. k. Hofconcipist und Universitäts-Privat-Docent, hält Vorträge über Staats- und Völkerrecht.

Bréant, Heinrich, Professor, vom Civil-Stande, lehrt französische Sprache und Literatur.

Frequentanten.

I. Jahrgang.

Oberlieutenants.

Watzka, Heinrich, des IR. Nr. 3.
Lahousen, Wilhelm, des IR. Nr. 3.
Keltscha, Julius, des IR. Nr. 9.
Daublebsky v. Sterneck zu Ehrenstein, Carl Freih., des IR. Nr. 11.
Stanislav, Theodor, des IR. Nr. 31.
Siegler Edl. v. Eberswald, Heinrich, des IR. Nr. 34.
Pecchio v. Weitenfeld, Adolph Ritt., des IR. Nr. 41.
Galateo, Alfred nobile de, MVK. (KD.), des Jäg.-Reg.
Dietl, Anton, des Drag.-Reg. Nr. 1.
Schwarz, Heinrich Ritt. v., des Drag.-Reg. Nr. 3.
Bach v. Klarenbach, Georg, des Husz.-Reg. Nr. 2.
Wukellić Edl. v. Wukovgrad, Theodor, des Husz.-Reg. Nr. 5.
Jámborffy, Coloman, des Husz.-Reg. Nr. 12.
Rupprecht v. Virtsolog, Heinrich, des Husz.-Reg. Nr. 13.
Siebenfreud, Arthur, des Husz.-Reg. Nr. 16.

Lieutenants.

Pastrnek, Alexander, des IR. Nr. 11.
Neuwirth, Ferdinand, des IR. Nr. 24.
Zednik, Oskar, des IR. Nr. 25.
Ornstein Edl. v. Hortstein, Franz, des IR. Nr. 34.
Schöffel, Franz, des IR. Nr. 42.
Schreiber, Rudolph, des IR. Nr. 63.
Gludovics Edl. v. Siklós, Franz, des IR. Nr. 71.
Herget, Emanuel Ritt. v., des IR. Nr. 75.
Popletsan, Johann, des FJB. Nr. 28.
Pflanzer, Carl, des Drag.-Reg. Nr. 1.
Fromm, Ferdinand Freih. v., des Drag.-Reg. Nr. 3.
Böhm, Eduard, des Drag.-Reg. Nr. 4.
Weber v. Ebenhof, Oskar Ritt., des Drag.-Reg. Nr. 4.
Wanka, Ludwig, des Husz.-Reg. Nr. 2.

II. Jahrgang.

Hauptleute 2. Classe.

D'Elvert, Arthur Ritt. v., des IR. Nr. 7.
Peyerle, Wilhelm, des Pion.-Reg.

Oberlieutenants.

Pinter, Julius, des IR. Nr. 5.
Třiska, Franz, des IR. Nr. 6.
Neumayer, Franz, des IR. Nr. 9.
Weiler, Julius, des IR. Nr. 12.
Wunsam, Joseph, des IR. Nr. 14.
Grivičić, Johann, des IR. Nr. 19.
Grudzinski, Wilhelm, des IR. Nr. 56.
Steffan, Johann, des Jäg.-Reg.
Puffer, Carl Freih. v., des FJB. Nr. 3.
Pechmann v. Massen, Carl Ritt., des Drag.-Reg. Nr. 3.
Gayer v. Ehrenberg, Adolph Freih., des Drag.-Reg. Nr. 4.
Wittmann, Oskar, des Drag.-Reg. Nr. 5.
Moser, Julius, des Drag.-Reg. Nr. 6.
Szilvinyi, Géza v., des Husz.-Reg. Nr. 5.
Sprecher v. Bernegg, Arthur, des Husz.-Reg. Nr. 16.
Feigl, Eduard, des Uhl.-Reg. Nr. 1.
Szaszkiewicz, Alexander, des Pion.-Reg.

Lieutenants.

Bayer, Carl, des IR. Nr. 4.
Klar, Franz, des IR. Nr. 12.
Lorenz, Johann, des IR. Nr. 14.
Ornstein Edl. v. Hortstein, Lothar, des IR. Nr. 34.
Weissmann, Johann, des IR. Nr. 45.
Ziegler, Alfred Ritt. v., des IR. Nr. 49.
Tauschinski, Franz, des IR. Nr. 73.
Rukavina, Franz, des IR. Nr. 79.
Hornik, Theodor Edl. v., des FJB. Nr. 14.
Di Corte, Friedrich, des FJB. Nr. 22.
Dankl, Victor, des Drag.-Reg. Nr. 3.

Ausserordentliche Hörer.

I. Jahrgang.

Rittmeister 1. Classe.

Goumoëns, Gustav Freih. v., des Uhl.-Reg. Nr. 1.

Hauptmann 2. Cl.

Mannert, Johann, des Pion.-Reg.

Oberlieutenants.

Dondorf, Moriz Ritt. v., der k. ung. Leibgarde.
Tschida, Carl, der k. ung. Leibgarde.
Rohan, Alain Prinz, Durchlaucht, der Leibgarde-Reiter-Eskadron.
Scheinpflug, Alfred, des IR. Nr. 1.
Beck, Ludwig, des IR. Nr. 18.
Zvanetti, Ernst, des IR. Nr. 55.
Czech, Anton, des FJB. Nr. 13.
Schochterus, Adolph, des FJB. Nr. 23.
Prevóst, Ferdinand, des Drag.-Reg. Nr. 8.
Mertelmeyer, Rudolph, des Drag.-Reg. Nr. 12.
Conrad, Franz, des Husz.-Reg. Nr. 2.
Balthasar, Hugo, des Uhl.-Reg. Nr. 3.
Csalány, Géza v., der k. ung. Landw.
Daláry, Alexander, der k. ung. Landw.
Tolnay, Stephan, der k. ung. Landw.

Lieutenants.

Balzam, Victor, der k. ung. Landw.
Krieger, Coloman, der k. ung. Landw.
Schack, Mauritius, der k. ung. Landw.

II. Jahrgang.

Hauptleute 1. Cl.

Clair, Julius, der k. ung. Landw.
Csesznák, Benedict, der k. ung. Landw.

Hauptleute 2. Cl.

Sypniewski, Alfred Ritt. v., des IR. Nr. 9.
Wischinka, Adolph, des IR. Nr. 17.
Dimić, Constantin, des IR. Nr. 43.
Chizzola, Leodegar v., des IR. Nr. 57.

Oberlieutenants.

Rukavina v. Liebstadt, Emil, MVK. (KD.), der k. ung. Leibgarde.
Butykay, Adam v., der k. ung. Leibgarde.
Baldass, Bernhard Edl. v., des IR. Nr. 64.
Bachmann, Franz, MVK. (KD.), des Drag.-Reg. Nr. 7.
De la Fontaine, Ludwig, des Husz.-Reg. Nr. 10.
Dietz, Theodor, der k. ung. Landw.
Kerner, Paul, MVK. (KD.), der k. ung. Landw.
Elgetz, Franz, der k. ung. Landw.

Lieutenant.

Latour Edl. v. Thurmburg, Maximilian, des Jäger-Reg.

2 Feldwebel, 1 Wachtmeister, 1 Führer, 2 Corporale, 6 Hausdiener, 20 Pferdewärter und 30 Reitpferde.

Die nächstfolgenden vier Fach-Bildungs-Anstalten (2 bis 5) stehen unter der Oberleitung des Präsidenten vom technischen und administrativen Militär-Comité.

2. Höherer Artillerie-Curs.

(1867 von der Artillerie-Akademie getrennt und nach Wien verlegt; 1869 mit dem technischen und administrativen Militär-Comité vereinigt.

Studien-Inspector: Oesterreich, Franz, Oberst des Genie-Stabes.

Lehr-Personale:

Hirsch, Wilhelm Edl. v., MVK. (KD.), Major des Generalstabs-Corps vom Stande des Stabsofficiers-Curses, lehrt Strategie.

Musil, Rudolph, Hptm. 1. Cl. des Generalstabs-Corps, lehrt Taktik.

Mollik, Heinrich, Hptm. 1. Cl. des Art.-Stabes, lehrt Artillerie-Ausrüstung und Festungskrieg.

Wuich, Nikolaus, Hptm. 2 Cl. des Art.-Stabes, lehrt die Artillerie-Lehre mit mathematischer und physikalischer Begründung.

Krobatin, Alexander, Obrlt. des FAB. Nr. 6, vom Stande der techn. Mil.-Akad., lehrt chemische Technologie.

Kaiser, Georg, ordentl. Professor, lehrt Maschinen-Construction.

Blodig. Hermann, Dr., o. ö. Professor an der techn. Hochschule in Wien, lehrt die Volkswirthschaftslehre.

Lentner, Ferdinand, Dr., Privat-Docent an der Universität in Wien, lehrt Statistik.

Högel, Johann, Professor an der techn. Hochschule in Wien, lehrt englische Sprache.

Bréant, Heinr., Professor an der Kriegsschule lehrt französische Sprache.

Assistent.

Juritzky, Alfred, Obrlt. des Art.-Reg. Nr. 2, für die Lehrkanzel der Maschinen-Construction.

Frequentanten.

I. Jahrgang.

Schneider, Joseph, Obrlt. des FAB. Nr. 3.
Dormus, Georg Ritt. v., Obrlt. des Art.-Reg. Nr. 9.
Dillmann v. Dillmont, Oskar, Obrlt. des FAB. Nr. 1.
Strobl, Stanisl., Lieut. des Art.-Reg. Nr. 10.
Sartori, Eugen, Lieut. des FAB. Nr. 10.
Herzog, Anton, Lieut. des Art.-Reg.. Nr. 9.
Przistaupinsky, Alois, Lieut. des Art.-Reg. Nr. 5.
Rieger, Johann, Lieut. des Art.-Reg. Nr. 4.
Rehm, Paul, Lieut. des Art.-Reg. Nr. 9.
Lippe-Weissenfeld, Eberhard Gf. zur, Lieut. des Art.-Reg. Nr. 5.
Mayer, Gustav, Lieut. des Art.-Reg. Nr. 6.
Malik, Joseph, Lieut. des Art.-Reg. Nr. 5.
Wikullil, Joseph, Lieut. des Art.-Reg. Nr. 4.
Schäringer, Julius, Lieut. des Art.-Reg. Nr. 6.
Fischer, Adolph, Lieut. des Art.-Reg. Nr. 2.
Pucherna, Wilh., Lieut. des Art.-Reg. Nr. 7.
Marschner, Eduard, Lieut. des Art.-Reg. Nr. 4.

II. Jahrgang.

Durski-Trzasko, Carl Ritt. v., Obrlt. des Art.-Reg. Nr. 9.
Walter, Franz, Obrlt. des Art.-Reg. Nr. 7.
Hübl, Arthur Freih. v., Obrlt. des FAB Nr. 1.
Flesch, August, Obrlt. des Art.-Reg. Nr. 12.

Kozák, Joseph, Lieut. des FAB. Nr. 8.
Brilli, Heinrich, Lieut. des Art.-Reg. Nr. 10.
Müller, Arthur, Lieut. des Art.-Reg. Nr. 4.
Pater, Árpád, Lieut. des Art.-Reg. Nr. 12.
Maudry, Julius, Lieut. des FAB. Nr. 10.
Stadler, Victor, Lieut. des Art.-Reg. Nr. 11.
Seefranz, Anton, Lieut. des Art.-Reg. Nr. 8.
Benda, Adalbert, Lieut. des Art.-Reg. Nr. 7.
Kuchinka, Ludw., Lieut. des Art.-Reg. Nr. 7.
Maschek-Passler, Johann, Lieut. des Art.-Reg. Nr. 13.
Csányi, Carl, Lieut. des Art.-Reg. Nr. 3.
Juhász, Heinrich, Lieut. des Art.-Reg. Nr. 12.
Langer, Rudolph, Lieut. des Art.-Reg. Nr. 1.
Kronholz, Anton, Lieut. des Art.-Reg. Nr. 9.
Neumann, Franz, Lieut. des Art.-Reg. Nr. 3.
Mirković, Sabbas, Lieut. des Art.-Reg. Nr. 1.

3. Höherer Genie-Curs.

(1868 von der Genie-Akademie getrennt und nach Wien verlegt; 1869 mit dem technischen und administrativen Militär-Comité vereinigt.)

Studien-Inspector. Oesterreich, Franz, Oberst des Genie-Stabes.

Lehr-Personale.

Skladny, Carl, Major des Art.-Stabes, lehrt die Artillerie-Lehre.
Hirsch, Wilhelm Edl. v., MVK. (KD.), Major des Generalstabs-Corps, vom Stande des Stabsofficiers - Curses, lehrt Strategie.
Etlmayer v. Adelsburg, Friedrich Ritt., Hptm. 1. Cl. des Genie-Stabes, lehrt Befestigungskunst.
Musil, Rudolph, Hptm. 1. Cl. des Generalstabs-Corps, lehrt Taktik.
Albach, Julius, Hptm. 1. Cl. des Genie-Stabes, lehrt die bautechnischen Gegenstände.
Krobatin, Alexander, Obrlt. des FAB. Nr. 6, vom Stande der techn. Mil.-Akad., lehrt chemische Technologie.
Holzhey, Eduard, ÖFJO-R., ordentl. Professor, lehrt Bau-Mechanik und Brückenbau.
Gruber, Franz, ordentl. Professor, vom Stande der techn. Mil.-Akademie, lehrt die architektonische Styllehre.
Blodig, Hermann, Dr. o. ö. Professor an der techn. Hochschule in Wien, lehrt die Volkswirthschaftslehre.
Lentner, Ferdinand, Dr., Privat-Docent an der Universität in Wien, lehrt Statistik.
Högel, Johann, Professor an der techn. Hochschule in Wien, lehrt englische Sprache.
Bréant, Heinrich, Professor an der Kriegsschule, lehrt französische Sprache.

Frequentanten.

II. Jahrgang.

Hackenberg, Richard, ÖFJO-R., Hptm. 1. Cl. des Genie-Stabes.
Hanke, Heinrich, Hptm. 1. Cl. des Genie-Reg. Nr. 2.
Hlawaczek, Constantin, Hptm. 1. Cl. des Genie-Reg. Nr. 1.
La Croix v. Langenheim, Alois, Hptm. 1. Cl. des Genie-Reg. Nr. 2.
Martinek, Franz, Hptm. 1. Cl. des Genie-Reg. Nr. 1.
Charrière, Gustav, Hptm. 1. Cl. des Genie-Stabes.
Wissneker, Franz, Hptm. 1. Cl. des Genie-Reg. Nr. 1.

4. Vorbereitungs-Curs für Stabsofficiers-Aspiranten der Artillerie.

(Eröffnet 1873.)

Studien-Inspector. Oesterreich, Franz, Oberst des Genie-Stabes.

Lehr-Personale.

Skladny, Carl, Major des Art.-Stabes, lehrt die Artillerielehre.

Hirsch, Wilhelm Edl. v., MVK. (KD.), Major des Generalstabs-Corps, vom Stande des Stabsofficiers-Curses, lehrt Strategie.

Musil, Rudolph, Hptm. 1. Cl. des Generalstabs-Corps, lehrt Taktik, Terrain-Beschreibung und Terrain-Benützung, dann Heeres-Organisation.

Mollik, Heinrich, Hptm. 1. Cl. des Art.-Stabes, lehrt Artillerie-Ausrüstung und Festungskrieg.

Frequentanten.

Hauptleute 1. Classe.

Petschnig, Georg, MVK., des Art.-Zeugs-Depot in Wien.
Grimm, Eduard, des FAB. Nr. 3.
Hatzl, Adolph, des Art.-Reg. Nr. 2.
Rech, Moriz, des Art.-Reg. Nr. 10.
Zipser, Carl, des Art.-Reg. Nr. 2.
Löw, Vincenz, des Art.-Reg. Nr. 13.
Oschkrkaný, Joseph, des Art.-Reg. Nr. 11.
Puchinger, Paul, des FAB. Nr. 3.
Schirnböck, Joseph, des FAB. Nr. 4.
Klinger, Wenzel, des FAB. Nr. 6.
Schmidt, Carl, des Art.-Reg. Nr. 9.
Churfürst, Wenzel, des Art.-Reg. Nr. 1.
Haarmann, Wilhelm, des Art.-Reg. Nr. 2.
Plöbst v. Flammenburg, Julius Ritt., ÖEKO-R. 3. (KD.), des Art.-Reg. Nr. 7.
John, Ferdinand, des FAB. Nr. 5.
Landwehr, Georg, des FAB. Nr. 3.
Hampl, Carl, des Art.-Reg. Nr. 9.
Herget, Odilo, des Art.-Reg. Nr. 4.
Weixler, Carl, des Art.-Reg. Nr. 6.
Wiltczek, Franz, des Art.-Reg. Nr. 9.

---

5. Intendanz-Curs.

(Eröffnet 1869.)

Leiter. Weikard, Franz, MVK., Oberst des Generalstabs-Corps, Chef der III. Section im techn. u. adm. Mil.-Comité.

Lehr-Personale.

Janovski, Leopold, Major des Generalstabs-Corps, lehrt das Train-, Communications-, Sanitäts- und Verpflegswesen im Kriege vom operativen Standpunkte.

Schwab, Johann, Hptm. 2. Cl. des Art.-Stabes, lehrt die chemische Technologie in Bezug auf Verpflegung und Bekleidung.

Damisch, Heinrich, Mil.-Unter-Intendant 1. Cl., lehrt Mil.-Oekonomie und Intendanzdienst.

Stransky, Emanuel, Mil.-Unter-Intendant 1. Cl., lehrt das Natural-Verpflegswesen in techn. u. adm. Beziehung.

Langner, Carl, Dr., o. ö. Professor an der techn. Hochschule in Wien, lehrt bürgerliches Recht, Handels- und Wechselrecht.

Blodig, Hermann, Dr., o. ö. Professor an der techn. Hochschule in Wien, lehrt die Volkswirthschaftslehre.

Lentner, Ferdinand, Dr., Privat-Docent an der Universität in Wien, lehrt das Staatsrecht der österr.-ung. Monarchie und allgemeine vergleichende Statistik.

I. Jahrgang.

Frequentanten.

Bastendorff, Anton, Hptm. 2. Cl. des bestandenen Mil.-Bau-Verwaltungs-Officiers-Corps.
Petziwal, Friedrich, Obrlt. des Uhl.-Reg. Nr. 13.
Wieser, Franz, Obrlt. des IR. Nr. 19.
Protiwensky, Joseph, Obrlt. des IR. Nr. 71.
Hofmann, Moriz, Obrlt. der San.-Truppe.
Stockmayer, Carl, Obrlt. des IR. Nr. 12.
Golik, Stephan, Obrlt. des IR. Nr. 15.
Kesić, Marcus, SVK. m. Kr., Obrlt. des IR. Nr. 5.
Remer de Grzymała, Wladimir, Obrlt. des IR. Nr. 56.
Wittmann, Eduard, Obrlt. des FJB. Nr. 2.
Huša, Eduard, Obrlt. des Art.-Reg. Nr. 1.
Stöhr, Anton, Obrlt. des IR. Nr. 64.
Zallmann, Felix, Obrlt. des IR. Nr. 11.
Gölis, Carl Edl. v., Obrlt. der IR. Nr. 19.
Heydenreich, Hermann, Obrlt. des Husz.-Reg. Nr. 2.
Serdanović, Joh., Obrlt. des Art.-Reg. Nr. 5.
Mazúth, Johann, Obrlt. des FAB. Nr. 11.
Picha, Joseph, Obrlt. des Art.-Reg. Nr. 4.
Grubnić, Jakob, Obrlt. des Art.-Reg. Nr. 10.
Brodarić, Mathias, Obrlt. des FAB. Nr. 1.
Vogl, Franz, Obrlt. der San.-Truppe.
Breit, Joseph, Obrlt. der IR. Nr. 28.
Gross, Ludwig, Obrlt. des Art.-Reg. Nr. 13.
Herget, Joseph, Lieut. des Art.-Reg. Nr. 8.
Wlasak, Carl, Lieut. des FAB. Nr. 7.
Glossner, Joseph, Obrlt.-Rechnungsführer der Art.-Zeugs-Fabrik.
Toscani, Joseph, Obrlt.-Rechnungsführer des Uhl.-Reg. Nr. 6.
Van Crasbeck v. Wiesenbach, Anton, Hptm. der k. k. Landw.
Zieser, Willibald, MVK. (KD.), See, Friedrich, Bürke, Matthäus — Oberlieutenants der k. k. Landw.
Neffzern, Hugo Freih. v., Obrlt. des Ruhestandes.

II. Jahrgang.

Frequentanten.

Sperber, Peter, Hptm. 1. Cl. des Genie-Reg. Nr. 2.
Irlanda, Cäsar, Obrlt. des IR. Nr. 62.
Karanović, Johann, Obrlt. des Husz.-Reg. Nr. 10.
Petz, Adolph, Obrlt. des IR. Nr. 21.
Landa, Friedrich, Obrlt. des IR. Nr. 5.
Bastl, Maximilian, Obrlt. des FJB. Nr. 10.
Bellobraidić, Johann, Obrlt. des IR. Nr. 48.
Riess, Anton, Obrlt. des Art.-Zeugs-Depots zu Innsbruck.
Kunz, Carl, Obrlt. des Drag.-Reg. Nr 12.
Dieterich, Ferdinand, Obrlt. des IR. Nr. 5.
Raizner, Emil v., Obrlt. des FJB. Nr. 7.
Brunner, Carl, Obrlt. des Art.-Reg. Nr. 3.
Kociuba, Gabriel, Obrlt. des FAB. Nr. 6.
Kietler, Edwin, Obrlt. des IR. Nr. 21.
Feichtinger, Joseph, Obrlt.-Rechnungsführer des Husz.-Reg Nr. 15.
Dobrucki v. Dobruty, Franz Ritt., Rechn.-Official 3. Cl.
Canstein, Friedrich Freih. von und zum, Rechn.-Official 3. Cl.
Burian, Joseph, Obrlt. der k. k. Landw.
Böhm, Joseph, Obrlt. der k. k. Landw.
Reichl, Mathias, Obrlt. der k. k. Landw.
Kopitsch, Ferdinand, Lieut. der k. k. Landw.

Ausserordentliche Hörer.

Palkovits, Victor v., Hptm. 2. Cl., Gross, Michael, Obrlt., Simonchich, Julius v., Obrlt. — der k. ung. Landw.

6. Stabsofficiers-Curs.

(Mit 1. November 1870 als Central-Infanterie-Curs errichtet; 1876 als Stabsofficiers-Curs organisirt.)

In Wien.

Commandant. Bienerth, Carl Freih. v., ÖEKO.-R. 2. (KD.), ÖLO-R. (KD.), MVK. (KD.), FML., Comdt. der II. Inf.-Trup.-Div.
Adjutant. Kernreuter, Leopold, Obrlt. des IR. Nr. 71.

Ordentliches Lehr-Personale.

Hauschka, Alois, Obstlt. des Generalstabs-Corps, lehrt Taktik.
Hirsch, Wilhelm Edl. v., MVK. (KD.), Major des Generalstabs-Corps, lehrt Strategie.
Hoffmeister, Edmund, Major des Generalstabs-Corps, lehrt Terrainlehre und Terrain-Benützung.
Drathschmidt v. Bruckheim, Carl, Major des Generalstabs-Corps, lehrt Heeres-Organisation, Supplent für Taktik.
Czesaný, Adolph Edl. v., Rittm. 1. Cl. des Armeestandes, Reitlehrer; Präses der Verwaltungs-Commission und betraut mit der Führung der ökonomisch-administrativen Geschäfte.

Ausserordentliches Lehr-Personale.

Lauffer, Emil, MVK., Major des Art.-Reg. Nr. 7, vom Stande der techn. Mil.-Akad., lehrt die Waffenlehre.
Brunner, Moriz Ritt. v., ÖEKO-R. 3., Hptm. 1. Cl. des Genie-Stabes, vom Stande der techn. Mil.-Akad., lehrt Fortification und Pionnierdienst.
Wawrečka, Franz, Ober-Thierarzt 2. Cl. vom Stande der techn. Mil.-Akad.

Frequentanten: 90, hierunter Hauptleute der Infanterie, der Jäger-Truppe und des Pionnier-Reg.: 86, Rittmeister der Cavallerie: 4.

7. Militär-Reitlehrer-Institut in Wien.

(Mit 1. November 1875 errichtet.)

Commandant. Gemmingen-Guttenberg, Otto Freih. v., ÖEKO-R. 3., MVK. (KD.), Obstlt. des Uhl.-Reg. Nr. 6.

Adjutant. Eichler, Johann, Obrlt. des Armeestandes.

Lehr-Personale.

Ludwig, Alois, MVK. (KD.), Major des Art.-Stabes.
Speyer, Julius, Major des Armeestandes.
Lippe-Weissenfeld, Egmont Gf. zur, MVK. (KD.), Major des Uhl.-Reg. Nr. 6.
Engel, Erich Ritt. v., Rittm. 1. Cl. des Drag.-Reg. Nr. 10.
Berzeviczy de Berzevicze et Kakas-Lomnitz, Adam, JO-Justizritter, ✠, Rittm. 1. Cl. des Uhl.-Reg. Nr. 1.
Steltz, Friedrich, Hptm. 1. Cl. des Ruhestandes, prov. Fechtlehrer.

Frequentanten.

Oberlieutenants.

Platen zu Hallermund, Magnus Gf. v., des Drag.-Reg. Nr. 1.
Gratza, Eduard, " " " " 2.
Alberti de Poja, Friedrich Gf., " " " " 3.
Pechmann v. Massen, Anton Ritt., " " " " 4.
Sagburg, Walter v., " " " " 5.
Otto v. Ottenfeld, Arthur Ritt., " " " " 7.
Rauscher, Martin, " " " " 8.
Iskierski, Julius, " " " " 9.
Rotter, Anton " " " " 9.
Hellenbach-Paczolay, Dionys Freih. v., " " " " 10.
Wallisch, Edmund Freih. v., " " " " 11.
Seifert Edl. v. Eichenstark, Heinrich, " " " " 12.
Nalepa, Friedrich Ritt. v., " " " " 12.
D'Ablaing v. Giessenburg, Daniel Freih., " " " " 13.
Máriássy de Markus et Batiszfalva, Ladislaus, des Husz.-Reg. Nr. 1.
Krahl, Napoleon, " " " " 2.
Henriquez, Carl Ritt. v., des Hus.-Reg. Nr. 3.
Gangl, Rudolph, " " " " 6.
Görgey de Görgö et Topporcz, Aristides, des Husz.-Reg. Nr. 10.
Jékey, Alois v., " " " " 11.
Kecskéssy Eduard v., " " " " 12.
Zgorski, Alexander, " " " " 13.
Bombelles, Alois Gf., " " " " 13.
Popiel, Vincenz Ritt. v., " " " " 14.
Zedtwitz, Kuno Gf., " " " " 14.
Maschauer, Friedrich, " " " " 15.
Fekete, Franz Freih. v., " " " " 16.
Gelan, Arthur v., des Uhl.-Reg. Nr. 1.
Sieber, Heinrich, " " " " 2.
Maya, Theodor, " " " " 4.
Hüller, Carl, " " " " 4.
Enis v Atter und Iveaghe, Carl Freih., " " " " 8.
Malischek Eduard, des Art.-Reg. Nr. 2.
Thun-Hohenstein, Leo Gf., " " " " 2.
Kallinić, Samuel, " " " " 4.
Wanka, Victor, " " " " 6.
Haynau, Gustav Freih. v., " " " " 6.
Wisiak, Joseph des Mil.-Fuhrw.-Corps.

Lieutenants.

Kirchbach, Carl Freih. v., des Drag.-Reg. Nr. 5.
Lehmann, Georg, " " " " 6.
Cappy, Albert Gf., des Husz.-Reg. Nr. 4.
Pokorny Edl. v. Fürstenschild, Alois, " " " " 12.
Breda, Victor Gf., " " " " 14.
Eigl, Franz, des Uhl.-Reg. Nr. 3.
Chomicki, Ferdinand, " " " " 7.
Delinowski, Joseph. des Uhl.-Reg. Nr. 11.
Faimann, Wenzel, des Art.-Reg. Nr. 1.
Czerny, Wilhelm, " " " " 2.
Boxberg, Friedrich Freih. v., " " " " 6.
Zillinger, Johann, " " " " 8.
Bayer, Herand, " " " " 8.
Rollny, Carl, des Mil.-Fuhrw.-Corps.

Externe Frequentanten.

Bombelles, Carl Gf., Obrlt. des k. ung. Landw.-Cav.-Reg. Nr. 1.
Wimpffen, Johann Freih. v., Obrlt. des k. ung. Landw.-Cav.-Reg. Nr. 1.

Ober-Thier-Arzt 2. Cl. Parzer, Johann.
1 Rechnungs-Wachtmeister, 2 Wachtmeister, 1 Curschmied, 2 Führer, 7 Corporale, (worunter ein Trompeter), 12 Soldaten für den Hausdienst, 1 Schmied- und 1 Sattlergeselle, 1 Armeediener als Portier. — 5 Gestütspferde für die Reitlehrer, 2 Zugpferde für den Hausdienst.

8. Militär-Thierarznei-Institut.

In Wien.

Commandant. La Croix, Eduard, MVK., Obstlt. des Armeestandes.

Stellvertreter. Koch, Anton, Rittm. 1. Cl. des Armeestandes.

Studien-Director. Röll, Moriz, Dr. der Medicin und Chirurgie, Magister der Geburtshilfe und Thierheilkunde, ÖFJO-R., k. k. Hofrath (Titel u. Character), Mitglied des obersten Sanitäts-Rathes beim k. k. Ministerium des Innern, zugleich Professor der Seuchenlehre und Veterinär-Polizei, dann der medicinischen Klinik, a. o. Professor an der medicinischen Facultät der Universität in Wien.

Secretär. Gellinek, Ludwig, Unter-Thierarzt.

Lehr-Personale.

Professoren.

Müller, Franz, Dr. der Medicin und Chirurgie, Magister der Thierheilkunde, ÖFJO-R., k. k. Regierungs-Rath (Titel u. Character), Professor der descriptiven und topographischen Zootomie und des Exterieurs des Pferdes, dann des Huf- und Klauen-Beschlages, zugleich betraut mit der Leitung des Hunde-Spitales, a. o. Professor an der Universität in Wien.

Bruckmüeller, Andreas, Dr. der Medicin und Philosophie, Magister der Thierheilkunde, ÖFJO-R., Professor der Thier-Productionslehre, der Geburtshilfe, dann der Zoophysiologie.

Armbrecht, August, Dr. der Medicin und Chirurgie, Magister der Thierheilkunde, ÖFJO-R., Professor der Veterinär-Chirurgie und Operations-Lehre, dann der chirurgischen Klinik.

Forster, Leopold, Dr. der Medicin und Chirurgie, Magister der Thierheilkunde, Professor der speciellen Pathologie und Therapie, der Arzneimittel-Lehre, der Pharmakognosie und Receptirkunde, der Instrumenten- und Verband-Lehre, dann der Botanik.

Zahn, Franz, Dr. der Medicin und Chirurgie, Magister der Thierheilkunde, Professor der allgemeinen Pathologie und pathologischen Zootomie, dann der gerichtlichen Thierheilkunde.

Adjuncten.

Paumgartten, Maximilian v., Patron der Chirurgie und diplomirter Thierarzt, GVK., Adjunct beim Lehrfache der Zootomie, des Exterieurs und der Theorie des Hufbeschlages.

Koržil, Raimund, Patron der Chirurgie und diplomirter Thierarzt, Adjunct beim Lehrfache der pathologischen Zootomie und der gerichtlichen Veterinärkunde, Docent für Vieh- und Fleischbeschau, dann für Physik.

Konhäuser, Franz, diplomirter Thierarzt, Adjunct an der medicinischen Klinik und bei dem Lehrfache der speciellen Pathologie und Therapie, Docent des Mil.-Geschäftsstyles.

Bayer, Joseph, Dr. der Medicin und Chirurgie, diplomirter Thierarzt, Adjunct an der chirurgischen Klinik und bei dem Lehrfache der Veterinär-Chirurgie und Operations-Lehre, Docent der Geschichte und Literatur der Thierheilkunde.

Csokor, Johann, Dr. der gesammten Heilkunde, Adjunct beim Lehrfache der Thier-Productionslehre und der Thier-Physiologie, dann der Arzneimittel-Lehre.

Assistenten.

Froschauer, Justinian Ritt. v., Dr. der Medicin und Chirurgie, diplomirter Thierarzt, Assistent an der medicinischen Klinik.

Stengl, Joseph, Unter-Thierarzt in der Reserve, Assistent an der chirurg. Klinik.

Wildner, Franz, Unter-Thierarzt in der Reserve, Assistent beim Lehrfache der Anatomie.

Schüller, Ferdinand, Ober-Thierarzt, Hufbeschlags-Lehrer.
Janich, Anton, Thierarzt, Gehilfe des Hufbeschlags-Lehrers.

Inspections-Thierarzt auf den Kliniken.

Wicher, Ferdinand, Thierarzt.

Rechnungs-Personale.

Rechnungsführer. Mühln, Franz, Hptm. 1. Cl.
Rechnungs-Accessist. Laszló, Heinrich.

Höherer thierärztlicher Lehr-Curs.

Im I. Jahrgange: 8 Frequentanten, } Curschmiede.
„ II. „ 6 „ }

Zweijähriger Curs für Curschmiede.

Militär-Schüler: { I. Jahrgang 50, II. Jahrgang 49, } Unterofficiere und Soldaten von verschiedenen Regimentern, Corps und Branchen.

Zugetheilte auf der Beschlags-Brücke.

14 Personen aus dem Mannschafts-Stande des k. k. Heeres.

1 botanischer Gärtner, 2 Amtsdiener, 1 Portier, 3 Saal- und Cabinets-Diener, 1 Diener für die Apotheke und Klinik (sämmtlich Armeediener).

1 Wachtmeister, 2 Führer, 3 Curschmiede, 3 Corporale und 41 Soldaten als Pferdewärter.

Adjustirung der Officiere.

Czako, dunkelbrauner Waffenrock mit lichtblauer Egalisirung und gelben glatten Knöpfen, lichtblaue Stiefelhose, Mantel dunkelbraun.

C. Weibliche Erziehungs-Anstalten.

I. Officiers-Töchter-Erziehungs-Institute.

1. Zu Hernals bei Wien.

(1775 zu St. Pölten errichtet; 1786 nach Hernals verlegt.)

Ober-Vorsteherin. Arbter, Adele v., lehrt auch deutsche Sprache.
Verwalter. Morgenbesser, Leopold Edl. v., Tit.-Major des Ruhestandes.

Lehr- und Aufsichts-Personale.

Kautetzky, Caroline, Unter-Vorsteherin und und Lehrerin, lehrt deutsche Sprache, Geographie und Geschichte.

Kittner, Marie, Unter-Vorsteherin und Lehrerin, lehrt Geographie, Geschichte, Arithmetik und Haushaltungskunde

Stempfl, Marie v., Unter-Vorsteherin und Lehrerin, lehrt Geographie, Geschichte, Arithmetik und französische Sprache.

Adametz, Therese, Unter-Vorsteherin und Lehrerin, lehrt deutsche und ungarische Sprache, Geographie, Geschichte und Arithmetik.

Schönthan Edle v. Pernwald, Barbara, Unter-Vorsteherin und Lehrerin, lehrt deutsche und französische Sprache, Naturkunde, Geographie, Geschichte, Arithmetik und Schönschreiben.

Heufler, Hedwig v., Unter-Vorsteherin und Lehrerin, lehrt deutsche und französische Sprache, Naturkunde, Geographie, Geschichte, Arithmetik und Schönschreiben.

Hinterberger, Louise, lehrt deutsche Sprache, Arithmetik und Schönschreiben.

Nestel Edle v. Eichhausen, Maria, Unter-Vorsteherin, Industrial-Lehrerin und Lehrerin der böhmischen Sprache.

Rungger, Andreas, Piaristen-Ordenspriester, geistlicher Professor 1. Cl., lehrt Pädagogik, deutsche Sprache und Literatur-Kunde.

Habermann, Michael, Weltpriester, Cooperator der Pfarre Hernals, Instituts-Seelsorger und Religions-Lehrer.

Polley, Ludwig, Dr., vom Civilstande, Professor der französischen Sprache.

Collins, Eduard, vom Civilstande, lehrt englische Sprache.

Fallenböck, Alfred, vom Civilstande, lehrt Freihandzeichnen und Kunstgeschichte.

Glasser, Franz, vom Civilstande, lehrt Buchführung und kaufmännisches Rechnen.

Vogl, Anton, vom Civilstande, Gesangs- und Klavierlehrer.

Fischeck, Auguste, Gesangs- und Klavierlehrerin.

Doletschek, Wenzel, vom Civilstande, Klavierlehrer.

Posch, Joseph, vom Civilstande, Turnlehrer.

Rabensteiner, Eduard, Tanzlehrer.

Aerztliches Personale.

Chef-Arzt. Lewandowski, Rudolph, Dr., Oberarzt, lehrt Naturgeschichte, Naturlehre und Mathematik.
Zahnarzt. Pfab, Joseph, Dr. der Medicin und Chirurgie, k. k. Leib-Zahnarzt.

Zöglinge: 120.

1 Beschliesserin, 5 Armeediener, 3 Krankenwärterinnen, 16 Stubenmädchen, 1 Köchin, 3 Küchenmägde, 1 Gärtnergehilfe, 1 Heizer, 2 Taglöhner, 1 Waschweib.

2. Zu Oedenburg.

(Errichtet 1850 vom Oedenburger Frauen-Verein für Erziehung verwaister mittelloser Officiers-Töchter; 1877 in die Verwaltung des Reichs-Kriegs-Ministeriums übergegangen.)

Ober-Vorsteherin. Mingazzi di Modigliano, Maria, lehrt Geschichte.

Verwalter. Kleindienst, Michael, ○, Tit.-Major des Ruhestandes.

Lehr- und Aufsichts-Personale.

Weidinger, Rosa, Unter-Vorsteherin und Lehrerin, lehrt deutsche Sprache, Geographie, Geschichte, Naturgeschichte, Naturlehre, Arithmetik und Schönschreiben.

Unger, Antonie, Unter-Vorsteherin und Lehrerin, lehrt deutsche Sprache, Geographie, Geschichte, Naturkunde, Arithmetik und Schönschreiben.

Thielen, Elise Edl. v., Unter-Vorsteherin und Lehrerin, lehrt deutsche Sprache, Arithmetik, Schönschreiben und weibliche Handarbeiten.

Koller, Ludwig, vom Civilstande, Religionslehrer und Lehrer der ungar. Sprache.

Wouvermans, Erwin, vom Civilstande, Zeichenlehrer.

Kugler, Vincenz, Gesangs- und Klavierlehrer.

Zöglinge: 33.

---

1 Krankenwärterin, 1 Hausmeister, 1 Köchin, 3 Stubenmädchen, 1 Küchenmagd, 1 Waschweib, 1 Taglöhner.

II. Mannschafts-Töchter-Erziehungs-Institute.

1. Die Carolinen - Stiftung in der ehemaligen Vorstadt Erdberg in Wien (III. Bezirk).

Erziehungs-Anstalt für Soldaten-Töchter, von weiland Ihrer Majestät der Kaiserin-Königin Carolina Augusta im Jahre 1830 gegründet.

(Institut der Schulschwestern von dem dritten Orden des heil. Franciscus.)

Oberste Schutzfrau. **Ihre Majestät die Kaiserin und Königin Elisabeth.**

Local-Vorsteherin. Wörnhart, Scholastica, Oberin der Congregation der Schulschwestern.

Lehr- und Aufsichts-Personale.

Die Zöglinge erhalten den Unterricht in der öffentlichen sechsklassigen Volksschule der Schulschwestern.

Arbeit-Meisterinnen: Die Schulschwestern: Keindl Mechthildis, Lener Appollonia, Binder Bernardine, Aschl Paula (als Köchin).

Diese unterweisen die Zöglinge in allen weiblichen Hand-Arbeiten und häuslichen Verrichtungen jeglicher Art (für ihren künftigen Beruf als Dienstmägde der Mittel-Classe), sowie ihnen auch die Pflege und Wartung derselben obliegt.

Instituts-Seelsorger und Religions-Lehrer. Gröbl, Jakob, Weltpriester und Cooperator der Vorstadt-Pfarre Erdberg.

Plenninger, Andreas, Dr. der Medicin und Chirurgie, Magister der Geburtshilfe und Operateur, Primarius an der k. k. Theresianischen Akademie.

---

1 Köchin, 2 Mägde, wovon 1 als Einkäuferin, 1 als Gärtnerin. — Dermaliger Stand der Zöglinge: 45.

---

2. Zu Szathmár-Némethy.

(Gestiftet 1836, eröffnet 1843).

Oberster Leiter. Der Bischof von Szathmár-Némethy.

Vorsteher. Némethy, Joseph, Domprobst, Abt v. St. Aegidii, bischöflicher General-Vicar, Pro-Director des bischöflichen Lyceums, Consistorial-Rath.

Vorsteherin. Lukás, Fr. Regis, General-Oberin aus der Versammlung der barmherzigen Schwestern von St. Vincenz von Paul.

Lehr- und Aufsichts-Personale.

Bittmann, Johann, S. J., Religionslehrer.

Risch, Wilhelm, aus dem Orden der barmherzigen Brüder Gesanglehrer.

Aus der Versammlung der barmherzigen Schwestern von St. Vincent von Paul.

Bausenwein, Theresia Fenzel, Radegundis Signer, Hirlanda Dancs, Hermine	lehren in allen vier Classen: Lesen, Schreiben, Rechnen, deutsche und ungarische Sprachlehre, Naturgeschichte, Weltgeschichte und Geographie, führen die Aufsicht über die Mädchen und unterrichten dieselben in weiblichen Hand-Arbeiten.

Instituts-Seelsorger. Bittmann, Johann (wie oben).

Hausarzt.

Lengyel, Géza.

Dermaliger Stand der Zöglinge: 34.

Militär-geographisches Institut.

Instituts-Direction.

Director. Guran, Alexander, ÖLO-R., FML.

Adjutant. Hassinger, Franz Edl. v., MVK. (KD.), Hptm. 1. Cl. des IR Nr. 52.

Archivar. Sedlaczek, Ernst, ÖFJO-R., Major des Armeestandes.

Cassa-Officier. Mülldorfer, Victor, Hptm. 1. Cl. des IR. Nr. 62.

Karten-Verschleiss. Hennig, Heinrich, Hptm. 1. Cl. des Armeestandes.

Rechnungsführer. Stahl, Rudolph, Hptm. 1. Cl. Jopek, Peter, Obrlt. Suchowsky, Arthur, Lieut.

1 Rechn.-Stabsfeldwebel, 5 Rechn.-Hilfsarbeiter, 3 Schreiber, 19 Armeediener.

I. Gruppe.

Vorstand. (Vacat.)

a) Topographie-Abtheilung.

Vorstand. Roskiewicz, Johann, ÖFJO-R. MVK. (KD.), Oberst des IR. Nr. 5.

3 Oberofficiere vom Truppenstande.
20 techn. Officiale, 9 techn. Assistenten.

b) Lithographie-Abtheilung.

(Provisorisch der II. Gruppe unterstellt.)

Vorstand. Simić, Franz, GVK. m. Kr., Abth.-Vorstand 2. Cl.

techn. Officiale, und 2 techn. Assistenten.

c) Kupferstich-Abtheilung.

(Provisorisch der II. Gruppe unterstellt.)

Vorstand. Bauer, Anton, GVK. m. Kr. Abth.-Vorstand 2. Cl.

14 techn. Officiale, 3 techn. Assistenten.

d) Topographen-Schule.

Vorstand. Přichoda, Eduard, ÖFJO-R., MVK. (KD.), Hptm. 1. Cl. des IR. Nr. 56.

65 Oberofficiere, Cadeten und Unterofficiere vom Truppenstande, dann Contractarbeiter vom Civile als Zeichner.

II. Gruppe.

Vorstand. Schönhaber v. Wengerot, Heinrich Ritt., ÖFJO-C., ÖEKO-R. 3., Gruppen-Vorstand.

a) Pressen-, Galvanoplastik- und Buchbinderei-Abtheilung.

Prov. Leiter. Hödlmoser, Carl, GVK. m. Kr., techn. Official 2. Cl.

5 techn. Werkmeister, 34 techn. Gehilfen und 32 Unterofficiere und Soldaten.

b) Photographie-Abtheilung.

Vorstand. Schielhabl genannt Mariot, Emanuel, ÖFJO-R., Abth.-Vorstand 2. Cl.

10 techn. Officiale, 6 techn. Assistenten 14 techn. Gehilfen, 12 Unterofficiere.

Militär-Zeichnungs-Abtheilung.

Vorstand. Duré, Friedrich, Major des Generalstabs-Corps, zugleich Mappirungs-Director.

Vorstands-Stellvertreter. (Vacat.)

a) Militär-Zeichnungs-Schule.

15 Oberofficiere und Cadeten vom Truppenstande.

b) Pantographie-Abtheilung.

4 Oberofficiere und 18 Unterofficiere vom Truppenstande.

Triangulirungs- und Calcul-Abtheilung.

Vorstand. Ganahl, Johann Ritt. v., ÖFJO-C., ÖEKO-R. 3., MVK. (KD.), Oberst des Armeestandes, zugleich Triangulirungs-Director.

1 Major des Armeestandes, 17 Oberofficiere als Trigonometer und Adjuncten, dann 3 Unterofficiere als Schreiber und Rechner, vom Truppenstande.

Karten-Evidenthaltungs-Abtheilung und Revisoriat.

Vorstand. Grundinger, Philipp, MVK. (KD.) Major des Armeestandes.

a) Karten-Evidenthaltungs-Abtheilung.

2 Hauptleute vom Truppenstande, 3 techn. Officiale und 1 techn. Assistent.

b) Revisoriat.

6 Hauptleute vom Truppenstande, als Revisoren.

Unterofficiers-Abtheilung.

Vorstand. Gsund, Theodor, Hptm. 1. Cl. des Armeestandes.

34 Unterofficiere und Soldaten vom Truppenstande.

Militär-Mappirung.

Director. Duré, Friedrich, Major des Generalstabs-Corps.

1. Abtheilung.

(Winter-Station: Saaz, Böhmen.)

Unter-Director. Słoninka, Julius, Hptm. 1. Cl. des IR. Nr. 15.

2. Abtheilung.

(Winter-Station: Marburg.)

Unter-Director. Bastendorff, Rudolph, Hptm. 1. Cl. des 33. Jäg.-Bat.

3. Abtheilung.

(Winter-Station: Laibach.)

Unter-Director. Trnka, Carl, Hptm. 1. Cl. des IR. Nr. 28.

4. Abtheilung.

(Winter-Station: Budweis.)

Unter-Director. Ullmann, Emanuel, Major des IR. Nr. 10.

5. Abtheilung.

(Winter-Station: Cilli.)

Unter-Director. Benedek, Andreas v., Hptm. 1. Cl. des Generalstabs-Corps.

6. Abtheilung.

(Winter-Station: Fürstenfeld.)

Unter-Director. Milde, Anton, MVK., Major des Armeestandes.

7. Abtheilung.

(Winter-Station: Eger.)

Unter-Director. Siglitz, Franz, Hptm. 1. Cl. des Generalstabs-Corps.

8. Abtheilung.

(Winter-Station: Prag.)

Unter-Director. Albrecht, Julius, Hptm. 1. Cl. des Generalstabs-Corps.

9. Abtheilung.

(Winter-Station: Budweis).

Unter-Director. Gravisi, Carl v., Hptm. 1. Cl. des Generalstabs-Corps.

10. Abtheilung.

(Winter-Station: Pilsen.)

Unter-Director. Bulla, Eduard, MVK., Major des Armeestandes.

11. Abtheilung.

(Winter-Station: Warasdin.)

Unter-Director. Sussich, Joseph, Major des IR. Nr. 78.

12. Abtheilung.

(Winter-Station: Teplitz.)

Unter-Director. Hallada, Alois, Hptm. 1. Cl. des IR. Nr. 67.

13. Abtheilung.

(Winter-Station: Graz.)

Unter-Director. Adler v. Adlerschwung, Maximilian, Major des IR. Nr. 77.

14. Abtheilung.

(Winter-Station: Fiume.)

Unter-Director. Groller v. Mildensee, Maximilian, MVK. (KD.), Hptm. 1. Cl. des IR. Nr. 70.

Ausserdem bei jeder Mappirungs-Abtheilung: 8 Oberofficiere als Mappeurs und 1 Unterofficier als Schreiber, vom Truppenstande.

Garnisons-Transportshäuser.

Majore. { Liebstöckl, Carl, Comdt. zu Budapest.
Ruff, Alexander, MVK., Comdt. in Wien.

Hauptleute 1. Classe.

Strack, Friedrich, Comdt. zu Brünn.
Peicsich, Joseph, Comdt. zu Lemberg.
Pfeifer, Mathias, in Wien.
Kochańczyk, Wenzel, Comdt. zu Krakau.
Sellner, Friedrich Edl. v., Comdt. zu Prag.
Posch, Joseph, Comdt. zu Olmütz.
Bozzi, Angelo, Comdt. zu Triest.

(Sämmtliche vom Armeestande.)

Monturs-Verwaltungs-Anstalten.

Monturs-Depots: Nr. 1 zu Brünn, mit dem Filial-Depot zu Jaroslau; Nr. 2 zu Budapest, mit dem Filial-Depot zu Carlsburg; Nr. 3 zu Graz; Nr. 4 in Wien.

Rangsliste

der Stabs- und Oberofficiere der Monturs-Verwaltungs-Branche.

Oberst.

Pohanka v. Kulmsieg Carl, ÖFJO-R., MVK. (KD.), Comdt. des Depots Nr. 4 in Wien.

Oberstlieutenants.

Hoffmann Georg, Comdt. des Depots Nr. 2 zu Budapest. (Rang 1. Mai 1877.)

Gottl Franz, Comdt. des Depots Nr. 1 zu Brünn. (Rang 1. Mai 1878.)

Kreipner Carl, MVK. (KD.), Comdt. des Depots Nr. 3 zu Graz. (Rang 1. Nov. 1878.)

Majore.

Hausner Joseph, beim Depot Nr. 1 zu Brünn. (Rang 1. Mai 1875.)

Zinsmeister Emanuel, zu Budapest. (Rang 1. Nov. 1878.)

Hauptleute 1. Classe.

Depot		Rang
3	Thelen Leopold v.	1. März 1862
2	Gakovich Jakob	1. Juli 1864
1	Thomas Franz	1. Oct. „
2	Walzhofer Joseph	1. Juni 1866
3	Bleydl Emanuel	1. „ „
4	Ritthiers Johann	1. Juli „
2	Grimus v. Grimburg Hugo Ritt.	1. Mai 1873

Hauptleute 2. Classe.

Depot		Rang
2	Nolli Ignaz (Res.)	1. Nov. 1872
2	Lehner Carl	1. Mai 1873
1	Versbach v. Hadamar Sigmund Ritt.	1. „ „
1	Zehetner Anton	1. „ 1875
3	Hoppe Julius	1. Mai 1876
2	Semrad Eduard	1. Nov. 1878

Oberlieutenants.

Depot		Rang
2	Syrbú Mathias (WG.)	1. Mai 1859
1	Wolný Johann	1. „ 1866
3	Oth Carl	1. „ „
1	Schricker Heinrich	1. „ „
1	Richter Joseph	1. „
2	Knapp Ignaz	1. „
2	Paduschitzky Alexander	1. „ „
1	Tesch Johann, ○ 2.	1. „ „
1	Otto Johann	25. Juni „
2	Rajský Franz	30. „ „
2	Killmann Florian	4. Juli „
1	Aigner Carl	1. Aug. „
2	Arthold Johann	1. „ „
2	Kaurzill Carl	1. Mai 1869
4	Krähmer Conrad	1. „ 1873
3	Lohberger Wenzel	1. „ „
1	Maciejowsky Stanislaus	1. „ „
4	Ratiborský Paul	1. „ „
3	Laiter Eduard	1. „ „
1	Spanner Franz	1. „ 1874
2	Bayer Franz	1. „ „
4	Aust Carl, MVK. (KD.)	1. „ 1875
4	Burger Lorenz	1. „ 1876
1	Greifoner Carl	1. „ „
2	Penner Georg	1. „ „
3	Makas Michael	1. Nov. „
3	Prosser Franz	1. Mai 1877
1	Bohnhoff Joseph	1. Nov. „
3	Schwabel Michael	1. Mai 1878

Lieutenant.

Depot		Rang
3	Plentaj Franz (Res.)	24. Sept. 1871

Adjustirung der Officiere.

Hut mit schwarzem Federbusch, dunkelblauer Waffenrock mit krapprother Egalisirung und gelben glatten Knöpfen, lichtblaue Pantalon, Mantel blaugrau.

Monturs-Depots.

Monturs-Depot Nr. 1 zu Brünn.

Obstlt. u. Comdt. Gottl, Franz.
Major. Hausner, Joseph.

Hauptmann 1. Classe.
Thomas, Franz (Comdt. des Filial-Depots zu Jaroslau).

Hauptleute 2. Classe.
Versbach v. Hadamar, Sigmund Ritt.
Zehetner, Anton.

Oberlieutenants.
Wolný, Johann.
Schricker, Heinrich.
Richter, Joseph.
Tesch, Johann, ○ 2.
Otto, Johann.
Aigner, Carl.
Maciejowsky, Stanislaus (beim Filial-Depot zu Jaroslau).
Spanner, Franz.
Greifoner, Carl.
Bohnhoff, Joseph.

Rechnungsführer.
Sturm, Anton, Hptm. 1. Cl.
Koch, Alexander, Hptm. 1. Cl. (beim Filial-Depot zu Jaroslau).
Berger, Joseph, Hptm. 2. Cl.
Macher, Joseph, Hptm. 2. Cl. (beim Filial-Depot zu Jaroslau).
Meisner, Anton, Hptm. 2. Cl.
Jaroschka, Ferdinand, Obrlt. (zug. dem R.-Kriegs-Mstm.).
Walter, Joseph, Obrlt.
Höllrigl, Anton, Obrlt.
Lötz, Franz, Lieut.

Monturs-Depot Nr. 2 zu Budapest.

Obstlt. u. Comdt. Hoffmann, Georg.
Major. Zinsmeister, Emanuel.

Hauptleute 1. Classe.
Gakovich, Jakob (Comdt. des Filial-Depots zu Carlsburg).
Walzhofer, Joseph.
Grimus v. Grimburg, Hugo Ritt.

Hauptleute 2. Classe.
Nolli, Ignaz (Res).
Lehner, Carl.
Semrad, Eduard.

Oberlieutenants.
Syrbú, Mathias (WG.).
Knapp, Ignaz.
Paduschitzky, Alexander (beim Filial-Depot zu Carlsburg).
Rajský, Franz (beim Filial-Depot zu Carlsburg).
Killmann, Florian.
Arthold, Johann.
Kaurzill, Carl.
Bayer, Franz.
Penner, Georg.

Rechnungsführer.
Clemens, Carl, Hptm. 1. Cl.
Gedrowitsch, Albert, Obrlt. (beim Filial-Depot zu Carlsburg).
Pflanzer, Lambert, Obrlt.
Ullrich, Eduard, Lieut.
Galimberti, Victor, Lieut.
Hölzl, Ignaz, Lieut.

Monturs-Depot Nr. 3 zu Graz.

Obstlt. u. Comdt. Kreipner, Carl, MVK. (KD.).

Hauptleute 1. Classe.

Thelen, Leopold v.
Bleydl, Emanuel.

Hauptmann 2. Classe.

Hoppe, Julius.

Oberlieutenants.

Oth, Carl.
Lobberger, Wenzel.
Laiter, Eduard.
Makas, Michael.
Prosser, Franz.
Schwabel, Michael.

Lieutenant.

Plentaj, Franz (Res.).

Rechnungsführer.

Haponowicz, Justin, Hptm. 2. Cl.
Horrak, Franz, Obrlt.
Fodor, Rudolph, Obrlt.
Versbach v. Hadamar, Alexander Ritt., Lieut.
Kuchler, Theodor, Lieut.

Monturs-Depot Nr. 4 in Wien.

Oberst u. Comdt. Pohanka v. Kulmsieg, Carl, ÖFJO-R., MVK. (KD.).

Hauptleute 1. Classe.

Thomas, Franz.
Ritthiers, Johann.

Oberlieutenants.

Krähmer, Conrad (zug. dem R.-Kriegs-Mstm.).
Ratiborský, Paul.
Aust, Carl, MVK. (KD.).
Burger, Lorenz.

Rechnungsführer.

Garreiss, Theodor, Hptm. 1. Cl.
Berger, Hugo, Obrlt.

Remonten-Assent-Commissionen.

Nr. 1 zu Budapest.

Präses.

Holbein v. Holbeinsberg, Franz, Oberst des Drag.-Reg. Nr. 10.

Stellvertreter.

Grüttner, Alois, Major des Armeestandes.

Ebner, Ludwig, Rittm. 1. Cl. des Mil.-Fuhrw.-Corps.

Ober-Thierarzt 1. Cl.

Zimmer, Johann.

Nr. 2 zu Grosswardein.

Präses.

Busch, August, Oberst des Drag.-Reg. Nr. 11.

Stellvertreter.

Mammer Carl, Major des Ruhestandes.

Thierarzt.

Wanie, Wenzel, des Mil.-Fuhrw.-Corps.

Nr. 3 zu Lemberg.

Präses.

Oeynhausen, Heino Freih. v., Oberst des Uhl.-Reg. Nr. 7.

Ober-Thierarzt 1. Cl.

Zimmermann, Anton, des Mil.-Fuhrw-Corps.

Garnisons-Spitäler.

(Die ausser dem Leiter bei den Garnisons-Spitälern eingetheilten Mil.-Aerzte sind aus dem Concretual-Stande des mil.-ärztlichen Officiers-Corps ersichtlich.)

Nr. 1 in Wien.

Leiter. Bartl, Moriz, Dr., GVK., Ober-Stabsarzt 1. Cl.
Comdt. der San.-Abth. Strodler, Franz, Obstlt.
Rechnungsführer. Madrý, Maximilian, Hptm. 1. Cl.
Oekon.-Officiere. { Kraus, Ferdinand, Hptm. 2. Cl. des Armeestandes. Pellikan, Friedrich, Obrlt. des Armeestandes.
Mil.-Curat 1. Cl. Šulák, Joseph, Dr. der Philosophie, GGVK.

Nr. 2 in Wien.

Leiter. Loeff, Anton, Dr., ÖFJO-R., GVK. m. Kr., Ober-Stabsarzt 1. Cl.
Comdt. der San.-Abth. Thaler, Georg, Hptm. 1. Cl.
Rechnungsführer. Blenk, Joseph, Hptm. 1. Cl.
Oekon.-Officiere. { Hempel, Carl, Hptm. 1. Cl. des Armeestandes. Hayderer, Robert, Obrlt. des Armeestandes.
Mil.-Curat 1. Cl. Schmidt, Jakob, GGVK.

Nr. 3 zu Baden.

Leiter. Müllleitner, Joseph Ritt. v., Dr., ÖEKO-R. 3., GVK. m. Kr., Ober-Stabsarzt 1. Cl.
Comdt. der San.-Abth. Venturini, Alexander, Major.
Rechnungsführer. Bobies, Edmund, Hptm. 1. Cl.
Oekon.-Officier. Lindenhoffer, Johann, Hptm. 1. Cl. des Armeestandes.

Nr. 4 zu Linz.

Leiter. Jechl, Wenzel, Dr., ÖFJO-R., Ober-Stabsarzt 2. Cl.
Comdt. der San.-Abth. Brandenberg, Gottlieb, MVK. (KD.), Hptm. 1. Cl.
Rechnungsführer. Höller, Franz, MVK. (KD.), O 2., Hptm. 2. Cl.
Mil.-Curat 1. Cl. Leinweber, Johann.

Nr. 5 zu Brünn.

Leiter. Waldstein, Michael, Dr., Stabsarzt.
Comdt. der San.-Abth. Weis, Joseph, Hptm. 2. Cl.
Rechnungsführer. Götze, Vincenz, Hptm. 2. Cl.
Mil.-Curat 1. Cl. Kirchner, Wenzel, GGVK., SGVK.

Nr. 6 zu Olmütz.

Leiter. Opitz, Eduard, Dr., ÖFJO-R., Ober-Stabsarzt 2. Cl.
Comdt. der San.-Abth. Kunert, Ferdinand, Hptm. 1. Cl.
Rechnungsführer. Berger, Joseph, Obrlt.
Oekon.-Officier. Fischer, Johann, Obrlt. des Armeestandes.
Mil.-Curat 1. Cl. Lohrer, Theodor, GVK.

Nr. 7 zu Graz.

Leiter. Robiček, Rudolph, Dr., CO 2., Ober-Stabsarzt 1. Cl.
Comdt. der San.-Abth. Stöver, Gustav, MVK. (KD.), Hptm. 1. Cl.
Rechnungsführer. Khu, Maximilian, Hptm. 1. Cl.
Oekon.-Officier. Kermel, Franz, Hptm. 2. Cl. des Armeestandes.
Mil.-Curat 1. Cl. Koffer, Franz.

Nr. 8 zu Laibach.

Leiter. Haueisen, Ferdinand, Dr., Ober-Stabsarzt 2. Cl.
Comdt. der San.-Abth. Öhme, Franz, ÖEKO-R. 3. (KD.), MVK. (KD.), Hptm. 1. Cl.
Rechnungsführer. Balzar, Joseph, Hptm. 1. Cl.
Mil.-Curat 2. Cl. Pribošič, Johann.

Nr. 9 zu Triest.

Leiter. Berger, Moriz, Dr., Ober-Stabsarzt 2. Cl.
Comdt. der San.-Abth. Wrba, Adolph, MVK. (KD.), Hptm. 2. Cl.
Rechnungsführer. Rosenheim, Hugo, Hptm. 2. Cl.
Mil.-Curat 1. Cl. Huth, Carl.

Nr. 10 zu Innsbruck.

Leiter. Strasser, Joseph, Dr., GVK., Stabsarzt.
Comdt. der San.-Abth. Nossek, Anton, Hptm. 1. Cl.
Rechnungsführer. Mayr, Sebastian, Hptm. 1. Cl.
Mil.-Curat 1. Cl. Richter, Joseph.

Nr. 11 zu Prag.

Leiter. Hirschler, Franz, Dr., GVK., Ober-Stabsarzt 1. Cl.
Comdt. der San.-Abth. Zappe, Franz, Hptm. 1. Cl.
Rechnungsführer. Flor, Johann, Hptm. 1. Cl.
Oekon.-Officier. Engst, Julius, Hptm. 1. Cl. des Armeestandes.
Mil.-Curat 1. Cl. Lešák, Anton.

Nr. 12 zu Josephstadt.

Leiter. Dückelmann, Friedrich, Dr., GVK. m. Kr., Ober-Stabsarzt 2. Cl.
Comdt. der San.-Abth. Sparrer, Johann, Hptm. 1. Cl.
Rechnungsführer. Dittrich, Bernhard, Obrlt.

Nr. 13 zu Theresienstadt.

Leiter. Bruck, Moriz, ÖFJO-R., Dr., Stabsarzt.
Comdt. der San.-Abth. Quoika, Johann, Hptm. 1. Cl.
Rechnungsführer. Eckelt, Wenzel, Hptm. 1. Cl.

Nr. 14 zu Lemberg.

Leiter. Hein, Anton, Dr., Ober-Stabsarzt 2. Cl.
Comdt. der San.-Abth. Dotzauer, Emanuel, Hptm. 1. Cl.
Rechnungsführer. Herzmanek, Leon, Hptm. 1. Cl.
Oekon.-Officier. Brandt, Franz, Obrlt. des Armeestandes.
Mil.-Curat 1. Cl. Port, Emerich, GVK. m. Kr.

Nr. 15 zu Krakau.

Leiter. Wetzer, Johann, Dr., ÖFJO-R., Ober-Stabsarzt. 2. Cl.
Comdt. der San.-Abth. Adamowicz, Johann, Hptm. 1. Cl.
Rechnungsführer. Bielik, Joseph, Hptm. 1. Cl.
Oekon.-Officier. Deblessem, Joseph, Lieut. des Armeestandes.
Mil.-Curat 1. Cl. Swierzcho, Joseph, SGVK.

Nr. 16 zu Budapest.

Leiter. Taussig, Wolfgang, Dr., GVK., Ober-Stabsarzt 2. Cl.
Comdt. der San.-Abth. Eisner, Rudolph, ○ 2., Major.
Rechnungsführer. Zubrzycki, Nicolaus v., Hptm. 1. Cl.
Oekon.-Officiere. Miller, Anton, Obrlt. des Armeestandes.
Tišma, Damian, Obrlt. des Armeestandes.
Mil.-Curat 1. Cl. Trykáll, Robert, GGVK.

Nr. 17 zu Budapest.

Leiter. Hoor, Wenzel, ÖFJO-R., Dr., Ober-Stabsarzt 2. Cl.
Comdt. der San.-Abth. Haimann, Johann, MVK. (KD.), Hptm. 1. Cl.
Rechnungsführer. Poppe, Moriz, Hptm. 2. Cl.
Mil.-Curat 1. Cl. Schimo. Nikolaus.

Nr. 18 zu Komorn.

Leiter. Elbogen, Philipp, Dr., ÖFJO-R., Ober-Stabsarzt 2. Cl.
Comdt. der San.-Abth. Herma, Paul, ○ 2., Hptm. 2. Cl.
Rechnungsführer. Stenzl, Joseph, Hptm. 1. Cl.
Mil.-Curat 1. Cl. Grofcsik, Johann.

Nr. 19 zu Pressburg.

Leiter. Sachs, Abraham, Dr., ÖFJO-R., Ober-Stabsarzt 2. Cl.
Comdt. der San.-Abth. Schuster, August, Hptm. 1. Cl.
Rechnungsführer. Speckart, Anton, Hptm. 1. Cl.
Mil.-Curat 1. Cl. Bruseczky, Paul, SGVK.

Nr. 20 zu Kaschau.

Leiter. Seydl, Adolph, Dr., Stabsarzt.
Comdt. der San.-Abth. Ingerl, Alois, Hptm. 1. Cl.
Rechnungsführer. Machula, Adolph, Hptm. 1. Cl.
Mil.-Curat 1. Cl. Wittendorfer, Anton.

Nr. 21 zu Temesvár.

Leiter. Böhm, Jakob, Dr., Ober-Stabsarzt 2. Cl.
Comdt. der San.-Abth. Kohn, Joseph, MVK. (KD.), Hptm. 1. Cl.
Rechnungsführer. Wieden, Johann, Hptm. 2. Cl.
Mil.-Curat 1. Cl. Stetina, Emerich v.

Nr. 22 zu Hermannstadt.

Leiter. Kirchmayer, Eduard, Dr., Ober-Stabsarzt 2. Cl.
Comdt. der San.-Abth. Hannibal, Ignaz, Hptm. 1. Cl.
Rechnungsführer. Petermann, Jakob, Hptm. 1. Cl.
Mil.-Curat 1. Cl. Hudák, Carl.

Nr. 23 zu Agram.

Leiter. Tessely v. Marsheil, Joseph, Dr., ÖFJO-R., GVK. m. Kr., Ober-Stabsarzt 2. Cl.
Comdt. der San.-Abth. Schott, Johann, Hptm. 2. Cl.
Rechnungsführer. Pinter, Michael, Hptm. 2. Cl.
Mil.-Curat 1. Cl. Tomše, Johann, SGVK.

Militär-Bade-Heilanstalten.

Militär-Bade-Heilanstalt zu Carlsbad in Böhmen.

Obstlt. u. Mil.-Badehaus-Comdt. Enis v. Atter und Iveaghe, Wenzel Freih., ÖEKO-R. 3. (KD.), des Armeestandes.

Militär-Bade-Heilanstalt zu Schönau bei Teplitz in Böhmen.

Major u. Mil.-Badehaus-Comdt. Pfisterer, Richard, des Armeestandes.

Militär-Bade-Heilanstalt zu Herkules-Bad bei Mehadia.

Tit.-Major u. Mil.-Badehaus-Comdt. Doda, Georg, des Ruhestandes.

Militär-Invalidenhäuser.

1. In Wien.

Oberst u. Comdt. Maurer v. Mörtelau, Alois, MVK. (KD.).
Obstlt. u. Stellvertreter des Comdt. Schwarzmann, Ludwig, ÖLO-R. (KD.).

Adjutant. Anders, Franz, Obrlt.
Mil.-Curat 1. Cl. Frankl, Joseph, SGVK.
Ober-Stabsarzt 2. Cl. und Chef-Arzt. Hawelka, Carl, Dr.
Oberarzt. Witwicki v. Waszkiewicz, Wladimir Ritt., Dr.

Oberwundarzt. Freist, Joseph.
Rechnungsführer. Breitfelder, Andreas, Hptm. 1. Cl. — Wiefling, Anton, Lieut. — Kessegić, Thomas, Lieut.

Instituts-Officiere.

Tit.-Majore. Woyticzek, Leo, zu Baden. — Frank, Adolph, MVK. (KD.).

Hauptleute 1. Classe.

Went, Carl.
Schneider, Johann.
Cetertig, Alois.
Zotl, Carl, zu Baden.
Moshammer, Joseph (Comp.-Comdt.).
Dunkl, Carl.
Gumpenberger, Jos. Ritt. v., ÖEKO-R. 3. (KD.), ○ 1., ○ 2.
Langner, Alfred, MVK. (KD.), zu Baden.
Plachetka, Adolph.
Feldhoffer, Franz.
Navratil, Ferdinand (Comp.-Comdt.).
Müller, Cornelius.
Steinsberg, Eduard, MVK. (KD.), zu Baden.

Hauptleute u. Rittmeister 2. Classe.

Wiesinger, Franz, Rittm.
Eckert, Ferd., Hptm. zu Baden.
Löw, Joseph, Hptm.
Pichel, Laurenz, ⊙ Hptm.
Kamenetz, Joseph (Tit.-) Rittm.
Zechenter, Friedrich (Tit.-) Hptm.
Mostler, Ludw. (Tit.-) Hptm.
Rothauser, Jacob (Tit.-) Hptm.
Lindemann-Just, Wilhelm Freih. v. (Tit.-) Hptm.

Oberlieutenants.

Lehne, Victor.
Wenath, Matthäus.
Aistleitner, Joseph ⊙.
Müller, Joseph, ○ 1., zu Baden.
Vessel, Johann.
Thrier, Alois, zu Baden.
Albuzzi, Felix, zu Baden.
Bujanovics de Agg-Telek, Eduard.
Gardini, Mathias (Tit.).
Stindl, Carl (Tit.).
Bezzi, Georg (Tit.).
Prokesch, Ernst, zu Baden.

Lieutenants.

Holzapfel-Wasen und Buchenstein, Friedrich Ritt. v.
Schmudermayer, Georg.
Mihailović, Isidor, zu Baden.
Międzygórze-Zaklika, Roman Ritt. v.
Liebermann v. Sonnenberg, Friedrich.
Gaszner, Adolph v.
Braunböck, Michael.
Wippert, Alfred, ○ 1.
Stumpfohl, Anton.
Frankl, Heinrich, ○ 2., zu Baden.
Just, Johann.

Oberwundarzt.

Pospichal, Ernst.

Militär-Filial-Invalidenhaus zu Neu-Lerchenfeld.

Obstlt. u. Comdt. Stiller Edl. v. Stillburg, Joseph, MVK. (KD.).

Instituts-Officiere.

Hauptleute u. Rittmeister 1. Classe.

Le Gay, Joseph, Hptm.

Ócskay de eadem et Felsö-Dubován, Adolph, Rittm.

Mellum, Carl, Rittm.

Leischner Edl. v. Leuchtenau, Conrad, Hptm.

Rittmeister 2. Classe.

Hladnig, Carl.

Oberlieutenants.

Parsch, Engelbert Ritt. v.

Jäger, Joseph.

Kunze, Carl.

Lieutenants.

Pernhoffer, Vincenz.

Szombathély de Vichnye, Ignaz.

Minsinger, Ignaz.

Bukó, Carl v.

Annanić, Alexander.

Oberlieutenant-Rechnungsführer.

Meissner, David.

Oberwundarzt.

Joachimsthaler, Emanuel.

Auf Instituts-Versorgungs-Plätzen, mit freier Wahl des Domicils ausserhalb des Invalidenhauses.

Tit.-Majore.
- Rogowsky v. Kornitz, Joseph Freih., MVK. (KD.), zu Waidhofen a. d. Ybbs.
- Strohuber, Philipp, zu Sachsenfeld in Steiermark.

Hauptleute 1. Classe.

Gröller, Carl Chev. de, zu Graz.

Kiesewetter, Anton, zu Graz.

Erdelac, Eduard, zu Carlstadt.

Kubik, Franz, in Wien.

Schneider, Franz, zu Prag.

Becker, Oskar, zu Uj-Kigyós bei Temesvár.

Hauptleute u. Rittmeister 2. Classe.

Vötter, Leopold, Hptm., zu Pettau.

Trott zu Solz, Hans Freih., Hptm., zu Solz, Provinz Hessen-Nassau in Preussen.

Sohar, Joseph, Hptm., zu Linz.

Gelmetti, Dominik, Rittm., zu Karnabrunn in Niederösterreich.

Rother, Leopold, MVK. (KD.), (Tit.-) Hptm., zu Bottusanitza in der Bukowina.

Radulović, Wasa (Tit.-) Hptm., zu Temesvár.

Maresch, Emanuel (Tit.-) Hptm., zu Klosterneuburg.

Oberlieutenants.

Schmidt, Rudolph, zu Teschen.

Kovačević, Daniel, zu Sičevac in Croatien.

Gengelacky, Samuel, zu Alt-Pazua in Slavonien.

Banniza v. Bažan, Ferdinand, zu Hernals bei Wien.

Reh, Alois, zu Haag in Oberösterreich.

Bielewicz, Joh., ○ 2., zu Görz.

Bosanac, Thomas, ○ 2., zu Grubisnopolje in Croatien.

Chwoyka, Vincenz, zu Sambor.

Drohojewski, Titus Ritt. v., in Wien.

Timling, Joseph, ⊙ (Tit.), zu Prag.

Lieutenants.

Knill, Ignaz, zu Neuhaus in Böhmen.

Mathey, Georg, zu Czaslau.

Ogonowski, Gregor, zu Czernowitz.

Tampelski, Leop., zu Agram.

Wolfinger, Joseph, ○ 1., zu Marburg.

Feurer, Wenzel, in Wien.

Traub, Abel, zu Graz.

Zdrahal, Joseph, zu Fünfkirchen.

Tóth, Stephan, ○ 1., zu Alsó-Fegyvernek in Ungarn.

Morun, Basilius, zu Ungar.-Weisskirchen.

Tichy, Friedrich, zu Sunja.

Halla, Joseph, zu Kleinwiesel bei Münchengrätz in Böhmen.

Stoltz, Joseph, zu Turas in Mähren.

Mollnár, Ferd., zu Belovar.

Sänger, Johann, in Wien.

Burian, Johann, in Wien.

Schluderbacher, Ferdinand, zu Graz.

Apics, Obrad, zu Neusatz.

Steinsdorfer, Wilh., in Wien.

Lautenschläger, Carl, zu Graz.

Smolčić, Anton, ○ 2., zu Lovinac in Croatien.

Oberwundarzt.

Sark, Johann, zu Laibach.

2. Zu Prag.

Oberst u. Comdt. Linner, Gustav, ÖEKO-R. 3. (KD.), MVK. (KD.).
Major u. Stellvertreter des Comdt. Stusche, Rudolph.

Adjutant. Hruza, Ignaz, Hptm. 2. Cl.
Mil.-Curat 2. Cl. Kostelecky, Johann.
Stabs- u. Chef-Arzt. Pětník, Carl, Dr.
Reg.-Arzt 1. Cl. Czapek, Friedr., Dr., GVK.
Oberwundarzt. Hackenberg, Joseph.
Rechnungsführer. Meder, Gustav, Obrlt. — Prohaska, Jos., Lieut.

Instituts-Officiere.

Hauptleute 1. Classe.

Franěk, Joseph.
Czech v. Czechenherz, Alois.
Hacke, Gustav Freih. v., MVK. (KD.).

Hauptleute 2. Classe.

Gehmacher, Carl.
Vavrecska, Coloman.
Bertrab, Lambert v. (Tit.).

Oberlieutenant.

Kratochwill, Johann.

Lieutenants.

Lindner, Alois.
Konhäuser, Joseph.
Dotzauer, Heinrich. ○ 2.
Suppantschitsch, Leo.
Schicho, Johann.

Auf Instituts-Versorgungs-Plätzen mit freier Wahl des Domicils ausserhalb des Invalidenhauses.

Hauptleute u. Rittmeister 1. Classe.

Martiny, Alexander v., Hptm. zu Brood.
Past, Anton, Hptm. zu Krakau.
Promber, Robert Ritt. v., ÖEKO-R. 3. (KD.), Hptm. zu Grottau in Böhmen.
Gardik, Willibald, Rittm. zu Graz.
Göbel, Carl (Tit.-) Rittm. zu Kremsier.

Hauptleute 2. Classe.

Nehr, Cyrill Ritt. v., ÖLO-R. (KD.), ÖEKO-R. 3. (KD.), MVK. (KD.), zu Graz.
Nachodsky v. Neudorf, Ludwig Ritt., ÖEKO-R. 3. (KD.), MVK. (KD.), zu Kolin.
Tarbuk, Ignaz (Tit.), zu Carlstadt.
Mayer, Rich. ○ 2., (Tit.), zu Leibnitz in Steiermark.

Oberlieutenants.

Tkalcsevich, Peter Freih. v., zu Budweis.
Zangen, Gustav v., zu Prag.
Ventour, Franz, ÖEKO-R. 3. (KD.), zu Prag.
Uhl, Wilhelm, zu Graz.
Sladký, Johann, ○ 1, zu Alt-Klitschau bei Pilsen.
Poitzi, Vincenz, ○, (Tit.), in Wien.
Csetz, Peter (Tit.), zu Dées in Siebenbürgen.

Lieutenants.

Benkiser, Benjamin, zu Graz.
Findeis, Peter, zu Olmütz.
Protzer, Peter, zu Zara.
Zemann, Franz, zu Innsbruck.
Haug, Carl, zu Kainberg bei Graz.
Karg, Carl, zu Görz.
Makk, recte Achedl, Johann, zu Iglau.
Hořák, Franz, zu Neutitschein in Mähren.
Schneider, Adolph, zu Prag.
Ochs, Ludwig, zu Klagenfurt.
Kugelweit, Joseph, ○ 1, in Wien.
Rittler, Johann, zu Graz.

Lieut.-Rechnungsführer.

Stephani, Adolph, in Wien.

Unterarzt.

Freyinger, Joseph, SVK., zu Enns.

---

3. Zu Tyrnau.

Obstlt. u. Comdt. Wolffersdorff, Adolph Ritt. v., ÖEKO-R. 3. (KD.), MVK. (KD.).
Obstlt. u. Stellvertreter des Comdt. Eisenstein, Carl Ritt. von und zu, MVK. (KD.).

Adjutant. Tuifel, Rudolph, Obrlt.
Mil.-Curat 1. Cl. László, Donatus.
Ober-Stabsarzt 2. Cl. u. Chef-Arzt. Spanner, Franz, Dr., GVK. m. Kr.
Reg.-Arzt 1. Cl. Knörlein, Anton, Dr.
Oberwundärzte. Winter, Franz. — Waschek, Franz.
Rechnungsführer. Bauer, Georg, Hptm. 2. Cl. — Krajiček, Alois, Obrlt.

Instituts-Officiere.

Titular-Major.

Fiala, Adolph.

Hauptleute u. Rittmeister 1. Classe.

Cernko, Simon, Hptm.
Boronkay de Boronka, Julius, MVK. (KD.), Rittm.
Luttenberger, Georg, Hptm.

Hauptleute u. Rittmeister 2. Classe.

Planner, Friedrich, Rittm.
Bolhar, Ferdinand, Hptm.
Bäckel, Eduard, Hptm.
Marenzi v. Marenzfeldt und Scheneck, Ferd. Freih., Hptm. (Comp.-Comdt.).
Sybill, Johann, Hptm.
Nardi, Pompejus, Hptm.
Barausch, Anton, Hptm.
Pollak, Franz, Hptm.
Muck, Friedrich (Tit.-) Hptm.
Krczmarž, Leopold, MVK. (KD.), (Tit.-) Hptm.
Rieder, Cornelius (Tit.-) Hptm.

Oberlieutenants.

Wanzel, Carl.
Kuchta, Michael.
Ludwig, Anton.
Hofer, Franz.
Grammont v. Linthal, Franz Freih.
Gedeon, Andreas (Tit.).
Mayer, Johann, ○ 1. (Tit.).
Wessely, Anton (Tit.).

Lieutenants.

Metsch, Heinrich.
Horix, Joseph Freih. v.
Beck, Anton.
Wallner. Stanislaus.
Ferenczffy, Ignaz v.

Tit.-Hauptmann-Rechnungsführer.

Podlešak, Johann.

---

4. Zu Lemberg.

Major u. Comdt. Stanislav, Theodor.

Adjutant. (Prov.) Juraić, Joseph, Lieut. des Ruhestandes.
Mil.-Curat 1. Cl. Godurowski, Adalbert.
Chef-Arzt. Laska, Rudolph, Dr., Reg.-Arzt 2. Cl.
Rechnungsführer. Lalić, Johann, Hptm. 1. Cl.

Instituts-Officiere.

Hauptleute 1. Classe.

Fux, Eduard.
Ikałowicz, Leo, MVK. (KD.), (Comp.-Comdt.).

Hauptleute u. Rittmeister 2. Classe.

Thomas, Ernst, MVK. (KD.), Hptm.
Abl, Franz, Rittm.
Villaume v. Villaumschein, Franz, Hptm.
Lorsch, Ignaz, Hptm.
Lagner, Anton (Tit.-) Hptm.
Bauer, Friedrich (Tit.-) Hptm.

Oberlieutenants.

Kattinger, Joseph.
Pucher, Gabriel.
Pietruszewicz, Anton.

Lieutenants.

Renner, Johann, ○ 2.
Mařek, Paul.
Pegada, Johann.
Petzold, Emanuel.
Tarczyński, Marian, ○ 1.

Adjustirung der Officiere des Invaliden-Versorgungs-Standes.

Hut mit schwarzem Federbusch, hechtgrauer Waffenrock mit scharlachrother Egalisirung und weissen glatten Knöpfen, lichtblaue Pantalon, Mantel blaugrau.

Anmerkung: Sämmtliche in diesen Invalidenhäusern eingetheilten Officiere befinden sich auf Aerarial-Versorgungs-Plätzen; überdies sind noch 10 Officiere in der Loco-Versorgung und 114 Officiere bei freier Wahl des Domicils mit Van Yppen'schen Stiftungs-Plätzen betheilt.

Militär-Straf-Anstalt

zu Möllersdorf (bei Baden in Niederösterreich).

Errichtet am 1. October 1872.

Major u. Comdt. Zatezalo v. Skerić, Raphael, MVK. (KD.), des Armeestandes.
Oberlieutenant. Hohn, Carl, des Armeestandes.
Mil.-Curat 2. Cl. Coufalik, Ferdinand.
Reg.-Arzt 2. Cl. Schwarz, Franz, Dr.
Rechnungsführer. Froehlich, Ludwig, Hptm. 2 Cl.

Militär-Geistlichkeit.

Apostolisches Feld-Vicariat des k. k. Heeres.

Apostolischer Feld-Vicar.

Gruscha, Anton, Dr. der Theologie, ÖEKO-R. 3., Bischof von Carrhae in partibus infidelium, Domherr des Wiener Metropolitan-Capitels.

Feld-Consistorial-Director.

Stropnický, Wilhelm, Weltpriester der Diöcese Leitmeritz.

Feld-Consistorial-Secretäre.

1. Secretär: Just, Anton, Weltpriester der Erzdiöcese Prag.
2. „ Sladovník, Thomas, $GVK., Weltpriester der Diöcese Budweis.

Militär-Pfarrer.

Sterbeczky v. Bangenberg, Kamill Ritt., ÖFJO-R., GVK. m. Kr., Weltpriester der Erzdiöcese Gran, Feld-Superior; in Wien.

Michal, Johann, GGVK., Weltpriester der Diöcese Tarnów, Salzburger fürsterzbischöflicher geistlicher Rath; zu Prag.

Rožić, Georg, GVK. m. Kr., Weltpriester u. Consistorial-Rath der Diöcese Zengg u. Modruš, apostolischer Tit.-Protonotar; zu Agram.

Háray, Ferdinand, Weltpriester der Diöcese Mantua, Ehrenkämmerer Sr. päpstlichen Heiligkeit; zu Triest.

Lukatschik, Franz, Weltpriester der Diöcese Szathmár, Ehren-Domherr des Szathmárer Dom-Capitels; zu Hermannstadt.

Fuchshuber, Ignaz, GVK., Ehren-Domherr an der Cathedral-Kirche zu Neutra, Weltpriester der Diöcese Neutra; zu Budapest.

Molnár, Veit, GGVK., Weltpriester der Diöcese Mantua, Ehren-Canonicus an der Collegiat-Kirche zur heil. Barbara in Mantua; zu Temesvár.

Pospischill, Joh., GGVK., GVK. m. Kr., Weltpriester der Erzdiöcese Olmütz, Tit.-Consistorial-Rath der Diöcese Brünn; zu Brünn.

Berkes, Franz, SGVK., Weltpriester der Diöcese Grosswardein, Ehren-Consistorial-Rath der Szathmárer Diöcese; zu Kaschau.

Gruszecki, Joseph, Weltpriester der Erzdiöcese Prag, Tit.-Assessor des bischöflichen Consistoriums in Fünfkirchen; zu Lemberg.

Hummel, Marcus, Weltpriester und Consistorial-Rath der Diöcese Djakovar, Tit.-Probst zum heil. Ladislaus von Semlin; zu Pressburg.

Bordolo-Abondi, Theodor, Ehren-Domherr des Lemberger Metropolitan-Capitels ritus latini, Weltpriester der Erzdiöcese Lemberg, Tit.-Consistorial-Rath der Diöcese Siebenbürgen; zu Krakau.

Tworkiewicz, Anton, Weltpriester der Diöcese Tarnów; zu Graz.

Zitz, Nikolaus, ÖFJO-R., GGVK., Weltpriester der Diöcese Laibach; zu Zara.

Schlaghammer, Adolph, Weltpriester und Ehren-Dechant (cum usu expositorii canonicalis) der Diöcese Tarnów; zu Innsbruck.

Jilk, Johann, GVK., Weltpriester der Erzdiöcese Agram; zu Serajevo.

Titular-Militär-Pfarrer.

Mürle, Carl, ÖFJO-R., Piaristen-Ordenspriester, Tit.-Consistorial-Assessor der Diöcese Siebenbürgen, Lehrer an der Mil.-Unter-Realschule zu St. Pölten.

Wois, Joseph, ÖFJO-R., Weltpriester der Erzdiöcese Wien, Ehren-Domherr des Cathedral-Capitels zu St. Pölten, Consistorial-Rath der Diöcese Szathmár, Lehrer an der Mil.-Akad. zu Wr.-Neustadt.

Militär-Curaten, Militär-Capläne und geistliche Professoren erster Classe.

Lohrer, Theodor, GVK., Weltpriester der Erzdiöcese Olmütz, Mil.-Curat beim GSp. Nr. 6 zu Olmütz.

Veith, Anton, Weltpriester der Erzdiöcese Lemberg, Mil.-Curat beim Artillerie-Arsenale in Wien.

Wikowicz, Anton, Weltpriester der gr.-kath. Diöcese Przemysl, Ehren-Dechant, Tit.-Consistorial-Rath und Assessor des Szamos-Ujvárer und Lugoser gr.-kath. Consistoriums, Mil.-Caplan im Mil.-Seelsorge-Bez. Wien.

Lássló, Donat, Weltpriester der Diöcese Verona, Mil.-Curat beim Mil.-Invalidenhause zu Tyrnau.

Poppoviciu, Sabbas, GGVK., Weltpriester und Ehren-Consistorial-Rath der gr.-or. Erzdiöcese Siebenbürgen, Mil.-Caplan im Mil.-Seelsorge-Bez. Wien.

Swierzcho, Joseph, SGVK., Weltpriester der Erzdiöcese Lemberg, Mil.-Curat beim GSp. Nr. 15 zu Krakau.

Tomše, Johann, SGVK., Weltpriester der Diöcese Laibach, Mil.-Curat beim GSp. Nr. 23 zu Agram.

Frankl, Joseph, SGVK., Weltpriester der Diöcese Budweis, Mil.-Curat beim Mil.-Invalidenhause in Wien.

Port, Emerich, GVK. m. Kr., Weltpriester der Diöcese Przemysl, Mil.-Curat beim GSp. Nr. 14 zu Lemberg.

Kirchner, Wenzel, GGVK., SGVK., Weltpriester und beeideter bischöflicher Notar der Diöcese Königgrätz, Mil.-Curat beim GSp. Nr. 5 zu Brünn.

Šulák, Joseph, Dr. der Philosophie, GGVK., Weltpriester der Diöcese Budweis, Ehrenkämmerer Sr. päpstlichen Heiligkeit, Budweiser und Stuhlweissenburger Tit.-Consistorial-Rath, Mil.-Curat beim GSp. Nr. 1 in Wien.

Marinelli, Ernst, ÖFJO-R., Ordenspriester des regulirten Chorherrn-Stiftes St. Florian, geistlicher Professor, Tit.-Akad.-Pfarrer, Lehrer an der techn. Mil.-Akad. in Wien.

Koffer, Franz, Weltpriester der Diöcese Seckau, Mil.-Curat beim GSp. Nr. 7 zu Graz.

Lešák, Anton, Weltpriester der Diöcese Leitmeritz, Mil.-Curat beim GSp. Nr. 11 zu Prag.

Leinweber, Johann, Weltpriester der Erzdiöcese Prag, Mil.-Curat beim GSp. Nr. 4 zu Linz.

Meixner, Ubald, Weltpriester der Erzdiöcese Olmütz, geistl. Professor, Lehrer an der Mil.-Ober-Realschule.

Božgan, Demeter, Weltpriester der gr.-or. Diöcese Arad, Mil.-Caplan im Mil.-Seelsorge-Bez. Hermannstadt.

Bujni, Michael, Weltpriester der Diöcese Fünfkirchen, Mil.-Curat beim k. ung. Staats-Gestüts-Filiale zu Bábolna.

Litynski, Clemens, GGVK., Weltpriester der gr.-kath. Diöcese Przemysl, Mil.-Caplan im Mil.-Seelsorge-Bez. Lemberg.

Hudák, Carl, Weltpriester der Diöcese Waitzen, Mil.-Curat beim GSp. Nr. 22 zu Hermannstadt.

Schmidt, Jakob, GGVK., Weltpriester der Diöcese Przemysl (cum usu expositorii canonicalis), Mil.-Curat beim GSp. Nr. 2 in Wien.

Trykáll, Robert, GGVK., Weltpriester der Diöcese Kaschau, Mil.-Curat beim GSp. Nr. 16 zu Budapest.

Heinrich, Ignaz, Weltpriester der Diöcese Siebenbürgen, Mil.-Curat für die Garnison Grosswardein.

Richter, Joseph, Weltpriester der Erzdiöcese Olmütz, Mil.-Curat beim GSp. Nr. 10 zu Innsbruck.

Grofcsik, Johann, Weltpriester der Diöcese Zips, Mil.-Curat beim GSp. Nr. 18 zu Komorn.

Fichna, Carl, Piaristen-Ordenspriester, geistl. Professor, Lehrer an der Mil.-Ober-Realschule.

Bochsia, Basil, Weltpriester und Consistorial-Beisitzer der gr.-kath. Diöcese Szamos-Ujvár, Mil.-Caplan im Mil.-Seelsorge-Bez. Temesvár.

Haindl, Adolph, Weltpriester der Erzdiöcese Lemberg, Mil.-Caplan im Mil.-Seelsorge-Bez. Wien.

Wichta, Johann, GGVK., Weltpriester der Diöcese Brünn, Stuhlweissenburger bischöflicher Tit.-Consistorial-Rath, Mil.-Caplan im Mil.-Seelsorge-Bez. Prag.

Simon, Emerich, Weltpriester der Diöcese Csanád, Mil.-Curat beim k. ung. Staats-Gestüte zu Mezőhegyes.

Huth, Carl, Weltpriester der Diöcese Triest, Mil.-Curat beim GSp. Nr. 9 zu Triest.

Stetina, Emer. v., Weltpriester der Erzdiöcese Gran, Mil.-Curat beim GSp. Nr. 21 zu Temesvár.

Gasparik, Franz, Weltpriester der Diöcese Neutra, Mil.-Curat für die Garnison Peterwardein.

Keil, Jaromir, Piaristen-Ordenspriester, geistl. Professor, Lehrer an der Mil.-Unter-Realschule zu Güns.

Hruseczky, Paul, SGVK., Weltpriester der Erzdiöcese Erlau, Mil.-Curat beim GSp. Nr.19 zu Pressburg.

Nawratil, Bartholomäus, Weltpriester der Diöcese Neusohl, Mil.-Caplan im Mil.-Seelsorge-Bez. Wien.

Nicora, Peter, Weltpriester der Erzdiöcese Erlau, Mil.-Caplan im Mil.-Seelsorge-Bez. Agram.

Strauss, Franz, Weltpriester der Erzdiöcese Wien, geistl. Professor, Lehrer an der Mil.-Ober-Realschule.

Schimo, Nikolaus, Weltpriester der Erzdiöcese Udine, Mil.-Curat beim GSp. Nr. 17 zu Budapest.

Berschnik, Franz, Weltpriester der Diöcese Grosswardein, Mil.-Caplan bei der XVIII. Inf.-Trup.-Div.

Godurowski, Adalbert, Weltpriester der Diöcese Przemysl, Mil.-Curat beim Mil.-Invalidenhause zu Lemberg.

Mollek, Joseph, Weltpriester der Diöcese Rosenau, Mil.-Caplan bei der XXXVI. Inf.-Trup.-Div.

Palka, Heinrich, Weltpriester und Tit.-Consistorial-Rath der Diöcese Brünn, Mil.-Curat für die Garnison Josephstadt.

Drzewicki, Anton, Weltpriester der Erzdiöcese Lemberg, Mil.-Caplan im Mil.-Seelsorge-Bez. Wien.

Kuniewicz, Michael, Weltpriester der gr.-kath. Diöcese Przemysl, Mil.-Caplan im Mil.-Seelsorge-Bez. Brünn.

Rungger, Andreas, Piaristen-Ordenspriester, geistl. Professor, Lehrer am Officiers-töchter-Erziehungs-Institute zu Hernals.

Salzmann, Carl, GGVK., Weltpriester der Diöcese St. Pölten, Mil.-Caplan im Mil.-Seelsorge-Bez. Wien.

Warzecha, Julian, Weltpriester der Diöcese Przemysl, Mil.-Caplan im Mil.-Seelsorge-Bez. Lemberg.

Kochlewski v. Falkenhan, Timotheus Ritt., Weltpriester der Erzdiöcese Lemberg, Mil.-Caplan im Mil.-Seelsorge-Bez. Brünn.

Wittendorfer, Anton, Weltpriester der Diöcese Szathmár, Mil.-Curat beim GSp. Nr. 20 zu Kaschau.

Kaczkowski, Joseph, GVK., Weltpriester der gr.-kath. Diöcese Przemysl, Mil.-Caplan im Mil.-Seelsorge-Bez. Kaschau.

Militär-Curaten, Militär-Capläne und geistliche Professoren zweiter Classe.

Coufalik, Ferdinand, Weltpriester der Diöcese Königgrätz, Mil.-Curat bei der Mil.-Straf-Anstalt zu Möllersdorf.

Bauer, Johann, Weltpriester der Diöcese Szathmár, Mil.-Caplan im Mil.-Seelsorge-Bez. Agram.

Seng, Nikolaus, Dr. der Theologie, Weltpriester der Diöcese Siebenbürgen, Mil.-Caplan im Mil.-Seelsorge-Bez. Wien.

Goltz, Carl v., Weltpriester der Diöcese Kaschau, Mil.-Caplan im Mil.-Seelsorge-Bez. Wien.

Makarius, Alois, GVK. m. Kr., Weltpriester und beeideter bischöflicher Notar der Diöcese Königgrätz, Mil.-Curat für die Garnison Theresienstadt.

Wojakiewicz, Johann, Weltpriester der Diöcese Przemysl, Mil.-Caplan. im Mil.-Seelsorge-Bez. Krakau.

Szerbu, Gregor, Weltpriester der gr.-or. Diöcese Temesvár, Mil.-Caplan im Mil.-Seelsorge-Bez. Agram.

Georgievič, Platon, Jeromonach der gr.-or. Erzdiöcese Carlowitz. Mil.-Caplan im Mil.-Seelsorge-Bez. Agram.

Landsmann, Anton, Weltpriester der Diöcese Königgrätz, Mil.-Caplan im Mil.-Seelsorge-Bez. Prag.

Dolinai, Nikolaus, Weltpriester der gr.-kath. Diöcese Munkács, Mil.-Caplan (Res.).

Fabian, Thomas, GGVK., Weltpriester der Diöcese Budweis, Mil.-Caplan bei der IV. Inf.-Trup.-Div.

Ványa, Franz, Weltpriester der Erzdiöcese Gran, Mil.-Caplan im Mil.-Seelsorge-Bez. Hermannstadt.

Lončar, Peter, GVK. m. Kr., Weltpriester der Diöcese Ragusa, Mil.-Caplan im Mil.-Seelsorge-Bez. Zara.

Szlovik, Felix, Weltpriester der Diöcese Szathmár, Mil.-Caplan im Mil.-Seelsorge-Bez. Prag.

Pribošič, Johann, Weltpriester der Diöcese Lavant, Mil.-Curat beim GSp. Nr. 8 zu Laibach.

Bizinger, Conrad, Weltpriester der Erzdiöcese Kalocsa, Mil.-Caplan bei der I. Inf.-Trup.-Div.

Fanta, Johann, Weltpriester der Diöcese Budweis, Mil.-Caplan im Mil.-Seelsorge-Bez. Prag.

Papp, Demetrius, Weltpriester der gr.-kath. Diöcese Szamos-Ujvár, Mil.-Caplan im Mil.-Seelsorge-Bez. Hermannstadt.

Popoviciu, Simon, Weltpriester der gr.-or. Erzdiöcese Siebenbürgen, Mil.-Caplan im Mil.-Seelsorge-Bez. Hermannstadt.

Prúcha, Jakob, Weltpriester der Diöcese Budweis, Mil.-Caplan im Mil.-Seelsorge-Bez. Budapest.

János, Theodor, Weltpriester der Diöcese Neusohl (Res.).

Miskovics, Johann, Cistercienser-Ordenspriester (Res.).

Golza, Paul, Weltpriester der gr.-or. Erzdiöcese Siebenbürgen (Res.).

Jocherl, Ignaz, Weltpriester der Diöcese Seckau (Res.).

Rohrer, Emil, Weltpriester der Diöcese Steinamanger (Res.).

Gregoric, Michael, Weltpriester der Erzdiöcese Kalocza (Res.).

Rusznák, Stephan, Weltpriester der Diöcese Szathmár (Res.).

Peczek, Georg; Dubik, Anton — Franciscaner-Ordenspriester (Res.).

Vlossak, Johann, Weltpriester der Diöcese Zips (Res.).

Vörös, Anton; Filipašić, Richard — Weltpriester der Erzdiöcese Agram (Res.).

Matkovics, Carl, Weltpriester der Diöcese Veszprim (Res.).

Zemann, Johann, Weltpriester der Diöcese St. Pölten (Res.).

Coltner, Georg, Weltpriester der Diöcese Djakovar (Res.).

Bialas, Adalbert, Capuciner-Ordenspriester (Res.).

Szabó, Ludwig, Weltpriester der Diöcese Veszprim (Res.).

Muskovics, Johann, Weltpriester der Diöcese Raab (Res.).

Breicha, Johann; Grill, Johann — Weltpriester der Diöcese Budweis (Res.).

Anthofer, Julius, Weltpriester der Diöcese Seckau (Res.).

Smolnicki, Joseph, Weltpriester der gr.-kath. Erzdiöcese Lemberg (Res.).

Tarsiński, Leon, Weltpriester der Diöcese Tarnów (Res.).

Schmidbauer, Lambert, Weltpriester der Diöcese Linz (Res.).

Eisterer, Mathias, Weltpriester der Erzdiöcese Wien (Res.).

Gassner, Joseph, Capuciner-Ordenspriester (Res.).

Papp, Wasilie, Weltpriester der gr.-or. Erzdiöcese Siebenbürgen (Res.).

Somogyi, Stephan, Prämonstratenser-Ordenspriester (Res.).

Popovits, Nikolaus, Weltpriester der gr.-or. Diöcese Arad (Res.).

Bahrynowski, Peter, Weltpriester der Erzdiöcese Lemberg (Res.).

Jaremowicz, Lucas; Fedusiewicz, Julian — Weltpriester der gr.-kath. Erzdiöcese Lemberg (Res).

Kormanovits, Andreas, Weltpriester der Erzdiöcese Gran (Res.).

Bálint, Stephan, Franciscaner-Ordenspriester (Res.).

Gallasz, Joseph; Klinovszky, August v. — Weltpriester der Diöcese Zips (Res.).

Obuszkiewicz, Jan, Weltpriester der gr.-kath. Erzdiöcese Lemberg (Res.).

Prückner, Joseph, Weltpriester der Erzdiöcese Prag (Res.).

Farkas, Lucas, Weltpriester der gr.-kath. Diöcese Lugos (Res.).

Alberik-Mayer, Franz, Cistercienser-Ordenspriester (Res.).

Lyšy, Carl; Geisler, Heinrich; Rzezácz, Joseph — Weltpriester der Erzdiöcese Olmütz (Res.).

Kauth, Anton, Weltpriester der Diöcese Seckau (Res.).

Kapaun, Emil, Weltpriester der Diöcese Königgrätz (Res.).

Kuković, August, Weltpriester der Diöcese Lavant (Res.).

Kosier, Theodor; Körbler, Ferdinand; Cekus, Milan } Weltpriester der Erzdiöcese Agram (Res.).

Jarzembski, Joseph, Weltpriester der Diöcese Siebenbürgen (Res.).

Ullrich, Anton, Weltpriester der Diöcese Leitmeritz (Res.).

Ramsperger, Johann, Weltpriester der Diöcese Stuhlweissenburg (Res.).

Kiss, Balthasar, Weltpriester der Diöcese Waitzen (Res.).

Bejczy, Carl, Weltpriester der Diöcese Raab (Res.).

Radnay, Wolfgang, Weltpriester der Diöcese Grosswardein (Res.).

Crvenković, Nikolaus; Šikirčević, Jakob } Franciscaner-Ordenspriester (Res.).

Szabár, Simon, Weltpriester der Diöcese Raab (Res.).

Kompanik, Cölestin, Weltpriester der Diöcese Zips (Res.).

Pauker, Mathias, Weltpriester der Erzdiöcese Wien (Res.).

Wurscher, Joseph, Weltpriester der österr. Diöcese Breslau (Res.).

Menhardt, Johann, Benedictiner-Ordenspriester (Res.).

Smelik, Ignaz. Weltpriester der Erzdiöcese Gran (Res.).

Gačich-Akrap, Nikolaus, Weltpriester der Diöcese Spalato (Res.).

Mihulin, August, Weltpriester der gr.-or. Diöcese Arad (Res.).

Hügel, Johann, Weltpriester der Diöcese Budweis (Res.).

Condich, Philipp, Weltpriester der Diöcese Spalato (Res.).

Kemenczy, Michael; Bernkopf, Alphons; Hermann, Joseph; Tolnay, Ludwig; Simor, Moriz } Weltpriester der Erzdiöcese Gran (Res.).

Turkiewicz, Nikolaus, Weltpriester der gr.-kath. Erzdiöcese Lemberg (Res.).

Dudits, Johann, gr.-kath. Basilianer-Ordenspriester (Res.).

Szögyény, Eugen, Weltpriester der Erzdiöcese Erlau (Res.).

Pasztusz, Elek, Weltpriester der gr.-kath. Diöcese Szathmár (Res.).

Rappensberger, Wilhelm, Piaristen-Ordenspriester (Res.).

Vatesianu, Johann, Weltpriester der gr.-or. Erzdiöcese Siebenbürgen (Res.).

Somogyi, Ludwig, Weltpriester der Diöcese Steinamanger (Res.).

Pačlik, Johann; Maček, Wenzel } Weltpriester der Diöcese Budweis (Res.).

Lentényi, Andreas, Cistercienser-Ordenspriester (Res.).

Juonascu, Theodor, Weltpriester der gr.-kath. Diöcese Lugos (Res.).

Pákolicz, Johann, Weltpriester der Erzdiöcese Kalocsa (Res.).

Březina, Florian, Franciscaner-Ordenspriester (Res.).

Eberle, Angelus, Capuciner-Ordenspriester (Res.).

Lula, Dionys, Weltpriester der gr.-or. Erzdiöcese Siebenbürgen (Res.).

Prucher, Vincenz, Cistercienser-Ordenspriester (Res.).

Dzułyński, Leon; Szczurowski, Desiderius } Weltpriester der gr.-kath. Erzdiöcese Lemberg (Res.).

Vusio, Eugen, Weltpriester der Diöcese Macarsca (Res.).

Kostelecky, Johann, Priester des ritterlichen Kreuzherrn-Ordens mit dem rothen Sterne, Mil.-Curat beim Mil.Invalidenhause zu Prag.

Širmer, Johann; Erhardt, Victor } Weltpriester der Erzdiöcese Agram (Res.).

Hojnacki, Severin, Weltpriester der gr.-kath. Diöcese Przemysl (Res.).

Rottert, Paul, Weltpriester der Erzdiöcese Wien (Res.).

Fermencsin, Martin, Franciscaner-Ordenspriester (Res.).

Lewicki, Carl, Weltpriester der gr.-kath. Diöcese Przemysl (Res.).

Sowiakowski, Nikolaus, Weltpriester der gr.-kath. Erzdiöcese Lemberg (Res.).

Audykowicz, Leon, Weltpriester der gr.-kath. Erzdiöcese Lemberg (Res.).

Fabian, Ignaz, Cistercienser-Ordenspriester (Res.).

Conzut, Franz, Franciscaner-Ordenspriester (Res.).

Hollósi, Johann, Weltpriester der Diöcese Raab (Res.).

Hanel, Thomas
Zák, Augustin
Janisch, Franz
Mannsfeld, Julius
Fritz, Florian
Hrdliczka, Rudolph
Koutny, Franz
} Weltpriester der Erzdiöcese Olmütz (Res.).

Bolokan, Stephan, Weltpriester der gr.-or. Diöcese Caransebes (Res.).
Gatscher, Carl, Weltpriester der Diöcese St. Pölten (Res.).
Marcić, Maximilian, Weltpriester der Diöcese Zengg (Res.).
Gans, Johann, Weltpriester der österr. Diöcese Breslau (Res.).
Kolaj, Lewin
Pöwetz, Alois
} Weltpriester der Erzdiöcese Agram (Res.).
Dubovszky, Alexander, Weltpriester der Diöcese Raab (Res.).
Strasser, Franz, Franciscaner-Ordenspriester (Res.).
Pál, Coloman, Weltpriester der Diöcese Siebenbürgen (Res.).
Boguár, Ernst, Weltpriester der Diöcese Veszprim (Res.).
Jezierski, Isidor, Weltpriester der gr.-kath. Erzdiöcese Lemberg (Res.).
Beleznay, Stephan, Weltpriester der Diöcese Stuhlweissenburg (Res.).
Czapko, Ignaz, Weltpriester der Diöcese Neusohl (Res.).
Kwiatkowski, Johann
Dobrźański, Anton
Lewandowski, Peter
} Weltpriester der Diöcese Tarnów (Res.).
Aschenbrier, Anton
Palkovits, Victor
} Weltpriester der Erzdiöcese Gran (Res.).
Dudek, Joseph, Weltpriester der Diöcese Königgrätz (Res.).
Vtitscher, Georg
Frece, Mathias
} Weltpriester der Diöcese Lavant (Res.).
Pröll, Johann, Prämonstratenser Ordenspriester (Res.).
Kogler, Conrad, Weltpriester der Diöcese Seckau (Res.).
Jung, Johann, Weltpriester der österr. Diöcese Breslau (Res.).
Podłuski, Johann, Weltpriester der gr.-kath. Diöcese Przemysl (Res.).
Sindelař, Joseph, Weltpriester der Erzdiöcese Prag (Res.).
Plukasz, Adalbert, Jesuiten-Ordenspriester (Res.).
Karner, Anton, Weltpriester der Diöcese Brixen (Res.).
Machek, Anton, Weltpriester der Diöcese Königgrätz (Res.).
Somogyi, Julius, Weltpriester der Diöcese Raab (Res.).
Gabriellić, Johann, Weltpriester der Diöcese Triest (Res.).
Walter, Michael, Franciscaner-Ordenspriester (Res.).
Schuster, Joseph, Weltpriester der Diöcese Raab (Res.).
Niebieszczański, Leon, Weltpriester der Diöcese Przemysl (Res.).
Zannoni, Luigi, Weltpriester der Diöcese Trient (Res.).
Ferencz, Andreas, Franciscaner-Ordenspriester (Res.).
Kubarth, Franz, Weltpriester der Erzdiöcese Olmütz (Res.).
Schwenter, Peter, Weltpriester der Diöcese Gurk (Res.).
Nezwal, August
Dundaček, Franz
Taufar, Philipp
Mühlberger, Franz
} Weltpriester der Diöcese Brünn (Res.).
Szabó, Joseph, Weltpriester der Diöcese Raab (Res.).
Albert, Nikolaus, Weltpriester der Diöcese Steinamanger (Res.).
Kotal, Anton, Weltpriester der Diöcese Budweis (Res.).
Ciechanowicz, Ladislaus, Weltpriester der Diöcese Przemysl (Res.).
Oryszkiewicz, Andreas, Weltpriester der gr.-kath. Erzdiöcese Lemberg (Res.).
Ruth, Joseph, Weltpriester der Diöcese Budweis (Res.).
Baumann, Vincenz, Weltpriester der Diöcese Lavant (Res.).
Fürtinger, Jakob, Piaristen-Ordenspriester (Res.).
Platz, Franz, Cistercienser-Ordenspriester (Res.).
Kašawsky, Franz, Weltpriester der Erzdiöcese Wien (Res.).
Kemmer, Alphons, Weltpriester der Diöcese Seckau (Res.).
Lukats, Juon, Weltpriester der gr.-kath. Erzdiöcese Blasendorf (Res.).
Kunicki, Cassian
Lewicki, Alexander
} Weltpriester der gr.-kath. Erzdiöcese Lemberg (Res.).
Waszkiewicz, Ignaz, Weltpriester der Diöcese Tarnów (Res.).
Miossich, Anton, Franciscaner-Ordenspriester (Res.).

Penty, Joseph, Capuciner-Ordenspriester (Res.).
Némethy, Joseph, Weltpriester der Diöcese Neutra (Res.).
Teodorowicz, Sabin, Weltpriester der gr.-kath. Erzdiöcese Lemberg (Res.).
Hrab, Joseph, Weltpriester der gr.-kath. Diöcese Przemysl (Res.).
Cernobrat, Joseph, Weltpriester der Diöcese Zengg (Res.).
Kozma, Juon, Weltpriester der gr.-or. Diöcese Arad (Res.).
Tousek, Franz, Weltpriester der Diöcese Budweis (Res.)
Mitrović, Milutin, Weltpriester der gr.-or. Diöcese Pakrac (Res.).
Matusik, Joseph, Capuciner-Ordenspriester (Res.).
Kisilewski, Eugen, Weltpriester der gr.-kath Erzdiöcese Lemberg (Res.).
Kiss, Johann, Weltpriester der Diöcese Raab (Res.).
Gruber, Joseph, Weltpriester der Erzdiöcese Kalocsa (Res.).
Popeskul, Georg. Weltpriester der gr.-or. Erzdiöcese Czernowitz (Res).
Folwarków, Nikolaus, Weltpriester der gr.-kath. Erzdiöcese Lemberg (Res.).
Lechner, Rudolph, Meyer, Michael } Weltpriester der Erzdiöcese Wien (Res.).
Petz, Leopold, Weltpriester der Erzdiöcese Wien (Res.).
Beautich, Johann, Franciscaner-Ordenspriester (Res.).
Jakiel, Johann, Weltpriester der Diöcese Przemysl (Res.).
Gál, Alexius, Weltpriester der unitarischen Synode in Siebenbürgen (Res.).
Orlich, Matthäus, Orlich, Anton } Weltpriester der Diöcese Veglia (Res.).
Demarchi, Antonio, Franciscaner-Ordenspriester (Res.).
Janaček, Johann, Weltpriester der Diöcese Seckau (Res.).
Kisielewski, Theophil, Weltpriester der gr.-kath Erzdiöcese Lemberg (Res.).
Schuchter, Eduard, Franciscaner-Ordenspriester (Res.)
Kowalski recte Kowalczyk, Jakob, Jesuiten-Ordenspriester (Res.).
Varju, Alexander, Weltpriester der Erzdiöcese Gran (Res.).
Rostkowicz, Victor, Weltpriester der gr.-kath. Erzdiöcese Lemberg (Res.).

Gaunersdorfer, Joseph, Weltpriester der Erzdiöcese Wien (Res.).
Fleischmann, Franz, Weltpriester der Diöcese Waitzen (Res.).
Mandaszewski, Doremidont, Weltpriester der gr.-or. Erzdiöcese Czernowitz (Res.).
Maier, Johann, Weltpriester der Erzdiöcese Wien (Res.).
Fiala, Thomas, Weltpriester der Diöcese Königgrätz (Res.).
Buza, Alexander, Govrik recte Szkokán, Johann } Weltpriester der Diöcese Szathmár (Res.).
Csernátony, Julius, Weltpriester der Erzdiöcese Erlau (Res.).
Csucska, Peter, Weltpriester der gr.-kath. Diöcese Munkács (Res.)
Gasiorowski, Franz, Weltpriester der Erzdiöcese Lemberg (Res.).
Büttl, Carl, Weltpriester der Diöcese Stuhlweissenburg (Res.).
Teodorović, Michael, Weltpriester der gr.-or. Diöcese Pakrac (Res.).
Bacsinszky, Michael, Duliskovicz, Alexius } Weltpriester der gr.-kath. Diöcese Munkács (Res.).
Bukovsky, Joseph, Weltpriester der Diöcese Königgrätz (Res.).
Sárosy, Stephan, Capuciner-Ordenspriester (Res.).
Rédey, Julius, Weltpriester der Diöcese Veszprim (Res.)
Horváth, Alexander, Weltpriester der Diöcese Stuhlweissenburg (Res.).
Rosos, Stephan, Weltpriester der Diöcese Veszprim (Res.).
Pirk, Joseph, Weltpriester der Erzdiöcese Gran (Res.).
Rezmann, Martin, Capuciner-Ordenspriester (Res.).
Steffel, Eduard, Gilly, Eduard } Weltpriester der Diöcese Neutra (Res.).
Kadek, Stephan, Piaristen-Ordenspriester (Res.).
Bokonics, Johann, Weltpriester der Diöcese Stuhlweissenburg (Res.).
Steinhöfer, Julius, Weltpriester der Erzdiöcese Gran (Res.).
Vidovic, Joseph, Franciscaner-Ordenspriester (Res.).
Streicher, Joseph, Weltpriester der Diöcese Fünfkirchen (Res.).
Kastner, Anton, Weltpriester der Diöcese Linz (Res.).

Balogh, Julius, Weltpriester der gr.-or. Erzdiöcese Siebenbürgen (Res.).

Froschauer, Joseph, Weltpriester der Diöcese Linz (Res.).

Lohr, Anton, Weltpriester der Erzdiöcese Prag (Res.).

Niederl, Alois, Weltpriester der Diöcese Seckau (Res.).

Morizzo, Luigi, Franciscaner-Ordenspriester (Res.).

Lackner, Joseph, Weltpriester der Erzdiöcese Salzburg (Res.).

Antal, Joseph, Weltpriester der Diöcese Siebenbürgen (Res.).

Kotta, Simon
Solnai, Dionysius } Weltpriester der gr.-kath. Erzdiöcese Blasendorf (Res.).

Kisfaludy, Ferdinand, Weltpriester der Diöcese Veszprim (Res.).

Pali, Eduard, Weltpriester der Diöcese Szathmár (Res.).

Pruszinszki, Joseph, Weltpriester der Diöcese Waitzen (Res.).

Bauer, Franz, Weltpriester der Diöcese Seckau (Res.).

Barwiř, Joseph, Weltpriester der Diöcese Königgrätz (Res.).

Weiss, Alexander, Weltpriester der Diöcese Seckau (Res.).

Lemess, Joseph
Proksa, Georg } Weltpriester der Diöcese Neutra (Res.).

Stefanicza, Joseph
Gogoliak, Georg } Weltpriester der Diöcese Zips (Res.).

Jaguessak, Paul, Weltpriester der Diöcese Kaschau (Res.).

Kovács, Joseph
Reviczky, Bartholom. v.
Bjeliczky, Justinian } Weltpriester der Erzdiöcese Gran (Res.).

Havliczek, Ignaz, Weltpriester der Erzdiöcese Olmütz (Res.).

Szanyi, Joseph, Weltpriester der Diöcese Veszprim (Res.).

Beszinger, Alexander, Weltpriester der Diöcese Steinamanger (Res.).

Mihalka, Wasil, Weltpriester der gr.-kath. Diöcese Szamos-Ujvár (Res.).

Sturm, Carl, Benedictiner-Ordenspriester (Res.).

Kleissl, Joseph, Capuciner-Ordenspriester (Res.).

Rigatti, Lorenz, Weltpriester der Diöcese Trient (Res.).

Cetnarski, Joseph
Kwieciński, Sigmund } Weltpriester der Diöcese Przemysl (Res.).

Ostrożyński, Alexander, Weltpriester der gr.-kath. Erzdiöcese Lemberg, Mil.-Caplan im Mil.-Seelsorge-Bez. Prag.

Megéla, Anton, Weltpriester der gr.-kath. Diöcese Munkács, Mil.-Caplan im Mil.-Seelsorge-Bez. Kaschau.

Szych, Johann, Weltpriester der gr.-kath. Erzdiöcese Lemberg (Res.).

Gasparovszky, Fidelius, Franciscaner-Ordenspriester (Res.).

Brunner, Franz, Capuciner-Ordenspriester (Res.).

Bertić, Ignaz, Franciscaner-Ordenspriester (Res.).

Ignić, Johann
Fölker, Emerich } Cistercienser-Ordenspriester (Res.).

Kelek, Stephan, Weltpriester der Diöcese Djakovár (Res.).

Tóth, Raphael, Weltpriester der Diöcese Veszprim (Res.).

Filep, Simon, Weltpriester der gr.-kath. Diöcese Szamos-Ujvár (Res.).

Blazek, Ludwig, Weltpriester der Erzdiöcese Kalocsa (Res.).

Friš, Andreas
Pavčec, Martin } Weltpriester der Erzdiöcese Agram (Res.).

Slusarczyk, Stephan
Curylo, Johann } Weltpriester der Diöcese Tarnów (Res.).

Dallos, Alexander, Prämonstratenser-Ordenspriester (Res.).

Anka, Alexander
Negrutin-Fekete, Nikolaus } Weltpriester der gr.-kath. Diöcese Szamos-Ujvár (Res.).

Faciewicz, Cyrill, Weltpriester der gr.-kath. Erzdiöcese Lemberg (Res.).

Bartulov, Georg, Franciscaner-Ordenspriester (Res.).

Szábo, Theodor, Weltpriester der gr.-kath. Diöcese Szamos-Ujvár (Res.).

Wassalon, Alexius, Weltpriester der gr.-or. Diöcese Arad (Res.).

Torma, Johann, Capuciner-Ordenspriester (Res.).

Novakovics, Nikolaus, Weltpriester der gr.-or. Diöcese Caransebes (Res.).

Bobczyński, Johann
Kopyciński, Adam } Weltpriester der Diöcese Tarnów (Res.)

Szalai, Alexander, Weltpriester der Diöcese Szathmár (Res.).

Skrudziński, Anton, Weltpriester der Diöcese Tarnów (Res.).

Unger, Joseph, Weltpriester der Diöcese Seckau (Res.).

Perényi, Anton, Weltpriester der Diöcese Veszprim (Res.).

Jasienicki, Severin Ritt. v., Ogonowski, Nikolaus, Rudenski Michael — Weltpriester der gr.-kath. Erzdiöcese Lemberg (Res.).

Trnka, Franz, Weltpriester der Erzdiöcese Olmütz (Res.).

Pokorny, Franz, Weltpriester der Erzdiöcese Prag (Res.).

Köhler, Franz, Nikl, Franz — Weltpriester der Diöcese Fünfkirchen (Res.).

Fröschl, Joseph, Puchner, Martin, Prammer, Michael — Weltpriester der Diöcese Linz (Res.).

Zbrožek, Rudolph, Benedictiner-Ordenspriester (Res.).

Schulz, Carl, Weltpriester der Diöcese Fünfkirchen (Res.).

Kisfalussy, Andreas, Weltpriester der Diöcese Kaschau (Res.).

Görlich, Joseph, Weltpriester der Diöcese Leitmeritz (Res.).

Kasuba, Johann, Cistercienser-Ordenspriester (Res.).

Trusiewicz, Boleslaw, Bernardiner-Ordenspriester (Res.).

Farkas, Juon, Herdutz, Nikolaus, Szirka, Irimie — Weltpriester der gr.-or. Diöcese Arad (Res.).

Pubal, Franz, Weltpriester der Erzdiöcese Prag (Res.).

Kramar, Paul, Svetina, Johann — Weltpriester der Diöcese Laibach (Res.).

Wyszatycki, Joseph, Weltpriester der Diöcese Przemysl (Res.).

Lechner, Stephan, Prediger-Ordenspriester (Res.).

Riedl, Alexander, Capuciner-Ordenspriester (Res.).

Seda, Ernst, Weltpriester der Erzdiöcese Gran (Res.).

Huber, Eduard, Serviten-Ordenspriester (Res.).

Horváth, Christoph, Benedictiner-Ordenspriester (Res.).

Makra, Emerich, Weltpriester der Diöcese Csanád (Res.).

Gyermann, Juon, Weltpriester der gr.-or. Erzdiöcese Siebenbürgen (Res.).

Bogdán, Ladislaus, Weltpriester der gr.-kath. Diöcese Grosswardein (Res.).

Swoboda, Franz, Otahal, Andreas — Weltpriester der Erzdiöcese Olmütz (Res.).

Lecker, Leopold, Weltpriester der Erzdiöcese Wien (Res.).

Mika, Joseph, Weltpriester der Diöcese Budweis (Res.).

Halkóczy, Martin, Weltpriester der Diöcese Csanád (Res.).

Habiger, Joseph, Weltpriester der Erzdiöcese Olmütz (Res.).

Hille, Joseph, Sieber, Joseph, Eschler, Joseph, Husak, Carl, Klepsch, Julius — Weltpriester der Diöcese Leitmeritz (Res.).

Dobsch, Franz, Weltpriester der Diöcese Csanád (Res.).

Baba, Joseph, Weltpriester der Diöcese Tarnów (Res.).

Joanoviciu, Peter, Weltpriester der gr.-or. Diöcese Caransebes (Res.).

Zharski, Severin, Weltpriester der gr.-kath. Erzdiöcese Lemberg, Mil.-Caplan im Mil.-Seelsorge-Bez. Agram.

Hofmann, Franz, Spoula, Wilhelm — Weltpriester der Diöcese Budweis (Res.).

Spigelski, Vilko, Kanjuh, Joseph — Weltpriester der Erzdiöcese Agram (Res.).

Broz, Joseph, Weltpriester der Diöcese Zengg (Res.).

Radocaj, Valentin, Cerovski, Ivan — Weltpriester der Erzdiöcese Agram (Res.).

Fauster, Franz, Schafzohl, Johann, Gmeiner, Christian — Weltpriester der Diöcese Seckau (Res.).

Duda recte Dudkowsky, Adalbert, Dusza, Johann — Weltpriester der Diöcese Tarnów (Res.).

Loborec, Augustin, Pazur, Joseph — Weltpriester der Erzdiöcese Agram (Res.).

Tota, Ignaz, Franciscaner-Ordenspriester (Res.).

Bálint, Gregor, Weltpriester der Diöcese Siebenbürgen (Res.).

Heitsiogia, Joseph, Weltpriester der gr.-or. Erzdiöcese Siebenbürgen (Res.).

Sołowski, Cornelius, Wojtowicz, Lucas — Weltpriester der gr.-kath. Erzdiöcese Lemberg (Res.).

Kovács, Johann, Weltpriester der Erzdiöcese Kalocsa, Mil.-Caplan im Mil.-Seelsorge-Bez. Triest.

Kranjec, Heinrich, Weltpriester der Diöcese Zengg, Mil.-Caplan im Mil.-Seelsorge-Bez. Innsbruck.

Böhm, Johann, Weltpriester der Erzdiöcese Erlau (Res.).

Čačić, Marcus, Weltpriester der Diöcese Sebenico (Res.).
Deutner, Bernhard, Weltpriester der Erzdiöcese Wien (Res.).
Novak, Franz, Weltpriester der Erzdiöcese Agram (Res.).
Rosenblüh, Anton, Weltpriester der Diöcese Steinamanger (Res.).
Popesku, Gregor, Weltpriester der gr.-kath. Diöcese Szamos-Ujvár (Res.).
Prochaska, Hubert, Capuciner-Ordenspriester (Res.).
Horváth, Andreas, Weltpriester der Diöcese Zips (Res.).
Popa recte Popovics, Georg, Weltpriester der gr.-or. Erzdiöcese Siebenbürgen (Res.).
Szemányi, Moriz, Weltpriester der Diöcese Fünfkirchen (Res.).
Myszkowski, Johann, Weltpriester der gr.-kath. Diöcese Przemysl (Res.).
Bunyevácz, Johann, Weltpriester der Diöcese Fünfkirchen (Res.).
Hatrik, Johann, Weltpriester der Diöcese Neutra (Res.).
Silla, Jakob, Weltpriester der Diöcese Triest-Capo d'Istria (Res.).
Mészáros, Franz, Weltpriester der Diöcese Veszprim (Res.).
Weiss, Gabriel, Weltpriester der Diöcese Laibach (Res.).
Rifelj, Michael, Capuciner-Ordenspriester (Res.).
Premru, Franz, Franciscaner-Ordenspriester (Res.).
Žetić, Paul, Weltpriester der Diöcese Djakovar (Res.).
Hahmann, Anton, Weltpriester der Erzdiöcese Prag (Res.).
Legat, Coloman, Weltpriester der Diöcese Steinamanger (Res.).
Militaru, Trifun, Weltpriester der gr.-or. Diöcese Caransebes (Res.).
Gruhač, Georg, Weltpriester der gr.-or. Diöcese Pakrac (Res.).
Pudlik, Vincenz Camaldulenser-Ordenspriester (Res.).
Juretsch, Georg; Hornich, Carl; Kispert, Joseph — Weltpriester der Erzdiöcese Wien (Res.).
Fábián, Emerich, Weltpriester der Diöcese Rosenau (Res.).
Kledzuch, Clemens Carmeliter-Ordenspriester (Res.).
Popovics, Peter, Weltpriester der gr.-or. Erzdiöcese Siebenbürgen (Res.).
Tocskay, Joseph, Weltpriester der Diöcese Szathmár (Res.).
Laufik, Franz, Weltpriester der Diöcese Zips (Res.).
Steiner, Adolph, Weltpriester der Diöcese Raab (Res.).
Bogičević, Georg, Weltpriester der gr.-or. Diöcese Pakrac (Res.).
Szenmargiteanu, Peter, Weltpriester der gr.-or. Erzdiöcese Siebenbürgen (Res.).
Stipula, Anton, Weltpriester der Diöcese Kaschau (Res.).
Mihályffy, Julius, Weltpriester der Diöcese Csanád (Res.).
Friedrich, Eduard, Weltpriester der Erzdiöcese Wien (Res.).
Wiesnar, Carl, Weltpriester der Erzdiöcese Olmütz (Res.).
Hiszem, Coloman, Weltpriester der Diöcese Kaschau (Res.)
Binder, Wenzel, Weltpriester der Erzdiöcese Wien (Res.).
Hümfner, Alois, Weltpriester der Erzdiöcese Kalocsa (Res.).
Ehrengruber, Johann; Lugschi, Mathias — Weltpriester der Diöcese Linz (Res.).
Sümögi recte Smigura, Joseph, Weltpriester der Erzdiöcese Kalocsa (Res.).
Volpert, Emil, Jesuiten-Ordenspriester (Res.).
Kiss, Cornelius, Weltpriester der gr.-kath. Diöcese Munkács (Res.).
Charzewski, Joseph, Weltpriester der gr.-kath. Erzdiöcese Lemberg (Res.).
Wakaresku, Juon, Weltpriester der gr.-kath. Diöcese Lugos (Res.).
Zsuffa, Paul, Piaristen-Ordenspriester (Res.).
Bachinger, Franz, Weltpriester der Erzdiöcese Wien (Res.).
Lednitzky, Joseph, Cistercienser-Ordenspriester (Res.).
Janik, Anton, Weltpriester der Erzdiöcese Prag (Res.).
Szeykora, Ferdinand, Cistercienser-Ordenspriester (Res.).
Semenow, Michael, Weltpriester der gr.-kath. Erzdiöcese Lemberg (Res.).
Vecsey, Joseph, Piaristen-Ordenspriester (Res.).
Benkö recte Bubenko, Johann, Weltpriester der Diöcese Kaschau (Res.).

Zatyko, Johann, Weltpriester der Erzdiöcese Erlau (Res.).
Pintér, Cornelius, Franciscaner-Ordenspriester (Res.).
Ráduly, Ludwig, Weltpriester der Diöcese Siebenbürgen (Res.).
Dobsa, Michael, Weltpriester der Erzdiöcese Gran (Res.).
István, Wilhelm, Weltpriester der Diöcese Steinamanger (Res.).
Hardy, Felix, Cistercienser-Ordenspriester (Res.).
Spaček, Eduard, Weltpriester der Diöcese Neutra (Res.).
Zach, Joseph, Weltpriester der Diöcese Budweis, Mil.-Caplan im Mil.-Seelsorge-Bez. Prag.
Bevilacqua, Valentin, Franciscaner-Ordenspriester (Res.).
Gusenleitner, Michael, Weltpriester der Diöcese Linz (Res.).
Proszke, Gustav, Weltpriester der Diöcese Veszprim (Res.).
Strass, Adolph } Weltpriester der Diöcese
Rácz, Joseph } Steinamanger (Res.).
Kováts, Ludwig, Weltpriester der Diöcese Szathmár (Res.).
Gawiński, Joseph, Weltpriester der Diöcese Przemysl (Res.).
Karas, Joseph, Weltpriester der Diöcese Krakau (Res.).
Kálmán, Ludwig } Weltpriester der Diöcese
Uitz, Peter } Csanád (Res.).
Nowaczek, Jakob, Benedictiner-Ordenspriester (Res.).
Houžvička, Joseph } Weltpriester der Erzdiö-
Nesvětha, Joseph } cese Prag (Res.).
Raschko, Franz, Weltpriester der Diöcese Linz (Res.).
Schelling, Franz, Benedictiner-Ordenspriester (Res.)
Weigert, Theodor, Weltpriester der Diöcese Brünn (Res).
Schwarzenbacher, Joseph, Weltpriester der Erzdiöcese Salzburg (Res.).
Kronenberger, Adolph, Cistercienser-Ordenspriester (Res.).
Radwański, Stanislaus, Lateranenser-Ordenspriester (Res.).
Csuday, Eugen, Prämonstratenser-Ordenspriester (Res.).
Ulakovics, Georg, Weltpriester der Diöcese Fünfkirchen (Res.).
Ettenauer, Franz, Weltpriester der Diöcese St. Pölten (Res.).

Gac, Adalbert, Weltpriester der Diöcese Krakau (Res.).
Ratarets, Georg, Weltpriester der Diöcese Steinamanger (Res.).
Sattinger, Alfred, Weltpriester der Erzdiöcese Gran (Res.).
Perišics, Stephan, Weltpriester der Diöcese Raab (Res.).
Gosztonyi, Alexander, Weltpriester der Diöcese Steinamanger (Res.).
Juk, Joseph, Weltpriester der Diöcese Veszprim (Res.).
Popp, Joseph, Weltpriester der gr.-kath. Erzdiöcese Blasendorf (Res.).
Jana, Cölestin } Prämonstratenser-Or-
Walz, Ferdinand } denspriester (Res.).
Klemann, Conrad }
Puchalik, Felix, Weltpriester der Diöcese Przemysl, Mil.-Caplan im Mil.-Seelsorge-Bez. Lemberg.
Hulka, Joseph, Weltpriester der Diöcese Budweis (Res.).
Baligo, Johann, Piaristen-Ordenspriester (Res.).
Wolf, Amon, Franciscaner-Ordenspriester (Res.)
Klement, Thomas, Prämonstratenser-Ordenspriester (Res.).
Foret, Anton, Weltpriester der Diöcese Königgrätz (Res.).
Bukovina, Anton, Weltpriester der Diöcese Rosenau (Res.).
Kulcsár, Johann, Weltpriester der Diöcese Fünfkirchen (Res.).
Machovics, Isidor, Weltpriester der Diöcese Neusohl (Res.).
Polgár, Dionysius, Weltpriester der Diöcese Raab (Res.).
Fuchs, Joseph, Weltpriester der Erzdiöcese Kalocsa (Res.).
Marinig, Franz, Weltpriester der Erzdiöcese Görz (Res.).
Wakonig, Anton, Weltpriester der Diöcese Gurk (Res.).
Huber, Joseph, Weltpriester der Erzdiöcese Wien. (Res).
Burda, Jos., Capuciner-Ordenspriester (Res.).
Sinkai, Sigmund, Weltpriester der gr.-kath. Diöcese Grosswardein (Res.).
Marmorowicz, Michael, Weltpriester der gr.-kath. Erzdiöcese Lemberg (Res.).
Czompert-Czobor, Adalbert, Weltpriester der Diöcese Stuhlweissenburg (Res.).
Spett, Julius, Weltpriester der Diöcese Grosswardein (Res.).

Rudnicki, Dionysius, Weltpriester der gr.-kath. Erzdiöcese Lemberg (Res.).

Gutal, Matthäus } Weltpriester der
Šamšalović, Alexander } Diöcese Djakovar (Res.).

Uředniček, Paul, Weltpriester der Erzdiöcese Olmütz, Mil.-Caplan im Mil.-Seelsorge-Bez. Prag.

Wieninger, Anton, Redemptoristen-Ordenspriester (Res.).

Csermak, Johann, Franciscaner-Ordenspriester (Res.).

Lechowski, Ladislaus, Bernardiner-Ordenspriester (Res.).

Csernyoch, Johann, Weltpriester der Erzdiöcese Gran (Res.).

Kuchinka, Wenzel, Weltpriester der Diöcese Budweis (Res).

Dumitresku, Johann, Weltpriester der gr.-or. Diöcese Caransebes (Res.).

Gallovics, Joseph, Weltpriester der Diöcese Rosenau (Res.).

Alfirević, Paul, Weltpriester der Erzdiöcese Zara (Res.).

Zykan, Wilhelm, Weltpriester der Diöcese Budweis (Res.).

Munteanu, Alexander, Weltpriester der gr.-or. Diöcese Caransebes, Mil.-Caplan im Mil.-Seelsorge-Bez. Serajevo.

Pipetius, Franz, Weltpriester der Erzdiöcese Olmütz (Res.).

Abel, Johann, Weltpriester der Erzdiöcese Gran (Res.).

Tolnay, Gabriel, Weltpriester der Diöcese Raab (Res.).

Břečka, Johann, Weltpriester der Erzdiöcese Olmütz (Res.).

Gregorčić, Anton, Weltpriester der Erzdiöcese Görz (Res.).

Stift, Franz, Weltpriester der Erzdiöcese Wien (Res.).

Nožinić, Stephan, Weltpriester der gr.-or. Diöcese Carlstadt (Res.).

Dub, Joseph, Weltpriester der gr.-kath. Diöcese Przemysl (Res.).

Jarynkiewicz, Theophil, Weltpriester der Diöcese Krakau (Res.).

Rubey, Joseph, Weltpriester der Erzdiöcese Wien (Res.)

Jaxa de Ładyczyński, Michael, Weltpriester der gr.-kath. Diöcese Przemysl (Res.).

Sekieła, Gregor, Weltpriester der gr.-kath. Diöcese Przemysl (Res.).

Pabst, Wilhelm, Weltpriester der Diöcese Leitmeritz (Res.).

Matiević, Stanislaus, Weltpriester der Diöcese Djakovar (Res.).

Bojarits, Swetosar, Weltpriester der gr.-or. Erzdiöcese Carlovic (Res.).

Hemits, Joseph, Weltpriester der Diöcese Csanad, Mil.-Caplan im Mil.-Seelsorge-Bez. Temesvár.

Borbás, Géza, Weltpriester der Diöcese Rosenau (Res.).

Doros a Vazul, Johann, Weltpriester der gr.-kath. Diöcese Szamos-Ujvár (Res.).

Berkanović, Emil, Weltpriester der gr.-or. Diöcese Pakrac (Res.).

Raschel, Vincenz, Franciscaner-Ordenspriester (Res.).

Jordán, Carl, Weltpriester der Diöcese Szathmár (Res.).

Wierzbicki, Emil, Weltpriester der gr.-kath. Erzdiöcese Lemberg (Res.).

Glósz, Ludwig, Weltpriester der Diöcese Rosenau (Res.).

Hranilović, Elias, Weltpriester der gr.-kath. Diöcese Kreuz (Res.).

Rieger, Anton } Weltpriester der Erz-
Leskovar, Gyuro } diöcese Agram (Res.).

Stuparić, Anton, Franciscaner-Ordenspriester (Res.).

Grubić, Mladen, Weltpriester der gr.-or. Diöcese Pakrac (Res.).

Ludu, Georg, Weltpriester der gr.-or. Erzdiöcese Siebenbürgen (Res.).

Leja, Adalbert, Bernardiner-Ordenspriester (Res.).

Lapčević, Emanuel, Weltpriester der gr.-or. Diöcese Carlstadt (Res.).

Bobrowski, Jakob, Weltpriester der Diöcese Tarnów, Mil.-Caplan im Mil.-Seelsorge-Bez. Budapest.

Muckenschnabel, Anton } Weltpriester der
Knoll, Joseph } Erzdiöcese Wien (Res.).

Beck, Carl, Weltpriester der Diöcese Csanad (Res.).

Mlczoch, Johann }
Rysawy, Johann } Weltpriester der Erzdiö-
Bahnowsky, Ignaz } cese Olmütz (Res.).
Essler, Carl }

Tomik, Joseph, Weltpriester der Diöcese Zips (Res.).

Csajda, Emerich, Weltpriester der Diöcese Neutra (Res.).

Kohout, Jakob
Stojan, Anton
Turza, Johann
Porazil, Franz
Bartek, Anton } Weltpriester der Erzdiöcese Olmütz (Res.).

Schulista, Mathias, Weltpriester der Diöcese Budweis (Res.).

Napotnik, Michael
Feus, Franz } Weltpriester der Diöcese Lavant (Res.).

Sarmaságh, Géza
Klusovszky, Alexand. } Weltpriester der Diöcese Szathmár (Res.).

Veja, Maximilian, Weltpriester der Diöcese Laibach (Res.).

Pawłusiewicz, Porphyr, Weltpriester der gr.-kath. Erzdiöcese Lemberg, Mil.-Caplan im Mil.-Seelsorge-Bez. Serajevo.

Berzsenyi, Anton, Weltpriester der Diöcese Vesprim (Res.).

Forst, Joseph, Weltpriester der Diöcese St. Pölten (Res.).

Cracianu, Juon, Weltpriester der gr.-or. Erzdiöcese Siebenbürgen (Res.).

Belcsik, Paul, Minoriten-Ordenspriester (Res.).

Lang, Carl, Weltpriester der Erzdiöcese Wien (Res.).

Baumgärtl, Carl, Weltpriester der Diöcese Leitmeritz (Res.).

Sedlak, Johann, Weltpriester der Erzdiöcese Prag (Res.).

Lupea, Gerasim, Weltpriester der gr.-or. Erzdiöcese Siebenbürgen (Res.).

Dragos, Julius, Dr., Weltpriester der gr.-kath. Diöcese Szamos Ujvár (Res.).

Trapp, Alexander, Franciscaner-Ordenspriester (Res.).

Kovačević, Trifun, gr.-or. Basilianer-Ordenspriester (Res.).

Mironowicz, Onufri, Weltpriester der gr.-or. Erzdiöcese Czernowitz (Res.).

Neurohr, Carl, Weltpriester der Diöcese Csanád (Res.).

Gmitryk, Hilarius, Weltpriester der gr.-kath. Diöcese Przemysl (Res.).

Gálffy, Franz, Weltpriester der Diöcese Szathmár (Res.).

Mauró, Joseph, Weltpriester der Diöcese Csanád (Res.).

Wuschko, Ernst, Weltpriester der Diöcese Linz (Res.).

Richter, Ferdinand, Weltpriester der Diöcese Leitmeritz (Res.).

Reisinger, Joseph, Capuciner-Ordenspriester (Res.).

Ruml, Joseph, Weltpriester der Erzdiöcese Prag (Res.).

Juranić, Andreas, Weltpriester der Diöcese Parenzo-Pola, Mil.-Caplan im Mil.-Seelsorge-Bez. Graz.

Wořišek, Franz
Doubrava, Joseph
Strnad, Franz } Weltpriester der Erzdiöcese Prag (Res.).

Sekowski, Joseph
Mietus, Sigmund } Weltpriester der Diöcese Tarnów (Res.).

Toman, Joseph, Weltpriester der Erzdiöcese Gran (Res.).

Lindner, Mathias, Weltpriester der Erzdiöcese Salzburg (Res.).

Waniatko, Alfred, Weltpriester der Diöcese Brünn (Res.).

Gruber, Franz
Spissich, Georg } Weltpriester der Diöcese Raab (Res.).

Dombay, Johann, Capuciner-Ordenspriester (Res.).

Viszolainsky, Stephan, Piaristen-Ordenspriester (Res.).

Cąobris, Georg, Weltpriester der gr.-or. Diöcese Arad (Res.).

Muždeka, Adam, Weltpriester der gr.-or. Diöcese Carlstadt (Res.).

Petegg, Franz
Fritzer, Joseph
Einspieler, Georg } Weltpriester der Diöcese Gurk (Res.).

Prögelhofer, Ferdinand, Lateranenser-Ordenspriester (Res.).

Schmidhofer, Vincenz, Weltpriester der Diöcese Seckau (Res.).

Hornak, Ignaz, Weltpriester der Erzdiöcese Gran (Res.).

Brantner, Caspar, Weltpriester der Erzdiöcese Salzburg (Res.).

Wiesinger, Joseph, Weltpriester der Erzdiöcese Wien (Res.).

Maurović, Anton
Žugčić, Anton
Obad, Anton } Weltpriester der Erzdiöcese Agram (Res.).

Kollárcsik, Andreas, Weltpriester der Diöcese Rosenau, Mil.-Caplan im Mil.-Seelsorge-Bez. Krakau.

Bacsinszky, Johann, Weltpriester der Diöcese Zips, Mil.-Caplan im Mil.-Seelsorge-Bez. Budapest.

Tóth, Alexander, Piaristen-Ordenspriester (Res.).

Reinlein, Joseph, Weltpriester der Diöcese Csanád (Res.).

Mlasko, Joseph
Obran, Laurenz } Weltpriester der Diöcese Lavant (Res.).

Joachim, Franz, Capuciner-Ordenspriester (Res.).
Ožegović, Mathias, Weltpriester der Erzdiöcese Agram (Res.).
Kanczi, Leonhard, Weltpriester der Diöcese Szathmár (Res.).
Dolejzi, Veit, Weltpriester der Diöcese Budweis (Res.).
Sahan, Franz, } Weltpriester der Diöcese
Kolař, Wenzel } Königgrätz (Res.).
Wollinger, Anton, Prediger-Ordenspriester (Res.).
Schwertner, Hugo, Weltpriester der Diöcese Leitmeritz (Res.).
Bobak, Adalbert, Weltpriester der Diöcese Rosenau (Res.).
Petrovics, Julius, Weltpriester der Erzdiöcese Erlau (Res.).
Böhm, Carl. Weltpriester der Erzdiöcese Gran (Res.).
Csont, Adalbert, Weltpriester der Erzdiöcese Erlau (Res.).
Reiner, Caspar, Capuciner-Ordenspriester (Res.).
Sztaurovszky, Julius, Weltpriester der gr.-kath. Diöcese Eperies (Res.).
Schmider, Gustav, Weltpriester der Diöcese Zengg-Modruš (Res.).
Mutter, Adam, Weltpriester der Diöcese Trient (Res.).
Plaikner, Johann, Augustiner-Ordenspriester (Res.).
Sandholzer, Ferdinand, Weltpriester der Diöcese Brixen (Res.).
Mair, Johann, Capuciner-Ordenspriester (Res.).
Briga, Luigi, Weltpriester der Diöcese Trient (Res.).
Hermet, Johann, Weltpriester der Erzdiöcese Olmütz (Res.).
Szalczer, Alexander, Weltpriester der Diöcese Fünfkirchen (Res.).
Ibel, Georg } Weltpriester der Diöcese
Vučetić, Stephan } Zengg-Modruš (Res.).
Sacarea, Simon } Weltpriester der gr.-or.
Poppa, Juon } Erzdiöcese Hermannstadt (Res.).
Bleyle, Ferdinand, Weltpriester der Diöcese Brixen (Res.).
Pollak, Franz, Weltpriester der Diöcese Lavant, Mil.-Caplan bei der VII. Inf.-Trup.-Div.

Holly, Alexander, Weltpriester der Diöcese Neutra (Res.).
Módly, Alexander, Prämonstratenser-Ordenspriester (Res.)
Hajek, Vincenz, Weltpriester der Diöcese Neutra (Res.).
Popovitsch, Georg, Weltpriester der gr.-or. Diöcese Caransebes (Res.).
Kolbay, Gregor, Weltpriester der Diöcese Kaschau (Res.).
Zomora, Daniel, Weltpriester der Diöcese Carlsburg (Res.).
Paulovics, Joseph, Weltpriester der Erzdiöcese Gran (Res.).
Bernatović, Alexander, Weltpriester der Diöcese Djakovar (Res.).
Papczun, Joseph, Weltpriester der Diöcese Rosenau (Res.).
Gagyansky, Peter, gr.-or. Basilianer-Ordenspriester (Res.).
Bobešić, Janko, Weltpriester der Erzdiöcese Agram (Res.).
Despotović-Tesia, Mathias, Weltpriester der Diöcese Spalato-Macarska (Res.).
Korgya, Peter, Weltpriester der gr.-kath. Erzdiöcese Blasendorf (Res.).
Jekkel, Johann, Weltpriester der Erzdiöcese Erlau (Res.).
Rosiescu, Julius, Weltpriester der gr.-or. Erzdiöcese Siebenbürgen (Res.).
Liteczky, Joseph, Weltpriester der Diöcese Kaschau (Res.).
Cornea, Gavrillo, Weltpriester der gr.-kath. Erzdiöcese Blasendorf (Res.).
Dömötör, Johann, Weltpriester der Diöcese Waitzen (Res.).
Hajnal, Joseph, Weltpriester der Diöcese Szathmár (Res.).
Argyelan, Juon, Weltpriester der gr.-or. Diöcese Arad (Res.).
Winnicki-Hul, Paul, Weltpriester der gr.-kath. Diöcese Przemysl (Res.).
Hasil, Paul } Weltpriester der Diöcese
Patek, Bernhard } Brünn. (Res.).
Strainschak, Anton, Capuciner-Ordenspriester (Res.).
Wetzlberger, Richard } Weltpriester der Erz-
Hajny, Johann } diöcese Wien (Res.).
Mungenast, Raimund, Carmeliter-Ordenspriester (Res.).
Sieczyński, Nikolaus } Weltpriester der
Czyrowski, Johann } gr.-kath. Erzdiöcese
Alexiewicz, Hilarius } Lemberg (Res.).
Drjen, Stephan, Weltpriester der Diöcese Waitzen (Res.).

Sumyk, Andreas } Weltpriester der gr.-kath. Erzdiöcese Lemberg (Res).
Rozejowski, Wladimir }

Danko, Franz, Weltpriester der Erzdiöcese Agram (Res.).

Glinski, Wladimir } Weltpriester der gr.-kath. Erzdiöcese Lemberg (Res.).
Komarnicki, Joseph }
Kozorowski, Wladimir }

Chramosta, Joseph, Weltpriester der Diöcese Budweis (Res.).

Herzog, Franz, Carmeliter-Ordenspriester (Res.).

Hefler, Johann, Prämonstratenser-Ordenspriester (Res.).

Koubek, Emanuel, Weltpriester der Diöcese Brünn (Res.).

Sikora, Johann, Weltpriester der Diöcese Breslau (Res.).

Piacsek, Johann, Franciscaner-Ordenspriester (Res.).

Toda, Ambrosius, Weltpriester der gr.-kath. Diöcese Munkács (Res.),

Craciunescu, Alexander, Weltpriester der gr.-or. Diöcese Temesvár.

Krammer Franz, Weltpriester der Erzdiöcese Gran (Res.).

Kopyściański, Wladimir, Weltpriester der gr.-kath. Diöcese Przemysl (Res.).

Bogyánacz, István, Franciscaner-Ordenspriester (Res.).

Supka, Alois Adalbert, Minoriten-Ordenspriester (Res.).

Petrik, Anton, Weltpriester der gr.-kath. Diöcese Eperies (Res.).

Chomiński, Modest, Weltpriester der gr.-kath. Erzdiöcese Lemberg.

Kreiser, Carl, Weltpriester der Diöcese Neusohl (Res.).

Jaworowski, Aemilian, Weltpriester der gr. kath. Erzdiöcese Lemberg (Res.).

Baubela, Carl, Weltpriester der Erzdiöcese Görz (Res.).

Kottas, Rudolph, Prämonstratenser-Ordenspriester (Res.).

Macuski, Leonhard } Weltpriester der gr.-kath. Diöcese Przemysl (Res.).
Czyrniański, Johann }

Szirb, Johann, Weltpriester der gr.-or. Erzdiöcese Siebenbürgen (Res.).

Schadl, Ignaz, Weltpriester der Erzdiöcese Kalocsa (Res.).

Sehandrik, Joseph, Weltpriester der Erzdiöcese Gran (Res.).

Zojkas, Aurelius, Weltpriester der gr.-kath. Diöcese Szamos-Ujvár (Res.).

Tustanowski, Eugen, Weltpriester der gr.-kath. Diöcese Przemysl (Res.).

Bogdalski, Ignaz, Bernardiner-Ordenspriester (Res.).

Manasterski, Wladimir } Weltpriester der gr.-kath. Diöcese Przemysl (Res.).
Lysiak, Wladimir }

Kaczarowski, Johann, Bernardiner-Ordenspriester (Res.).

Zubrzycki, Alexander, Weltpriester der gr.-kath. Diöcese Przemysl (Res.).

Kocmich, Martin, Weltpriester der Erzdiöcese Prag (Res.).

Audykowicz, Theodosius, Weltpriester der gr.-kath. Erzdiöcese Lemberg (Res.).

Melisek, Michael, Capuciner-Ordenspriester (Res.).

Tóth, Franz, Prämonstratenser-Ordenspriester (Res.)

Popovics, Peter, Weltpriester der gr.-or. Diöcese Caransebes (Res.).

Tejkl, Franz, Weltpriester der Diöcese Königgrätz (Res.).

Piffl, Joseph, Weltpriester der Erzdiöcese Wien (Res.).

Láza, Alexander, Weltpriester der Erzdiöcese Arad (Res.).

Leitner, Martin, Weltpriester der Erzdiöcese Wien (Res.).

Tursky, Carl, Benedictiner-Ordenspriester (Res.).

Gürtler, Joseph, Weltpriester der Diöcese Neusohl (Res.).

Funke, Joseph, Weltpriester der Diöcese Leitmeritz (Res.).

Loidol, Ignaz, Weltpriester der Erzdiöcese Wien (Res.).

Popa, Joachim, Weltpriester der gr.-or. Erzdiöcese Siebenbürgen (Res.).

Rehák, Johann, Weltpriester der Erzdiöcese Olmütz (Res.).

Roth, Gustav, Weltpriester der Diöcese Neutra (Res.).

Fasching, Franz, Weltpriester der Erzdiöcese Salzburg (Res.).

Vrdoljak, Mathias, Weltpriester der Diöcese Spalato (Res.).

Nowotný, Alexander, Weltpriester der Erzdiöcese Olmütz.

Fodor, Franz, Weltpriester der Diöcese Stuhlweissenburg.

Fučík, Franz } Weltpriester der Erzdiöcese Olmütz (Res.).
Křenek, Alois }

Kois, Joseph, Weltpriester der Diöcese Tarnów, Mil.-Caplan im Mil.-Seelsorge-Bez. Lemberg.

Bilinkiewicz, Aithal, Weltpriester der gr.-kath. Erzdiöcese Lemberg (Res.).

Papp, Wasil, Weltpriester der gr.-kath. Diöcese Szamos-Ujvár (Res.).

Kosiewicz, Theodor
Wojnarowski, Julian } Weltpriester der gr.-kath. Erzdiöcese Lemberg (Res.).

Mayer, Johann, Redemptoristen-Ordenspriester (Res.).

Kerneta, Niko, Weltpriester der gr.-kath. Diöcese Zara (Res.).

Meleškiewicz, Thomas
Sieczyńsky, Ambrosius } Weltpriester der gr.-kath. Erzdiöcese Lemberg (Res.).

Swoboda, Carl, Priester des ritterlichen Kreuzherrn-Ordens mit dem rothen Stern (Res.).

Haszák, Johann, Capuciner-Ordenspriester (Res.).

Vuku, Carl, Cistercienser-Ordenspriester (Res.).

Schrott, Christian, Weltpriester der Diöcese Trient (Res.).

Zika, Joseph, Priester des ritterlichen Kreuzherrn-Ordens mit dem rothen Stern (Res.).

Strocki, Theodor, Weltpriester der gr.-kath. Erzdiöcese Lemberg (Res.).

Ružička, Franz, Weltpriester der Erzdiöcese Prag (Res.).

Petrascu, Johann, Weltpriester der gr.-kath. Erzdiöcese Blasendorf (Res.).

Stoica, Trajan, Weltpriester der gr.-or. Diöcese Caransebes (Res.).

Federkiewicz, Jakob, Weltpriester der Diöcese Przemysl (Res.).

Krinke, Anton, Benedictiner-Ordenspriester (Res.).

Pekař, Adalbert, Weltpriester der Erzdiöcese Prag (Res.).

Churain, Rudolph, Jesuiten-Ordenspriester (Res.).

Marek, Wenzel
Raus, Eduard } Weltpriester der Erzdiöcese Prag (Res.).

Raffalt, Leopold, Weltpriester der Diöcese Gurk (Res.).

Vasu, Galation, Weltpriester der gr.-kath. Erzdiöcese Blasendorf (Res.).

Grabenbauer, Johann, Weltpriester der Diöcese Seckau (Res.).

Peterlin, Adalbert, Ordenspriester des regulirten Chorherrn-Stiftes zu Klosterneuburg (Res.).

Maurer, Joseph
Helfer, Johann } Weltpriester der Erzdiöcese Wien (Res.).

Witek, Franz, Weltpriester der Erzdiöcese Prag (Res.).

Stryjski, Johann, Weltpriester der gr.-kath. Erzdiöcese Lemberg, Mil.-Caplan im Mil.-Seelsorge-Bez. Lemberg.

Schlaker, Johann, Weltpriester der Diöcese Laibach (Res.).

Aleš, Johann, Franciscaner-Ordenspriester (Res.).

Urban, Carl, Weltpriester der Diöcese Seckau (Res.).

Scherndl, Johann
Seifried, Martin
Leopoldsberger, Gottfried } Weltpriester der Diöcese Linz (Res.).

Schmidt, Gregor, Priester des regulirten lateranischen Chorherrn-Stiftes Klosterneuburg (Res.).

Petrović, Johann, Priester der gr.-or. Diöcese Pakrac (Res.).

Peters, Johann, Jesuiten-Ordenspriester (Res.).

Angermayer, Anton
Brandtner, Mathias } Weltpriester der Diöcese Linz (Res.).

Rečić, Johann, Weltpriester der Diöcese Djakovár (Res.).

Kuralt, Johann
Sušnik, Johann } Weltpriester der Diöcese Laibach (Res.).

Vidos, Ludwig, Weltpriester der Diöcese Steinamanger (Res.).

Marszałowicz, Constantin, Weltpriester der Diöcese Przemysl (Res.)

Petku, Aurel, Weltpriester der gr.-or. Diöcese Caransebes (Res.).

Komandinger, Wilhelm, Weltpriester der Diöcese Veszprim (Res.).

Angel, Anton, Weltpriester der gr.-or. Diöcese Caransebes (Res.).

Lechner, Johann, Serviten-Ordenspriester (Res.).

Robas, Ignaz, Weltpriester der Diöcese Gurk (Res.).

Szögyenyi, Ludwig, Weltpriester der Diöcese Szathmár (Res.).

Neproszel-Kéri, Ignaz v., Cistercienser-Ordenspriester (Res.).

Hořak, Johann, Weltpriester der Erzdiöcese Prag (Res.).

Brzeský, Carl, Weltpriester der Erzdiöcese Olmütz (Res.).

Rehak, Stephan, Franciscaner-Ordenspriester (Res.).
Mezei, Alexander, Weltpriester der Diöcese Waitzen (Res.).
Kovács, Gervasius, Weltpriester der Diöcese Siebenbürgen (Res.).
Nepil, Anton, Weltpriester der Erzdiöcese Prag (Res.).
Dočkal, Georg, Weltpriester der Erzdiöcese Agram (Res.).
Zeman, Franz } Weltpriester der Erzdiöcese
Tanzer, Johann } Wien (Res.).
Wojcik, Michael, Weltpriester der Diöcese Przemysl (Res.).
Bóta, Ernst, Weltpriester der Erzdiöcese Erlau (Res.).
Kominek, Joseph, Weltpriester der Erzdiöcese Lemberg (Res.).
Kapallay, Stephan, Weltpriester der Diöcese Neutra (Res.).
Friedrich, Alois, Jesuiten-Ordenspriester (Res.).
Novák, Joseph, Weltpriester der Diöcese Fünfkirchen (Res.).
Kovács, Mathias, Weltpriester der Erzdiöcese Erlau (Res.).
Riedel, Hubert, Weltpriester der Erzdiöcese Wien (Res.).
Tremmer, Ludwig, Weltpriester der Erzdiöcese Gran (Res.).
Brühl, Melchior } Weltpriester der
Biloveszky, Andreas } Diöcese Kaschau (Res.).
Szeghény, Jos., Weltpriester der Diöcese Raab, Mil.-Caplan im Mil.-Seelsorge-Bez. Zara.
Fritz, Alois, Capuciner-Ordenspriester (Res.).
Ernyei, Ludwig, Weltpriester der Erzdiöcese Gran (Res.).
Mihalics, Béla, Weltpriester der gr.-kath. Diöcese Eperies (Res.).
Gásparovics, Stephan, Weltpriester der Erzdiöcese Gran (Res.).
Forgács, Johann, Weltpriester der Diöcese Szathmár (Res.).
Koncewicz, Thaddäus, Weltpriester der gr.-kath. Erzdiöcese Lemberg (Res.).
Welišek, Carl, Weltpriester der Diöcese Budweis (Res.).
Kapui, Alexius, Weltpriester der Diöcese Raab (Res.).
Klinovszky, Aurel, Weltpriester der Diöcese Zips (Res.).
Szczurowski, Johann
Huzar, Eugen
Holinatyi, Wladimir
Filipowski, Apollinar } Weltpriester der gr.-kath. Erzdiöcese Lemberg (Res.)

Hamerski Johann
Hrycaj Johann
Biliński, Julian } Weltpriester der gr.-kath. Diöcese Przemysl (Res.).
Tokar, Johann, Weltpriester der gr.-kath. Erzdiöcese Lemberg (Res.).
Kubicza, Ludwig, Weltpriester der Erzdiöcese Erlau (Res.).
Matuskovics, Martin, Weltpriester der Diöcese Neusohl (Res.).
Lajer, Mathias, Weltpriester der Diöcese Budweis (Res.).
Karpiński, Franz, Weltpriester der Erzdiöcese Lemberg (Res.).
Podworski, Stephan, Bernardiner-Ordenspriester (Res.).
Less, Ludwig, Weltpriester der Erzdiöcese Erlau (Res.).
Wostatek, Eduard, Jesuiten-Ordenspriester (Res.).
Tornay, Johann, Weltpriester der Diöcese Rosenau (Res.).
Heber, Franz } Weltpriester der
Maitzen, Ferdinand } Diöcese Lavant (Res.).
Kornea, Demeter, Weltpriester der gr.-or. Diöcese Arad (Res.).
Cewe, Joseph, Weltpriester der Erzdiöcese Lemberg (Res.).
Zemen, Joseph } Weltpriester der
Schebesta, Eduard } Diöcese Budweis (Res.).
Oberleitner, Joseph, Weltpriester der Diöcese Djakovar (Res.).
Širca, Anton, Franciscaner-Ordenspriester (Res.).
Kopyściański, Hironymus
Kopyściański, Joseph
Ryniawiec, Wladimir } Weltpriester der gr.-kath. Diöcese Przemysl (Res.).
Skomorowski, Cornelius, Weltpriester der gr.-kath. Erzdiöcese Lemberg (Res.).
Wunsch, Johann
Rosner, Victor
Schubert, Franz } Weltpriester der Erzdiöcese Wien (Res.).
Popp, Theodor, Weltpriester der gr.-kath. Erzdiöcese Blasendorf (Res.).
Papp, Demetrius, Weltpriester der gr.-kath. Diöcese Szamos-Ujvár (Res.).
Schlatter, Alfred, Prämonstratenser Ordenspriester (Res.).
Genz, Johann, Weltpriester der gr.-kath. Diöcese Grosswardein (Res.).
Taroszky, Johann, Weltpriester der Diöcese Szathmár (Res.).
Toronszky, August, Weltpriester der Diöcese Eperies (Res.).

Jarema, Gregor
Tyndiuk, Michael
Ogonowski, Hilarius } Weltpriester der gr.-kath. Erzdiöcese Lemberg (Res.).

Kumar, Johann, Weltpriester der Erzdiöcese Görz (Res.).

Topolnicki, Berthold, Carmeliter-Ordenspriester (Res.).

Hajós, Othmar, Franciscaner-Ordenspriester (Res.).

Fabiančić, Stephan, Weltpriester der Diöcese Djakovar (Res.).

Ožegović, Emerich, Weltpriester der Erzdiöcese Agram (Res.).

Leokucza, Georg, Weltpriester der gr.-or. Diöcese Arad (Res.).

Gergesina, Fabian, Weltpriester der Erzdiöcese Agram (Res.).

Ergotić, Bartholomäus
Leskovac, Anton } Weltpriester der Diöcese Djakovar (Res.).

Blažević, Adam
Urner, Wilhelm } Weltpriester der Erzdiöcese Agram (Res.).

Babogredac, Mathias
Ištvanović, Johann
Kosić, Paul } Weltpriester der Diöcese Djakovar (Res.).

Cserha, Joseph
Oszvath, Ludwig
Vas, Joseph } Weltpriester der Erzdiöcese Erlau (Res.).

Léránt, Anton, Weltpriester der Diöcese Veszprim (Res.).

Schmid, Johann, Weltpriester der Diöcese Waitzen (Res.).

Hreska, Paul, Weltpriester der Diöcese Neutra (Res.).

Kamenár, Bartholomäus, Franciscaner-Ordenspriester (Res.).

Mancs, Nestor, Weltpriester der gr.-or. Erzdiöcese Siebenbürgen (Res.).

Nemeth, Julius, Weltpriester der Erzdiöcese Erlau (Res.).

Marica, Gregor, Weltpriester der gr.-or. Erzdiöcese Siebenbürgen (Res.).

Simon, Alexander, Weltpriester der Diöcese Siebenbürgen (Res.).

Lorbek, Franz, Weltpriester der Diöcese Zengg-Modrus (Res.).

Popovits, Georg
Luczay, Dionysius } Weltpriester der gr.-or. Diöcese Arad (Res.).

Papp, David, Weltpriester der Diöcese Steinamanger (Res.).

Anderle, Joseph, Weltpriester der Diöcese Fünfkirchen (Res.).

Somogyi, Johann, Weltpriester der Diöcese Veszprim (Res.).

Nagy, Zacharias, Weltpriester der Diöcese Waitzen (Res.).

Matica, Carl
Jagatić, Andreas } Weltpriester der Erzdiöcese Agram (Res.).

Stefanovics, Felix, Franciscaner-Ordenspriester (Res.).

Worobkiewicz, Johann, Weltpriester der gr.-or. Erzdiöcese Czernowitz (Res.).

Hutzinger, Simon, Weltpriester der Erzdiöcese Salzburg (Res.).

Brédi-Papp, Coloman, Weltpriester der gr.-kath. Diöcese Szamos-Ujvár (Res.).

Halla, Franz
Nowak, Joseph
Hubik, Johann } Weltpriester der Erzdiöcese Olmütz (Res.).

Paufiloiu, Demetrius
Tertille, Elias
Glodean, Dionysius } Weltpriester der gr.-or. Erzdiöcese Siebenbürgen (Res.).

Loweček, Joseph, Weltpriester der Erzdiöcese Olmütz (Res.).

Joo, Nikolaus, Weltpriester der Diöcese Veszprim (Res.).

Gasparik, August, Weltpriester der Diöcese Neusohl, Mil.-Caplan im Mil.-Seelsorge-Bez. Graz.

Zudar, Alexander, Weltpriester der Erzdiöcese Erlau (Res.).

Pichler, Georg, Weltpriester der Erzdiöcese Salzburg (Res.).

Hlawáč, Dominik, Weltpriester der Erzdiöcese Olmütz (Res.).

Sara, Johann, Weltpriester der gr.-kath. Erzdiöcese Blasendorf (Res.).

Berndl, Carl, Benedictiner-Ordenspriester (Res.).

Szartory, Oskar, Weltpriester der Diöcese Kaschau (Res.).

Vajda, Johann
Bánfi, Joseph } Weltpriester der Diöcese Veszprim (Res.).

Bottegaro, Joseph, Weltpriester der Diöcese Triest (Res.).

Hvizdos alias Magocsi, Andreas, Weltpriester der Diöcese Kaschau (Res.).

Ortutay, Julius, Weltpriester der gr.-kath. Diöcese Munkács (Res.).

Fischer, Nikolaus, Cistercienser-Ordenspriester (Res.).

Sternath, Anton, Weltpriester der Erzdiöcese Kalocsa (Res.).

Ketczer, Carl
Mihelyi, Joseph } Weltpriester der Diöcese Kaschau (Res.).

Luttmann, Matthäus, Weltpriester der Diöcese Gurk (Res.).

Peaković, Emerich, Weltpriester der Diöcese Djakovar (Res.).

Martinek, Adam, Weltpriester der Diöcese Budweis (Res.).
Kátai, Stephan, Minoriten-Ordenspriester (Res.).
Porde, Ladislaus, Weltpriester der gr.-kath. Diöcese Szamos-Ujvár (Res.).
Kovaliczky, Theodor, Weltpriester der gr.-kath. Diöcese Eperies (Res.).
Imre, Carl, Weltpriester der Diöcese Siebenbürgen (Res.).
Perndl, Georg, Weltpriester der Diöcese St. Pölten (Res.).
Lelescu, Prokop, Weltpriester der gr.-or. Diöcese Arad (Res.).
Pospišil, Johann, Weltpriester der Erzdiöcese Olmütz, Mil.-Caplan im Mil.-Seelsorge-Bez. Brünn.
Tokarski, Joseph, Weltpriester der Diöcese Przemysl (Res.).
Popovics, Nikolaus, Weltpriester der gr.-kath. Diöcese Lugos (Res.).
Cech, Amadäus; Rosenkranz, Stephan — Weltpriester der Erzdiöcese Prag (Res.).
Rusznak, Paul, Weltpriester der gr.-kath. Diöcese Eperies (Res.).
Boda, Wendelin, Weltpriester der Erzdiöcese Erlau (Res.).
Piesowicz, Paul, Capuciner-Ordenspriester (Res.).
Pansky, Mathias, Weltpriester der Diöcese Leitmeritz (Res.).
Meinzel, Wolfgang, Franciscaner-Ordenspriester (Res.).
Pehm, Christoph, Weltpriester der Diöcese Fünfkirchen (Res.).
Hampl, Johann, Weltpriester der Diöcese Leitmeritz (Res.).
Milutinov, Mladen, Weltpriester der gr.-or. Diöcese Bács (Res.).
Karkecz, Ludwig; Mildner, Adalbert — Weltpriester der Erzdiöcese Erlau (Res.).
Siedlecki, Stanislaus, Weltpriester der Diöcese Przemysl (Res.).
Doleně, Joseph, Weltpriester der Diöcese Laibach (Res.).
Samek, Mathias; Pelikan, Johann — Weltpriester der Erzdiöcese Prag (Res.).
Höferl, Mathias, Weltpriester der Diöcese Budweis (Res.).
Simić, Oskar, Weltpriester des Erzdiöcese Agram (Res.).
Koszte, Basilius, Weltpriester der gr.-or. Diöcese Arad (Res.).
Mučka, Martin, Weltpriester der Erzdiöcese Olmütz (Res.).
Gluhak, Johann, Weltpriester der Erzdiöcese Agram (Res.).
Todor, Stephan, Weltpriester der gr.-or. Diöcese Arad (Res.).
Lemes, Ignaz, Weltpriester der Diöcese Neutra (Res.).
Rossu, Theodor, Weltpriester der gr.-or. Diöcese Arad (Res.).
Bukovetz, Johann, Weltpriester der Diöcese Csanád (Res.).
Falk, Anton, Weltpriester der Erzdiöcese Wien (Res.).
Horváth, Joseph, Weltpriester der Diöcese Veszprim (Res.).
Padoba, Basilius; Kimpian, Johann — Weltpriester der gr.-kath. Erzdiöcese Blasendorf (Res.).
Klemenčić, Anton, Weltpriester der Diöcese Gurk (Res.).
Dobrovoj, Georg, Weltpriester der Diöcese Zengg-Modrus (Res.).
Cocanu, Johann, Weltpriester der gr.-or. Erzdiöcese Siebenbürgen (Res.).
Tischler, Timotheus; Suppauer, Gaspar — Franciscaner-Ordenspriester (Res.).
Jougan, Alois, Weltpriester der Erzdiöcese Lemberg (Res.).
Chorényi, Joseph, Weltpriester der Diöcese Neutra (Res.).
Pajthy, Alexius, Weltpriester der Diöcese Steinamanger (Res.).
Totoran, Johann, Weltpriester der gr.-or. Diöcese Arad (Res.).
Bonaventura, Johann, Weltpriester der Diöcese Königgrätz (Res.).
Kirner, Carl, Weltpriester der Erzdiöcese Gran (Res.).
Lázár, Michael; Vigyikán, Johann; Markus, Theodor — Weltpriester der gr.-or. Diöcese Arad (Res.).
Gonda, Adalbert, Weltpriester der Erzdiöcese Gran (Res.).
Jaindl, Franz, Weltpriester der Diöcese Seckau (Res.).
Částka, Peter, Weltpriester der Diöcese Budweis (Res.).
Horváth, August, Cistercienser-Ordenspriester (Res.).
Sándor, Johann, Weltpriester der Diöcese Steinamanger (Res.).
Schartner, Gilbert, Prämonstratenser-Ordenspriester (Res.).

Kołodzej, Simon, Weltpriester der gr.-kath. Diöcese Przemysl (Res.);
Paszkiewicz, Johann, Weltpriester der Diöcese Przemysl (Res.).
Słupek, Michael, Weltpriester der Erzdiöcese Lemberg (Res.).
Malenšek, Martin, Weltpriester der Diöcese Laibach (Res.).
Lukács, Ignaz, Weltpriester der Diöcese Neusohl (Res.).
Drajko, Albert, Piaristen-Ordenspriester (Res.).
Bugarin, Georg, Weltpriester der gr.-or. Diöcese Arad (Res.).
Szedmak, Joseph, Weltpriester der Diöcese Waitzen (Res.).
Suchan, Johann, Weltpriester der Diöcese St. Pölten (Res.).
Matyus, Stephan, Weltpriester der Erzdiöcese Erlau (Res.).
Lewicki, Emil, Weltpriester der gr.-kath. Erzdiöcese Lemberg (Res.).
Hejret, Anton, Weltpriester der Diöcese Budweis (Res.).
Auerbach, Ladislaus, Franciscaner-Ordenspriester (Res.).
Jékel, Anton, Weltpriester der Diöcese Szathmár (Res.).
Magenheim, Joseph, Weltpriester der Diöcese Fünfkirchen (Res.).
Pásztor, Johann, Weltpriester der Diöcese Szathmár (Res.).
Sarkány, Joseph, Weltpriester der Diöcese Grosswardein (Res.).
Mikula, Johann, Weltpriester der gr.-or. Diöcese Arad (Res.).
Ibl, Franz, Malteser-Ordenspriester (Res.).
Procháska, Joseph, Prämonstratenser-Ordenspriester (Res.).
Wamberger, Anton, Weltpriester der Diöcese Lavant (Res.).
Balogh, Dionysius, Weltpriester der Diöcese Steinamanger (Res.).
König, August, Weltpriester der Erzdiöcese Gran (Res.).
Skrivanovich, Nikolaus; Deanković, Joseph } Weltpriester der Diöcese Spalato (Res.).
Schönafinger, Jakob, Weltpriester der Diöcese Trient (Res.).
Hefel, Franz, Weltpriester der Diöcese Brixen (Res.).
Könczöl, Stephan, Weltpriester der Diöcese Steinamanger (Res.).

Evangelische Militär-Prediger.

Militär-Prediger erster Classe.

Miskoltzy-Szigyarto, Carl Edl. v., (H. C.), in Wien.
Seberiny, Johann, ÖFJO-R., Dr. der Theologie, ordentlicher Professor der praktischen Theologie an der evangelisch-theologischen k. k. Facultät in Wien, Tit.-Mil.-Superintendent, (A. C.), in Wien.
Bolvansky, Adam, (A. C.), zu Budapest.
Gonda, Ludwig, (H. C.), zu Budapest.

Militär-Prediger zweiter Classe.

Seböck, Daniel, (H. C.) (WG.).
Markus, Ladislaus, (H. C.), zu Triest.
Császár, Daniel, (H. C.), zu Prag.
Haase, Martin, (A. C.) } (Res.).
Ruszkay, Julius, (H. C.) } (Res.).
Nagymathe, Albert, (H. C.) } (Res.).
Csabai, Paul, (H. C.) } (Res.).
Boditzky, Ferdinand, (A. C.) } (Res.).
Bogyay, Anton, (A. C.) } (Res.).
Kepp, Friedrich, (A. C.) } (Res.).
Frenyó, Julius, (A. C.) } (Res.).
Brožik, Titus, (A. C.) } (Res.).
Juhász, Paul, (H. C.) } (Res.).
Nemeth, Paul, (A. C.) } (Res.).
Kovács, Géza, (H. C.) } (Res.).
Göbel, Ernst, (H. C.) } (Res.).
Honeczy, Eduard, (A. C.) } (Res.).
Hurban, Wladimir, (A. C.) } (Res.).
Morvay, Franz, (H. C.) } (Res.).
Martinek, Joseph, (H. C.) } (Res.).
Schulz, Samuel, (A. C.) } (Res.).
Fleischer, Ivan, (H. C.) } (Res.).
Darcsi, Bertalan, (H. C.) } (Res.).
Bako, Carl, (H. C.) } (Res.).

Papp, Arthur, (H. C.)
Szeles, Paul, (H. C.)
Faa, Emerich, (H. C.)
Csepregi, Georg, (A. C.)
Takács, Julius, (A. C.)
Dozsa, Joseph, (H. C.)
Zatkalik, Michael, (A. C.)
Linczenyi, Ludwig, (A. C.)
Bontz, Julius, (H. C.)
Peter, Ludwig, (A. C.)
Vallandt, Jakob, (A. C.)
Polgar, Johann, (A. C.)
Boor, Johann, (A. C.)
Szöcs, Wolfgang, (H. C.)
Petri, Alexius, (H. C.)
Kovács, Béla, (H. C.)
Emödy, Stephan, (H. C.)
Sárkányi, Emil, (A. C.)
Bakay, Peter, (A. C.)
Klimo, Wilhelm, (A. C.).
Cisař, Ferdinand, (H. C.)
Müller, Alexander, (H. C.)
Peti, Laurenz, (H. C.)
Laczjak, Bohuslaw, (A. C.)
Kadlecsik, Johann, (A. C.)
Gozon, Julius, (H. C.)
Pap, Gustav, (H. C.)
Molnár, Ludwig, (H. C.)
Rumpelt, Johann, (A. C.)
Böjtös, Johann, (A. C.)
Bücki, Adam, (A. C.)
Nagy, Ludwig, (A. C.)
Koncz, Carl, (H. C.)
Sebján, Johann, (A. C.)
Blaskovits, Miliduch, (A. C.)
Maróthy, Emil, (A. C.)
Bálint, Desiderius, (H. C.)
Dombi, Vincenz, (H. C.)
Szöts, Alexander, (H. C.)
Balázs, Emerich, (H. C.)
Sofranka, Stephan, (A. C.)
Meszáros, Johann, (H. C.)
Vásárhelyi, Ladislaus, (H. C.)
Balla, Árpád, (H. C.)
Horváth, Bertalan, (H. C.)
Lang, Carl, (H. C.)
Tavaszy, Joseph, (H. C.)
Scharbert, Hermann, (A. C.)
Havadtöi, Gregor, (H. C.)
Mózes, Andreas, (H. C.)
Vekerdy, Julius, (H. C.)
Abafly, Nikolaus, (A. C.)
Hammel, Alois, (A. C.)
Zwarinyi, Alexander, (A. C.)
Löffler, Samuel, (A. C.)

(Res.).

Németh, Stephan, (H. C.)
Vörös, Joseph, (A. C.)
Bélteki, Ludwig, (H. C.)
Bakó, Emerich, (H. C.)
Dombi, Ludwig, (H. C.)
Simon, Andreas, (H. C.)
Rohaček, Michael, (A. C.)
Benkö, Ludwig, (H. C.)
Derer, Johann, (A. C.)
Tóth, Franz, (H. C.)
Barczai, Julius, (H. C.)
Arday, Paul, (H. C.)
Duhovay, Béla, (A. C.)
Molnár, Johann, (H. C.)
Vadon, Nikolaus, (H. C.)
Arndt, Johann, (A. C.)
Horváth, Julius, (H. C.)
Turi, Ludwig, (H. C.)
Kormány, Carl, (H. C.)
Csernetzky, Julius, (A. C.)
Gömöry, Andreas, (A. C.)
Rebo, Johann, (H. C.)
Ludig, Emanuel, (A. C.)
Kovács, Sigmund, (H. C.)
Haydu, Ignaz, (H. C.)
Jako, Blasius, (H. C.)
Szabó, Ladislaus, (H. C.)
Debreczenyi, Ladislaus, (H. C.)
Kotschy, Friedrich, (A. C.)
Farkas, Géza, (A. C.)
Dóczy, Emerich, (H. C.)
Jakab, Paul, (H. C.)
Kocsis, Joseph, (H. C.)
Heltmann, Ludwig, (A. C.)
Sági, Alexander (H. C.)
Andirkó, Alexander, (H. C.)
Vas-Molnár, Stephan, (H. C.)
Magyar, Bertalan, (H. C.)
Kovács, Gabriel, (H. C.)
Dropa, Cyrill, (A. C.)
Kalda, Franz, (H. C.)
Horváth, Desiderius, (A. C.)
Ujak, Carl, (A. C.)
Hargesheimer, August, (A. C.)
Vitéz, Ludwig, (A. C.)
Kenessey, Eugen, (H. C.)
Bella, Andreas, (A. C.)
Sárkány, Ludwig, (H. C.)
Hézser, Emil, (H. C.)
Janko, Carl, (A. C.)
Greszler, Wilhelm, (A. C.)
Páal, Joseph, (H. C.)
Szücs, Desiderius, (H. C.)
Kiss, Adalbert, (H. C.)
Nádudvary, Ludwig, (H. C.)

(Res.).

(Gedruckt am 23. December 1878.)

Székely, Franz, (H. C.)
Benkö, Julius, (H. C.)
Nagy, Alexander, (H. C.)
Kájel, Joseph, (H. C.)
Kun, Béla, (H. C.)
Kiss, Julius, (H. C.)
Papp, Joseph, (H. C.)
Verebély, Joseph, (H. C.)
Kolozsváry, Stephan, (H. C.)
Szlavik, Johann, (A. C.)
Szele, Georg, (H. C.)
Venetianer, Alexander, (H. C.)
Galás, Paul, (A. C.)
Kertész, Stephan, (H. C.)
Ercsey, Samuel, (H. C.)
Boor, Ludwig, (A. C.)
Ozsváth, Julius, (H. C.)
Tóth, Carl, (H. C.)
Kutasy, Franz, (H. C.)
Rózsa, Alexander, (H. C.)
Osváth, Franz, (H. C.)
Péntek, Franz, (H. C.)
Pap, Sigmund, (H. C.)
Szabó, Franz, (H. C.)
Marusiak, Peter, (A. C.)
Tamaska, Ludwig, (A. C.)
Molnár, Ludwig, (H. C.)
Körössy, Stephan v., (H. C.)
Liffa, Johann, (A. C.)
(Res.).

Nagy, Johann, (H. C.)
Tomory, Andreas, (H. C.)
Komjathi, Gabriel, (H. C.)
Szánthó, Stephan, (H. C.)
Szondy, Géza, (H. C.)
Barta, Michael, (H. C.)
Szücs, Stephan, (H. C.)
Dobrucky, Johann, (A. C.)
Nagy, Joseph, (H. C.)
Molnar, Michael, (H. C.)
Bugyi, Michael, (H. C.)
Gáncs, Eugen, (A. C.)
Szabo, Julius, (H. C.)
Bartholomeidesz, Julius, (A. C.)
Bodon, Barnabas, (H. C.)
Györfi, Moriz, (H. C.)
Böszörményi, Ludwig, (H C.)
Kalmár, Victor, (H. C.)
Sipos, Johann, (H. C.)
Nagy, Johann, (H. C.)
Bodi, Sigmund, (H. C.)
Jelen, Alois, (H. C.)
Gyenizse, Anton, (H. C.)
Scholtész, Ladislaus, (H. C.)
Dobeš, Joseph, (H. C.)
Lancsak, Paul, (A. C.)
Pindór, Johann, (A. C.)
Simon, Carl, (H. C.)
Droppa, Wilhelm, (A. C.) zu Graz.
(Res.).

Feld-Rabbiner zweiter Classe.

Goldschmidt, Ignaz, (Res.).
Leimdörfer, David, Dr., (Res.).
Bacher, Wilhelm, (Res.).

Altmann, David (Res.).
Löwinger, Julius (Res.).

Auditore.

General-Auditore.

Borowiczka v. Themau, Rudolph Ritt., ÖEKO-R. 3., Vorstand der 4. Abth. des R.-Kriegs-Mstms.

Freiberger, Heinrich, ÖFJO-R., Beisitzer und Präses der Grenz-Section der Septemviral-Tafel zu Agram.

Maczak v. Ottenburg, Hugo, ÖEKO-R. 3., Referent, zugleich Kanzlei-Director beim obersten Mil.-Justiz-Senate.

Oberst-Auditore.

Risbek, Peter, Beisitzer der Grenz-Section der Septemviral-Tafel zu Agram.

Allram, August Ritt. v., ÖEKO-R. 3., Vorstand der 7. Abth. der Marine-Section des R.-Kriegs-Mstms.

Weber, Gustav, Referent beim obersten Mil.-Justiz-Senate.

Schumann, Gustav, Referent und Kanzlei-Director beim Mil.-Appellations-Ger.

Lesigang, Johann, Referent beim Mil.-Appellations-Ger.

Padevit, Fridolin, ÖFJO-R., Referent beim Mil.-Appellations-Ger.

Le Monnier, Theodor, Referent beim obersten Mil.-Justiz-Senate.

Novak, Alexander, ÖFJO-R. (WG.).

Langer, Victor, Referent beim Mil.-Appellations-Ger.

Zimmer, Vincenz, Referent beim Mil.-Appellations-Ger.

Kopetzky, Eduard, Referent beim Mil.-Appellations-Ger.

Oberstlieutenant-Auditore.

Kittl, Carl, beim obersten Mil.-Justiz-Senate.

Golling, Carl, Referent beim Mil.-Appellations-Ger.

Kominek, Emanuel, ÖFJO-R., Referent beim Mil.-Appellations-Ger.

Nowak, Joseph, ÖFJO-R., Referent beim Mil.-Appellations-Ger. und betraut mit dem practischen Lehramte für die Auditoriats-Practicanten.

Walcher, Heinrich, Referent beim Mil.-Appellations-Ger.

Huschner, Anton, beim obersten Mil.-Justiz-Senate.

Wirtinger, Georg, ÖFJO-R., Justiz-Beirath beim Gen.-Comdo. zu Graz.

Czastka, Eduard, ÖEKO-R. 3., beim R.-Kriegs-Mstm.

Tapavicza, Novak, zu Budapest.

Klenka, Franz, beim Gen.-Comdo. zu Serajevo.

Kämpfler, Ferdinand, Justiz-Beirath beim Mil.-Comdo. zu Pressburg.

Petrovich, Alexander Ritt. v., Justiz-Beirath beim Gen.-Comdo. zu Budapest.

Glaser, Eulog, Justiz-Beirath beim Mil.-Comdo. zu Krakau.

Major-Auditore.

Eberhartinger, Thomas, Dr. d. R., ÖFJO-R., beim obersten Mil.-Justiz-Senate.
Eder, Joseph, beim R.-Kriegs-Mstm.
Treyer, Anton, ÖFJO-R., Justiz-Beirath beim Gen.-Comdo. in Wien.
Greger, Franz, Justiz-Beirath beim Gen.-Comdo. zu Lemberg.
Ziphely, Friedrich, Justiz-Beirath beim Mil.-Comdo. zu Hermannstadt.
Burian, Johann, zu Brood.
Maschek, Franz (WG.).
Bruckmüller, Ludwig, ÖFJO-R., Justiz-Beirath beim Mil.-Comdo. zu Zara.
Hadary, Ludwig v., zu Krakau.
Starz, Adolph, ÖFJO-R., Justiz-Beirath beim Gen.-Comdo. zu Brünn.
Melzer, Adolph, zu Lemberg.
Beyer, Ferdinand Ritt. v., ÖEKO-R. 3. (Res.).
Fáth, Rudolph, ÖFJO-R., Justiz-Beirath beim Mil.-Comdo. zu Temesvár.
Weis, Alois, Justiz-Beirath beim Gen.-Comdo. zu Agram.
Hübl, Ignaz (Res.).
Pflanzer, Wilhelm, Lehrer an der Mil.-Akad. zu Wr.-Neustadt.
Wasshuber, Johann, Dr. d. R., ÖFJO-R., zu Graz.
Tersch, Franz, Justiz-Beirath beim Mil.-Comdo. zu Kaschau.
Eckert v. Labin, Joseph, zu Innsbruck.
Neupauer, Roman, Dr. d. R., Justiz-Beirath beim Mil.-Comdo. zu Triest.
Kriegs-Au, Anton Ritt. v., beim Mil.-Appellations-Ger.
Benedict, Victor Edl. v., in Wien.
Sander, Guido, Dr. der Philosophie, in Wien.
Proschek, Ignaz, beim R.-Kriegs-Mstm.
Veit, Joseph, zu Temesvár.
Schöller, Joseph Edl. v., zu Agram.
Hlawa, Heinrich, zu Prag.
Schödl, Franz, zu Budapest.
Langer, Emanuel, ÖFJO-R., zu Serajevo.
Schwarz, Franz, zu Peterwardein.
Schiller, Ludwig, zu Kaschau.
Schartner, Johann, zu Arad.
Renner, Carl v., zu Pressburg.
Lacina, Johann, bei der Kriegs-Marine.
Körperth, Franz, in Wien.
Grotta v. Grottenegg, Heinrich Gf., zu Prag.

Titular-Major-Auditor.

Hineiss, Johann, beim Mil.-Appellations-Ger.

Hauptleute-Auditore erster Classe.

Ruschka, Joseph, beim Brig.-Ger. Nr. 1 zu Theresienstadt.
Gautsch, Carl, zu Klagenfurt.
Prössl, Carl, zu Prag.
Benesch, Mathias, beim Gen.-Comdo. zu Prag.
Swoboda, Franz, zu Theresienstadt.
Nicodem, Hugo, beim Brig.-Ger. Nr. 17 zu Trient.
Grohmann, Franz, ÖFJO-R., beim Brig.-Ger. Nr. 39 zu Debreczin.
Bier, Adolph, zu Prag.
Krauss, Heinrich, beim Brig.-Ger. Nr. 48 zu Temesvár.
Tellesch, Joseph, beim Brig.-Ger. Nr. 21 zu Josephstadt.
Hafenrichter, Theodor, beim Brig.-Ger. Nr. 40 zu Grosswardein.
Hambeck, Franz, beim Brig.-Ger. Nr. 16 zu Görz.
Wonnesch, Maximilian, zu Kronstadt.
Fischer, Johann, zu Pressburg.
Skala, Carl, beim Brig.-Ger. Nr. 35 zu Kaschau.
Sušnik, Caspar, zu Triest.
Blümel, Joseph, beim Brig.-Ger. Nr. 37 zu Bihać.
Bestal, Julius (Res.).
Gossler, Raimund, zu Essegg.
Kameuitzky, Rudolph, zu Graz.
Malik, Ladislaus, zu Klausenburg.
Neumayr, Joseph, zu Carlsburg.

Zarda, Franz (Res.).
Schmidt, Johann, beim Brig.-Ger. Nr. 14 zu Marburg.
Suchy, Johann, zu Brünn.
Walásek, Johann, bei der Kriegs-Marine.
Endlischek, Raimund, beim Brig.-Ger. Nr. 13 zu Triest.
Urban, Wenzel, beim Brig.-Ger. Nr. 36 zu Miskolcz.
Benischko, Leopold, bei der I. Inf.-Trup.-Div.
Martellini, Johann, zu Ragusa.
Werner, Anton (Res.).
Waněk, Anton (WG.).
Robb, Franz, zu Komorn.
Wosolsobě, Vincenz, zu Budapest.
Scheuer, Ludwig, ÖFJO-R., (ü. c.) zu Serajevo.
Pichler, Johann, beim Mil.-Appellations-Ger.
Kellner, Franz (WG.).
Gruber, Franz, beim Brig.-Ger. Nr. 11 zu Olmütz.
Fongarolli, Franz, bei der IV. Inf.-Trup.-Div.
Klinger, Optatus, zu Peterwardein.
Schreiber, Heinrich (Res.).
Swieteczky v. Czernczicz, Friedrich, beim Brig.-Ger. Nr. 10 zu Prag.
Štěpán, Franz, in Wien.
Fischbach, Anton, beim Brig.-Ger. Nr. 6 in Wien.
Mündl, Ferdinand, bei der XIII. Inf.-Trup.-Div.
Frauenfeld, Johann, zu Linz.
Sigora, Joseph, Dr. d. R., beim Brig.-Ger. Nr. 4 in Wien.
Grimm, Franz, beim Brig.-Ger. Nr. 7 zu Salzburg.
Wimlatil, Joseph, zu Olmütz.
Wernhardt, Heinrich, beim Brig.-Ger. Nr. 23 zu Königgrätz.
Schönaich, Vincenz, beim Brig.-Ger. Nr. 26 zu Lemberg.
Steer, Maria Severin v., bei der XIII. Inf.-Trup.-Div.
Schulbaum, Ludwig, beim Brig.-Ger. Nr. 25 zu Lemberg.
Umlauff, Moriz, beim Brig.-Ger. Nr. 32 zu Budapest.
Anders, Anton, bei der XVIII. Inf.-Trup.-Div.
Holý, Wolfgang, zu Budweis.
Kralowetz, Johann, beim Brig.-Ger. Nr. 24 zu Pilsen.
Grimm, Gustav, beim Brig.-Ger. Nr. 34 zu Agram.
Höchsmann, Adolph, in Wien.
Hnatek, Edmund, MVK. (KD.), beim Brig.-Ger. Nr. 41 zu Fünfkirchen.
Medek, Carl, beim Brig.-Ger. Nr. 27 zu Krakau.
Schmidt, Ferdinand, zu Przemysl.
Pohlner, Ludwig, in Wien.
Paulus, Ludwig, Dr. d. R., bei der XX. Inf.-Trup.-Div.
Casati, Gustav, zu Graz.
Emer, Maximilian, zu Krakau.
Isakovics, Alois v., bei der IV. Inf.-Trup.-Div.
Palm, Maximilian, in Wien.

Hauptleute-Auditore zweiter Classe.

Mrak, Matthäus
Markovac, Andreas
Lucerna, Johann
Hadla, Joseph
Strauss, Gustav
Krása, Emanuel
Fodor v. Szilágy-Bagos, Carl
Czermak, Joseph
(Res.).
Pirchann, August, bei der Kriegs-Marine.
Hirsch, Alois, beim Brig.-Ger. Nr. 3 in Wien.
Kopetzky v. Rechtperg, Eugen, beim R.-Kriegs-Mstm.
Löffelmann, Franz, beim Brig.-Ger. Nr. 46 zu Hermannstadt.
Wildt, Heinrich, beim Brig.-Ger. Nr. 20 zu Prag.
Spernoga, Johann (Res.).
Sterger, Maximilian, beim Brig.-Ger. Nr. 49 zu Banjaluka.
Modrányi, Ludwig (Res.).
Beer, Bernhard, zu Krems.
Gschaider, Heinrich, beim Brig.-Ger. Nr. 44 zu Oedenburg.
Hartl, Johann, zu Lemberg.

Seemann v. Treuenwart, Albin Ritt., beim Brig.-Ger. Nr. 5 in Wien.
Jarosch, Joseph (Res.).
Hasslinger, Carl, zu Czernowitz.
Zatľóka, Joseph, zug. bei der Local-Commission für das Waldtheilungsgeschäft zu Caransebes.
Kottnauer, Franz (Res.).
Maciulski, Ladislaus, bei der Kriegs-Marine.
Tröger, Johann, zu Alt-Gradisca.
Jelinek, Eduard, beim Brig.-Ger. Nr. 19 zu Brünn.
Obora, Eugen (ü. c.) zu Serajevo.
Melka, Johann, zu Brood.
Koszák v. Kaylich, Johann, beim Brig.-Ger. Nr. 47 zu Carlsburg.
Kosler, Bohuslav, beim Brig.-Ger. Nr. 33 zu Pressburg.
Rijaček, Wenzel (Res.).
Gottlieb, Joseph, Dr. d. R., bei der Kriegs-Marine.
Philipp, Hugo (Res.).
Krašovec, Johann (ü. c.) zu Serajevo.
Feyl, Emil, beim Brig.-Ger. Nr. 29 zu Tarnów.
Gnad, Anton, beim Brig.-Ger. Nr. 8 in Wien.
Sonnleithner, Ferdinand (ü. c.) zu Serajevo.
Pogatschnigg, Friedrich (ü. c.) zu Serajevo.
Schupp, Alfred (Res.).
Köntös, Ivan v., bei der VII. Inf.-Trup.-Div.
Seitschel, Emanuel, zu Josephstadt.
Spačil, Franz (ü. c.) zu Serajevo.
Ebert, Franz, zu Agram.
Eichler, Eduard (ü. c.) zu Serajevo.
Schaller, Anton, bei der I. Inf.-Trup.-Div.
Hrubik, Ludwig, beim Brig.-Ger. Nr. 30 zu Brzezan.
Ziegler, Franz, beim Brig.-Ger. Nr. 18 zu Innsbruck.
Schallek, Alexander, ÖFJO-R., zu Serajevo.
Hevin de Navarre, Joseph, beim Brig.-Ger. Nr. 28 zu Krakau.
Seuscheg, Mathias, beim Brig.-Ger. Nr. 12 zu Graz.
Mündl, Wilhelm, zu Temesvár.
Uhl, Eduard, zu Zara.
Prati, Victor v., zu Hermannstadt.
Fichtner, Carl, beim Brig.-Ger. Nr. 42 zu Stuhlweissenburg.
Folberger, Georg, zu Serajevo.
Chodynicki, Carl, beim Brig. Ger. Nr. 36 zu Miskolcz.

Oberlieutenant-Auditore.

Hasenöhrl, Friedrich
Ladenhaufen, Georg
Beck, Joseph
Wlassak, Adolph
Wodvaržka, Wilhelm
Perne, Joseph
Vrban, Alois
Zawiška, Anton
Jelenc, Anton
Cerlenjak, Wilhelm
Gregorčić, Heinrich
Fritsch, Philipp
Balling, Ottokar
Bogdanow, Johann
Manoilović, Johann
Rebracha, Ludwig v.
Alexich, Franz
Weinert, Franz
Horky, Eduard
Lunaczek, Liberatus
Čalogović, Adolph
(Res.).

Kotzmuth, Julius
Begić, Johann
Korka, Constantin
Löwenthal, Julius
Bader, Carl
Buger, Carl
Divild, Joseph
Schill, Johann
Petričević, Ferdinand
Adamović, Sabbas
Popović, Constantin
Matauschek, Wilhelm Edl. v.
Košiček, August
Kedačić, Stephan
(Res.).

Dangelmayer, Emil, Dr. d. R., zu Olmütz.
Gündisch, Georg, zu Hermannstadt.
Papitsch, Joseph, bei der XVIII. Inf.-Trup.-Div.
Dietrich, Moriz, zu Budapest.
Sofka, Carl, Dr. d. R., bei der Kriegs-Marine.

Ripper, Franz, bei der XX. Inf.-Trup.-Div.
Korwin-Dźbański, Stanislaus Ritt. v., Dr. d. R., zu Lemberg.
Herg, Jakob, zu Agram.
Durda, Johann, zu Brünn.
Solterer, Julius, in Wien.
Hajdecki, Alexander, in Czernowitz.

Hut mit schwarzem Federbusch, dunkelblauer Waffenrock mit krapprother Egalisirung und gelben glatten Knöpfen, blaugraue Pantalon mit krapprothem Passepoil, Mantel blaugrau.

Auditoriats-Practicanten.

Zapałowicz, Hugo, Dr. d. R.
Pawluch, Zacharias.
Mihaltianu, Johann.
Tomek, Joseph.
Treidler, Johann.
Weidenhoffer, Robert.
Gedl, Eduard.
Volkelt, Hugo.
Albinowski, Julius.
Grell, Adolph.
Srnka, Joseph.

Militär-ärztliches Officiers-Corps.

Chef des mil.-ärztlichen Officiers-Corps.

Frisch, Anton Ritt. v., Dr., ÖEKO-R. 3., ÖFJO-R., GVK. m. Kr., C⊙ 3., General-Stabsarzt.

General-Stabsarzt.

Malfatti v. Rohrenbach zu Dezza, Leopold, Dr., ÖFJO-R., C⊙ 2., Sanitäts-Chef beim Gen.-Comdo. zu Graz.

Ober-Stabsärzte erster Classe.

(Doctoren der Medicin und Chirurgie, Magistri der Geburtshilfe und Augenheilkunde.)

Gernath, Carl, ÖEKO-R. 3., Sanitäts-Chef beim Gen.-Comdo. zu Budapest.

Haas, Carl, ÖFJO-R., GVK., Sanitäts-Chef beim Gen.-Comdo. in Wien.

Bernstein, Sigmund, ÖEKO.-R. 3., C⊙ 2., Sanitäts-Chef beim Gen.-Comdo. zu Prag.

Teffer, Wenzel, Sanitäts-Chef beim Mil.-Comdo. zu Hermannstadt.

Leiden, Joseph, ÖFJO-R., beim GSp. Nr. 1 in Wien.

Gawalowski, Carl, Sanitäts-Chef beim Gen.-Comdo. zu Lemberg.

Bartl, Moriz, GVK., Leiter des GSp. Nr. 1 in Wien.

Mašek, Johann, ÖEKO-R. 3., Sanitäts-Chef beim Gen.-Comdo. zu Serajevo.

Fleischhacker, Victor v., GVK., Sanitäts-Chef beim Gen.-Comdo. zu Brünn.

Parlagi, Martin, Sanitäts-Chef beim Mil.-Comdo. zu Temesvár.

Haberditz, Joseph, ÖFJO-R., Sanitäts-Chef beim Mil.-Comdo. zu Zara.

Mülleitner, Joseph Ritt. v., ÖEKO-R. 3., GVK. m. Kr., Leiter des GSp. Nr. 3 zu Baden.

Gottlieb, Eduard, Sanitäts-Chef beim Mil.-Comdo. zu Pressburg.

Hirschler, Franz, GVK., Leiter des GSp. Nr. 11 zu Prag.

Frueth, Wilhelm, GVK. m. Kr., betraut mit der Leitung der 14. Abth. des R.-Kriegs-Mstms.

Bock, Emil, GVK. m. Kr., Sanitäts-Chef beim Mil.-Comdo. zu Kaschau.

Weselsky, Anton, Sanitäts-Chef beim Gen.-Comdo. zu Agram.

Lackner, Friedrich, Sanitäts-Chef beim Mil.-Comdo. zu Krakau.

Loeff, Anton, ÖFJO-R., GVK. m. Kr., Leiter des GSp. Nr. 2 in Wien.

Robiček, Rudolph, C⊙ 2., Leiter des GSp. Nr. 7 zu Graz.

Ober-Stabsärzte zweiter Classe.

(Doctoren der Medicin und Chirurgie, Magistri der Geburtshilfe und Augenheilkunde.)

Jechl, Wenzel, ÖFJO-R., Leiter des GSp. Nr. 4 zu Linz.

Böhm, Jakob, Leiter des GSp. Nr. 21 zu Temesvár.

Komarek, Joseph, Sanitäts-Chef beim VIII. Inf.-Trup.-Div. u. Mil.-Comdo. zu Innsbruck.

Taussig, Wolfgang, GVK., Leiter des GSp. Nr. 16 zu Budapest.

Kirchmayer, Eduard, Leiter des GSp. Nr. 22 zu Hermannstadt.

Tessely v. Marsheil, Joseph, ÖFJO-R., GVK. m. Kr., Leiter des GSp. Nr. 23 zu Agram.

Hein, Anton, Leiter des GSp. Nr. 14 zu Lemberg.
Berger, Moriz, Leiter des GSp. Nr. 9 zu Triest.
Sachs, Abraham, ÖFJO-R., Leiter des GSp. Nr. 19 zu Pressburg.
Haueisen, Ferdinand, Leiter des GSp. Nr. 8 zu Laibach.
Wetzer, Johann, ÖFJO-R., Leiter des GSp. Nr. 15 zu Krakau.
Rex, Ignaz, ÖFJO-R., GVK., Garn.-Chef-Arzt zu Olmütz.
Opitz, Eduard, ÖFJO-R., Leiter des GSp. Nr. 6 zu Olmütz.
Kress, Otto, C⊙ 2., Garn.-Chef-Arzt zu Klausenburg.
Elbogen, Philipp, ÖFJO-R., Leiter des GSp. Nr. 18 zu Komorn.
Dückelmann, Fried., GVK. m. Kr., Leiter des GSp. Nr. 12 zu Josephstadt.
Spanner, Franz, GVK. m. Kr., Chef-Arzt des Mil.-Invalidenhauses zu Tyrnau.
Hawelka, Carl, Chef-Arzt des Mil.-Invalidenhauses in Wien.
Vilas, Johann v., GVK. m. Kr., Garn.-Chef-Arzt zu Klagenfurt.
Hoor, Wenzel, ÖFJO-R., Leiter des GSp. Nr. 17 zu Budapest.
Neudörfer, Ignaz, ÖFJO-R., GVK., beim GSp. Nr. 1 in Wien.

Stabsärzte.

(Doctoren der Medicin und Chirurgie, Magistri der Geburtshilfe und Augenheilkunde.)

Podroužek, Anton, Garn.-Chef-Arzt zu Zara.
Kury, Franz, ÖFJO-R., Chef-Arzt bei der XVIII. Inf.-Trup.-Div.
Seydl, Adolph, Leiter des GSp. Nr. 20 zu Kaschau.
Bruck, Moriz, ÖFJO-R., Leiter des GSp. Nr. 13 zu Theresienstadt.
Derblich, Wolfgang, ÖFJO-R., beim GSp. Nr. 11 zu Prag.
Waldstein, Michael, Leiter des GSp. Nr. 5 zu Brünn.
Haala, Adalbert, beim IR. Nr. 38.
Köstler, Carl, ÖFJO-R., Garn.-Chef-Arzt zu Grosswardein.
Michaelis, Albert, ÖFJO-R., GVK. m. Kr., Garn.-Chef-Arzt zu Arad.
Maluschka, Carl, beim IR. Nr. 49.
Kraus, Franz, Garn.-Chef-Arzt zu Oedenburg.
Porias, Alois, beim GSp. Nr. 2 in Wien.
Seeger, Rudolph, Garn.-Chef-Arzt zu Trient.
Treulich, Jakob, GVK. m. Kr., Leiter des Feld-Spitals Nr. III.
Stein, Nathan, ÖFJO-R., Garn.-Chef-Arzt zu Budweis.
Metzl, Heinrich, Chef-Arzt bei der IV. Inf.-Trup.-Div.
Jankovits, Paul, Garn.-Chef-Arzt zu Czernowitz.
Wolff, Jakob, beim GSp. Nr. 15 zu Krakau.
Mühlvenzl, Franz, GVK. m. Kr., beim GSp. Nr. 1 in Wien.
Blaschko, Adolph, GVK. m. Kr., beim GSp. Nr. 11 zu Prag.
Steiner, Franz, ÖFJO-R., beim GSp. Nr. 7 zu Graz.
Kleinmond, Ignaz, beim GSp. Nr. 6 zu Olmütz.
Maschek, Michael, GVK. m. Kr., beim Platz-Comdo. in Wien.
Reder, Albert (Operateur u. k. k. o. Professor) ÖFJO-R., beim GSp. Nr. 1 in Wien.
Bayer, Franz, GVK. m. Kr., beim GSp. Nr. 5 zu Brünn.
Watzek, Franz, Garn.-Chef-Arzt zu Königgrätz.
Sieber, Joseph, ÖFJO-R., Leiter des Feld-Spitals Nr. XVI.
Podrazky, Joseph (Operateur und k. k. a. o. Professor), ÖFJO-R., GVK. m. Kr., beim GSp. Nr. 2 in Wien.
Schüler, Maximilian, beim GSp. Nr. 8 zu Laibach.
Komora, Cornelius, GVK. m. Kr., beim GSp. Nr. 14 zu Lemberg.
Karasek, Joh., beim GSp. Nr. 15 zu Krakau.
Ruhig, Alexander, beim GSp. Nr. 21 zu Temesvár.

Munk, Emanuel, ÖFJO-R., Garn.-Chef-Arzt zu Essegg.
Sobotka, Carl, beim GSp. Nr. 19 zu Pressburg.
Heumann, Constantin, beim GSp. Nr. 16 zu Budapest.
Platzer, Franz, Garn.-Chef-Arzt zu Görz.
Eder, Jakob, beim GSp. Nr. 17 zu Budapest.
Pollak, Marcus, beim GSp. Nr. 18 zu Komorn (WG.)
Wychodil, Georg, GVK. m. Kr., beim R.-Kriegs-Mstm.
Dubovszky, Carl, ÖFJO-R., Chef-Arzt bei der VII. Inf.-Trup.-Div.
Hlavač Edl. v. Rechtwall. Julius, ÖFJO-R., GVK., Chef-Arzt bei der I. Inf.-Trup.-Div.
Nawratil, Ludwig, Garn.-Chef-Arzt zu Carlstadt.
Roth, Michael, GVK. m. Kr., Leiter des Feld-Spitals Nr. V.
Breues, Joseph, Chef-Arzt bei der XX. Inf.-Trup.-Div.
Kendjk, Franz, beim IR. Nr. 36.
Wanner, Carl, beim IR. Nr. 1.
Köllner, Ignaz, beim GSp. Nr. 17 zu Budapest.
Pechaczek, Johann, beim IR. Nr. 5.
Lederhofer, Franz, beim GSp. Nr. 6 zu Olmütz.
Trzebitzky, Rudolph, Chef-Arzt bei der XXXVI. Inf.-Trup.-Div.
Boese, Johann, beim IR. Nr. 56.
Kail, Carl, ÖFJO-R., GVK. m. Kr., Leiter des Feld-Spitals Nr. XV.
Schön, Carl, GVK., CO3., beim GSp. Nr. 11 zu Prag.
Buberl, Franz, Chef-Arzt bei der VII. Inf.-Trup.-Div. (WG.)
Kaiser, Alois, beim GSp. Nr. 23 zu Agram.
Stuchlik, Franz, Leiter des Feld-Spitals Nr. XXIX.
Philipp, Wenzel, Leiter des Feld-Spitals Nr. XX.
Prokesch, Ferdinand, beim IR. Nr. 19.
Deutsch, Bernhard, GVK., beim IR. Nr. 57 (WG.)
Rischanek, Hubert, beim GSp. Nr. 7 zu Graz (WG.)
Kornauth, Johann, beim IR. Nr. 39.
Chimani, Richard, GVK. m. Kr., beim GSp. Nr. 1 in Wien.
Stawa, Franz, ÖFJO-R., beim R.-Kriegs-Mstm.
Pětník, Carl, Chef-Arzt des Mil.-Invalidenhauses zu Prag.
Schwarz, Florian, SVK. m. Kr., beim GSp. Nr. 16 zu Budapest.
Holzschuh, Ferdinand (Operateur), Garn.-Chef-Arzt zu Ragusa.
Bernat, Thomas, Leiter des Feld-Spitals Nr. IX.
Czikann, Clemens, beim IR. Nr. 52.
Girardi, Carl, GVK. m. Kr., Chef-Arzt bei der XIII. Inf.-Trup. Div.
Křepelka, Joseph, beim GSp. Nr. 16 zu Budapest.
Munk, Nikolaus, ÖFJO-R., Leiter des Feld-Spitals Nr. XXXVI.
Strasser, Joseph, GVK., Leiter des GSp. Nr. 10 zu Innsbruck.
Wallmann, Heinrich, beim R.-Kriegs-Mstm.
Arzt, Emanuel, GVK. m. Kr., beim IR. Nr 58.
Markovac, Georg, Garn.-Chef-Arzt zu Peterwardein.
Haider, Johann, beim GSp. Nr. 13 zu Theresienstadt.
Eckhart, Wilhelm, Garn.-Chef-Arzt zu Carlsburg.
Chimani, Ernst, beim GSp. Nr. 2 in Wien.
Deisch, Friedrich, beim GSp. Nr. 9 zu Triest.
Wilczek, Romuald, GVK. m. Kr., beim IR. Nr. 57.
Paikrt, Alois, GVK. m. Kr., GVK., beim GSp. Nr. 18 zu Komorn.
Riedl, Hermann, ÖFJO-R., GVK. m. Kr., (Operateur), beim GSp. Nr. 7 zu Graz.
Kraus, Carl, GVK. m. Kr., beim GSp. Nr. 1 in Wien.
Chvostek, Franz, (k. k. a. o. Professor), GVK, beim GSp. Nr. 1 in Wien.
Lányi, Johann, (Operateur), ÖFJO-R., GVK. m. Kr., k. k. Hofarzt, bei der k. ung. Leibgarde.
Magjarević, Stephan, (Operateur) ÖFJO-R., GVK. m. Kr., beim GSp. Nr. 23 zu Agram.

Regiments-Aerzte erster Classe.

(Doctoren der Medicin und Chirurgie etc.)

Bechtinger, Carl, beim GSp. Nr. 9 zu Triest.
Polnitzky, Vincenz, beim Genie-Reg. Nr. 1.
Kraft, Leopold, beim GSp. Nr. 6 zu Olmütz.
Christ, Franz, ÖFJO-R., in der techn. Mil.-Akad.
Hassler, Georg, GVK. m. Kr., beim FAB. Nr. 7.
Magny, Maximilian, GVK., beim Drag.-Reg. Nr. 7.
Amler, Franz, beim IR. Nr. 35.
Klem, Johann, Garn.-Chef-Arzt zu Kufstein.
Jungbauer, Johann, beim IR. Nr. 62.
Kirchberger, Joseph, beim IR. Nr. 44.
Schnöll, Johann, GVK. m. Kr., beim IR. Nr. 76.
Franz, Eduard, beim Art.-Reg. Nr. 4.
Neugebauer, Joseph, GVK., beim Jäg.-Reg.
Baumgartner, Carl, beim Art.-Reg. Nr. 5.
Ehrenhöfer, Jakob, beim IR. Nr. 3.
Schäfler, Carl, beim IR. Nr 77.
Nagel, Philipp, beim IR. Nr. 45.
Jakob, Philipp, ÖFJO-R., beim FJB. Nr. 20.
Leyrer, Anton, beim Art.-Reg. Nr. 10.
Rohr, Joseph, beim IR. Nr. 12.
Szalay, Alois v., beim IR. Nr. 10.
Kotab, Franz, GVK. m. Kr., beim IR. Nr. 40.
Sieber, Joseph, beim Feld-Spital Nr. XXIX.
Schütz, Franz, beim IR. Nr. 42.
Matzal, Theodor, beim Feld-Spital Nr. III.
Müller, Jakob, beim IR. Nr. 48.
Wözl, Alois, beim Art.-Reg. Nr. 7.
Schipek, Hugo, beim IR. Nr. 18.
Pollak, Leopold, GVK. m. Kr., beim IR. Nr. 27.
Schalek, Joseph, ÖFJO-R., GVK., beim IR. Nr. 28.
Polack, Hugo, beim Mil.-Comdo. zu Pressburg.
Gröschl, Franz, GVK. m. Kr. (Operateur), beim IR. Nr. 54 (WG.).
Blaschke, Vincenz, GVK. m. Kr., beim IR. Nr. 4.
Tischler, Ignaz, GVK. m. Kr., beim Gen.-Comdo. zu Graz.
Hackenberg, Franz, beim Art.-Reg. Nr. 1.
Weszter, Ludwig, beim FJB. Nr. 32.
Szeliga, Roman, beim IR. Nr. 15.
Kränkl, Joseph, ÖFJO-R., beim IR. Nr. 32.
Korak, Franz, beim IR. Nr. 41.
Janežić, Valentin, ÖFJO-R., beim IR. Nr. 7.
Tonner, Wilhelm, beim IR. Nr. 11.
Vogel, Franz, beim IR. Nr. 59.
Foltanek, Johann, beim IR. Nr. 13.
Hacker, Eugen, beim Uhl.-Reg. Nr. 8.
Sladek, Joseph, ÖFJO-R., beim Mil.-Comdo. zu Kaschau.
Čechak, Franz, beim IR. Nr. 74.
Laufberger, Ferdinand, beim IR. Nr. 1.
Luft, Hermann, beim IR. Nr. 54.
Huber, Alexander, beim IR. Nr. 53.
Clementschitsch, Julius, beim IR. Nr. 79.
Fischer, Theodor, beim R.-Kriegs-Mstm.
Harner, Ignaz, beim IR. Nr. 22.
Sock, Joseph (Operateur), beim Art.-Reg. Nr. 12.
Schmidt, Nikolaus, beim FAB. Nr. 10.
Hauninger, Franz, ÖFJO-R., GVK. m. Kr., beim Gen.-Comdo. zu Serajevo.
Hehle, Joseph, beim Drag.-Reg. Nr. 12.
Naywar, Carl, beim Art.-Reg. Nr. 3.
Spitzer, Eduard, bei der Art.-Zeugs-Comp.
Fischer, Hermin, GVK. m. Kr., beim Husz.-Reg. Nr. 10.
Leinzinger, Eduard, beim IR. Nr. 23.
Kobliha, Franz, GVK. m. Kr., beim Feld-Spital Nr. XV.
Schlosser, Anton, beim IR. Nr. 24.
Chiochetti, Peregrin, ÖFJO-R., beim GSp. Nr. 22 zu Hermannstadt, Leiter des Res.-Spitals zu Mostar.
Strnad, Johann, beim IR. Nr. 42.
Eisenberg, Jakob, beim IR. Nr. 9.
Abeles, Ignaz, beim FAB. Nr. 3.
Gencsi, Andreas, GVK. m. Kr., beim Husz.-Reg. Nr. 5.
Friedenwanger, Jakob, beim IR. Nr. 31.
Sedlaček, Jakob, beim IR. Nr. 50.
Barber, Julius, beim GSp. Nr. 2 in Wien.
Banze, Carl, GVK., beim GSp. Nr. 1 in Wien.
Samesch, Anton, GVK. m. Kr., beim FJB. Nr. 1.
Spanyol, Adolph, beim GSp. Nr. 9 zu Triest.
Sauerbrunn, Adolph, GVK. beim FAB. Nr. 5.
Tüške, Franz, GVK. m. Kr., beim IR. Nr. 51.
Gottwald, Anton (Operateur), beim IR. Nr. 75.
Weisbach, Augustin (Operateur), ÖFJO-R., Chef-Arzt des österr. ung. Spitales zu Constantinopel.
Braun, Johann (Operateur), beim GSp. Nr. 4 zu Linz.
Lederer, Salomon, beim IR. Nr. 49.

Nagy, Moriz, (Operateur), ÖEKO-R. 3., ÖFJO-R., beim GSp. Nr. 9 zu Triest (Inf.-Div.-San.-Anstalt Nr. 7).
Wolf, Franz, beim Pion.-Reg.
Pimser, Franz, beim VII. Inf.-Trup.-Div.- und beim Mil.-Comdo. zu Triest.
Höferer, Joseph, beim IR. Nr. 16.
Lion, Moriz, beim IR. Nr. 33.
Werdeu, Franz, beim Art.-Zeugs-Depot nächst Wr.-Neustadt.
Kessler, Victor, beim IR. Nr. 16.
Borak, Alfred, beim IR. Nr. 8.
Mrha, Franz, GVK., beim IR. Nr. 17.
Jirka, Johann, GVK. m. Kr., GVK., beim IR Nr. 53.
Gerlich, Albert, GVK. m. Kr., beim IR. Nr. 71.
Lulć, Carl, Garn.-Chef-Arzt zu Alt-Gradisca.
Webersik, Johann, beim FJB. Nr. 33 (WG.).
Reizes, Gabriel, GVK. m. Kr., beim GSp. Nr. 6 zu Olmütz.
Stangl, Franz, GVK. m. Kr., beim Art.-Reg. Nr. 11.
Storch, Johann, GVK. m. Kr., beim FJB. Nr. 25.
Winter, Emil, beim IR. Nr. 30.
Ressig, Adolph, beim IR. Nr. 44.
Urbanek, Franz, beim IR. Nr. 38.
Vučinić, Johann, beim GSp. Nr. 5 zu Brünn.
Grossmann, Leopold, beim IR. Nr. 63.
Hofer, Augustin, beim FAB. Nr. 9.
Spitz, Benedict, beim IR. Nr. 43.
Wolfgang, Joseph, beim Jäg.-Reg.
Krauss, Alexander Edl. v., beim k. ung. Staats-Gestüte zu Mezőhegyes.
Bellan, Anton, beim Mil.-Comdo. zu Zara.
Gabel, Joseph, beim Husz.-Reg. Nr. 8.
Ulmer, Lazar, beim IR. Nr. 33.
Herzka, Adolph, beim FAB. Nr. 6.
Schulhof, Philipp, beim IR. Nr. 25.
Stenner, Christoph, beim FJB. Nr. 29 (WG.).
Brunner, Alois (Operateur), beim Art.-Reg. Nr. 13.
Singer, Marcus, beim FJB. Nr. 23.
Reinl, Christoph, GVK., beim IR. Nr. 34.
Griebsch, Carl (Operateur), beim IR. Nr. 57.
Waber, Moriz, GVK., beim Art.-Reg. Nr. 8.
Vogl, Conrad, beim IR. Nr. 26.
Knörlein, Anton, beim Mil.-Invalidenhause zu Tyrnau.
Stuckheil, Franz, ÖFJO-R., beim IR. Nr. 68.
Hiemesch, Arthur, beim LFC. Nr. 1 in Wien.
Gruber, Joseph, beim IR. Nr. 62.
Görlich, Alois, beim Drag.-Reg. Nr. 11.
Franke, Georg, GVK. m. Kr., beim FJB. Nr. 24.
Šafařović, Carl, bei der Mil.-Unter-Realschule zu Güns.
Müller, Franz, beim IR. Nr. 64.
Dobrowský, Alphons, beim GSp. Nr. 2 in Wien.
Matković, Johann, beim FAB. Nr. 12.
Spitaler, Anton, beim IR. Nr. 80.
Peiker, Franz, beim GSp. Nr. 3 zu Baden.
Schmidt, Georg, beim FJB. Nr. 26.
Weese, Franz, beim IR. Nr. 76.
Orel, Anton, beim Gen.-Comdo. in Wien.
Chlubna, Ludwig, beim Art.-Reg. Nr. 2.
Porias, Eduard, beim FJB. Nr. 18.
Schonta, Victor, GVK., beim IR. Nr. 7.
Krisch, Franz, beim Mil.-Comdo. zu Hermannstadt.
Bartha, Johann, ÖFJO-R., beim IR. Nr. 66
Lobinger, Johann, beim IR. Nr. 4.
Diesslbacher, Alex., beim IR. Nr. 23.
Kraucher, Carl, beim IR. Nr. 43.
Lutter, Carl, beim Husz.-Reg. Nr. 12.
Schlossarek, Heinrich, beim IR. Nr. 54.
Helm, Theodor, beim Uhl.-Reg. Nr. 3.
Leitner, Anton, beim IR. Nr. 26.
Alter, Hermann, beim Pion.-Reg.
Wyt, Wenzel, beim Genie-Reg. Nr. 1.
Sapara, Johann, beim IR. Nr. 3.
Zaufal, Emanuel (Operateur und a. o. Professor), beim GSp. Nr. 11 zu Prag.
Podhajský, Vincenz, beim Genie-Reg. Nr. 2.
Tiroch, Joseph (Operateur), ÖFJO-R., beim GSp. Nr. 16 zu Budapest.
Picha, Joseph, GVK. m. Kr., beim GSp. Nr. 1 in Wien.
Herzog, Franz (Operateur), bei der Inf.-Div.-San.-Anstalt Nr. 20.
Nossek, Alexander, ÖFJO-R., GVK. m. Kr., beim FJB. Nr. 9.
Rossmanith, Johann, beim IR. Nr. 57.
Czapek, Friedrich, GVK., beim Mil.-Invalidenhause zu Prag.
Javurek, Norbert, GVK., beim FJB. Nr. 27.
Kraus, Georg, beim IR. Nr. 73.
Ehnl, Ludwig, beim Drag.-Reg. Nr. 8.
Ficker, Leopold, beim IR. Nr. 50.
Pildner v. Steinburg, Julius, beim Husz.-Reg. Nr. 3.
Hauer, Eduard Ritt. v., beim IR. Nr. 72.
Reichert, Joseph, beim IR. Nr. 18.
Rauch, Willibald, beim IR. Nr. 27 (WG.).
Rosner, Martin, beim IR. Nr. 10.
Grosspietsch, Raimund, bei der Inf.-Div.-San.-Anstalt Nr. 36.
Scholler, Gustav, beim IR. Nr. 65.

May, Ferdinand, beim IR. Nr. 27.
Thrumić, Alexander, beim IR. Nr. 61.
Schlauf, Carl, beim IR. Nr. 58.
Wedenig, Joseph, beim Jäg.-Reg.
Martineck, Albert, beim IR. Nr. 68.
Gombócz-Bayer de Rogácz, Eduard, beim IR. Nr. 29.
Böhm, Carl, beim IR. Nr. 11.
Wibiral, Johann, beim Drag.-Reg. Nr. 10.
Ferroni v. Eisenkron, Johann, in der Mil.-Unter-Realschule zu St. Pölten.
Mládek, Wenzel, ÖFJO-R., beim Uhl.-Reg. Nr. 11.
Horvat, Joseph, beim IR. Nr. 79.
Stranský, Joseph, beim IR. Nr. 36.
Hadwiger, Ignaz, beim FJB. Nr. 6.
Dobeš, Franz, beim IR. Nr. 21.
Ardelt, Richard, beim IR. Nr. 9.
Veselik, Joseph, beim IR. Nr. 24.
Böckl, Wenzel, beim IR. Nr. 31.
Uriel, Joseph (Operateur), ÖFJO-R., beim GSp. Nr. 8 zu Laibach.
Melzer, Wenzel, beim FJB. Nr. 5.
Fellner, Friedrich, beim IR. Nr. 52.
Nossal, Benedict, beim FJB. Nr. 13.
Fikl, Augustin, beim FJB. Nr. 17.
Ebner, Ludwig (Operateur), beim IR. Nr. 17.
Schwarz, Sigmund, beim Pion.-Reg.
Pertschy, Franz, beim FAB. Nr. 1.
Grittner, Felix, ÖFJO-R., GVK. m. Kr., beim IR. Nr. 78.
Sommer, Carl, ÖFJO-R., beim GSp. Nr. 11 zu Prag.
Severinski, Nikolaus, ÖFJO-R., beim Gen.-Comdo. zu Agram.
Hensler, Franz, ÖFJO-R., beim GSp. Nr. 23 zu Agram.
Müller, Johann, beim GSp. Nr. 15 zu Krakau.
Vollerić, Michael, beim IR. Nr. 67.
Pig, Richard, beim IR. Nr. 47.
Fassetta, Albert, beim IR. Nr. 5.
Egermann, Victor, Art.-Reg. Nr. 3.
Wimmer, Anton, beim Art.-Reg. Nr. 6.
Caesar, Julius v., beim Husz-Reg. Nr. 9.
Wack, Hermann, beim FAB. Nr 11.
Jansky, Joseph, beim Feld-Spital Nr. XV.
Žitko, Ignaz, beim IR. Nr. 40.
Péchy de Péch-Ujfalu, Carl, beim IR. Nr. 37.
Zawadski, Alexander, beim GSp. Nr. 14 zu Lemberg.
Hubl, Joseph, beim GSp. Nr. 12 zu Josephstadt.
Wittenberger, Johann, beim IR. Nr. 34.
Zucker, Carl, beim Drag.-Reg. Nr. 6.
Zielina, Johann, beim FJB. Nr. 8.
Mayer, Moriz, beim IR. Nr. 69.
Bena, Franz, GVK. m. Kr., beim IR. Nr. 48.
Pawlikowský, Franz, SVK. m. Kr., beim Drag.-Reg. Nr. 4.
Kubias, Joseph, beim GSp. Nr. 5 zu Brünn.
Fillenbaum, Anton v., (Operateur). ÖFJO-R., beim GSp. Nr. 14 zu Lemberg.
Kloss, Franz, beim FJB. Nr. 3.
Fiedler, Joseph, beim FAB. Nr. 4.
Hrubý, August, beim IR. Nr. 14.
Weinhäupl, Joseph, beim VIII. Inf.-Trup.-Div.- und Mil.-Comdo. zu Innsbruck.
Bahner, Joseph, GVK. m. Kr., beim IR. Nr. 17.
Poglies, Ludwig Ritt. v., beim IR. Nr. 80.
Treutler, Ferdinand (Operateur), ÖFJO-R., beim GSp. Nr. 11 zu Prag.
Sóltz, Albert v., beim Husz.-Reg. Nr. 4.
Rambousek, Eduard, beim FAB. Nr. 8.
Fischer, Anton, beim IR. Nr. 15.
Luschin, Albin, beim Drag.-Reg. Nr. 5.
Netolitzky, Julius (Operateur), ÖFJO-R., bei der Inf.-Div.-San.-Anstalt Nr. 4.
Pokorny, Carl (Operateur), beim IR. Nr. 59.
Glossauer, Johann, beim Drag.-Reg. Nr. 13.
Rotter, Ludwig, beim IR. Nr. 72.
Lukas, Lorenz, beim IR. Nr. 38.
Stanek, Franz, beim IR. Nr. 28.
Frantz, Eduard, beim IR. Nr. 37.
Kaiser, Ignaz, beim FAB. Nr. 2.
Mátyás, Mathias, beim FJB. Nr. 33.
Wolf, Franz, beim IR. Nr. 6.
Korausch, Emerich, beim GSp. Nr. 18 zu Komorn (Res.).
Markl, Johann. GVK. m. Kr., beim Gen.-Comdo zu Prag.
Schmied, Siegfried, beim IR. Nr. 13.
Dutzmann, Joseph, Garn.-Chef-Arzt zu Brood.
Kispersky, Adalbert, GVK. m. Kr., beim IR. Nr. 34.
Bayer, Wilhelm, beim IR. Nr. 47.
Schmidt, Heinrich, beim IR. Nr. 66 (WG.).
Schaff, Jakob, beim IR. Nr. 23.
Wittoss, Alexander Edl. v., beim FJB. Nr. 11.
Kellner, Martin, beim IR. Nr. 64.
Gradl, Adam, beim Drag.-Reg. Nr. 1.
Winterstein, Philipp, beim IR. Nr. 74.
Popper, Moses, beim Feld-Spital Nr. III.
Marek, Joseph, beim IR. Nr. 73.
Šidlo, Thomas, beim GSp. Nr. 1 in Wien.
Wohlrath, Joseph, beim FJB. Nr. 28.
Załoziecki, Wladimir (Operateur), ÖFJO-R., bei der Inf.-Div.-San.-Anstalt Nr. 13.
Ritter, Julius, beim FJB. Nr. 21.

Zocher, Joseph, beim IR. Nr. 65.
Stojanović, Georg, beim IR. Nr. 6.
Mannsbarth, Heinrich, beim Feld-Spital Nr. III.
Orgelmeister, Theodor, beim FJB. Nr. 22.
Hendl, Joseph, beim Uhl.-Reg. Nr. 6.
Jeglinger, Joseph, beim Feld-Spital Nr. IX.
Strejček, Johann (Operateur), beim GSp. Nr. 11 zu Prag.
Janchen, Emil, in der techn. Mil.-Akad.
Hampl, Vincenz, beim IR. Nr. 19.
Baumann, Michael, GVK., beim IR. Nr. 75.
Novák, Wenzel, beim Husz.-Reg. Nr. 11.
Ebstein, Joseph, beim IR. Nr. 1.
Wittig, August, beim IR. Nr. 73.
Lorenz, Hermann, beim Art.-Reg. Nr. 13.
Philipp, Georg, beim Drag.-Reg. Nr. 14.
Sperlich, Carl, beim FJB. Nr. 10.
Madarász, Emerich, beim IR. Nr. 2.
Přehnal, Joseph, beim IR. Nr. 64.
Horn, Hermann, beim IR. Nr. 26.
Beyer, Joseph, GVK. m. Kr., beim IR. Nr. 22.
Fetter, Tobias, beim IR. Nr. 18.
Berks, Ludwig Ritt. v., beim IR. Nr. 51.
Mandić, Simon, GVK., beim IR. Nr. 17.
Portik, Johann, beim FJB. Nr. 2.
Mautendorfer, Friedrich, beim Drag.-Reg. Nr. 3.
Gratza, Anton, beim IR. Nr. 20.
Sieber, Wenzel, beim IR. Nr. 21.
Urpani, Clemens, beim FJB. Nr. 27.
Knöchel, Conrad, beim IR. Nr. 37.
Rasp, Heinrich, beim IR. Nr. 55.
Emanowsky, Joseph, beim Feld-Spital Nr. XX.
Sklenarž, Rudolph, beim IR. Nr. 53.
Huth, Samuel, beim IR. Nr. 74.
Franzos, Hermann, beim IR. Nr. 15.
Taschmann, Albert, beim Art.-Reg. Nr. 9.
Epstein, Joseph, beim IR. Nr. 51.
Abay, Hermann, beim IR. Nr. 63.
Schwager, Joseph, ÖFJO-R., beim Jäg.-Reg.
Pillwax, Johann, GVK. m. Kr., beim Res.-Spital zu Mostar.
Hahn, Jonathan, beim Husz.-Reg. Nr. 2.
Frank, Johann, GVK. m. Kr., beim IR. Nr. 22.

Regiments-Aerzte zweiter Classe.

(Doctoren der Medicin und Chirurgie etc.)

Nowak, Joseph, Sanitätsrath, Professor, beim GSp. Nr. 1 in Wien (Res.).
Kiesewetter, Emil, beim IR. Nr. 9.
Ferroni v. Eisenkron, Joseph, beim GSp. Nr. 10 zu Innsbruck.
Hantschk, Anton, GVK., beim Pion.-Reg.
Sanna, Heinrich, beim IR. Nr. 43.
Weiss, Moriz, beim IR. Nr. 30.
Elbogen, Simon, ÖFJO-R., beim Mil.-Comdo. zu Krakau.
Mauczka, Victor (Operateur), k. k. Hofarzt, beim GSp. Nr. 2 in Wien (Res.).
Danek, Franz (Operateur), ÖFJO-R., beim GSp. Nr. 15 zu Krakau.
Koncz, Carl, beim Art.-Reg. Nr. 3.
Christoph, Albin, beim IR. Nr. 78.
Teindl, Victor, beim Gen.-Comdo. zu Brünn.
Spitz, Hermann, beim IR. Nr. 72.
Kugel, Joseph, bei der Inf.-Div.-San.Anstalt Nr. 7.
Krumpholz, Joseph, beim IR. Nr. 6.
Hlawáczek, Franz, beim IR. Nr. 35.
Steiner, Leopold, beim IR. Nr. 44.
Perwolf, Carl, beim Feld-Spital Nr. XX.
Stavianiček, Franz, beim Art.-Reg. Nr. 7.
Glässer, Carl, beim FJB. Nr. 30.
Wolf, Johann, beim IR. Nr. 32.
Zupančić, Franz, beim Feld-Spital Nr. XXXVI.
Schulhof, Philipp, beim IR. Nr. 60.
Resofszky, Joseph, beim IR. Nr. 5.
Ganahl v. Bergbrunn, Carl, beim Jäg.-Reg.
Kleemann, Friedrich Ritt. v., beim IR. Nr. 45.
Sykora, Joseph, beim Art.-Reg. Nr. 4.
Scholz, Joseph, ÖFJO-R., beim IR. Nr. 70 (ü. c.) prov. Districts-Arzt zu Peterwardein.
Kraska, Hermann, beim Uhl.-Reg. Nr. 12
Gradt, Ernst, beim IR. Nr. 71.
Durst, Albert, beim Husz.-Reg. Nr. 14.
Schirmer, Franz, beim IR. Nr. 52.
Mayer, Theodor, beim IR. Nr. 59.
Mayer, Anton, beim Husz.-Reg. Nr. 7.
Galambos, Sigmund, beim IR. Nr. 38.
Kapeller Edl. zu Oster- und Gatterfeld, Franz, in der Mil.-Akad. zu Wr. Neustadt.
Perko, Franz, GVK. m. Kr., beim IR. Nr. 7.
Dietz, Christoph, ÖFJO-R., GVK., beim Husz.-Reg. Nr. 7.
Ludl, Liborius, beim Husz.-Reg. Nr. 13.
Swoboda, Carl, beim IR. Nr. 38.

Finkelstein, Wolfgang, beim IR. Nr. 30.
Linardić, Dominik, beim Feld-Spital Nr. IX.
Güttl, Gottlieb (Operateur). ÖFJO-R., beim GSp. Nr. 18 zu Komorn.
Ruzička, Wenzel, beim Drag.-Reg. Nr. 9.
Altdorfer, Carl, beim k. ung. Staats-Gestüte zu Kisbér.
Vogl, Nikolaus, beim Art.-Reg. Nr. 8.
Gödel, Johann, beim Drag.-Reg. Nr. 10 (WG.).
Nusko, Carl, beim IR. Nr. 75.
Bromeissel, Carl, beim IR. Nr. 1.
Ganszer, Eduard, beim Feld-Spital Nr. XVI.
Hlavacsek, Ottokar, beim IR. Nr. 60 (WG.).
Stenzel, Carl, beim FJB. Nr. 31.
Krügkula, Joseph, beim IR. Nr. 76.
Lipež, Franz, beim IR. Nr. 45.
Stejskal, Wenzel, zug. dem Gen.-Comdo. zu Serajevo als Personal-Reserve.
Bayer, Friedrich, beim IR. Nr. 55.
Smutny, Carl, beim Gen.-Comdo. zu Lemberg.
Nemičić, Emil, beim IR. Nr. 48.
Ludwig, Georg, beim GSp. Nr. 17 zu Budapest.
Ručević, Stephan, beim IR. Nr. 70.
Ljubić, Joseph, beim Husz.-Reg. Nr. 6.
Korbelař, Adalbert, ÖFJO-R., beim IR. Nr. 54.
Müller, Johann, GVK. m. Kr., beim IR. Nr. 68.
Ulrich, Joseph, beim IR. Nr. 65.
Wagner, Arthur Ritt. v., beim IR. Nr. 17.
Stenzl, Franz, beim Husz.-Reg. Nr. 12.
Sonnewend, Ferdinand, beim IR. Nr. 54.
Buckholz, Theodor, beim IR. Nr. 46.
Matschnig, Eduard, beim Uhl.-Reg. Nr. 7.
Brutmann, Alois, beim IR. Nr. 39.
Werdnigg, Guido, GVK., beim Feld-Spital Nr. XVI (WG.).
Unterlugauer, Joseph, beim Feld-Spital Nr. XXXVI.
Szentpéteri, Johann, beim IR. Nr. 62.
Klimesch, Carl, beim GSp. Nr. 1 in Wien (Res.).
Gaertner, Franz, beim IR. Nr. 61.
Muhr, Joseph, beim Drag.-Reg. Nr. 2.
Klein, Carl, beim GSp. Nr. 20 zu Kaschau.
Császár, Christoph, beim IR. Nr. 64.
Řiha, Johann, beim FJB. Nr. 14.
Klein, Hermann, beim IR. Nr. 25.
Mocnaj, Adolph, beim IR. Nr. 79.
Lechner, Maximilian, Garn.-Chef-Arzt zu Franzensfeste.
Blaha, Adolph, beim IR. Nr. 49.
Kukuk, Paul, beim IR. Nr. 47.
Marek, Wenzel, beim IR. Nr. 46.
Zgórski, Ladislaus, beim Husz.-Reg. Nr. 16.
Urbanik, Anton, beim IR. Nr. 20.
Kohn, Adolph, beim IR. Nr. 75.
Wurner, Joseph, ÖFJO-R., beim FJB. Nr. 7.
Pucher, Franz, beim Husz.-Reg. Nr. 15.
Zimmermann, Michael, beim IR. Nr. 2.
Schwarschnig, Johann, beim IR. Nr. 71.
Lukanc, Johann, beim IR. Nr. 29.
Kratschmer, Florian, beim GSp. Nr. 1 in Wien.
Hauser, Franz, beim GSp. Nr. 8 zu Laibach.
Weichselbaum, Anton (Operateur), beim GSp. Nr. 1 in Wien.
Grill, Ferdinand, beim Uhl.-Reg. Nr. 2.
Slama, Robert, beim IR. Nr. 58.
Paur, Anton, beim IR. Nr. 69.
Kubin, Carl, beim IR. Nr. 38.
Falnbigl, Carl, beim IR. Nr. 11.
Veszely, Carl, beim GSp Nr. 19 zu Pressburg.
Kusý, Emanuel, beim GSp. Nr. 5 zu Brünn (Res.).
Weber, Vincenz, beim IR. Nr. 13.
Kopřiva, Ignaz, beim Genie-Reg. Nr. 1.
Hawranek, Alfred, beim IR. Nr. 80.
Bloch, Dominik, beim Drag.-Reg. Nr. 7.
Merta, Johann, beim GSp. Nr. 6 zu Olmütz.
Urban, Joseph, in der Mil.-Ober-Realschule.
Seidel, Johann, beim IR. Nr. 67.
Schulhof, Anton, beim Uhl.-Reg. Nr. 1.
Komarek, Wilhelm, beim Drag.-Reg. Nr. 12.
Leibnitz, Eugen, beim Uhl.-Reg. Nr. 13.
Löbenstein v. Aigenhorst, Alfred Ritt., beim Genie-Reg. Nr. 2.
Schaffmann, Joseph, beim IR. Nr. 5 (WG.).
Regner, Christoph, beim IR. Nr. 73.
Köhler, Joseph, beim IR. Nr. 53.
Pauk, Maximilian, beim Festungs-Spital zu Brood.
Petershofer, Andreas, beim Husz.-Reg. Nr. 15.
Povše, Joseph, beim IR. Nr. 4.
Heinz, Carl (Operateur), beim IR. Nr. 76.
Tomsa, Bořiwoj, beim IR. Nr. 66.
Kröner, Franz, beim IR. Nr. 40.
Bundsmann, Anton, beim Jäg.-Reg.
Helmbacher, Michael, beim IR. Nr. 65.
Beck, Ignaz, beim IR. Nr. 2.
Prottmann, Johann, beim Feld-Spital Nr. XVI
Plzák, Franz, beim GSp. Nr. 11 zu Prag.
Rančin, Marcus, beim IR. Nr 69.
Schwarz, Franz, bei der Mil.-Straf-Anstalt zu Möllersdorf.

Weber v. Wienheim, Franz Ritt., beim FJB. Nr. 19.
Čmuchal, Ambrosius, GVK., beim Drag.-Reg. Nr. 13.
Sterger, Gustav, beim IR. Nr. 39.
Černovicky, Alois, in der Mil.-Ober-Realschule.
Jakoby, Friedrich, beim R.-Kriegs-Mstm.
Duschek, Franz, beim Art.-Reg. Nr. 12.
Fischer, Leopold, beim Drag.-Reg. Nr. 2.
Kalčić, Johann, beim Genie-Reg. Nr. 2.
Traub, Stephan, beim IR. Nr. 16.
Plahl, Johann (Operateur), beim Jäg.-Reg.
Molitor, Franz (Operateur), beim IR. Nr. 3.
Pelz, Alexander (Operateur), beim GSp. Nr. 22 zu Hermannstadt
Schmid, Joseph, beim IR. Nr. 24.
Dubsky, Joseph, beim IR. Nr. 56.
Illing, Ferdinand, beim IR. Nr. 57.
Hasper, Franz, beim Uhl.-Reg. Nr. 4.
Reitter, Anton, beim IR. Nr. 63.
Cvetko, Franz, beim IR. Nr. 47.
Reder, Leo, beim FJB Nr. 16.
Zeilinger, Joseph, beim IR. Nr. 32.
Czeicke, Adolph, beim IR. Nr. 1.
Zuckermann, Jakob, beim IR. Nr. 29.
Pollach, Adalbert, beim GSp. Nr. 16 zu Budapest.
Niessner, Bohuslav, beim Genie-Reg. Nr. 2.
Schöfer, Joseph, beim IR. Nr. 56.
Lein, Anton, beim IR. Nr. 27.
Wick, Ludwig, beim GSp Nr. 2 in Wien. (WG.).
Tschernich, Johann, beim IR. Nr. 43.
Kislinger, Johann, beim IR. Nr. 14.
Kury, Julius, beim Mil.-Comdo. zu Temesvár.
Ljubić, Franz, beim Husz.-Reg. Nr. 5.
Hantschel, Franz, beim IR. Nr. 8.
Koubik, Joseph, beim Husz.-Reg. Nr. 3.
Schoebl, Joseph, beim IR. Nr. 8 (WG.),
Milota, Carl, beim IR. Nr. 4.
Bubeniczek, Franz, beim Uhl.-Reg. Nr. 3.
Millner, Emerich, beim Husz.-Reg. Nr. 8.
Wořišek, Anton, beim IR. Nr. 14.
Danzer, Ottokar, beim IR. Nr. 45.
Setz, Carl, beim IR. Nr. 62.
Würth, Heinrich, beim Husz.-Reg. Nr. 15.
Geržabek, Siegbert, beim IR. Nr. 58.
Ginner, Bruno, GVK. m. Kr., beim Uhl.-Reg. Nr. 12.
Einsügler, Leo, beim IR. Nr. 56.
Svoboda, Vincenz, GVK. m. Kr., beim Uhl.-Reg. Nr. 13.
Voita, Franz, beim Art.-Reg. Nr. 9.
Kranz, Franz, beim Uhl.-Reg. Nr. 2.
Kahler, Eduard, beim Husz.-Reg. Nr. 1.
Schrottmann, Robert, beim Uhl.-Reg. Nr. 5.
Pokorny, Eugen, beim IR. Nr. 55.
Fuhrmann, Franz, GVK. m. Kr., beim Drag.-Reg. Nr. 14.
Sorz, Leopold, beim IR. Nr. 52.
Geržetić, Nikolaus, beim IR. Nr. 33.
Riess, Joseph, beim IR. Nr. 29.
Vukovac, Feodor, beim IR. Nr. 48.
Springer, Constantin, beim IR. Nr. 23.
Hahn, Bartholomäus, beim IR. Nr. 58.
Kraus, Felix, beim GSp. Nr. 16 zu Budapest.
Dular, Johann, beim IR. Nr. 44.
Hassak, Otto (Operateur), beim GSp. Nr. 5 zu Brünn.
Patzelt, Franz, beim IR. Nr. 77.
Schewczik, Arsenius, beim IR. Nr. 44.
Reinhardt, Emerich, beim GSp. Nr. 1 in Wien.
Kerzel, Joseph (Operateur), k. k. Hof-Physicus, beim GSp. Nr. 2 in Wien (Res.).
Sedlaczek, Stephan, beim IR. Nr. 19.
Hermann, Ignaz, beim Feld-Spitale Nr. XV.
Levý, Joseph, zug. dem Gen.-Comdo. zu Serajevo als Personal-Reserve.
Röbisch, Stephan, ÖFJO-R., beim GSp. Nr. 21 zu Temesvár.
Schneider, Severin, beim Drag.-Reg. Nr. 12.
Hönisch, August, beim IR. Nr. 79.
Zucker, Joseph, beim Drag.-Reg. Nr. 10.
Mauder, Georg, bei der Inf.-Div.-San.-Anstalt Nr. 1.
Frankenstein, Carl v., beim GSp. Nr. 7 zu Graz.
Gigetić, Johann, beim IR. Nr 70.
Laska, Rudolph, beim Mil.-Invalidenhause zu Lemberg.
Dřevikovský, Friedrich, beim IR. Nr. 11.
Legler, Franz, beim Feld-Spital Nr. XV.
Voigt, Emanuel, beim IR. Nr. 8.
Vopařil, Joseph, beim IR. Nr. 15.
Hollerung, Edwin, beim Art.-Reg. Nr. 5.
Emmer, Emanuel, beim IR. Nr. 36.
Spinka, Adolph, beim IR. Nr. 19.
Pummer, Joseph, beim Feld-Spital Nr. IX.
Hartmann, Heinrich, beim FJB. Nr. 4.
Tůma, Johann, beim IR. Nr. 64.
Zweythurm, Ludwig, beim Jäg.-Reg.
Hausser, Alexander, beim IR. Nr. 57.
Schulbaum, Julius, beim Uhl.-Reg. Nr. 6.
Miglic, Peter, beim IR. Nr. 69.
Sacher, Franz, beim Husz.-Reg. Nr. 13.
Vorbuchner, Friedrich, beim IR. Nr. 61.
Ebert, Franz, beim Husz.-Reg. Nr. 2.

Jüttner, Carl, beim IR. Nr. 51.
Rammel, Franz, zug. dem Gen.-Comdo. zu Serajevo als Personal-Reserve.
Pavlik, Johann, beim IR. Nr. 12.
Hniliczka, Emil, beim IR. Nr. 69.
Stefezius, Johann, GVK. m. Kr., beim IR. Nr. 50.
Witek, Franz, beim Uhl.-Reg. Nr. 2.
Kořistka, Emanuel, beim Art.-Reg. Nr. 6.
Färber, Salomon, GVK. m. Kr., beim IR. Nr. 16.
Igl, Johann, beim IR. Nr. 8.
Mayer, Carl, beim Drag.-Reg. Nr. 7.
Illichmann, Emil, beim Drag.-Reg. Nr. 9.
Bendl, Joseph, GVK., beim Art.-Reg. Nr. 11.
Švéhla, Coloman, beim Husz.-Reg. Nr. 14.
Fábián Edl. v. Makka, Adalbert, beim IR. Nr. 60.
Popp, Johann, beim FJB. Nr. 1.
Vrečer, Carl, beim IR. Nr 27 (WG.).
Lugo, Emil, beim IR. Nr. 50.
Löhnert, Florian, beim Genie-Reg. Nr. 1.
Hřiva, Joseph, beim IR. Nr. 3.
Ullmann, Ignaz, beim Husz.-Reg. Nr. 11.
Vyskočil, Paul, beim FJB. Nr. 12.
Goldberg, Adolph, GVK., beim IR. Nr. 12.
Rainer, Franz, beim Feld-Spital Nr. XXIX.
Pauliček, Emanuel, GVK., beim IR. Nr. 78.
Nedošinský, Georg, beim Husz.-Reg. Nr. 5.
Kanik, Carl, beim Drag.-Reg. Nr. 1.
Schein, Jakob, beim FJB. Nr. 15.
Gidaly, Anton, beim IR. Nr. 6.
Navarra, Anton, SVK. m. Kr., beim IR. Nr. 26.
Wolff, Hugo, ÖFJO-R., beim IR. Nr. 27.
Kaczkowski, Johann, beim IR. Nr. 10.
Amruš, Emil, GVK. m. Kr., beim Feld-Spital Nr. XXXVI.
Tschudi, Arthur, GVK. m. Kr., beim Husz.-Reg. Nr. 1.
Schneider, Anton, beim IR. Nr. 25.
Myrdacz, Paul, beim Chef des mil.-ärztlichen Officiers-Corps.
Spiegel, Adolph, beim Uhl -Reg. Nr. 4.
Haas, Julius, beim IR. Nr. 59.
Schlegel, Ferdinand, beim Drag.-Reg. Nr. 14.
Gooss, Friedrich, beim Husz.-Reg. Nr. 2.
Schiffrer, Johann, GVK. m. Kr., bei der Inf.-Div.-San.-Anstalt Nr. 18.
Schöfer, Johann, beim IR. Nr. 15.
Miksch, Julian, GVK. m. Kr., beim IR. Nr. 80.
Rogozinski, Philipp, ÖFJO-R., beim IR. Nr. 53.
Sponer, Franz, GVK., bei der Inf.-Div.-San.-Anstalt Nr. 36.

(Gedruckt am 22. December 1878.)

Werner, Salomon, beim IR. Nr. 72.
Queiss, Edmund, beim Drag.-Reg. Nr. 14.
Tschepper, Carl, beim Husz.-Reg. Nr. 16.
Zerbes, Peter, beim IR. Nr. 31.
Huemer, Ignaz, beim Jäg.-Reg.
Wenzliczke, Paul, beim GSp. Nr. 5 zu Brünn.
Keusch, Eduard, beim Drag.-Reg. Nr. 11.
Kundt, Julius, beim IR. Nr. 76.
Trenz, Ferdinand, beim IR. Nr. 27.
Toberny, Anton, beim IR. Nr. 21.
Hoffmann, Eduard, beim IR. Nr. 72.
Strone, Franz, beim IR. Nr. 70 (Res.).
Blumenfeld, Hermann, beim GSp. Nr. 1 in Wien (Res.).
Seligmann, Eugen, beim IR. Nr. 19 (Res.).
Ulauby, Richard, beim GSp. Nr. 1 in Wien (Res.).
Krammer, Johann, beim IR. Nr. 20.
Führer, Johann, beim Drag.-Reg. Nr. 3.
Tauber, Michael, beim Uhl.-Reg. Nr. 13.
Tomann, Andreas, beim GSp. Nr. 19 zu Pressburg.
Haunold, Joseph, beim IR. Nr. 7.
Bauer, Joseph, beim Drag.-Reg. Nr 10.
Dittrich, Johann, beim Husz.-Reg. Nr. 10.
Nussbaum, Augustin, beim IR. Nr. 33.
Jaeggle, Franz, GVK. m Kr., beim IR. Nr. 41.
Lonauer, Peter, beim IR. Nr. 24.
Haul, Carl, bei der Inf.-Div.-San.-Anstalt Nr. 18.
Heinz, Franz, GVK. m. Kr., beim Uhl.-Reg. Nr. 5.
Šamánek, Wenzel, beim FJB. Nr. 29.
Smatla, Bartholomäus, beim IR. Nr. 17.
Minks, Anton, beim GSp. Nr. 7 zu Graz.
Polnisch, Arthur, beim IR. Nr. 5.
Watzke, Joseph, GVK. m. Kr., beim Pion.-Reg.
Polašek, Johann, beim Feld-Spital Nr. XVI.
Hlawatsch, Paul, GVK. m. Kr., beim GSp. Nr. 7 zu Graz (Res.).
Schlesinger, Ludwig, beim IR. Nr. 44 (Res.).
Cavallar, Wilhelm, GVK., beim IR. Nr. 76 (Res.).
Farkas, Ladislaus, beim GSp. Nr. 17 zu Budapest (Res.).
Hölscher, Friedrich, beim IR. Nr. 27 (Res.).
Hoselitz, Franz, beim IR Nr. 70 (Res.).
Thomann, Eduard, GVK. m. Kr., beim GSp. Nr. 7 zu Graz (Res.).

Oberärzte.

(Doctoren der Medicin und Chirurgie etc.)

Schreier, Franz, beim Uhl.-Reg. Nr. 2. (Res.).
Schlesinger, Coloman, beim IR. Nr. 65 (Res.).
Janovsky, Victor, beim IR. Nr. 15 (Res.).
Braun, Ernst, beim IR. Nr. 4 (Res.).
Bauer, Anton, beim GSp. Nr. 1 in Wien (ü. z.) beurl.
Vytopil, Vincenz, beim IR. Nr. 3 (Res.)
Bottenstein, Samuel, beim IR. Nr. 64 (Res.).
Heitzmann, Julius, beim IR. Nr. 12 (Res.).
Grossmann, Jakob, beim IR. Nr. 33 (Res.).
Bene, Alexander, beim IR. Nr. 66 (Res.).
Weiss, Alexander, beim IR. Nr. 67 (Res.).
Schwarz, August, beim IR. Nr. 4 (Res.).
Heitler, Moriz, beim GSp. Nr. 19 zu Pressburg (Res.).
Vallaszky, Ludwig, beim GSp. Nr. 16 zu Budapest (Res.).
Bierer, Jakob, beim IR. Nr. 22.
Possek, Ludwig, beim IR. Nr. 47 (Res.).
Unger, Ludwig, beim IR. Nr. 5 (Res.).
Cséri, Johann, beim IR. Nr. 2 (Res.).
Kampel, Jakob, beim IR. Nr. 41 (Res.).
Pürjesz, Sigmund, beim GSp. Nr. 22 zu Hermannstadt.
Schulhof, Jakob, beim GSp. Nr. 16 zu Budapest (Res.).
Winiwarter, Alexander Ritt. v., beim GSp. Nr. 2 in Wien (Res.).
Stern, Julius, beim IR. Nr. 16 (Res.).
Wenisch, Friedrich, beim IR. Nr. 28 (Res.).
Friedinger, Ernst, beim FAB. Nr. 4 (Res.).
Szikszay, Alexander, beim GSp. Nr. 16 zu Budapest (Res.).
Goldzieher, Wilhelm, beim GSp. Nr. 17 zu Budapest (Res.).
Stadler, Franz, beim GSp. Nr. 12 zu Josephstadt.
Grossmann, Michael, beim GSp. Nr. 19 zu Pressburg (Res.).
Klemensiewicz, Rudolph, GVK., beim GSp. Nr. 7 zu Graz (Res.).
Langhans, Adolph, beim GSp. Nr. 11 zu Prag (Res.).
Egger, Carl, beim IR. Nr. 28 (ü. z.) beurl.
Weiler, Alois, beim GSp. Nr. 3 zu Baden (Res.).
Potpeschnigg, Heinrich, GVK. m. Kr. beim IR. Nr. 46 (Res.).
Badik, Johann, beim IR. Nr. 71 (Res.).
Gehringer, Heinrich, beim GSp. Nr. 3 zu Baden (Res.).
Klier, Heinrich, beim IR. Nr. 27.
Frankl, Adolph, beim Art.-Reg. Nr. 13 (Res.).
Ferbstein, Marcus, beim IR. Nr. 67 (Res.).
Pietrzycki, Anton, beim IR. Nr. 20 (Res.).
Maixner, Emerich, beim IR. Nr. 42 (Res.).
Sekanina, Johann, beim IR. Nr. 40.
Goldhaber, Jakob, beim Uhl.-Reg. Nr. 7.
Litsek Edl. v. Macsova, Achatius, beim IR. Nr. 61 (Res.).
Horny, Johann, beim IR. Nr. 45.
Moretzky, Clemens, beim IR. Nr. 30.
Koller, Boleslaus, beim Drag.-Reg. Nr. 9.
Zimmert, Ferdinand, beim IR. Nr. 79.
Veress, Ludwig, beim IR. Nr. 63.
Šimbersky, Joseph, beim Drag.-Reg. Nr. 1 (ü. z.) beurl.
Kirchner, Rudolph, beim IR. Nr. 71.
Beck, Ignaz, beim Art.-Reg. Nr. 11.
Ungar, Dagobert, beim Drag.-Reg. Nr. 11.
Dirner, Ludwig, beim IR. Nr. 34 (Res.).
Adler, Johann, beim IR. Nr. 79 (Res.).
Krueg, Julius, beim GSp. Nr. 2 zu Wien (Res.).
Markó, Ladislaus, beim IR. Nr. 60 (Res.).
Bleichsteiner, Anton, beim IR. Nr. 7 (Res.).
Schwarz, Sigmund, beim IR. Nr. 78 (Res.).
Scheff, Gottfried, beim IR. Nr. 8 (Res.).
Zdráhal, Wenzel, beim Drag.-Reg. Nr. 8.
Stancl, Johann, beim IR. Nr. 61.
Schwarz, Bernhard, beim IR. Nr. 28.
Tattelbaum, Bernhard, beim Drag.-Reg. Nr. 9.
Wysocki, Alexander, beim IR. Nr. 67.
Wildau, Franz, beim Feld-Spital Nr. III.
Boer, Eugen, beim IR. Nr. 50 (Res.).
Slovak, Paul, beim IR. Nr. 62 (Res.).

Wolfenstein, Nathan, beim IR. Nr. 54 (Res.).
Engel, Ignaz, beim IR. Nr. 12 (Res.).
Grossmann, Jakob, GVK. m. Kr., beim GSp. Nr. 17 zu Budapest (Res.).
Löw, Samuel, beim GSp. Nr. 16 zu Budapest (Res.).
Berggrün, Alfred, beim IR. Nr. 57 (Res.).
Innerhofer, Franz, beim GSp. Nr. 10 zu Innsbruck (Res.).
Frisch, Anton Ritt. v., beim GSp. Nr. 1 in Wien (Res.).
Minnigerode, Carl, beim IR. Nr. 59 (Res.).
Goldschmidt, Georg, beim IR. Nr. 46 (Res.).
Tóth, Ignaz, beim IR. Nr. 39 (Res.).
Bacher, Sigmund, beim IR. Nr. 54 (Res.).
Kiczka, Emil, beim IR. Nr. 64 (Res.).
Rudnik, Moriz, beim GSp. Nr. 14 zu Lemberg (Res.).
Palkovics, Julius, beim Husz.-Reg. Nr. 10.
Kirchenberger, Salomon, beim IR. Nr. 77.
Stein, Richard, beim GSp. Nr. 11 zu Prag (Res.).
Löwy, Moriz, beim IR. Nr. 48 (Res.).
Szinyey, Sigmund v., beim IR. Nr. 5 (Res.).
Kautzner, Carl, beim IR. Nr. 16 (Res).
Link, Ignaz, beim IR. Nr. 9.
Tragseil, Carl, beim GSp. Nr. 10 zu Innsbruck (WG.).
Habart, Johann, GVK. m. Kr., beim Feld-Spital Nr. XV.
Fischer, Gottlieb, beim Husz.-Reg. Nr. 4.
Reibmayr, Albert, beim FJB. Nr. 20 (Res.).
Knappe, Carl, beim GSp. Nr. 13 zu Theresienstadt (Res.).
Meusburger, Eduard, GVK. m. Kr., beim IR. Nr. 53 (Res.).
Wolf, Ferdinand, beim IR. Nr. 32.
Koupal, Thomas, beim Husz.-Reg. Nr. 11.
Kalach, Felix, beim Uhl.-Reg Nr. 11.
Křestan, Wenzel, beim Husz.-Reg. Nr. 6.
Fava, Michael, beim GSp. Nr. 9 zu Triest (Res.).
Voigt, Carl, beim IR. Nr. 36 (Res.).
Čucek, Lorenz, beim IR. Nr. 32.
Lewandowski, Rudolph, beim GSp. Nr. 1 in Wien.
Hrb, Johann, beim IR. Nr. 73.
Büsch v. Tessenborn, Robert, beim Uhl.-Reg Nr. 11.
Junk, Alois, beim IR. Nr. 42.
Wenzl, Johann, beim IR. Reg. Nr. 61.
Reinel, Wilhelm, beim Husz.-Reg. Nr. 16.
Schleicher, Julius, beim Husz.-Reg. Nr. 7.
Vyskočil, Carl, beim GSp. Nr. 15 zu Krakau.
Eberle, Florian, beim GSp. Nr. 13 zu Theresienstadt.
Reismann, Philipp, beim Art.-Reg. Nr. 10 (Res.).
Schneditz, August, beim IR. Nr. 17 (Res.).
Moga, Johann, beim Art.-Reg. Nr. 8 (Res.).
Loew, Anton, beim GSp. Nr. 2 in Wien (Res.).
Ilmer, Valentin, beim Jäg.-Reg. (Res.).
Epstein, Alois, beim IR. Nr. 73 (Res.).
Zeisberger, Wilhelm, beim IR. Nr. 60.
Hübl v. Stollenbach, Eduard Ritt., beim IR. Nr. 23.
Heltner, Wilhelm, beim GSp. Nr. 22 zu Hermannstadt.
Worell, Eugen, beim IR. Nr 29.
Wallnböck, Leopold, beim Drag -Reg. Nr. 5.
Springer, Anton, beim Drag.-Reg. Nr. 6.
Janich, Wendelin, beim IR. Nr. 35.
Kowalski, Heinrich, beim IR Nr. 41.
Procházka, Udalrich, beim Drag.-Reg. Nr. 8.
Löwensohn, Moriz, beim IR. Nr. 6 (Res.).
Kopf, Johann, beim IR. Nr. 74 (Res.).
Füzessy, Joseph, beim GSp. Nr. 20 zu Kaschau (Res.).
Šebesta, Wenzel, beim Uhl.-Reg. Nr. 2.
Uhlik, Joseph, beim IR. Nr. 60.
Taun, Eduard, beim IR. Nr. 50.
Huber, Albert, beim IR. Nr. 16.
Wiesinger, Johann, beim IR. Nr. 27.
Golek, Franz, beim Drag.-Reg. Nr. 6.
Gruhner, Dagobert, beim GSp. Nr. 2 in Wien (Res.).
Feymann, Stephan, beim Husz.-Reg. Nr. 8.
Kirchner, Anton, beim Husz.-Reg. Nr. 4.
Muresianu, Julius, beim IR. Nr. 2.
Schmid, Friedrich, beim Mil.-Fuhrw.-Corps.
Simon, Joseph, beim Art.-Reg. Nr. 10.
Kompass, Eduard, beim Uhl.-Reg. Nr. 8.
Valentić, Joseph, beim Art.-Reg. Nr. 3 (WG.).
Brote, Emil, beim IR. Nr. 31.
Košmelý, Franz, zug. dem Gen.-Comdo. zu Serajevo als Personal-Reserve.
Knörlein, Friedrich, beim Drag.-Reg Nr. 4.
Popu, Johann, beim IR. Nr. 62.
Königstein, Leopold, beim IR. Nr. 40 (Res.).
Benesch, Julius, beim GSp. Nr. 5 zu Brünn (Res.).
Petyko, Julius, beim GSp. Nr. 16 zu Budapest (Res.).
Pletz, Franz, beim IR. Nr. 18.
Vojta, Johann, beim IR. Nr. 66.
Neumann, Emil, beim IR Nr. 46.

Bereiter, Carl, beim GSp. Nr. 10 zu Innsbruck (Res.).
Schlemmer, Anton, beim GSp. Nr. 19 zu Pressburg (Res.).
Greil, Franz, beim Jäg.-Reg (Res.).
Spitzer, Salomon, beim FJB. Nr. 5 (Res.).
Stranský, Ludwig, beim IR. Nr. 35. (Res.).
Jahn, Georg, beim GSp. Nr. 2 in Wien (Res.).
Cambon, Alfred, beim GSp. Nr. 8 zu Laibach (Res.).
Wittmann, Friedrich, beim GSp. Nr. 8 zu Laibach (Res.).
Szengyan - Sandeanu, Gregor, beim GSp. Nr. 22 zu Hermannstadt (Res.).
Grillparzer, Ludwig, beim GSp. Nr. 4 zu Linz (Res.).
Heinrichsberger, Leopold, beim FJB. Nr. 10 (Res.).
Heidrich, Johann, beim Drag.-Reg. Nr. 2.
Neuber, Eduard, beim Feld-Spital Nr. XXIX.
Frauenglas, Jakob, beim IR. Nr. 55.
Pečenka, Anton, beim Uhl.-Reg. Nr. 8.
Simbriger, Friedrich, beim Husz. - Reg. Nr. 13.
Liebl, Ferdinand, beim IR. Nr. 7 (Res).
Goth, Emanuel, beim IR. Nr. 50 (Res.).
Feistmantel, Ottokar, beim GSp. Nr. 11 zu Prag (Res.).
Krause, Eduard, beim IR. Nr. 4 (Res.).
Putz, Richard, beim GSp. Nr. 1 in Wien (Res.).
Recheles, Max, beim IR. Nr. 20 (Res.).
Hertzka, Hermann, beim Art.-Reg. Nr. 7 (Res.).
Wagner, Carl, beim IR. Nr. 14 (Res.):
Spiczer, Emil, beim IR. Nr. 37 (Res).
Batsy, Franz, beim Pion.-Reg. (Res.).
Braun, Moriz, beim IR. Nr. 48 (Res.).
Markovits, Géza, beim GSp. Nr. 20 zu Kaschau.
König, Jakob, beim IR. Nr. 43 (Res.).
Friedmann, Rudolph, beim IR. Nr. 44 (Res.).
Podúschka, Alois, beim IR. Nr. 49 (Res.)
Pavlik, Carl, beim GSp. Nr. 2 in Wien (Res.).
Merunowicz, Joseph, beim GSp. Nr. 15 zu Krakau (Res.).
Peduzzi, Friedrich, beim GSp. Nr. 6 zu Olmütz. (Res.).
Getzlinger, Leopold, beim IR. Nr. 79. (Res.).
Motloch, Franz, beim IR. Nr. 49 (Res.).
Grimm, Alois, beim GSp. Nr. 11 zu Prag (Res.).
Thurnwald, Andreas, beim IR. Nr. 45.
Boček, Matthäus, beim Husz.-Reg. Nr. 9.
Schilder, Adolph, beim FJB. Nr. 11.
Schlaegenhausen, Fridolin, beim Art.-Reg. Nr. 11 (Res.)
Faulhaber, Eustachius, ÖFJO-R., zug. dem Gen.-Comdo. zu Serajevo als Personal-Reserve.
Peck, Philipp, beim GSp. Nr. 17 zu Budapest.
Kromp, Edmund, beim GSp. Nr. 14 zu Lemberg.
Cartellieri, Joseph, beim GSp. Nr. 13 zu Theresienstadt (Res.).
Gibian, Carl, beim GSp. Nr. 11 zu Prag (Res.).
Raab, Friedrich, beim GSp. Nr. 1 in Wien (Res.).
Philipp, Friedrich, beim GSp. Nr. 12 zu Josephstadt (Res.).
Staré, Anton, GVK. m. Kr., beim IR. Nr. 22.
Bouček, Franz, beim FJB. Nr. 14 (Res.).
Drozda, Joseph, beim GSp. Nr. 15 zu Krakau (Res.).
Bauer, Anton, beim GSp. Nr. 1 in Wien (Res.).
Zwack, Johann, beim IR. Nr. 69.
Rossmann, Friedrich, beim Feld-Spital Nr. XXIX.
Holy, Carl, beim IR. Nr. 29.
Weeber, Georg, beim GSp. Nr. 4 zu Linz.
Kellner, Sigmund, beim GSp. Nr. 18 zu Komorn (Res.).
Sterz, Heinrich, beim GSp. Nr. 8 zu Laibach (Res.).
Hovanyi, Franz, beim IR. Nr. 51 (Res.).
Fantl, Julius, beim Art.-Reg. Nr. 1 (Res.).
Siegl, Franz, beim Art -Reg. Nr. 4 (Res.).
Fuchs, Ernst, beim GSp. Nr. 3 zu Baden (Res.).
Schum, Johann, beim FJB. Nr. 21. (Res.).
Haas, Joseph, beim IR. Nr. 13.
Klein, Eberhard, beim IR. Nr. 66.
Hofmann, Guido, beim Art.-Reg. Nr. 6 (Res.).
Kratter, Julius, beim Drag.-Reg. Nr. 5 (Res.).
Formanek, Joseph, beim IR. Nr. 79.
Mihočinović, Johann, beim Uhl.-Reg. Nr. 6.
Schlauf, Julius, beim IR. Nr. 63.

Glassl, Franz, beim IR. Nr. 11.
Trnka, Emil, zug. dem Gen.-Comdo. zu Serajevo als Personal-Reserve.
Sittig, Robert, beim IR. Nr. 71.
Spitzer, Moriz, beim IR. Nr. 29 (Res.).
Stöger, Georg, beim Drag.-Reg. Nr. 4 (Res.).
Wurst, Adolph, beim IR. Nr. 13 (Res.).
Oelberg, Friedrich, beim GSp. Nr. 7 zu Graz. (Res.).
Pohl, Joseph, beim GSp. Nr. 17 zu Budapest (Res.).
Mayer, Johann, beim IR. Nr. 14 (Res.).
Richter, Joseph, beim FJB. Nr. 16 (Res.).
Della Torre, Emil. beim Husz.-Reg. Nr. 9.
Nuszer, Ludwig, beim IR. Nr. 65 (Res.).
Apollonio, Alois, beim IR. Nr. 27.
Borysikiewicz, Michael, beim GSp. Nr. 2 in in Wien (Res.).
Fürst, David, beim GSp. Nr. 23 zu Agram (Res.).
Schauta, Friedrich, beim GSp. Nr. 1 in Wien (Res.).
Samuelý, Isidor, beim GSp. Nr. 14 zu Lemberg (Res.).
Gschirhakl, Johann, beim IR. Nr. 32.
Sickinger, Alois, beim IR. Nr. 43.
Witwicki v. Waszkiewicz, Wladimir Ritt., beim Mil.-Invalidenhause in Wien.
Pavec, Vincenz, beim IR. Nr. 28.
Holler, Thaddäus, GVK. m. Kr, beim IR. Nr. 7 (Res.).
Struska, Johann, beim GSp. Nr. 5 zu Brünn (Res.).
Czyzewicz, Ladislaus, beim IR. Nr. 56. (Res.).
Seeliger, Carl, beim Drag.-Reg. Nr. 3 (Res.).
Heller, Alois, beim GSp. Nr. 20 zu Kaschau.
Krzemień, Paul, beim IR. Nr. 13.
Tobolař, Augustin. beim IR. Nr. 35.
Maruna, Joseph, beim IR. Nr. 64.
Barta, Anton, beim Uhl.-Reg. Nr. 7.
Kraicz, Joseph, beim IR Nr 34.
Kopřiva, Gustav, zug. dem Gen.-Comdo. zu Serajevo als Personal-Reserve.
Blachowski, Constantin, beim Uhl.-Reg. Nr. 1.
Antoniewicz. Eustach, beim Uhl.-Reg. Nr. 1.
Czerwenka. Franz, beim IR. Nr. 41.
Drasch, Johann, beim Art.-Reg. Nr. 12.
Löwy, Carl, beim FAB. Nr. 10. (Res.).
Klauber. Ignaz, beim Drag.-Reg. Nr. 14 (Res.).
Reinl. Carl, beim Art.-Reg. Nr. 4 (Res.).

Zangerle, Ernst, beim GSp. Nr. 4 zu Linz (Res.).
Stokera, Lucas, beim GSp. Nr. 18 zu Komorn.
Nemeti, Gabriel, beim GSp. Nr. 22 zu Hermannstadt (Res.).
Hadviger, Franz, beim IR. Nr. 32 (Res.).
Bider, Wilhelm, beim IR. Nr. 61 (Res.).
Weiss, Sigmund, beim FJB. Nr. 17 (Res.).
Ferstner, Maximilian, beim IR. Nr. 27 (Res.).
Krongold, Wilhelm, beim IR. Nr. 13 (Res.).
Löcherer, Lorenz, beim GSp. Nr. 16 zu Budapest (Res.).
Barothý, Achaz v., beim GSp. Nr. 21 zu Temesvár (Res.).
Eigenbauer, Joseph, beim IR. Nr. 72 (Res.).
Klein, Armin, beim IR. Nr. 67 (Res.).
Anthofer, Carl Maria, beim FJB. Nr. 26 (Res.).
Sulzenbacher. August, beim IR. Nr. 7 (Res.).
Démy, Ludwig, beim GSp. Nr. 16 zu Budapest (Res.).
Rosenthal, Ernst, beim IR. Nr. 71 (Res.).
Recheles, Nathan, beim GSp. Nr. 14 zu Lemberg (Res.).
Pöll, Franz, beim Drag.-Reg. Nr. 2 (Res.).
Kofrányi, Adolph, beim FJB. Nr. 12 (Res.).
Mauksch, Carl, beim GSp. Nr. 22 zu Hermannstadt (Res.).
Seemann, Eugen, beim IR. Nr. 32.
Hesky, Heinrich, beim IR. Nr. 67.
Dornheim, Leo, beim Art.-Reg. Nr. 13.
Bodek, Isidor, beim IR. Nr. 80.
Volkmann, Franz, beim Feld-Spital Nr. XX.
Kaiser, Anton, beim Uhl.-Reg. Nr. 6.
Mikolasch, David, beim IR. Nr. 36.
Háry, Stephan, beim GSp. Nr. 23 zu Agram (Res.).
Langstein, Hugo, beim GSp. Nr. 13 zu Theresienstadt (Res.).
Polturak, Leo, beim IR. Nr. 30 (Res.).
Moser, Johann, beim Drag.-Reg. Nr. 7 (Res.).
Reuss, Wilhelm Ritt. v., beim GSp. Nr. 1 in Wien (Res.).
Bergstein, Adolph, beim IR. Nr. 3 (Res.).
Meixner, Franz, beim IR. Nr. 41 (Res.).
Wölfler, Anton, beim GSp. Nr. 2 in Wien (Res.).
Biro, Ladislaus, beim GSp. Nr. 20 zu Kaschau (Res.).

Lederer, Isidor, beim IR. Nr. 49 (Res.).
Jármay, Ludwig, beim GSp. Nr. 16 zu Budapest (Res.).
Gross, Carl, beim Art.-Reg. Nr. 9 (Res.).
Zuckerkandl, Emil, beim GSp. Nr. 1 in Wien (Res.).
Brünauer, Ambrosius, beim IR. Nr. 60 (Res.).
Czirer, Alexius v., beim Husz.-Reg. Nr. 1 (Res.).
Lachawiec, Apollinar, beim IR. Nr. 58 (Res.).
Nittner, Franz, beim IR. Nr. 28 (Res.).
Ziffer, Carl, beim IR. Nr. 33 (Res.).
Roth, Wilhelm, beim GSp. Nr. 2 in Wien (Res.).
Hanko, Arthur, beim GSp. Nr. 20 zu Kaschau (Res.).
Mayer, August, beim GSp. Nr. 1 in Wien (Res.).
Löwy, Emil, beim IR. Nr. 73 (Res.).
Masarei, Otto, beim Drag.-Reg. Nr. 10 (Res.).
Schlick, Isidor, GVK., beim GSp. Nr. 23 zu Agram (Res.).
Pick, Albert, beim GSp. Nr. 19 zu Pressburg (Res.).
Mück, Arthur, beim IR. Nr. 67 (Res.).
Steiner, Joseph, beim GSp. Nr. 17 zu Budapest (Res.).
Blasius, Emil, beim IR. Nr. 57 (Res.).
Rudy, Adalbert v., beim GSp. Nr. 21 zu Temesvár (Res.).
Szmik, Julius, beim Husz.-Reg. Nr. 16 (Res.).
Tyl, Joseph, beim IR. Nr. 35 (Res.).
Pollak, Joseph, beim IR. Nr. 19 (Res.).
Kesztenbaum, Joseph, beim IR. Nr. 5 (Res.).
Schimm, Johann, beim GSp. Nr. 7 zu Graz (Res.).
Hoffer Edl. v. Sulmthal, Ludwig, beim GSp. Nr. 7 zu Graz (Res.).
Andrée, Otto, beim GSp. Nr. 5 zu Brünn (Res.).
Marian, Alexander, beim Drag.-Reg. Nr. 13 (Res.).
Fischer, Rudolph, beim FJB. Nr. 18 (Res.).
Semetkowski, Friedrich Edl. v., beim GSp. Nr. 23 zu Agram (Res.).
Gust, Heinrich, beim GSp. Nr. 22 zu Hermannstadt (Res.).
Takáts, Andreas, beim GSp. Nr. 16 zu Budapest (Res.).
Kaspar, Jaroslav, beim IR. Nr. 21 (Res.).
Schiavuzzi, Bernhard, GVK m. Kr., beim GSp. Nr. 9 zu Triest (Res.).
Pacher, Carl, beim Art.-Reg. Nr. 10 (Res.).
Gross, Alexander, beim GSp. Nr. 16 zu Budapest (Res.).
Szilvásy, Johann, beim Husz.-Reg. Nr. 11 (Res.).
Lichtenegger, Johann, beim IR. Nr. 47 (Res.).
Schaller v. Hirschau, Franz, beim IR. Nr. 27 (Res.).
Bergmann, Michael, beim FAB. Nr. 11 (Res.).
Čížek, Anton, beim Art.-Reg. Nr. 6 (Res.).
Schopf, Franz, beim IR. Nr. 8 (Res.).
Kurzweil, Leo, beim IR. Nr. 78.
Radelmacher, Theodor, beim GSp. Nr. 16 zu Budapest.
Halpern, Nicodemus, beim IR. Nr. 25.
Gussmann, Isaak, beim IR. Nr. 56.
Pineles, Joseph, beim IR. Nr. 70.
Krauss, Heinrich, beim IR. Nr. 31 (Res.).
Poelz, Anton, beim Pion.-Reg. (Res.).
Ružička, Clemens, beim IR. Nr. 75 (Res.).
Manasterski, Nestor, beim IR. Nr. 41 (Res).
Pommer, Gustav, beim IR. Nr. 27 (Res.).
Górski, Adolph, beim IR. Nr. 20 (Res.).
Belky, Johann, beim IR. Nr. 25 (Res.).
Magdić, Johann, beim IR. Nr. 53 (Res.).
Rogrün, Gustav, beim IR. Nr. 71 (Res.).
Mikulicz, Johann, beim GSp. Nr. 3 zu Baden (Res.).
Schreter, Julius, beim IR. Nr. 34 (Res.).
Borsos, Andreas, beim FJB. Nr. 29 (Res.).
Hrynczak, Theodor, beim IR. Nr 9 (Res.).
Mlady, Joseph, beim IR. Nr. 42 (Res.).
Cybulak, Franz, beim GSp. Nr. 4 zu Linz (Res.).
Widrich, Hermann, beim GSp. Nr. 17 zu Budapest (Res.).
Hirschfeld, Julius, GVK. m. Kr., beim FJB. Nr. 9 (Res.).
Eschenlohr, Joseph, beim GSp. Nr. 7 zu Graz (Res.).
Trost, Alois, beim FJB. Nr. 7 (Res.).
Weiss, Nathan, beim FJB. Nr. 17 (Res.).
Kratochvile, Franz, beim FAB. Nr. 2 (Res.).
Byk, Oswald, beim IR. Nr. 15 (Res.).
Dembowski v. Dembowa-Góra, Miecislaus Ritt., beim GSp. Nr. 15 zu Krakau (Res.).
Stokhammer, Emerich, beim GSp. Nr. 13 zu Theresienstadt.
Fleischhanderl, Otto, beim Art.-Reg. Nr. 11. (Res.).
Löcker, Julius, beim FJB. Nr. 3 (Res.).
Borak, Otto, beim IR. Nr. 8 (Res.).
Schlander, Johann, beim LFC. Nr. 2 in Graz (Res.).

Birnbacher, Alois, beim GSp. Nr. 8 zu Laibach (Res.).
Jubasz, Ludwig, beim IR. Nr. 46 (Res.).
Kafšek, Anton, beim FJB. Nr. 29 (Res.).
Schiff, Eduard, beim LFC. Nr. 1 in Wien (Res.).
Kleinsasser, Engelbert, beim GSp. Nr. 7 zu Graz (Res.).
Scomazzoni, Joseph, beim GSp. Nr. 10 zu Innsbruck (Res.).
Betzwar, Anton, beim IR. Nr. 5 (Res.).
Singer, Alexander, beim IR. Nr. 6 (Res.).
Kerschbaumer, Friedrich, beim GSp. Nr. 10 zu Innsbruck (Res.).
Eifler, Hugo, beim IR. Nr. 13 (Res.).
Brink, Eduard, beim GSp. Nr. 7 zu Graz (Res.).
Labęcki, Stanislaus, beim IR. Nr. 10 (Res.).
Kolischer, Isidor, beim IR. Nr. 30 (Res.).
Koch, Hermann, beim GSp. Nr. 7 zu Graz (Res.).
Spesić, Joseph, beim Art.-Reg. Nr. 12 (Res.)
Basevi, Septimus, beim GSp. Nr. 9 zu Triest (Res.).
Sandbichler, Friedrich, beim GSp. Nr. 10 zu Innsbruck (Res.).
Chudoba, Carl, beim IR. Nr. 75 (Res.).
Kohn, Ignaz, beim IR. Nr. 12 (Res.).
Nečas, Jaromir, beim IR. Nr. 28 (Res.).
Szárnyassy, Béla, beim IR. Nr. 52 (Res.).
Khoor, Desiderius, beim IR. Nr. 32 (Res.).
Strassburger, Moriz, beim IR. Nr. 48 (Res.).
Krupička, Emanuel, beim GSp. Nr. 6 zu Olmütz (Res.).
Klimo, Eugen, beim FJB. Nr. 32 (Res.).
Sittmoser, Johann, beim GSp. Nr. 2 in Wien (Res.).
Kohner, Simon, beim FAB. Nr. 8 (Res.).
Itzinger, Carl, beim GSp. Nr. 4 zu Linz (Res.).
Katz, Isidor, beim IR. Nr. 24 (Res.).
Ebermann, Maximilian, beim IR. Nr. 10 (Res.).
Obhlidal, Moriz, beim FJB. Nr. 33 (Res.).
Heinrich, Friedrich, beim IR. Nr. 42 (Res.).
Azary, Achaz, beim IR. Nr. 36 (Res.).
Derenčin, Joseph, beim IR. Nr. 16 (Res.).
Schmidt, Joseph, beim IR. Nr. 78 (Res.).
Hickmann, Hermann, beim IR. Nr. 35 (Res.).
Wrabec, Anton, beim IR. Nr. 9.
Frank, Franz, beim Art.-Reg. Nr. 2.
Martinovsky, Johann, GVK., beim Uhl.-Reg. Nr. 5.
Kadlicky, Franz, GVK. m. Kr., GVK., beim FJB. Nr. 11.

Fleischer, Eduard, beim IR. Nr. 73 (Res.).
Pollak, Gustav, beim FAB. Nr. 7 (Res.).
Röhmer, August, beim Drag.-Reg. Nr. 9 (Res.).
Baaz, Ludwig, beim IR. Nr. 79 (Res.).
Buschmann, Ferdinand Freih. v., beim GSp. Nr. 2 in Wien (Res.).
Schramek, Johann, beim Genie-Reg. Nr. 1 (Res.).
Skalitzky, Victor, beim LFC. Nr. 3 zu Prag (Res.).
Weisz, recte Vesz, Ignaz, beim IR. Nr. 50 (Res.).
Blum, Emanuel, beim IR. Nr. 45 (Res.).
Pavlovits, Simon, beim IR. Nr. 23 (Res.).
Lachowicz, Zdislaus, beim IR. Nr. 77 (Res.).
Tauffer, Wilhelm, beim LFC. Nr. 4 zu Budapest (Res.).
Kremann, Arthur, beim GSp. Nr. 12 zu Josephstadt (Res.).
Simon, Anton, beim Art.-Reg. Nr. 2 (Res.).
Kulczycki, Ladislaus, beim Uhl.-Reg. Nr. 6 (Res.).
Simon, Valentin, beim Art.-Reg. Nr. 3 (Res.).
Brâjjer, Cornelius, beim IR. Nr. 64 (Res.).
Michl, Franz, beim GSp. Nr. 11 zu Prag (Res.).
Habermann, Johann, beim IR. Nr. 11 (Res.).
Stehlo, Gustav, beim GSp. Nr. 1 in Wien (Res.).
Löwy, Moriz, beim FJB. Nr. 22 (Res.).
Ritter, Heinrich, beim GSp. Nr. 13 zu Theresienstadt (Res.).
Altschul, Theodor, beim IR. Nr. 36 (Res.).
Freygang, Augustin, beim Drag.-Reg. Nr. 13 (Res.).
Opitz, Eduard, beim IR. Nr. 77 (Res.).
Łodzinski, Victor Ritt. v., beim IR. Nr. 56 (Res.).
Becker, Johann Ritt. v., beim GSp. Nr. 2 in Wien (Res.).
Grossich, Anton, beim IR. Nr. 22 (Res.).
Mironowicz, Cornelius, beim IR. Nr. 55 (Res.).
Müller, Michael, beim IR. Nr. 21 (Res.).
Wallner, Eduard, beim GSp. Nr. 1 in Wien (Res.).
Sirsch, Gustav, beim Art.-Reg. Nr. 2 (Res.).
Schönfeld, Ernst Freih. v., beim GSp. Nr. 1 in Wien (Res.).
Schindler, Alois, beim GSp. Nr. 12 zu Josephstadt (Res.).
Faller, Gustav, beim IR. Nr. 34 (Res.).

Schwarz, Carl, beim IR. Nr. 36 (Res.).
Schlechter, Alois, beim Jäg.-Reg. (Res.).
Paschkis, Heinrich, beim GSp. Nr. 2 in Wien (Res.).
Kreitner, Ludwig, beim IR. Nr. 18 (Res.).
Hnilica, Franz, beim IR. Nr. 45 (Res.).
Thuroczy, Carl v., beim GSp. Nr. 1 in Wien (Res.).
Hofmeister, Franz, beim GSp. Nr. 11 zu Prag (Res.).
Enzinger, Franz, beim GSp. Nr. 1 in Wien (Res.).
Mayr, Martin, beim Art.-Reg. Nr. 7 (Res.).
Singer, Salomon, beim IR. Nr. 6 (Res.).
Frank, Emanuel, beim FJB. Nr. 25 (Res.).
Breuer, Moriz, beim IR. Nr. 37 (Res).
Waller, Friedrich, beim GSp. Nr. 2 in Wien (Res.).
Wiethe, Theodor, beim IR. Nr. 43 (Res.).
Wolf, Carl, beim IR. Nr. 47 (Res.).
Drasch, Otto, beim IR. Nr. 47 (Res.).
Dobrovits, Mathias, beim GSp. Nr. 19 zu Pressburg (Res.).
Rauscher-Rohrer, Emanuel, beim IR. Nr. 41 (Res.).
Stuller, Julius, beim IR. Nr. 51 (Res.).
Formánek, Johann, beim IR. Nr. 36 (Res.).
Dollinger, Julius, beim IR. Nr. 38 (Res.).
Glattauer, Berthold, beim GSp. Nr. 2 in Wien (Res.).
Matzinger, Theodor, beim FJB. Nr. 11 (Res.).
Stricker, Julius, beim IR. Nr. 44 (Res.).
Leacso, Franz, beim IR. Nr. 33 (Res.).
Moravec, Josias, beim FJB. Nr. 33 (Res.).
Blumenfeld, Heinrich, beim GSp. Nr. 15 zu Krakau (Res.).
Walthier, Adam, beim IR. Nr. 33 (Res.).
Felber, Bernhard, beim GSp. Nr. 5 zu Brünn (Res.).
Kuhn, Conrad, beim Uhl.-Reg. Nr. 3 (Res.).
Wonka, Franz, beim IR. Nr. 20 (Res.).
Herr, Franz, beim IR. Nr. 1 (Res.).
Schaunig, Eduard, beim FJB. Nr. 7 (Res.).
Winiwarter, Felix Ritt. v., beim GSp. Nr. 1 in Wien (Res.).
Holl. Moriz, beim GSp. Nr. 3 zu Baden (Res.).
Hauser, Friedrich, GVK., beim GSp. Nr. 7 zu Graz (Res.).
Budarek, Joseph, beim IR. Nr. 71 (Res.).
Tschauner, Franz, beim Uhl.-Reg. Nr. 4.
Stauch, Ferdinand, beim Husz.-Reg. Nr. 14.
Janku, Franz, beim IR. Nr. 32.
Polický, Ludwig, beim GSp. Nr. 12 zu Josephstadt (WG.).
Pineles, Joseph, beim Feld-Spital Nr. XVI.
Platzer, Carl, beim IR. Nr. 76 (WG.).
Hönigschmied, Johann, beim IR. Nr. 7.
Klinger, Joseph, beim GSp. Nr. 5 zu Brünn (Res.).
Rechnitz, Wilhelm, beim GSp. Nr. 2 in Wien (Res.).
Jakubowski, Adam, beim IR. Nr. 20 (Res.).
Kota, Joseph, beim IR. Nr. 62 (Res.).
Heil, Adolph, beim Art.-Reg. Nr. 1 (Res.).
Klein, Leopold, beim IR. Nr. 25 (Res.).
Dwořák, Johann, beim IR. Nr. 11 (Res.).
Mraček, Franz, beim GSp. Nr. 2 in Wien (Res.)
Wunder, Franz, beim GSp. Nr. 18 zu Komorn (Res.).
Szongott, Theodor, beim IR. Nr. 63 (Res.).
Mayerhofer, Carl, beim GSp. Nr. 4 zu Linz (Res.).
Hertzka, Emerich, beim GSp. Nr. 2 in Wien (Res.).
Nowák, Wenzel, beim GSp. Nr. 5 zu Brünn (Res.)
Weiss, Ignaz, beim Art.-Reg. Nr. 5 (Res.).
Alle, Eduard, beim GSp. Nr. 3 zu Baden (Res.).
Felsenreich, Anton, beim GSp. Nr. 1 in Wien (Res.).
Holzer, Carl, beim GSp. Nr. 7 zu Graz (Res.).
Baštecky, Johann, beim GSp. Nr. 11 zu Prag (Res.).
Dzikowski, Sigmund, beim GSp. Nr. 14 zu Lemberg (Res.).
Füredi, Alexander, beim IR. Nr. 72 (Res.).
Davida, Leo, beim GSp. Nr. 16 zu Budapest (Res.).
Greussing, Anton, beim GSp Nr. 10 zu Innsbruck (Res.).
Gruber, Max, beim GSp. Nr. 1 in Wien (Res.).
Herget, Carl Edl. v., beim GSp. Nr. 11 zu Prag (Res).
Oesterreicher, Friedrich, beim GSp. Nr. 2 in Wien (Res.).
Antunovits de Almá, Joseph, beim Husz.-Reg. Nr. 4 (Res.).
Vogel, Joseph, beim IR. Nr. 45 (Res.).
Hlavnička, Johann, beim IR Nr. 18 (Res.).
Kovalski, Franz, beim IR Nr. 61 (Res.).
Sommer, Adam, beim IR. Nr. 73 (Res.).
Grotte, Ignaz, beim IR. Nr. 15 (Res.).
Körner, Anton, beim IR. Nr. 75 (Res.).
Nebuška, Carl, beim FJB. Nr. 6 (Res.).
Hoffmann, Adolph, beim IR. Nr. 66 (Res.).

Kosírníg, Johann, beim GSp. Nr. 8 zu Laibach (Res.).
Mandl, Hermann, beim GSp. Nr. 2 in Wien (Res.).
Lenner, August, beim Art.-Reg. Nr. 12 (Res.).
Zechner, Johann, beim GSp. Nr. 8 zu Laibach.
Filewicz, Johann, beim IR. Nr. 40 (Res.).
Gorischeg, Caspar, beim GSp. Nr. 7 zu Graz (Res.).
Slansky, Johann, beim GSp. Nr. 11 zu Prag (Res.).
Goldhaber, Adolph, beim Uhl.-Reg. Nr. 13 (Res.).
Schlesinger, Samuel, beim IR. Nr. 68 (Res.).
Tolveth, Rudolph, beim IR. Nr. 29 (Res.).
Kofler, Leo, beim GSp. Nr. 15 zu Krakau (Res.).
Klaar, Ludwig, beim IR. Nr. 58 (Res.).
Ernst, Georg, beim IR. Nr. 73 (Res.).
Pescha, Wladimir, beim GSp. Nr. 21 zu Temesvár (Res.).
Denk, Carl, beim GSp. Nr. 4 zu Linz (Res.).
Muresianu, Leo, beim IR. Nr. 62 (Res.).
Breus, Carl, beim IR. Nr. 49 (Res.).
Kübel, Jakob, beim Husz.-Reg. Nr. 7.
Polivka, Alois, beim Art.-Reg. Nr. 2 (Res.).
Tullinger, Alexander, beim GSp. Nr. 7 zu Graz (Res.).
Spuller, Joseph, beim IR. Nr. 26 (Res.).
Linhart, Hermann, beim GSp. Nr. 8 zu Laibach (Res.).
Lieblein, Wilhelm, beim IR. Nr. 28 (Res.).
Jahn, Boleslav, beim GSp. Nr. 11 zu Prag (Res.).
Krischker, Gustav, beim IR. Nr. 79 (Res.).
Fleischer, Anton, beim GSp. Nr. 5 zu Brünn (Res.).
Ballmann, Heinrich, beim Art.-Reg. Nr. 12 (Res.).
Jandečka, Wenzel, beim GSp. Nr. 11 zu Prag (Res.).
Klein, Moriz, beim GSp. Nr. 2 in Wien (Res.).
Waldmann, Moriz, beim GSp. Nr. 19 zu Pressburg (Res.).
Menczer, Isidor, beim IR. Nr. 43 (Res.).
Losonczy, Almos, GVK., beim Husz.-Reg. Nr. 8 (Res.).
Witek, Heinrich, beim GSp. Nr. 13 zu Theresienstadt (Res.).
Decrinis, Alexand., beim FJB. Nr. 19 (Res.).
Körsch, Gustav, beim Drag.-Reg. Nr. 7 (Res.).
Lichtscheindl, Géza, beim GSp. Nr. 22 zu Hermannstadt (Res.).
Poth, Friedrich v., beim GSp. Nr. 1 in Wien (Res.).
Ajtai, Andreas v., beim GSp. Nr. 22 zu Hermannstadt (Res.).
Malinsky, Franz, beim GSp. Nr. 11 zu Prag (Res.).
Lanzer, Oskar, beim GSp. Nr. 1 in Wien (Res.).
Miskolczy, Emerich, beim GSp. Nr. 17 zu Budapest (Res.).
Strojnowski, Eduard Ritt. v., beim GSp. Nr. 14 zu Lemberg (Res.).
Kaunitz, Sigmund, beim Art.-Reg. Nr. 3 (Res.).
Daru, Theodor, beim GSp. Nr. 20 zu Kaschau (Res.).
Stuchlik, Johann, beim GSp. Nr. 12 zu Josephstadt (Res.).
Lutyński, Ludwig, beim GSp. Nr. 14 zu Lemberg (Res.).
Kindl, Joseph, beim IR. Nr. 25 (Res.).
Hollaender, Alexander, beim IR. Nr. 1 (Res.).
Wiktor, Johann, beim IR. Nr. 40 (Res.).
Hillischer, Hermann, beim FJB. Nr. 3 (Res.).
Krzyzanowski, Eduard, beim Uhl.-Reg. Nr. 7 (Res.).
Sołtyšik, Stanislaus, beim FJB. Nr. 30 (Res.).
Bobek, Moriz, beim IR. Nr. 77 (Res.).
Nessel, Eduard, beim GSp. Nr. 11 zu Prag (Res.).
Liszer, Max, beim IR. Nr. 69 (Res.).
Schwab, Ernst, beim FJB. Nr. 8 (Res.).
Sviták, Joseph, beim IR. Nr. 21 (Res.).
Winter, Moriz, beim IR. Nr. 71 (Res.).
Weiss, Ignaz, beim GSp. Nr. 7 zu Graz (Res.).
Herrmann, Wilhelm, beim FJB. Nr. 2 (Res.).
Becher, Aaron, beim GSp. Nr. 16 zu Budapest (Res.).
Zuckermann, Samuel, beim GSp. Nr. 16 zu Budapest (Res.).
Freund, Maximilian, beim IR. Nr. 72 (Res.).
Berger, Ludwig, beim GSp. Nr. 9 zu Triest (Res.).
Herrmann, Adolph, beim FJB. Nr. 1 (Res.).
Sedlaczek, Emanuel, beim GSp. Nr. 13 zu Theresienstadt (Res.).
Weiskopf, Ivan, beim GSp. Nr. 11 zu Prag (Res.).
Güttler, Joseph, beim GSp. Nr. 7 zu Graz (Res.).
Coltelli v. Roccamare, Hermann, beim IR. Nr. 27 (Res.).
Sopiński, Ignaz, beim Uhl.-Reg. Nr. 5 (Res.).
Mandić, Franz, beim IR. Nr. 46 (Res.).

Vaupotić, Mathias, beim GSp. Nr. 3 zu Baden (Res.).
Rabener, Leo, beim FAB. Nr. 6 (Res.).
Schönviszner, Árpád, beim IR. Nr. 66 (Res.).
Kipper, Michael, beim IR. Nr. 24 (Res.).
Steinbauer, Joseph, beim GSp. Nr. 7 zu Graz (Res.).
Klauber, Isidor, beim GSp. Nr 6 zu Olmütz (Res.).
Singer, Simon, beim IR. Nr. 12 (Res.).
Harmath, Adalbert v., beim GSp. Nr. 22 zu Hermannstadt (Res.).
Koch, Joseph, beim GSp. Nr. 11 zu Prag (Res.).
Mezihradszky v. Mezihradna, Coloman, beim IR. Nr. 32 (Res.).
Tylka, Adalbert, beim IR. Nr. 40 (Res.).
Jehlička, Peter, GVK., beim IR. Nr. 54 (Res.).
Sticha, Wenzel, beim IR. Nr. 13 (Res.).
Haidegger, Ludwig, beim GSp. Nr. 21 zu Temesvár (Res.).
Tittinger, Hermann, beim IR. Nr. 56 (Res.).
Weiss, Jakob, beim IR. Nr. 26 (Res.).
Steiner, Adolph, beim IR. Nr. 70 (Res.).
Strzechowski, Wilhelm, beim GSp. Nr. 15 zu Krakau (Res.).
Horvath, Géza v., beim Husz.-Reg. Nr. 15 (Res.).
Claricini, Victor v., beim IR. Nr. 22 (Res.)
Stepper, Wilhelm, beim GSp. Nr. 21 zu Temesvár (Res.).
Geisler, Linus, beim IR. Nr. 8 (Res.).
Waldhauser, Franz, beim GSp. Nr. 7 zu Graz (Res.).
Sterger, Stanislaus, beim GSp. Nr. 2 in Wien (Res.).
Herzel, Franz, beim FJB. Nr. 5 (Res.).
Heksch, Joseph, beim IR. Nr. 23 (Res.).
Mayer, Friedrich, beim GSp. Nr. 14 zu Lemberg (Res.).
Wallner, Carl, beim GSp. Nr. 7 zu Graz (Res.).
Odstrčilik, Joseph, beim IR. Nr. 9 (Res.).
Heinrich, Adolph, beim IR. Nr. 17 (Res.).
Bartok, Stephan v., beim IR. Nr. 51 (Res.).
Davida, Nikolaus, beim GSp. Nr. 16 zu Budapest (Res.).
Horvath, Julius, beim IR. Nr. 19 (Res.).
Guth, August, beim FJB. Nr. 13 (Res.).
Kroczak, Ferdinand, beim GSp. Nr. 11 zu Prag (Res.).
Taenzerles, Ferdinand, beim IR. Nr. 35 (Res.).
Gerhold, Anton, beim IR. Nr. 4 (Res.).
Jellinek, Heinrich, beim GSp. Nr. 3 zu Baden (Res.).
Radivo, Peter, beim GSp. Nr. 9 zu Triest (Res.).
Fuchs, Carl, beim FJB. Nr. 9 (Res.).
Kramer, Emanuel, beim GSp. Nr. 1 in Wien (Res.).
Klein, Samuel, beim GSp. Nr. 2 in Wien (Res.).
Fábry, Ludwig, beim IR. Nr. 66 (Res.).
Stocker, Carl, beim IR. Nr. 52 (Res.).
Neagoe, Johann, beim IR. Nr. 2 (Res.).
Khun, Franz, beim IR. Nr. 21 (Res.).
Zikmund, Joseph, beim IR. Nr. 77 (Res.).
Friedmann, Max, beim GSp. Nr. 20 zu Kaschau (Res.).
Stein, Israel, beim IR. Nr. 74 (Res.).
Brühl, Eduard, beim GSp. Nr. 9 zu Triest (Res.).
Steinmeyer, Joseph, beim GSp. Nr. 1 in Wien (Res.).
Wohl, Joseph, beim FJB. Nr. 4 (Res.).
Wald, Heinrich, beim IR. Nr. 55 (Res.).
Kovács, Joseph, beim IR. Nr. 68 (Res.).
Frankenberger, Ottokar, beim GSp. Nr. 11 zu Prag (Res.).
Bernhart, Johann, beim IR. Nr. 69 (Res.).
Dirnhofer, Eduard, beim GSp. Nr. 4 zu Linz (Res.).
Breuer, Armin, beim GSp. Nr. 18 zu Komorn (Res.).
Bayer, Anton, beim IR. Nr. 28 (Res.).
Segel, Isaak, beim GSp. Nr. 15 zu Krakau (Res.).
Wittelshöfer, Richard, beim GSp. Nr. 1 in Wien (Res.).
Fuchs, Heinrich, beim IR. Nr. 14 (Res.).
Högelsberger, Franz, beim GSp. Nr. 8 zu Laibach (Res.).
Boda, Julius, beim GSp. Nr. 18 zu Komorn (Res.).
Vuia, Georg, beim IR. Nr. 64 (Res.).
Witkowski, Eduard, beim GSp. Nr. 15 zu Krakau (Res.).
List, Joseph, beim Genie-Reg. Nr. 2 (Res.).
Wilheim, Adolph, beim GSp. Nr. 21 zu Temesvár (Res.).
Liehmann, Leopold, beim GSp. Nr. 5 zu Brünn (Res.).
Gutlohn, Heinrich, beim Husz.-Reg. Nr. 8 (Res.).
Keppel, Julius, beim GSp. Nr. 10 zu Innsbruck (Res.).

Fischer, Franz, beim GSp. Nr. 6 zu Olmütz (Res.).
Wagner, Georg, beim GSp. Nr. 10 zu Innsbruck (Res.).
Balko, Stanislaus, beim IR. Nr. 45 (Res.).
Czipszer, Ludwig, beim IR. Nr. 34 (Res.).
Mazorana, Joseph, beim IR. Nr. 72 (Res.).
Ebner, Franz, beim IR. Nr. 50 (Res.).
Felkl, Gustav, beim GSp. Nr. 5 zu Brünn (Res.).
Weis, Ignaz, beim GSp. Nr. 2 in Wien (Res.).
Latzer, Adalbert, beim GSp. Nr. 10 zu Innsbruck (Res.).
Schöfl, Anton, beim GSp. Nr. 1 in Wien (Res.).
Machek, Emanuel, beim GSp. Nr. 14 zu Lemberg (Res.).
Pollatschek, Adalbert, beim IR. Nr. 73 (Res.).
Buzolič, Stephan, beim IR. Nr. 79 (Res.).
Lemberger, Alexander, beim IR. Nr. 6 (Res.).
Prager, Saul, beim IR. Nr. 10 (Res.).
Jovanović, Georg, beim GSp. Nr. 23 zu Agram (Res.)
Komarek, Wenzel, beim Husz.-Reg. Nr. 9.
Haas, Franz, beim Art.-Reg. Nr. 7.
Böhm, Ferdinand, beim Art.-Reg. Nr. 5.
Medal, Wenzel, beim GSp. Nr. 12 zu Josephstadt (Res.).
Machalický, Carl, beim GSp. Nr. 11 zu Prag (Res.).
Mautner, Wilhelm, beim IR. Nr. 18 (Res.).
Terray, Ludwig, beim GSp. Nr. 17 zu Budapest (Res.).
Reiss, Hermann, beim GSp. Nr. 23 zu Agram (Res.).
Baldini, Octavian, beim GSp. Nr. 9 zu Triest (Res.).
Schmidinger, Joseph, beim GSp. Nr. 3 zu Baden (Res.).
Weiss, Anton, beim GSp. Nr. 7 zu Graz (Res.).
Feuer, Arthur, beim GSp. Nr. 16 zu Budapest (Res.)
Schlichting, Ernst, beim IR. Nr. 2 (Res.).
Blumauer, Alexander, beim IR. Nr. 17 (Res.).
Kramarczyński, Miecislaus, beim GSp. Nr 15 zu Krakau (Res.).
Semerád, Emanuel, beim IR. Nr. 21 (Res.).
Miller, Johann, beim GSp. Nr. 1 in Wien (Res.).
Rymorz, Johann, beim IR. Nr. 1 (Res.).
Pessina, Alois, beim FJB. Nr. 25 (Res.).
Strack, Isidor, beim IR. Nr. 75 (Res.).
Krenn, Roderich, beim IR. Nr. 49 (Res.).
Ulbrich, Franz, beim GSp Nr. 11 zu Prag (Res.).
Alscher, Franz, beim Drag.-Reg. Nr. 12 (Res.).
Klinger, Rudolph, beim GSp. Nr. 2 in Wien (Res.).
Polansky, Stanislaus, beim GSp. Nr. 1 in Wien (Res.).
Bartosch, Joseph, beim IR. Nr. 57 (Res.).
Ángyán, Adalbert, beim GSp. Nr. 17 zu Budapest (Res.).
Maydl, Carl, beim GSp. Nr. 11 zu Prag (Res.).
Thomayer, Joseph, beim GSp. Nr. 13 zu Theresienstadt (Res.).
Schwarz, Joseph, beim GSp. Nr. 23 zu Agram (Res.).
Laufberger, Wenzel, beim GSp. Nr. 12 zu Josephstadt (Res.).
Bleier, Maximilian, beim IR. Nr. 78 (Res.).
Fajth, Peter, beim IR Nr. 33 (Res.).
Baroni v. Berghof, Edwin, beim GSp. Nr. 14 zu Lemberg (Res.).
Vežwald, Franz, beim GSp. Nr. 11 zu Prag (Res.).
Hecht, Alois, beim IR. Nr. 3 (Res.).
Babiy, Theodor, beim IR. Nr. 41 (Res.).
Roubitschek, Ignaz, beim GSp. Nr. 11 zu Prag (Res.).
Ascher, Leopold, beim GSp. Nr. 13 zu Theresienstadt (Res.).
Sechovský, Ferdinand, beim GSp. Nr. 3 zu Baden (Res.).
Langer, Ludwig, beim IR. Nr. 59 (Res.).
Raab, Wilhelm, beim FAB. Nr. 3 (Res.).
Jonasch, Wladimir, beim GSp. Nr. 11 zu Prag (Res.).
Lackner, Árpád, beim Husz. Reg. Nr. 12 (Res.).
Kirchenberger, Salomon, beim GSp. Nr. 3 zu Baden (Res.).
Indrak, Johann, beim GSp. Nr. 6 zu Olmütz (Res.).
Kregczy, Carl, beim IR. Nr. 3 (Res.).
Zemann, Adolph, beim GSp. Nr. 1 in Wien (Res.).
Viertl, Emil, beim GSp. Nr. 11 zu Prag (Res.).
Soltz, Andreas, beim IR. Nr. 26 (Res.).
Tegze, Ludwig, beim Husz.-Reg. Nr. 12 (Res.).
Hadzsy, Johann, beim Art.-Reg. Nr. 5 (Res.)
Pollaczek, Felix, beim GSp. Nr. 20 zu Kaschau (Res.).

Kozma, Alexander, beim GSp. Nr. 16 zu Budapest (Res.).
Smoley, Alois, beim GSp. Nr. 1 in Wien (Res.).
Butula, Theodor, beim IR. Nr. 56 (Res.).
Lokay, Emanuel, beim GSp. Nr. 11 zu Prag (Res.).
Hille, Johann, beim IR. Nr. 42 (Res.).
Navrátil, Vincenz, beim IR. Nr. 9 (Res.).
Šterba, Johann, beim IR. Nr. 80 (Res.).
Berger, Leopold, beim IR. Nr. 29 (Res).
Iatze, Adalbert v., beim Husz.-Reg. Nr. 5 (Res.).
Storch, Carl, beim IR. Nr. 8 (Res.).
Kersnik, Joseph, beim IR. Nr. 16 (Res.).
Schmirmaul, Mathias, beim Art.-Reg. Nr. 6 (Res.).
Zupanc, Franz, beim IR. Nr. 17 (Res.).
Meyer, Arthur, beim IR. Nr. 59 (Res.).
Lewinski, Carl v., beim GSp. Nr. 7 zu Graz (Res.).
Läufer, Vincenz, beim IR. Nr. 80 (Res.).
Althammer, Oswald, beim FJB. Nr. 6 (Res.).
Halík, Johann, beim IR. Nr. 74 (Res.).
Pechlaner, Arthur, beim GSp. Nr. 7 zu Graz (Res.).
Wieser, Johann, beim FJB. Nr. 27 (Res.).
Muhr, Joseph, beim Husz.-Reg. Nr. 13.
Goldstein, Moriz, beim IR. Nr. 24.
Schmidt, Hugo, beim IR. Nr. 23 (Res.).
Lieber, Augustin, beim GSp. Nr. 10 zu Innsbruck (Res.).
Gombos, Ludwig, beim IR. Nr. 38 (Res.).
Rosenwasser, Maximilian, beim GSp. Nr. 11 zu Prag (Res.).
Antoniewicz, Wladimir, beim GSp. Nr. 14 zu Lemberg (Res.).
Schön, Hugo, beim GSp. Nr. 20 zu Kaschau (Res.).
Fay, Julius, beim Art.-Reg. Nr. 8 (Res.).
Löw, Anton, beim GSp. Nr. 15 zu Krakau (Res.).
Konkolniak, Georg, beim IR. Nr. 60 (Res.).
Eigl, Vincenz, beim GSp. Nr. 4 zu Linz (Res).
Tatarczuch, Ladislaus, beim IR. Nr. 13 (Res.).
Moravec, Joseph, beim GSp. Nr. 12 zu Josephstadt (Res.).
Szebrényi, Franz, beim GSp. Nr. 20 zu Kaschau (Res.).
Weszely, Joseph, beim IR. Nr. 79 (Res.).
Kohn, Samuel, beim IR. Nr. 40 (Res.).
Pinter, Alexander, beim GSp. Nr. 23 zu Agram (Res.).
Ferro, Paschalis Ritt. v., beim IR. Nr. 52 (Res.).
Stein, Jakob, beim GSp. Nr. 6 zu Olmütz (Res.).
Strosio, Anton, GVK. m. Kr., beim GSp. Nr. 10 zu Innsbruck (Res.).
Salomon, Anton, beim GSp. Nr. 13 zu Theresienstadt (Res.).
Ruber, Joseph, beim GSp. Nr. 20 zu Kaschau (Res.).
Schuster, Heinrich, beim GSp. Nr. 17 zu Budapest (Res.).
Teitelbaum, Melech, beim IR. Nr. 53 (Res.).
Clodi, Hugo, beim GSp. Nr. 4 zu Linz (Res.).
Waldmann, Adolph, beim GSp. Nr. 20 zu Kaschau (Res.).
Boytha, Joseph v., beim Husz.-Reg. Nr. 3 (Res.)
Tobek, Wenzel, beim IR. Nr. 56 (Res.).
Nagel, Alexander, beim GSp. Nr. 3 zu Baden (Res.).
Dietzius, Adolph, beim Uhl.-Reg. Nr. 8 (Res.).
Frühwald, Ferdinand, beim GSp. Nr. 3 z Baden (Res.).
Lumpe, Richard, beim GSp. Nr. 1 in Wien (Res).
Spitzer, Johann, beim GSp. Nr. 2 in Wien (Res.).
Weissenstein, Ignaz, beim GSp. Nr. 6 zu Olmütz (Res.).
Mudra, Johann, beim GSp. Nr. 11 zu Prag (Res).
Nagy, Coloman, beim IR. Nr. 60 (Res.).
Távoly, Julius, beim GSp. Nr. 18 zu Komorn (Res.).
Dziembowski, Joseph Ritt. v., beim IR. Nr. 57 (Res.).
Gürsch, Heinrich, beim Drag.-Reg. Nr. 6 (Res.).
Luschan, Felix Ritt. v., beim Uhl.-Reg. Nr. 12 (Res)
Mihajlović, Michael, beim GSp. Nr. 23 zu Agram (Res).
Weiss, Heinrich, beim GSp. Nr. 19 zu Pressburg (Res.).
Kirchhamer, Joseph, beim GSp. Nr. 1 in Wien (Res.).
Daits, Eduard, beim GSp. Nr. 17 zu Budapest (Res.).
Wasylewski, Titus, beim Uhl.-Reg. Nr. 1 (Res.).
Metze, Alexander, beim GSp. Nr. 11 zu Prag (Res.).
Spitzer, Bernhard, beim IR. Nr. 41 (Res.).

Tihanyi, Samuel, beim GSp. Nr. 2 in Wien (Res.).
Jabornegg, Alois Freih. v., beim Drag.-Reg. Nr. 5 (Res.).
Berger, Emanuel Edl. v., beim GSp. Nr. 1 in Wien (Res.).
Weinke, Franz, beim FJB. Nr. 10 (Res.).
Harmach, Joseph, beim IR. Nr. 18 (Res.).
Haderer, Ferdinand, beim GSp. Nr. 9 zu Triest (Res.).
Gabler, Franz, beim GSp. Nr. 7 zu Graz (Res.).
Wondörfer, Alfred, beim IR. Nr. 74 (Res.).
Stavěl, Ignaz, beim IR. Nr. 3 (Res.).
Böhm, Sidney, beim GSp. Nr. 16 zu Budapest (Res.).
Cartellieri, Paul, beim GSp. Nr. 13 zu Theresienstadt (Res.).
Zakarias, Simon, beim IR. Nr. 68 (Res.).
Kallay, Rudolph v., beim Husz.-Reg. Nr. 4 (Res.).
Wiesinger, Edmund, beim GSp. Nr. 2 in Wien (Res.).
Mihajlović, Christoph, beim IR. Nr. 58 (Res.).
Wyszntycki, Franz, beim IR. Nr. 80 (Res.).
Lebar, Joseph, beim GSp. Nr. 8 zu Laibach (Res.).
Löwi, Johann, beim GSp. Nr. 1 in Wien (Res.).
Diem, Joseph, beim GSp. Nr. 1 in Wien (Res.).
Fronius, Gustav, beim IR. Nr. 78 (Res.).
Filipan, Emil, beim GSp. Nr. 7 zu Graz (Res.).
Czinner, Armin, beim IR. Nr. 69 (Res.).
Löschner, Anton, beim GSp. Nr. 13 zu Theresienstadt (Res.).
Przełocki, Casimir, beim IR. Nr. 45 (Res.).
Weselý, Carl, beim GSp. Nr. 2 in Wien (Res.).
Skomorowski, Johann, beim IR. Nr. 15 (Res.).
Ingrisch, Ludwig, beim GSp. Nr. 11 zu Prag (Res.).
Kraus, Joseph, beim IR. Nr. 37 (Res.).
Bram, Samuel, beim IR Nr. 30 (Res.).
Nagy, Adalbert, beim IR. Nr. 31 (Res.).
Lautner, Rudolph, beim GSp. Nr. 23 zu Agram (Res.).
Donnau, Johann, beim GSp. Nr. 2 in Wien (Res.).
Brezina, Ludwig, beim IR. Nr. 58 (Res.).
Kössl, Anton, beim GSp. Nr. 8 in Laibach (Res.).
Bentz, Robert, beim GSp. Nr. 4 zu Linz (Res.).
Klein, Adolph, beim IR. Nr. 79 (Res.).
Longchamps de Berier, Bronislaus, beim LFC. Nr. 5 zu Lemberg (Res.).
Bruner, Franz, beim GSp. Nr. 12 zu Josephstadt (Res.).
Mütter, Bernhard, beim IR. Nr. 4 (Res.).
Plail, Joseph, beim FJB. Nr. 22 (Res.).
Schuster, Michael, beim GSp. Nr. 22 zu Hermannstadt (Res).
Hamburger, Alexander, beim Art.-Reg. Nr. 10 (Res.).
Rosenblatt, Emanuel, beim GSp. Nr. 15 zu Krakau (Res.).
Szepessi, Aaron, beim IR. Nr 44 (Res.).
Pichler, Joseph, beim Feld-Spitale Nr. IX.
Kreutzer, Carl, beim Uhl.-Reg. Nr. 3 (ü. z.) beurl.
Mosing, Wilhelm Edl. v., beim IR. Nr. 17.
Zemánek, Adolph, bei der Inf.-Div.-San.-Anstalt Nr. 18.
Rust, Hugo, zug. dem Gen.-Comdo. zu Serajevo als Personal-Reserve.
Mally, Johann, zug. dem Gen.-Comdo. zu Serajevo als Personal-Reserve.
Schuller, Wenzel, beim Husz.-Reg. Nr. 11.
Červinka, Wladimir, beim IR. Nr. 39.
Bembo, Jakob, GVK., beim GSp. Nr. 9 zu Triest (Res.).
Ledetzky, Julius, beim GSp. Nr. 18 zu Komorn (Res.).
Aigner, Edgar Ritt. v., beim GSp. Nr. 23 zu Agram (Res.).
Spitzer, Ignaz, beim IR. Nr. 76 (Res.).
Bolmarcich, Matthäus, beim IR. Nr. 22 (Res.).
Morer, Joseph, beim GSp. Nr. 7 zu Graz (Res.).
Nemeček, Wenzel, beim GSp. Nr. 6 zu Olmütz (Res.).
Singer, Samuel, beim IR. Nr. 26 (Res.).
Mrazek, Carl, beim GSp. Nr. 11 zu Prag (Res.).
Zerzer, Julius, beim GSp. Nr. 7 zu Graz (Res.).
Folly de St. Margitta, Hugo, beim IR. Nr. 76 (Res.).
Dobrovolny, Franz, beim GSp. Nr. 1 in Wien (Res.).
Uttl, Franz, beim FJB. Nr. 13 (Res.).
Kovács, Valentin, beim GSp. Nr. 16 zu Budapest (Res.).
Trauth, Ludwig, beim GSp. Nr. 4 zu Linz (Res.).

Sobotka, Ignaz, beim GSp. Nr. 12 zu Josefstadt (Res.).
Lux, Julius, beim GSp. Nr. 2 in Wien (Res.).
Molnár, Benjamin, beim GSp. Nr. 19 zu Pressburg (Res.)
Dootz, Joseph, beim GSp. Nr. 22 zu Hermannstadt (Res.).
Bönisch, Emil, beim GSp. Nr. 6 zu Olmütz (Res.).
Tkacsik, Carl, beim GSp. Nr. 2 in Wien (Res.).
Specht, Ernst, beim GSp. Nr. 1 in Wien (Res.).
Dietl, Wilhelm, beim GSp. Nr. 3 zu Baden (Res.).
Schneider, Carl, beim IR. Nr. 11 (Res.).
Grasse, Paul, beim GSp. Nr. 13 zu Theresienstadt (Res.).
Jaksch v. Wartenhorst, Rudolph Ritt., beim GSp. Nr. 11 zu Prag (Res.).
Schindelka, Hugo, beim GSp. Nr. 5 zu Brünn (Res.).

Assistenz - Aerzte.

(Doctoren der Medicin etc.)

a) Assistenz-Aerzte in der Reserve.

Robicsek, Salomon, beim GSp. Nr. 3 in Baden.
Löbl, Sigmund, beim IR. Nr. 6.
Simon, Caspar, beim FJB. Nr. 31.
Davidovits, Moriz, beim IR. Nr. 5.
Knap, Franz. beim IR. Nr. 74.
Dondon Julius, beim GSp. Nr. 21 zu Temesvár.
Lederer, Carl Edl. v., beim IR. Nr. 27.
Wieselthier, Bernhard, beim IR. Nr. 9.
Wiesner, Johann, beim FJB. Nr. 24.
Spinner Robert, beim GSp. Nr. 7 zu Graz.
Hanff, Joseph, beim IR. Nr. 42.
Lévai, Ignaz, beim FJB. Nr. 28.
Nagy, Mathias, beim IR. Nr. 38.
Rednik, Joseph, beim IR. Nr. 63.
Dětak, Johann, beim Drag.-Reg. Nr. 1.
Juren, Eduard, beim IR. Nr. 25.
Kordik, Johann, beim IR Nr. 1.
Kovács, Albert, beim FJB. Nr. 23.
Gostynski, Joseph Ritt. v., beim IR. Nr. 30.
Held, Joseph, beim IR. Nr. 74.
Lisjak, Andreas, beim IR. Nr. 53.
Elischer, Reinhold, beim IR. Nr. 65.
Krausz, Benjamin, beim IR. Nr. 78.
Deutsch, Moriz, beim IR. Nr. 44.
Behányi de Beguntze, Eugen, beim IR. Nr. 78.
Grünwald, Jakob, beim GSp. Nr. 18 zu Komorn.
Gravisi, Pius de, GVK., beim IR. Nr. 22
Wozelka, Moriz, beim GSp. Nr. 12 zu Josephstadt.
Sárváry, Julius, beim IR. Nr. 39.
Pap, Samuel, beim IR Nr. 51.
Weiss, Carl, beim IR. Nr. 44.
Blau, Leopold, beim IR. Nr. 19.
Werner, Hermann, beim IR. Nr. 18.
Weiss, Samuel, beim GSp. Nr. 23 zu Agram.
Quirsfeld, Eduard, beim FJB. Nr. 24.
Szabo-Vári, Béla v., beim IR. Nr. 37.
Krazsonyi, Joseph, beim GSp. Nr. 17 zu Budapest.
Engel, Christian, beim GSp. Nr. 1 in Wien.
Vedress, Michael, beim GSp. Nr. 16 zu Budapest.
Grünwald, Hermann, beim Uhl.-Reg. Nr. 5.
Henne, Joseph, beim IR. Nr. 62.
Koch, Adolph, beim GSp. Nr. 20 zu Kaschau.
Takács, Alexander, beim IR. Nr. 66.
Károly, Julius, beim IR. Nr. 32.
Garan, Johann, beim GSp. Nr. 16 zu Budapest
Szervánszky, Adalbert, beim IR. Nr. 61.
Fischer, David, beim GSp. Nr. 2 in Wien.
Popovits, Georg, beim Husz.-Reg. Nr. 14.
Hacker, Stephan, beim Husz.-Reg. Nr. 10.
Manojlovics, Johann, beim FAB. Nr. 12.
Lerner, Philipp, beim IR. Nr. 68.
Rottenberg, Moriz, beim GSp. Nr. 15 zu Krakau.
Ptačnik, Franz, beim FJB. Nr. 18.
Mezey, Julius, beim IR. Nr. 23.
Vizi, Heinrich, beim IR. Nr. 48.
Rosenzweig, Joseph, beim IR. Nr. 70.
Szombathy, Ladislaus, beim GSp. Nr. 16 zu Budapest.
Zeizler, Ferdinand, beim Husz.-Reg. Nr. 6.
Gela, Franz, beim IR. Nr. 74.
Muraközy, Desiderius, beim GSp. Nr. 20 zu Kaschau.

Brunner, Coloman, beim Husz.-Reg. Nr. 13.
Hochmann, Heinrich, beim IR. Nr. 24.
Lichtmann, Heinrich, beim IR. Nr. 24.
Kempfner, Isaak, beim IR. Nr. 26.
Mrazek, Joseph, beim FJB. Nr. 12.
Kuthy, Alexius, beim IR. Nr. 33.
Stern, Jakob, beim IR. Nr. 39.
Hofbauer, Nikolaus, beim IR. Nr. 23.
Büchler, Philipp, beim IR. Nr. 34.
Singer, Heinrich, beim GSp. Nr. 19 zu Pressburg.
Strasser, Moriz, beim GSp. Nr. 21 zu Temesvár.
Reinitz, Adalbert, beim GSp. Nr. 3 zu Baden.
De Franceschi, Jakob, beim GSp. Nr. 9 zu Triest.
Daloli, Demade, beim Jäg.-Reg.
Largaioli, Richard, beim GSp. Nr. 10 zu Innsbruck.
Ruff, Joseph, beim GSp. Nr. 3 zu Baden.
Dorner, Adalbert, beim GSp. Nr. 16 zu Budapest.
Schwarz, Ignaz, beim IR. Nr. 68.
Ringenbach, Desiderius, beim GSp. Nr. 16 zu Budapest.
Čermák, Franz, beim GSp. Nr. 5 zu Brünn.
Troján, Alois, beim IR. Nr. 69.
Marchesini, Dominik, beim GSp. Nr. 9 zu Triest.
Kohn, Max, beim GSp. Nr. 15 zu Krakau.
Ferderber, Emil, beim Husz.-Reg. Nr. 7.
Erdély, Stephan, beim GSp. Nr. 16 zu Budapest.
Kenda, Joseph, beim IR. Nr. 22.
Institoris, Stephan v., beim Husz.-Reg. Nr. 5.
Eberstaller, Oskar, beim FJB. Nr. 10.
Hahn, David, beim IR. Nr. 2.
Bachschitz, Moriz, beim Husz.-Reg. Nr. 9.
Schwarz, Adolph, beim IR. Nr. 60.
Kajdacsy, Jakob, beim IR. Nr. 48.
Gere, Julius, beim IR. Nr. 38.
Zuska, Friedrich, beim IR. Nr. 47.
Fillinger, Franz, beim IR. Nr. 39.
Sor, Franz, beim IR. Nr. 46.
Beliczay Edl. v. Bellicz, Emerich, beim GSp. Nr. 16 zu Budapest.
Frater, Caspar, beim GSp. Nr. 21 zu Temesvár.
Neumann, Friedrich, beim GSp. Nr. 8 zu Laibach.
Zastiera, Joseph, beim GSp. Nr. 11 zu Prag.
Krauss, Franz, beim GSp. Nr. 11 zu Prag.
Bleier, Anton, beim Art.-Reg. Nr. 13.
Antalfy, Carl, beim GSp. Nr. 21 zu Temesvár.
Langmann, Joseph, beim IR. Nr. 69.
Flesch, Johann, beim GSp. Nr. 2 in Wien.
Kácser, Wilhelm, beim GSp. Nr. 19 zu Pressburg.
Zanoni, Anton, beim GSp. Nr. 10 zu Innsbruck.
Patzauer, Hermann, beim GSp. Nr. 1 in Wien.
Wölfel, Samuel, beim GSp. Nr. 19 zu Pressburg.
Foppa, Peter, GVK., beim GSp. Nr. 10 zu Innsbruck.
Ráczkevi, Joseph, beim GSp. Nr. 16 zu Budapest.
Bárány, Géza, beim IR. Nr. 23.
Váczy, Joseph, beim GSp. Nr. 21 zu Temesvár.
Biedermann, Adolph, beim GSp. Nr. 17 zu Budapest.
Jaksics, Ludwig, beim IR. Nr. 58.
Schwarz, Samuel, beim GSp. Nr. 16 zu Budapest.
Ghersa, Peter, beim GSp. Nr. 9 zu Triest.
Diamandy, Georg, beim IR. Nr. 63.
Hattyassy, Ludwig, beim IR. Nr. 29.
Falta, Ladislaus, beim GSp. Nr. 16 zu Budapest.
Winternitz, Anton, beim GSp. Nr. 17 zu Budapest.
Klatrobecz, Julius, beim GSp. Nr. 22 zu Hermannstadt.
Zakarias, Stephan, beim IR. Nr. 2.
Nagy de Regéczy, Emerich, beim IR. Nr. 24.
Nyiszly, Adolph, beim IR. Nr. 63.
Unger, Géza, beim IR. Nr. 50.
Osváth, Paul, beim IR. Nr. 62.
Weinstein, Armin, beim IR. Nr. 60.
Pogány de Cseby, Gregor, beim Husz.-Reg. Nr. 7.
Kirtz, Julius, beim IR. Nr. 31.
Frank, Martin, beim Uhl.-Reg. Nr. 4.
Fábik, Ludwig, beim GSp Nr. 16 zu Budapest.
Virág, Johann, beim IR. Nr. 31.
Barabás, Albert, beim LFC. Nr. 6 zu Hermannstadt.
Veress, Ludwig, beim FJB Nr. 23.
Schwartz, Ignaz, beim IR. Nr. 45.
Leitner, Ernst, beim IR. Nr. 29.
Hecht, Wilhelm, beim GSp. Nr. 22 zu Hermannstadt.
Krobicki, Thaddäus, beim IR. Nr. 55.
Schwarz, Samuel Isaak, beim GSp. Nr. 17 zu Budapest.

Rózsahegyi, Alfred, beim Husz.-Reg. 2.
Jordán, Franz, beim IR. Nr. 72.
Löwy, Joseph, beim GSp. Nr. 19 zu Pressburg.
Steiner, Adolph, beim GSp. Nr. 2 in Wien.
Lahmer, Gustav, beim GSp. Nr. 6 zu Olmütz.
Goldberg, Samuel, beim GSp. Nr. 23 zu Agram.
Hubert, Bernhard, beim IR. Nr. 65.
Collo, Joseph, beim Jäg.-Reg.
Lieszkovszky, Carl, beim GSp. Nr. 20 zu Kaschau.
Raab, Hermann, beim GSp. Nr. 3 zu Baden.
Ceyp, Joseph, beim FJB. Nr. 2.
Greisiger, Michael, beim GSp. Nr. 15 zu Krakau.
Lorinser, August, beim FJB. Nr. 14.
Ott, Conrad, beim IR. Nr. 52.
Końcowicz, Johann, beim GSp. Nr. 15 zu Krakau.
Bochner, Eduard, beim IR. Nr. 3.
Ullrich, Carl, beim IR. Nr. 36.
Perco, Jacob, beim GSp. Nr. 9 zu Triest.
Perco, Philipp, beim GSp. Nr. 9 zu Triest.
Kellner, Victor, beim GSp. Nr. 17 zu Budapest.
Tausz, Simon, beim FAB. Nr. 5.
Vecchi, Hyginus, beim GSp. Nr. 9 zu Triest.
Kovacs, Aaron, beim IR. Nr. 51.
Blažek, Jaroslav, beim GSp. Nr. 11 zu Prag.
Bayer, Franz, beim GSp. Nr. 11 zu Prag.
Schulek, Eugen, beim FAB. Nr. 1.
Uy, Coloman, beim GSp. Nr. 17 zu Budapest.
Lanyi, Ladislaus, beim IR. Nr. 39.
Stocklöw, Joseph, beim Drag.-Reg. Nr. 8.
Amreich, Isidor, beim GSp. Nr 8 zu Laibach.
Csaky, Carl, beim GSp. Nr. 16 zu Budapest.
Podhradsky, Wladimir, beim GSp. Nr. 7 zu Graz.
Polakovics, Edmund, beim GSp. Nr. 7 zu Graz.
Ofner, Robert, beim GSp. Nr. 4 zu Linz.
Kohn, Jakob, beim IR. Nr. 60.
Mandl, Moriz, beim GSp. Nr. 18 zu Komorn.
Fuchs, Franz, beim GSp. Nr. 15 zu Krakau.
Soltan, Carl, beim GSp. Nr. 6 zu Olmütz.
Reichenfeld, Marcus, beim GSp. Nr. 17 zu Budapest.
Horváth, Adalbert, beim GSp. Nr. 1 in Wien.
Patek, Johann, beim FJB. Nr. 1.
Eisler, Max, beim IR. Nr. 32.
Deutsch, Jakob, beim IR. Nr. 64.
Ney, Joseph, beim IR. Nr. 48.
Maurer, Julius, beim IR. Nr. 67.
Herzl, Philipp, beim IR. Nr. 70.

b) Präsent dienende Assistenz-Aerzte.

Stupnicki, Ladislaus, beim GSp. Nr. 1 in Wien.
Schiller, Wenzel, beim GSp. Nr. 11 zu Prag.
Szontag, Adolph, beim GSp. Nr. 22 zu Hermannstadt.
Kolbenheyer, Coloman, beim GSp. Nr. 16 zu Budapest.
Toth, Alexander, beim GSp. Nr. 22 zu Hermannstadt.
Hrycykiewicz, Wladimir, beim GSp. Nr. 1 in Wien.
Khindl, Joseph, beim GSp. Nr. 2 in Wien.

Subalterne Militär-Aerzte.

Oberwundärzte.

Waage, Willibald, beim VII. Inf.-Trup.-Div.- und Mil.-Comdo. zu Triest.
Demel, Joseph, bei der Pulver-Fabrik zu Stein.
Meixner, Franz, beim IR. Nr. 15.
Swoboda, Johann, beim FAB. Nr. 11.
Skrabal, Johann, GVK., beim Art.-Zeugs-Depot nächst Wr.-Neustadt.
Hietl, Joseph, beim IR. Nr. 66.
Gottwald, Anton, beim LFC. Nr. 1 in Wien.
Fiebiger, Franz, beim IR. Nr. 59.
Alexandrowicz, Joseph, beim IR. Nr. 24.
Petr, Johann, beim IR. Nr. 42.
Raab, Wenzel, beim IR. Nr. 3.
Schmidt, Christoph, beim FJB. Nr. 26.
Klor, Joseph, beim Gen.-Comdo. in Wien.

Beer, Johann, beim k. ung. Staats-Gestüts-Filiale zu Babolna.
Glaser, Philipp, beim IR. Nr. 25.
Hackenberg, Joseph, beim Mil.-Invalidenhause zu Prag.
Finkelstein, Wilhelm, beim IR. Nr. 55.
Fort, Wilhelm, beim IR. Nr. 8.
Mildner, Joseph, beim Mil.-Fuhrw.-Corps.
Quenot, Alois, beim IR. Nr. 77.
Singer, Paul, beim IR. Nr. 5.
Tuwora, Ignaz, beim IR. Nr. 12.
Zatlaukal, Johann, beim Mil.-Comdo. zu Hermannstadt.
Huth, Moses, beim IR. Nr. 8.
Mysłowski, Caspar, beim IR. Nr. 10.
Ullrich, Eduard, beim k. ung. Staats-Hengsten-Depot zu Nagy-Körös.
Eberth, Johann, beim IR. Nr. 7
Heling, Ferdinand, beim Drag.-Reg. Nr. 1.
Weczerka, Augustin, beim IR. Nr. 56.
Kiener, Georg, beim IR. Nr. 41.
Lipowsky, Johann, SVK. m. Kr., beim IR. Nr. 52.
Kugel, Joseph, beim Uhl.-Reg. Nr. 3.
Dočkal, Joseph, beim IR. Nr. 28.
Dollmann, Franz, beim IR. Nr. 54.
Heržum, Joseph, GVK. m. Kr., beim Uhl.-Reg. Nr. 13.
Schön, Adolph, beim IR. Nr. 73.
Muschinka, Anton, beim Mil.-Fuhrw.-Corps.
Syrowy, Joseph, beim IR. Nr. 39.
Matoschofsky, Johann, beim Drag.-Reg. Nr. 5
Hanisch, Anton, beim IR. Nr. 21.
Schlesinger, Bernhard, beim IR Nr. 40.
Fritsch, David, beim k. ung. Staats-Gestüte zu Mezöhegyes.
Walter, August, beim IR. Nr. 72 (WG.).
Waldbrunn, Carl, beim Pion.-Reg.
Kálan, Thomas, beim Art. Reg Nr. 6.
Martin, Johann, beim IR. Nr. 37.
Neubauer, Carl, beim IR. Nr. 4.
Dunkler, Anton, beim IR. Nr. 14.
Fetter, Johann, beim Genie-Reg Nr. 1.
Blech, Joseph, beim k. k. Staats-Hengsten-Depot zu Drohowyže.
Ruth, Anton, beim FJB. Nr. 11.
Winter, Franz, beim Mil.-Invalidenhause zu Tyrnau.
Lederer, Theodor, beim FJB. Nr. 14.
Waschek, Franz, beim Mil.-Invalidenhause zu Tyrnau.
Heim, Jakob, beim IR. Nr. 46.
Pecka, Friedrich, beim k. ung. Staats-Gestüte zu Fogaras.

Neugebauer, Franz, beim Mil.-Fuhrw.-Corps (WG.).
Beyer, Franz, beim IR. Nr. 33.
Wodak, Mathias, beim Art.-Reg. Nr. 1.
Plail, Johann, beim Husz.-Reg. Nr. 1.
Wanitzky, Ferdinand, bei der Art.-Zeugs-Comp. in Wien.
Kirchner, Edmund, beim Gen.-Comdo. zu Agram.
Huber, Johann, beim Mil.-Fuhrw.-Corps.
Bergmeister, Hermann, beim Jäg.-Reg.
Vognitz, Carl, beim Gen.-Comdo. zu Graz.
Freist, Joseph, beim Mil.-Invalidenhause in Wien.
Habrich, Johann, beim IR. Nr. 77.
Schmidt, Joseph, GVK., SVK. m. Kr., beim Husz.-Reg. Nr. 4.
Spitzner, August, beim IR. Nr. 74.
Neckermann, Franz, beim IR. Nr. 22.
Spanner, Anton, beim IR. Nr. 16.
Krempa, Joseph, beim Husz.-Reg. Nr. 6 (WG.).
Modlitba, Johann, beim Mil.-Fuhrw.-Corps.
Malitzky, Ludwig, beim Husz.-Reg. Nr. 3.
Höny, Friedrich, beim Art.-Reg. Nr 7.
Štěpán, Franz, beim IR. Nr. 79 (WG.).
Prskawetz, Joseph, beim IR. Nr. 60.
Eckel, Carl, beim IR. Nr. 78 (Res.).
Machan, Anton, beim IR. Nr. 72.
Giertler, Ignaz, beim FJB. Nr. 12.
Selig, Ignaz, beim IR. Nr. 69.
Just, Florian, beim IR. Nr. 4.
Balogh, Sigmund, beim Husz.-Reg. Nr. 16.
Szabo, Joseph, beim k. ung. Staats-Gestüte zu Mezöhegyes.
Katz, Salomon, beim IR. Nr. 20.
Petsics, Seraphin, beim IR. Nr. 6.
Iroffy, Georg, beim Mil.-Fuhrw.-Corps.
Buinoch, Eduard, beim Jäg.-Reg.
Stoll, Ignaz, ÖFJO-R., beim IR. Nr. 70.
Schmidt, Friedrich, beim Uhl.-Reg.Nr. 2.
Rosenbaum, Philipp, beim Uhl.-Reg. Nr. 11.
Wartak, Mathias, beim Uhl.-Reg. Nr. 1.
Sorm, Johann, beim Husz.-Reg. Nr. 5.
Gáspár, Alois, beim IR. Nr. 37.
John, Joseph, beim Husz.-Reg. Nr. 16.
Gastmüller, Hieronymus, beim IR. Nr. 79.
Gruber, Alexander, beim IR. Nr. 6.
Gugg, Joseph, beim Husz-Reg. Nr. 14.
Siegl, Joh., beim Drag.-Reg. Nr. 10 (WG.).
Bruna, Dionysius, beim IR. Nr. 58.
Dörrich, Johann, beim IR. Nr. 69.
Řehal, Johann, beim Mil.-Fuhrw.-Corps.
Ortmann, Alois, beim Drag.-Reg. Nr. 7 (WG.).

(Gedruckt am 22. December 1878.)

Peller, Heinrich, beim Drag.-Reg. Nr. 11.
Urbanetz, Adolph, beim Genie-Reg. Nr. 1.
Vlasák, Wenzel, beim IR. Nr. 53 (W.G.).
Kraus, Leopold, GVK., beim Husz.-Reg. Nr. 6.
Schwarzenbrunner, Carl, beim IR. Nr. 46.
Rauchenwald, Joh., beim Husz.-Reg. Nr. 10.
Schumacher, Carl, beim Mil.-Comdo zu Pressburg.
Hudeček, Wenzel, beim IR. Nr. 72.
Zitterbart, Alois, beim IR. Nr. 20.
Horak, Franz, beim IR. Nr. 32.
Popović, Alexander, beim FJB. Nr. 19.
Schäffler, Eduard, beim Drag.-Reg. Nr. 12.
Žabokrtský, Johann, beim Art.-Reg. Nr. 6.
Kustar, Ludwig, beim Art.-Reg. Nr. 5.
Kropsch, Alexander, Dr. der Med., beim Mil.-Fuhrw.-Corps.
Ertl, Franz, beim IR. Nr. 52.
Krall, Hermann, GVK., beim Uhl.-Reg. Nr. 8.
Seethaler, Rudolph, beim FJB. Nr. 4.
Nick, Moses, GVK., beim IR. Nr. 68.
Riedl, Alexander, beim IR. Nr. 16.
Günsberg, Osias, beim Art.-Reg. Nr. 11.

Unterärzte.

Schweiger, August, beim IR. Nr. 43. (Res.).
Skaloud, Wenzel, beim GSp. Nr. 14 zu Lemberg (Res.).
Sedlak, Joseph, beim Husz.-Reg. Nr. 1 (Res.).
Dollereder, Friedrich, beim IR. Nr. 78 (WG.).
Pavliczek, Peter, GVK. m. Kr., beim IR. Nr. 61 (Res.).
Stech, Carl, beim Mil.-Fuhrw.-Corps.
Wolf, Johann, beim Jäg.-Reg. (Res.).
Rotter, Gabriel, beim FJB. Nr. 5 (Res.).
Schmidt, Franz, beim GSp. Nr. 1 in Wien (Res.).
Turek, Carl, beim IR. Nr. 79 (WG.).
Hanke, Joseph, GVK., beim GSp. Nr. 21 zu Temesvár (Res.).
Ezelsdorfer, Friedrich, beim FAB. Nr. 9 (Res.).
Wotschinka, Joseph, beim IR. Nr. 38.
Žilak, Heinrich, beim Husz.-Reg. Nr. 2.
Müller, Carl, beim IR. Nr. 76 (Res.).
Weldamon, Johann, beim IR. Nr. 16 (Res.).
Szikes, Ludwig, beim IR. Nr. 2 (WG.).
Blank, Emanuel, beim Drag.-Reg. Nr. 8.
Schöps, Bernhard, beim Mil.-Fuhrw.-Corps.
Krist, Theodor, beim Mil.-Fuhrw.-Corps.
Farsang, Paul, beim Mil.-Fuhrw.-Corps.
Schuba, Augustin, beim IR. Nr. 69 (WG.).
Motz, Carl, beim IR. Nr. 76 (Res.).
Felber, August, beim Art.-Reg. Nr. 12 (Res.).
Hroch, Franz, beim IR. Nr. 51.
Wejdowsky, Franz, beim Mil.-Comdo. zu Temesvár.
Kiesewetter, Hermann, beim Uhl.-Reg. Nr. 12.
Rieger, Hugo, beim IR. Nr. 26.
Hanus, Franz, beim IR. Nr. 23 (Res.).
Klotz, Joseph, beim FJB. Nr. 8 (Res.).
Silbermann, Isaak, beim IR. Nr. 58 (Res.).
Török, Franz, beim Art.-Reg. Nr. 3 (Res.).
Hudetz, Jakob, beim IR. Nr. 54 (Res.).
Grün, Simon, beim IR. Nr. 39 (Res.).
Kraup, Moriz, beim GSp. Nr. 8 zu Laibach (Res.).
Machan, Johann, beim FJB. Nr. 21 (Res.).
Zastiera, Ferdinand, beim IR. Nr. 1 (Res.).
Heinzl, Carl, beim GSp. Nr. 13 zu Theresienstadt (Res.).
Wichtl, Joh., beim GSp. Nr. 3 zu Baden (Res.).
Brandstaetter, Robert, beim GSp. Nr. 2 in Wien (Res.).
Kröll, Ferdinand, beim GSp. Nr. 4 zu Linz (Res.).
Menne, Erhard, beim GSp. Nr. 7 zu Graz (Res.).
Kouff, Carl, beim GSp. Nr. 1 in Wien (Res.).
Melzer, Anton, beim GSp. Nr. 3 zu Baden (Res.).
Harschetzky, Heinrich, beim FJB. Nr. 3 (Res.).
Reisima, Johann, beim GSp. Nr. 2 in Wien (Res.).
Baktsi, Dominik, beim IR. Nr. 65 (Res.).
Uiberall, Julius, beim GSp. Nr. 4 zu Linz (Res.).
Dostal, Johann, beim IR. Nr. 53 (Res.).
Sorger, Joseph, beim IR. Nr. 15 (Res.).
Sterneder, Joseph, beim GSp. Nr. 2 in Wien (Res.).
Knoll, Anton, beim GSp. Nr. 4 zu Linz (Res.).
Piller, Leonhard, beim GSp. Nr. 7 zu Graz (Res.).
Aufischer, Joseph, beim GSp. Nr. 1 in Wien (Res.).
Baar, Carl, beim GSp. Nr 11 zu Prag (Res.).
Schramm, Joseph, beim GSp. Nr. 4 zu Linz (Res.).
Kabelka, Georg, beim GSp. Nr. 1 in Wien (Res.).

Lhotzky, Peter, beim GSp. Nr. 6 zu Olmütz (Res.).
Wörgartner, Rudolph, beim GSp. Nr. 4 zu Linz (Res.).
Mejer, Johann, beim IR. Nr. 54 (Res.).
Kortschak, Rupert, beim GSp. Nr. 8 zu Laibach (Res.).
Hillebrand, Joseph, beim GSp. Nr. 10 zu Innsbruck (Res.).
Hirsch, Lazar, beim IR. Nr. 63 (Res.).
Illics, Johann, beim Uhl.-Reg. Nr. 12 (Res.).
Barth, Victor, beim IR. Nr. 27 (Res.).
Helmberger, Franz, beim Drag.-Reg. Nr. 4 (Res.).
Kroegler, Johann, beim IR. Nr. 45 (Res.).
Sajgó, Gustav, beim GSp. Nr. 17 zu Budapest (Res.).
Kronberger, Ludwig, beim GSp. Nr. 2 in Wien (Res.).
Unterweger, Peter, beim Husz.-Reg. Nr. 14 (Res.).
Walch, Ernst, beim IR. Nr. 14 (Res.).
Grüll, Franz, beim IR. Nr. 7 (Res.).
Krainc, Simon, beim GSp. Nr. 23 zu Agram (Res.).
Berka, Anton, beim GSp. Nr. 5 zu Brünn (Res.).
Weichselbaumer, Georg, beim GSp. Nr. 4 zu Linz (Res.).
Wessely, Anton, GVK., beim Art.-Reg. Nr. 12.

Hut mit schwarzem Federbusch, lichtblauer Waffenrock mit Kragen und Aufschlägen von schwarzem Sammt, scharlachrothem Passepoil und gelben glatten Knöpfen, blaugraue Pantalon mit scharlachrothem Passepoil, Mantel blaugrau.

Truppen-Rechnungsführer-Officiers-Corps.

Hauptleute-Rechnungsführer erster Classe.

Stenzl, Joseph, beim GSp. Nr. 18 zu Komorn.
Werner, Anton, beim IR. Nr. 73, (WG.).
Zgoda, Franz, beim Garn.-Transportshause zu Hermannstadt.
Demus, Franz, beim IR. Nr. 49.
Michalek, Ferdinand, beim IR. Nr. 28.
Eckelt, Wenzel, beim GSp. Nr. 13 zu Theresienstadt.
Spaček, Franz, beim Husz.-Reg. Nr. 13.
Bielik, Johann, beim LFC. Nr. 3 zu Prag.
Fetter, Lucas, beim IR. Nr. 6.
Flor, Johann, beim GSp. Nr. 11 zu Prag.
Schaller, Joseph, ÖFJO.-R., beim IR. Nr. 54.
Sigmund, Michael, beim IR. Nr. 20.
Hepp, Johann, beim Garn.-Transporthause zu Budapest.
Wessely, Jakob, beim IR. Nr. 74.
Winter, Engelbert, beim IR. Nr. 8.
Tomanek, Wilhelm, FAB. Nr. 4.
Breitfelder, Andreas, beim Mil.-Invalidenhause in Wien.
Khu, Maximilian, beim GSp. Nr. 7 zu Graz.
Staffel, Johann, beim Art.-Reg. Nr. 2.
Weixelberger, Johann, beim LFC. Nr. 1 in Wien.
Seitner, Moriz, beim IR. Nr. 14.
Zubrzycki, Nikolaus v., beim GSp. Nr. 16 zu Budapest.
Richter, Michael, beim Art.-Zeugs-Depot zu Prag.
Bischitzky, Theodor, beim Art.-Reg. Nr. 5.
Selinger Carl, beim Monturs-Filial-Depot zu Jaroslau (WG.).
Kromp, Eberhard, beim R.-Kriegs-Mstm.
Millivojević, Michael, beim IR. Nr. 48.
Clemens, Carl, beim Monturs-Depot Nr. 2 zu Budapest.
Jannochna, Johann, beim IR. Nr. 77.
Hauser, Constantin, bei der Mil.-Straf-Anstalt zu Möllersdorf (WG.).
Stahl, Rudolph, im mil.-geogr. Inst.
Mühln, Franz, im Mil.-Thier-Arznei-Inst.
Stúlik, Johann, beim Drag.-Reg. Nr. 1.
Borsky, Franz, beim IR. Nr. 75.
Ptačowsky, Joseph, beim IR. Nr. 50.
Mayr, Sebastian, beim GSp. Nr. 10 zu Innsbruck.
Krähl, Ferdinand, beim IR. Nr. 64.
Piotrowitz, Cajetan, beim IR. Nr. 56.
Schreinzer, Johann, beim FAB. Nr. 3.
Eberle, Ludwig, beim Pion.-Reg.
Topolković, Michael, beim Art.-Reg. Nr. 8.
Stěpánek, Joseph, beim IR. Nr. 11 (WG.).
Forstner, Andreas, beim IR. Nr. 15.
Andorfer, Anton, beim IR. Nr. 22.
Köcher, Wenzel, beim IR. Nr. 57.
Schulhof, Johann, beim k. ung. Staats-Gestüte zu Mezőhegyes.
Kříž, Joseph, beim IR. Nr 35.
Mačych, Joseph, beim IR. Nr. 33.
Preisinger, Franz, beim FAB. Nr. 10.
Kaube, Ludwig, beim Drag.-Reg. Nr. 5.
Ogieglo, Johann, beim IR. Nr. 58.
Wittmann, Franz, beim IR. Nr. 30.
Hofmann, Florian, beim IR. Nr. 76.
Madrý, Maximil., beim GSp. Nr. 1 in Wien.
Sedlmayer, Michael, beim IR. Nr. 7.
Kalina, Prokop, beim LFC. Nr. 4 zu Budapest.
Schara, Carl, beim IR. Nr. 59.
Zdunić, Nikolaus v., beim IR. Nr. 47 (WG.).
Kobay, Johann, beim IR. Nr. 43.
Herzmanek, Leon, beim GSp. Nr. 14 zu Lemberg.
Hess, Johann, beim Uhl.-Reg. Nr. 3.
Scheinbogen, Coloman, beim IR. Nr. 27.
Dreschowitz, Joseph, beim IR. Nr. 30.
Dűrszon, Johann, beim FAB. Nr. 5.
Eisenhut, Vincenz, beim k. ung. Staats-Gestüte zu Kisbér.
Lubas, Andreas, beim LFC. Nr. 2 zu Graz.
Machula, Adolph, beim GSp. Nr. 20 zu Kaschau.
Perschmann, Carl, beim FJB. Nr. 10.
Straić, Živko, beim Drag.-Reg. Nr. 12.
Zelinka, Liborius, beim IR. Nr. 1.
Dietl, Johann, beim IR. Nr. 73.
Balzai, Joseph, beim GSp. Nr. 8 zu Laibach.
Mauczka, Richard, beim Fest.-Spital zu Cattaro.

Gallatz, Martin, beim Garn.-Transportshause zu Olmütz.
Brosch, Anton, beim Garn.-Transportshause zu Lemberg.
Stumpf, Johann, beim IR. Nr. 18.
Löwenstein, Albert, beim IR. Nr. 17.
Knapp, Eduard, beim Art.-Reg. Nr. 6.
Preisler, Adolph, beim Art.-Reg. Nr. 11.
Maresch, Franz, beim IR. Nr. 35.
Heinz, Eduard, beim k. ung. Staats-Hengsten-Depot zu Debreczin.
Schmitt, Eduard, beim IR. Nr. 68.
Hocher, Franz, beim FAB. Nr. 8.
D'Albini, Heinrich, beim IR. Nr. 51.
Richter, August, beim IR. Nr. 26.
Bleak, Joseph, beim GSp. Nr. 2 in Wien.
Ocasek, Johann, beim FJB. Nr. 20.
Petermann, Jakob, beim GSp. Nr. 22 zu Hermannstadt.
Dubina, Carl, beim IR. Nr. 45.
Werner, Gustav, beim IR. Nr. 39.
Lovašen, Balthasar, beim IR. Nr. 79.
Högg, Alois, beim IR. Nr. 36.
Marchand, Anton, beim Garn.-Transportshause in Wien.
Bach, Carl, beim IR. Nr. 54.
Braut, Franz, beim IR. Nr. 23.
Krusbersky, Peter, beim IR. Nr. 38.
Körner, Wilhelm, beim IR. Nr. 19.
Kotzourek, Johann, beim Garn.-Transportshause zu Prag.
Muntyan, Johann, beim IR. Nr. 46.
Helbig, Carl, beim IR. Nr. 42 (WG.).
List, Joseph, beim IR. Nr. 7.
Gilnreiner, Leopold, beim IR. Nr. 37.
Gindra, Anton, beim Garn.-Transportshause zu Triest.
Krokay, Carl, beim FJB. Nr. 32.
Czermak, Ferdinand, beim IR Nr. 32.
Kaplanek, Conrad, beim FAB. Nr. 1[illegible].
Wawrosch, Rudolph, beim IR. Nr. 1.
Buda, Wilhelm, beim k. k. Staats-Hengsten-Depot zu Graz.
Stöger, Carl, beim Jäg.-Reg.
Cutz, Johann, beim IR. Nr. 78.
Kalitovits, Franz, beim FJB. Nr. 22.
Hofrichter, Jakob, beim FJB. Nr. 18.
Hofmann, Julius, beim Art.-Reg. Nr. 3.
Amann, Thaddäus, beim IR. Nr. 2.
Riezberger, Joseph, beim IR. Nr. 40.
Tuškan, Michael, beim IR. Nr. 9.
Ráski, Friedrich, beim IR. Nr. 44.
Böhm, Wenzel, beim Art.-Reg. Nr. 12.
Bielik, Joseph, beim GSp. Nr. 15 zu Krakau.
Witkowicki des Wappens Dołęga, Victor Ritt. v., beim IR. Nr. 62.
Lalić, Johann, beim Mil.-Invalidenhause in Lemberg.
Bancsov, Eduard, beim IR. Nr. 43.
Sturm, Anton, beim Monturs-Depot Nr. 1 zu Brünn.
Cvitaš, Johann, beim FAB. Nr. 12.
Smoiver, Gregor, beim Art.-Reg. Nr. 3.
Steinbach, Leo, beim IR. Nr. 13.
Gerke, Carl, bei der Art.-Zeugs-Comp.
Mik, Demeter, beim IR. Nr. 70.
Müller, Eduard, beim Pion.-Reg.
Sekulić, Stephan, beim IR. Nr. 16.
Jerg, Heinrich, beim Art.-Zeugs-Depot in Wien.
Engel, Wilhelm, beim Drag.-Reg. Nr. 11.
Bobies, Edmund, beim GSp. Nr. 3 zu Baden.
Speckart, Anton, beim GSp. Nr. 19 zu Pressburg.
Jakob, Joseph, beim FJB. Nr. 11.
Nun, Anton, beim IR. Nr. 51.
Bachler, Franz, beim Art.-Zeugs-Depot zu Budapest.
Koch, Alexander, beim Monturs-Fil.-Depot zu Jaroslau.
Wellean, Georg, beim IR. Nr. 69.
Mischier, Georg, MVK. (KD.), beim FJB. Nr. 7.
Zwanziger, Ludwig, beim Art.-Zeugs-Depot zu Graz
Garreiss, Theodor, beim Monturs-Depot Nr. 4 in Wien.
Vuičić, Nikolaus, beim Art.-Reg. Nr. 1.
Kuzminović, Mathias, beim Pion.-Reg.
Novaković, Joseph, beim IR. Nr. 60.

Hauptleute-Rechnungsführer zweiter Classe.

Hillner, Franz, beim Monturs-Depot Nr. 3 zu Graz (WG.).
Mayer, Ignaz, beim IR. Nr. 42.
Tonković, Joseph, beim Feld-Spital Nr. XV.
Kugel, Marcus, beim IR. Nr. 80.
Winkler, Anton, beim IR. Nr. 61.
Baumann, Carl, beim FJB. Nr. 8.
Pinter, Michael, beim GSp. Nr. 23 zu Agram.
Poppe, Moriz, beim GSp. Nr. 17 zu Budapest.
Lodgman v. Auen, Carl Ritt., beim IR. Nr. 11.
Rohr, Joseph, beim Uhl.-Reg. Nr. 7.
Huwer, Mathias, beim IR. Nr. 37.

Kundt, Heinrich, beim FJB. Nr. 24.
Scheuch, Eduard, beim LFC. Nr. 5 zu Lemberg.
Pagliaruzzi, Sigmund, beim k. croat.-slavonischen Hengsten-Depot zu Warasdin.
Götze, Vincenz, beim GSp. Nr. 5 zu Brünn.
Jagar, Michael, beim Artill.-Reg Nr. 5.
Nowáczek, Mathias, beim Artill.-Zeugs-Depot zu Triest.
Wolf, Carl, beim Husz.-Reg. Nr. 5.
Fischer, Jakob, beim Art.-Reg. Nr. 11.
Berger, Joseph, beim Monturs-Depot Nr. 1. zu Brünn.
Staszkiewicz, Alexand., beim Genie-Reg.Nr.2.
Dobertsberger, Joseph, beim IR. Nr. 12.
Lubieniecki, Leo, beim Husz.-Reg. Nr. 7.
Hoynigg, Maxim., beim FJB. Nr. 27.
Zolkiewicz, Laurenz, beim IR. Nr. 29.
Höller, Franz, MVK. (KD.), O 2. beim GSp. Nr. 4 zu Linz.
Dublowski, Sigmund, beim IR. Nr. 38.
Sweržina, Anton, beim k. k. Staats-Hengsten-Depot zu Klosterbruck.
Tomić, Carl, beim IR. Nr. 53.
Strnad, Joseph, beim Art.-Reg. Nr. 1.
Parsche, Joseph, beim FJB. Nr. 28.
Froehlich, Ludwig, bei der Mil.-Straf-Anstalt zu Möllersdorf.
Miekota, Ludwig, beim Art.-Reg. Nr. 7.
Ender, Carl, beim IR. Nr. 49.
Konečni, Leopold, beim IR. Nr. 31.
Mykulik, Anton, beim Garn.-Transportshause zu Brünn.
Turek, Peter, beim IR. Nr. 10.
Neustein, Franz, beim IR. Nr. 74.
Powondra, Gustav, beim FJB. Nr. 13.
Jachimowski, Jakob, zug. beim Gen.-Comdo. zu Serajevo.
Czillmann, Anton, beim IR. Nr. 47.
Wiedemann, Augustin, beim IR. Nr. 21.
Susa, Jakob, beim IR. Nr. 34.
Reicher, Emil, beim IR. Nr. 55.
Fibiger, Augustin, im techn. u. adm. Mil.-Comité.
Wolf, Anton, beim Husz.-Reg. Nr. 4.
Kaps, Peter, beim IR. Nr. 65 (WG.).
Jaschek, Johann, beim IR. Nr. 31
Sontag, Ignaz, beim Husz-Reg. Nr. 10.
Gallhofer, Anton, beim IR. Nr. 33.
Sokoll, Joseph, beim IR. Nr. 72.
Böhm, Adolph, beim Jäg.-Reg.
Schönhammer, Alois, beim Drag.-Reg. Nr. 7.
Polanecky, Moriz, beim IR. Nr. 69.
Haponowicz, Justin, beim Monturs-Depot Nr. 3 zu Graz.
Janotta, Franz, beim Drag.-Reg. Nr. 3.
Rosenheim, Hugo, beim GSp. Nr. 9 zu Triest.
Heger, Gustav, O 2., beim Art.-Reg. Nr. 10.
Weixelberger, Franz, beim Husz.-Reg. Nr. 16.
Hajek, Ignaz, beim Drag.-Reg. Nr. 8.
Czappek, Wilhelm, beim IR. Nr. 55.
Kračmar, Franz, beim Art.-Reg. Nr. 2.
Zuckrigl, Franz, beim IR. Nr. 10.
Deuster, Emanuel, beim FJB. Nr. 9.
Patrčka, Johann, beim FAB. Nr. 1.
Bauer, Georg, beim Mil.-Invalidenhause zu Tyrnau.
Rösch, Joseph, beim IR. Nr. 76.
Truxes, Richard, beim IR. Nr. 3.
Macher, Joseph, beim Monturs-Filial-Depot zu Jaroslau.
Nikolić, Andreas, beim Husz.-Reg. Nr. 6.
Rupp, Georg, beim Uhl.-Reg. Nr. 5.
Went, Guido, SVK. m. Kr., beim FJB. Nr. 21 (ü. c.) zug. dem Gen.-Comdo. zu Serajevo.
Schöhr, Abraham, beim Art.-Reg. Nr. 11.
Meisner, Anton, beim Monturs-Depot Nr. 1 zu Brünn.
Blazowski, Caspar Ritt. v., beim IR. Nr. 14.
Wieden, Joh., beim GSp. Nr. 21 zu Temesvár.
Stumpfi, Joseph, beim FJB. Nr. 23.
Frind, Carl, beim Genie-Reg. Nr. 1.

Oberlieutenant-Rechnungsführer.

Wulisić, Basilius, beim Art.-Reg. Nr. 13.
Goldenthal, Maximilian, beim Art.-Reg Nr. 7.
Frank, Joseph, beim FAB. Nr. 6.
Hörler, Rudolph, beim Uhl.-Reg. Nr. 2.
Schwartz, Georg, beim IR. Nr. 12.
Grohmann, Anton, beim Drag. Reg. Nr. 4.
Jeschinn, Alois, beim IR. Nr. 68.
Fuchsberger, Franz, beim FAB. Nr. 7.
Horrak, Franz, beim Monturs-Depot Nr. 3 zu Graz.
Meissl, Joseph, MVK. (KD.), beim Feld-Spital Nr. III.
Reska, Joseph, beim Husz.-Reg. Nr. 11.
Berger, Hugo, beim Monturs-Depot Nr. 4 in Wien.
Pichler, Alois, beim Genie-Reg. Nr. 2.
Gedrowitsch, Albert, beim Monturs-Filial-Depot zu Carlsburg.
Havel, Anton, beim IR. Nr. 26.
Röhmer, Alphons, beim Art.-Reg. Nr. 9.
Glossner, Joseph, bei der Art.-Zeugs-Fabrik.

Sporner, August, beim IR. Nr. 62 (Res.).
Feichtinger, Joseph, beim Husz.-Reg. Nr. 15.
Doležal, Ludwig, beim IR. Nr. 61, (WG.).
Káš, Simeon, beim FJB. Nr. 6.
Nouschak, Franz, beim Jäg.-Reg.
Steidl, Hermann, beim IR. Nr. 24.
Churawy, Carl, beim FJB. Nr. 31.
Schnattinger, Carl, beim IR. Nr. 13.
Stangl, Arnold, beim Jäg.-Reg.
Schneider Edl. v. Manns-Au, Anton, beim IR. Nr. 73.
Abele, Franz, beim IR. Nr. 4.
Berg, Franz, beim Genie-Reg. Nr. 1.
Jaroschka, Ferdinand, beim Monturs-Depot Nr. 1 zu Brünn.
Walter, Joseph, beim Monturs - Depot Nr. 1 zu Brünn.
Berger, Joseph, beim GSp. Nr. 6 zu Olmütz.
Kemenović, Carl, beim IR. Nr. 77.
Nückerl, Carl, beim IR. Nr. 29.
Grek, Nikolaus, beim IR. Nr. 53.
Schifter, Emil Ritt. v., beim FJB. Nr. 14.
Hammer, Carl, beim IR. Nr. 67.
Möder, Hugo, beim Husz.-Reg. Nr. 9.
Bergkessel, Raimund, beim IR. Nr. 17.
Dittrich, Bernhard, beim GSp. Nr. 12 zu Josephstadt.
Salzer, Franz, beim IR. Nr. 60.
Reich, Heinrich, beim IR. Nr. 6.
Höllrigl, Johann, beim IR. Nr. 20.
Schwarz, Leopold, beim IR. Nr. 4.
Kuhn, Adolph, beim Uhl.-Reg. Nr. 8.
Muthsam, Joseph, beim Genie-Reg. Nr. 2.
Egerer, Johann, beim Drag.-Reg. Nr. 10.
Hausner, Adolph, beim IR. Nr. 5.
Niedermayer, Mathias, ○ 1., beim Art.-Reg. Nr. 4.
Jaworsky, Valerian v., beim FJB. Nr. 5.
Zrębowicz, Johann, beim IR. Nr. 24.
Zeiler, Franz, beim IR. Nr. 66.
Wessely, Franz, beim IR. Nr. 9 (ü. c.) zug. der Mil.-Intdtr.
Pelikán, Leopold, beim IR. Nr. 23.
Pacowský Joseph, beim IR. Nr. 45 (ü. c.) zug. der Mil.-Intdtr.
Böhm, Franz, beim k. k. Staats-Hengsten-Depot zu Drohowyže.
Christen, Alois, beim IR. Nr. 52.
Kaudela, Thomas, beim IR. Nr. 47.
Fischer, Alexander, beim Uhl.-Reg. Nr. 4.
Klieber, Anton, beim FAB. Nr. 9.
Wais, Mathias, beim IR. Nr. 36.
Haller, Carl, beim IR. Nr. 32.
Jersche, Johann, beim Art.-Reg. Nr. 6.
Iwanicki, Joseph, beim IR. Nr. 15.
Gamauf, Carl, beim Art.-Zeugs-Depot zu Olmütz.
Löscher, Peter, beim IR. Nr. 63.
Geller, David, beim IR. Nr. 57.
Poborsky, Joseph, beim k. k. Staats-Hengsten-Depot zu Stadl.
Guldan, Stanislaus, ○ 2., beim Art.-Reg. Nr. 6.
Nemeczek, Wenzel, beim Art.-Reg. Nr. 10.
Maister, Vincenz, beim Art.-Reg. Nr. 13.
Wazal, Wilhelm, beim Pion.-Reg.
Bernitt, Anton, beim Drag.-Reg. Nr. 2.
Tögl, Carl, beim IR. Nr. 41.
Regula, Ludwig, beim IR. Nr. 64.
Szabović, Anselm, beim IR. Nr. 9.
Haglauer, Carl, beim FJB. Nr. 15.
Faltin, Franz, SVK., beim Uhl.-Reg. Nr. 11.
Stojanović, Sima, beim IR. Nr. 61.
Milosavljević, Mathias, beim Garn.-Transportshause zu Krakau.
Marcinković, Johann, beim Art.-Reg. Nr. 8.
Vukovac, Joseph, beim IR. Nr. 63.
Faltis, Franz, beim k. k. Staats-Hengsten-Depot zu Prag.
Delić, Gedeon, beim Husz.-Reg. Nr. 14
Kovačević, Nikolaus, beim IR. Nr. 71.
Petrović, Franz, beim Art.-Reg. Nr. 8.
Markus, Ludwig, beim IR. Nr. 71.
Nolli, Vincenz, beim Husz.-Reg. Nr. 1.
Kirchhofer, Franz, beim IR. Nr. 34.
Prohaska, Wenzel, beim IR. Nr. 27.
Glasner, Johann, beim IR. Nr. 39.
Chocholausch, Johann, beim Art.-Reg. Nr. 5.
Bielina, Johann, ○ 2., beim IR. Nr. 75.
Burian, Johann, beim IR. Nr. 62.
Kozell, Franz, beim Drag.-Reg. Nr. 14.
Dertzmanek, Paul, ⊙, beim IR. Nr. 2.
Serafinski, Ferdinand, beim IR. Nr. 56.
König, Carl, beim Art.-Zeugs-Depot nächst Wr.-Neustadt.
Petrović, Basilius, beim IR. Nr. 16 (WG.).
Millovanović, Theodor, beim Jäg.-Reg.
Eckert, Augustin, beim IR. Nr. 50.
Pokorny, Alois, beim IR. Nr. 5.
Meder, Gustav, beim Mil.-Invalidenhause zu Prag.
Reicher, Friedrich, beim Art.-Reg. Nr. 2.
Neumann, Franz, beim Art.-Reg. Nr. 1.
Schneider, Franz, beim Art.-Reg. Nr. 7.
Merkl, Heinrich, beim IR. Nr. 40.
Sladeczek, Johann, beim Monturs-Depot Nr. 3 zu Graz (WG.).
Bondi, Joseph, beim Art.-Reg. Nr. 3.
Korittnig, Maximilian, beim Art.-Reg. Nr. 12.
Baudisch, Johann, beim IR. Nr. 25.
Richter, Carl, bei der Art.-Zeugs-Fabrik.

Kühnel, Wenzel, beim FJB. Nr. 3.
Schreiber, Cosmas, beim Art.-Reg. Nr. 11.
Lamina, Franz, beim Art.-Zeugs-Depot zu Komorn.
Giessauf, Ignaz, beim IR. Nr. 72.
Salamon, Alexander, beim FJB. Nr. 29.
Baar, Rudolph, beim Uhl.-Reg. Nr. 1.
Nowák, Johann, beim IR. Nr. 59.
Gerhart, Rudolph, beim Art.-Reg. Nr. 13.
Pszczelnik, Cyrill, beim IR. Nr. 65.
Herzog, Carl, beim IR. Nr. 18.
Fodor, Rudolph, beim Monturs-Depot Nr. 3, zu Graz.
Schwarz, Oswald, beim IR. Nr. 8.
Smreker, Heinrich, beim IR. Nr. 48.
Muthsam, Franz, beim Art.-Reg. Nr. 10.
Magdić, Joseph, beim FJB. Nr. 33.
Pflanzer, Lambert, beim Monturs-Depot Nr. 2 zu Budapest.
Willvonseder, Johann, beim Art.-Reg. Nr. 4.
Priviczer, Georg, beim Husz.-Reg. Nr. 12.
Kupeczek, Adolph, beim IR. Nr. 70.
Krause, Johann, beim IR. Nr 23
Deicher, Carl, beim Drag.-Reg. Nr. 13.
Stütz, Joseph, beim Art.-Reg. Nr. 9.
Čuić, Theodor, beim Husz.-Reg. Nr. 3.
Toscani, Joseph, beim Uhl.-Reg. Nr. 6.
Doerfler, Stanislaus, beim Uhl.-Reg. Nr. 13.
Smrczka, Anton, beim IR. Nr. 19.
Krajiček, Alois, beim Mil.-Invalidenhause zu Tyrnau.
Uher, Thaddäus, beim IR. Nr. 46 (WG.).
Strassberg, Leo, beim FJB. Nr. 30
Slach, Joseph, beim IR. Nr. 38.
Hayder, Robert, beim Drag.-Reg. Nr. 9.
Colombana, Johann, ○ 1., beim IR. Nr. 6.
Vinzl, Joseph, beim k. ung. Staats-Gestüte zu Fogaras.
Pervuliev, Alexander, beim IR. Nr. 52.
Veress, Johann, beim Husz.-Reg. Nr. 15.
Frühbeck, Vincenz, beim Husz.-Reg. Nr. 8.
Kwiatkowski, Franz, beim IR. Nr 26.
Horvath, Andreas, beim k. ung. Staats-Hengsten-Depot zu Stuhlweissenburg.
Lacher, Franz, beim Art.-Reg. Nr. 7.
Pejesko, Vincenz, beim FJB. Nr. 2.
Seipelt, Joseph, beim IR. Nr. 3.
Jerschin, Anton, beim FJB. Nr. 12.
Janiszkiewicz, Nicodemus, beim IR. Nr. 21.
Gullan, Paul, beim Art.-Reg. Nr. 3.
Nędziński, Ignaz, beim IR. Nr. 63.
Schneider, Johann, beim Husz.-Reg. Nr. 2.
Hauser, Alois, beim IR. Nr. 66.
Seiwald, Richard, beim FJB. Nr. 19.
Völlik, Matthäus, beim GSp. Nr. 23 zu Agram (zug. dem Reserve-Spitale zu Fiume).
Pap Edl. v. Tövis, Joseph, beim IR. Nr. 73.
Schwenzner, Johann, beim IR. Nr. 42.
Chyle, Franz, beim Art.-Reg. Nr. 5.
Völk, Franz, beim FJB. Nr. 25.
Berkopatz, Mich., ○ 2., beim Uhl.-Reg. Nr 12.
Wawra, Joseph, beim IR. Nr. 28.
Skrivan, Anton, beim FJB. Nr. 11.
Gjurković, Theodor, beim IR. Nr. 32.
Heim, Sigmund, beim FJB. Nr. 16.
Höllrigl, Anton, beim Monturs-Depot Nr. 1 zu Brünn.
Torczyński, Anton, beim IR. Nr. 58.
Toman, Johann, beim LFC. Nr. 6* zu Hermannstadt.
Jopek, Peter, im mil.-geogr. Inst.
Ružička, Johann, beim IR. Nr. 67.
Back, Leopold, beim IR. Nr. 31.

Lieutenant-Rechnungsführer.

Milka, Franz, beim LFC. Nr. 1 in Wien (WG.).
Ledl, Anton, beim FJB. Nr. 21.
Nimmerfall, Jos., beim Uhl.-Reg. Nr. 13 (WG.).
Cernek, Franz, beim IR. Nr. 27.
Mössenbichler, Joseph, beim Art.-Reg. Nr. 6.
Rejchrt, Johann, beim IR. Nr. 52.
Lötz, Franz, beim Monturs-Depot Nr. 1 zu Brünn.
Roknić, Peter, beim IR. Nr. 27.
Kreismann, Adolph, beim IR. Nr. 71.
Nowak, Carl, beim Feld-Spital Nr. XXXVI.
Nagy, Joseph, beim Art.-Reg. Nr. 8.
Ressel, Wenzel, beim IR. Nr. 13.
Ralica, Nikolaus, beim FJB. Nr. 4.
Kopa, Franz, beim Art.-Reg. Nr. 9.
Karabely, Joseph, beim IR. Nr. 38.
Mayer, Carl, beim k. ung. Staats-Hengsten-Depot zu Nagy-Körös.
Jemrić, Marcus, beim Uhl.-Reg. Nr. 6.
Salter, Maximilian, beim FJB. Nr. 26.
Oblasser, Engelbert, beim Jäg.-Reg.
Ullrich, Eduard, beim Monturs-Depot Nr. 2 zu Budapest.
Herth, Andreas, beim Art.-Reg. Nr. 2.
Ondřej, Anton, beim Jäg.-Reg.
Biebl, Vincenz, beim Art.-Reg. Nr. 6.
Laubal, Joseph, beim Art.-Zeugs-Depot in Wien.
Brukner, Ignaz, beim IR. Nr. 69.
Janowsky, Emil Edl. v., ○ 2., beim IR. Nr. 78.

Kangerga, Demeter, beim FAB. Nr. 2.
Spittal, Leonhard, beim Art.-Reg. Nr. 1.
Stigler, Joseph, beim Pionnier-Reg.
Tschida, Friedrich, beim IR Nr. 65.
Pfandler. Aegydius, beim FJB. Nr. 25.
Türck, Carl, beim LFC. Nr. 2 zu Graz.
Simonić, Ignaz, beim IR. Nr. 22.
Stenzl, Joseph, beim Art.-Reg. Nr. 11.
Sobota, Jakob, beim Art.-Reg. Nr. 3.
Sträche, Otto, beim FJB. Nr. 1.
Eberth, Heinrich, beim IR. Nr. 43.
Wessely, Joseph, beim Art.-Reg. Nr. 10.
Rzizek, Franz, beim LFC. Nr. 5 zu Lemberg.
Prohaska, Ernst, beim IR. Nr. 80.
Pawec, Joseph, beim IR. Nr. 11.
Bardach, Ludwig, beim Husz.-Reg. Nr. 15.
Hölzl, Johann, beim IR. Nr. 26.
Salvan, Gregor, beim Garn.-Transportshause in Wien.
Mihaillás, Michael, bei der XIII. Inf.-Trup.-Div.
Várady, Ludwig v., beim FJB. Nr. 33.
Słabkowski, Joseph, beim IR. Nr. 40.
Šrámek, Joseph, beim IR. Nr. 79.
Suchowsky, Arthur, im mil.-geogr. Inst.
Galimberti, Victor, beim Monturs-Depot Nr. 2 zu Budapest.
Herzog, Anton, ◯ 2., beim Jäg.-Reg.
Maurer, Alois, beim Art.-Reg. Nr. 12.
Stadler, Joseph, beim Art.-Reg. Nr. 12.
Pater, Carl, bei der Art.-Zeugs-Fabrik.
Widemann, Franz, beim IR. Nr. 48.
Iser, Carl, beim Feld-Spital Nr XX.
Michel, Joseph, beim Genie-Reg. Nr. 1.
Juni, Adolph, beim IR. Nr 30.
Wiefling, Anton, beim Mil.-Invalidenhause in Wien.
Schwingenschlögl, Carl, beim Feld-Spital Nr. XXXVI.
Schinnerer, Rudolph, beim Art.-Reg. Nr. 1.
Jokić, Bogdan, beim Art.-Reg. Nr. 13.
Badovinac, Alexander, beim IR. Nr. 16.
Ballek, Wilhelm, beim Art.-Reg. Nr. 4.
Heiman, Carl, beim IR. Nr. 61.
Hölzl, Ignaz, beim Monturs-Depot Nr. 2 zu Budapest.
Mitterlechner, Carl, beim IR. Nr. 44.
Golubić, Franz, beim IR. Nr. 22.
Babić, Mathias, beim Pion.-Reg.
Kessegić. Vincenz, beim IR. Nr. 79.
Vidović, Thaddäus, beim Jäg.-Reg.
Schmidt, Rupert, beim IR. Nr. 72.
Császár, Carl, beim Feld-Spital Nr. XXIX.
Knobel, Bernhard, beim Genie-Reg. Nr. 1.
Haraus, Wilhelm, beim Uhl.-Reg. Nr. 5.
Then, Adolph, beim IR. Nr. 67.
Pilpel, Sigmund, beim IR. Nr. 78.
Pfeiffer, Joseph, beim IR. Nr. 47.
Salfemoser, Carl, beim Art.-Reg. Nr. 4.
Fürböck, Cajetan, beim Art.-Zeugs-Depot in Wien.
Čorić, Paul, beim IR. Nr. 45.
Ugrinov, Vitalis, beim IR. Nr. 70.
Wiligut, Ernst, beim IR. Nr. 10.
Kraus, Eduard, beim Drag.-Reg. Nr. 6.
Goldstaub, David, beim IR. Nr 80.
Berger, Johann, beim Art.-Reg. Nr. 9.
Mai, Gregor, beim Feld-Spital Nr. V.
Schneider, Eduard, beim IR. Nr. 16.
Liebhart, Joseph, beim Art.-Reg. Nr. 12.
Simmet, Caspar, beim IR. Nr. 12.
Zettwitz, Friedrich, bei der XXXVI. Inf.-Trup.-Div.
Bajatz, Novak, beim Art.-Reg. Nr 5.
Schmullers, Anton, beim IR. Nr. 41.
Spira, Isidor, beim Art.-Reg. Nr. 12.
Hussinecky, Franz, bei der VII. Inf.-Trup.-Div.
Fabry, Eugen, beim IR. Nr. 33.
Popović, Maximilian, beim IR. Nr. 39.
Wiedenfeld, Guido Ritt. v., beim GSp. Nr. 2 in Wien (Res.).
Januschka, Johann, beim Monturs-Depot Nr. 1 zu Brünn (Res.).
Slavik, Franz, beim Monturs-Depot Nr. 1 zu Brünn (Res.).
Eschenauer, Heinrich, beim GSp. Nr. 5 zu Brünn (Res.).
Guttenfeld, Julius, beim Mil.-Invalidenhause zu Tyrnau (Res.).
Neubert, Eustach, beim GSp. Nr. 11 zu Prag (Res.).
Blumenthal, Marcus, beim GSp. Nr. 1 in Wien (Res.).
Koszler, Alois, beim Garn.-Transportshause zu Prag (Res.).
Schmelkes, Heinrich, beim Monturs-Depot Nr. 3 zu Graz (Res.).
Spitzner, Julius, beim Monturs-Depot Nr. 2 zu Budapest (Res.).
Fischer, Heinrich, beim GSp. Nr. 11 zu Prag (Res.).
Safranek, Franz, beim Mil.-Invalidenhause zu Prag (Res.).
Stella, Gustav, beim GSp. Nr. 2 in Wien (Res.)
Bayer, Leo, beim Monturs-Depot Nr. 3 zu Graz (Res.).
Hönig, Eduard, beim Mil.-Invalidenhause in Wien (Res.).

Münzberg, Carl, beim GSp. Nr. 1 in Wien (Res.).
Ortmann, Lorenz, beim GSp. Nr. 1 in Wien (Res.).
Vrana, Johann, beim Monturs-Fil.-Depot zu Jaroslau (Res.).
Fischer, Franz, beim GSp. Nr. 2 in Wien (Res.).
Pavin, Johann, beim Monturs-Depat Nr. 2 zu Budapest (Res.).
Wiesner, Robert, beim GSp. Nr. 9 zu Triest (Res.).
Kulp, Rudolph, beim GSp. Nr. 5 zu Brünn (Res.).
Schindler, Carl, beim Jäg.-Reg. (Res.).
Auerbach, Aaron, beim IR. Nr. 55.
Kauders, Israel, bei der XVIII. Inf.-Trup.-Div.
Chrupek, Victor, beim FJB. Nr. 7.
Wähner, Emil, beim LFC. Nr. 4 zu Budapest.
Sonnabend, Carl, beim IR. Nr. 76.
Versbach v. Hadamar, Alexander Ritt., beim Monturs-Depot Nr. 3 zu Graz.
Reiter, Michael, bei der XVIII. Inf.-Trup.-Div.
Zarynczuk, Anton, beim IR. Nr. 53.
Schlesinger, Joseph, beim IR. Nr. 46.
Ully, Ignaz, beim IR. Nr. 41.
Stimač, Georg, beim IR. Nr. 50.
Kuchler, Theodor, beim Monturs-Depot Nr. 3 zu Graz.
Fischer, Alexander, beim IR. Nr. 28.
Böltz, Michael, beim IR. Nr. 6
Magerl, Eduard, beim Feld-Spital Nr. XVI.
Rudnicki, Emerich v., beim IR. Nr. 9.
Seemann, Anton, beim k. ung. Staats-Hengsten-Depot zu Sepsi-Szent-György.
Hirsch, Coloman, beim k. ung. Staats-Hengsten-Depot zu Debreczin.
Ostrelić, Joseph, beim GSp. Nr. 7 zu Graz (Res.).
Hüttmayer, Friedrich, beim LFC. Nr. 6 zu Hermannstadt.
Güttner, Wolfgang, beim Art.-Reg. Nr. 8.
Vestner, Ludwig, beim IR. Nr. 4.
Smetak, Wenzel, beim Art.-Reg. Nr. 7.
Peschel, Carl, beim IR. Nr. 18.
Schönberr, Johann, beim FJB. Nr. 17.
Gyukics, Nikolaus, beim Art.-Reg. Nr. 13.
Kristinus, Carl, beim IR. Nr. 3.
Paragjiković, Nikolaus, beim Art.-Reg. Nr. 3.
Jezević, Joseph, beim Art.-Reg. Nr. 4.
Prohaska, Joseph, beim Mil.-Invalidenhause zu Prag.
Stifter, Joseph, beim Genie-Reg. Nr. 1.
Kumpf, Theodor, beim LFC. Nr. 1 in Wien.
Kessegić, Thomas, beim Mil.-Invalidenhause in Wien.
Hubaczek, Franz, beim IR. Nr. 5.
Hirst Edl. v. Neckarsthal, Otto, beim IR. Nr. 66.
Lober, Franz, beim IR. Nr. 20.
Brunnhofer, Johann, beim IR. Nr. 79.
Ferschmann, Vincenz, beim Art.-Reg. Nr. 9.
Ransmayer, Joseph, beim LFC. Nr. 3 zu Prag.
Schmidt, Otto, bei der I. Inf.-Trup.-Div.
Kirsch, Joseph, bei der IV. Inf.-Trup.-Div.
Czerkawski, Ladislaus Ritt. v., beim techn. und adm. Mil.-Comité.

Hut mit schwarzem Federbusch, dunkelgrüner Waffenrock mit lichtblauer Egalisirung und weissen glatten Knöpfen, blaugraue Pantalon mit lichtblauem Passepoil, Mantel blaugrau.

Militär - Beamte.

Militär-Intendanturs-Beamte.

Sections-Chef.

Früh, August Ritt. v., ÖEKO-R. 2., ÖFJO-C. (m. St.), beim R.-Kriegs-Mstm.

General-Intendant.

Schödl, Ernst, ÖFJO-R. (WG.).

Militär-Ober-Intendanten.

Barković, Constantin, ÖFJO-R., Chef der Mil.-Intdz. zu Agram.
Mikesch, Friedrich, ÖEKO-R. 3., betraut mit der Leitung der 9. Abth. des R.-Kriegs-Mstms.
Eisenlohr v. Deningen, Ferdinand Ritt. ÖEKO-R. 3., Chef der Mil.-Intdz. zu Brünn.
Klauss, Anton, Chef der Mil.-Intdz. zu Budapest.
Preininger, Maximilian, Chef der Mil.-Intdz. in Wien.
Brojatsch, Carl, ÖEKO-R. 3., ÖFJO-R., Chef der Mil.-Intdz. zu Serajevo.
Thomas, Heinrich, zu Lemberg (WG.).
Hoffmann, Nikolaus, Chef der Mil.-Intdz. zu Hermannstadt.
Lambert, Adam, ÖEKO-R. 3., ÖFJO-R., Vorstand der 11. Abth. des R.-Kriegs-Mstms.
Röckenzaun, Richard, ÖEKO-R. 3., Vorstand der 12. Abth. des R.-Kriegs-Mstms.
Baumann, Franz, Chef der Mil.-Intdz. zu Temesvár.
Fustinioni, Ferdinand v., Chef der Mil.-Intdz. zu Krakau.
Pokorny, Franz, Chef der Mil.-Intdz. zu Pressburg.
Schredt, Joseph, Chef der Mil.-Intdz. zu Triest.
Lenz, Franz, Chef der Mil.-Intdz. zu Kaschau.
Hofmann v. Wellenhof, Paul, Chef der Mil.-Intdz. zu Graz.
Unschuld, Eduard, zu Prag.
Bendl Edl. v. Hohenstern, Johann, ÖFJO-R., zu Zara.

Militär-Intendanten.

Lerch, Carl, zu Agram.
Drasenberger, Heinrich, zu Pressburg.
Schneider, Franz, ÖFJO-R., beim R.-Kriegs-Mstm.
Wenzel, Gottfried, zu Hermannstadt.
Pleskott, Rudolph, ÖFJO-R., zu Serajevo.
Poeckh, Alois, zu Budapest.
Pirner, Wenzel, zu Prag.
Luterschek, Sebastian, ÖEKO-R. 3., ÖFJO-R., GVK., zu Zara.
Poppović, Alexander, ÖFJO-R., GVK., zu Pressburg.
Eisenlohr, Ludwig, ÖFJO-R., beim R.-Kriegs-Mstm.
Fux, Joseph, zu Serajevo.
Bartsch, Alois, zu Lemberg.
Pazeller, Carl, zu Lemberg.
Kauba, Johann, ⊙, zu Brünn.
Pippich, Johann, ÖFJO-R., beim R. Kriegs-Mstm.
Krauszler, Joseph, beim R.-Kriegs-Mstm.
Fischbach, Engelbert, zu Agram.
Bachmayer, Anton, beim R.-Kriegs-Mstm.
Budischowsky, Carl, in Wien
Lang, Eduard, zu Temesvár.
Poeschko, Franz, zu Innsbruck.
Greuzinger, Franz, in Wien.
Rolletschek, Emanuel, zu Zara.
Hirling, Hermann v., in Wien.

Militär-Unter-Intendanten erster Classe.

Koske, Joseph, zu Hermannstadt.
Kosak, Alois, zu Budapest (WG.).
Steiner, Gustav, ÖFJO-R., zu Graz.
Střihavka, Anton, zu Krakau.
Schmidt, Benno, beim R.-Kriegs-Mstm.
Urban, Adolph, zu Prag.
Prager, Rudolph, zu Triest.
Puhonny, Johann, zu Prag.

Zinner, Franz, zu Innsbruck.
Plavšić, Johann, zu Agram.
Mechura, Joseph, zu Budapest.
Břehowský, Jakob, beim R.-Kriegs-Mstm.
Pazelt, Carl, zu Graz.
Mitteregger, Franz, zu Krakau.
Řepka, Franz, in Wien.
Kotzbeck, Conrad, ÖFJO-R., GVK., Intdz.-Chef bei der VII. Inf.-Trup.-Div.
Formanek, Bruno, Intdz.-Chef bei der XIII. Inf.-Trup.-Div.
Skop, Johann, zu Pressburg.
Heller, Alois, zu Prag.
Křitek, Johann, beim R.-Kriegs-Mstm.
Tessely v. Marsheil, Carl, zu Kaschau.
Leneček, Franz, zu Budapest.
Antolić, Maximilian, ÖFJO-R., Intdz.-Chef bei der XX. Inf.-Trup.-Div.
Tobisch. Ignaz, ÖFJO-R., zu Temesvár (WG.).
Kliemann, Ignaz, zu Pressburg.
Neumann, Jakob, zu Prag.
Cziżek, Gustav, beim R.-Kriegs-Mstm.
Hertlein, Christian, ÖFJO-R., beim R.-Kriegs-Mstm.
Cvitković, Georg, ÖEKO-R. 3., ÖFJO-R., ○ 1., Intdz.-Chef bei der XVIII. Inf.-Trup.-Div.
Glatz, Franz, zu Temesvár.
Beschorner, Friedrich. beim R.-Kriegs-Mstm.
Zelený, Wenzel, GVK. m. Kr., in Wien.
Thomayer, Ludwig, ÖFJO-R., Intdz.-Chef bei der IV. Inf.-Trup.-Div.
Wollenik, Agathon, ÖFJO-R., beim R.-Kriegs-Mstm.
Reichel, Ludwig, zu Brünn.
Mikš, Franz, zu Lemberg.
Pistauer, Georg, ÖFJO-R., in Wien.
Fraudetzky, Eduard, beim R.-Kriegs-Mstm.
Itzelesi, Heinrich, zu Lemberg (WG.).
Damisch, Heinrich, im techn. und adm. Mil.-Comité.
Bartosch, Robert, ÖFJO-R., zu Agram.
Andres, Carl, zu Serajevo.
Hiersch. Ludwig, zu Budapest.
Libovický, Rudolph, zu Serajevo.
Kratschmer, Bernhard, beim R.-Kriegs-Mstm.
Eckmann, Dominik, beim R.-Kriegs-Mstm.
Deprez v. Wiesenfels, Peter, Intdz.-Chef bei der XXXVI. Inf.-Trup.-Div.
Pohl, Rudolph, zu Zara.
Polatschek, Franz, in Wien
Caučig, Franz, beim R.-Kriegs-Mstm.
Tauer, Johann, zu Hermannstadt.
Stransky, Emanuel, im techn. und adm. Mil.-Comité.
Seltmann, Ignaz Edl. v., in Wien.
Klein, Gustav, bei der Intdz. der XX. Inf.-Trup.-Div. und Etapen-Dir. zu Brood.
Herzig, Otto, zu Budapest.
Schmied, Oswald, in Wien.
Menschik, Alois, zu Zara.
Ulmansky, Sabbas, ÖFJO-R., zu Agram.
Reich, Anton, im techn. u. adm. Mil.-Comité.
Böhm, Carl, GVK., zu Graz.
Lehmann, Joseph Edl. v., im techn. u. adm. Mil.-Comité.
Hecht, Eugen, zu Graz.
Kučera, Adolph, zu Prag.
Pepa, Johann, zu Pressburg.
Szumewda, Johann, zu Lemberg.

Militär-Unter-Intendanten zweiter Classe.

Schneider, Franz, beim R.-Kriegs-Mstm.
Eder, Carl, zu Hermannstadt.
Wainiczke, Joseph, zu Budapest.
Berkić, Georg, bei der XXXVI. Inf.-Trup.-Div.-Intdz.
Mitter, Adolph, zu Pressburg.
Khistler, Hermann, zu Lemberg.
Mager, Adalbert, zu Temesvár.
Sattler-Dornbacher, Albert, in Wien.
Sučević, Peter, zu Budapest.
Tamássy, Mathias, zu Temesvár.
Luschinsky, Eduard, zu Graz.
Kříž, Johann, beim R.-Kriegs-Mstm.
Cramer, Carl, zu Lemberg.
Jonas, Joseph, GVK m. Kr., zu Budapest.
Fürnkranz, Johann, zu Agram.
Lobpreis, Franz, GVK. m. Kr., zu Serajevo.
Koncki, Wilhelm, zu Krakau.
Egger, Rudolph, beim R.-Kriegs-Mstm.
Wank, Oskar, zu Triest.
Obert, Eduard, beim R.-Kriegs-Mstm.
Gräf, Emil, zu Serajevo.
Kubik, Joseph, zu Prag.
Schabenbeck, Carl Ritt. v., zu Lemberg.
Schmatz, August, zu Innsbruck.
Müller, Heinrich, beim R.-Kriegs-Mstm.
Resch, Alois, zu Prag.
Sterzinger Edl. v. Streitfeld, Alois, zu Prag.
Wimmer, Jakob, ○ 2., bei der XIII. Inf.-Trup.-Div.-Intdz.
Müller, Johann, zu Temesvár.
Zaribnitzky, Adolph, bei der IV. Inf.-Trup.-Div.-Intdz.

Kaspar, Carl, zu Krakau.
Pernhoffer, Moriz, beim R.-Kriegs-Mstm.
Nawratil, Maximilian, zu Budapest.
Grössl, Clemens, GVK. m. Kr., zu Agram.
Heissig, Wilhelm, in Wien.
Keiter, Julius, zu Hermannstadt.
Breyer, Camillo, ÖFJO-R., in Wien.
Mandić, Emanuel, GVK. m. Kr., bei der VII. Inf.-Trup.-Div.-Intdz.
Brožowsky, Carl, zu Prag.
Babel, Franz, GVK. m. Kr., ○ I., Intdz.-Chef bei der I. Inf.-Trup.-Div.
Oberdorfer, Carl, GVK. m. Kr., zu Prag.
Purgar, Carl, ÖFJO-R., bei der XVIII. Inf.-Trup.-Div.-Intdz.
Marquette, Maximilian, zu Brünn.
Lössl, Ignaz, zu Agram.
Damisch, Victor, zu Zara.
Straschpitl, Theodor, zu Agram.
Thurner, Johann, GVK. m. Kr., zu Hermannstadt.
Frank, Georg, zu Graz.
Fabritius, Johann, zu Budapest.
Ubl, Emil, GVK. m. Kr., in Wien.
Wetscherek, Theodor, zu B ünn.
Bachmayer, Joseph, zu Serajevo.
Kridl, Eduard, zu Lemberg.
Samánek, Vincenz, zu Prag.
Haiegg, Eduard, beim R.-Kriegs-Mstm.
Okrugić, Marcus, bei der XVIII. Inf.-Trup.-Div.-Intdz.
Schmidt, Carl I., zu Innsbruck.
Siegl, Joseph, zu Lemberg.
Bezděk, Franz, GVK. m. Kr., zu Brünn.
Battyek, Alois, zu Pressburg.
Eber, Anton, zu Innsbruck.
Mayer, Ferdinand, GVK. m. Kr. zu Temesvár.
Gastgeb v. Fichtenzweig, Moriz, bei der XXXVI. Inf.-Trup.-Div.-Intdz.
Rumler, Arthur, in Wien.
Hofstätter, Alexander, bei der I. Inf.-Trup.-Div.-Intdz.
Schmidt, Carl II., zu Kaschau.
Kummer, Anton, bei der Intdz. der XX. Inf.-Trup.-Div. und Etapen-Dir. zu Brood.
Fuchs, Johann, bei der XVIII. Inf.-Trup.-Div.-Intdz.
Kumstat, Franz, zu Prag.
Storch, Julius, zu Triest.
Piringer, Gustav, zu Budapest.
Reif, Franz, beim R.-Kriegs-Mstm.
Janistyn, Franz, zu Kaschau.
Skala, Ferdinand, zu Zara.
Stefanović, Constantin, zu Budapest.
Schebesta, Alfred, in Wien.
Málek, Wenzel, zu Krakau.
Tittmann, August, in Wien.
Lončarević, Ferdinand, in Wien.

Hut, dunkelgrüner Waffenrock mit Egalisirung von carmoisinrothem Sammt und gelben glatten Knöpfen, blaugraue Pantalon mit carmoisinrothem Passepoil, Mantel blaugrau.

Zugetheilte.

Kuhn, Heinrich, Obrlt. des IR. Nr. 1, zu Brünn.
Winkler, Anton, Obrlt. des IR. Nr. 52, zu Budapest.
Wessely, Franz, Obrlt.-Rechnungsführer des IR. Nr. 9, beim R.-Kriegs-Mstm.
Petrović, Demeter, ○ 1., Obrlt. des IR. Nr. 19, zu Temesvár.
Friepes, Conrad, Obrlt. des IR. Nr. 11, in Wien.
Pacowský, Joseph, Obrlt.-Rechnungsführer des IR. Nr. 45, zu Prag.
Görtz, Franz Ritt. v., Obrlt. des IR. Nr. 57, in Wien.
Schrottmüller, Franz, Obrlt. des IR. Nr. 32, zu Graz.

Militär-Rechnungs-Controls-Beamte.

Ministerialräthe.

Stahl, Franz Ritt. v., ÖEKO-R. 3., Vorstand der Fach-Rechn.-Abth. des R.-Kriegs-Mstms.
Haásey v. Heerwart, Johann Ritt., ÖEKO-R. 3., ÖFJO-R., Vorstand der 15. Abth. des R.-Kriegs-Mstms.

Ober-Rechnungsräthe 1. Classe.

Bertele v. Grenadenberg, Carl, ÖFJO-R., Vorstand der Rechn.-Abth. der Mil.-Intdz. in Wien.
Schütz, Carl, bei der Fach-Rechn.-Abth. des R.-Kriegs-Mstms

Ober-Rechnungsräthe 2. Classe.

Totz, Johann, bei der Fach-Rechn.-Abth. des R.-Kriegs-Mstms.
Kohlhepp, Emil, Vorstand der Kriegs-Rechn.-Abth. des R.-Kriegs-Mstms.
Lang, Anton, ÖFJO-R., Vorstand der Rechn.-Abth. der Mil.-Intdz. zu Prag.
Gessmann, Gustav, beim R.-Kriegs-Mstm.
Steinebach, Friedrich, ÖFJO-R. bei der Fach-Rechn.-Abth. des R.-Kriegs-Mstms.
Lenhart, Gustav, Vorstand der Rechn.-Abth. der Mil.-Intdz. zu Agram.
Mayer, Vincenz, } beim R.-Kriegs-Mstm.
Fritsche, Ignaz, ÖFJO-R., } beim R.-Kriegs-Mstm.
Herrmann, Adolph, Vorstand der Rechn.-Abth. der Mil.-Intdz. zu Graz.
Matzek, Johann, Vorstand der Rechn.-Abth. der Mil.-Intdz. zu Lemberg.
Raab, Eduard, bei der Fach-Rechn.-Abth. des R.-Kriegs-Mstms.
Dinges, Joseph, Vorstand der Rechn.-Abth. der Mil.-Intdz. zu Budapest.

Rechnungsräthe.

Graetz, Michael, } bei der Fach-Rechn.-Abth. des R.-Kriegs-Mstms.
Schwarz, Eduard, } bei der Fach-Rechn.-Abth. des R.-Kriegs-Mstms.
Schwarz, Adolph, } bei der Fach-Rechn.-Abth. des R.-Kriegs-Mstms.
Carove, Leopold v., } bei der Fach-Rechn.-Abth. des R.-Kriegs-Mstms.
Rolleczek, Thomas, Vorstand der Rechn.-Abth. der Mil.-Intdz. zu Brünn.
Cebuský, Anton, } bei der Fach-Rechn.-Abth. des R.-Kriegs-Mstms.
Lauer, Ignaz, } bei der Fach-Rechn.-Abth. des R.-Kriegs-Mstms.
Saffir, Emanuel, (u. c.) beim R.-Kriegs-Mstm.
Schürer, Joseph, ÖFJO-R., bei der Fach-Rechn.-Abth. des R.-Kriegs-Mstms.
Holl, Anton, ÖFJO-R., in Wien.
Czermak, Carl, GVK. m. Kr., bei der Fach-Rechn.-Abth. des R.-Kriegs-Mstms.
Ebert, Anton, zu Agram.
Fritsch, Christoph, beim R.-Kriegs-Mstm.
Hermann, Clemens, bei der Fach-Rechn.-Abth. des R.-Kriegs-Mstms.
Cohn, Leon, GVK. m. Kr., in Wien.
Šarac, Simeon, zu Agram.
Grodesanin, Nikolaus, bei der Kriegs-Rechn.-Abth. des R.-Kriegs-Mstms.
Kretschmayr, Carl, in Wien.
Hochhauser, Joseph, } bei der Fach-Rechn.-Abth. des R.-Kriegs-Mstms.
Viertl, Eduard, } bei der Fach-Rechn.-Abth. des R.-Kriegs-Mstms.
Novak, Richard, in Wien.
Hoppe, Friedrich, bei der Kriegs-Rechn.-Abth. des R.-Kriegs-Mstms.
Rauch, Anton, zu Lemberg.

Klemme, Jos., bei der Kriegs-Rechn.-Abth. des R.-Kriegs-Mstms.
Janiczek, Johann, GVK. m. Kr., zu Temesvár.
Braunschweig, Friedrich, beim R.-Kriegs-Mstm.
Schott, Jos., bei der Fach-Rechn.-Abth. des R.-Kriegs-Mstms.
Domanský, Carl, in Wien.
Wolf, Albin, Vorstand der Rechn.-Abth. der Mil.-Intdz. zu Pressburg.
Gahlić, Nikolaus, zu Graz.
Uher, Franz, Vorstand der Rechn.-Abth. der Mil.-Intdz. zu Innsbruck.
Kollař, Joseph, zu Prag.
Holý, Wenzel, Vorstand der Rechn.-Abth. der Mil.-Intdz. zu Zara.
Kellner, Anton, Vorstand der Rechn.-Abth. der Mil.-Intdz. zu Hermannstadt.
Rautenstrauch, Carl, beim R.-Kriegs-Mstm.
Neudert, Clemens, zu Prag.
Vogt, Hieronymus, Mály, Franz, Ritt. v., Daucha, Johann, } bei der Fach-Rechn.-Abth. des R.-Kriegs-Mstms.
Prawdzic v. Senkovski, Stanislaus, zu Budapest.
Platschik, David, zu Pressburg.
Ragg, Victor, bei der Fach-Rechn.-Abth. des R.-Kriegs-Mstms.
Sallinger, Carl, zu Brünn.
Fritz, Alois, Vorstand der Rechn.-Abth. der Milit.-Intdz. zu Krakau.
Schornböck, Franz, bei der Fach-Rechn.-Abth. des R.-Kriegs-Mstms.
Czerny, Alois, GVK. m. Kr., bei der Kriegs-Rechn.-Abth. des R.-Kriegs-Mstms.
Loenhard, Carl, zu Kaschau.
Ledl, Joseph, zu Brünn.
Paumann, Eduard, bei der Fach-Rechn.-Abth. des R.-Kriegs-Mstms.
Legat, Joseph, Vorstand der Rechn.-Abth. der Mil.-Intdz. zu Triest.
Matuschka, Anton, zu Hermannstadt.
Arlt, Franz, zu Budapest.
Jedliczka, Franz, bei der Fach-Rechn.-Abth. des R.-Kriegs-Mstms.
Šašek, Johann, zu Prag.
Markl, Gustav, bei der Kriegs-Rechn.-Abth. des R.-Kriegs-Mstms.
Wölfel, Thomas, Reichel, Vincenz, } bei der Fach-Rechn.-Abth. des R.-Kriegs-Mstms.
Simenthal, Moriz, bei der Kriegs-Rechn.-Abth. des R.-Kriegs-Mstms.
Radziszewski, Theophil, zu Lemberg.
Kozina, Joseph, Vorstand der Rechn.-Abth. der Mil.-Intdz. zu Serajevo.
Redlich, Joseph, in Wien.
Mikoletzky, Franz, Vorstand der Rechn.-Abth. der Mil.-Intdz. zu Kaschau.
Weinberger, Joseph, bei der Fach-Rechn.-Abth. des R.-Kriegs-Mstms.
Bunzel, Eduard, zu Graz.
Remenyik, Heinrich v., zu Budapest.
Czerni, Franz, bei der Kriegs-Rechn.-Abth. des R.-Kriegs-Mstms.
Eichmann, Carl, zu Temesvár.
Rajaković, Julius, zu Agram.

Rechnungs-Officiale 1. Classe.

Dieling, Friedrich, Krischey, Carl, Betzwar, Anton, Streicher, Jakob, } bei der Fach-Rechn.-Abth. des R.-Kriegs-Mstms.
Šignjar, Stephan, zu Agram.
Piskorsch, Leopold, Oppenheim, Eduard, } bei der Kriegs-Rechn.-Abth. des R.-Kriegs-Mstms.
Schönn, Moriz, Schweidl, Carl, } bei der Fach-Rechn.-Abth. des R.-Kriegs-Mstms.
Fettig, Johann, bei der Kriegs-Rechn.-Abth. des R.-Kriegs-Mstms.
Sadlo, Friedrich, zu Hermannstadt.
Czerny, Wilhelm, beim R.-Kriegs-Mstm.
Filipp, Eduard, zu Hermannstadt (WG.).
Stalitzer, Ludwig, zu Innsbruck.
Nestinger, Laurenz, zu Pressburg.
Schebitzky, Joseph, zu Budapest.
Gold, Heinrich, Schwarz, Eduard, Nowotny, Eduard, } bei der Fach-Rechn.-Abth. des R.-Kriegs-Mstms.
Lanna, Anton, zu Zara.
Alexander, Ferdinand, bei der Kriegs-Rechn.-Abth. des R.-Kriegs-Mstms.
Anciszeski, Anton, bei der Fach-Rechn.-Abth. des R.-Kriegs-Mstms.
Tscherney, Wenzel, zu Hermannstadt.
Holzinger, Rudolph, bei der Fach-Rechn.-Abth. des R.-Kriegs-Mstms.
Mohl, Johann, zu Budapest.
Longin, Caspar, zu Graz.
Hein, Rudolph, GVK., bei der Fach-Rechn.-Abth. des R.-Kriegs-Mstms.
Merkšić, Basilius, in Wien.
Heitzmann, Ferdinand, zu Graz.
Czerny, Anton, zu Prag.
Schlesinger, Johann, bei der Fach-Rechn.-Abth. des R.-Kriegs-Mstms.

Gruber, Christoph, bei der Fach-Rechn.-Abth. des R.-Kriegs-Mstms.
Demar, Carl, in Wien.
Matušević, Johann, zu Budapest.
Mikuschkowitz, Gotthard, bei der Kriegs-Rechn.-Abth. des R.-Kriegs-Mstms.
Perssin, Joseph, zu Pressburg.
Zeeb, August, zu Brünn.
Schmitz, Gustav, zu Budapest.
Coretti, Franz, bei der XXXVI. Inf.-Trup.-Div.
Lukas, Albert, bei der XVIII. Inf.-Trup.-Div.
Wagenhofer, Johann, zu Agram.
Einspieler, Ignaz, in Wien.
Stauber, Wenzel, bei der Kriegs-Rechn.-Abth. des R.-Kriegs-Mstms.
Partisch, Carl, in Wien.
Jonas, Julius, bei der Kriegs-Rechn.-Abth. des R.-Kriegs-Mstms.
Zimmermann, Mathias, zu Hermannstadt.
Czerny, Wilhelm Joseph, zu Zara.
Hoschek, Franz, zu Kaschau.
Wimmer, Carl, bei der Kriegs-Rechn.-Abth. des R.-Kriegs-Mstms.
Schwarz, Mathias, } Mayerlechner, Carl, } bei der Fach-Rechn.-Abth. des R. Kriegs-Mstms.
Meissl, Moriz, zu Pressburg.
Brunner, Carl, bei der Fach-Rechn.-Abth. des R.-Kriegs-Mstms.
Blatt, Osias, bei der Kriegs-Rechn.-Abth. des R.-Kriegs-Mstms.
Hoff, Ignaz, } Starz, Victor, } bei der Fach-Rechn.-Abth. des R.-Kriegs-Mstms.
Habisch, Joseph, bei der Kriegs-Rechn.-Abth. des R.-Kriegs-Mstms.
Winkler, Johann, zu Brünn.
Kronberger, Carl, bei der Fach-Rechn.-Abth. des R.-Kriegs-Mstms.
Kollross, Joseph, beim R.-Kriegs-Mstm.
Güntner, Carl, } Schlögl, Wenzel, } bei der Kriegs-Rechn.-Abth. des R.-Kriegs-Mstms.
Knoll, Joseph, zu Pressburg.
Kačerowsky, Franz, bei der Fach-Rechn.-Abth. des R.-Kriegs-Mstms.
Guldener v. Lobes, Johann, in Wien.
Escherich, Gustav Ritt. v., in Wien.
Feik, Albin, zu Hermannstadt.
Binder, Michael, bei der Kriegs-Rechn.-Abth. des R.-Kriegs-Mstms.
Fliegl, Carl, in Wien.
Cvetković, Adam, zu Hermannstadt.
Soehor, Carl, bei der Fach-Rechn.-Abth. des R.-Kriegs-Mstms.
Burger, Carl, zu Triest.
Rouge, Liborius, bei der Fach-Rechn.-Abth. des R.-Kriegs-Mstms.
Soltissek, Joseph, in Wien.
Horky, Johann, beim R.-Kriegs-Mstm.
Schell, Johann, zu Lemberg.
Wučković, Stephan, zu Temesvár.
Stift, Joseph, zu Graz.
Bulka, Franz, zu Brünn.
Dobrowolski, Vincenz, zu Lemberg.
Hinderegger, Gebhard, zu Innsbruck.
Schöner, Johann, in Wien.
Tjoka, Lucas, zu Budapest.
Müller, Adalbert, zu Graz.
Ninaus, Johann, zu Temesvár.
Soukup, Johann, zu Prag.
Mandel, Joseph, zu Lemberg.
Piskorsch, Julius, zu Brünn.
Kral, Joseph, bei der Fach-Rechn.-Abth. des R.-Kriegs-Mstms.
Karl, Anton, bei der Kriegs-Rechn.-Abth. des R.-Kriegs-Mstms.
Strasser, Anton, beim R.-Kriegs-Mstm.
Zipper, Elias, bei der I. Inf.-Trup.-Div.
Scharf, Idol, zu Triest.
Heyl, Stephan, } Oppolzer, Anton, } bei der Fach-Rechn.-Abth. des R.-Kriegs-Mstms.
Pfeiffer, Joseph, bei der Kriegs-Rechn.-Abth. des R.-Kriegs-Mstms.
Glassner, Ignaz, } Wolfram, Eduard, } bei der Fach-Rechn.-Abth. des R.-Kriegs-Mstms.
Totzauer, Joseph, zu Prag.
Ronge, Joseph, zu Serajevo.
Leyrer, Ludwig, bei der Fach-Rechn.-Abth. des R.-Kriegs-Mstms.
Szekula, Bernard, zu Budapest.
Watzlaw, Joseph, in Wien.
Peschl, Wenzel, zu Prag.
Stoikitza, Basil, zu Hermannstadt.
Konschel, Johann, zu Budapest.
Kornalik, Joseph, zu Prag.
Spannagel, Johann, beim R.-Kriegs-Mstm.
Bufler, Johann, zu Brünn.
Kohl, Joseph, in Wien.
Kraupa, Johann, zu Prag.
Peja, Georg, zu Agram.
Schmerak, Franz, in Wien.

Rechnungs-Officiale 2. Classe.

Lukaszewicz, Ferd., zu Krakau.
Kirchner, Johann, zu Graz.

Markl, Leopold, zu Graz.
Fitz, Franz, zu Brünn.
Podiebrad, Leopold, bei der Kriegs-Rechn.-Abth. des R.-Kriegs-Mstms.
Seidl, Alois, bei der Fach-Rechn.-Abth. des R.-Kriegs-Mstms.
Putzker, Friedrich, zu Innsbruck.
Robitscher, David, zu Kaschau.
Grzywiński, Ladislaus, in Wien.
Adam, Franz, zu Prag.
Grim, Wenzel,
Klastersky, Ludwig, } bei der Fach-Rechn.-Abth. des R.-Kriegs-Mstms.
Mayer, Franz, zu Budapest.
Budik, Heinrich, beim R.-Kriegs-Mstm.
Wuinović, Ferdinand, bei der Kriegs-Rechn.-Abth. des R.-Kriegs-Mstms.
Selichar, Franz, zu Krakau.
Ribics, Sigmund v., bei der Fach-Rechn.-Abth. des R.-Kriegs-Mstms.
Zelinka, Michael, zu Krakau.
Kortschik, Carl, in Wien.
Hönl, Joseph, zu Triest.
Wallik, Johann, zu Triest.
Vaniček, Georg, zu Budapest.
Studziński, Johann, zu Brünn.
Hauer, Ludwig, zu Lemberg.
Müller, Anton, zu Pressburg.
Moser, Johann, in Wien.
Schoham, Carl,
Hladufka, Joseph, } bei der Fach-Rechn.-Abth. des R.-Kriegs-Mstms.
Paulisch, Carl,
Foltin, Rudolph, } bei der Kriegs-Rechn.-Abth. des R.-Kriegs-Mstms.
Josephy, Ignaz, zu Prag.
Ptačovsky, Alois, bei der XX. Inf.-Trup.-Div.
Mayer, Joseph, bei der Fach-Rechn.-Abth. des R.-Kriegs-Mstms.
Binder, Joseph, in Wien.
Stergar, Valentin, beim R.-Kriegs-Mstm.
Höller, Carl, zu Temesvár.
Appeltauer, Titus, zu Budapest.
Lambort, Carl Ritt. v., in Wien.
Woźniakiewicz, Carl, zu Lemberg.
Higelsperger, Adolph, zu Kaschau.
Keitl, Franz, zu Kaschau.
Hribar, Albert, zu Pressburg.
Domkowicz, Joseph, zu Kaschau.
Firmgeist, Joseph Dr.,
Freimuth, Maternus, } bei der Fach-Rechn.-Abth. des R.-Kriegs-Mstms.

Buhl, Franz, zu Prag.
Wehr, Johann, bei der Fach-Rechn.-Abth. des R.-Kriegs-Mstms.
Czedron, Anton, zu Pressburg.
Pirsch, Carl, beim R.-Kriegs-Mstm.
Feser, Anton, zu Temesvár.
Hacker, Heinrich,
Gartenberg, Alexander, } bei der Kriegs-Rechn.-Abth. des R.-Kriegs-Mstms.
Hauser, Joseph, zu Budapest.
Hruby, Franz, bei der Fach-Rechn.-Abth. des R.-Kriegs-Mstms.
Aigner, Joseph, zu Agram.
Tomek,* Oskar,
Bachheimer, Franz, } bei der Fach-Rechn.-Abth. des R.-Kriegs-Mstms.
Wrkal, Friedrich, beim R.-Kriegs-Mstm.
Belloberk, Nikolaus, zu Zara.
Gannay, Carl v., zu Brünn.
Mikesch, Hugo, zu Prag.
Köllner, Joseph, in Wien.
Wanausek, Johann, bei der Kriegs-Rechn.-Abth. des R.-Kriegs-Mstms.
Weilheim, Eduard, zu Graz.
Wohnaut, Wenzel, in Wien.
Wawra, Ferdinand, bei der Fach-Rechn.-Abth. des R.-Kriegs-Mstms.
Wagner, Mathias, zu Budapest.
Bachmann, Heinrich, bei der Fach-Rechn.-Abth. des R.-Kriegs-Mstms.
Nagy, Anton v., zu Pressburg.
Eliasch, Joseph, zu Budapest.
Brosch, Wenzel, bei der Kriegs-Rechn.-Abth. des R.-Kriegs-Mstms.
Pelzeder, Joseph, in Wien.
Weber, Joseph, zu Hermannstadt.
Brzezina, Anton, zu Innsbruck.
Modl, Anton, in Wien.
Bachmann, Joseph, bei der Kriegs-Rechn.-Abth. des R.-Kriegs-Mstms.
Wastl, Leopold,
Schacherl, Georg,
Beck, Hieronymus, } bei der Fach-Rechn.-Abth. des R.-Kriegs-Mstms.
Plach, Stephan, bei der Kriegs-Rechn.-Abth. des R.-Kriegs-Mstms.
Guttinger, Johann, bei der Fach-Rechn.-Abth. des R.-Kriegs-Mstms.
Hoprich, Carl, zu Kaschau.
Czerny, Anton, zu Budapest.
Marx, Johann, zu Prag.
Wykopal, Raimund, zu Hermannstadt.
Böck, Carl,
Lenz, Anton, } bei der Fach-Rechn.-Abth. des R.-Kriegs-Mstms.
Freimuth, Anton, zu Prag.

Podczaszynski v. Kotwicz, Ignaz, } zu Krakau.
Giertuga, Joseph, } zu Krakau.
Burger, Ottwinn, zu Agram.
Herweiss, Alois, zu Budapest.
Albert, Franz, } zu Graz.
Garzaner, Carl, } zu Graz.
Suchanek, Vincenz, bei der Fach-Rechn.-Abth. des R.-Kriegs-Mstms.
Stropnický, Ignaz, bei der Fach-Rechn.-Abth. des R.-Kriegs-Mstms.
Tarnawiecki, Carl v., zu Lemberg.
Capp, Joseph, beim R.-Kriegs-Mstm.
Dichtler, Edmund, } bei der Fach-Rechn.-Abth des R.-Kriegs-Mstms.
Weger, Franz, } bei der Fach-Rechn.-Abth des R.-Kriegs-Mstms.
Nürnberger, Jakob, zu Graz.
Roubiček, Johann, bei der Fach-Rechn.-Abth. des R.-Kriegs-Mstms.
Dollmayr, Friedrich, beim R.-Kriegs.-Mstm.
Mayerhofer, Leopold, } bei der Fach-Rechn.-Abth. des R.-Kriegs-Mstms.
Deimel, Sylvester, } bei der Fach-Rechn.-Abth. des R.-Kriegs-Mstms.
Kitzmantel, Georg, beim R.-Kriegs-Mstm.
Erhold, Heinrich, zu Krakau.
Scheida, Eduard, beim R.-Kriegs-Mstm.
Petruzzi, Emil, in Wien.
Mitis, Heinrich Ritt. v., in Wien.

Rechnungs-Officiale 3. Classe.

Stohl, Carl, zu Lemberg.
Grünwald, Maximilian, zu Graz.
Löffler, Rudolph, bei der Fach-Rechn.-Abth. des R.-Kriegs-Mstms.
Pischek, Anton, beim R.-Kriegs-Mstm.
Bock, Carl, } bei der Kriegs-Rechn.-Abth. des R.-Kriegs-Mstms.
Hayderer, Franz, } bei der Kriegs-Rechn.-Abth. des R.-Kriegs-Mstms.
Schultner, Carl Ritt. v., bei der Fach-Rechn.-Abth. des R.-Kriegs-Mstms.
Stenzel, Albert, zu Serajevo.
Fischer, Robert, in Wien.
Mestrović, Victor, bei der Kriegs-Rechn.-Abth. des R.-Kriegs-Mstms.
Kisielowski, Joseph, ○2., bei der Fach-Rechn.-Abth. des R.-Kriegs-Mstms.
Halbwidl, Anton, zu Agram.
Dobrucki v. Dobruty, Franz Ritt., bei der Fach-Rechn.-Abth. des R.-Kriegs-Mstms.
Mottl, Martin, zu Graz.
Schubert, Wilhelm, bei der Fach-Rechn.-Abth. des R.-Kriegs-Mstms.
Lasser v. Zollheim, Johann Ritt., in Wien.
Zuber, Joseph, zu Zara.
Fischer, Friedrich, } bei der Fach-Rechn.-Abth. des R.-Kriegs-Mstms.
Drzemalik, Romuald, } bei der Fach-Rechn.-Abth. des R.-Kriegs-Mstms.
Oppitz, Hugo, zu Graz.
Kunz, Joseph, zu Zara.
Götz, Ludwig, bei der Fach-Rechn.-Abth. des R.-Kriegs-Mstms.
Haider, Franz, beim R.-Kriegs-Mstm.
Axmann, Carl, zu Innsbruck.
Leitner, Joseph, beim R.-Kriegs-Mstm.
Tockstein, Anton, zu Prag.
Wüstner, Leopold, zu Innsbruck.
Fleisch, Fidelius, zu Lemberg.
Gröblbauer, Anton, ○ 2., zu Agram.
Fadrus, Anton, zu Lemberg.
Kudrnáč, Franz, zu Pressburg.
Hepp, Georg, zu Temesvár.
Schütz, Anton, zu Temesvár.
Hoppe, Heinrich, bei der Fach-Rechn.-Abth. des R.-Kriegs-Mstms.
Samen, Wilhelm, zu Pressburg.
Lukesch, Alexander, zu Temesvár.
Uher, Florian, zu Budapest.
Baumann, Alois, bei der Fach-Rechn.-Abth. des R.-Kriegs-Mstms.
Janowski, Emil, zu Lemberg.
Hoinkes, Theodor, zu Innsbruck.
Canstein, Friedrich Freih. von u. zum, bei der Fach-Rechn.-Abth. des R.-Kriegs-Mstms.
Rosner, Ludwig, zu Pressburg.
Waclawowitz, Joseph, bei der Fach-Rechn.-Abth. des R.- Kriegs-Mstms.
Lokajček, Franz, bei der VII. Inf.-Trup.-Div.
Procházka, Theodor, bei der Fach-Rechn.-Abth. des R.-Kriegs-Mstms.
Zeeh, Alexander, bei der Kriegs-Rechn.-Abth. des R.-Kriegs-Mstms.
Rebensteiger v. Blankenfeld, Carl, zu Prag.
Šimatović, Michael, zu Agram.
Melbechowski, Sigmund, bei der Fach-Rechn.-Abth. des R.-Kriegs-Mstms.
Borowiczka v. Themau, Alfred Ritt., in Wien.
Kisielowski, Heinrich, } bei der Fach-Rechn.-Abth. des R.-Kriegs-Mstms.
Taude, Adalbert, } bei der Fach-Rechn.-Abth. des R.-Kriegs-Mstms.
Pahone, Hilarius, ○ 2., zu Triest.
Wohlrab, Johann, zu Hermannstadt.
Scheierling, Tobias, bei der XVIII. Inf.-Trup.-Div.
Milski, Joseph, bei der Fach-Rechn.-Abth. des R.-Kriegs-Mstms.
Hasch, Franz, zu Zara.

Köhler, Johann, bei der Kriegs-Rechn.-Abth. des R.-Kriegs-Mstms.
Theissig, Ignaz, zu Brünn.
Navratil, Adam, bei der XIII. Inf.-Trup.-Div.
Gross, Julius, bei der XX. Inf.-Trup.-Div. und Etapen-Dir. zu Brood.
Bourek, Narciss, zu Budapest.
Steffel, Johann, zu Lemberg.
Zeipelt, Franz, in Wien.
Schmerler, Benjamin, bei der Kriegs-Rechn.-Abth. des R.-Kriegs-Mstms.
Hobza, Paul, beim R.-Kriegs-Mstm.
Hohler, Mathias, in Wien.
Künzl, Johann, bei der Kriegs-Rechn.-Abth. des R.-Kriegs-Mstms.
Jabutka, Eduard, zu Hermannstadt.
Bellić, Isaak, zu Pressburg.
Christ, Franz, bei der XVIII. Inf.-Trup.-Div.
Lüttenfeldner, Jakob, zu Zara.
Zeman, Ignaz, zu Pressburg.
Meissner, Johann, zu Krakau.
Brunner, Ferdinand, zu Temesvár.
Rösler, Franz, bei der Kriegs-Rechn.-Abth. des R.-Kriegs-Mstms.
Ebert, Joseph, zu Prag.
Božić, Michael, zu Agram.
Trentin, Raimund, zu Prag.
Neubert, Joseph, zu Lemberg.
Sutter, Johann, bei der IV. Inf.-Trup.-Div.
Mith, Carl, zu Prag.
Gross, Carl, O 2., zu Brünn.
Kukulj, Simon, zu Zara.
Lekić, Prokop, zu Temesvár.
Kraus, Ferdinand, bei der VII. Inf.-Trup.-Div.
Schönn, Wladimir, zu Temesvár.
Jeschke, Joseph, zu Krakau.
Janda, Ambrosius, bei der XXXVI. Inf.-Trup.-Div.
Haber, Franz, zu Prag.
Jakob, Franz, zu Zara.
Wozáry, Alexander, zu Budapest.
Leik, Franz, zu Kaschau.
Welvich, Julius, zu Graz.
Zimmer, Franz, bei der Kriegs-Rechn.-Abth. des R.-Kriegs-Mstms.
Gyurkovich, Ludwig, in Wien.
Karny, Hugo, bei der Fach-Rechn.-Abth. des R.-Kriegs-Mstms.
Ambrosch, Ignaz, zu Agram.
Mitreiter, August, zu Prag.
Chmela, Johann, bei der Kriegs-Rechn.-Abth. des R.-Kriegs-Mstms.
Krug v. Nidda, Alphons, bei der Fach-Rechn.-Abth. des R.-Kriegs-Mstms.
Faba, Felix, zu Budapest.
Boublik, Wenzel, O 1., zu Brünn.
Biedermann, Paul, zu Lemberg.
Czermak, Gustav, zu Zara.
Habermann, Johann, bei der XIII. Inf.-Trup.-Div.

Rechnungs-Accessisten.

Jänschky, Franz, zu Budapest.
Schwarz, Johann, bei der Fach-Rechn.-Abth. des R.-Kriegs-Mstms.
Kautsch, Heinrich, in Wien.
Chaluppa, Carl, zu Brünn.
Halászovich, Carl, O 2., zu Lemberg.
Mayr, Carl, bei der Fach-Rechn.-Abth. des R.-Kriegs-Mstms.
Tomašević, Marian, zu Temesvár.
Preiss, Alexander, zu Budapest (WG.).
Jelinek, Anton, zu Prag.
Gsangler, Gustav, beim R.-Kriegs-Mstm.
Schwingenschlögl, Hugo, zu Hermannstadt.
Walitschek, Wilhelm, in Wien.
Jaklenović, Simeon, zu Temesvár.
Weeber, Moriz, bei der Fach-Rechn.-Abth. des R.-Kriegs-Mstms.
Kordić, Stephan, O 2., zu Lemberg.
Nechvátal, Raimund, zu Temesvár.
Lanzendörfer, Anton, } bei der Fach-Rechn.-Abth. des R.-Kriegs-Mstms.
Marschall, Emil, }
Fischer, Darius, zu Lemberg.
Glaser, Johann, zu Triest.
Zappe, Joseph, zu Pressburg.
Karger, Alfred, bei der Fach-Rechn.-Abth. des R.-Kriegs-Mstms.
Michl, Adalbert, zu Prag.
Haslinger, Carl, beim R.-Kriegs-Mstm.
Wišnić, Michael, zu Agram.
Kottić, Rudolph Ritt. v., zu Brünn.
Brand, Joseph, zu Krakau.
Nigris, Justus, bei der Fach-Rechn.-Abth. des R.-Kriegs-Mstms.
Sztupak, Michael, zu Pressburg.
Sawicki, Apollonius, bei der Fach-Rechn.-Abth. des R.-Kriegs-Mstms.
Petters, Joseph, zu Lemberg.
Sendler, Franz, zu Krakau.
Matz, Carl, zu Budapest
Wirl, Julius, bei der Fach-Rechn.-Abth. des R.-Kriegs-Mstms.
Zivoinović, Johann, zu Temesvár.
Eisenbach, Friedrich, bei der Fach-Rechn.-Abth. des R.-Kriegs-Mstms.
Ehardt, Nikolaus, zu Budapest.
Hrasztilek, Philipp, zu Pressburg.

Egner, Franz, bei der Kriegs-Rechn.-Abth. des R.-Kriegs-Mstms.
Zuba, Carl, bei der Fach-Rechn.-Abth. des R.-Kriegs-Mstms.
Banić, Michael, zu Lemberg.
Jagschitz, Joseph, zu Graz.
Anschlag, Wenzel, zu Budapest.
Tirl, Thomas, zu Prag.
Roese, Emil, bei der Fach-Rechn.-Abth. des R.-Kriegs-Mstms.
Matzner, Joseph, in Wien.
Dziurzyński, Franz, bei der Fach-Rechn.-Abth. des R.-Kriegs-Mstms.
Augustić, Julius, zu Serajevo.
Böbel, Albert, zu Hermannstadt.
Bohacz, Heinrich, zu Prag.
Friedl, Rudolph, bei der Fach-Rechn.-Abth. des R.-Kriegs-Mstms.
Lopuszański, Casimir, zu Prag.
Blazanin, Michael, zu Temesvár.
Winkler, Alois, bei der Fach-Rechn.-Abth. des R.-Kriegs-Mstms.
Köstler, Johann, bei der Kriegs-Rechn.-Abth. des R.-Kriegs-Mstms.
Binder, Anton, bei der Fach-Rechn.-Abth. des R.-Kriegs-Mstms.
Eichberger, Joseph, bei der Kriegs-Rechn.-Abth. des R.-Kriegs-Mstms.
Prochaska, Carl, bei der Fach-Rechn.-Abth. des R.-Kriegs-Mstms.
Schindler, Ludwig, bei der Kriegs-Rechn.-Abth. des R.-Kriegs-Mstms.
Hanausek, Wilhelm, bei der Fach-Rechn.-Abth. des R.-Kriegs-Mstms.
Polity, Paul, bei der Kriegs-Rechn.-Abth. des R.-Kriegs-Mstms.
Hadáry, Ludwig Edl. v., bei der Fach-Rechn.-Abth. des R.-Kriegs-Mstms.
Latzkov, Stephan, bei der Kriegs-Rechn.-Abth. des R.-Kriegs-Mstms.
Mosing, Ernst Edl. v., zu Hermannstadt.
Ritter, Sebastian, zu Agram.
Král, Jaroslav, zu Prag.
Eror, Michael, bei der Kriegs-Rechn.-Abth. des R.-Kriegs-Mstms.
Wollner, Jacob, bei der Fach-Rechn.-Abth. des R.-Kriegs-Mstms.
Přibyl, Franz, zu Agram.
Weiss, Johann, bei der Fach-Rechn.-Abth. des R.-Kriegs-Mstms.

Rechnungs-Eleven.

Junginger, Carl, Hudeczek, Carl, Fert, Joseph, } bei der Fach-Rechn.-Abth. des R.-Kriegs-Mstms.
Liebhart, Wilhelm, in Wien.
Fischer, Ludwig, SVK., zu Lemberg.
Schrittwieser, Julius, zu Graz.
Morawa, Felix, bei der Fach-Rechn.-Abth. des R.-Kriegs-Mstms.
Dauber, Albert v., Hradil, Hugo, Nagel, Friedrich, } bei der Fach-Rechn.-Abth. des R.-Kriegs-Mstms.
Marschall, Emil, zu Hermannstadt.
Kúna, Eduard, zu Hermannstadt.
Schreiber, Mathias, bei der Fach-Rechn.-Abth. des R.-Kriegs-Mstms.
Baumann, Carl, in Wien.
Sutter, Gottlieb, zu Triest.
Abraham, Heinrich, Heinisch, Anton, Dürr, Anton, } bei der Fach-Rechn.-Abth. des R.-Kriegs-Mstms.
Steinitz, Leopold, beim R.-Kriegs-Mstm.
Lindermann, Victor, zu Graz.
Schaefer, Adolph, zu Hermannstadt.
Gutjahr v. Helmhof, Joseph Ritt., Brusl, Albin, Reissert, Wilhelm, } bei der Fach-Rechn.-Abth. des R.-Kriegs-Mstms.
Vrga, Sabbas, zu Agram.
Günther v. Sternegg, Carl Freih., in Wien.
Benischko, Edmund, bei der Fach-Rechn.-Abth. des R.-Kriegs-Mstms.
Schöner, Carl, zu Pressburg.
Stephan, Rudolph, Hirtl, Michael, } bei der Fach-Rechn.-Abth. des R.-Kriegs-Mstms.
Kaufmann, Anton, bei der Kriegs-Rechn.-Abth. des R.-Kriegs-Mstms.
Kacher, Joseph, Kretschmer, Alois, } bei der Fach-Rechn.-Abth. des R.-Kriegs-Mstms.
Vogler, Hugo, zu Budapest.
Zimmermann, Marcus, Adler, Ottokar, Kohn, Maximilian, } bei der Fach-Rechn.-Abth. des R.-Kriegs-Mstms.
Babić, Joseph, zu Zara.
Woźniakiewicz, Edmund, zu Lemberg.

Hut, dunkelgrüner Waffenrock mit lichtblauer Egalisirung und weissen glatten Knöpfen, blaugraue Pantalon mit lichtblauem Passepoil, Mantel blaugrau.

Militär - Cassen - Beamte.

Cassen-Directoren erster Classe.

Feuerle, Heinrich, Vorstand des Universal-Mil.-Depositen-Amtes.
Schmelz, Johann, ÖFJO-R., GVK. m. Kr., Vorstand des Universal-Mil.-Zahlamtes.

Cassen-Director zweiter Classe.

Petzold, Carl, Vorstand der Mil.-Casse in Wien.

Zahlmeister.

Ziegler, Paul, Vorstand der Mil.-Casse zu Budapest.
Kästner, Hermann, bei der Mil.-Casse in Wien.
Grüll, Joseph, beim Universal-Mil.-Zahlamte.
Erlach, Adolph, beim Universal-Mil.-Depositen-Amte.
Sailzl, Anton, bei der Mil.-Casse zu Budapest.
Ochs, Friedrich, bei der Mil.-Casse in Wien.

Cassen-Officiale 1. Classe.

Geisendorfer, Peter, ◯ 1., beim Universal-Mil.-Zahlamte.
Siglitz, Jos., beim Universal-Mil.-Zahlamte.
Buzzini, Emerich, bei der XXXVI. Inf.-Trup.-Div.
Schönfeld, Joseph Ritt. v., bei der Mil.-Casse in Wien.
Puchinger, Eduard, beim Universal-Mil.-Depositen-Amte.
Gaurig, Ernst, bei der XVIII. Inf.-Trup.-Div.
Bassaraba, Stephan, bei der Mil.-Casse zu Budapest.
Kallach, Raimund, bei der XVIII. Inf.-Trup.-Div.
Lippert, Adalbert, GVK. m. Kr., bei der XX. Inf.-Trup.-Div.
Kestler, Gustav, bei der VII. Inf.-Trup.-Div.
Sturm, Leopold, bei der XXXVI. Inf.-Trup.-Div.

Cassen-Officiale 2. Classe.

Heytmánek, Franz, bei der XVIII. Inf.-Trup.-Div.
Reisinger, Franz, beim Universal-Mil.-Zahlamte.
Lutz, Heinrich, beim Universal-Mil.-Depositen-Amte (WG.).
Kastell, Joseph, beim Universal-Mil.-Depositen-Amte.
Böhm, Johann, bei der XIII. Inf.-Trup.-Div.
Maresch, Eduard, bei der Mil.-Casse zu Serajevo.
Picha, Carl, beim Universal-Mil.-Depositen-Amte.
Populorum, Sylvester, bei der XX. Inf.-Trup.-Div.
Vogel, Leo, bei der Mil.-Casse in Wien.
Jemnitzer, Maximilian, bei der XIII. Inf.-Trup.-Div.
Krulik, Joseph, bei der XVIII. Inf.-Trup.-Div.
Neugebauer, Felix Edl. v., bei der Mil.-Casse in Wien.
Weeber, Wenzel, bei der Mil.-Casse zu Serajevo.
Lukas, Carl, bei der Mil.-Casse zu Budapest.

Adjustirung: wie bei den Mil.-Rechnungs-Controls-Beamten angegeben.

Militär-Verpflegs-Beamte.

Ober-Verpflegs-Verwalter 1. Classe.

Ehrler, Johann, ÖFJO-R., in Wien.

Portner v. Höflein, Anton Freih., zu Lemberg.

Ober-Verpflegs-Verwalter 2. Classe.

Rossa, Eduard, zu Innsbruck.

Verpflegs-Verwalter.

Rasch, Alois, zu Prag.
Capp, Carl, GVK. m. Kr., zu Budapest.
Mayer, Adolph, beim R.-Kriegs-Mstm.
Kutschera, Otto, zu Prag.
Schuhmann, Franz, ÖFJO-R., GVK. m. Kr., zu Czernowitz.
Stärk, Ernst, zu Prag.
Pluhař, Anton, zu Linz.
Seyferth, Carl, zu Theresienstadt.
Bayerlein, Theodor, zu Temesvár.
Weeber, Eduard, zu Graz.
Tenner, Ignaz, zu Pressburg.
Körperth, Carl, zu Hermannstadt.
Wimmer, Peter, zu Grosswardein.
Seh, Eduard, zu Carlsburg.
Brosch, Joseph, in Wien.
Trunda, Johann, zu Josephstadt.
Werner, Eduard, GVK., zu Triest.
Smrczka, Franz, GVK. m. Kr., zu Komorn.
Pasch, Joseph, zu Krakau.
Gindl, Joseph, zu Cattaro.
Weiss, Hermann, zu Zara.
Luksch, Joseph, zu Agram.
Stöhr, Adolph, zu Olmütz.
Hof, Anton, zu Peterwardein.
Kollarž, Wilhelm, GVK. m. Kr., zu Kaschau.
Bendl Edl. v. Hohenstern, Friedrich, zu Arad.
Kobay, Anton, zu Lemberg.
Cappus, Maximus, zu Fünfkirchen.
Birkl, Joseph, zu Pola.
Kirchner v. Neukirchen, Heinrich, zu Banjaluka.
Svečený, Franz, zu Brood.
Jarka, August, zu Kronstadt.

Verpflegs-Officiale 1. Classe.

Mayrberger, Carl, zu Pressburg (WG.).
Reimer, Engelbert, zu Lemberg.
Preitlachner, Franz, zu Laibach.
Caspar, Julius, zu Serajevo.
Plappert, Joseph, zu Grosswardein.
Lazarević, Johann, zu Hermannstadt.
Pistl, Carl, zu Budapest.
Feyertag, Wilh. v., zu Triest.
Biščan, Nikolaus, zu Brood.
Martinides, Gustav, ÖFJO-R., zu Ragusa.
Follinus, Eduard, zu Budapest.
Formánek, Marcell, GVK. m. Kr., zu Komorn.
Schwabe, Franz, GVK. m. Kr., zu Krakau.
Hörber, Eduard, zu Brünn.
Klemp, Gustav, zu Budapest.
Pogazhar, Simon, zu Laibach.
Warschutzky, Joseph, zu Prag (WG.).
Lützenburger, August, zu Olmütz.
Janich, Carl, zu Temesvár.
Fries, August Freih. v., zu Budapest.
Budinsky, Joh., zu Innsbruck.
Thiel, Johann, zu Serajevo.
Leicht, Joseph, zu Triest.
Müller, Gustav, in Wien.
Arnold, Johann, zu Lemberg.
Hofmann, Johann, in Wien.
Steeger, Anton, in Wien.
Dittrich, Wilhelm, zu Raab.
Leser, Franz, zu Temesvár.
Albrecht, Wilhelm, zu Oedenburg.
Müller, Joseph, zu Linz.
Roslaw v. Rosenthal, Ferdin., zu Komorn.
Čížek, Carl, zu Arad.
Fattinger, Carl, zu Pressburg.

Emmer, Joseph, zu Kaschau.
Staniek, Joseph, zu Trient.
Smrčka, Vincenz, zu Essegg.
Kudler, Jakob, zu Görz.
Schefcsik, Johann, zu Bruck an der Leitha.
Schwarz, Eduard, zu Salzburg.
Raab v. Rabenau, Maximilian, zu Serajewo.
Bolik, Johann, zu Doboj.
Triller, Gregor, zu Zara.
Csadek, Johann, zu Zara.
Nagel, Anton, zu Fiume.
Zolnay, Wilhelm v., zu Fünfkirchen.
Wiedorn, Adolph, zu Klausenburg
Franzl, Alois, zu Königgrätz.
Herzig, Wilhelm, zu Debreczin.
Reibenschuh, Joh., zu Cattaro.
Hiltscher, Emanuel, GVK. m. Kr., zu Serajevo.
Waněk, Stephan, zu Prag.
Sládeček, Franz, zu Metkovich.
Hoynigg, Joseph, in Wien.
Přibil, Carl, zu Peterwardein.
Fedorowicz, Ignaz, zu Czernowitz.
Scherer, Heinrich, zu Lemberg.
Bastl, Johann, zu Budapest.
Weil, Heinrich, in Wien.
Gurawski, Pankraz, zu Graz.
Turnowsky, Joseph, zu Budapest.
Ballner, Johann, zu Debreczin.
Jaeger, Carl, zu Pressburg.

Verpflegs-Officiale 2. Classe.

Lukatsy, Stephan v., in Wien.
Novotný, Franz, zu Brood.
Rössler, Philipp, zu Komorn.
Gallina, Emanuel, zu Serajevo.
Traube, Emanuel, zu Temesvár.
Fischer, Franz, zu Olmütz (WG.).
Tisch, Johann, zu Czernowitz.
Streyzowsky, Franz, zu Brood.
Cais, Wenzel, zu Kronstadt.
Matzner, Carl, zu Ragusa.
Kratochwill, Raimund, zu Triest.
Zeman, Anton, zu Kaschau.
Řehak, Emerich, zu Linz (WG.)
Beran, Vincenz, zu Budapest.
Schmidt v. Silberburg, Alois, zu Pola.
Nickel, Heinrich, zu Erlau.
Rösler, Stephan, bei der Verpflegs-Colonne Nr. 4.
De Castello, Gustav, zu Szegedin.
Zaufal, Franz, zu Brood.
Schulz, Gustav, zu Agram.
Willigk, Ignaz, zu Theresienstadt.
Burian, Joseph, GVK. m. Kr., zu Klagenfurt.
Nigrin, Joseph, zu Fünfkirchen.
Sitta, Friedrich, zu Krakau.
Serda, Ignaz, zu Serajevo.
Gindely, Adolph, zu Innsbruck.
Just, Joseph, zu Temesvár.
Muthwill, Franz, zu Brood.
Illichmann, Joseph, zu Brood.
Gärtner, Roman, zu Josephstadt.
Hněwkowský, Sebastian, zu Agram.
Dobrauz, Anton, zu Spalato.
Kirner, Adolph, zu Krakau
Palik, Friedrich, zu Pressburg.
Ilnicki, Nikolaus Ritt. v., zu Krakau.
Slavik, Emil, zu Lemberg.
Ruschka, Jakob, zu Pola.
Osterer, Carl, zu Travnik.
Reichel, Carl, zu Alt-Gradisca.
Zenker, Carl, zu Pressburg.
Bauše, Wenzel, zu Brood.
Pević, Franz, zu Carlstadt
Schramm, Wendelin, zu Marburg.
Benesch, Adolph, bei der Verpflegs-Colonne Nr. 20.
Siegel, August, bei der Verpflegs-Colonne Nr. 7.
Altmann, Carl, SVK. in Wien.
Mattelich, Alexander, zu Metkovich.
Worel, Carl, zu Banjaluka.
Cikhart, Johann, zu Hermannstadt.
Pernhoffer Edl. v. Bärenkron, Julius, zu Essegg.
Muresch, Jos., zu Brood.
Rüll, Heinrich, zu Zara.
Schönitzer, Ferdinand, zu Castelnuovo.
Meder, Ferdinand, zu Zara.
Lechmann, Johann, zu Kaschau.
Schreinzer, Carl, zu Krakau.
Serafin, Gregor, zu Essegg.
Welser, Adalbert, zu Brood.
Swoboda, Ottomar, GVK. m. Kr., zu Mostar.
Hajek, Rudolph, zu Agram.
Kitzler, Carl, zu Brood.
Walter, Friedrich, zu Brood.

Verpflegs-Officiale 3. Classe.

Tiefenbacher, Edmund, zu Kaschau (Res.).
Mökesch, Franz, zu Hermannstadt.
Weitl, Lorenz, zu Mittrowitz
Fröhlich, Adalbert, zu Budua.
Aumüller, Eduard, in Wien.
Spalek, Richard, zu Cattaro.
Wewerka, Joseph, zu Temesvár.
Möller, Albrecht, zu Franzensfeste.
Walenta, Peter, zu Brood.
Caspar, Carl, zu Brood.
Engelthaler, Johann, in Wien.
Felix, Franz, zu Knin.
Klima, Jakob, zu Serajevo.
Wodička, Franz, GVK., zu Cattaro.
Flanek, Peter, zu Oedenburg.
Novák, Franz, zu Agram.
Kreutzer, Georg, zu Ragusa.
Firlinger, Johann, GVK., zu Essegg.

Lamich, Anton, zu Triest.
Jung, Anton, bei der Verpflegs-Colonne Nr. 13.
Veranemann v. Wattervliet Franz Ritt., zu Grosswardein.
Buchleitner, Franz, zu Alt-Gradisca.
Gogojewicz, Michael, zu Krakau.
Dostal, Peter, zu Zara (WG.).
Pitsch, Alois, zu Pressburg.
Fels, Ignaz, in Wien.
Vogelweiter, Georg, zu Budapest.
Blechinger, Ferd., zu Agram.
Tuschl, Ferdinand, bei der Verpflegs-Colonne Nr. 36.
Wartha, Carl, zu Makarska.
Bayer, Johann, zu Budapest.
Grünes, Ignaz, in Wien.
Mildner, Ernst, zu Mostar.
Venus, Adolph, bei der Verpflegs-Colonne Nr. 18.
Peschka, Alois, zu Brood.
Chwalowsky, Franz, zu Prag.
Braun, Johann, zu Metkovich.
Richter, Joseph, zu Triest.
Maydl, Bohumil, zu Serajevo.
Schäffer, Alfred, zu Cattaro.
Kummer-Fustinioni, Ferdinand, zu Spalato.
Ludvig, Adolph, in Wien.
Schrittwieser, Heinrich, zu Temesvár.
Dörler, Alfred, zu Pola.
Sentz, Alois, zu Kronstadt.
Kön, Joseph, zu Metkovich.
Tkaczkiewicz, Isidor, zu Czernowitz.
Burda, Johann, zu Mostar.
Smolka, Johann, zu Agram.
Weis, Rudolph, zu Serajevo.
Rašín, Joseph, zu Linz.
Lattenberg, Mathias, zu Kaschau.
Simonis, Friedrich, zu Alt-Gradisca.
Sklenař, Joseph, zu Spalato.
Nowitzky, Franz, zu Brünn.
Pokorny, Gottfried, zu Hermannstadt.
Hopp, Franz, zu Brood.
Dietrich, Franz, zu Brood.
Luterschek, Carl, zu Brood.
Reiter, Johann, zu Pressburg.
Hruschka, Peter, zu Komorn.
Andreas, Joseph, zu Spalato.

Verpflegs-Official
(der bestandenen) **4. Classe.**

Kraft, Alois, zu Kaschau (WG.).

Verpflegs-Accessisten.

Födransperg, Bernhard Ritt. v., in Wien (WG.).
Michal, Ferdinand, zu Kaschau (WG.).
Schug, Engelbert, in Wien (WG.).
Brabetz, Adolph, zu Ragusa.
Fabritius, Friedrich, zu Carlsburg.
Kuchinka, Alois, zu Graz.
Motak, Ferdinand, zu Temesvár.
Hiltscher, Rudolph, zu Budapest.
Gressel, Carl, zu Budapest.
Bauer-Hansl, Siegfried, in Wien.
Fritsch, Leopold, zu Triest.
Nowotny, Julius, zu Prag.
Macher, Joseph, in Wien.
Holub, Adalbert, zu Prag.
Voggensteiner, Mathias, zu Agram.
Böhm, Georg, zu Serajevo.
Uhlich, Joseph, zu Brood.
Bereiter, Edmund, zu Fünfkirchen.
Badiersky, Julius, zu Oedenburg.
Prochaska, Franz, zu Prag.
Schwarz, Joseph, zu Temesvár.
Schaller, Sigmund, zu Olmütz.
Heidler, Emil, zu Prag.
Kopecky, Adolph, zu Prag.
Schwarz, Eduard, zu Prag.
Mukarowsky, Vincenz, zu Graz.
Schauff, Theodor, zu Graz.
Lipowsky, Ottokar, zu Olmütz.

Praktikanten.

Nosakovsky, Franz, zu Brünn.
Fuchs, Friedrich, bei der Verpflegs-Colonne Nr. 36.
Schulbaum, Joseph, in Wien.
Alber, Friedrich, zu Zara.
Talcsik, Joseph, zu Brood.
Fuchs, Alexander, zu Graz.
Bozdech, Emanuel, zu Krakau.
Böhm, Franz, zu Brünn.
Fraudetzky, Eduard, in Wien.
Gaspari, Adolph, in Wien.
Poczinsky, Oskar, in Wien.
Břehowsky, Wilhelm, in Wien.
Buresch, Anton, in Wien.
Faber, Richard, in Wien.
Přibil, Johann, zu Budapest.
Dlouhy, Alexander, in Wien.
Schön, Joseph, in Wien.

Verpflegs-Accessisten in der Reserve.

Ruber, Augustin.
Alscher, Ernst.
Herbst, Ernst.
Czernecki, Joseph.
Molitor, Wilhelm.
Ecker, Joseph.
Beran, Wladimir.
Hanke, Heinrich.
Calligaris, Ludwig.
Vogler, Ludwig.
Hrubý, Carl.
Ilg, Carl.
Giegl, Julius.
Horwath, Joseph.
Bayer, Johann.
Jerusalem, Ludwig.
Umlauft, Felix.
Prossinagg, Ludwig.
Wölhelm, Victor.
Schatt, Oswald.
Vašíček, Richard.
Knobloch, Gustav.
Tichý, Heinrich.
Protschke, August.
Perka, Franz.
Ruppert, Carl.
Fiala, Johann.
Chytil, Thomas.
Tkaný, Franz.
Pausa, Carl.
Schön, Richard.
Schwarz, Alfred.
Stein, Max.
Daffner, Anton.
Schneeberger, Wilhelm.
Seefeld, Carl.
Bauer, Gustav.

Hoffmann, Alfred.
Kolbensteiner, Wilhelm.
Lenz, Gustav.
Grass, Moriz.
Pelzer, Joseph.
Röver, Heinrich.
Ziwsa, Carl.
Zbořil, Joseph.
Mayer, Jakob.
Koscinski, Ignaz.
Morawski, Sigmund.
Wottawa, Emanuel.
Sack, Friedrich.
Pototschnig, Carl.
Wassermann, Valentin.
Löw, Zdenko.
Hanl, Leonhard.
Kopetz, Johann.
Kasanda, Adalbert.
Weyr, Eduard.
Kroutil, Johann.
Křepelka, Franz.
Odstrčil, Ludwig.
Ruczička, Ivan.
Nechwile, Joseph.
Frencl, Bernard.
Bezpalec, Anton.
Liebscher, Franz.
Zbořil, Johann.
Fügner, Ignaz.
Kostka, Friedrich.
Roušal, Anton.
Flieder, Robert.
Přech, Lucas.
Sauer, Bohumil.
Riedel, Peter.
Setelik, Anton.
Procházka, Franz.
Pažout, Joseph.
Skoumal, Carl.
Marek, Victor.
Lasnausky, Joseph.
Homma, Franz.
Berka, Johann.
Langer, Ludwig.
Hönig, Max.
Friedrich, Adolph.
Kandler, Ludwig.
Leischner, Anton.
Skrabl, Georg.
Toll, Ludwig.
Sopotnicki, Julian Ritt. v.
Kowalski, Carl.
Bańkowski, Wladimir.
Krajkowski, Sylvester v.

Limbach, Franz.
Studzinski, Adam Ritt. v.
Enderle, Rochus.
Kumpfmüller, Ludwig Ritt v.
Budik, Johann.
Freund, Samuel.
Kletetschka, Carl.
Dulęba, Ladislaus.
Engel, Ernst.
Hrdlicska, Johann.
Sofcsák, Victor.
Berndt, Wilhelm.
Grüner, Adolph.
Cserner, Carl.
Kirchmayer, Joseph.
Brabée, Robert.
De Laglio, Wenzel.
Grim, Carl.
Leder, Johann.
Melzer, Rudolph.
Persoglia, Franz v.
Pfob, Franz.
Sojka, Joseph.
Czermak, Gustav.
Graf, Carl.
Kiesewetter, Emil.
Trimmel, Matthäus.
Grasern, Hermann Edl. v.
Kraisel, Heinrich.
Gribowski, Wissarion.
Konwalina, Ferdinand.
Kunz, Alexander.
Rybak, Theodor.
Slivka, Paul.
Přibil, Carl.
Knauer, Franz.
Burstein, Carl.
Steiger, Anton.
Frank, Carl.
Mulley, Joseph.
Lichtnegel, Joseph, Dr.
Halbärth, Ignaz.
Gotter, Johann.
Hutter, Joseph.
Woitech, Leo.
Höberth Edl. v. Schwarzthal, August.
Blechschmied, Franz.
Halbaerth, Joseph.
Menghini, Joseph Freih. v.
Michel, Bernhard.
Langer, Theodor.
Krasojević, Georg.
Mayer, Friedrich.
Reinisch, Emanuel.

Scheib, Heinrich.
Skopalik, Joseph.
Waisar, Carl.
Scharfmesser, Heinrich.
Olszewski, Valerian.
Hlawáček, Franz.
Pfeiffer, Joseph.
Kubin, Friedrich.
Vogl, Adolph.
Luczkiewicz, Casimir.
Pfraumer, Carl.
Hatle, Eduard.
Depil, Edmund.
Hradecky, Joseph.
Uibner, Wenzel.
Czapka, Ferdinand.
Argasiński, Wladimir.
Krzyzanowský, Philipp.
Galusek, Joseph.
Bouček, Gustav.
Zemene, Caspar.
Liška, Mathias.
Polak, Victor.
Fröhlich, Julius.
Rosenbaum, Johann.
Nedobitý, Anton.
Koder, Anton.
Freisleben, Lorenz.
Morwitz, Carl.
Schneider, Julius.
Plankensteiner, Richard.
Baumann, Adolph.
Hirschmann, Conrad.
Hampel, Emil.
Sawicki, Victor.
Katzer, Carl.
Tschögl, Gustav.
Zavadlav, Johann.
Preuss, Arthur.
Marek, Carl.
Wagner, Franz.
Rezek, Anton.
Bielawski, Zdislaus.
Bisiak, Johann.
Dworzak, Theodor.
Wentruba, Heinrich.
Messer, Philipp.
Dienst, Joseph.
Pour, Joseph.
Bluch, Carl.
Gottlieb, Franz.
Vašíček, Franz.
Alber, Friedrich.
Grohmann, Joachim.
Riegler, Wahrmund.

Goth, Carl.
Penkner, Joseph.
Matuszka, Franz.
Heinrich, Theodor.
Zulawski, Ludwig Ritt. v.
Rosner, Wilhelm v.
Adamek, Joseph.
Krátký, Joseph.
Brauner, Wladimir.
Boubela, Joseph.
Hadwich, Franz.
Hier, Robert.
Kuga, Rudolph.
Palmstein, Roman.
De Begna, Hieronymus.
Müller, Carl.
Vezmár, Emil.
Wenzel, Johann
Mangold, Ludwig.
Vohla, Joseph.
Roskot, Anton.
Náhlík, Joseph.
Němetz, Johann.
Horáček, Adolph.
Hofmann, Adolph.
Zajączkowski, Athanasius.
Peter, Gustav.
Boschnigg, Gustav.
Wirth, Georg.
Tomaseo, Hieronymus.
Czerkauer, Bernhard.
Talcsik, Joseph.
Neugebauer, Anton.
Čapek, Jaroslav.
Till, Franz.
Pichl, Joseph.
Vielwerth, Carl.
Wiktorin, Adolph.
Koydl, Joseph.
Hoefner, Moriz.
Czerwiński, Adolph.
Schmidtlein, Richard.
Hansgirg, Anton.
Jakubec, Carl.
Moural, Johann.
Schönauer, Hugo.
Chyliński, Michael.
Kuczera, Richard.
Pummer, Franz.
Kranz, Hugo.
Chudzicki, Wladimir.
Bakes, Adolph.
Batheit, Richard.
Rosenauer, Joseph.
Židlický, Joseph.
Mahl, Joseph.
Bilinkiewicz, Wladimir.
Heck, Adolph.
Ruxer, Ludwig.
Gromnicki, Joseph.
Lukasiewicz, Casimir.
Klazar, Joseph.
Weiss, Carl.
Mašek, August.
Hackenschmid, Carl.
Wartha, Carl.
Záworka, Wenzel.
Czurba, Joseph.
Jiriček, Alexander.
Schwöder, Otto.
Stefanowski, Carl Ritt. v.
Schmidt, Eugen.
Vogl, Damian.
Sowa, Rudolph.
Hantsch, Maximilian.
Göhring, Wilhelm.
Schimak, Heinrich.
Rudolf, Ignaz.
Wundrák, Ignaz.
Steinschneider, Hugo.
Rainer, Alois.
Wanitschek, Emanuel.
Latscher, Ernst.
Kieslinger, Rudolph.
Paulitschke, Philipp.
Wiesler, Johann.
Deml, Ferdinand.
Ivancich, Johann.
Burgarell, Eduard.
Miller, Rudolph.
Mulley, Eduard.
Válka, Thomas.
Fischer-Colbrie, Julius.
Luzzatto, Emil.
Sbisa, Sebastian.
Tuch, Carl.
Pokorny, Joseph.
Saffir, Erwin.
Wachs, Julius.
Weinmeister, Alfred.
Gessler, Johann.
Radl, Joseph.
Reimer, Géza.
Ludwig, Alois.
Schaffmann, Constantin.
Vyrazil, Johann.
Weingärtner, Wilhelm.
Knott, Franz.
Globočnik, Alexander.
Schuller, Victor.
Schulbaum, Joseph.
Dwořak, Johann.
Fortwängler, Joseph.
Kaba, Carl.
Pinka, Gustav.
Griessmayer, Paul.
Heyduk, Ottokar.
Patzl, Adalbert.
Saass, Anton.
Svatek, Wenzel.
Hübel, Johann.
Kawalla, Wilhelm.
Kopecký, Joseph.
Krásný, Wenzel.
Nack, Johann.
Swoboda, Georg.
Trnka, Franz.
Ulrich, Adolph.
Herrmann, Heinrich.
Fischer, Eduard.
Palenik, Franz.
Přikryl, Franz.
Weger, Mathias.
Kuschar, Alfred.
Mödlinger, Michael.
Opočensky, Gottlieb.
Albrecht, Johann.
Doležal, Gustav.
Krupička, Johann.
Orator, Emanuel.
Schlegel, Franz.
Fidal, Theodor.
Hlavinka, Alois.
Novotny, Joseph.
Cibula, Carl.
Hamberger, Paul.
Heinzen, Carl.
Kaspar, Joseph.
Nahlik, Franz.
Ondrak, Gottfried.
Simandl, Wenzel.
Klarfeld, Moriz.
Thullié, Adam.
Gocki, Justin.
Nowakowski, Ladislaus.
Landský, Johann.
Lius, Jakob.
Henich, Joseph.
Kroczak, Leopold.
Žabka, Wilhelm.
Steiner, Joseph.
Kaizl, Joseph.
Adler, Sigmund.
Quis, Vincenz.
Tersch, Joseph.

Eymer, Wenzel.
Morbacher, Wilhelm.
Halper, Aurel.
Hnogil, Carl.
Soelch, Julius Dr.
Wellner, Carl.
Schmidt, Alois.
Vyskočil, Franz.
Wolf, Franz.
Mudroch, Carl.
Chmelarz, Carl.
Fleischer, Eugen.
Teppner, Robert.
Pupp, Ernst.
Bisch, Emil.
Glassner, Franz.
Ajdukiewicz, Bronislaus.
Tüller, Johann.
Wondráček, Wladimir.
Peterlechner, Anton.
Schuh, Moriz.
Armbruster, Jakob.
Reicher, Heinrich.
Vidulich, Stephan.
Zadina, Vincenz.
Musil, Emanuel.
Fuchs, Friedrich.
Kautschitz, Arthur.
Riedler, Alois.
Bartosch, Joseph.
Coufal, Franz.
Machaček, Carl.
Höhlmann, Albert.
Persch, Anton.
Prettner, Ludwig.
Mack, Gustav.
Trentinaglia, Primus Ritt. v.
Jarsch, Heinrich Ritt. v.
Khunt, Joseph.
Kowář, Joseph.
Machalicky, Richard.
Schedle, Franz.
Spindler, Bernhard.
Wislocki, Johann.
Döller, Ludwig.
Materna, Joseph.
Proft, Franz.
Weber, Johann.
Haempel, Carl.
Ostrčil, Hugo.
Korb, Friedrich.
Feill, Moriz.
Defacis, Carl.
Schröckinger v. Neudenberg, Wilfried Freih.

Schiffinger, Franz.
Partyngel, Theodor.
Rypáček, Mathias.
Macielinski, Carl.
Kohn, Israel.
Patočka, August.
Spindler, Joseph.
Popiel de Kisczak, Ladislaus.
Wohlfeld, Samuel.
Thor, August.
Stappel, Anton.
Cisař, Hubert.
Fürst, Eduard.
Kotab, Joseph.
Jahn, August.
Türk, Eduard.
Nejedlý, Leopold.
Mácha, Ottokar.
Soukup, Franz.
Halik, Anton.
Schamberger, Franz.
Sedláček, Alois.
Gazda, Ludwig.
Rosenberg, Anton.
Setzer, Carl.
Schmölzer, Franz.
Klier, Franz.
Zitta, Joseph.
Walzel, Oskar.
Tajek, Jakob.
Ganglbauer, Leo.
Hartl, Joseph.
Nusko, Cajetan.
Klinger, Franz.
Rodakiewicz, August.
Gulkowski, Ludwig.
Löw, Johann.
Breindl, Alois.
Anton, Maximilian.
Schuöker, Eduard.
Gluth, Raul.
Mayer, Heinrich.
Hilbert, Adalbert.
Wartha, Anton
Müller, Joseph.
Fischer, Franz.
Hübner, Anton.
Khayll, Carl.
Hoffmann, Joseph.
Eisenlohr v. Deningen, Gustav Ritt.
Bauše, Paul.
Lidmanský, Joseph.
Suchanek, Alexander.
Nosakovsky, Franz.

Heinz, Gustav.
Schenk, Joseph.
Rohn, Ferdinand.
Budecius, Adalbert.
Gavella, Nikolaus.
Schätzel, Stanislaus v.
Torski, Gregor.
Ebner v. Eschenhain, Joseph.
Hejtmánek, Carl.
Rossi, Cäsar.
Wysocki, Zdislaus.
Lovisoni, Hermann.
Pollak, Moriz.
Riedl, Joseph.
Bauer, Ludwig.
Bayerl, Friedrich.
Hildebrand, Theodor.
Kubutsch, Isidor.
Vondörfer, Carl.
Lawetzky, Alois.
Sirowy, Heinrich.
Steiner, Georg.
Christ, Carl.
Gottlieb, Ludwig.
Srb, Wladimir.
Webenau, Paul Ritt. v.
Gschirhakl, Joseph.
Milka, Joseph.
Thomas, Heinrich.
Müller, Franz.
Beranek, Heinrich.
Oehm, Franz.
Fischler, Michael.
Popelka, August.
Altmann, Ferdinand.
Frank, Adam.
Rosenblum, Alexander.
Kesterčanek, Franz.
Singer, Richard.
Tobisch, Wilhelm.
Kauble, Joseph.
Brdlik, Franz.
Pawlásek, Franz.
Dlabač, Richard.
Del Negro, Paul v.
Perko, Anton.
Eschler, Jakob.
Hoffmann, Carl.
Klein, Ignaz.
Pilwax, Gustav.
Kobliska, Wladimir.
Markotius, Otto.
Wojáček, Carl.
Reinelt, Wenzel.
Haszczic, Wladimir.

Pokorny, Alfred.
Cori, Eduard.
Costantini, Aristides.
Klosiewicz, Joseph.
Wysocki, Bronislav Ritt. v.
Malec, Julian.
Kolowrat, Maximilian.
Dlouhy, Alexander.
Gerstmann, Siegfried.
Kirnbauer, Johann.
Scholz, Moriz.
Drahoš, Carl.
Kozanek, Carl.
Dierkes, Alexander Ritt. v.
Dolnicki, Julian.
Haponowicz, Johann.
Pritz, Franz.
Mravincsics, Anton Ritt. v.
Mandýbúr, Ludwig.
Waclaviček, Eduard Ritt. v.
Hammer, Franz.
Gorczycza, Joseph.
Schön, Joseph.
Adelmann, Emil.
Gardavsky, Victor.
Neumann, Adalbert.
Kövess, Arthur.
Schlesinger, Rudolph.
Zörrer, Richard.
Daublebsky v. Sterneck, Carl.
Jeschke, Ignaz Ritt. v.
Wien, Gabriel.
Geyer, Theodor.
Kratochwila, Hugo.
Schneider, Johann.
Schröer, Robert.
Pressen, Joseph Edl. v
Rudnicki, Joseph.
Skultety, Carl.
Šimek, Johann.
Hlasek, Emil.
Tustanowski, Victor Ritt. v.
Kolař, Joseph.
Kern, Carl.
Sattler, Moriz.
Franta, Carl.
Niklas, Franz.
Herczig, Anton.
Muth, Anton.
Trapp, Carl.
Majer, Wenzel.
Tesař, Wenzel.
Kubr, Wenzel.
Bielanski, Johann.
Bartole, Anton.

Adjustirung: wie bei den Mil.-Rechnungs-Controls-Beamten angegeben.

Militär-Registraturs-Beamte.

Registraturs-Director.

Schwarz, Johann, GVK. m. Kr., beim R.-Kriegs-Mstm.

Registraturs-Unter-Director.

Hrdliczka, Edmund, beim R.-Kriegs-Mstm.

Registratoren.

Gemperle, Joseph, beim R.-Kriegs-Mstm.
Haselberger, Franz, zu Graz.
Malbohan, Sigmund, in Wien.
Hampe, Hermann, beim R.-Kriegs-Mstm.
Borecky, Eduard, zu Agram.
Liebhardt, Andreas, beim R.-Kriegs-Mstm.
Nagel, Friedrich, zu Brünn.
Németh, Franz, zu Budapest.
Sandschuster, Ludwig, beim Mil.-Appellations-Ger.
Faber, Carl, zu Prag.
Mons, Johann, zu Serajevo.
Ochs, Georg, beim R.-Kriegs-Mstm.
Bersuder, Julius v., beim R.-Kriegs-Mstm.

Registraturs-Officiale 1. Classe.

Klemm, Carl, beim R.-Kriegs-Mstm.
Weigel, Emanuel, zu Lemberg.
Hickl, Anton, beim R.-Kriegs-Mstm.
Magistris, Emil, zu Budapest.
Janko, Wilhelm Edl. v., (ü. c.) im Kriegs-Archive.
Büchler, Eduard, zu Brünn.
Fischer, Franz, beim R.-Kriegs-Mstm.
Krzisch, Georg, in Wien.
Springer, Carl, beim R.-Kriegs-Mstm.
Mitteregger, Alois, beim R.-Kriegs-Mstm.
Kavčić, Peter, zu Temesvár.
Schweiger, Eduard, zu Innsbruck.
Fornasari Edl. v. Verce, Joseph, zu Temesvár.
Jazbec, Anton, zu Agram.
Berger, Franz, beim R.-Kriegs-Mstm.
Hamböck, Adolph, beim R.-Kriegs-Mstm.
Karchesy, Ferdinand Edl. v., zu Serajevo.
Stracka, Carl, beim R.-Kriegs-Mstm.
Honl, Anton, zu Prag.
Geržabek, Joseph, zu Pressburg.
Seifensieder, Joseph, zu Budapest.
Weithoffer, Carl, zu Kaschau.
Erbes, Carl, beim R.-Kriegs-Mstm.

Registraturs-Officiale 2. Classe.

Seher, Wilhelm (Res.).
Zelnik, Moriz, zu Lemberg.
Weiss, Theodor, in Wien.
Homma, Hubert, zu Graz.
Kopper, Johann, beim R.-Kriegs-Mstm.
Werner, Alexander Ritt. v., beim Mil.-Appellations-Ger.
Frank, Carl, beim R.-Kriegs-Mstm.
Strouhal, Franz, zu Krakau.
Merz, Ludwig, zu Hermannstadt.
Heckel, Franz, zu Budapest.
Schrattenbach, Julius, beim R.-Kriegs-Mstm.
Schmidek, Leopold, zu Kaschau.
Exner, Rudolph, beim R.-Kriegs-Mstm.
Beer, Ludwig, zu Agram.
Zoufalý, Joseph, zu Zara.
Pfiffer, Ludwig Ritt. v., in Wien.
Kleiner, Joseph, zu Agram.
Suchánek, Franz, zu Prag.
Langer, Johann, beim R.-Kriegs-Mstm.
Schütz, Eduard, beim R.-Kriegs-Mstm.
Van der Hoope, Alexander, in Wien.
Kupetz, Ignaz, zu Serajevo.
Klingsbögel, Ludwig, in Wien.
Kussy, Joseph, zu Graz.

Registraturs-Officiale 3. Classe.

Haberson, Ernst Edl. v., zu Budapest.
Tils, Hermann (Res.).
Derschitz, Maximilian, zu Lemberg.
Kessler, Rudolph, zu Triest.
Zimmerl, Carl, zu Innsbruck.
Müller, Alfred, zu Budapest.
Chamrada, Caspar, zu Budapest.
Sauter, Johann, zu Prag.
Engelmayer, Anton, zu Krakau.
Seiberlik, Heinrich, beim R.-Kriegs-Mstm.
Spies, Theodor, zu Pressburg.
Lichtenberg, Joseph, in Wien.
Werner, Anton, beim R.-Kriegs-Mstm.
Vambera, Johann, zu Lemberg.
Russ, Edwin v., zu Brünn.
Seebauer, Sebastian, zu Serajevo.
Fradinger, Joseph, beim R.-Kriegs-Mstm.
Schönbauer, Joseph, beim R.-Kriegs-Mstm.
Zamisch, Joseph, zu Brünn.
Niederreiter, Moriz, zu Hermannstadt.
Schofka, Carl, zu Zara.
Pfeifer, Franz, O 2., beim R.-Kriegs-Mstm.
Krejči, Johann, beim R.-Kriegs-Mstm.
Radda, Franz, beim R.-Kriegs-Mstm.
Janiczek, Theodor, beim R.-Kriegs-Mstm.

Registraturs-Accessisten.

Gessmann, Albert (Res.).
Vogt, Johann (Res.).
Fetter, Joseph, zu Triest.
Lang, Franz, zu Lemberg.
Stumvoll, Leopold, beim R.-Kriegs-Mstm.
Lobgesang, Franz, zu Budapest.
Jandl, Peter, beim R.-Kriegs-Mstm.
Kubajewicz, Theophil, zu Prag.
Danzer, Joseph, zu Temesvár.
Böhm, Eduard, beim R.-Kriegs-Mstm.
Zupkowits, Béla v., beim R.-Kriegs-Mstm.
Jud recte Langmann, Franz, beim R.-Kriegs-Mstm.
Brenzchil, Franz, beim R.-Kriegs-Mstm.

Adjustirung: wie bei den Mil.-Rechnungs-Controls-Beamten angegeben.

Militär - Medicamenten - Beamte.

Medicamenten-Director.

Schenk, Anton, in Wien.

Medicamenten-Verwalter.

Pirkler, Eugen, bei der Apoth. des GSp. Nr. 16 zu Budapest.
Kreiter, Anton, bei der Apoth. des GSp. Nr. 7 zu Graz.
Scharrer, Willibald,. bei der Apoth. des GSp. Nr. 23 zu Agram.
Buresch, Anton, beim Medicamenten-Depot in Wien.
Baumgaertner, Theodor, bei der Apoth. des GSp. Nr. 1 in Wien.
Dörrigl, Carl, bei der Apoth. des GSp. Nr 14 zu Lemberg.
Schweitzer, Eduard, bei der Apoth. des GSp. Nr. 11 zu Prag.

Medicamenten-Officiale 1. Classe.

Hammel, Franz, bei der Garn.-Apoth. zu Carlsburg.
Höfler, Johann, bei der Apoth. des GSp. Nr. 9 zu Triest.
Langer, Ignaz, bei der Apoth. des GSp. Nr. 13 zu Theresienstadt.
Frenner, Johann, bei der Apoth. des GSp. Nr. 18 zu Komorn.
Franz, Lambert, bei der Apoth. des GSp. Nr. 21 zu Temesvár.
Wenelik, Joseph, bei der Apoth. des GSp. Nr. 12 zu Josephstadt.
Hula, Johann. bei der Apoth. des GSp. Nr. 3 zu Baden.
Effenberger, Carl, bei der Apoth. des GSp. Nr. 22 zu Hermannstadt.
Botschan, Anton, GVK., bei der Apoth. des GSp. Nr. 6 zu Olmütz.
Kurz, Carl, beim Medicamenten-Depot in Wien.
Zuber, Johann, bei der Apoth. des GSp. Nr. 2 in Wien.
Ehrmann, Theodor, bei der Apoth. des GSp. Nr. 19 zu Pressburg.
Keusch, Casimir, bei der Apoth. des GSp. Nr. 17 zu Budapest.
Flögel, Vincenz, bei der Apoth. des GSp. Nr. 5 zu Brünn.
Jellinek, Franz, bei der Garn.-Apoth. zu Tyrnau.
Grünberg, Eduard, bei der Garn.-Apoth. zu Zara.
Hausner, Engelbert, bei der Apoth. des GSp. Nr. 4 zu Linz.

Medicamenten-Officiale 2. Classe.

Skolczanik, Joseph, bei der Apoth. des GSp. Nr. 20 zu Kaschau.
Slabýhoudek, Joseph, bei der Garn.-Apoth. zu Peterwardein.
Durba, Johann, bei der Garn.-Apoth. zu Arad.
Andics, Emerich v., bei der Garn.-Apoth. zu Czernowitz.
Braun, Theodor, bei der Garn.-Apoth. zu Klagenfurt.
Schulz, Felix, bei der Garn.-Apoth. zu Brood.
Krawutschke, Eduard, bei der Garn.-Apoth. zu Essegg.
Marko, Sebastian, bei der Apoth. des GSp. Nr. 10 zu Innsbruck.
Hanke, Norbert, bei der Medicamenten-Dir. in Wien.
Hedánek, Heinrich, bei der Medicamenten - Dir. in Wien.
Krotky, Vincenz, bei der Garn.-Apoth. zu Königgrätz.
Kepler, Adolph, bei der Garn.-Apoth. zu Ragusa.
Lemberger, Ignaz, bei der Apoth. des GSp. Nr. 15 zu Krakau.
Lerch, Carl, bei der Apoth. des GSp. Nr. 16 zu Budapest.
Weizner, Eduard, beim Medicamenten-Depot in Wien.
Metze, Carl, bei der Apoth. des GSp. Nr. 22 zu Hermannstadt.
Tilsch, Franz, bei der Apoth. des GSp. Nr. 11 zu Prag.

Medicamenten-Officiale 3. Classe.

Eichhorn, Otto, bei der Apoth. des GSp. Nr. 1 in Wien.
Hierschl, Eduard, bei der Feld-Apoth. Nr. V.
Suchomel, Hugo, bei der Medicamenten-Dir. in Wien.
Machek, Philipp, bei der Garn.-Apoth. zu Cattaro.
Kaltenbrunner, Alexander, bei der Feld-Apoth. Nr. XXXVI.
Kudrna, Rudolph, bei der Apoth. des GSp. Nr. 23 zu Agram.
Jenikowski, Heinrich, bei der Feld-Apoth. Nr. XVI.
Ebenhöh, Johann, bei der Garn.-Apoth. zu Alt-Gradisca.
Lupschina, Wilhelm, bei der Apoth. des GSp. Nr. 21 zu Temesvár.
Rosenberg, Wenzel, bei der Feld-Apoth. Nr. XX.
Konteschweller, Eduard, bei der Feld-Apoth. Nr. III.
Dziekoński, Ludwig, bei der Feld-Apoth. Nr. XV.
Hubl, Adolph, bei der Garn.-Apoth. zu Ragusa.
Szalamin, Joseph, bei der Feld-Apoth. Nr. XXIX.
Mayer, Adolph, bei der Apoth. des GSp. Nr. 1 in Wien.
Ostindal, Alexander, bei der Apoth. des GSp. Nr. 2 in Wien.

Medicamenten-Officiale 3. Classe in der Reserve.

Zimmermann, Johann, bei der Apoth. des GSp. Nr. 2 in Wien.
Pfneissl, Alexander, bei der Apoth. des GSp. Nr. 21 zu Temesvár.

Medicamenten-Accessisten.

Blaschko, Adolph, bei der Apoth. des GSp. Nr. 8 zu Laibach.
Heidrich, Ernst, bei der Apoth. des GSp. Nr. 5 zu Brünn.
Kiczka, Oskar, bei der Apoth. des GSp. Nr. 14 zu Lemberg.
Wage, Oskar, bei der Apoth. des GSp. Nr. 9 zu Triest.
Girtler, Franz, bei der Apoth. des GSp. Nr. 15 zu Krakau.
Wallesky, Carl, bei der Medicamenten-Dir. in Wien.

Medicamenten-Accessisten in der Reserve.

Pozzetto, Guido, Dr., bei der Apoth. des GSp. Nr. 8 zu Laibach.
Czollner, Vincenz, bei der Apoth. des GSp. Nr. 16 zu Budapest.
Netzasek, Rudolph, bei der Apoth. des GSp. Nr. 17 zu Budapest.
Kaczowsky, Ferdinand, bei der Apoth. des GSp. Nr. 4 zu Linz.
Lunaczek, Wilhelm, bei der Apoth. des GSp. Nr. 3 zu Baden.
Erdy, Stephan, bei der Apoth. des GSp. Nr. 19 zu Pressburg.
Geitner, Béla, bei der Apoth. des GSp. Nr. 20 zu Kaschau.
Schannen, Virgil, bei der Apoth. des GSp. Nr. 16 zu Budapest.
Schilder, Emerich, bei der Apoth. des GSp. Nr. 7 zu Graz.
Axentowicz, Marcell, bei der Apoth. des GSp. Nr. 15 zu Krakau.
Nagy, Julius, bei der Garn.-Apoth. zu Tyrnau.
Tarczay, Stephan, bei der Apoth. des GSp. Nr. 21 zu Temesvár.
Ring, Hermann, bei der Apoth. des GSp. Nr. 17 zu Budapest
Hromatko, Wenzel, bei der Apoth. des GSp. Nr. 12 zu Josephstadt.
Jármay, Julius, Dr., bei der Apoth. des GSp. Nr. 16 zu Budapest.
Siegel, Johann, bei der Apoth. des GSp. Nr. 1 in Wien.
Slafkovits, Hyacinth, bei der Apoth. des GSp. Nr. 22 zu Hermannstadt.
Szénásy, Alexander, bei der Apoth. des GSp. Nr. 17 zu Budapest.
Feyer, Joseph, bei der Apoth. des GSp. Nr. 20 zu Kaschau.
Martinovics, Joseph, bei der Apoth. des GSp. Nr. 17 zu Budapest.
Simon, Johann, bei der Apoth. des GSp. Nr. 19 zu Pressburg.
Menich, Dionys, bei der Apoth. des GSp. Nr. 19 zu Pressburg.
Remcsák, Eduard, bei der Apoth. des GSp. Nr. 20 zu Kaschau.
Matter, Alfred, bei der Apoth. des GSp. Nr. 1 in Wien.
Musina, Albert, bei der Garn.-Apoth. zu Klagenfurt.
Thonhauser, Julius, bei der Apoth. des GSp. Nr. 16 zu Budapest.
Janeček, Gustav, Dr. der Philosophie, bei der Apoth. des GSp. Nr. 2 in Wien.
Scherfel, Cornelius, bei der Apoth. des GSp. Nr. 20 zu Kaschau.
Kostka, Franz, bei der Apoth. des GSp. Nr. 5 zu Brünn.
Veidl, Anselm, bei der Garn.-Apoth. zu Königgrätz.
Rank, Eduard, bei der Apoth. des GSp. Nr. 15 zu Krakau.
Szilárdfy, Carl, bei der Apoth. des GSp. Nr. 16 zu Budapest.
Tauffer, Carl, bei der Apoth. des GSp. Nr. 19 zu Pressburg.
Zaák, Joseph, bei der Apoth. des GSp. Nr. 16 zu Budapest.

Brunkala, Joseph, bei der Apoth. des GSp. Nr. 18 zu Komorn.

Köbling, Joseph, bei der Garn.-Apoth. zu Arad.

Paksy, Béla, bei der Apoth. des GSp. Nr. 16 zu Budapest.

Pferschy, Johann, bei der Apoth. des GSp. Nr. 7 zu Graz.

Reichel, Anton, bei der Apoth. des GSp. Nr. 7 zu Graz.

Griessl, Carl, bei der Garn.-Apoth. zu Königgrätz.

Kerk, Carl, bei der Garn.-Apoth. zu Czernowitz.

Pan, Robert, bei der Apoth. des GSp. Nr. 10 zu Innsbruck.

Oswald, Ferdinand, bei der Apoth. des GSp. Nr. 2 in Wien.

Vlach, Benedict, bei der Apoth. des GSp. Nr. 9 zu Triest.

Mono, Stephan, bei der Apoth. des GSp. Nr. 20 zu Kaschau.

Martinovics, Peter, bei der Apoth. des GSp. Nr. 16 zu Budapest.

Rick, Gustav, bei der Apoth. des GSp. Nr. 20 zu Kaschau.

Főzy, Ludwig, bei der Apoth. des GSp. Nr. 16 zu Budapest.

Urszinyi, Sigmund, bei der Apoth. des GSp. Nr. 17 zu Budapest.

Téry, Emerich, bei der Apoth. des GSp. Nr. 17 zu Budapest.

Marsić, Michael, bei der Apoth. des GSp. Nr. 1 in Wien.

Zadraschil, Carl, bei der Apoth. des GSp. Nr. 4 zu Linz.

Mussil, Adolph, bei der Garn.-Apoth. zu Czernowitz.

Brotzky, Alexander, bei der Apoth. des GSp. Nr. 23 zu Agram.

Kohn, Maximilian, bei der Apoth. des GSp. Nr. 14 zu Lemberg.

Traunsteiner, Jakob, bei der Apoth. des GSp. Nr. 10 zu Innsbruck.

Prochaska, Franz, bei der Apoth. des GSp. Nr. 1 in Wien.

Grüner, Robert, Dr., bei der Apoth. des GSp. Nr. 2 in Wien.

Pauli, Thomas, bei der Apoth. des GSp. Nr. 11 zu Prag.

Wachsmann, Albert, bei der Apoth. des GSp. Nr. 22 zu Hermannstadt.

Vavřiček, Franz, bei der Apoth. des GSp. Nr. 6 zu Olmütz.

Schopper, Julius, bei der Apoth. des GSp. Nr. 16 zu Budapest.

Adler, Emerich, bei der Apoth. des GSp. Nr. 16 zu Budapest.

Křepinsky, Wenzel, bei der Apoth. des GSp. Nr. 13 zu Theresienstadt.

Rettegi, Nikolaus, bei der Garn.-Apoth. zu Carlsburg.

Zauderer, Heinrich, bei der Apoth. des GSp. Nr. 15 zu Krakau.

Jaromisz, Ernst, bei der Apoth. des GSp. Nr. 21 zu Temesvár.

Sipöcz, Ludwig, bei der Apoth. des GSp. Nr. 1 in Wien.

Zeidler, Othmar, bei der Apoth. des GSp. Nr. 1 in Wien.

Binder, August, bei der Apoth. des GSp. Nr. 16 zu Budapest.

Scharrer, Conrad, bei der Apoth. des GSp. Nr. 1 in Wien.

Henrich, Carl, bei der Apoth. des GSp. Nr. 22 zu Hermannstadt.

Bassler, Carl, bei der Apoth. des GSp. Nr. 11 zu Prag.

Pap, Joseph v., bei der Apoth. des GSp. Nr. 21 zu Temesvár.

Dóby, Ladislaus, bei der Apoth. des GSp. Nr. 21 zu Temesvár.

Pataky, Carl, bei der Apoth. des GSp. Nr. 16 zu Budapest.

Kardos, Géza, bei der Apoth. des GSp. Nr. 20 zu Kaschau.

Liedemann, Leopold, bei der Apoth. des GSp. Nr. 18 zu Komorn.

Zatsovics, Johann, bei der Apoth. des GSp. Nr. 21 zu Temesvár.

Glaser, Adolph, bei der Apoth. des GSp. Nr. 18 zu Komorn.

Lukács, Julius, bei der Apoth. des GSp. Nr. 17 zu Budapest.

Papp, Oskar, bei der Apoth. des GSp. Nr. 16 zu Budapest.

Csepcsányi, Árpád, bei der Apoth. des GSp. Nr. 17 zu Budapest.

Přikryl, Anton, bei der Apoth. des GSp. Nr. 2 in Wien.

Czervinka, Moriz, bei der Apoth. des GSp. Nr. 19 zu Pressburg.

Palisca, Ernst, bei der Apoth. des GSp. Nr. 9 zu Triest.

Filo, Johann, bei der Apoth. des GSp. Nr. 17 zu Budapest.

Scopczynsky, Johann, bei der Apoth. des GSp. Nr. 1 in Wien.

Ring, Ludwig, bei der Garn.-Apoth. zu Arad.

Biber, Géza, bei der Apoth. des GSp. Nr. 17 zu Budapest.

Horváth, Coloman, bei der Apoth. des GSp. Nr. 16 zu Budapest.

Draskoczi, Cornel v., bei der Apoth. des GSp. Nr. 21 zu Temesvár.

Bouda, Joseph, bei der Apoth. des GSp. Nr. 12 zu Josephstadt.
Grinover, Johann, bei der Apoth. des GSp. Nr. 9 zu Triest.
Schuster, Friedrich, bei der Apoth. des GSp. Nr. 16 zu Budapest.
Sommerfeld, Alfred v., bei der Apoth. des GSp. Nr. 1 in Wien.
Kessler, Julius, bei der Apoth. des GSp. Nr. 22 zu Hermannstadt.
Zeidler, Franz, bei der Apoth. des GSp. Nr. 3 zu Baden.
Jeckl, Joseph, bei der Garn.-Apoth. zu Klagenfurt.
Füdler, Theodor, bei der Apoth. des GSp. Nr. 5 zu Brünn.
Blumenthal, Alfred, bei der Apoth. des GSp. Nr. 1 in Wien.
Toszt, Albert, bei der Apoth. des GSp. Nr. 21 zu Temesvár.
Netzasek, Adolph, bei der Apoth. des GSp. Nr. 17 zu Budapest
Schmidthauer, Ludwig, bei der Apoth. des GSp. Nr. 3 zu Baden.
Czippek, Ernst, bei der Garn.-Apoth. zu Essegg.
Hármos, Julius, bei der Apoth. des GSp. Nr. 17 zu Budapest.
Hárcz, Johann, bei der Apoth. des GSp. Nr. 17 zu Budapest.
Kampis, Joseph, bei der Apoth. des GSp. Nr. 16 zu Budapest.
Melchert, Stanislaus, bei der Apoth. des GSp. Nr. 14 zu Lemberg.
Eysank v. Marienfels, Moriz, bei der Apoth. des GSp.-Nr. 2 in Wien.
Devescovi, Joseph, bei der Apoth. des GSp. Nr. 10 zu Innsbruck.
Velissky, Albert, bei der Apoth. des GSp. Nr. 1 in Wien.
Mincowicz de Wysoczánski, Eugen, bei der Apoth. des GSp. Nr. 14 zu Lemberg.
Bisitzky, Edmund, bei der Apoth. des GSp. Nr. 23 zu Agram.
Jekelius, Gustav, bei der Apoth. des GSp. Nr. 22 zu Hermannstadt.
Koziak, Andreas, bei der Apoth. des GSp. Nr. 18 zu Komorn.
Hanzlik, Richard, bei der Apoth. des GSp. Nr. 11 zu Prag.
Angermayer v. Rebenberg, Joseph Ritt., bei der Apoth. des GSp. Nr. 4 zu Linz.
Thaler, Richard, bei der Apoth. des GSp. Nr. 10 zu Innsbruck.
Wendörfer, Alexander, bei der Garn.-Apoth zu Peterwardein.
Fifka, Anton, bei der Apoth. des GSp. Nr. 1 in Wien.
Antecki, Victor, bei der Apoth. des GSp. Nr. 15 zu Krakau.
Bancalari, Joseph, bei der Apoth. des GSp. Nr. 7 zu Graz.
Hercz, Moriz, bei der Apoth. des GSp. Nr. 20 zu Kaschau.
Kutiak, August, bei der Apoth. des GSp. Nr. 1 in Wien.
Schacherl, Gustav, bei der Apoth. des GSp. Nr. 8 zu Laibach.
Tromba, Johann, bei der Apoth. des GSp. Nr. 9 zu Triest.
Höller, Albrecht, bei der Apoth. des GSp. Nr. 1 in Wien.
Lesch, Carl, bei der Apoth. des GSp. Nr. 5 zu Brünn.
Augusztinyi, Julius, bei der Apoth. des GSp. Nr. 16 zu Budapest.
Formágyi, Georg, bei der Apoth. des GSp. Nr. 17 zu Budapest.
Jakabffy, Aladár, bei der Apoth. des GSp. Nr. 21 zu Temesvár.
Mucsy, Melchior, bei der Garn.-Apoth. zu Peterwardein.
Tomcsik, Joseph, bei der Apoth. des GSp. Nr. 22 zu Hermannstadt.
Stenner, Friedrich, bei der Apoth. des GSp. Nr. 22 zu Hermannstadt.
Inlaender, Adolph, bei der Apoth. des GSp. Nr. 14 zu Lemberg.
Adler, Rudolph, bei der Apoth. des GSp. Nr. 4 zu Linz.
Bandel, Otto, bei der Apoth. des GSp. Nr. 10 zu Innsbruck.
Moro, Franz, bei der Garn.-Apoth. zu Klagenfurt.
Kyrle, Eduard, bei der Apoth. des GSp. Nr. 4 zu Linz.
Křižan, Franz, bei der Apoth. des GSp. Nr. 6 zu Olmütz.
Blumenfeld, Heinrich, bei der Apoth. des GSp. Nr. 14 zu Lemberg.
Suttina, Anton, bei der Apoth. des GSp. Nr. 8 zu Laibach.
Desanti, Peter, bei der Apoth. des GSp. Nr. 9 zu Triest.
Daubrawa, Heinrich, Dr. der Chemie, bei der Apoth. des GSp. Nr. 5 zu Brünn.
Gvozdanović, Eugen v., bei der Apoth. des GSp. Nr. 23 zu Agram.
Höfert, Friedrich, bei der Apoth. des GSp. Nr. 13 zu Theresienstadt.
Schreiber, Otto, bei der Apoth. des GSp. Nr. 3 zu Baden.
Veidl, Anton, bei der Apoth. des GSp. Nr. 13 zu Theresienstadt.
Jlosvay, Ludwig, bei der Apoth. des GSp. Nr. 16 zu Budapest.
Jlling, Gottfried, bei der Apoth. des GSp. Nr. 2 in Wien.
Zalejski, Franz, bei der Apoth. des GSp. Nr. 6 zu Olmütz.
Kremel, Alois, bei der Apoth. des GSp. Nr. 2 in Wien.
Maly, Otto, bei der Apoth. des GSp. Nr. 7 zu Graz.

Helmbold, Carl, bei der Apoth. des GSp. Nr. 17 zu Budapest.
Gyuricza, Leop., bei der Apoth. des GSp. Nr. 20 zu Kaschau.
Marsić, Joseph, bei der Apoth. des GSp Nr. 2 in Wien.
Pawłowski, Stanislaus, bei der Apoth. des GSp. Nr. 15 zu Krakau.
Haselstein, Friedrich, bei der Apoth. des GSp. Nr. 5 zu Brünn.
Hoppen, Salomon, bei der Apoth. des GSp. Nr 14 zu Lemberg.
Tetla, Carl, bei der Apoth. des GSp. Nr. 1 in Wien.
Pohl, Othmar, bei der Apoth. des GSp. Nr. 11 zu Prag.
Schwab, Ernst, bei der Apoth. des GSp. Nr. 6 zu Olmütz.
Sidorowicz, Ant., bei der Apoth. des GSp. Nr. 14 zu Lemberg.
Kromkay, Joh., bei der Apoth. des GSp. Nr. 15 zu Krakau.
Schusnek, Adalbert, bei der Apoth. des GSp. Nr. 22 zu Hermannstadt.
Wachtel, Anton, bei der Apoth. des GSp. Nr. 15 zu Krakau.
Domain, Miecisl., bei der Apoth. des GSp. Nr. 15 zu Krakau.
Ristić, Alexander, bei der Apoth. des GSp. Nr. 7 zu Graz.
Klöckler, Friedrich, bei der Apoth. des GSp. Nr. 12 zu Josephstadt.
Kozak, Swatopl., bei der Apoth. des GSp. Nr. 11 zu Prag.
Raymann, Joh., bei der Apoth. des GSp. Nr. 11 zu Prag.
Schlegel, Rudolph, bei der Apoth. des GSp. Nr. 12 zu Josephstadt.
Smita, Johann, bei der Apoth. des GSp. Nr. 5 zu Brünn.
Strnad, Joseph, bei der Apoth. des GSp. Nr. 11 zu Prag.
Wallaschek, Franz, bei der Apoth. des GSp. Nr. 5 zu Brünn.

Volanek, Joseph, bei der Apoth. des GSp. Nr. 2 in Wien.
Heger, Johann, bei der Apoth. des GSp. Nr. 6 zu Olmütz.
Turinsky, Johann, bei der Apoth. des GSp. Nr. 2 in Wien.
Röhrich, Emil, bei der Apoth. des GSp. Nr. 3 zu Baden.
Tobisch, Victor, bei der Garn.-Apoth. zu Königgrätz.
Gerr, Hugo, bei der Apoth. des GSp. Nr. 18 zu Komorn.
Küchler, Adalb., bei der Apoth. des GSp. Nr. 16 zu Budapest.
Neubauer, Franz, bei der Apoth. des GSp. Nr. 16 zu Budapest.
Steiner, Franz, bei der Apoth. des GSp. Nr. 8 zu Laibach.
Eypeltauer, Adolph, bei der Apoth. des GSp. Nr. 19 zu Pressburg.
Hlatky, Árpád, bei der Apoth des GSp. Nr. 21 zu Temesvár.
Wurmböck, Ludw., bei der Apoth. des GSp. Nr 8 zu Laibach.
Taschner, Franz, bei der Apoth. des GSp. Nr. 7 zu Graz.
Schröffl, Cajetan, bei der Apoth. des GSp. Nr. 7 zu Graz.
Gross, Carl, bei der Apoth. des GSp. Nr. 7 zu Graz.
Collino, Victor, bei der Apoth. des GSp. Nr. 1 in Wien.
Ivanuš, Johann, bei der Apoth. des GSp. Nr. 23 zu Agram.
Domać, Julius, bei der Garn.-Apoth. zu Essegg.
Niklas, Joseph, bei der Apoth. des GSp. Nr. 6 zu Olmütz.
Marbach, Heinrich, bei der Apoth. des GSp. Nr. 14 zu Lemberg.
Neugebauer, Julius, bei der Apoth. des GSp. Nr. 5 zu Brünn.
Rolleček, Adolph, bei der Apoth. des GSp. Nr. 11 zu Prag.

Aichinger, Joseph, bei der Apoth. des GSp. Nr. 3 zu Baden.
Hornung, Julius, bei der Garn.-Apoth. zu Carlsburg.
Gassner, Carl, bei der Apoth. des GSp. Nr. 13 zu Theresienstadt.
Brandhuber, Carl, bei der Apoth. des GSp. Nr. 15 zu Krakau.
Adam, Emil, bei der Apoth. des GSp. Nr. 11 zu Prag.
Konrád, Eugen, bei der Apoth. des GSp. Nr. 18 zu Komorn.
Kosztka, Theodor, bei der Apoth. des GSp. Nr. 23 zu Agram.
Sternthal, Alexander, bei der Apoth. des GSp. Nr. 20 zu Kaschau.
Janota, Eduard, bei der Apoth. des GSp. Nr. 13 zu Theresienstadt.
Stubenvoll, Franz, bei der Apoth. des GSp. Nr. 19 zu Pressburg.
Anisits, Daniel, bei der Apoth. des GSp. Nr. 8 zu Laibach.
Major, Andreas, bei der Apoth. des GSp. Nr. 20 zu Kaschau.
Bottka, Emerich, bei der Apoth. des GSp. Nr. 18 zu Komorn.
Fossek, Wilhelm, bei der Apoth. des GSp. Nr. 4 zu Linz.
Csikós, Joseph, bei der Garn.-Apoth. zu Arad.
Kwizda, Julius, bei der Apoth. des GSp. Nr. 2 in Wien.
Binder, Alfred, bei der Apoth. des GSp. Nr. 2 in Wien.
Pokorny, Vincenz, bei der Apoth. des GSp. Nr. 11 zu Prag.
Tomanek, Miecislaus, bei der Apoth. des GSp. Nr. 15 zu Krakau.
Supp, Wilhelm, bei der Apoth. des GSp. Nr. 1 in Wien.
Daláry, Friedrich, bei der Apoth. des GSp. Nr. 23 zu Agram.

Glassner, Hugo, bei der Apoth. des GSp. Nr. 6 zu Olmütz.

Trnkóczy v. Zaszkall, Ubald, bei der Apoth. des GSp. Nr. 5 zu Brünn.

Telessy, Joseph, bei der Garn.-Apoth. zu Zara.

Rieger, Ferdinand, bei der Apoth. des GSp. Nr. 21 zu Temesvár.

Jaksch, Alois, bei der Apoth. des GSp. Nr. 2 in Wien.

Wittek, Anton, bei der Apoth. des GSp. Nr. 6 zu Olmütz.

Blumenthal, Adolph, bei der Apoth. des GSp. Nr. 14 zu Lemberg.

Kofler, Naftali, bei der Garn.-Apoth. zu Czernowitz.

Miller, Marian, bei der Apoth. des GSp. Nr. 14 zu Lemberg.

Schmidt, August, bei der Apoth. des GSp. Nr. 1 in Wien.

Schmidt, Adolph, bei der Apoth. des GSp. Nr. 4 zu Linz.

Zembsch, Friedrich, bei der Apoth. des GSp. Nr. 13 zu Theresienstadt.

Meyndt, Wilhelm, bei der Apoth. des GSp. Nr. 3 zu Baden.

Merth, Anton, bei der Apoth. des GSp. Nr. 5 zu Brünn.

Puszkailer, Carl, bei der Garn.-Apoth. zu Tyrnau.

Bayer, Carl, bei der Apoth. des GSp. Nr. 11 zu Prag.

Horalek, Eduard, bei der Apoth. des GSp. Nr. 12 zu Josephstadt.

Münzberger, Theodor, bei der Apoth. des GSp. Nr. 11 zu Prag.

Fabini, Johann, bei der Apoth. des GSp. Nr. 22 zu Hermannstadt.

Tirscher, Adalbert, bei der Apoth. des GSp. Nr. 16 zu Budapest.

Buzáth, Franz, bei der Apoth. des GSp. Nr. 20 zu Kaschau.

Liszkay, Eugen, bei der Apoth. des GSp. Nr. 21 zu Temesvár.

Reiner, Leopold, bei der Apoth. des GSp. Nr. 23 zu Agram.

Niertit, Adalbert, bei der Apoth. des GSp. Nr. 18 zu Komorn.

Eibach, Edmund, bei der Apoth. des GSp. Nr. 17 zu Budapest.

Fábry, Adalbert, bei der Apoth. des GSp. Nr. 16 zu Budapest.

Medicamenten-Praktikanten in der Reserve.

Stenzl, Carl, bei der Apoth. des GSp. Nr. 10 zu Innsbruck.

Eliasch, Hugo, bei der Apoth. des GSp. Nr. 3 zu Baden.

Lednitzky, Stephan, bei der Apoth. des GSp. Nr. 16 zu Budapest.

Palóczy, Ludwig, bei der Apoth. des GSp. Nr. 21 zu Temesvár.

Murin, Stephan, bei der Apoth. des GSp. Nr. 20 zu Kaschau.

Erlach, Theodor v., bei der Apoth. des GSp. Nr. 4 zu Linz.

Zsetkey, Joh., bei der Apoth. des GSp. Nr. 16 zu Budapest.

Bártl, Anton, bei der Apoth. des GSp. Nr. 16 zu Budapest.

Pinter, Paul, bei der Apoth. des GSp. Nr. 20 zu Kaschau.

Brzak, Carl, bei der Apoth. des GSp. Nr. 2 in Wien.

Greb, Johann, bei der Apoth. des GSp. Nr. 20 zu Kaschau.

Lámos, Ludwig, bei der Apoth. des GSp. Nr. 20 zu Kaschau.

Szeles, Andreas, bei der Apoth. des GSp. Nr. 20 zu Kaschau.

Szaitz, Carl, bei der Apoth. des GSp. Nr. 20 zu Kaschau.

Dallefeste, Johann, bei der Garn.-Apoth. zu Zara.

Lion, Roman, bei der Apoth. des GSp. Nr. 9 zu Triest.

Tóth, Sigmund, bei der Apoth. des GSp. Nr. 16 zu Budapest.

Bizek, Armin, bei der Apoth. des GSp. Nr. 16 zu Budapest.

Dozsa, Árpád, bei der Apoth. des GSp. Nr. 18 zu Komorn.

Kriegner, Georg, bei der Garn.-Apoth. zu Peterwardein.

Saxinger, Ottokar, bei der Apoth. des GSp. Nr. 17 zu Budapest.

Bittó, Carl, bei der Apoth. des GSp. Nr. 17 zu Budapest.

Braun, Ludwig, bei der Apoth. des GSp. Nr. 16 zu Budapest.

Lang, Eugen, bei der Apoth. des GSp. Nr. 16 zu Budapest.

Török, Joseph, bei der Apoth. des GSp. Nr. 18 zu Komorn.

Liprandi, Joseph, bei der Apoth. des GSp. Nr. 9 zu Triest.

Mátyus, Andreas, bei der Apoth. des GSp. Nr. 17 zu Budapest.

Trexler, Julius, bei der Apoth. des GSp. Nr. 17 zu Budapest.

Bariss, Wilhelm, bei der Apoth. des GSp. Nr. 18 zu Komorn.

Grimm, Carl, bei der Apoth. des GSp. Nr. 17 zu Budapest.

Uj, Michael, bei der Apoth. des GSp. Nr. 21 zu Temesvár.

Radulescu, Georg, bei der Garn.-Apoth. zu Carlsburg.

Tolvay, Emerich, bei der Apoth. des GSp. Nr. 20 zu Kaschau.

Feymann, Gustav, bei der Apoth. des GSp. Nr. 16 zu Budapest.

Hondl-Pokorny Joseph, bei der Apoth. des GSp. Nr. 23 zu Agram.
Kalocsa, Stephan, bei der Apoth. des GSp. Nr. 16 zu Budapest.
Szobonya, Coloman, bei der Apoth. des GSp. Nr. 20 zu Kaschau.
Bartha, Zoltán, bei der Apoth. des GSp. Nr. 21 zu Temesvár.
Horváth, Stephan, bei der Apoth. des GSp. Nr. 21 zu Temesvár.
Milutinovits, Ludwig, bei der Apoth. des GSp. Nr. 21 zu Temesvár.
Bundy, Jakob, bei der Apoth. des GSp. Nr. 21 zu Temesvár.
Elter, Albert, bei der Apoth. des GSp. Nr. 21 zu Temesvár.
Terstyánszky, Gustav, bei der Apoth. des GSp. Nr. 20 zu Kaschau.
Limana, Bernhard, bei der Apoth. des GSp. Nr. 10 zu Innsbruck.
Medveczky, Joseph, bei der Apoth. des GSp. Nr. 21 zu Temesvár.
Illés, Vincenz, bei der Apoth. des GSp. Nr. 17 zu Budapest.
Altwirth, Joseph, bei der Garn.-Apoth. zu Peterwardein.
Üveges, Ernst, bei der Apoth. des GSp. Nr. 18 zu Komorn.
Stirling, Carl, bei der Apoth. des GSp. Nr. 16 zu Budapest.
Balás, Edmund, bei der Apoth. des GSp. Nr. 17 zu Budapest.
Šlubek, Stephan, bei der Apoth. des GSp. Nr. 16 zu Budapest.
Koretko, Géza, bei der Garn.-Apoth. zu Essegg.
Tóth, Adalbert, bei der Apoth. des GSp. Nr. 20 zu Kaschau.
Millassevics, Julius, bei der Garn.-Apoth. zu Peterwardein.
Láday, Victor, bei der Apoth. des GSp. Nr. 7 zu Graz.
Dobel, Stephan, bei der Garn. Apoth. zu Peterwardein.
Schöberl, Franz, bei der Garn.-Apoth. zu Arad.
Bussy, Adalbert, bei der Apoth. des GSp. Nr. 16 zu Budapest.
Benedicty, Julius, bei der Garn.-Apoth. zu Arad.
Lorber, Wilhelm, bei der Apoth. des GSp. Nr. 20 zu Kaschau.
Geszner, Julius, bei der Apoth. des GSp. Nr. 17 zu Budapest.
Wessely, Johann, bei der Apoth. des GSp. Nr. 23 zu Agram.
Gundhardt, Albert, bei der Apoth. des GSp. Nr. 16 zu Budapest.
Augustin, August, bei der Apoth. des GSp. Nr. 17 zu Budapest.
Bereczk, Peter, bei der Apoth. des GSp. Nr. 22 zu Hermannstadt.
Tomcsik, Eugen, bei der Apoth. des GSp. Nr. 22 zu Hermannstadt.
Horváth, Paul, bei der Apoth. des GSp. Nr. 19 zu Pressburg.
Koricsánszky, Ladislaus, bei der Apoth. des GSp. Nr. 21 zu Temesvár.
Frits, Jos., bei der Apoth. des GSp. Nr. 20 zu Kaschau.
Várady, Ludwig, bei der Apoth. des GSp. Nr. 19 zu Pressburg.
Hagelman, Ludwig, bei der Apoth. des GSp. Nr. 23 zu Agram.
Simon, Adrian, bei der Apoth. des GSp. Nr. 23 zu Agram.
Breuer, Paul, bei der Apoth. des GSp. Nr. 22 zu Hermannstadt.
Nagy, Alexander, bei der Apoth. des GSp. Nr. 22 zu Hermannstadt.
Horvath, Ernst II., bei der Apoth. des GSp. Nr. 19 zu Pressburg.
Zombony, Johann, bei der Apoth. des GSp. Nr. 20 zu Kaschau.
Varjassy, Johann, bei der Apoth. des GSp. Nr. 21 zu Temesvár.

Präsent dienende Medicamenten-Praktikanten.

Kreuz, Carl, bei der Apoth. des GSp. Nr. 22 zu Hermannstadt.
Holjać, Victor, bei der Apoth. des GSp. Nr. 8 zu Laibach.
Wegler, Franz, bei der Apoth. des GSp. Nr. 17 zu Budapest.
Scherks, Emil, bei der Apoth. des GSp. Nr. 11 zu Prag.
Troharsch, Joh., bei der Apoth. des GSp. Nr. 11 zu Prag.
Czibulka, Julius, bei der Apoth. des GSp. Nr. 16 zu Budapest.
Scholtz, Gabriel, bei der Apoth. des GSp. Nr. 16 zu Budapest.
Lederer, Ignaz, bei der Apoth. des GSp. Nr. 1 in Wien.
Ambrózy, Alexander, bei der Apoth. des GSp. Nr. 1 in Wien.
Kirtner, Moriz, bei der Apoth. des GSp. Nr. 16 zu Budapest.
Dolansky, Franz, bei der Apoth. des GSp. Nr. 11 zu Prag.
Heindl, Johann, bei der Apoth. des GSp. Nr. 1 in Wien.
Römer, Heinr., bei der Apoth. des GSp. Nr. 1 in Wien.
Kiss, Paul, bei der Apoth. des GSp. Nr. 1 in Wien.
Döller, Julius, bei der Apoth. des GSp. Nr. 14 zu Lemberg.
Meissner, Anton, bei der Apoth. des GSp. Nr. 2 in Wien.
Zaleisky, Carl, bei der Apoth. des GSp. Nr. 1 in Wien.

Adjustirung: wie bei den Mil.-Rechnungs-Controls-Beamten angegeben.

Militär-Bau-Rechnungs-Beamte.

Ober-Bau-Verwalter.

Gruber, Carl, zu Olmütz.

Bau-Verwalter.

Bohus, Joseph, zu Lemberg.
Eixner, Johann, zu Prag.
Gedliczka, August, zu Pola
Walach, Joseph, zu Krakau.
Miszlikowski, Joseph, GVK. m. Kr. zu Budapest.
Plefka, Alois, in Wien.
Müller, Franz, zu Graz.
Bohus, Franz, zu Ragusa.
Püchl, Wenzel, zu Komorn.

Bau-Rechnungs-Officiale 1. Classe.

Bohus, Friedrich (WG.).
Kaltneker, Robert, zu Trient.
Müller, Eduard, zu Triest.
Mayer, Laurenz, zu Carlsburg.
Lepier, Heinrich, zu Linz.
Plachutta, Joseph, zu Peterwardein.
Ernst, Joseph, zu Temesvár.
Petrides, Joseph, zu Zara.
Erbes, Johann, zu Kaschau.
Poppovich, Johann, zu Budapest.
Mayer, Wenzel, zu Arad.
Klement, Joseph, zu Agram.
Rinda, Johann, zu Innsbruck.
Pilnaczek, Adolph, zu Josephstadt.
Steyskal, Wenzel, in Wien.
Klein, Wendelin, zu Theresienstadt.
Dietl, Ignaz, zu Brünn.
Schmiedt, Johann, zu Cattaro.
Nawrátil, Ignaz, zu Essegg.
Starey, Carl, zu Trient.
Bauček, Johann, zu Pressburg.
Jedlička, Joseph, zu Serajevo.
Valenti, Dominik, zu Pola.
Fischl, Hermann, im techn. u. adm. Mil.-Comité.
Karlovský, Ludwig, zu Serajevo.
Schrödl, Johann, zu Brood.
Šunkowsky, Ferdinand, zu Olmütz.
Mandić, Peter, zu Mostar.
Schäffer, Joseph, zu Hermannstadt.
Alaunek, Johann, GVK., beim R.-Kriegs-Mstm.
Pawlitschek, Johann, zu Alt-Gradiska.

Bau-Rechnungs-Officiale 2. Classe.

Dohnal, Joseph, in Wien.
Hilmar, Franz, zu Pressburg.
Bacho, Hermann v., zu Triest.
Hummel, Adolph, zu Krakau.
Curir, Mathias, zu Travnik.
Müller, Adolph, in Wien.
Boudnik, Johann, zu Serajevo.
Šworčik, Emanuel, zu Serajevo.
Fiala, Johann, zu Lemberg.
Ostoich, Vincenz, zu Ragusa.
Irasek, Peter, zu Prag.
Kutschera, Johann, zu Agram.
Terasch, Johann, zu Brood.
Pospíšil, Franz, zu Peterwardein.
Capp, Cornelius, zu Banjaluka.
Trautmann, Paul, zu Carlsburg.
Suchy, Wenzel, zu Ragusa.
Panovitz, Franz, zu Carlsburg.
Posipanka, Ludwig, zu Lemberg.
Willmitzer, Joseph, zu Trient.
Anderle, Joseph, zu Brood.
Knobloch, Franz, zu Brünn.
Breycha, Franz, in Wien.
Brosch, Joseph, in Wien.
Herzan, Joseph, zu Serajevo.
Follert, Edmund, zu Bihać.
Hawryszkiewicz, Victor, zu Lemberg.
Skřivánek, Ferd., zu Olmütz.
Knezevich, Franz v., zu Serajevo.
Mück, Johann, zu Pola.

Bau-Rechnungs-Officiale 3. Classe.

Lessiak, Carl, zu Komorn.
Nierl, Johann, beim R.-Kriegs-Mstm.
Grancich, Franz, zu Zara.
Kováts, Heinrich, zu Budapest.
Wararan, Fridolin, zu Bruck an der Leitha.
Kellermann, Joseph, zu Budapest.
Weber, Anton, zu Budapest.
Petříček, Eduard, beim R.-Kriegs-Mstm.
Hölbling, Leopold, zu Brood.
Haslinger, Ferd., zu Ragusa.
Herkner, Franz, zu Temesvár.
Soukup, Joseph, zu Komorn.
Klein, Bohuslav, zu Josephstadt.
Sevér, Alexander, zu Carlsburg.
Fuchs, Ferdinand, zu Zwornik.
Prochaska, Carl, zu Pressburg.

Robel, Bronislaus, zu Banjaluka.
Perwolf, Leopold, zu Cattaro.
Haudek, Carl, zu Prag.
Müller, Benedict, zu Agram.
Tlaskal, Maximilian, zu Alt-Gradisca.
Bernt, Franz, zu Trient.
Musil, Wenzel, zu Krakau.
Berndt, Ferdinand, zu Arad.
Lobinger, Adolph, zu Serajevo.
Keller, Joseph, zu Arad.
Gur, Alois, zu Linz.
Wufka, Johann, zu Kaschau.
Bukowsky v. Buchenkron, Johann, in Wien.

Bau-Rechnungs-Accessisten.

Dostál, Johann, zu Cattaro.
Bartsch, Friedrich, zu Zara.
Holzinger, Ernst, SVK. m. Kr., zu Graz.
Kaasch, Johann, zu Prag.
König, Vincenz, zu Krakau.
Wally, Joseph, zu Olmütz.
Schöbel, Rudolph, zu Theresienstadt.
Walach, Eugen (Res.).
Gross, Friedrich, zu Peterwardein.
Weitzl, Gustav, zu Hermannstadt.
Mikolasch, Franz, zu Innsbruck.
Christoph, Wenzel (Res.).
Spannring, Carl, zu Graz.
Cellner, Leon, zu Lemberg.
Pschik, Anton, in Wien.
Patuzzi, Anton, zu Graz.
Liebenwein, Albert, zu Olmütz.
Scherf, Ferdinand (Res.).
Pless, Alois
Windakiewicz, Erwin
Tomeš, Franz
Hinterbölzel, Anton
Czerny, Leo
Sperro, Wilhelm
(Res.).
Strampach, Clemens, zu Essegg.
Gregić, Claudius, zu Alt-Gradisca.
Budau, Joseph, in Wien.
Hasenay, Carl, zu Temesvár.
Rath, Georg, zu Triest.
Hlawaczek, Anton, zu Theresienstadt.
Malik, Adalbert, zu Graz.

Eleven.

Beile, Wilhelm, in Wien.
Schromm, Carl, in Wien.
Vecsey, Emerich v., in Wien.

Adjustirung: wie bei den Mil.-Rechnungs-Controls-Beamten angegeben.

Technische Beamte des militär-geographischen Institutes.

Gruppen-Vorstand.

Schönhaber v. Wengerot, Heinrich Ritt., ÖFJO-C., ÖEKO-R. 3.

Abtheilungs-Vorstände.

2. Classe.

Schielhabel, genannt Mariot, Emanuel, ÖFJO-R.
Simić, Franz, GVK. m. Kr.
Baur, Anton, GVG. m. Kr.

Technische Officiale 1. Classe.

Cerri, Carl, GVK. m. Kr.
Mück, Anton.
Pauliny, Jakob, GVK. m. Kr.
Rotter, Friedrich.
Dornhofer, Joseph.
Knorr, Anton, GVK. m. Kr.
Linzer, Carl.
Geng, Carl, GVK. m. Kr.
Leitner, Conrad.
Wrbický, Carl (WG.).
Tschuffler, Eduard.
Karl, Eduard, GVK. m. Kr.
Schulz, Martin.
Gstettner, Gustav.
Roese, Wilhelm, GVK. m. Kr.
Waberer, Johann.
Stitz, Ferdinand.
Steingruber, Conrad.
Kunte, Anton.
Eisner, Joseph.
Wellisch, Israel.

Technische Officiale 2. Classe.

Rieck, Christian.
Siebenlist, Franz.
Fink, Franz.
Schredt, August.
Hübl, Eduard.
Vidéky, Ignaz.
Adler, Heinrich.
Maschek, Rudolph.
Wessolowski, Ferdinand.
Tomaschek, Carl.
Fidler, Franz.
Hödlmoser, Carl, GVK. m. Kr.
Erben, Franz.
Lorum, Carl.
Ehrlich, Carl.
Butz, Joseph.
Lammer, Joseph.
Tuschl, Anton.
Wohlstein, Carl.

Technische Officiale 3. Classe.

Čermak, Wenzel.
Musil, Franz.
Ruf, Theodor.
Czerny, Eduard.
Liebl, Anton.
Korb, Leopold.
Tschörch, Franz.
Czerny, Emanuel, GVK.
Marschner, Joseph.
Leschka, Anton.
Lachner, Ernst.
Lifka, Anton.
Soukup, Mathias.
Schill, Eduard.
Schischa, Julius.
Vučković, Lorenz.
Kluczyński, Ludomir Ritt. v.
Toifl, Franz.

Technische Assistenten.

Mach, Oskar.
Waněk, Wilhelm (WG.).
Mitterwallner, Joseph.
Leitner, Georg.
Pflügl, Ferdinand.
Grohmann, Carl.
Klein, Adalbert.
Höller, Carl.
Veith, Anton.
Simon, Ferdinand.
Knaus, Johann.
Schram, Ferdinand.
Irblich, Joseph.
Zintl, Georg.
Scherling, Johann.
Kautz, Johann.
Jersche, Alexander.
Mach, Gottfried.
Triblnig, Simon, GVK. (Tit.).
Lehner, Hugo.
Hübner, Emanuel.
Holl, Wenzel.
Janik, Johann (ü. c.) beim R.-Kriegs-Mstm.

Hut, dunkelgrüner Waffenrock mit Kragen und Aufschlägen von schwarzem Sammt, scharlachrothem Passepoil und weissen glatten Knöpfen, blaugraue Pantalon mit scharlachrothem Passepoil, Mantel blaugrau.

Militär-thierärztliche Beamte.

Ober-Thierärzte 1. Classe.

Neumann, Sebastian, GVK., beim k. ung. Staats-Gestüte zu Mezőhegyes.
Petermann, Franz, beim k. k. Staats-Hengsten-Depot zu Graz.
Frey, Joseph, beim Mil.-Fuhrw.-Corps.
Hadrowa, Franz, GVK., beim Mil.-Fuhrw.-Corps.
Zimmermann, Anton, im Mil.-Fuhrw.-Corps (ü. c.); bei der Remonten-Assent-Commission Nr. 3 zu Lemberg.
Kantner, Johann, beim Art.-Reg. Nr. 7.
Czastka, Leopold, beim k. ung. Staats-Hengsten-Depot zu Sepsi-Szent-György.
Schmidt, Adalbert, beim Husz.-Reg. Nr. 2.
Nowotny, Franz, beim Mil.-Fuhrw.-Corps.
Rakušan, Franz, beim k. k. Staats-Hengsten-Depot zu Graz.
Hofner, Joseph, beim k. k. Staats-Hengsten-Depot zu Prag.
Ehler, Wenzel, GVK. m. Kr., beim k. k. Staats-Hengsten-Depot zu Drohowyże.
Matinszoka, Joseph, beim k. ung. Staats-Hengsten-Depot zu Nagy-Körös.
Kronawetter, Franz, beim Art.-Reg. Nr. 12.
Schwarz, Georg, beim k. ung. Staats-Hengsten-Depot zu Stuhlweissenburg.
Körbl, Franz, beim Drag.-Reg. Nr. 3.
Zimmer, Johann, bei der Remonten-Assent-Commission Nr. 1 zu Budapest.
Flohr, Johann, beim k. ung. Staats-Gestüte zu Kisbér.
Pangerl, Johann, beim Drag.-Reg. Nr. 9.
Pichler, Franz, beim Mil.-Fuhrw.-Corps.
Koholausch, Anton, beim Drag.-Reg. Nr. 1.
Selzer, Alois, beim Uhl.-Reg. Nr. 3.
Martinak, Anton, beim Mil.-Fuhrw.-Corps.
Neudert, Franz, beim Drag.-Reg. Nr. 13.
Hannich, Johann, beim k. k. Staats-Hengsten-Depot zu Stadl.
Meyer, Franz, beim Art.-Reg. Nr. 5.
Pistulka, Peter, beim k. ung. Staats-Gestüte zu Fogaras.

Ober-Thierärzte 2. Classe.

Müllender, Franz, beim Husz.-Reg. Nr. 1.
Busch, Anton, beim Husz.-Reg. Nr. 14.
Weis, Joseph, beim k. k. Staats-Hengsten-Depot zu Klosterbruck.
Lexa, Ludwig, beim Art.-Reg. Nr. 4.
Sing, Carl, beim k. k. Staats-Hengsten-Depot zu Klosterbruck.
Zasche, Florian, beim Mil.-Fuhrw.-Corps.
Jelen, Alois, beim Husz.-Reg. Nr. 11.
Lang, Franz, beim Uhl.-Reg. Nr. 11.
Kohoutek, Franz, beim Art.-Reg. Nr. 13.
Novotný, Adalbert, beim Art.-Reg. Nr. 1.
Neidhart, Benedict, beim Art.-Reg. Nr. 11.
Rumler, Johann, beim Drag.-Reg. Nr. 12.
Parzer, Johann, im Mil.-Reitlehrer-Inst.
Chraust, Wenzel, beim Art.-Reg. Nr. 6.
Felmayer, Joseph, beim Husz.-Reg. Nr. 8.
Matějka, Anton, beim k. k. Staats-Hengsten-Depot zu Drohowyże.
Petričević, Marian, beim Husz.-Reg. Nr. 13.
Wawrečka, Franz, in der techn. Mil.-Akad.

Thierärzte.

Gernya, Jos., beim k. ung. Staats-Hengsten-Depot zu Nagy-Körös.
Treybal, Franz, beim Art.-Reg. Nr. 8.
Strobl, Anton, beim Drag.-Reg. Nr. 8.
Köhler, Ignaz, beim k. k. Staats-Hengsten-Depot zu Prag.
Zimmermann, Michael, beim Husz.-Reg. Nr. 10.
Hartmann, Anton, beim k. ung. Staats-Gestüte zu Kisbér, Filiale Bábolna.
Scherübel, Michael, beim Uhl.-Reg. Nr. 13.
Nehowicz, Michael, beim Mil.-Fuhrw.-Corps (WG.).
Hochberger, Victorin, beim Mil.-Fuhrw.-Corps.
Kutscher, Wenzel, beim Mil.-Fuhrw.-Corps.
Stentzky, Joseph, beim Uhl.-Reg. Nr. 12.

Liehmann, Friedrich, beim Art.-Reg. Nr. 9.
Feichtner, Anton, in der Mil.-Akad. zu Wr.-Neustadt.
Menšik, Carl, beim k. ung. Staats-Hengsten-Depot zu Debreczin.
Baudisch, Carl, beim Mil.-Fuhrw.-Corps.
Dvořák, Martin, beim Mil.-Fuhrw.-Corps.
Kagerer, Martin, beim Husz.-Reg. Nr. 7.
Baum, Isidor, in der Cav.-Cadetenschule.
Filla, Thomas, beim k. ung. Staats-Hengsten-Depot zu Sepsi-Szent-György.
Jurzena, Adolph, beim Drag.-Reg. Nr. 7.
Haudek, Ignaz, beim Husz.-Reg. Nr. 6.
Müllender, Johann, beim Mil.-Fuhrw.-Corps.
Jawurek, Roman, beim k. ung. Staats-Hengsten-Depot zu Nagy-Körös.
Schneider, Hermann, beim Drag.-Reg. Nr. 4.
Böhm, Joseph, beim Uhl.-Reg. Nr. 6.
Jünger, Johann, beim Mil.-Fuhrw.-Corps.
Fürböck, Florian, beim Drag.-Reg. Nr. 10.
Zwieauer, Moriz, beim Mil.-Fuhrw.-Corps (Res.).
Wanie, Wenzel, im Mil.-Fuhrw.-Corps (ü. c.); bei der Remonten-Assent-Commission Nr. 2 zu Grosswardein.
Sommer, Jakob, beim Husz.-Reg. Nr. 15.
Wunsam, Joseph, beim Husz.-Reg. Nr. 16.
Quatter, Joseph, beim Drag.-Reg. Nr. 5.
Stockmayer, Joseph, beim Husz.-Reg. Nr. 12.
Göth, Alois, beim Art.-Reg. Nr. 2.
Wicher, Bartholomäus, beim k. ung. Staats-Hengsten-Depot zu Debreczin.
Woedl, Johann, beim k. k. Staats-Hengsten-Depot zu Stadl.
Meissinger, Anton, beim k. k. Staats-Hengsten-Depot zu Prag.
Albl, Martin, beim Husz.-Reg. Nr. 5.
Wünsch, Ferdinand beim k. ung. Staats-Gestüte zu Kisbér, Filiale Bábolna.
Czmela, Wilhelm, beim k. k. Staats-Hengsten-Depot zu Klosterbruck.
Pisko, Ludwig, beim Drag.-Reg. Nr. 14.
Mayer, Johann, beim Drag.-Reg. Nr. 11.
Bibl, Johann, beim k. ung. Staats-Hengsten-Depot zu Debreczin.
Fidesser, Michael, beim Mil.-Fuhrw.-Corps.
Pospischil, Wenzel, beim Mil.-Fuhrw.-Corps.
Ustrnul, Thomas, beim Art.-Reg. Nr. 3.
Stephelbauer, Anton, beim Uhl.-Reg. Nr. 8.
Langenbacher, Johann, beim Art.-Reg. Nr. 10.
Suchanka, Franz, } beim Mil.-Fuhrw.-Corps (Res.).
Urban, Anton, }
Wiedermerth, Theodor, } beim Mil.-Fuhrw.-Corps.
Dobiasch, Franz, }
Nevečeřal, Franz, }
Lang, Ludwig, beim k. ung. Staats-Gestüte zu Kisbér.
Kellemen, Johann, beim k. ung. Staats-Gestüte zu Mezőhegyes.
Pawlikowski, Titus, beim Uhl.-Reg. Nr. 4.
Dohnal, August, beim Uhl.-Reg. Nr. 7.
Haage, Hermann, beim Mil.-Fuhrw.-Corps.
Hubka, Wenzel, beim k. ung. Staats-Hengsten-Depot zu Stuhlweissenburg.
Schaffer, Franz, beim Drag.-Reg. Nr. 2.
Wicher, Ferdinand, im Mil.-Thierarznei-Inst. in Wien.
Arnold, Joseph, beim Uhl.-Reg. Nr. 2.
Jancsik, August, beim Husz.-Reg. Nr. 4.
Janich, Anton, im Mil.-Thierarznei-Inst. in Wien.

Unter-Thierärzte.

Fritsch, Rudolph, } beim Mil.-Fuhrw.-Corps (Res.).
Neusiedler, Maximilian, }
Faschingbauer, Ferd., }
Dichtl, Friedrich, beim Art.-Reg. Nr. 10 (Res.).
Guttmann, Samuel, beim Mil.-Fuhrw.-Corps (Res.).
Kienreich, Franz, beim Art.-Reg. Nr. 6 (Res.).
Pendl, Stephan, } beim Mil.-Fuhrw.-Corps (Res.).
Linner, Julius, }
Petrotzky, Ludwig, }
Kepess, Joseph, }
Hofer, Rudolph, }
Eglesz, Peter, beim Husz.-Reg. Nr. 4 (Res.).
Schindler, Johann, } beim Mil.-Fuhrw.-Corps (Res.).
Dauscher, Franz, }
Garay, Carl, }
Deyl, Wenzel, }
Fückert, Joseph, }
Pschirer, Friedrich, }
Eibert, Carl, }
Steckl, Johann, }
Walz, Alois, }
Passig, Franz, }
Kiss, Joseph, beim Husz.-Reg. Nr. 13 (Res.).
Heller, Ludwig, } beim Mil.-Fuhrw.-Corps (Res.).
Krazl, Wenzel, }
Reitharek, Franz, }

Szabó, Coloman,
Hennlich, Franz,
Heck, Friedrich,
Müller, Anton
Zehetner, Jakob,
} beim Mil.-Fuhrw.-Corps (Res.).

Arvay, Adalbert, beim Uhl.-Reg. Nr. 11 (Res.).

Pacúla, Andreas, beim Art.-Reg. Nr. 9 (Res.).

Friedrich, Gustav,
Richter, Franz,
Csaban, Johann,
Kaldrovits, Árpád,
Laurits, Julius,
} beim Mil.-Fuhrw.-Corps (Res.).

Kilbinger, Franz, beim Husz.-Reg Nr. 8 (Res.).

Laubner, Ferdinand, beim Mil.-Fuhrw.-Corps (Res.).

Wirgler, Thomas, beim Drag.-Reg. Nr. 5 (Res.).

Zlinsky, Franz,
Hofmann, Ludwig,
} beim Mil.-Fuhrw.-Corps(Res.).

Kostalsky, Theodor,
Freisler, Ludwig,
} beim Art.-Reg. Nr. 7 (Res.).

Pawlikiewicz, Peter,
Otschenaschek, Theodor,
Honzik, Joseph,
Schefczik, Anton,
Oehler, Johann,
Schmid, Alexander,
Frauendorfer, Joseph,
Slowak, Ferdinand,
Jedlicska, Ludwig,
Paulovits, Georg,
Schlesinger, Sigmund,
Říha, Anton,
Wilhelm, Samuel,
} beim Mil.-Fuhrw.-Corps (Res.).

Henschik, Bartholomäus, beim Drag.-Reg. Nr. 11 (Res.).

Komaromi, Johann, beim Art.-Reg. Nr. 5 (Res.).

Cateszku, Julius, beim Art.-Reg. Nr. 13 (Res.).

Fischer, Heinrich,
Flusser, Joseph,
Wachsmann, Leo,
Luczeskul, Nikol.,
} beim Mil.Fuhrw.-Corps (Res.).

Rozankowski, Johann, beim Uhl.-Reg. Nr. 8 (Res.).

Mayer, Anton, beim Mil.-Fuhrw.-Corps (Res.).

Stengl, Joseph, beim Mil.-Thierarznei-Inst. in Wien (Res.).

Brandl, Thomas, beim Husz.-Reg. Nr. 3.

Musil, Carl, beim Art.-Reg. Nr. 11.

Schwarz, Johann, beim Mil.-Fuhrw.-Corps.

Buczewski, Dionysius, beim Mil-Fuhrw.-Corps (Res.).

Wildner, Franz, beim Mil.-Thierarznei-Inst. in Wien (Res.).

Feuerstein, Lorenz,
Alscher, Joseph,
Müller, Wilhelm,
Tatray, Johann,
Horváth, Alexand.,
} beim Mil.-Fuhrw.-Corps (Res.).

Sequens, Franz, beim Husz.-Reg. Nr. 12 (Res.).

Axmann, Julian,
Tomanek, Franz,
} beim Mil.-Fuhrw.-Corps (Res.).

Zehendhofer, Johann, beim Mil.-Fuhrw.-Corps.

Straberger, Johann, beim Husz.-Reg. Nr. 2.

Malý, Johann, beim Mil.-Fuhrw.-Corps.

Hempfling, Victor, beim Mil.-Fuhrw.-Corps.

Läufer, Anton,
Rittmann, Rudolph,
} beim Mil.-Fuhrw.-Corps (Res.).

Rebiček, Franz, beim Uhl.-Reg. Nr. 1.

Wollgart, Carl, beim Mil.-Fuhrw.-Corps (Res.).

Schmidt, Johann, beim Drag.-Reg. Nr. 14 (Res.).

Absalon, Franz, beim Art.-Reg. Nr. 1 (Res.).

König, Julius, beim Uhl.-Reg. Nr. 12 (Res.).

Zikeš, Joseph, beim Mil.-Fuhrw.-Corps.

Schmidt, Franz, beim Husz.-Reg. Nr. 9.

Günther, Wilhelm, beim Uhl.-Reg. Nr. 5.

Pollak, Simon, beim k. ung. Staats-Hengsten-Depot zu Stuhlweissenburg.

Swoboda, Franz, beim k. k. Staats-Hengsten-Depot zu Prag.

Sallinger, Franz,
Szentkirályi, Achatius,
Klein, Samuel,
} beim Mil.-Fuhrw.-Corps (Res).

Gaspari, Ferdinand, beim Art.-Reg. Nr. 12 (Res.).

Marjalsky, Johann, beim Mil.-Fuhrw.-Corps (Res.).

Rozínek, Johann, beim Mil.-Fuhrw.-Corps.

Zerlauth, Sebastian, beim Mil.-Fuhrw.-Corps (Res.).

Haller, Roman, beim Drag.-Reg. Nr. 3.

Andel, Innocenz, beim Drag.-Reg. Nr. 6.

Hanauer, Franz, beim Drag.-Reg. Nr. 9.

Fussl, Joseph, beim Uhl.-Reg. Nr. 4.

Rolleczek, Thomas,
Rücker, Theodorich,
Sperl, Joseph,
} beim Mil.-Fuhrw.-Corps.

Friedl, Joseph, beim Art.-Reg. Nr. 3.

Zwerger, Johann, beim Husz.-Reg. Nr. 8.

Ruszt, Franz, Löschner, Georg, Rössel, Albin, } beim Mil.-Fuhrw.-Corps (Res.).
Gass, Carl, beim Art.-Reg. Nr. 11 (Res.).
Mechtler, Leopold, beim Mil.-Fuhrw.-Corps (Res.).
Swoboda, Adalbert, beim Husz.-Reg. Nr. 7 (Res.).
Gessel, Hermann, beim Husz.-Reg. Nr. 4.
Mlaker, Ferdinand, beim Drag.-Reg. Nr. 14.
Koch, Anton, beim Mil.-Fuhrw.-Corps (Res.).
Kleperlik, Carl, beim Uhl.-Reg. Nr. 2 (Res.).
Kassay, Adalbert, beim Mil.-Fuhrw.-Corps (Res.).
Gellinek, Ludwig, im Mil.-Thierarznei-Inst. in Wien.

Hut, schwarzer Waffenrock mit krapprother Egalisirung und gelben glatten Knöpfen, blaugraue Pantalon mit krapprothem Passepoil, Mantel blaugrau.

Technische Beamte des Artillerie-Zeugswesens.

Ober-Werkführer.

Goller, Gustav, ÖFJO-R., GVK. m. Kr., in Wien.
Wacha, Thomas, ÖFJO-R., in Wien.
Wilburger, Martin, ÖFJO-R., (Tit.-), zu Wr.-Neustadt.
Purtscher, Joseph (Tit.-), in Wien.

Werkführer 1. Classe.

Jüttner, August, GVK., in Wien (WG.).
Kupetz, Rudolph, GVK., } in Wien.
Drexler, Eduard, GVK. m. Kr., } in Wien.

Werkführer 2. Classe.

Lang, Joseph, } in Wien.
Borowka, Adalbert, } in Wien.
Forster, Adalbert, GVK., } in Wien.
Wallner, Franz, } in Wien.
Hamtak, Johann, } in Wien.

Werkführer-Assistenten.

Franz, Carl, in Wien.
Bauer, Martin, zu Stein.
Němetz, Johann, GVK., } in Wien.
Moratsch, Carl, } in Wien.
Belschan, Joseph, } in Wien.
Winklař, Johann, } in Wien.

Hut, dunkelbrauner Waffenrock mit scharlachrother Egalisirung und gelben glatten Knöpfen, blaugraue Pantalon mit scharlachrothem Passepoil, Mantel blaugrau.

Technische Beamte des Militär-Fuhrwesens.

Werkführer 2. Classe.

Leutmötzer, Gustav, beim Material-Depot Nr. 1 zu Klosterneuburg.

Technische Beamte des technischen und administrativen Militär-Comité.

Ober-Werkführer.

Pekárek, Franz, Dr. der Philosophie (WG.).

Werkführer 1. Classe.

Geitner, Heinrich, GVK.

Werkführer 2. Classe.

Schneider, Johann, GVK. m. Kr.

Organe des bestandenen Kriegs-Commissariates.

(Auf sistemisirten Concepts-Dienstposten im Reichs-Kriegs-Ministerium.)

Kriegs-Commissäre.

Wall, Leopold.
Tomala, Theodor, ÖFJO-R.
Mayerweg, Hannibal.
Koffer, Johann.

Hut mit schwarzem Federbusch, dunkelgrüner Waffenrock mit lichtblauer Egalisirung und gelben glatten Knöpfen, blaugraue Pantalon mit lichtblauem Passepoil, Mantel blaugrau.

Organe der bestandenen Kriegs-Kanzlei-Beamten-Branche.

Expedits-Directions-Adjuncten.

Kutschera, Carl, beim R.-Kriegs-Mstm.
Boara, Friedrich, beim R.-Kriegs-Mstm.
Kühne, Adolph, beim R.-Kriegs-Mstm.

Kriegs-Expeditoren.

Pistl, Andreas, im techn. u. adm. Mil.-Comité.
Alberticz, Eduard, beim R.-Kriegs-Mstm.
Fuchs, Franz, beim R.-Kriegs-Mstm.
Eberhart, Nikolaus, beim R.-Kriegs-Mstm.
Held, Mathias, beim R.-Kriegs-Mstm.
Czuczy, Joseph, beim Gen.-Comdo. zu Agram.

Kriegs-Kanzlisten 1. Classe.

Schuller, Carl, beim R.-Kriegs-Mstm.
Untersteiner, Anton, beim Mil.-Appellations-Ger.
Augmüller, Eugen, beim Mil.-Appellations-Ger.
Eckard, Franz, beim R.-Kriegs-Mstm.
Juriševič, Anton, beim Mil.-Appellations-Ger.
Kastel, Wenzel, beim Mil.-Appellations-Ger.
Materna, Wilhelm, beim R.-Kriegs-Mstm.

Kriegs-Kanzlisten 2. Classe.

Hernjakovič, Andreas, beim R.-Kriegs-Mstm.
Anton, Victor (Tit.-Expeditor), beim R.-Kriegs-Mstm.
Auersperg, Carl, beim Mil.-Appellations-Ger.
Opitz, Eduard, beim Mil.-Appellations-Ger.
Geiger v. Klingenberg, Heinrich, beim Mil.-Appellations-Ger.
Bachmayer, Joseph, beim Gen.-Comdo. in Wien.

Adjustirung: wie bei den Mil.-Rechnungs-Controls-Beamten angegeben.

Militär-Grenz-Verwaltungs-Branche.

Rangs- und Eintheilungs-Liste.

Oberste.

Siballić, Stephan Ritt. v., ÖEKO-R. 3., Präses der Central-Commission für die Forst-Servituten-Ablösung zu Temesvár.

Trnsky, Johann Ritt. v., ÖFJO-C., ÖEKO-R. 3., beim Gen.-Comdo. zu Agram als Grenz-Landes-Verwaltungs-Behörde in besonderer Verwendung.

Göttlicher, Benedict, ÖEKO-R., 3., Präses der Central-Commission für die Forst-Servituten-Ablösung in der croatisch-slavonischen Mil.-Grenze.

Hostinek, Joseph, ÖFJO-R., zug. dem R.-Kriegs-Mstm.

Oberstlieutenants.

Lovak, Thomas Ritt. v., ÖEKO-R. 3., ÖFJO-R., MVK. (Res.). (Rang 26. Juni 1869.)

Neuwirth, Georg, mit der Oberleitung der Rieds-Angelegenheiten im ung. Grenzlande betraut. (Rang 1. Mai 1872.)

Spillauer, Stephan, prov. Sections-Rath u. Leiter der Cultus- u. Unterrichts-Abth. beim Gen.-Comdo. zu Agram als Grenz-Landes-Verwaltungs-Behörde (Rang 1. Nov. 1878.)

Majore.

Novaković, Theodor (Res.). (Rang 1. Mai 1872.)

Dautović, Michael, ÖEKO-R. 3. (Res.). (Rang 1. Nov. 1872.)

Hauptleute 1. Classe.

Rukavina, Joseph, ÖEKO-R. 3., MVK. (Res.). (Rang 25. April 1861.)

Wurda, Heinr. (Res.). (Rang 9. Nov. 1868.)

Gergurić, Michael (Res.). (Rang 28. April 1869.)

Herdliczka, Carl, ÖFJO-R., prov. Kanzlei-Dir. im Präsidial-Bureau des Gen.-Comdo. zu Agram als Grenz-Landes-Verwaltungs-Behörde. (Rang 1. Mai 1870.)

Tabery, Gustav, zug. dem Bezirksamte zu Petrinja. (Rang 1. Mai 1872.)

Bach, Felix (Res.). (Rang 1. Mai 1872.)

Kralik, Vincenz, ÖFJO-R., zug. dem R.-Kriegs-Mstm. (Rang 1. Mai 1872.)

Chalaupka, Moriz, beim Gen.-Comdo. zu Agram als Grenz-Landes-Verwaltungs-Behörde. (Rang 1. Mai 1872.)

Ansion, Wilhelm (Res.). (Rang 1. Mai 1872.)

Indrak, Franz, bei der Local-Commission für die Forst-Servituten-Ablösung zu Caransebes. (Rang 1. Nov. 1872.)

Kutschereuter, Ferdinand, ÖFJO-R., bei der Central-Commission für die Forst-Servituten-Ablösung zu Temesvár. (Rang 1. Nov. 1872.)

Hauptleute 2. Classe.

Paić, Peter (Res.). (Rang 1. Mai 1872.)

Jansa, Eduard (Res.). (Rang 1. Mai 1872.)

Mlinarić, Peregrin (Res.). (Rang 1. Mai 1872.)

Bily, Johann, ÖFJO-R. (Res.). (Rang 1. Nov. 1872.)

Bartsch, Carl (Res.). (Rang 1. Nov. 1872.)

Szabó, Georg (Res.). (Rang 1 Nov. 1872.)

Mraković, Stojan (Res.). (Rang 1. Mai 1873.)

Mikoević, Ladislaus (Res.). (Rang 1. Mai 1873.)

Balley, Joseph (Res.). (Rang 1. Mai 1873.)

Pelz, Anton (Res.). (Rang 1. Mai 1873.)

Rydl, Jaroslaw (Res.). (Rang 1. Mai 1873.)

Habl, Eduard (Res.). (Rang 1. Mai 1873.)

Oberlieutenants.

Reimer, Eduard (Res.). (Rang 3. Nov. 1868.)

Raubach, Constantin (Res.). (Rang 9. Nov. 1868.)

Dušek, Wenzel (Res.), (Rang 11. Nov. 1868.)

Čuić, Georg, in der croatisch-slavonischen Mil.-Grenze. (Rang 27. Nov. 1868.)

Kallina, Gustav (Res.). (Rang 29. Nov. 1868.)

Aschner, Aurelius, prov. Adjunct beim Bezirksamte zu Gračac (Rang 17. Dec. 1868.)

Heikelmann, Andreas (Res.). (Rang 19. Dec. 1868.)

Kathrein, Alexander (Res.). (Rang 2. Mai 1869.)
Merksić, Aemilian (Res.). (Rang 4. Mai 1869.)
Hauptvogel, Joseph (Res.). (Rang 1. Mai 1873.)
Herzig, Maximilian. (Res.). (Ráng 1. Mai 1873.)
Matiević, Paul (Res.). (Rang 1. Mai 1873.)
Milinković, Johann (Res.). (Rang 1. Mai 1873.)

Lieutenants.

Kolarić, Johann (Res.). (Rang 19. Aug. 1865.)
Koczy, Anton (Res.). (Rang 15. Juli 1866.)
Predić, Stephan (Res.). (Rang 16. Juli 1866.)
Trešćec, Georg (Res.). (Rang 30. Juli 1867.)
Buttler, Joseph (Res.). (Rang 1. Aug. 1867.)
Poppović, Belisar (Res.). (Rang 3. Aug. 1867.)
Martinov, Thomas (Res.). (Rang 4. Aug. 1867.)
Bećić, Ferdinand (Res.). (Rang 6. Aug. 1867.)
Vukelić, Mathias (Res.). (Rang 4. Oct. 1868.)
Womačka, Carl (Res.). (Rang 6. Oct. 1868.)
Kalinić, Stephan (Res.). (Rang 8. Oct. 1868.)
Vučković, Ostoja (Res.). (Rang 10. October 1868.)
Vaniček, Roman (Res.). (Rang 20. Oct. 1868.)
Kadić, Franz (Res.). (Rang 28. Oct. 1869.)
Živković, Johann (Res.). (Rang 8. Aug. 1870.)
Varda, Anton (Res.). (Rang 9. Aug. 1870.)
Hörmann, Constantin (Res.). (Rang 11. Aug. 1870.)
Verkljan, Thomas (Res.). (Rang 12. Aug. 1870.)
Sekulić, Johann (Res.). (Rang 16. Aug. 1870).
Oresković, Johann (Res.). (Rang 17. Aug. 1870.)
Cuvay, Eduard (Res.). (Rang 25. Sept. 1871.)
Cvijanović, Alexander (Res.) (Rang 26. Sept. 1871.)
Stenzel, Alois (Res.). (Rang 27. Sept. 1871).
Lukačević, Georg (Res.). (Rang 28. Sept. 1871.)
Radausch, Ernst (Res.). (Rang 29. Sept. 1871.)
Benaković, Vincenz (Res.). (Rang 30. Sept. 1871.)
Paulić, Joseph (Res.). (Rang 1. Oct. 1871.)
Querfeld, Carl (Res.). (Rang 2. Oct. 1871.)
Kassumović, Emil, prov. Adjunct beim Bezirksamte zu Rakovica. (Rang 5. Oct. 1871.)
Rojčević, Levin (Res.). (Rang 20. April 1872.)

Czako, dunkelbrauner Waffenrock mit scharlachrother Egalisirung und gelben glatten Knöpfen, lichtblaue Pantalon, Mantel blaugrau.

K. K. Kriegs-Marine.

Behörden.

Marine-Section
im Reichs-Kriegs-Ministerium.

Marine-Commandant und Chef der Marine-Section.

Pöck, Friedrich Freih. v., ÖEKO-R. 1., MVK. (KD.), GHR., Vice-Admiral.
Ordonnanz-Officier. Pelichy, Hugo Freih. v., ♰, L. Sch.-Lieut. 1. Cl.

Stellvertreter des Chefs der Marine-Section.

Millosicz, Georg Ritt. v., ÖLO-R. (KD.), ÖEKO-R. 3. (KD.), MVK. (KD.), Contre-Admiral.
Personal-Adjutant Palletz, Alexander, L. Sch.-Fähnr.

Präsidial-Kanzlei.

Vorstand. Pitner, Maximilian Ritt. v., ÖLO-R. (KD.), L. Sch.-Capt.

Zugetheilte.
- Seemann v. Treuenwart, Carl Ritt., ÖEKO-R. 3. (KD.), Corv.-Capt.
- Barth, Carl, MVK. (KD.), L. Sch.-Lieut. 1. Cl.
- Rousseau d'Happoncourt, Carl Chev., L. Sch.-Lieut. 1. Cl.
- Schmidt, Johann, L. Sch.-Lieut. 1. Cl.
- Žalud, Johann, Hptm. 1. Cl.

I. Geschäftsgruppe.

Vorstand. Pelzel, Johann, L. Sch.-Capt.

1. Abtheilung.

Vorstand.

Schröder, Rudolph, ÖLO-R. (KD.), Freg.-Capt.

Zugetheilte.

Perin v. Wogenburg, Franz Ritt., ○ 1., L. Sch.-Lieut. 1. Cl.
Heinze, Anton, ○ 2., L. Sch.-Lieut. 1. Cl.
Wondra, Carl, Hptm. 1. Cl

2. Abtheilung.

Vorstand.

Czedik v. Bründelsberg, Hermann, MVK. (KD.), Freg.-Capt.

Zugetheilt.

Sabin, Franz, Hptm. 1. Cl.

3. Abtheilung.

Vorstand.

Herdliczka, Johann, ÖFJO-R., Mar.-Ober-Commissär 1. Cl.

Zugetheilte.

Heller, Johann, Mar.-Commissär.
Ullmann, Theodor, Mar.-Commissariats-Adjunct 1. Cl.

II. Geschäftsgruppe.

Vorstand. Oesterreicher, Tobias Freih. v., ÖEKO-R. 2., ÖLO-R. (KD.), L. Sch.-Capt.

Behörden.

Marine-Section

im Reichs-Kriegs-Ministerium.

[illegible]

4. Abtheilung.

Vorstand.

Romako, Joseph Ritt. v., ÖEKO-R. 3., Oberster Schiffbau-Ingenieur.

Zugetheilte.

Jüptner v. Jonstorff, Franz Freih., Schiffbau-Ingenieur 1. Cl.
Mayer v. Heldenfeld, Joseph, Schiffbau-Ingenieur 2. Cl.
Waldvogel, Anton, Maschinenbau-Ober-Ingenieur 2. Cl.
Scheid, Franz, Mar.-Art.-Ober-Ingenieur 3. Cl.

5. Abtheilung.

Vorstand.

Schmidt, Carl, Oberst des Genie-Stabes.

Zugetheilte.

Ferenda, Ignaz, Rechnungsrath.
Stöckel, Johann, Mar.-Commissariats-Adjunct 1. Cl.

6. Abtheilung.

Vorstand.

Neiser, Maximilian, Mar.-Ober-Commissär 1. Cl.

Zugetheilte.

Turnowsky, Franz, Mar.-Commissariats-Adjunct 1. Cl.
Hermann, Wilhelm, Mar.-Commissariats-Adjunct 1. Cl.

7. Abtheilung.

Vorstand.

Allram, August Ritt. v., ÖEKO-R. 3., Oberst-Auditor.

8. Abtheilung.

Vorstand.

Senautka, Alois, Mar.-Gen.-Commissär.

Zugetheilte.

Rixner, Franz, Mar.-Commissär.
Schimeczek, Sylvester, Mar.-Commissariats-Adjunct 1. Cl.
Persoglia, Eduard, Mar.-Commissariats-Adjunct 1. Cl.
Marušič, Johann, Mar.-Commissariats-Adjunct 1. Cl.
Helleparth, Jaroslav, Mar.-Commissariats-Adjunct 2. Cl.
Angerer, Ernst, Mar.-Commissariats-Adjunct 2. Cl.

Kanzlei-Direction.

Director.

(Der Vorstand der 2. Abtheilung.)

Zugetheilte.

Willemsen, Friedrich, Obrlt.
Reeh, Wilhelm, Mar.-Commissär.
Salomon, Oskar, Mar.-Commissariats-Adjunct 2. Cl.
Covacich, Andreas, Mar.-Commissariats-Adjunct 2. Cl.
Schmidt, Mathias, Mar.-Kanzlei-Official 1. Cl.
Nagy, Heinrich Ritt. v., Mar.-Verwaltungs-Official 2. Cl.
Hagen, Joseph, Mar.-Kanzlei-Official 2. Cl.

Hafen-Admiralat zu Pola.

Hafen-Admiral. Bourguignon v. Baumberg, Anton Freih., ÖEKO-R. 1. (KD. 3. Cl.), ÖLO-C., MVK. (KD.), GHR., Admiral.
Personal-Adjutant. Gut, Maximilian, L. Sch.-Fähnr.

Militär-Abtheilung.

Referent.

Steiskal, Julius, ÖEKO-R. 3. (KD.), Freg.-Capt.

Zugetheilt.

Bedič, Franz, Obrlt.

Marine-Pfarramt.

Račić, Georg, ÖFJO-R., infulirter Abt Beatae Mariae Virg. de Lacroma, k. k. Hof-Caplan und Mar.-Superior, Mar.-Pfarrer.

Justiz-Abtheilung.

Referent.

Lacina, Johann, Major-Auditor.

Zugetheilte.

Walásek, Johann, Hptm.-Auditor 1. Cl.
Pirchann, August, Hptm.-Auditor 2. Cl.
Gottlieb, Joseph, Dr. d. R., Hptm.-Auditor 2. Cl.
Sotka, Carl, Dr. d. R., Obrlt.-Auditor.

Controls- und Rechnungs-Abtheilung.

Referent.

Vital, Alphons, Mar.-Ober-Commissär 2. Cl.

Kriegs-Marine-Casse.

Zahlmeister.

Račić, Eduard, Mar.-Commissär.

Militär-Hafen-Commando.

Commandant.

Barry, Alfred, Ritt. v., ÖLO-R. (KD.), Contre-Admiral.

Adjutant.

Sachs, Moriz, L. Sch.-Lieut. 1. Cl.

Seelsorge.

Mosettig, Carl, Mar.-Caplan.

Chef-Arzt.

Bernstein, Moriz, Dr., ÖFJO-R., Mar.-Ober-Stabsarzt.

Commissariat.

Fehr, Carl, Mar.-Commissär.

Matrosen-Corps.

Corps-Commandant.

Nauta, Gustav, L. Sch.-Capt.

Commandant des I. Depots.

Kronnowetter, Eugen, Freg.-Capt.

Commandant des II. Depots.

Beck, Carl, ÖEKO-R. 3. (KD.), Freg.-Capt.

Militär-Hafen-Bau-Direction.

Director.

Meeraus, Carl, Land- und Wasser-Bau-Ober-Ingenieur 3. Cl.

Hydrographisches Amt.

Director.

Müller, Robert, MVK.

Abtheilungs-Vorstände.

Palisa, Johann, ÖFJO-R.
Müller, Alfred, MVK. (KD.).
Paradeiser, Wenzel, MVK. (KD.).
Gareis, Anton.

Marine-Monturs-Haupt-Magazin.

Verwalter.

Florio, Marcus, ÖLO-R. (KD.), L. Sch.-Capt.

Marine-Spital zu Pola.

Chef-Arzt.

Cicoli, Alexander, Dr., Mar.-Ober-Stabsarzt.

Sanitäts-Abtheilungs-Commandant.

Wodikh, Emil, L. Sch.-Lieut. 1. Cl.

Marine-Spital zu Dignano.

Chef-Arzt.

Celligoi, Johann, Dr., L. Sch.-Arzt.

Sanitäts-Detachement-Commandant.

Zechbauer, Joseph, Obrlt.

See-Arsenals-Commando.

Commandant.

Daublebsky v. Sterneck zu Ehrenstein, Maximilian Freih., ✠, ÖLO-R. (KD.), ✝, Contre-Admiral.

Adjutant.

Millinković, Alexander, L. Sch.-Lieut. 1. Cl.

Arsenals-Verwaltung.

Dezorzi, Joseph, Mar.-Ober-Commissär 2. Cl.

Ausrüstungs-Direction.

Director.

Henriquez, Alphons Ritt. v., ÖEKO-R. 3. (KD.), Freg.-Capt.

Gesammt-Detail-Officier.

Wrede, Eugen, Fürst, MVK. (KD.), L.-Sch.-Lieut. 1. Cl.

Hafen-Depot.

Verwalter.

Schmidt, Rudolph, L. Sch.-Lieut. 1. Cl.

Ausrüstungs-Magazin.

Leiter.

Maraspin, Joseph, ÖEKO-R. 3. (KD.), MVK. (KD.), Freg.-Capt.

Takel-Direction.

Director.

Kropp, Wilhelm, ÖEKO-R. 3. (KD.), Freg.-Capt.

Artillerie-Direction.

Director.

Demmel, Alois, Mar.-Art.-Ober-Ingenieur 2. Cl.

Schiffbau-Direction.

Director.

Soyka, Moriz, ÖFJO-R., Schiffbau-Ober-Ingenieur 1. Cl.

Maschinen-Direction.

Director.

Heusser, Heinrich, ÖFJO-R., Maschinenbau-Oberster Ingenieur.

Arsenals-Bau-Direction.

Director.

Kailer, Theodor, Oberster Land- und Wasserbau-Ingenieur.

Haupt-Magazin.

Vorstand.

Lacheiner, Franz, Mar.-Ober-Commissär 2. Cl.

Chemisches Laboratorium.

Ginzkey, Franz, Maschinenbau-Ingenieur 1. Cl.

Arsenals-Commission.

Präses.

Kern, Oskar Ritt. v., ÖEKO-R. 3. (KD.), O 2., Corv.-Capt.

Permanente Artillerie-Commission.

Präses. Wiplinger, Anton Ritt. v., ÖLO-R. (KD.), Contre-Admiral.

Mitglieder.

Pöltl, Carl Ritt. v., L. Sch.-Lieut. 1. Cl.
Krumholz, Emil, L. Sch.-Lieut. 1. Cl.
Hnatek, Carl, L. Sch.-Lieut. 2. Cl.
Klöckner, Carl, Mar.-Art.-Ober-Ingenieur 3. Cl.
Abele, Ferdinand, Mar.-Art.-Ingenieur 2. Cl.
Schwarz, Joseph, Mar.-Art.-Ingenieur 2. Cl.

Torpedo-Abtheilung.

Weissenbach, Ernst Freih. v., Freg.-Capt.
Joly, Julius Ritt. v., ÖEKO-R. 3. (KD.), MVK., Corv.-Capt.

Seeminen-Abtheilung.

Primavesi, Joseph, MVK. (KD.), Freg.-Capt.

Oberste marine-ärztliche Direction.

Vorstand. Jilek, August Ritt. v., Dr., ÖEKO-R. 3, Oberster Mar.-Arzt.
Zugetheilt. Uhlik, Alexis, Dr., Freg.-Arzt.

Seebezirks-Commando zu Triest.

Commandant. Eberan v. Eberhorst, Alexander, ÖLO-R., MVK. (KD.), Contre-Admiral.

Militär-Abtheilung. Referent. Drabek, Anton, L.-Sch.-Lieut. 1. Cl.

Technische Abtheilung.

Referent.	*Zugetheilte.*
Schaffer, Carl, ÖEKO-R. 3., Freg.-Capt.	Kagnus, Raimund, Hptm. 1. Cl. Muller, Wenzel, Maschinenbau-Ingenieur 1. Cl.

Controls- und Rechnungs-Abtheilung.

Referent. Augmüller, Ludwig, ÖEKO-R. 3., Mar.-Ober-Commissär 1. Cl.

Permanente Schiffbau-Commission.

Präses. Eberan v. Eberhorst, Alexander, ÖLO-R., MVK. (KD.), Contre-Admiral.

Mitglieder.

Rohrscheidt, Arno v., ÖEKO-R. 3. (KD.), Freg.-Capt.
Konhäuser, Georg, L.-Sch.-Lieut. 1. Cl.
Wüllerstorf und Urbair, Carl Freih. v., O 2., L.-Sch.-Fähnr.
Andressen, Jakob, Schiffbau-Ober-Ingenieur 2. Cl.
Osimitsch, Wilhelm, Maschinenbau-Ober-Ingenieur 3. Cl.
Sagmeister, Blasius, Maschinist 2. Cl.

Marine-Material-Controls-Amt zu Triest.

Vorstand.	*Zugetheilte.*
Pöltl, Joseph Ritt. v., ÖEKO-R. 3. (KD.), Contre-Admiral.	Germonig, Eduard, ÖEKO-R. 3. (KD.), Freg.-Capt. Dornbach, Anton, Mar.-Verwalter.

Marine-Ergänzungsbezirks-Commanden.

Zu Zara.

Commandant.	*Zugetheilt.*
Schreiber, Carl, Obstlt.	Knapp, Joseph, Obrlt.

Zu Triest.

Commandant.	*Zugetheilt.*
Thum, Ignaz, MVK. (KD.), Obstlt.	Koller, Ferdinand, Obrlt.

Zu Fiume.

Commandant. Guaraldi, Alexander, Hptm. 1. Cl.

Angestellte, dann unangestellte Admirale, General-Majore, Linienschiffs-Capitäne und Oberste.

Angestellter Admiral (Feldzeugmeister).

Bourguignon v. Baumberg, Ant. Freih., ÖEKO-R. 1. (KD. 3. Cl.), ÖLO-C., MVK. (KD.), GHR., Hafen-Admiral und Fest.-Comdt. zu Pola. (Rang 9. April 1875.)

Angestellter Vice-Admiral (Feldmarschall-Lieutenant).

Pöck, Friedrich Freih. v., ÖEKO-R. 1., MVK. (KD.), GHR., Chef der Marine-Section und Marine-Commandant. (Rang 27. April 1871.)

Angestellte Contre-Admirale (General-Majore).

Pokorny, Alois Ritt. v., ÖEKO-R. 3., Escadre-Comdt. (Rang 24. Oct. 1869.)

Millosicz, Georg Ritt. v., ÖLO-R. (KD.), ÖEKO-R. 3. (KD.), MVK. (KD.), Stellvertreter des Chefs der Marine-Section. (Rang 29. Oct. 1870.)

Barry, Alfred Ritt. v., ÖLO-R. (KD.), Mil.-Hafen-Comdt. zu Pola. (Rang 4. Nov. 1871.)

Daublebsky v. Sterneck zu Ehrenstein, Maximilian Freih., ✠, ÖLO-R. (KD.), ✠, See-Arsenals-Comdt. zu Pola. (Rang 5. Nov. 1872.)

Eberan v. Eberhorst, Alexander, ÖLO-R., MVK. (KD.). Seebezirks-Comdt. und Präses der permanenten Schiffbau-Commission zu Triest. (Rang 15. Sept. 1878.)

Wiplinger, Anton Ritt. v., ÖLO-R. (KD.), Präses der permanenten Art.-Commission zu Pola. (Rang 16. Sept. 1878.)

Angestellte Linienschiffs-Capitäne (Oberste).

Seine kaiserl. königl. Hoheit Rudolph (Franz Carl Joseph), kaiserl. Kronprinz und Erzherzog von Oesterreich, königl. Prinz von Ungarn und Böhmen etc. etc., wie Seite 10.

Pauer v. Budahegy, Johann, ÖLO-R. (Rang 29. Aug. 1866.)

Nauta, Gustav, Comdt. des Matrosen-Corps zu Pola. (Rang 30. Aug. 1866.)

Zaccaria, Joseph, ÖEKO-R. 3. MVK. (KD.), Comdt. des Art.-Schulschiffes „Adria". (Rang 28. Oct. 1868.)

Pelzel, Johann, Vorstand der I. Geschäftsgruppe der Marine-Section. (Rang 26. Juni 1869.)

Bombelles, Carl Gf., ÖEKO-R. 2., ÖLO-R., GHR., ✠, (ü.c.) Obersthofmeister Seiner k. k. Hoheit des Kronprinzen Erzherzog Rudolph. (Rang 24. Oct. 1869.)

Oesterreicher, Tobias Freih. v., ÖEKO-R. 2., ÖLO-R. (KD.), Vorstand der II. Geschäftsgruppe der Marine-Section. (Rang 25. Oct. 1869.)

Pitner, Maximilian Ritt. v., ÖLO-R. (KD.), Vorstand der Präsidial-Kanzlei der Marine-Section. (Rang 30. April 1870.)

Kronnowetter, Carl, MVK. (KD.), Comdt. der Marine-Akad. zu Fiume. (Rang 30. Oct. 1870.)

Lindner, Carl Ritt. v., ÖLO-R. (KD.), ÖEKO-R. 3. (KD.), ○ 2., Comdt. S. M. Panzer-Fregatte „Habsburg". (Rang 31. Oct. 1870.)

Funk, Moriz Ritt. v., ÖLO-R., MVK., (Rang 27. April 1871.)

Ungewitter, Rudolph Ritt. v., ÖEKO-R. 3. (KD.), Comdt. S. M. Casemattschiffes „Don Juan d'Austria". (Rang 2. Mai 1871.)

Manfroni v. Manfort, Moriz Freih., ✠, ÖEKO-R. 3. (KD.), MVK. (KD.). (Rang 21. Nov. 1872.)

Herzfeld, Victor Ritt. v., ÖEKO-R. 3. (KD.). (Rang 28. Nov. 1872.)

Nölting, Adolph, MVK. (KD.), Comdt. S. M. Casemattschiffes „Kaiser Max". (Rang 25. April 1876.)

Lund, Ulrich Ritt. v., OEKO-R. 3. (KD.). (Rang 23. April 1878.)

Lang, Joseph. (Rang 16. Sept. 1878.)

Roediger, Emil. (Rang 17. Sept. 1878).

Contre-Admiral in Local-Anstellung.

Pöltl, Joseph Ritt. v., ÖEKO-R. 3. (KD.), Vorstand des Material-Controls-Amtes zu Triest.

Unangestellte Vice-Admirale (Feldmarschall-Lieutenants).

Fautz, Ludwig Ritt. v., ÖLO-R. (KD.), MVK. (KD.), GHR. (Kirchberg an der Pielach).

Petz, Anton Freih. v., ÖEKO-R. 1., ✠, GHR. (Tit.); (Triest).

Wüllerstorff und Urbair, Bernhard Freih. v., ÖLO-GK., ÖEKO-R. 2., GHR., lebenslänglich Herrenhaus-Mitglied des Reichsrathes (Graz).

Unangestellte Contre-Admirale (General-Majore).

Breisach, Wilhelm Ritt. v., ÖEKO-R. 3., Tit.-Contre-Admiral (Graz).

Dufwa, Rudolph, ÖLO-R., Tit.-Contre-Admiral (Laibach).

Gyuito v. Sepsi-Mártonos, Carl, ✠, Contre-Admiral (Graz).

Hadik v. Futak, Béla Gf., ÖEKO-R. 2., (KD. 3. Cl.), ÖLO-R., JO-Ehrenritter, GHR., ✠, Tit.-Contre-Admiral (Homona).

Marno v. Eichenhorst, Adolph, Tit.-General-Major (Triest).

Morelli, Hadrian, Tit.-Contre-Admiral (Wien).

Scopinich v. Küstenhort, Johann Ritt., ÖEKO-R. 3., Contre-Admiral (Venedig).

Wissiak, Alphons Freih. v., ÖEKO-R. 2., Contre-Admiral (Vösendorf bei Wien).

Wissiak, Julius Ritt v., ÖLO-R., Contre-Admiral (Triest).

Unangestellte Linienschiffs-Capitäne (Oberste).

Daufalik, Julius, Tit.-L.-Sch.-Capt. (Triest.)

Eberle, Ludwig Ritt. v., ÖEKO-R. 3. (KD.), ○ 2., L.-Sch.-Capt. (mit Wartegebühr beurl. zu Triest.)

Gröller, Gustav Ritt. v., ÖLO-R. (KD.), ÖEKO-R. 3., L.-Sch.-Capt. (Ortenburg, Kärnthen).

Leitgeb, Georg Ritt. v., ÖLO-R. (KD.), Oberst (Görz).

Radonetz, Eduard, ÖFJO-C., ÖLO-R., MVK. (KD.), Tit.-L.-Sch.-Capt. (Triest).

Rubelli, Joseph, L.-Sch.-Capt. (Zengg).

Skerl Edl. v. Schmiedtheim, Joseph, MVK., ○, Tit.-Oberst (Graz).

Zaccaria, Gustav de, L.-Sch.-Capt. (Fiume).

Rangsliste.

Admirale und Linienschiffs-Capitäne.

(Siehe Seite 776.)

Fregatten-Capitäne (Oberstlieutenants).

Kielmansegg, Alexander Gf., ÖEKO-R. 3. (KD.), ✠. (Rang 28. Aug. 1869.) (Res.).

Henriquez, Alphons Ritt. v., ÖEKO-R. 3. (KD.), Ausrüstungs-Director im See-Arsenale zu Pola. (Rang 19. Nov. 1870.)

Schaffer, Carl, ÖEKO-R. 3., technischer Referent beim Seebezirks-Comdo. zu Triest. (Rang 22. Nov. 1870.)

Buchta, Heinrich, Comdt. S. M. Corvette „Donau". (Rang 21. Mai 1871.)

Steiskal, Julius, ÖEKO-R. 3. (KD.), Mil.-Referent beim Hafen-Admiralat zu Pola. (Rang 22. Mai 1871.)
Spaun, Hermann Freih. v., ÖEKO-R. 3., (KD.), Marine-Attaché bei der k. u. k. Botschaft zu London. (Rang 23. Mai 1871.)
Pichler, Joseph, ÖEKO-R. 3. (KD.), Comdt. S. M. Corvette „Helgoland". (Rang 24. Mai 1871.)
Beck, Carl, ÖEKO-R. 3. (KD.), Comdt des II. Matrosen-Depots. (Rang 1. Nov. 1872.)
Schröder, Rudolph, ÖLO-R. (KD.), Vorstand der 1. Abth. der Marine-Section. (Rang 1. Mai 1873.)
Kropp, Wilhelm, ÖEKO-R. 3. (KD.), Takel-Director im See-Arsenale zu Pola. (Rang 1. Nov. 1874.)
Henriquez, Camillo Ritt. v., ÖEKO-R. 3. (KD.). (Rang 1. Mai 1876.)
Berthold, Heinrich, MVK. (KD.), Escadre-Stabs-Chef. (Rang 1. Mai 1876.)
Rohrscheidt, Arno v., ÖEKO-R. 3. (KD.), Mitglied der permanenten Schiffbau-Commission. (Rang 1. Mai 1876.
Greaves, Joseph. (Rang 1. Mai 1877.)
Czedik v. Bründelsberg, Hermann, MVK. (KD.), Vorstand der 2. Abth. der Marine-Section. (Rang 1. Mai 1878.)
Weissenbach, Ernst Freih. v., Vorstand der Torpedo-Abth. (Rang 1. Mai 1878.)
Kolb, Johann. (Rang 15. Sept. 1878.)
Kronnowetter, Eugen, Comdt. des I. Matrosen-Depots. (Rang 15. Sept. 1878.)
Primavesi, Joseph, MVK. (KD.), Vorstand der Seeminen-Abth. (Rang 15. Sept. 1878).

Corvetten-Capitäne (Majore).

Tschernatsch, Franz, MVK. (KD.), Comdt. S. M. Kanonenbootes „Nautilus". (Rang 1. Nov. 1872.)
Biringer, Hermann, MVK. (KD.). (Rang 1. Nov. 1872.)
Joly, Julius, Ritt. v., ÖEKO-R. 3. (KD.), MVK., Mitglied der Torpedo-Abth. (Rang 1. Mai 1873.)
Hinke, Gustav, MVK. (KD.), Comdt. S. M. Dampfers „Andreas Hofer". (Rang 1. Nov. 1874.)
Jägermayer, Fridolin, ÖEKO-R. 3. (KD.), SVK. m. Kr., Comdt. des Jungenschulschiffes „Schwarzenberg". (Rang 1. Mai 1875.)
Masotti, Eduard, ÖEKO-R. 3. MVK. (KD.). (Rang 1. Mai 1876.)
Brudl, Gustav, Comdt. S. M. Kanonenbootes „Albatros". (Rang 1. Mai 1876.)
Fayenz, Heinrich, MVK. (KD.), Lehrer an der Marine-Akad. (Rang 1. Nov. 1876.)
Trapp, August Ritt. v., ÖEKO-R. 3. MVK. (KD.), Gesammt-Detail-Officier S. M. Casemattschiffes „Don Juan de Austria". (Rang 1. Nov. 1876.)
Palese Edl. v. Grettaberg, Emil, MVK. (KD.). (Rang 1. Nov 1876.)
Paulucci, Hamilkar Marq., ÖEKO-R. 3. (KD.), MVK. (KD.), (G. c.); in Dienstleistung bei Seiner k. k. Hoheit dem Erzherzog Carl Stephan. (Rang 1. Nov. 1876.)
Gaál de Gyula, Eugen, ÖEKO-R. 3. (KD.), MVK. (KD.). (Rang 1. Mai 1877.)
Grancich, Peter, MVK. (KD.), Gesammt-Detail-Officier S. M. Panzer-Fregatte „Habsburg". (Rang 1. Mai 1877.)
Almstein, August v., Leiter des Art.-Unterrichtes auf S. M. Art.-Schulschiff „Adria". (Rang 1. Nov. 1877.)
Stecher, Friedrich, MVK. (KD.), Gesammt-Detail-Officier S. M. Casemattschiffes „Kaiser Max". (Rang 1. Mai 1878.)
Pozzo, Cäsar, Comdt. S. M. Kanonenbootes „Kerka". (Rang 1. Mai 1878.)
Dubsky v. Trzebomislitz, Erwin Gf., ♀. (Rang 15. Sept. 1878.)
Seemann v. Treuenwart, Carl Ritt., ÖEKO-R. 3. (KD.). (Rang 15. Sept. 1878.)
Adler v. Adlerschwung, Victor, MVK. (KD.). (Rang 15. Sept. 1878.)
Henriquez, Hippolyt Ritt. v. (Rang 15. Sept. 1878.)

Oberofficiere.

Linienschiffs-Lieutenants 1. Classe (Hauptleute 1. Classe).

	Rang
	1865
Frank, Joseph, MVK. (KD.)	21. Nov.
	1866
Müller v. Müllenau, Carl, MVK. (KD.)	7. März
Natti, Joseph	15. April
Cassini, Oskar Conte	15. „
Hopfgartner, Franz, ÖEKO-R. 3., MVK. (KD.), (Res.)	15. „
Semsey de Semse, Gustav	15. „
Kalmar, Alexander, ÖEKO-R. 3. (KD.), MVK. (KD.), (Res.)	1. Mai
Czeike, Hermann	1. „
Haan, Friedr. Freih. v., ÖEKO-R. 3. (KD.)	1. „
Pogatschnigg, Rich., MVK. (KD.)	1. „
Heinze, Hermann	1. „
Banfield, Richard	17. Juni
Heinz, Julius	17. „
Drabek, Anton	17. „
Wostry, Joseph	21. „
Bousquet, Victor	21. „
Engelmann, Moriz	21. „
Le Blanc-Souville, Gottfried v.	21. Juni
Berthold, Joseph	21 „
Wrede, Eugen Fürst, MVK. (KD.)	21. „
Gröller, Julius Ritt. v., ÖEKO-R. 3. (KD.), (WG.)	21. „
Müller, Franz	21. „
Minutillo, Franz Freih. v., ÖEKO-R. 3. (KD.)	21. „
Albrecht, Theodor, MVK. (KD.)	27. „
	1867
Baritz de Ikafalva, Carl, MVK. (KD.)	27. Juli
	1868
Schellander, Joseph, ÖFJO-R., MVK. (KD.)	5. Febr.

	Rang
	1868
Kemmel, Gustav	1. Nov.
Weyprecht, Carl, ÖLO-R., ÖEKO-R. 3. (KD.)	1. „
Lehnert, Joseph, ÖEKO-R. 3., MVK. (KD.)	1. „
	1869
Panfilli, Anton	1. Mai
Henneberg, Edmund Ritt. v., ÖEKO-R. 3. (KD.), (Res.)	1. „
Pelichy, Hugo Freih. v., ✠	1. „
Barth, Carl, MVK. (KD.)	1. „
Rosenzweig, Vincenz Edl. v., MVK. (KD.)	1. „
Morin, Mathias	1. „
Giberti, Ferdinand	1. „
Salvini v. Meeresburg, Georg Ritt.	1. „
Jüptner v. Jonstorff, Norbert Freih.	1. Nov.
Deschauer, Hugo, MVK. (KD.)	1. „
Berghofer, Rudolph	1. „
Binički, Lucas, MVK. (KD.)	1. „
Spetzler, Carl	1. „
Perin v. Wogenburg, Franz Ritt., ○ 1.	1. „
	1870
Becker, Alois Ritt. v.	1. Mai
Pirchann, Anton	1. „
Chorinsky, Egon Gf., JO-Justizritter, ✠	1. „
Karber, Emanuel	1. „
Benko v. Boinik, Jerolim Freih.	1. Nov.
Kreuter, Julius	1. „
Wohlgemuth, Emil Edl. v.	1. „
Heinze, Anton, ○ 2.	1. „
Allnoch v. Edelstädt, Victor Freih.	1. „
Schweissgut, Friedr.	1. „
Sembach, Gustav	1. „

	Rang
	1871
Montecuccoli, Rudolph Gf., ✠	1. Mai
Müldner, Arthur	1. „
Wachtel Edl. v. Elbenbruck, Joseph, MVK.	1. „
Rousseau d'Happoncourt, Carl Chev.	1. „
Pöltl, Carl Ritt. v.	1. „
Khittel, Wladimir	1. „
Pott, Gustav v., MVK.	1. „
Thewald, Gustav	1. „
Jedina, Rud. Ritt. v.	1. „
Millinković, Alex.	1. „
Broosch, Gustav Ritt. v., ÖEKO-R. 3.	1. „
Fleischer, Jos. (WG.)	1. Nov
Renvers, Carl	1. „
	1872
Heinz, Franz	1. Mai
Breisach, Emil	1. „
Bermann, Carl Edl. v.	1. „
Hahn Edl. v. Hahnenheim, Rudolph	1. „
Schonta, Carl	1. „
Lobinger, Arth., ○ 1.	1. „
Pulger, Peter	1. „
Rukavina, Martin	1. „
Afan de Rivera dei Marchesi di Villanuova delle Torri, Joseph	1. Nov.
Holeczek, Johann	1. „
Henriquez, Guido Ritt. v.	1. „
Schmidt, Johann	1. „
Řezníček, Joseph	1. „
Peichl, Joseph, ○ 1.	1. „
Konhäuser, Georg	1. „
	1873
Schöpkes, Jul., ○ 2.	1. Mai
Sachs, Moriz	1. „
Krumholz, Emil	1. „
Wörter, Alois	1. „
	1874
Lorber, Adolph	1. Mai
Adamović, Carl	1. „
Mörth, Wilhelm	1. „
Pick, Friedrich, ○ 1.	1. „

Linienschiffs-Lieutenants 2. Classe (Hauptleute 2. Classe).

Rang

1866

Máriássy de Markus et Batiszfalva, Mich., MVK. (KD.), (Res.) 21. Juni

1870

Hoyos, Georg Gf. (Res.) 1. Mai
Herber, Carl, MVK. (KD.); (Res.) 1. „
Kovačevich, Carl (Res.) 1. Nov.
Microys, Otto (Res.) 1. „

1872

Kloss, Ant., MVK. (KD.), (Res.) 1. Nov.

1874

Fischer, Oskar 1. Nov.
Koncicky, Heinrich 1. „
Janovsky, Johann 1. „
Hahn v. Hahnenbeck, Hugo 1. „

1875

Appeltauer, Carl v. 1. Mai
Sattler, Wilhelm v. 1. Mai
Treipel, Joseph 1. „

1876

Anton, Franz, ○ 1. 1. Mai
Rothauscher, Maximilian, MVK. (KD.) 1. Mai
Szabel, Moriz Ritt. v., (Res.) 11. Sept.
Holletz, Carl 1. Nov.
Gebhardt, Ferdinand 1. „
Pogatschnigg. Hugo, MVK. (KD.) 1. „
Laschober, Franz 1. „
Mosser, Johann 1. „
Pammer, Eduard 1. „
Wayer Edl. v Stromwell, August 1. „
Spiller, Conrad 1. „

1877

Marković, Martin v. 1. Mai
Kletzl, Franz v. 1. „
Zöbel, Georg 1. „
Hnatek, Carl 1. „
Knesevich v. Lersheim, Joseph 1. Nov.
Burian, Otto, MVK. (KD.), ○ 2. 1. Nov.
Schindler, Gustav 1. „

1878

Mayer, Carl 1. Mai
Kneisler, Leodegar, ○ 2.
Benko v. Boinik, Isidor Freih., ⊙ 1. „
Ripper, Julius 1. „
Rippka, Camillo 15. Sept.
Krein, Adolph, ○ 2. 15. „
Teufel, Joseph, ○ 1. 15. „
Egger, Anton 15. „
Pott, Paul 15. „
Pott, Constantin, ○ 2. 15. „
Schweissgut, August 15. „
Arleth, Wenzel, ○ 2. 15. „
Hlawaty, Joseph, ⊙, ○ 2. 15. „
Bartsch, Franz, ○ 2. 15. „
Köppel, Carl, ○ 2. 15. „
Beer, Gustav 15. „
Beck, Julius 15. „
Sinkowsky, Carl, ○ 15. „
Eberan v. Eberhorst, Leonhard, ○ 1. 15. „

Linienschiffs-Fähnriche (Oberlieutenants).

Rang

1864

Spanner, Anton, MVK. (KD); (Res.) 23. Mai

1866

Homayr, Albert (Res.) 27. Juni
Eisner Wilhelm, ○ 2. (Res.) 7. „
Schönberger, Rich., ⊙ (Res.) 20. „
Babić, Natalis (Res.) 26. „
Orel, Eduard, ÖEKO-R. 3. (Res.) 26. „

1869

Labrés, Rudolph, ○ 1. 1. Nov.
Lehnhardt, Simon, ○ 2. 1. „
Jedina, Hermann Ritt. v. 1. „
Kozelka, Wenzel, ○ 2. 1. Nov.
Görtz, Constantin v., ⊙, ○ 2. 1. „

1870

Mörath, David (Res.) 1. Jän
Hofmann, Raphael, ○ 2. 1. Mai
Pfusterschmied, Victor Ritt. v. 1. „
Haller, Adalbert, ○ 1. 1. „
Lorenz, Franz, ○ 1. 1. „
Stoischics, Sebastian, ○ 2. (Res.) 1. „
Jedina, Leopold Ritt. v. 1. „
Hayek, Ferdinand, ○ 2. 1. „
Cischini, Heinr. Ritt. v., ○ 2. 1. Nov.
Dell'Adami, Géza 1. Nov.
Hermann, Edmund 1. „
Rubelli v. Sturmfest, Friedrich, ○ 2. 1. „
Hermann, Emil 1. „
Wüllerstorf u. Urbair, Carl Freih. v., ○ 2. 1. „
Bachem, Olivier 1. „
Bayer, Joseph, ○ 2. 1. „
Sambucchi, Victor, ○ 2. ı
Jenik, Victor Ritt. v., ○ 2. 1.
Weisse, Eduard, ○ 2. (Res.) 1.
Patay, Stephan v. 1. „
Benigni in Müldenberg, Heinrich Ritt. v. 1. „

	Rang 1871
Taraboccbia Alois (Res.)	1. Jän.
Privileggio, Anton (Res.)	1. „
Oberndorf, Hugo Gf., ○ 2. (Res.)	1. Mai
Reichmann, Carl	1. „
Reddi, Felix	1. „
Toppo, Alexander	1. „
Rupprecht v. Virtsolog, Friedrich	1. „
Martinitz, Arthur	1. „
Pitner, Hector, ○ 2. (Res.)	1. „
Decken-Himmelreich, Friedrich Freih. von der, ○ 2.	1. „
Cimiotti - Steinberg, Gustav Ritt. v.	1. Nov.
Hirschal, Adolph	1. „
Poglayen, Arthur	1. „
Dojmi, Stephan Ritt. v.	1. „
	1872
Kunwald, Theodor	1. Mai
Pietruski, Miecislaus Ritt v., ♇	1. „
Ivanovich, Raphael Conte	1. Mai
Benko v. Boinik, Joh. Freih.	1. „
Mauler v. Elisenau, Joseph	1. „
Riboli, Alois	1. „
Hartlab, Carl	1. Nov.
Palletz, Alexander	1. „
Padevit, Johann	1. „
Couarde, Guido	1. „
Bucovich, August	1. „
Lambacher, Otto	1. „
	1873
Chiari, Arthur	1. Mai
Raimann, Arth. Ritt. v.	1. „
Gelcich, Eugen (Res.)	1. „
Haftner, Julius	1. „
Nemling, Joseph Carl	1. „
Marno v. Eichenhorst, August	1. „
Ziegler, Lucian Ritt. v.	1. „
Kutschera, Max	1. „
Thomann, Eduard	1. „
Basso, Richard	1. „

	Rang 1873
Schreiber, Hermann	1. Nov.
Gut, Maximilian	1. „
Weber, Wilhelm	1. „
Haus, Anton	1. „
	1874
Herde, Joseph	1. Mai
Wagenbauer v. Kampfruf, Franz Ritt.	1. „
Roth, August	1. „
Bouvier, Hannibal	1. „
Stepanek, Ferdinand	1. „
Dennig, Heinrich	1. „
Vittorelli, Ludwig	1. „
Bobrick v. Boldva, Adolph	1. „
Friess, Carl	1. Nov.
Danelutti, Eduard	1. „
Hollmann, Emanuel	1. „
Skala, Carl	1. „
Schwarz, Constantin	1. „
Dreger, Richard	1. „
Pleskott, Hermann	1. „
Lerch, Richard	1. „
Kunsti, Alois Edl. v.	1. „
Wolff, Eduard Ritt. v.	1. „
Villus, Johann	1. „
Baselli v. Süssenberg, Vict. Freih. v.	1. „
Heinrich, Carl	1. „
Starčević, Michael	1. „
Hentschel Edl. v. Wildhaus, Gilbert	1. „
	1875
Korb, Gustav	1. Mai
Lazzarini, Gabriel Freih. v.	1. „
Sertić, Joseph	1. „
Banianin, Michael	1. „
Brojatsch, Carl	1. „
Schukić, Lazarus	1. „
Müller v. Elblein, Friedrich Ritt.	1. „
Boczek, Maximilian	1. „
Sztranyavszky, Ladisl.	1. „
Herdliczka, Emil	1. „
	1876
Kohn, Emil	1. Mai
Balthasar, Leopold	1. „
Aichelburg, Anton Gf.	1. „
Danelutti, Felix	1. „
Czirer, Ludwig v.	1. „

	Rang 1876
Hohenwarth zu Gerlachstein, Rudolph Gf.	1. Mai
Hofer, Andr. Edl. v.	1. „
Hartmann v. Valpezon u. Rozbierschitz, Ludwig Ritt.	1. Nov.
Morelli, Albert	1. „
Soltyk, Stanisl. Gf.	1. „
Nemling, Joseph Anton (WG.)	1. „
Praprotnik, Alois	1. „
Taund, Eugen v.	1. „
Wollmann, Ferdin.	1. „
Oczenaschek, Ignaz	1. „
Csathó, Joseph	1. „
Dreschovitz, Edmund	1. „
	1877
Giaxa, Heinrich	1. Mai
Burger, Franz	1. „
Böckmann, Wilhelm Ritt. v.	1. „
Kleinoscheg, Anton	1. „
Lohr, Julius	1. „
Sobieszky, Adolph	1. „
Golkowsky, Wladimir	1. „
Urbanitzky v. Mühlenbach, Carl	1. Nov.
Vuković, Emil	1. „
Kvassay, Ludwig	1. „
Weber v. Ebenhof, Emerich Freih.	1. „
Attems, Alfred Gf.	1. „
Hammer v. Purgstall, Arthur Freih.	1. „
Moczarsky, Carl Ritt. v.	1. „
Francovich, Johann	1. „
	1878
Burgstaller, Heinrich	1. Mai
Winter v. Lorschheim, Ludwig	1.
Dąbrowski, Alfred Ritt. v.	1. „
Fuchs, Emil	1. „
Vertovetz, Anton	1. „
Pacel, Wladimir	1. „
Steinböck, Wilhelm	1. „
Kopecky, Joseph	1. „
John, Friedrich Freih. v.	1. „
Laube, Adolar	1. „

	Rang 1878
Hubatka, Carl	15. Sept.
Lanjus v. Wellenburg, Carl Gf.	15. „
Schmidt, Hugo	15. „
Gratzl, August	15. „
Mirošević, Bernhard	15. „
Spetzler, Emil	15. „
Pach zu Hansenheim, Robert Freih. v.	15. „

	Rang 1878
Schwab, Carl	15. Sept.
Henkel, Joseph	15. „
Preradović, Dušan v.	15. „
Schwickert, Friedr.	15. „
Rehm, Otto	15. „
Pfau, Marian	15. „
Kohen, Richard	15. „
Borovszky, Géza v.	15. „

	Rang 1878
Bourguignon v. Baumberg, Anton Freih.	15. Sept.
Vuković, Alexander	15. „
Mirtl, Franz	15. „
Andaházy, Alexander v.	15. „
Folliot de Crenneville, Heinr. Gf.	1. Nov.

See-Cadeten und Aspiranten.

See-Cadeten 1. und 2. Classe.

	Rang
	1874
Ernst, Oskar (Res.)	1. Febr.
	1875
Kopper, Gust. (Res.).	20. Jän.
Bersa v. Leidenthal, Sylvius	20. „
Taxis de Bordogna et Valnigra, Alexander Freih.	20. „
Wenedikter, Friedrich	9. Juli
Matuschka, Alfred	9. „
Messey de Bielle, Friedrich Gf.	9. „
Czomzer, Franz	9. „
Zeleny, Johann	9. „
Ferenczy, Adalbert	9. „
Grinzenberger, Friedrich	9. „
Tamasy, Adalbert v.	9. „
Szápáry v. Mura-Szombath, Carl Gf.	9. „
Bublay, Ferdinand	9. „
Supanchich v. Haberkorn, Conrad	9. „
Pebal, Vincenz Edl v.	9. Juli
Sztáray, Wilhelm Gf.	9. „
Krascsenics, Nikolaus v.	9. „
Račić, Anton	9. „
Preu, Wilhelm Ritt. v.	9. „
Zechbauer, Carl	9. „
	1876
Kosulić, Heinrich	27. Jän.
Wettstein, Carl	27. „

	Rang 1876
Gyujto v. Sepsi-Martonos, Ludwig	27. Jän.
Florian, Heinrich	27. „
Obermüller, Carl	27. „
Dejak, Johann	27. „
Wachtel, Conrad	27. „
Szigyárto, Wilhelm	27. „
Pichl Leonidas	1. Juli
Wettstein v. Westersheimb, Ludw. Ritt.	1. „
Steingass, Robert	1. „
Rainer zu Lindenbichl, Carl Ritt. v.	1. „
Horn, Emil	1. „
Mirošević, Hermann	1. „
Höhnel, Ludw. Ritt. v.	1. „
Ammer, Victor	1. „
Rombauer, Theodor	1. „
Regner v. Bleileben, Otto Ritt.	1. „
Kirchmayr, Georg	1. „
Lanjus v. Wellenburg, August Gf.	1. „
Kosarek, Gustav	1. „
Dennig, Julius	1. „
Klint, Erik v.	1. „
Dederra, Franz	1. „
Nechay v. Felseis, Franz Ritt.	1. „
Zvolenszky, Alfred v.	1. „
Falzari, Felix	1. „
Seelig, Albert	1. „
Chmelarž, Eugen	1. „
Portner v. Höflein, Albrecht Freih.	1. „
Michnik, Gustav	1. „
Neugebauer, Heinrich	1. „

	Rang
	1876
Tarabocchia, Johann	1. Juli
Demar, Hugo	1. „
Schwarz, Joseph	1. „
Ziška, Adalbert v.	1. „
Mendelein, Adolph	17. Dec.
	1877
Njegovan, Maximil.	1. Juli
Eisert, Franz	1. „
Passler, Franz	1. „
Sellner, Leopold	1. „
Hermann, Eugen	1. „
Rödiger, Ernst	1. „
Kastner, Michael	1. „
Pajer, Rudolph	1. „
Friedenfels, Eduard Edl. v.	1.
Wezlar, Dominik Freih. v.	1. „
Haracich, Emanuel	1. „
Barnert, Otto	1. „
Rubesch, Emil	1. „
Sikora, Emil	1. „
Dojmi v. Delupis, Alois Ritt.	1. „
Bissingen - Nippenburg, Max Gf.	1. „
Pokorny, Rudolph	1. „
Batthyány, Theodor Gf.	1. „
Baumann, Alois	1. „
Ritschl, Wenzel Ritt. v.	1. „
Vajda, Gabriel	1. „
Pacher, Wilhelm	1. „
Gradi, Franz nobile de	12. Sept.

	Rang 1878		Rang 1878		Rang 1878
Gassenmayr, Oskar	12. Juli	Guberth, Hugo	12. Juli	Weeber, Alfred	12. Juli
Fuchs, Julius	12. „	Ritter v. Zahony, Egon	12. „	Baborszky, Eugen	12. „
Fath, Emil	12. „	Staschek, Anton	12. „	Marek, Franz	12. „
Noppes, Eduard	12. „	Huber, Moriz	12. „	Petz, Anatol Freih. v.	12. „
Sanchez de la Cerda, Anton	12. „	Fiedler, Paul	12. „	Rudesch, Johann	12. „
Kühnel, Richard	12. „	Unschuld. Eduard	12. „	Leitgeb, Emerich Ritt. v.	12. „
Weichs an der Glon, Friedrich Freih. v.	12. „	Adamović, Johann	12. „	Mailáth v. Székhely, Stephan	12. „
Milić, Oskar	12. „	Oechsner, Joseph Freih. v.	12. „	Mezzorana, Carl	12. „
Korab, Eugen	12 „	Szende v. Keresztes, Philipp	12. „	Fortis, Johann	12. „
Müller, Emil	12. „				

See-Aspiranten.

(Vacant.)

Officiere des bestandenen Marine-Zeugs-Corps.

Hauptleute 1. Classe.

Kagnus, Raimund. (Rang 1. Oct. 1859.)
Oraschem, Franz. (Rang 14. Aug. 1862.)

Oberlieutenant.

Stremer, Thomas. (Rang 24. Juli 1866.)

Officiere des bestandenen Marine-Infanterie-Regiments.

Hauptleute 1. Classe.

Sabin, Franz. (Rang 7. Aug. 1862.)
Wondra, Carl. (Rang 16. Mai 1866.)

Admirale, Stabs- und Oberofficiere in Marine-Local-Anstellungen.

Rangsliste.

Contre-Admiral.

Pöltl, Joseph Ritt. v., ÖEKO-R. 3. (KD.). (Rang 16. Sept. 1859.)

Linienschiffs-Capitän.

Florio, Marcus, ÖLO-R. (KD.) (Rang 26. April 1871.)

Fregatten-Capitäne und Oberstlieutenants.

De la Renotière v. Kriegsfeld, Franz Ritt., MVK. (KD.), Obstlt. (Rang 8. Aug. 1859.)
Schreiber, Carl, Obstlt. (Rang 17. Nov. 1868.)
Germonig, Eduard, ÖEKO-R. 3. (KD.), Freg.-Capt. (Rang 1. Nov. 1872.)
Thum, Ignaz, MVK. (KD.), Obstlt. (Rang 1. Nov. 1876.)
Maraspin, Joseph, ÖEKO-R. 3. (KD.), MVK. (KD.), Freg.-Capt. (Rang 1. Nov. 1876.)

Corvetten-Capitäne.

Kern, Oskar Ritt. v., ÖEKO-R. 3. (KD.), O 2. (Rang 20. Dec. 1870.)
Meyer, Gustav. (Rang 1. Nov. 1876.)

Linienschiffs-Lieutenants und Hauptleute 1. Classe.

Bäumel, Ludwig, MVK., Hptm. (Rang 25. Mai 1859.)
Wodikh, Emil, L. Sch.-Lieut. (Rang 21. Sept. 1860.)
Metz, Gustav, MVK. (KD.), Hptm. (Rang 9. Dec. 1862.)
Koczian, Otto, L. Sch.-Lieut. (Rang 15. April 1866.)
Stratti, Eugen, L. Sch.-Lieut. (Rang 15. April 1866.)
Pogatschnigg, Ottokar, L. Sch.-Lieut. (Rang 2. Juli 1866.)
Schmidt, Rudolph, L. Sch.-Lieut. (Rang 22. Juli 1866.)
Rosenkart, August, L. Sch.-Lieut. (Rang 27. Juli 1867.)
Geržabek, Ferd., Hptm. (Rang 27. Juli 1867.)
Guaraldi, Alexander, Hptm. (Rang 26. Aug. 1867.)
Žalud, Johann, Hptm. (Rang 9. Nov. 1867.)
Hentschel, Johann, L. Sch. Lieut. (Rang 5. Feb. 1868.)
Herold, Alois, L. Sch. Lieut. (Rang 1. Mai 1869.)

Linienschiffs-Lieutenants und Hauptleute 2. Classe.

Gwinner, Ernst, L. Sch.-Lieut. (Rang 1. Nov. 1872.)
Moritz, Joseph, Hptm. (Rang 1. Mai 1876.)
Pazelt, Carl, Hptm. (Rang 15. Sept. 1878.)
Fellner, Mathias, Hptm. (Rang 15. Sept 1878.)
Wöllerstorfer, Gustav, Hptm. (Rang 15. Sept. 1878.)

Linienschiffs-Fähnriche und Oberlieutenants.

Ambrosioni Edl. v. Ambra, Adolph, L. Sch.-Fähnr. (Rang 26. Febr. 1861.)
Koller, Ferdin., Obrlt. (Rang 18. Juni 1866.)
Gerin, Christoph, Obrlt. (Rang 24. Juli 1866.)
Zechbauer, Joseph, Obrlt. (Rang 18. Nov. 1867.)
Lindtner, Christian, Obrlt. (Rang 1. Nov. 1868.)
Dolenć, Johann, L. Sch.-Fähnr. (Rang 1. Nov. 1869.)
Hirschal, Alfred, L. Sch.-Fähnr. (Rang. 1. Nov. 1870.)
Bedic, Franz, Obrlt. (Rang 1. Nov. 1872.)
Knapp, Joseph, Obrlt. (Rang 1. Nov. 1872.)
Tipelt, Joseph, Obrlt. (Rang 1. Nov. 1872.)
Willemsen, Friedr., Obrlt. (Rang 1. Mai 1876.)

Marine-Geistlichkeit.

Marine-Pfarrer.

Račić, Georg, ÖFJO-R., infulirter Abt Beatae Mariae Virg. de Lacroma, k. k. Hof-Caplan und Marine-Superior.

Marine-Curaten.

Germeck, Joh., GVK. m. Kr.
Marochini, Eduard v., Akad.-Pfarrer.

Marine-Capläne.

Mosettig, Carl.
Buzzi, Joseph.
Sablić, Matthäus, GGVK.
Faidiga, Johann.

Hrovat, Franz.
Barić, Marcus (Res.).
Mimiza, Mathias (Res.).
Jillicich, Michael (Res.).
Miossevich, Vincenz (Res.).
Gilich, Mathias (Res.).
Sparozich, Johann (Res.).
Babić, Emerich (Res.).
Tomich-Spudicevich, Michael (Res.).
Morović, Thomas (Res.).
Despot, Johann (Res.).
Filipović, Johann (Res.).
Simicin, Johann (Res.).
Klarič, Rochus (Res.).
Runić, Pasquale (Res.).
Pavissich, Anton (Res.).

Franceschi, Peter (Res.).
Pocina, Johann (Res.).
Zopić, Georg (Res.).
Capin-Tonkic, Johann (Res.).
Billic, Mathias (Res.).
Cikes, Joseph (Res.).
Casara, Blasius (Res.).
Novak, Spiridon, Dr. (Res.).
Brbič, Simon (Res.).
Covič, Andreas (Res.).
Pleticossich, Stephan (Res.).
Dragovich, Franz (Res.).
Giadrosič, Peter (Res.).
Bazdarič, Johann (Res.).
Duornik, Hieronymus (Res.).
Bujas, Alois (Res.).

Marine-Auditore.

Oberst-Auditor.

Allram, August Ritt. v., ÖEKO-R. 3.

Major-Auditor.

Lacina, Johann.

Hauptmann-Auditor 1. Classe.

Walásek, Johann.

Hauptleute-Auditore 2. Classe.

Pirchann, August.
Maciulski, Ladislaus.
Gottlieb, Joseph, Dr. d. R.

Oberlieutenant-Auditor.

Sofka, Carl, Dr. d. R.

Marine-Aerzte.

Oberster Marine-Arzt.

Jilek, August Ritt. v., Dr., ÖEKO-R. 3.

Marine-Ober-Stabs-Ärzte.

Cicoli, Alexander, Dr.
Bernstein, Moriz, Dr., ÖFJO-R.

Marine-Stabsärzte.

Saxa, Roman, Dr.
Wawra v. Fernsee, Heinrich Ritt., Dr., ÖEKO-R. 3., ÖFJO-R.

Gregor, Franz, Dr.
Fleischmann, Carl, Dr., GVK. m. Kr.

Linienschiffs-Aerzte.

Kolaczek, Robert, Dr.
Kudlich, Moriz, Dr.
Altschul, Adolph, Dr.
Prussnig, Adolph, Dr.
Linhart, Moriz, Dr.
Hirsch, Julius, Dr.
Fejér, Eduard v., Dr.
Elsass, Carl, Dr.
Janka, Ambrosius, Dr. (WG.).
Potočnik, Joseph, Dr.

Sachs, Wilhelm, Dr.
Paulay, Stephan, Dr.
Celligoi, Johann, Dr.
Prorok, Anton, Dr.
Szauer, Joseph, Dr.
Lummerstorfer, Heinrich, Dr.
Braun, Moriz, Dr.
Fried, Nathan, Dr.

Fregatten-Aerzte.

Déry, Emil, Dr.
Welebil, Victor, Dr.
Breither, Joseph, Dr.
Gruber, Eugen, Dr.
Uhlik, Alexius, Dr.

Chodorowsky, Stanislaus, Dr.
Gorhan, Bertram, Dr.
Weil, Joseph, Dr.
Lederer, Adolph, Dr.
Melzer, Carl, Dr.
Pruss, Carl, Dr.
Krumpholz, Johann, Dr.
Schaffer, Ludwig, Dr.
Neugebauer, Victor, Dr.
Lenoch, Thomas, Dr., Oberarzt
Gottschalk, Franz. Dr.
Stenta, Mathias, Dr.
Bareš, Joseph, Dr.

Corvetten-Aerzte.

Fünkh, Hermann, Dr. (Res.).
Wolf, Anton, Dr.
Quoika, Joseph, Dr.
Babor, Carl, Dr.
Billitzer, Emerich, Dr.
Pokorny, Moriz, Dr. (Res.).
Vesely, Adalbert, Dr. (Res.).
Steiner, Adolph, Dr.
Veth, Felix, Dr. (Res.).
Brillant, Maximilian, Dr.
Theumer, Camillo, Dr.
Vipauz, Carl, Dr.
Capellmann, Wilhelm, Dr.
Steinbach, Joseph, Dr.
Parenzan, Anton, Dr.
Cleva, Johann, Dr. (Res.)
Pillwax, Moriz, Dr.
Svoboda, Wenzel, Dr.
Tullinger, Alexander, Dr. (prov.).
Hochstein, Moriz, Dr. (Res).
Bayer, Carl, Dr. (prov.).
Achač, Joseph, Dr. (prov.).
Friedmann, Peter, Dr. (Res.).
Schmucker, Richard, Dr. (Res.).
Maschka, Emil, Dr. (prov.).
Holeczek, Paul, Dr. (prov.).

Schiffs-Wundärzte 1. Classe.

Ružiczka, Carl, GVK.
Schmidinger, Franz, GVK.
Diener, Johann.
Harvalik, Vincenz (WG.).

Assistenz-Arzt.

Schneider, Alexander, Dr. (Res.).

Marine-Beamte.

I. Technische Beamte.

a) Schiffbau.

Oberster Ingenieur.

Romako, Jos. Ritt. v., ÖEKO-R. 3.

Ober-Ingenieur 1. Cl.

Soyka, Moriz, ÖFJO-R.

Ober-Ingenieure 2. Cl.

Andressen, Jakob.
Kuzmány, Carl, ÖFJO-R.

Ober-Ingenieure 3. Cl.

Pegan, Joseph, ÖFJO-R., GVK. m. Kr.
Weizner, Conrad, ÖFJO-R.

Ingenieure 1. Classe.

Danelutti, Andreas.
Stolfa, Ferdinand.
Margutti, Heinrich, GVK. m. Kr.
Lollok, Victor.
Jüptner v. Jonstorff, Franz Ritt.
Kuchinka, Joseph.
Friba, Franz.
Tullinger, Carl.

Ingenieure 2. Classe.

Printz, Eduard.
Polaczek, Alois.
Mayer, Joseph Edl v.
Novak, Ernst.
Fritz, Friedrich.
Weiss, Theodor.
Popper, Siegfried.
Kellner, Joseph.

Ingenieure 3. Classe.

Engländer, Richard (Res.).
Huttary, Gustav (Res.)
Feyrer, Alois Edl. v. (Res.).
Albrecht, Theodor.
Turek, Hermann (Res.).
Thiel, Joseph.
Malcher, Heinrich (Res.).
Schaller, Joseph, GVK. m. Kr. (Res.).
Krainer, Maximilian.

Eleven.

Heusser, Heinrich.
Kluger, Othmar.
Deixler, Emil.
Pero, Franz (prov.).
Kluge, Johann (prov.).
Hampel, Hugo (prov.).

b) Maschinenbau.

Oberster Ingenieur.

Heusser, Heinrich, ÖFJO-R.

Ober-Ingenieur 1. Cl.

(Vacat.)

Ober-Ingenieur 2. Cl.

Waldvogel, Anton.

Ober-Ingenieure 3. Cl.

Osimitsch, Wilhelm.
Ventura, Ignaz.

Ingenieure 1. Classe.

Ginzkey, Franz.
Fassel, Jakob.
Müller, Wenzel.
Hütner, Ferdinand.
Krainer, Franz.

Ingenieur 2. Classe.

Burstyn, Moses.
Purschka, Adolph Ritt. v.

Ingenieure 3. Classe.

Leeb, Joseph (Res.).
Luschka, Ludwig (Res.).
Ulm, Johann.
Eppler, Pankraz.
Kapp, Gilbert (Res.).
Roth, Paul (Res.).
Lendecke, Gustav.

Eleven.

Mertens, Friedrich Ritt. v. (Res.).
Wassermann, Joseph (Res.).

---

c) Marine-Artillerie.

Oberster Ingenieur.

(Vacat.)

Ober-Ingenieur 1. Cl.

(Vacat.)

Ober-Ingenieure 2. Cl.

Demmel, Alois.
Sadlo, Emil.

Ober-Ingenieure 3. Cl.

Klöckner, Carl.
Miksch, Wenzel.
Scheid, Franz.

Ingenieure 1. Classe.

Wilhelmi, Alexander.
Sikić, Michael.
Říha, Joseph, ÖFJO-R.

Ingenieure 2. Classe.

Seifarth, Carl.
Abele, Ferdinand.
Böhm Hermann.
Jenč, Johann, ○ 1.
Schwarz, Joseph.
Brandl, Eduard.

Ingenieur 3. Classe.

Plach, Franz.

Eleven.

Pfeifer, Carl.
Filla, Johann.
Staněk, Franz.
Jedliczka, Friedrich (prov.).
Berka, Franz (prov.).
Hermann, Anton (prov.).

---

d) Land- und Wasserbau.

Oberster Ingenieur.

Kailer, Theodor.

Ober-Ingenieur 1. Cl.

(Vacat.)

Ober-Ingenieur 2. Cl.

(Vacat.)

Ober-Ingenieure 3. Cl.

Lenk, Adolph.
Meeraus, Carl.

Ingenieur 1. Classe.

(Vacat.)

Ingenieur 2. Classe.

Leib, Georg.

Ingenieure 3. Classe.

Oliva, Franz.
Reiniger, Julius.
Jalits, Joseph v.

---

e) Maschinisten.

Ober-Maschinisten.

Gerber, Martin, ÖFJO-R.
Engerth, Jos., GVK. m. Kr.

Maschinisten 1. Classe.

Prause, Franz, ÖFJO-R.
Jensen, Jens, ÖFJO-R., GVK. m. Kr.
Steffan, Johann, GVK.
Sutter, Gottlieb.
Bauduin, Eduard
Körber, Eduard
Fuchs, Jakob.
Köppel, Andreas, ÖFJO-R.
Leykum, Ludwig.
Leykum, Leopold.
Tomek, Julius.
Seibelt, August, SVK. m. Kr.
Zellermayer, Caspar.
Benedicty, Gustav v.
Frey, Anton.
Lantsch, Wilhelm.
Reinold, Valentin, GVK. m. Kr.
Hueber, Georg.
Weixler, Albert.

Maschinisten 2. Classe.

Schwarz, Carl.
Sagmeister, Blasius.
Schleifer, Richard.
Rechel, Adolph.
Böttger, Theodor, GVK.
Hasslinger, Eduard.
Tjokan, Johann.
Prückner v. Dornbach, Joseph.
Beck, Wilhelm.
Mayer, Leo.
Neumeyer, Joseph.
Mendel, Leon.
Kronberger, Anton.
Dierlmayer, Johann.
Veit, Georg.
Folkert, Johann.
Neuhäuser, Florian.
Grössl, Johann.
Janetti, Joseph.
Talento, Carl.
Schloss, Johann.
Ebeneth, Andreas.
Grieser, Anton.
Markovich, Ignaz.
Illner, Joseph.
Baumer, Franz.
Hartmann, Franz.
Philipp, Heinrich.
Eberhardt, Carl.
Schnabl, Anton.
Seigerschmidt, Rudolph.
Eyb, Paul.
Lauer, Raimund.

Maschinisten 3. Classe.

Schönauer, Albert.
Bien, Joseph.
Lind, Ferdinand,
Schiwitz, Johann.
Hinterbichler, Thomas, GVK. m Kr.
Riedlein, Mathias.
Bünger, Heinrich.
Kainer, Joseph.
Negovetich, Hieronymus.
Pfarrer, Stephan.
Bohdanetzky, Johann.
Albrecht, Franz.
Davidek, Franz.
Jakovčić, Cosmo.
Schneider v. Mannsau, Eugen, SVK.
Jerneiczig, Johann.
Zweifelhofer, Ferdinand.
Reberger, Paul.
Wagner, Johann, GVK.
Winkler, Alois.
Tomich, Georg.
Weidig, Wenzel.
Ridolfi, Michael.
Fabian, Anton.
Millich, Franz, ○ 2.
Höck, Georg.
Loserth, Franz.
Frank, Wenzel.
Wirthl, Alexander.
Lilleg, Carl.
Margelik, Anton.
Jensen, Ludwig.
Schnabl, Heinrich.
Schipp, Carl.
Zelisko, Adolph.
Krainer, Alois (prov.).
Strohecker, Gustav (prov.).

Maschinen-Beamte der älteren Organisation.

Maschinen-Meister 1. Classe.

Bönisch, Wenzel.

Maschinen-Meister 2. Classe.

Grabinger, Benjamin.

Maschinen-Unter-Meister 1. Classe.

Schweiger, Carl.
Wegmann, Paul.
Gunhold, Joseph.
Moroni, Anton.
Moritz, Ferdinand.
Kaiser, Johann.
Huth, Franz.

Maschinen-Unter-Meister 2. Classe.

Maurig, Anton.
Wokurka, Ladislaus, SVK.
Müller, Ferdinand.
Bertoni, Leander.
Lomiller, Joseph.

f) Werkführer.

Ober-Werkführer.

Ranzato, Johann SVK.
Amberger, Ludwig.
Henkel, Joseph.
Ropotar, Franz.
Tronier, Alexander.
Pehm, Anton.
Brettschneider, Alois.
Gartner, Anton.

Werkführer.

Ballarin, Vincenz.
Viani, Engelbert.
Millner, Theodor (Res.).
Tiäder-Lilienfeld, Carl.
Casalotti, Franz.
Trebo, Franz.
Krainer, Michael.
Burgstaller, Franz.

II. Commissariats-Beamte.

Marine-General-Commissär.

Senautka, Alois.

Marine-Ober-Commissäre 1. Classe.

Neiser, Maximilian.
Augmüller, Ludwig, ÖEKO-R. 3.
Herdliczka, Johann, ÖFJO-R.

Marine-Ober-Commissäre 2. Classe.

Dezorzi, Joseph.
Vital, Adolph.
Kleemann, Joseph.
Lacheiner, Franz.

Marine-Commissäre.

Stěpanek, Friedrich.
Faidiga, Franz.
Rixner, Franz.
Dworschek, Anton.
Heller, Johann.
Schmidt, Joseph.
Reeh, Wilhelm.
Račić, Eduard.
Mündl, Joseph.
Fehr, Alexander.
Bidla, Heinrich.

Marine-Commissariats-Adjuncten 1. Classe.

Kesslitz, Joseph.
Löwenstein, Franz.
Matena, Carl.
Přibislavsky, Carl.
Planer, Michael.
Guellard, Victor, MVK.
Schimeczek, Sylvester.
Bradamante, Ferdinand.
Henriquez, Ferdinand Ritt. v.
Raschin, Anton.
Stumpf, Carl.
Lochmer, Virgil.
Milič, Johann.
Budisavljevich Edl. v. Predor. Ladislaus.
Khul, Anton.
Ullmann, Theodor.
Umlauf, Joseph.
Turnowsky, Franz.
Stöckel, Johann.
Hermann, Wilhelm.
Pietzuk, Anton.
Cociancig, Peter.
Philipp, Georg.
Haschek, Ferdinand.
Rubesch Rudolph.
Elexhauser, Adalbert.
Khek, Wenzel.
Bradamante, Joseph.
Mohn, Heinrich.
Schausberger, Albert.
Scheckenberger, Mathias.
Kraus, Eduard.
Radovich, Michael.
Persoglia, Eduard.
Tauschek, Joseph.
Feyerer, Adolph.
Homa, Albert.
Marušič, Johann.

Marine-Commissariats-Adjuncten 2. Classe.

Kmoschek, Julius (WG.).
Matelot, Georg.
Fröhlich, Theodor.
Schmidt, Alexander.
Stoiser, Stephan.
Helleparth, Jaroslaw.
Carnelli, Franz.
Lombardo de, Felix.
Unger v. Löwenberg, Adolph.
Angerer, Ernst.
Zeleny, Wenzel.
Kühnel, Wenzel.
Loik, Andreas.
Pitlach, Wilhelm.
Gorda, Wenzel, SVK. m. Kr. (WG.).
Wichert, Adolph.
Suffa, Joseph.
Cociancig, Franz.
Nowak, Johann.
Tasch, Edmund.
Salamon, Oskar.
Cerne, Stephan.
Cvitkovič, Melchior.
Covačich, Andreas.
Ricci, Michael, SVK. m. Kr.
Samuel, Joseph.
Indrak, Victor.
Kozmann, Andreas.
Zacharias, Adolph.
Taflirž, Ernst.
Mihokovič, Carl.
Hessler, Heinrich.
Prodan, Johann.
Ullrich, Franz.
Luft, Anton.
Mubej, Joseph.
Selan, Johann.

Marine-Commissariats-Adjuncten 3. Classe.

Matzaurek, Peter.
Finger, Joseph.
Schewczik, Friedrich.
Biringer, Friedrich (Res.).
Steinbühler, August.
Ukmar, Anton.
Janowsky, Zdenko.
Linhart, Johann.
Bufler, Carl
Bervar, Jakob.
Gayer, Ruggero.
Kessler, Gustav.
Sedmik, Johann.
Zotter, Anton.
Sturm, Friedrich.
Diethart, Johann.
Dworschek, Victor.
Enoch, Anton.
Rittenauer, Ludwig.
Skedl, Franz.
Lončar, Anton.
Bervar, Johann.
Venus, Alexander.
Stejskal, Wenzel.
Fröhlich, Eduard.
Travagini, Alexander.
Virk, Joseph.
Codelli, Ernst.
Kragl, Alois.
Sterz, Friedrich.
Hoffmann, Arthur.
Huemer, Carl.
Erdlen, Christian.
Pichler, Adolph.
Guilleaume, Michael Marq.
Kuchinka, Joseph.
Singule, Rudolph.

Marine-Commissariats-Eleven.

Simec, Alois.
Leser, Julian

Schrittwieser, Ludwig.
Dollnar, Bartholomäus.
Riavis, Heinrich.
Sever, August.
Guilleaume, Carl Marq.
Benedikt, Johann.

Arbeiter, Armin.
Bayer, Leo (prov.).
Podgornik, Maximilian (prov.).
Kuchinka, Eduard (prov.).
Lutzer, Leopold (prov.).

Czerwenka, Ottokar (prov.).
Dornbach, Anton (prov.).
Lang, Friedrich (prov.).

Marine-Rechnungs-Rath.

Ferenda, Ignaz.

Beamte der bestandenen Marine-Verwaltungs-, Rechnungs- und Kanzlei-Branche.

Marine-Verwalter.

Dornbach, Anton.

Marine-Verwaltungs-Officiale 1. Classe.

Welzl, Eduard.
Praprotnik, Franz.

Marine-Verwaltungs-Officiale 2. Classe.

Nagy, Heinrich Ritt. v.
Buffulini, Johann.

Marine-Rechnungs-Official 2. Classe.

Schallgruber, Michael.

Marine-Kanzlei-Official 1. Classe.

Schmidt, Mathias.

Marine-Kanzlei-Official 2. Classe.

Hagen, Joseph.

Marine-Akademie zu Fiume.

Commandant. Kronnowetter, Carl, MVK. (KD.), L. Sch.-Capt.
Adjutant. Beck, Julius, L. Sch.-Lieut. 2. Cl., lehrt auch das Dienst-Reglement und Geschütz-Exerciren.

Lehr- und Aufsichts-Personale.

Fayenz, Heinrich, MVK. (KD.), Corv.-Capt., lehrt das Schiffs-Manöver, die Takelungs-Lehre und den Dienst zur See.
Horaczek, Joseph, Hptm. 1. Cl., des IR. Nr. 31, lehrt Freihandzeichnen.
Stratti, Eugen, L. Sch.-Lieut. 1. Cl., Classen-Officier.
Herold, Alois, L. Sch.-Lieut. 1. Cl., Classen-Officier.
Geržabek, Ferdinand, Hptm. 1. Cl., Classen-Officier.
Wöllerstorfer, Gustav, Hptm. 2. Cl., Classen-Officier.
Prack, Carl, Obrlt. des IR. Nr. 54, lehrt Exercir- und Abrichtungs-Reglement, Turnen, Fechten und Schwimmen.
Marochini, Eduard v., Mar.-Curat u. Akad.-Seelsorger, lehrt Religion und italienische Sprache.
Friba, Franz, Schiffbau-Ingenieur 1. Cl., lehrt Schiffbau und Maschinenlehre.
Sikić, Michael, Mar.-Art.-Ingenieur 1. Cl., lehrt die Art.-Wissenschaft.

Prorector.

Kuneš, Adalbert, Dr., Studien-Referent und Bibliothekar.

Professoren.

Attlmayr, Ferdinand, ÖEKO-R. 3. (KD.), lehrt See-Taktik, Seerecht, Oceanographie und Militärstyl.
Peterin, Julius, lehrt Nautik.
Wenedikter, Ferdinand, lehrt deutsche Sprache, Rhetorik und Literatur-Geschichte.
Mayer, Ernst, lehrt die darstellende und praktische Geometrie; Vorstand des geodätischen Instrumenten-Depots.
Wolf, Julius, lehrt Algebra und Geometrie.
Luksch, Joseph, MVK. (KD.), lehrt Geographie und Geschichte.
Köttsdorfer, Joseph, Dr., lehrt Chemie und Naturgeschichte.
Salcher, Peter, Dr., lehrt Mechanik u. Physik; Vorstand des physikalischen Cabinets.
Schallmeiner, Leopold, lehrt Elementar- u. höhere Mathematik.

Assistenten.

Untchy, Carl (für Chemie).
Schertler, Franz (für Physik).

Contractlich bestellte Lehrer.

Walker, Richard, Hptm. des Ruhestandes, lehrt englische Sprache.
Becker, Robert, lehrt französische Sprache.
Gresits, Maximilian, lehrt ungarische Sprache.
Candellari, Michael, Tanzlehrer.

Oekonomie-Officier.

Dolenć, Johann, L. Sch.-Fähnr.

Chef-Arzt.

Linhardt, Moriz, Dr., L. Sch.-Arzt.

Zahnarzt.

Girović, Matteo, Dr.

Rechnungsführer.

Budisavljevich Edl. v. Predor, Stanisl., Mar.-Commissäriats-Adjunct 1. Cl., lehrt auch illyrische Sprache und Administration.

Marine-Unter-Realschule zu Pola.

Director.

Gasparini, Anton, Mitglied des Istrianer Landes-Schulrathes.

Professoren.

Neugebauer, Leo.
Schuster, Johann.
Bukvic, Joseph (prov.).
Schiff, Wilhelm (prov.).
Ficker, Adolph (prov.).
Laengle, Simon (prov.).

Turnlehrer.

Petrusch, Carl.

Marine-Volksschule für Knaben.

Oberlehrer.

Sladeczek, Johann.

Lehrer.

Budin, Jakob.
Gabrieuzig, Johann.
Kolarich, Joseph.

Marine-Bürgerschule für Mädchen.

Director.

Vogrich, Johann.

Lehrerinnen.

Müller, Francisca.
Rieger, Emilie.
Gerstner, Gabriele.
Plach, Hedwig.
Sander, Marie (prov.).
Wels, Ida.
Wels, Emma.
Matzku, Leopoldine (Industrial-Lehrerin, prov.).

Eintheilungs-Liste

des schwimmenden Flotten-Materials der k. k. Kriegs-Marine.

I. Flotte.

Gattung		Name	Tonnen-Deplacement auf den Aussenplanken	Nominelle Pferdekraft	Geschütze*) schwere	Geschütze*) leichte	Gesammt-Bemannung
Panzerschiffe	Casemattschiffe	Tegetthoff	7390	1200	6	6	570
		Custoza	7060	1000	8	6	579
		Lissa	6080	1000	12	4	582
		Erzherzog Albrecht	5940	800	8	6	543
		Kaiser	5810	800	10	6	541
		Don Juan d' Austria	3550	650	8	4	393
		Kaiser Max	3550	650	8	4	393
		Prinz Eugen	3550	650	8	4	393
	Panzer-Fregatten	EH. Ferdinand Max	5140	800	11	4	511
		Habsburg	5140	800	14	4	511
		Salamander	3110	500	10	4	328
Fregatten		Radetzky	3430	600	15	.	457
		Laudon	3430	600	15	.	457
Corvetten	gedeckte	Donau	2440	400	11	.	347
		Dandolo	1700	230	14	.	261
		Erzherzog Friedrich	1570	230	14	.	261
		Saida	2440	400	13	.	347
		Fasana	1970	400	4	2	262
		Helgoland	1820	400	5		262
		Zrinyi	1340	230	4	.	210
		Frundsberg	1340	230	4	.	210
		Aurora	1340	230	4	.	210
Kanonenboote		Dalmat	900	230	4	.	133
		Hum	900	230	4	.	133
		Zara	840	320	.	2	noch nicht bestimmt
		Spalato	840	320	.	2	
		Nautilus	570	90	2	.	115
		Albatros	570	90	2	.	115
		Kerka	540	90	2	.	105
		Narenta	540	90	2	.	105
		Möve	370	45	2	.	73
		Sansego	350	90	2	.	71
Raddampfer		Andreas Hofer	850	180	1	2	99
		Taurus	550	150	1	2	81

*) Die Boots- und Feldgeschütze sind nicht mitgezählt.

Gattung	Name	Tonnen-Deplacement auf den Aussenplanken	Nominelle Pferdekraft	Geschütze schwere	Geschütze leichte	Gesammt-Bemannung
Aviso-Dampfer	Miramar	1830	450	.	2	161
	Kaiserin Elisabeth . .	1570	350	1	4	156
Transport-Dampfer	Gargnano	1380	270	.	2	87
	Triest	960	220	.	2	81
	Pola	910	160	.	2	70
Werkstättenschiff	Cyclop	2150	250	.	2	105
Yachten	Greif	1350	300	.	2	142
	Fantasie	330	120	.	.	45
Auf der Donau.						
Monitors	Maros*)	310	80	2	.	49
	Leitha*)	310	80	2	.	49
II. Schul-Schiffe und Hulks.						
Artillerie-Schul-Schiff	Adria [1])	2430	.	.	.	.
Jungen-Schul-Schiff	Schwarzenberg [2]) . .	2650	.	.	.	.
Torpedo-Schul-Schiff	Seehund	900	230	.	.	.
Seeminen-Schul-Schiff	Curtatone	600	.	.	.	.
Kasern-Schiff	Bellona [3])	1610	.	12	.	98
Segel-Corvette	Minerva [4])	590	.	8	.	58
Segel-Brigg	Artemisia	180	.	.	8	.
	Bravo	200	.	.	.	25
Segel-Schooner	Camäleon	200	.	.	.	25
	Arethusa	170	.	.	.	25
Hulk	Vulcan [5])	720	.	.	.	.
	Feuerspeier [6])	3000	.	9	1	.
	Novara	2650	.	.	.	.
	Drache	2350	.	.	.	.
	Fermo	350	.	.	.	.
	Forte	250	.	.	.	.
	Proserpina	70	.	.	.	.
	Velebich	900	230	.	.	.
	Fiume	440	120	.	.	.
III. Tender						
Schleppdampfer	Triton	180	75	.	.	30
Dampfboot	Grille	360	90	.	.	50
	Gemse	360	90	.	.	50
	Thurn-Taxis	120	40	.	.	29
	Alnoch	180	40	.	.	24
	Gorzkowsky	40	16	.	.	24

*) Für den Dienst auf der Donau bestimmt. [1]) 500 Schüler. [2]) 400 Schüler. [3]) 300 Schüler. [4]) 100 Schüler. [5]) Ueberwachungsschiff. [6]) Zum Artillerie-Schulschiff gehörig.

Tapferkeits-Medaillen.

Benanntlich	Goldene Tapferkeits-Medaillen	Silberne Tapferkeits-Medaillen	
		I. Cl.	II. Cl.
K. K. Kriegs-Marine	10	26	53

Anhang.

Vormals bestandene Truppenkörper.

A. Militär-Grenz-Infanterie-Regimenter und das Titler-Grenz-Infanterie-Bataillon.

Als Militär-Grenz-Truppen bestanden vormals:

I. die Carlstädter Grenz-Infanterie-Regimenter Nr. 1, 2, 3 und Nr. 4;
II. die Warasdiner Grenz-Infanterie-Regimenter Nr. 5 und Nr. 6;
III. die Slavonisch-Syrmischen Grenz-Infanterie-Regimenter Nr. 7, 8 und Nr. 9;
IV. die Banal Grenz-Infanterie-Regimenter Nr. 10 und Nr. 11;
V. die Banatischen Grenz-Infanterie-Regimenter Nr. 12, 13, 14 und Nr. 18;
VI. die Siebenbürgischen Grenz-Infanterie-Regimenter Nr. 14, 15, 16 und Nr. 17;
VII. das Titler Grenz-Infanterie-Bataillon.

Die Grenz-Infanterie-Regimenter Nr. 14, 15, 16 und Nr. 17 wurden im Jahre 1851 in die Linien-Infanterie-Regimenter Nr. 5, 6, 46 und Nr. 50 umgewandelt, das Grenz-Infanterie-Regiment Nr. 18 aber in demselben Jahre in die sohin offen gewordene Nr. 14 eingereiht.

Die Grenz-Infanterie-Regimenter Nr. 5 und Nr. 6 wurden mit 1. October 1871 mit dem Linien-Infanterie-Regimente Nr. 16 verschmolzen und aus diesen drei Regimentern das Warasdiner Linien-Infanterie-Regiment Nr. 16 neu formirt.

Die Grenz-Infanterie-Regimenter Nr. 12, 13 und Nr. 14, dann das Titler Grenz-Infanterie-Bataillon wurden mit 1. November 1872 aufgelöst; der bisherige Grenz-Bezirk des Grenz-Infanterie-Regiments Nr. 12 wurde mit den Ergänzungs-Bezirken der Linien-Infanterie-Regimenter Nr. 29 und 61, — der Grenz-Bezirk des Grenz-Infanterie-Regiments Nr. 13 mit dem Ergänzungs-Bezirke des Linien-Infanterie-Regiments Nr. 43, — der Grenz-Bezirk des Grenz-Infanterie-Regiments Nr. 14 aber mit den Ergänzungs-Bezirken der Linien-Infanterie-Regimenter Nr. 29, 43 und 61, — endlich der Grenz-Bezirk des Titler Grenz-Infanterie-Bataillons mit dem Ergänzungs-Bezirke des Linien-Infanterie-Regiments Nr. 6, vereinigt.

Die Grenz-Infanterie-Regimenter Nr. 1, 2, 3, 4, 7, 8, 9, 10 und Nr. 11 wurden in Folge der Einführung der k. ungarischen Wehrgesetze im Gebiete der croatisch-slavonischen Militär-Grenze, und der Einbeziehung derselben in die allgemeine Ergänzungs-Bezirks-Eintheilung der österreichisch-ungarischen Monarchie, mit 1. October 1873 aufgelöst.

Die bisherigen Gebiete der Grenz-Infanterie-Regimenter Nr. 1, 2, 3 und Nr. 10, dann die ersten zehn Landes-Compagnien des Grenz-Infanterie-Regiments Nr. 4, wurden zur Ergänzung des für immerwährende Zeiten die Benennung: „Otočaner Infanterie-Regiment FZM. Gf. Joseph Jellačić Nr. 79“ führenden Infanterie-Regiments, und das Gebiet des Grenz-Infanterie-Regiments Nr. 9 zur Ergänzung des den Namen „Peterwardeiner Infanterie-Regiment Nr. 70“ führenden Infanterie-Regiments beigezogen. — Das Gebiet der 11. und 12. Landes-Compagnie des Grenz-Infanterie-Regiments Nr. 4 wurde mit dem Ergänzungs-Bezirke des Infanterie-Regiments Nr. 53, die Gebiete der Grenz-Infanterie-Regimenter Nr. 7 und 8 mit dem Ergänzungs-Bezirke des Infanterie-Regiments Nr. 78, endlich das Gebiet des Grenz-Infanterie-Regiments Nr. 11 mit dem Ergänzungs-Bezirke des Infanterie-Regiments Nr. 16 vereinigt.

Errichtungs-Jahre, Namen der gewesenen Oberst-Inhaber, und vormalige Benennungen der bestandenen Militär-Grenz-Truppenkörper.

Grenz-Inf.-Reg. Nr. 1.

1746 errichtet; Inhaber: Guicciardi, Joseph Philipp Gf., GM.; — 1753 Scherzer, Leopold Eugen Freih. v., GM.; — 1754 Petazzi, Benvenuto Sigmund Gf., FML.; — von 1763 an hatte das Regiment keinen Inhaber mehr und erhielt in demselben Jahre die Benennung: „Liccaner Grenz-Infanterie-Regiment"; wurde 1809 aufgelöst, 1813 wieder errichtet; — seit 1. Jänner 1860 führte das Regiment den Namen Sr. Majestät des Kaisers und hiess: „Liccaner Grenz-Infanterie-Regiment Kaiser Franz Joseph I." — Mit 1. October 1873 wurde das Regiment aufgelöst und dessen Gebiet zur Ergänzung des neu aufgestellten, für immerwährende Zeiten die Benennung: „Otočaner Infanterie-Regiment FZM. Gf. Joseph Jellačić" führenden Infanterie-Regiments Nr. 79, beigezogen.

Grenz-Inf.-Reg. Nr. 2.

1746 errichtet; Herberstein, Carl Joseph Gf., GM.; — von 1753 an hatte das Regiment keinen Inhaber mehr und erhielt in demselben Jahre die Benennung: „Otočaner Grenz-Infanterie-Regiment"; wurde 1809 aufgelöst, 1813 wieder errichtet. — Mit 1. October 1873 wurde das Regiment aufgelöst und dessen Gebiet zur Ergänzung des neu aufgestellten, für immerwährende Zeiten die Benennung: „Otočaner Infanterie-Regiment FZM. Gf. Joseph Jellačić" führenden Infanterie-Regiments Nr. 79 beigezogen.

Grenz-Inf.-Reg. Nr. 3.

1746 errichtet; v. Dillis, Oberst; — 1750 Scherzer, Leopold Eugen Freih. v., GM.; — von 1753 an hatte das Regiment keinen Inhaber mehr und erhielt in demselben Jahre die Benennung: „Oguliner Grenz-Infanterie-Regiment"; wurde 1809 aufgelöst, 1813 wieder errichtet. — Mit 1. October 1873 wurde das Regiment aufgelöst und dessen Gebiet zur Ergänzung des neu aufgestellten, für immerwährende Zeiten die Benennung: „Otočaner Infanterie-Regiment FZM. Gf. Joseph Jellačić" führenden Infanterie-Regiments Nr. 79 beigezogen.

Grenz-Inf.-Reg. Nr. 4.

1746 errichtet; Petazzi, Benvenuto Gf., FML.; — von 1753 an hatte das Regiment keinen Inhaber mehr und erhielt in demselben Jahre die Benennung: „Szluiner Grenz-Infanterie-Regiment"; wurde 1809 aufgelöst, 1813 wieder errichtet. — Mit 1. October 1873 wurde das Regiment aufgelöst und die bisherigen ersten 10 Landes-Compagnien zur Ergänzung des neu aufgestellten, für immerwährende Zeiten die Benennung: „Otočaner Infanterie-Regiment FZM. Gf. Joseph Jellačić" führenden Infanterie-Regiments Nr. 79 beigezogen, während die bisherige 11. und 12. Landes-Compagnie mit dem Ergänzungs-Bezirke des Infanterie-Regiments Nr. 53 vereinigt wurden.

Grenz-Inf.-Reg. Nr. 5.

1749 errichtet aus der Warasdiner Grenz-Miliz; — 1749 Leilersperg Freih. v., GM.; — von 1756 an hatte das Regiment keinen Inhaber mehr und erhielt in demselben Jahre die Benennung: „Warasdiner Creuzer Grenz-Infanterie-Regiment". — Dieses Regiment wurde mit 1. October 1871 aufgelöst und mit dem Warasdiner Linien-Infanterie-Regimente Nr. 16 verschmolzen.

Grenz-Inf.-Reg. Nr. 6.

1749 errichtet aus der Warasdiner Grenz-Miliz; Kengyel, Nikolaus Freih. v., GM.; 1754 Petazzi, Benvenuto Sigmund Gf., GM.; 1754 Guicciardi, Joseph Philipp Gf., GM.; — von 1756 an hatte das Regiment keinen Inhaber mehr und erhielt in demselben Jahre die Benennung: „Warasdiner St. Georger Grenz-Infanterie-Regiment". — Dieses Regiment wurde mit 1. October 1871 aufgelöst und mit dem Warasdiner Linien-Infanterie-Regimente Nr. 16 verschmolzen.

Grenz-Inf.-Reg. Nr. 7.

1747 als slavonisches Brooder National-Grenz-Infanterie-Regiment errichtet; Inhaber waren: 1750 Gaisruck, Franz Sigmund Gf., FM.; — 1754 Mercy d'Argenteau Anton Ignaz Gf., FZM. — Das Regiment wurde mit 1. October 1873 aufgelöst und dessen bisheriges Gebiet mit dem Ergänzungs-Bezirke des Infanterie-Regiments Nr. 78 vereinigt.

Grenz-Inf.-Reg. Nr. 8.

1747 als slavonisches Gradiscaner National-Grenz-Infanterie-Regiment errichtet; Inhaber war: 1750 Saint-André, Friedrich Daniel Freih. v., FML. — Das Regiment wurde mit 1. October 1873 aufgelöst und dessen bisheriges Gebiet mit dem Ergänzungs-Bezirke des Infanterie-Regiments Nr. 78 vereinigt.

Grenz-Inf.-Reg. Nr. 9.

1747 als slavonisches Peterwardeiner National-Grenz-Infanterie-Regiment errichtet; Inhaber waren: 1750 Helfreich, Christian Freih. v., FZM.; 1757 Lietzen, Friedrich Freih. v., FML.; 1762 Wulffen, Christian Freih. v., FML. — Das Regiment wurde mit 1. October 1873 aufgelöst und aus dem bisherigen Gebiete desselben, sowie aus dem, vom Ergänzungs-Bezirke des Infanterie-Regiments Nr. 78 abgetrennten Syrmier Comitate, der neue Ergänzungs-Bezirk des neu aufgestellten Peterwardeiner Infanterie-Regiments Nr. 70 formirt.

Grenz-Inf.-Reg. Nr. 10.

1750 als erstes Banal-Grenz-Infanterie-Regiment errichtet; von 1750—1809 übte der Banus von Croatien die Inhabersrechte aus; 1809 wurde das Regiment aufgelöst, 1813 wieder errichtet; — seither waren Inhaber: 1823 Gyulai v. Maros-Németh und Nadaska, Ig. Gf., Banus, FZM.; 1832 Vlasits, Franz Freih v., Banus, FML. — 1842 Haller v. Hallerkeö, Franz Gf, Banus, GM.; 1848 Jellačić de Bužim, Joseph, Gf., Banus, FZM. (nach dessen am 19. Mai 1859 zu Agram erfolgten Ableben das Regiment diesen Namen auf immerwährende Zeiten zu führen hatte); — 1859 Coronini-Cronberg, Johann, Gf., Banus, FZM.; — 1860, Šokčević, Joseph Freih. v., Banus, FZM.; — vom Jahre 1867 an hatte das Regiment keinen Inhaber mehr. — Das Regiment wurde mit 1. October 1873 aufgelöst und das bisherige Gebiet desselben zur Formirung des neuen Ergänzungs-Bezirkes des neu aufgestellten, für immerwährende Zeiten die Benennung: „Otočaner Infanterie-Regiment, FZM. Joseph Gf. Jellačić" führenden Infanterie-Regiments Nr. 79 beigezogen.

Grenz-Inf.-Reg. Nr. 11.

1750 als zweites Banal-Grenz-Infanterie-Regiment errichtet; von 1750—1809 übte der Banus von Croatien die Inhabersrechte aus; 1809 wurde das Regiment aufgelöst, 1813 wieder errichtet; — seither waren Inhaber: 1823, Gyulai v. Maros-Németh und Nadaska, Ignaz Gf., Banus, FZM.; — 1832 Vlasits, Franz Freih. v., Banus, FML.; — 1842 Haller v. Hallerkeö, Franz Gf., Banus, GM.; — 1848 Jellačić de Bužim, Joseph Gf., Banus, FZM.; — 1859 Coronini-Cronberg Joh. Gf., Banus, FZM; 1860 Šokčević, Joseph Freih. v., Banus, FZM.; — vom Jahre 1867 an hatte das Regiment keinen Inhaber mehr. — Das Regiment wurde mit 1. October 1873 aufgelöst und das bisherige Gebiet desselben mit dem Ergänzungs-Bezirke des Warasdiner Infanterie-Regiments Nr 16 vereinigt.

Grenz-Inf.-Reg. Nr. 12.

1765 aus angesiedelten Veteranen-Compagnien errichtet; führte bis 1771 die Benennung: „Temesvárer Ansiedlungs-Corps"; — seit 1773 Temesvárer deutsch-banatisches Ansiedlungs-Regiment; 1774 Temesvárer Deutsch-Banater Grenz-Infanterie-Regiment. Wurde mit 1. November 1872 aufgelöst, und das bisherige Gebiet desselben mit den Ergänzungs-Bezirken der Infanterie-Regimenter Nr. 29 und 61 vereinigt.

Grenz-Inf.-Reg. Nr. 13.

1766 als Illyrisch-banatisches Grenz-Infanterie-Regiment aus der Banater Landmiliz errichtet, erhielt 1775 nach Verschmelzung mit dem Walachisch-Banater Grenz-Infanterie-Bataillon die Benennung „Walachisch-Illyrisches", 1838 jene: „Walachisch-Banater" — und 1848 jene: „Romanen-Banater Grenz-Infanterie-Regiment"; — wurde mit 1. November 1872 aufgelöst, und das bisherige Gebiet desselben mit dem Ergänzungs-Bezirke des Linien-Infanterie-Regiments Nr. 43 vereinigt.

Grenz-Inf.-Reg. Nr. 14.

Vormals das 1. Szekler Grenz-Infanterie-Regiment, 1762 errichtet, 1764 reorganisirt und 1851 in das Linien-Infanterie-Regiment Nr. 5 umgewandelt; in die sonach offene Nummer wurde das 1838 neu errichtete „Illyrisch-Banater" Infanterie-Bataillon, welches 1848 als „Illyrisch-Banater" Grenz-Infanterie-Regiment mit der Nummer 18 aufgestellt worden war, eingereiht; — 1860 erhielt das Regiment die Benennung „Serbisch-Banater" Grenz-Infanterie-Regiment und wurde mit 1. November 1872 aufgelöst, das bisherige Gebiet desselben aber mit den Ergänzungs-Bezirken der Linien-Infanterie-Regimenter Nr. 29, 43 und 61 vereinigt.

Grenz-Inf.-Reg. Nr. 15.

Vormals das 2. Szekler Grenz-Infanterie-Regiment; 1762 errichtet. 1764 reorganisirt, und 1851 in das Linien-Infanterie-Regiment Nr. 6 umgestaltet.

Grenz-Inf.-Reg. Nr. 16.

Vormals das 1. Walachen-Grenz-Infanterie-Regiment; 1762 errichtet, 1765 reorganisirt, erhielt 1848 die Benennung: „1. Romanen-Grenz-Infanterie-Regiment" und wurde 1851 in das Linien-Infanterie-Regiment Nr. 46 umgestaltet.

Grenz-Inf.-Reg. Nr. 17.

Vormals das 2. Walachen-Grenz-Infanterie-Regiment; 1762 errichtet, 1763 reorganisirt; erhielt 1848 die Benennung: „2. Romanen-Grenz-Infanterie-Regiment" und wurde 1851 in das Linien-Infanterie-Regiment Nr. 50 umgestaltet.

Grenz-Inf.-Reg. Nr. 18.

1838 als „Illyrisch-Banater Grenz-Infanterie-Bataillon" neu errichtet; 1845 als „Illyrisch-Banater Grenz-Infanterie-Regiment" aufgestellt, wurde 1851 in die offene Nummer 14 eingereiht.

Titler Grenz-Inf.-Bataillon.

1764 als Czaikisten-Bataillon errichtet, 1852 in das Titler Grenz-Infanterie-Bataillon umgewandelt; wurde mit 1. November 1872 aufgelöst, und der bisherige Grenz-Bezirk mit dem Ergänzungs-Bezirke des Linien-Infanterie-Regiments Nr. 6 vereinigt.

B. Cavallerie.

Kürassier-Regimenter.

Mit 1. October 1867 wurden die bisher bestandenen Regimenter von Nr. 1 bis Nr. 12 in Dragoner-Regimenter umgestaltet.

Dragoner-Regimenter.

Mit 1. März 1860 wurden die vorhin bestandenen Dragoner-Regimenter Nr. 1, 2, 3 und 6 in die Kürassier-Regimenter Nr. 9, 10, 11 und 12 umgestaltet (unter diesen letzteren Nummern nahmen diese vier Regimenter mit 1. October 1867 wieder die Benennung „Dragoner-Regimenter" an).

Die Regimenter Nr. 4 und Nr. 8 wurden aufgelöst; die Regimenter Nr. 5 und Nr. 7 aber fortan noch als Dragoner-Regimenter (und zwar vom 1. März 1860 bis 30. September 1867 unter den Nummern 1 und 2, — seit 1. October 1867 aber unter den Nummern 13 und 14) geführt.

Das Regiment Nr. 10 wurde am 1. October 1873 in das Huszaren-Regiment Nr. 15, hingegen das Uhlanen-Regiment Nr. 9 in das Dragoner-Regiment Nr. 10 umgewandelt.

Chevaux-legers-Regimenter.

Die Regimenter Nr. 1, 2, 3, 5, 6 und 7 wurden mit 1. Juni 1851 in die Uhlanen-Regimenter Nr. 6, 7, 8, 9, 10 und 11 umgestaltet, Nr. 4 aber als Dragoner-Regiment Nr. 7 wieder hergestellt, erhielt dann mit 1. März 1860 als solches die Nummer 2, und seit 1. October 1867 die Nummer 14.

Uhlanen-Regimenter.

Mit 1. October 1873 wurde das Uhlanen-Regiment Nr. 9 in das Dragoner-Regiment Nr. 10, und das Uhlanen-Regiment Nr. 10 in das Huszaren-Regiment Nr. 16 umgewandelt.

C. Artillerie.

Raketeur- und Gebirgs-Artillerie-Regiment.

1817 als Feuerwerks-Corps errichtet; 1851 als Raketeur-Corps, 1854 als Raketeur-Regiment, 1863 als Raketeur- und Gebirgs-Artillerie-Regiment reorganisirt; 1854 Augustin, Vincenz Freih. v., FZM.; 1860 Schmidt, August Ritt. v., GM.; mit Ende 1864 aufgelöst.

Küsten-Artillerie-Regiment.

1854 aus den Festungs-Artillerie-Bataillonen Nr. 5, 6 und 7 errichtet; 1854 Stein, Carl Freih. v., FML. — Mit 1. Mai 1868 wurden aus diesem Regimente die Festungs-Artillerie-Bataillone Nr. 10, 11 und 12 formirt.

Verzeichniss

über die Namen der Regimenter nach ihren vormaligen Inhabern, mit Bezeichnung der Waffengattung und der Nummer des Regiments.

A.

Albert, Kronprinz von Sachsen, IR. 11.
Albert, Herzog von Sachsen-Teschen, FM., 1. Carab. R., dann Kür. R. 3 (Drag. R. 3).
Alberti de Poya, Bartholomäus Gf., FML., Chev.-legers R. 3 (Uhl. R. 8).
Alcaudete, Anton Gf., FML, IR. 48.
Alexander Czesarewitsch, Grossfürst und Thronfolger von Russland, Husz. R. 4 und Chev.-legers R. 7 (Uhl. R. 11).
Allvintzi de Berberek, Joseph Freih., GM., IR. 26.
Allvintzi de Berberek, Joseph Freih., FM., IR. 19.
Althann, Gundaker Gf., FM., Drag. R. (Uhl. R. 6).
Althann, Michael Anton Gf., GdC., 2. Carab. R. (Drag. R. 1).
Alt-Lothringen, IR. 1.
Amenzaga, Franz Christoph Freih. v., GM., IR. 25.
Andlau, Joseph Freih. v., FZM., IR. 57.
Andrássy, Adam Freih. v., FML., IR. 33.
Angern, Ludwig Freih. v., FZM., IR. 49.
Anspach (Brandenburg-Onolzbach), Carl Wilhelm Friedrich Markgraf, GM., IR. 26.
Anspach (Brandenburg-Onolzbach), Carl Wilhelm Friedrich Markgraf, Oberst, Drag. R. (Uhl. R. 8).
Anspach und Bayreuth, Christian Friedrich Markgraf, GM., IR. 10.
Anton Victor, EH., Oberst, IR. 52.
Arberg, Carl Anton Gf. v., FZM., IR. 55.
Arberg, Nikolaus Gf. de, FML., Drag. R. 14.
Arch, Prosper Gf. v., FZM., IR. 8.
Archinto Conte de Tayna, Ludwig, GM., IR. 35.
Argenteau, Eugen Gf., FZM., IR. 35.
Arhemberg, Carl Herzog von, FM., IR. 21.
Arhemberg, Leopold Philipp Herzog, FM., IR. 28.
Arnan, du Saix d'-, Hubert Dominik Freih., FM., IR. 12.
Auersperg, Carl Fürst, FML., IR. 24.
Auersperg, Carl Gf., FML., Kür. R. 8 (Drag. R. 8).
Auersperg, Franz Gf., FML., IR. 37.
Auersperg, Maximilian Gf., GdC., Kür. R. 5 (Drag. R. 5).
Auffenberg, Franz Freih. v., FML., IR. 37.
August Georg, Markgraf von Baden, FM., IR. 23.
Augustin, Vincenz Freih. v., FZM., Art. R. 1 und Raketeur-R.

B.

Babocsay, Paul Freih. v., GM., Husz. R. 3.
Baden, Grossherzog Carl Friedr. von, IR. 59.
Baden, Grossherzog Leopold von, IR. 59.
Baden, Grossherzog Ludwig von, IR. 59.
Baden-Baden, August Georg Markgraf, FM., IR. 23
Baden-Baden, Hermann Markgraf, FZM., IR. 23.
Baden-Baden, Leopold Wilhelm Markgraf, FM., IR. 13.
Baden-Baden, Ludwig Georg Markgraf, FZM., IR. 23.
Baden-Baden, Ludwig Wilhelm Markgraf, GL., IR. 23.
Baden-Durlach, Carl Wilhelm Markgraf, FM., IR. 49.
Baden-Durlach, Christoph Prinz zu, FM., IR. 27.
Bagni, Scipio Gf., FM., IR. 25.
Bagosy, Paul, Oberst, IR. 51.
Baillet de Latour, Maximil. Gf., GdC., Drag. R., dann Chev.-legers R. 4 (Drag. R. 14).
Baillet de Latour, Theodor Gf., FML., Art. R. 3.
Baillet de Latour, Theod. Gf., FZM., IR. 28.
Baillet-Merlemont, Ludwig Gf., FZM. IR. 63 (IR. 55).
Bakonyi, Emerich Freih. v., FML., IR. 33.
Balayra, Ludwig Gf., GdC., Drag. R. (Husz. R. 15).
Baltin, Carl Freih. v., FZM., IR. Nr. 13.

Bamberg, Joseph Freih. v., FML., IR. 13.
Baranyay de Bodorfalva, Johann Freih., GdC., Husz. R. 8.
Barco, Vincenz Freih. v., GdC.. Husz. R. 10.
Bärnklau, Johann Leopold Freih. v., FML., IR. 49.
Bärnkopp, Wenzel Freih. v., FZM., Art. R. 3.
Batthyányi, Adam Wenzel Fürst, FZM., IR. 34.
Batthyányi, Carl Joseph Fürst, FM., Drag. R. 10.
Bayern, Carl Prinz v., Husz. R. 3.
Bayern, Carl Ludwig August, Kronprinz v., Drag. R. 2 (Husz. R. 15).
Bayern, Ludwig I. König v., Drag. R. 2., dann Kür. R. 10, und wieder Drag. R. 10 (Husz. R. 15).
Bayreuth, Christian Ernst Markgraf, FM., IR. 41.
Bayreuth, Christian Ernst Markgraf, FM., Drag. R. (Husz. R. 15).
Bayreuth, Friedrich Markgraf, FZM., IR. 41.
Bayreuth, Friedrich Christian Markgraf, FZM., IR. 47.
Bayreuth, Georg Wilhelm Markgraf, FM., Drag. R. (Husz. R. 15).
Bayreuth, Georg Wilhelm Prinz (1712 Markgraf), FM., IR. 41.
Bayreuth, Wilhelm Ernst Markgraf, Oberst, IR. 41.
Beaulieu, Johann Freih. v., FML., IR. 31.
Beaulieu, Johann Peter Freih. v., FZM., IR. 58.
Beck, Philipp Lewin Freih. v., FZM., IR. 53.
Beckh, Melchior Leopold Freih. van der, Oberst, IR. 59.
Beleznay, Johann v., FML., Husz. R. 10.
Belgiojoso, Ludwig Carl Barbiano Gf., GM., IR. 41.
Belgiojoso, Ludwig Carl Barbiano Gf., FML., IR. 44.
Bellegarde, Friedrich Gf., FML., IR. 44.
Benczur, Joseph v., FML., IR. 34.
Bender, Blasius Columb. Freih. v., FM., IR. 41.
Benedek, Alexander, FML., IR. 60.
Benjovsky v. Benjov, Johann, FML., IR. 31.
Bentheim-Steinfurt, Wilhelm Friedrich Fürst, FML., IR. 9.
Berg, Friedrich Wilhelm, Gf., k. russ. FM., IR. 70.
Berlichingen, Eberhard Carl Maximilian Freih., GdC., Kür. dann Drag. R. (Drag. R. 9).
Bernes, Joseph Comte de, GdC., Kür. R. (Drag. R. 7).
Bervaldo-Bianchini, Natalis v., FML., Art. R. 5, Art. R. 10.
Bertoletti, Anton Freih. v., FZM., IR. 15.
Bethlen, Joseph Gf., GM., Husz. R. 10.
Bethlen, Wolfgang Gf., FML., IR. 52.
Bettendorf, Philipp Ludwig Freih. v., FML., IR. 42.
Bettoni, Johann Gf., FML., Drag. R. (Uhl. R. 8).
Bianchi, Duca di Casa Lanza, Friedrich Freih. v., FML., IR. 63 (IR. 55).
Bianchi, Duca di Casa Lanza, Friedrich Freih. v., FML., IR. 55.
Blankenstein, Ernst Gf., GdC., Husz. R. 6.
Botta d'Adorno, Anton Otto Marq., FM. IR. 12.
Bournonville, Alexander Herzog von, FM., Kür. R. (Drag. R. 8).
Boyneburg-Lengsfeld, Moriz Freih. v., FML., aufgelöstes Drag. R. 4.
Brandenburg-Culmbach, Adalbert Wolfgang Prinz, FML., IR. 22.
Brandenburg-Onolzbach, Carl Wilhelm Friedrich Markgraf zu, GM., IR. 26.
Brandenburg-Onolzbach, Carl Wilhelm Friedrich Markgraf, Oberst, Drag. R. (Uhl. R. 8).
Brandenburg-Onolzbach, Wilhelm Friedrich Markgraf zu, FM., Drag. R. (Uhl. R. 8).
Branttem, Joseph von, GM., Art. R. 8.
Braunschweig-Lüneburg-Bevern-Wolfenbüttel, Carl Herzog von, GM., Kür. R. (Drag. R. 2).
Braunschweig-Lüneburg-Hannover, Christian Prinz von, GM., Kür. R. (Drag. R. 7).
Braunschweig-Lüneburg-Hannover, Maximilian Wilhelm Prinz von, FM., Kür. R. (Drag. R. 2).
Braunschweig-Wolfenbüttel, Carl Herzog zu, FM., IR. 29.
Braunschweig-Wolfenbüttel, Ernst Ludwig Prinz zu, FM., IR. 10.
Braunschweig-Wolfenbüttel-Bevern, Ferdinand Albert Herzog zu, FM., IR. 29.
Brechainville, Ludwig Gf., FML., IR. 25.
Brentano, Anton Freih. v., GM., IR. 35.
Bretlach, Ludwig Carl Freih. v., GdC., Kür. R. (Drag. R. 2).
Breuner, Ferdinand Gf., GM., Kür. R. (Drag. R. 8).
Brinken, Jakob Friedr. Freih. v., FML., IR. 18.
Brockhausen, Jakob Freih., FML., Kür. R. (Drag. R. 5).
Browne de Camus, Georg Gf. v., FZM., IR. 57.
Browne de Camus, Joseph Gf., GM., IR. 36.
Browne de Camus, Ulysses Gf., FM., IR. 36.

Buday, Adam v., Oberst, Slavon. Panduren-Bat. (IR. 53).
Bülow, Ferdinand Friedrich Freih. v., FZM., IR. 45.
Buschière, Peter v., Oberst, Drag. R. 10.
Buttler, Ludwig Gf., FML., IR. 43.

C.

Callenberg, Carl Gf., FML., IR. 54.
Callot, Carl v., FML., Art. R. 1.
Caprara, Aeneas Gf., FML., IR. 48.
Caraffa, Anton Gf., FM., Kür. R. (Drag. R. 2).
Caramelli, Carl Gf., GdC., Kür. R. (Drag. R. 2).
Carl, Erzherzog, Oberst, IR. 2.
Carl, Prinz von Bayern, Husz. R. 3.
Carl Albert, König von Sardinien, Husz. R. 5.
Carl Ferdinand, Erzherzog, GdC., IR. 51.
Carl Friedrich, Grossherzog von Baden, IR. 59.
Carl Ludwig, Herzog von Lucca, IR. 24.
Carl Ludwig August, Kronprinz von Bayern. Drag. R. 2 (Husz. R. 15).
Ceccopieri, Ferdinand Gf., FML., IR. 23.
Chalons, Christoph Heinrich, Baron v., genannt Gehlen, Oberst, IR. 24.
Chasteler, Johann Gabriel Marq., FML., IR. 46.
Chasteler, Johann Gabriel Marq., FZM., IR. 27.
Chauviray, Johann Franz Freih. v., Oberst, Kür. R. (Drag. R. 8).
Chizzola, Philipp Freih. v., Oberst, IR. 8.
Civalart, Carl Gf., GdC., Uhl. R. 1.
Clerfayt, Carl Gf., FM., IR. 9.
Clerici, Anton Georg Marq. de, FZM., IR. 44.
Colloredo, Carl Gf., FML., IR. 40.
Colloredo-Mannsfeld, Franz Fürst, FML., IR. 36.
Colloredo-Mannsfeld, Hieronymus Gf., FZM., IR. 33.
Colloredo-Waldsee, Anton Gf., FM., IR. 20.
Colloredo-Waldsee, Joseph Gf., FM., IR. 57.
Colloredo-Waldsee, Wenzel Gf., FM., IR. 56.
Colmenero, Franz Gf., GM., IR. 21.
Colonna s. Fels.
Coneberg et Dupigny, Bernhard Freih., Oberst, Kür. R. (Drag. R. 8).
Constantin, Czesarewitsch und Grossfürst von Russland, Kür. R. 8 (Drag. R. 8).
Cordova, Caspar Gf., FM., Kür. R. (Drag. R. 5).
Corona (de la), Johann Freih., GM., Drag. R. 10.
Crenneville (Folliot de), Ludwig Gf., GdC., Husz. R. 3.
Croix s. Sainte-Croix.
Cron s. Corona.
Culoz, Carl Freih. v., FZM., IR. 31.
Csáky de Keresztszegh, Georg Emerich Gf., FM., Husz. R. 9.
Cseh de Szent-Kátolna, Victor, FML., Husz. R. 4.
Czartoryski-Sanguszko, Adam Fürst, FM., IR. 9.
Czobor, Adam Gf., GM., Husz. R. 9.
Czungenberg, Franz Freih. v., FML., Husz. R. 8.

D.

D'Alton, Eduard Gf., FML., IR. 15.
D'Alton, Richard Gf., FZM., IR. 19.
D'Alton, Richard Gf., FZM., IR. 26.
Damnitz, Wolfgang Sigmund Freih. v., FM., IR. 40.
Dampier, Heinrich du Val, Gf. v., GdC. Kür. R. (Drag. R. 8).
D'Andia, Bartholomäus Marchese di Valparaiso, FML., IR. 43.
D'Arberg s. Arberg.
D'Arnan s. Du Saix.
D'Aspre, Constantin Freih. v., FML., IR. 18.
Daun, Benedict Gf., FML., Drag. R. 14.
Daun, Franz Carl, Gf., Fürst v. Thiano, GM., IR. 59.
Daun, Heinrich Joseph Dietrich Martin Gf., FM., IR. 45.
Daun, Leopold Joseph Maria Gf., Fürst v. Thiano, FM., IR. 59.
Daun, Wirich Philipp Lorenz Gf., Fürst zu Thiano, FM., IR. 56.
Davidovich, Paul Freih. v., FZM., IR. 34.
D'Ayasasa, Joseph Gf., GdC., Kür. R. (Drag. R. 6).
D'Aynse, Carl Marq. Merode, FZM., IR. 38.
Deák, Paul v., GM., Husz. R. 8.
Degelmann, Bernhard Freih. v., Major, Uhl. Frei-Corps (Uhl. R. 2).
Degenfeld-Schonburg, August Gf., FZM., IR. Nr. 36.
De la Corona (Von der Cron), Johann, Freih. GM, Drag. R. 10.
De la Porte s. Von der Porten.
De Ligne, Carl Fürst, FM., IR. 30.
De Ligne, Claudius Fürst, FM., IR. 38.
De Ligne, Ferdinand Prinz, FM., Drag. R. 14.
De Mers, Franz Freih., Oberst, IR. 11.
Dessewffy, Emerich Freih. v., GM., Husz. R. 8.

Dessewffy, Joseph Freih. v., FML., Husz. R. 4.
Dessewffy, Stephan Freih. v., FML., Husz. R. 3.
De Souches s. Souches.
De Vaux, Thierry Freih. v., FML., IR. 45.
De Vaux, Thierry Freih. v., FZM., IR. 25.
De Vins, Joseph Freih. v., FZM., IR. 37.
De Wendt, Johann Adam, GM., IR. 29.
Diesbach, Johann Friedrich Gf., FML., IR. 20.
Dietrichstein zu Nikolsburg, Fürst, Gf. v. Mensdorff-Pouilly, Alexander, GdC, Uhl. R. 9 (Drag. R. 10).
Dillis, v., Oberst, GIR. 3 (IR. 79).
D'Ollone, Alexander Gf., FML., aufgelöstes Drag. R. 4.
Dom Emanuel, Infant von Portugal, FM., Kür. R. (Drag. R. 9).
Dom Miguel, Herzog von Braganza. IR. 39.
Dom Pedro, Herzog von Braganza, IR. 15.
Dom Pedro, Kaiser von Brasilien, IR. 15.
Doria, Johann Baptist Marchese, Oberst, Kür. R (Drag. R. 9).
Duka, Peter Freih. v., FZM., IR. 39.
Dünnewald, Johann Heinrich Gf., FM., Kür. R. (Drag. R. 7).
Dupigny, Bernhard Freih. Coneberg et-, Oberst, Kür R. (Drag. R. 8).
D'Ursel, Wilhelm Herzog, GM., Drag. R. 14.
Du Saix d'Arnan, Hubert Dominik Freih., FM., IR. 12.

E.

Ebergényi, Ladislaus Freih. v., FM., Husz. R. 8.
Elrichshausen, Ludwig Freih. v., FZM., IR. 47.
Emanuel s. Dom Emanuel.
Emil von Hessen und bei Rhein, Prinz, FZM., IR. 54.
Erbach, Carl Eugen Gf., FZM., IR. 42.
Erdődy de Monyorókerék, Johann Nepomuk Gf., GdC., Husz. R. 9.
Ernst August, König von Hannover, Husz. R. 2.
Ertmann, Stephan v., FML., IR. 16.
Eszterházy de Galantha, Anton Gf., GM., IR. 31.
Eszterházy de Galantha, Anton Fürst, FML., IR. 34.
Eszterházy de Galantha, Emerich Gf., GdC., Husz. R. 3
Eszterházy de Galantha, Joseph Gf., FML., IR. 37.
Eszterházy de Galantha, Nikolaus Fürst, FM., IR. 33.
Eszterházy de Galantha. Nikolaus Fürst, FZM., IR. 32.

F.

Fabris, Dominik Conte de, FZM. IR. 15.
Fasching, Carl Freih. v, GM., Art. R. 4.
Fels, Carl Colonna Gf. zu, GdC., Drag. R. 11.
Fenner von Fenneberg, Philipp Freih., FML, Jäger-Corps (Tir. Jäger-R.).
Ferdinand, Churfürst von Salzburg, FM., IR. 23.
Ferdinand, Churfürst (1807 Grossherzog) von Würzburg, FM., IR. 23.
Ferdinand, Erzherzog, FM., IR. 2.
Ferdinand, Erzherzog, Oberst, Kür. R. (Drag. R. 8).
Ferdinand, Grossherzog von Toscana. FM., IR. 7 und 23)
Ferdinand II., König beider Sicilien, Uhl. R. 12.
Ferdinand Carl Victor von Este, Erzherzog, GM., IR. 26.
Ferdinand Carl von Este, Erzherzog, FM., Husz. R. 3.
Ferdinand Maximilian, Erzherzog, Vice-Admiral, (FML.), Chev.-legers R. 3 (Uhl. R. 8).
Ferdinand Salvator, Erzherzog, Erb-Grossherzog von Toscana, Oberst, aufgelöstes Drag. R. 8.
Ferdinand IV. Salvator, Grossherzog von Toscana. Oberst, aufgelöstes Drag. R 8.
Ferraris, Franz Gf., FML., IR. 14.
Festetics de Tolna, Joseph Freih., GdC., Husz. R. 3.
Ficquelmont, Carl Ludwig Gf., GdC., Drag. R. 6 (Drag. R. 12).
Fitz, Vincenz Ritt. v., FML., Art. R. 11.
Fitzgerald, Simon Chev., FML., Chev.-legers R. 6 (Husz. R. 16).
Fleischer v. Eichenkranz, Ferdinand Freih., FML., IR. 35.
Folliot de Crenneville, Ludwig Gf., GdC., Husz. R. 3.
Fölseis, Joseph v., FML., IR. 29.
Forgách, Ignaz Gf., FZM., IR. 32.
Forgách de Ghymes, Simon Gf., GM., Husz. R. 3
Franck, Carl Ritt. v., FZM., IR. 79.
Franz Carl, Erzherzog, FML., IR. 52.
Franz Ferdinand d'Este, Erzherzog, Herzog von Modena, FML., IR. 32.

Franz Joseph, Erzherzog, Oberst, Drag. R. 3 (Drag. R. 11).
Franz Joseph von Este, Erzherzog, Herzog von Modena, GdC., Kür. R. 2 (Drag. R. 2).
Franz Joseph von Toscana, Erzherzog, 2. Carab. R. (Drag. R. 1).
Frelich, Michael v., FML. IR. 28.
Friedrich, Erzherzog, Vice-Admiral (FML.), IR. 16.
Friedrich August Albert, Prinz und Mit-Regent von Sachsen, Oberst, Kür. R. 3 (Drag. R. 3).
Friedrich August Albert, König von Sachsen, Kür. R. 3 (Drag. R. 3).
Friedrich Wilhelm, Prinz (1861 Kronprinz) von Preussen, IR. 20.
Friedrich Wilhelm I., Churfürst von Hessen-Cassel, Husz. R. 8.
Frimont von Palota, Johann Gf., Fürst von Antrodocco, GdC., Husz. R 9.
Fröhlich s. Frelich.
Froon v. Kirchrath, Joseph Freih., FZM., IR. 54.
Fürstenberg, Carl Fürst, FML, IR. 36.
Fürstenberg, Joseph Wenzel Fürst, GM., IR. 41.
Fürstenberg, Gf. zu Fürstenberg-Möskirch, Carl Egon Fürst, FML., IR. 17.
Fürstenbusch, Johann Daniel Freih. v, FML, IR. 35
Fürstenwärther, Carl Freih. v., FML., IR. 56.

G.

Gaisruck, Rudolph Carl Gf., FZM., IR. 44.
Gaisruck, Sigmund Friedrich Gf., FM., IR. 42.
Galbes s. Mendoza.
Garnier, Johann Adam Freih., GM., Kür. R. (Drag. R. 7).
Gehlen s Chalons.
Gemmingen, Reinhard Freih. v., FML., IR. 42.
Gemmingen auf Hornberg, Sigmund Freih. v., FZM., IR. 21.
Georg IV., König von England, Husz. R. 5.
Georg V., König von Hannover, IR. 42.
Georg, Prinz-Regent von England, FM, Husz. R. 5.
Geppert, Menrad Freih. v., FZM., IR. 43.
Geramb, Leop. Freih. v., FML., Husz. R. 4.
Gerhard, Jakob Freih. v., GM., Drag. R 10.
Gerstner v. Gerstenkorn, Joseph Freih. v., FML., IR. 8.
Geyer, Ferdinand Leopold Freih. v., GM., IR. 43.
Ghelen s. Chalons.
Gollner v. Goldnenfels, Alois Freih. v., FML., IR. 48.
Gondrecourt, Adam Comte de, FML., Kür. R. (Drag. R. 4).
Gorizzutti, Franz Freih. v., FML., IR. 56.
Gottesheim, Friedrich Freih. v., FML., Kür. R. 6 (Drag. R. 6).
Graeven, Martin Freih. v., FML., Husz. R. 4.
Gratz s. Kratze.
Greth, Carl, FML., IR. 23.
Gronsfeld, Franz Gf., FM., Kür. R. (Drag. R. 9).
Grueber, Wilhelm Freih. v., FML., IR. 54.
Grünne, Nikolaus Gf., FML., IR. 26.
Gschwind Freih. v. Pöckstein, Johann Martin, FM., IR. 35.
Guicciardi, Joseph Philipp Gf., GM., GIR. 1 (IR. 79)
Guicciardi, Joseph Philipp, Gf., GM., GIR. 6 (IR. 16).
Gustav, Prinz von Wasa, FML., IR. 60.
Guttenstein, Wenzel Gf., FML., IR. 42.
Gyulai, Franz Gf., FML., IR. 51.
Gyulai, Franz Gf., GM., IR. 51.
Gyulai, Samuel Gf., FML., IR. 32.
Gyulai, Stephan Gf., FML., IR. 51.
Gyulai v. Maros-Németh u. Nádaska, Albert Gf., FML., IR. 21.
Gyulai v. Maros-Németh und Nádaska, Franz Gf., FZM., IR. 33.
Gyulai v. Maros-Németh und Nádaska, Ignaz Gf., FZM., IR. 60.

H.

Haag, Nik. Freih. v., GM., Kür. R. (Drag. R. 5).
Habermann v. Habersfeld, Josef Freih., FML., IR. 39.
Hadik v. Futak, Andreas Gf., FM., Husz. R. 6.
Hagenbach, Jakob Ign. Freih. v., FML., IR. 22.
Haller v. Hallerkeő, Franz Gf., GdC., Husz. R. 12.
Haller v. Hallerstein, Samuel Freih. v., FZM., IR. 31.
Hamilton, Andreas Gf., GdC., Kür. R. (Drag. R. 7).
Hannover, Ernst August, König von, Husz. R. 2.
Hannover, Georg V. König von, IR. 42.
Harant, Christoph Wilhelm Freih. v., FML., Kür. R. (Drag. R. 4).
Hardegg, Heinrich Gf., GdC., Kür. R. 7 (Drag. R. 7).

Hardegg, Ignaz Gf., GdC., Kür. R. 8 (Drag. R. 8).
Hardegg, Julius Gf., Oberst, IR. 11.
Harrach, Ferdinand Gf., FML., Kür. R. (Drag. R. 7).
Harrach, Franz Xaver Gf., FML., IR. 7.
Harrach, Joseph Gf., FM., IR. 47.
Harsch, Ferdinand Philipp Gf., FZM., IR 50.
Hartmann v. Hartenthal, Anton, FML., IR. 29.
Hartmann-Klarstein, Prokop Gf., FZM., IR. 9.
Hasslingen, Heinrich Tobias Freih. v., FM., IR. 11.
Hasslingen, Ignaz Freih. v., FML., IR. 11.
Haugwitz, Eugen Gf., FML., IR. 38.
Hauslab, Franz Ritt. v., FML., Art. R. 2.
Havor, Joh. Nikolaus Gf. v., FML.. Husz. R. 4.
Haynau, Julius Freih. v., FZM., IR. 57.
Heindl s. Sonnenberg.
Heinrich, Erzherzog, FML., IR. 62.
Heissler v. Heitersheimb, Donat Gf., GdC., Drag. R. 11.
Herberstein, Carl Joseph Gf., GM., GIR. 2 (IR. 79).
Herberstein, Johann Anton Gf., GM., Kür. R. (Drag. R. 4).
Herberstein, Johann Otto Gf., GM., Kür. R. (Drag. R. 8).
Herberstein, Leopold Gf., FM., IR. 50.
Herbert-Rathkeal, Heinrich Constantin Freih., FML., IR. 45.
Hercules, Rainald, Erzherzog, Herz. v. Modena, FM., IR. 35.
Herle, Johann, Ritt. v., GM, Art. Reg. 9.
Herzogenberg, August Freih., FML., IR. 35.
Hessen, Ludwig III. Grossherzog von, IR. 14.
Hessen-Cassel, Friedrich Wilhelm I., Churfürst v., Hus. R. 8.
Hessen-Cassel, Maximilian Prinz zu, FM., IR. 27.
Hessen-Darmstadt, Georg Wilhelm Prinz zu, GdC., Drag., dann Chev.-legers R. (aufgelöstes Drag. R. 4).
Hessen-Darmstadt, Ludwig Erbprinz zu, Oberst, IR. 35.
Hessen-Darmstadt, Ludwig Landgraf, FM., aufgelöstes Drag. R. 4.
Hessen-Darmstadt, Philipp Prinz zu, FM., Kür. R. (Drag R. 6).
Hessen-Homburg, Friedrich Joseph Ludwig, Erbprinz (1820 Landgraf), GdC., Husz. R. 4.
Hessen-Homburg, Phil. Landgraf, FM., IR. 19.
Hessen-Homburg, Philipp Prinz, FZM., IR. 19.
Hessen und bei Rhein, Alexander Prinz von, FML., IR. 46.
Hessen und bei Rhein, Emil Prinz von, FZM., IR. 54.
Hilaire (Saint-), Gebhard Freih., GdC., Kür. R. (Drag. R. 8).
Hildburgshausen, Johann Friedrich Prinz zu Sachsen-, FM., IR. 8.
Hiller, Johann Freih. v., FZM., IR. 2.
Hiller, Johann Freih. v., FZM., IR. 53.
Hochenegg, Friedrich Gf, FML., IR. 20.
Hoffmann, Johann Ernst Freih. v., Oberst, IR. 18.
Hofkirchen, Laurenz Gf., FML., Kür. R. (Drag. R. 4).
Hohen-Ems, Franz Rud. Gf., FM., Kür. R. (Drag. R. 8).
Hohenlohe-Bartenstein, Ludwig Fürst, FZM., IR. 26.
Hohenlohe-Bartenstein, Ludwig Fürst, FZM., IR. 41.
Hohenlohe-Ingelfingen, Friedrich Fürst zu, FML., Drag. R. 2 (Huss. R. 15).
Hohenlohe-Kirchberg, Friedrich Wilhelm Fürst, FZM., IR. 17.
Hohenlohe-Langenburg, Gustav Heinrich Prinz, FML., IR. 13.
Hohenlohe-Langenburg, Gustav Wilhelm Prinz, FZM.. IR. 17.
Hohenzollern-Hechingen, Friedrich Anton Fürst, GdC., Kür. R. 8 (Drag. R. 8).
Hohenzollern-Hechingen, Friedrich Anton Prinz, FML., Chev-legers R. 2 (Uhl. R. 7).
Hohenzollern-Hechingen, Friedrich Xaver Prinz, FM., Chev.-legers R. 2 (Uhl. R. 7).
Holstein-Beck, Friedrich Wilhelm Prinz, FML., IR. 20.
Holstein-Plön, Adolph August, Herzog zu, FM, IR. 12.
Horváth-Tholdy, Johann Gf., FML., Drag. R. 6, dann Kür. R. 12 (Drag. R. 12).
Houchin, Paul Anton Freih. v., FZM., IR. 56.
Hrabovsky v. Hrabova, Johann Freih. v. FML., IR. 14.
Huff, Carl Freih. v., FML., IR. 8.
Huyn, Johann Carl Gf., FZM., IR. 79.

I und J.

Jabłonowski, Felix Fürst, FML., IR. 57.
Jabłoński del Monte Berico, Joseph Freih. v., FZM., IR. 30.
Jacobs v. Kantstein, Friedrich Freih., FZM., IR. 8.
Jacquemin (Schackmin), Heinrich Freih. v., GdC.. Kür. R. (Drag. R. 6).
Jacques, Gerhard s. Gerhard.

Jellachich de Bužim, Franz Freih. v., FML., IR. 62.
Jellachich de Bužim, Johann, FML., IR. 53.
Jellačić de Bužim, Joseph Gf., FZM., IR. 46.
Johann, Erzherzog, FM., Drag. R. 1 (Drag. R. 9).
Johann, König von Sachsen, Kür. R. 3 (Drag. Reg. 3).
Johann Nepomuk, Erzherzog, FZM., IR. 35.
John, Franz Freih. v., FZM., IR. 76.
Jordis, Alexander v., FML., IR. 59.
Jörger de Tollet, Franz Helfried Gf., GM., IR. 47.
Jörger zu Tollet, Anton Egydius Gf., GM., IR. 59.
Joseph, Erzherzog, Oberst, Drag. R. (Uhl. R. 6).
Joseph, Römischer König, Oberst, Drag. R. (Uhl. R. 6).
Joseph Anton, Erzherzog, Palatin, FM., Husz. R. 2.
Joseph Anton von Toscana, Erzherzog, Oberst, Drag. R. 9
Joseph Franz, Erzherzog, IR. 63 (IR. 55).
Jung-Lothringen, IR. 3
Jungen, Johann Hieronymus Freih. von und zum, FM., IR. 27.
Jüptner v. Jonstorff, Anton Freih., FML. Art. R. 11.

K.

Kaiser Ferdinand, IR. 1
Kaiser Ferdinand, Jäg. R.
Kaiser Ferdinand, Kür. R. 1 (Drag. R. 1).
Kaiser Ferdinand, Chev.-legers R. 1 (Uhl. R. 6).
Kaiser Ferdinand, Husz. R. 1.
Kaiser Ferdinand, Uhl. R. 4.
Kaiser Franz, Jäg. R.
Kaiser Franz, 2. Carab., dann Kür. R. 1 (Drag. R. 1).
Kaiser Franz, Uhl. R. 4.
Kaiser Franz I. (Röm.), IR. 1.
Kaiser Franz I., Husz. R. 1
Kaiser Franz (II)., IR. 1.
Kaiser Franz (II.), Chev.-legers, 1798 Drag., 1802 Chev.-legers R. 1 (Uhl. R. 6)
Kaiser Franz (II.), Husz. R. 1.
Kaiser Joseph II., IR. 1.
Kaiser Joseph II., Chev.-legers R. (Uhl. R. 6).
Kaiser Joseph II., Husz. R. 1.
Kaiser Leopold II., IR. 1.
Kaiser Leopold II., Chev.-legers R. (Uhl. R. 6).
Kaiser Leopold II., Husz. R. 1.
Kaiser Maximilian I. von Mexico, Uhl. R. 8.
Kaiser Nikolaus I. von Russland, Husz. R. 9.
Kálnoky, Anton Gf., GdC., Husz. R. 2.
Karaiczay, Andreas Freih. v., FML., Chev.-legers, dann Drag. R. (Uhl. R. 7).
Károlyi de Nagy-Károly, Alexander Gf., GdC., Husz. R. 6.
Károlyi de Nagy-Károly, Franz Gf., GdC., Husz. R. 6.
Károlyi de Nagy-Károly, Franz Anton Gf., FZM., IR. 52.
Kaunitz-Rietberg, Franz Wenzel Gf., FML., IR. 38.
Kaunitz-Rietberg, Wenzel Gf., FZM., IR. 20.
Kavanagh, Moriz Gf., FML., Kür. R. 4 (Drag. R. 4).
Kengyel, Nikolaus Freih. v., GM., GIR. 6 (IR. 16).
Kerpen, Wilhelm Freih. v., FZM., IR. 49.
Kettler, Christoph Bernhard Freih. v., FML., IR. 12.
Kheul, Carl Freih. v., FML., IR. 10.
Kheul, Carl Gustav Gf., FM., IR. 49.
Khevenhüller-Metsch, Franz Gf., FZM., IR. 35.
Khevenhüller-Metsch, Joseph Gf., FML., IR. 12.
Kienmayer, Mich. Freih. v., GdC., Husz. R. 8.
Kinsky Anton Gf., FZM., IR. 47.
Kinsky, Carl Gf., FML., Drag. R. 6 (Drag. R. 12).
Kinsky, Christian Gf., FML., IR. 16.
Kinsky, Franz Gf., FM., IR. 47.
Kinsky, Joseph Gf., FM., Drag. R., dann Chev.-legers R. 5 (Drag. 10).
Kinsky, Ulrich Fürst, FM., IR. 36.
Kissl, Johann Jakob Gf., Oberst, Drag. R. 10.
Klebek, Wilhelm Freih. v., FZM., IR. 14.
Klenau, Johann Gf., Freih. v. Janowitz, GdC., Chev.-legers R. 5 (Drag. R. 10).
Klopstein v. Ennsbruck, Joseph Freih. v., GM., IR. 47.
Knesevich v. St. Helena, Vincenz Freih. v., GdC., Drag. R. 3 (Drag. R. 11).
Knigge, Jobst Hilmar Freih. v., FML., IR. 11.
Koch, Johann Freih. v., FML., IR. 17.
Kökényesdy de Vettes, Ladislaus Freih. v., FZM., IR. 34.
Kolowrat-Krakowsky, Cajetan Gf., FM. IR. 17.
Kolowrat-Krakowsky, Carl Gf., FM., IR. 36.
Kolowrat-Krakowsky, Johann Gf., FML., Art. R. 2.
König Franz, 2. Carab. R. (Drag. R. 1).

König Joseph, Drag. R. (Uhl.R. 6).
König Wilhelm, FM., IR. 26.
Königsegg-Rothenfels, Christian Moriz Eugen Gf. v., FM., IR. 16.
Königsegg-Rothenfels, Lothar Gf. v., FM., IR. 54.
Kottulinsky, Friedr. Freih. v., FML., IR 41.
Koudelka, Joseph Freih. v., FML., IR. 40
Kratze, Sebastian Carl Freih., GM., IR. 57.
Kray de Krajowa, Paul Freih. v., FZM., IR. 34
Kress v. Kressenstein, Carl Freih. v., FML., Chev.-legers R. 7 (Uhl. R. 11).
Kriechbaum, Georg Friedrich Freih. v., FZM., IR. 54.
Kronprinz Ferdinand, FM., Kür. R. 4 (Drag. R. 4).
Kronprinz Franz, 2. Carab. R. (Drag. R. 1).
Kronprinz von Bayern, Carl Ludwig August, Drag. R. 2 (Husz. R. 15)
Kronprinz von Württemberg, Wilhelm, Husz. R. 6.
Kueffstein, Johann Heinrich Gf., Oberst, Drag. R. 13.
Königl, Hermann Gf., FZM., Art. R. 1.
Kutschera, Johann Freih. v., FZM., IR. 28

L.

La Borde, Louis Freih. de, Oberst, IR. 13.
Lacy, Franz Moriz Gf., FM., IR. 22.
Laimpruch zu Epurg, Franz Carl Freih. v., GM., IR. 22.
Lamezan-Salins, Joseph Gf., GM., IR. 34.
Lanckhen, Philipp Ernst von der, FML., IR. 28.
Langenau, Friedrich Carl Gustav Freih. v., FML., IR. 49.
Langlet, Philipp Freih. v., FML., IR. 25.
Langlois, Peter v., FZM., IR. 59.
Lapaczek, Leonhard Alexander Freih. v., GM., IR. 8.
La Porte (Von der Porten) Philipp Jakob de, Oberst, Drag. R. 11.
Latour, Maximilian Gf. Baillet de, GdC., Drag. R., dann Chev. legers R. 4 (Drag. R. 14).
Latour, Theodor Gf. Baillet de, FML., Art. R. 3.
Latour, Theodor Gf. Baillet de, FZM., IR. 28.
La Tour (Thurn) und Taxis, Lamorald Gf., GdC., Kür. R. (Drag. R. 7).
Lattermann, Christoph Freih. v., FM., IR. 7.
Lattermann, Franz Freih. v., FML., IR. 45.
Lehoczky, Martin v., GM., Husz. R. 3.
Leiningen-Westerburg (Neu-), August Gf., FML., IR. 31.
Leiningen-Westerburg (Neu-), Christian Gf., FML., IR. 31.
Leopold, Erzherzog, Erb-Grossherzog von Toscana, GM., aufgelöstes Drag. R. 4.
Leopold, Grossherzog von Baden, IR. 59.
Leopold, Prinz beider Sicilien, Oberst, IR. 22.
Leopold I., König der Belgier, IR. 27.
Leopold II., Grossherzog von Toscana, GdC., IR. 71 und aufgelöstes Drag. R. 4.
Leopold Alexander, Erzherzog, Palatin, Oberst, Husz. R. 2.
Leslie, Jakob Gf., FM., IR. 36.
Leslie, Jakob Gf., FML., IR. 24.
L'Espine, Joseph Gf., FML., IR. 53.
Levenehr, Franz Freih. v., FML., Chev.-legers, dann aufgelöstes Drag. R. 4.
Leylersperg, Freih. v., GM., GIR. 5 (IR. 16).
Liechtenstein, Alois Fürst zu, FZM., IR. 12.
Liechtenstein, Carl Fürst zu, GdC., Chev.-legers R. 5, dann Uhl. R. 9 (Drag. R. 10).
Liechtenstein, Eduard Fürst zu, FML., IR. 5.
Liechtenstein, Joh. Fürst zu, FM., Husz. R. 7.
Liechtenstein, Moriz Fürst zu, FML., Kür. R. 6 (Drag. R. 6).
Liechtenstein, Philipp Erasmus Fürst zu, FML., IR. 36.
Ligneville, Leopold Comte de, GM, IR. 3.
Lilienberg Wenzel Gf., Vetter v., FZM., IR. 18.
Lindenau, Carl v., FZM., IR. 29.
Lindesheim, Georg Anton Freih. v., FML., IR. 10.
Livingstein, Alano Gf. v., GM., IR. 16.
Lobkowitz, Joseph Fürst, FM., Chev.-legers, dann Drag. und 1802 wieder Chev.-legers R. 3 (Uhl. R. 8).
Lochstädt, Johann Adrian v., Oberst, IR. 43.
Longueval, Carl Emanuel Fürst, GM. IR. 17
Los-Rios, Franz Marq., FM., IR. 9.
Lothringen (Alt-) IR. 1.
Lothringen, Carl Herzog von, Oberst, IR. 15.
Lothringen, Carl Herzog von, FM., IR. 15.
Lothringen, Carl Alexander Herzog von, FM., IR. 3.
Lothringen, Carl Eugen Prinz, GdC., Kür.-R. 7 (Drag. R. 7).
Lothringen, Franz Stephan Erbprinz (1729 Herzog) zu, GL., IR. 1.
Lothringen, Franz Stephan Erbprinz zu, Oberst. IR. 3.
Lothringen, Joseph Herzog von, GM., IR. 18.
Lothringen, Joseph Innocenz Prinz von, Oberst, Kür. R. (Drag. R. 8).
Lothringen, Leopold Herzog von, Oberst, IR. 1.

Lothringen, Leop. Herzog von, Oberst, IR. 18.
Lothringen, Leopold Joseph Prinz zu, Oberst, Kür. R. (Drag R. 8).
Lothringen (Jung-), IR. 3.
Lothringen, s. Osnabrück.
Loudon, Gideon Freih., FM., IR. 29.
Löwenschild, Hannibal Gf., Oberst, Drag. R. (Uhl. R. 6).
Löwenstein, Christian Philipp Fürst v., GdC. Chev.-legers R. (Uhl. R. 7).
Löwenstein - Wertheim, Christian Philipp Fürst, GdC., Drag. R. 14.
Lubomirski, Theodor Fürst, FM., Kür. R. (Drag. R. 2).
Lucca, Carl Ludwig Herzog von, IR. 24.
Luciny, Matthäus Marq de, FML., IR. 25.
Ludwig, Grossherzog von Baden, IR 59.
Ludwig I., König von Bayern, Drag. R. 2, dann Kür. R. 10 und wieder Drag. R. 10 (Huss. R. 15).
Ludwig III., Grossherzog v. Hessen, IR. 14.
Ludwig Joseph, Erzherzog, FZM., IR. 8.
Ludwig Joseph, Erzherzog, FZM., Art. R. 2.
Lusignan, Franz Marq., FZM., IR. 16.
Luxem, Jakob Ritt. v., FML., IR. 27.
Luzan, Emanuel Comte de, FZM., IR. 48.

M.

Mack v. Leiberich, Carl Freih., FML., Kür. R. 6 (Drag R. 6).
Macquire, Joh. Sigm. Gf. v., FZM., IR. 35.
Macquire, Johann Sigmund Gf., FZM., IR. 46.
Mager, Anton, FML., Art. R. 3.
Mamula, Lazarus Freih. v., FZM., IR. 25.
Mandl, Franz v., FML., Art. R. 2.
Manfredini, Friedr. Marq., FML., IR. 12.
Mannsfeld Fürst zu Fondi, Heinrich Franz Gf., FM., IR. 24
Máriássy de Markus et Batiszfalva, Andreas Freih., FZM., IR. 37.
Marschall auf Burgholzhausen Ernst Gf., FM., IR. 18.
Marschall v. Biberstein, Franz, GM., Art. R. 2.
Marschall v. Perclat, Ignaz Peter Freih., FML., IR. 41.
Marsigli, Ludwig Ferdinand Gf., GM., IR. 59.
Martini v. Nosedo, Joseph Freih., FML., IR 30.
Mathesen, Andreas Freih. v., FZM., IR. 42.
Mauroy de Merville, Franz Freih., FML., IR. 23
Maximilian, Erzherzog, FML., IR. 35.
Maximilian, Erzherzog, FM., Kür. R. (Drag. R. 8).
Maximilian I., Kaiser von Mexico, Uhl. R. 8.
Maximilian Joseph von Este, Erzherzog, FZM, Art. R. 2.
Maximilian Joseph von Este, Erzherzog, FZM., Art. R. 10.
Maximilian Joseph I., König von Bayern, Oberst, Drag. R. 2 (Hus. R. 15).
Maximilian Joseph I., König von Bayern, Oberst, IR. 31.
Maximilian Joseph II., König von Bayern, Kür. R. 2 (Drag. R 2).
Mayer v. Heldensfeld, Anton Freih., FZM., IR. 45.
Mazzuchelli, Alois Gf., FZM., IR. 10
Mecklenburg - Strelitz, Georg August Prinz zu, GM., Kür. R. (Drag. R. 4).
Mecséry, Johann Freih. v., FML., IR. 51.
Melas, Michael Ritt. v., GdC., Kür. R., dann Drag. Rr. 6 (Drag. R. 12)
Mendoza Conde de Galbes, Emanuel Sylva, GdC., Kür. R. (Drag. R. 5).
Mengen, Carl Freih. v., FML., Kür. R. 4 (Drag. R. 4).
Mensdorff-Pouilly (Dietrichstein), Alexander Gf., FML., IR. 73 und Uhl. R. 9 (Drag. R. 10).
Mercy d'Argenteau, Anton Ignaz Gf., FM., IR. 56.
Merode Marq. d'Aynse, Carl Gf., FZM., IR. 38.
Mers, Franz Freih. de, Oberst, IR. 11.
Mertens, Carl Freih. v., FZM., IR. 9.
Merveldt, Maximilian Gf., GdC., Uhl. R. 1
Merville s. Mauroy.
Mészáros, Johann Freih. v., FML., Husz. R. 10.
Mészáros, Johann v., FML., Uhl. R. 1.
Metternich-Winneburg und Beilstein, Philipp Emerich Gf. v., FZM., IR. 11.
Michael, Grossfürst von Russland, IR 37.
Migazzi, Vincenz Felix Gf., FZM., IR. 46.
Miglio, Franz Gf., FML., Kür. R. (Drag. R. 6).
Miguel, Dom, Herzog von Braganza, IR. 39.
Mihalievits, Michael Freih. v., FZM., IR. 57.
Minutillo, Friedrich Freih. v., FML., IR. 57.
Minutillo, Friedrich Freih. v., FML., Drag. R. 3 (Drag. R. 11).
Mittrowsky, Anton Freih. v., FML., IR. 10.
Mittrowsky, Joseph Gf., FZM., IR. 40.
Modena, Franz Joseph von Este, Herzog von, Erzherzog, GdC., Kür. R. 2 (Drag. R. 2).
Modena, Herkules Rainald Herzog, Erzherzog, FM., IR. 35.
Modena, Johann Friedrich von Este, Prinz von, Oberst, Kür. R. (Drag. R. 4).
Moltke, Philipp Ludwig Freih. v., FM., IR. 13.

Montevergues, Ludwig v., GM., IR. 11.
Morocz, Emerich Freih. v., FML., Husz. R. 10.
Morzin, Ferdinand Gf., FML., IR. 54.
Müffling, Heinrich Freih. v., FML., IR. 26.
Murray de Melgum, Joseph Jakob Gf., FZM., IR. 55.

N.

Nádasdy, Thomas Gf., FML., IR. 39.
Nádasdy auf Fogaras, Franz Gf., FM. Husz. R. 9.
Nagy v. Alsó-Szopor, Ladislaus Freih., FZM., IR. 70.
Nassau, Wilhelm Herzog zu, IR. 29.
Nassau-Usingen, Friedrich Herzog, FM., IR. 22.
Nassau-Usingen, Friedrich Prinz, FM., Kür. R. 5 (Drag. R. 5).
Nauendorf, Carl Freih. v., FML., Husz. R. 8.
Nauendorf, Friedrich August Gf., FML., Husz. R. 8.
Neipperg, Eberhard Friedrich Gf., FM., IR. 7.
Neipperg, Reinhard Wilhelm Gf., FM. IR. 7.
Nesselrode, Johann Franz Gf., GM., IR. 18.
Neugebauer, Franz Ludwig Freih. v., FML., IR. 46.
Nikolaus I., Kaiser von Russland, Husz. R. 9.
Nikolaus Czesarewitsch, Grossfürst und Thronfolger von Russland, IR. 61.
Nigrelli, Ottavio Gf., FZM., IR. 27.
Nostitz, Johann Nikolaus Gf., Oberst, Kür. R. (Drag. R. 7).
Nostitz-Rinek, Johann Gf., FML., Chev.-legers R. 7 (Uhl. R. 11).
Nugent, Jakob Gf., FML., IR. 56.
Nugent, Laval Gf., römischer Fürst, FM., IR. 30.

O.

O'Donell, Carl Claud. Gf., GdC., Kür. R. (Drag. R. 5).
Offeln (Uffeln), Georg Ludwig Freih., FML., Kür. R. (Drag. R. 2).
O'Gilvy, Carl Hermann Gf., FM., IR. 46.
O'Kelly von Gallagh und Tywoly, Wilhelm Freih. v., FZM., IR. 45.
Ollone s. D'Ollone.
O'Neillan (Neylan), Franz Freih. v., GM., IR. 57.
O'Nelly, Alexander Gf., FZM., IR. 42.
Onolzbach s. Anspach.
Oranien, Wilhelm Prinz von, FZM., IR 26.
Oranien, Wilhelm Georg Prinz von, FZM., IR. 15.
O'Reilly, Andreas Gf., GdC., Chev.-legers R. 3 (Uhl. R. 8).
Orosz, Joseph Gf., FML., IR. 31.
Osnabrück, Carl, Herzog zu Lothringen und Bar, Bischof zu, IR. 15.
Ott, Carl Freih., FML., Husz. R. 5.
Öttingen-Baldern, Notger Wilhelm Gf., GM., IR. 7.
Öttingen-Baldern, Notger Wilhelm Gf., FML., IR. 47.

P.

Paar, Johann Carl Fürst, GM., IR. 43.
Palatinus, Erzherzog Joseph, FM., Husz. R. 2 und 12.
Palatinus, Erzherzog Stephan, FML., Husz. R. 12.
Pálffy, Leopold Gf., FM., IR. 19.
Pálffy, Rudolph Gf., FML., Husz. R. 6.
Pálffy ab Erdőd, Franz Gf., GM., IR. 51.
Pálffy ab Erdőd, Johann Gf., Oberst, IR. 39.
Pálffy ab Erdőd, Johann Gf., FML., Husz. R. 9.
Pálffy ab Erdőd, Johann Leopold Gf., FZM., IR. 53.
Pálffy ab Erdöd, Moriz Gf., FML., Freiw. Husz. R. 2, dann Husz. R. 14.
Pálffy ab Erdőd, Nikolaus Gf., Oberst, IR. 8.
Pallavicini, Carl Conte de, GM., IR. 8.
Pallavicini, Giovanni Lucas Conte de, GM., IR. 3.
Pallavicini, Giovanni Lucas Conte de, FM., IR. 15.
Palombini, Joseph Friedrich Freih. v., FML., IR. 36.
Pancaliere s. Prié.
Paskiewitsch, Iwan Theodorowitsch, Fürst von Warschau, Graf von Eriwan, FM., IR. 37.
Paumgartten, Franz Freih. v., FML., IR 76.
Paumgartten, Johann Freih. v., FML., IR. 21.
Pedro, Dom, Herzog von Braganza, IR. 15.
Pellegrini, Carl Gf. v., FM., IR. 49.
Penzenstein, Johann v., GM., Art. R. 1.
Petazzi, Benvenuto Sigmund Gf., FML., GIR. 1 und GIR. 4 (IR. 79).
Petazzi, Benvenuto Sigmund Gf., GM, GIR. 6 (IR. 16).
Pfalzgraf zu Neuburg, Ludwig Anton, Oberst, IR. 20.
Pfeffershofen, Johann Freih., GM., IR. 7.
Philippi, Victor Gf., GdC., Drag. R. (Husz. R. 15).
Piccolomini, Octavius Fürst, FZM., IR. 25.
Piccolomini, Gf. d'Aragona, Aeneas Sylvius, FML., Kür. R. (Drag. R. 4).

Pio di Savoya, Herbert Marchese, FZM., IR. 8.
Piret de Bihain, Ludwig Freih., FML., IR. 27.
Pittinger, Johann Ritt. v., GM., Art.R. 9.
Platz, Joseph Anton Gf., FZM., IR. 43.
Plischau, Engelhard v., FML., IR. 22.
Plunquet, Thomas Gf., FML., IR. 41.
Poniatowski, Andreas Fürst, FZM., IR. 50.
Porporatti, August Gf., FML., Drag. R. (Husz. R. 15).
Porte oder Porten s. La Porte.
Portugal, Dom Emanuel, Infant von, FM., Kür. R. (Drag. R. 9).
Preiss, Johann Franz Joseph Freih. v., FZM., IR. 24.
Preysach, Jakob v., FZM., IR. 39.
Prié - Turinetti, Marchese de Pancaliere, Johann Anton, FZM., IR. 30.
Prinz, Carl s. Baiern.
Prinz-Regent Georg von England, Husz. R. 5.
Prinz-Regent (Wilhelm) von Preussen, IR. 34.
Prinz (Wilhelm) von Preussen, IR. 34.
Prohaska, Johann Freih. v., FML., IR. 38.
Prohaska v. Guelphenburg, Franz Adolph Freih., GdC., IR. 7.
Puebla, Portugalo Antonio Conde de, FZM., IR. 26.

R.

Rabutin Gf. v. Bussy, Amadeus, GM., Drag. R. 10.
Rabutin Gf. v. Bussy, Johann Ludwig, FM., Drag. R. 10.
Radetzky, Joseph Gf., GdC., Husz. R. 5.
Radivojevich, Paul Freih. v., FZM., IR. 48.
Radossevich v. Rados, Demeter Freih., FML., IR. 53.
Rainer, Joseph, Erzherzog, FZM., IR. 11.
Ramming v. Riedkirchen, Wilhelm Freih., FZM., IR. 72.
Regal, Maximilian Ludwig Gf., FZM., IR. 36.
Reischach, Sigmund Freih. v., FZM., IR. 21.
Reising v. Reisinger, Maximilian Freih., FML., IR. 18.
Reisky v. Dubnitz, Franz Freih., FML., IR 13.
Reisky v. Dubnitz, Franz Freih., FML., IR. 10.
Reisner, Anton Freih. v., FML., Art. R. 3.
Reitzenstein, Friedrich Ernst Freih. v., FML., IR. 12.
Reuss-Greitz, Heinrich XIII., Fürst, FZM., IR. 55.
Reuss-Greitz, Heinrich XIII., Fürst, FZM., IR. 18.
Reuss-Köstritz, Heinrich LXIV., Fürst, GdC., Husz. R. 7.
Reuss-Plauen, Heinrich Gf., Oberst. IR. 17.
Reuss-Plauen, Heinrich XV. Prinz, FM., IR. 17.
Richecourt, Carl Gf. v., GdC., Chev.-legers R. (Uhl. R. 7).
Richter v. Binnenthal, Franz Xaver, FZM., IR. 14.
Ried, Joseph Heinrich Freih. v., FML., IR. 23.
Ried, Joseph Heinrich Freih. v., FML., IR. 48.
Riesch, Johann Gf., GdC., Drag. R. 6 (Drag. R. 12).
Riese, Carl Freih. v., FML., IR. 15.
Riese, Carl Freih. v., FZM., IR. 26.
Rohan, Victor Prinz, FML., IR. 21.
Rosenberg - Orsini, Franz Fürst, GdC., Drag. R. 13, dann Chev.-legers R. 6 (Husz. R. 16).
Rossbach, Heinrich Freih. v., FZM., IR. 40.
Roth, Wilhelm Moriz Freih. v., FML., IR. 22.
Rothkirch und Panthen, Leonhard Gf., FML., IR. 12.
Rouvroy, Carl Freih. v., FML., Art. R. 3.
Rouvroy, Theodor Freih. v., FZM., Art. R. 2.
Rudolph, Erzherzog, Oberst, IR. 16.
Rudolph, Erzherzog, Oberst (1819 Cardinal Fürst-Erzbischof v. Olmütz), IR. 14.
Rukavina v. Vidovgrad, Georg Freih., FZM., IR. 61.
Rumpf, Franz Ignaz Gf., GM., IR. 12.
Rupprecht v. Virtsolog, Heinrich, FML., IR. 40.
Russo v. Aspernbrand, Joseph Freih., FZM., Art. R. 5.

S.

Sachsen, Friedrich August Albert, k. Prinz und Mitregent von, Kür. R. 3 (Drag. R. 3).
Sachsen, Friedrich August, König von, Kür. R. 3 (Drag. R. 3).
Sachsen, Johann, König von, Kür. R. 3 (Drag. R. 3).
Sachsen-Coburg, Albert Herzog zu, FML., IR. 57.
Sachsen-Coburg-Gotha, Ferd. Herzog zu, GdC., Husz. R. 8.
Sachsen-Coburg-Saalfeld (1826 Sachsen-Coburg und Gotha), Ernst Herzog zu, GdC., Uhl. R. 1.
Sachsen-Coburg-Saalfeld, Friedrich Josias Prinz zu, FM., IR. 22.
Sachsen-Gotha, Joh. August Herzog zu, FM., Drag. R. (Uhl. R. 8).

Sachsen-Gotha, Wilhelm, Prinz zu. FZM., IR. 30.
Sachsen-Hildburgshausen, Friedrich Herzog zu, FML., IR. 41.
Sachsen-Hildburgshausen, Johann Friedrich Prinz zu, FM., IR. 8.
Sachsen-Lauenburg, Julius Franz Herzog zu, FM., Kür. R. (Drag. R. 9).
Saint-Croix, Adam Bernhard Freih. v., FML., Kür. R. (Drag. R. 8).
Saint-Hilaire, Gebhard Freih. de, GdC., Kür. R. (Drag. R. 8).
Saint-Ignon, Franz v., FML., Kür. R. (Drag. 4).
Saint-Ignon, Joseph Gf., FML., Drag., dann Chev.-legers und wieder Drag. R. (Drag. R. 14).
Saint-Julien, Franz Gf., FZM., IR. 61.
Salins-Lamezan, Joseph Gf., GM., IR. 54.
Salis-Zizers, Heinrich Gf., FML., IR. 25.
Salm, Carl Theodor Otto Fürst, FM., IR. 45.
Salm, Leopold Philipp Carl Fürst, FML., IR. 45.
Salm-Salm, Niclas Leopold Rheingraf v., FM., IR. 14.
Salzburg, Ferd., Churfürst von, FM., IR. 23.
Sapieha, Michael, Gf., GM., IR. 47.
Sardinien, Carl Albert, König von, Husz. R. 5.
Savoyen, Eugen Joannes Prinz von, GM., Kür. R. (Drag. R. 8).
Savoyen, Thomas Emanuel Prinz von, FML., Kür. R. (Drag. R. 8).
Schackmin (Jacquemin), Heinrich Freih. v., GdC., Kür. R. (Drag. R. 6).
Scherffenberg, Friedrich Gf., FML., IR. 13
Scherzer, Leopold Freih., GM., IR. 28.
Scherzer, Leopold Eugen Freih. v., GM., GIR. 1 (IR. 79).
Scherzer, Leopold Eugen Freih. v., GM., GIR. 3 (IR. 79).
Schlik, Leopold Gf., GdC., Drag. R. (Uhl. R. 6).
Schlik zu Bassano und Weisskirchen, Franz Gf., GdC., Husz. R. 4.
Schmeling, Carl v., FML., IR. 29.
Schmerzing, Hannibal Freih. v., GdC., Kür. R. (Drag. R. 6).
Schmidfeld, Johann Freih. v., FML., IR. 48.
Schmidt, August Ritt. v., FML., Raketeur- und Gebirgs-Art. R., dann Art. R. 9.
Schneller, Andreas v., GdC., Chev.-legers R. 5 (Drag. R. 10).
Schön v. Treuenwerth, Michael, FML., IR. 49.
Schönhals, Carl Ritt. v., FZM., IR. 29.
Schröder, Carl Friedr. Freih. v., FML., IR. 7.
Schröder, Wilhelm Freih. v., FZM., IR. 26.
Schrottenbach, Franz Christian Gf., Oberst, Kür. R. (Drag. R. 2).
Schuhay, Franz Freih. v., FML., Art. R. 1.
Schulenburg-Oeynhausen, Ludwig Ferdinand Gf., FZM., IR. 21.
Schultz, Johann Valentin Gf., GdC., Drag. R. 10.
Schwarzenberg, Carl Fürst zu, FM., IR. 19.
Schwarzenberg, Edmund, Fürst zu, FM., Drag. R. 10 (Husz. R. 15).
Schwarzenberg, Felix Fürst zu, FML., IR. 21.
Schwarzinger, Johann Freih. v., GM., Art. R. 2.
Seckendorf, Friedrich Heinrich Gf. v., FZM., IR. 18.
Seherr von Thoss, Johann Christoph Freih., FM., Kür. R (Drag. R. 4).
Serbelloni, Johann Baptist Gf., FM., Kür. R. (Drag. R. 4).
Sereni (Serényi), Franz Joseph Gf., FML., Drag. R 11.
Serényi, Johann Carl Gf., FM., IR. 25.
Sicilien, Ferdinand II., König beider, Uhl. R. 12.
Sicilien, Prinz Leopold beider, IR. 22.
Sickingen, Damian Johann Philipp Freih. v., FML., IR. 57.
Sickingen, Damian Johann Philipp Freih. v., FML., IR. 18.
Simbschen, Carl Freih. v., FML., IR. 53.
Simbschen, Carl Freih. v., FML., Husz. R. 7.
Simbschen, Carl Freih. v., Oberst, Slavon. Panduren-Bataillon (IR. 53).
Simbschen, Joseph Freih. v., FZM., IR. 43.
Simbschen, Joseph Freih. v., FZM., IR. 48.
Simm, Joseph, FZM., Art. R. 4.
Sincère, Claudius Freih. v., FZM., IR. 54.
Sincère, Claudius Freih. v., GM., IR. 46.
Siskovics, Joseph Gf., FZM., IR. 37.
Sivković, Johann Freih. v., FML., IR. 41.
Smola, Joseph Freih. v., GM., Art. R. 8.
Solari, Victor Gf., GM., IR. 47.
Söldner v. Söldenhofen, Joseph, FML., IR. 23.
Solms-Braunfels, Carl Prinz zu, FML., Drag. R. 9.
Sommariva, Hannibal Marq., GdC., Kür. R. 5 (Drag. R. 5)
Sonnenberg, Johann Franz Xav. Gf., Freih. v. Heindl, GM., IR. 18.
Sontag v. Sonnenstein, Wenzel, FZM., Art. R. 2.
Souches, Carl Ludwig, Radwitz de, Gf., FZM., IR. 50.

Souches, Louis Radwitz de, Gf., FM., IR. 50.
Sparr, Ladislaus Gf. v., FML., IR. 54.
Spieck, Lucas Freih., GM., IR. 24.
Spiegel, Raban Freih. v., FML., Kür.R. 4, (Drag. R. 4).
Spinola, Johann Dominik Marq. de, Oberst, IR. 35.
Splényi de Miháldy, Franz Freih., FML., IR. 31.
Splényi de Miháldy, Gabriel Freih., FML., IR. 51.
Splényi de Miháldy, Johann Ladislaus Freih., FML., Husz. R. 8.
Spork, Johann Rüdiger Gf., FML., IR. 25
Sprecher v. Bernegg, Salomon, FML., IR. 22.
Stadion zu Thanhausen und Warthausen, Philipp Gf., GdC., Drag. R. 1, dann Kür. R. 9 (Drag. R. 9).
Stadl, Ferdinand Freih. v., FM., IR. 17.
Stain, Leopold Gf., FZM., IR. 50.
Starhemberg, Emanuel Michael Gf., FZM., IR. 24.
Starhemberg, Erasmus Gf., GM., IR. 43.
Starhemberg, Ernst Rüdiger Gf., FM. IR 54.
Starhemberg, Guido Gf., FM., IR. 13.
Starhemberg, Guido Gf., Oberst, IR. 35.
Starhemberg, Johann Richard Gf. v., FML., IR 8.
Starhemberg, Maximilian Adam Gf., FM., IR. 24.
Starhemberg, Maximilian Laurenz Gf. v., FM., IR. 8.
Starhemberg, Ottokar Franz Gf., FML., IR 59.
Stephan, Erzhergog, FML., IR. 58.
Stein, Carl Freih. v, FML. Küsten-Art. R.
Stein, Emerich Freih. v., FML., Art. R. 4.
Steininger, Carl Freih. v., FZM., IR. 68.
Stipsicz von Ternova, Jos. Freih. v., GdC., Husz. R. 10.
Strassoldo, Leopold Gf. v., FML., IR. 27.
Strassoldo-Graffemberg, Julius Cäsar Gf., FML., IR. 61.
Strauch, Gottfried Freih. v., FZM., IR. 24.
Stuart, Patrik Gf., FML., IR. 18.
Stwrtnik, August Freih. v., FML., Art. R. 4 und 5.
Suckow, August Jakob Heinr. Freih. v., FZM., IR 22.
Sunstenau v. Schützenthal, Heinrich Freih., FML., Kür R. 2 (Drag. R 2).
Széchényi, Anton Gf., FML., Husz. R. 3.
Szirmay, Thomas v., Oberst, IR. 37.
Sztáray, Anton Gf., FZM., IR. 33.

T.

Tasso, Albert v., Oberst, IR. 11.
Terzy, Joseph Freih. v., FZM., IR. 16.
Thavonat, Leopold Freih. v., Oberst, IR. 42.
Thüngen, Adam Sigm. Freih. v., FZM., IR. 57.
Thüngen, Hans Carl v., FZM., IR. 42.
Thüngen, Hans Carl Gf., FM., IR. 20.
Thun-Hohenstein, Carl Gf., FZM. IR. 29.
Thürheim, Franz Ludwig Gf., FM., IR. 25.
Thürheim, Franz Sebast. Gf. v., FZM., IR. 28.
Thurn, Franz Gf., GM., Art. R. 2.
Thurn und Taxis, Hannibal Friedrich Fürst von, GdC., IR. 50.
Thurn und Taxis (La Tour), Lamarold Gf. v., GdC., Kür. R. (Drag. R. 7).
Thurn-Valle-Sassina, Anton Gf., FZM., IR. 43.
Tillier, Johann Anton Freih., FML., IR. 36.
Tillier, Joseph Freih., FML., IR. 14.
Toscana, Grossherzog Ferdinand, FM., IR. 23.
Toscana, Grossherzog Ferdinand, FM., IR. 7.
Toscana, Erb-Grossherzog Ferdinand Salvator, Erzherzog, Oberst, aufgelöstes Drag. R. 8.
Toscana, Grossherzog Ferdinand IV. Salvator, Erzherzog, Oberst, aufgelöstes Drag. R. 8.
Toscana, Erb-Grossherzog Leopold, Erzherzog, GM., aufgelöstes Drag. R. 4.
Toscana, Grossherzog Leopold II., Erzherzog, GdC., IR. 71 und aufgelöstes Drag. R. 4.
Toscana, Joseph Anton von, Erzherzog, Oberst, Drag. R. 9.
Trapp, Werner Freih. v., FZM., IR. 25.
Trautsohn, Johann Carl Gf., GM., IR. 35.
Trauttmansdorff, Carl Gf., FML., Kür. R. (Drag. R. 7).
Trauttmansdorff, Sigmund Joachim Gf., Oberst, IR. 45
Trenk, Franz Freih. von der, Oberst, Panduren R. (IR. 53).
Truchsess-Wetzhausen, Veit Heinrich, FML., Kür. R. (Drag. R. 7).
Turszky, Johann August Freih. v., FZM., IR. 62.

U.

Uffeln, Georg Ludwig Freih. v., FML., Kür R. (Drag. R. 2).
Uhlefeld, Leo Gf., FM., Kür. R. (Drag. R. 4).
Ujházy, Ferdinand Franz v., GM., Husz. R. 3.

Ujházy, Ferdinand Gf., GM., Husz. R. 4.
Ujváry, Ladislaus Freih. v., GM., IR. 2.
Unterberger, Leopold Freih., FZM., Art. R. 4.
Ursel s. D'Ursel.

V.

Valparaiso, Bartholomäus Marchese d'Andia, FML., IR. 43.
Van der Beckh, Melchior Leopold Freih., FZM., IR. 59.
Van der Stappen, Peter Joseph, GM., Art R. 3.
Vasquez de Pinas, Johann Jakob Gf., FM., IR. 48.
Vécsey v. Hainácskeő, Sigbert Freih., FML., Husz. R. 4.
Vernier de Rougemont et Orchamp, Johann Freih. v., FML., Art. R. 12.
Vetter v. Lilienberg, Wenzel Gf., FZM., IR. 18.
Veyder v. Malberg, Carl Freih., GM., IR. 58.
Viard, Peter Joseph de, FML., Kür. R. (Drag. R 7).
Vierset, Carl Freih. v., GM., IR. 58.
Vincent, Carl Freih. v., GdC., Chev.-legers R. 4 (Drag. R. 14).
Virmond, Damian Hugo Gf., FZM., IR. 16.
Viszlay, Andreas v., Oberst, Husz. R. 8.
Vogelsang, Ludwig Freih. v., FZM., IR 47
Von der Cron (de la Corona), Johann Freih., GM., Drag. R. 10.
Von der Lanckhen, Philipp Ernst, FML., IR. 28.
Von der Porten (La Porte), Philipp Jakob, Oberst, Drag. R. 11.
Von der Trenk, Franz Freih., Oberst, Panduren-R. (IR. 53).
Vukassovich, Philipp Freih. v., FML., IR 48.

W.

Wachtendonk, Bertrand Anton Freih. v., FML., IR. 54.
Wachtendonk, Carl Franz Freih. v., FZM, IR. 25.
Wacquant-Geozelles, Theodor Freih. v., FZM., IR. 62.
Waderborn, Joseph v., GM., Drag. R. 10.
Waldeck, Carl August Fürst zu, FM., IR. 35.
Waldeck, Christian Fürst zu, GdC. und k. portugies. FM., Drag. R. 2 (Husz R. 15).
Wallenstein s. Wellenstein.
Wallis, Franz Gf., FZM., IR. 36.
Wallis, Franz Paul Gf., GM., IR. 43.
Wallis, Franz Wenzel Gf., FM., IR. 11.
Wallis, Franz Wenzel Gf., FML., IR. 59.
Wallis, Georg Gf., FML., IR. 47.
Wallis, Michael Johann Gf. v., FM., IR. 11.
Wallis, Olivier Gf., FZM., IR. 29.
Wallis, Olivier Remigius Gf., FML., IR. 35.
Wallisch, Christoph Freih., FML., Kür. R. (Drag. R. 7).
Wallmoden-Gimborn, Ludwig Gf., GdC., Kür. 6 (Drag. R. 6).
Walsegg, Otto Gf., FZM., IR. 49.
Warschau, Paskiewitsch, Fürst v., FM., IR. 37.
Wartensleben, Wilhelm Gf., FZM, IR. 28.
Wasa, Gustav Prinz v., FML., IR. 60.
Watlet, Wenzel Freih. v., FML., IR. 41.
Watterborn s. Waderborn.
Weidenfeld, Carl Phil. Freih. v., FML., IR. 37.
Welden, Ludwig Freih., FZM., IR. 20.
Wellenstein, Johann Hannibal Freih., GM., IR. 57.
Wellington, Arthur Herzog v., FM., IR. 42.
Wenckheim, Franz Freih. v., FML., IR. 35.
Wendt, Johann Adam de, GM., IR. 29.
Wernhardt, Paul Freih. v., GdC., Chev.-legers R. 3 (Uhl. R. 8).
Wernhardt, Stephan Freih. v., FML., IR. 16.
Werth, Johann Freih. v., GdC., Kür. R. (Drag. R. 8).
Westerloo, Johann Philipp Marq., FM., Drag. R. 14.
Wetzel, Johann Adam Freih. v., FML. IR. 18.
Wetzel, Johann Adam Freih. v., FZM., IR. 42.
Wetzhausen, Veit Heinrich Truchsess, Oberst, Kür. R. 7 (Drag. R. 7).
Wied-Runkel, Friedrich Prinz, FML., IR. 34.
Wied-Runkel, Heinrich Carl Gf., FM., IR. 28.
Wieland, Georg Freih. v., FML., Husz. R. 9.
Wilczek, Heinrich Wilhelm Gf. v., FM., IR. 11.
Wilhelm I., König der Niederlande, FM. IR. 26.
Wilhelm I., König von Preussen, IR. 34.
Wilhelm, Kronprinz von Württemberg, Husz. R. 6.
Wilhelm I., König von Württemberg, Husz. R. 6
Wilhelm, Prinz von Oranien, FZM., IR. 26.
Wilsdorf, Franz Freih. v., GM., Art. R. 8.
Wimpffen, Franz Gf., FZM., IR. 22.
Wimpffen, Maximilian Freih. v., FM., IR. 13.

Windisch-Graetz, Alfred Fürst zu, FM., Chev.-legers R. 4 (Drag. R. 14).
Wiszlay s. Viszlay.
Wocher, Gustav v., FZM., IR. 25.
Wohlgemuth, Ludwig Freih., FML., IR. 14.
Wopping, Ferdinand Ludwig Freih., Oberst, IR. 23.
Wrangel, Friedrich Gf., kön. preuss. FM., Drag. R. 2.
Wrbna und Freudenthal, Ladislaus Gf., FML., Chev.-legers R. 6 (Husz. R. 16).
Wurmbrand-Stuppach, Casimir Gf., FZM., IR. 50.
Wurmser, Dagobert Sigmund Gf., FM., Husz. R. 8.
Württemberg, Alexander Prinz von, FM, IR. 17
Württemberg, Carl Alexander Herzog von, FM., Drag. R. 11.
Württemberg, Carl Eugen Landprinz (1744 Herzog) von, Oberst, Drag. R. 11.
Württemberg, Eberhard Ludwig Herzog von, FM., Drag. R. 11.
Württemberg, Ferdinand Herzog von, FM., IR. 40.
Württemberg, Ferdinand Herzog von, FM., IR. 38.
Württemberg, Friedrich Wilhelm Carl, Erbprinz (1797 Herzog, 1803 Churfürst, 1806 König) von, FML., Drag. R. 3 (Drag. R. 11).
Württemberg, Georg Friedrich Herzog von, GM., IR. 35.
Württemberg, Heinrich Friedrich Prinz von, FML., IR. 10.
Württemberg, Ludwig Prinz von, FZM., IR. 10.
Württemberg, Ludwig Eugen Herzog von, Oberst, Drag. R. 11.
Württemberg, Kronprinz Wilhelm von, Husz. R. 6.
Württemberg, König Wilhelm I. von, Husz R. 6.
Württemberg, Wilhelm Friedrich Erbprinz (1803 Churprinz) von, GM., IR. 41.
Württemberg-Neustadt, Carl, Rudolph Herzog von, FM., Drag. R. 11.
Würzburg, Ferdinand Grossherzog von, FM., IR. 7.
Würzburg, Ferdinand Churfürst von (1807 Grossherzog), FM. IR. 23.
Waschletitsch, Mathias Freih. v., FML., IR. 43.
Wuttgenau, Gottfried Ernst Freih. v., FZM., IR. 12.
Wuttgenau, Gottfried Ernst Freih. v., FZM., IR. 3.

Z.

Zach, Anton Freih. v, FZM., IR. 15.
Zanini, Peter, FML., IR. 16.
Zedtwitz, Franz Julius Gf., FML., IR. 25
Zedtwitz, Johann Franz Anton Freih. v., FZM., IR. 13.
Zobel von Giebelstadt und Darstadt, Thomas Friedrich Freih., FML., IR. 61.
Zum Jungen, Johann Hieronymus Freih. von und, FM., IR. 27.
Zweibrücken, Carl August Christian, Pfalzgraf, Oberst, Drag. R. (Husz. R 15).
Zweibrücken, Carl Friedrich, Pfalzgraf, FM., Drag., Chev.-legers, dann wieder Drag. R. (Husz. R. 15).

Namen-Verzeichniss

gewesener wirklicher Regiments-Inhaber, nach welchen die Regimenter nicht benannt wurden, und zweiter Regiments-Inhaber.*)

A.

Abele v. Lilienberg, Franz Freih., FML., IR. 58.
Almásy, Ignaz Gf., GdC., Husz. R. 1.
Anton Victor, Erzherzog, FZM., IR. 4.
Appel, Christian Freih. v., GdC., Husz. R. 10.
Argenteau, Eugen Gf, FZM., IR. 35.
Aspremont-Linden, Ferdinand Carl Gf., FM, Drag. R. 13.
Auersperg, Carl Gf., FML., Husz. R. 10.
Auersperg, Carl Gf., FML., Kür. R. 8 (Drag. R. 8).
Auersperg, Maximilian Gf., GdC., Kür. R. 5 (Drag. R. 5).

B.

Baillet-Merlemont, Ludwig Gf., FZM., IR. 63 (IR. 55).
Baltin, Carl Freih. v., FML., IR. 14.
Barco, Joseph Freih. v., FML., Husz. R. 3.
Bechtold, Philipp Freih. v., FML., Chev.-legers R. 3 (Uhl. R. 8).
Bellegarde, Heinrich Gf., FM.. Chev.-legers R. 1 (Uhl. R. 6).
Benczur, Joseph v., FML., IR. 34.
Benjovsky v. Benjov, Johann, FML., IR. 31.
Berger von der Pleisse, Johann Freih, FZM., IR. 51.
Bersina v. Siegenthal, Heinrich Freih., GdC., Kür. R. 1 (Drag. R. 1).
Bertoletti, Anton Freih. v., FML., IR. 15.
Bigot de St. Quentin, Carl Gf., FML., Uhl.-R. 8.
Bigot de St. Quentin, Franz Ludwig Gf., FML., Drag. R. 3 (Drag. R. 11).
Blagoevich, Emerich Freih. v., FML., IR. 39.
Blankenstein, Ernst Gf., GdC., Husz.R. 6.
Blomberg, Friedrich Freih. v., FML., Drag.R.7.
Böhm, Philipp Joseph Freih. v., GdC., Chev.-legers R. 1 (Uhl. R. 6).
Bordolo v. Boreo, Joh. Ritt., FML., IR. 20.
Botta d'Adorno, Jakob Marq., FM., IR. 1.
Boyneburg-Lengsfeld, Moriz Freih. v., GdC., IR. 71 und aufgelöstes Drag. R. 4.
Brady, Thomas Freih. v., FZM., IR. 1.
Braida, Moriz Gf., FZM., IR. 44.
Bretfeld zu Cronenburg, Emanuel Freih, FML., aufgelöstes Drag. R. 4.
Bretschneider, Friedrich v., FML., Husz.R.10.
Browne, Georg Gf., FZM., IR. 2.
Bubna v. Littitz, Ferdinand Gf., FML., aufgelöstes Drag. R. 4.
Bussy, Anton Gf., GM., IR. 35.

C.

Carl, Erzherzog, FM., IR. 4.
Carl, Herzog v. Lothringen, FM., IR. 4.
Castiglione, Johann Gf., FML., Tiroler Jäg.-R.
Cavriani, Carl Gf., FML., Drag. R. 3, dann Kür. R. 11 (Drag. R. 11).
Chasteler, Gabriel Marq., FML., Tiroler Jäg.-R. (IR. 64).
Civalart, Carl Gf., GdC., Uhl. R. 1.
Clemens August, Churfürst von Cöln, Oberst, IR. 4.
Collenbach, Gabriel Freih. v., FML., IR. 22.
Cometti, Johann Bapt. Ritt. v., FML., IR. 54
Cordon, Franz Freih. v., FML., IR. 53.
Coronini-Cronberg, Johann Gf., FZM., GIR. 10 und 11 (IR. 79).
Coudenhove, Carl Gf., FML., Drag. R. 2, dann 14.
Crenneville, Ludwig Folliot de, Gf., FML., Husz. R. 3.
Crenneville, Ludwig Carl Folliot de, Gf, GdC., Kür. R. 2 (Drag. R. 2).
Csollich, Marcus Freih. v., FZM., IR. 39.
Csorich v. Monte Creto, Anton Freih., FZM., IR. 15.
Csorich v. Monte Creto, Franz Freih., FML. IR. 32.

*) Bei den betreffenden Regimentern ist über die hier bezeichneten verschiedenen Inhaber-Stellen das Weitere ersichtlich.

D.

Dahlen v. Orlaburg, Franz Freih., FZM., IR. 59.
D'Aspre, Constantin Freih. v., FZM., IR. 1.
De Brucq, Johann, GM., Art. R. 1.
De Lort, Joseph, FML., IR. 16.
Dobrženský v. Dobrženitz, Prokop Freih., Drag. R. 1, dann 13.
Drechsel, Damian Freih. v., FML., IR. 3.
Dreihann v. Sulzberg am Steinhof, Ignaz Freih., FZM., IR. 42.
Droste v. Vischering, Joseph Freih., FML., Kür. R. 2 (Drag. R. 2).

E.

Eckhard, Ludwig Freih. v., FZM., IR. 59.
Eszterházy, Paul Gf., GM., Husz. R. 1.
Eynatten, August Freih. v., FML., Uhl. R. 11.

F.

Faber, Philipp v., FZM., IR. 26.
Fabisch, Joseph, GM., Art. Reg. 2.
Falkenhayn, Eugen Gf., GdC., IR. 18.
Fenner v. Fenneberg, Philipp Freih., FML, Tiroler Jäg. R.
Festetics de Tolna, Tassilo Gf., FML., Drag. R. 2.
Fiedler, Joseph Freih. v., FML., IR. Nr. 3.
Fink, Anton, GM., Art. R. 7.
Fölseis, Joseph v., FML., IR. 29.
Folliot de Crenneville, Ludwig Gf., FML., Husz. R. 3.
Folliot de Crenneville, Ludwig Carl Gf., GdC., Kür. R. 2 (Drag. R. 2).
Franz Ludwig, Pfalzgraf bei Rhein, Herzog von Neuburg, Oberst, IR. 4.
Fresnel u. Curel, Hennequin Peter Ferdinand Gf., GdC., Kür. R. 4 (Drag. R. 4).
Friedrich Wilhelm IV., König von Preussen, Husz. R. 10.
Fürstenberg, Friedrich Landgraf, GdC., Drag. R. 5, dann 1 (Drag. R. 13).

G.

Gablenz, Ludwig, Freih. v., GdC., Uhl. R. Nr. 6.
Gaisruck, Franz Sigmund Gf., FM., GIR. 7.
Geramb, Leop. Freih. v, GdC., Husz. R. 4.
Gerhardi, Ignaz v., FZM., IR. 8.
Gerstner, Joseph Freih. v., FML., IR. 8.
Goržkowski v. Goržkow, Carl Ritt., GdC., Kür. R. 3 (Drag. R. 3).
Grueber, Wilhelm Freih. v., FML., IR. 54.
Grünne, Philipp Gf., GdC., Uhl. R. 3.
Gyulai v. Maros-Németh und Nádaska, Ignaz Gf., FZM., GIR. 10 und 11 (IR. 79).

H.

Habermann v. Habersfeld, Joseph Freih., FML., IR. 39.
Hadik v. Futak, Andreas Gf., GdC., Husz. R. 6.
Haller v. Hallerkeö, Franz Gf., FML., GIR. 10 und 11 (IR. 79).
Hammerstein-Equord, Wilhelm Freih. v. GdC., Uhl. R. 2.
Handel, Heinrich Freih. v., FZM., IR. 19.
Hardegg, Ignaz Gf., GdC., Kür. R. 8. (Drag. R. 8).
Harnoncourt, Joseph Gf., GdC., Kür. R. 2 (Drag. R. 2).
Harrach, Ferdinand Gf., FML., Chev.-legers R. (Uhl. R. 6).
Hartlieb v. Wallthor, Carl Vincenz Freih., FZM., IR. 45.
Hauer, Ferd. Anton Freih. v., FML., IR. 16.
Hauger, Franz, FML., IR. 1.
Helfreich, Christian Freih. v., FZM., GIR. 9 (IR. 70).
Herzinger, Anton Freih. v., FML., IR. 52.
Hiller, Johann Freih., FML., IR. 2.
Hohenfeld, Otto Philipp Gf., FZM., IR. 23.
Hohenlohe-Bartenstein, Ludwig Fürst. FZM., IR. 26.
Hohenlohe-Ingelfingen, Friedrich Fürst zu, FML., Drag. R. 2 (Husz. R. 15).
Hohenzollern-Hechingen, Friedrich Anton Fürst v., GdC., Kür. R. (Drag. R. 8).

J.

Jabloński del Monte Berico, Joseph Freih., FML., IR. 1.
Jacobs v. Kantstein, Friedr. Freih., FML., IR. 15.
Járossy, Mathias v., GM., IR. 32.
Jellačić de Bužim, Joseph Gf., FZM., GIR. 10 und 11 (IR. 79).
Jordis, Alexander v., FML., IR. 59.
Joseph Anton, Erzherzog, Palatin, FM., Husz. R. 12.

K.

Karaiczay, Andreas Gf., FML., Kür. R. 4. (Drag. R. 4).
Karaisl v. Karais, Carl Freih., FML., IR. 42.
Keglevich, Johann Gf., Obstlt., Uhl. Frei-Corps (Uhl. R. 2).

Kempen v. Fichtenstamm, Johann Freih., FZM., IR. 32.
Klebelsberg Freih. zu Thumburg, Johann Gf., GdC., Uhl. R. 4.
Koch, Johann Freih. v., FML., IR. 2.
Koller, Alexander Freih. v., GdC., Drag. R. 5.
Koller, Franz Freih. v., FML., IR. 2.
Kolowrat-Liebsteinsky, Vinc. Gf., FZM., IR. 11.
Kress v. Kressenstein, Carl Freih., GdC., Chev.-legers R. 7 (Uhl. R. 11).
Kroyher v. Helmfels, Carl Freih., GdC., Kür. R. 3 (Drag. R. 3).
Künigl, Hermann Gf., FZM., Art. R. 1.
Kussevich v. Szamobor, Emil Freih., FZM., IR. 77.

L.

Lacy, Moriz Gf., FM., 2. Carab., dann Kür. R. 1 (Drag. R. 1).
Lamberg, Franz Phil. Gf., FML., Husz. R. 4.
Lang, Adolph Freih. v., FML., IR. 45.
Lassgallner, Joh. Carl Freih. v., FML., Kür. R. (Drag. R. 8).
Lattermann, Christoph Freih., FML., IR. 23.
Lattermann, Christoph Freih. v., FZM., IR. 7.
Lauer, Joseph Freih. v., FZM., IR. 44.
Lederer, Carl Freih. v., FML., Husz. R. 10.
Lederer, Ignaz Freih. v., FM., Drag. R. 2 (Husz. R. 15)
Legeditsch, Ignaz Ritt. v., GdC., Husz. R. 2.
Lenk v. Wolfsberg, Wilhelm Freih., FML. Art. R. 1.
Lichnowsky, Wilh. Carl Gf., FZM., IR. 11.
Liechtenberg-Schneeberg, Nikolaus, Gf., GdC., Husz. R. 8.
Liechtenstein, Carl Fürst zu, FM., Chev.-legers R. (Uhl. R. 6).
Liechtenstein, Friedrich Fürst zu, GdC., Uhl. R. 3.
Lietzen, Friedrich Freih. v., FML., GIR. 9 (IR. 70).
Lilien, Carl Freih. v., GdC., Drag. R. 1 (Drag. R. 9).
Linden, Aspremont-, Ferd. Carl Gf. FML., Drag. R. 13.
Lobenstein, Wilhelm v., FML., IR. 12.
Lobkowitz, Joseph, Fürst und Herzog zu Raudnitz, GdC., Drag. R. 4.
Lort, Joseph de, FML., IR. 16.
Lothringen, Carl Herzog von, FM., IR. 4
Lothringen, Joseph Prinz v., FML., Kür. R. 1 (Drag. R. 1).
Ludolf, Franz Gf., FML., IR. 15.
Lusignan, Franz Marq., FML., IR. 16.

M.

Martonitz, Andreas Freih. v., FZM., IR. 52.
Maximilian, Erzherzog, Churfürst v. Cöln, FM., IR. 4.
Maximilian Jos. von Este, Erzherzog, FZM., IR. 4.
Mayer v. Sonnenberg, Johann, GM., Art. R. 7.
Mecséry, Daniel Freih. v., FML., Husz. R. 2.
Melczer v. Kellemes, Andor Freih., FML., IR. 62.
Mengen, Carl Freih. v., FML., Kür. R. 4 (Drag. R. 4).
Mensdorff-Pouilly, Eman. Gf, GdC., Husz. R. 1.
Mercy d'Argenteau, Anton Ignaz Gf., FZM., GIR. 7.
Mertens, Carl Freih. v., FZM., IR. 37.
Mertz, Friedrich Wilhelm v., FML., IR. 12.
Mesemacre, Vicomte de Lardenois de Ville, Joseph, FML., IR. 42.
Milutinovich v. Weichselburg, Theodor Freih., FML., IR. 54.
Minkwitz, Ferdinand Freih. v., FML., IR. 8.
Minutillo, Vincenz Freih. v., FML., Uhl. R. 3.
Mohr, Johann Friedrich Freih. v., GdC., Drag. R. 5 (Drag. R. 13).
Montenuovo, Wilhelm Fürst, GdC., Husz. R. 5.
Motschlitz, Joseph Freih., Obstlt., Uhl. Frei-Corps (Uhl. R. 2).
Mumb v. Mühlheim, Franz, FML., IR. 11.

N.

Narboni, Johann Maria v., FML., aufgelöstes Drag. R. 4.
Neipperg, Adam Albert Gf., FML., Husz. R. 3.
Neuburg, s. Pfalzgraf bei Rhein.
Niemetz v. Elbenstein, Wenzel, GM., Art. R. 2.
Nobili, Johann Gf., FML., IR. 44.

O.

Odelga, Joseph Freih. v., FZM., IR. 24.
Ottinger, Franz Freih. v., GdC., Husz. R. 1.
Otto, Rudolph Ritt. v., GdC., Husz. R. 3.

P.

Pálffy ab Erdöd, Moriz Gf., FML., Husz. R. 14.
Parrot, Jakob v., FML., Kür. R. 7 (Drag. R. 7).
Pausch v. Werthland, Carl Ritt., FZM., IR. 16.
Pergler v. Perglas, Carl Freih., GdC., IR. 18.

Pfalzgraf bei Rhein, Herzog zu Neubur Franz Ludwig, Oberst, IR. 4.
Pfanzelter, Joseph v., FML., IR. 26.
Pfersmann v. Eichthal, Alois, FML., IR. 37.
Pflüger, Philipp Freih. v., FML., Tiroler Jäg. R.
Piccard v. Grünthal, Johann Ritt., FML., Drag. R. 1 (Drag. R. 9).
Piret de Bihain, Ludwig Freih. v., FML., IR. 27.
Pirquet-Mardaga-Cesenatico, Peter Freih. v., FZM., Tiroler Jäg. Reg.
Pokorny v. Fürstenschild, Alois Freih., FZM., IR. 32.
Puchner, Anton Freih. v., GdC., IR. 3.

R.

Radetzky v. Radetz, Joseph Gf., FM., Husz. R. 5.
Radivojevich, Paul v., FML., IR. 14.
Rath, Heinrich Freih. v., FML., IR. 12.
Ramberg, Georg Freih. v., FML., IR. 1.
Reinwald v. Waldegg, Joseph, FML., IR. 52.
Rétsey de Rétse, Adam Ritt., FZM., IR. 2.
Richecourt, Carl Gf., FML., Drag. R. (Drag. R. 13).
Richter v. Binnenthal, Franz Xaver, FZM., IR. 14.
Ritter v. Wallyemare, Franz, FML., Uhl. R. 2.
Rossbacher, Rudolph Freih. v., FML., IR. 12.
Rothkirch und Panthen, Leopold Gf., FML., aufgelöstes Drag. R. 4.
Rothschütz, Georg Heinrich Freih., GM., Kür. R. (Drag. R. 8).
Rougier, Camillo Gilbert Freih. v., FML., IR. 11.
Ruckstuhl, Anton Freih. v., FML., IR. 2.
Rukavina v. Bonyograd, Math., FML., IR. 52

S.

Sachsen-Coburg-Saalfeld (1826 Sachsen-Coburg und Gotha), Ferdinand Herzog, FML., Uhl. R. 2.
Saint-André, Friedrich Daniel Freih. v., FML., GIR. 8.
Salis-Zizers, Rudolph Gf., FML., IR. 3.
Schaaffgotsche, Franz Gf., GdC., Kür. R. 5 (Drag. R 5).
Schick v. Siegenburg, Anton, FML., IR. 26.
Schiller v. Herdern, Adolph Freih., FML., IR. 27.
Schirnding, Ferdinand Freih. v., FML., IR. 2.
Schlik zu Bassano und Weisskirchen, Franz Gf., GdC., Drag. R. 5 (Drag. R. 13).
Schlitter v. Niedernberg, Carl Freih., FZM., IR. 46.
Schneider v. Arno, Carl Freih., FML., IR. 8.
Schröder, Wilhelm Freih. v., FML., IR. 4.
Schulzig, Franz Freih. v., FML., IR. 39.
Schustekh v. Herve, Emanuel Freih., FML., Drag. R. 1 (Drag. R. 9).
Schwäger v. Hohenbruck, Joseph Freih., FML., IR. 8.
Schwarzenberg, Carl Fürst, Obstlt., Uhl. Frei-Corps (Uhl. R. 2).
Schwarzenberg, Edmund Fürst zu, FM., Drag. R. 2. dann Kür. R. 10 und wieder Drag. R. 10 (Husz. R. 15).
Serbelloni-Sfondrati, Ferdinand Gf., Duca di S. Gabrio, GdC., Husz. R. 6.
Simbschen, Carl Freih. v., FML., Husz. R. 7.
Simbschen, Ferdinand Freih. v., FML., IR. 57.
Šokčević, Joseph Freih. v., FZM., GIR. 10 und 11 (IR. 79).
Spannocchi, Peter Leopold Gf., GdC., Chevlegers R. 2 (Uhl. R. 7).
Spiegel, Raban Freih. v., FML., Kür. R. 4 (Drag. R. 4).
Splényi v. Miháldy, Franz Freih., FML., IR. 31.
Splényi v. Miháldy, Ignaz Freih., GdC., Husz. R. 2.
Splényi v. Miháldy, Michael Freih., FML. Husz. R. 2.
Staader, Joseph Freih. v., FZM., IR. 3.
Stadion zu Thanhausen und Warthausen, Philipp Gf., FML., Drag. R. 1 (Drag. R. 9).
Stanissavljevics v. Wellenstreit, Aaron Freih., FML., IR. 42.
Stephan, Erzherzog, Palatin von Ungarn, FML., Husz. R. 12.
Stipsicz von Ternova, Joseph Freih. v., GdC., Husz. R. 10.
St. Quentin, s. Bigot.
Stutterheim, Joseph Freih. v., FML., IR. 8.
Sunstenau v. Schützenthal, Heinrich Freih., FML., Kür. R. 2 (Drag. R. 2).
Szent-Kereszty, Sigmund Freih v., GdC., Husz. R 1.
Sztankovics, Ludwig Freih. v., FZM., IR. 66

T.

Teimer, Ignaz, FML., IR. 1.
Teuchert, Friedrich Freih. v., FZM., IR. 59.
Thurn und Taxis, Emerich Prinz v., GdC., Drag. R. 1.
Thurn-Valle-Sassina, Georg Gf., FZM., IR. 34.
Tige, Ferdinand Gf., GdC., Drag. R. 5 (Drag. R. 13).
Tomassich, Franz Freih. v., FML., IR. 22.
Trattnern v. Petrocza, Carl Freih., FML. IR. 24.

V.

Vécsey de Hainácskeö, August Gf., GdC., Husz. R. 3
Veigel v. Kriegeslohn, Valentin, FML., Uhl. R. 6.
Villata v. Villatburg, Franz Ritt., FML Kür. R. 2 (Drag. R. 2).
Vlasits, Franz Freih. v., FML., GIR. 10 und 11 (IR. 79) und Uhl. R. 2.
Vogl, Anton FML, IR. 14.
Vogl, Anton, Obstlt., Uhl. Frei-Corps (Uhl. R. 2).

W.

Waldstätten, Georg Freih. v., FML. Tiroler-Jäg. R.
Weigelsperg, Franz Freih. v., FML., IR. 32
Weigl v. Löwenwart, Joseph Freih., FML. IR. 42.
Weissenwolf, Nikolaus Gf., FML., IR. 3.
Welden, Ludwig Freih. v., FML., IR. 22.
Wenckheim, Joseph Freih. v., FML., IR. 52
Wengersky v. Ungerschütz, Eduard Gf., FML., IR. 48.
Wezlar v. Plankenstern, Gustav Freih., FML., IR. 5.
Wezlar v. Plankenstern, Heinrich Freih., FML., IR. 42.
Wieland, Georg Freih. v., FML., Husz. R. 9.
Wimpffen, Franz Gf., FZM., IR. 22.
Windisch-Graetz, Alfred Fürst zu, FML. Kür. R. 1 (Drag. R. 1).
Windisch-Graetz, Alfred Fürst zu, FM. aufgelöstes Drag. R. 8.
Wissiak v. Wiesenhorst, Leopold Ritt. FML., IR. 48.
Wöber, Anton v., FZM., IR. 53.
Woyna, Felix Gf., FML., Uhl. R. 4.
Wratislaw v. Mittrowitz-Nettolitzky, Eugen Gf., FM, Kür. R. 1 (Drag. R. 1).
Wulffen, Christian Freih., FML., GIR 9 (IR. 70).
Wussin, Ferdinand Freih. v., FML., Uhl. R. 7.

Z.

Zanini, Peter, FML., IR. 16.
Zeschwitz, Wolfgang Freih. v., FML., Kür. R. 1 (Drag. R. 1).
Zichy, Ferdinand Gf., FML., Husz. R. 2.
Zobel zu Giebelstadt und Darstadt, Thomas Friedrich Freih. v., FML., IR. 61.

Alphabetisches

Namen-Verzeichniss.

(Gedruckt am 27. December 1878.)

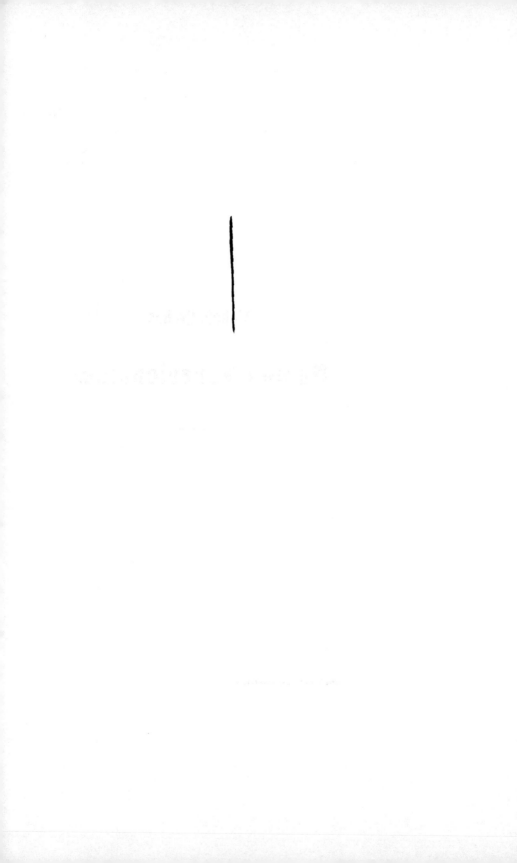

A.

C.

(Gedruckt am 27. December 1878.)

D.

E.

F.

G.

(Gedruckt am 27. December 1878.)

H.

I.

J.

K.

(Gedruckt am 27. December 1878.)

L.

M.

(Gedruckt am 27. December 1878.)

N.

O.

P.

Q.

R.

Q.

R.

(Gedruckt am 27. December 1878.)

T.

U.

V.

(Gedruckt am 27. December 1878.)

W.

Y.

Z.

Veränderungen während des Druckes.

(Bis 24. December 1878.)

Ernannt wurden:

Zu **Lieutenants** in der Reserve (mit dem Range vom 1. November 1878):

In der Infanterie.

Die Reserve-Cadeten:

Langner, Theodor, IR. Nr. 36.
Argay, Johann, IR. Nr. 38
Cohn, Alois, IR. Nr. 8.
Löwinger, Carl, IR. Nr. 38.
Martinak, Carl, IR. Nr. 27.
Rosmanith, Albert, IR. Nr. 48.
Martinak, Eduard, IR. Nr. 27.
Scholtz, Maximilian, IR. Nr. 60.
Minich, Jaroslaw, IR. Nr. 72.
Reich, Emanuel, IR. Nr. 38.
Hoffmann, Carl, IR. Nr. 6.
Brunner, Franz, IR. Nr. 72.
Subotić, Joseph, IR. Nr. 70.
Fölsing, Friedrich, IR. Nr. 17.
Schüller, Alexander, IR. Nr. 8.
Nónay, Desiderius, IR. Nr. 60.
Staudner, Alexander, IR. Nr. 26.
Finetti, Anton v., des IR. Nr. 17, beim IR. Nr. 78.
Dorner, Carl, IR. Nr. 19.
Catinelli, Franz, IR. Nr. 17, beim IR. Nr. 79.
Nouvier, Ivan, IR. Nr. 38.
Piday, Eugen, IR. Nr. 6.
Krüger, Johann, IR. Nr. 68.
Brunovszky, Adolph, IR. Nr. 72.
Somogyi, Valentin, IR. Nr. 19.
Jaszencsák, Alexander, IR. Nr. 68.
Lipp, Franz, IR. Nr. 76.
Ormay, Alexander, IR. Nr. 26.
Blasković, Edmund v., IR. Nr. 76.
Mayr, Franz, IR. Nr. 27.
Rettich, Hugo Edl. v., IR. Nr. 27.
Schubert, Ignaz, IR. Nr. 54.
Seinfeld, David, des FJB. Nr. 4, beim IR. Nr. 78.
Greguss, Emerich, IR. Nr. 60.
Uhlyarik, Albin, IR. Nr. 68.
Mester, Joseph, IR. Nr. 48.
Grunner, Karl, IR. Nr. 48.
Sarfy, Julius, IR. Nr. 38.
Küchler, Julius, IR. Nr. 61.
Engel, Samuel, IR. Nr. 23.
Wacha, Rudolph, IR. Nr. 26.
Pichler, Carl, des IR. Nr. 17, beim IR. Nr. 78.
Buschbeck, Erhard, des IR. Nr. 17, beim IR. Nr. 79.
Frey, Carl, IR. Nr. 7.
Laszló, Daniel, IR. Nr. 76.
Strasser, Samuel, IR. Nr. 23.
Peter, Johann, IR. Nr. 23.
Rochel, Augustin, IR. Nr. 27.
Partas, Radovan, IR. Nr. 53.
Huth, Carl, IR. Nr. 53.
Kršnjavi, Ignaz, IR. Nr. 53.
Kletter, Ernst, IR. Nr. 8.
Schumichrast, Julius, IR. Nr. 71.
Hödl, Alfred, IR. Nr. 79.
Luksch, Joseph, IR. Nr. 70.
Fischer, Alexander v., IR. Nr. 19.
Czeisberger, Ernst, IR. Nr. 41, beim IR. Nr. 37.
Šarac, Velimir, IR. Nr. 53.
Szily, Zoltán v., IR. Nr. 19.
Witting, Leopold, IR. Nr. 8.
Dimitrowitz, Elias, des FJB. Nr. 4, beim IR. Nr. 37.
Sachs, Sigmund, des IR. Nr. 41, beim IR. Nr. 37.
Miklea, Trifun, IR. Nr. 61.
Paumgartten, Carl Ritt. v., IR. Nr. 8.
Remschmidt, Johann, IR. Nr. 27.
Baumann, Anton, IR. Nr. 27.
Markes, Franz, des FJB. Nr. 4, beim IR. Nr. 37.
Hodel, Jakob, des FJB. Nr. 4, beim IR. Nr. 79.
Porzia, Carl, IR. Nr. 22.
Hermansdorfer, Franz, des IR. Nr. 17, beim IR. Nr. 78.
Milossovich, Joseph, des IR. Nr. 17, beim IR. Nr. 79.
Sternberg, Maximilian, des FJB. Nr. 4, beim IR. Nr. 79.
Olinski, Theophil, des IR. Nr. 41, beim IR. Nr. 37.

Die Einjährig-Freiwilligen und Reserve-Unterofficiere:

Burgerstein, Leo Dr., IR. Nr. 4.
Wondrasch, Carl, IR. Nr. 18.
Hartig, Alexander, IR. Nr. 72.
Birke, Joseph, IR. Nr. 4.
Schöffmann, Adolph, IR. Nr. 4.
Mrazik, Johann, IR. Nr. 79.
Nartowski, Theophil v., IR. Nr. 20.
Kellner, Franz, IR. Nr. 54.
Teschner, Heinrich, IR. Nr. 48.
Glanz, Jakob, IR. Nr. 10.
Swoboda, Franz, IR. Nr. 4
Wenz, Oskar, IR. Nr. 44.
Leisching, Eduard, IR. Nr. 4.
Reisner, Moses, IR. Nr. 10.
Widhalm, Johann, IR. Nr. 4.
Steiner, Rudolph, IR. Nr. 4.
Leitner, Richard, IR. Nr. 73.
Galkiewicz, Thaddäus, IR. Nr. 56.
Legányi, Carl, IR. Nr. 44.
Hanusch, Johann, IR. Nr. 70.
Różycki, Rudolph, IR. Nr. 55.
Tomašek, Quirin, IR. Nr. 65.
Fuchsig, Ladislaus, IR. Nr. 56.
Tobiášek, Joseph, IR. Nr. 18.
Pawlikowski, Kasimir, IR. Nr. 55.
Berson, Samuel, IR. Nr. 65.
Karl, Joseph, IR. Nr. 4.
Poleschensky, Friedrich, IR. Nr. 1.
Bencsik, Georg v., IR. Nr. 72.
Kanczucki, Arthur, IR. Nr. 41.
Kostkiewicz, Franz, IR. Nr. 58.
Zöllner, Joseph, IR. Nr. 54.
Koós, Andreas, IR. Nr. 65.
Neudert recte Leiner, Heinrich, IR. Nr. 18.
Kauders, Hugo, IR. Nr. 28.
Bretschneider, Moriz, IR. Nr. 28.
Hoffner, Siegfried, IR. Nr. 42.
Kudielka, Victor, IR. Nr. 1.
Fabry, Emil, IR. Nr. 40.
Karl, Heinrich, IR. Nr. 4.
Kobler, Franz, IR. Nr. 17.
Klein, Franz, IR. Nr. 1.
Mayer, Ferdinand, IR. Nr. 10.
Fiala, Victor, IR. Nr. 41.
Weber, Carl, IR. Nr. 42.
Hensch, Aurel, IR. Nr 65.
Gyżiński, Johann, IR. Nr. 65.
Stelzer, Franz, IR. Nr. 11.
Keppler, Julius, IR. Nr. 66.
Goldscheider, Emerich, IR. 43.
Gerzabek, Anton, IR. 20.
Fiedler, Otto, IR. Nr. 1.
Wildner, Johann, IR. Nr. 1.
Lustig, Julius, IR. Nr. 33.
Rihar, Josef, IR. Nr. 17.
Löwit, Theodor, IR. Nr. 1.
Eichert, Franz, IR. Nr. 14.
Jánosi, Béla, IR. Nr. 51.
Mika, Karl, IR. Nr. 51.
Marek, Ladislaus, IR. Nr. 58.
Heller, Franz, IR. Nr. 42.
Wittek v. Salzberg, Robert, IR. Nr. 28.
Dybka, Anton, IR. Nr. 15.
Lotocki, Roman, IR. Nr. 65.
Stupnicki, Constantin, IR. Nr. 10.
Malec, Johann, IR. Nr. 56
Bertleff, Andreas, IR. Nr. 63.
Stokera, Emil, IR. Nr. 1.
Thomann, Carl, IR. Nr. 8.
Jelinek, Carl, IR. Nr. 1.
Hofmann, Franz, IR. Nr. 7.
Dietl, Wenzel, IR. Nr. 35.
Schankebank, Carl v., IR. Nr. 51.
Okuniewski, Theophil, IR. Nr. 24.
Zierhut, Franz, IR. Nr. 7.
Alemann, Max v., IR. Nr. 35.
Hofmann, Hugo, IR. Nr. 44.
Białaczewski, Roman, IR. Nr. 55.
Dymet, Theophil, IR. Nr. 55.
Brandstetter, Franz, IR. Nr. 78.
Zajączkowski, Casimir, IR. Nr. 80.
Bauriedl, Wenzel, des IR. Nr. 78.
Heck, Valerian, IR. Nr. 9.
Czechowicz, Johann, IR. Nr. 55.
Menczer, Béla, IR. Nr. 39.
Mandl, Wilhelm, IR. Nr. 33.
Nagy, Gabriel, IR. Nr. 39.
Steller, Árpád, IR. Nr. 65.
Sołtysik, Anton, IR. Nr. 57.
Mayer, Leopold, IR. Nr. 52.
Svoboda, Joseph, IR. Nr. 28.
Hess, Heinrich, IR. Nr. 52.
Kirchner, Adolph, IR. Nr. 1.
Šiřuček, Anton, IR. Nr. 57.
Hawel, Franz, IR. Nr. 36.
Zerebecki, Cornel, IR. Nr. 15.
Lodziński v. Radwan, Thomas Ritt., IR. Nr. 15.
Hepke, Oskar, IR. Nr. 65.
Fragner, Julius, IR. Nr. 6.
Kindlmann, Franz, IR. Nr. 11.
Kozel, Johann, IR. Nr. 28.
Skola, Johann, IR. Nr. 11.
Popelak, Richard, IR. Nr. 8.
Lebeth, Anton, IR. Nr. 70.
Friedsam, Carl, IR. Nr. 62.
Muntenau, Aurel, IR. Nr. 51.
Kimakowicz, Moriz v., IR. Nr. 31.

Amerling, Vincenz, IR. Nr. 35.
Dobrányi, Ludwig, IR. Nr. 60.
Dani, Joseph, IR. Nr. 46.
Kutálek, Johann, IR. Nr. 72.
Brunner, Ludwig, IR. Nr. 1.
Bayer, Alexander, IR. Nr. 59.
Céntner, Hugo, IR. Nr. 1.
Fryda, Adam, IR. Nr. 15.
Daits, Paul, IR. Nr. 32.
Klimesch, Edmund, IR. Nr. 41.
Kozicki, Casimir, IR. Nr. 55.
Rippel, Engelbert, IR. Nr. 45.
Telmányi, Emil, IR. Nr. 65.
Decani, Ernst, IR. Nr. 63.
Prekup, Anton, IR. Nr. 62.
Pietsch, Anton, IR. Nr. 64.
Mokry, Theodor, IR. Nr. 6.
Prokopowicz, Stanislaus, IR. Nr. 58.
Lewicki, Stanislaus, IR. Nr. 80.
Vitek, Vincenz, IR. Nr. 21.
Baumann, Ludwig, IR. Nr. 14.
Boziewicz, Adolph, IR. Nr. 10.
Ruxer, Ignaz, IR. Nr. 10.
Grüner, Gregor, IR. Nr. 73.
Schmidt, Gustav, IR. Nr. 20.
Heilinger, Carl, IR. Nr. 14.
Pik, Bernhard, IR. Nr. 21.
Mierzeński, Alfred, IR. Nr. 62.
Gyárfás, Nikolaus, IR. Nr. 51.
Gerbert Edl. v. Hornau, Victor, IR. Nr. 14.
Gedeon, Gerhard v., IR. Nr. 65.
Orlovszky, Julius, IR. Nr. 32.
Thern, Eduard, IR. Nr. 69.
Boldoghy, Aurel, IR. Nr. 69.
Mihu, Johann, IR. Nr. 64.
Rabatsch, Dionys, IR. Nr. 14.
Karatnicki, Modest, IR. Nr. 24.
Schnabel, Adolph, IR. Nr. 20.
Gross, Arthur, IR. Nr. 8.
Beneš, Johann, IR. Nr. 36.
Cioranu, Cornelius, IR. Nr. 31.
Stossak, Richard, IR. Nr. 54.
Kutschera, Robert, IR. Nr. 47.
Bellon, Alexander, IR. Nr. 67.
Waluszczyk, Stanislaus, IR. Nr. 56.
Wolgner, Leopold, IR. Nr. 28.
Spudil, Adalbert, IR. Nr. 21.
Wedan, Wilhelm, IR. Nr. 59.
Görlich, Joseph, IR. Nr. 27.
Reich, Paul, IR. Nr. 27.
Kopertinski, Johann, IR. Nr. 80.
Bozděch, Rudolph, IR. Nr. 6.
Rastawiecki, Johann, IR. Nr. 10.
Jaworski, Wladislaus v., IR. Nr. 41.
Stefanowski, Stanislaus, IR. Nr. 77.

Füssl, Carl, IR. Nr. 42.
Mayer, Rudolph, IR. Nr. 27.
Mayer, Franz, IR. Nr. 27.
Pollak, Heinrich, IR. Nr. 27.
Beschek, Robert, IR. Nr. 17.
Mohar, Johann, IR. Nr. 17.
Tavčar, Alois, IR. Nr. 17.
Kun, Daniel, IR. Nr. 44.
Semis, Isser, IR. Nr. 80.
Boziewicz, Marian, IR. Nr. 80.
Schiller v. Schildenfeld, Anton, IR. Nr. 10.
Czajkowski, Andreas, IR. Nr. 77.
Török, Franz v., IR. Nr. 25.
Mára, Akos, IR. Nr. 51.
Nendwich, Adolph, IR. Nr. 31.
Woyczieckowsky, Wilhelm, IR. Nr. 31.
Gulin, Nikolaus, IR. Nr. 10.
Gebhardt, Rudolph, IR. Nr. 11.
Fialka, Heinrich, IR. Nr. 74.
Wagner, Adolph, IR. Nr. 42.
Miškowsky, Franz, IR. Nr. 16.
Laštovka, Wenzel, IR. Nr. 11.
Wihla, Ferdinand, IR. Nr. 11.
Balogh, Stephan, IR. Nr. 65.
Rozłucki, Michael, IR. Nr. 55.
Kříž, Franz, IR. Nr. 8.
Pirc, Carl, IR. Nr. 47.
Csucs, Johann, IR. Nr. 64.
Benedix, Hugo, IR. Nr. 20.
Meinl, Anton, IR. Nr. 14.
Piposiu, Pompilius, IR. Nr. 62.
Gedeon, Eugen v., IR. Nr. 67.
Feigelstok, Edmund, IR. Nr. 76.
Žischka, Rudolph, IR. Nr. 14.
Domagalski, Ladislaus, IR. Nr. 43.
Hiegelsperger, Franz, IR. Nr. 14.
Kuhn, Johann, IR. Nr. 16.
Skwarczynski, Johann Ritt. v., IR. Nr. 58.
Kohmann, Alexander, IR. Nr. 45.
Godfrejów, Cajetan, IR. Nr. 45.
Bessaga, Wladimir, IR. Nr. 45.
Lazarus, Joseph, IR. Nr. 45.
Questl, Alfred Edl. v., IR. Nr. 4.
Glück, Samuel, IR. Nr. 50.
Borbath v. Szaldobos, Wilhelm, IR. Nr. 64.
Pop, Alexander, IR. Nr. 51.
Lähne, Maximilian, IR. Nr. 73.
Minnich, Joseph, IR. Nr. 27.
Peez, Carl, IR. Nr. 27.
Grohmann, Carl, IR. Nr. 74.
Roth, Andreas, IR. Nr. 69.
Weinhardt, Franz, IR. 46.
Pichler, Franz, IR. Nr. 59.
Petrovics, Coloman, IR. Nr. 25.
Sugár, Jakob, IR. Nr. 60.

Szentéleky, Julius v., IR Nr. 67.
Merschinsky, Carl, IR. Nr. 14.
Hornung, Carl, IR. Nr. 52.
Tarnawski, Alexander Ritt. v., IR. Nr. 24.
Sułkowski, Ladislaus, IR. Nr. 62.
Hufnagl, Leopold, IR. Nr. 49.
Frank, Georg, IR. Nr. 73.
Ehenheh, Carl, IR. Nr. 72.
Ullrich, Leopold, IR. Nr. 78.
Winogrodzki, Ladislaus, IR. Nr. 26.
Borholya, Michael, IR. Nr. 46.
Gielitowicz, Teophil, IR. Nr. 77.
Dankiewicz, Johann, IR. Nr. 9.
Kohn, David, IR. Nr 3.
Wendel, Arnold, IR. Nr. 31.
Predragovits, Christoph, IR Nr. 29.
Müller Wilhelm, IR. Nr. 47.
Soukup, Johann, IR. Nr. 11.
Rybiczka, Johann. IR. Nr. 21.
Urschütz, Anton, IR. Nr. 7.
Pospischil, Johann, IR. Nr. 26.
Diamant, Jgnaz, IR. Nr. 24.
Heller, Erwin, IR. Nr. 24.
Bartholomaeidesz, Julius, IR. Nr. 25.
Bodynski, Ludwig, IR. Nr. 55.
Rzeplinski, Ladislaus, IR. Nr. 24.
Naprstek, Carl, IR. Nr. 11.
Faith, Mathias, IR. Nr. 67.
Hiegelsperger, Mathias, IR. Nr. 14.
Kampani, Joseph, IR. Nr. 41.
Czechowski, Demeter, IR. Nr. 24.
Czeisberger, Johann, IR. Nr. 61.
Stoy, Georg, IR. Nr. 61.
Nagy, Elemér, IR. Nr 62.
Weiss, Joseph, IR. Nr. 50.
Lang, Julius, IR. Nr. 11.
Kossler, Franz, IR. Nr. 35.
Pekarek, Johann, IR. Nr. 8.
Peithner v. Lichtenfels, Carl Ritt., IR. Nr. 49.
Strauss, Adolph, IR. Nr. 8.
Jäger, Alois, IR. Nr. 21.
Ridler, Adolph, IR. Nr. 28.
Čech, Jaroslaus, IR. Nr. 75.
Lehner, Franz, IR. Nr 14.
Stadlmann, Vincenz, IR. Nr. 75.
Eisner, Ferdinand, IR. Nr. 75.
Fekete, Emerich, IR. Nr. 62.
Böszörményi de Hirip et Ivácsko, Joseph, IR. Nr. 5.
Pulpán, Franz, IR. Nr. 74.
Morstadt, Anton, IR. Nr. 11.
Pálka, Julius, IR. Nr. 72.
Stefanides, Anton, IR. Nr. 47.
Regal, Carl, IR. Nr. 25.
Ženíšek, Joseph, IR. Nr. 8.
Brandner, Vincenz, IR. Nr. 16.
Nowák, Ernst, IR. Nr. 29.
Müller, Christoph, IR. Nr. 74.
Stohr, Hermann, IR. Nr. 78.
Szczepański, Michael, IR. Nr. 2.
Bielinski de Pyszniak, Adalbert, IR. Nr. 6.
Puzyna, Joseph, IR. Nr. 72.
Tischler, Joseph, Nr. 46.
Strompf, Paul, IR. Nr. 62.
Urfus, Alfred, IR. Nr. 79.
Guber, Carl, IR. Nr. 70.
Hueber, Joseph, IR. Nr. 78.
Koteczek, Franz, IR. Nr. 3.
Ratiu, Teophil, IR. Nr. 2.
Rauch, Leohard, IR. Nr. 7.
Bächt, Richard, IR. Nr. 7.
Sangeorzanu, Basilius, IR. Nr. 43.
Steger, Carl, IR. Nr. 75.
Reuss, Carl, IR. Nr. 16.
Kopystinski, Thaddäus, IR. Nr. 2.
Prager, Alois, IR. Nr. 36.
Seidl, Johann, IR. Nr. 8.
Neiml, Ludwig, IR. Nr. 36.
Franz, Joseph, IR. Nr. 36.
Richter, Florian, IR. Nr. 70.
Wintoniak, Emil, IR. Nr. 8.
Felsztynski, Michael, IR. Nr. 6.
Tyblewicz, Victor, IR. Nr. 16.
Forejtek, Joseph, IR. Nr. 18.
Gaibel, Arnold, IR. Nr. 31.
Klein, Isidor, IR. Nr. 43
Gizba, Edmund, IR. Nr. 49.
Grodki, Anton, IR. Nr. 70.
Reisinger, Kasimir, IR. Nr. 8.
Gröbner, Anton, IR. Nr. 42.
Strobl, Alois, IR. Nr. 1.
Gorzó, Johann, IR. Nr. 65.
Reif, Franz, IR. Nr. 49.
Baldessari, Arthur, IR. Nr. 7.
Rettinger, Sigmund, IR. Nr. 31.
Herzog, Joseph, IR. Nr. 18.
Borza, Nikolaus, IR. Nr. 2.
Kawinek, Moriz, IR. Nr. 11.
Raymann, Ernst, IR. Nr. 11.
Maly, Joseph, IR. Nr. 47.
Skryja, Franz, IR. Nr. 54.
Storch, Joseph, IR. Nr. 42.
Vacek, Vincenz, IR. Nr. 18.
Šrogl, Carl, IR. Nr. 36.
Lagus, Ludwig, IR. Nr. 36.
Grosse, Johann, IR. Nr. 70.
Glaser, Arthur, IR. Nr. 36.
Tiron, Johann, IR. Nr. 41
Kraus, Heinrich, IR. Nr. 8.
Schmidt, Vincenz, IR. Nr. 36.

Kaufmann, Arthur, IR. Nr. 50.
Machnicki, Marian, IR. Nr. 78.
Wallaschek, Joseph, IR. Nr. 28.
Jankowský, Robert, IR. Nr. 16.
Lichtenstettiner, Carl, IR. Nr. 49.
Schnürch, Robert, IR. Nr. 6.
Wurm, Joseph, IR. Nr. 75.
Marschner, Johann, IR. Nr. 47.
Chalupsky, Gustav, IR. Nr. 36.
Schapka, Sylvester, IR. Nr. 15.
Dittrich, Carl, IR. Nr. 73.
Braf, Victor, IR. Nr. 73.
Ilewicz, Julian, IR. Nr. 32.
Zahalka, Franz, IR. Nr. 43.
Sawczyn, Demetrius, IR. Nr. 62.
Spens v. Booden, Emil Freih., IR. Nr. 79.
Bumballa, Joseph Dr., IR. Nr. 1.
Zickler, Alexander, IR. Nr. 6.
Wagner, Arnold, IR. Nr. 57.
Dąbrowski, Ladislaus, IR. Nr. 55.
Kohout, Johann, IR. Nr. 75.
Sperk, Joseph, IR. Nr. 36.
Beer, Camillo v., IR. Nr. 70.
Neumann, Carl, IR. Nr. 79.
Peržina, Joseph, IR. Nr. 74.
Roth, Victor, IR. Nr. 61.
Karela, Joseph, IR. Nr. 21.
Landsmann, Gottfried, IR. Nr. 16.
Anermüller, Adolph, IR. Nr. 43.

In der Jäger-Truppe.

Die Reserve-Cadeten:

Reittinger, Johann, FJB. Nr. 26.
Povinelli, Carl, Tiroler Jäg.-Reg.
Hohenauer, Joseph, des Tiroler Jäg.-Reg., beim FJB. Nr. 11.
Kutschner, Franz, FJB. Nr. 25.
Grabscheid, Leo, FJB. Nr. 4.

Die Einjährig-Freiwilligen und Reserve-Unterofficiere:

Braun, Moriz, FJB. Nr. 3.
Jenewein, Heinrich, Tiroler Jäg.-Reg.
Kaleczynski, Johann, FJB. Nr. 16.
Herrmann, Joseph, FJB. Nr. 22.
Mondl, Rudolph, FJB. Nr. 3.
Konert, Daniel, FJB. Nr. 28.
Ehmig, Hugo, FJB. Nr. 6.
Oszvald, Julius, FJB. Nr. 5.
Kasper, Johann, FJB. Nr. 23.
Neumann, Samuel, FJB. Nr. 5.
Vonbun, Robert, Tiroler Jäg.-Reg.
Becker, Otto, FJB. Nr. 31.
Glaser, Wilhelm, Tiroler Jäg.-Reg.
Lukács, Johann, FJB. Nr. 5.
Ci[illegible]lar, Georg, FJB. Nr. 5.
Blau, He[illegible]ich, FJB. Nr. 3.
Fiedler, Pau[illegible] FJB. Nr. 17.
Berlicz v. Str[illegible]ski, Joseph, FJB. Nr. 16.
Kugler, Alphon[illegible] Tiroler Jäg.-Reg.
Posch, Anton Ed[illegible], Tiroler Jäg.-Reg.
Schmidt, Joseph, [illegible] Nr. 13.
Kraus, Bernhard, [illegible] Nr. 6.
Ott, Theodor, FJB. [illegible]
Kerl, Carl, Tiroler J[illegible]
Degiovanni, Demeter, [illegible] Jäg.-Reg.
Barchetti, Rudolph Ritt. v., Tiroler Jäg.-Reg.
Kasperowsky, Franz, Tiroler Jäg.-Reg.
Glassner, Emil, FJB. Nr. 11.
Gamroth, Carl, FJB. Nr. 17.
Schönauer, Franz, FJB. Nr. 22.
Consolati, Philipp Gf., Tiroler Jäg.-Reg.
Polach, Eduard, FJB. Nr. 2.
Luxardo, Michael, FJB. Nr. 26.
Jülg, Hans, Tiroler Jäg.-Reg.
Nossek, Sigmund, FJB. Nr. 2.
Raschka, Friedrich, FJB. Nr. 17.
Bogner, Joseph, Tiroler Jäg.-Reg.
Jentsch, Julius, FJB. Nr. 14.
Vogel, August, FJB. Nr. 14.
Strižeck, Carl, FJB. Nr. 14.
Schwemmberger, Johann, Tiroler Jäg.-Reg.
Schalberg, Cölestin v., Tiroler Jäg.-Reg.
Kaindl, Franz, FJB. Nr. 26.
Kiesswetter, Ferdinand, FJB. Nr. 26.
Seedorf, Alois Ritt. v., FJB. Nr. 15.
Ludwig, Albin, FJB. Nr. 26.
Vinatzer, Johann, Tiroler Jäg.-Reg.
Scherer, Alois, Tiroler Jäg.-Reg.
Horak, Richard, FJB. Nr. 6.
Schmidt, Alexander, FJB. Nr. 10.
Hořejši, Wladimir, FJB. Nr. 14.
Reinöhl, Wilhelm v., FJB. Nr. 24.
Mayerhofer, Franz, FJB. Nr. 24.
Benesch, Joseph, FJB. Nr. 24.
Presser, Maximilian, FJB. Nr. 24.
Mick, Joseph, FJB. Nr. 31.
Baumann, Richard, FJB. Nr. 31.
Menzel, Anton, FJB. Nr. 31.
Schneider, Philipp, FJB. Nr. 31.
Trčka, Heinrich, FJB. Nr. 31.
Krötzner, Theodor, FJB. Nr. 24.

(Gedruckt am 27. Dec[illegible]8).

In der Cavallerie.

Die Einjährig-Freiwilligen und Reserve-Unterofficiere:

Starzeński, Leonhard Gf., Uhl.-Reg. Nr. 8.
Sokoll Edl. v. Reno, Ferdinand, Uhl.-Reg. Nr. 3.
Dietrichstein zu Nikolsburg, Gf. Mennsdorf-Pouilly, Hugo Fürst v., Drag.-Reg. Nr. 6.
Bethlen, Valentin Gf., Husz.-Reg. Nr. 13.
Siedek, Richard, Drag.-Reg. Nr. 6.
Ofenheim v. Ponteuxin, Adolph Ritt., Drag.-Reg. Nr. 2.
Wolf, Camillo, Husz-Reg. Nr. 4.
Hurter-Amann, Joseph v., Drag.-Reg. Nr. 6.
Steinbach v. Hidegkut, Victor, Husz.-Reg.-Nr. 13.
Bissingen-Nippenburg, Alois Gf., Drag.-Reg. Nr. 2.
Böck, Ernst, Drag.-Reg. Nr. 3.
Conrath, Victor, Drag.-Reg. Nr. 2.
Jelinek, Anton, Drag.-Reg. Nr. 8.
Romer de Hyszów, Uhl.-Reg. Nr. 8.
Vertessy v. Vertesalja, Géza, Husz.-Reg. Nr. 8.
Demel v. Elswehr, Harold Ritt., Uhl.-Reg. Nr. 1.
Molcsány, Béla, Husz.-Reg. Nr. 2.
Wittinghoff-Schell, Max Freih. v., Drag.-Reg. Nr. 6.
Elssler, Hermann, Uhl.-Reg. Nr. 6.
Haschek, Heinrich, Uhl.-Reg. Nr. 11.
Pawlowski v. Pawlow und Jaroslaw, Alexander Ritt., Drag.-Reg. Nr. 9.
Marschall, Ernst Gf., Drag.-Reg. Nr. 8.
Wlodek v. Šulim, Boleslaus Ritt., Uhl.-Reg. Nr. 8.
Matskásy, Stephan, Husz-Reg. Nr. 2.
Gablenz, Dionys, Freih. v., Drag.-Reg. Nr. 4.
Sturm, Alexander, Husz-Reg. Nr. 15.
Romano v. Ringe, Heinrich Ritt., Drag.-Reg. Nr. 4.
Huber, Rudolph, Drag.-Reg. Nr. 6.
Lebowski, Stanislaus Ritt. v., Drag.-Reg. Nr. 11.
Döll, Johann, Uhl.-Reg. Nr. 3.
Tredl, Robert, Drag.-Reg. Nr. 7.
Macchio, Carl Freih. v., Drag.-Reg. Nr. 5.
Maurer, Franz, Drag.-Reg. Nr. 7.
Szentkereszty, Paul Freih. v. Husz-Reg. Nr. 2.
Bogdán, Arthur v., Husz.-Reg. Nr. 3.
Horniczek, Heinrich, Husz.-Reg. Nr. 4.
Bylandt-Rheidt, Arthur Gf., Uhl.-Reg. Nr. 2.
Rungg, Adolph v., Drag.-Reg. Nr. 4.
Apfaltrern, Otto Freih. v., Drag.-Nr. 2.
Stöhr, Adolph, Drag.-Reg. Nr. 9.
Vitáček, Joseph, Drag.-Reg. Nr. 10.
Malovetz v. Malovitz und Kosoř, Ottokar Freih., Drag.-Reg. Nr. 13.
Kossak, Adalbert Ritt. v., Drag.-Reg. Nr. 11.
Wirth, Eduard, Uhl.-Reg. Nr 5.
Adler, Samuel, Husz.-Reg. Nr. 13.
Fischer, Carl v., Husz.-Reg. Nr. 11.
Pottyondy, Géza v., Husz.-Reg. Nr. 13.
Köster, Ernst, Drag.-Reg. Nr. 3.
Tieffenthaller, Joseph, Drag.-Reg. Nr. 4.
Lerch, Leo, Husz.-Reg. Nr. 5.
Swoboda, Carl, Drag.-Reg. Nr. 10.
Steiner, Prokop, Drag.-Reg. Nr. 9.

In der Artillerie.

Die Reserve-Cadeten:

Wehr, Johann, Art.-Reg. Nr. 12.
Lenarčič, Andreas, Art.-Reg. Nr. 12.
Šusteršitz, Johann, Art.-Reg. Nr. 12.
Jermann, Max, Art.-Reg. Nr. 12.
Poppa, Alois, Art.-Reg. Nr. 2.

Die Einjährig-Freiwilligen und Reserve-Unterofficiere.

Zetter, Georg, Art.-Reg. Nr. 1.
Dormus, Anton Ritt. v., Art.-Reg. Nr. 11.
Czeisberger, Heinrich, FAB. Nr. 1.
Habich, Anton, Art.-Reg. Nr. 1.
Krátky, Johann, Art.-Reg. Nr. 5.
Prilisauer, Maximilian, FAB. Nr. 12.
Hoffmann, Leopold, Art.-R[illegible] Nr. 3.
Artaria, Carl, Art.-Reg. [illegible] 11.
Garlik v. Osoppo, G[illegible] Ritt., Art.-Reg. Nr. 7.
[illegible] v., Nr. 11.
Kissling, Claudius [illegible] v., Art.-Reg. Nr. 11.
Dormus, Friedric[illegible]eg. Nr. 6.
Muck, Joseph, [illegible]. Nr. 11.
Truden, Ant[illegible]Art.-Reg. Nr. 5.
Barcza, Al[illegible]

Rudzinsky v. Rudno, Oskar, Art.-Reg. Nr. 6.
Wolfschütz, Joseph, Art.-Reg. Nr. 7.
Cieslar, Adolph, Art.-Reg. Nr. 9.
Pfaff, Hermann, Art.-Reg.Nr. 1.
Pollak, Julius, Art.-Reg. Nr. 1.
Tahy v. Tahvár, Joseph,Art.-Reg. Nr. 3.
Schmid, Adolph, Art.-Reg. Nr. 7.
Riedl, Theodor, FAB. Nr. 7.
Kammermayer, Johann, Art.-Reg. Nr. 5.
Deréky, Julius, Art.-Reg. Nr. 8.
Mayering, Eugen, FAB. Nr. 1.
Weidmann, Sigmund, Art.-Reg. Nr. 8.
Siebert, Leo, FAB. Nr. 6.
Lendeke, Hugo, Art.-Reg. Nr. 1.
Hegedüs, Coloman v.,FAB. Nr. 5.
Hirsch, Stephan, Art.-Reg. Nr. 5.
Kresmárik, Johann, Art.-Reg. Nr. 13.
Kirschner, Carl, Art.-Reg. Nr. 1.
Langer, Franz, Art.-Reg. Nr. 4.
Müller, Adolph, Art.-Reg. Nr. 6.
Kern, Carl, Art.-Reg. Nr. 2.
Diegel, Heinrich, Art.-Reg. Nr. 11.
Eisenhut, Heinrich, Art.-Reg. Nr. 4.
Ledrer, Emil, Art.-Reg. Nr. 4.
Aich, Johann, FAB. Nr. 5.
Ullrich, Joseph, Art.-Reg. Nr. 11.
Lauffer, Alfred, Art.-Reg. Nr. 7.
Schulz, Franz, FAB. Nr. 4.
Rothhart, Otto, Art.-Reg. Nr. 6.
Gstirner, Guido, Art.-Reg. Nr. 6.
Janetschek, Franz, Art.-Reg. Nr. 1.
Scheithauer, Franz, Art -Reg. Nr. 3.
Godzielinski, Severin, Art.-Reg. Nr. 9.
Offermann, Erich, Art.-Reg. Nr. 7.
Lamberger, Alexander, Art.-Reg. Nr. 11.
Kalmann, Wilhelm, FAB. Nr. 3.
Stoll, Vincenz, Art.-Reg. Nr. 3,
Dobiasch, Joseph, Art.-Reg. Nr. 3.
Weeber, Eduard, Art.-Reg. Nr. 13.
[illegible]iesz, Eugen, FAB. Nr. 9.
Jo[illegible]ung, Adalbert, Art-Reg. Nr. 13.
Platz, Johann, Art.-Reg. Nr. 5.
Peterm[illegible]eph Gf., FAB. Nr. 12.
Nr. 7. v. Greifensee, Géza, Art.-Reg.
Aschner, A.
Baltz v. Balz[illegible] Art.-Reg. Nr. 11.
Pollak, Rudolph Hugo, Art.-Reg. Nr. 7.
Wilhelm, Franz, [illegible]-Reg. Nr. 7.
Wennig, Emil, Art.-Reg. Nr. 6.
Hoffmann, Johann, A[illegible] Nr. 6.
Petz, Samuel, Art.-Reg. Nr. 13.

Sauer, Friedrich, Art.-Reg. Nr. 3.
Winter, Leo, Art.-Reg. Nr. 10.
König, Friedrich, Art.-Reg. Nr. 10.
Strohal, Rudolph, Art.-Reg. Nr. 2.
Sonnewend, Alois, FAB. Nr. 2.
Kreimel, Arthur, Art.-Reg. Nr. 2.
Bertl recte Freyer, Heinrich, Art.-Reg.Nr. 10.
Wischniowsky, Joseph, FAB. Nr. 8.
Casati, Alfred v., Art.-Reg. Nr. 1.
Latzel, Joseph, Art.-Reg. Nr. 2.
Auer-Welsbach, Carl Ritt. v., FAB. Nr. 9.
Topolanski, Ferdinand, Art.-Reg. Nr. 8.
Matzenauer, Robert, Art.-Reg. Nr. 8.
Kliment, Joseph, Art.-Reg. Nr. 5.
Baross, Justin, Art.-Reg. Nr. 3.
Jelinek, Carl, Art.-Reg. Nr. 4.
Pogačar, Alois, Art.-Reg. Nr. 10.
Gottwald, Ernst, Art.-Reg. Nr. 2.
Höhn, Carl, Art.-Reg. Nr. 6.
Opočensky, Victor, Art.-Reg. Nr. 9.
Lenk, Edgar, Art.-Reg. Nr. 6.
Tanzer, Joseph, Art.-Reg. Nr. 4.
Klopf, Moriz, Art.-Reg. Nr. 7.
Eisl, Alfred, Art.-Reg. Nr. 13.
Lipčik, August, Art.-Reg. Nr. 9.
Grohmann, Johann Art.-Reg. Nr. 2.
Kronvogel, Joseph, Art.-Reg. Nr. 13.
Pilecki, Marcell Ritt. v. Art.-Reg. Nr. 9.
Wilhelm, Eduard, Art.-Reg. Nr. 8.
Mucek, Carl, Art.-Reg. Nr. 4.
Avedig, Oskar, Art.-Reg. Nr. 10.
Pabst, Béla, Art.-Reg. Nr. 8.
Csomóssy, Alexander, FAB. Nr. 5.
Lüdecke, Hugo, Art.-Reg. Nr. 8.
Kaler Edl. v. Lanzenheim, Emerich, Art.-Reg. Nr. 13.
Stritzl, Carl, Art.-Reg. Nr. 10.
Bartes, Anton, FAB. Nr. 10.
Kessler, Franz, Art.-Reg. Nr. 8.
Pusswald, Alfred Ritt. v., Art.-Reg. Nr. 10.
Harlass, Veit, Art.-Reg. Nr. 8.
Czerny, Ernst, Art.-Reg. Nr. 10.
Postler, Joseph, FAB. Nr. 8.
Sumper, Adolph, Art.-Reg. Nr. 9.
Heinrich, Adolph, Art.-Reg. Nr. 4.
Reischl, Joseph, Art.-Reg. Nr. 3.
Kovács, Ludwig, Art.-Reg. Nr. 13.
Streeruwitz, Johann Ritt. v., Art.-Reg. Nr. 4.
Szydłowski, Thaddäus Ritt. v., Art.-Reg. Nr. 9.
Askoli, Oskar, FAB. Nr. 11.

In der Genie-Waffe.

Die Reserve-Cadeten:

Schramm, Roman, Genie-Reg. Nr. 1.
Soós, Eugen, Genie-Reg. Nr. 2.
Csonka, Paul, Genie-Reg. Nr. 2.
Szcykora, Robert, Genie-Reg. Nr. 2.
Udránszky, Joseph, Genie-Reg. Nr. 2.

Die Einjährig-Freiwilligen und Reserve-Unterofficiere:

Wimmer, Joseph, Genie-Reg. Nr. 2.
Hönigsmann, Clemens, Genie-Reg. Nr. 2.
Glewiczky, Alexander, Genie-Reg. Nr. 2.
Gross, Albert, Genie-Reg. Nr. 2.
Gerdenić, Carl, Genie-Reg. Nr. 2.
Bolberitz, Oskar Ritt. v., Genie-Reg. Nr. 2.
Adriányi, Géza, Genie-Reg. Nr. 2.
Janceo, Eugen, Genie-Reg. Nr. 2.
Turczer, Emerich, Genie-Reg. Nr. 2.
Gattinger, Alois, Genie-Reg. Nr. 1.
Flachner, Emerich, Genie-Reg. Nr. 2.
Szekely, Julius, Genie-Reg. Nr. 2.
Frenzel, Carl, Genie-Reg. Nr. 1.
Naprawnik, Hugo, Genie-Reg. Nr. 1.
Schäffer, Wilhelm, Genie-Reg. Nr. 2.

Im Pionnier-Regimente.

Die Reserve-Cadeten:

Kajaba, Julius.
Kanczucki, Sigmund.

Die Einjährig-Freiwilligen und Reserve-Unterofficiere:

Huber, Wilhelm.
Weidinger, Theodor.
Krenn, Franz.

In der Sanitäts-Truppe.

Der Reserve-Cadet:

Schmeisser, Wenzel.

Die Einjährig-Freiwilligen und Reserve-Unterofficiere:

Gottwald, Franz.
Burian, Anton.
Krejči, Franz.
Messinger, Alfred.
Soukup, Joseph.
Toma, Rudolph.
Rippl, Friedrich.
Folkner, Anton.
Zika, Joseph.
Krich, Emerich.
Kozlak, Ladislaus.

Im Militär-Fuhrwesens-Corps.

Die Einjährig-Freiwilligen und Reserve-Unterofficiere:

Zimmermann, Emanuel.
Nossek, Emanuel.
Schmidt, Anton.
Frauneder, Johann.
Sima, Johann.
Ornstein, Carl.
Schuck, Franz.
Töpfer, Bernhard.
Branžowsky, Richard.
Moučka, Adolph.
Walldorf, Gustav.
Pauli, Joseph.
Schuster, Maximilian.
Bellazi, Franz.
Rasp, Johann.
Pasching, Joseph.
Höll, Julius.
Wanka, Anton.
Libal, Guido.
Parušek, Wenz.
Tobolař,

Zu **Reserve-Cadeten** (mit dem Range vom 1. November 1878).

Die Einjährig-Freiwilligen und Reserve-Unterofficiere:

In der Infanterie.

Moser, Otto v., IR. Nr. 7.
Krema, Franz, IR. Nr. 57.
Pink, Johann, IR. Nr. 4.
Pietsch, Anton, IR. Nr. 42.
Patka, Johann, IR. Nr. 3.
Coufall, Thomas, IR. Nr. 8.
Dalf, Marcus, IR. Nr. 41.
Löbel, Anton, IR. Nr. 11.
Zeisberger, Carl, IR. Nr. 1.
Peek, Albert, IR. Nr. 52.
Dorundiak, Michael, IR. Nr. 24.
Schreinzer, Carl, IR. Nr. 13.
Záborsky, Emerich v., IR. Nr. 66.
Baran, Edmund, IR. Nr. 3.
Podlaszecki, Leo, IR. Nr. 10.
Mazer, Hersch, IR. Nr. 30.
Walter, Adolph, IR. Nr. 1.
Kmicikiewicz, Julian, IR. Nr. 10.
Smodej, Joseph, IR. Nr. 47.
Pilat, Vincenz, IR. Nr. 28.
Jasrowski, Blasius, IR. Nr. 55.
Lewi, Joseph, IR. Nr. 51.
Mikulik, Joseph, IR. Nr. 3.
Maletschek, Rudolph, IR. Nr. 72.
Bieber, Vincenz, IR. Nr. 36.
Csoma, Stephan, IR. Nr. 39.
Steffek, Gustav, IR. Nr. 4.
Urbassek, Carl, IR. Nr. 1.
Heske, Johann, IR. Nr. 1.
Friedrich, Franz, IR. Nr. 21.
Kubicek, Ottokar, IR. Nr. 42.
Ludwig, Anton, IR. Nr. 42.
Borcza, Georg, IR. Nr. 41.
Kraus, Joseph, IR. Nr. 35.
Schönhöfer, Peter, IR. Nr. 36.
Selner, Joseph, IR. Nr. 36.
Schwartz, Ludwig, IR. Nr. 66.
Kartner, Franz, IR. Nr. 25.
Hanusch, Jaromir, IR. Nr. 28.
Kawalewski, Lorenz, IR. Nr 41.
Melnitzky, Julius, IR. Nr. 18.
Tomaszewski, Joachim, IR. Nr. 31.
Blaustein, Leo, IR. Nr. 80.
Faix, Carl, IR. Nr. 66.
Boncza v. Pokrzywnicki, Zenon Ritt., IR. Nr. 15.
Brecska, Johann, IR. Nr. 66.
Homolacz, Julius, IR. Nr. 56.
Fischer, Alexander, IR. Nr. 42.
Maly, Johann, IR. Nr. 18.
Müller, Anton, IR. Nr. 11.
Dědek, Joseph, IR. Nr. 18.
Panek, Ludwig, IR. Nr. 1.
Popelka, Benjamin, IR. Nr. 8.

In der Jäger-Truppe.

Vyda, Ladislaus v., FJB. Nr. 24.
Keller, Anton, Tiroler Jäg.-Reg.
Hezzer, Joseph, FJB. Nr. 13.
Katsitska, Julius, FJB. Nr. 31.
Javorik, Johann, FJB. Nr. 31.
Flora, Gottfried, Tiroler Jäg.-Reg.
Wotruba, Franz, FJB. Nr. 13.
Stěpanek, Franz, FJB. Nr. 24.
Chmelik, Ferdinand, FJB. Nr. 6.

In der Cavallerie.

Zá[illegible]er de Al-Csernaton, Dominik, Husz.-Re[illegible] Nr. 2.
Barczay v. Barcza, Stephan, Husz.-Reg. Nr. 13.
Taxis, Hans Gf., Drag.-Reg. Nr. 4.

In der Artillerie.

Hordlička, Em[illegible]
Sziklay, Arthur, Art.-Reg. Nr. 1.
Lauczizky, Joseph, [illegible]Reg. Nr. 5.
Lusk, Johann, Art.-[illegible]. Nr. 7.
Strńner, Eugen, Art.-[illegible]r. 1.
[illegible] Nr. 3.
Huber, Eduard, Art.-Reg. Nr. 6.
Kowalczuk, Michael, Art.-Reg. Nr. 9.
Papaček, Franz, Art.-Reg. Nr. 4.
Korotwička, Carl, Art.-Reg. Nr. 4.
Kindinger, Victor, Art.-Reg. 6.

[illegible]n Pionnier-Regimente.

Langthaler, Carl.
Gallois, Moriz v.
Eichhorn, Franz.

In der Sanitäts-Truppe.

Wippler, Carl.
Demuth, Theobald.
Gramatovicz, Basil.

Im Militär-Fuhrwesens-Corps.

Haller, Max.
Hamperl, Franz.
Jonas, Johann.
Straybl, Vincenz.
Dunovsky, Franz.

Zu Cadet-Officiers-Stellvertretern:

Die Cadeten:

Schuster, Joseph, Alviau, Johann, Noë, Engelbert, Moritz, Emil } des IR. Nr. 52.
Tobel, Johann, Simić, Paul } des IR. Nr. 71.
Žalac, Anton, Guerard, Gustav } des IR. Nr. 71.
Martiner, Anton, Gumer v. Engelsburg, Eugen } des Tiroler Jäg.-Reg.
Rödling Franz, des FJB. Nr. 27.

Zum Militär-Caplan 2. Classe:

Szász, Carl, Weltpriester der Diöcese Stuhlweissenburg, mit der Eintheilung in den Mil.-Seelsorge-Bezirk Graz.

Zum Auditoriats-Practicanten:

Divišek, Ferdinand.

Verliehen wurde:

Dem Feldmarschall-Lieutenant:

Pessić v. Koschnadol, Maximilian, des Ruhestandes, der Ritterstand.

Dem Obersten:

Knöpfler, Alois, des Tiroler Jäg.-Reg., der Adelstand mit dem Ehrenworte „Edler."

Dem Major:

Ptaczek, Anton, des IR. Nr. 11, der Adelstand mit dem Ehrenworte „Edler" [illegible]nd dem Prädicate „Pirkstein".

Uebersetzt wurden:

Der Hauptmann 1. Classe:

Krzepinski, Wenzel, vom FJB. Nr. 16, zum FJB. Nr. 30.

Der Hauptmann 2. Classe:

Schmidt, Emil, vom FJB. Nr. 30, zum FJB. Nr. 16.

Die Regim[illegible]erzte 1. Classe:

Szalay, Alois [illegible] vom IR. Nr. 10, zur Inf.-Div.-[illegible]nstalt Nr. 7.
Spanyol, [illegible] Dr., vom GSp. Nr. 9 zu IR. Nr. 79.
Nag[illegible] Triest, Dr., von der Inf.-Div.-San.-Nr. 7, zum GSp. Nr. 9 zu Triest.

Bayer, Wilhelm, Dr., vom IR. Nr. 47, zum IR. Nr. 66.
Jeglinger, Joseph, Dr., vom Feld-Spitale Nr. IX, zum IR. Nr. 14.

Die Regiments-Aerzte 2. Classe:

Linardić, Dominik, Dr., vom Feld-Spitale Nr. IX, zum IR. Nr. 79 (ü. c), mit der Bestimmung für das Truppen-Spital zu Otočac.
Zucker, Joseph, Dr., vom Drag.-Reg. Nr. 10, zum IR. Nr. 10.
Färber, Salomon, Dr., vom IR. Nr. 16, zum Feld-Spitale Nr. XXXVI.
Illichmann, Emil, Dr., vom Drag.-Reg. Nr. 9, zum IR. Nr. 77.

Die Oberärzte:

Ungar, Dagobert, Dr., vom Drag.-Reg. Nr. 11. zum Husz.-Reg. Nr. 15.
Kowalski, Heinrich, Dr., vom IR. Nr. 41, zum IR. Nr. 18.
Janku, Franz, Dr., vom IR. Nr. 32, zum Drag.-Reg. Nr. 10.

Die Lieutenant-Rechnungsführer:

Brukner, Ignaz, vom IR. Nr. 69, zum IR. Nr. 78.
Pilpel, Sigmund, vom IR. Nr. 78, zum IR. Nr. 19.

In die nicht aktive k. k. Landwehr wurden übersetzt:

Die Oberlieutenants in der Reserve:

Konkal, Franz.
Hoffmann, Joseph.
Nikisch, Victor.

Die Lieutenants in der Reserve:

Mahr, Franz.
Taubenkorb, Julius.
Alle Fünf des IR. Nr. 48.

Mit Wartegebühr wurde beurlaubt:

Der Linienschiffs-Lieutenant 1. Classe:

Engelmann, Moriz.

Sterbefälle:

Czerwenka, Heinrich, Hptm. 1. Cl. des IR. Nr. 41.
Fritz, Julius, Hptm. 1. Cl. des IR. Nr. 60, vom Stande des Kriegs-Archives.
Weghaupt, Johann, Lieut. in der Reserve des FJB. Nr. 11.

Lightning Source UK Ltd.
Milton Keynes UK
UKHW031315271218
334537UK00006B/158/P

9 780428 558109